ENGELS WOORDENBOEK

WOLTERS' WOORDENBOEKEN

NIEUWE TALEN

M. J. KOENEN, *Verklarend handwoordenboek der Nederlandse taal*

C. R. C. HERCKENRATH, *Frans woordenboek*
I. Frans-Nederlands
II. Nederlands-Frans

I. VAN GELDEREN, *Duits woordenboek*
I. Duits-Nederlands
II. Nederlands-Duits

K. TEN BRUGGENCATE, *Engels woordenboek*
I. Engels-Nederlands
II. Nederlands-Engels

OUDE TALEN

DR. FRED. MULLER en DR. E. H. RENKEMA, *Beknopt Latijns-Nederlands woordenboek*

DR. FRED. MULLER en DR. J. H. THIEL, *Beknopt Grieks-Nederlands woordenboek*

NEDERLANDS–ENGELS

K. TEN BRUGGENCATE

ENGELS WOORDENBOEK

ACHTTIENDE DRUK

BEWERKT DOOR

Prof. Dr. J. GERRITSEN

EN

Prof. N. E. OSSELTON, M.A.

MET MEDEWERKING VAN

Prof. Dr. R. W. ZANDVOORT

II

WOLTERS-NOORDHOFF GRONINGEN

De voorgaande drukken van het woordenboek Nederlands-Engels
werden verzorgd door:

K. TEN BRUGGENCATE	eerste	druk (1896)
	tweede	druk (1899)
	derde	druk (1904)
L. VAN DER WAL	vierde	druk (1908)
	vijfde	druk (1910)
	zesde	druk (1913)
	zevende	druk (1916)
K. TEN BRUGGENCATE	achtste	druk (1919)
	negende	druk (1921)
A. BROERS	tiende	druk (1927)
	elfde	druk (1930)
	twaalfde	druk (1934)
	dertiende	druk (1940)
P. J. H. O. SCHUT en PROF. DR. R. W. ZANDVOORT	veertiende	druk (1951)
PROF. DR. R. W. ZANDVOORT	vijftiende	druk (1959)
PROF. DR. R. W. ZANDVOORT en DR. J. GERRITSEN	zestiende	druk (1963)
	zeventiende	druk (1971)

Vierde oplage van de achttiende druk (1980)

ISBN 90 01 96819 8

BIJ DE ZEVENTIENDE DRUK

Opnieuw hebben wij er, in samenwerking met Professor N. E. Osselton (thans hoogleraar aan de Rijksuniversiteit te Leiden) naar gestreefd het woordenboek 'bij de tijd' te houden. Van degenen die ons door hun bijdragen en opmerkingen hierbij hebben geholpen noemen wij in dank Dr. F. G. A. M. Aarts (Nijmegen), mej. Drs. J. L. Baning (Groningen), R. W. de Bouter (Schiphol), Fr. Petrus Nolascus Broeders (Tilburg), A. Dirks (Den Haag), J. Jonkers (Eindhoven), J. H. Molijn (Heemstede), A. Stutterheim (Linthicum, Md., U.S.A.), H. van der Ven (Den Haag). Wij blijven 'Ten Bruggencate' in hun actieve belangstelling en die van andere gebruikers aanbevelen.

Amersfoort
——————— maart 1971
Groningen

R. W. ZANDVOORT
J. GERRITSEN

BIJ DE ACHTTIENDE DRUK

De bewerking van het tweede deel sluit geheel aan bij die van het eerste. Wij zijn erkentelijk dat wij ook voor dit deel van vele gebruikers opmerkingen en bijdragen mochten ontvangen. In het bijzonder moeten wij noemen mej. Drs. J. L. Baning (Groningen), Mr. P. Sarolea en mevr. Drs. A. Sarolea-van Nassau (Voorburg), de heren R. W. de Bouter (Schiphol), Drs. R. Bremer (Thesinge), Fr. Petrus Nolascus Broeders (Tilburg), J. G. Gräper (Borgercompagnie), A. M. Hobbel (Poole), J. J. F. Jonkers (Eindhoven), Drs. J. Posthumus (Roden), Drs. N. J. Robat (Haren, Gr.), H. van der Ven ('s-Gravenhage), en, wel zeer in het bijzonder, Drs. J. A. A. Spiekerman ('s-Gravenhage). Ook voor de toekomst houden wij ons graag voor hun en anderer medewerking aanbevolen.

Groningen
——————— oktober 1977
Leiden

J. GERRITSEN
N. E. OSSELTON

AFKORTINGEN

aanw. vnw.	aanwijzend voornaamw.	*germ.*	germanisme
aardr.	aardrijkskunde	*gew.*	gewoonlijk
afk.	afkorting	*godsd.*	godsdienst
Afr.	Afrika(ans)	*gramm.*	grammatica
alg.	algebra	*hand.*	handel
algem.	algemeen	*her.*	heraldiek
Am.	Amerika(ans)	*hist.*	historisch
anat.	anatomie	*id.*	idem, gelijk woord of gelijke uit-
Angl.	Anglikaans		drukking
angl.	anglicisme	*iem(s).*	iemand(s)
a p.	a person	*Ind.*	Indonesië, Indonesisch,
Arab.	Arabisch		O.-Indië, Oostindisch, Maleis
archeol.	archeologie	*intr.*	intransitief
astron.	astronomie	*inz.*	inzonderheid
attr.	attributief	*Ir.*	Iers, Anglo-Iers
Austr.	Australisch	*iron.*	ironisch
bet.	betekent, betekenis(sen)	*Ital.*	Italiaans, Italië
betr. vnw.	betrekk. voornaamw.	*jag.*	jagersterm
bijb.	bijbel	*jur.*	rechtsterm
bijv.	bijvoorbeeld	*kol.*	koloniën
biol.	biologie	*Lat.*	Latijn(s)
bk.	bouwkunde, architectuur	*lett.*	letterlijk
bkh.	boekhouden	*lit.*	literair
bn.	bijvoeglijk naamwoord	*luchtv.*	luchtvaart
Br. I.	(voormalig) Brits Indië	*mar.*	zee-, scheepsterm, zeemanstaal
bw.	bijwoord	*mech.*	mechanica
ca.	circa, ongeveer, omstreeks	*med.*	medisch
chem.	chemie, scheikunde	*meetk.*	meetkunde
chir.	chirurgie	*mil.*	militair
concr.	concreet	*min.*	minachtend
dial.	gewestelijk, dialectisch	*muz.*	muziek
dicht.	dichterlijk, dichtkunde	*mv.*	meervoud
dierk.	dierkunde, zoölogie	*myth.*	mythologie
e.d.	en dergelijke	*N.*	noord(en), noordelijk
eig.	eigenlijk(e betekenis)	*nat.*	natuurkunde
elektr.	elektriciteit, elektronica	*Ned.*	Nederland(s)
Eng.	Engels, Engeland	*O.*	oost(en), oostelijk
enz.	enzovoort	*o. dw.*	onvolt. deelwoord
ev.	enkelvoud	*onbep.(w.)*	onbepaald(e wijs)
fam.	familiaar, gemeenzaam	*ong.*	ongunstig
farm.	farmacie	*ongebr.*	ongebruikelijk
fig.	figuurlijk	*ongev.*	ongeveer
fil.	filosofie	*o.s.*	oneself
fon.	fonetiek	*o.t.t.*	onvolt. teg. tijd
fot.	fotografie	*o.v.t.*	onvolt. verl. tijd
Fr.	Frans, Frankrijk	*Parl.*	Parlement
fys.	fysiologie	*pers.*	persoon
geol.	geologie	*plantk.*	plantkunde

pol.	politiek	*tw.*	tussenwerpsel
Port.	Portugees, Portugal	*typ.*	typografie
pred.	predikatief	*univ.*	universiteit
psych.	psychologie	*v. dw.*	voltooid deelwoord
r.-k.	rooms-katholiek	*vero.*	verouderd, ouderwets
Rus.	Russisch, Rusland	*vgl.*	vergelijk
sam.	samenstelling	*vlg.*	volgende
Sc.	Schots	*vnw.*	voornaamwoord
scherts.	schertsend	*volkst.*	volkstaal, vulgair,
sl.	'slang'		omgangstaal, populair
sp.	sport en spel	*vrag. vnw.*	vragend voornaamwoord
Sp.	Spaans, Spanje	*vw.*	voegwoord
s.t.	something	*vz.*	voorzetsel
stud.	studententaal	*W.*	west(en), westelijk
techn.	techniek	*weerk.*	weerkunde, meteorologie
tegenst.	tegenstelling	*wet.*	wetenschappelijk
telec.	telecommunicatie	*wisk.*	wiskunde
theat.	theater, toneel, dramaturgie	*ww.*	werkwoord
theol.	theologie	*Z.*	zuid(en), zuidelijk
tlk.	taalkunde	*zgn.*	zogenaamd
tr.	transitief	*zn.*	zelfstandig naamwoord

Het opnemen van een woord prejudicieert geenszins ten aanzien van het al of niet bestaan van merkenrechten op dit woord.

WENKEN VOOR HET GEBRUIK

De opgenomen woorden en afkortingen staan in één enkel alfabet, dus *B.T.W.* tussen *bruut* en *bubs*.

Verwijzingen worden slechts gegeven waar dit wenselijk leek, in 't bijzonder in die gevallen waar een uitdrukking niet onder het *eerste* daarvoor in aanmerking komende woord is opgenomen.

Ter besparing van ruimte zijn naast de in de lijst gegeven afkortingen een aantal conventies en conventionele tekens toegepast. Wanneer de Engelse vertaling gelijk is aan 't Nederlandse woord wordt dit veelal aangegeven door *id*.

Binnen een artikel wordt de (eerste) gegeven vertaling later evt. aangehaald door middel van haar eerste letter; men zie bijv. het artikel *antwoord*.

~ Een ~ geeft aan dat men het laatstgegeven (volledig gedrukte) hoofdwoord moet herhalen; onder *april* betekent *~grap* dus *aprilgrap*. Wordt het slangetje voorafgegaan door een hoofdletter dan moet het hoofdwoord worden gelezen met hoofdletter i. pl. v. kleine letter (en vice versa); onder *algoed* betekent *de A~e* dus *de Algoede*, onder *Angora* leze men *a~kat* als *angorakat*.

– Een lang streepje geeft aan dat de laatst gegeven afleiding of samenstelling in haar geheel moet worden herhaald. In het artikel *adelaar* staat *met –* dus voor *met adelaarsblik*.

- Wanneer het geen aanleiding tot misverstand kan geven wordt het hoofdbestanddeel van een woord soms weergegeven door een kort dik streepje -. Onder *articulatie* betekent *-eren* dus *articuleren*.

... Naast het gewone gebruik om een niet afgemaakte zin aan te geven (zie bijv. onder *aanvuren*) worden drie puntjes in 't bijzonder gebruikt voor drie doeleinden:

    a. om de (passende vorm van de) onder 't hoofdwoord gegeven vertaling(en) aan te halen; zo leze men onder *bediening ...ing* als *serving, attending, waiting,* enz.;

    b. om zo nodig een weggelaten deel van een gegeven voorbeeld aan te duiden; zie bijv. onder *alwe(d)er*, waar de volledige tekst zou luiden: *alwe(d)er een illusie verdwenen one more illusion gone.*

( ) Ronde haakjes worden voor verschillende doeleinden gebruikt:

    a. om aan te geven dat een element al of niet aan de gegeven vertaling kan worden toegevoegd; zo is *baanderheer = banneret* of *knight banneret, basculebrug = bascule bridge, counterpoise bridge* of *balance bridge, Bataviaas = Batavia* of *Batavian;*

    b. om een alternatief voor het voorgaande woord aan te geven; zo is *iemand bedotten = fool a person, trick a person* en *diddle a person;* zo nodig is het alternatieve karakter van een aanvulling aangeduid door *of:*;

    c. om een (cursieve) verklarende aantekening te geven; zie bijv. *baard*.

[] Vierkante haken worden gebruikt om een verklarend Engels gebruiksvoorbeeld of een aanvulling te geven; zie bijv. *baal;* verder waar nodig rond een fonetische transcriptie en voor haken binnen haken.

A

A A (*ook muz.*); *drie ~'s* three As (A's, Aes); *met twee ~'s* with double a; *geen ~ voor een B kennen* not know A from B; *van ~ tot Z kennen* (*vertellen, enz.*) know (tell, etc.) from A to Z; *van ~ tot Z doorlezen, ook:* read from cover to cover, from beginning to end; *A-tot-Z-polis* all-in (all-risks, comprehensive) policy; *wie ~ zegt, moet ook B zeggen* in for a penny, in for a pound; (= *ampère*) amp.

à at [at three guilders a pound]; (*bevattende*) containing, ctg. [10 cases … 10 boxes each]; *25 ~ 30* from 25 to 30; *een gezelschap van 15 ~ 20 man* a party of 15 to 20 people; *in 3 ~ 4 weken* in three or (*of:* to) four weeks; *tien ~ twaalf* some ten or twelve; *~ 5 %* at (at the rate of) 5 per cent.

a *zie* are

A., A° = *Anno* in the year

A.a.C. = *Anno ante Christum* A.A.C.: in the year before Christ

Aagje Aggie; *nieuwsgierig ~* Miss Curiosity, Miss Inquisitive; (*van mann. pers.*) Paul Pry

aai 1 caress, chuck [under the chin]; (*iron.*) stroke, whisk, slap (= *gevoelige ~*); 2 *zie* ai 2

aaien stroke, caress, chuck [under the chin]

1 aak: (*Spaanse*) ~ field maple

2 aak (Rhine-)barge; **~schipper** b.master

aal 1 eel; *jonge ~* elver; *zo glad als een ~* as slippery as an eel; *hij is te vangen als een ~ bij zijn staart* he is a slippery customer; 2 *zie* gier 4

Aal Addy, Ally

aalbes currant; *rode* (*witte, zwarte*) ~ red (white, black) c.; **aalbesse(n):** **~gelei** c.-jelly; **~jenever** black currant gin; **~sap** c.-juice; **~struik** c.-bush; **~wijn** c.-wine

aal: **~fuik** eel-pot, e.-basket; **~kaar** eel-trunk, e.-preserve, e.-well [of a boat]; **~korf** eel-basket

aalmoes alms (*ook mv.*); *om een ~ vragen* beg (for) alms (an alms), ask for charity; *iem. om een ~ vragen* ask a p. for (an) alms, ask (beg) alms of a p.; *de beloning die hij kreeg was niet meer dan een ~* a mere pittance; *leven van aalmoezen* live on charity

aalmoezenier almoner; (*leger, vloot*) [army, navy] chaplain, Chaplain to the Forces, padre; **~schap** *a*) almonership; *b*) chaplainship, -cy; **~shuis** almshouse; (*woning van de ~*) almonry

aal: **~schaar** eel-spear; **~scholver** cormorant; *gekuifde –* shag

Aalst Alost

Aaltje Alice; **aaltje** little eel; (*wormpje*) hairworm, vinegar-eel, eelworm [of potatoes]

aal: **~vijver** eel-pond; **~vormig** eel-shaped, anguilliform

aam (*oude maat*) aum

aambeeld *zie* aanbeeld

aambeien piles, haemorrhoids

aamborstig short-winded, asthmatic, wheezy; **~heid** short-windedness, wheeziness, asthma, shortness of breath

aan at [at the door; at work, at play, at the third cup of tea]; on [the picture on the wall, a ring on his finger, a beard on his chin; fruit grows on trees; on the river Rhine, on the main road; on board; a monocle on a black ribbon; live on the harbour; at work on the building]; in [£2000 in jewels, the amount paid in wages, taxes, etc.; I have a jewel of a servant in him; injured in his legs; live in the Herengracht; not a cloud in the sky]; of [blind of (in) one eye, die of a broken heart]; by [I saw it by his face; a man is known by his friends; day by day]; to [he has not a shirt to his back; she sits with her hand to her ear; give it to him]; *£ 20 ~ contanten* in cash; … ~ *juwelen* £3000 worth of jewel(le)ry; *hij is ~ een krant, ~ de Times* on (the staff of) a paper, on the Times; *'t is ~ 't regenen* it is raining; *ik ben ~ 't schrijven* I am writing; *twee ~ twee* [walk] two and two, two by two, by (*of:* in) twos, two abreast; *de beslissing is ~ u* the decision is yours (up to you), it is for you (up to you) to decide; *daar is wel iets van ~* there is something (some truth) in that; *er is niets van ~* there is nothing (not a word of truth) in it; *er is niets ~, a*) it's quite easy; there is nothing in it (to it); *b*) it isn't up to much, it's fearfully dull; it (the book) is poor stuff; *er is niets ~ die vent* he is a dull fellow; *ik vind er niet veel ~* I don't think much of it; *dat is wat er van ~ is* so much for that rumour; *'t* (*huur*)*bordje zit er ~* the board is up; *hij wil er niet ~* he will not be persuaded; *je moet* (*gaat*) *er ~* you're a dead man; (*sl.*) your number is up, (*sl.*) you are for it; *ik weet niet hoe ik er mee ~ moet* I don't know how to cope with it; *de school* (*kerk*) *is ~* school (service) has begun; *de trein* (*boot, post*) *is ~* the train (boat, post, mail) is in; *'t vuur enz. is ~* the fire (gas, cigar) is alight (lit); the stove is burning; *de lamp* (*'t vuur*) *was niet ~, ook:* was unlit; *de* (*centrale*) *verwarming is ~* the heating is on; *de schroef is ~* the screw is home (tight); *'t is* (*erg*) *~ tussen hen* they are very thick (as thick as thieves); *'t is weer ~* they have made it up again (the engagement is on again); *met de schoenen ~* in his shoes; *met de kleren ~* [what does he weigh] with his clothes? [sleep] in one's clothes; *je hebt teveel kleren ~* you've got too many clothes on; *~!* (*mil.*) present!; *zie verder de ww. enz. met aan verbonden; ook:* keus, piano, radio, toe, enz.

aanaarden earth (up), hill up, mould (up)

aanademen breathe upon

aanbakken: *de rijst is aangebakken* the rice has burnt (stuck) to the pan

aanbeeld (*van smid*) anvil; (*in oor*) anvil, incus; *hij slaat* (*hamert*) *altijd op hetzelfde ~* he is always harping on the same string

aanbelanden *zie* belanden

aanbelangen *zie* aangaan 8

aanbellen ring (the [door-]bell)
aanbenen stride out, mend (quicken) one's pace
aanbesteden put out to contract (to tender), invite tenders for; *aanbesteed werk* work given out by contract, contract work; **-ing** (putting out) to contract, (public) tender; *bij* – by contract; *de – zal plaats h. op ...* tenders are invited before May 2nd
aanbetalen pay down; **-ing** down payment
aanbeteren improve, recover, get better, be on the mend
aanbevelen recommend, commend [the plan ...s itself through its simplicity]; *zich ~ in de gunst van* solicit (recommend o.s. to) the favour of; *zich aanbevolen houden voor een proeforder* solicit the favour of a trial order; *ik houd mij aanbevolen voor verdere inlichtingen* I shall be glad to receive further information; *zich (zijn ziel) Gode ~* (re)commend o.s. (one's soul) to God; *zie* clementie; *aan te bevelen =* **~swaardig** recommendable
aanbeveling recommendation; *het verdient ~ it is advisable; op ~ van* at (on, through) the r. of; *ter ~ van* in r. of; *tot ~ strekken* be an advantage; *goede ~en* good references; *~en, ook:* well-recommended; *comité van ~* recommending committee; **~sbrief** letter of r. (of introduction); **~swaard(ig)** recommendable
aanbiddelijk adorable
aanbidden worship [God, he ...ped the ground she trod on], adore; *zie* gouden & zon; **-der** worshipper, admirer, devotee, votary; **-ding** worship, adoration
aanbieden offer [goods, congratulations]; present [a bill, a cheque for payment, an ultimatum, a petition, a grand spectacle], tender [thanks, congratulations, one's services], proffer (*lit.*) [one's services], hand in [a telegram], make a tender of [one's friendship, services]; *(zich) ~ (vrijwillig)* volunteer; *zich voor een betrekking ~* offer o.s. for a post; *petroleumaandelen werden aangeboden* were (*of:* came) on offer (*bleven aangeb.* continued on offer); *hem werd ... aangeb.* he was presented with a silver inkstand; *zie* diner, gelegenheid, ontslag, enz.
aanbieding offer, tender; *(van wissel, geschenk, enz.)* presentation; *bij ~, (van cheque)* on presentation; *een ~ doen* make an o.; *~en inwachten* invite tenders
aanbijten bite (*ook fig.*), rise, nibble at the bait; *zie ook* toebijten
aanbinden fasten, tie (bind) up (down), tie (put, fasten) on [skates]; *hij bond haar de schaatsen aan* he put on her skates for her; *de strijd ~* join issue (*of:* battle), try conclusions [*met* with]; *het touw wat ~* tighten the rope a bit; *kort aangebonden* short-tempered, hasty, touchy; *hij was erg kort aangeb. tegen mij* he was very short with me; *zie* kat
aanblaffen (*ook fig.*) bark at, bay at
aanblazen blow [the fire; *ook fig.*]; fan [the flame; *ook fig.*]; stir up, rouse [the passions]; foment [discord; *iem. rook ~* blow smoke into

a p.'s face; **-er** (*fig.*) instigator; **-ing** blowing, etc.
aanblijven (*in ambt*) remain (continue) in office, retain office, stay (remain) on; hang (linger) on [old men ... too long]; *(van lamp enz.)* be kept burning; *'t vuur bleef de hele nacht aan, ook:* the fire (was) kept in all night; *de kerk blijft lang aan* church lasts a long time; *de deur moet ~* must be left ajar
aanblik sight, look, view, aspect; (*schouwspel*) spectacle; *bij de eerste ~* at first sight (*of:* glance), at (the) first blush
aanblikken look (glance) at, fix one's eyes upon; (*tegenstralen*) beam upon
aanbod offer; (*tegenover vraag*) supply; *een ~ doen* make an offer; *~ van arbeidskrachten* labour supply; *zie* vraag
aanbonzen *~ tegen* bump up against, bump into, knock (up) against
aanboren bore, sink [a well, shaft]; strike [oil, coal]; broach, tap [a cask, beer]; *nieuwe bronnen van inkomsten ~* tap new sources of revenue
aanbotsen *~ tegen* collide with, cannon (crash) into; *zie ook* aanbonzen
aanbouw addition, annex(e); (*be-, verbouwing*) cultivation; (*van huizen enz.*) building; *in ~* in course of construction (*of:* erection), under construction; **~en** build [houses, ships]; add [a new wing]; grow [wheat]; cultivate [waste ground]; *– tegen* build against (*of:* on to)
aanbraden sear [meat]
aanbranden I *ww.* burn; burn (*of:* stick) to the pan; *laten ~* burn [the cakes]; *is de rijst aangebrand?* is the rice burnt? has the rice caught?; *er moet iets aangebr. zijn s.t.* must have got burnt; *'t smaakt (ruikt) aangebr.* it has a burnt taste (smell); *hij is gauw aangebr.* he is touchy (thin-skinned); II *zn.* [prevent] burning
aanbreien (*ergens aan*) knit on to
aanbreken I *ww. (van de dag)* break, dawn; (*van de avond, nacht*) fall, close in; broach [a cask], open [a bottle, the champagne]; cut into [a fresh loaf]; break into [one's provisions, a pound]; open up [new ground]; *de tijd is aangebroken* the time has come; *zijn kapitaal ~* break (dip) into one's capital; *de lading ~* break bulk; *wat maar aangebr. is* ['white wine or claret?'] 'Anything that's open'; *een aangebr. kistje sigaren* a partly used box of cigars; II *zn.: bij 't ~ van de dag* at daybreak, at break of day; *bij 't ~ van de nacht* at nightfall
aanbrengen 1 bring, carry [stones]; 2 (*plaatsen*) fit [a new propeller], fix [a cupboard in a wall]; install, fix up [electric light]; place [iron plates] in position; construct [a new staircase]; let [a sluice into a sea-wall]; apply [to the skin]; 3 make, introduce [improvements, changes]; practise [economies]; impart [knowledge]; 4 *kapitaal ~* bring in capital, bring capital into a business; 5 bring [luck]; yield [a profit]; 6 (*aanklagen*) accuse, inform against, denounce; (*oververtellen*) tell, disclose, reveal;

(*vergrijp*) delate; 7 (*werven*) bring in [customers, new members]; *een misdaad ~* inform the police of a crime; *de tijd heeft veel veranderingen aangebracht* time has wrought many changes; *wat heeft de bruid aangebr.?* what has the bride brought her husband in marriage?; *zie ook* bijbrengen
aanbrenger (*aanklager*) informer, denunciator; (*klikker*) tell-tale
aanbrengkantoor receiving-office
aanbrengpremie reward
aanbruisen: *komen ~* come roaring (rushing) along; **aanbrullen** roar at
aandacht attention; *hij is uw ~ niet waard* he is beneath your notice; (*de*) *~ trekken* attract (draw) a. (*of:* the a.); *'t trok en boeide mijn ~* it caught and held my a.; *zeer de ~ trekken* be very much in the public eye (the limelight); *met grote ~* [listen] with close attention; *~ schenken aan* pay a. to; *'t kwam onder mijn ~* it came to my notice, my attention was drawn to it; *'t werd onder mijn ~ gebracht* it was brought (I had it brought) to my notice (attention); *iems. ~ vragen* ask for a p.'s attention; *met ~* attentively; *zie* vestigen
aandachtig attentive; *~ kijken, ook:* look closely; *~ luisteren, ook:* listen carefully; **~heid** attention; **aandachtspunt** point for attention; **aandachtsstreep** dash
aandeel share, portion; *-en in één hand* (s.) holding, interest; *hoeveel -en heeft hij? ook:* what is his holding?; *gewoon ~* ordinary s.; *equity; preferent ~* preference s.; *uitgesteld* (*slapend*) *~* deferred s.; *extra ~* (*als winstuitkering*) s. bonus; *~ aan toonder* s. to bearer; *~ op naam* registered (*of:* nominal) s.; *bewijs van ~, zie* ~bewijs; *ik verkocht mijn derde ~ in de fabriek* I disposed of my third interest in the factory; *~ hebben in de winst* share in the profits; *~ hebben aan een misdaad* have part in a crime; *z'n ~ leveren* make one's contribution; *~ nemen, zie* deelnemen; *zie* cumulatief, polis, portefeuille, voorlopig; **~bewijs** s.-certificate; **~houder** shareholder
aandelenbezit (share-)holding
aandelenkapitaal share-capital, capital stock
aandenken memory, remembrance; (*concr.*) keepsake, memento, souvenir; *iem. in gezegend ~ houden* keep a p.'s m. green (fresh, alive), keep a p. in kind remembrance
aandienen announce; *iem. ~, ook:* take up (take in) a p.'s name; *zich laten ~* send up (send in) one's name (one's card); *iem. ~ bij* announce a p. to
aandijken connect [an island] with the mainland by means of a dike
aandikken thicken (*tr. & intr.*); (*fig.*) heighten [a description, story, picture], exaggerate [one's own part]; *iems. woorden nog wat ~, ook:* emphasize (underline) a p.'s words
aandoen (*aantrekken*) put on; (*inschakelen*) switch on, turn on; (*veroorzaken*) cause [trouble], give [pain]; offer [incivilities] to; (*onderweg bezoeken*) call at [a town, port, pub],

touch at [a port]; (*voeren, treffen*) move, affect; *onaangenaam ~* offend [a p.'s eye, ear, taste], grate (jar) upon [a p., the ear, the nerves]; *'t doet 't oor aangenaam aan* it falls (*of:* strikes) pleasantly upon the ear; *de kamer doet ... aan* strikes damp (cold, etc.); *het deed mij vreemd aan* it struck me as strange; *plaats, die* (*geregeld*) *aangedaan wordt* (regular) place of call [for motor-coaches, etc.]; *de zenuwen ~* try (be trying to) the nerves; *zijn longen zijn aanged.* his lungs are affected; *zichtbaar aanged.* visibly moved (affected, touched); *zo aanged., dat hij niet kon spreken, ook:* he was past speaking; *haar stem was aanged.* there was a break in her voice; *haar mooie ogen hebben 't hem aanged.* have bewitched him; *je hebt het jezelf aanged.* you have only yourself to blame; *de onwaardige behandeling u aanged.* the indignity put upon you; *zie* belediging, enz.
aandoening emotion; affection [of the throat, etc.]; (*lichte ~*) touch [of fever]
aandoenlijk (*actief*) moving, touching, affecting, pathetic; (*passief: van gemoed, enz.*) sensitive, impressionable; *iets ~s* [there was] a touch of pathos [in her voice]; **~heid:** (*actief*) pathos; (*passief*) sensitiveness
aandraaien *a*) (*aanzetten*) fix on, fasten (by turning); *b*) turn on [the gas], turn (*of:* switch) on [the electric light]; *de schroef ~,* (*ook fig.*) turn on (turn, tighten) the screw, turn the screw tighter; *vast ~* turn home; *slap aangedraaid* spineless; *zie ook* aansmeren
aandragen bring, carry [stones, etc.]; (*oververtellen*) tell, blab; (*komen*) *~* (*met*) trot out [a new story]
aandrang (*innerlijke ~*) impulse, urge; (*'t aandringen*) pressure, insistence, urgency; (*van bloed*) congestion, rush [of blood to the head]; (*toeloop*) crowd, concourse; *met ~ verzoeken* request earnestly (urgently); *met ~ spreken* speak insistently; *op ~ van* at the instance (*ongunstig:* at the instigation) of; *uit eigen ~* of one's own accord, of one's own free will; *hij had niet veel ~ nodig* he did not require much pressing; *zie* drang
aandrift instinct, impulse, impetus; *uit eigen ~, zie* aandrang
aandrijfas driving shaft
aandrijven I *ww. intr.* be washed ashore; *komen ~* come floating along; *tr.* drive on [cattle, etc.], move, prompt, incite, instigate, egg (*of:* urge) on, impel; drive, operate [a machine]; *een spijker~* drive in a nail; *zie verder* drijven; II *zn.* = -*ing* instigation [*op zijn ~* at his ...]; (*botsing*) collision; (*techn.*) drive, propulsion; *achterwiel–* rear-wheel drive; *met hand–* (*machine–*) hand- (machine-)driven; *-er* instigator, etc.
aandringen 1 advance [on the enemy]; 2 (*met aandrang spreken*) press (pursue) the point; *hij drong niet langer aan* he did not press the point (the matter); *'ga door', drong hij aan* 'go on', he urged; *~ op* insist on [a p.'s departure], urge [patience]; (*bij iem.*) *~ op* press (a p.) for [an

answer, payment], to [do a thing]; *op handelen* ~ press for action; *op hoger lonen blijven* ~, *ook:* stick out for higher wages; *hij drong erop aan, dat* ... he insisted on my going, insisted (on it) that I should go; *hij drong er bij mij op aan 't te doen* he urged me to do it; *hij drong er sterk op aan* he was very insistent; *op* ~ *van, zie* aandrang

aandrukken press [a p. against the wall]; clasp [a child to one's breast]; strain [she ... ed him to her, to her heart]; *een kind tegen zich* ~, *ook:* hug a child; *ze drukte zich tegen hem aan* pressed close to him, cuddled up against him; *'t meisje drukte zich tegen haar moeder aan* nestled close to her mother

aanduiden (*aanwijzen*) point out, indicate, show; (*door teken*) mark, indicate; (*door be-, omschrijving*) define, describe; (*getuigen van*) indicate, denote, bespeak, argue [such actions ... a noble mind]; (*betekenen*) mean, denote; *vaag* ~ adumbrate; *nader* ~ specify; *iets terloops* ~ hint (at) a thing; *ik zal hem* ~ *als Mijnheer B.* I shall refer to him as ...; *zijn taal duidt de geleerde aan* his language bespeaks (proclaims) him (to be) a scholar; *zekere stad, niet nader aangeduid* some town, unspecified; **-ing** indication; definition [a clear ... of one's demands], description; sign; notation [phonetic ...]

aandurven: *iets* ~ dare to do (venture upon) a thing; *hij zal 't niet* ~ I don't think he'll risk it; *iem.* ~ dare to fight (*of:* tackle) a p., stand up to a p.; *een onderwerp* ~ dare to tackle a subject; *de moeilijkheid* ~ grasp the nettle; *niet* ~ shrink from [a task]; be afraid to grapple with [a situation]; stop short of [murder]; *hij durfde 't niet aan* he fought shy of it, hung back, (*sl.*) funked it; *ik durf ... niet aan* I don't feel up to the journey

aanduwen push (on), give a push; (*om een teken te geven*) nudge, jog; ~ *tegen* push against

aandweilen wash [the floor]; *zie* dweilen

aaneen together, on end, consecutively; *zie verder* achtereen; ~**binden** tie (bind) t.; ~**gesloten** united; serried [ranks *gelederen*]; coherent [majority]; connected [story]; – *zijn, ook:* be (stand) solid [for the national cause, etc.]; ~**groeien** grow t.; ~**hangen** hang t. (*ook fig.*); *het hangt als droog zand* ~ it sticks t. like grains of sand; *zijn verhaal hangt van leugens* ~ his story is a tissue of lies; *hij hangt van leugens* ~ he is made (up) of lies; ~**kleven** stick t.; ~**klinken** rivet t.; ~**knopen** tie t.; ~**koppelen** couple (t.) [dogs, railway-carriages, persons]; ~**lassen** join t.; (*balken, enz.*) mortise, dovetail; (*ijzer*) weld t.; ~**leggen** lay end to end; ~**lijmen** glue t. [wood]; gum t. [paper]; ~**plakken** *intr.* stick t.; *tr.* glue (paste, stick) t.; ~**rijgen** string [beads *kralen*]; baste (*of:* tack) t. [clothes]; ~**schakelen** link t.; (*fig. ook*) concatenate [facts, events]; *-d,* (*gramm.*) copulative; ~*geschakeld verhaal* connected story; ~**schakeling** series, concatenation [of ideas, accidents], chain [of happy days], string [of lies]; ~**schrijven** write in one

(word), join [the letters]; *niet* – write separately; ~**sluiten** *tr.* join (t.), link t.; *intr.* fit [well, badly]; *zie ook* aansluiten 3; *zich* –, (*lett.*) close up; (*fig.*) join forces, unite; ~**sluiting** ... ing (*zie 't vor.*) union; ~**smeden** (*ook fig.*) weld t.; ~**staan** stand close t., stand shoulder to shoulder; ~**voegen** join (fit, put, piece) t.; ~**wellen** weld t.

aanflitsen, aanfloepen flash on

aanfluiting mockery, laughing-stock, byword; *het is een* ~ *van alle recht* it is a travesty of justice; **aanfokken** *zie* fokken

aangaan 1 – *op* go up to; *'t gaat op een vechten aan* they are sure to come to blows; 2 *bij iem.* ~ call at a p.'s house, call on a p., come round; look (*of:* drop) in on a p., give a p. a look in; call in (stop off) at [the grocer's]; *zullen we even bij hem* ~? (*fam.*) shall we just pop in and see him?; *ben je ergens aangegaan?* did you call anywhere?; 3 (*vlam vatten*) burn, light [the fire, the lamp won't ...], light up [the lamps lit up], go up [the lights ...], catch [the bonfire didn't ... properly], take fire; ignite [these matches ... on the box only]; *'t elektr. licht ging aan* went (came) on; 4 (*beginnen*): *de school* (*kerk, schouwburg*) *gaat om 8 uur aan* school (service, the play) begins (starts) at eight; 5 *dat gaat niet aan* that won't do, it's no go; *'t gaat niet aan* ... it does not do to interfere with it (*evenzo:* it would not have done to say so); it does not pay to neglect this subject; 6 (*te keer gaan*) take on, go on [like mad, like one possessed]; 7 (*sluiten*) enter into [a contract, a marriage, an arrangement]; conclude [a contract, a treaty, an arrangement]; contract [a loan, a marriage, debts]; incur [debts]; *zie* vriendschap, enz.; 8 (*betreffen*) concern, regard; *dat gaat mij niet aan* that does not concern me, is no business (no concern) of mine, is none of my business, has nothing to do with me; *wat gaat u dat aan?* what is that to you? what business is it of yours?; *wat dat aangaat* as to (as for) that, for the matter of that, for that matter; *wat dat aangaat, kun je gerust zijn* you may be easy on that score; *wat mij aangaat* so far as I am concerned, for my part, as for me, personally; I, for one; *wat ... aangaat* as regards the labour question, [divided] over disarmament; [his arms were like another man's legs] for size; *wat dat aangaat heb je gelijk* so far you are right; *allen, die het aangaat* all whom it may concern; *zie* betreffen

aangaande concerning, as for, as to, with respect (*of:* regard) to; *gegevens* ~ ... data about

aangapen gape at, stare at; *een afgrond gaapte ons aan* an abyss yawned in front of us

aangebedene: *zijn* ~ his adored (one)

aangebeten partly eaten, half eaten [apple]

aangebonden *zie* aanbinden

aangeboren innate [ideas], native [sagacity], inborn [talent for music], inbred [piety], congenital [defects]; ~ *recht* innate (inborn) right; *de mens* ~ i. in man; *alsof 't hem* ~ *is* [he does it] as (as though) to the manner born; *die*

waardigheid scheen hem ~ that dignity sat easy (well) on him
aangedaan moved; *zie* aandoen
aangeërfde (*langs rivieroever*) riparian (proprietor); **aangegoten:** *die jas zit je als* ~ fits you like a glove; **aangehuwd** enz., *zie* aanhuwen, enz.; **aangeklaagde** *zie* beklaagde & gedaagde; **aangeknipt:** *~e mouwen* magyar sleeves, all-of-a-piece sleeves; *de mouwen zijn* ~ are cut in one with the jacket; **aangekomene:** *de pas* ~ the newcomer, the new arrival
aangelande *zie* aangeërfde
aangelegd: *ernstig* ~ serious-minded, of a serious turn of mind; *kunstzinnig* ~ artistically minded
aangelegen adjacent, adjoining
aangelegenheid matter, concern, business, affair; *een zaak van de grootste* ~ of the greatest moment (the highest importance)
aangenaam pleasant, agreeable, pleasing, pleasurable; comfortable [house, etc.]; lik(e)able [person, qualities]; ~ *metgezel* pleasant companion; ~ *voor 't oog* pleasing to the eye; ~*!* pleased (happy, glad, delighted) to meet you; (*meer vormelijk*) how do you do?; *'t is me zeer* ~ *geweest* pleased to have met you (to have made your acquaintance); *zich* ~ *maken bij* make o.s. agreeable to, ingratiate o.s. with; *hij weet zich* ~ *te m.* he has a way with him; *'t zal me* ~ *zijn te* ... I shall be pleased to ...; ~ *vinden* like; *het -e* what is pleasant, etc.; *ook* = ~*heid* ...ness; *de ~heden van 't buitenleven* the amenities of country-life; *zie* nuttig
aangenomen: ~ *kind* adopted (adoptive) child; *zijn* ~ *land* the country of his adoption, his adoptive country; *onder een* ~ *naam reizen* travel under an assumed name; ~ *werk* contract work; ~ *dat* ... supposing (granting, assuming, given) that ... (*ook:* assuming, etc. him to be guilty, etc.); ~*!* done! agreed!
aangeschoten *zie 't ww.; (lichtelijk)* ~ tipsy, a bit merry
aangeschreven *zie* aanschrijven
aangesloten: *telefonisch* ~ *zijn* be on the telephone; ~ *vereniging* affiliated society; (*niet*) ~ *werkman* (non-)unionist; ~*en,* (*van werklieden*) (trade-)unionists; (*bij conventie*) contracting parties [of a convention]; (*telefoon*) subscribers; *zie* aansluiten
aangespen buckle (*of:* gird) on [a sword]
aangestoken *zie* aansteken
aangeven 1 (*aanreiken*) give, hand, pass [the salt, the ball, etc.] pass down, reach (down); 2 (*opgeven*) give, state [terms, particulars], allege [s.t. as a reason]; enter [for a competition or an exam.]; *zie* nader; 3 (*aanwijzen*) indicate, mark [s.t. on a map]; *nauwkeurig* ~ pinpoint [a target on a map]; mention [tne main points]; suggest [means, etc.]; (*van therm., enz.*) record, register [80 degrees]; 4 register [luggage]; register, give notice of [the birth of a cnild]; notify [a disease]; 5 (*bij 't gerecht; iem.*) lodge a complaint against, inform against, denounce; (*bij de politie*) report;

hij gaf bij de politie aan dat zijn auto was gestolen he notified the police ...; (*iets*) give information (*of:* notice) of; *goederen* ~ declare (enter) goods; *iets aan te g.?* anything to declare?; *de mode* (*de pas, de melodie*) ~ set the fashion (pace, tune); *de melodie* ~, (*op orgel bijv.*) *ook:* sketch out the tune; *de maat* ~ mark (give) the time; *de grenslijn* ~ fix (mark) the boundary line; *zich* ~, (*voor wedstr., exam.*) enter one's name, enter, have one's name entered, give in one's name; (*mil.*) report (o.s.); *zich aan te g. bij* ... apply (*of:* write) to ..., (*van persoon, enz.*) apply to; *aangeven:* applications should be addressed to ...; *zie* aanmelden; *hij heeft zich zelf aangegeven* (*bij de politie*) he has given himself up (to the police); *volgens de door U aangeg. richtlijnen* on the lines sketched (suggested, indicated) by you; *als ter zijde aangeg.* as per margin; *de aangeg. uren* the hours stated; *aangeg. tijd,* (*in dienstregeling*) [arrive on (ahead of)] schedule(d) time (*of:* on etc. schedule); *brief met aangeg. waarde* with declared value; *aan te g. ziekten* notifiable diseases; *zie* toon, enz.; **aangever** (*bij gerecht*) informer; (*van goederen*) declarant; (*theat.*) feed(er); ~(**tje**) (welcome) opening
aangezetenen *zie* aanzittenden
aangezicht face, countenance; *Gods* ~ *zoeken* seek God's f.; *met twee ~en* double-faced (*ook fig.*); *van* ~ *tot* ~ [meet a p.] f. to f.; *zie ook* gezicht & gelaat; ~**spijn** f.-ache, f.-ague, facial neuralgia; ~**swond** facial injury
aangezien seeing (that), inasmuch as, since
aangifte (*van goederen, waarde*) declaration; (*bij bevolkingsregister, enz.*) registration; entry [at the custom-house]; (*bij sollicitatie*) application; (*voor wedstr.*) entry; (*voor belasting*) return [make a false ...], declaration; (*aanklacht*) information; (*van ziekte, enz.*) notification; ~ *doen van* enter, declare [goods]; give notice of; *zie* aangeven; ~ *bij ... uiterlijk* ... applications must be received by ... not later than ...; *de* ~ *is morgen gesloten* the list will be closed to-morrow; ~**biljet** income-tax return; ~**formulier** application- (registration-) form, -blank; (*bij wedstr.*) entry-form; (*voor belasting*) [income] tax form; (*voor lidmaatschap*) enrolment form; (*bij levensverzekeringsmaatschappijen*) proposal form
aangluren peep at; (*gluipend*) leer at; (*verliefd*) ogle
aangooi throw-in; ~**en** throw in [the ball]; slip on [one's coat]; – *tegen* throw (fling) against
aangorden gird on (a sword); *iem. ...* ~ gird a p. with a sword; *de wapens* ~ (*fig.*) take up arms, rise in arms; *zich* ~ gird up one's loins, gird o.s. up, brace o.s. (up)
aangrenzend adjacent [rooms; to the house], adjoining, contiguous, neighbouring [countries]
aangrijnzen grin at; (*fig.*) stare in the face [ruin, etc. stared me in the face]
aangrijpen seize, take hold of [a p.'s arm]; seize (fasten) upon [a pretext]; take, seize (upon),

embrace [the opportunity]; grip [terror...ped me], lay hold of [fear lays hold of me], thrill [the story...ed me]; (*aanvallen*) attack, assail [the enemy]; (*van brand*) catch hold of [a building]; *gretig* ~ jump (catch, snatch) at [a proposal, a chance]; *zulke dingen grijpen je* (*krachten, gezondheid*) *aan* tell on a man, take it out of you; *de gedachte aan ... greep haar aan* the thought of her loneliness assailed her; *aangegr. door* seized with [dizziness, fright, a desire for ...], assailed by [doubts], struck with [terror]; ~d moving, stirring, touching, pathetic, gripping [scene], poignant [lovestory], harrowing [tale]

aangrijpingspunt (*mech.*) point (*of:* place) of application, point of impact

aangroei growth [of the population, etc.], increase, accretion, augmentation, increment

aangroeien grow, increase, augment; (*van rivier, geluid, aantal*) swell [in ever ...ing numbers]; ~ *tot* ..., (*van verhaal, enz.*) swell to enormous proportions [the hour lengthened out to two]; *doen* ~ swell [the ranks of the unemployed]; -**ing** *zie* aangroei

aanhaalkoppel (*techn.*) torque setting

aanhaken hook (*of:* hitch) on [*aan* to], couple [a carriage to the train]

aanhalen (*aan-, toetrekken*) draw tight(er), tighten [a rope, a knot], tighten (up) [a belt], draw in [the reins], run up [a tear *scheur*]; (*naar zich toetrekken*) draw to(wards) one; (*mar.*) haul home; (*citeren*) quote [a p.'s words], cite [authorities, cases], instance [a case], bring forward [proofs]; (*bij deling*) bring down [a figure]; (*in beslag nemen*) seize, confiscate; (*liefkozen*) caress, fondle, pet [a dog]; (*van wind*) freshen (up); (*aanstrepen*) mark [a word]; *de banden met ... nauwer* ~ forge a tighter link with ...; *ze haalt de jonge man aan* she is setting her cap at ...; *de kijker haalt sterk aan* brings everything very near; *hij haalt van alles aan* he attempts everything; *je weet niet wat je aanhaalt* you don't know what you're letting yourself in for; *verkeerd* ~ misquote [words, an author]; *ter aangehaalde plaatse* loco citato, in the place quoted

aanhalerig (over-)affectionate

aanhalig affectionate, clinging, caressing, coaxing; (*fam.*) cuddlesome, cuddly; ~**heid** ... ness; coaxing ways

aanhaling quotation, citation, (*fam.*) quote; (*afgezaagde* ~) tag; (*van goederen*) seizure; *zie* aanhalen; ~**sstreepje** dash (—), swung dash (~); ~**stekens** inverted commas, quotationmarks, (*fam.*) quotes; – *plaatsen* quote (*openen*), unquote (*sluiten*)

aanhang following, adherents, followers, hangers-on, party; *die theorie vindt algemeen* ~ finds general favour; **aanhangen** hang [a rudder], add, attach, tack (on); (*fig.*) hang on to, adhere to, stick to [a p. through life], cling to, be attached to; *de sneeuw hangt erg aan* the snow is very sticky

aanhanger, -ster follower, supporter, advocate,

adherent, votary; (*wagen*) trailer; (*partijganger*) partisan; *trouw* ~, (*van partij*) stalwart

aanhangig pending; (*van rechtszaak ook*) sub judice; ~ *maken*, (*rechtszaak*) lay (bring, put) before the court; set down [a case] for trial; (*wetsontwerp*) bring in, introduce; *een actie* ~ *m. tegen* bring an action against; *de rechter weigerde de zaak weer* ~ *te m.* to re-open the case; ~ *m. bij de autoriteiten* take [the matter] up with ...

aanhangmotor outboard motor

aanhangsel appendix (*mv. ook* appendices), appendage, addendum (*mv.* addenda); (*van document, wissel, enz.*) rider; (*van testament*) codicil; (*van polis, enz.*) slip

aanhangwagen trailer; (*fig.*) appendage

aanhankelijk attached, devoted, affectionate, clinging [nature]; ~**heid** attachment, devotion

aanharken rake (up, over)

aanhebben have on [h. on one's boots, h. one's boots on], wear; *ik heb alleen maar wat ik aanheb* nothing but what I stand up in; *hij had zo goed als niets aan* he had hardly a stitch on; *de kachel* ~ have a fire (on); '*t licht* (*de radio*) ~ have the light (the radio) on; *de partij* ~ have lost the game; *hij heeft een roes aan* he is tipsy (boozed, well on); *hij had de laarzen nog aan* he was still in his boots

aanhechten affix, attach, fasten; *plaats voor 't* ~ *der postzegels* stamps to be affixed here; *wissel met aangehechte documenten* documentary bill

aanhechting affixture, fastening, attachment [of muscles, etc.]; ~**spunt** juncture

aanhef beginning [of a letter], opening (words), exordium [of a lecture, treatise, etc.]

aanheffen strike up [a melody]; start [a song]; set up, raise [a shout, a cry]; *een psalm* ~ sing a psalm; *een lied, enz. mede* ~ take up a song (a cry, etc.), join in

aanhelpen: *laat mij u de jas* ~ allow me to help you on with your coat

aanhitsen incite, instigate, egg on; set on [a dog]; ~ *op* (*tegen*) set [a dog, etc.] at (*of:* on); -**er** inciter, instigator; -**ing** incitement, instigation

aanhoeven: *de jas hoeft niet aan* you need not put on (wear) your coat; *de lamp* (*kachel*) *hoeft niet aan* need not be lighted

aanhollen: *de kinderen kwamen* ~ came running (tearing) on (*of:* along)

aanhoorder listener, hearer

aanhoren listen to, hear; (*tot 't einde*) hear [a p.] out; '*t is u aan te h.* I can tell by your voice; *iem.* (*geduldig*) ~ give a p. a (patient) hearing; '*t is niet om aan te h.* I can't bear (stand) it; *ten* ~ *van* in the hearing of

aanhorig belonging (appertaining) to; ~**en** (*familie*) relatives; (*ondergeschikten*) dependants; ~**heid** appurtenance

aanhouden I *ww.* 1 (*tegenh.*) stop [a p. in the street]; hold up [a train, motor-car, a p. at the point of a revolver]; detain, arrest, apprehend [a criminal]; take up [a p. for begging]; stop, seize [a ship]; seize, detain [contraband goods]; 2 (*kleren*) keep on [one's coat]; 3 (*niet opzeggen, afbreken, enz.*) keep on [a room, workpeople, etc.]; keep up [friendship, relations, a correspondence, the acquaintance]; hold, sustain [a note]; hold up [a card]; (*niet verkopen: effecten, enz.*) retain; (*op veiling*) withdraw [a house]; 4 (*voorstel, enz.*) hold (*of:* leave) over [the matter was left over till ...]; hold up, delay [a decision]; *de uitspraak werd aangeh.* judgment was reserved; *de zaak werd aangeh. tot ...* the case stood over till ...; 5 (*brandende houden*) keep [the fire] in (up, on, going), leave [the light] on; 6 (*niet opgeven*) persevere; persist [the father refused, but the boy ...ed], press one's point, hold on (to one's purpose); 7 (*stilhouden*) stop [at an inn]; 8 (*voortduren*) hold [it, the frost, the fine weather, his luck held], continue, persist; *de regen hield aan* it kept on raining; 9 ~ *op* make (*of:* head) for; (*inz. mar.*) bear down on; *'t schip hield op de vuurtoren* (*'t land, noordwaarts*) *aan* made for the lighthouse, stood (stood in, made) for the land, stood to the North; *rechts* ~ bear to the right; *rechtuit* ~ keep right ahead; *westelijk* ~ (*mar.*) make westering; 10 *om de hand van een meisje* ~ propose to a girl, ask a girl's hand in marriage; II *zn. 't* ~ (*volhouden*) perseverance, persistence

aanhoudend constant, incessant, continual; (*onafgebroken*) continuous; sustained [rise]; (*hardnekkig*) persistent [cruelty; a ... drizzle; ... cries]; ~ *droog* continuing dry; ~**heid** continuance, persistence

aanhouder sticker; *de* ~ *wint* it's dogged as does it

aanhouding hold-up [of a train, a p., etc.]; seizure, detainment [of goods]; seizure [of a ship], embargo [on a ship]; arrest, apprehension [of a criminal]; (*voortduring*) continuance; (*uitstel*) deferment, postponement; *er is een bevel tot* ~ *tegen hem uitgevaardigd* a warrant is out against him; *vgl.* aanhouden

aanhuwen obtain by marriage; *aangehuwde familie* relations by marriage, relations-in-law; (*fam.*) in-laws; *aangeh. neef* cousin by marriage; *'n aangeh. zuster, dochter, enz.* a sister (daughter, etc.)-in-law; (*fam.*) an in-law; **-ing** alliance by marriage

aanjaagdruk (*luchtv.*) boost

aanjagen drive (*of:* push) on; *schrik* ~ frighten, give a fright, strike terror into; *vrees* ~ intimidate; *komen* ~ come hurrying (rushing) on (*of:* along); *zie* blos; **-er** (*van brandspuit*) feeder, feeding-pump; (*van schoorsteen*) blower; (*van motor*) supercharger, booster; (*van locomotief*) blast-pipe

aankaarten (*fig.*) raise [a matter]

aankanten: *zich* ~ *tegen, zie* kanten

aankanting opposition, resistance

aankap *a*) timber-felling, wood-cutting; *b*) timber-felling area (*of:* station)

aankarren bring in a cart (*of:* barrow)

aankijken look at; eye [a p. narrowly, suspiciously, etc.]; *eens* (*goed*) ~ have a (good) look at; *hij keek me nieuwsgierig aan* he regarded me with curiosity; *het* ~ *niet waard* not worth looking at; *hij wou me niet* ~ he cut me (dead); *ik kijk hem niet meer aan* I won't speak to him again; *ze keken hem er niet anders om aan* it made no difference; *ik durf de mensen niet meer aankijken* I shall never hold up my head again if ...; *de zaken eens* ~ wait and see; *iem. op iets* ~ suspect a p. of s.t.

aanklacht accusation, charge, information; indictment (*ook = akte van beschuldiging*); *een* ~ *afwijzen*, (*jur.*) dismiss an information; (*door* Grand Jury, *hist.*) ignore a bill; *een* ~ *gegrond vinden* (*door* Grand Jury, *hist.*) find a (true) bill; *een* ~ *indienen tegen* lodge a complaint (an information) against, make (bring) a charge, (bring an action) against; ~ *wegens diefstal* charge of theft; ~ *wegens smaad* action (*of:* suit) for libel; *vervolging op grond van de* ~ *is onmogelijk* the action will not lie; *punt van* ~ count

aanklagen accuse; *zie verder:* een aanklacht indienen tegen; ~ *wegens* accuse of, charge with, summon for; indict for (*inz. hist. van* Grand Jury); impeach for (*vooral wegens hoogverraad*); arraign for (*deftig*); *ik zal je* ~ I'll have the law of you

aanklager accuser; (*jur.*) plaintiff, prosecutor; *openbare* ~ public prosecutor; (*verklikker*) informer, denouncer, denunciator

aanklampen board [a ship]; *iem.* ~ accost (buttonhole) a p.; *door interviewers aangeklampt worden* be waylaid by ...; *iem. om geld* ~ touch (importune) a p. for money

aankleden dress; fit up [a room]; get up [a play]; (*opsieren*) dress (*of:* write) up [a story]; *zich* ~ dress (o.s.), get dressed; *een dagboek* ~ *tot een verhaal* dress up a diary in the form of a story; *aangeklede boterham, ongev.:* open sandwich; *aangeklede borrel* drink(s) and savouries (refreshments); **-ing** ...ing; presentation [of a proposal]; (*van toneelstuk*) get-up, stagesetting

aankleve: *met den* ~ *van dien* and all that appertains to it, and everything connected with it, with all its appurtenances, and all the rest of it

aankleven stick (cling, adhere, be attached) to [a p., a party]; attach to [the uncertainty that ...es to the case; the taint ...ing to this system]; *geen schuld kleeft hem aan* no blame attaches to him; *de blaam die hem aankleeft* the odium that clings to him; *de gebreken, die ons* ~ the failings we are subject to

aanklinken clinch, rivet, hammer up

aankloppen knock (*of:* rap) at the door; *bij iem.* ~ *om* come to a p. for [money, etc.]

aanknippen switch on [the light]; flick (on) [a lighter]; *zie* aangeknipt

aanknopen (*eig.*) tie on to, fasten to; *er nog een dagje* ~ stay another day; *een gesprek* (*brief-*

wisseling) ~ enter into conversation (correspondence); *een gesprek met iem.* ~ draw a person into conversation; *onderhandelingen* ~ enter into (open up) negotiations; *betrekkingen* ~ enter into (open up) negotiations; *betrekkingen* ~ *met* enter into (open, establish) relations with; (*handelsbetrekkingen*) *ook:* establish a business connection with; *weer* ~ resume [a conversation, friendships, etc.]; *zie* vriendschap, enz.; ~**d** *bij zijn woorden* taking his words for a starting-point
aanknoping entering into, etc. (*zie 't ww.*); ~**spunt** point of contact; (*punt van uitgang*) starting-point, [I can 't find a] hook to hang anything on; clue; *zie ook* aanrakingspunt
aankoeken cake
aankomeling new-comer; (*vooral univ.*) freshman; (*beginner*) beginner, novice, tiro
aankomen I *ww.* 1 arrive [*te* ... at Dover, in Paris], come [*te* to]; (*van trein, boot, enz.*) come in, arrive; (*als student*) come up; ~**d** *student,* (*Am.*) beginning student; *de trein moet om 5 uur* ~ is due at five; *de boot moet morgen* ~ is due in to-morrow; *de trein kwam* [5 *min.*] *te laat aan* was [five minutes] overdue (late), came in [five min.] late; *op tijd* ~ (*van trein, vliegt., enz.*) run to time (to schedule); *'t eerst* (*als tweede*) ~ (*bij wedstrijd*) finish first (second), be the first (second) man home; ~ *bij* a. at (*zie ook* aanlopen); *kom me niet met je grappen aan* none of your jokes, please!; *daarmee moet je bij mij niet* ~, (*dat geloof ik niet*) you needn't try that one on me; (*mij niet lastig vallen*) don't bother me with it; *met een idee, enz.* ~ come out with an idea (a guess, a question), trot out [don't ... such ideas], produce [a story]; weigh in with an argument (a bottle of port); *ik kom er wel wat laat mee aan, maar* ... I am a little late in the day, but I cannot help congratulating you; *hij zal je zien* ~ he'll see you coming; *ik heb 't zien* ~ I saw it coming; *ik zie* ~ *dat* ... I can see that ...; *zie* lading; 2 call (drop) in, call, come round; *zie* aanlopen; 3 (*naderen*) come (up), come along; *er komt iemand aan* somebody is coming; ~ *op* come up to, make for; 4 *de slag is aangek.* the blow has gone home; *de slag kwam harder aan dan de bedoeling was* hurt more than it was meant to; *hard* (*bij iem.*) ~ hit (a p.) hard; 5 (*aanraken*) touch; *niet* ~! hands off!; 6 *daarop* (*alleen*) *komt 't aan* that's the real (the big) point; that's all that matters; that's the only thing that counts; *waar 't op aankomt, is* ... the point is ..., what matters (matters most, counts) is ...; *'t komt op daden aan, niet* ... deeds are required, not words; *als 't daarop aankomt* if it comes to that ...; *als 't er op aankomt om* ... when it comes to getting up early; *als 't er op aankomt, a*) when it comes to the point (crunch, test); *b*) when the worst comes to the worst, when it comes to the (a) pinch; *nu komt 't er op aan* now's the time! now for it!; *'t komt er maar op aan* ... the principal (the important) thing is to ..., the only question is

whether ...; *'t komt er niet op aan wat* give me some dinner, anything will do; *'t komt maar op geld aan* it's a mere matter of money; *'t komt er niet op aan* never mind; it is of no consequence; it does not (it's no) matter; *'t geld komt er niet op aan* money is no object; *'t komt hem op* ... *niet aan* he does not mind a few guilders (a trifle, a few days), he is not particular to a day; 7 (*van twist, enz.*) begin, start [where did the fire start?]; 8 (*in gewicht*) put on flesh (*of:* weight); gain [how much have you put on these holidays? what! gained nothing?]; (*van zieke, enz.*) improve, gather strength, pick up, come on [I've come on a lot in the last few weeks; fruit is coming on beautifully]; 9 ~ *tegen,* (*grenzen aan*) border (up-) on; 10 *er is geen* ~ *aan, er is niet aan te k.* it is not to be had (for love or money); *er is niet gemakkelijk aan te k.* it is not easily come by; 11 *'t er op laten* ~, (*'t wagen*) chance it, risk it; *'t op* ... *laten* ~ chance a war with England; *hij laat 't er maar op* ~ he lets things drift [and trusts to luck to pull him through]; *hij laat alles op mij* ~ he leaves everything to me; *'t op 't laatste ogenblik laten* ~ put it off to the last minute; *zie* nippertje; 12 *'t zal u vreemd* ~ you'll feel rather out of your element; *zie* komaan; II *zn. zie ww.* 10
aankomend growing [boys and girls]; adolescent; prospective [teachers]; ~ *jongeling* young fellow, stripling; ~ *meisje* young girl, slip of a girl; *zie ook* bakvis; ~ *advocaat* future barrister; (*fam.*) budding barrister; ~*e week* next week; *zie ook* toekomen(de)
aankomer newcomer, (new) arrival
aankomst arrival; *bij mijn* ~ on (at) my a.; *bij* ~ on a.; *verkopen bij behouden* ~ sell to arrive
aankondigen announce, publish, advertise [it is ... ed everywhere]; (*door biljet*) bill [an actor, a singer, be ... ed to appear as Hamlet],(*officieel*) notify, proclaim; (~ *en bespreken*) review, notice; (*voorspellen*) forebode; herald [swallows ... spring]; betoken, spell [these clouds ... rain]; *de rede kondigt ... aan* foreshadows a heavy legislative programme; *'t werk werd in* ... *aangekondigd, ook:* the paper had a paragraph on the work; **-er** announcer; (*voorbode*) herald, harbinger; **-ing** advertisement, announcement; annunciation [of the coming of Christ]; notice; (*officieel*) notification, proclamation; (*in de pers*) (press) notice, review; *tot nadere* – until further notice
aankoop (*abstr. & concr.*) purchase, acquisition; *bij* ~ *van* when purchasing; *door* ~ by p.; ~**som** p. money, p. price; **aankopen** purchase, buy, acquire
aankoper purchaser, buyer
aankoppelen couple [railway-carriages, dogs; *ook fig.*]; leash [dogs]
aankorsten crust; **-ing** (in)crustation
aankrijgen get on, get into [one's coat]; (*ontvangen*) receive [goods]; *de kachel* (*de lamp*) ~ get the fire (the lamp) to burn (*of:* alight); *ik kan mijn pijp niet* ~ I cannot get my pipe to

light; *een roes* ~ get drunk
aankruien bring in a wheel-barrow; *het ijs kwam*
~ the ice came drifting on
aankruipen: *komen* ~ come creeping (crawling)
along; *dicht tegen moeder* ~ nestle close to
mother
aankruisen mark, tick, check
aankunnen be a match for [a p.]; be equal to [a
task]; manage [he cannot ... the class; can
you ... that large piece?]; *ik kan 't haast niet
aan* it is as much as I can tackle (*of:* cope with);
hij kan heel wat aan he is a great spender (eater,
worker, etc.); *zijn salaris* ~ live up to one's
salary; *je kunt die kleren niet meer aan* you
cannot wear those clothes any longer; *ik kan
hem best aan* I can lick him; *hij kan het best aan*
he can cope; *men kan op hem aan* he is quite
reliable (dependable), you can bank on him;
men kan volstrekt niet op hem aan he is utterly
unreliable; ..., *daar kun je op aan* ... and no
mistake; *je kunt er op aan, dat* ... you may rely
upon it that ..., you may take it from me that
...
aankweek cultivation
aankweken grow [plants], cultivate [plants, fish,
a moustache, friendship, a good spirit, virtues, science, a habit, etc.]; foster [feelings,
etc.]; *zie* kweken; **-ing** ...ing; cultivation
aanlachen smile at (on, upon: fortune smiled
upon me); (*van plan, idee, enz.*) the plan (etc.)
does not appeal to me; I don't relish the idea
aanlanden land; *goed en wel* ~ arrive safe and
sound; *zie verder* belanden
aanlandig on-shore [wind]
aanlangen pass, hand, reach
aanlappen *zie* aansmeren (*iem. iets* ...)
aanlassen join; (*met zwaluwstaart*) dovetail;
(*met koord*) lash; (*met lasapparaat*) weld [to
s.t.]
aanlaten keep on [a coat]; leave [the lamp]
burning (*of:* on); leave [the door] ajar; leave
[the radio] (turned) on; (*van metaal*) temper,
anneal
aanleg 1 (*'t aanleggen*) construction [of a railway, canal], planning [of towns], laying-out
[of streets, a garden], laying [of a cable], lay-
ing-on [of gas, water], installation [of electric
light, telephone, etc.]; aim [of a gun]; *kosten
van* ~ cost of c.; *in* ~ in course of (*of:* under) c.;
2 (*concr.*) installation, plant; 3 (*wijze van aanleggen, ontwerp*) layout, design [of a garden],
plan; first sketch [of a picture]; 4 (*plantsoen*)
(pleasure-)grounds, park; 5 (*natuurlijke* ~)
gift, natural ability, (natural) aptitude [for
business, languages, etc.], talent [for lan-
guages], turn [for music], (natural) bent [for,
towards, study], genius [she had a ... for
domesticity]; (*voor ziekte*) (natural) tendency,
(pre)disposition [to consumption]; ~ *voor beroerte, ook:* apoplectic tendencies; ~ *hebben
voor* be inclined to [stoutness], be predisposed
to [insanity], have it in one [to be a murderer];
hij heeft veel ~ great talents (*of:* gifts); ..., *als
hij er* ~ *voor had* he would swell with pride, if

he were made that way; ~ *voor scheikunde*
(*letterk.*) a chemical (literary) bent; *hij heeft
daar geen* ~ *voor* his talent does not lie that
way; *in* ~ *aanwezig* present in rudimentary
form; 6 (*instantie*) instance; *rechtbank van eerste* ~ court of first i.; 7 (*~plaats*) landing-stage;
8 *zie* pleisterplaats; 9 *zie* toeleg
aanleggen 1 (*plaatsen*) place (*ook van thermometer*), apply [a plaster, bandage, standard],
moor [a vessel]; *zie ook* 4; *een paard een toom* ~
put a bridle on a horse; *zie verder* boei, enz.; ~
tegen lay (place) against; 2 *een geweer* ~ level
(point) a rifle [*op* at]; ~ *op* (take) aim at, cover;
leg aan! present!; 3 *het* ~ manage; [how did
he] set about it?; *zij legde 't erop aan te* ... she
made it her object (her business) to ..., went
out of her way (set out) to offend him, made a
point of contradicting me (of getting left
behind); *hoe heb je 't aangelegd* ...? how did
you manage to get here so early?; *'t verkeerd
(goed)* ~ set about it the wrong (right) way; go
the wrong (right) way to work; *'t handig* ~ set
(go) about it cleverly; *'t kalm* ~ go easy; *'t
zuinig* ~ be economical; *'t te breed* ~ live beyond one's means (*of:* income); *'t met iem.
trachten aan te l.* make up to a p.; *'t met een
meisje* ~ take up (pick up) with a girl; *met hem
leg ik niet aan* I won't have anything to do with
him; 4 (*maken, tot stand brengen*) construct
[railways, roads], build [roads, towns,
bridges], plan [towns], lay out [gardens, parks,
streets], dig, cut [canals], throw up [earth-
works], lay on [gas, water], put in [electric
light], install [heating apparatus], start [a
book, a collection], make [a collection, a
register], build up [stocks]; *een vuur* ~, *a*) lay
(build, make up) a fire; *b*) light (kindle) a fire;
elektr. licht ~ *in een huis, ook:* fit up a house
with electric light, wire a house for electricity;
5 *de boot legt hier niet aan* does not touch (*of:*
call) at this port; *de boot legde langs de kade
aan* was brought up (was moored) alongside
the quay; 6 (*pleisteren*) stop [at an inn], bait;
zie aangelegd
aanlegger constructor, builder, author; (*van
samenzwering, enz.*) originator, instigator,
prime mover (= *hoofdaanlegger*); (*jur.*) plaintiff; **aanlegging** *zie* aanleg; **aanleghaven** port of
call; **aanlegplaats, -steiger** landing-stage, dock;
zie ook pleisterplaats
aanleidend: ~*e oorzaak, a*) *zie* aanleiding; *b*) *zie*
grondoorzaak; *één der* ~*e oorzaken, ook:* one
of the contributory causes
aanleiding occasion, inducement, motive, immediate cause [of a war]; *de* ~ *tot dit besluit is*
... this decision is actuated by ... ; ~ *geven tot*
give o. (*of:* rise) to [a rumour], lead to; (*ge-
gronde*) ~ *geven tot klachten* give (just) cause
for complaint; *ik gaf hem nooit de minste* ~ I
never gave him the slightest provocation; *dit
geeft mij* ~ *te* ... this induces (causes) me to ...;
je gaf ~, (*fam.*) you asked for it; ~ *hebben
(vinden) te* have (find) o. to; *alle* ~ *hebben te*
have every reason to; *hij heeft geen* ~ *om te*

komen he has no call to come; *er was niet de minste ~ voor uw medelijden, ook:* your pity was quite uncalled for; *bij de geringste ~* on the slightest provocation; **naar** *~ van* with reference to, referring to [your letter]; in pursuance of [an order]; in connection with; [preach] from [a text]; (*wegens*) on account of, in consequence of; *naar ~ waarvan, ook:* as a result (in consequence) of which; *'t was naar ~ van ...* the o. was a popular concert; **zonder enige** *~* without any reason (provocation), apropos of nothing

aanlengen dilute, weaken, break down, qualify [brandy qualified with water], water [his master's whisky], water down

aanleren I *tr.* learn [a language, a trade]; acquire [skill, etc.]; II *intr.* make progress [you are making progress wonderfully], improve; *aangeleerd* [natural and] acquired [talents]

aanleunen: *~ tegen* lean against; (*mil.*) lean upon [the right wing ... s upon the river]; *hij liet zich die eer ~* he took the honour as his due; *ik wil 't (een belediging, enz.)* mij niet laten *~* I won't put up with it, swallow it, take it lying down;

aanleuningspunt (*mil.*) point of support, point d'appui

aanleveren (*van lading*) deliver for shipment

aanliggen recline at table (*aan maaltijd bij de Ouden*); *het ~* accubation; *noordelijk ~* (*mar.*) bear northward, stand to the north

aanliggend adjacent [angle], contiguous

aanlijmen glue (cement) on

aanlijnen leash; *aangelijnd* [all dogs to be kept] on a leash (lead)

aanloden (*mar.*) sound; *grond ~* come into (be in) soundings; *geen grond ~* lose one's (be out of) soundings; *aangelode plaatsen* soundings

aanloeven (*mar.*) go to windward, luff

aanlokkelijk alluring, tempting, seductive, charming, attractive, inviting; **~heid** ...ness; attraction, charm; **aanlokken** allure, tempt, entice; (*in de val lokken*) decoy; **aanlokking** allurement, enticement; **aanloksel** lure, bait, decoy

aanloop run, running start; (*mil.*) rush, dash; (*luchtv.*) take-off run, forward run; (*inleiding*) preamble, beginning; (*fam.*) preliminary canter; *een ~(je) nemen* take a run; (*fig.*) lead up gradually to a subject; *sprong met ~* running jump (leap); *sprong zonder ~* standing jump; *je neemt een lange ~,* (*fig.*) you are long (in) coming to the point; *veel ~ hebben* have many visitors; **~groef** lead-in (groove); **~haven** port of call; **~je** *zie ~;* **~kleur** annealing colour; **~kosten** (*van onderneming*) initial (pre-operational) expenses; **~subsidie** (*fam.*) kick-off grant; **~tijd** starting period

aanlopen 1 *komen ~* come walking (running) on (*of:* along); (*toevallig, fam.*) happen along; *de hond is komen ~* has strayed here; *~ op* walk (run) up to (in the direction of, towards); *~ tegen* walk (*of:* run) against, run (*of:* bump) into, run up against (a p., a lamp-post]; collide with; *ons schip liep tegen een*

stoomboot aan ran foul of a steamer; *ertegen ~,* (*fig.*) come to grief, get into trouble; *land ~,* (*mar.*) make a landfall; 2 *wat ~* step out, walk a bit faster; 3 *eens ~* call in [we'll ... here; ask the doctor to ...], call, call (*of:* step) round, drop in; *~ bij, zie* aangaan 2; 4 (*van rem*) drag; (*van wiel*) be out of true, not run true; 5 *dat zal nog wel wat ~* that will take some time yet; 6 *blauw (bruin) laten ~* blue [steel], brown [a gun-barrel]; *hij liep rood aan* he grew purple (in the face)

aanmaak manufacture, making; **~hout(jes)** sticks, kindling; **~kosten** cost of m.

aanmaaksel dressing [salad ...]

aanmaken 1 manufacture, make; 2 (*toebereiden*) make, dress [the salad], mix [mortar, colours, a pudding]; *aangemaakte mosterd* ready-made, ready-mixed mustard; 3 light, make [a fire], put (*of:* turn) [the bath] on; 4 *zie* voortmaken

aanmanen exhort; *~ tot (te)* exhort (*of:* urge) to; *om betaling ~* press for payment, dun; **-er** (*om betaling*) dun; **-ing** exhortation; (*om betaling*) dun(ning letter); (*voor belasting*) *zie* waarschuwing; *zachte – gentle reminder; *een – van mijn oude kwaal* a touch of my old complaint

aanmarcheren march [on a town]; *komen ~* come marching on (*of:* along); *met de linkervoet ~* step off with the left foot

aanmars advance, approach; *zie* aantocht

aanmatigen: *zich ~* arrogate to o.s.; assume (to o.s.); *zich een oordeel ~* presume to give an opinion; **~d** arrogant, presumptuous, overbearing, pretentious, self-assertive, high-handed; **aanmatiging** arrogance, presumption, high-handedness; (*jur.*) arrogation

aanmelden announce; *zie* aandienen; *zich ~ (van getuigen*) come forward; (*van dief*) give oneself up [to the police]; (*voor betrekk.*) apply, come forward; (*voor examen, enz.*) enter (one's name), present o.s. [for examination]; *zich in persoon (alleen schriftelijk) ~* [candidates are requested to] apply in person (by letter only); *zie verder* aangeven

aanmelding announcement, notice (*voor betrekk.*) application; *zie* aangifte

aanmengen mix; (*verdunnen*) dilute; *aangemengd* [you can buy it] ready-mixed

aanmenging mixing, dilution

aanmeren moor

aanmerkelijk considerable; substantial [interest]; *~ groter* substantially larger

aanmerken (*beschouwen*) consider; (*opmerken*) remark, observe; *iets ~ op* find fault with [a p. or thing], take exception to [a statement, etc.]; *heb je iets op mijn gedrag aan te m.?* have you any fault to find with (is there anything you find fault with in) my conduct?; *er is niets op aan te m.* it is unexceptionable; *ik heb er niets (weinig, veel, één ding) op aan te m.* I have no (little, much, one) fault to find with it; *er viel weinig op haar aan te m.* there was small (little) fault to find with her; *'t enige dat ik op hem (erop) aan te m. heb, is ...* the only fault I have to find (the only quarrel I have) with him (it) is ...; *ze hadden niets op hem aan te merken* they had not a word to say against him (*zie* aanmelden & aanmelding)

aanmerking 1 (*beschouwing*) consideration; *in ~ komen* be considered [for promotion, for a vacancy; only Dutchmen will be ...ed for this post; my request was not ...ed]; rank [for dividend]; be eligible (qualified) [for membership, office, (a) pension], qualify [for the next round], *hij komt helemaal niet in ~* he is not considered to be a serious candidate, is out of the running (the picture) altogether; *kwaliteit komt pas in de tweede plaats in ~* quality is only a second c. (of secondary importance); *in ~ komende stoffen* suitable materials; *in ~ komende gevallen* appropriate cases; *in ~ nemen* take into c. (*of:* account); allow for, make allowance for [a p.'s condition], reckon with [coming changes]; *in ~ genomen* considering, making allowance for [the boy's age], having regard to [the facts], in view of [our short acquaintance]; *alles in ~ gen.* all things considered; 2 (critical) remark; observation; (*afkeuring op school*) bad mark; *~en, ook:* strictures; *ik maak geen ~, alleen maar een opmerking* I am not criticizing, I am only remarking; *~ maken op,* (*pers. & zaak*) find fault with, criticize; (*zaak ook*) take exception to; *hij houdt van ~ maken* he likes to find fault; *zie verder* aanmerken

aanmeten take a p.'s measure for, measure a p. for [a coat]; *zich ... laten* have one's measure taken (get measured) for ...; *aangemeten pak* made-to-measure suit; *zich ... (laten) ~,* (*fig.*) give o.s. [airs, a new car]

aanminnig charming, sweet; **~heid** charm, sweetness

aanmoedigen encourage; countenance [= *zedelijk steunen:* you should not sit here and ... all this]; give a fillip to [trade, etc.]; tempt [to further business]; lead [a p.] on [to some indiscretion; you led me on]; *-er* encourager

aanmoediging encouragement; countenance (*zedelijke steun*); **~spremie** incentive money; **~sprijs** *ook* consolation prize

aanmoeten: *die jas moet (je) aan* you must put on that coat; *'t vuur moet aan* the fire must be lit; *ik weet niet wat ik met hem aan moet* what to do with him; **aanmogen:** *mag ik die jas aan?* may I put on (wear) that coat?; *de kachel mag aan* you may have a fire

aanmonding (*muz.*) embouchure

aanmonsteren I *tr.* engage, sign on [seamen]; II *intr.* sign on, sign the articles; (*voor 't eerst, ook*) join one's first ship; **-ing** engagement, signing on

aanmunten coin, mint (*ook fig.*); monetize; **-ing** coinage [free ... of silver], minting, monetization

aannaaien sew on [buttons]; *men kan hem geen oren ~* he is not gullible; he was not born yesterday

aannemelijk acceptable [proposal, post, etc.], reasonable [terms], plausible [theory]; (*van*

excuus, enz.) plausible, likely, colourable; (*toelaatbaar*) admissible; (*geloofwaardig*) [it sounds very] plausible, credible; (*bevattelijk*) teachable [child]; *~e partij* eligible party; **~heid** acceptableness, admissibility, etc.

aannemeling candidate for confirmation, confirmation candidate, confirmee

aannemen 1 (*wat aangeboden wordt*) accept [an offer, invitation, apology, a Bill of Exchange]; take [a cup of tea, money, orders, a message]; receive, book [orders]; take in [*aan de deur:* the milk, a parcel], take delivery of [the goods]; answer [the telephone]; (*van kelner*) take an order; *~!* waiter!; *ik neem geen bedankje* (*weigering*) *aan* I won't take a denial (a refusal), I won't take no for an answer; *een opdracht ~* undertake a commission; *hij nam mijn voorstel* (*aanbod*) (*gaarne*) *aan, ook:* he closed with (*gretig:* jumped at) my proposal (offer), he fell in with my suggestion; *hij is goed van ~* he is a teachable person (child); (*scherts.*) all is grist that comes to his mill; *zie* uitdaging, enz.; 2 (*tot zich nemen*) adopt [a child, a name, a hostile attitude, another line of conduct], take [a name], take up [an attitude], assume [airs, a kind tone, a name, grave proportions]; contract, pick up, get (drop, fall) into [a habit]; take on [her cheeks took on a deeper colour]; embrace [a religion, an opinion]; take on [dangerous forms]; *hij neemt gauw iets aan* he takes to a thing quickly; *zie* rouw, houding, enz.; 3 *als lid ~* admit [as a member, to full membership]; *kerkelijk ~* confirm; 4 (*onderstellen*) suppose, assume [a hypothesis; it is generally ...d that ...]; presume [that decision is final]; expect [that he has not seen the dog]; (*als vaststaand ~, zonder onderzoek ~*) take for granted; *je kunt gerust van mij ~* you can take it from me that ...; *dit wordt algemeen aangenomen* this is generally accepted, it is the generally received opinion; *naar men mag ~* presumably [this would mean ...]; *ik meen te mogen ~* I venture to think; *mag ik ~ dat ...?* may I take it that you won't object?; *zie* aangenomen, geloof, enz.; 5 *een motie ~* carry (adopt, agree to) a motion [by 50 votes to 12 *met ... tegen ...*]; *een wetsvoorstel ~* pass a bill; *de begroting ~* vote the estimates; *... werd aangen. door, ook:* the bill (the budget) passed the Chamber; 6 *een werk ~* contract for a work; *ik neem aan ...* I undertake to be ready in an hour; 7 (*in dienst nemen*) engage, take on [workpeople]; 8 *als regel ~* make it a rule

aannemer contractor; (*in bouwvak*) (building) c., (master) builder (and c.); *God is geen ~ des persoons,* (*Hand. 10 : 34*) God is no respecter of persons; **~svak** [be in the] building trade

aanneming 1 acceptance [of a Bill of Exchange, an invitation, etc.]; 2 adoption; 3 admission; 4 supposition; 5 passage [of an act *wet*], carrying [of a motion]; 6 (*kerkelijk*) confirmation; *vgl.* aannemen; *veroordeeld onder ~ van verzachtende omstandigheden* with the benefit of extenuating circumstances; *bij ~* contractually, by the job, contractor-built [houses]; ~ssom sum contracted for

aanpak approach [*van een probleem* to a problem]; *dat is een hele* ~ that is quite a job

aanpakken seize (upon), lay (take, catch) hold of, grip [a p.'s arm], attack, assail [the enemy], close with [a p.]; *een onderwerp* ~ tackle (grapple with) a subject; *de zaak* ~ take the matter up (*of:* in hand), handle the matter [in a workmanlike way], get to grips with the question; *hoe zal ik 't* ~? how shall I set about it?; *iets goed* (*verkeerd*) ~ go (set) the right (wrong) way about it; go (set) the right (wrong) way to work; *een moeilijke zaak flink* ~ grasp a nettle; *iem. flink* (*hard*) ~ take a firm line with (be tough on) a p.; *je moet hem maar eens flink* ~ you should give him a bit of your mind, take him firmly in hand; *zo moet je hem* ~ that's the stuff to give him; *hij* (*de toestand*) *moet voorzichtig aangepakt worden* he (the situation) requires careful handling; ... *alles aan te p.* he was ready to turn his hand to anything; *ruw* ~ handle roughly; *iem. zacht* ~ deal gently with a p.; *je weet haar niet aan te p.* you do not know how to manage her; *als hij op de rechte manier aangep. wordt* ... if properly approached he is sure to consent; *hij weet van* ~ he does not shirk his work; he knows how to manage things; *de jongen moet mee* ~ should make himself useful; *de ziekte heeft me aangepakt* has told upon me (my strength, my constitution), pulled me down; ... *pakt iem. aan in* ... influenza fastens on one's weakest point; *zulke dingen pakken je aan* such things take it out of (tell on, leave their mark on) a man; *de onzekerheid heeft me erg aangep.* the suspense has been getting me down; *pak aan!* (*klap*) take that!; (*zichzelf*) ~ rouse o.s., buckle to, take a grip on o.s., put one's back into one's work

aanpakker go-ahead sort of man; (*Am.*) go-getter; (*voor pan*) panholder

aanpalend adjacent, adjoining

aanpappen: ~ *met* chum (pick, pal) up with; cotton on to; (*trachten aan te p. met*) scrape acquaintance with, cultivate [a p.]

aanpassen try on [a coat]; *iets* (*zich*) ~ *aan* adapt (accommodate, adjust, fit) s.t. (o.s.) to [environment, etc.]; *zich* ~ *aan, ook:* fit in with [one's surroundings, etc.]; *zich aan een gezelschap* ~, *ook:* shake down in a company; *de straf aan de misdaad* ~ make the punishment fit the crime; *de produktie* ~ *bij de vraag* tailor production to demand; *zich gemakkelijk* ~*d* adaptable [girl clerks are more ... than men], adaptive [man is an ... animal]; *sociaal aangepast* well-adjusted [personality]

aanpassing adaptation, adjustment, accommodation; ~**svermogen** adaptability, flexibility; accommodation [of the eye]

aanpersen press together, compress

aanplak: ~**biljet** placard, poster, bill; ~**bord** notice-board, bulletin-board, (*Am.*) billboard; ~**ken** paste (up); (*openbare bekendma-king*) post (up); *verboden aan te plakken* billstickers will be prosecuted; stick no bills; no posters!; ~**ker** bill-sticker, bill-poster; ~**zuil** advertising-pillar

aanplant(**ing**) (*abstr.*) planting, cultivation; (*concr.*) plantation; reserve; *in* ~ under cultivation

aanplanten plant [trees], grow [corn], cultivate, plant up [200 acres]

aanplempen fill up [a ditch]

aanporren prod, wake up, rouse (up), spur (on), jog (up), stir (hurry, ginger) up

aanporring rousing, etc.; stimulation

aanpoten (*fam.*) infect with; *en zie* aanstappen & voortmaken

aanpraten: *iem. iets* ~ talk a p. into [buying, doing s.t.], persuade a p. to ...; *iem. zijn waren* ~ press one's wares upon a p.

aanpreken *zie* aanpraten

aanprijzen recommend, sing the praises of; (*fam.*) crack up, puff (up); -**ing** recommendation

aanpunten point, make a point to, sharpen (to a point)

aanraden advise; recommend, suggest [a plan]; *ik raad* (*u*) *geduld aan* I a. patience, I a. you to be patient; *het is aan te raden* it is advisable; *op uw* ~ at (*of:* on) your advice (*of:* suggestion)

aanraken touch; *elkaar* ~ touch (each other); *verboden aan te raken* do not t.; *zie* aanroeren & aanstippen

aanraking touch, contact; *in* ~ *brengen met* bring (put) into contact (in touch) with; *hij bracht mij met de familie in* ~ introduced me (in)to the family; *in* ~ *komen met* come (get) into t. (contact) with, mix with, be thrown in with, (*fam.*) rub shoulders with [all sorts of people]; *dagelijks met iem. in* ~ *komen* be in daily contact with a p.; *ik kom niet veel met hem in* ~ we don't often meet; *wij kwamen voortdurend met elkaar in* ~ we were constantly thrown together; *zie* justitie; ~**spunt** point of contact; *we hebben geen* ~*en, ook:* we have nothing in common with each other

aanranden assault [she was indecently (sexually) ...ed], assail; (*om te beroven*) hold up; attack [the liberty of the press, etc.]; *iems. goede naam* ~ injure a p.'s reputation; -**er** assaulter, assailant; -**ing** assault; hold-up, attack; – *der eerbaarheid* indecent a.

aanrecht slab; sink unit; draining board

aanrechten: *een maaltijd* ~ prepare a dinner

aanreiken reach, hand, pass, hand in [I'll hand in the book to-night]

aanrekenen (*eig.*) charge; *iem. iets* ~, (*fig.*) blame a p. for s.t., lay s.t. to a p.'s charge; score it against him, account s.t. to a p.; *'t zich als een eer* ~ *te* ... consider it an honour to ...; *'t zich als een eer* (*verdienste*) ~ *te hebben voorspeld* ... take credit to o.s. for having prophesied ...; *'t iem. als een eer* (*verdienste*) ~ *give* a p. credit for it

aanrennen: *komen* ~ come running (racing, tearing) along (*of:* on), come galloping up; ~

op de vijand rush at (*of:* upon) the enemy; ~ *tegen* run (*of:* dash) into

aanrichten cause, bring about, do; *schade* ~ do (cause) damage; *onheil* ~ do harm (mischief); *verwoestingen* ~ make (work) havoc [the floods have worked havoc], commit ravages, do [a great deal of] mischief; *zie* bloedbad, enz., & aanrechten

aanrijden I *intr.: komen* ~ come riding (driving) on (*of:* along); drive up [carriages constantly drove up]; *bij iem.* ~ pull up (*of:* stop) at a p.'s house (*of:* door); ~ *op* drive (ride) towards (in the direction of); *vgl.* rijden; ~ *tegen* run (crash, dash) into; *wat* ~ ride (drive) a bit faster, hurry up; II *tr.* bring in carts (carriages, etc.); break in [a horse]; *iem.* ~ run into a p., knock a p. down [he was run into, knocked down, hit, by a motor-car]; **-ing** collision, crash

aanrijgen string [beads]; baste, tack [a dress]; lace up [boots, a corset]; **aanristen** string [onions]

aanroeien: *komen* ~ come rowing along (*of:* up); (*sneller roeien*) row faster; *flink* ~ pull away; ~ *tegen* row (*of:* bump) against, strike (against)

aanroep *zie* ~ing; **-en** call [a p., a taxi], hail [a ship, a taxi, a p.]; (*praaien*) speak; (*van schildwacht*) challenge; invoke [God, the Muses]; call upon [God for help]; *zie* getuige; **~ing** ...ing; challenge; invocation; *vgl.* ~en

aanroeren touch [a p. or thing]; touch upon [a fact, a subject]; mix, stir up [a pudding]; *dat onderwerp mag niet worden aangeroerd* is taboo(ed); *zie* snaar

aanrollen (*vaten, enz.*) roll on; *komen* ~ come rolling on (*of:* along); ~ *tegen* roll against

aanrukken advance; ~ *op* advance (*of:* march) upon, push on to, press forward to; *laten* ~ march [troops upon a town]; (*bestellen*) order, call for; *nog een fles laten* ~, *ook:* have another bottle up (*of:* in)

aanschaf = ~*fing;* (*zich*) ~**fen** procure, buy, purchase, get; (*fam.*) invest in [a new hat]; ~**fing** procuring, buying, purchase; *kosten van* – initial expense

aanscharrelen: *komen* ~ come shuffling along; (*van kind*) come toddling along

aanschellen ring (the bell)

aanscherpen sharpen

aanschieten hit, wing [a bird]; (*kleren*) slip (hurry, huddle) on, tumble (hurry) into; ~ *op* rush at (*of:* upon); *zijn verbeelding schoot vleugels aan* his imagination took wing; *zie* aangeschoten

aanschijn (*voorkomen*) appearance, look; (*aangezicht*) face, countenance; *zie* zweet

aanschikken draw one's chair up to the table, draw up (to the table), sit down to table; *schik mee aan!* draw up (your chair)

aanschoffelen hoe [the garden]

aanschouw: *ten* ~*e van, zie* aanschouwen

aanschouwelijk clear; graphic [description]; ~ *maken* demonstrate, illustrate; ~ *onderwijs, a*) teaching by illustration; *b*) = aanschouwingsonderwijs; ~ *onderwijs geven* teach by illustra-

tion; ~**heid** clearness, graphicalness

aanschouwen behold, see; *zie* levenslicht; *ten* ~ *van* in the sight of, in the presence of; **-er** beholder, looker-on, spectator (*v:* spectatress)

aanschouwing observation; (*geestes*~) contemplation; *innerlijke* ~ inner (spiritual) vision; *zalige* ~ (*r.-k.*) beatific vision; *onderwijzen door* ~ teach by illustration; ~**sles** object lesson; ~**sonderwijs** teaching with visual aids; ~**svermogen** intuitive faculty, power of intuition

aanschouwster *zie* aanschouwer

aanschrappen *a*) mark; tick off, check (off) [on a list]; *b*) (*lucifer*) scratch [a match]

aanschrijven 1 *goed* (*slecht*) *aangeschreven staan* be in good (bad, ill) repute, enjoy a good reputation, be in good (bad) odour [*bij* with], be well thought of [by]; *je staat goed* (*slecht*) *bij hem aangeschr.* you are in his good (bad) books; *hoog bij iem. aangeschr. staan* be in high favour (stand high) with a p.; *ze wenste goed bij hem aangeschr. te staan* she wanted to stand well with him (*of:* in his eyes); 2 (*in rekening brengen*) charge (put) to a p.'s account; *zie* aanrekenen; 3 (*oproepen*) summon; (*berichten*) notify; (*per circulaire*) circularize; (*gelasten*) instruct, order; 4 *aangeschreven lijn* tangent (line); **-ing** notification, summons; instruction(s), order(s)

aanschroeven (*ergens aanschr.*) screw on; (*vaster schr.*) screw home

aanschuiven push (*of:* shove) on; *komen* ~ come shuffling along; *zie ook* aanschikken

aansjokken: *komen* ~ come slouching (trudging, jogging) along; **aansjorren** lash

aansjouwen *tr.* bring (along), carry; (*slepend*) haul (drag, lug) along; *intr., zie* aansjokken

aanslaan 1 touch [the piano, a string *snaar*, key *toets*] strike [a note, *zie* toon; a chord *akkoord*]; (*op kasregister*) ring up; (*van paard*) overreach, interfere, click; (*van kogel*) ricochet; (*vuurwapen*) (bring to the) present; (*motor*) start (up); *de motor slaat* (*niet*) *aan* the engine picks up (fails to start); ~ *tegen* strike (dash) against; *de piano slaat licht aan* has a light touch; *de klep slaat niet aan* the valve does not close properly; 2 (*in beslag nemen*) seize, confiscate; 3 (*bevestigen*) put up, affix, nail [Luther ...ed his theses to the church-door]; post up [a notice]; tack [a list] on the notice-board; bend (on) [a sail]; '*t aas* ~ put (*of:* hook) on the bait; *een* (*huur*)*bordje laten* ~ have a (notice-)board (put) up; *een huis* ~ put up a house for sale; 4 (*schatten*) estimate, value [*op* at]; *hoog* ~, (*fig.*) value (*of:* rate) highly; *te hoog* (*laag*) ~ overrate (underrate) [a p.'s merits]; *niet hoog* ~ not think much of; 5 (*in belasting*) assess [*voor* ... for income-tax at £10]; (*plaats. bel.*) rate [*voor* at]; *te hoog* ~ assess too high; 6 (*mil.*) salute; 7 (*van hond*) give tongue; (*van vogel*) start singing; (*van klok*) warn; 8 (*beslaan: van ruiten, spiegel*) get steamy (steamed up); (*van ketel*) fur, get furred; (*van metaal*) tarnish, get tarnished; 9

(*wortel schieten*) strike (root), take (*ook fig.*)
aanslag 1 ('*t aanslaan: muz.*, *schrijfmachine*) touch; (*van projectiel*) impact; (*50 ct. per km en*) *een ~ van f 2*, (*van taxi*) initial hire fee (hiring charge); *op de ~ schieten* snap a rifle (pistol, etc.); '*t schieten* (*schot*) *op de ~* snap shooting (snap shot); *in de ~* at the present; *in de ~ brengen* (*komen*) bring (come) to the present; *staande* (*liggende*) *~* standing (lying) position; 2 attempt, attack [*op* on], hold-up [of a train]; [bomb, dynamite] outrage; *een ~ doen op* attempt (make an attempt on) the life of; *misdadige ~* criminal assault; 3 (*belasting*) assessment; (*voor gemeente ook*) ratal; 4 (*van walm*) lamp-black; (*bezinksel*) sediment; (*in ketel*) fur, scale; 5 (*bk.*, *techn.*) stop; *~biljet* notice of assessment, demand-note, tax-paper; *~oefeningen* (*mil.*) aiming-exercises
aanslepen drag (haul, lug) along
aanslibben increase (by alluvial deposition); (*van 't aangeslibde*) be deposited; (*dichtslibben*) silt (up); *-bing* (*abstr.* & *concr.*) accretion of land, deposition; *concr. ook = -sel* alluvial deposit, alluvium, silt
aanslijpen sharpen, whet; cut [facets] on
aanslingeren crank up [an engine, a car]
aansluipen: *komen ~* come sneaking along; *~ op* steal upon [one's prey], stalk [a deer, a p.]
aansluiten I *tr.* 1 connect, join, link; *zich ~*, (*verenigen*) unite, join hands; (*zich*) *~ aan* link up (*of:* in) with [a railway, etc.]; (*van weg, enz.*) meet; *zich ~ bij* join [a p., a party], fall in behind [a procession], associate o.s. with [a movement, a p.('s words)], join with [a p. in ...], subscribe to [a p.'s view, request], concur (agree) with [a p.]; *ik sluit mij bij zijn verzoek aan, ook:* I join in his request; *zich bij iem. ~*, (*als kameraad, fam.*) chum up with a p.; *de partij* (*hij*) *heeft zich* (*is*) *aangesloten bij ...* has affiliated itself (himself, is affiliated) to (*of:* with) [the federation, etc.]; *hij sluit zich niet gemakkelijk aan* he does not readily mix (with others), (*fam.*) is a poor mixer; *bij geen partij aangesl.* not attached to any party; 2 (*telefoon*) connect [*met* with], put through, put on [*met* to], switch on [to a wrong number, etc.]; *u is aangesl.* you are through; *u is verkeerd aangesl.* you've got the wrong number; 3 (*radio*) take over [we are now taking you over to ...]; II *intr.* 1 *~!* close up! move to the rear, please!; 2 (*van trein, enz.*) correspond, connect, run in connection [*op* with]; [*deze kamer*] *sluit aan op* [*de studeerkamer*] leads from ...; 3 (*van lager en middelbaar onderwijs, enz.*) be [badly, well] co-ordinated, dovetail into (link up with) each other; *doen ~* link up [technical and secondary education]; 4 (*van kleren*) fit close, cling (to the body); *zie* aangesloten; 5 *de badkamer sluit aan bij de slaapkamer ...* opens off the bedroom; *de kade sluit bij de dijk aan* runs into (meets) the dike; *dat sluit mooi aan bij ...* links up nicely with ...; *het hoofdstuk sluit qua onderwerp aan bij ...* links on in subject-matter to ...

aansluiting 1 junction, joining, linking-up, affiliation [to, with a trade-union, etc.]; union [*bij* with], association; closer relations; co-ordination; link-up [between school and university]; *zie* (zich) aansluiten; 2 (*van trein, enz.*) correspondence, connection [the ...s are very bad]; *~ hebben* correspond, run in connection; *de trein heeft ~ met de boot, ook:* runs in conjunction with the steamer; *de trein naar A. heeft ~ met ...* the A. train meets ...; *de ~ halen* (*missen*) catch (miss) the connection; 3 (*telefoon*) connection, communication; *~ hebben* be connected, be through; *~ krijgen* be put through [*met* to], get through, get one's connection; *zie* net*~*; *muziek in ~ met ...*, (*radio*) relayed from ...; 4 (*plaats van ~*) junction; 5 *in ~ aan ons schrijven van ...* referring to (following up, further to) our letter of ...; *~ bij* continuity with [earlier negotiations]; *in ~ op* (*bij*) *P's werk* picking up where P. left off; *~spunt* (point of) junction
aansluitklem (*radio*) terminal; **aansluitkosten** (*telec.*) connection charges
aansmeden forge (*of:* weld) on
aansmeren smear (over); daub [a wall, etc.]; cement [roof-tiles]; *iem. iets ~* palm (pass, fob) s.t. off on a p., foist s.t. on a p.
aansmijten: *~ tegen* throw (fling, dash) against
aansnauwen snarl (*of:* snap) at, jaw [a p.]
aansnellen: *komen ~* come running (hurrying) on (*of:* along); *~ op* rush up to; *het ~de verkeer* the onrushing traffic
aansnijden cut [a new loaf], cut into [a ham]; (*fig.*) broach [a question]; launch [a new topic]; *aangesneden* partly cut
aansnorren: *komen ~* come whirring (*of:* whizzing) on (*of:* along); **aansolderen** solder on
aanspannen 1 put [the horses] to; *we zullen ~* we'll put the horses to; 2 tighten [a rope, string]; 3 *een proces ~* institute (legal) proceedings; **aanspelden** pin on
aanspijkeren nail on; *zie* aanslaan 4
aanspoelen *tr.* wash (drift) ashore, wash up; *intr.* be washed (cast) ashore (up); wash ashore (up); drift ashore; *zie ook* aanslibben; *-ing* ...ing; *zie ook* aanslibbing
aansporen (*paard*) spur (on), urge on (*of:* forward); (*persoon*) urge (on), animate, exhort, actuate, spur on, rouse, incite, stimulate [*tot* to]; (*tot iets verkeerds*) goad [*tot* into], goad (*of:* egg) on [*tot* to]; **aansporing** incitement, stimulation, exhortation; incentive, stimulus; *op ~ van* at the instance of
aanspraak 1 (*vero.*), *zie* toespraak; *ik heb hier nogal ~* I see a good many people here; *we hebben hier helemaal geen ~* we don't know anyone here; *ze had behoefte aan ~* she needed company; 2 (*recht*) claim, title, right; *~ hebben op* have a claim to (*of:* on), have a title to, be entitled to; *de oudste aanspraken hebben op* have first claim on; *~ maken op* lay claim to, claim [a right, etc.]; (*ten onrechte*) pretend to [the throne]; *mijn opmerkingen m. geen ~ op volledigheid* make no pretence to being (do

not pretend to be) exhaustive
aansprakelijk liable, responsible, answerable; ~
stellen hold r., etc. [*voor* for]; *zich niet ~ stellen,
ook:* take no (*of:* disclaim) responsibility; ~
zijn voor de schulden (= *borg voor*) stand surety
for the debts; ~**heid** liability, responsibility;
– *tegenover derden* third-party risks; *zie* beperkt
aanspreekbaar approachable
aanspreekvorm form of address
aanspreken speak (talk) to, address; tackle [I
...d the porter in English]; (*aanklampen*) accost [a p. in the street, etc.]; (*heftig, volksme-
nigte bijv.*) harangue; (*opzoeken*) call (*of:* look)
in upon [a p.]; (*van muziekinstr.*) speak; *met
'Uwe Majesteit'* (*met zijn titel*) ~ address as
'Your Majesty' (by his title); *de muziek spreekt
gemakkelijk aan* ... has an easy appeal; *de
voltmeter sprak direct aan* ... responded at
once; ~ *om vergoeding, geld, enz.* apply to
[the Company, etc.] for damages, claim
damages from, (*fam.*) come (down) upon (*of:*
touch) [a p.] for money; (*in rechten*) sue (bring
an action against) [a p.] for damages, etc.;
iem. om een schuld ~ dun a p.; *de garanten* ~
om ... call upon the guarantors to pay 100p.
in the pound; *iem.* ~ *over iets* talk to a p.
about s.t., tackle a p. on s.t.; *zijn kapitaal* ~
break into (dip into, trench on, draw on,
encroach on) one's capital; *de fles* (*flink*) ~
have a go at (partake freely of, ply, not spare)
the bottle; *de pudding, enz. geducht* ~ tuck into
the pudding, have a good go at [one's food],
punish [the wine], make a hole in [one's
money, reserves]; *nog een fles* ~ crack another
bottle; *aangesproken persoon,* (*gramm.*) vocative
aanspreker undertaker's man
aanspringen: ~ *op* leap at, rush upon; *komen* ~
come bounding along
aanspuwen: *iem.* ~, (*ook fig.*) spit at (*of:* upon) a
p., spit in a p.'s face
aanstaan 1 please; *de manier* ... *stond me niet
aan* I did not like (care about) the way he
said it; *'t staat me helemaal niet aan* I don't like
it at all; it does not commend itself to me; 2 *de
deur staat aan* is ajar; 3 *de radio stond aan* the
radio was (turned) on; *de motor stond aan* the
engine was running
aanstaande I *bn.* (*volgende*) next [Christmas,
etc.]; (*ook*) this [Friday]; (*te verwachten, enz.*)
(forth)coming, approaching [his ... marriage],
prospective [teachers], impending [changes,
marriage], imminent [his arrest is ...], at hand
[dawn was ...]; ~ *bruid* bride elect, bride-to-be;
~ *moeders* expectant mothers; ~ *president* incoming president; *mijn* ~ *schoonvader* my prospective father-in-law; *Kerstmis is* ~ Christmas
is drawing near, is upon us; II *zn.: mijn* ~ my
fiancé(e), my wife-(husband-)to-be
aanstalten preparations; ~ *maken voor* make (*of:*
get) ready for; *hij maakte* ~ *om* ... he made to
pass her, offered to strike me, made a show
of assaulting me, prepared to rise; *hij maakte*

geen ~ ... he made no show of complying with
my request; *zie* toebereidselen
aanstampen ram (down); ram in [the charge *lading*]; tamp [a road]; *komen* ~ come stamping
(stumping: *als op houten been*) along
aanstappen *zie* aanbenen; (*sl.*) stir one's stumps;
flinker ~ mend one's pace; *komen* ~ come
striding along; ~ *op* step up to; ~ *bij, zie* aanlopen
aanstaren stare at, stare in the face, gaze at
aanstekelijk (*ook fig.*) infectious, contagious,
catching; *'t werkte* ~ it was catching; ~**heid** infectiousness, contagiousness, infection, contagion
aansteken 1 light [a lamp, cigar, fire; light your
pipe at, from, my cigar], kindle [a fire]; set fire
to, fire [a house]; *weer* ~ relight [one's pipe];
een lucifer ~, *zie* aanstrijken; *licht* (*de pijp*) ~,
eens ~ light up; *zie* opsteken; 2 broach, tap
[a cask]; *wij hebben thans geen bier* (*geen vat*)
aangestoken we have no beer (no barrel) on tap
just now; 3 (*van ziekte, enz.*) infect; *dat steekt
aan* is infectious (catching); *aangestoken*
worm-eaten, maggoty, specked, unsound
[fruit]; carious [tooth]; incendiary [fire], [the
fire was] started deliberately; **-er** [lamp-,
cigar-]lighter
aanstellen appoint [to a post]; *weer* ~ re-instate;
iem. ~ *bij de genie* appoint a p. to the Royal
Engineers; *hij werd aangesteld tot* ... he was
appointed commander; *hij stelde iem. aan om
haar na te gaan* he put on somebody to watch
her; *zich* ~, (*gemaakt doen*) show off (*vooral
van een kind*), put on (affected) airs, pose, (*sl.*)
swank; *ze stelt zich enorm aan* is terribly affected; (*zich zo houden*) put it on [he is merely
putting it on]; (*te keer gaan*) take on, carry on;
zich belachelijk (*gek*) ~ make a fool (an ass,
an exhibition) of o.s., play the fool
aansteller affected person, attitudinizer, (*sl.*)
swanker; ~**ig** affected, attitudinizing, stag(e)y
aanstellerij affectation, pose; (*sl.*) swank; *'t is
maar* ~, *ook:* it's all put on, it's only a pose
aanstelling appointment [*tot* as]; (*als officier*)
commission
aansterken get stronger, gain (regain one's)
strength, recuperate, rally; *iem. doen* ~ feed a
p. up; **-ing** recuperation
aanstevenen: *komen* ~ come sailing (scudding)
along; (*fig.*) come striding along; ~ *op* bear
down upon, make (steer) for; (*fig.*) make for,
bear down upon
aanstichten cause, set on foot, instigate; hatch
[a plot]; **-er** *zie* aanstoker; **-ing:** *op – van* at the
instigation of
aanstijven stiffen, thicken; (*van wind*) freshen
(up)
aanstippen touch, paint [a wound]; (*op vingers,
met potlood, enz.*) tick off, check off; (*een onderwerp, enz.*) mention by the way, touch
(lightly) on, (just) glance at [a subject]
aanstoken stir [the fire]; fan, foment, instigate
[a quarrel]; set (*of:* egg) on [a p.]; *zie* aanwakkeren; **-er** instigator, originator, prime mover,

'moving spirit', firebrand; (*tot oorlog*) warmonger

aanstonds directly, forthwith; *zo* ~ presently; *al* ~ at (from) the (very) outset

aanstoot offence, scandal; ~ *geven* give o., cause (*of:* raise) a scandal, give umbrage; ~ *geven aan ook:* scandalize, shock; ~ *nemen aan* take o. (umbrage) at, take exception to; *zie* steen; ~ **gevend** offensive

aanstormen: *komen* ~ come rushing (dashing, tearing) along, come on full tilt; ~ *op* rush upon, go full tilt for; **~d** onrushing

aanstotelijk offensive, objectionable, scandalous, obnoxious, shocking; **~heid** ...ness

aanstoten I *tr.* push [*tegen* against]; (*om een teken te geven*) nudge, jog; *de deur* ~ push the door to; II *intr.:* ~ *tegen, zie* stoten; (*met glazen*) ~ clink (*of:* touch) glasses

aanstrepen *zie* aanschrappen *a*)

aanstrijken I *tr.* (*met kwast*) brush (over), touch up [a door]; plaster [a wall]; paint, pencil [a wound, one's throat]; *een lucifer* ~ strike (light) a match, strike a light; II *intr.* (*van paard*) brush

aanstromen: *komen* ~ come flowing (rushing) along; ~ *op* flow (stream) towards; ~ *tegen* flow (wash) against; *zie* toestromen

aanstuiven (*van zand, sneeuw, enz.*) drift; *zie ook* aanstormen; **-ing** sand-drift

aansturen: ~ *op* make (*of:* head) for [the lighthouse, etc.]; (*fig.*) make (*of:* work) for [war, etc.], head for [national bankruptcy], lead up to, aim at; *met alle middelen* ~ *op* ... force [an immediate election]; *op stemming* ~ press the matter to a division; ~ *op land, ook:* stand inshore

aantal number [of soldiers]; ~ *punten* score; '*t* ~ *doden, ook:* the death-roll

aantastbaar assailable

aantasten (*aanvallen, ook van ziekte*) attack; (*aanraken*) touch; (*gezondheid, enz.*) affect, impair [his health is, his lungs are ...ed]; (*van roest, enz.*) affect [rust does not ... this metal], corrode; interfere with [health, the foundations of society]; encroach upon, infringe upon [privilege, authority]; *de vlammen tastten het gebouw aan* took hold of the building; *het tastte zijn gestel geducht aan* it played havoc with his constitution; *uw woorden tasten zijn nagedachtenis aan* reflect on his memory; *iem. in zijn eer* (*goede naam*) ~ injure a p.'s honour (reputation); *door ziekte aangetast worden* be taken ill, be stricken with disease; '*t tastte zijn gemoedsrust* (*zenuwen*) *aan* it preyed on his mind (nerves); *hij werd door de algemene rage aangetast, (fam.)* he was bitten with the craze; *zijn kapitaal* ~, *zie* aanspreken; '*t aangetaste vee* the affected cattle; **aantasting** (*van iems. goede naam*) defamation [of character]; invasion [of privacy]

aanteken: **~boek(je)** notebook, memorandum-book; (*fam.*) jotter; **~en** (*optekenen*) note (*of:* write) down; (*bij spel*) keep the) score; (*~ingen maken*) make (*of:* take) notes; (*aanduiden*)

mark; (*inschrijven*) register; (*huwelijk: burgerlijk*) enter a notice of marriage with the registrar (*of:* at a registry-office); (*kerk*) have the banns published; *een brief* (*pakje*) *laten* – have a letter (parcel) registered; *aangetekende brief* registered letter; *aanget. verzenden* send by registered post; *zie* beroep & protest; **~ing** 1 note, comment, annotation; *losse* – jotting; 2 (*op diploma, rijbewijs, enz.*) endorsement; 3 [good, bad] mark; 4 publication of the banns, (entry of ~) notice of (intended) marriage (*vgl.* ~en); 5 (*van brief, enz.*) registration; – *houden van* keep a record of; *–en maken* make (*of:* take) notes; *hij kreeg een – op zijn rijbewijs* he had his (motor-)licence endorsed; **~recht** registration-fee

aantijgen impute [s.t. to a p.]

aantijging imputation, allegation

aantikken 1 tap [at the door, etc.], knock; 2 salute; 3 mount up, tot up (*lekker* nicely)

aantocht approach, advance; '*t leger is in* ~ is advancing (marching on); *er is een onweer in* ~ a (thunder-)storm is coming on; *zie* komst (*op* ...)

aantonen show; (*bewijzen*) prove, demonstrate; *de waarde hiervan behoeft niet aangetoond te worden* needs no showing; *~de wijs* indicative (mood)

aantoonbaar demonstrable

aantrappen tread down; *flink* ~, (*op fiets*) pedal along briskly; *wat* ~ ride (pedal) faster

aantrede (*van trap*) tread

aantreden I *ww.* (*mil.*) fall in, form (*of:* fall) into line, line up, form up, parade [for roll-call]; (*commando*) fall in!; *doen* ~ fall in, form up, parade [the crew was ...d]; (*voor een dans*) ~ form (up), stand up; *met de linkervoet* ~ step off with the left foot; ~ *op* step up to; II *zn.* '*t* (*sein voor*) ~ the fall-in

aantreffen meet, meet with, encounter, find, come upon, come across, happen upon; (*zeer toevallig*) stumble upon; *vgl.* ontmoeten

aantrekkelijk attractive, inviting; *de misdaad* ~ *maken* glamourize crime; *veel ~s* many attractions, much to attract; **~heid** attractiveness, etc., attraction, charm

aantrekken 1 draw, pull; (*nat. & fig.*) attract; (*bijtrekken*) draw (pull) up [a chair], pull [a chair] forward; *arbeiders* ~ recruit labour; *hij* (*het*) *trok mij dadelijk aan, ook:* he (it) took my fancy, I took a fancy to him (it), I took to him (it) from the first; *zich aangetrokken voelen tot* be drawn to, be attracted by, take to [the modern boy does not take to Dickens]; *zich aangetr. voelen tot de luchtvaart* be (become) air-minded; *die methode trekt me niet aan* does not appeal to me; 2 (*vaster tr.*) draw tighter, tighten [a knot, rope]; pull on [the handbrake], *een touw* ~, (*mar.*) tauten a rope, take out the slack; 3 (*kleren*) put on [clothes, boots, gloves], pull on [boots], draw on [gloves], get into [one's coat]; *andere kleren* ~ change (one's) clothes, change [she ...d into her Sunday frock]; *trek haar ... aan* put her on a clean frock; *trek je kleren aan* get on your clothes; *niets om aan te trekken* nothing to wear; 4 *de kachel trekt aan* the stove is going to burn; 5 (*van troepen*) *zie* aanrukken; 6 improve (the economy is -ing); **zich iets ~**, (*zich beledigd voelen over*) take offence at s.t.; (*bedroefd zijn*) take s.t. to heart, be worried by (concerned at) s.t., mind [what I mind most is ...]; (*zich persoonlijk ~*) apply (take) [a remark, etc.] to o.s.; *trek u dat niet aan* don't let that worry you; *hij trok 't zich erg aan* he took it hard; *hij trekt er zich niet veel (geen lor) van aan* he makes light (little) of it; (*fam.*) doesn't care a straw (a rap); *niem. schijnt er zich iets van aan te tr.* nobody seems to mind; *ik zal me daar niet veel van ~* I am not going to be bothered by that; *daar zal hij zich veel van ~!* (*iron.*) he should worry!; *hij trok zich niets van haar aan* he did not bother about her; *hij trok zich mijn lot aan* he interested himself in my behalf; *hij hoeft zich niets aan te trekken van kritiek* he can ignore criticism, he need not let c. worry him

aantrekking attraction; **~skracht** (power of, force of) a., (gravitational) pull; (*fig. ook*) [have the widest possible] appeal; drawing power [of an artist]; **~spunt** centre of a.; (*fig. ook*) [she was] the cynosure of all eyes

aantrippelen: komen ~ come tripping (*gemaakt:* mincing) along

aantrouwen *zie* aanhuwen

aanvaarden set out on [a journey], begin [one's retreat, *terug-*, *aftocht*], assume [the responsibility, command], take possession of [one's property, an inheritance], take, accept, face, abide [the consequences], accept [conditions, a punishment, an amendment], take on [a p.'s debts]; *zijn ambt ~* enter upon one's duties, take (up) office, take up one's post (one's duties); *de regering ~* assume the government, take up (assume) the reins of government; *de slag ~* accept battle; *aanvaard mijn dank* accept my thanks; *hij aanvaardde zijn nederlaag als ...* he took his defeat like a man; *de grote reis ~* set out on one's last journey; *dadelijk te ~* (with) immediate possession, possession to be taken at once; *vrij te ~* with vacant possession; *wanneer wenst u 't huis te ~?* when do you want to move in?; (*niet*) **-baar** (*van voorwaarde, enz.*) (un)acceptable; **-ing** entering [upon one's duties], entrance [into office], accession [to office], taking possession [of a house], acceptance, etc.; *vgl.* aanvaarden; *bij de – van mijn ambt* on entering upon my office

aanval attack [*op* on: *ook fig.*], onset, charge, assault; offence [and defence]; attempt, assault [on the speed record]; (*van ziekte*) attack [of fever], fit [of madness, paralysis, fainting, etc.], access [of illness, anger, emotion], bout [of malaria, etc.]; *lichte ~* touch [of rheumatism, etc.]; *~ van beroerte* (apoplectic) stroke, seizure; *'n ~ doen op, ook:* attempt [the record]; *een felle ~ doen op, ook:* make a dead set at [a p.]; *tot de ~ overgaan* take the offensive; *de ~*

is de beste verdediging best defence is offence **aanvallen** attack, fall (*of:* set) upon, assail, assault, charge [with the bayonet], tackle, engage [the enemy]; (*aan tafel*) fall to; *in de flank ~* take [the enemy] in flank; *op zijn eten ~* fall upon (attack) one's food; *op zijn prooi ~* pounce (swoop down) on one's prey **aanvallend** offensive, aggressive; *~ optreden* take (act on) the o.; *~erwijs ... ly*
aanvaller attacker, assailant, aggressor **aanvallig** sweet, charming; *op de ~e leeftijd van ..., at the tender age of ...*; **~heid** charm **aanvals: ~golf** (*mil.*) wave; **~kracht** offensive (striking) power; **~oorlog** war of aggression; **~wapen** offensive weapon
aanvang beginning, commencement, start (*o. a. van wedstrijd*); *bij de ~* at the b., at the start; *een ~ nemen* begin, commence; *zie* begin
aanvangen begin, commence, start; *hoe zal ik dat ~?* how shall I set about it?; *wat zal ik nu ~?* what am I to do now?; *er is niets met hem aan te vangen* you can't do a thing with him; *zie* beginnen; **-er** beginner, tiro, novice
aanvangs: ~cursus course for beginners; **~fase** initial (early) phase; **~klas** (*lagere school*) reception class; **~letter** initial (letter); **~onderwijs** elementary instruction; **~punt** starting-point; **~salaris** commencing (starting) salary; **~snelheid** initial velocity; (*van projectiel*) muzzle velocity
aanvankelijk *bn.* initial [velocity, expenses, success], original; elementary [instruction]; *bw.* in the beginning, at first, at the outset (*of:* start)
aanvaren: I *intr., komen ~* come sailing along; *~ op* make for, head for; *~ tegen* run into, crash into, run (*of:* fall) foul of, foul, collide with, come into collision with; *tegen elkaar ~* collide; *af- en ~* come and go; II *tr.* 1 bring (convey) in ships (boats); 2 *zie ~ tegen*
aanvaring collision; *in ~ komen met, zie* aanvaren tegen; **~sschot** (*mar.*) (collision) bulkhead
aanvatten seize, take (get, lay, catch) hold of; *het werk ~* set to work, start work; *zie ook:* aanpakken
aanvechtbaar *zie* betwistbaar
aanvechten assail, seize; tempt; challenge [an assertion]
aanvechting temptation, sudden impulse; fit [of jealousy]; *~ der zonde* t. of sin; *een sterke ~ voelen om ...* be strongly tempted to ...
aanvegen sweep (up); (*van kamer ook*) sweep out
aanverwant 1 related by marriage; 2 cognate, related; *vgl.* verwant; **~schap** affinity; **-vetten** I *tr.* grease (*met vet bestrijken*); fatten [cattle]; thicken [letters]; II *intr.* grow (get) fat(ter), fatten
aanvijlen file to a point, file a point to
aanvlammen begin to flame, inflame
aanvlechten plait on, plait (on) to
aanvliegen (*luchtv.*) approach; (*op*) *iem. ~* fly at a p.; *~ tegen* fly against; *zie ook* aanwaaien; **aanvliegroute** (*luchtv.*) approach

aanvlijen: *zich ~ tegen* nestle (snuggle) against (to, up to); **aanvoegen** join, add; *~de wijs* subjunctive mood

aanvoelen feel; (*vaag*) sense; *'t voelt zacht aan, is zacht op 't ~* it is soft to the touch (*of:* feel), it feels soft; *sommige mensen voelen 'grey' en 'gray' aan als verschillende woorden* some people apprehend 'grey' and 'gray' as different words

aanvoer supply [of goods, water, etc.]; (*aangevoerde goederen ook*) arrival(s), landings; (*ook* =) **~buis** s.-pipe, feed-pipe; (*van gas, water*) service-pipe; **~der** commander, leader; (*belhamel*) ringleader; (*sp.*) captain, skipper; (*spier*) adductor; **~en** 1 (*toevoeren*) supply; (*uit buitenl.*) import; bring, convey [to a place], bring down [the silt brought down by the river]; bring up [fresh troops]; 2 (*inbrengen*) advance [reasons, motives, arguments], allege [facts], raise [objections], bring (put) forward [an excuse, arguments, reasons], adduce [proof, arguments, instances], produce [reasons]; argue that [...]; (*aanhalen*) cite [a case]; *iets als verontschuldiging* – plead (urge) s.t. in excuse; (*als verdediging*) –, *dat ...* urge (the defence) that ..., plead that ...; *onbekendheid als verontschuldiging* – plead ignorance; *hij voerde daartegen aan, dat ...* he brought up against it that ..., he countered that by saying ...; *zie ook* inbrengen; 3 (*leger, enz.*) command, be in command of; (*sp.*) captain (skipper) [the team]; *'t leger werd goed aangevoerd* was well officered; *een bende* – head (lead) a gang; **~ing** command, leadership, officering [the ... of an army], *onder* – *van* under the command of, led by; (*sp.*) under the captaincy of; **~kanaal** feeder, supply channel; **~lijn** feeder(-line); **~pijp** *zie* -buis; **~plaats** receiving end; **~schip** supply ship; **~weg** supply route

aanvraag, aanvrage (*van goederen*) inquiry [in reply to your ...]; (*verzoek*) request, application; (*vraag*) demand; (*telefoon*) call; *stalen op ~ te verkrijgen* samples to be had on application; *op ~ te vertonen* to be shown on demand; *zijn~ richten tot ...* make application to ...; *een collectieve~ indienen* make a collective application; *zie* aanzoek & vraag; **~formulier** form of application, application form (blank); (*verzekering*) proposal form; (*bibliotheek*) request slip

aanvragen apply for, ask for; *iets ~ bij ...* apply to ... for s.t.; *vroeg ~* make early application for [tickets, etc.]; *vraag gratis brochure aan* send for free booklet; *Londen ~*, (*telefoon*) put in a call for L.; *zie* ontslag

aanvrager applicant; (*telefoon*) caller

aanvreten gnaw; corrode

aanvullen fill up [a hole, gap], supply, replenish [one's stock, fire, pipe], eke out [language with gestures, a meal with ..., a small pension], help out [the family income], piece out [a story], mend [the fire], amplify [a story, a statement]; (*'t ontbrekende, een verlies*) make

up, make good, supply [the deficiency, a loss; 'Thank you, Mr. ...' 'Low', he supplied]; (*volledig maken*) complete, supplement; *zichzelf ~*, (*van bestuur, enz.*) be elected by co-option; **~d** complementary, supplementary

aanvulling replenishment, completion; (*concr.*) addition, supplement, new supply; **~sbegroting** (*~sexamen*) supplementary estimates (examination); **~skleur** complementary colour; **~stroepen** reserve

aanvulsel complement, supplement

aanvuren fire [the imagination; a p. on to ...], inflame, incite, inspire, stimulate [a p.'s zeal]; *aangevuurd door vaderlandsliefde* fired with (actuated by) patriotism

aanvuring incitement, stimulation

aanwaaien (*eig.*) be blown (blow) to(wards); *de rook woei mij aan* was blown in my face; *de kennis waait hem aan* he is a quick learner; *de wiskunde w. h. a.* mathematics comes to him naturally; *de wetenschap* (*geleerdheid*) *waait iem. niet aan* there is no royal (*of:* short) road to learning (no short road to knowledge); *bij iem. komen ~* drop (*of:* pop) in upon a p., blow round, blow in; *hij is uit Amerika komen ~* he hails (has come over) from America; *hoe kom jij hier zo ~?* what wind has blown you here? what brings you here?

aanwakkeren I *tr.* rouse [courage, passions], stir up [animosity, curiosity], fan [a flame, hatred, the passions], foment [discord], stimulate [a p. to ...]; *het vuurtje ~*, (*fig.*) blow the coals; II *intr.* increase; (*van wind, ook:*) freshen [into a gale], freshen up, gather strength; **-ing** fanning, increase, stimulation, etc.

aanwandelen *zie* aanlopen

aanwas accretion (*ook concr. van grond*); (*van bevolking, enz.*) increase, growth; (*van rivier*) rise; **aanwassen** increase, grow; (*van rivier*) rise

aanwellen weld on (to)

aanwendbaar applicable

aanwenden use, apply, employ [means], take [pains], bring to bear (*zie* invloed); appropriate [money to one's own use], bring into play [one's charms, power of persuasion]; (*natuurkrachten voor beweegkracht, enz.*) harness [water-power, the sun's rays]; *een poging ~* make an attempt, endeavour; *alles ~* use every means, strain every nerve, leave no stone unturned; **-ing** use, employment, application, conversion (*vgl. 't ww.*)

aanwennen: *zich ~* contract [a habit], fall into (acquire) the habit of ...

aanwensel (acquired) habit, trick

aanwerpen *zie* aangooien

aanwerven recruit, enlist, enrol; *zie* werven; **-ing** recruitment, enlistment

aanwezig present; (*bestaand*) extant; (*van voorraad*) on hand [the stock ...]; *de ~e dames* the ladies present; *de ~en* those present; *~ zijn* be present, attend, be in attendance; **~heid** *a*) presence, attendance; *b*) existence

aanwijsbaar demonstrable, visible [results]

aanwijsstok pointer

aanwijzen show, indicate, point out, point to [it would be difficult to point to any statesman who is less popular] designate [a successor]; (*toewijzen*) allot [a berth (*ligplaats*) to]; assign [he was ...ed his rightful share]; (*voor speciaal doel*) detail [...ed for coast-defence, ...ed to attend a course of instruction], tell off [tell a p. off to make inquiries]; (*van thermometer, enz.*) mark, register, read, indicate, point to [the clock ...s to eight]; *geen land kan zulk een held* ~ can boast such a hero; *door de regering aangew.* commissioned by ...; *de minister is geheel aangew. op* ... is entirely committed to the conservatives (to a particular line of action); *op zichzelf aangew. zijn* be thrown on one's resources; *op elkaar aangew.* thrown on each other's society; *voor staal is Japan aangew. op China* Japan depends (is dependent) on China for steel; *bij gebrek aan toneelaanwijzingen zijn we op het stuk zelf aangewezen voor gegevens over* ... in the absence of stage directions we are driven back on the play itself for information about ...; *de aangew. leider* the leader designate; *de mij aangew. kamer* the room assigned to me; *de hun aangew. standplaatsen* their appointed stations; '*t aangew. middel* the obvious means; *de aangew. weg* the obvious way; [an operation, a change of environment is] indicated; *hij is de aangew. man* he is the right man for it; (*als leider*) he is marked (out) for leadership; ~**d** *voornaamwoord* demonstrative (pronoun); **aanwijzer** indicator

aanwijzing indication, allocation, assignment, allotment (*vgl. 't ww.*); direction [...s for use], instruction; order (for payment); (*vingerwijzing*) hint, clue, pointer, straw in the wind; index, *mv. gew.* indices [the size of the brain is not a certain index of capacity]; *er is geen ~ wie ... is* there is no clue to the murderer; ~*en*, (*jur.*) circumstantial evidence; *zie* schatkist~

aanwillen: *de schoen enz. wil niet aan* the shoe won't go on; the lamp (the fire, the gas) won't burn (*of:* light); *de mensen willen er niet aan* people do not take kindly to it

aanwinnen I *tr.* reclaim [land]; II *intr.* increase; improve [in knowledge]; come on [you've ... surprisingly]; -**ning** (*van land*) reclamation

aanwinst gain; acquisition [he'll prove an ... to the Cabinet *voor* ...], welcome addition, recruit [he was a remarkable ... to the theatrical world], asset [he'll be an ... to our club]; (*bibliotheek*) accession

aanwippen *zie* aanlopen 3

aanwrijven: ~ *tegen* rub against; *iem. iets ~* impute s.t. to a p., fasten s.t. (up)on a p., lay s.t. at a p.'s door; *zie* smet

aanwrijving imputation

aanzanden sand; (*verzanden*) silt up

aanzeggen give notice of, announce, notify; *men zou 't hem niet ~* he doesn't look it (his age, his forty years, etc.); -**ger** undertaker's man; -**ging** notice, announcement, notification

aanzeilen: *komen ~* come sailing on (*of:* along); (*van dronken man*) come reeling along; ~ *op* sail towards; *zie verder* aanvaren

aanzet impulse [give the first i. to]; ~**buis** branch-tube; (*van fontein*) adjutage; ~**handel** *zie* ~slinger; ~**kraan** starting-cock; ~**machine** starting-machine, -donkey; ~**motor** starting-motor, starter-motor; ~**riem** (razor-)strop; ~**sel** (*van wijn, enz.*) crust; (*in ketel*) scale, fur; *ook* = ~*stuk;* ~**slinger** starting-lever, -handle; ~**staal** knife-sharpener, table-steel; ~**stuk** (*van instrument, enz.*) extension; (*van tafel*) (additional) leaf; (*fon.*) vocal tract

aanzetten I *tr.* 1 add, join; place [chairs, a domino-piece], sew (*of:* put) on [buttons], apply [leeches *bloedzuigers*]; 2 put ajar [a door]; 3 *de lading* ~ ram (ram in, ram down, ram home, force home) the charge; *de schroef* ~ tighten the screw; (*ook fig.*) turn (on) the screw; 4 start (up), crank up, rev up [a motor, an engine]; put (jam) on [the brake]; put (turn) on [the radio, gramophone]; 5 urge on [a horse], urge [a horse to a gallop]; incite [troops to mutiny]; prompt [to action]; impel [to speak]; egg on; *ik zette hem ertoe aan* I put him up to it; *zie* aanporren en aanspuren; 6 load, fortify [wine]; 7 (*scherpen*) whet; *een scheermes* ~ set (*of:* strop) a razor; 8 *iem. een partij* ~ win a game of a p.; *twee punten* ~ score two (points); II *intr.* 1 *komen* ~ come near(er), turn up, show up; *komen ~ met* ..., *zie* aankomen met; 2 (*van spijs*) stick to the pan; *de melk is aangezet* has caught; (*van wijn*) crust [...ed wine]; 3 (*van ketel*) fur, get furred; *dat zet aan,* (*van eten*) that sticks to the ribs; 4 *krachtig ~,* (*inz. sp.*) put on (make) a spurt; 5 *wie 't spel verliest, zet 't eerst aan* the loser begins the new game

aanzetter instigator; (*van kanon*) rammer; (*van motor*) starter; *automatische* ~ self-starter

aanzetweerstand, -werk, -wiel starting-resistance, -gear, -wheel

aanzeulen drag along, drag up

aanzicht aspect, view, look; *zie* aanzien II

aanzien I *ww.* look at; *men ziet 't hem niet aan, dat hij zo oud is* he does not look his age; '*t is hem aan te z.* he looks it; '*t eens* ~ wait and see, await events, play a waiting game; *het rustig* ~ sit down under it; *de wedstrijd was niet om aan te z.* the match was not worth looking at, was a wretched performance; *ik kon het gestuntel niet langer* ~ I could not bear to see them bungling the work any longer; *zijn mensen* ~ have respect (be a respecter) of persons; (*van dokter bijv. in rekening*) know where to charge; '*t laat zich* ~ *dat de zaak succes zal hebben* the business bids fair to be successful; *naar 't zich laat* ~ ... to all appearance ..., there is every appearance that ...; '*t laat zich mooi* ~ it promises well, looks promising; *de zaak laat zich nu anders* ~ has assumed a new aspect; *ik zie er u niet minder om aan* I do not respect you the less for it; *ik zie er hem op aan* I suspect him of it; ~ *voor* take for; (*ten onrechte ook*) mistake for [he mistook a 3 for an 8]; *waar zie je me voor aan?* what (whom, who) do you take me for?; *ik zie hem er best voor aan* I would not put it past him; *ik zag hem voor een vijftiger aan* I took him to be fifty or so; *zie* hoogte, nek, enz.; II *zn.* look, appearance, aspect [the peculiar ... of the town], sight (*zie* aanblik); (*achting*) regard, consideration, esteem, respect, prestige, standing [the ... of the Throne will be weakened]; ~ *doet gedenken* out of sight, out of mind; *'t is 't ~ niet waard* it's not worth looking at; *God kent geen ~ des persoons* God is no respecter of persons; (*zo ook:* the law should not be a respecter of persons); *zich 't ~ geven van* assume the air of; *dat geeft de zaak een heel ander ~* that puts quite another complexion (a new face) on the matter, that alters the whole complexion of the case; *zeer in ~ zijn* be held in great respect, be much respected; *niet in ~, ook:* [be] at a discount; *te dien ~* as to that, in that connection; *ten ~ van* with (*of:* in) regard to, with respect to, in respect of, regarding; *van ~ kennen* know by sight; *man van ~* man of note (consequence, distinction, high standing); *zonder ~ des persoons* irrespective (without respect) of persons; ~d, (*her.:* elkaar) affrontee, (*de toeschouwer*) guardant

aanzienlijk (*voornaam*) notable, prominent; distinguished, of high rank (*of:* standing); [men] of mark; gentle [birth]; (*aanmerkelijk*) considerable, substantial [reduction]; round [sum of money]; ~ *man, ook:* man of note; ~*e firma* firm of high standing; ~**heid** importance, distinction; considerableness

aanzijn existence, being [call into ...]; *'t ~ geven* give life (being, birth) [*aan* to]; *'t ~ verschuldigd zijn aan* owe one's life to

aanzitten sit (*of:* be) at table; (*gaan ~*) sit down (to table, dinner, etc.); (*aanraken*) touch; *zie* zitten; *de* ~**den** those at table, the guests

aanzoek request, application, solicitation; (*huwelijks~*) proposal, offer (of marriage) [she had never had an offer]; *op zijn ~* at his r.; *hij deed ~ bij haar* (*om haar hand*) he proposed to her (asked for her hand); *zijn ~ werd aangenomen* (*afgeslagen*) he was accepted (rejected, turned down); ~**en** apply to [a p. for s.t.]; petition, request; approach [be ...ed by a deputation]; invite [the Government has ...d him to ...]; retain [we have been ...ed by ICI to invite applications for ...]; *als professor –* offer a professorship (to); *ze is verscheiden keren aangezocht* she has had several offers (of marriage)

aanzuigen (*van explosiemotor, pomp, enz.*) suck (in); *zich ~,* (*van bloedzuiger*) take

aanzuiveren pay, pay (*of:* clear) off [a debt], settle [an account]; *'t achterstallige ~* pay off arrears; *een tekort ~* make good (make up) a deficiency (a deficit); -**ing** payment, settlement, clearing off

aanzwellen swell (out, up) (*ook: doen ~*), rise [the noise rose to a roar]

aanzwepen whip up

aap monkey (*ook fig.*); (*staartloos*) ape; *kleine*

~, (*scherts.*) little monkey (beggar); ~ *van een jongen, enz.* rascal; *ik heb de ~ binnen* (*beet, weg*) I've pocketed the tin (the dough); *ah, daar komt de ~ uit de mouw* ah, there we have it; *in de ~ gelogeerd zijn* be in a fix, in Queer street; *iem. voor ~ zetten* make a p. look silly; ~, *wat heb je mooie jongen spelen* lay it on thick, butter a p. up, blarney a p.; *zie* lachen; ~**achtig** apish, monkeyish, monkey-like; pithecoid (*ook = – dier*); –**e** pithecoid; ~**je** little m.; (*rijtuig*) cab; –**s,** (*kuren*) whims; – *op een stokje* m. on a stick; ~**mens** pithecanthrope, ape-man; (*fig.*) man-monkey; ~–**noot-mies** (*ongev.*) ABC

aar (*van koren*) ear; (*bloeiwijze*) spike; *aren vormen* (*schieten*) put forth ears, form into ears, come into ear; *samengestelde ~* panicle

aard nature, character, disposition; (*soort*) kind, sort; *'t ligt niet in mijn ~* it is not in me (in my n.), I haven't (got) it in me, I am not built that way; *hij had zich in zijn ware ~ doen kennen* he had shown himself in his true colours; *'t ligt in de ~ der zaak* it is in the n. of things, it's a matter of course; *uit de ~ der zaak* naturally [it is ... difficult to prove], in (by, from) the n. of things [I could not promise such a thing], [politics are] by their very n. [ugly]; *uit de ~ slaan* degenerate; *van allerlei ~* of all kinds (sorts), all sorts and conditions of [people, etc.]; *zijn salaris was niet van die ~ dat hij buitenlandse reizen kon maken* was not such as to allow him to travel abroad; *niets van die ~* nothing of the kind, no such thing; *driftig van ~* passionate by nature, of a hasty temper; *goed van ~* good-natured, kind-hearted; *edelmoedig van ~* noble-minded; *huiselijk van ~* of a domestic turn (domestically inclined); *achterdochtig van ~* inclined to suspicion; *luidruchtig van ~* of a noisy disposition; [*de bespreking was*] *algemeen van ~* general in character; ... *dat 't een ~ heeft* [sweat] like anything, (*sl.*) like blazes; [work] with a will, with a vengeance, like one o'clock; *zie* aardje

aardachtig earthy; **aardaker** earthnut

aardappel potato; *zie* schil; ~**aaltje** potato-root eelworm; ~**bouw** p.-growing; ~**campagne** p.-lifting season; ~**handelaar,** ~**koper** p.-dealer; ~**kuil** p.-clamp; ~**loof** p.-stalks; ~**meel** p.-flour (p.-starch, farina); –**fabriek** p.-flour (p.-st., f.) mill; ~**mesje** p.-peeler; ~**moeheid** potato sickness, eelworm disease; ~**oogst** p.-crop; ~**puree** *zie* puree; ~**rooier** p.-lifter; ~**schil** p.-peel(ing); ~**schillen:** *'t –* p.-peeling; ~**stamper** p. masher; ~**ziekte** p.-blight, p.-disease; (*wratziekte*) black scab

aard: ~as axis of the earth, earth's axis; ~**baan** orbit of the earth, earth's orbit; ~**bei** strawberry; ~**beiboom** strawberry-tree, arbutus; ~**beving** earthquake; (*lichte*) earth-tremor; *zie* haard; ~**bewoner** inhabitant of the earth, mortal, earth-dweller, earthling; ~**bodem** (surface of the) earth [the most despicable man on God's earth, *of:* in creation], face of the earth [it disappeared from the ...]; ~**bol** (terrestrial) globe; ~**boor** earth-drill;

~**brand** subterranean fire; ~**draad** (*elektr.*) earth(-wire)

aarde earth (*ook stofnaam*); (*teel*~) mould, soil; *boven* ~ *staan* be above ground, await burial; *in goede* ~ *vallen* fall on fertile ground (soil); *in de* ~ *bevestigd* e.-bound; *met de* ~ *verbinden*, (*elektr.*) ground, connect with e.; *ter* ~ *bestellen* lay in (commit to) the e., lay [a p.] to (his last) rest, inter; *ter* ~ *vallen* fall to the ground; *ter* ~ *werpen* knock to the ground, throw (*of:* knock) down, floor; *ter* ~ *zinken* sink to the ground; *de ogen ter* ~ *slaan* cast one's eyes to the ground; ~**baan** (*van spoorweg*) permanent way, road-bed; (*van weg*) earth foundation

aarden I *bn.* earthen, earthenware; II *ww.* 1 (*elektr.*) ground, earth; 2 thrive, get on well; ~ *naar* take after; *hij kan hier niet* ~, *ook:* he does not feel at home here; *hij aardt naar zijn vader* he takes after his father, (*fam.*) he is a chip of(f) the old block

aardewerk earthenware, crockery, pottery, stoneware; ~**fabriek** pottery

aard: ~**gas** natural gas; ~**geest** gnome; ~**globe** terrestrial globe; ~**gordel** zone; ~**hars** bitumen; ~**hoop** heap of earth, mound

aardig I *bn.* nice [boy, man, letter, manners, job; a ... little garden; be ... to a p.]; pleasant [manners]; (~ *uitziend*) pretty, (*Am.*) cute [girl]; (*grappig*) funny; (*geestig*) witty, smart; '*t is heel* ~ *van je* it's very good of you; *er* ~ *uitzien* look n.; *een* ~ *karweitje*, (*ook iron.*) a n. job; *hij wil* ~ *wezen* he is trying to be funny; ~ *doen tegen iem.* make o.s. pleasant to a p.; *een* ~ *kapitaaltje* (*sommetje*) a pretty (fairish, nice bit of) capital; a tidy sum (penny); *een* ~*e* (= *vrij lange*) *wandeling* a tidy walk; '*t zal* ~ *wat kosten* it will cost a pretty (tidy) penny; II *bw.* nicely, etc.; ~ *rijk* pretty (*fam.* jolly) rich; '*t iem.* ~ *onaangenaam maken* make things jolly unpleasant for a p.

aardigheid niceness, etc.; (*grap*) joke; *een* ~ *vertellen* crack a joke; *een ongepaste* ~ an ill-timed pleasantry; *uit* ~, *voor de* ~ for fun, for the fun of the thing, in sport; *dat was de* ~ that was the fun of it, the joke; *ik zie de* ~ (*ervan*) *niet* (*in*) I don't see the fun of it; (*van anekdote, enz.*) I don't see the point, don't see where the joke comes in, miss the j.; *hij heeft de* ~ *om zijn rekeningen niet te betalen* he has a little way of leaving his bills unpaid; *geen aardigheden* (*streken*), *hoor!* none of your tricks (*of:* games), do you hear? ~ *hebben in* have a fancy for; be interested in, like; ~ *krijgen in* take a fancy to; *de* ~ *is* (*raakt*) *eraf* the fun has gone (is going) out of it; *hier is een* ~*je voor je* here's a little present for you

aardigjes nicely [you've done it ...]

aarding (*elektr.*) earth(ing), ground(ing)

aardje: *hij heeft een* ~ *naar zijn vaartje*, *vgl.* aarden 2 (*hij aardt naar* ...)

aard: ~**kern** earth's core; ~**klem** ground clamp; ~**klomp** clod (*of:* lump) of earth; ~**kluit** *zie* ~klomp; ~**korst** earth's crust, crust of the earth, lithosphere; ~**krekel** mole-cricket; ~**laag** layer (of earth), stratum; ~**leiding** (*elektr.*) ground- (earth-)wire; ~**licht** *zie* ~scnijn; ~**magnetisme** terrestrial magnetism; ~**mannetje** gnome, goblin; ~**molm** mould; ~**muis** fieldmouse, vole; ~**noot** ground-nut, earth-nut, pea-nut; ~**olie** petroleum, mineral oil; ~**oppervlak** earth's surface, surface of the eartn; ~**peer** Jerusalem artichoke; ~**pek** bitumen; ~**plooi** earthfold, -wrinkle; ~**pool** earth's pole

aardrijk earth; ~**skunde** geography; ~**skundig** geographic(al); – *woordenboek* gazetteer; ~**s-kundige** geographer

aard: ~**rol** roller; ~**rook** (*plantk.*) fumitory

aards terrestrial, earthly [paradise], worldly; *al het* ~*e* all earthly things; *zie* slijk

aard: ~**schijn** earth-shine, -light; ~**schok** earthquake shock; ~**schol** (tectonic) plate; ~**schors** earth's crust

aardsgezind worldly-minded, of the earth earthy; ~**heid** worldly-mindedness

aard: ~**slak** slug; ~**sluiting** (*elektr.*) earth leakage, earth fault, earthing; ~**soort** (species of) earth, (species of) soil; *een bruine* – a brown earth; ~**spin** garden-spider; ~**stamper** rammerbeetle; ~**ster** earth-star; ~**storting** earthfall, fall of earth; ~**tor** ground-beetle; ~**varken** aardvark, earth-dog; ~**vast** earth-bound; ~**veil** ground-ivy, ale-hoof; ~**verbinding** (*elektr.*) ground- (earth-)contact, -connection; *in* – *staan*, (*telec.*) be grounded (earthed); ~**verschuiving** landslide, landslip; ~**vlo** flea-beetle; ~**wand** earth-wall; ~**was** ozocerite, mineral wax; ~**werk** earthwork; ~**werker** navvy, digger; ~**wetenschap(pen)** earth science(s); ~**wolf** id.; ~**worm** earthworm (*ook fig.*), lob-worm

Aäron Aaron; **a**~**skelk** *zie* aronskelk

aars arse; (*van vis, vogel, reptiel*) vent; ~**made** seat-worm; ~**vin** anal fin

aarts- arch, arrant, etc. (*zie ben.*); ~**bedrieger** arch deceiver; ~**bisdom** archbishopric, archdiocese; ~**bisschop** archbishop, primate; ~**bisschoppelijk** archiepiscopal; ~**deken** archdeacon; (*nu, r.-k.*) vicar-general; ~**dom** fearfully stupid; ~**engel** archangel; ~**gierig** extremely stingy; ~**gierigaard** (regular) skinflint; ~**hertog** archduke; ~**hertogdom** archduchy; ~**hertogelijk** archducal; ~**hertogin** archduchess; ~**ketter** a.-heretic; ~**leugenaar** arrant (consummate) liar, a.-liar; ~**lui** bone-lazy; ~**priester** archpriest; ~**schelm** arch-rogue; ~**schurk** arrant knave, arch-villain; ~**vader** patriarch; ~**vaderlijk** patriarchal; ~**vijand** a.-enemy; ~**woekeraar** arrant usurer; ~**zondaar** a.-sinner; ~**zuiplap** inveterate drunkard

aarzelen hesitate, waver, hang back; *zonder* ~ without hesitation, unhesitatingly; *niet* ~ *te zeggen* have no hesitation in saying; ~**d** hesitating(ly); (*lit.*) hesitant

aarzeling hesitation, wavering; (*lit.*) hesitancy

aas (*in kaartspel*) ace; (*lokaas*) bait; (*kreng*) carrion; (*prooi*) prey; *van* ~ *voorzien* bait; ~**bloem** carrion flower; ~**dier**, ~**eter** c. eater; ~**gier** c. vulture

aasje: (*g*)*een* ~ (not) a bit (a whit)

aaskever carrion-beetle, -chafer
aasvlieg blue-bottle, blow-, meat-, flesh-fly
abaca id., Manilla hemp
ab-actis (hon.) secretary
abacus abacus
abandon id.
abandonnement abandonment
abandonneren abandon; *degene aan wie geabandonneerd wordt* abandonee
abattoir abattoir, (public) slaughter-house
ABC ABC, alphabet [*beide ook fig.: the ... of a science, of finance*]; *ik kende er het ~ niet van* I didn't know the first thing about it
abces abscess, gathering
abdicatie abdication; -**ceren** abdicate
abdij abbey; ~**kerk** abbey church; **abdis** abbess
abeel abele, white poplar
Abel Abel
abel: ~ *spel* kind of serious secular mediaeval drama
aberratie aberration
Abessinië Abyssinia; ~**r, Abessijn** Abyssinian
Abessinisch, Abessijns Abyssinian
Abigaïl Abigail
abituriënt school-leaver; (*Am.*) high school graduate
ablatief ablative
ablaut id., (vowel) gradation
ablutie ablution
A.B.N. = *Algemeen Beschaafd Nederlands* Standard Dutch
abnormaal abnormal; inordinate; **abnormaliteit** abnormality; **abnormiteit** abnormity
abominabel abominable
abonnee (*op spoor, enz.*) season-ticket holder; commuter; (*vankrant, concert, opera, telefoon, enz.*) subscriber; *vaste ~,* (*van tijdschrift*) registered reader; ~**nummer** subscriber's number
abonnement *a*) subscription [*op* to]; *vgl.* abonneren; *b*) = ~**skaart** season-ticket [~ *nemen* take out a ...; (*in bibliotheek*) take out a subscription]; (*fam.*) season; (*van concert, enz. ook*) subscription-ticket; ~**sconcert** (-**voorstelling**) s. concert (performance); ~**svoorwaarden** rates of s., s. rates
abonnent *zie* abonnee
abonneren: *zich ~ op* ... subscribe to a newspaper, for a book, to a concert, the telephone, etc.; *men abonneert zich aan het bureau* subscriptions will be received at the office; *geabonneerd zijn op* ... take in (take, subscribe to) the Guardian; *ik ben niet meer geabonneerd op dat blad* I have dropped that paper; *hij is op de laatste plaats geabonneerd* he always finishes last
aborteren have (procure, perform) an abortion, abort
aborteur, -euse abortionist
abortus abortion; ~ *opwekken* procure (an) a., (*ongeoorloofd*) perform an illegal operation
à bout portant point-blank, at close (pointblank) range, from (*of:* at) close quarters
abracadabra id.
Abraham id.; *in ~s schoot,* (*Lukas 16:21*) in A's

bosom; (*fig.*) [be, live] in clover; *hij weet waar ~ de mosterd haalt* he knows what's o'clock, how many beans make five; *hij heeft ~ gezien* he is fifty years old
abrasie abrasion
abri (bus, etc.) shelter
abrikoos apricot; **abrikozeboom** a.-tree; **abrikozepit** a.-kernel
abrupt id.
Abruzzen: *de ~* the Abruzzi
Absalom, -on Absalom
abscis (*wisk.*) abscissa
absent absent; (*verstrooid*) absent(-minded); ~*en* absentees (*zie ook ~ie*); ~**eïsme** absenteeism; *zich ~eren* leave the room; (*zeld.*) absent o.s. (*gew.* = *wegblijven*); ~**ie** absence; non-attendance [the number of ...s]; *de –s opnemen,* (*school*) call the register; (*fabriek*) note absentees; ~**ielijst** (*school*) attendance-register, -book; (*fabriek*) absentee list
abside, absis apse, apsis
absint absinth(e)
absolutie absolution; ~ *geven* give a.
absolutisme absolutism
absoluut absolute; ~ *niets* absolutely nothing, nothing whatever; ~ *zeker, ook:* dead certain; ~ *niet* by no means, not at all; ~! positively!; ~ *gehoor* perfect pitch
absolveren absolve
absorberen absorb; ~*d middel* absorbent
absorptie absorption; ~**vermogen** absorptive power
absoute (*r.-k.*) absolution; *de ~ verrichten* pronounce (*of:* give) the a.
abstinent id.; ~**ie** abstinence
abstract abstract; (*verstrooid*) abstracted; ~**ie** abstraction (*ook verstrooidh.*); *in ~o* in the abstract
abstraheren abstract; -**ingsvermogen** powers of abstraction
absurd absurd; ~**iteit** absurdity
abt abbot; *zo de ~, zo de monniken* like abbot, like monk; like master, like man
abuis mistake, error, slip, oversight; *een ~ begaan* make a m.; *je bent ~* you are mistaken (wrong); *per ~* by (in) m. (error), erroneously, through an oversight
abusief wrong; *abusievelijk zie* per abuis
Abyssinië enz., *zie* Abessinië, enz.
A.C. = *Anno Christi* in the year of our Lord; *anni currentis* of (*of:* in) the present year
acacia id.; *Australische ~* wattle; ~**bast** wattle bark
academica, -cus university graduate
academie (*hogeschool*) university; (*kunst-, dans-, mil.*) academy; *zie* universiteit; *pedagogische ~* training college, college of education; *sociale ~* college of social studies; ~**burger** u. man, college-man, gownsman; ~**jaar** academic year; ~**lid** academician; ~**stad** u.-town; ~**tijd** college-days; ~**vriend** college-friend
academisch academic(al), university ...; ~*e graad* university degree; ~ *gevormd* university-, college-taught, -trained, -educated; ~ *ge-*

vormde (university) graduate; ~*e opleiding* university education (training); ~*e vraag* academic question; ~*e vrijheid* academic freedom; ~ *ziekenhuis* u. hospital
academisme academism
acanthus id. (*ook in bk.*)
a-cap(p)ella a cap(p)ella, unaccompanied [singing]
accapareren annex, secure
acceleratie acceleration; ~*vermogen* (power of) a.; **-eren** accelerate
accent accent (*ook: ~teken*); ~*uatie* accentuation; ~*ueren* accent, stress; (*fig.*) accentuate, emphasize, lay stress on, stress; ~*vers* accentual verse; ~*verschuiving* shift in emphasis, change of form
accept acceptance;(*promesse*) promissory note; ~*abel* acceptable; ~*ant* acceptor; ~*atie* acceptance; – *ter ere* a. for honour; ~*eren* accept; *niet -, ook:* refuse acceptance (of); *een reclame – (hand.)* allow (*of:* entertain) a claim; ~*firma* accepting-house; ~*girokaart* pre-printed giro card inviting payment; ~*krediet* drawing-credit; ~*provisie* acceptance commission
acces access (*ook van ziekte*)
accessiet honourable mention, proxime accessit
accessoir accessory; *de ~es* the accessories
accident(eel) accident(al)
accijns excise(-duty); ~*biljet* e.-bill, permit; ~*kantoor* e.-office; ~*plichtig* excisable
acclamatie acclamation; *bij* ~ [the motion was carried] by (*of:* with) a.
acclimatisatie acclimatization, acclimation, acclimatation; **acclimatiseren** I *tr.* acclimatize; II *intr.* acclimatize o.s., become acclimatized
accolade (*omarming*) id.; (*haak*) brace; (*muz.*) id.; *de ~ geven* give the a. to, confer the a. on
accommodatie accommodation; ~*vermogen* power of a.; ~*wissel* a.-bill, (*fam.*) kite; **accommoderen** accommodate
accompagnateur, -trice accompan(y)ist
accompagnement accompaniment
accompagneren accompany
accoord *zie* akkoord
accordeon accordion
accorderen come to terms, agree; (*met crediteuren*) compound with one's creditors; (*overweg kunnen*) get on [with a p., together]
accouchement id., confinement, delivery
accoucheur id.; **accoucheuse** id., midwife
accountant (chartered) accountant, auditor; ~*sonderzoek*, ~*sverslag* audit
accrediteren accredit [...ed to, at, the Court of St. James's]; (*bij bank*) open a credit [for a p. with a bank]; **-tief** letter of credit
accres, accretie increase
accu = **accumulator** id., (storage-)battery
acculturatie, -eren acculturation, -ate
accumulatie, -eren accumulation, -ate
accuraat accurate, precise
accuratesse accuracy, preciseness
accusatief accusative
acetaatzijde acetate silk, rayon acetate, cela-

nese; **aceton** acetone
acetyleen(gas) acetylene
ach ah! alas!; ~, *dat spijt me* (oh) I say I'm sorry; ~ *wat!* go on!; ~ *zo!* indeed, I see!; ~ *en wee roepen* lament
Achilles Achilles; **a~hiel** Achilles' heel, heel of A.; **a~pees** A. tendon
achromatisch achromatic (*bw.* -ally)
1 acht attention, care; ~ *geven* (*slaan*) *op* pay a. (pay heed, give heed) to, attend to; *geen ~ slaan op, ook:* disregard; *er werd geen ~ geslagen op ..., ook:* his cries went unheeded; *in ~ nemen* observe [the proper forms, the laws, one's neutrality], practise [economy], exercise [great care, reasonable precaution]; keep [the Sabbath]; *niet in ~ nemen, ook:* disregard; *het niet in ~ nemen van de nodige voorzorgen* failure to observe ...; *grote voorzichtigh. in ~ nemen* use great care; *zich in ~ nemen* be on one's guard [*voor* against], be careful; (*gezondh.*) take care of o.s., look after o.s. (one's health); *neem je in ~!* take care! be careful!; *neem je in ~ voor, ook:* beware of; *geeft ~! (mil.)* (at)tention! (*fam.*) 'shun!, (*mar.*) stand by!; *ze kwamen* (*stonden*) *in de positie:* '*geeft ~*' they came to (stood at) attention
2 acht eight; *in een dag of ~* in a week or ten days; *zie* vandaag & *vgl.* met
achtarm octopus
achtbaar respectable, estimable, honourable; *achtbare meester,* (*vrijmets.*) worshipful master; ~*heid* respectability
achteloos careless, heedless, negligent, casual; (*onoplett.*) inattentive; ~*heid* carelessness, heedlessness, negligence, nonchalance, casualness, inattention; *uit -, ook:* through inadvertency
achten (*achting toedragen*) esteem, respect; (*houden voor*) consider [... o.s. bound by one's promise], think [I ... it beneath me, I ... it wrong, I ... it necessary to ...], presume [a suspect is ... d innocent until ...], judge, count, hold [I ... it true; ... the charge proved], look upon (regard) [I ... it as my duty], deem [I ... it my duty], esteem [I ... this sufficient]; ~ *op* pay attention to, heed [a warning]; *zich beledigd ~* feel offended; *zich gelukkig ~* think (count) o.s. fortunate; *hij acht zich te hoog om ...* he is above following advice; *zie* geacht & veronderstellen
achtenswaard(ig) respectable, honourable, worthy of esteem; **-igheid** respectability
achter I *vz.* behind [... a tree, the Premier has the nation, public opinion, ... him], after [he writes M.P. ... his name], beyond [the door are voices], against [write the words ... your name], at the back of, in rear of [their position was ... of ours], at [the desk, the wheel]; (*Am.*) back of [my house, his words]; (*mar.*) abaft [the mast], astern of [the ship]; *sluit de deur ~ u* shut the door b. (*of:* after) you; *hij sloot de deur ~ mij, ook:* he closed the door upon me; *met 2000 man ~ zich* with ... at his back; *hij heeft een sterke aanhang ~ zich, ook:* ... a strong

following; *van ~ de bomen* from b. the trees; *nu ben ik er ~* I've found it out, (*fam.*) I've twigged it; (*heb er de slag van*) now I've got (the knack of, the hang of) it; *zie verder* elkaar, komen, zitten, enz.; II *bw.* behind; (*mar.*) (ab)aft (*ook: naar ~*); ~ *wonen, a*) live in the back-room; *b*) live at the back (of the house); *mijn horloge is* (*3 min.*) ~ my watch is (three minutes) slow; *de kalender is* ... ~ the calendar is a week in arrear; ~ *in de tuin, enz.* at the back (bottom, lower end) of the garden, at the back of the room (drawer, etc.), at the far end of the corridor, in the back of the car; *ze is ~ in de twintig* in her late twenties; *zijn haar is naar ~ gekamd* combed back; *verder naar ~* further back; *zie* achteren; *de hoed ~ op 't hoofd* one's hat on the back of one's head (well back upon one's head); (*ten*) ~ *zijn* be in arrear(s) [with one's payments, the rent, etc.], be behind [in aeronautics, with one's rent, one's work, etc.], lag behind [in education], be behindhand (behind schedule) [in one's study, with one's work]; (~ *bij* ...) Irish time is 25 minutes behind Greenwich; *bij zijn tijd ten ~ zijn* be behind the times, be [20 years] out of date; *ik ben met mijn werk ten ~, ook:* my work is in arrear(s); *zie ook:* ~raken; ~! (*tegen hond*) to heel!; *zie verder* ~komen, enz.

achteraan in the rear, behind, at the back; *2de klasse ~* 2nd class in rear of train; ~**komen** come last, lag behind (*ook fig.*), hang back, bring up the rear; – (*vergeleken*) *bij Am.* lag behind Am.; *helemaal –*, (*wedstr., ook fig.*) be nowhere; *ik kom wel ~, maar* ..., I am a little late in the field, but ...; *uw land komt erg ~* ... your country is very backward in this respect; *hij ging er ~* he made it his business; *hij zit achter zijn personeel aan* keeps ... up to their work, keeps ... on their toes; ~**komer** straggler, laggard

achteraanzicht rear view

achteraf 1 (*plaats*) in the rear; *hij woont ~* ... out of the way; *iets ~ houden* keep s.t. back (*of:* in reserve); *zich ~ houden* keep aloof; ~ *staan* stand back; *zie ook* achteren (*van* ... *gezien*); 2 (*tijd*) retrospectively; ~ *concluderen* conclude by (with) hindsight; ~ *heb ik spijt* I am sorry now that it is done; ~ *is 't gemakkelijk te zeggen* it is easy to be wise after the event; ~**buurt**, ~**dorpje** out-of-the-way quarter, village; ~**straat** back-street

achteras rear (back, hind) axle

achterbak (*v. auto*) boot, (*Am.*) trunk

achterbaks I *bw.* behind one's back, secretly, underhand, in a hole-and-corner fashion; *zich ~ houden* keep in the background, lie low; *iets ~ houden* keep s.t. back; II *bn.* underhand(ed), backstairs [a ... policy], hole-and-corner [proceedings, business *gedoe*], [he is] double-faced; ~**heid** [I am not an accomplice to any] backstair(s) work

achter: ~**balkon** (*van tram*) rear platform; (*van huis*) back balcony; *geen staanplaatsen op het –* (*van bus*) no standing outside; ~**ban** (*van pol.*

partij, enz.) rank and file, grass-roots; *zijn – raadplegen* consult one's supporters; ~**band** back (rear) tyre (*of:* tire); ~**bank** back (rear) seat; ~**been** hind leg

achterblijven 1 (*niet mee heengaan*) stay (remain) behind; 2 (*bij dood*) be left (behind); *als wees ~* be left an orphan; 3 (*anderen niet bijhouden*), (*ook fig.*) drop (fall, lag) behind; (*mar.*) drop (fall) astern; ~ *bij* be outdistanced (outstripped) by, be (lag) behind [the law lags behind public opinion]; 4 (*in ontwikk.*) be backward (retarded); *achtergebleven gebied* backward (under-developed) area; 5 (*niet meedoen*) stand out; *niet ~* not be behindhand [in ...ing]; *om niet achter te blijven in beleefdheid* not to be outdone in politeness; *als hij 't doet, kan ik niet ~* ... I must follow suit; 6 (*van hond*) keep at (*of:* to) heel; ~**den** those left behind, the bereaved

achterblijver straggler, laggard; (*niet met de tijd meegaande*) back-number; *de ~s bijwerken*, (*school*) coach the slower (weaker) pupils

achter: ~**bout** hind-quarter; ~**broekzak** hippocket; ~**buur** back-neighbour; ~**buurt** back-street, slum (quarter), low neighbourhood; ~**deel** hind-part, back-part; (*van schip*) after-part; (*van trein*) rear portion; *zie* ~ste; ~**dek** poop(-deck), quarter-deck; ~**deur** back-door (*ook* ~**deurtje**, *fig.*: means of escape; nest-egg)

achterdocht suspicion; ~ *hebben* (*voeden*) be suspicious [*jegens* of], harbour (entertain) suspicions; ~ *krijgen* become suspicious [*jegens* of]; *met ~ beschouwen* (*ook:*) look askance at; ~ *wekken* rouse s.; ~**ig** suspicious

achterdoek (*theat.*) back-cloth

achtereen 1 without a pause; *drie uur* (*mijlen*) ~ three hours (miles) at a stretch (*of:* on end); *vijf nachten ~* in a row; *dagen ~* for days together (*of:* on end); ~ *uitlezen* read at a sitting (at a stretch); *uren ~ spelen* play by the hour together; 2 (~*volgens*) consecutively, in succession [three days in ...], [twice] running; ~**volgend** successive, consecutive; *–e dagen*, (*chertepartij*) running days; ~**volgens** successively, in succession

achtereind hind(er) part, back-part, rear-end; *zie ook* achterste & dom

achteren: *naar ~* backward(s); *te ver naar ~* too far back; *hij moet naar ~* he wants to be excused; *ten ~, zie* achter; *van ~* from behind [run into ...], at the back, in (the) rear [attack in ...]; *met de wind van ~* with a following wind; *van ~ naar voren* [read] backward(s) (*ook fig.*: he knows it ...); *van ~ gezien* viewed from the back; (*fig.*) after all, in the light of after events [I think ...], (viewed) in retrospect; *ik zie hem liever van ~ dan van voren* I prefer his room to his company

achter: ~**erf** back-yard; ~**flap** back flap; ~**gaan** be slow [the clock is one minute slow], lose [it ...s ten minutes a day]; ~**galerij** (*Ind.*) back-veranda(h); ~**gang** back-passage; ~**gebouw** back-building, back-premises; ~**grond** background; (*fig. ook*) backdrop; *op de – blijven* keep (remain) in the b.; *op de – dringen* push (thrust) into the b.; *op de – raken* fall into the b.; *op de – treden* recede into the b., stand back, take a back seat; ~**halen** overtake; (*misdadiger, enz.*) lay by the heels, hunt down; seize [smuggled goods], recover [stolen goods]; *de middelen ter verdediging – altijd die van aanval* defence always catches up with attack; ~**haald door ...** rendered out of date by recent events; *een ~haalde zaak* (the question of guilt is now) an irrelevance; *zie* inhalen; ~**ham** gammon; ~**hand** back part of the hand; (*van paard*) hind-quarters; *aan de – zitten,* (*kaartspel*) be the younger (youngest) hand, play last; ~**heen:** *ergens – zitten* be hard at it; push things on; walk into, punish [the pudding, wine, etc.]; ~**hoede** rear(-guard); (*sp.*) backs, defence; *de – vormen* bring up the rear; ~**hoedegevecht** rear-guard action [*een – leveren* fight a ...]; ~**hoef** hind-hoof; ~**hoek** outlying part (*of:* district); ~**hoofd** back of the head; (*wet.*) occiput; *hij is niet op z'n – gevallen* there are no flies on him; *hij heeft iets in zijn –* there's s.t. at the back of his mind; ~**hoofds...** occipital [bone, etc.]

achterhouden keep (*of:* hold) back [letters, secrets, etc.], withhold [a thing from a person]; (*verzwijgen ook*) suppress [certain facts], conceal [s.t. from a p.]; ~**d** close, secretive; ~**dheid** reserve, closeness, secretiveness; **achterhouding** keeping back, etc., concealment

achter: ~**huis** back premises, back (back part) of the house; ~**in** at the back; *zie* achter; A~**Indië** (*hist.*) Further India, Burma; ~**kam** backcomb; ~**kamer** back-room; **-kant** back, (*verkeerde kant*) reverse (side); *met de – tegen elkaar staan* [the houses] back on to one another (on each other); ~**keuken** back-kitchen; ~**klap** backbiting, scandal, slander; ~**kleindochter** great-granddaughter; ~**kleinkind** great-grandchild; ~**kleinzoon** great-grandson; ~**komen** *zie* ~raken; ~**lader** breech-loader; (*kanon ook*) breech-loading gun; (*geweer ook*) breech-loading rifle; ~**lamp** *zie* ~licht; ~**land** hinterland; ~**lap** heel-piece [of a shoe]; ~**last(ig)** *zie* stuurlast(ig); ~**laten** leave [an order, one's address, a card]; leave (behind) [a widow, debts, traces]; *hij liet haar in benarde omstandigheden –* he left her very poorly off; ~**gelatenen,** *zie* ~blijvenden; *met* ~**lating** *van* leaving behind

achterleen mesne (*of:* arrière) fief, subfief; ~**heer** mesne lord; ~**man,** rear-vassal

achter: ~**licht** (*van auto, enz.*) rear-, tail-light, rear-, tail-, back-lamp; ~**liggen** lie behind; *bij iem. –, zie* achterstaan; ~**lijf** (*van insekt*) abdomen; ~**lijfspoot** pro-leg

achterlijk (*in ontwikk., van gewas, enz.*) backward; (*bij de tijd*) behind the times; *~e wind* (*mar.*) following wind; *~ kind, ook:* retarded child; *school voor ~e kinderen* school for backward (mentally deficient, mentally defective) children (for mental defectives); *zie* achter

(ten ...); *hij is ~ in 't betalen* a slow payer; ~**heid** backwardness

achter: ~**lopen** *zie* ~gaan; (*van pers.*) be behind the times; ~**man** (*mil.*) rear-rank man, coverer; ~**mast** aftermast; ~**middag** *zie* namiddag

achterna behind, after; (*naderhand*) afterwards; *~ gaan* follow at some distance; *zie verder sam. met* na

achter: ~**naam** surname, family-name; ~**neef** grand-nephew, great-nephew; second cousin; ~**nicht** grand-niece, great-niece; second cousin

achter: ~**om** round the back; behind, back; – *gaan* go round the back (way); – *kijken,* – *zien* look back; ~**onder** (*mar.*) afterhold

achterop behind, at the back; on the back [of one's bike]; on the rear platform (*van tram*); *geen staanplaatsen ~* no standing outside; *~ met de huur, enz.* behind with the rent (one's work, etc.); *zie* achter (*ten ...*); ~**brengen** put in arrears; set back; ~**komen (lopen)** overtake, catch up, come up with; ~**raken** *zie* achterraken; ~**rijden** (*op motorfiets*) ride pillion; *zie ook* ~komen

achterover back(wards), on one's back; ~**drukken** (*sl.*) pinch; ~**gooien** throw back, toss [one's head]; ~**leunen** lean back; ~**liggen** lie back (*ook:* ~ *gaan liggen*), lie on one's back; ~**slaan** 1 fall (come) down backwards; 2 *daar sla je van ~* that (it) makes you stagger; *prijzen waar je van achterover slaat* staggering prices; 3 *een borrel –* toss off (knock back) a drink; ~**vallen** fall back(ward); ~**werpen** *zie* ~gooien

achter: ~**paard** wheel-horse, wheeler; ~**pand** hind-skirt; ~**plaats** back-yard; ~**plecht** poop(-deck); ~**poort** back-gate, postern(-gate); ~**poot** hind-leg, -foot, -paw; *op de ~poten staand* rampant; *vgl.* achterst; ~**raam** back-window; ~**raken** fall (drop) behind (*mar.:* astern); (*fig.*) fall (get) behind [with one's work, the rent, etc.], fall into arrears (behind schedule), get behindhand; *ook:* my work has fallen behind; ~**rem** rear-brake; ~**riem** (*van paard*) crupper; ~**ruim** afterhold; ~**ruit** rear window; ~**schip** hind part of a ship, stern; *in 't – geraken* come down in the world; *in 't – zijn* be down on one's luck; ~**schot** (*van wagen*) tail-board; ~**spatbord** (*van auto*) rear wing, (*van fiets*) rear mudguard; *zie ook* spatbord; ~**speler** (full) back

achterst hind(most), last; (*mar.*) sternmost, aftermost; *hij stond op zijn ~e benen* he was hopping mad; *al gaat hij op zijn ~e benen staan* whatever he does; *~e ledematen* hind limbs; *op zijn ~e poten gaan staan* get up on one's hind legs; *zie ook* achterste

achterstaan: *~ bij,* (*minder zijn dan*) be inferior to, rank below; (*achtergesteld worden bij*) be neglected for; *bij anderen ~* be handicapped; *bij iem. ~, ook:* be second to none, not be behind anyone [in ...]; ~**d** (mentioned) overleaf, on the next page

achterstallig back; *~e bestelling* b. order; *~e coupons* overdue coupons; *~e huur* b. rent,

achterstand -

26

arrears of rent; ~e rente b. interest, interest still due; ~e schulden b. debts, arrears, outstanding debts; ~e soldij b. pay; ~ zijn be in arrear, be behind [with the rent, etc.]; 't ~e the arrears

achterstand arrears, arrearage; time-lag; backlog (of deliveries); (onbetaalde schulden) arrears; ~ bezorgen put in arrears; zie inhalen

achterste I bn. zie achterst; II zn. back-part, hind-part; (zitvlak) behind, posterior(s), buttocks, bottom, b.t.m., bum, backside, sit-upon; 't ~ tegen de krib zetten become restive (of: refractory), kick against the pricks, jib; zie tong, zolder enz.

achter: ~steek backstitch; daarmee naaien backstitch; ~stel back [of a carriage]; ~stellen subordinate [bij to], place at a disadvantage, handicap [bij as compared with], discriminate against, slight [feel ...ed]; – bij, ook: neglect for, postpone to; ~stelling subordination; neglect, slight(ing); postponement [bij to]; met – van... neglecting...; ~steven stern-post; (~schip) stern; ~stevoren back to front, backside first, hind-side foremost, (the) wrong way round; ~straat back-street; ~stuk back-piece; (van kanon) breech; ~trap backstairs; ~troep (mil.) rear-party; ~tuin back-garden

achteruit I bw. backward(s), back; (op schip) aft, abaft; ~! stand back!; volle kracht ~! (mar.) full speed astern!; ~ halen! (mar.) back her!; zie stap; II zn. back-yard; (auto) reverse; in de ~ zetten put in reverse; ~boeren go downhill; zie ~gaan; ~deinzen start back; ~gaan (eig.) go back(wards), move back, recede, retreat; (van zieke) go downhill, (be on the, fall into a) decline, lose ground, (tegen 't eind) sink, fail [he is ...ing fast]; (van gezondh., handel, ijver, inkomsten, enz.) fall off, decline; (van zaak) fall off, go down(hill); (van leerling) go back, fall off, be on the downgrade, (in welstand) come down in the world, fall on evil days; (van barometer, prijs, aantal, inkomen, enz.) fall; (in kwaliteit) deteriorate, decay; (moreel) degenerate, retrograde; verder: prices are on the decline (slipping back, easing off); cricket has fallen off of late; niet –, (van zieke) hold one's own; –d failing [health]; ~gang 1 going down, etc. (zie ~gaan), fall, decline, deterioration, recession (of trade), retrogression; 2 back door, back way; ~kijkspiegel driving-mirror, (Am.) rear-view mirror; ~krabbelen back out (of it), cry off; ~lopen zie ~gaan; ~rijden sit (ride) with one's back to the engine (driver); (van auto, enz.) reverse, back [the car into an open space]; ~rijlampen reverse (r.ing) lights; ~schoppen kick, lash out, plunge; ~schuiven push back; zijn stoel –, ook: push back from the table; ~slaan (van paard) zie ~schoppen; (van schip) reverse (the engines); ~stappen step back; ~trappen zie ~schoppen; ~varen sail backwards, make (gain) sternway, go stern first; ~wijken fall back, recede; ~zetten put back [clock, patient, etc.], (klok ook) set back; handicap

[heavy taxation ...s a country]; (in welstand, gezondh., enz.) throw back; (verongelijken) slight [she felt ...ed]; ~zetting zie achterstelling; (van zieke) setback

achter: ~vanger (sp.) catcher; ~voegen affix, subjoin, add; ~voeging addition; ~voegsel suffix

achtervolgen pursue, chase, run after, hunt [a ...ed animal], (hardnekkig) dog [be ...ged by the police, by misfortune]; (om te kwellen) persecute; (van gedachte) haunt; zie vervolgen

achtervolging pursuit, persecution; ~swaanzin persecution mania; ~swedstrijd pursuit-race

achter: ~waarts I bw. back, backward(s); II bn. backward, retrograde; ~weg backroad, byroad, by-way; ~wege: – blijven fail to come to (to turn up); (voorlopig, van plan, enz.) remain in abeyance; (van zaken) not come (off), be omitted; – houden keep back; conceal; – laten omit, drop, leave undone; ~werk (mar.) stern; (zitvlak) zie achterste; ~wiel back-wheel, rear-wheel; ~aandrijving rear wheel drive; ~winkel back-shop; ~zak (van jas) back-, tail-pocket; (van broek) hip-pocket; ~zijde zie ~kant

achthoek octagon; ~ig octagonal, octangular

achthonderdjarig octocentennial; ~e gedenkdag octocentenary

achting regard, respect, esteem; grote ~ genieten be greatly respected, be held in high esteem; ~ hebben voor hold in esteem, respect, have respect for; in iems. ~ dalen (stijgen) fall (rise) in a p.'s estimation; ik ben met de meeste ~... I am respectfully

acht: ~jarig vgl. jarig; (8 j. durend, ook:) octennial; ~kant, ~kantig eight-sided, octagonal; ~lettergrepig octosyllabic; – woord octosyllable; ~maal eight times; ~maands e. months old, e. months'; ~ponder e.-pounder; ~potig e.-footed; ~regelig of e. lines, e.-line [stanza]; ~span eight-in-hand (team); carriage and eight; ~ste eighth; (muz.) quaver; ~tal (number of) eight; ~tallig octonal, octonary; vgl. tientallig; ~tien eighteen; ~tiende eighteenth; ~tiende-eeuws eighteenth-century [London]; ~tienjarig vgl. jarig; ~urig: –e werkdag e.-hour(s) day; ~vlak octahedron; ~vlakkig octahedral; ~voetig of e. feet, e.-footed; ~voud octuple; ~voudig eightfold, octuple; ~zijdig e.-sided, octahedral; –e figuur octagon

acidimeter id.; **aciditeit** acidity

acne id.

acoliet acolyte

acquisiteur canvasser

acquisitie canvassing; (aanwinst) acquisition

acquit I (kwijting) discharge, receipt; per ~ paid; pour ~ de conscience for conscience' sake, to satisfy one's conscience; 2 (biljart) spot; ~ geven lead (off)

acribie (philological) exactness, acuity

acrobaat acrobat

acrobatiek acrobatism, acrobatics

acrobatisch acrobatic (bw.: -ally); zie toer

acroniem acronym

acrostichon acrostic

acrylhars, -vezel, -zuur acrylic resin, fibre, acid

acte *zie* akte; ~ *de présence geven* put in (enter) an appearance
acteertalent talent for acting
acteren act (*ook fig.*), act a part
acteur actor, player; (*min.*) play-actor; ~**skamer** green-room
actie (*aandeel*) share; (*proces*) action, lawsuit; (*in drama*) action; (*'t ageren*) agitation, action, campaign, movement; *in* ~ in action, [be] at it [again]; *een* ~ *instellen tegen* bring an action against; ~ *voeren* agitate, carry on a campaign [for ...]; ~**comité**, ~**groep** action committee, a. group; pressure group
actief I *bn.* active, energetic; *-ve dienst* active service, service with the colours; *een -ve kerel, ook:* a live man, (*fam.*) a live wire; *-ve handels-balans* favourable trade-balance; II *zn.* assets; ~ *en passief* assets and liabilities
actieradius (*van vliegt., enz.*) radius (*of:* range) of action, range
actinisch actinic [rays]; **actiniteit** actinism
actinium id.; **actinometer** id.
actionaris shareholder; **activa** assets; *zie* actief *zn.*
activeren activate; **activist** id.
activiteit activity
actrice actress
actualiseren bring up to date, revise, update
actualiteit topicality (*ook concr.*), timeliness, (*concr. ook*) topic of the hour; ~**enprogramma** (*film*) news-reel
actuaris actuary
actueel topical [subjects, allusions], current [problems], timely [article], of current interest, up to date, up-to-the-minute
acultureel uncultured, philistine
acupunctuur, -turist acupuncture, -turist (a. healer)
acuut acute
A.D. = *Anno Domini* id.: in the year of our Lord
ad: ~ *absurdum* to the point of absurdity; ~ *fundum!* bottoms up!; ~ *fundum drinken* drain one's glass; *commissie* ~ *hoc* ad hoc committee; ~ *infinitum* id.; ~ *libitum* id., ad lib., at will; ~ *patres gaan* be gathered to one's fathers; ~ *rem* to the point, relevant, apt [the retort was so apt that ...]; (*van pers.*) smart, quick at repartee; *uw opmerking is niet* ~ *rem, ook:* lacks point, is beside the mark, is neither here nor there; ~ *rem opgemerkt* pointedly (pertinently, aptly) observed; ~ *valorem* id.
adagium adage
Adam Adam; *de oude* ~ *afleggen* put off (shake off, lay aside) the old A. (the old man); **a~sap-pel** A.'s apple; **a~skostuum:** *in* – in one's birth-day suit; ~**snaald** yucca
adapteren adapt
adat id., usage, customary law (= ~*recht*), tradition
adder viper (*ook fig.*), adder; *een* ~ *aan zijn borst koesteren* nourish (cherish) a v. in one's bosom; *er schuilt een* ~ *onder het gras* there is a snake in the grass (a nigger in the woodpile); ~**achtig** viperous; ~**beet** viper-bite; ~**(en)ge-**

broed(sel) viperous brood; (*bijb.*) generation of vipers; ~**gif**, ~**spog** viper's venom; ~**tong** (*plant*) adder's tongue; (*fig.*) viper; ~**wortel** adderwort, bistort, snakeweed
additief additive
additioneel additional
adekwaat *zie* adequaat
adel nobility; *hij is van* ~ he is of noble birth, he belongs to the nobility
adelaar eagle; ~**sblik** eagle-eye; *met*–eagle-eyed; ~**svaren** bracken; *zie verder* arend
Adelbert Ethelbert
adelboek peerage
adelborst midshipman, naval cadet; (*fam.*) mid(dy); (*sl.*) snotty, reefer
adelbrief patent of nobility
adeldom nobility; ~ *verlenen, zie* adelen; *brieven van* ~ letters patent of nobility
Adèle Adela
adelen ennoble (*ook fig.*), raise to the peerage
Adelheid Adelaide
Adeline id., Adelina
adellijk noble [lady, family], nobiliary [pride, rank]; *ongev.:* titled, [a lady] of title; (*van wild*) high; (*van vlees*) gamy, high; ~ *bloed* noble blood
adelsboek peerage
adelstand nobility; *tot de* ~ *verheffen, zie* adelen
adem breath; *de* ~ *inhouden* hold one's b. [they held their breath(s)]; ~ *scheppen* take b.; *de laatste* ~ *uitblazen* breathe one's last; *zijn* ~ *stokte* he stood breathless, it (the scene, etc.) took his breath away; *buiten* ~ out of b. [he had run himself ...], breathless, puffed; *iem. buiten* ~ *brengen* blow a p.; *buiten* ~ *geraken* get out of b.; *in één* ~ in one b., at a b., in the same b. [*ook fig.:* they are not to be mentioned in the same b.]; *zij worden altijd in één* ~ *ge-noemd* they are always bracketed together; *naar* ~ *snakken* gasp for b.; *op* ~ *brengen* breathe; (*weer*) *op* ~ *komen* recover one's b. (one's wind), get (catch) one's (second) b.; *tijd om op* ~ *te komen,* (*ook fig.*) breathing-space, -spell; *van lange* ~ long-winded; ~**analysator** breatnalyser; ~**benemend** b.-taking [adventures]
ademen, ademhalen breathe (*ook fig.:* ... a spirit of poetry), draw breath; *diep* ~ b. deeply, draw (take) a deep (long) breath; *ruimer* ~ b. more freely, b. again; ~ *op* b. on [one's spectacles]
ademhaling breathing, respiration; ~**soefeningen** breathing-exercises; ~**sorganen** respiratory organs
ademloos breathless [amidst ... silence]
ademnood dyspnoea, laboured breathing
adempauze breathing space, breather
ademproef, -test breath test; *de* ~ *afnemen* breathalyse; **-tester** breathalyser
ademtocht (gasp of) breath; *tot zijn laatste* ~ until his dying breath
ademwortel respiratory root
adenoïden, adenoïde vegetatie adenoids
adept id.
adequaat adequate

ader vein (*ook in hout, blad, marmer, enz.*); (*van erts*) vein, lode, seam; *humoristische* ~ streak of humour; **~breuk** rupture (bursting) of a blood-vessel; '*n – krijgen* break (burst) a. b.-v.; **~en** *ww.* vein, grain [wood]; **~gezwel** *zie* ~uitzetting; **~inspuiting** intravenous injection; **~laten** bleed (*ook fig.*), let blood; **~lating** bleeding (*ook fig.*), blood-letting; **~lijk** venous; **~ontsteking** phlebitis; **~pers** tourniquet; **~rijk** veined, veiny; **~spat** varicose vein, varix, *mv.* varices; **~uitzetting** dilatation of a vein; (*van slag~*) aneurysm; **~verkalking** hardening of the arteries, arteriosclerosis

adhesie adhesion; ~ *betuigen* give in (declare, signify, testify) one's a. [to ...]; **~betuiging** message of support (of sympathy)

adie (*fam.*) ta-ta!; **adieu** good-bye

adjectief adjective; **-tivisch** adjectival

adjudant adjutant (*ook de vogel*); (*van generaal, vorst, enz.*) aide-de-camp (*mv.:* aides-de-camp), A.D.C. [*van* ... to the King]; **~-onderofficier** *ongev.:* warrant-officer

adjunct assistant, deputy, adjunct

administrateur administrator; (*boekhouder*) accountant, book-keeper; (*beheerder, directeur*) manager [*van plantage* of an estate]; (*aan boord*) purser

administratie administration, management; accounts (department); (*mil.*) paymaster's department; financial records; *een hoop* ~ a lot of clerical work

administratief administrative; clerical [post]; ~ *personeel* clerical staff

administratiekosten administration charges (expenses), clerical expenses

administratrice (female) administrator, administratrix

administreren administer, manage

admiraal admiral (*ook de vlinder*); **~schap** a. ship; **~sschip** flagship; **~ssloep** a.'s barge; **~svlag** a.'s flag; **~vlinder** a.

admiraliteit admiralty; **~scollege** board of a.; **~shof** a.-court

admissie admission; **~-examen** entrance-examination

adolescent id.

Adolf Adolph(us)

Adonis id. (*ook de plant*)

adoniseren: *zich* ~ titivate o.s.

adopteren adopt; **adoptie** adoption; **adoptief** adoptive

adoratie adoration; **adoreren** adore

adrenaline adrenalin

adres address; (*op brief ook*) direction; (*verzoekschrift, schrijven*) petition, memorial; ~ *van adhesie* letter of adhesion; ~ *van Antwoord* Address in reply (in answer); *per* ~ (to the) care of, c/o; '*t* ~ *schrijven, ook:* direct one's letter (note, etc.); *dat is aan uw* ~ that is meant (intended) for you, is one for you; *dat is aan het juiste* ~, (*fig.*) the shoe is on the right foot; *je bent aan 't verkeerde* ~ you've mistaken your man (*zie* kantoor); ~ *bij de redactie* editor has a.; *een* ~ *richten tot* petition, memorialize;

zonder vast ~ of no fixed a.; **~boek** directory; **~kaart** label, ticket; (*van postpakket*) dispatch-note; (*van zaak*) business-card; **~kaartje** card; **~kantoor** inquiry-office; **~sant** applicant, petitioner; (*afzender*) sender; **~seermachine** addressing-machine, addressograph; **~seren** direct, address, label [luggage]; *zich – aan* apply to; *brieven voor haar werden aan mij geadresseerd, ook:* came under my cover; *een gefrankeerde en geadresseerde enveloppe voor antwoord bijsluiten* enclose a stamped addressed envelope; **~strook** label; **~verandering**, **~wijziging** change of a. [card]

Adri Audrey; **Adriaan** Adrian; **Adriana** id.; **Adrianus** id.

Adriatische Zee: *de* ~ the Adriatic

adsorberen adsorb

adspirant *zie* aspirant

adstrueren, -structie, *zie* staven, -ving, *en* toelichten, -ting

advent Advent; **~ief** adventitious; **~isten** (second) Adventists

adverbiaal adverbial

adverteerder advertiser

advertentie advertisement, notice, (*fam.*) ad, advert; (*van overlijden, enz.*) announcement; *zie* plaatsen; **~blad** advertiser; **~bord** *zie* aanplakbord; **~bureau** advertising-agency, -office; **~kosten** a. charges, cost of advertising

adverteren advertise

advies advice; *ook:* opinion [get a doctor's ... and act on his advice]; (*van jury bijv.*) recommendation; *op* ~ *van* on (at, by) the a. of; *op medisch* ~ [take a rest] under medical a.; *per* ~ as per a.; *commissie van* ~ advisory committee (*of:* board); *iem. om* ~ *vragen* ask a p.'s a., consult a p.; *rechtskundig* ~ *vragen* take legal a., take counsel's a. (*of:* opinion); **~boot**, **jacht** a.-, dispatch-boat; **~brief** letter of a., a.-note; **~prijs** recommended retail price, suggested [U.K.] price

adviseren advise; (*van jury bijv.*) recommend; **~d** advisory, consultative [voice, body]

adviseur adviser [medical ...], consultant; (*van uitgever*) reader; *rechtskundig* ~ legal a., advising counsel, solicitor; *wiskundig* ~ actuary

advocaat 1 barrister(-at-law), counsel (*mv.:* counsel); (*ongev.*) solicitor, lawyer; (*Sc.*) advocate; *een* ~ *nemen* brief (retain) a barrister; *voor* ~ *studeren* study (read) for the bar; *als* ~ *toelaten* call to the bar; *een* ~ *raadplegen* take legal advice; ~ *van kwade zaken* pettifogger, pettifogging lawyer, crook(s') lawyer; (*Am.*) shyster; *spreken als een* ~ have the gift of the gab; 2 (*drank*) id.; 3 (*boom & vrucht*) avocado; **~-fiscaal** Judge Advocate General; **~-generaal** solicitor-general

advocatenkamer Citizens Advice Bureau; **advocatenstreek** lawyer's trick; **advocaterij** pettifoggery, lawyer's arguments, quibbling(s)

aedilis aedile

Aeneas id.; **Aeneis** Aeneid; **Aeolus** id.

aërodynamica aerodynamics

aëronaut aeronaut; **~ica** aeronautics

aërosol aerosol
Aesopus Aesop
aetiologie aetiology
af off; down; ~ *en aan* to and fro; ~ *en aan lopen, varen, vliegen, enz.* come and go ['*t liep* ... there was coming and going all that night]; ~ *en toe* off and on, now and then; ~ *en toe 'n spelletje golf spelen* play an occasional round of golf; *Hamlet* ~ exit H.; *de geest en H.* ~ exeunt Ghost and H.; *hij is minister* ~ is out of office; *hij is voorzitter* ~ ... chairman no longer; *hoeden* ~! hats off!; *je hoed* ~! off with your hat!; ~! (*tegen hond*) down, sir!; (*sp.*) go!; *rechts* ~ to the right; *ik ben* ~, (*bij spel*) out; (*doodop*) done up, knocked up; '*t engagement (de koop) is* ~ is off; '*t is* ~ *tussen hen* it's all over between them; '*t werk is* ~ is finished; *zijn omgangsvormen waren af* his manners were faultless; *daar wil ik* ~ *zijn* I am not sure (about it); *goed* (*slecht*) ~ *zijn*, (*in goede, slechte doen*) be well (badly) off; (*boffen, wanboffen*) be in luck, have bad luck; *de knop (de verf) is er* ~ has come off yellow; *bij 't geel* ~ off yellow, bordering on yellow; *op de minuut* ~ to the minute; *op 't sentimentele* ~ [he was grateful] to the point of sentimentality; *er is een knoop van mijn jas* ~ my coat has a button missing; *gelukkig, dat ik van hem* ~ *ben* I am well rid (*of:* quit) of him; *ik ben er* ~ I am rid of it, it is off my hands; *om er maar* ~ *te zijn* to have finished (to be through) with ...; *hij is van zijn vrouw* ~ he is divorced; *ze zijn van elkaar* ~ they have separated (are living apart), it's all over between them; *je bent niet van mij* ~ I've not done with you yet; *daar ben je er niet mee* ~ that's not enough; *van 15 p.* ~ from 15p. upwards; *van de burgemeester* ~ *tot* ... from the mayor down to the meanest citizen; *van 1 mei* ~ (as) from the first of May; *van die dag* ~ from that day onward(s); *van kind* ~ from a child; *van mijn jeugd* ~ from my youth up; *van de 3de eeuw* ~ from the third century cn(wards); *van die tijd* ~ from that time forward (*of:* on); *10 meter van de weg* ~ from the road, off the road; *zie* kantje, kous, slim, spreken, afkunnen, afwillen, enz.
afasie aphasia
afbabbelen: *heel wat* ~ talk over a lot of things
afbakenen (*vaarwater*) buoy; (*terrein*) stake (peg, mark, plot) out; (*weg, enz.*) trace (out); (*gebied, grenzen van land*) demarcate, delimit(ate) [the frontier]; (*fig.*) define; *duidelijk afgebakende taak* clear-cut task; **-ing** ... ing; delimitation
afbarsten burst off (*ook:* doen ~)
afbedelen obtain by begging; *iem. iets* ~, (*door vleien*) wheedle s.t. out of a p.; *de hele streek* ~ beg all over the district
afbeelden represent, picture, portray, paint, depict; *afgebeeld in de catalogus* shown ...; **-ing** representation, picture, portrait(ure), image, depiction; (*in boek*) figure, illustration
afbeeldsel image, portrait
afbekken: *goed van zich* ~ not mince one's

words; *iem.* ~, *zie* afsnauwen
afbellen *a*) phone [person] to call off [event]; *b*) ring (a)round; *heel wat* ~ do a lot of phoning; **afbestellen** countermand; cancel [an order]; **afbestelling** countermand, counterorder, cancellation
afbetalen pay off [a debt, workmen]; clear [a debt]; (*in mindering betalen*) pay [ten per cent] on account
afbetaling payment; ~ *bij termijnen* p. by instalments; *op* ~ on account; (*koop op*) ~ hirepurchase, h.p., instalment purchase; *op* ~ (*volgens 't* ~**stelsel**) *kopen* buy on the instalment system (*of:* plan), on the easy (the deferred) p. system, on easy (deferred) terms, (*fam.*) on the never-never
afbetten bathe, wash [a wound]
afbeulen overdrive [a p., an animal], fag out [one's staff *personeel*], work to death; *zich* ~ work o.s. (one's fingers) to the bone, work o.s. to death, fag o.s. (out), slave [at a job *met 'n karwei*]; ~*d werk* grinding toil; *afgebeuld, ook:* jaded
afbidden pray for, invoke [Heaven's blessing on ...], obtain by prayer; (*afwenden, of trachten af te wenden*) (seek to) avert by prayer; *de rozenkrans* ~ tell one's beads
afbijten bite off; bite [one's nails]; *zijn woorden* ~ clip one's words; *afgebeten* clipped [speech, voice]; *zie ook* bijten & spits
afbijtmiddel paint remover
afbikken chip (off), scrape off [the scale *ketelsteen*]
afbinden untie, take off [one's skates]; tie up, ligate, ligature [a vein]; tie off, (*fam.*) string [a wart]
afblaaskraan blow-off cock
afblaaspijp blow-off pipe, escape-pipe
afbladderen peel (*of:* scale) off; **afbladeren** strip (off the leaves); *zie ook* afbladderen
afblaffen *zie* afsnauwen
afblazen blow off [dust, steam]; (*mil.*) sound the retreat; *de stoomketel* ~ blow off the boiler; *stoom* ~, (*fig.*) let off steam
afblijven: ~ *van* keep (one's hands) off [a p., a thing], leave alone; ~! hands off!; *hij zal wel van je* ~ he will let you alone, won't touch you
afboeken (*afschrijven*) write off
afboenen (*droog*) rub, polish, (*nat*) scrub
afborstelen (*stof, enz.*) brush off; (*kleren*) brush; (*pers.*) brush, give a brush up; *zich* ~ brush o.s. up, have a brush up
afbouw (*van mijn*) working, development; **~en** finish [a building]; complete [a cruiser]; develop, work [a mine]; (*germ.*) phase out; *nog niet afgebouwd, ook:* partly built [factory]; **~hamer** (*mijnb.*) pneumatic pick
afbraak pulling down, demolition; (*chem.*) degradation [products]; (*concr.*) old materials, rubbish; *voor* ~ *verkopen* sell for breaking up (for the materials, to be pulled down); **~prijs** knock-out price
afbramen trim the rough edges of [metal, etc.]
afbranden I *tr.* burn down [a house]; burn off

[paint]; II *intr.* be burnt down (*zie* grond); *de kaars is half afgebrand* is half burnt

afbreekbaar degradable; *biologisch* ~ biodegradable

afbreken I *ww. tr.* 1 break [a branch from a tree], break off [a branch, conversation, negotiations, engagement, relations, etc.]; (*plotseling, knappend*) snap off [a branch], snap [a thread]; break [a journey, an electric current, an engagement]; divide [a word]; cut [an electric current]; interrupt [the thread of one's story]; sever [ties, connections, diplomatic relations]; (*schaakwedstr., enz.*) adjourn [a game]; *hij brak 't verhaal ineens af* he cut the story short; *de omgang met iem.* ~ drop a p.; 2 pull (*of:* take) down, demolish [a building], break down [a fence, railing], break up [a ship], take down [tents, scaffolding], strike [tents]; (*chem.*) degrade; *het huis* ~, (*fig.*) tear the place to pieces; 3 (*afgeven op*) run (write) down [a p., a work], cry down, demolish [a doctrine, theory], slash [a book]; ~ *is gemakkelijker dan opbouwen* tearing down is easier than building up; II *ww. intr.* b. (off, away); snap (off) [the tree snapped off short]; stop, b. off [in the middle of one's speech]; *zie* afgebroken; III *zn.* ...ing; demolition; b.-down [of the negotiations]; severance; rupture; interruption; *vgl. 't ww.;* ~d destructive [criticism]; -er demolisher (*ook fig.*)

afbreking *zie* afbreken, *zn.;* ~steken (-) hyphen

afbrengen (*schip*) get off, get afloat; *het er heelhuids* ~ get off (come off, escape) with a whole skin (*of:* unscathed); *er 't leven* ~ escape with one's life; [I didn't expect to] come out of [this] alive; (*ternauwernood*) have a hair('s)-breadth escape; *'t er goed* ~ get through very well, come well out of [a test], do well [in one's examination], carry it off, (*fam.*) make a (good) job of it; *als ik 'tergoedafbr.,* (*'t m' lap'*) if I bring it off; *'t er slecht* ~ do (come off) badly; *'t er ... beter* ~ do a better job (*of:* do better) next time; *'t er beter* ~ *dan,* (*fam.*) go one better than; *'ter prachtig* ~ make a wonderful success of it; *het er net* ~ escape (get off) by the skin of one's teeth, run it very fine; *een proef er goed* ~ pass a test; *ik trachtte hem af te br. van* ... I tried to put him off that subject (to dissuade him from that marriage); *niets kon hem* ~ *van* ... nothing could move (*of:* budge) him from his resolve; *ik kon hem niet* ~ *van* ... I could not put it (the scheme) out of his head, could not persuade (talk) him out of it; *hij was er niet van af te br.* he would not be dissuaded, was quite set on it; *ik wil mij niet van mijn doel laten* ~ I will not be dissuaded (turned, turned aside) from my purpose; *iem. van 't onderwerp* ~ lead a p. away from the subject; *van de goede weg* ~ lead astray

afbreuk damage, injury, derogation; ~ *doen* (*aan*) injure [a p.], prejudice [a p.'s rights], be derogatory (detrimental) to [a p.'s reputation]; detract (derogate) from [the beauty of a book]; *de vijand* ~ *doen* inflict losses on the enemy;

het doet geen ~ *aan* ... it in no way diminishes his popularity; *zonder* ~ *te doen aan* ..., *ook:* without affecting my plans

afbroddelen scamp, bungle

afbrokkelen crumble (off, away, *ook van prijzen*); -ing ...ing, erosion (*van kust*)

afbuigen turn off, turn aside, deflect; (*van weg*) branch off, curve away [to the right]

afbuitelen tumble down

afcommanderen *zie* afgelasten

afdak penthouse, lean-to, shed

afdalen go (come) down, descend; *in bijzonderheden* ~ go (enter) into detail(s), descend to details (particulars); *tot iem.* ~ condescend to (come down to the level of) a p.; (*om zich te doen begrijpen*) talk down to [one's audience]; (*bij het schrijven*) write down to a p.; ~ (*zich verlagen*) *tot* descend to, stoop to; *in* ~*de linie* in a descending line; ~*de reeks* descending progression; **afdaling** (*eig.*) descent; (*fig.*) condescension; **afdammen** dam up; **afdamming** damming up; (*concr.*) dam

afdanken dismiss [a servant, an official, etc.], (*aan de dijk zetten*) shelve, lay (*of:* put) upon the shelf; disband [troops]; pay off [a ship's crew]; (*tijdelijk*) lay off [workmen]; scrap [a ship]; cast off [clothes]; discard [one's lover, clothes, books]; part with [one's car]; *afgedankt, ook:* superannuated (*wegens leeftijd*); left-off [clothes]; *afged. kledingstuk, ook:* cast-off; *afged. scheermesjes* used blades

afdankertje discard, reject, cast-off (garment)

afdanking dismissal, disbandment, etc. (*vgl. 't ww.*)

afdeinzen fall back, retreat, withdraw

afdekken 1 clear the table, remove the cloth 2; (*villen*) flay; 3 cope [a wall]; 4 (*fot.*) block out; 5 (*typ.*) opaque; 6 (*sp.*) mark; 7 *zie* afranselen; -er flayer; (*van paarden*) knacker

afdelen divide, classify; graduate [a thermometer, etc.]; *zie* afschieten 3

afdeling (*abstr.*) division, classification, graduation; (*onderdeel*) division, section, part; (*afgesloten ruimte*) compartment; (*van vereniging*) (local) branch; (*van bestuur, universiteit, zaak*) department; (*van zaak ook*) floor; (*van ziekenhuis*) ward [men's, women's ...]; (*van lyceum, enz.*) [classical, modern] side; (*Tweede Kamer*) *ongev.:* committee; ~ *ruiterij* body of horse; ~ *soldaten* detachment of soldiers; ~ *voor besmettelijke ziekten* infectious ward; ~ *gevonden voorwerpen* lost property office; *koffer met* ~*en* partitioned trunk; ~**schef** head of department, departmental (*van zaak ook:* floor) manager; departmental chief (head); ~**sonderzoek** (*van wetsontwerp*) committee stage

afdempen mute

afdichten seal, plug (up)

afdieven purloin (*of:* pilfer) from

afdingen I *intr.* haggle, higgle, bargain, drive bargains; II *tr.* beat [a p.] down; *iets* ~ get a bit off the price; *zich geen dubbeltje laten* ~ not come down a penny; ~ *op* beat down [the price]; disparage, detract from [a man's merits], challenge [a statement, the wisdom of …]; *daar is niets op af te dingen* there can be no arguments against that; *op uw argumenten valt nogal wat af te dingen* your arguments are open to criticism

afdoen 1 (*afnemen, enz.*) take off [clothes, etc.]; 2 (*meubelen*) dust, clean, wipe; 3 ~ *van de prijs* reduce the price; knock off [one penny, etc.]; *'t doet niets af van zijn verdiensten* it detracts nothing (it does not take away) from his merits; *iets ~ van*, (*niet alles geloven*) discount [a statement, story]; 4 (*afmaken*) finish, dispatch, settle [a business], clear off [one's correspondence], dispose of [the Budget]; do [you can do a lot in a day], get through [an enormous amount of work]; 5 pay off, clear, settle, discharge [a debt]; 6 (*verhandelen*) sell; 7 *dat doet er veel aan af* that matters a great deal; *dat doet er niets aan toe of af* that does not alter the case (the fact), is neither here nor there; *het enz. heeft afgedaan*, (*is van geen nut meer*) it has served its turn; (*is verouderd*) that theory is now exploded (is dead and buried); the old system is (the old leaders are) played out, is (are) off the map; Nazism is finished; he has had his day (is a back number); horse-trams are things of the past; *je hebt bij mij afgedaan.* I have (am) done (finished) with you, I'm through with you [*zo ook:* with politics, etc.]; *die zaak is afgedaan.* is (over and) done with; *'t onderwerp als afgedaan. beschouwen* consider the subject closed; *daarmee is dat afgedaan.* so much for that; ~**d** conclusive, decisive, clinching [proof, arguments], cogent, sufficient [reason]; (*doeltreffend*) efficacious, effective [measures]; *niet* – inconclusive [evidence]; *dat is* –*e* that settles the question, clinches the business; –*e bewijzen* prove beyond any doubt (beyond question); –*e weerlegd* conclusively refuted; ~**er** clincher; ~**ing** (*van schuld*) settlement, payment; (*van zaken*) dispatch; *ter* – *van* in s. of; *er kwamen geen* –*en tot stand* no sales were effected

afdraaien I *tr.* turn off [a tap, gas, electric light, etc.], switch off [the radio, electric light], twist off [the head of a bird]; grind (out) [a tune on a barrel-organ]; run off [a film, a stencil], (*voor 't eerst*) release [a film] (*ook zn.:* the … of a film; this week's …s); play [a record *grammofoonplaat*] play back [a tape-recording]; lock [a door]; (*op draaibank*) turn; (*opdreunen*) rattle off, reel off [one's prayers, etc.]; *zich* ~ turn away; II *intr.* turn (off); (*van weg*) branch off

afdragen carry down [the stairs, etc.]; wear out [clothes]; pay off [a debt]; pay (hand) over [money; the proceeds will go to charities]; *afgedragen* worn (out)

afdraven trot down [a road]; *een paard* ~, *zie* afrijden 2 & voordraven (*laten* ~)

afdreggen drag [a canal]

afdreigen: *iem. iets* ~ extort [money, etc.] from a p. (by threats), blackmail a p.; **-ing** blackmail

afdrijven I *intr.* drift (off); (*van schip ook*) make

leeway; (*van onweer, enz.*) blow over, drift away; *zeewaarts* ~ drift (*van zwemmer ook:* be washed) out to sea; *de rivier* ~ float down the river; *met de stroom* ~ be borne (*of:* float) down the stream; (*fig.*) go with the stream; II *tr.* drive [cattle] down [the hill, etc.]; refine [metals]; expel [worms]; *de vrucht* ~ cause abortion; ~**d** (*middel*) abstergent, purgative; (*abortief*) abortifacient; **-ing** leeway; expulsion; (criminal, forced) abortion (*vgl. 't ww.*)

afdrinken: *het* ~ settle it over a glass; *laat ons 't* ~ let's have a drink and be friends

afdrogen dry, wipe [the tea-things; *ook zonder voorw.*]; wipe off, wipe away, dry [tears], dry [one's hands on a towel], rub down (*na bad*); (*afranselen*) give a hiding

afdronk after-taste

afdroogdoek tea-towel

afdroppelen *zie* afdruppelen

afdruipen trickle (*of:* drip) down; (*van borden, enz.*) drain; (*wegsluipen*) slink off; *de kaars druipt af* is guttering; *de sentimentaliteit druipt eraf* it oozes sentimentality; *beschaamd* ~ slink away; **-middel** wetting agent; **-sel** drippings

afdruk copy; (*fot.*) print; (*indruk*) print [foot-, finger-…], imprint, impression [in wax, of type, etc.]; (*van medaille, enz.*) rubbing; (*tandarts*) cast; ~(**je**) (*van artikel*) off-print, reprint, separate; (*fot.*) print; ~**ken** (*boek, courant, foto*) print (off); *in was* – impress [the seal] in wax; –*!* (*op drukproef*) press!; *verlof geven tot* – sign for press; *5 min. 22 sec.* – clock …,; *zie ook* aftrekken 4; ~**raam** (*fot.*) printing-frame; ~**sel** impression, impress, print, mark

afdruppelen drip (*of:* trickle) down; (*van bord, enz.*) drain

afduwen push off, (*mar. ook*) shove off

afdwalen (*eig.*) lose one's way, stray [from the path, from the company, etc.; her eyes strayed (wandered) to the door]; (*fig.*) wander (travel, stray, deviate) from one's subject, digress [but I am … ing; but this is a digression]; wander (away) from the point (the question) [her attention was wandering], ramble [old people are apt to …]; *dwalen we niet wat af?* aren't we rather off the subject (getting off the point)?; ~*de gedachten* truant thoughts; *zie* pad; *afgedwaalde kogel* stray bullet; **-ing** … ing; digression; (*van licht, sterren*) aberration; (*zedelijk*) aberration, slip

afdwingen extort [money, a promise from …], wring, wrest [a promise, confession, secret, concessions from …], force [a confession; force the truth out of …], squeeze, screw [money out of …], draw [tears from …], compel [admiration], command [attention, respect], enforce [obedience]

af- en aanlopen *zn.* comings and goings; *zie* af

aferesis aphaeresis

afeten I *tr.* eat off [leaves, twigs]; II *intr.* finish one's meal (dinner, etc.)

affaire affair, business; (*handelszaak*) business; (*transactie*) transaction; (*met vrouw*) (love) affair; (*duel*) a. of honour; *een mooie* ~, (*iron.*)

a pretty kettle of fish

affect (*psych.*) id.; **~atie** affectation, mannerism; **~ie** affection

affenpinscher (*soort hond*) griffon

affiche play-bill, poster; (*voor raam*) window-bill; **afficheren** post up; (*fig.*) show off, parade

affietsen pedal down [a hill]; *ik heb de hele stad afgefietst* cycled all over the town

affiliatie affiliation

affineren refine [metals]

affiniteit affinity; **affodil** asphodel

affreus horrible, horrid

affricaat affricate

affront(eren) affront

affuit gun-carriage; (*inz. van scheeps- & vestinggeschut*) mounting

afgaan 1 go down [the stairs, river]; 2 (*van boot*) start, sail; ~ *van* leave [school, one's wife]; *van elkaar* ~ part, separate; 3 (*theat.*) exit; *A. gaat af* exit A; (*fam.*) flop, fail; *hij ging af als een gieter* he was made to look extremely silly; 4 ~ *op* make for, go towards, go up to, (*fig.*) rely (depend) on [memory], trust in [appearances], bank on; go by [a p.'s advice]; *op uw woorden ~de* judging from ...; *recht op 't doel* ~ go straight to the point; *regelrecht* ~ *op* make a bee-line for; 5 (*van getij*) recede, ebb, go out; 6 (*van wapen, wekker, engagement*) go off; *de lading doen* ~ set (*of:* touch) the charge off; *niet gemakk.* ~, (*van vuurwapen*) be slow on the trigger, hang fire; 7 **er** ~, (*van knoop, verf*) come off (*ook:* the polish, etc. is wearing off); *'t vuil zal er* ~ the dirt will wash (*of:* rub) off; *de aardigheid gaat eraf* it's no fun any more, it's losing its attraction; *zie* nieuwtje; *er gaat niets van de prijs af* there is no reduction; it's the best I can do; *de kosten gaan van de provisie af* the expenses come off the commission; *er gaat niets af van 't feit, dat* ... nothing can take away from the fact that ...; *daar gaat niets van af* (*dat valt niet te ontkennen*) there's no denying (there's no getting away from) that; *'t gaat hem gemakkelijk* (*handig, natuurlijk*) *af* it comes easy (natural) to him; ... *gaat hem niet goed* (*gaat hem slecht*) *af* that bonhomie of his is not in character; *alles gaat hem even onhandig af* he is awkward in everything he does, his fingers are (he is) all thumbs; **~d** waning [moon], ebbing [tide]

afgang *a*) (*helling*) declivity; *b*) come-down, flop, failure

afgebroken broken [words]; intermittent [stream of water]; *zie* afbreken

afgedraaid (*fam.*) fagged out

afgeëxerceerd trained, efficient, made [soldiers]; *zij zijn* ~, *ook:* they have completed their recruits' training

afgekeurde reject

afgeknot *zie* afknotten

afgeladen loaded to capacity; *de trein* (*de schouwburg*) *was* ~ chock-full (packed, chock-a-block); *zie ook* afladen

afgelasten countermand, cancel [a meeting],

abandon [a match, race-meeting], scratch [a match], order (call, declare) off [a strike, etc.]; *de parade is afgelast* is off

afgeleefd decrepit, worn with age, worn out, used up, effete; **~heid** decrepitude

afgelegen distant, remote, far-off [countries], sequestered [nook], out-of-the-way [village], devious [coast], outlying [districts], off the beaten track; *verschrikkelijk* ~ miles from anywhere, at the back of beyond; **~heid** remoteness

afgemat worn out, tired out, fagged, [looking] the worse for wear

afgemeten measured [with ... steps; ... language]; (*vormelijk*) formal, stiff, starchy; **~heid** formality, stiffness

afgepast edged [curtains, etc.]; ~ **geld** the exact money; ~ *geld s.v.p.* no change given; please have exact fare ready (tender exact fare); **~e** *porties* apportioned helpings

afgerond rounded [edge, narrative, sentences]; *'t vormt een ~ geheel* it forms a complete whole (is complete in itself)

afgescheiden separate; (*godsd.*) dissenting, nonconformist; (*fam.*) chapel [be ...]; (*pol.*) separatist, secessionist [party]; ~ *kerk* chapel, free church; ~ *van* apart from [*ook fig.*: ... this]; **~e** (*godsd.*) (Calvinist) dissenter, nonconformist, (*fam.*) chapel-goer, *mv. ook:* chapel-folk, -people; (*pol.*) separatist, secessionist; *zie ook* afscheiden

afgesloofd worn out, worked out, fagged (out), jaded

afgesloten closed, etc. (*zie* afsluiten); ~ (*omheinde*) *ruimte* railed-off (-in) space; ~ *hoekje* secluded (*lit.* sequestered) nook (corner); ~ *rijweg!* road closed! no thoroughfare!

afgespen unbuckle, unclasp

afgestorven deceased, dead; *der wereld* ~ dead to the world; *de ~e* the deceased, the departed [our dear departed], our late lamented; *de ~en* the deceased, the dead; *zie* afsterven

afgetobd *zie* afgesloofd; (*door zorg, enz.*) careworn, worried, harassed [look]

afgetrokken 1 spent, used [tea-leaves]; 2 abstract [idea]; 3 absent(-minded); *zie* verstrooid; **~heid** absence of mind; detachment [there was a curious ... in his face]

afgevaardigde delegate [to a conference], representative, deputy, Member of Parliament (M.P.)

afgevallene apostate, renegade

afgeven 1 hand over [money, one's coat, etc.]; hand in [a telegram, book, parcel]; deliver [a message, letter, parcel], leave [a parcel, etc.] at the door; deliver up [one's key, sword]; issue [a passport, tickets, a policy]; give up [one's ticket]; (*hand.*) surrender [documents]; *een wissel* ~ *op* draw (a bill) on; *zijn kaartje* ~ leave one's card [*bij* on]; 2 give out, emit [smoke], throw out [heat], release [energy], give off [heat, a smell, smoke]; 3 (*van verf, kleur*) come off; (*van stof*) stain; 4 ~ *op* (*persoon, school, enz.*), run down, cry down, decry, disparage, (*fam.*) knock; *op eigen waar* (*familie, land, enz.*) ~ cry stinking fish; 5 *zich* ~ *met* take up with, consort with [all sorts of people], play about with [women]; *geef je niet met hem af* have nothing to do with him; *geef je daar niet mee af* don't meddle with it

afgezaagd stale, trite, hackneyed [phrase], threadbare, well-, time-worn, outworn [jokes, platitudes], hard-worked [joke], over-worked [idea]

afgezant (official) messenger, envoy, ambassador, (*heimelijk*) emissary

afgezien, afgezonderd *zie* afzien, enz.

Afghaan(s) Afghan; **Afghanistan** id.

afgieten pour off; (*door vergiet*) strain off; strain, drain [spinach]; cast [images]

afgietsel (plaster) cast; ~*diertjes* infusoria

afgifte delivery [of a letter]; issue [of tickets, coins, etc.]; ~ *van energie* energy-release; *dag van* ~ day of issue; *vgl.* afgeven

afglijden slide (*of:* slip) down (*of:* off); (*luchtv.*) stall; *dwars* (*laten*) ~, (*luchtv.*) side-slip

afglooien slope, shelve

afgod idol; (*Chin.*) joss; *een* ~ *maken van* make an i. of, idolize

afgoden: ~*dienaar* idolater; ~*dienares* idolatress; ~*dienst*, **afgoderij** idolatry, idol-worship; ~ *plegen* practise idolatry

afgodisch idolatrous; ~ *liefhebben* (*vereren*) idolize; **afgodist** idolater

afgods: ~*beeld* idol; ~*priester* idol priest; ~*tempel** idol temple; (*Chin.*) joss-house

afgooien throw down (off); *zie* afwerpen

afgraven dig off, dig up [a long barrow], dig down, level (by digging)

afgrazen graze, browse; *zie* afweiden

afgrendelen (*mil.*) seal off [penetrations]

afgrijselijk horrible, horrid, hideous, ghastly, atrocious; ~*heid* horribleness, etc.; horror

afgrijzen horror, abhorrence, revulsion; *een* ~ *hebben van* abhor; *met* ~ *vervullen* horrify; *met* ~ *vervuld, ook:* horror-struck

afgrond abyss, gulf; (*steile wand van* ~) precipice [fall into an abyss, down a precipice]; *gapende* ~ yawning chasm; *in de* ~ *storten*, (*fig.*) ruin, wreck

afgunst envy, jealousy; ~*ig* envious, jealous [*op* of]

afhaalkosten collecting-charges

afhaken unhook; uncouple, (*onder 't rijden*) slip [a railway-carriage]; unlimber [a gun]; (*fig.*) lose contact; drop out; contract out

afhakken chop off, cut off, lop off [branches], dock [the tail of a dog]; *een geslacht beest* ~ cut up a carcass

afhalen I *ww.* 1 (*van boven*) fetch (bring) down; 2 call for [a p., a letter, parcel]; collect [refuse *vuilnis;* parcels; *ook één pers. of zaak:* a parcel, a child]; *een schip* ~, (*van rots*) get a vessel off; *laten* ~ send for; *iem.* ~ call for a p.; (*in rijtuig, auto*) take up, pick up; (*van de trein, enz.*) meet a p. [at the station, at the boat; she was met by her husband with a car; send the car to meet me; I'll meet your train]; *word je afgeh.?* is

anyone meeting you?; *zal afgeh. w.* to be left till called for; 3 *iem.* ~ *van zijn werk* draw a p. away from his work; *iem. iets* ~ get money, etc. out of a p.; *iem. de klanten* ~ entice away a p.'s customers, spoil a p.'s business, take a p.'s trade away; *iem. alles* ~ fleece a p.; 4 (*villen*) flay, skin; *de huid* ~ strip off the skin; *bonen* ~ string (*of:* top and tail) beans; *de tafel* ~ clear the table; *de bedden* ~ strip the beds; II *zn.* ...ing; collection

afhameren *a*) *de zaken* ~ rush things through; *b*) *een voorstel* ~ prevent a proposal from being discussed

afhandelen settle, conclude, dispatch [business]; *zie* afdoen 4

afhandeling settlement, dispatch

afhandig: *iem. iets* ~ *maken* filch (*of:* pilfer) s.t. from a p., trick a p. out of s.t.; entice away [a p.'s customers]; (*scherts.*) relieve a p. of his purse, etc.

afhangen I *intr.* 1 hang down; 2 ~ *van* depend on [he ... s on me for money *wat geld betreft*], be dependent on; *dat hangt ervan af* that depends; *'t hangt ervan af, of ik* ... it depends on whether I ... (*ook zonder voorz.:* it depends what you call urgent); *alles hangt van uw antwoord af, ook:* everything turns on (hangs on) your answer; *van niemand* ~ be quite independent; II *tr.* unhand [the rudder], unhook, take down; hang [a door]; *de geweren* ~ ground arms; ~**d** hanging [sleeves, etc.], drooping [branches, moustache], pendent [boughs]

afhankelijk dependent [*van* on]; *van elkaar* ~ interdependent; ~ *stellen van* make conditional on; ~**heid** dependence [*van* on]

afhappen bite off; depilate, unhair [skins]; **afhaspelen** reel off, unreel; (*fig.*) scamp, bungle [one's work]

afhebben have finished, be done with

afhechten (*bij breien*) cast off

afheinen fence in

afhellen slope (down), slant; (*van terrein ook*) shelve; ~**d** sloping, etc.

afhelling slope, declivity

afhelpen help (*of:* hand) down, help off [the steps], help [a p.] to get out [of a tramcar], help [a p.] to dismount [from a horse]; (*van iets onaangenaams, persoon, enz.*) rid [a p. of ...]; (*van geld*) ease (*of:* relieve) a p. of his money

afhoren overhear [a conversation, etc.]; hear [witnesses]

afhouden I *tr.* 1 keep off; (*sp.*) obstruct [an opponent]; *van zich* ~ keep [a dog, one's enemies] at bay; *ik kon mijn ogen niet van hem* ~ I could not keep (take) my eyes off him; *van 't kwade* (*van zijn werk*) ~ keep from evil (from one's work); 2 (*korten*) deduct, stop [a guilder for it]; II *intr., van land* ~ stand off, stand out to sea; *van een rots* ~ keep clear of (bear away from) a rock; *rechts* ~ turn to the right

afhouwen cut (chop, lop) off

afhuren hire, engage [a room *zaal*]

afijn *zie* enfin

afjagen 1 drive away; 2 override, overdrive [a

horse]; run down [a deer]; 3 shoot over [a field]; **afjakkeren** override, overdrive [a horse]; overwork, drive [a p.] too hard; sweat [workmen]; *afgejakkerd, ook:* jaded
afkalken I *tr.* chip, scale off [a wall]; II *intr.* scale (*of:* peel) off
afkalven cave in, crumble away
afkammen comb off; (*fig.*) *zie* afgeven op
afkanten square; (*schuin*) cant, bevel, chamfer; (*breien*) cast off
afkapen pilfer (pinch, filch) from, filch away from; *zie* afhandig maken
afkappen chop (cut, lop) off, cut (*of:* hew) down; apostrophize [a word]
afkapping chopping off, etc. (*zie 't ww.*); (*aan begin van woord*) aphaeresis; (*aan eind*) apocope; **~steken** apostrophe
afkatten (*fam.*) snub
afkeer dislike [of, to, for], antipathy [to, against]; distaste [for], disinclination [for], aversion [to, from, for], repugnance [to, against]; *een ~ hebben van* dislike, hate, have a d. of (to); *ik heb er een ~ van, ook:* it is distasteful to me; *een ~ krijgen van* take a d. to; *zijn ~ van onrecht, ook:* his impatience of wrong
afkeren (*hoofd, gezicht, ogen*) turn away, avert; (*gevaar*) avert; (*slag*) ward (stave) off, parry; *zich ~* turn away (*ook fig.*)
afkerig averse [van to, from]; *hij was er niet ~ van om te gaan* he was nothing lo(a)th to go; *van dwang ~, ook:* impatient of compulsion; *~ maken van* turn against [religion]; **~heid** aversion; *zie* afkeer
afketsen *tr.* reject [a proposal]; frustrate, defeat [plans, etc.]; *intr.* (*van kogel, pijl, enz.*) glance off; (*van plan, enz.*) fall through; *zie* afstuiten
afkeuren (*gedrag, enz.*) blame, disapprove (of), censure, condemn; (*in 't openbaar, sterk ~*) denounce [a policy]; (*voor gebruik*) condemn [a house, ship, meat], declare unfit [for consumption, for play], ban [a film]; (*sp.*) disallow [a goal]; frown on [gaming]; (*iem.*) reject [as medically unfit], (*en ontslaan*) discharge as medically unfit; *hij werd afgek.* he could not pass (get past) the doctor, was refused for the Army, was rejected [by the doctor, *of:* on medical grounds]; *zich ~d uitlaten over* comment adversely upon; **~swaardig** reprehensible, censurable, objectionable, blameworthy
afkeuring disapproval, disapprobation, disfavour, condemnation, censure [a motion of ...]; *scherpe ~* denunciation; (*tekenen van*) ~, (*gedurende redevoering*) dissent; 2 rejection; 3 = **~steken** (*op school*) bad mark
afkicken kick (the habit), dry out
afkijken look down [the street]; (*school*) copy, crib [s.t. from one's neighbour]; (*iem.*) catch, copy [a trick, etc.] from a p.; *zie ook* afzien
afklaren I *tr.* clear, clarify, defecate [liquids]; II *intr.* clear, clarify; **-ing** clarification
afklauteren clamber (climb, shin) down
afkleden: *een jurk die mooi afkleedt ...* which is very slimming (a beautiful fit)

afklemmen pinch off [a finger]
afklimmen climb down, descend
afklinken: *'t ~* settle it over a glass
afkloppen flick [dust, etc.] away, dust [a p., clothes, etc.]; (*tegen ongeluk*) touch wood; **afkluiven** gnaw off; pick [a bone]; **afknabbelen** nibble (off, at); (*blaadjes, enz., ook*) browse; *zie* knabbelen
afknappen *tr. & intr.* snap (off); (*intr.*) break down; *~ op* become allergic to; **afknapper** (*ongev.*) let-down
afknauwen *zie* afkluiven
afknellen pinch off; **afknevelen** *zie* afpersen
afknibbelen *zie* afdingen
afknijpen pinch off (*ook mil.:* a salient)
afknippen cut (off), snip (off) [a rose, etc.], trim [the lamp, (*bijknippen*) the hair], bob [a girl's hair], clip [a cigar], cut [the end of a cigar], flick off [the ash of a cigar]; *zie* knippen; *'t haar kort ~* crop [a p.]
afknipsel(s) clipping(s), cutting(s), snipping(s)
afknotten top, poll [trees]; truncate [trees, a cone]; *afgeknotte kegel* truncated cone
afkoelen I *tr.* cool (down, off) (*ook fig.*); (*tegen bederf*) refrigerate, chill; ice [champagne]; II *intr.* cool (down, off) [*ook fig.*: his affection had ...ed], calm down; *afgekoeld vlees* chilled meat; **afkoeling** ...ing, refrigeration; (*van atmosfeer*) drop (fall) in temperature; **~speriode** cooling off period
afkoken boil [bones, etc.], decoct [herbs], ungum [silk]; *die aardappelen koken af* boil to mash, get mushy
afkomen 1 come down [the stairs, river, road]; 2 *~ van* come (down) from, get away from; get off [a horse, the rocks]; (*fig.*) (*van persoon, verkoudh., enz.*) get rid of, shake off; get out of [an engagement, an invitation], beg off; (*afstammen*) be derived from [Latin, etc.], come [be descended] from [a noble family]; 3 *er ~* (*van de rotsen, enz.*) get off; *er genadig* (*goedkoop, behouden, goed, slecht, met standje, met de schrik*) *~* get off lightly (cheaply, safely, well, badly, with a telling off, with a fright); *er goed ~,* (*bij onderzoek, enz.*) come out all right, come favourably out of a comparison; *er goed* (*slecht*) *~ bij vergelijking met* compare favourably (unfavourably) with; *Chamberlain komt er slecht bij hem af* Ch. fares badly at his hands; *er goed* (*slecht*) *~,* (*bij verkiezing, enz.*) do well (badly); *er 't best ~* get the best of it, score; *er 't slechtst ~* get the worst of it; *er met een boete ~* get off (escape, be let off) with a fine; *er met een paar schrammen ~* escape with a few scratches; *zie ook* afbrengen; 4 *~ op* make for, bear down upon, go for [he went for me like a mad bull], come at [he came at me with a stick]; come towards (*of:* up to); 5 (*van werk*) get finished; 6 (*bekend worden*) be published; *zijn benoeming is afgekomen* has come through
afkomst origin, birth, parentage, descent; (*van woord*) derivation; *van goede ~, zie* familie; *van hoge ~* of noble (gentle) birth, high-born; *van*

lage ~ of low birth (descent); *van Hollandse* ~ of Dutch origin (extraction, stock); *een Rus van* ~ a Russian by origin; ~**ig** descended, sprung, born [from a renowned race]; *uit Duitsland* – of German origin (descent); *hij is van Leeds* – a native of L., a L. man, he hails from L.; – *uit* (*van woord*) derived from [Latin]; *mijn horloge is van hem* – has come to me from him; *'t plan is van u* – originated with (emanated from) you; *van wie is* … –*?* who started this rumour?; *beenderen* – *van een dier* bones belonging to an animal

afkondigen proclaim, declare [a strike], promulgate [a law], publish; *'t huwelijk* ~ publish (proclaim, put up) the banns (of marriage); -**ing** proclamation; promulgation; publication [of the banns]

afkooksel decoction

afkoop (*van verplichting, enz.*) buying off, redemption, commutation; (*verzek.*) surrender [of a policy]; ('*t loskopen*) ransom, redemption; ~**baar** redeemable; ~**geld**, ~**prijs**, ~**som** ransom, redemption money, compensation; ~**waarde** (*van polis*) surrender value

afkopen (*kopen van*) buy (*of:* purchase) from; (*verplichting, enz.*) buy off, redeem; (*door omkoping*) buy off [a blackmailer], (*sl.*) square [let's … this]; (*loskopen*) ransom, redeem; (*uitkopen*) buy out; *een polis* ~ surrender a policy; *een pensioen* (*tienden*) ~ commute a pension (tithes)

afkoppelen uncouple [a railway-carriage]; disconnect [a motor]; throw [machinery] out of gear

afkorten shorten, abbreviate [a word], abridge [a story]

afkorting shortening, abbreviation; abridg(e)-ment; *vgl. 't ww.; op* ~ on account, in part-payment; ~**steken** mark of abbreviation

afkrabben scrape off, scratch off

afkrabsel scrapings

afkraken slate [a book], take [a p.] to the cleaners

afkrijgen get away [I could not get him away from the place]; (*klaar krijgen*) finish, get done (finished); *hij kon de deur niet van 't slot* ~ he could not unlock the door; *ik kan de vlek er niet* ~ I cannot get the stain out; *ik kan er geen dubbeltje* ~ I can't get it a penny cheaper

afkunnen: *ik kan mijn werk niet af* I can't get through my work; *ik kan het wel alleen af* I can manage (it) alone; *ik kan 't niet alleen af, ook:* I can't cope with it (it's more than I can cope with) alone; *het* ~ *zonder* get along without; *één man kan 't niet af* it's not a one-man job; *die ring kan niet af* this ring will not come off; *ik kan niet van huis* (*mijn werk*) *af* I cannot leave home (my work); *hij kan slecht van huis af* he can hardly bear to be away from home; *u kunt er nog af,* (*van koop, bijv.*) you may still back (*of:* get) out of it; *ik kan er niet af,* (*van uitnodiging bijv.*) I cannot get out of it; *je kunt er niet meer af, ook:* you're for it; *'t kan er niet* (*slecht*) *af* I can't (I can ill) afford it (*of:* the expense);

die uitgaven kunnen er slecht af can ill be afforded

afkussen: *'t* ~ (*na twist*) kiss and be friends, kiss away [their quarrel]; (*de pijn, enz.*) kiss the hurt (the pain) away, kiss it well; *de tranen* ~ kiss away the tears

aflaadkosten shipping charges

aflaat indulgence; *volle* (*gedeeltelijke*) ~ plenary (partial) i.; ~**brief** (letter of) i.; ~**geld** i. money; ~**handel** traffic in (sale of) i…s; ~**kramer** seller of i…s

afladen (*verzenden*) ship, forward; (*lossen*) unload, discharge; *afgel.,* (*van wagon*) ready for dispatch; (*van boot*) ready for cargo; *zie ook* afgeladen; -**er** shipper; -**ing** *a*) shipment; *b*) discharge

aflandig off shore, off-shore [wind]

aflasten *zie* afgelasten

aflaten (*naar beneden*) let down; (*hoed, enz.*) leave off; (*van prijs*) knock off; (*ophouden*) desist [*van* from], cease, leave off; *niet* ~*d* unflagging [energy], unremitting zeal

afleggen 1 (*wapens, enz.*) lay down; (*kleren*) take off, put off, lay aside [one's cloak, one's mourning]; (*afdanken*) cast off, discard; *een afgelegde broek* a pair of cast-off trousers; 2 (*afstand*) cover, do [four miles an hour], come [he had … 25 miles by train], traverse [long distances], [I have a long way to go]; 3 *het* ~ have the worst of it, come off second best; (*te gronde gaan*) go to the wall, go to pieces; (*van motor, enz.*) give out; (*sterven*) die, pass away; *'t helemaal* ~, (*bij rennen, ook fig.*) be nowhere, break down; *'t* ~ *tegen iem.* be no match for (be worsted by, lose out to) a p.; *zie glansrijk;* 4 *een lijk* ~ lay out a corpse; *loten* (*planten*) ~ layer shoots (plants); *een kanon* ~ unlimber a gun; *een gelofte* (*bekentenis, verklaring*) ~ make a vow (confession, statement); *de eed* ~ take [the oath]; *een examen* ~ sit for an exam(ination); *zijn trots* ~ lay aside one's pride, (*fam.*) put one's pride in one's pocket; *een gewoonte* ~ get out of (break o.s. of) a habit; *zijn vooroordelen* ~ lay aside (shed) one's prejudices; *zie ook* bezoek, enz.

aflegger (*van lijk*) layer-out; (*van plant*) layer; ~(**tje**) cast-off, cast-off (left-off) coat (trousers, etc.); (*mv. ook*) left-offs

aflegging …**ing** (*zie* afleggen)

afleiden 1 lead away [from the road, etc.], lead down [the steps]; 2 conduct [the lightning], divert [a stream, a p.'s attention], distract [a p.'s attention, the mind], put [a p.] off his guard, deflect [a p.'s thoughts], avert [suspicion], lead [the conversation] away from the subject; *iem.* ~, (*van zijn werk*) keep a p. from his work, distract his thoughts; (*afleiding geven*) take a p. out of himself; *het leidt mijn gedachten wat af* it keeps my mind off my troubles; *de aandacht van de zaak trachten af te l., ook:* draw a red herring across the track; 3 (*gevolgtrekk. maken*) deduce, conclude, infer, gather [*uit* from; I gathered from his letter that ...]; *af te l. uit* ... [lessons] deducible from ...; 4 derive [words, equations]; 5 *zijn geslacht ~ van* trace one's descent back to ...; *afgel. woord* derived word, derivative; *~d* (*middel*), (*med.*) derivative; **-er** distractor; *zie* bliksem—; **-ing** (*van stroom, aandacht, enz.*, *ook mil.*) diversion; (*ontspanning*) diversion, distraction [seek ...]; (*med.*) revulsion, derivation; (*van woord*) derivation; (*afgel. woord*) derivative; *iem. – geven* take a p. out of himself; *'t geeft je –* it takes your mind off things; *er is te veel –* there are too many distractions; **-smanœuvre** red herring; (*mil.*) diversion

afleren (*iets*) unlearn [bad habits; he has a great deal to ...], break (*of:* cure) o.s. of; forget [one's French, how to laugh], overcome [stammering]; *iem. iets ~* break a p. of, get a p. out of [a habit], correct a p. of [a bad accent], cure a p. of [his cheek *brutaliteit*]; *ik zal 't je –!* I'll teach you! I'll take it (the nonsense *die kuren, streken*) out of you!; *dan zou hij 't wel ~* that would teach him; *iemand zijn fratsen ~* knock the nonsense out of a p.

afleveren deliver [goods]; (*aangenomen werk*) *zie* opleveren; (*produceren*) turn out [articles, pupils]; **-ing** delivery [of goods]; (*van boek*) part, fascicle, number, instalment; (*van tijdschrift*) issue; *oude –en* back numbers; *in –en verschenen* published serially, in parts; *werk in –en* serial publication; *in gelijke –en*, (*hand.*) in equal instalments

aflezen (*thermometer, enz.*) read (off); (*vruchten*) gather, pick; (*veld*) glean; *de namen ~* call over the names, (*school*) call the roll; *heel wat ~* read a lot; *van de preekstoel ~* read out (announce) from the pulpit; **-ing** ...ing

aflikken lick off; lick [one's fingers, lips]; (*schoenwerk*) sleek

afloeren spy out [a thing]; *zie ook* afkijken (*iem. iets ~*)

aflokken lure, lure away [from ...], entice (*of:* lure) away [a p.'s customers]

afloop (*van water*) flowing off; (*van termijn, contract*) expiration, expiry, termination; (*einde*) end, close; (*uitslag*) issue, result, outcome; (*helling*) slope; (*buis, enz.*) outlet, drain, gutter (= *goot*); *ongeluk met dodelijke ~* fatal accident, fatality; *na ~ gingen we ...* afterwards (after the show, etc.) we went ...; **-datum** (*verzek.*) date of expiry

aflopen I *intr.* 1 *~ van* leave [a place]; 2 (*naar ben. l.*) run (*of:* flow) down; 3 (*kaars*) gutter, run; (*nat bord, enz.*) drain; 4 (*getij*) ebb, go out [*look:* the tide is on the ebb]; 5 (*hellen*) slope, decline; (*van terrein ook*) shelve; 6 (*uurw., accu*) run down; (*van wekker*) go off, (*geheel*) run down; 7 (*klos*) run out; 8 (*schip*) be launched, leave the ways, take the water; 9 (*eindigen*) (come to an) end, finish, conclude, result [the races ...ed as follows]; *hiermee liep 't onderzoek af* this concluded the examination; *goed* (*slecht*) *~* turn out well (badly); (*nog net*) *goed afgelopen!* (that was) a near thing!; *het loopt met de zieke af* the patient is sinking (fast), is far gone; *hoe*

zal 't ~? what will be the end of it?; *'t zal slecht* (*niet goed*) *met je ~* you will come to grief (to no good, to a bad end); *dat zal niet goed ~* that will end in (lead to) trouble; *'t liep uitstekend af* it went off all right; *hoe loopt het verhaal af?* how does it (come out in the) end?; *'t verhaal loopt goed af* the story has a happy ending; *'t is afgel.* it is finished, all over; *zie ook* gedaan; *dat is afgel.* that's done with; *'t afgel. jaar* the past year; 10 (*van termijn, contract*) expire, terminate, lapse, run out; 11 *laten ~* launch [a ship]; pay out [a cable]; reel off, run out [a line]; let [a dish] drain; terminate [a contract]; 12 *~ op* run (go) up to, make for; **II** *tr.* 1 wear out [one's shoes], wear down [one's heels]; 2 run (walk) down [the stairs, the road, etc.]; scour, range [the woods], tramp [the country, London, the streets], gad about [Paris, etc.]; (*plunderend ~*) plunder, ransack; *de winkels ~* run (go) from shop to shop; 3 go through [a school], finish [a course]; *hij heeft ... afgel., ook:* he has been through the agricultural college; *zie ook* platlopen; **-d** sloping, shelving (*vgl. ~*) outgoing [tide]; terminable [annuity]

aflosbaar redeemable, repayable [at 100 per cent.]

aflossen 1 relieve [a p., guard, etc.; *zie* wacht]; take a p.'s place; *laat mij je ~* let me take my turn; *elkaar ~* r. each other, take turns, take shift and shift about; 2 redeem [a loan, mortgage *hypotheek*], clear off, discharge, pay off [a debt]

aflossing 1 relief; 2 redemption [of a mortgage]; discharge [of a debt]; 3 repayment, instalment; **-splan** (**-stermijn**) plan (term) of redemption; **-sploeg** relief

afluisteren overhear; *iets heimelijk ~* eavesdrop; *een telefoongesprek ~*, (*van politie bijv.*) listen in to (tap) a telephone conversation; *het ~ van telefoongesprekken* telephone-tapping; **-microfoon** (*sl.*) bug

afmaaien mow [grass, a field], cut [grass, corn], reap [corn], cut off [a p.'s life]

afmaken 1 (*eindigen*) finish, complete, bring to a conclusion, break off [an engagement]; ('*n zaak*) settle [an affair]; 2 (*doden*) kill, slaughter [cattle], destroy [a mad dog, diseased cattle], dispose of, make away with, dispatch, finish off [an enemy], kill off [a number of persons or animals]; put down, (*pijnloos*) put to sleep [a domestic pet]; 3 (*afkammen*) cut up, run (*of:* write) down, cut (*of:* tear) to pieces, slate [a book, an author]; (*vernietigen*) dispose of, demolish [arguments, etc.]; 4 *zich ergens van ~* shirk [a duty], wave aside [objections]; get out of [explaining the meaning of a word]; (*terugkrabbelen*) back out of s.t.; *zich met een paar woorden van iem.* (*iets*) *~* dispose of a p. (dismiss a subject) in two words; *er zich met een grapje* (*lachend*) *~* pass it off (brush it aside) with a joke; laugh it off, turn it off with a laugh; **-er** (*sp.*) killer

afmalen 1 grind; finish grinding; 2 (*schilderen*) paint, depict, picture

afmarcheren march off; (*man voor man*) file off

afmars march, marching off

afmartelen torture, torment; *zie ook* afmatten; *zijn hersens over iets* ~ rack (*of:* puzzle) one's brains about s.t.; *een afgemarteld lichaam* a body racked with disease, etc.

afmarteling torture, torment

afmatten fatigue, wear out, tire out, fag; wear [one's opponent] down; ~d tiring, fatiguing, trying [weather, march], gruelling [fight, march]

afmatting weariness, fatigue

afmelken milk dry, strip

afmeren *a*) moor; *b*) cast off

afmeten measure (off); measure [one's words]; proportion [the punishment to the crime]; *anderen naar zichzelf* ~ judge others by o.s.; *de verdiensten van twee personen tegen elkaar* ~ weigh one person's merits against the other's; *zie* afgemeten

afmeting dimension, proportion [assume enormous ...s]; measurement; (*'t afmeten*) measurement; *van 3* ~*en* three-dimensional

afmijnen buy at (sell by) a Dutch auction; *iem.* ~ outbid a p.; *'t huis* ~ have the house knocked down to one; *'t werd afgemijnd op* ... the hammer fell at a bid of £5000

afmikken: *'t precies* ~ cut it very fine, come in the nick of time; *z'n vertrek zó* ~ *dat* ... time one's start so as to ...

afmoeten: *'t werk moet af* the work must be finished; *hoeden en petten moeten af* hats and caps must be taken off

afmonsteren I *tr.* pay off, discharge; II *intr.* sign off; **-ing** paying-off, discharge

afname sale, offtake [the ... of our goods]; *bij* ~ *van honderd stuks* for quantities of one hundred, when taking a hundred; *zie* afneming

afneembaar removable, detachable

afneemdoek (*voor stof*) duster; (*voor vaatwerk*) dish-cloth

afneemspelletje cat's cradle

afnemen I *tr.* 1 take off [one's hat to a p.; a bandage], raise [one's hat], remove [the saddle, etc.], take down [curtains], reach down [one's coat from the nail], take [a book from the shelf, a boy from school]; (*van iets beroven*) rob [a p. of his money], deprive [a p. of his rights], take away [a p.'s driving-licence]; *iem. te veel geld* ~ overcharge a p.; *de onderwijzer nam hem 't mes af* confiscated the knife; 2 (*schoonmaken*) clean; dust [the furniture]; *nat* ~ wash (down) [with soap; this wallpaper is guaranteed to wash]; 3 *de tafel* ~ clear the table, clear (away); 4 *kaarten* ~ cut; 5 (*kopen*) buy; 6 *gas* ~, (*van motor*) throttle down (*of:* back); *zie ook* dank, eed, examen, parade, enz.; II *intr.* decrease, diminish, lessen; (*storm, pijn*) abate; (*spanning*) ease; (*wind*) subside, go down; (*koorts*) remit, subside; (*licht*) fail, fade (away); (*mist*) thin (out); (*krachten*) decline, wane; (*maan, invloed, enz.*) (be on the) wane [slimming is on the wane]; (*water*) fall, sink; (*dagen*) draw in; (*snelh., geweervuur, enz.*)

slacken; (*voorraad*) get low; (*aantal*) fall off; (*produktie*) level off; (*kaartspel*) cut; (*tafel*) *zie boven; zie ook* achteruitgaan; **~d** ...ing

afnemer customer, client, consumer, buyer

afneming diminution, decline, wane, decay; [a slight] easing [of the demand]; shrinkage [in population]; slackening [of traffic]; ~ *van het Kruis* Descent (*of:* Deposition) from the Cross; *zie* afname

afneuzen spy out; *iem. een kunstje* ~ catch a trick from a person

aforisme aphorism; **-istisch** aphoristic

afpakken 1 *iem. iets* ~ snatch (away) s.t. from a p.; 2 (*afladen*) unpack, unload

afpalen (*afbakenen*) stake (*of:* peg) out; (*omheinen*) fence in, (*ongebr.*) pale (in)

afpassen pace [a distance, etc.]; *geld* ~ give (the) exact money; *een pak* ~ come (*of:* go) for the last fitting; *pas BD op AC af* from AC cut off BD; *zie* afgepast & afmikken

afpatrouilleren patrol; **afpeigeren** (*fam.*) fag out; **afpeilen** *zie* peilen; **afpeinzen**: *zich* ~ rack one's brains; **afpellen** *zie* pellen

afperken (*afbakenen*) stake (peg) out; (*omheinen*) fence in; (*omschrijven*) circumscribe [a p.'s power]; **-ing** ...ing; circumscription

afpersen *zie* afdwingen & afdreigen

afpersing extortion, exaction; blackmail

afpijnigen *zie* afmartelen; **afpikken** peck off; *iem. iets* ~ pinch s.t. from a p.

afpingelen *zie* afdingen

afplatten flatten; **-ing** ...ing; **afpluizen** pick [a bone]; (*jas, enz.*) pick fluff off a coat, etc.

afplukken pick, gather, pluck

afpoeieren: *iem.* ~ brush (put) a p. off

afpoetsen clean, brush (off), scour

afpraten: *iem.* (*van*) *iets* ~ talk a p. out of s.t., dissuade a p. from s.t.; *heel wat* ~ talk a(n awful) lot; *zie* afspreken

afprijzen reduce, mark [an article] down

afrabbelen *zie* aframmelen 2

afraden: *iem. iets* ~ dissuade (*of:* discourage) a p. from s.t.; *ik raad het je sterk af* I advise you very much against it (strongly not to); *zie* ontraden

afraffelen *zie* afroffelen

afraken: 1 ~ *van* get away from; get off [the rocks, the track, one's course], get clear of [a rock], wander [from one's subject]; (*kwijtraken*) get rid of [a p., one's goods]; *van elkaar* ~ become separated; (*huwelijk*) drift apart; *van de weg* ~ lose one's way; *van de drank* ~ give up drink; 2 (*van engagement, enz.*) be broken off

aframmelen 1 *zie* afranselen; 2 (*afratelen*) reel off, rattle off [a poem, lesson], say by rote, patter [prayers], gabble through [a sermon]; *heel wat* ~ chatter nineteen to the dozen; **-ing** (*afranseling*) dressing-down, thrashing, hiding; (*uitbrander*) scolding, dressing-down

afranselen thrash, whack, drub, lick, whop, beat up; **-ing** ...ing, beating up

afrasteren rail (*of:* fence) off (*of:* in)

afrastering railing, (wire) fence

afratelen *zie* aframmelen 2

afreageren work off (one's emotions), let off steam; ~ *op* take [it] out on [a p.]; **-ing** abreaction (*psych.*)

afreizen: *het land* ~ travel (all over) the country, range up and down the country; (*van acteurs, enz.*) tour the country; *een* (*kies*)*district* ~ stump a district; *heel wat* ~ travel quite a lot

afrekenen I *intr.* settle (square) accounts (scores), settle (square) up, (*in restaurant*) settle the bill; *ober*, ~! waiter, bill please!; ~ *met*, (*ook fig.*) settle (square) accounts with, settle with; (*fig. ook*) get even with, pay [a p.] out, have it out with [a p.]; *in deze roman rekent W. met zijn jeugd af* puts … behind him; *ik heb nog niet met hem afger.*, (*fig.*) *ook:* I haven't done with him yet; II *tr.* take off, deduct

afrekening settlement; (*nota*) account, statement (of account); (*aftrek*) deduction; (*fig. ook*) reckoning [the day of …]; *na* ~ *der onkosten* after deducting the charges; *betalen* (*betaling*) *op* ~ pay (payment) on account

afremmen slow down, put (*plotseling:* jam) the brakes on, act as a brake on

afrennen dash (tear) down [the street]; ~ *op* rush up to; (*op de vijand*) rush at (upon) …

africhten (*algem.*) train [recruits, horses, etc.]; (*voor examen*) cram; (*sp.*) coach; (*paard*) break (in), (*rijpaard*) school; *zie* dresseren; **-er** trainer, crammer, coach; **-ing** …ing

afrij start; starting-place; (*helling*) slope, incline; ~**brik** break; **afrijden** I *intr.* start, ride (drive) off (away); II *tr.* 1 ride (drive) down [a road]; 2 (*door trein, enz.*) sever [he was found with both legs … ed]; 3 (*paard: africhten*) break (in), (*afjakkeren*) override, (*wat beweging geven*) exercise, sweat; *een paard moet geregeld afgereden worden* should have regular exercise; 4 (*doen slijten*) wear out [a motor-car]; 5 *'t land* ~ ride (drive) all over the country; (*van ruiterbenden*) ravage (devastate) the country

afrijten tear off, rip off; *zie* afrukken

Afrika Africa

Afrikaan, ~**s**, ~**se** African; (*Z.-*) *A*~*s* Afrikaans; ~**der** Afrikaner; **a**~**tje** (*plant*) African marigold

afristen strip (off), string [currants]

afrit start; (*afhellende weg*) down grade; *vgl.* afslag & uitrit; **afritsen** mark out (with a spade)

Afro-Amerikaans (-Aziatisch) Afro-American (-Asian)

afroeien row off, start; *de rivier* ~ row down the river; *een ploeg* ~ coach a crew

afroep: *op* ~ *leveren* deliver on call; ~**en** call down; call [a p.] away [from his work]; call over [the names; *zie ook:* appèl houden]; call [a p.'s name, a case *rechtszaak*]; call out [the next train]; *zie ook* afkondigen; ~**ing** *zie* appèl

afroffelen 1 rough-plane; (*fig.*) bungle, scamp, scramble (*of:* shuffle) through, rush [one's work]; *afger.* werk, *ook:* scamp work; 2 *zie* uitbrander (*een … geven*)

afrollen roll down [the stairs]; (*afwinden*) unroll, unreel, unwind; *het touw is geheel afgerold* has run out; *zie ook* ontrollen

afromen cream, skim [milk], (take the) cream off (*ook fig.*); *afger. melk* skim (*of:* separated) m.

afronden (*eig. & fig.*) round (off); *naar boven* (*beneden*) ~ round off upwards (downwards); *zie* afgerond; **-ing** …ing

afrossen *zie* roskammen & afranselen

afruil(en) (*sp.*) exchange

afruimen clear [the table], clear away

afrukken tear (snatch, wrench) off (away), rip off [the gale ripped off the tiles], pluck off; (*met breekijzer, enz.*) prize off; *iem. iets* ~ tear (snatch) s.t. from a p.; ~ *op* march (advance) upon

afschaafsel shavings

afschaduwen shadow forth, adumbrate, foreshadow; *zich* ~ *tegen* be faintly outlined against; **-ing** …ing, adumbration, shadow

afschaffen (*algem.*) abolish [taxes, customs, a law, an office, capital punishment, etc.]; do away with [abuses, etc.], stop having [servants]; abrogate, repeal [laws]; reform, redress [abuses]; cut out [smoking, drink, luxuries]; give up, part with [one's motor-car]

afschaffer abolisher; (*drank*~) (total) abstainer, teetotaller; (*voorstander van afschaffing van doodstraf, enz.*) abolitionist; ~ *worden* take the pledge; *zie* geheelonthouder; ~**sbeweging** temperance movement

afschaffing abolition, abrogation, repeal, redress, etc.; *vgl. 't ww. & zie* slavernij; ~**sgenootschap** temperance-society

afschampen glance off

afschaven *a*) (*plank, enz.*) plane (off); *b*) (*vel, scheen*) graze, abrade, bark; **-ing** …ing; abrasion, attrition

afscheep shipment; ~**haven** port of loading

afscheid parting, leave, leave-taking(s), farewell, good-bye; ~ *nemen* take (one's) leave [van of], say good-bye [van to], make one's adieux; ~ *nemen van iem.*, *ook:* bid a p.-good-bye (farewell); *plotseling* ~ *nemen* take sudden leave; *ten* ~ [shake a p.'s hand] in farewell, in goodbye; *kus ten* ~, *zie* ~**skus**; *glaasje tot* ~ one for the road; *zie ook* ontslag

afscheiden separate (*chem. ook:* separate out); *door een gordijn* ~ curtain off; *door een touw* ~ rope off; (*dikwijls gewelddadig*) sever [his head was … ed from his body]; (*vochten*) secrete; (*door poriën*) exude; *zuurstof afgescheiden door levende planten* oxygen given off by living plants; *zich* ~ separate (o.s.), detach o.s. [from a group], secede [from a religious body, from a federation], break away [from a party], seclude o.s. [from society], retire [from the world], dissociate o.s. from [a policy]; (*chem.*) separate (out); *zie* afgescheiden; ~**d** (*nat.*) excretive, excretory, secretory

afscheiding separation; (*van partij ook*) secession, break-away; (*van vochten*) secretion, excretion; (*tussenschot*) partition; ~**sklier** secretory gland; ~**smuur** partition-wall; ~**sorgaan** excretory (excretive, secretory) organ; ~**spolitiek** break-away policy

afscheidnemen *zn.* leave-taking(s), parting; *bij 't* ~ at parting
afscheids- *dikwijls* farewell; **~audiëntie** audience of leave; **~bezoek** f. visit (*of:* call); **~brief** f. (leave-taking, valedictory) letter; **~college** valedictory lecture; **~diner** farewell dinner; **~geschenk** farewell gift, parting-gift, -present; **~groet** farewell, send-off; **~kus** parting-kiss, good-bye kiss; **~maal** f. dinner; **~preek** f. sermon; **~rede** valedictory address; **~visite** *zie* ~bezoek; **~woord** parting-word
afschemering feeble reflection
afschenken pour off, decant; *afgeschonken thee* spent (wishy-washy) tea
afschepen ship [goods]; *iem.* ~ send a p. about his business, put him off; *met mooie praatjes* ~ put (*of:* fob) off with fair words (fairy-tales, *fam.:* soft sawder); *evenzo:* fob a p. off with empty promises; **afscheppen** skim [milk, metals, etc.], cream [milk]; (*verwijderen*) skim (off), take off; **afscheren** (*baard*) shave (off); (*wol, enz.*) shear (off)
afschermen screen [lights], mask [windows]
afschetsen sketch, picture, paint, pencil
afscheuren tear (*of:* rip) off; peel (*of:* strip) off [wall-paper]; *zie ook* afrukken & losrukken (*zich ... van*); **-ing** ...ing; (*kerk, enz.*) *zie* scheuring
afschieten 1 fire, shoot, discharge, let off; (*fam.*) pop off [a fire-arm]; shoot [a bow, an arrow]; let fly, loose off [an arrow]; fire, send up [rockets *vuurpijlen*]; shoot off [he had his arm shot off]; (*van tak, enz.* ~) shoot down [a bird]; 2 (*op fiets, enz.*) shoot (down), coast down [a hill]; 3 partition (*of:* board) off [a room]; 4 ~ *op* rush at, dash up to, make a dash for; (*van roofvogel, enz.*) pounce (swoop down) upon; 5 (*van touw, enz.*) slip off; (*van kamertje*) partition off; *afgeschoten kamertje* boarded-off (boxed-off) room; (*in slaapzaal*) cubicle; *afgesch. patroon* spent cartridge
afschijn *zie* ~sel; **afschijnen:** ~ *van* shine from, be reflected by; ~ *op* shine (down) upon; **afschijnsel** reflection, reflected glory
afschilderen paint [he is not so black (bad, etc.) as he is ...ed], picture, describe, depict, portray; *schilder mij niet erger af dan ...* don't make me out worse than I am; **-ing** picture, depiction, portrayal
afschilferen *tr. & intr.* scale, peel (off), flake (off, away); (*van huid*) peel; **-ing** ...ing
afschillen peel, pare; (*boom*) bark, rind
afschoppen kick off; *de trap* ~ kick downstairs (down the stairs)
afschra(a)psel scrapings; **afschrabben, -schrapen, -schrappen** scrape (off); (*vis*) scale; *zie verder* schrappen
afschrift copy, transcript(ion), [the original contract and the] counterpart; *maak er een* ~ *van* make (*of:* take) a c. of it
afschrijven 1 copy, transcribe; (*heimelijk*) (*fam.*) crib; 2 cancel [an order, invitation, a meeting], countermand [an order], put off [a p., a meeting]; *ik zal hem* ~ *a*) I'll send an excuse, I'll

write him I shall not come; *b*) I'll put him off, write him not to come; *zich laten* ~ *op ...* sign off at the Labour Exchange; *ze schreef ... af* she wrote cancelling the visit; *iem. als lid* ~ remove a p.'s name from the books; *iets van zich* ~ write s.t. out of one; 3 finish [a letter]; 4 (*voor waardevermindering, enz.*] write off [for depreciation, etc.; *ook fig.:* write off wishes, etc.]; ~ *op* write down [capital]; (*van girorekening*) debit [to one's account]; 5 (*niet meer rekenen op*) discount [any chance, likelihood, of ...]; *we hadden je al afgeschr.* we had already given you up; 6 (*techn.*) scribe; **-er** copyist, transcriber; (*ong.*) plagiarist, (*fam.*) cribber
afschrijving 1 copying, (*fam.*) cribbing; 2 writing-off; *verplichte ~en* statutory writings-off; ~ *voor waardevermindering* (writing-off for) depreciation; ~ *op rollend materieel* depreciation on rolling-stock
afschrik horror [*van* of]; (*wat ~ wekt*) deterrent; *een* ~ *hebben van* abhor; *tot* ~ *van anderen* as a warning to others, to deter others
afschrikken deter [a p. from ...]; daunt; (*minder sterk*) dishearten, discourage [callers bezoekers], put off [don't let it put you off; his style puts off many people]; (*bang maken*) scare [birds], frighten off; *hij liet zich niet* ~ *door ...* he was not to be intimidated (deterred, daunted) by such a prospect; *niet afgeschr. door* undeterred by; **~d** warning, deterrent; – *middel* warning, deterrent; **-e** *uitwerking* deterrent effect; **-e** *prijs* prohibitive price
afschrikwekkend *zie* afschrikkend; ~ *voorbeeld* warning, deterrent; *hij zag er* ~ *uit* he looked forbidding
afschrobben scrub, scour [a floor]; scrub (scour) off (away) [dirt]; **afschroeien** singe [a pig, fowl]; singe off [bristles]; **afschroeven** screw off, unscrew; **afschubben** scale [fish]; **afschudden** shake off (*ook fig.*); shake down; **afschuieren** *zie* afborstelen; **afschuifsysteem** system of passing the buck, *zie* afschuiven
afschuimen 1 skim, remove the scum from; 2 scour [the seas]
afschuinen bevel; (*symmetrisch*) chamfer; (*opening in muur, enz.*) splay [...ed doorway]
afschuiven I *tr.* push off, push back [a bolt], shake off [a yoke], slip off [a ring], slip [the collar; abdicate [one's responsibilities]; *onaangenaam werk op anderen* ~ unload the dirty work on someone else, pass the buck; *van zich* ~ shift off [a burden], shift [the blame] from o.s. [on to another]; *de schuld van zich* ~, *ook:* exculpate o.s.; *zie* verantwoordelijkheid; II *intr.* 1 (*van aardmassa*) slide down; 2 ~ *van* move away from; 3 (*fam.*) come down [with one's money], (*sl.*) fork out, cough up (the cash); *flink* ~ come down handsomely
afschuren scour (off); *zie* afschaven 2
afschutten partition off, screen (off), (*met planken ook*) board off; *zie* afsluiten; (*beschutten tegen*) screen from [the wind]

afschutting partition, fence (*gew. hout*), railing (*ijzer*)

afschuw horror, abhorrence (*van of*), abomination; *met ~ vervullen* horrify, fill with h.; *ik heb er een ~ van* I abhor it, it is abhorrent to me; *de natuur heeft een ~ van 't luchtledige* nature abhors a vacuum

afschuwelijk horrible, abominable, execrable, atrocious, odious, horrid, ghastly, disgusting, hideous, heinous [crime]; (*fam.*) vile [pastry, the violin was most ...ly played]; *zie* beroerd; **~heid** ...ness; **afschuwwekkend** horrific

afseinen signal off; (*telec.*) countermand by wire

afslaan I *tr.* 1 knock (strike, dash, beat) off [his head was struck off; knock off a man's hat]; flick off [flies, dust, the ash of a cigar]; brush off [a fly]; unbend [sails]; unfix [bayonets]; shake down [the thermometer]; *'t stof ~, iem. (zich, enz.) ~ dust* a p. (o.s., one's coat, one's knees); *hij is niet van de boeken (van zijn moeder) af te sl.* there is no getting him away (nothing can tear him) from the books (he hangs on to his mother); *ze zijn niet van elkaar af te sl.* they are inseparable; 2 beat off, repel, repulse [the enemy, an attack], parry [a blow]; 3 (*afwijzen*) decline [an offer, invitation], refuse [a request], reject, turn down [a proposal]; [she would not] say no to [a cup of tea]; *hij slaat niets af (dan vliegen)* he never refuses anything; *dat sla ik niet af* I can't refuse that, I won't say no; ['Have a cup of tea?'] 'I don't mind if I do'; *mijn verzoek werd botweg afgesl.* met with a flat refusal (was turned down flat); 4 knock down, reduce [the price]; *'t brood is afgesl.* bread has gone down; *'t pond (vlees) is een stuiver afgesl.* it's (meat is) a penny a pound cheaper; 5 (*bij afslag verkopen*) sell by Dutch auction; II *intr.* 1 ~ van fall off [a ladder]; 2 (*van prijs*) go down; 3 (*van weg*) branch off [to the right, etc.]; (*van pers., enz.*) turn [(to the) right], strike [to the right, etc.], (*van auto ook*) swing (turn) off [to the left]; 4 *van de ankers ~* go adrift; 5 (*van motor*) stall, cut out; (*fam.*) conk (out); 6 *van zich ~* hit out; *hij sloeg flink ...* he gave as good as he got

afslachten slaughter, kill off, massacre

afslag (*van de kust*) erosion (of the coast); (*van stempel*) strike; (*van weg*) junction [for A.], exit [for B.]; slip-road, spur-road; (*van prijs*) abatement, reduction; (*verkoop bij*) ~ Dutch auction; *bij ~ verkopen* sell by Dutch auction; ~ *blazen*, (*mil.*) sound the disperse; **~er** auctioneer; **~plaats** (*golf*) tee

afslanken slim

afslenteren saunter down [the street]; *de straten ~* knock about the streets

afslepen drag down; (*stroomafwaarts*) tow down [a river]; (*van ondiepte*) tow (pull) off

afslijpen grind off (down), polish (*ook fig.*)

afslijten (*eig.*) wear off (down); (*fig.*) wear off (out, thin); **afslijting** attrition, detrition

afslingeren toss (hurl) away (off); (*van dronken man*) reel down [the road]; (*van beek*) meander down [a hill]

afslippen slip down, slip off; **afsloffen** (*schoenen*) wear out [by shuffling]; *de trap ~* shuffle down the stairs; **afslonzen** wear out through carelessness; **afsloven:** *zich ~* drudge, slave, fag, toil and moil; *afgesloofd lichaam* worn-out body; *zie* uitsloven

afsluipen slink down [the stairs]

afsluitboom bar, barrier; (*van haven*) boom

afsluitdam, -dijk dam [IJsselmeer ...], main dike (*of:* embankment), causeway

afsluiten 1 lock [a door, room, etc.] lock up [a room, etc.]; 2 cut (shut) off [gas, steam, the supply, a p. from society], turn off [gas, water]; close [a road, the mouth of a harbour], block [a road]; disconnect [an electric current]; choke [the carburettor]; *'t gas ('t water) is afgesloten* is off; *zie* hoofdkraan; 3 shut out [the light]; 4 (*afscheiden: terrein, enz.*) hedge in, fence off (in), rail off (in); (*met metaaldraad*) wire (in); (*door gordijn*) curtain off; (*door tussenschot*) partition off; (*door touw*) rope off; 5 *zich ~, (van de mensen)* seclude o.s. from society; 6 close [accounts], balance [the books], conclude [a contract, charter-party, bargain]; finish [a series of performances]; effect [an insurance, a charter-party]; enter into, (*fam.*) fix up [a contract]; *zie* afgesloten

afsluiter (*stopkraan*) stopcock

afsluiting ...ing (*zie* afsluiten), closing [of an account], balancing [of the books], conclusion [of a contract, transaction]; (*concr.*) fence, partition, enclosure; **~svuur** (*bij aanval*) box barrage; (*bij verdediging*) defensive barrage

afsluit: **~ketting** guard chain; **~klep** stop-valve; **~kraan** stopcock; **~premie, ~provisie** commission, brokerage

afsmeken beseech, implore [forgiveness], invoke, implore [blessings on ...]; **-ing** imploration, invocation

afsmelten melt off

afsnauwen: *iem. ~* snap (*of:* snarl) at a p., snap (*of:* bite) a p.'s head off

afsnede (*van munt of medaille*) exergue

afsnellen hurry (speed) down [the slope]; ~ *op* run towards; rush at (*of:* upon) [the enemy]

afsnijden cut [flowers, the end of a cigar, communications, a railway], cut off [dead wood, the gas, the enemy, the retreat, a p.'s life, the thread of a story], cut short [a p.'s career, life], cut down [a body from the gallows], clip [a cigar], pare [nails], dock [a horse's tail], lop off [branches], prune off (away) [branches of fruit-trees]; strangle [the debate]; *bochten ~, (door auto, enz.)* cut corners; *iem. de pas ~* block (*of:* bar) a p.'s way, head a p. off; *de weg (voor onderhandeling bijv.) ~* shut (bang) the door; *zie* keel; **-ing** ...ing; **-sel** clippings, snippings, cuttings

afsnoeien *zie* snoeien; **afsnoepen:** *haar een kus ~* steal (*of:* snatch) a kiss from her; *iem. iets ~,* (*fig.*) forestall a p., steal a march upon a p.

afsnoeren tie off

afspannen unyoke [oxen]; unharness, (*Z.-Afr.*) outspan [a horse]; uncock, half-cock [a rifle];

unstring [a violin, a bow]; (*meten met de hand*) span; *de wagen* ~ take the horses out

afspatten spurt (spirt) off

afspeelapparatuur playback equipment

afspelden unpin

afspelen finish [a game, a piece of music]; play [a cassette]; play off [an adjourned game *afgebroken partij*]; wear out [an instrument]; *zich* ~ be enacted [a strange scene was enacted at ...]; ... *speelde zich af in* ... the whole affair was over in (took less than) five minutes; *het speelt zich af te A.* the scene is laid (the action takes place) at A.; *de gebeurtenissen spelen zich af om een jongen* revolve around a boy; *afgespeelde piano* worn-out piano

afspeuren scan [the surface of a lake]

afspiegelen reflect, mirror; *zich* ~ be reflected (mirrored); **-ing** reflection

afspinnen spin (off); finish spinning; *zijn taak* ~ finish (*of:* complete) one's task

afspitten cut [sods]; *zie ook* afgraven

afsplijten split off

afsplinteren splinter off, come off in splinters

afsplitsen split off [electrons]; isolate [factors, chemical substances]; *z.* ~ separate [from a society], split off, (*v. weg*) branch off

afspoelen wash, rinse; wash down [a motor-car, etc.], sluice out [the streets], wash away (*of:* off) [dirt], wash away [land]

afsponsen sponge (down, over)

afspraak (*om ergens te komen*) appointment, assignation, engagement; (*overeenkomst*) agreement, arrangement; *dat is de* ~ *niet* that isn't part of the bargain; *een* ~ *houden* keep an a.; *zich aan de* ~ *h.* stand by (stick to) the agreement (the bargain, one's word); *volgens* ~ by (*of:* according to) agreement, as agreed upon; [meet a p.] by appointment; *tegen de* ~ contrary to agreement; *een* ~(*je*) *hebben* have an appointment (*fam., eig. Am.:* a date); *een* ~(*je*) *maken met* make an appointment with (date) [a girl]

afspreken agree upon, arrange, fix (upon); settle, (*fam.*) fix up [we ... ed it up beforehand]; ~ *te* ... agree to; *er werd afgesproken dat* ... it was agreed (settled) that ...; *van te voren* ~ prearrange; *hebt u afgesproken?* have you (got) an appointment?; *de afgesproken plaats* the place agreed on, (*soms*) the agreed place; *het was afgespr.* werk a put-up job, a got-up thing; (*sl.*) a plant; *afgespr.!* that's agreed (settled, a bargain, a go, a bet)! done! very well then!; *zoals afgespr. is* as agreed upon; *alsof 't afgespr. was* as if by agreement; *zie ook* spreken

afspringen 1 jump down (off), leap down (off); alight [from a horse]; *telkens van een onderwerp* ~ jump (about) from one subject to another; '*t paard sprong met de verkeerde poot af* (*sprong slecht af*) led off on the wrong leg (took off badly); 2 (*van vonken, splinters*) fly off; (*glazuur*) chip off; (*verf*) crack off; (*knoop*) burst off [*ook = doen* ~: there, you've burst a button off]; 3 ~ (*op*), *zie* afsluiten; *op iem.* ~ spring at (pounce upon) a p.; 4 (*van onderhan-*

delingen, enz.) break down, fall through [*ook:* the negotiations were off]; (*koop ook*) come to nothing; *de koop is afgespr.* the bargain is off, has fallen through

afstaan cede [territory], give up, yield [a right, possession, one's seat], part with [one's dog, etc.], hand over [the proceeds to ...], resign, renounce, surrender, relinquish [a right, possession, etc.], spare [can you ... me the book for five minutes?]; (*ter beschikking stellen*) place (put) at the disposal of, lend [she lent her house for a fête]; ~ *van* stand away (*of:* back) from [the house stands back from the road]; *ver* ~ *van* be remote from [our daily life]; *de motor stond af* was switched off; *~de oren* outstanding ears

afstammeling descendant (*in rechte lijn* lineal d.; ~ *in zijlinie* collateral d.)

afstammen: ~ *van* be descended from, come of (from), spring from [a noble race]; (*Am.*) stem from; (*van woorden*) be derived from

afstamming descent, extraction; (*van woord*) derivation; **~sleer** theory of evolution

afstand 1 distance; (*tussenruimte ook*) interval; *op een* ~ at a d.; *erg op een* ~ very stand-offish, distant [be very ... with a p.]; *op gelijke* ~ equidistant [from London and Dover]; *op gelijke* ~*en* at equal d ... s; ~ *bewaren, op een* (*eerbiedige*) ~ *blijven* keep at a (respectful) d.; (*fig.*) keep one's d., keep aloof; *op een* ~ *bl. van* steer (keep) clear of [the coast, a p.]; *op een* ~ *houden* keep at a d. (at bay, off); *zich op een* ~ *houden, zie:* op een ~ *blijven; op korte* ~ *schieten* fire at short range; *van een* ~ from a d.; *van* ~ *tot* ~ at intervals, at regular distances; *van ... tot ... is een hele* ~ from Paris to Tokio (from 1600 to 1800) is a far cry (a long call); ~ *nemen,* (*mil.*) take d.; (*fig.*) distance o.s. [from], place [events] in their proper (into some kind of) perspective; ~ *houden* keep the (one's) d.; 2 (*van gebied*) cession; (*van de troon*) abdication; (*van bezit, recht, vordering*) surrender, renunciation, relinquishment, cession; ~ *doen van* cede [territory], renounce, resign, forgo, give up, waive [a claim, right, etc.], give up [one's car, (possession of) a child], part with [documents, etc.]; (*van de troon*) abdicate (the throne), vacate the throne, (*van kroonprins of pretendent*) renounce the throne; resign from [the presidency]; (*van de wereld, van zijn geloof*) renounce the world (one's faith); *schriftelijk* ~ *doen van* sign away [one's property, etc.]; *ze deden vrijwillig* ~ *van hun vergoeding* they voluntarily forwent their remuneration; **~elijk** detached; **–heid** detachment; **~meter** (*mil., fot.*) range-finder; (*landmeten*) telemeter; **~sbediening** remote control; **~sclausule** waiving-clause; **~smars** route march, long-distance march; **~srit** long-distance race; **~ssignaal** (*spoorwegen*) distant signal; **~swijzer** table of distances

afstappen 1 step down; (*van ladder, trottoir*) step off; (*van fiets, paard*) get off [one's bicycle, horse], dismount; (*van paard ook*) alight; (*van* *autobus, enz.*) get down, alight; *van 't trottoir* ~, *ook:* step into the roadway; *aan een hotel* (*bij mij*) ~ put up at a hotel (with me), alight at a hotel (at my house); ~ *op* step up to; *van een onderwerp* ~ leave a subject; 2 pace [a road, the length of a field]; *hij kwam de weg* ~ he came pacing down the road

afsteken I *tr.* 1 cut [sods], trim [the garden border]; (*met beitel*) chisel off, (*schuin*) bevel, chamfer; pitch down [hay]; 2 (*de keel*) stick [a pig]; 3 let off [fireworks], fire (let) off [a gun]; 4 (*afbakenen*) mark (trace) out [a camp]; 5 draw off [wine]; 6 deliver, make, (*fam.*) fire off [a speech]; make, pay [a compliment]; propose [a toast]; pay [a visit]; II *intr.* 1 (*van wal*) push (shove, put) off [from shore]; 2 ~ *bij* contrast with; *gunstig* ~ *bij* contrast (compare) favourably with; ~ *tegen*, *zie* aftekenen (*zich* ...)

afstel *zie* uitstel

afstelen steal [s.t.] from, rob [a p.] of [s.t.]

afstellen (= *stellen*) adjust [an instrument], tune up [a motor]

afstemcondensator tuning-condenser; **-eenheid** tuner; **-knop** tuning-knob, t.-control; **-kring** t.-circuit

afstemmen 1 reject, negative [a motion], throw out [a bill], vote down, outvote [a proposal]; 2 tune; (*telec.*) tune (in) [*op* to]; (*fig.*) attune (gear) to; *onzuiver* ~ tune off focus

afstemming 1 rejection; 2 tuning (in)

afstempelen stamp [documents, coins]; (*onbruikbaar maken*) cancel [postage stamps]; *aandelen* ~ stamp shares (with new value); **-ing** ...ing, cancellation; – *van 't kapitaal tot 40 pct.* reduction of ...

afstemschaal (*radio*) tuning-dial, -scale

afsterven die; (*van vee*) die off; (*van plant*) die off, die down, die back; (*van lichaamsdeel*) mortify; (*van vriendschap, enz.*) die out; *der wereld* ~ die to the world; *zie* afgestorven; **-ing** death, decease; (*van lichaamsdeel*) mortification

afstevenen: ~ *op*, *zie* aanstevenen

afstijgen 1 go down [a ladder]; 2 get off [one's horse, bicycle, bus], dismount, alight; 3 put up, alight [at a hotel]

afstoffen dust (down)

afstofkwast (*fot.*) dusting-brush

afstomen steam down [the river]

afstommelen stumble down [the stairs]

afstompen *tr. & intr.* (*eig.*) blunt; (*fig.*) blunt [his affections have ...ed], dull, deaden; *zie* verstompen; **-ing** ...ing

afstoppen stop

afstormen rush down [the stairs]; ~ *op* rush at (*of:* upon), charge [the enemy]

afstorten *intr.* tumble down; *tr.* hurl down; *zich* ~ van throw (hurl) o.s. down (from)

afstoten I *tr.* 1 knock (thrust, push) off (down); (*van wal*) push (shove) off; (*afwerpen: huid, horens*) shed; (*wegdoen*) dispose of [shares, an interest], drop [the sale of ...], hive off [unprofitable business]; *zie* afschaven; 2 (*nat.*) repel; (*fig.*) repel, repulse [a p., his advances], rebuff [a p.]; *zie* pool; 3 *zie* afstuiten; II *intr.* repel; **-d** repelling, repellent, repulsive, forbidding [appearance]

afstoting (electrical) repulsion; **-skracht** repulsive force

afstraffen punish, correct, chastise, thrash; (*berispen*) reprove, lecture; *zie:* een afstraffing geven; **-ing** punishment, correction, chastisement, thrashing, trouncing; (*sl.*) gruelling; (*berisping*) reprimand, trouncing

afstralen I *intr.* radiate, shine (forth); ~ *op* be reflected by; *de vreugde straalt van zijn gelaat af* his face beams (is radiant) with joy; *een zekere glorie straalde op mij af* I enjoyed a certain reflected glory; II *tr.* radiate [heat, light, love]; **-ing** radiation, reflection, reflex

afstreek (*vioolspel*) down-bow; **afstrijken** (*afvegen*) wipe (off), (*kleren*) slip off; (*lucifer*) strike, light; (*korenmaat*) level, strike; *afgestr. lepelvol* level spoonful; **afstrijkhout** strickle

afstrippen strip [tobacco]

afstropen strip (off); (*villen*) flay, skin [an eel], strip [a hare]; (*'t land*) ransack, ravage, forage, pillage, harry

afstuderen finish (*of:* complete) one's studies; finish one's college career, graduate

afstuiten rebound, recoil, (*vooral van wapen*) glance off; (*van kogel ook*) ricochet; ~ *op*, (*eig.*) rebound from, bounce off, glance off; (*fig.*) be frustrated by; *het plan stuitte af op de hoge kosten* the plan had to be abandoned owing to the high cost

afstuiven (*eig.*) fly off; (*heuvel, enz.*) rush (tear, fly) down [a hill]; ~ *op* dash (rush, fly) at (up to), go full tilt for

afsturen (*goederen*) send off, dispatch; *van de wal* ~ steer away from the bank; ~ *op*, (*van schip*) make (*of:* head) for; *waarom heb je die man op mij afgestuurd?* why did you send that man to me?; *de politie op iem.* ~ put the police on to a p.; *van school* ~ send away (*of:* expel) from school

afsukkelen: *een weg* ~ jog along (*of:* down) a road; *heel wat* ~ suffer a good deal

aftakdoos (*elektr.*) junction box

aftakelen unrig, dismantle [a ship]; strip [a ship, house]; *hij takelt af* he is going downhill; *ze is een beetje aan 't* ~ she is running a bit to seed; *afgetakeld*, (*fig., na ziekte*) pulled down; *'n afget. schone* a faded beauty; **-ing** unrigging, etc.; *seniele* – senile decay

aftakken (*elektr.*) branch (off), tap

aftands long in the tooth (*ook fig.*); ~ *vehikel* dilapidated vehicle

aftapkraan drain-cock, pet-cock

aftappen (*bier, enz.*) draw (off), (*op flessen*) bottle; tap [blood, rubber, patient, tree, telegraph wires, telephone lines]; (*bij pleuris, enz.*) draw off, remove by puncture [purulent fluid], drain [the pleural cavity]; *iem. bloed* ~ bleed a p.; *de vijver* ~ drain the pond; *telegraafdraden* ~, *ook:* (*mil.*) tap in; *afgetapt(e) bier* (*wijn*) draught beer (ale), beer on draught (wine from the wood); **-ing** drainage, etc.

aftasten explore [the possibilities]; (*radio*) scan

aftekenen 1 copy [a drawing], sketch, draw [an object]; (*afschilderen*) sketch, paint, delineate, portray; (*afmaken*) finish [a drawing]; 2 (*met handtekening*) visa [a passport], sign [a Bill of Lading *connossement*], endorse [a railway-ticket]; (*voor gezien tekenen, fam.*) (mark) O.K., okay; (*voor ontvangst*) sign for [a parcel]; *een pas laten ~* have a passport visa'd; 3 (*grenzen*) mark off; 4 *zich ~* be outlined, stand out [against the horizon], show (up), be silhouetted [against the sky]; *zijn aandoeningen tekenen zich af op zijn gelaat* his face is expressive of his emotions; **-ing** copy, sketch, delineation; endorsement; visa; *vgl. 't ww.*

aftelbaar (*wisk.*) denumerable

aftelefoneren, (-telegraferen) (*iets*) countermand by telephone (by wire); *iem. ~* put a p. off (by telephone, by wire); *heel wat ~* do a lot of phoning (wiring)

aftellen count (off, out); (*aftrekken*) subtract; (*bij spel*) count out; (*met afdalende getallen*) count down; *de rozenkrans ~* tell one's beads

aftikken tick off (out); (*op de vingers*) check off; *de dirigent tikte af* tapped his baton; *zie* afkloppen

aftillen lift off, lift down

aftimmeren finish (off) [a barn, etc.]; **aftobben:** *zich ~* weary o.s. out, worry o.s.; *zie* afgetobd

aftocht retreat; *de ~ blazen* (*slaan*), sound (beat: *ook fig.*) the r.; *haastig de ~ blazen* beat a hasty r.

aftornen unrip

aftrap (*voetbal*) kick-off; *de ~ doen* kick off

aftrappen (*voetbal*) kick off; (*schoenen*) wear down; (*de trap, de kamer*) kick [a p.] down the stairs (downstairs), out of the room; *van zich ~* kick right and left; *afgetrapte schoenen* down-at-heel shoes; *met ... aan* down at heel

aftreden (*afdalen*) step down, descend; (*uit ambt treden*) retire (from office), resign (one's post); (*van vorst*) abdicate; (*van minister ook*) quit (relinquish) office, step down; (*van acteur*) go off, (make one's) exit; *~ op* step up to; *~de voorzitter* outgoing (retiring) chairman; *de afgetr. koningin* the abdicated queen; *'t ~,* **-ing** resignation, retirement

aftrek 1 (*korting*) deduction, abatement; (*bij belasting*) deduction, relief [income-tax ...], allowance [for children, etc.]; *~ voor pensioen* superannuation d.; *na* (*onder*) *~ van ...* after deducting ..., less ...; *na* (*onder*) *~ der kosten* charges deducted; *met ~ van de 7 mnd. in voorarrest doorgebracht* [sentenced to ...] seven months to count as served; 2 (*debiet*) sale, demand; *gerede ~ vinden* sell well, find (meet with) a ready sale (*of:* market), be in great demand, (*fam.*) be going strong; *weinig ~ vinden* be in little demand, (*sterker*) be a drug on the market

aftrekbaar deductible; *~ voor de belasting* tax-deductible

aftrekken 1 (*weg-, neertrekken*) draw away (off, down), pull (tear) off [a p.'s clothes]; 2 (*plaat-*

jes) transfer [pictures]; 3 (*afleiden, afwenden, enz.*) divert [a p.'s attention], turn away [one's eyes, one's thoughts from ...]; *zijn handen van iem. ~* wash one's hands of a p.; 4 (*pistool, enz.*) fire, snap [a pistol], pull the trigger; 5 (*rek.*) subtract [*van* from]; do subtraction; (*kosten, 10 %, enz.*) deduct; *een pond van 't loon ~,* (*inhouden*) stop a pound from the wages; 6 *zie* (af)stropen; 7 (*kruiden*) infuse [herbs]; 8 (*weggaan*) withdraw, march (draw) off; (*van leger*) retreat; (*van wacht*) go off, be relieved; 9 (*van bui*) blow (pass) over; 10 *z. ~* masturbate

aftrekker subtrahend; **aftrekking** deduction; (*rek.*) subtraction; **aftrekpost** tax-deductible item; **aftreksel** infusion, extract, tincture; **aftreksom** subtraction sum, sum in subtraction; **aftrektal** minuend; **aftrektouw** (*mil.*) lanyard

aftroeven trump; (*whist*) ook: ruff; (*met woorden*) score off [a p.]; **aftroggelen** *iem. iets ~* wheedle (coax) s.t. out of a p., wheedle (*door bedrog:* trick) a p. out of s.t.; **aftrommelen** (*muziekstuk*) strum [on the piano]

aftronen *zie* aflokken & aftroggelen

aftuigen unharness [a horse], unrig [a ship]; *zie ook* afranselen; **-ing** unharnessing, unrigging

afvaardigen delegate, depute (*naar 't Parlement*) return; **-er** (*kiezer*) elector, constituent; **-ing** deputation; delegation; (*naar 't Parl.*) return

afvaart sailing, departure; *dag* (*datum*) *van ~* sailing-day (-date); **~lijst** s. list, list of sailings

afval 1 (*algem.*) refuse (matter), rubbish, (*Am.*) trash [can], waste [cotton ...], offal; (*van dier*) garbage, offal; (*van leer, enz.*) cuttings, clippings; (*restjes*) leavings, scraps; (*afgewaaid fruit*) windfall; 2 (*ontrouw, inz. in politiek*) defection [of Russia from the Allied cause]; (*inz. godsd.*) apostasy

afvallen 1 (*eig.*) fall off, drop, tumble down; *van de trap ~* fall down the stairs (downstairs); *afgev. fruit* windfall; *met ~de bladeren* deciduous [tree]; 2 (*bij spel*) drop out; 3 (*vermageren*) lose weight, waste [wasted with hunger]; lose [five pounds]; slim; (*in uiterlijk*) go off (in looks); 4 (*afvallig worden*) desert [a party, leader, cause], defect; (*zich afscheiden*) secede [from a church, a state], (*in godsd.*) apostatize [from a religion], fall away [from Christianity]; *iem. ~* let a p. down, rat on a p., leave a p. in the lurch; *elkaar niet ~, ook:* hang together; 5 (*mar.*) pay off; 6 *er viel wat voor hem af* he had a few pickings; 7 *zie* tegenvallen

afvallig (*inz. godsd.*) apostate, lapsed; (*algem.*) disloyal, disaffected, unfaithful; *~ worden, zie* afvallen 4; **~e** (*inz. godsd.*) apostate, (*fam.*) backslider; (*algem.*) renegade, deserter; **~heid** (*inz. godsd.*) apostasy, (*fam.*) backsliding; (*algem.*) defection [from a party, the Crown]

afval: **~produkt** waste (residuary, residual) product, by-product; **~stof** waste matter; **~water** (*van fabriek, enz.*) effluent (water); **~wedstrijd** knock-out competition (race, etc.)

afvangen catch (*of:* snatch) from; *klanten ~* steal away [trade]; *zie* vlieg

afvaren 1 (*wegvaren*) sail, start, depart, leave,

put to sea; 2 go (sail) down [a river]; ~ *op* make (*of:* head) for

afvegen wipe off, wipe [one's mouth, etc. on a towel], mop [one's forehead], brush away, (*haastig*) dash away [one's tears], polish [one's glasses]; (*stof*) dust [a p., one's clothes]

afvergen *zie* vergen van

afverven (*ten einde verven*) finish painting (dyeing), put on the last coat (*of:* touches) of paint; (*afgeven*) come off

afvissen (*een water*) fish (out), whip; (*afdreggen*) drag; **afvlaggen** flag down; **afvlakken** smooth (*ook elektr.*), flatten

afvleien: *iem. iets* ~ coax (*of:* wheedle) s.t. out of a p. (a p. out of s.t.)

afvliegen (*wegvl.*) fly off; (*van hoed*) blow off, fly off; (*er* ~, *van vonken, enz.*) fly off; (*de trap, enz.*) fly down, rush down; ~ *op* fly to; (*op vijand*) fly at (upon); *af- en aanvliegen* fly to and fro, come and go; *iem. slaan, dat de lappen er* ~ thrash a p. within an inch of his life

afvloeien flow down (*of:* off);(*fig.*) be discharged gradually; (*van één pers.*) be discharged; *personeel laten* ~ release (*tijdelijk:* lay off) personnel; *het* ~ *van goud* the drain of gold; *doen* ~ phase out [obsolete equipment]; **-ing** (*fig.*) (gradual) discharge; **-ingsregeling** (*ongev.*) redundancy pay (agreement)

afvoer (*van goederen*) conveyance, transport, removal; (*van water, enz.*) discharge, outlet; ~**buis** outlet-, waste-pipe, drain(-pipe); (*van machine*) exhaust(-pipe); (*van gaskachel*) flue; (*na operatie*) drainage-tube; (*voor faecaliën*) soil-pipe, waste-pipe; (*anat.*) *zie* ~kanaal; ~**der** (*spier*) abductor

afvoeren 1 (*wegvoeren*) carry off, drain away (*of:* off) [water]; lead (take) away, remove; transport, convey [goods]; (*de heuvel*) lead down [the hill], (*de rivier*) transport (carry) down [the river]; *van de rechte weg* ~ lead astray, lead away; *dat zou me te ver van mijn onderwerp* ~ that would carry me too far from my subject; 2 (*van spier*) abduct; 3 *van de lijst, enz.* ~ strike [a p.'s name] off the list; write off, scrap [ships]; remove (*of:* clear) [the item] from the books

afvoer: ~**greppel** drain; ~**kanaal** drainage-canal, outlet; (*anat.*) excretory duct; *klier zonder* – ductless (*of:* endocrine) gland; ~**middel** purgative, aperient; ~**pijp** *zie* ~buis; ~**water** effluent (water)

afvorderen demand (exact, extort) from

afvordering exaction, extortion

afvragen 1 ask (for), demand; 2 hear [lessons]; 3 *zich* ~ wonder, ask o.s.; *zich sterk* ~ *of* ... wonder greatly if (whether) ...; *men mag zich* ~ *waarom* ... it may be wondered why ...; *zo vraagt men de boer de kunst af* that would be telling

afvreten eat off, browse, crop

afvriezen freeze off, be frosted off; *er is hem* ... *afgevroren* he lost a finger by frostbite

afvuren fire (off), discharge

afwaaien I *intr.* be blown off, blow off; *'t heeft*

in de laatste tijd wat afgew. we've had lots of wind lately; II *tr.* blow off; *afgewaaide vruchten* windfall(s), windfall(en) fruit

afwaarts *bw.* downward(s), aside; *bn.* downward

afwachten I *tr.* wait (*of:* stay) for, await; *zijn beurt* (*iems. beslissing*) ~ wait (one's turn), await (a p.'s decision); *het dient te worden afgewacht* it remains to be seen; *de gevolgen* ~ abide the consequences; *zijn tijd* ~ bide (wait) one's time; *de gelegenheid* (*kans*) ~ (a)wait one's opportunity (chance); *de bui* ~ wait till the shower is over; *dat wacht ik van u niet af* I won't stand that from you; *ik wacht van u geen bevelen af* I won't take any orders from you; *geen praatjes* ~ stand no nonsense; II *intr.* wait (and see), await developments (events); *een* ~*de houding aannemen* adopt an attitude of waiting (a waiting attitude), play a waiting game, wait and see, sit on the fence; ~*de politiek* wait-and-see policy

afwachting expectation; *in* ~ *van* awaiting, looking forward to [your reply], in e. (*of:* anticipation) of; *in* ~ *van de finale regeling* pending the final settlement

afwandelen walk down [a hill]; *heel wat* ~ walk a good deal, go long walks

afwas washing-up; ~**baar** washable; ~**bakje** washing-up bowl; ~**machine** (automatic) dishwasher; ~**middel** detergent

afwassen (*vuil*) wash off (*of:* away); (*handen*) wash; (*vaatwerk*) wash up; *ik zal* ~ *en zij afdrogen* I'll wash up, while she wipes (dries); **-ing** washing; ablution (*gew. mv.*)

afwaswater washing-up water

afwateren drain [into the sea, etc.]

afwatering drainage, draining; (*concr.*) drain, outlet; ~**buis** drain-pipe; ~**sgebied** drainage area; ~**sgreppel** drain; ~**skanaal** drainage canal

afweer defence; ~**geschut** anti-aircraft (A.A.) guns; ~**houding** defensive attitude; ~**kanon** anti-aircraft (A.A.) gun; ~**mechanisme** d. mechanism; ~**middel** defence, antidote; ~**stof** antibody

afwegen (*goederen*) weigh out [meat, etc.]; (*fig.*) weigh [one's words]; *tegen elkaar* ~ weigh one against another; *iems. waarde naar zijn geld* ~ weigh a man's worth by his money

afweiden graze, browse; feed off [the field]; *geheel* ~ graze quite bare

afweken I *tr.* soak off; (*van iets* [*met houtlijm e.d.*] *gelijmds*) unglue; (*anders*) ungum; (*door stoom*) steam off; II *intr.* come off, come unstuck

afwenden turn away, turn aside [one's face]; avert [one's face, a blow, danger, a strike]; parry, ward off [influenza, a blow]; divert [a p.'s attention]; stave off [defeat, ruin, danger, bankruptcy]; *de blik* ~, *ook:* look away; *zich* ~ turn away; **-ing** ...ing, diversion

afwennen: *iem. iets* ~ break a p. of [a habit], wean a p. from s.t.; *zich* ~ break o.s. of, discard [a habit], unlearn [a bad pronunciation], get out of the habit of ...ing; *ik ben het lachen afgewend* I have got out of (lost) the habit of laughing

afwentelen roll off (back, down); *de schuld van zich* ~, *zie* afschuiven

afweren keep off, keep [the enemy] at bay; avert [danger]; parry, fend off, ward off [a blow]; repel [an attack]; *zie verder* afwenden; **-ing** ...ing, defence

afwerken finish, finish off, give the finishing touch(es) to; work off [a debt]; get through [a programme]; dispose of [matter]; cover [teachers cannot ... the curriculum]; *zie ook* afbeulen; *keurig afgew.* highly (beautifully) finished; *afgew. stoom (gas)* exhaust steam (gas); **-ing** finish, workmanship

afwerpen throw (cast, fling) off (*of:* down), throw [the horse threw its rider], shake off; (*huid, horens*) shed, cast; (*bladeren*) drop; (*winst*) yield; *zie* masker, enz.

afweten know (*van of*); *het laten* ~, *a)* excuse oneself; *b)* fail [at the crucial moment], show no interest; *de motor liet het* ~ ... refused to work

afweven finish (weaving); *zijn taak* ~ finish (*of:* complete) one's task

afwezen absence

afwezig absent; (*verstrooid*) absent-minded; *de* ~*e* the absentee; *de* ~*en, ook:* those a.; *de* ~*en hebben altijd ongelijk* the a. are always in the wrong; ~**heid** absence; absent-mindedness; (*niet-verschijning*) non-attendance; (*vooral jur.*) non-appearance; *zie* schitteren

afwijken 1 (*van koers, pad, handtekening, enz.*) deviate; deflect [to the right, etc.]; (*van kompas, kogel, enz.*) deviate; (*van lijnen, stralen, paden*) diverge, be divergent; 2 (*fig.*) deviate [from a rule, a course, the truth, a standard, method, etc.]; swerve [from one's duty, the truth, etc.]; depart [from the programme, the usual course, the truth, the rule]; move [from a standpoint]; (*verschillen*) differ [from sample, etc.]; vary [this edition varies little from its predecessor]; (*in mening*) differ, dissent [from a p., a doctrine], disagree [with a p.]; (*van mening, theorie, enz. ook*) be at variance [van with]; *zie* pad; *doen* ~ deflect [a bullet, rays, a p. from his purpose]; ~**d** ...ing, divergent, deviant [behaviour], different; (*biol.*) aberrant; – *van*, (*van mening, enz. ook*) at variance with; ~*e meningen, ook:* dissentient (dissenting) views; ~*e uitgave* variant edition

afwijking deviation, deflection, divergence, difference, variance, variation; (*van kompas*) declination, (*door 't ijzer van 't schip, enz.*) deviation; departure [from tradition, a rule, etc.]; (*med.*) dysfunction, disorder; (*lichamelijk*) deformity, abnormality, defect; (*licht, astron., moreel, verstandelijk*) aberration [ook: moral, mental kink (*of:* twist)]; *geen ernstige* ~*en,* (*med.*) nothing seriously wrong; *in* ~ *van de regels* in contravention of the rules; *in* ~ *van dat bericht* contrary to ...; ~**shoek** angle of deflection

afwijzen 1 (*iem.*) refuse admittance (to), turn away [scores of people, applicants, etc. were ...ed away]; reject [a lover, candidate]; fail (refer) [a candidate]; *afgewezen w.* fail [in an examination], (*fam.*) be ploughed; *afgew. kandidaat* unsuccessful c.; *hij werd afgew.,* (*bij exam.*) *ook:* he failed to satisfy the examiners; 2 (*iets*) refuse [a request], decline [an invitation, offer], reject [an appeal, a claim], disclaim [feelings etc. attributed to one, any intention to offend], repel [a charge *beschuldiging*], dismiss [claim, suggestion, an appeal], turn down [a proposal, request]; *met een handgebaar* ~ wave aside [objections]; *met minachting* ~ scout [an idea]; *zie* eis, verantwoordelijkheid, enz.; *een* ~*d antwoord krijgen* meet with a refusal (rebuff, denial); ~*d staan tegenover* dissent from, be averse to [a proposal]; *beleefd afgew.* declined with thanks; **-ing** refusal, denial, rejection, disclaimer [of responsibility, etc.]; *vgl. 't ww.*

afwikkelen unroll, unwind, wind off, uncoil [a rope]; (*fig.*) wind up, liquidate [a business], settle, carry through [transactions], fulfil, complete [a contract]; **-ing** ...ing; liquidation, winding-up [of a business], settlement [of a transaction], fulfilment [of a contract]

afwillen: *'t deksel wil er niet af* the lid will not come off; **afwimpelen** call (declare) off, cancel

afwinden wind (reel) off, unreel

afwinnen *zie* winnen (... *van*)

afwisselen 1 *tr. iem.* ~ relieve a p., take a p.'s place; (*iets*) interchange, alternate [*met* with]; (*afwisseling geven*) vary, diversify, relieve [the yellow wall-paper was ...d by choice prints], variegate [the green colour of the fir-trees is ...d by the browns of the beeches]; *regen, afgewisseld met perioden van zonneschijn* rain, interspersed with sunny periods; *'t landschap wordt door geen enkele boom afgew.* is not relieved (is unrelieved) by ...; *elkaar* ~ (*personen*) relieve one another, take turns; (*zaken*) succeed each other, alternate; *elkaar* ~ *bij 't roeien* take spells at the oars; II *intr.* (*beurtelings* ~) *zie* elkaar ~; (*afwisseling vertonen, verschillen*) vary; *zie ook* wisselen

afwisselend I *bn.* (*elkaar* ~) alternate; (*afwisseling vertonend*) varied, varying, variegated, diversified; ~*e bladeren* a. leaves; ~*e koorts* intermittent fever; *met* ~ *succes* with varying success; II *bw.* alternately, by turns, in turn

afwisseling 1 (*opeenvolging*) alternation [of harshness and tenderness], interchange, succession [of the seasons]; 2 (*verandering*) change, variation; 3 (*verscheidenh.*) variety [give ... to], diversity; *bij* ~ by turns, in turn, alternately; *ter* (*voor de*) ~ for (by way of) a change, for variety's sake

afwissen wipe (off); *zie* afvegen

afwrijven rub (down, off)

afwringen (*eig.*) wring (wrest, wrench) off; *iem. ... * ~ wring (wrest, force) [a promise, a confession] from a p.

afz. = afzender

afzadelen unsaddle, (*eig. Z.-Afr.*) offsaddle

afzagen saw off; *zie* afgezaagd

afzakken 1 (*van kleren*) come (*of:* slip) down,

(*van kous*) slide down, sag (down) [her frock ...ged down on one side]; *uw onderjurk zakt af* your slip is showing; 2 (*van bui*) blow (*of:* pass) over; 3 (*weggaan*) withdraw, make off, drop off [one by one]; (*van menigte*) disperse; 4 (*mar.*) fail (sag, drop) to leeward, make leeway; 5 sail (float, drop) down [the river]; slide down [a mast]; 6 (*sp., enz.*) fall back; ~ *tot*, (*fig.*) sink towards (poverty, serfdom); 7 *zich laten* ~ let o.s. down [by a rope]; **afzakkertje** settler, one for the road; **afzanden** dig off

afzeggen countermand, cancel [an order, invitation]; put off [a p., a meeting]; give up [one's girl]; *het laten* ~ send an excuse, call (it) off; **-ing** counter-order, countermand; excuse

afzeilen sail, put to sea; sail down [a river]; ~ *op* sail (make, head) for

afzemen clean with wash-leather

afzenden send (off), forward, ship, dispatch, consign; *zie ook* afsturen; **-er** sender, consignor, shipper; (*op enveloppe, in Eng. minder gebruikelijk*) (From) A.B.; **-ing** sending, dispatch (*ook van telegr.*), forwarding, shipment; *zie* kantoor & station

afzet sale(s); market; (*sp.*) take-off

afzetbaar removable, deposable; **-heid** removability

afzet: ~**gebied** outlet, market; opening; area of distribution; ~**markt** consuming market; ~**mogelijkheden** sales potential (of an area)

afzetsel (*van japon*) trimming; (*van plant*) layer; (*neerslag*) sediment, deposit

afzetten I *tr.* 1 take (put) off, remove [one's hat], take [a kettle from the gas], move away [a chair from the wall]; *'t geweer* ~, *zie* geweer; *hij zette ... van zich af*, (*fig.*) he put [the idea] (away) from him, dismissed [the idea, the memory of it], dismissed (banished) it from his mind, put it out of his head, shook off [the feeling]; *zet dat van je af* get that out of your mind; 2 (*arm, enz.*) amputate, cut off; *zijn been werd afgez., ook:* he had his leg off; 3 (*slik, enz.*) deposit; 4 (*afduwen*) push off [a boat]; 5 (*afbakenen*) peg out, stake out (off); (*omheinen*) fence in; (*vaarwater*) buoy; 6 (*toegangsweg, enz.*) block, close (off); rope off; draw a cordon round (cordon off) [an area]; (*straat in de lengte*) line [with soldiers]; 7 (*uit voertuig*) set (put) down, drop, deposit; 8 (*als versiering*) set off [with gold, etc.], trim [a dress], relieve [a black dress ... d with white lace], (*met biesversiering*) pipe [a dress]; *met bont afgezet* fur-trimmed; 9 (*ontslaan*) dismiss, remove [judges, officials] (from office), cashier [an officer]; deprive, unfrock [a clergyman]; depose, dethrone [a king, bishop]; 10 (*goederen*) sell, dispose of; 11 (*bedriegen*) cheat, swindle, (*fam.*) do, (*sl.*) sting [a p. for ...]; *iem. iets* ~ swindle (do) a p. out of s.t., cheat a p. (out) of s.t.; *iem. zijn laatste cent* ~ fleece a p. to the last farthing; *zich laten* ~ pay through the nose; 12 shut (cut) off, stop [the engine *motor*]; lock, cut off [the ignition]; deactivate [a mine]; switch off, disconnect [the telephone]; switch

off [the radio]; stop [the alarm clock]; latch back [the Yale lock]; 13 *zich* ~, (*sp.*) take off; (*van chem. stof, enz.*) settle, be precipitated, form a deposit; *zich* ~ *tegen het marxisme* (*zijn ouders*) oppose o.s. to Marxism (react against one's parents); II *intr.* (*van wal steken*) push (put, shove) off (from shore)

afzetter swindler, sharper, cheat; ~**ij** swindle, swindling, (*fam.*) do [it is all a ...], (*sl.*) sell

afzetting 1 amputation; 2 (*uit ambt*) dismissal, removal, deprivation, deposition; [police] cordon, barrier; (*geol.*) sedimentary deposit; ~**sgesteente** sedimentary rock

afzichtelijk hideous, ghastly; *'n* ~ *gebouw, enz.* an eyesore, a sight

afzien I *intr.* 1 ~ *van*, (*eig.*) look away from; (*opgeven*) abandon, give up [a plan, an attempt]; (*afstand doen van*) waive, forgo, renounce, relinquish, abandon [a claim, right]; desist (refrain) from [the use of force]; drop [charge *telastlegging*]; *van iets* (*koop, enz.*) ~ cry off; *ik zie af van een auto* I've decided not to take a car; *zie* woord; 2 (*op school*) *zie* afkijken; 3 bear up, grin and bear it; II *tr.* 1 look down [the street]; 2 *ik heb er de aardigheid afgezien* it has lost its charm for me; (*kunstjes, enz.*) *zie* afkijken; 3 (*afwachten*) *zie* aanzien; *afgezien van* apart (*Am.:* aside) from, setting aside, not to mention, irrespective of, to say nothing of [the fact]; *afgezien daarvan, dat ...* let alone that ...; ~**baar:** *in* ~*bare tijd* in the near future, within the foreseeable future, within (a) measurable (space of) time

afzijdig: *zich* ~ *houden* hold (keep, stand) aloof [*van* from], stand aside (*of:* out), hold one's hand; **afzijgen** 1 strain, filter; 2 slide (slip) off [a chair]

afzoeken search, beat [the woods for a criminal], scour [a wood, the seas]; *zie* doorzoeken; *alles* ~ seek high and low, hunt (search) all over the place; **afzoenen** *zie* afkussen

afzonderen separate, set apart, set (put) aside [money, etc. for a special purpose]; isolate, segregate [patients]; *zich* ~ retire [from the world], seclude o.s. [from society, from the rest of mankind], keep (o.s.) to o.s.; *afgezonderd* sequestered [nook, life], remote [place], secluded [life]; (*afgescheiden*) separate(d); **-ing** seclusion, retirement [live in ...], privacy, isolation, segregation, separation

afzonderlijk separate [table, room], single [each ... thread], private [interview, entrance], individual [case], discrete [classes of objects]; special [there is no ... word for it], several [each ... part]; *iem. in een* ~*e klas plaatsen* put a p. in a class by himself; *ze* ~ *aanspreken* address them individually (separately); ~ *verkopen* sell separately (singly); ~ *zetten* (*houden*) set (keep) apart

afzouten *zie* afschepen

afzuigen extract; **-kap** extractor

afzwaaien be demobbed (= demobilized)

afzwaaier (*mil.*) miss; (*soms*) outer

afzwakken (*intr.*) *zie* afnemen; (*tr.*) mitigate,

tone down, qualify [a statement]
afzwemmen swim off, start; swim down [a river]; swim [a distance]
afzweren 1 abjure [one's faith, errors, the king], forswear [one's religion, a p.'s company, tobacco], swear off [drink, smoking], renounce [the world, one's principles, etc.]; *hij zwoer de drank af, ook:* (*fam.*) he swore off; 2 fester and come off; **-ing** abjuration; renunciation
afzwerven roam [the fields]; *zie* afdwalen
afzwoegen: *zich ~* toil and moil, slave
agaat(steen) agate; **agaten** *bn.* agate
Agatha Agatha; (*fam.*) Aggie
agave id.
agenda agenda(-paper), (order-)paper; (*aantekenboekje*) diary, memo(randum)-book; (*in krant*) [theatre] diary; *op de ~* on (in) the a., [place an amendment] on the paper; *'t onderw. staat op de ~, ook:* the subject is down for consideration (discussion); *de ~ vermeldt ...* the business of the meeting will be ...; **~punten** agenda
agens agent
agent agent; (*van politie*) policeman, constable, (*inz. bij aanspr.*) officer; (*sl.*) bobby, copper, cop; **~e(sse)** (lady-)agent; (*van politie*) policewoman
agent provocateur id., *mv.* ...s ...s
agentschap agency, (*van bank*) branch (office)
agentuur agency
ageren act, agitate, carry on a campaign [for a reform, etc.], manœuvre [against an enemy]
agglomeraat, -atie agglomerate, -ation; *stedelijke agglomeratie* conurbation
agglutineren, -atie agglutinate, -ation
aggregaat aggregate; **aggregatietoestand** state of aggregation, condition of matter, physical condition (*of:* state)
agio agio, premium; **~reserve** share premium reserve; **~tage** id., stock-jobbing; **~teur** stockjobber
agitatie agitation, flutter, excitement
agitator id., demagogue; **~isch** agitatorial
agiteren agitate, flutter, fluster [look ...ed]
agnaat agnate
Agnes, Agneta, Agniet Agnes
agnosticisme agnosticism; **agnosticus** agnostic; **agnostisch** agnostic
agoeti ag(o)uti
agogisch (*muz.*) agogic
agrariër, agrarisch agrarian
agrement (*garneersel*) trimming; (*van te benoemen ambassadeur*) approval, agreement
agressie aggression; **~f** aggressive; **-iviteit** aggressiveness
agrimonie (*plant*) agrimony
agronomie agronomy
ah ah!; **aha** aha!
Ahasveros, -rus Ahasuerus
ahob half-barrier level crossing
ahorn(boom) maple(-tree)
a. h. w. = *als het ware* as it were
a. i. = *ad interim* ad interim, pro tem.
1 ai *tw.* (*pijn, enz.*) ow! ouch!; (*bede*) (*vero.*) O!

2 ai *zn.* ai, (three-toed) sloth
aide-de-camp id., A.D.C. ['eidi:'si:]
aigrette id.; (*van diamánten ook*) spray; (*vogel ook*) egret
air air, appearance, seeming; **~s** airs, (*fam.*) side, swank; *het ~ aannemen van* assume the a. of; *zich ~s geven* give o.s. airs, (*fam.*) put on side, swank; *hij heeft niet de minste ~s over zich* he is without side of any sort
aïs (*muz.*) A sharp
ajakkes, ajasses bah! pah!
ajour open-work(ed) [stockings]; **~rand** (*van leer bijv.*) punching
aju ta-ta
ajuin onion; **~achtig** o.-like; **~bed** o.-bed; **~bol** o.-bulb; *zie verder* ui
akant acanthus; (*plant ook*) bear's breech
akela (*welpenleid(st)er*) cubmaster, -mistress
akelei (*plant*) columbine, aquilegia
akelig dismal [sound, failure], dreary [weather, tone], nasty [weather, smell, taste, girl, stuff *goedje*], grim [spectacle], ghastly [smile, apparition], lugubrious [story], horrid [yell, weather, fellow], doleful [music]; *die ~e lui, ook:* those hateful people; *~ gat* beastly hole (of a place); *ik ben er ~ van* it has given me a turn; *zich ~ voelen* feel bad; *je wordt er ~ van* it makes you sick; *~ bleek* ghastly pale; *~ zoet* sickly sweet; **~heid** dreariness, etc.; horrid thing, etc.
Aken Aix-la-Chapelle, Aachen
aker 1 pail, bucket; 2 (*eikel*) acorn
akkefietje: *'n ~* a (bad) job, a fine to-do; (*kleinigheid*) a trifle
akker field; *zie* God; **~bouw** agriculture, arable farming; **~gewassen** agricultural crops; **~klokje** bluebell; **~kool** nipplewort; **~land** arable land; **~leeuwerik** skylark; **~maalsbos, -hout** copse, coppice; **~man** husbandman, ploughman; **~mannetje** (*vogel*) white wagtail; **~paardestaart** (*plant*) common horsetail; *op z'n* (*dooie*) **~tje** leisurely, at one's (his) leisure; **~werk** tillage, husbandry; **~wet** agrarian law; **~winde** (*plant*) bindweed
akkoord I *zn.* (*overeenkomst*) agreement, arrangement, settlement; (*met crediteuren*) composition; (*muz.*) chord; *een ~ van 5 %* a composition of 5p. in the pound; *een ~ aangaan* (*treffen*) met come to an arrangement with, (*met crediteuren ook*) compound with one's creditors; *'t op een ~je gooien* compromise (matters); *'t op een ~je gooien met* make a compromise (a bargain, terms) with, palter (compound, compromise) with [one's honour, conscience, etc.]; II *bn.* **~** *zijn* (*bevinden*) be (find) correct (in order); *~ gaan met* agree (to) [a proposal], be in agreement with [a policy], agree (concur) with [a p.]; *ik ga ~* I'm agreeable; *ik ga ermee ~ dat je gaat* I'm willing that you should go; *voor ~ tekenen* sign as correct; *~!* agreed! done! it's a bargain! it's a go!; *~ Van Putten!* (I say) ditto to that; **~bevinding** acknowledgment form; *bij –* if found correct; **~je** *zie* **~**; **~loon** job wage

akoestiek acoustics; (*van zaal*) acoustics, a-coustic qualities (*of:* properties); **-isch** acoustic
akoniet aconite; **aks(t)** axe
akte deed, instrument; diploma, certificate; (*voor de jacht*) licence; (*bedrijf*) act; (*film*) reel; ~ *nemen van* take note of; *waarvan* ~ remark (objection, etc.) noted; ~ *van bekwaamheid* certificate of efficiency, (*van onderwijzer*) teacher's certificate; ~ *van beschuldiging* (bill of) indictment; ~ *van oprichting* memorandum of association; ~ *van overdracht* deed of conveyance; ~ *van overlijden* death certificate; ~ *van vennootschap* deed of partnership; ~ *van verkoop* deed of sale; **~-examen** qualifying examination; **~ntas** brief-case, dispatch-case; **~ntrommel** deed-box
al I *telw., bn., zn.* all, every, each; *~le drie* all three (of them, of us, etc.); *~le beide* both (of them, of you, etc.); *~le dagen* every day; *~le 3 dagen* every three days (third day); *~le mannen* (*algem.*) all men, (*bepaald*) all the men; *de aarde, ons ~ler moeder* our common mother; *~le reden* (*recht*) *om* ... every reason (right) to ...; ~ *'t mogelijke* all that is possible; ~ *'t mijne* all that is mine, my all; *~le patronen hebben hun eigen merk* each pattern has its own mark; ~ *met* ~ all in all, one thing with another; *te ~len tijde* at any time, at all times; *wij* (*zij*) *~len* we (they) all, all of us (them); *~len waren bereid* all of them ...; *~len zonder uitzondering* one and all; *~len die* all who; ... *die ~len* ... the exhibition was visited by ..., all of whom made purchases; ~ *wie* whoever; ~ *wat, zie* alles; ~ *hetgeen* all of which; *en wat niet* ~ and what not; *we kochten 't met ons ~len* among (*of:* between) us; *het* ~, (*heelal*) the universe; *zie* met & onderscheid; II *bw.* already, yet; (*onvertaald*): *hoe lang ben je hier nu ~?* how long have you been here now?; *is hij er* ~? has he come yet? (*sterker: nu* ~) already?; *is 't* ~ *tijd?* is it time yet?; *ik ben* ~ *klaar* I am ready now; *hij is* ~ *3 weken* (~ *lang*) *ziek* he has been ill for three weeks (for a long time); *hij leert Londen* ~ *aardig kennen* he is getting to know L. quite well; ~ *in 1066* as early (as far back, so long ago) as ...; ~ *vóór 1066* even before ...; *dat zei hij toen* ~ even then he said so; *daar heb je 't* ~ there you are!; *jij ook ~?* even you? ~ *even slecht als* quite as bad as; *wat hij* ~ *niet weet!* it's surprising what he knows!; ~ *met* ~ altogether; taking it all in all; *dat is* ~ *te laag* altogether too low; *'t is maar* ~ *te waar* it's but (*of:* only) too true; ~ *te goed* (*slim*) (*fam.*) too good (clever) by half; *je weet maar* ~ *te goed* only too well; ~ *te eerlijk* honest to a fault; ~ *te bezorgd* over-anxious; *niet* ~ *te goed* not over well; *niet* ~ *te schoon* [a tablecloth] none too clean; *maar* ~ *te spoedig* [the hour came] all too soon; ~ *te veel* overmuch, undue [without ... support]; *dat is wel wat* ~ *te gevaarlijk* a little too dangerous; ~ *heel ongelukkig* very unfortunate indeed; ~ *maar moeilijker* ever harder; ~ *naar, zie:* gelang (*naar* ...); ~ *nader en nader* nearer and nearer; *'t wordt* ~

erger it is getting worse and worse; *ik zal zeker geen winst maken, áls ik er* ~ *in slaag 't te verkopen* if I succeed in selling it at all; *áls hij het* ~ *had* if indeed he had it; *hij is toch* ~ *niet mooi* he is not very good-looking as it is; *ik zie hem* ~ *zwemmen!* I can just see him swimming!; *of je hem* ~ *of niet waarschuwt* whether you warn him or not; ~ *of niet* yes or no; ~ *of niet aflosbaar* redeemable or otherwise; ~ *of niet geschreven grondwet* written or unwritten constitution; ~ *zeggende* (while) saying; ~ *lachende* laughing all the time; III *vw.* (al)though, even if, even though; ~ *was ik rijk* though (even if) I were rich; ~ *is hij ook nog zo rijk* however rich he may be, rich though he may be, rich as he is; ... ~ *neemt 't ook* ... I'll follow him, if it takes all night; ~ *zeg ik 't zelf* though I say so who shouldn't; [*zijn bezoek*] ~ *was het maar kort* short though it was
à la bonne heure all right, let it be so, let that pass
alant (*plant*) elecampane
Alarik Alaric
alarm alarm; (*lawaai*) tumult, uproar; *klein* (*groot*) ~, (*bij brand*) district (brigade) call; ~ *blazen* sound the (an) a.; ~ *maken* give the a., raise an (the) a.; ~ *slaan* beat the (an) a., beat to arms; *vals* ~ *maken* make a false a., (*fam.*) cry wolf; **~eren** alarm, give the alarm; call out [the fire-brigade]; **~erend** alarming, alarmist; *verspreiding van* ~*e berichten* scaremongering; **~ist** id.; (*fig. ook*) scaremonger, panic-monger; **~istisch** alarmist [views]; **~kanon** a.-gun; **~klok** a.-bell, tocsin; *de* ~ *luiden*, (*fig.*) sound (ring) the alarm; **~kreet** cry of a.; **~schel** (burglar) alarm; **~schot** a.-gun; **~signaal** a.-signal; **~toestand** state of alert; *de* ~ *afkondigen*, (*ook*) give the alert; **~toestel** alarum; *zie ook* ~schel; *de* **~trompet** *steken* sound (give) the a.
alastrim id., milk-pox
Albaans Alban [Mountains]
Albanees Albanian; **Albanië** Albania
Albanisch Albanian
albast(en) alabaster
albatros albatros; **albe** alb
albedil caviller, fault-finder
albeheersend *zie* allesbeheersend
Albehoeder Preserver (of all things)
Albert(us) Albert(us); **~ina** Albert(in)a
albestuur (God's) supreme rule
albezielend all-inspiring
Albigenzen Albigenses; **-zisch** -sian
albinisme albinism; **albino** id.; *v* albiness
Albion Albion; **Albrecht** Albert
album id. (*alle bet.*); (*voor uitknipsels, enz. ook*) scrapbook, news-cutting book
albumine albumen; **~papier** albumenized paper
alchemie, -chimie alchemy; **-ist** -ist
alcohol id.; **~gehalte** alcoholic content (*of:* strength); **~houdend** *zie* ~isch; **~ica** alcoholic (spirituous) liquors, intoxicants; **~icus** alcoholic, dipsomaniac; **~isatie** alcoholization; **~isch** alcoholic; ~*e dranken, zie* ~ica; **~iseren** alcoholize; **~isme** alcoholism, dipsomania;

~ist *zie* ~icus; **~meter** alcoholometer; **~vergiftiging** alcoholic poisoning, alcoholism; **~vrij** non-intoxicant, non-alcoholic; *–e dranken, ook*: soft drinks, non-intoxicants

aldaar there, at that place; *de Heer N.* ~ Mr. N., of that place (town, city); *kamerverhuursters aldaar* local landladies

aldoor all the time, the whole time, all along, throughout, [be] for ever [talking]

aldra soon, before long; **aldus** thus, in this manner (way), as follows

aleatoir aleatory

aleer before

Aleida Adelaide

Alemannen Alamanni, Alemanni

Aleoeten Aleutian Islands, Aleutians

Alex Alec(k), Alick, Sandy

Alexander id.; **Alexandrië** Alexandria

alexandrijn alexandrine

Alexandrijn(s) Alexandrian

alfa alpha; *A~ en Omega* A. and Omega; **~deeltje** a. particle; **~faculteiten**, (*univ.*) theology, law and humanities; **~numeriek** a.-numeric; **~vakken** arts subjects

alfabet alphabet; **~isch** I *bn.* alphabetic(al); II *bw.* alphabetically; **~iseren** alphabetize

Alfons *zie* Alphons

Alfred Alfred; (*fam.*) Alf

alge alga (*mv.:* algae)

algebra id.; **~isch** algebraic(al)

algeheel I *bn.* total, complete, entire, whole; wholesale [destruction]; wholehearted [support]; II *bw.* totally, etc., wholly

algemeen I *bn.* (*met weinig uitzond.*) general [rule]; (*zonder uitzond.*) universal [rule, suffrage, admiration]; (*niet in bijzonderheden*) broad, general [discussion]; catholic [of ... interest]; (*veel voorkomend*) common [experience, etc.]; (*openbaar*) public [in the ... interest]; (*onbepaald*) indefinite, vague; *dat is thans erg* ~ that is the vogue (*fam.*: all the rage) now; everybody is doing it; *te* ~ sweeping [statement]; *A~ Beschaafd* Received Standard; *-ne geschiedenis* universal (*of:* world) history; ~ *gevecht* battle royal, free fight; *-ne ontwikkeling* g. knowledge (*of:* information); *-ne onkosten, (van zaak)* overhead expenses (charges); *de -ne opinie,* (*in vergadering bijv.*) the g. opinion (sense, feeling), (*openbare opinie*) public opinion; *A-ne Staten* States General; *met -ne stemmen* unanimously, [the motion was carried] nem. con.; *-ne vermindering van bewapening* all-round reduction in armaments; *in -ne zin* in a g. sense; *zie* alzijdig, welzijn, enz.; II *bw.* ...ly; ~ *in gebruik* in common use; ~ *goedgevonden* agreed to on all hands; *'t is* ~ *bekend, ook*: it is common knowledge; III *zn. in (over) 't* ~ in g., on the whole, generally, by and large; *in 't* ~ *niet,* (*ook*) not usually; ~ *zijn over 't* ~ *aardig* tend to be kind; *hij spreekt tot de wereld in 't* ~ to the world in g. (*of:* at large); *in 't* ~ *gesproken* generally (broadly) speaking; *zie* nut; **~heid** generality, universality, commonness; *algemeenheden over het weer*

commonplaces about the weather; *vage algemeenheden* vague generalities

algenoegzaam all-sufficient; **~heid** all-sufficiency

Algerië, Algerije Algeria; **Algerijn(s)** Algerian

Algiers (*stad*) Algiers, (*land*) Algeria

algoed all-good; *de A~e* the All-Good

algoritme, -misch algorithm, -mic

alhidade alidade

alhier here, at this place; (*op brief*) local (*in Eng. minder gebruikelijk*); *de Heer N.* ~ Mr. N., (*met adres*)

alhoewel although

alias *bw.* alias, otherwise; *zn.: zijn* ~ his a.

alibi id.; *zijn* ~ *bewijzen* prove (establish) an a.; *een* ~ *aanvoeren* set (*of:* put) up an a.

Alida Adelaide

alifatisch aliphatic

alikruik periwinkle; (*pers.*) roly-poly

alimentatie alimentation, (*inz. na echtscheiding*) alimony

alinea paragraph; (*van wet ook*) subsection

alk, auk razor-bill; *kleine* ~ little auk

alkali id.; **~sch** alkaline; **~teit** alkalinity; **alkaloïde** alkaloid

alkannine alkanet

alkoof little inner room (used as a bedroom), alcove bedroom, recessed bed, bed recess

alkoran alcoran; **Allah** Allah

alle *zie* al 1; **~bei(de)** both (of them); *het is – goed* either is correct

alledaags daily [occurrences]; quotidian [fever]; every-day, workaday [world]; (*gewoon*) plain, undistinguished [face], commonplace [remark, fellow], ordinary, humdrum [routine]; *zie* doodgewoon; (*afgezaagd*) stale, trivial, trite [sayings]; *over ~e dingen praten* talk commonplaces; **~heid** commonness, triviality, triteness, staleness, plainness

alledag every day; *... van* ~ [the] daily [routine *sleur*]

allee avenue

alleen alone, by o.s. [the cottage stood by itself]; (*zonder hulp ook*) single-handed [arrest a p. ...]; (*eenzaam*) lonely [feel ...]; (*slechts*) only, merely; *vandaag ben ik* ~ on my own; ~ *omdat je 't weet, hoef je niet ...* just because ...; ~ *voor wielrijders* cyclists only; *één man* ~ *kan ...* in a real democracy no one man can make war; *iem.* ~ *spreken* speak to a p. in private; ~ *vliegen* fly solo; *de gedachte daaraan (*'t noemen ervan, de naam) ~ al* the mere (*of:* bare) thought (*of:* mention) of it, the very name [produced a shiver]; *het dak* ~ *al* the roof for a start [will cost a fortune]; *ik sta niet* ~ *...* I am not a. in that opinion; *die ondervinding staat niet* ~ that experience does not stand a.; *een aardige man,* ~ *wat driftig* a nice man, only a little quick-tempered; *niet* ~ *..., maar ook* not only ..., but (also); *zie* vertrouwd; **~handel** monopoly; **~heerschappij** absolute power (monarchy); *de – voeren* hold undivided sway, reign supreme; **~heerser** absolute monarch, autocrat, sole master; **~lijk** only, merely; **~spraak** monologue, soliloquy; *een – houden* soliloquize; ~**staand** isolated, single, detached [buildings]; alone in the world; *een – geval* an isolated case; *een –e vrouw* an unattached woman, a woman who is on her own; ~**verkoop** sole agency; ~**vertegenwoordiger** sole agent (*of:* representative); ~**vertegenwoordiging** sole agency (*of:* representation); ~**vlucht** solo flight; ~**zaligmakend:** *het –e geloof* the only true faith; – *middel* [political] nostrum

allegaar *zie* allemaal; ~**tje** hotchpotch, medley, jumble, farrago, mishmash, omnium gatherum, mixed grill; (*van orkest, bemanning, enz.*) scratch band (crew, team, etc.)

allegorie allegory; **allegorisch** *bn.* allegoric(al); *bw.* allegorically; **allegoriseren** allegorize

allehens all hands [... on deck]

allemaal (one and) all, the (whole) lot, [I hate] the lot of them; *wel te rusten, ~!* Good night, everybody (*of:* all)!; ~ *klets* sheer nonsense, all rot; *zij kregen~ een beloning* there were rewards all round; *neem ze maar ~* take the lot; *dat (hier) zijn ze ~* that's the lot; *~ stijve harken!* stiff as pokers, the lot of them!; *zoals wij ~* [they make mistakes] like the rest of us; *hij slikte het ~* (= *geloofde het*) he swallowed it hook, line and sinker, (= *nam het*) he put up with it all

allemachtig (*fam.*) I *bw.* mighty [a ... pretty girl, almighty [... pleasant], jolly [decent *aardig*], precious [... little], II *tw.*: (*wel*) ~*!* well I'm blowed!

alleman everybody; *dat is* ~**sgading** fit for every purse; ~**sgeheim** open secret; ~**svriend** everybody's friend; *hij is een –* he is hail-fellow-well-met with everybody

allen all; (*muz.*) tutti; *zie* al I

allengs gradually, by degrees

allenig *zie* alleen

aller- of all [the cheapest ...], very [the ... poorest], most [... disgraceful]; ~**aardigst** charming [children]; *er* ~**bekoorlijkst** *uitzien* look most charming; ~**belachelijkst** most ridiculous, ridiculous in the extreme; ~**belangrijkst** *ook:* all-important; ~**best** best of all; very best [do one's ...]; *'t –e, dat je kunt doen* the very best thing you can do; *de –e vrienden zijn* be the best of friends; *hier is hij op zijn –* here he is at his very best (quite at his best); *zie verder* best; ~**christelijkst** most Christian; ~**dolst** screamingly funny; too absurd for words; ~**eerst** *bn.* very first; *bw.* first of all, first and foremost; *schrijf die brief morgen het –* (the) first thing tomorrow; ~**ergst:** *in 't –e geval* if the worst comes to the worst

allergeen allergen

aller-: ~**gelukkigst** most happy; ~**geringst** smallest (least, lowest, etc.) possible (*of:* of all)

allergie (*med.*) allergy

allergisch (*med.*) allergic (*voor* to)

aller-: ~**hande** all sorts (kinds) of, all manner of [people], [people] of all sorts; *zie* karweitjes; *als zn.,* (*koekjes*) all sorts; ~**handen** glorious day, day of days; A~**heiligen** All Saints(' Day), All Hallows; *avond vóór –* All Hallows

Eve, (*inz. Sc., Am.*) Hallowe'en; ~**heiligst** most holy; *'t A–e, a*) the Holy of Holies; *b*) (*hostie*) the Blessed Sacrament; ~**hoogst** highest of all, supreme; *de A–e* the Most High; *van 't –e belang* of the first (paramount) importance; *in* ~**ijl** *zie* ijl; A~**kinderen(dag)** Innocents' day; ~**kleinst** very smallest, minutest; ~**laagst** very lowest; rock-bottom [price]; ~**laatst** very last, last (latest) of all; *op 't –* at the very last moment; *tot 't –* to the very last, right up to the end; ~**lei** *zie* ~hande; *op – gebied* in many different fields; *als zn.* all sorts of things; (*koekjes*) all sorts; (*allegaartje*) medley; (*lit.*) miscellanea, miscellany; (*als opschrift in krant*) miscellaneous; ~**liefst** I *bn.* very dearest, dearly-loved; sweetest (of all), most charming; *–e theekopjes* the dearest (little) tea-cups; II *bw.* by preference; *'t – bleef ik hier* I should like best of all to stay here; ~**meest** most, most of all; *op zijn –* at the very most; ~**minst** very least, least of all; not at all [a friend of mine]; *op zijn –* at the very least; *'t –e dat ik kan doen* the very least I can do; *dat had hij – verwacht* it was the last thing he had expected; *wenst u dit?* – far from it; ~**naast** very nearest, nearest of all, immediate [the ... future]; ~**nieuwst** very newest (latest); *'t –e op 't stuk van ...* the latest thing (the last word) in record-players (hats); ~**nodigst** most necessary; *'t –e* what is absolutely necessary (indispensable); [we had only] the barest necessities; ~**uiterst** very utmost; *zie* uiterst; ~**wegen** everywhere; A~**zielen** All Souls(' Day); ~**zijds** on all sides (*of:* hands)

alles all, everything; *is dat alles?* (= *is het compleet?*) is that the lot? (is that all?); (= *is het anders niet?*) is that all? anything [I'd give ... to see her]; *neem –* take it all (all of it), take the lot; *~ wat* all that, whatever; *~ wat Frans is* [he hates] all things (everything) French; *~ wat je ... hebt* all (that) you have done for me; *hij verloor ~ wat hij had, ook:* his all; *~ en –* [talk of] one thing and another; [he is capable of] anything and everything: [he ate] every little bit; [he left] everything, lock, stock and barrel [to her]; [it is five pounds] in all; *~ en nog wat* everything under the sun, anything and everything; *~ of niets* all or nothing; *dit (dat) –* all this (that); *dat is ~* (*wat ervan aan is, enz.*) that is all there is to it; *dat is nog niet –* this is not (quite) all (not the whole story), nor is this (quite) all; *dat is niet ~,* (*geen grapje*) it's no joke; *geld is niet ~* is not everything; *haar kinderen waren haar ~* her all (in all), all in all to her; *zijn zaak is ~* voor hem means everything to him; *~ op zijn tijd* all things in their time; *hij was ~ voor iedereen* he was all things to all men; *ik wil ~ doen om ...* I will do anything to stop this marriage; *boven ~, zie* voor ~; *~ op 't zetten* go all out; *van ~* all sorts of things; [read novels, poetry,] all sorts of stuff; anything [may happen]; *de mensen zeggen van ~* people will say anything; *zowat van ~* [he has done] pretty nearly everything, [he had been] most things;

van ~ *wat* something of everything; *voor* ~ above all, [safety] first, [his policy is] first and foremost [a national policy]; ~**behalve** anything but, [he looked] far from [well], [his collar was] none too [clean], not at all; ['you feel bored?'] 'Anything but (that)'; ~**beheersend** (pre)dominating, all-important [question]; ~**etend** omnivorous; ~**eter** omnivore, omnivorous animal; ~**omvattend** *zie* alomvattend; ~**zins** in every respect (*of:* way), everyway, in all respects

alliage alloy; **alliantie** alliance

allicht probably, in all probability, of course; (= *natuurlijk, fam.*) naturally, obviously; small wonder!; *je kunt het ~ proberen* no harm in trying; *men maakt ~ een fout* one is apt to make a mistake

alliëren ally; (*metalen*) alloy

alligator id.

alliteratie, -eren alliteration, -ate

allo hullo! hallo! come along! come on!

allocutie allocution

allodiaal allodial; **allodium** id.

allonge allonge, rider; ~**pruik** full-bottomed wig

allooi alloy; *mensen van slecht ~* low company; *van 't slechtste* ~ of the worst sort; *van zeer verdacht ~* of the most suspicious character; *zie* gehalte

allopaat allopathist; **allopathie** allopathy

allopathisch allopathic (*bw.:* -ally)

allotroop, -tropie allotrope, -tropy

allure(s) airs, ways; *van grootse allure* in the grand manner; *een man van ~* a striking personality

alluviaal alluvial; **alluvium** id., alluvion

almacht omnipotence; **almachtig I** *bn.* almighty omnipotent, all-powerful; *A~ God* God Almighty; *de A~e* the Omnipotent (Almighty, All-Powerful); **II** *bw. zie* allemachtig

Alma Mater id.

almanak almanac; (*jaarboekje*) annual

aloë aloe; (*med.*) aloes

alom everywhere, on all sides; *het is ~ bekend* it is common knowledge; ~**tegenwoordig** omnipresent, ubiquitous; ~**tegenwoordigheid** omnipresence, ubiquity

alomvattend all-embracing, all-enfolding; comprehensive [exhibition]

aloud ancient, antique; time-honoured [usage, Christmas greetings, etc.]; ~**heid** antiquity

alp id.

alpaca (*dier, wol*) id.; (*imitatiezilver*) German silver, nickel silver

Alpen: *de* ~ the Alps; (*in sam. vaak*) Alpine

alpen: ~**beklimmer** Alpinist; ~**club** Alpine Club; ~**gloeien** Alpenglow; ~**hoorn** Alp-horn, Alpine horn; ~**hut** chalet, Alpine hut; ~**jager** Alpine hunter; (*mil.*) Alpine rifleman; ~**kraai** chough; ~**pas** Alpine pass; ~**stok** alpenstock; ~**viooltje** cyclamen; ~**weide** Alpine pasture

alpha *zie* alfa

Alphons(us) Alphonso

alpijns, alpine Alpine [race]; **alpinisme** Alpinism

alpinist Alpinist, mountaineer

alpino (~*mutsje,* ~*petje*) (Basque) beret

alras (very) soon

alre(e)(de), alreeds already

alruin (*plant*) mandrake, mandragora

als 1 (*zoals, gelijk*) as, like [act as I do (like me); fight like a lion; they rose as one man]; [sensitive] as [he is]; ~ *volgt* as follows; 2 (*in de hoedanigheid, bij wijze, van*) as [a father]; for [locked up ... a lunatic]; (*soms onvert.*) [she died a widow (a rich woman); he went a boy, and returned a grave man]; ~ (*een*) *excuus* as an (by way of) excuse; ~ *vrienden scheiden* part friends; *en ~ een zorgzaam huismoedertje, ...,* ook: and careful housewife that she was, ...; ~ *wat?* in what capacity?; 3 (*voor opsomming*) (such) as; 4 (*tijd*) when; ~ *wanneer* when, at which time; *ze sprak weinig, maar als ze sprak* but when she did speak; 5 (*indien*) if; ~ *die er zijn* if any; ~ *jij er niet geweest was* but for you; ~ *hij nu eens kwam?* what if (suppose) he came?; ~ *we eens wat gingen biljarten?* what about a game of billiards?; *als hij 't deed ...* if he did do it, it must have been a joke; *zie* maar; 6 (*alsof*) as if; ~ *'t ware* as it were; 7 (*na comparatief*) than; 8 *vw.* (*fam.*) *zie* al

alsdan then, in that case

alsem wormwood (*ook fig.*), absinth; *de pen in* ~ *dopen* dip one's pen in gall; ~**achtig** absinthian, absinthial

alsjeblief(t) *zie* believen

alsmede and also, as also, as well as, and ... as well; **alsnog** as yet; **alsnu** now

alsof as if, as though; ~ *hij wou zeggen* as much as to say, as if to say; *hij stond op* ~ ... he rose as if (as though) to go; *'t is* ~ *ik ...* I seem to see him still; *'t lijkt (ziet er uit)* ~ *'t zal regenen, enz.* it looks like rain (snow, etc.); ~ *'t zal aanhouden* [it is snowing hard and it looks] like lasting; ~ *ik haar had kunnen ...* I felt like murdering her; *zie* doen

alsook as well as

alstublieft *zie* believen

alt contralto, alto; *mv.* -s

altaar altar; *naar 't ~ leiden* lead to the a.; ~**blad** a.-top; ~**dienaar** acolyte, server; ~**doek** (*r.-k.*) a.-cloth; ~**scherm** reredos; ~**schilderij,** ~**stuk** a.-piece; ~**spijs** consecrated Bread and Wine; ~**vaten** (*r.-k.*) a.-vessels

altblokfluit treble recorder

altegader, altemaal *zie* allegaar, -maal

alter ego id.

alternatief alternative

althans at least, anyway, anyhow

altijd always; invariably; ~ *door, zie* aldoor; *ik heb 't ~ wel gedacht* I thought so all along; *zoals zulke dingen ~ gebeuren* [How did it happen?] Just as those things do happen; *ik kan ~ nog weigeren* I can a. refuse; *ik kan ~ nog wel ...* I can walk as fast as you any day; *zie* nog; ~ *als ... provided* a. that we look the situation in the face; that is to say, if you don't object; *voor* ~ for ever, for all time, in perpetuity; ... *niet* ~ ... the not a. easy task; *zie* eeuwig; ~**durend** everlasting; -*e aanbidding* perpetual adoration

altpartij contralto part

altruïsme altruism; **altruïst** altruist

altruïstisch altruistic (*bw.*: -ally)

alt: ~sleutel alto clef; ~stem contralto (voice); ~viool viola, tenor violin; ~zangeres contralto, alto

aluin alum; ~aarde alumina; ~achtig, ~houdend aluminous

aluminium id.; (*Am.*) aluminum; ~oxyde alumina

alumnus id.

Alvader All-father

alvast meanwhile; *je zou ~ kunnen beginnen* you may (might) as well begin; *neem ~ deze sigaar* take this cigar to be going on with

alver(tje) bleak, ablet

alvermogen(d) *zie* almacht(ig)

alverslindend all-devouring, omnivorous

alvlees(klier) pancreas; ~sap pancreatic fluid

alvorens before [going], preparatory [to going], previous [to writing]

alwaar where; (*overal waar*) wherever

alwe(d)er again, once more; ~ ... *verdwenen* one more illusion gone

alwetend omniscient, all-knowing; *de A~e* the O.; ~heid omniscience; **alweter** know-all

alwijs all-wise; *de Alwijze* the All-wise; ~heid supreme wisdom

alziend all-seeing; *de A~e* the All-seeing

alzijdig all-sided, universal [genius, knowledge]; versatile [mind]; all-round [knowledge, education]; ~heid all-sidedness, universality, versatility

alzo (*zo*) thus, in this way (*of:* manner)

amalgaam amalgam; **amalgamatie** amalgamation; **amalgameren** amalgamate

Amalia Amelia

amandel almond; (*in keel*) tonsil; *iems. ~en weg-nemen* remove a p.'s tonsils; *zich de ~en laten knippen* have one's tonsils out; *zie* gebrand; ~bloesem a.-blossom; ~boom a.-tree; ~gebak a.-cake; ~olie a.-oil; ~ontsteking tonsillitis, quin-sy; ~pers a.-paste

amanuensis laboratory attendant (*of:* assistant)

amarant amarant(h)

amaril emery; ~papier e.-paper

amateur id. (*ook attr.*: ... cricketer, etc.); ~isme amateurism; ~istisch, ~achtig amateurish

Amazone Amazon (*ook rivier en fig.*); *van de ~* Amazonian; **a~** horsewoman; **a~(nkleed)** riding-habit; **a~zit**: *in de ~* [ride] side-saddle

ambacht trade, (*hand*)craft; *smia van zijn ~* a smith by t.; *op een ~ doen* apprentice to a t.; *op een ~ gaan* learn a t.; *twaalf ~en, dertien ongelukken* [he is a] Jack-of-all-trades and master of none; ~elijk craft [bookbinding]

ambachts: ~baas (head-)foreman; ~gezel journeyman; ~gilde craft-guild; ~heer lord of the (a) manor; ~heerlijkheid manorial; ~heerlijkheid manor; ~huis manor-house; ~jongen apprentice; ~lieden, ~lui, *mv. van* ~man artisan; ~onderwijs technical education; ~school technical school; ~vrouw lady of the (a) manor

ambassade embassy; ~raad counsellor (of an embassy)

ambassadeur ambassador; ~s ... ambassadorial [residence]; ~svrouw, **ambassadrice** ambassadress

amber *a*) ambergris (= *grijze ~*); *b*) *gele ~* amber; *c*) (*hars*) styrax; ~geur odour of ambergris; ~grijs ambergris

ambiëren aspire to (after); *hij ambieert die betrekking niet* he does not want to have ...

ambitie diligence, assiduity, zest for work, interest [in one's work, etc.]; (*eerzucht*) ambition; **ambitieus** diligent, studious, showing great interest [in one's work, etc.]; (*eerzuchtig*) ambitious

ambivalent id.; ~ie ambivalence

Amboina, Ambon Amboina

Ambonnees *bn. & zn.,* -ezen Amboinese

Ambrosius Ambrose

ambrozijn ambrosia

ambt office, place, post, function; ~elijk *a*) professional [duties, etc.]; *b*) official; *-e stijl* officialese

ambteloos out of office, retired; *~ burger* private citizen

ambtenaar official, officer, civil (*of:* public) servant, functionary; (*aan loket, enz.*) clerk; *~ zijn* be in the civil service; *~ van het Openbaar Ministerie* counsel for the prosecution (for the Crown); *~ van de burgerlijke stand* registrar (of births, marriages and deaths), registration officer; ~swereld official world; ~tje Jack-in-office

ambtenarendom officialdom; **ambtenarenreglement** (*ongev.*) National Scheme of Conditions of Service; **ambtenares** (lady) official

ambtenarij officialdom, red-tapism

ambtgenoot colleague

ambts: ~aangelegenheden *zie* ~zaken; ~aanvaarding accession to office, taking office, entrance upon one's duties (*of:* office), installation; ~bediening *zie* ~bekleding; (*van predikant*) ministry, pastorate; ~bejag office-, place-hunting; ~bekleder office-bearer; ~bekleding discharge of one's duties (*office*); *gedurende zijn ~* during his tenure of (continuance in) office; ~beslommeringen cares of office; ~bezigheden (*van ambtenaar*) official duties; (*van advocaat, enz.*) professional duties; ~broeder colleague; ~drager Minister (of the Church); ~eed oath of office; *de ~ afleggen* be sworn in, take the oath of office; ~gebied district, department; (*jur.*) jurisdiction; ~geheim (*van ambtenaar*) official secret, o. secrecy; ~gewaad robes of office, (official) robes; ~halve officially, by (*of:* in) virtue of one's office, ex officio; *~ lid zijn van, ook:* be an ex-officio member of; *~ aangeslagen worden* be assessed on an estimated income; *aanslag ~* estimated assessment; ~ijver professional zeal; ~jaar year of office; ~keten chain of office; ~kledij *zie* ~gewaad; ~misbruik abuse of power; ~misdrijf, ~overtreding misfeasance; ~penning badge; ~periode, ~tijd term of office, t. of service, tenure of office; ~plicht *a*) official duty; *b*) professional duty; *vgl.* ~bezigheden; ~teken badge, symbol (*mv.*: insignia) of office; ~titel official title; ~**vervulling** *zie* ~bekleding; ~**voorganger** predecessor (in office); *van* ~**wege** *zie* ~naïve; ~**woning** official residence; ~**zaken** official (professional) affairs (business); *vgl.* ~bezigneden; ~**zegel** official seal

ambulance id., field-hospital; ~**dienst** hospital (*of:* nursing) service

ambulant id., ambulatory; ~ *patiënt* outpatient

amechtig breathless, out of breath, winded, blown, panting for breath; ~**heid** breathlessness

Amelia, Amelie Amelia

amen amen; ~ *zeggen op* say a. to, say ditto to

amende honorable id.; ~ *doen, ook:* make honourable amends; **amendement** amendment [*op on,* to]; **amenderen** amend

amerijtje moment; *in een* ~ in a m., in a trice, in two twos, in two shakes

Amerika America; **Amerikaan(s, -se)** American; *ze is een* ~e she is (an) American

amerikanisme Americanism

amethist amethyst

ameublement furniture; *een* ~ a suite (a set) of f., a suite [bedroom ...]

amfetamine amphetamine

amfibie amphibian; ~**tank** a. tank

amfibisch amphibious, amphibian

amfioen *zie* opium

amfitheater amphitheatre; ~**sgewijze** amphitheatrically

amfora amphora

amicaal amicable, friendly; ~ *omgaan met* be on friendly (*of:* familiar) terms with; *wees niet te* ~ *met hem* don't be too familiar with him

amicaliteit amicability

amice (my) dear friend; dear (*met naam*); *een* ~ *van mij* a friend of mine

amict amice

amide id.

amine id.; ~**zuur** amino-acid

ammonia(k) ammonia; *vloeibare* ~ liquid a.; ~**zout** sal ammoniac

ammoniet ammonite

ammonshoorn ammonite, snake-stone

ammunitie (am)munition; *zie verder* munitie

amnesie amnesia

amnestie amnesty; *algemene* ~ act of oblivion, general pardon; ~ *verlenen* (grant an) a., extend an a. to

amoebe amoeba (*mv.* amoebae, amoebas)

amok amuck, amok; ~ *maken* run a.; ~**maker** p. running a.

Amor Cupid

amorf amorphous

amortisabel amortizable, redeemable

amortisatie amortization, redemption; ~**fonds** sinking-fund

amortiseren amortize, sink, redeem

amourette love-affair, amour(ette), affair of the heart, intrigue

amoveren (*gebouw*) pull down; (*ambtenaar*) dismiss, remove (from office)

ampas megass, (cane) trash, crushed cane

ampel I *bn.* ample; II *bw.* amply

amper I *bw.* scarcely, hardly, barely [three weeks]; II *bn.* sour, tart; ~**an** (*fam.*) only just

ampère id.; ~**meter** ammeter

amplitude, -do amplitude

ampul ampulla; (*med.*) ampoule; ~**la** (*r.-k.*) cruet

amputatie, -teren amputation, -tate

Amsterdam id.; ~**mer** I *bn.* A.; II *zn.* inhabitant (*of:* native) of A., A. man; ~**s** A.; *zie* peil; ~**se** A. woman (*of:* she is from A.)

amulet id., charm, talisman, mascot

amusant amusing, entertaining; *verbazend* ~ [he, it is] great fun, [it is] as good as a play

amusement id., entertainment, pastime; *het* ~**sbedrijf** (the) (light) entertainment (industry); ~**smuziek** light music

amuseren amuse, entertain; *zich* ~ enjoy o.s.; *zich dol* ~ have no end of a time (the time of one's life, a high old time); *hij amuseerde zich met een prentenboek* he kept himself amused with ...; *amuseer je!* have a good time!

anaal anal; *anale opening* anus; (*van vis, enz.*) vent

anachoreet anchorite, hermit

anachronisme anachronism

anagram id.

anakoloet anacoluthon

analecta analects, analecta

analfabeet illiterate (person)

analfabetisme illiteracy

analist analyst, analytical chemist

analogie analogy; *naar* ~ *van* on the a. of

analogisch analogic(al)

analoog analogous [*met* to]; ~ *geval* analogue; *-ge rekenmachine* analog(ue) computer

analyse analysis (*mv.* -yses); **-eren** analyse; **analyst** *zie* analist

analyticus analyst

analytisch I *bn.* analytic(al); II *bw.* -cally

ananas pine-apple; ~**kers** Cape gooseberry

anapest anapaest

anarchie anarchy; **anarchisme** anarchism

anarchist id.; ~**isch** anarchist; (*bandeloos*) anarchic(al)

anathema id.; **Anatolië** Anatolia

anatomie anatomy; **anatomisch** anatomical

anatomiseren anatomize, dissect

anatoom anatomist

anciënniteit seniority; *naar* ~ by s.

Andalusië Andalusia; ~**r, Andalusisch** Andalusian

Andamanen Andaman Islands

ander 1 (*bijvoegl.*) other; *een* ~(*e*) another; *een* ~*e sigaar, enz., ook:* a fresh cigar (pair of boots, etc.); *~e kleren aandoen* change one's clothes; *aan een* ~*e tafel gaan zitten* change o.'s table [in a restaurant]; *hij is een heel* ~*e man dan jij* quite a different man from you; *hij is een* ~ *mens* he is a new (a different) man; *dit is een enigszins* ~ *geval, ook:* this case is on a somewhat different footing; *de* ~*e zes, de zes* ~*en* the o. six, the six others; *de* ~*e dag, des* ~*en daags* the next day; *een* ~*e dag* (*keer*) another (some o.) day (time); *om de ~e dag, enz.* every o. (*of:* second) day, etc., on alternate days; *zie zijde*; 2 (*zelfst.*): [*ja, zei*] *de ~* the other; *een ~*, (*pers.*) another (person); *een ~*(*e*), (*zaak*) another (one); *~e*, (*zaken*) o. ones, others; *~en*, (*pers.*) others, other people; *de ~e* (*kous, enz.*), *ook:* its twin (fellow, partner); *net als de ~en, ook:* like the rest of them; *bij een ~ bestellen* order elsewhere; *wij waakten om de ~e* in turns, alternately; *onder ~e*(*n*), (*pers.*) among others; (*zaken*) among o. things; *ten ~e* on the o. hand; *voor ~en wassen* (*naaien*) take in washing (sewing); *~daagse koorts* tertian fever; *~deels* on the o. hand; *~half* one and a half; *~halve fles* a bottle and a half, one and a half bottles; *– jaar* eighteen months; *– maal* one and a half times; *– maal zoveel* half as much (*of:* many) again; *voor overwerk wordt ~maal het loon uitbetaald* overtime payment is time and a half; *~halve penny* a penny halfpenny, three halfpence; *~maal* (once) again, once more, a second time; *zie eenmaal; ~mans* another man's, other people's

anders I *bw.* 1 *wie* (*wat, iem., niemand, iets, niets, ergens, nergens*) *~* who (what, someone, no one, something, nothing, somewhere, nowhere) else; *niemand* (*niets*) *~ dan* nobody (nothing) but, nobody (nothing) else but (*of:* else than); *niemand ~ dan, ook:* none other than; *het is niet ~ dan billijk* it is only fair; *de taal van de psychologie is niet ~ dan ...* is no different from; *~ niet*(*s*)? nothing else? is that all?; *als 't ~ niet is* if that is all; *dat is* (*heel*) *wat ~* that is (quite) another thing (*of:* story), a different thing (altogether); *wat kon ik ~ doen?* what else could I do?; *ik heb wel wat ~ te doen* I have s.t. else to attend to, (*fam.*) I have other fish to fry; *van wie zou 't ~ zijn?* who else could it belong to? (who else's could it be?); *ik heb niets ~ te doen, ook:* I am not otherwise engaged; *er zit niets ~ op, dan ...* there is nothing for it but to go; *ik moet ergens ~ zijn* I have another appointment; 2 (*zo niet*) else, otherwise; *..., ~ zal ik ...* otherwise (or else) I shall ...; *hoe verklaar je ~ ...?* how otherwise do you explain ...?; [*heb je geld genoeg bij je?*] *anders ...* if not (if you haven't) ...; 3 (*op andere wijze*) differently, otherwise; *de meubels ~ zetten* rearrange the furniture; *'t is ~ gegaan dan ik me had voorgesteld* it's turned out differently from what I'd intended (expected); *ik denk er ~ over* I think differently (otherwise), I am of a different way of thinking; *er ~ over denken dan* think differently from (*of:* to); *hij stemt niet ~ dan liberaal* he will not vote any way but liberal; *de arts ~ dan de geestelijke, heeft er geen behoefte aan* the physician, unlike the clergyman, ...; *ik kan niet ~* I can do nothing else, I cannot do otherwise, I have no choice; *ik kan niet ~ dan ...* I cannot but ...; *'t kan je niet ~ dan goed doen* it can but do you good; *kwekken, ~ kan je niets* gab-gab-gab, that's all you can do; *~ genaamd ...* otherwise called ...; *~ gezegd* put another way, stated

differently; 4 (*op andere tijd, in ander opzicht*): *net als ~* just as usual; *hij komt niet zo vaak als ~ as* he used to, as before; *hij is ~ niet gierig* he is not otherwise stingy; *~ zie je hier altijd een agent* at any other time ...; 5 (*overigens, evenwel*) however, for that matter; *'t is ~ geen gek idee* not a bad idea, though; II *bn.* different [in those days it was ...], other [I don't wish him ... than he is], otherwise [it might be ...]; *~ dan zijn vriend* unlike his friend; *de uitwerking kan niet ~ dan demoraliserend zijn* the effect cannot be other than demoralizing; *het is* (*nu eenmaal*) *niet ~* there is no help for it, it cannot be altered; *maar het is nu eenmaal niet ~, ook:* [it's a silly thing to happen,] but there it is; *het is ~* (*de zaak staat ~*) *met ...* it is otherwise with ...; *~denkende* non-Protestant, non-Anglican, non-Catholic; *~n* people (those) of different beliefs (of a different persuasion); *~gezind* dissident, dissentient; *~om* the other way round (*of:* about); *het is juist ~, ook:* it is just the reverse, (*fam.*) the boot is on the other leg; *of net ~*, (*fam.*) [you're a nice young man,] I don't think

andersoortig of a different kind

anderszins otherwise; *zowel door aanhuwelijking als ~* both through marriage and otherwise

anderzijds on the other hand

Andes: *de ~* the Andes, the Cordilleras

andijvie endive

andragogie(k) adult education; **andragologie** science (study) of adult education

Andreas id.; **a~kruis** St. Andrew's Cross

Andries Andrew

anekdote anecdote; *~n omtrent bekend persoon, ook:* ana; **anekdotisch** anecdotal

anemie anaemia; *pernicieuze ~* pernicious a.

anemoon anemone

aneroïde(barometer) aneroid (barometer)

anesthesie anaesthesia

angel (*van bij*) sting; (*van pijl*) barb (*beide ook fig.:* there was a ... in his words); (*vis-*) (fish-) hook; *iem. aan de ~ krijgen* hook a p.

Angelen Angles; *van de ~* Anglian

Angelica Angelica

Angelsaks(er), -saksisch Anglo-Saxon

angelus angelus; *~(klokje)* a.(-bell)

angina (*in keel*) tonsillitis, quinsy; (*in borst*) angina (pectoris)

anglicaan(s) Anglican; **anglicisme** Anglicism

angliseren nick [a horse]

anglist Anglist, Anglicist, English scholar

anglomaan Anglomaniac

anglomanie Anglomania

Angora id.; *a~* (*stof*) angola; **a~kat** A. cat. **a~wol** A. wool

angst terror, fright; (*ziels-*) anguish, agony; *ze zat voortdurend in ~* she was in a perpetual panic; *uit ~ voor* for fear of [the consequences]; *~aanjagend* zie *~wekkend*; *~droom* terrifying dream, night terrors; *~geroep* cries of terror (of distress); *~ig* afraid (*alleen pred.*), frightened; (*sterker*) terrified; (*~ veroorzakend, door ~ gekenmerkt*) anxious [moments], painful [suspense]; ~kreet cry of distress; ~neurose anxiety neurosis

angstvallig (*nauwgezet*) scrupulous, conscientious, painstaking [avoid a p. ...ly]; (*beschroomd*) timid, timorous; *zijn rechten werden ~ beschermd, ook:* were religiously (jealously) guarded; ~heid scrupulousness; timidity

angst(ver)wekkend alarming, terrifying

angstzweet cold perspiration (*of:* sweat)

anijs anise; (*attr. meest*) aniseed; ~olie aniseed oil; ~zaad aniseed

aniline id.

animaal animal

animeren encourage, stimulate, urge (on); *geanimeerd* animated [scene, discussion], spirited [discussion]; *geanimeerde stemming, (vrolijkh.)* high spirits; (*van markt*) brisk demand

animisme animism

animist id.; ~isch animistic, animist

animo gusto, zest, energy, go; *er was niet veel ~, (hand.)* buyers held off, the market was flat; *met ~* with enthusiasm, with gusto

animositeit animosity

anisette id.; Anita id.

anjelier, anjer pink; carnation

anker (*van schip*) anchor; (*van horloge*) lever; (*van muur*) brace, cramp-iron, wall-tie; (*van magneet*) armature, keeper; (*maat*) id. (*in Eng. hist.:* 8½ gallons); '*t ~ laten vallen* (*werpen*) cast (drop); '*t ~ lichten* weigh a.; *hij heeft zijn ~ bij mij neergelegd* he has come to a. in my house, has quartered himself on me; *ten (voor) liggen* (*rijden*) be (lie, ride) at a.; *ten ~ gaan, voor ~ komen* come to (an) a.; *van zijn ~s slaan* break adrift; ~blad fluke; ~boei a.-buoy; ~echappement lever escapement; ~en (cast) anchor, make anchorage; *verboden te ~* no anchorage; ~geld anchorage (dues); ~gerei ground-tackle; ~grond anchorage, holding-ground; ~hand fluke; ~horloge lever watch; ~kabel *zie* meerkabel; ~ketting a.-chain, chain-cable; ~kluis hawse; ~lantaarn, ~licht a.-light, riding-light; ~mast *zie* meermast; ~plaats anchorage (ground); ~stok a.-stock; ~touw cable; ~wacht a.-watch; ~wikkeling armature winding

Anna Anne, Ann, Anna

annalen annals; *in de ~ der misdaad* in the records of crime; ~ annates

annex annex(e); ~ *gelieve te vinden* enclosed please find; *met pakhuis ~* with a warehouse joined on to it; *hij is met die zaak ~* is involved in, connected with ...; *een verkeersweg ~ rijwielpad* with ... (added, attached, adjoining); ~en enclosures

annexatie annexation

annexeren annex; *zie ook* naasten

annexionisme annexation(al)ism

anno id.; in the year; *zie* A.D.

annonce advertisement; (*van overlijden, enz.*) announcement

annonceren announce, advertise

annotatie annotation, note

annoteren annotate

annuïteit annuity

annuleren cancel, annul, withdraw; -ing cancellation, annulment

Annunciatie Annunciation(-day), Lady-day

anode id.; ~batterij high tension (h.t.) battery, plate battery, anode battery

anomaal, -malie anomalous, -ly

anomisch anomic

anoniem anonymous; anonimiteit anonymity

anonymus anonymous writer, nameless person, anonym

anorak id.

anorganisch inorganic [chemistry]

Anselmus Anselm

ansicht(kaart) picture postcard

ansjovis anchovy; ~smeersel a. paste

Ant Ann, Nan; *zie* Antje

antagonisme antagonism

Antarctis, -tisch Antarctic

antecedent (*gramm.*) id.; (*vroeger geval*) precedent; *zijn ~en* his antecedents, his record, his background and experience

antedateren antedate, date back

antediluviaal, -aans antediluvian

antenne aerial, antenna (*mv.:* antennae); (*radar*) scanner

anti anti- [anti-German, anticlimax, etc.]

antibioticum, -tisch antibiotic

antichambre antechamber; -eren be kept waiting, (*fam.*) cool one's heels

antichrist Antichrist, [the] Beast

anticiperen anticipate

anticlimax id.

anticlinaal (*geol.*) anticline

anticonceptie contraception; ~middel contraceptive

antidateren antedate

antiek antique; (*scherts. ook*) ancient [a very ... hat]; (*kunstwerken*) antiques; *de ~en* the classics; ~beurs antique dealers' exhibition

antifoon antiphon; ~boek antiphonary

antigeen antigen

antikritiek anti-critique, reply to critique, retort

Anti-Lawaai Bond Noise Abatement Society

antilichaam antibody

Antillen Antilles; *Grote (Kleine) ~* Greater (Lesser) A.; -(i)aan(s) Antillean

antilope antelope

antimakassar antimacassar

antimonium, -moon antimony

antinomie antinomy

Antiochië Antioch

antipapistisch antipapistical; -isme antipapism

antipassaat anti-trade (wind)

antipathie antipathy [tegen to], dislike [tegen of, to]

antipathiek antipathetic(al), *bw.* -cally

antipode(n) antipode(s)

antiquaar antiquarian bookseller

antiquair antique dealer

antiquariaat antiquarian (second-hand) bookshop

antiquarisch (at) second-hand

antiquiteit (*abstr.*) antiquity; (*voorwerp*) antique; ~en, (*voorwerp*) antiquities, antiques;

(*zeden, enz.*) antiquities; ~**enhandelaar**, (-**winkel**) antique dealer (shop)

antirevolutionair (*algem.*) *bn. & zn.* anti-revolutionary, -revolutionist; (*pol.*) *zn.* Calvinist; *bn.* Calvinist(ic)

antisemiet anti-Semite; **antisemitisch** anti-Semitic; **antisemitisme** anti-Semitism

antiseptisch antiseptic (*bw.* -ally)

antislip non-skid; **antistof** antibody

antithese antithesis, *mv.* antitheses

antitoxine anti-toxin

antivries anti-freeze

Antje Annie, Nancy, Nanny

Anton Anthony, (*fam.*) Tony; **Antonia** id.

Antonius, Antoon *zie* Anton

antoniusvuur St. Anthony's fire

antraciet anthracite

antropo-: ~**logie**, ~**loog** anthropology, -logist; ~**metrie** anthropometry; ~**morfisme** anthropomorphism; ~**sofie**, ~**sofisch** anthroposophy, -sophical

Antwerpen Antwerp; ~**aar** inhabitant (*of:* native) of A.; **Antwerps** Antwerp

antwoord answer [*op* to], reply [*op* to]; (*gevat*) repartee; (*scherp*) retort; (*in kerk, beurtzang*) response; (~ *op een* ~) rejoinder; *dat is geen* ~ *op* ... that does not a. my question; ~ *geven* give an a.; *geen~geven* make (give) no a.; *daar kon hij geen* ~ *op geven, ook:* he had no a. to that; *hij weet zoveel een* ~ *op* he has an a. to everything; *ik kreeg geen* ~ *op mijn brief* I had no a. to my letter; *als enig* ~ ... the only answer (all the answer I had) was ...; ~ *verzocht* an a. will oblige; ~ *met brenger dezes* please send a. by bearer; *in* ~ *op* in a. (reply) to; *op* ~ *wachten* wait (for an) a.; *je moet op* ~ *wachten* there'll be an a.; *op* ~ *behoeft niet gewacht te worden* there is no a. (*of:* reply); *brenger wacht op* ~ bearer waits, answer waiting; ... *gaf hij ten* ~, ... he answered (made a.); *hij kreeg ten* ~ *dat* ... he was told in a. that ...; *uit uw* ~ from your a. [I understand]; *zie* adres, betalen, enz.; ~**apparaat** telephone answering device; ~**coupon** reply coupon; ~**en** answer, reply, rejoin, return; (*scherp*) retort; (*kerk*) respond; (*op toost*) reply, respond; – *op* reply to a. [a letter]; a. to [the name of Boy]; *daarop* ~ *ik dit* my a. to that is this; *daar viel niets op te* – it was unanswerable; *zie ook* ~ geven; ~**enveloppe** (business) reply envelope; ~**kaart** (business) reply-card; ~**nummer** *ongev.* freepost (*zonder nummer*)

anus id.; (*van lagere dieren: vis, enz.*) *ook:* vent

A.N.W.B. Royal Dutch Touring Club; *ongev.* Dutch A.A.

aorta id.; *à* **outrance** to the bitter end

A.O.W. (*pensioen*) O.A.P., old age pension

A.P. 1 *Amsterdams Peil* (*zie* peil); 2 *Anno Passato* in the past year

apache id.; **Apache** id.

apanage ap(p)anage

apart 1 *bn.* separate, apart; distinctive [clothes, flavour]; *een* – *ras* a race apart; *iets* ~*s* [his tact was] a thing by itself; ~*e kanalen,* (*fig.*) exclusive sources [of information]; II *bw.* separately, apart; *iem.* ~ *nemen* take a p. aside; ~ *zetten* set apart; *zie* afzonderlijk; ~**heid** id., racial separateness; ~**je** aside; *een* – *met iemand hebben* have a tête-à-tête with a p.

apathie apathy

apathisch apathetic (*bw.:* -ally)

ape-: ~**broodboom** monkey-bread tree, baobab; ~**gapen:** *op* – *liggen,* (*fam.*) be at the (at one's) last gasp; ~**kool** rubbish, bosh, fiddlesticks; ~**kop** (*fam.*) monkey; ~**kuur** m.-trick; *geen* ~*kuren!* no monkeying!; ~**liefde** unwise parental affection; ~**melk** gin-grog

ap- en dependenties appurtenances

apenkooi monkey-house

Apennijnen Apennines

apenootje pea-nut, monkey-nut

apenspel monkey-show; (*fig.*) m.-tricks, (tom-)foolery, mummery, buffoonery; **apenverdriet** (*boom*) monkey-puzzle

apepak monkey-suit

aperij *zie* apenspel (*fig.*) & naäperij

aperitief appetizer, aperitif

apert patent, manifest

ape: ~**streek** *zie* ~kuur; ~**tronie** monkey-face; ~**trots** inordinately proud; ~**zat** stoned; ~**zuur:** *zich het* – *werken* work like hell

apin she-monkey, she-ape (*zie* aap)

aplomb id., self-possession, assurance

Apocalypse id.; **apocalyptisch** apocalyptic(al)

apocope id.

apocrief apocryphal; ~*e boeken* apocrypha

apodictisch categorical, dogmatic [statement]; (*fil. & logica*) apodictic, -deictic

apog(a)eum apogee

Apollo Apollo

apologeet apologist; -**getiek** apologetics; -**getisch** apologetic, *bw.:* -ally

apologie apology

apostel apostle; (*mar.*) knight-head; *rare* ~ queer fish; (*mar.*) apostle; ~**ambt**, ~**dom**, ~**schap** apostleship, apostolate; ~**lepel** a.-spoon; *met de* ~**paarden** *reizen* ride Shanks's mare (*of:* pony)

apostille apostil, marginal note

apostolaat apostolate; **apostolisch** apostolic; *de A*~*e Stoel* the A. See

apostrof apostrophe

apotheek chemist's (shop), pharmacy; (*leger, vloot, enz., gemeente*~) dispensary

apotheker chemist (and druggist), pharmaceutical (*of:* dispensing) chemist; (*acad. gevormd*) pharmacist; (*leger, enz.*) dispenser; ~**sassistent** chemist's (dispenser's) assistant; ~**sboek** pharmacopoeia; ~**sflesje** dispensing-bottle; ~**sgewicht** apothecaries' weight

apotheose apotheosis

apparaat, apparatuur apparatus, *mv.* pieces of a.; (*fig.*) [international] machinery [for the promotion of ...]

apparatsjik apparatchik

appartement (= *kamer*) apartment; (= *stel kamers*) flat, apartments (*Eng.*); apartment (*Am.*)

1 ap'pel 1 (*beroep*) appeal; ~ *aantekenen, enz., zie*

beroep; 2 (*naamafroeping*) roll-call, call-over; (*mil. ook*) parade [morning …]; ~ *blazen* sound the r.-c.; ~ *houden* call the roll, take the r.-c.; (*school ook*) call the register; *op 't* ~ at r.-c., at call-over; *op 't* ~ *zijn*, (*fig.*) be present; *op 't* ~ *ontbreken* be absent from (absent o.s. from, *fam.*: cut the) r.-c.; *iem. goed onder* ~ *hebben* (*houden*) have a p. well in hand, have a p. under one's thumb; ~ *nominaal* nominal roll

2 appel apple; (*van oog*) apple, ball, pupil; (*van degen*) pommel; *voor een* ~ *en een ei* for a (mere) song (*of*: trifle), for next to nothing, dirt-cheap; *door de zure* ~ *heenbijten* go through with it, swallow the (bitter) pill, grin and bear it; *één rotte* ~ *in de mand maakt al 't gave fruit tot schand* the rotten a. (*of*: tooth) injures its neighbour; one scabby sheep infects (*of*: spoils) the whole flock; *de* ~ *valt niet ver van de stam* as the tree, so the fruit; like sire, like son; he is a chip off the old block; ~**beignet** a.-fritter; ~**bladroller** codling-moth; ~**bloesem** a.-blossom; –*kever* a.-b. weevil; ~**bol** a.-dumpling; ~**boom** a.-tree; ~**boomgaard** a.-orchard; ~**boor** a.-corer; *geen* ~**epap** not just something; ~**flap** a.-turnover; ~**flauwte** fit of hysterics; *een* ~ *krijgen* go (off) into hysterics, sham a faint; ~**grauw** (*schimmel*) dapple-grey

appellant (party) appellant

appelleren appeal (to a higher court), lodge an appeal; ~*de partij* party appellant

appel: ~**moes** apple-sauce; ~**sap** a.-juice; ~**schil** a.-paring, a.-peel; ~**schimmel** dapple-grey (horse); ~**stroop** kind of treacle made from apples; ~**taart** a.-tart; ~**tje** (little) a.; – *voor de dorst*, (*fig.*) nest-egg; *een* – *voor de dorst bewaren* provide against a rainy day; *een* – *met iem. te schillen hebben* have a bone to pick with a p.; ~**vink** hawfinch; ~**wijn** cider

appendicitis id.; **appendix** id.

apperceptie apperception

appetijt appetite; ~**elijk** appetizing; *er – uit zien* look attractive

applaudisseren applaud, cheer, clap [an actor, etc.]

applaus applause, plaudits; *iem. met veel* ~ *ontvangen*, (*fam.*) give a p. a big hand

appoint (*hand.*) Bill of Exchange, bill

apport (*spiritisme*) id.; **apporte!** fetch it!

apporteren fetch and carry (*ook fig.*), retrieve

apporteur retriever

appreciatie appreciation

appreciëren appreciate, value, prize

appreteren finish, dress, size

appret(uur) finish(ing), dressing, sizing

approvianderen provision; –*ing* … ing

april April; *1* ~ *!* A. fool!; *eerste* ~ first of A., All Fools' Day; *iem. op de 1e* ~ *voor de gek h.* make an A.-fool of a p.; ~**gek** A.-fool; ~**grap** (first of) A.-hoax, -trick, -joke

apropos I *bw. & bn.* id., to the point; II *tw.* by the bye, by the way; III *zn.: om weer op ons* ~ *te komen* to return to our subject; *hij bracht me van m'n* ~ he put me out, he made me forget what I was going to say

apsis apse, apsis

Apulië Apulia; ~**r, Apulisch** Apulian

aqua: ~**duct** aqueduct; ~**long** aqualung; ~**marijn** aquamarine; ~**naut** id.; ~**rel** water-colour, aquarelle; –*leren* paint in w.-colours; –*list* w.-colourist; ~**rium** id.; –*bezitter* aquarist; ~**tinta** aquatint

ar 1 (horse-)sleigh, (horse-)sledge; 2 *in* ~*ren moede* in anger, in high dudgeon; *at one's wit's end*

Arabella Arabelle, (*fam.*) Bell(a)

arabesk arabesque

Arabië Arabia; **Arabier** Arab (*ook paard*)

Arabisch I *bn.* Arab(ian); (*vooral van taal en cijfers*) Arabic; ~*e gom* gum arabic; II *zn.* Arabic

arachide-olie ground-nut oil

arak (ar)rack; **Arameës** Aramaic

arbeid labour, work, (*zware*) toil; (*nat.*) work; *aan de* ~ *zijn* be at work; *aan de* ~ *gaan* set to work; *Partij van de A*~ Labour Party; ~**besparend** l.-saving; ~**en** labour, work; (*zwoegen*) toil; *zij – niet en spinnen niet* (*Matth. 6 : 28*) they toil not, neither do they spin

arbeider workman, working man, (farm-, factory-)hand; (*ongeschoold*) labourer; (*meer algem.*) worker; *de* ~ *is zijn loon waard* the l. is worthy of his hire; ~**sbeweging** labour movement; ~**sgezin (-huisje, -mensen)** working-class family (cottage, people); ~**sklasse** working-class(es); ~**spartij** Labour Party; ~**sregering** Labour government; ~**sstand** zie ~sklasse; ~**stekort** labour shortage; ~**sverzekeringswet** workmen's compensation act, national insurance act; ~**swoning** working-class house

arbeidsbesparend labour-saving [device]; ~*e levensmiddelen* convenience foods

arbeidsbureau employment bureau, labour exchange; *Internationaal A*~ International Labour Office

arbeids- labour: ~**conflict** zie ~geschil; ~**contract** l.-contract; ~**dienst** l.service; ~**dwang** l. conscription, forced l.; ~**geschil** l.- (*of*: industrial) dispute; ~**intensief** l.-intensive; ~**inzet** conscription of l.; ~**kosten** cost of labour; ~**krachten** labour (force), manpower; ~**lieden** working-people, labouring-classes, workmen; ~**loon** wages; (*als post op rekening*) labour; ~**man** workman, working-man, labourer; ~**markt** l.-market; ~**moeilijkheden** l.-troubles; ~**ongeschiktheid** industrial disability; –*verzekering* disability insurance; ~**overeenkomst** zie collectief; ~**prestatie** output; working efficiency; ~**schuw(heid)** work-shy(ness)

arbeidster working-woman, woman worker

arbeids- labour: ~**therapie** occupational therapy; ~**toestanden** l. conditions; ~**veld** sphere of action, field of activity; ~**verdeling** division of l.; ~**verloop** l. turnover; ~**vermogen** energy, working-power; *leer van 't* – energetics; – *van beweging* motive (kinetic, actual) e.; – *van plaats* potential (static, latent) e.; ~**verzuim** absenteeism; ~**voorwaarden** conditions of employment (work), working conditions; ~**wet** l.-

act; (*in Eng.*) Factories Act; ~**wetgeving** l.-legislation
arbeidzaam laborious, industrious, diligent; ~**heid** laboriousness, industry
arbiter arbitrator, arbiter; (*sp.*) referee
arbitraal arbitral
arbitrage arbitration; (*wissel-*) arbitration (of exchange); (*Beurs*) arbitrage; *aan ~ onderwerpen* refer to a.; ~**ant** arbitrager; ~**verdrag** treaty of a.
arbitrair arbitrary
arbitreren arbitrate [a dispute, in a dispute]
arboretum id.; **arcade** id.
Arcadië Arcadia; ~**r, arcadisch** ... n
arceren shade, hatch; -**ing** shading, etc.
archaïsme archaism; **archaïstisch** archaic (*bw.:* -ally), archaistic (*bw.:* -ally)
archeïsch (*geol.*) archaean
archeologie archaeology; -**logisch** archaeologic(al); -**loog** archaeologist
archetype, -isch achetype, -al
archief archive(s), records, files; (*gebouw*) record-office; ~**kast** filing-cabinet; ~**zaken** filing
archipel archipelago
architect id.; ~**onisch** architectonic (*bw.:* -ally); ~**uur** architecture
architraaf architrave
archivalia records
archivaris keeper of the records (archives), archivist
archont archon
arctis arctic; **arctisch** arctic
Ardennen: *de ~* the Ardennes
arduin(en) freestone
are are (119.6 square yards)
areaal area, acreage; *zie* fruit~
areka(palm) areca(-palm)
arena id.; (*van stieregevecht ook*) (bull)-ring; (*van circus*) (sawdust) ring
arend eagle; *jonge ~* eaglet
arends: (*met*) ~**blik** eagle-eye(d); ~**jong** eaglet; ~**klauw** e.'s talon (*of:* claw); ~**nest** e.'s nest, aerie, eery, eyrie, eyry; ~**neus** aquiline nose; ~**oog** e.'s eye; *met ~ogen* e.-eyed, e.-sighted, [he followed its progress] with eagle eyes
argeloos artless, harmless, guileless, inoffensive; (*geen kwaad vermoedend*) unsuspecting; ~**heid** ...ness
Argentijn(s) Argentine, Argentinian
Argentinië the Argentine, Argentina
arglist craft(iness), guile, cunning; ~**ig** crafty, cunning, guileful; ~**igheid** *zie ~*
argon id.
Argonauten Argonauts
argonlamp gas-filled lamp (*of:* bulb)
argot id., (thieves') slang, cant
argument id., plea; *goede ~en aanvoeren voor* make out a good case for; ~**atie** argumentation; ~**eren** *intr.* argue; *tr.* adduce arguments in support of; (*goed*) *geargumenteerd* (well-)reasoned
Argus id.; **a~fazant** A.-pheasant; **a~oog** A.-eye; *met a~ogen* A.-eyed; **a~vlinder** A.-butterfly
argwaan suspicion, mistrust; *~ hebben* (*koeste-*

ren) *tegen* have (harbour) a s. against, be suspicious of; *~ krijgen* (*opvatten*) become suspicious [*tegen* of]; *~ wekken* raise (rouse) s.
argwanen suspect; ~**d** suspicious, distrustful; ~ *kijken naar* look askance at
aria air, tune, song, aria
Ariaan(s) Arian; **Arianisme** Arianism
Ariadne: *draad van ~* Ariadne's clue
Ariër, Arisch Aryan; *~ maken* aryanize
aristo: ~**craat** aristocrat; ~**cratie** aristocracy, upper classes; ~**cratisch** aristocratic(al), *bw.:* -ally
Aristoteles Aristotle
ark ark; *~e Noachs* Noah's ark; *~e des Verbonds* Ark of the Covenant; *zie* woonark
1 arm *zn.* arm (*ook van stoel, zee, hefboom; ook:* the strong a. of the law), branch (*van rivier, kandelaar, gaskroon*), [gas-]bracket; *wereldlijke ~* secular a.; *lange ~en* (*veel invloed*) *hebben* have a long a.; *iem. de ~ geven* give (offer) a p. one's a.; *iems. ~ nemen* take a p.'s a. (*ook:* she hooked her a. into his); *een dame* (*een mandje*) *aan de ~ hebben* have a lady (a basket) on one's a. [the bride arrived on the a. of her father]; *~ in ~* a. in a., (with their) arms linked; *iem. in de ~ nemen* secure a p.'s support, consult a p.; *een opleider in de ~ nemen* put oneself into the hands of a coach; *iem. in de ~en vliegen* fly (rush) (in)to a p.'s arms; *zich in iems. ~en werpen* throw (fling) o.s. into a p.'s arms; *met de ~en over elkaar* with folded arms; *met open ~en ontvangen* receive (welcome) with open arms; *met ... onder de ~* (with) a book under one's a.; *met een kind op de ~* with a child on one's arm
2 arm *bn.* poor; (*behoeftig ook*) penniless, needy, indigent; *~ kind!* p. child!; *~e stakker!* p. thing!; *~e kerel* (*die je bent*)! p. you!; *zo ~ als Job* (*als de mieren*) as p. as Job (as a church-mouse); *~ aan* p. in; (*van bodem, enz. ook*) deficient in [lime, nitrogen, etc.]; *~ maken* beggar; *~e* p. man (woman), (*vooral bedeelde*) pauper; *de ~en* the p.; *de ~ van geest* the p. in spirit; *~ en rijk* rich and p.; *van de ~en begraven worden* be buried by the parish, have a pauper's burial; *van de ~en trekken* be on the parish, receive poor relief
armada id.; **armadil** armadillo
armatuur armature
arm: ~**band** bracelet, (*uit één stuk*) (arm) bangle; (*meer algem., ook als onderscheidingsteken*) armlet, [Geneva] brassard; ~**bandhorloge** wrist watch, bracelet watch; ~**bestuur** public assistance committee; (*hist.*) board of guardians; (*abstr.*) poor-law administration; ~**bestuurder** *zie* ~meester; ~**bezoek** visitation of the poor; (*in achterbuurten, fam.*) slumming
armblaker sconce
armborst arbalest, cross-bow
armbus poor-box
armee army; ~**korps** army corps
armelijk poor, needy, shabby
armelui poor people; ~**skind** poor man's child
armen: ~**belasting** poor-rate; ~**buurt** poor

quarter (*of:* neighbourhood); ~**fonds** poor relief fund; ~**geld** poor-rate; ~**graf** pauper's grave; ~**huis** *zie* armhuis

Armenië Armenia

Armeniër, Armenisch Armenian

armen: ~**kas** poor relief fund; ~**school** charity-scnool; ~**wet(geving)** poor-law (legislation); ~**zakje** charity bag, almsbag; ~**zorg** (system of) poor relief

armetierig miserable, stunted; shabby

armezondaars: ~**bankje** *zie* zondaars ...; ~**gezicht** hang-dog look

armhuis workhouse, poorhouse, Public Assistance Institution; '*t* ~, (*fam.*) the Institution; ~**jongen** charity-boy

Arminiaan(s) Arminian

armlastig chargeable to the parish; ~ *zijn, ook:* be in receipt of poor relief; ~ *worden* come upon the parish, come (go, become a charge) on the rates; ~**e** pauper; ~**heid** pauperism

armlegger, ~leuning arm, elbow-rest

armmeester relieving-officer; (*hist.*) overseer of the poor; (*tot 1930*) parish guardian

armoede poverty [*aan metalen* in metals], penury, indigence; (*schaarste*) paucity [*aan ideeën* of ideas]; ~ *is geen schande* p. is no crime (no disgrace); ~ *zoekt list* p. sharpens the wits, a hungry belly knows no law; *zijn geld in* ~ *verteren* get a poor return for one's money; *tot* ~ (*vervallen*) be reduced to p.; *uit* ~ from p.; (*fig.*) for want of anything better to do; *zie* nijpen *en* troef

armoedig poor, needy, shabby, poverty-stricken, penurious [his ... manner of living]; '*t staat* ~ it looks shabby; ~ *boeltje* shabby affair (place); *in* ~*e omstandigheden* in p. circumstances; '*t* ~ *hebben* be hard up; *zie ook* armzalig; ~**heid** poorness, penury, poverty

armoedje: *mijn* ~ my little all; **armoedzaaier** starveling, (*sl.*) down-and-out(er); *hij is een* ~, *ook:* he has not a penny to his name

arm: ~**plaat** arm-piece; ~**sgat** arm-hole; ~**slag** elbow-room (*ook fig.*); (*op*) ~**slengte** (at) arm's length; ~**steun** arm-rest; ~**stoel** arm-, elbow-chair

arm: ~**verzorger** *zie* armmeester; ~**verzorging** *zie* armenzorg

armvol armful

arm: ~**voogd** *zie* armmeester; ~**voogdij** *zie* ~**bestuur**; ~**wezen** *a*) pauperism; *b*) (*armenzorg*) poor relief

armzalig poor [excuse, creature, make a ... figure], sorry [he cut a ... figure], miserable, pitiful, pitiable; beggarly, paltry [a ... £50]; measly [a ... little fellow]; *een* ~ *zootje* a poor lot; ~**heid** miserableness, etc.

Arnold(us) Arnold

aroma id., flavour; ~**tisch** aromatic

aronskelk arum; *witte* ~ arum-lily; *gevlekte* ~ cuckoo-pint, wake-robin, lords and ladies

Arragon id.; ~**iër**, ~**s** Arragonian

arrangement id., orchestration, scoring

arrangeren arrange (*ook muz.*); get up [a party, a bazaar]; *voor orkest* ~, *ook:* orchestrate, score

1 arren: *in* ~ *moede, zie* ar 2

2 arren sleigh; **arreslede** *zie* ar 1

arrest 1 (*aanhouding*) arrest, custody, detention; *gewoon* (*streng*) ~, (*mil.*) open (close) a.; *in* ~ under a., in custody; *in* ~ *nemen* take into custody, arrest; *in* ~ *stellen* place (put) under a. (under detention); *zich in* ~ *geven* give o.s. up; 2 (*beslag*) attachment, seizure; 3 (*vonnis*) judgment, decision, decree; ~ *wijzen* pronounce j.; ~**ant** prisoner, arrested person; *zie* gevangene; ~**antenhok** police-cell; ~**antenlokaal** detention-room, lock-up; (*mil. ook*) guard-room; ~**antenwagen** Black Maria; ~**atie** arrest, apprehension; ~**eren** 1 arrest, take into custody; *laten* – give in charge; 2 (*notulen*) confirm [the minutes]

arriveren arrive (*ook fig.:* ... d artists)

arrivist (social) climber, careerist

arrogant arrogant, presumptuous; ~**ie** arrogance, presumption

arrondissement district; ~**srechtbank** *ongev.:* county-court (*in Eng. alleen voor civiele zaken*); (*Am.*) district-court

arrowroot id.

arsenaal arsenal, armoury; (*mar.*) dockyard

arsenicum arsenic; ~**houdend** arsenical; ~**vergiftiging** arsenical poisoning

artesisch: ~*e put* Artesian well (*of:* bore)

Arthur id.; ~**romans** Arthurian romances

articulatie articulation; ~**eren** articulate

artiest artiste, variety artist; ~**enkamer** green-room; ~**enuitgang** stage-door

artikel article; (*in tijdschrift ook:*) paper; (*van wet, enz.*) article, section, clause; (*koopwaar*) article, commodity, line, [a new ...]; ~*en des geloofs* articles of religion; *de 12* ~*en des geloofs* the Apostles' Creed; ~**sgewijs** *behandelen* discuss [a bill] a. by a. (clause by clause)

artillerie artillery; (*geschut ook*) ordnance; ~**inrichting** *zie* ~werkplaats; ~**park** a.-park; ~**schietplaats** a.-range; ~**school** gunnery-school; ~**vuur** a.-, gun-fire; ~**werkplaats** ordnance-workshop; ~**wetenschap** gunnery

artillerist artilleryman, id., gunner

Artis (*Amsterdam*) the Zoo

artisjok artichoke

artisticiteit artistry

artistiek artistic (*bw.:* -ally); (*overdreven*) chichi; ~**erig** arty

arts doctor, surgeon, medical man (*of:* practitioner), general practitioner, physician; ~**enbezoeker** medical representative; ~**examen** medical qualifying examination

artsenij medicine, medicament, (*fam.*) physic; ~**bereidkunde** pharmaceutics, pharmacy; ~**kruid** medicinal herb, simple; ~**kunde** pharmacology; ~**kundige** pharmacologist; ~**leer** *zie* ~kunde

Aruba id.; ~**an(s)** Aruban

a.s. = *aanstaande*, (*in datum*) next

1 as (*van wagen*) axle(-tree); (*van planeet, bloeiwijze, wisk., enz.*) axis, *mv.* axes (*ook fig.:* the Rome-Berlin axis); (*spil*) spindle; (*drijfas*) shaft; *vervoer per* ~ road transport; *verkeer*

per ~ wheeled traffic; *per* ~ *verzenden* convey by road
2 as (*muz.*) A flat
3 as (*algem.*) ashes (*soms:* ash); cinders; (*van sigaar*) ash(es); (*gloeiende* ~) embers; (*stoffelijk overschot*) ashes; (*attr.*) ash-; ~ *is verbrande turf* if ifs and ans were pots and pans (there'd be no need for tinkers); *in de* ~ *leggen* lay in ashes, reduce to ashes; *uit zijn* ~ *verrijzen* rise from one's ashes; *zijn asse ruste in vrede* peace (be) to his ashes; ~**achtig** ashy, ash-like; ~**bak** ash-pan; ~**bakje** ash-tray; ~**belt** ash-hole, -pit, refuse-tip, -dump, -heap
asbest asbestos
as: ~**blond** ash-blond; ~**bus** *zie* ~urn
asceet ascetic; **ascese** asceticism
ascetisch ascetic (*bw.*: -ally)
ascetisme asceticism
Asdag Ash Wednesday
asem 1 *zie* adem; *geen* ~ *geven op* ignore [a question, etc.]; 2 (*Ind.*) tamarind
asemmer ash-bucket, (*Am.*) ash-can
Asen Aesir
aseptisch aseptic (*bw.*: -ally)
asfalt asphalt; ~**bekleding** (*van vloer*) a.-carpeting; ~**bestrating** a.-paving, -pavement; ~**beton** rolled a., (*Am.*) asphaltic concrete; ~**eerder** asphalter; ~**eren** asphalt; ~**ering** asphalting; ~**mastiek** mastic a.; ~**pad** a.(-covered) path
asfyxiatiekamer lethal chamber
Asgard id.
as: ~**gat** dust-hole, ash-hole; ~**grauw** ash-, ashy(-pale), ash-coloured; – *licht* (*van maan*), *zie* aardschijn; ~**hoop** ash-heap
asiel asylum; (*voor daklozen, enz.*) casual (*of:* vagrant) ward, (*van Heilsleger, enz.*) shelter [for the homeless]; (*voor dieren*) hostel [for cats], dogs' home, home for lost animals; ~**recht** right of a. (*of:* sanctuary)
asjeblieft *zie* believen
asjemenou (*fam.*) well I never
as: ~**kar** dust-cart; ~**kleur** ash-colour; ~**kleurig** *zie* ~grauw; ~**kruik** *zie* ~urn; *een* ~**kruisje** *gaan halen*, (*r.-k.*) go and get ashes; ~**kuil** *zie* ~gat; ~**la(de)** ash-pan; ~**man** dustman
Asmodee, -deus Asmodeus
asmogendheid Axis Power
asociaal antisocial, disorderly [people]; *kinderen uit asociale gezinnen* maladjusted children
asoverbrenging shafting
aspect id.
asperge (stick of) asparagus; ~*s verbouwen* grow a.; ~*s*, (*mil.*) dragons' teeth; ~**bed** a.-bed; ~**kop**, ~**punt** a.-tip
aspic id.
aspidistra id.
aspirant candidate, applicant, aspirant; ~**inspecteur** junior inspector on probation; ~**koper** prospective buyer; ~~**lid** applicant for membership
aspiratie aspiration; *hoge* ~*s hebben* fly high
aspireren aspirate [a consonant]; ~ *naar* aspire to (*of:* after)
aspirientje, aspirine aspirin [take an ...]

aspis(slang) asp, (*dicht.*) aspic
aspunt pole; **asregen** rain of ashes
assagaai *zie* assegaai
assaineren sanify, improve the sanitation of [a town]; **-ering** sanitation
assaut: *militair* ~ assault of (*of:* at) arms, military tournament
assegaai assagai, assegai
assembleren assemble [parts of a machine]
Assepoester Cinderella; (*fig. ook*) household drudge, drudge (of the house)
assessor id.; (*exam.*) assistant examiner
assignaat assignat
assignatie (*bank*~) bank post bill
assimilatie assimilation
assimileren assimilate [*aan* to, with]
assistent(e) assistant; (*van hoogleraar*) *ook:* demonstrator [*in de* ... of, in, botany]; ~ *bij* ... a. to [Prof. A.]; ~ *bij het Engels* ... in the Department of English; ~~**arts** (*ongev.*) senior house officer, (*gevorderd*) registrar; ~**ie** assistance, help; *iem. ter* – *der huisvrouw* mother's help, lady-help; ~~**resident** a.-resident; (*Br. I.*) deputy-commissioner
assisteren assist
associatie association; (*hand.*) partnership; **associé** partner; **associëren:** *zich* ~ enter into partnership [*met* with]
assonantie assonance
assoneren assonate; ~**d** assonant
assorteren assort; *zie* sorteren
assortiment assortment
assumeren co-opt [new members]
assum(p)tie *a*) co-optation [chosen by ...]; *b*) *A*~, (*Maria-Hemelvaart*) Assumption
assuradeur insurer; (*zee-ass.*) underwriter
assurantie insurance, assurance; *zie* verzekering; ~**bemiddeling** i. brokerage; ~**bezorger** i. broker; ~**certificaat** certificate of i.; ~**fonds** i. fund; ~**makelaar** i. broker; ~**penningen** i. money; ~**rekening** i. account; *voor verdere sam. zie* verzekering
assureren *zie* verzekeren
Assyrië Assyria; ~**r, Assyrisch** Assyrian
assyriologie, -loog Assyriology, -logist
astatisch astatic; ~*e naald* a. needle
aster aster; ~**oïde** asteroid
astma asthma; ~**lijder, ~ticus, ~tisch** asthmatic
astraal astral [body]
astrakan astrakhan
astrant (*fam.*) cool, cheeky, pert, perky; ~**heid** coolness, pertness, cheek(iness), nerve
astro: ~**fysica** astrophysics; ~**labium** astrolabe; ~**logie** astrology; ~**logisch** astrological; ~**loog** astrologer; ~**naut** id.; ~**nomie** astronomy; ~~**nomisch** astronomic(al); *ook fig.*: -ic(al) figures *getallen;* ~**noom** astronomer
Asturië Asturias; ~**r, Asturisch** Asturian
as: ~**urn** cinerary urn; ~**vaalt** *zie* ~belt; ~**vat** dustbin
asverkeer wheeled traffic
aswenteling rotation
Aswoensdag Ash Wednesday
asymmetrisch asymmetrical

asymptoot, -totisch asymptote, -totical(ly)
aszeet cinder-sifter
at *o.v.t. van* eten
ataraxie ataraxia
atavisme atavism, reversion (to type), throwback
ataxie ataxy
atelier workshop; (*van schilder, enz.*) studio; ~camera studio camera
aterling miscreant
Atheens Athenian
atheïsme atheism
atheïst atheist; ~isch atheistic (*bw.:* -ally)
Athene (*stad*) Athens; (*godin*) Athena, Athene; ~r Athenian
atheneum (*ongev.*) secondary modern school
atjar (*Ind.*) pickles
Atjeeër Achinese; **Atjees** Achinese
Atjeh Achin, Acheen, Atjeh
atlanten atlantes
Atlantisch Atlantic; ~e Oceaan A. (Ocean); (*scherts.*) herring-pond; ~ Pact A. Pact
atlas id.; (*stof*) satin; A~ id.; *de A~* the A. (Mountains); ~vlinder a.-moth
atleet athlete; **atletiek** athletics, athleticism; **atletisch** athletic (*bw.:* -ally)
atmosfeer atmosphere (*ook fig.: een ~ scheppen* create an a.)
atmosferisch atmospheric(al); ~e storingen, zie luchtstoringen
atol atoll
atomair atomic
atomisch atomic; **atomisme** atomism
atomist id.
atonaal atonal
atoom atom; ~bom atomic bomb, atom b., A-bomb; ~brandstof atomic fuel; ~duikboot nuclear submarine; ~energie atomic energy; ~geleerde atomic scientist; ~gewicht atomic weight; ~kern atomic nucleus; –reactor nuclear pile; ~kop nuclear warhead; ~kracht nuclear power; ~oorlog atomic war, nuclear warfare; ~splitsing nuclear fission; ~theorie atomic theory; ~vrij nuclear-free [zone]; ~wapens atomic (nuclear) weapons; ~zuil atomic pile; ~zwaard nuclear arms (forces)
à tort et à travers [talk] at random, without rhyme or reason
Atrecht Arras
atrofie atrophy; **atropine** id.
atsjie (*niesgeluid*) atishoo, tishoo!
attaché id.
attaque attack (*ook van ziekte*); (*beroerte*) stroke; seizure; **attaqueren** attack
attenderen: ~ op call attention to, bring to [a p.'s] notice
attent attentive, (*voor anderen ook*) considerate [to ...], thoughtful [of, for, others]; *iem. ~ maken op* draw a p.'s attention to; ~ie attention (*in beide bet.*), consideration, considerateness, thoughtfulness; *ter – van* (for the) attention of; ~s attentions, assiduities; ~iesein disturbance signal; – *neer!* lower signal!
attest certificate [medical ...], testimonial; ~atie

certificate, attestation; (*kerkelijk*) letter of transfer [van from, naar to]; – de vita life c.; ~eren attest, certify
Attica Attica; **Attisch** Attic [salt, wit]
attractie attraction, draw, amenity
attraperen catch [op at]; *zie* betrappen
attributief attributive; **attribuut** attribute; *de attributen van de Kroon* the regalia
atypisch atypical
au! ow! ouch!
a.u.b. (if you) please
aubade id.; *'n ~ brengen* sing an a. to
auctie auction, public sale; *zie* veiling
auctionaris auctioneer
aucuba id.
audiëntie audience; ~ aanvragen bij, om ~ verzoeken ask an a. (seek a.) of; ~ geven (verlenen), in ~ ontvangen give (an) a. (to), receive in a.; op ~ gaan bij have (an) a. (of an a. with); ~zaal presence-chamber, audience-chamber, -hall
audiologie audiology
audiovisueel audio-visual
auditeur auditor; ~-militair judge-advocate
auditie audition, voice test
auditorium (*gehoor*) audience, auditory; (*gehoorzaal*) auditory, auditorium
auerhaan, -hoen capercailye, -caillie, -cailzie, woodgrouse; (*haan ook*) cock of the wood
aueros aurochs
Augias Augeas; *de ~stal reinigen* cleanse the Augean stables
Augsburg(s) Augsburg; ~se Confessie Augsburg Confession
augur id.; **augurk** gherkin
August id., (*fam.*) Gus; ~a id.; (*fam.*) Gussie; ~ijn Augustine; (*lid van orde*) Augustine, Austin friar; ~inus (St.) Augustine
augustus (*maand*) August
Augustus (*persoon*) id.
aula great (big) hall, auditorium; (*Oxford*) theatre
au pair id., on mutual terms
Aurelianus Aurelian
aureool aureole, halo, nimbus
aurikel (*plant*) bear's ear, dusty miller, auricula
Aurora id.
auscultatie auscultation; -eren auscultate
auspiciën auspices [under the ... of]
ausputzer (*sp.*) sweeper
austraallicht aurora australis
Australië Australasia; (*Nieuw-Holl.*) Australia; ~r, Australisch Australasian; (*Nieuw-Holl.*) Australian
autarchie autarchy, despotism
autarkie autarky, economic self-sufficiency
autarkisch autarkic, self-sufficient
auteur author; ~schap authorship; ~srecht copyright; ~swet copyright act
authenticiteit authenticity
authentiek authentic (*bw.:* ~ally), authenticated, certified [copy]
autisme, -tisch autism, -tic
auto (motor-)car, motor; (*Am.*) auto(mobile);

autoband -   62

met de ~ *gaan naar* ... drive, motor (out, over) to ...; ~**band** motor-tire, -tyre
autobiografie autobiography
auto: ~**botsing** car crash; ~**box** garage; ~**bril** motor-goggles; ~**bus** (motor-)bus, coach (*lange afstand*); ~**car** motor coach
autochtoon *zn.* autochthon; *bn.* autochthonous
autoclaaf autoclave
autocoureur racing driver (*of:* motorist)
autocraat autocrat; ~**je** autocrat in a small way, Jack-in-office
autocratisch autocratic (*bw.:* -ally)
auto-da-fé id.
autodidact self-taught man (woman); (*ongebr.*) autodidact; *ook:* he was entirely self-taught; ~**isch** self-taught
auto: ~**fabriek** motor-works, car-factory; ~**garage** garage
autogeen autogenous
autogiro(vliegtuig) autogiro, autogyro
autogordel seat belt
autograaf (*manuscript, enz.*) autograph, holograph; ~**grafie** (*soort druk*) autography; ~**grafisch** autographic (*bw.:* -ally); ~**gram** autograph
auto: ~~**industrie** motor-industry; ~**kaart** motoring map; ~**kerkhof** car graveyard, (old) car dump; ~**ladder** (*brandweer*) water-tower
automaat automaton (*ook pers.*), robot, vending-machine, (penny-in-the-)slot machine, (*met voedsel*) food-machine; vender (-or); (*in station*) ticket-(issuing) machine; *zie ook* automatiek; **automatie** automation; **automatiek** auto-buffet; automat; **automatisch** automatic; *bw.:* -ally; **automatiseren** automatize; (*niet*) *geautomatiseerd net,* (*telec.*) (non-) STD exchange; **autom(atis)ering** automation
automobiel motor-car; (*inz. Am.*) automobile; -**bilisme** motoring, automobilism; -**bilist** motorist, (*ongebr.*) id.
automonteur motor mechanic
autonomie autonomy
autonomistisch autonomist [movement]
autonoom autonomous; ~ *tarief* a. tariff
auto-ongeluk motor accident, (*ernstig*) car crash (smash)
autopark fleet of cars; (*landelijk*) car population
autoped scooter; **autoplaid** car blanket; **autopont** car ferry
autopsie autopsy
autorail motorail [terminal]
autorijles driving lesson; **autorijschool** school of motoring
autorisatie authorization; **autoriseren** authorize, empower
autoritair authoritarian [state, etc.]; high-handed; *met een* ~ *air* with an authoritative air; **autoriteit** authority [*op 't gebied van 't Grieks* on Greek]
autoslaaptrein car sleeper (express), Motorail
autosloperij breaker's yard; **autosnelweg** motorway, (*Am., en Eng. in stadsgebied*) expressway
autosuggestie auto-, self-suggestion

autotocht motor(ing) tour; **autotoeter** motorhorn; **autotransport** motor transport, road t.
autotype, autotypie autotype
auto: ~**val** speed-, police-, road-trap; ~**veer** car ferry; ~**verhuur(bedrijf)** car hire (car rental) (firm, people, service); ~**verkeer** motor traffic; ~**weg** motor-road, motorway; *zie* autosnelweg; ~**wrak** car wreck
aval guarantee; *voor* ~ *tekenen* = ~**eren** guarantee [a bill]; ~**ist** guarantor
avance advance; ~*s maken* make advances (overtures) [to a p.]; **avancement** promotion, advancement; **avanceren** (*vooruitgaan, -komen*) advance, proceed, go ahead; (*opschieten*) hurry up; (*bevorderd worden*) be promoted, rise; **avans** *zie* avance
avant-garde, -istisch avant-garde
avant-scène proscenium; (*loge*) stage-box
avegaar auger
Ave-Maria Ave Maria
Aventijns(e heuvel) (Mount) Aventine
averechts I *bw.* (in) the wrong way, wrongly, backwards, preposterously; ~ *uitleggen* (*opnemen*) misconstrue; ~ *breien* purl; II *bn.* inverted, wrong; preposterous [ideas], perverse [judgment]; ~*e steek* inverted stitch, purl; *een* ~*e uitwerking h.* be counterproductive, (*fam.*) backfire; *de* ~*e zijde* the reverse, the wrong side
averij (*geldelijk*) average; (*toegebrachte schade*) damage; ~*-grosse* general a.; ~*-particulier* particular a.; ~**regeling** a. adjustment; ~**zaak** a. claim
aversie aversion
aviateur airman, aviator, flier, flyer
aviatiek aviation; **aviatrice** woman pilot, aviatress, aviatrix, airwoman
aviso aviso, advice-boat
avitaminose deficiency disease
avond evening, night; (*dicht.*) even; (*vero.*) eve; *de* ~ *voor de slag* (*'t feest, enz.*) the eve of the battle (the festival, etc.); *goeden* ~, (*bij komst*) good e.! (*bij heengaan*) good night!; ~ *des levens, zie* levens-; *elke* ~, *ook:* nightly; *'s* ~*s in* the e., at night, (*Am.*) nights; *'s* ~*s studeren* study at night; *hij placht 's* ~*s dikwijls aan te lopen* he would often drop in of an e.; *de* ~ *te voren* the e. before, overnight; *tegen de* ~ towards e.; *van* ~ this e., to-night; *'t wordt* ~ e. (night) is falling; ~**bezoek** e.-visit; e.-call; ~**blad** e.-paper; ~**cursus** e.-course; ~**dienst** e.-service, (*Eng. Kerk ook*) e.-prayer, evensong; *in de* ~ at e.-service, etc.; ~**eten** supper, e.-meal; ~**gebed** e.-prayer; ~**japon** e.-dress, -gown; ~**je** (*gezellig* ~) e.-party, social evening, (*fam.*) social; ~**kerk** *zie* ~**dienst**; ~**kleding** evening wear; ~**klok** curfew, e.-bell; ~**koelte** [in the] cool of e.; ~**koeltje** e.-breeze; ~**land** Occident; ~**lied** e.-song; ~**lucht** e.-air
avondmaal supper, evening-meal; *'t Heilig A*~ the Lord's S., the Communion, Holy Communion; *'t Laatste A*~ the Last S.; *aan het* ~ *gaan* communicate, partake of the Lord's S. (of Holy Communion)
Avondmaals: ~**beker** Communion-cup, chalice;

~**dienst** Communion-service; ~**ganger** communicant; ~**schotel** paten, Communion bread-plate; ~**tafel** Communion-table, the Lord's Table; ~**wijn** Sacramental (Communion) wine
avond: ~**rood** afterglow, e.-glow, sunset glow, sunset sky; ~**schemering** e.-twilight; ~**school** [go to] night-school, e.-school, e.-classes; ~**ster** e.-star; ~**stond** e.(-hour); ~**studie** (*op school*) (e.-) prep. (= preparation); ~**toilet** (*man en vrouw*) e.-dress, (*alleen man*) dress-clothes; ~**vlinder** moth; ~**voorstelling** e. performance; ~**wind** e.-breeze
avonturen risk, venture, hazard
avonturier adventurer; ~**ster** adventuress
avontuur adventure; *op* ~ *uitgaan* go in search of adventures; *op* ~ *varen*(*de boot*) tramp; *zijn* ~ *beproeven* try one's luck; ~**lijk** adventurous; romantic [story]
axioma axiom; ~**tisch** axiomatic
azalea azalea
azen: ~ *op*, (*leven van*) feed (*of:* prey) on; (*loeren op, begeren*) covet, lie in wait for
Aziaat Asian; **Aziatisch** Asian [flu], Asiatic
Azië Asia
azijn vinegar; ~**aaltje** v.-eel; ~**achtig** acetous, vinegarish; ~**moer** mother of v.; ~**zuur** *bn.* as sour as v., acetose; *zn.* acetic acid; ~**zuurzout** acetate
azimut azimuth
azoïsch azoic
Azoren, Azorische Eilanden Azores
Azteek Aztec
azuren, azuur azure, sky-blue
azuursteen lapis lazuli, lazulite, azure

B

B (*ook muz.*) B
ba pshaw! bah! pah! pooh! ugh! *zie* boe
baadje jacket; *iem. op zijn* ~ *geven* (*komen*) dust a p.'s j.; *iem. op zijn* ~ *krijgen* have (get) one's j. dusted
baai 1 (*golf*) bay, bight; 2 (*stof*) baize; 3 (*tabak*) Maryland
baaien *bn.* baize
baaierd chaos, muddle
baaizout bay-salt
baak beacon; *zie* baken
baal 1 bale [of cotton, etc.]; 2 (*zak*) bag [of coffee, rice, etc.]; 3 ten reams [of paper]; *in balen* (*ver*)*pakken* bale; *ik heb er balen* (*tabak*) *van*, (*sl.*) I am sick to death of it; ~**zak** sack apron
Baäl Baal; ~**sdienaar** Baalist, Baalite; ~**sdienst** B. worship, Baalism; ~**spriester** B. priest
baan path, way, road; [tennis-]court; (*sp.*) course, track; (*ronde* ~) circuit; ('*ronde*') lap [do eight ...s in 7 minutes]; (*ijs-*) (skating-) rink; (*glij-*) slide; (*ski-*) run; (*kegel-*) alley; (*op vliegterrein*) runway; (*spoorw.*) track; (*van autoweg*) carriageway, (= *rijstrook*) lane; (*van projectiel*) trajectory; (*van hemellichaam, enz.*) orbit; (*lijn-*) ropewalk; (*breedte van stof, behangsel, enz.*) breadth, width; (*van vlag*) bar; *zie ook* baantje; *de* ~ *is in uitstekende conditie* (*is zwaar*), (*sp.*) the going is excellent (is heavy); *zich* ~ *breken* force (push) one's way (through), forge ahead [our army is forging ahead], (*van mening*) gain ground; *de* ~ *warm houden* (*bij glijden, enz.*) keep the pot boiling; (*fig.*) keep a question to the fore; *ruim* ~ *maken* clear the way (passage), (*opzij gaan*) stand aside (*of:* back); *nieuwe banen openen* open (up) new avenues [of wealth, of employment, etc.]; *de* ~ *opgaan,* (*op roof*) go on the prowl, (*van meisje*) go (up)on the streets; *in andere banen leiden* steer [the conversation] into other channels; *in verschill. banen* [our lives run] in different grooves; *in een* ~ *komen,* (*satelliet*) go into orbit; *oefeningen op de lange* (*korte*) ~, (*mil.*) long-(short-) range practice; *op de* ~ (*in de weer*) *zijn* be stirring, be about; *op de* ~ *lopen,* (*van meisje*) be on the streets; *op de lange* ~ *schuiven* put off indefinitely, shelve [a question]; *van de* ~ *schuiven* shelve altogether; side-track [a measure]; *dat is van de* ~ that's off; *voorgoed van de* ~ dead and buried; '*t plan is van de* ~ has been shelved, is on the shelf; *tariefhervorming is voorlopig van de* ~ tariff reform is in cold storage; *iem. van de* ~ *knikkeren* bowl a p. out, put a p. out of the running; ~**bed** permanent way
baanbrekend pioneering, epoch-making; -**breker** pioneer
baancommissaris (*sp.*) track official
baanderheer (knight) banneret
baan: ~**record** track record; ~**ruimer, ~schuiver** cowcatcher, track-clearer, obstruction (*of:* safety) guard; ~**sporten** track sports
baantje 1 slide, etc.; *zie* baan; *zullen we eens een* ~ *rijden?* shall we have (take) a turn?; *zie* ~**rij**den; 2 job, billet, berth; '*t is me een* ~! a nice job indeed!; *gemakkelijk* ~ soft (*sl.:* cushy) job *aan'n* ~ *helpen* place [a p.] in a job; *zie* vet; ~**glijden** (have a) slide; ~**rijden** skate up and down; ~**sjager(ij)** place-, job-hunter(-hunting), place-, office-seeker (-seeking)
baan: ~**vak** section; ~**veger** ice-sweeper; ~**wachter** signalman, line-keeper, flagman; (*bij overweg*) crossing-keeper; ~**werker** surface-man, permanent-way worker; ~**wijs** *zijn* know the ropes

baar I *zn.* 1 newcomer, novice, greenhorn; new chum, tenderfoot; *(school)* freshman, *(sl.)* fresher; 2 *(golf)* billow, wave; 3 *(lijk~)* bier; *(draag~)* stretcher, litter; 4 *(staaf)* bar, ingot [of gold, etc.]; *(her.)* bar; 5 *(zandbank)* bar; II *bn.* ~ *geld* ready money, (hard) cash; *bare onzin* sheer nonsense; *de bare zee,* the high seas; *de bare duivel* the devil himself

baard *(van mens, dier, graan, oester)* beard; *(van graan ook)* awn; *(van veer, vis)* barb; *(van kat)* whiskers; *(van walvis)* (blades of) whale-bone, baleen (plates); *(van veer)* vane; *(van sleutel)* bit; *hij had een hele* ~, *(was ongeschoren)* there was a growth of b. on his chin [he had a four days' growth of b.]; *hij heeft de* ~ *in de keel* his voice is breaking; *zijn* ~ *laten staan* grow a (one's) b.; *in de* ~ *brommen* mutter into one's b.; *in zijn* ~ *lachen* laugh (chuckle) in one's b.; *om 's keizers* ~ *spelen* play for love; *een mop met een* ~ a hoary old joke, a chestnut; ~**aap** wanderoo, lion-tailed monkey; *(fig.)* beardie; ~**eloos** beardless; *(fig. ook)* callow [youth]; ~**gier** lammergeyer, bearded vulture; ~**ig** bearded; ~**je** *(lett.)* short beard; *(van veer)* barbule; ~**mannetje, ~mees** bearded tit(mouse); ~**mos** beard-moss; ~**schrapper** scraper; ~**schurft, ~vin** barber's itch *(of:* rash), sycosis; ~**vogel** barbet

baarkleed pall

baarlijk: *de ~e duivel* the devil incarnate; *zie* baar *bn.*

baarmoeder womb, uterus; ~**hals** cervix

baars *zn.* perch, bass

baas master, *v.:* mistress; *(fam.)* governor *(volkst.* guv'nor), boss *(beide ook als aanspr.); (meesterknecht)* foreman, working overseer, gaffer; *(kanjer)* whopper; *(kraan)* crack, dab [*in* at]; *aardige* ~ nice chap; *gezellige oude* ~ jolly old buffer; *een* ~ *van een jongen* a sturdy little chap, fellow; *hij is de* ~ *van 't spul* he bosses the show, rules the roost; *de vrouw is de* ~ the wife calls the tune (wears the trousers [pants]); ... *dat hij hier de* ~ *is, ook:* he thinks he owns the place; *hij is mij de* ~ *(af)* he is more than a match for me, (one) too many for me, has the whip hand of me, beats me [in zoology, etc.]; *hij is ... de* ~ he can give points to many younger men; *iem. helemaal de* ~ *zijn* beat a p. hollow; *ik ben mijn eigen* ~ my own master; *iem. de* ~ *worden* get the better of (the mastery over) a p.; *de concurrentie de* ~ *worden* overcome the competition; *zijn toorn werd hem de* ~ mastered him; *zijn gevoel (zijn zenuwen) de* ~ *worden* restrain one's feelings (get the better of one's nerves); *ze kon de jongen geen* ~ the boy was beyond her management; *ze konden de toestand geen* ~ *worden* they could not cope with the situation, the situation was beyond them; *zie* meester; *je moet* ~ *blijven* keep the whip hand; *de* ~ *spelen* domineer, lord it [*over* over]; *de* ~ *spelen over, ook:* boss [she ... es her husband]; *er is altijd* ~ *boven* ~ every man may meet his match; *een klein* ~**je** a little chap; *nee,* ~*(je)* no, sonny (my lad)!; *hij is een* ~**je** he is a handful, a pickle

baat profit, benefit; *de kost gaat voor de* ~ *uit* to make money you have to spend money; ~ *vinden bij* derive [much, little] benefit from, (be) benefit(ed) by; *te* ~ *nemen* avail o.s. of, have recourse to; *zonder* ~ without avail, unavailing; *zie* baten; *ten bate van* for the good (the benefit) of, in behalf of, in aid of [charities] *(ook:* the proceeds will go to charities); *zie* aanwenden

baatzucht selfishness, self-interest(edness); ~**ig** selfish, self-interested; mercenary

babbel *a)* ~*aar; b)* tongue, *(fam.)* clack, clapper; *haar* ~ *ging dag en nacht* her tongue etc. was always on the go; *c) zie* praats & praatjes; ~**aar(ster)** 1 *(vooral vrouw)* chatterbox, gossip; *(algem.)* chatterer, babbler, tattler; *(klikker)* tell-tale; *(aardige kleine)* – little prattler; 2 *(kokinje)* bull's eye; ~**achtig** talkative, tattling, loquacious; ~**arij** chit-chat, tittle-tattle, chattering; ~**en** *(keuvelen)* chat; *(kletsen)* chatter; *(over anderen)* gossip; *(van kind)* prattle, babble; *(klikken)* blab, tell tales; ~**kous** = ~*aar(ster);* ~**tje** chat; ~**ziek** = ~*achtig;* ~**zucht** talkativeness, loquacity

Babel Babel *(ook fig.)*

baboe ayah; *(Am.)* mammy

baby id.; ~**box** play-pen

Babylon Babylon; ~**iër, ~isch** Babylonian; ~*ische gevangenschap* Babylonian captivity; *zie* spraakverwarring

baby-motorspuit trailer pump

baby-oppas, -sit(ter) baby-sitter; -**sitten** baby-sit; -**uitzet** layette

baccalaureaat (course leading up to) bachelor's degree

baccarat baccara(t)

bacchanaal bacchanal

bacchanaliën bacchanalia, bacchanals

bacchant Bacchant; ~**e** Bacchant(e)

Bacchus id.; *zie* offeren; ~**feest** Bacchanalia; ~**lied** bacchanalian song; ~**priester** Bacchant; ~**priesteres** Bacchant(e)

bacil bacillus *(mv.* bacilli); ~**lendrager, -draagster** germ-carrier, vector

bacove banana

bacterie bacterium *(mv.* bacteria); ~**dodend** *(middel)* bactericide, germicide

bacterieel bacterial

bacteriën: ~**oorlog** germ warfare; ~**vrij** sterile, sterilized

bacteriofaag (bacterio)phage; -**logie** bacteriology; -**logisch** bacteriological; -**loog** bacteriologist

1 bad *o.v.t. van* bidden

2 bad *(binnenshuis)* bath *(ook:* ~*kuip); (buiten)* bathe, plunge, dip; *(zwem-)* (swimming-)pool; *(chem.)* bath; *warme* ~*en (in badpl.)* hot baths, thermal waters; *'t* ~ *loopt* the b.-water is running; *een* ~ *nemen* have (take) a b., b.; *(in open water)* have (take) a bathe; *de (minerale)* ~*en gebruiken* take the baths, take (drink) the waters; *een* ~ *geven* bath [a child]; *zie* aanmaken; ~**benodigdheden** bath(ing)-requisites; ~**borstel** b.-, flesh-brush

badding batten
baden bathe (*ook:* in blood, etc.), bath [a baby, dog], be bathed [in tears, light], be steeped [in light], swim [in blood], swim, roll [in wealth], wallow [in gold, sensualism]; *in tranen ~, ook:* be all (in) tears; **~d** bathing, etc.; bathed, swimming, weltering [in blood]; bathed, melting [in tears]
Baden id.; **~s** (of) Baden
bader bather
bad: **~gast** bather, (seaside) visitor, visitor at (*of:* to) a watering-place; **~geld** admission, charge (for bathing); **~handdoek** bath-, bathing-towel; **~hokje** bathing-cubicle; **~huis** bath-house, bathing-establishment, (public) baths
badinage id., chaff, banter
badine cane, (*van Eng. mil.*) swagger-cane
badineren banter, joke
badinrichting *zie* badhuis
bad: **~jas** *zie* ~mantel; **~kamer** bathroom; **~knecht** bath-attendant; **~koetsje** bathing-machine; **~kostuum** bathing-costume, -suit; **~kuip** bath-tub; **~kuur** bathing-cure, course of (mineral) waters; *een – doen* take (drink) the waters; **~laken** bath-sheet, -towel; **~man** *zie* ~knecht; **~mantel** bath(ing)-wrap, -robe; **~meester** bath(s)-superintendent; **~muts** bathing-cap; **~pak** bathing suit, swim(ming) suit; **~plaats** (*voor minerale wateren*) watering-place, spa; (*aan zee*) seaside place (*of:* resort), watering-place, coastal resort; (*bad-, zwemgelegenheid*)(sea) bathing-place; *naar een – gaan* go to the seaside (*of:* a watering-place); **~schoen** bath-slipper; **~seizoen** bathing- (*of:* seaside) season; **~spons** bath-sponge; **~stoel** *zie* strandstoel; **~stof** terry (cloth), towelling; **~strand** bathing-beach; **~tent** bathing-tent; **~vrouw** (female) bath attendant; **~water** bath-water; *zie* kind; **~zeep** bath-soap; **~zout** bath-salts
bagage luggage, (*in Eng. havensteden & Am.*) baggage; (*fam.*) traps; (*van leger*) baggage; *met weinig ~ reizen* travel light; **~bureau** l.-office, parcels receiving office; **~depot** left luggage (office, depot); **~drager** (*van fiets*) (parcel) (rear) carrier, (*van auto*) *zie* ~rek; **~kluis** (*in station*) luggage locker; **~label** b. tag; **~net** (l.-)rack; (*in auto*) parcel-net; **~reçu** l.-ticket, -check, counterfoil; **~rek** (*van auto*) l.-rack, -carrier; **~ruim** l.-hold, b.-hold; **~verzekering** l.-insurance; **~wagen** (l.-) van, guard's van
bagatel trifle, bagatelle; *voor een ~ kopen* buy for a mere trifle, for a song; *'t is maar een ~,* (*fam.*) *ook:* it's a mere flea-bite; **~liseren** minimize [the difficulties], treat as of little importance, play down [the news of the Soviet disarmament move]
bagger mud, mire, slush; **~bak** scoop; **~en** dredge (*met ~machine*); scoop out [peat mud]; wade [through the mud], slush; **~laarzen** waders; **~machine**, **~molen** dredger, dredging-machine; **~net** dredge(-net); **~praam**, **~schuit** hopper (-barge), mud-barge; **~specie** spoil; **~turf** drag-peat; **~werk**(zaamheden) dredging-work, -operations

bagijn enz., *zie* begijn, enz.
bagno bagnio
bah bah! yah! pshaw! pah! pooh!
baignoire id.; **bain-marie** id.; double boiler
baisse fall; *à la ~ speculeren* speculate for a f., sell short, bear; **baissier** bear
bajadère bayadere, bayadeer
bajes (*sl.*) quod
bajonet bayonet; *~ op (af)!* fix (unfix) bayonets!; *met gevelde ~* with fixed bayonets; *met de ~ doorsteken (vellen)* bayonet; *zie* opzetten; **~sluiting** b.-catch
bak (*van koffer, slager, kat, enz.*) tray; (*van ~fiets*) carrier; (*voor kalk, enz.*) hod; (*voor water, enz.*) cistern, tank, reservoir; (*van baggermachine*) scoop; [dust-, corn-]bin, [ash-]pan, [flower-] box; (*trog, etensbak*) trough, (*van hond*) dish; (*broei~*) *zie* broeibak; (*van rijtuig*) body; (*voor bagage aan rijtuig*) boot; (*van auto*) *zie* kofferruimte; (*mar.*) forecastle head; (*matrozentafel*) mess; (*in schouwburg, vero.*) pit; (*gevangenis*) quod, jug (*zie* doos); (*mop*) (practical) joke, hoax, lark; **~barometer** cistern barometer
bakbeest whopper, colossus, mammoth
bakblik baking tin
bakboord port; *van ~ naar stuurboord zenden* send from pillar to post; **~zijde** port-side
bakeliet bakelite
baken beacon, seamark; (*boei*) buoy; *de ~s verzetten* adopt new methods, change one's policy; *als het tij verloopt, moet men de ~s verzetten* one must go according to the times, trim one's sails to the wind; *de ~s zijn verzet* times have changed (*of:* moved); *zie* schip; **~en** beacon; **~geld**, **~recht** beaconage; **~landing** (*luchtv.*) blind landing; **~ton** pillar buoy; **~vuur** b.-fire
baker (dry-)nurse, monthly nurse; **~en** dry-nurse, swaddle; *zich – in de zon* bask in the sun; *uit – gaan* go out nursing; *zie* heetgebakerd; **~kindje** infant (*of:* baby) in arms; **~kleren** swaddling-clothes, **~mat** cradle, birthplace, nursery [of learning], nurse [of liberty], home [of insurance]; **~praat** old wives' tales, idle gossip; **~rijm(pje)** nursery-rhyme; **~speld** large safety-pin; **~sprookje** nursery-tale
bakfiets carrier-tricycle
bakgast (*mar.*) mess-mate
bakje tray (*zie* bak); cup; (*rijtuig*) cab
bakkebaard (side-)whiskers; (*fam.*) mutton-chops, (*Am.*) sideburns
bakkeleien tussle, scuffle, knock each other about; (*sl.*) scrap, slog; *aan 't ~* at (engaged in) fisticuffs
bakken bake [in an oven]; (*in pan*) fry [fish, potatoes, eggs]; bake, burn, fire [earthenware]; (*van sneeuw*) bind, ball [the snow ...ed under the horses' hoofs]; (*bij examen*), *zie* zakken; *bak- en braadolie* cooking oil; *-vet* shortening; *wie heeft me dat ge~?* who has let me in for that?; *hij zit daar ge~* he has it made there (is in clover); *aan iets ge~ zitten* be married to s.t.
bakker baker; *het (hij) is voor de ~* everything O.K.; *warme ~* small (local) baker; **~an** *zie* bij (*er ...*); **~ij** bakery, b.'s business; **~in** b.'s wife

bakkers: ~**gezel** journeyman baker; ~**knecht** journeyman baker; (*bezorger*) b.'s man; ~**oven** b.'s oven; ~**patroon** master baker; ~**tor** cockroach; ~**trog** kneading-trough; ~**zaak** bakery business
bakkes (*fam.*) mug, phiz; *hou je* ~ *!* shut up! shut your trap!
bak: ~**lap** *a)* steak for frying; *b)* fried steak; ~**meel** self-raising flour
bakmeester captain of a (the) mess
bak: ~**oven** oven; ~**pan** frying-pan; ~**poeder** baking-powder; ~**sel** batch, baking
baksmaat mess-mate
bakstag (*mar.*) back-stay
baksteen brick; *stuk* ~ brick-bat; *neervallen als een* ~ fall down with a thud; *het regent -nen* it is raining cats and dogs, it is coming down in bucketfuls; *zinken als een* ~ sink (go down) like a stone; *zie* zakken; **bakstenen** *bn.* brick
baktrog baker's trough
bakvet frying-fat; *bak- en braadvet* cooking fat
bakvis fryer, frier; ~**(je)** (*fig.*) flapper, (*Am.*) bobby-soxer; teenage girl, teenager
bakvorm baking tin
bakzeil: ~ *halen* back the sails; (*fig.*) climb (*of:* back) down, draw in one's horns
bakzeuntje (*mar.*) mess-boy; (*sl.*) slops
bal 1 ball (*ook van hand, voet, enz.*), bowl (*bij enkele spelen: kegelbal*); (*teel*~) testicle; ~*len*, (*sl.*) guilders; *met de* ~ *spelen* play (at) b., play catchball; *een* ~ *maken* (*missen*) make (miss) a b.; *je slaat de* ~ *mis*, (*fig.*) you are beside (wide of) the mark; *de* ~ *aan 't rollen brengen* set the b. rolling; *elkaar de* ~ *toeslaan* (*-kaatsen, -werpen*), (*fig.*) *a)* play into eacn other's hands; *b)* give each other tit for tat; *hij weet er de* ~*len van* he doesn't know a damn thing about it; *geen* ~, *zie* zier; *zie ook* stoppen; 2 ball, dance; ~ *champêtre* lawn-dance, open-air dance; ~ *masqué* masked b.; *'n* ~ *geven* give a dance; *'t* ~ *openen* open the b.; *zie* gekostumeerd
Balaäm Balaam
balanceerstok balancing-pole
balanceren balance, poise, (*fig.*) vacillate
balans balance, (pair of) scales; (*balk daarvan*) beam; (*van stoommach.*) beam; (*horloge*) pie ~**rad**;(*hand.*) balance-sheet; *de* ~ *opmaken* draw up the b.-sheet, (*fig.*) strike a b.; *ook:* draw up the political (etc.) b.-sheet; *de* ~ *opmaken van ...* assess the results of the conference; *zie* evenwicht; ~**opruiming** stock-taking sale; ~**rad** b. wheel; ~**rekening** b.-account; ~**waarde** b.-sheet value, inventory value
balboekje (dance-, dancing-)card
baldadig wanton, lawless, rowdy, ~**heid** wantonness, etc., mischief; *openbare* – rowdyism, hooliganism
baldakijn baldachin, canopy
Balearen, Balearische Eilanden Balearic Islands (*of:* Isles), Balearics
balein whalebone, baleen; (*van korset*) busk; (*van paraplu*) rib; ~**en** *bn.* whalebone
balen be fed up; ~ *als een stier* be sick to death [*van* of]

balg (*fot., blaas*~, *enz.*) bellows
balhoofd ball-head
balie 1 (*leuning*) railing, balustrade, parapet [of a bridge]; (*van kantoor*) counter; (*van rechtb.; advocaten*) bar; *binnen de* ~ in the body of the Court; *bestemd voor de* ~ intended for the bar; *tot de* ~ *toelaten* call to the bar; *voor de* ~ *komen*, (*fig.*) be carpeted, be on the carpet; *iem. voor de* ~ *laten komen* carpet a p., have a p. on the carpet (on the mat); 2 (*kuip*) tub; ~**kluiver** (waterside) loafer, pier-, dock-lounger; ~**mand** buck-basket
Balinees *bn. & zn.* Balinese (*ook = -ezen*)
baljapon ball-dress
baljuw bailiff; ~**schap** bailiwick
balk beam (*ook van balans*); balk (*ruw*); (*vloer*~) joist; (*dak*~) rafter; (*van vlot*) log; (*noten*~) staff, stave; (*op cheque, enz.*) bar; (*her.*) bar, bend; ~*en*, (*onder de ogen*) bags, pouches; *'t geld over de* ~ *gooien* play ducks and drakes with one's money; *hij gooit 't geld niet over de* ~ he does not spend more than he can help; *dat mag je wel* (*met een krijtje*) *aan de* ~ *schrijven* cnalk that up!; *een* ~ *in zijn wapen voeren* bear a bend (a baton; *minder juist:* a bar) sinister upon one's shield; *zie* splinter
Balkan id. [the B. question]; *de* ~ the Balkans; ~**schiereiland** B. Peninsula; *de* ~**staten** the B. States, the Balkans
balkbrug girder bridge
balken (*ezel*) bray; (*koe*) low; (*fig.*) bawl, squall
balklaag (*van gebouw*) joisting
balkon balcony (*ook van schouwb.*); (*van tram*) platform; ~ *2de rang* upper circle; *zie* fauteuils de balcon; *op 't* ~ on (*of:* in) the b.; ~**deur(en)** French window
balkostuum ball-dress
ballade ballad
ballast id. (*ook van spoorw.*); (*fig.*) lumber, padding, rubbish; *in* ~ in b., (*van spoorw.*) b.-way; ~**en** ballast; ~**schuit** b.-lighter, -boat
ballen 1 *tr. & intr.* ball (*van sneeuw, enz.*); 2 play with a ball (at ball); 3 *de vuisten* ~ clench one's fists; *zijn vuisten balden zich* his hands clenched
ballerina id.
ballet id.; ~**danseres** b.-dancer, b.-girl, ballerina
balletje little ball; globule; (*gehakt*) force-meat ball; (*suiker*~) sugar-plum; (*hoest*~) cough-drop; (*zacht, van brood, enz.*) pellet; *een* ~ *van iets opgooien* (*opwerpen*) throw out a feeler, bring up (raise) a subject; *zie* bal
balletmeester ballet-master; ~**meesteres** b.-mistress; ~**muziek** b. music
balling exile; ~**schap** exile, banishment
ballistiek, -tisch ballistics, -ic
ballon (*lucht*~) balloon, (*min.*) gas-bag; (*van lamp*) globe; ~ *captif* captive (cable, kite) b.; ~**band** b.-tire; ~**netje** (*van kind*) (toy) b.; ~**vaarder** balloonist; ~**versperring** b.-barrage, -apron
ballotage ballot(ing); **balloteren** vote by ballot, ballot [for a candidate]; *morgen zal er over hem geballoteerd worden* he will come in for ballot to-morrow

67　　　　　　　　　　　　　　　　　　　　　　　　　　　　　　　　　　　　　- banjer

ballpoint(pen) ball-pen, ballpoint, biro
balorig refractory, cross, bad-tempered, (*fam.*) contrary; ~**heid** refractoriness, etc.; *louter uit –* (*fam.*) out of pure (*of:* sheer) cussedness
balroos Guelder-rose, viburnum
balsa id.
balsamine balsam
balschoen pump, dancing-, dance-shoe
balsem balm, balsam; (*fig. meest*) balm [he poured balm into my wound]; ~**achtig** balmy, balsamic; ~**en** embalm; ~**er** embalmer; ~**geur** balsamic odour (*of:* fragrance); ~**hars** balsamic resin; ~**hout** xylo-balsamum; ~**iek** balsamic, balmy; (*fam.*) *zie* smoorheet; ~**ien** balsam; ~**ing** embalmment
balspel playing at ball, catch-ball; ball-game, game of ball
balsturig obstinate, refractory, pig-headed; rough [weather]; ~**heid** obstinacy, etc.
Balthasar, -zar Balthazar
Baltisch Baltic
balts display
balustrade id.; (*van trap*) banisters
balvormig ball-shaped
balzaal ball-room; **balzak** scrotum
bamboe(s), bamboezen bamboo
bamboebeer panda
bami Cninese noodles
bamzaaien (*ongev.*) draw lots
ban (*kerk.*) excommunication, ban; interdict (= *kleine* ~); (*rijks~*) ban, (sentence of) outlawry, proscription; (*rechtsgebied*) jurisdiction; (*bezweringsformule*) charm, spell, incantation; (*betovering*) spell, charm; (*lichting*) levy, draft, class; *in de ~ doen* put under the ban [of the Church, of the Empire], (*kerk.*) excommunicate, (*rijks-*) proscribe, outlaw, (*fig.*) put under a ban, proscribe, ostracize, (*fam.*) taboo
banaal banal, trite, commonplace
banaan banana (*boom en vrucht*)
banaliteit banality, platitude
banbliksem anathema, thunders of the Vatican; *de ~ slingeren* fulminate a ban [*naar* against], fling one's thunderbolts [*naar* at]
band (*van muts, schort, pyjama, enz.*) string; (*van kleermaker, magnetofoon, voor documenten, enz.*) tape; (*haar-, hoofd-*) fillet; (*lint*) ribbon; (*anat.*) ligament; (*om ader af te binden*) ligature; (*als verband*) bandage; (*breuk-*) truss; (*om arm, hoed, sigaar, schoof*) band; (*grammofoonplaat*) track; (*radio*) (wave-)band; (*voor gebroken arm*) sling; (*streep, strook*) band, belt; (*op greepplank van gitaar, enz.*) fret; (*van vat, baal*) hoop; (*van wiel*) tire, tyre; (*van boek*) binding; (*van trottoir*) kerb(stone); (*bilj.*) cushion; (*fig.*) bond, tie, link; *nauwe ~en met Engeland* close relationships with E.; ~**en**, (*boeien*) fetters, bonds; *losse ~* binding-case; ~*en des bloeds* (*der vriendschap*) ties of blood (of friendship); ~*en der liefde* bonds of love; *een ~ leggen om* tire [a wheel]; *aan de ~ leggen* (*liggen*) tie up (be tied up); *iem. aan ~en leggen* put a p. under restraint, keep a tight hand over a p.; *de pers aan ~en*

leggen restrict the liberty of the press, gag (*of:* muzzle) the press; *zie* lopend; *door de ~, zie* bank; *over de ~ spelen*, (*bilj.*) play bricole; (*fig.*) do [s.t.] in an indirect way; *uit de ~ springen* kick over the traces, break out, get out of hand; ~**afnemer** (*van fiets, enz.*) tire-, tyre-lever
bandagist truss-maker
bandbreedte bandwidth
bandelastiek flat elastic, cord elastic
bandelier shoulder-belt, cross-belt, bandoleer
bandeloos riotous, lawless, licentious; go-as-you-please [morality]; ~**heid** lawlessness, etc., indiscipline
bandepech tire (*of:* tyre) trouble, puncture
banderol 1 banderole; 2 [cigar-]band (by way of revenue stamp)
bandfilter bandpass filter
bandiet bandit (*mv. ook* banditti), brigand, ruffian; ~**enbende** gang of bandits; ~**enwezen** banditry
band: ~**ijzer** strip-, hoop-iron; ~**je** *zie* ~; (*lus van jas, enz.*) tag, tab
bandjir (*Ind.*) banjir, spate, freshet
band: ~**koper** copper tape; ~**las** tape join; ~**opname** tape recording; ~**opnemer, ~recorder** tape recorder; ~**rem** (*van fiets*) tire-brake; ~**spreiding** (*radio*) bandspread; ~**transporteur** conveyor(-belt); ~**versiering** binding design; ~**wever** ribbon-, tape-weaver; ~**weverij** ribbon-, tape-factory
banen: *een weg ~* clear (break) a way; *de weg ~* smooth (pave, prepare) the way [*voor* for], blaze a (the) trail; *zich een weg ~* make (force, push, squeeze, thread) one's way [through the crowd, into the room, etc.], hew (cut, hack) one's way, strike out for o.s.; *nieuwe wegen ~* break new ground; *gebaande weg* beaten road
bang afraid (*alleen pred.*); (*beschroomd*) timid, timorous, fearful; frightened; (*laf*) cowardly, (*sl.*) funky; (*ongerust*) uneasy; (*in spanning*) anxious; ~ *in 't donker, ook:* nervous in the dark; ~ *om…, ook:* nervous of going out alone; ~*e dagen* anxious days; *zo ~ als een wezel* as timid as a hare; *in ~e afwachting* on the rack of suspense; ~ *vrees* [give way to] anxious fears; ~ *maken* make a., frighten, scare; (*sl.*) put the wind up [a p.]; *ik laat me niet ~ maken* I am not to be intimidated; ~ *worden* become (get) a.; (*sl.*) get the wind up, get cold feet; ~ *zijn voor* be a. (frightened, scared) of, stand in fear of; (*bezorgd voor*) be a. for, fear for; ~ *zijn voor zijn leven* go in fear of one's life; *daar ben ik niet ~ voor* ['You will like the place']; 'I don't doubt it'; ~ *zijn* (*sl.*) have the wind up, have cold feet; ~? cold feet?; ~ *zijn dat* be a. that …; *wees daar maar niet ~ voor, ook:* no fear! make your mind easy about that!; *zie* hart; ~**erd** coward, (*sl.*) funk; ~(**ig**)**heid** fear, anxiety, timidity; ~**makerij** intimidation; (*fam.*) [it's all] bogey, [it's merely] a (piece of) bluff
banier banner, standard; *zie* scharen; ~**drager** b.-, standard-bearer
banjer toff, swell; *de ~ uithangen* do the toff (the

swell), play the fine gentleman
banjo banjo
bank (*zit-, werk-*) bench; (*tuin-, rijtuig-*) seat; (*soort canapé*) settee; (*met rechte hoge leuning*) settle; (*inz. school-*) form (*lang zonder leuning*), desk (= ~ + *tafel*); (*kerk-*) pew; (*geld-, speel-, zand-, wolken-, oester-*) bank; ~ *der beschuldigden* dock; ~ *der getuigen* witness-box; *B~ van Int. Betalingen* Bank of (for) International Settlements; ~ *van lening* pawnbroker's shop, pawnshop; *hij is aan* (*werkt op*) *een* ~ in a bank; *achter de* ~ *gooien* discard, put on the shelf; *door de* ~ on an average, by and large, generally, as a rule; *de jongen zat in* (*op*) *zijn* ~ at his desk, on his form; *geld op een* ~ *hebben* have money at (in) a bank; *op de* ~ *plaatsen* bank [money]; *zie* deponeren; *zo solide als de* ~ as safe as the Bank of England; *de* ~ *hebben* (*houden*) keep the bank; *de* ~ *doen springen* break the bank; *wij doen zaken met deze* ~ we bank with this firm; ~**aanwijzing** cheque; ~**assignatie** bank post bill; ~**bedrijf** banking; ~**biljet** banknote; (*bedrieglijke*) ~**breuk** (fraudulent) bankruptcy; ~**briefje** (*Z.-Ned.*) banknote; (*lommerd*) pawn-ticket; ~**consortium** banking-syndicate; ~**directeur** bank manager; ~**disconto** bank-rate; ~**employé** bank clerk (official); ~**en** 1 *zn.* vingt-et-un; *ww.* play (at) vingt-et-un; 2 *ww.* bank [the fires]
banket (*feestmaal*) banquet, public dinner; (*gebak*) (fancy) cakes, almond pastry; (*mil.*) banquette, firing-, fire-step; ~**bakker** confectioner, pastry-cook; ~**bakkerij** confectioner's (shop); ~**hammetje** small choice ham; ~**letter** pastry-letter; ~**teren** banquet, feast
bank: ~**geheim** banker's discretion; ~**geld** bank-money; ~**hamer** bench hammer; ~**houder** banker
bankier banker; ~**shuis** banking-house; ~**skantoor** bank; ~**szaak** banking-business; ~**szaken** banking
bank: ~**instelling** banking-institution; ~**je** *a*) *zie* bank; stool, foot-rest; *b*) banknote; ~**kapitaal** bank-stock; ~**krediet** bank(ing)-credit; ~**kringen** banking quarters; ~**loper** bank-messenger; ~**noot** banknote; ~**octrooi** bank-charter; ~**overval** bank hold-up (raid); ~**papier** bank-notes; ~**referentie** bank-reference; ~**rekening** bank(-ing)-account; ~**relatie** bank(ers); ~**reserve** banking-reserve
bankroet *zn.* bankruptcy; *bn.* bankrupt; ~ *gaan* fail, become (a) bankrupt; *zie* failliet, failleren & blut; ~**ier** bankrupt; ~**je** loss; *die lezing bezorgt ons een* – *van £ 25* we are £25 out of pocket through that lecture
bank: ~**roof** bank-robbery; ~**rover** bank-robber; ~**saldo** bank-balance; ~**schroef** (bench-)vice; ~**schuld** overdraft; ~**staat** bank return, return [of the B. of Eng.]; ~**stel** lounge suite, three-piece suite; ~**stelsel, ~systeem** banking-system; ~**vereniging** banking-company, joint-stock bank; ~**werker** fitter, bench-hand; ~**werkerij** fitting-shop; ~**wezen** banking, the banks; ~**zaken** banking (business)

banneling(e) exile
bannen banish [evil thoughts, fear], exile [from a country], expel [from a country, society], exorcize [evil spirits]; *uit 't land* ~, *ook:* banish (from) the country
bantammer bantam (cock, hen)
Bantoe Bantu
banvloek anathema, ban; *de* ~ *slingeren naar* (*uitspreken over*) fulminate a ban against, curse by bell, book and candle, anathematize
banvonnis sentence of exile; (*kerkelijk*) excommunication
baobab id.
baptist id.
1 bar *zn.* (refreshment-)bar
2 bar I *bn.* (*dor, naakt*) barren [land, rocks]; (*guur*) raw, inclement; (*scherp*) biting, severe [cold]; (*bars*) grim, stern [face], gruff [manners, look]; *dat is* (*al te*) ~ that's too bad, a bit thick (steep, much); *nu wordt het me toch te* ~ this is getting beyond a joke; *zie* kras; II *bw.* horribly [cold], awfully [rich]
barak shed; emergency hospital; (*mil.*) hut(ment); *deze oude* ~, (*fig.*) this old barrack; ~ *voor besmettelijke ziekten* isolation hospital; ~**kenkamp** hut camp
baratterie barratry
barbaar barbarian
barbaars barbarous [savages], barbaric [splendour], barbarian [nations]; ~**heid** barbarity
Barbados id., Barbadoes
Barbara Barbara; (*fam.*) Babs
Barbarije Barbary; **Barbarijs** Barbary; ~ *paard, ook:* barb
barbarisme barbarism
barbeel barbel
Barbertje Babs; ~ *moet hangen*, (*ongev.*) his conviction is a foregone conclusion
barbette (*mar. & mil.*) id.
barbier barber; ~**en** shave; ~**sjongen** lather-boy, b.'s apprentice; ~**swinkel** b.'s shop
barbiesjes: *naar de* ~ *gaan* go west
barbituraat barbiturate
barcarol(l)e barcarol(l)e
bard bard; ~**enzang** bardic lay (*of:* song)
baren I *ww.* bear, bring forth, give birth to; excite [wonder], cause [surprise], engender [friendship ...s friendship], create [a sensation]; *moeite* (*zorg*) ~ cause (give) trouble (concern); *de tijd baart rozen* time and straw make medlars ripe; *geld baart zorgen* much coin, much care; II *zn.* childbirth
Barend Bernard
barens: ~**nood, ~weeën** labour (pains), throes (of parturition), pains of childbirth; *in* ~**nood** in labour, in travail
baret cap; (*van kind ook*) tam(-o'-shanter); (*van geestelijke*) biretta, beret; (*van student*) (college-)cap, (*fam.*) mortar-board, square
barg hog; (*dial.*) barrow
barge barge
Bargoens patter, thieves' slang
barheid barrenness, etc. (*zie* bar), severity, inclemency

bariet barytes, barite
bariton baritone
barjuffrouw barmaid
bark barque, bark
barkas long-boat, launch
barmhartig charitable, merciful; ~e broeder brother of charity; ~e Samaritaan good Samaritan; ~heid mercy, mercifulness, charity; uit – out of charity
barmsijsje mealy redpoll; klein ~ lesser redpoll
Barnabas id., Barnaby
barnen: in het ~ der gevaren in the midst (of: thick) of dangers
barnsteen, -stenen amber
barograaf barograph
barok baroque
barometer id., glass [the ... is rising]; ~stand height (state, reading) of the b.; [highest] b.-reading [for 30 years]
barometrisch barometric (bw.: -ally)
baron(es) baron(ess); ~ie barony
barrage (sport) decider, play-off; (springconcours) jump-off
barrel 1 (vat) id.; 2: aan ~en (~s) slaan smash to atoms
barrevoetbroeder, barrevoeter barefooted (discalced) friar; **barrevoets** barefooted
barricade id.; **barricaderen** barricade
barrière barrier
bars stern, grim [face], harsh, gruff [voice], brusque [manner]; ~heid ... ness
barst crack, flaw, burst; (in huid) chap; crack; met kleine ~jes, (van glazuur) crazed; geen ~ (sl.) zie donder (geen ...)
barsten burst (ook fig.: van jaloezie with envy), crack, split, be (get) cracked; (van huid) chap, crack, be (get) chapped; (springen) burst, explode; zie springen; barst! zie stik; ~de hoofdpijn racking (splitting) headache; ge~ lippen cracked (chapped) lips; ge~ ruit cracked pane; tot ~s toe vol crammed, cram-full, full to overflowing
Bart(el) Bart
Bartholomeus Bartholomew; ~nacht Massacre of St. B.
Bartjens: volgens ~ according to Cocker; (Am.) according to Gunter
baryton (muz.instrum.) barytone
barzoi borzoi
bas bass (ook = ~viool); ~ zingen sing b.
Bas Sebastian
basalt basalt; ~slag road metal; ~zuil basaltic column
bascule (platform) weighing-machine; ~brug bascule (counterpoise, balance) bridge
base (chem.) base
Basedowse ziekte Graves' disease, Basedow's disease, exophthalmic goitre
basement base [of a pillar]; foundation [of a building]
baseren base, found, ground [op on]; gebaseerd zijn op, ook: rest on, be rooted in
basfluit bass-flute
basilicum (plant) basil; (zalf) basilicon, -cum

basiliek basilica
basilisk(us) basilisk, cockatrice
basis (meetk., mil.) base; (fig. inz.) basis, footing; de ~ leggen voor lay the foundation of; op ~ van ... on the basis of, on the principle that ...
basisch basic
basisonderwijs primary education; **-opleiding** basic training; **-plan** master plan
Bask(isch) Basque; Baskisch mutsje beret
Basoeto(land) Basuto(land)
bas-reliëf bas(s)-relief, low relief
bassa pashaw; **bassen** bay
bassin basin; (aquarium) tank; zie zwem~
bassist bass(-singer); **bassleutel** bass clef
basstem bass (voice); (van muz.) bass part
bast bast, inner bark; (schors) rind, bark; (schil, peul) husk, shell, pod; (volkst.) belly, paunch [fill one's...]; iem. op zijn~ geven tan a p.'s hide
basta 1 (klaveraas) basto; 2 ~! enough! stop!; en daarmee ~ and there's an end (of it); and now you know! that's enough! that's that!
bastaard, -erd bastard; (dier, plant; min.: persoon) mongrel; tot ~ verklaren bastardize
bastaarderen, -ing hybridize, -ization
bastaard, -erd: ~hond mongrel; ~ij bastardy; ~nachtegaal hedge-sparrow, dunnock; ~ras mongrel breed; ~satijnvlinder brown-tail moth; ~suiker caster sugar; moist sugar, (soft) brown sugar; ~vijl b. file; ~vloek disguised oath; ~vorm cross; ~wederik willow-herb; ~woord loan-word
Bastiaan Sebastian; **bastion** id.
bastluis wood-louse
bastonnade bastinado
bas: ~viool violoncello; ~zanger bass(-singer)
Bataaf Batavian
bataat sweet potato
Batak(ker) Batta(h)
bataljon battalion, afk.: B(att)n.; ~scommandant b.-commander, major
Batavia id.; **Bataviaas** Batavia(n)
Batavier Batavian
bate profit; zie baat
baten I ww. avail; niet ~, ook: be of no avail (of no use, unavailing); wat baat het? what's the use?; het baat niet it's no use (no good); daarmee ben ik niet gebaat it's no use to me; onze belangen zijn daarmee niet gebaat it does not serve our interests; baat 't niet, 't schaadt ook niet if it does not do any good, it does not do any harm either; menselijke hulp kan niet meer ~ he (etc.) is past (of: beyond) human help; II zn. (activa) assets; ~ en schaden profits and losses
Bathseba Bathsheba
bathyscaaf, -sfeer bathyscaphe, -sphere
batig: ~ saldo (slot) surplus, credit balance
batik bat(t)ik(-work); ~ken bat(t)ik
batist(en) batiste, lawn, cambric
batonneerstok single-stick
batonneren ww. play at single-stick; zn. single-stick (fencing)
batterij battery; droge ~ dry b.; van ~ veranderen (fig.) change front

batting batten; *met ~s afsluiten*, (*mar.*) batten down

bauxiet bauxite

baviaan baboon

bazaar 1 (*oosters*) baza(a)r; 2 (*liefdadigheids-*) bazaar, fancy-fair, jumble-sale; 3 (*warenhuis*) store(s)

bazalt *zie* basalt

bazarlijn (*telef.*) party-line

Bazel Basel, Basle, Bâle

bazelaar waffler, driveller

bazelen waffle, drivel, talk rot, talk through one's hat

bazig masterful, managing, domineering, dictatorial; (*sl.*) bossy; **~heid** masterfulness; (*sl.*) bossiness

bazin mistress; (*fig.*) virago

bazuin trombone, trumpet; *de ~ steken* blow the trumpet; *~ van 't Laatste Oordeel* trump of doom, Last Trump; **~blazer** trombonist; **~geschal** sound (*of:* blast) of trumpets

B.B. = *Bescherming Burgerbevolking* C.D. (Civil Defence)

bdellium id.

bè baa

beaarden inter, bury, commit to the earth; **-ing** burial, interment; (*r.-k.*) committal

beademen breathe upon; *zie* mond

beambte functionary, (subordinate) official, (second grade) employee

beamen assent (say amen) to, echo; *hij beaamde het* he assented; **beaming** assent

beangst uneasy, alarmed, anxious; *zie* bang; **~heid** uneasiness, alarm, anxiety

beangstigen (*verontrusten*) alarm; (*bang maken*) frighten

beantwoorden answer [a letter, question, speaker]; reply to [a letter, speech, remark, attack]; respond (reply) to [a toast]; return [a visit, love, salute, the fire]; acknowledge [an introduction with a bow]; reciprocate [feelings]; *~ aan* answer, fulfil [requirements]; answer (to) [the description]; answer; come up to [a p.'s expectations]; (*overeenkomen met*) answer to [this verb answers to Dutch 'helpen']; *niet ~ aan, ook:* fall short of [expectations]; *aan 't doel ~* answer (fulfil, serve) the purpose, answer, serve its turn; *aan 't monster ~* correspond (come up) to sample; *~ met, zie* vergelden & vraag; *beantw. liefde* requited love; *niet te ~* unanswerable [question]; **-ing** replying, answering; (*van groet*) acknowledgement; *ter ~ van* in reply (answer, response) to; *de – van die vraag is vrij lastig* it is somewhat difficult to a. that question

bearbeiden, -ing *zie* bewerken, -ing

Beatrix Beatrice

bebakenen beacon, buoy; **bebladerd** leafy, leaved; **bebloed** blood-stained, -covered, (*Am.*) bloody; **beboetbaar** finable

beboeten fine, mulct; *iem. met £ 5 ~* fine a p. (mulct a p. in) five pounds

bebossen afforest; *beboste streek* wooded area; **-ing** afforestation

bebouwbaar arable, cultivable, tillable

bebouwd 1 cultivated, under crop; *met tarwe (katoen) ~* under wheat (cotton); 2 built(-)on, built(-)over; *~e kom*, (*oppervlakte*) built-up area, town area, city area

bebouwen 1 cultivate, till; *met katoen ~* put [land] under cotton; 2 build upon (*of:* over); **-er** cultivator, tiller; **-ing** 1 cultivation, tillage; 2 building upon (*of:* over); (*concr.*) buildings

bebroeden incubate, hatch, sit on; *bebroed ei* hard-set egg

becijferen calculate, figure out; **-ing** calculation

becommentariëren comment upon

bed bed (*ook rivier-, bloem-, enz.*); (*mar.*) berth; *'t ~ moeten houden* have to keep one's b., be confined to b.; *aan (bij) mijn ~* at (by) my bed(side); *in ~* in b.; *met één ~* single; *met 2 ~den* double [room]; *naar ~* [I haven't been] to b. [at all]; *ik ben een nacht niet naar ~ geweest* I've missed a night's sleep; *naar ~ brengen* put to b.; *naar ~ gaan* go to b.; (*fam.*) turn in; (*kindertaal*) go to bye-bye(s); (*bij ziekte*) take to one's b.; *naast 't ~* bedside [table]; *te ~ liggen* be (lie) in b.; *te ~ liggen met reumatiek* be laid up (be down) with rheumatism; *je ~ uit!* show a leg!; *iem. uit 't ~ halen* drag (turn) a p. out of b.; *ik houd je uit 't ~* I'm keeping you up; *van 't ~ op 't stro geraken* come down in the world; *zijn ~je is gespreid* his future is secure; *zie* kluisteren, enz.

Beda (the Venerable) Bede

bedaagd aged

bedaard(heid) *zie* kalm(te)

bedacht: *~ op*, (*lettend op*) mindful of, alive to [one's interests]; (*voorbereid op*) prepared for; *op ... ~ zijn, ook:* keep one's mind open to all possibilities

bedachtzaam (*overleggend*) thoughtful; (*niet overijld*) deliberate; (*voor-, omzichtig*) cautious, circumspect; **~heid** ...ness, circumspection

bedaken roof (in); **bedaking** roofing (in); (*concr.*) roofage, roofing

bedammen dam in (up), embank

bedankbrief letter of thanks; (*na logeren*) letter of thanks for hospitality, bread-and-butter letter

bedanken I *ww.* thank [a p. for s.t.]; render (return) thanks; *zonder te ~* without acknowledgment; (*ontslag nemen*) resign, retire from office, throw up one's place (= *~ voor* ...); (*ontslaan*) dismiss, discharge, pay [men] off; throw over [a lover]; (*voor uitnodiging, enz.*) decline [an invitation, honour, etc.], (*beleefd ~*) beg to be excused, excuse o.s.; (*voor krant, enz.*) withdraw one's subscription; (*als lid*) resign one's membership [of ...]; *wel bedankt!* thank you (thanks) ever so much!; *zie verder* danken; II *zn. wegens 't ~ van vele leden* on account of many withdrawals (the withdrawal of many members)

bedankje acknowledgment, (letter of) thanks, (*fam.*) thank-you [I did not even get a ...]; (*weigering*) refusal; *zie* aannemen 1; *'t is wel*

een ~ waard it's worth saying thank you for
bedaren (*tot ~ komen*) quiet down, calm down; (*van storm, enz.*) abate, moderate, subside [the laughter ...d], drop [the gale ...ped]; (*van wind, opwinding, enz.*) die down; *tot ~ brengen* quiet, moderate, pacify [a p.]; satisfy [hunger]; soothe [a child]; allay, mitigate, assuage [pain]; still [fear]; *bedaar!* compose yourself! be quiet!
bedauwen bedew; *bedauwd, ook:* dew-laden
bedde-: ~**goed** bedding, bed-clothes; ~**kussen** pillow; ~**laken** sheet; *stof voor –s,* sheeting; ~**linnen** bed-linen
beddenwinkel bedroom furniture shop
bedde-: ~**pan** warming-pan; ~**sprei** b.-spread, coverlet, counterpane; ~**tijk** b.-tick; (*stof*) b.-ticking; **bedding** (*van rivier, oceaan*) bed; (*geol.*) layer, bed, stratum (*mv.* strata), seam, measure; (*artillerie*) platform
bede (*gebed*) prayer; (*smeek~*) prayer, entreaty, supplication; (*hist.*) benevolence; *op zijn ~* at his entreaty; ~**dag** day of p.
bedeeld endowed [with natural gifts]; *~ worden, zie van de bedeling krijgen; ruim ~ met aardse goederen* richly blessed with worldly goods
bedeelde pauper
bedeesd timid, bashful, diffident, shy; coy (*vooral van meisje*); ~**heid** ...ness, timidity
bedehuis house (*of:* place) of worship; chapel (*van non-conformists*); tabernacle (*van sommige methodisten en van baptisten*)
bedekken cover (up, *geheel:* over), bury [one's face in one's hands]; *met sneeuw bedekte bergen* mountains capped with snow
bedekking cover, covering; (*mil.*) c.; (*troepen*) covering-party; (*geleide*) escort; *onder ~ van* under c. of [the night]
bedeklok(je) prayer-bell, angelus
bedekt covered; covert [allusions, signs], veiled [insult, threat, war, hint], clandestine [sale of spirits]; *~e aanval* masked attack; *~ bloeiende plant* cryptogam, flowerless plant; *in ~e termen* in covert (guarded) terms; ~**elijk** covertly, stealthily; ~**zadigen** angiosperms
bedelaar beggar, mendicant
bedelaars: ~**deken** patchwork blanket; ~**gebed**: *een – doen* count one's change; ~**herberg** common lodging house; (*sl.*) doss-house; ~**kolonie** tramp colony; ~**leven** a beggar's life
bedelaarster, bedelares beggar-woman
bedelachtig beggarly
bedelarij begging, mendicancy
bedel: ~**armband** charm-bracelet, -bangle; ~**brief** begging-letter; ~**broeder** mendicant (friar)
bedelen beg (alms), ask (beg) charity; *zijn brood ~* beg one's bread; *om werk* (*een baantje*) ~ cadge for work (a job); *lopen te ~* go (*of:* live by) begging; *om iets ~* beg for s.t.
be'delen (*met talenten, enz.*) endow; *de armen ~* bestow alms on (distribute charity to) the poor
be'deling poor relief; be upon the rates (the parish, the dole)
bedel: ~**monnik** mendicant (friar); ~**nap** begging-bowl; ~**orde** mendicant order; ~**staf** beggar's staff; *tot de – brengen* reduce to beggary, beggar [a p., o.s.]; ~**tje** charm
bedelven bury, entomb; *bedolven onder,* (*fig.*) snowed under with [presents], overwhelmed with [work]
bedel: ~**volk** beggars; ~**vrouw** beggar-woman; ~**zak** (beggar's) wallet; (*fig.*) beggar
bedenkelijk (*gevaarlijk*) critical; (*ernstig*) serious, grave; (*zorgelijk*) precarious, critical [state of things]; (*gewaagd*) risky, hazardous [undertaking]; (*twijfelachtig*) questionable, doubtful [means, dealings]; (*verdacht*) suspicious; *de zieke is ~* in a bad way, in a critical condition; *dat ziet er ~ uit* things look serious (suspicious); *een ~ gezicht zetten* pull (put on) a doubtful (serious) face; *alle ~e middelen* all imaginable means; ~**heid** criticalness, etc.
bedenken (*onthouden*) remember, bear in mind; (*overdenken*) consider [what I told you], weigh [the consequences]; (*zich te binnen brengen*) recollect [I cannot ... his name], think [I can't ... where I put it]; (*verzinnen*) think (bethink o.s.) of [a means of escape], devise, contrive, think out, strike out [a plan], invent, find [means], concoct [a story], think up [a fib, a slogan]; (*iem. ~*) remember (provide for) a p. [in one's will, etc.]; *iem. royaal ~* remember a p. handsomely; *iem. met iets ~* make a p. a present of s.t.; *men bedenke, dat* ... it should be borne in mind that ...; *als men bedenkt, dat* ... considering that ...; *en dan te ~ dat* ... and to think that ...; *zich ~,* (*van gedachten veranderen*) change one's mind, think better of it, (*zeld.*) remember o.s. [I ...ed myself in time]; (*nadenken*) reflect, take (second) thought; *zich goed ~, ook:* tax one's memory; *zich op iets ~* think a matter over (out), think upon a matter; *bedenk je nog eens* think again, try again; *hij zal zich nog wel eens tweemaal ~, vóórdat* ... he'll think twice before ...; *zonder (zich te) ~* without hesitation, unhesitatingly; ~**ing** (*bezwaar*) objection; (*beraad*) consideration; *–en hebben* (*tegen*) object (to), make objections (to, against); *ik geef het u in ~* I leave it to your consideration; *'t in – houden* think it over; **bedenktijd** time for reflection (for consideration)
bederf corruption [of manners, morals, etc.], [moral] deterioration (= *zedenbederf*); (*verrotting*) putrefaction, decay; (*bedervende invloed*) taint; (*achteruitgang in kwaliteit*) deterioration; blight [in corn], dry-rot [in wood; *ook fig.:* in society]; (*concr.*) pest [of society, of a school; a social pest], canker [a ... in the police-force]; *aan ~ onderhevig* perishable; *er is ~ in het hout* the wood is decaying (*of:* rotting); *'t is een ~ voor je tanden* it will spoil your teeth; *tot ~ overgaan, zie* bederven II; ~**elijk** perishable; *–e waren, ook:* perishables; ~**werend** (*middel*) preservative, antiseptic
bederven I *tr.* spoil [a child, eyes, pleasure], corrupt [manners, morals, the language], deprave [*zedelijk:* a p.], ruin [one's health, eyes, a new frock], mar [joy, beauty], taint [meat, air], vitiate [air], disorder [the stomach]; *het bij iem. ~* get into a p.'s bad books; *de lucht is*

bedorven door ... is tainted with all kinds of smells; *de hele boel* ~ spoil (mess up, muck up) the whole thing; *(stiekem) de boel (voor iem.)* ~ queer the pitch (for a p.); *je hebt alles aardig bedorven* you've made a nice mess of it; *zie* bedorven & spel; II *intr.* *(van eetwaren)* go bad, go [the meat is going], taint; *(van hout)* rot, moulder; *(van melk)* turn sour; *(van goederen)* deteriorate; -**er** corrupter, spoiler

bedevaart pilgrimage; *op een* ~ *gaan* go on p.; ~**ganger** pilgrim; ~**plaats** place of p.

bed: ~**genoot** bedfellow; ~**gordijn** bed-curtain (*mv. ook:* bed-hangings)

bedienaar minister [of God's Holy Word]; *(van begrafenissen)* undertaker, funeral furnisher

bediende *(in huis)* (man-)servant; *(lakei)* footman) *(lijfknecht)* valet, man; *(hotel, enz.)* waiter, attendant; *(in zaak)* employee; *(kantoor)* clerk *(zie* eerst, enz.); *(winkel)* (shop-)assistant; ~**nkamer,** ~**nkwartier** servants' room (hall, quarters); ~**npersoneel** (staff of) servants

bedienen I *tr.* serve *(ook: 't geschut* the guns), attend to [customers], wait upon [a guest, etc.]; *(van leveranciers)* supply; mind, tend, operate, run [a machine], serve [a gun], work [a fire-engine]; fill, hold [an office]; *(een stervende)* administer the last sacraments (extreme unction) to; *bediend w., ook:* receive the last sacraments; *de mis* ~ serve mass; *'t Evangelie* ~ preach the Gospel; *iem. op zijn wenken* ~ wait upon a p. hand and foot, be at a p.'s beck and call; *iem. aan tafel (van vlees, enz.)* ~ help a p. to ...; *voor de tweede maal bediend w.,* (aan tafel) have a second helping; *zich* ~ help o.s.; *zich* ~ *van, a)* (aan tafel) help o.s. to [some gravy]; *b)* avail o.s. of [an opportunity]; *c)* (*bezigen*) use, employ; *zich flink van* ... take a large helping of jam; II *intr.* (in winkel) serve; (aan tafel) wait (at table), do the waiting

bediening ...ing (*zie 't vor.*); operation; (in winkel, hotel, aan tafel) attendance, service; waiting [at table]; (*r.-k.*) administration of the last sacraments; (*mil.*) service [of a gun], (*concr.*) = ~**smanschappen;** *dubbele* ~ (in lesauto) dual control; (*ambt*) office, function; *kosten van* ~, (hotel, enz.) service charge; ~**sgeld** *berekenen* make a service charge; ~**sknop** control knob; ~**smanschappen** (*mil.*) (gun-)crew, gun-detachment, -servers, -team; ~**sorganen** (*v. vliegtuig*) controls; ~**spaneel** control panel; ~**sstraat** service road; *zie* afstandsbediening

bedierf *o.v.t. van* bederven

bedijken embank; -**ing** damming in (up), embankment; dikes

bedil: ~**al** fault-finder, caviller; ~**len** find fault with, cavil at, censure, carp at; ~**ler** censurer; *zie ook* ~al; ~**l(er)ig** captious; ~**ziek** fault-finding, censorious; ~**zucht** fault-finding, censoriousness, carping spirit

beding condition, stipulation, proviso; *onder één* ~ on one c.; *onder* ~ *dat* on c. (on the understanding) that; ~**en** (*met voorwerpszin*) stipulate, condition [that ...]; (*anders*) stipulate for

[better terms]; (*verkrijgen*) obtain [a price, better terms]; *dat is er bij bedongen* that is included in the bargain; *tenzij anders bedongen* unless stipulated otherwise; *bedongen kwaliteit (bedrag)* stipulated quality (amount); ~**ing** *zie* ~

bediscussiëren discuss

bedisselen (*eig.*) (dress with an) adze; (*fig.*) arrange, manage; *ik zal 't wel voor je* ~, *ook:* I'll fix it for you

bedleeslamp bedside lamp

bedlegerig bedridden, laid up, confined to one's bed; ~ *zijn, ook:* (*fam.*) be (*of:* lie) on one's back; ~**heid** confinement to bed

bedoeïen Bedouin, Beduin, *mv.* id.

bedoelen (*menen*) mean [met by: what do you ... by it?]; intend [it was ...ed as (for) an insult]; (*beogen*) purpose, have in view, aim (*of:* drive) at; *wat ik bedoel, ook:* [I hope you see] my point; *wat bedoel je eigenlijk?* what are you driving at?; *dat is, wat ik bedoel,* (*fam.*) that's the idea; *ze* ~ *'t goed* (met ons) they mean well (by us); have the best of intentions (towards us); *'t was goed bedoeld* it was well meant, meant for the best; *'t was niet boos bedoeld* no offence was meant, he (I) meant no harm; *die is voor mij bedoeld* that is meant for me, that is a slap (a sly dig) at me; *goed bedoelde voorstellen* well-intentioned proposals; *als bedoeld in § 6* as expressed in section 6; *de bedoelde persoon* the person in question, the person referred to; *zie* menen

bedoeling (*betekenis*) meaning, purport; (*strekking*) drift [of a remark]; (*plan*) intention; (*oogmerk*) intention [with the best ...s], aim, purpose, design [have no sinister ...s], idea [what's the ...?]; *met de* ~ *om te* ..., *ook:* with a view to ...ing, with intent to [murder him]; *met de* ~ *zelfmoord te plegen* with suicidal intent; *'t ligt niet in mijn* ~ *om* ... it is not my intention (not part of my plan) to ...; *het is de* ~ *dat* ... it is proposed (dat jij: you are supposed) to ...; *wat is uw* ~ *hiermee?* what is your object in doing this?; *zonder kwade* ~**en** without meaning any harm, without malice; *zonder bepaalde* ~**en** unintentionally; *zie ook* bijoogmerk

bedoen: *zich* ~ dirty o.s.; ~**ing** outfit; business; *zie* gedoe & rompslomp

bedolven *zie* bedelven

bedompt (*van vertrek*) close, stuffy, frowsty; (*van atmosfeer*) close, sultry; ~**heid** closeness, etc.

bedonderd *zie* belabberd & belazeren

bedonderen *zie* bedotten

bedorven spoiled, spoilt [child], corrupt [text, morals], depraved [morals], tainted, contaminated [meat, fish], decayed [fish], putrid [horse-flesh], bad [egg, air], addle(d) [eggs], vitiated [air, blood], unsound [meal *meel*], disordered [stomach]

bedotten: *iem.* ~ fool (trick, diddle) a p., take a p. in, pull a p.'s leg; (*sl.*) do a p. in the eye, sell a p. a pup

bedotter cheat, diddler; ~ij take-in, trickery, (sl.) sell [it's all a ...]

bedraden, -ing wire, wiring

bedrag amount; (kosten van aantekening, enz.) fee; ten ~e van to the a. of; tot een ~ van maar even to the tune of [£1000]

bedragen amount to, come to, number [the deaths ... 20], stand at [the fund ... s at] £200; in totaal ~ total (up to) [£20]

bedreigen threaten [met de dood to kill, with death], menace; (van gevaar ook) hang (of: impend) over; (sp.) challenge; z. bedreigd weten met know o.s. in danger of ...; -ing threat [met boeten of penalties], menace; onder - van oorlog under threat of war

bedremmeld confused, embarrassed, perplexed, shamefaced; ~heid confusion, perplexity

bedreven skilled, skilful, expert [at, in ...], adept [in ...]; proficient [swordsman]; experienced, practised [in ...]; ~ in, ook: versed in, conversant with; ~heid skill, skilfulness, proficiency [in literature, shooting]

bedriegen deceive, defraud, cheat, swindle, dupe, play [a p.] false, trick, take in, impose upon, beguile; (bij spel) cheat; practise deceit; zich ~ d. (delude) o.s., (zich vergissen) be mistaken [if I am not mistaken]; mijn geheugen bedriegt mij plays me false, deceives me; als mijn geheugen mij niet bedriegt, ook: if (my) memory serves (me); iem. voor een aanzienlijke som ~ trick (cheat, do) a p. out of a considerable sum; tenzij alle tekenen ~ unless all signs fail; hij kwam bedrogen uit his hopes were deceived (falsified, disappointed); bedrogen echtgenoot cuckold

bedrieger impostor, deceiver, cheat, fraud; (bij kaartspel enz.) sharper; de ~ bedrogen the biter bit; ~ij trickery, deceit, deception, imposture; 't is alles - it's all a fraud (a cheat), the whole thing is humbug (sl.: a plant)

bedrieglijk deceitful (inz. van pers.); fraudulent, sharp [practices]; (zogenaamd) bogus [a ... cure]; (misleidend) deceptive, deceiving [likeness], fallacious, tricky [figures (cijfers, getallen) are ... things]; (schoonschijnend) specious [arguments]; ~heid deceitfulness, fraudulence, etc.

bedrijf (handeling) deed, action; (tak van bestaan) industry [shipbuilding ...]; (beroep) business, trade; (zaak) business, concern; (exploitatie) working; (van gemeente, enz.) [publicly conducted] undertaking; (van toneelstuk) act; elektrisch ~ (public) electricity authority (plaatselijk: board); dat is geheel uw ~ that is all your doing; in ~ (stellen) (put) in (active) operation; commission [an installation]; buiten ~, (fabriek, enz.) idle; buiten ~ stellen, (fabr., enz.) close down; onder de bedrijven door meanwhile, incidentally, [tidy up] as we go along, [take an obstacle] in one's stride

bedrijfs-: ~administratie industrial accountancy; ~arts (company, etc.) medical officer; ~auto commercial vehicle, tradesman's van

bedrijfschap trade organization

bedrijfs-: ~chef zie ~leider; ~economie business economics, industrial economy; ~gedelegeerde shop-steward; ~geheim trade secret; ~geneeskunde industrial medicine; ~groep industrial section (group); ~huishouding organized economy; ~huishoudkunde zie ~economie; ~inkomsten revenue; ~inrichting plant, equipment; ~jaar working-year; ~kapitaal working-capital; ~klaar in running (working) order (condition); ~kleding industrial clothing; ~kosten working-expenses, running cost(s); algemene - overheads; ~kunde management science; ~leer applied economics; ~leider acting (working, works) manager; (wetenschappelijke) ~leiding (scientific) management; ~leven trade and industry; industrial circles (concr.); industrial life (abstr.); ~machine business machine; ~materiaal plant, working-stock; ~middelen assets; ~ongeval industrial accident (injury); ~ordening industrial planning; ~organisatie industrial organization; ~panden commercial properties; ~raad industrial council; ~rekening trading-account; ~resultaten trading-results; ~risico occupational risk(s); ~storing interruption of work, breakdown; ~tak branch of industry; ~verzekering consequential loss insurance, loss of profits i.; ~voering conduct of business; ~wetenschap science of industrial organization; ~winst trading-profit; ~zeker reliable, foolproof; ~heid dependability

bedrijven commit, perpetrate; rouw ~ mourn; vreugde - rejoice; zie begaan; ~d (gramm.) active [voice vorm]

bedrijver perpetrator, doer, committer, author

bedrijvig active, industrious, busy, bustling; ~heid (werkzaamh.) industry; (op de beurs bijv.) activity; (beweging) bustle

bedrinken drink (to); zie drinken op; zich ~ fuddle o.s., get tight [aan port on port]; z. ~ aan zijn eigen woorden become intoxicated by one's own rhetoric

bedroefd I bn. sad, sorrowful, distressed (over at), grieved, afflicted, sorrowing [her ... parents]; ~ maken sadden; 't ziet er ~ met je uit you are in a bad (of: sad) way; II bw. ~ slecht extremely (distressingly) bad; ~ weinig precious little (few); ze betaalden hem een ~ beetje a mere pittance; zij schreide erg ~, ook: she cried her heart out; zie diep; ~heid sadness, affliction, grief, sorrow, distress

bedroeven afflict, grieve, distress; 't bedroeft mij te zien, dat ... I am grieved to see that ...; zich ~ over be grieved at; ~d bn. sad, sorrowful, pitiful, distressing; bw. zie bedroefd

bedrog a) zie bedriegerij; b) deceit [an Israelite in whom there is no ...], guile; optisch ~ optical illusion; ~ plegen cheat, practise deceit (of: fraud); zonder ~, ook: guileless

bedrogene dupe, victim

bedroog o.v.t. van bedriegen

bedroppelen (be)sprinkle

bedruipen (be)sprinkle; baste [meat]; zich(zelf)

~ pay one's way, shift for o.s.; find for o.s. [out of £5 weekly]

bedrukken print over (*of:* on); print [cotton]

bedrukt dejected, melancholy, low-spirited, in low spirits, down; ~ *katoen* print(ed) cotton, (*Am.*) calico; ~**heid** dejectedness, dejection, depression

bedrupp(el)en (be)sprinkle

bed :~**sermoen** curtain-lecture; ~**sprei** *zie* bedde-; ~**stede** cupboard-bed(stead); ~**stijl** bedpost; ~**stro** b.-straw; ~**tijd** b.-time

beducht : ~ *voor* (*gevaar, enz.*) apprehensive of, afraid of; (*bezorgd*) apprehensive for [one's safety]; ~**heid** apprehension, fear

beduiden (*betekenen*) mean, signify; (*voorstellen*) represent; (*aanduiden*) indicate, point out, point to; forebode, spell [these clouds ... rain], portend [it ...s mischief]; (*te verstaan geven*) give to understand; (*uitleggen*) make clear [to a p.], get a p. to understand; *iem. met een handbeweging ~ plaats te nemen* motion a p. to a seat; *zie verder* betekenen; ~**is** *zie* betekenis

beduimeld thumbed, thumb-marked, well fingered; **beduimelen** thumb, soil

bedunken : *mijns ~s* in my opinion, to my mind

beduusd taken aback, dazed, flabbergasted

beduvelen pull the wool over a person's eyes, hoodwink

bedwang restraint, control; *in ~ hebben* (*houden*) have [the boys] well in hand, keep a tight hand over, keep under control, keep [one's tongue, etc.] in check, discipline [one's emotions]; keep down [rabbits, vermin]; *zich in ~ houden, zie* zich bedwingen

bedwants bed-bug

bedwarmer warming-pan

bedwateren bed-wetting [he wets his bed]

bedwelmd stunned, stupefied; drugged; intoxicated; *vgl. 't ww.*

bedwelmen stun, stupefy, (*door narcotische middelen*) drug, dope, (*door drank*) intoxicate (*ook fig.*); ~*de dranken* intoxicants, intoxicating liquors; ~*de gassen* stupefying gases; ~*d middel* narcotic, drug, dope; *zie* verslaafd; -**ing** stupefaction, stupor, narcosis, intoxication

bedwingbaar controllable, restrainable

bedwingen conquer, subdue [a country], check, curb, control, restrain; suppress [one's laughter, an insurrection]; quell [a rebellion]; contain [one's laughter, anger]; keep back [one's tears]; govern, master [one's passions]; *zie in* bedwang houden; *de brand was spoedig bedwongen* the fire was soon brought under control; *zich ~* restrain (contain) o.s., hold o.s. in hand, keep a tight rein (*of:* hold) on o.s.

beëdigd confirmed by oath; (*niet*) ~*e getuigenis(sen)* (un)sworn evidence; ~ *makelaar* (*translateur*) sworn broker (translator); ~*e verklaring* sworn statement, (*schriftelijk ook*) affidavit

beëdigen (*ambtenaar*) swear (in), swear into office; (*getuige, enz.*) swear, administer the oath to; (*soldaat*) attest; (*onder ede bevestigen*) confirm on oath, swear to

beëdiging swearing-in; administration of the oath; (*als soldaat*) attestation; (*van verklaring*) confirmation (up)on oath; ~**sdag** (*van Kamerleden, enz.*) swearing-in day

beëindigen end, conclude, bring to a conclusion, finish; terminate [a contract, etc.]

beëindiging conclusion, termination

beek brook, rill, rivulet; ~**je** brooklet; ~**punge** (*plant*) brook-lime

beeld (*algem.*) image; (*portret*) portrait, picture, likeness; (*spiegel-*) reflection [look at one's own ... in the glass], reflex; (*t.v.*) picture, image; (*van ziekte*) picture; (*stand-*) statue; (*steven-*) figure-head; (*redeftguur*) figure (of speech), metaphor, image; (*zinnebeeld*) emblem; symbol, *een ~ van 'n hoed* a dream of a hat; *een ~ van een meisje* a (perfect) beauty (of a girl); *hij was een ~ van wanhoop* a picture of despair; *in ~ brengen* render pictorially, picture, portray; *een ~ geven van* give an idea of, illustrate [Engl. country-life]; *Engeland in ~* Britain in pictures; *God schiep de mens naar Zijn ~* created man in His own i.; *zich een ~ vormen van* visualize, form a notion of; ~**band** video tape; ~**buis** (*t.v.*) *a*) screen; *b*) (*fam.*) box; *c*) cathode-ray tube; ~**enaar** (*van munt*) head, effigy; ~**end** expressive [faculty *vermogen*; language]; ~*e kunsten* plastic arts, arts of design; ~ *kunstenaar* plastic (pictorial) artist; *school voor* ~*e kunsten* school of design; ~**endienaar** i.-worshipper, iconolator; ~**endienst** i.-worship, iconolatry; ~**enstorm** i.-breaking, iconoclasm; ~**enstormer** i.-breaker, iconoclast; ~**erig** charming, sweet; *de japon staat je* – the dress suits you wonderfully; ~*e hoed, zie* ~; ~**feuilleton** comic (strip); ~**gieter(ij)** statue-founder (-foundry); ~**hoek** angle of view; ~**houwen** sculpture, sculpt; (*in hout, enz.*) carve

beeldhouwer sculptor, statuary; wood-carver; ~**ij** *a*) sculptor's studio (workshop); *b*) sculpture, statuary (art)

beeldhouw :~**kunst** sculpture; ~**ster** sculptress, sculptor; ~**werk** sculpture, statuary; (*in hout*) carved work, carving

beeldje statuette, image, figurine; *zie* beeld

beeldmerk logo(type)

beeld : ~**rijk** ornate, flowery; ~**roman** comic (book); ~**scherm** screen; ~**scherpte** (*van lens*) definition; ~**schoon** of rare beauty; (*sl.*) super; ~**schrift** picture writing, pictography; ~**snijder** (wood-)carver; (*in ivoor*) ivorist; ~**spraak** metaphorical (*of:* figurative) language, imagery; ~**teken** pictogram; ~**telegrafie** telephotography, pictography; ~**verhaal** comic strip; ~**versterker** (*t.v.*) video-amplifier; ~**werk** *zie* beeldhouw-; ~**zijde** (*van munt*) face, obverse

beeltenis image, portrait, likeness, effigy; *in ~ ophangen* hang in effigy

Beëlzebub Beelzebub

beemd field, meadow, pasture; ~**gras** meadow-grass

been (*van lichaam, passer, driehoek, kous, enz.*) leg; (*in lichaam*) bone (*ook stofnaam*); (*van*

hoek) side; *ik zie er geen ~ in 't te doen* I make no bones about (of) doing it; *hij kreeg geen ~ aan de grond*, (*fig.*) he hadn't a leg to stand on; *'t zijn sterke -nen die de weelde dragen*, (*ongev.*) wealth and prosperity breed corruption; *jonge -nen hebben* be young; *de -nen nemen* take to one's heels, leg it; *ik kan mijn -nen niet meer gebruiken* I have lost the use of my legs; *zijn -nen onder een andermans tafel hebben* have one's feet under another man's table; *-nen maken* take to one's heels, (*sl.*) beat it; *ik zal je -nen maken* I'll make you use (find) your legs; *met het verkeerde ~ uit bed stappen* get out of bed on the wrong side; *met één ~ in 't graf staan* have one foot in the grave; *met beide benen op de grond (blijven) staan* be (remain) levelheaded; *ik kon haast niet op de ~ blijven* I could scarcely keep (on) my feet (legs); *de paarden wisten op de ~ te blijven* the horses managed to keep their footing; *op de ~ brengen* raise, levy [an army]; *op de ~ brengen (helpen)* set (put) [a p., industry, etc.] on his (its) legs (feet), assist a p. to his feet, (*fig. ook*) give [a p.] a leg up; *hij hield mij op de ~* kept me on my legs; *deze hoop hield hem op de ~* sustained him; *hij kwam weer op de ~* got on his legs again, regained his feet, found his feet (*ook fig.*), picked himself up; *op één ~ kan men niet lopen,* (*fam.*) wet the other eye; *op eigen -nen staan* stand on one's own legs (feet); be on one's own; *op zijn laatste -nen lopen* be on one's last legs; *wij waren vroeg op de ~* we were early stirring (astir); *de zieke is weer op de ~* on his legs again, about again, out (*of:* up) and about again; *hij was spoedig weer op de ~* (= *hersteld*) soon got about again, was soon about (*of:* stirring) again; *op de ~ zijn, (in de weer zijn)* be on one's legs (feet); *er was veel volk op de ~* a great many people were about; *zie achterst; over zijn eigen -nen vallen* be all legs; *zie vel; vlug ter ~ zijn* be a good walker, be quick (swift) of foot, (*fam.*) be quick on the pins; *stevig (zwak, slecht) ter ~* steady (feeble, bad) on one's legs; *van de ~ raken* lose o.'s footing; *van de ~deren ontdoen* bone [meat]; *zie vloer;* ~aarde bone-earth; ~achtig bony; osseous, bony [fishes]; ~bekleding leggings; ~beschermer leg-guard, pad; ~beschrijving osteography; ~blok hobble; ~breker *zie* zeearend; ~breuk fracture of a bone (*of:* leg)
beender: ~as bone-ash; ~enleer osteology; ~gestel *zie* stelsel; ~huis charnel-house; ~kool animal charcoal; ~lijm bone-glue; ~meel bonemeal, -flour, -dust; ~mest bone-manure; ~stelsel osseous system, skeleton; *'t – ontwikkelen* make bone
been: ~eter caries; ~gezwel bony tumour, exostosis; ~harnas (*hist.*) (*aan scheen*) greaves; (*aan dij*) cuisses; ~ijzer leg-iron; ~kap legging (*gew. mv.*); ~kluister shackle; ~ontsteking osteitis; ~platen *zie* ~harnas; ~spat bone spavin; ~splinter splinter of a bone; ~stuk *zie* ~harnas & ~kap
beentje 1 (small) bone; splinter of (a) bone; 2

(little) leg; *iem. een ~ lichten* trip a p. up, (*fig. ook*) put a p.'s nose out of joint; *zijn beste ~ voor zetten* put one's best foot (*of:* leg) foremost, be on one's mettle, be on one's best behaviour; ~~over loop-change-loop, step-overstep action; – *rijden* do the outside edge
been: ~uitsteeksel apophysis; ~uitwas bony excrescence; ~vis osseous (*of:* bony) fish; ~vlies periosteum; ~vliesontsteking periostitis; ~vorming bone-formation, -building, -making, osteogenesis; ~weefsel bony tissue; ~windsels puttees; ~zaag bone-saw; ~zwart bone-black
beer bear; (*mannetjesvarken, -cavia*) boar; (*waterkering*) dam, weir; (*muurstut*) buttress, spur; (*heiblok*) rammer, monkey; (*schuld*) debt; (*rekening*) bill, (*sl.*) tick; (*schuldeiser*) dun; (*faecaliën*) night-soil, muck; *Grote ~* Great Bear, Ursa Major; *Kleine ~* Lesser (Little) Bear, Ursa Minor; *men moet de huid niet verkopen vóór men de ~ geschoten heeft* do not count your chickens before they are hatched; first catch your hare, then cook him; *op de ~ kopen* buy on tick; *de ~ is los* the fat is in the fire; ~achtig bearish; ~put cesspool, cesspit; ~rups woolly b.; ~tje (*speelgoed*) Teddy b.; ~uil, ~vlinder tiger moth
beërven *a*) inherit; *b*) inherit from
beest animal; (*grote viervoeter*) beast, (*wild*) brute; (*fig.*) beast, brute; (*koe-*) beast; (*bilj.*) fluke, crow; *de ~ spelen* play the devil, kick up a row; *hij houdt twintig ~en* he keeps a stock of twenty cattle; *bij de ~en af* too shocking for words
beestachtig beastly, bestial, brutal, brutish; *zich ~ gedragen* make a beast of o.s., behave like a beast; ~koud (*vuil*) beastly cold (dirty); *hij heeft het ~ druk* he is infernally busy; ~heid beastliness, bestiality, brutality
beesten: ~boel (*vuile boel*) (regular) mess; (*herrie*) tumult, racket; (*uitspatting*) debauchery, orgy; *een – aanrichten* turn a (the) place upside down; ~koper cattle-dealer; ~markt cattlemarket; ~spel menagerie; ~stal cow-house; ~voeder provender, fodder; ~wagen cattle-truck
beestig *zie* beestachtig
beestje little beast, creature, (*luis*) crawler; ~s *hebben* be verminous
1 beet *o.v.t. van* bijten
2 beet 1 *zie* beetwortel; 2 (*'t bijten van hond, enz.*) bite, (*van slang*) sting, (*van vis*) bite, nibble; (*hapje*) bite, morsel, mouthful; *in één ~* in (at) one b.; *hij heeft (krijgt) ~* he has a b. (gets a rise); *geen enkele keer ~ krijgen* not get a single rise; *iem. ~ hebben,* (*eig.*) have got hold of a p.; (*fig.*) *zie* beetnemen; *je hebt 't lelijk ~* you've got it badly; *'m ~ hebben* be tipsy; *iets ~ hebben* understand a thing; *zie ~pakken, enz.;* 3 *o.v.t. van* bijten
beetje: *een ~* a little (bit), a bit [weak; wait a bit], slightly [better], a trifle [cruel], a shade [too serious], a thought [too thin]; *'n ~ gaan liggen* lie down for a bit; *'n ~ werken* do a spot of work; *'n ~ Spaans kennen* know a l.

(have a smattering of) Spanish; '*t* ~ (*geld*) *dat ik heb* what l. (money) I have; '*n* ~ *melk* a drop of milk; '*n* ~ *hoofdpijn* (*koorts*) a slight headache (fever); *alle* ~*s helpen* every l. helps; *bij* ~*s*, ~ *bij* ~ l. by l., bit by bit; *lekkere* ~*s* titbits

beetkrijgen *zie* beetpakken; *ik heb 't gisteren beetgekregen* I caught it yesterday

beetnemen (*eig.*), *zie* beetpakken; (*bedotten*) take in, take advantage of, have, dupe, (*sl.*) bamboozle; (*voor de gek houden*) fool, make fun (game, a fool) of, (*fam.*) pull a p.'s leg; *je hebt je laten* ~, *ook:* (*sl.*) you've been sold (*of:* had); *gemakkelijk beet te n.* easily put upon, [be] an easy dupe

beetnemerij take-in, leg-pull(ing); (*sl.*) sell

beetpakken seize, seize (*of:* take) hold of, grip [a p.'s hand]

Beetsjoeanaland (*hist.*) Bechuanaland (*nu:* Botswana)

beetwortel beet(root); ~**stroop** b.-syrup; ~**suiker(fabriek)** b.-sugar (factory)

bef (pair of) bands; *zie* toga

befaamd famous, renowned, noted, known to fame;(*berucht*)notorious;~**heid**fame,renown; (*ong.*) notoriety

beflijster ring-ousel

befloersen muffle [*een trom* a drum]

begaafd gifted, talented; ~ *met* endowed (gifted) with; ~**heid** talents, ability, giftedness; intelligence

begaan I *ww.* walk upon, tread [a road]; commit [a crime, mistakes], make [mistakes], perpetrate [a blunder, crime]; '*n flater* ~, *ook:* drop a brick; *een misdaad* ~ *aan* commit a crime on; *laat hem* ~ leave (let) him alone, leave it to him, let him; *laat hem maar* ~, *hij speelt 't wel klaar* let him alone to manage it; *zie* ongeluk; II *bn.* ~ *pad* trodden (beaten) path(way); *begane grond* [below] ground level; *gelijk met* ... on a level with the road; *op de* ... [live] on the ground-floor; ~ *zijn met* have pity on, pity, feel sorry for; III *zn.* (*van misdaad*) perpetration, commission, committal

begaanbaar practicable, passable; *de weg was goed* (*moeilijk*) ~ the road made good (hard) going; ~**heid** ... ness

begeerlijk desirable, eligible; (*begerig*) eager, greedy; *zie* partij; ~**heid** *a*) desirability; *b*) eagerness, greediness

begeerte desire [*naar* of]; eagerness [*naar* for] avidity, lust [of conquest, etc.], craving [*naar* for]; *zinnelijke* ~ sexual appetite, lust

begeleiden accompany (*ook muz.*); (*geleiden*) conduct; (*hoger geplaatste*) attend; (*welstaanshalve*) chaperon [a young lady]; (*uit beleefdheid*) *ook:* escort, support [the King was ... ed by the Bishop of L.]; (*voor bescherming*) escort, convoy [a ship]; see [a p.] home (to the carriage, the station, etc.); (*studie*) supervise [a pupil]; ~*d schrijven* covering letter; ~*de omstandigheden* attendant (concomitant) circumstances; -(st)er companion, attendant, escort; satellite [of a planet]; (*muz.*) accompan(y)ist; -ing escort, convoy; (*muz.*) accom-

paniment [*met* – *van* to the ... of the piano]; (*van studie*) supervision

begenadigen pardon, reprieve [a p. sentenced to death]; (*zegenen*) bless; *een begenadigd kunstenaar* an inspired artist; **-ing** pardon, amnesty, reprieve

begeren *ww.* desire, wish, want, covet [the ... ed prize]; *gij zult niet* ~ thou shalt not covet; *zn. wat is* (*van*) *uw* ~? (*vero.*) what do you wish? what can I do for you?; ~**swaard** *zie* begeerlijk

begerig desirous, eager, longing [eyes]; (*inhalig*) greedy, covetous, grasping; ~*e blikken werpen op* cast covetous eyes on; ~ *naar* d. of, eager for [a change, etc.], greedy for; ~ *te gaan* anxious (eager, desirous) to go, d. of going; ~**heid** eagerness, covetousness, greediness, cupidity, avidity

begeven (*ambt, enz.*) bestow, confer; (*in de steek laten, verlaten*) forsake [God will not ... you]; *het* ~ break down; *gij hebt dit ambt te* ~ this office is in your gift; *zijn benen* ~ *hem* his legs are giving way; *zijn krachten begaven hem* his strength gave way, gave out, began to fail him; *zijn, moed* (*zelfbeheersing*) *begaf hem* his heart sank, failed him his self-control broke down); *zich* ~ *naar* go (proceed, make one's way) to, make for; (*dikwijls, of in groten getale*) resort (repair) to; *zich* ~, (*naar huis*) go home; (*te water*) enter (take to) the water; (*in de boten*) take to the boats; (*ter ruste*) retire to rest; (*naar zijn regiment*) join one's regiment; (*in gevaar*) expose o.s. to danger; (*in 't huwelijk*) marry; (*in speculaties*) engage in speculations; (*in onderneming, enz.*) embark (up)on an undertaking (a policy); (*op weg*) set out [*naar* for]; (*aan 't werk*) set to work; **begever** giver, donor; (*van kerkelijk ambt*) patron, collator

begeving gift, bestowal, endowment, donation; (*kerk.*) collation; ~**srecht** (*kerk.*) advowson, (right of) collation

begieten water, wet

begiftigde donee

begiftigen endow [a p., an institution]; present [*met* with], invest [with an order]; *iem.* ~ *met*, *ook:* bestow (confer) s.t. on a p., award [a medal, etc.] to a p.; **-er, -ing** *zie* begever, -ing

begijn beguine; ~**(en)hof** beguinage

begin beginning, start, (*lit.*) commencement; *alle* ~ *is moeilijk* things are always difficult at the start (at first); '*n goed* ~ *is 't halve werk* well begun is half done; *een* ~ *maken* begin, make a b. (a start); *een goed* (*slecht*) ~ *maken* make a good (bad) start; *een* ~ *maken met* begin, start; '*t* ~ *van 't einde* the b. of the end; ~ *van brand* outbreak of fire; *we zijn nog slechts* **aan** '*t* ~ we are only at the b.; *hij staat aan 't* ~ *van zijn loopbaan* he is starting life, he is on the threshold of his career; *aan 't* ~ *van de lijst* early in the list; *bij 't* ~ at the b.; *in 't* ~ at (in) the b., at first, at the outset; *in 't* ~ *van deze eeuw* in the early part of this century; (*in 't*) ~ (*van*) *januari* early in January, in the b. of Jan.; *in den* ~*ne* at the outset, (*bijb.*) in the b.; *heel in 't* ~ at the very first, at the very outset; *van 't* (*eerste*) ~ *af aan* from the (very) outset, from the first, from the b., right from the start; from the word go; *van 't ~ tot 't einde* from b. to end, from first to last, from start to finish, (*van boek*) from cover to cover; ~**fase** initial phase; ~**koers** opening price; ~**letter** initial; ~**medeklinker** initial consonant; ~**neling** *zie* beginner

beginnen begin, start, (*lit.*) commence; open [a school, a shop; the trial ... s to-day], enter into [negotiations], start [a business, a conversation; don't ... crying], set up [a business]; set in [winter, the thaw, has set in]; [will you] make a start [?]; (*sp.*) start; *het stuk begint aldus* the play starts off thus; *begin maar* fire away! go ahead!; *wit begint*, (*spel*) white to move (has first move); *opnieuw ~* make a fresh start, recommence; *weer van voren af aan ~* go back to square one; *verkeerd ~* start wrong; *een reis ~* set out (start) upon a journey; *een zaak ~, ook:* set up in business; *jij bent ('t) begonnen* you started it; *toen begon 't (de pret, enz.)* then the fun started; *zal dat alles weer ~?* is all that going to b. over again?; *begin je weer?* there you are again!; *ze begon weer te vitten* she fell to nagging again; *er is geen ~ aan* it is (would be) an endless work; *wat ben ik begonnen!* what am I doing! why ever did I b. it!; *wat ga je nu toch ~?* what ever are you up to now?; *wat te ~!* what to do!; *wat moet ik ~!* what am I to do! what ever shall I do!; *wat had ik moeten ~ zonder hem!* where should I have been without him?; *hij wist niet wat te ~* what to do, which way to turn; *ik kon niets ~* I could do nothing, I was helpless; *hij was rijk, om te ~* he was rich, to b. (to start) with; *aan iets ~* begin s.t., set about s.t.; *start on* [the pudding]; *~ bij 't begin* b. at the beginning; *met de linker voet ~* step off with the left (foot); *met Duits ~* (= *de studie van het D. ter hand nemen*) take up German; *~ met lezen* start to read (reading); *~ met te verklaren* b. by declaring; *hij begint 't nummer met een novelle* he leads off with a novelette; *er is niets met hem te ~* (*ik kan niets ... ~*) there's no doing (I can't do) anything with him, he is hopeless; *daar kan ik niets (niet veel) mee ~* that's no use to me (I have little use for it); *wat moet men ~ met het overschot* how to deal with the surplus; *begin niet met hem* leave him alone, give him a wide berth; *de huur begint met ...,* *zie* ingaan; *'t is hem om het geld begonnen* it's the money he's after; *~ over een onderwerp* broach (begin on) a subject; *hij wou weer over het onderwerp ~* he tried to reopen the subject; *de twist begon over een kleinigheid* began over a trifle; *~ te lezen* b. to read; *~ te mopperen (te bakkeleien)* start grumbling (a scrap); *'t begint te regenen, ook:* it's coming on to rain; *'t begint donker te worden* it's getting dark; *hij begon (zij begonnen) te ...,* *ook:* he fell to thinking about ... (they fell to discussing details); *zich ~ te interesseren voor* become interested in; *voor zichzelf ~* set up for o.s. (on one's own); ~**d** *ook:* incipient (goitre); *zie* klein, onder, school, voren

begin: ~**ner** beginner, novice; ~**paal** (*wedren*) starting-post; ~**punt** starting-point, start; ~**regel** first (*of:* opening) line; ~**rijm** alliteration; ~**salaris** starting (initial) salary

beginsel principle; *de vreze des Heren is het ~ der wijsheid* the fear of the Lord is the beginning of wisdom; *de (eerste) ~en* the rudiments, the elements, the A B C [of a science]; *in ~* in p., normally; *uit ~* [act] on p.; *volgens een nieuw ~* on a new p.; ~**kwestie** question of p.; ~**loos** without (any firm) principle(s); (*karakterloos*) unprincipled; ~**loosheid** *a*) lack of principle(s); *b*) unprincipledness; ~**programma** *zie* ~verklaring; ~**vast(heid)** firm(ness) of principle; ~**verklaring** programme, constitution [of a party]; [the government's] declaration (statement) of policy (of intent)

beginsnelheid *zie* aanvangssnelheid
beginstadium initial stage
begintraktement commencing salary
begluren spy upon, peep at; (*verliefd*) ogle
begon *o.v.t. van* beginnen
begonia begonia
begoochelen bewitch, fascinate; (*bedriegen*) delude, beguile; **begoocheling** bewitchment, fascination; delusion, beguilement
begooien: *iem. ~ met ...* throw ... at a p., pelt a p. with ...
begraafplaats cemetery, burial-place, churchyard, graveyard, (*dicht.*) God's acre
begraasd grassy, grass-grown
begrafenis funeral (*ook de stoet*), burial, interment; *attr. ook = als (voor) een ~* funeral [face]; ~**auto** (motor) hearse; ~**fonds** [be in a] burial-club, -society; ~**formulier** order for the burial of the dead, office of the dead, burial office; ~**kosten** f. expenses; (*meer beperkt, voor geestelijke, enz.*) burial-fee; ~**maal** f. repast; ~**ondernemer** undertaker, f. furnisher, f. contractor, (*Am.*) mortician; ~**onderneming** undertaker's (undertaking) business; ~**plechtigheid** f. ceremony; ~**plechtigheden** f. rites; ~**stoet** f. procession (train, cortège)

begraven bury (*ook fig.: ~ o.s.* in a little village); (*lit., alleen lett.*) inter; *zie* bedelven; *ze heeft ... ~* she has buried her third husband; *iem. mee (gaan) ~* attend a p.'s funeral, see a p. buried, help to b. a p.; *dood en ~* dead and gone
begrazen *zie* afweiden
begrensd limited (*ook van verstand*), confined, circumscribed; ~**heid** limitedness
begrenzen bound [France is ... ed on the east by Germany], border [... ed by a canal]; (*beperken*) limit, circumscribe
begrenzing limitation, circumscription
begrijpelijk comprehensible, understandable, intelligible; (*denkbaar*) conceivable; *'t iem. maken* make it clear to a p.; *licht ~* easily understood; ~**erwijze** for obvious reasons, understandably; ~**heid** intelligibility, comprehensibility
begrijpen understand; (*zich een idee vormen van*) grasp, comprehend, conceive; (*inhouden*) con-

tain; (*insluiten*) include, imply; *ik **kan** me niet ~ waar hij is* (*hoe 't gebeurd is*) I cannot imagine (think) where ... (I'm at a loss to u. how ...); *je* (= *men*) *begrijpt niet dat* ... the wonder is (it is a wonder) that ...; *ik begreep, dat je zei* ... I understood you to say ...; *dat begreep ik* (*van hem*) so I understood; *als ik u **goed** begrijp* if I u. you rightly (correctly), (*fam.*) if I get you right; *begrijp mij **goed*** understand (don't mistake) me; *begrijp dat goed!* (*dreigement*) get that into your head! make up your mind to that! make no mistake about that!; *laten we dat goed ~* let us get that clear; *verkeerd ~, zie* verkeerd; *dat kun je ~ ! a*) I should jolly well think so!; *b*) (*iron.*) nothing of the kind; not likely! no fear! not much! [were you present?] Not I!; *ik begrijp daaruit, dat* ... I gather from this that ...; *begrijp je* (*mij, mijn vraag*)*? ook:* do you follow (me, my question)?; *ik begrijp u niet, ook:* I don't follow; *hij begreep er totaal niets* (*hoe langer hoe minder*) *van, ook:* he was quite at a loss, all at sea (was more and more puzzled); *dat is de waarheid, begrijp je?* that's the truth, see?; *en gauw ook, **begrepen?*** and quick too, do you hear?; *begrepen?* is that clear?; got that?; *de toestand ~* grasp the situation; *ik begrijp het* (*hem*) *niet, ook:* I can't make it (him) out, it (he) is beyond me; *ik begrijp de zaak niet recht, ook:* I am not very clear about it; *moeilijk ~* be slow; *vlug ~* be quick of apprehension; *dat is gemakkelijk **te** ~* (*laat zich* ... ~) that is easy to u., easily understood, quite understandable; *alles er **in** begrepen* inclusive, no extras, everything included [the charges (*kosten*) are included in the price]; *in de woorden begrepen* implied in the words; *daaronder zijn begrepen* ... comprehended in it are ...; *ik heb het niet op hem begrepen* I don't trust him; *ze hebben 't niet op elkaar begr.* there is no love lost between them, they don't take to each other; *ze had 't er niet op begr.* she did not approve of it; *zie ook* gemunt

begrinten gravel

begrip [1] idea, notion, conception; (*wet.*) concept [the ... horse]; (*'t begrijpen*) comprehension, apprehension [for a clear ... of the matter]; *... is een ~* is a household word; *hij toonde ~ voor mijn moeilijkheden* he showed he understood my difficulties; *geen ~ van huishouden* no notion of housekeeping; *je kunt er je geen ~ van maken* (*vormen*) you cannot form an i. of it; *naar Europese ~pen* by European standards; *verkeerde ~pen* misconceptions; *dat gaat mijn* (*alle*) *~ te boven* that is beyond me, passes my (all) comprehension (understanding); *tot recht ~ van de toestand* for a better understanding of the situation; *kort ~* abstract, epitome, summary, synopsis; *met ~* [read] intelligently; *zie* flauw, vlug, enz.

begrips: *~bepaling* definition; *~inhoud* content; *~leer* ideology; *~naam* abstract noun; *~verwarring* confusion of thought (*of:* ideas);

[1] *Zie ook* verstand

~woord presentive (*of:* notional) word

begroeid grown over, overgrown; wooded [hills]; *met gras ~, zie* begraasd; *met dennen ~* pine-clad [hills]; *geheel ~* overrun [with grass]; *zie ook* klimop; **begroeien** grow over, overgrow; **begroeiing** overgrowth

begroeten greet (*ook met kogels, enz.*), salute; hail [a new play as a masterpiece], welcome; *zijn gastvrouw ~* pay one's respects to one's hostess; *hij komt je even ~* he's come to say how-d'ye-do (hello); *met gejuich* (*gejouw*) *~* g. with cheers (boos); *met voldoening ~* hail with satisfaction; *elkaar ~* exchange greetings; **-ing** salutation, greeting

begrotelijk expensive

begroten estimate, compute, rate [*op* at]; *dat begr. mij* that's too expensive for me; *'t begr. me van 't geld* I begrudge the money

begroting estimate; (*staats-, enz.*) estimates, budget; (*fig.*) *zie* balans; *~ van inkomsten* (*uitgaven*) estimates of revenue (expenditure); *~s-debat* debate on the budget, b. debate; *~sjaar* financial year; *~spost* budget item; *~srede* budget-speech; *~stekort* budgetary deficit

begunstigen favour [...ed by brilliant weather; f. with orders], patronize (*inz. met klandizie*), support; **-de** (*verzek.*) beneficiary; (*van cheque*) payee; **-er** patron [of art, etc.; *ook: klant*], customer (*klant*); supporter; **-ing** favour, patronage, support; (*econ.*) preference, preferential treatment; *stelsel van* – favouritism; (*tussen staten*) policy of preference; *zie* meest-...; *onder – van de nacht* under cover of (the) night

beha bra

behaaglijk (*aangenaam*) pleasant; (*gemakgevend*) comfortable; (*knus*) snug; (*zich ~ voelend*) comfortable, at (one's) ease; **-heid** pleasantness, comfort(ableness), snugness

behaagziek coquettish; *een ~ meisje, ook:* a coquette; **-zucht** coquetry

behaard hairy, hirsute

behagen I *ww.* please; *als het Gode behaagt* please God; *het heeft den Almachtige behaagd te* ... the Almighty has seen fit to shorten his span (of life); *het heeft H.M. behaagd te* ... Her Majesty has been (graciously) pleased to ...; *ik zal wachten, zolang het u behaagt* I shall wait your pleasure; II *zn.* pleasure; *~ scheppen in* take (a) pleasure in, find p. in, (take) delight in; *oprecht ~ scheppen in* take a candid p. in

behalen get, win, gain, score [a triumph], obtain, take [a certificate], make [a profit]; (*sp.*) lift [the Bisley prize]; *de overwinning ~* gain the victory [*op* over], carry (win, gain) the day; *een prijs ~* gain (carry off) a prize; *de meeste punten ~* make the highest score; *roem ~* reap glory; *eer ~ met* gain credit by; *er is aan hem geen eer te ~* he is past praying for, good advice is thrown away on him; *zie* succes & halen

behalve (*uitgezonderd*) except, but, [any edition] other than [this one], save; (*benevens*) besides, in addition to [she had no relations except (*of:* but) myself; besides myself, her nephew, she had a niece in America]; ~ *in sprookjes* (*ook:*) outside fairy-tales; ..., ~ *dat er deuren open en dicht gingen* all was quiet, except for the opening and shutting of doors; *niets* ~ ... nothing beyond ...; ~ *dat hij had gehoord dat* ... beyond having heard that ...; ~ *een, ook:* bar one; *en* ~ *dat kwam hij* ... and besides, he was an hour late; *zie* alles~

behandelen treat [a patient, wound, subject, a p. well, etc., a p. for burns], deal with [a question, deal gently with a p.], deal (do) by [others as you wish to be dealt (done) by], use [a p. well, ill], attend [a patient], manage [she knows how to ... children], handle, manipulate [instruments, subjects], handle [goods], try, hear [a case *rechtszaak*]; *iem.* ~ *wegens* ... attend (treat) a p. for the measles; *iem. min* ~ treat a p. shabbily; *zichzelf* ~ doctor o.s.; *de hem ~de dokter* his medical attendant; *zie* procédé

behandeling [under medical] treatment, attendance; [rough] usage; handling, manipulation [of an instrument], [rough] handling [of goods]; (*verzorging*)care [of fire-arms, horses]; (*van rechtszaak*) trial, hearing; *slechte* ~ ill usage (treatment); *het wetsontwerp was in* ~ the bill was under discussion; *een motie in* ~ *brengen* open the discussion on a motion; *in* ~ *komen* (*van rechtszaak*) come on for trial (for hearing), (*van wetsontw., enz.*) come up for discussion; *zich onder* ~ *stellen van* place o.s. in the hands of [a doctor]; *onder* (*medische*) ~ *zijn* be under (medical) t. (care); *hij was onder* ~ *van* ... he was being treated by ...

behandelkamer surgery

behang *zie* behangsel; (*van hond*) ears

behangen (wall-)paper [a room], hang [with garlands, pictures, etc.], drape [with silk, flags], cover; *opnieuw* ~ re-paper; *de kamer is bruin* ~ is papered a brown colour; *met* ... ~, (*v. dw.*) *ook:* hung about with [parcels], stuck out with [jewels], plastered with [medals]

behanger paper-hanger, paperer; (*stoffeerder*) upholsterer; ~**ij,** ~**szaak** upholstery (business); ~**sbij** upholsterer-bee

behangsel (wall-)paper, (paper-)hangings; ~**papier** (wall-)paper

beharing hair; (*van dier ook*) coat

behartigen have at heart, look after, study, promote, serve, be watchful of [a p.'s interests]; (*zeld.*) take to heart; *raad* ~ follow advice; ~**swaard(ig)** worthy of consideration, worth laying to heart

behartiging care, promotion [of a p.'s interests]

beheer management, control [demand ... of one's own money], conduct, direction, supervision, administration [of an estate (*nalatenschap*)], stewardship; *slecht* ~ mismanagement; *eigen* ~, (*van gemeente*) municipal ownership; *in eigen* ~ *nemen* bring under one's own control, take into one's own hands; (*van staat*) nationalize [railways]; (*van gemeente*) municipalize; *onder zijn* ~ *hebben*

have under one's control; *onder zijn* ~ *nemen* take control of; *'t* ~ *voeren* be in control; *'t* ~ *voeren over* superintend, control; *'t* ~ *over zijn stuur verliezen* lose control of one's car (bicycle); *zie* macht; ~**der** manager, director, administrator; (*van failliete boedel, nalatenschap*) trustee; (*van vijandelijk eigendom*) controller; (*van jeugdherberg*) warden

beheersen (*volk, enz.*) rule, govern [his life is ...ed by a rigid etiquette], sway; (*hartstocht, enz.*) master, control, command; (*prijzen*) control, peg; (*vijandelijke stelling, enz.*) command [tne hill ...s the surrounding country], dominate; (*in zijn macht hebben*) dominate [a p., the dollar ...d the market], (*toestand, onderwerp*) be master of; *een taal* ~ be fluent in a language, have command (be master) of a l.; *zich* ~ control (govern) o.s., keep one's temper; *zich laten* ~ *door* be swayed by [one's inclinations]; *laat u niet* ~ *door* ... don't let your sympathies run away with you; *die kwestie beheerst alles* dominates all others; *hij kon zijn paard niet meer* ~ he could no longer control his horse, his horse got out of hand; *alles ~d onderwerp van gesprek* all-absorbing topic of conversation; *niet te* ~ ungovernable [rage]; *beheerste devaluatie* controlled (managed) depreciation; ~**er** ruler, master; ~**ing** command (*ook van taal, enz.*), rule, dominion, domination, control, government

beheksen bewitch; *behekst zijn door, ook:* be under the spell of

behelpen: *zich* ~ manage [*met* with], make do [with a day-girl], make shift; *zich erg moeten* ~ live in straitened circumstances; *zich zo goed mogelijk* ~ shift as best one can; *zich met weinig* ~ manage with (on) little; *zij weet zich heel goed te* ~ she is clever at contriving; *en ik behielp mij met* ... [he occupied my bed,] and I managed on two chairs

behelzen contain; ~*de dat* to the effect that; *zie ook* omvatten

behendig dext(e)rous, adroit, skilful, deft, agile; ~**heid** dexterity, adroitness, deftness, agility, skill; ~**heidsspel** game of skill

behept: ~ *met* afflicted (affected) with [a disease, etc.]; subject to [epileptic fits]; burdened with [vices]

beheren manage, administer [an estate, a bequest], control [one's own financial affairs], take charge of [money for another person], conduct [a business]; *zie* vennoot

behoeden watch over, guard; ~ *voor* guard (shield, protect, preserve, save) from; ~**er, -ster** defender, protector (protectress), preserver

behoedzaam cautious, wary; *zie* voorzichtig; ~**heid** caution, cautiousness, wariness

behoefte want, need [*aan* of, for]; ~**n,** (*benodigdheden*) necessaries; (*dringend*) ~ *hebben aan* be in (urgent) w. (need) of, want (badly); *zijn* ~ *doen* relieve o.s., r. nature; *dat is een* ~ *voor mij geworden* I can no longer do without it; *in een* (*lang gevoelde*) ~ *voorzien* supply (meet) a (long-felt) w.; *voorzien in de ~n van* ... provide (make provision) for the wants of the poor; *in eigen ~n voorzien* provide for o.s., (*van land, enz.*) be self-supporting; *er is daar ~ aan ingenieurs* engineers are needed there

behoeftig needy, destitute, indigent, distressed, necessitous, [widows] in need; *in ~e omstandigheden* in straitened circumstances; **~heid** need, destitution, indigence, distress, penury

behoeve: *ten ~ van* on behalf of, for the sake (the benefit) of, in aid of; *te uwen ~* on your behalf

behoeven want, need, require; *wat ~ we hier langer te blijven?* why should we remain (what is the use of remaining) here any longer?; *ik behoef niet te gaan* I need not go; *je zult niet ~ te gaan* you won't need to go; *men behoeft hem zo iets niet te zeggen* he needs no one to tell him (there is no need for anyone to tell him) such a thing; *hij behoeft zich met mij niet te bemoeien* he has no call to meddle with me; *men behoeft geen ... te zijn om ...* you don't need to be a Sherlock Holmes to ...; *hij behoefde niet ...* he had not (didn't have) long to wait; *museums waar niets betaald behoefde te worden* where nothing had to be paid; *je behoeft hem maar aan te kijken ...* you have only to look at him; *hij behoeft haar maar te vragen* he can have her for the asking; '*t behoeft niet* it is not necessary; '*t behoeft nauwelijks gezegd te worden* it hardly needs saying; *van mij behoeft het niet,* (*fam.*) not for me, thanks!; *ik zal J. wel niet ~ te vragen* (*die komt toch niet*) (it is) no use, I suppose, asking J.; *je behoeft me niet te zeggen ...* (*ter verontschuldiging, enz.*) it's no use your telling me ...; *we behoefden niet te klagen* we had no cause (did not need) to complain

behoorlijk I *bn.* proper, fit(ting), due [drive without ... care]; decent [income, meal]; (very) fair [knowledge of English]; *van ~e grootte* fair-, decent-sized, sizable [room, town]; **II** *bw.* properly, decently; *hij kan niet ~ een brief schrijven* he cannot write a decent letter; *hij werd ~ betaald* he was paid handsomely; *er ~ van langs krijgen* get a good blowing up (a sound thrashing); *zie* tamelijk; **~heid** propriety

behoren I *ww.* (*toebehoren*) belong to; [*ook:* that does not b. here]; (*betamen*) be fit, be proper; *~ tot* b. to [to what regiment do you b.? you b. to the past], be among [we are among his friends; *ook:* he was not of her world; she is one of those women who ...]; *~ bij* go with [the dance going with this tune; the land going with the house]; *deze ~ bij elkaar* b. together; [these gloves] make a pair (are fellows); *waar ~ de vorken* (*thuis*)? where do the forks go?; *dat beh. er zo bij* it's all in the day's work; it is part of the game; *zie* bijbehorend; *de wereld beh. aan de dapperen* is to the brave; *aan wie beh. deze hoed?* whose hat is this?; *je behoort* (*behoorde*) *te gaan* you should (ought to) go; *straf, waar gestraft beh. te w.* punish where punishment is due; *u beh. hier niet* you have no business to be here; *weten hoe 't beh.* have a sense of the fitness of things; *hij weet niet hoe 't behoort* he shows a lack of savoir-faire; *zo behoort 't* that's as it should be; *voor wat beh. wat* one good turn deserves another; one cannot have something for nothing; **II** *zn. naar ~* as it should be, duly, properly

behoud (*instandhouding*) maintenance; preservation [of the peace, of one's health], (*tegenov. afschaffing*) retention [of an army, one's income, power]; (*redding*) salvation; (*pol.*) conservatism; *partij van 't ~* conservative party; *dat was zijn ~* that was his salvation, that is what saved him; *~ van arbeidsvermogen* conservation of energy; *met ~ van salaris* with salary, on (full) pay (salary) [a fortnight's leave on pay is allowed; holiday with pay]

behouden I *ww.* keep [the town for the Prince], retain [one's seat], save [a p.'s life], preserve [one's innocence], maintain [one's self-control]; **II** *bn.* safe, safe and sound [arrive ...]; *~ vaart,* (*mar.*) cruising speed; *zie* haven; **~d** conservative; **~is** salvation

behoudens except for [some alterations], barring [unforeseen circumstances], bar(ring) [accidents], without prejudice to [my rights], subject to [his approval]; **behouder** preserver

behoudzucht conservatism

behouwen dress [stones], hew, square [timber, stone], trim [timber]

behuild tear-stained, blubbered [face]

behuisd housed [well, badly, better ...]; *klein* (*nauw*) *~ zijn* be cramped (badly off) for room; *ruim ~ zijn* have plenty of room

behuizing *a*) housing, shelter; *b*) house; *het wachten is op een passende ~ ...* suitable accommodation

behulp: *met ~ van* with the help (aid, assistance) of, by means of; *het is maar voor ~* it's but a make-shift; **~zaam** ready to help, helpful; *de behulpzame hand bieden* lend (hold out) a helping hand, give a lift; *– zijn* help, assist, render assistance, be instrumental [in *bij*]; **–heid** helpfulness, readiness to help

behuwd: **~broeder,** **~dochter,** **~moeder,** **~vader,** **~zoon,** **~zuster** brother-, daughter-, mother-, father-, son-, sister-in-law

behuwen acquire (obtain) by marriage

bei bey [of Tunis]

beiaard chimes, carillon; **~ier** carillonneur

beide(n) both [he took both her hands in both of his]; (*één, onverschillig welke*) either [both coats fit me, I can take either]; *mijn ~ broers,* (*nadruk op ~*) both my brothers; (*nadruk op broers*) my two brothers; *alle~* both of them; *either* (of them); *één van ~* one of the two; *either* (of the two); *geen van ~* neither (of them, of the two); *wij ~n* we two, the two of us, both of us; *we gingen met ons ~n* we two (both of us, the two of us) went; *zij* (*wij*) *kochten 't huis met hun* (*ons*) *~n* the two of us bought the house together; *met zijn ~n in één bed slapen* (*op één paard rijden*) sleep (ride) double; *ons ~r vriend* our mutual friend

beiden (*talmen*) tarry, linger; (*wachten, afwach-*

ten) wait for, (a)bide [bide one's time]

beider: ~hande, ~lei of both sorts; *op* ~lei manieren both ways, either way; *van* ~lei kunne of
both sexes, of either sex; ~zijds on both sides

Beier Bavarian

beieraar chimer, carillonneur

beieren chime, ring the changes, ring (the bells);
(*slingeren*) dangle

Beieren Bavaria; **Beiers** *bn.* Bavarian; *zn.* = ~
bier Bavarian beer

beige *zn.* id. (*stof & kleur*); *bn.* = ~kleurig b.-
(coloured)

beignet fritter

beijveren: *zich* ~ lay o.s. out [to ...], exert o.s.,
do one's best (one's utmost), try one's hardest

beijzelen cover with glazed frost (glazed ice);
beijzelde bomen (*wegen*) ice-coated trees (icy
roads)

beïnvloeden influence, affect, act upon; *zie* influenceren

beitel chisel; *holle* ~ gouge; ~en chisel; *hij zit
ge~d* he has it made; ~werk chiselling,
chiselled work

beits (wood-)stain, mordant, wood-dye

beitsen stain [wood], mordant [textiles]

bejaard aged; ~e aged person; senior citizen;
(*mv. ook*) old people (folks); ~encentrum,
~entehuis home for the elderly (for old
people), old people's (persons') home;
~enzorg care for the elderly; ~heid old age,
advanced age

bejag: ~ *naar* pursuit of, straining after [effect]

bejagen pursue [gain], strive after [honour],
strain after [effect], hunt after [glory, riches];
een veld ~ shoot (*of:* hunt) over a field

bejammeren lament, deplore; (*bewenen*) bemoan, bewail; ~swaardig deplorable, lamentable

bejegenen treat [kindly, rudely], use [ill, etc.];
~ing treatment; *zie* onheus

bejubelen cheer, applaud

bek mouth; (*snuit*) snout; (*van wolf, enz.*) jaws;
(*van vogel*) bill, beak; (*van pen*) nib; (*van dak-
goot*) spout, lip; (*van blaasbalg*) nozzle; (*van
gaspijp*) burner; (*van kan*) lip; (*van nijptang*)
bit, jaws; (*van bankschroef*) jaws, cheeks,
sides; *hard in de* ~, (*van paard*) hard in the m.,
hard-mouthed; *hou je* ~! (*plat*) shut up! shut
your trap! put a sock in it!; *zie ook* mond

bekaaid: *er* ~ *afkomen* come off badly, have a
raw deal, have (*of:* get) the worst of it

bekaden embank

bekaf dead tired, dog-tired, dead beat, knocked
up, fagged out, done up, all in

bekakt affected, snooty

bekalken plaster; **bekampen** *zie* bestrijden

bekappen (*hoeven*) pare, trim; (*balk, enz.*) cut
(*of:* hew) down; (*takken afslaan*) lop, top;
(*muur*) cope; (*huis*) roof (in, over); ~ing (*van
muur*) coping; (*van huis*) roofing

bekeerde *zie* bekeerling

bekeerder converter, proselytizer

bekeerling convert, proselyte

bekend (*pass.*) known [all the ... religions of the

world, he was ... for his stinginess, it is ... to
me], well-known [men, newspapers], noted
[*wegens* for], familiar [faces, etc.; the language was ... to him]; (*berucht*) notorious;
(*publiek*) known, out [the result of the election
is ...]; *er zijn nadere gegevens* ~ *geworden* further data have become available; *de* ~ste
schilders the best-known painters; ~ *veronderstellen* take for granted; (*act.*): ~ *met* acquainted with [a p., thing], (*grondig* ~ *met*) familiar
(conversant) with [a subject]; *oppervlakkig* ~
zijn met have a nodding acquaintance with [a
p., a subject], have a smattering of [French]; ~
zijn in L. (= *L. kennen*) be acquainted with L.,
know L.; (= *beroemd zijn*) be (well-)known in
L.; *ik ben hier* ~ I know the place, know my
way about here; *ik ben hier niet* ~ I am strange
(a stranger) here; *iem.* (*zich*) ~ *maken* make
acquaint a p. (o.s.) with; *zich* ~ *maken* make
o.s. known; *zie* bekendmaken; ~ *staan als*
be known as, go (pass) by (under) the name
of; (*on*)*gunstig* ~ *staan* be in good (bad) repute;
'*n goed* ~ *staande firma* a reputable firm; '*n
slecht* ~ *staand persoon* a bad character, a disreputable person; *uitstekend* ~ *staan* bear an
excellent character; ~ *staan als de bonte hond*
have a bad reputation; *zie* voorkomen;
~ *worden* become known; (*van geheim ook*)
get abroad (*of:* about); (*van persoon ook*)
make o.s. a name; ~ *w. met* get acquainted
with; '*t is algemeen* ~ it is common knowledge; *zijn naam is algemeen* ~ his name
is a household word; *er zijn vele van die
gevallen* ~ there are many such cases on
record; '*t is mij wel* ~, *ook:* I am well aware of it

bekende acquaintance; *oude* ~ (*van de politie*),
old lag, old hand; (*grap, gedicht, enz.*) old
friend

bekendheid *a*) notoriety (*dikw. ongunstig*), name,
reputation; ~ *geven aan* give publicity to, make
public, publish; *grote* ~ *genieten* be widely
known; *grotere* ~ *verdienen* deserve to be better known; *b*) ~ *met* acquaintance (familiarity)
with; *het is van algemene* ~ it is (a matter of)
common knowledge

bekendmaken announce [when are you going
to ... your engagement?], make known, let
[it] be known [that ...], publish, advertise,
divulge [a secret], give out [news, one's
engagement], give notice [from the pulpit],
declare [the poll *uitslag van verkiezing*]; *zie*
bekend

bekendmaking announcement, publication, intimation, notice; (*officieel*) proclamation; declaration [of the poll (*van uitslag van verkiezing*), of a dividend]

bekennen confess [a sin, crime], avow (*lit.*), own,
own to [a fault]; (*erkennen*) acknowledge, admit; (*van gevangene*) plead guilty; know [a
woman]; (*zien, bespeuren*) see [*ook:* there is
nobody within eyeshot]; *er was niets te* ~ *van
inwoners* there was no sign of any occupants;
(*kleur*) ~ follow suit; *niet* ~, (*kaartsp.*) revoke;
naar hijzelf bekende on his own confession;

iem. die zelf bekent dat hij Nazi was a self-confessed Nazi; *royaal ~*, (*fam.*) own up; *hij bekende, dat ...* he pleaded guilty to begging, confessed (owned) to having stolen it; *zie* erkennen

bekentenis confession, admission, avowal, acknowledg(e)ment; *volgens zijn eigen ~* on his own confession; *een volledige ~ afleggen* make a full c.

beker cup; (*lit.*) beaker, goblet, bowl; (*bij A-vondmaal*) chalice; cup; (*kroes*) mug; (*dobbel-*) dice-box; (*van blaasinstr.*) bell; **~en** (*sp.*) play a cup-match

be¹keren convert [to Christianity, to another opinion], reclaim [a criminal]; reform [a ... ed drunkard]; *zich ~*, *a*) be converted [*to* to]; *b*) repent, mend one's ways

bekerglas (*chem.*) beaker

bekerhouder (*sp.*) cup-holder

bekering conversion; reclamation; *vgl. 't ww.*; **~sgeest** proselytizing spirit; **~sijver**, **~szucht** proselytism, missionary spirit; **~swerk** proselytization; (*tot 't christendom*) evangelization, mission-work

beker: **~mos** cup-moss; **~plant** pitcher-plant, monkey-cup, nepenthes; **~vormig** cup-shaped; – *kraakbeen* arytenoid; **~wedstrijd** cup-match, -tie, -race, -meeting; (*eindwedstr.*) cup final

bekeurde person summoned, offender

bekeuren summon(s) [a cyclist for riding without a light], take a p.'s name (and address), report, (*fam.*) book [a p.]; *100 pers. werden bek.* 100 names were taken; **-ing** summons

bekfluit fipple flute, recorder

bekijk: *veel ~s hebben* attract a great deal of attention, have all eyes fixed (*of:* focussed) upon one

bekijken (have a) look at, view; *zie* bezichtigen & beschouwen; *een zaak anders ~* look at a matter from a different angle; *ik heb het wel bekeken* I've had enough of it; *zo heb ik de zaak niet bek.* I haven't thought of it that way; *de zaak van alle kanten ~* turn the matter over in one's mind; *hoe men 't geval ook bekijkt* on any view of the case [he cuts a poor figure]; *het is zó bekeken* it will be over (done) in a minute; *een bekeken crosspass* a well-judged c.; *een bekeken zaak, zie* uitgemaakt

bekijven scold, chide

bekisting (*kistdam*) coffer-dam, sheet piling; (*beton~*) shuttering, formwork

bekje: *een aardig ~* a pretty face; (*fam.*) a bit of all right

bekken basin (*ook van rivier, enz.*); (*anat.*) pelvis (*mv.* pelves); (*muz.*) cymbal; **~been** pelvic bone; **~eel** skull; **~holte** pelvic cavity; **~ist** cymbal-player; **~meter** pelvimeter; **~vormig** basin-shaped

bekke: **~snijden** knife each other; **~snijder** knifer, fighter, bully, ruffian

beklaagde: (*de*) ~ the accused (*ook: de~n*), (the) prisoner (at the bar), (the) defendant; *zie ook* gedaagde; **~nbank** dock (*op de –* in the d.)

bekladden blot, blotch; plaster [the walls with election slogans]; (*ook fig.*) daub, bespatter; (*fig.*) cast aspersions on, stain [a p.'s reputation], besmirch, throw mud at

beklag complaint; *zijn ~ doen* make c., complain [*of* ... to (*over* ... *bij*)]

beklagen pity, commiserate; (*betreuren*) lament, deplore; *zijn lot ~* bemoan one's lot; *zich ~ over ... bij* complain of ... to; *ge zult het u ~* you'll be sorry for it (rue it, rue the day); **~swaard(ig)** pitiable, to be pitied, lamentable, deplorable

beklant: *goed ~e winkel* well-patronized shop, shop with a good connection, going concern

beklauteren clamber (up), scramble up [a hill], scale

bekleden clothe [wall ...d with verdure, ... a p. with power], cover [chairs], upholster [chairs, a carriage, coffin], drape [a statue], plank [a wall], (*mil.*) revet [a rampart]; hang [with tapestry], deck [the altar], line [a chest with zinc, nest with feathers]; lag [a boiler *stoomketel*], serve [a cable], wainscot, panel [a room with wood], face [a robe with scarlet, wall with wood], case [the body in armour], sheathe, plate [a ship], (in)vest [with authority, with an office], hold, occupy [an important place], fill [a post]; *een hoog (staats)ambt ~* hold high office; *beklede cel* padded cell; *met zink (blik) bekleed* zinc-(tin-)lined; **-er** (*van ambt*) holder, (*van geestelijk ambt*) incumbent; **-ing** lining [of the throat, etc.], clothing, covering, etc.; upholstery [of a motor-car]; fabric [of an airship, etc.]; [plastic] sheeting; (*mil.*) revetment; (*met ambt*) investiture; (*van ambt*) exercise, tenure

bekleedsel cover(ing), wrapping, lining; (*van stoomketel*) lagging

beklemd oppressed [*op de borst* in the chest], asthmatic; heavy-hearted; (*met klemtoon*) stressed, accented; *mijn ziel is ~* oppressed [with fear]; *met een ~ hart* with a heavy heart; *~e breuk* strangulated hernia; *zie* bekneld; **~heid** oppression, tightness (*of:* constriction) [of the chest]; heaviness, tightening [of the heart]; **beklemmen** oppress; **~d** *gevoel* sinking; *zie* beknellen; **beklemming** *zie* beklemdheid; (*van breuk*) strangulation; (*van land*) *zie* beklemrecht perpetual lease at a fixed rent; *ongev.:* fee-farm, (*Sc.*) feu

beklijven make a lasting impression, take (strike) root, sink in [such teaching does not ...]

beklimmen ascend [the throne, mountain], climb [tree, mountain], mount [ladder, hill, throne], scale [wall, mountain-peak], (*mil.*) scale, escalade; *de kansel ~* ascend (mount) the pulpit; **-ing** ascent, climbing, mounting, escalade

beklinken I *tr.* rivet (*met klinknagels*); clinch [a matter, bargain], settle, arrange [an affair]; (*drinken op*) drink to, (*fam.*) wet [a bargain]; *koop die bekl. wordt* Dutch (*of:* wet) bargain; *de zaak is bekl.* is settled; II *intr.* (*van metselwerk*) set; (*van grondwerken*) settle

bekloppen tap [all over], sound [the wheels of a railway-carriage]; (*med. ook*) percuss, sound

beknabbelen nibble (at), gnaw (at)

bekneld jammed, pinned, locked [among ice-blocks], wedged [between ...], trapped [inside the wreckage]; (*in ijs ook*) ice-bound, -locked; **~heid** *zie* knel

beknellen pinch, pin; (*fig.*) oppress

beknibbelen beat down [a price, a hawker]; cut (whittle) down, dock, curtail [wages]; skimp, scrimp [*iem. in ... a p. of his food*]; cut [a p.] down, stint [a p. in his food, etc.]; ~ *op 't onderwijs* pare down (skimp) education; **~d & -ing** *ook:* cheese-paring

beknijpen pinch [all over]; *ook =* beknibbelen

beknopt brief, briefly worded [letter (~ *gestelde brief*)]; (*fam.*) potted [version]; concise [handbook]; terse [expression]; succinct [narrative]; compendious [survey]; condensed [report]; summary [account]; [news] in brief; **~heid** ...ness, brevity

beknorren scold, chide, reprove

beknotten curtail [a p.'s rights]; **-ing** curtailment

bekocht taken in, cheated; *u bent eraan* ~ you've made a bad bargain; *ik ben er niet aan* ~ I've got my money's worth; *zie* bekopen

bekoelen cool (down); (*fig.*) cool (down, off), calm down; *zijn ijver bekoelt* his zeal (ardour) is flagging (cooling, cooling down); *doen* ~ moderate, damp [a p.'s ardour]; *hij scheen bekoeld* he seemed chilled; *zie* afkoelen

bekogelen pelt [with rotten eggs]

bekokstoven cook up [a plot], concoct, engineer

bekomen sustain [injuries]; (*zich herstellen*) recover [o.s., from one's fright, etc.]; *meelkost bekomt mij niet goed* starchy food does not agree with (does not suit) me, disagrees with me; *niet te* ~ not to be had; *wel bekome het u!* much good may it do you!; *het zal hem slecht* ~ he'll be the worse for it, he'll be sorry for it; *laat mij eerst even* ~ let me recover my breath first; (*van de schrik*) let me get over the shock first

bekommerd concerned, anxious, uneasy [*over* about], troubled (worried) [look]; **~heid** concern, anxiety, uneasiness

bekommeren make uneasy, trouble; *zich* ~ *om* (*over*) care for (about) [he does not ... the consequences], concern o.s. about [the future], trouble [o.s., one's head] about [don't ... (yourself) about me], feel concerned (uneasy) about [one's fortune, etc.]; (*fam.*) bother about; *hij bekommert zich weinig om zijn vrouw* he gives little thought to his wife; *hij hoeft zich niet om andere mensen te* ~ he can ignore other people; *zich niet ~d om, zonder zich te* ~ *om* heedless (careless, reckless) of [distance, time], regardless of [expense]; *bekommer je daarover niet!, ook:* never mind that!; **-ing**, **-nis** trouble, anxiety, solicitude, care

bekomst: *zijn* ~ *eten* eat one's fill [*aan* of]; *zijn* ~ *ervan hebben* have one's fill of it, be fed up with it

bekonkelen scheme, plot, cook up (a plan, a scheme)

bekoorder charmer; (*verleider*) tempter

bekoorlijk charming, enchanting, attractive,

beguiling; **~heid** charm, enchantment

bekoorster charmer, enchantress; (*verleidster*) temptress

bekopen: *hij moest 't duur* (*met zijn leven*) ~ he had to pay dear(ly) for it (to pay for it with his life); *zie* bekocht

bekoren charm, enchant, fascinate; (*verleiden*) tempt; *dat kan mij niet* ~ that does not appeal to me

bekoring charm, enchantment, fascination, allurement; (*verleiding*) temptation; *onder de* ~ *komen van* fall under the spell of [a woman, a p.'s words], (*fam.*) fall for [a girl]

bekorten (*eig., ook van reis, enz.*) shorten, curtail, cut short [a journey]; (*boek, enz.*) abridge, condense, boil down [a paper]; *zich* ~ be brief, make (cut) it short; **-ing** shortening, abridg(e)ment, curtailment

bekostigen pay (bear, defray) the cost (expenses) of; *ik kan 't* (*een auto, enz.*) *niet* ~ I can't afford (*fam.:* I don't run to) it (a motor-car, etc.), I can't afford the expense; **-ing** defrayment

bekrabbelen (*helemaal*) scribble (*of:* scrawl) (all) over

bekrachtigen confirm [a sentence, an appointment], ratify [a treaty]; sanction [a law, usage]; *bekrachtigd worden,* (*van wet*) receive the royal assent

bekrachtiging confirmation; ratification; sanction; *de koninklijke* ~ the royal assent

bekransen wreathe, festoon, crown (adorn) with wreaths (garlands); **bekrassen** scratch [all over]; **bekreten:** ~ *ogen* tear-stained eyes, eyes red (swollen) with crying

bekreunen *zie* bekommeren

bekrimpen retrench, reduce, cut down [one's expenses]; *zich* ~ pinch (o.s.), pinch and scrape, stint o.s. [in, of s.t.], skimp; *zich tot het uiterste* ~ live near the bone; *zich met de ruimte moeten* ~ be cramped for room; **-ing** retrenchment

bekritiseren cry down; criticize

bekrompen (*kleingeestig*) narrow-minded, narrow, contracted [ideas, mind], suburban [outlook], hide-bound [conservatism]; (*klein*) poky [house], confined [space]; (*karig*) scanty, [a man of] narrow [means], slender [purse]; ~ *en zelfvoldaan* smug; ~ *blik* narrow view(s) (outlook); ~ (*in* ~ *omstandigheden*) *leven* live in straitened circumstances; ~ *wonen* (*zitten*) be cramped (pinched) for room (for space); **~heid** narrow-mindedness, narrowness; scantiness; *vgl.* ~

bekronen crown [with success, etc.]; award a prize (a medal) to; *bekroond gedicht* prize-poem; *bekroonde koe* prize-cow; *'t bekr. ontwerp* the winning design; *met goud bekr.* awarded gold medal; **-ing** *a*) crowning; *b*) award [list of ...s]

bekruipen (*de vijand*) steal upon, surprise; (*van angst, lust, enz.*) come over, creep (steal) over; *de lust bekroop mij om, ook:* I was seized with a longing to ...; *zo vaak mij de lust bekruipt* whenever I feel like it, whenever the spirit moves me

bekruisen mark with a cross; *zich* ~ cross o.s., make the sign of the cross

bekvechten bandy words, dispute, wrangle

bekwaam capable, able, clever, competent, efficient [policeman], accomplished [musician], fit [he is not ... for that place]; *een ~ student*, (*ook*) an apt student; (*niet dronken*) sober; *te bekwamer tijd* in due time (*of:* course); *~ maken*, *zie* bekwamen; *zie* spoed; *~heid* ability, capability, capacity, faculty (*alle ook mv.*), proficiency [pass a ... examination]; aptitude, fitness; *mv. ook:* acquirements

bekwamen qualify, capacitate, fit [a p. for a task]; *zich ~* qualify, train, fit o.s.. prepare [for a work], read [for an examination], make o.s. conversant [with a language]; *zich verder ~*, *ook:* improve o.s.

bekwijlen beslaver, beslobber

bel bell; (*platte bel als van tram*) gong; (*luchtbel*) bubble; (*oor-*) ear-drop; *~len blazen* blow bubbles; *op de ~ drukken* press (*of:* touch) the (bell-)button (bell-push); *op de ~ letten* attend to the door, answer the bell; *aan de ~ trekken* raise the alarm [over s.t.]; *zie* kat

belabberd rotten, beastly, miserable, bad

belachelijk ridiculous, ludicrous, (*lachwekkend*) laughable; (*ongerijmd*) absurd; *doe niet zo ~* don't be r.; *~ maken* ridicule, hold up to (turn to, cover with) ridicule, stultify; *zich ~ maken* (*aanstellen*) make o.s. ridiculous, make a fool of o.s.; *~heid* ...ness

beladen load (*ook fig.*), burden [*vooral fig.:* ...ed with sin, etc.], lade [...n with fruit, honours]; *~*, (*her.*) charged; *-ingsgraad* load factor

belagen waylay, lay snares (set traps) for; *-er* waylayer

belanden land, come to rest [in a field]; *hij belandde bij een Engelse familie* he found himself (he ended up) with ...; *doen ~* land [... a p. in prison, ... Europe in anarchy]; *waar is hij beland?* what has become of him?; *goed ~*, (*fig.*) drop into a nice place; *zie* terechtkomen

belang interest; issue [vast ...s are at stake]; (*gewicht*) importance; *algemeen ~* general (common) i.; *hij kent zijn eigen ~* he knows (on) which side his bread is buttered; *~ hebben bij* be interested (concerned) in, have an i. in; *ik heb er groot ~ bij* it concerns me deeply; *ze hebben groot ~ bij deze waterweg* they have a great stake in this waterway; *veel ~ hechten aan* attach great importance to; *~ stellen in* take an i. in, be (feel) interested in, interest o.s. in [an affair], interest o.s. for [a p.]; *levendig* (*enigszins*) *~ stellen in* take a keen (a mild) i. in; *hij heeft veel dingen, waarin hij ~ stelt* he has many i...s; *~ gaan stellen in* become (get, grow) interested in; *handelen in 't ~ van* act in the interest(s) of; *ik doe 't in uw ~* in your i.; *'t is in uw* (*ons beider*) *~* it is to (*of:* in) your i. (the interest(s) of both of us); *in 't ~ van je gezondheid* for the benefit of your health; *het is in het algemeen ~* it is for the common good; *niets van ~* nothing of importance; *'t is van geen* (*weinig*) *~* of no (little) importance (account,

consequence, moment); *van geen ~ voor mij*, *ook:* immaterial to me; *van gemeenschappelijk ~* of common concern; *van 't hoogste ~* all-important, of the highest (the first, the last, the utmost, paramount) importance; *'t enige dat van ~ is* the only thing that counts (*of:* matters); *'t is van ~ voor ons allen* it matters to us all; *van ~ voor uw welzijn* essential (material) to your welfare; *kwaliteit is in de eerste plaats van ~* (*van minder ~*) quality is the first consideration (a secondary matter); (*'t is*) *van ~!* enormous!; *zie* welste (*van je ...*); *~eloos*(**hed**) disinterested(ness); *~en ww.* concern; *wat mij belangt* as to (as for) me, so far as I am concerned; *–de*, *zie* aangaande; *~engemeenschap a)* community of i.; *b)* combine, interest group; *~engroep* (*pol.*) pressure group; *~ensfeer* sphere of i.; *~enspreiding* diversification; *~enstrijd* conflict of interests; *~hebbende* party (person) concerned (interested), interested party

belangrijk *bn.* important [news]; (*aanmerkelijk*) considerable [amount, etc.]; *veel ~er was dat ...* what was much more important was that ...; *bw.* considerably [higher]; *~heid* importance; *~st* most important, principal, chief

belangstellend interested, sympathetic, attentive [audience]; *~en* those interested, interested persons; sympathizers

belangstelling interest; (*deelneming*) sympathy; *hij heeft ~ voor allerlei dingen* he has many interests; *iem. ~ inboezemen* interest a p. [*voor* in]; *~ wekken* (a)rouse i.; *zijn ~ verliezen voor* lose i. in; *dank u voor uw ~* thank you kindly for inquiring (for your kind inquiries, for your kindly interest); *onder grote ~* amid many marks of sympathy; in the presence of a large audience

belangwekkend interesting

belast *zie* belasten; *~baar* (*van personen, bezittingen, waarde*) assessable, taxable, ratable; (*van inkomen*) taxable, assessable; (*van waren*) dutiable; (*aan accijns onderhevig*) excisable; *–heid* taxability, ratability, dutiability

belasten (*last opleggen*) load, burden (*vooral fig.*): (*belasting opleggen*) tax, (*van plaats. bel.*) rate; impose (lay, put) taxes (duties) on; (*opdragen*) charge, commission, entrust [a p. with ...], instruct [a p. to ...]; *belast met*, *ook:* in charge of [investigations]; *wij ~ uw rekening met dit bedrag* we pass the amount to the debit of your account (to your debit), debit your account with it; *in rekening ~* debit [a p.] in account; *te zwaar ~*, (*lett.*) overload, (*fig.*) overtax; *tot 't uiterste belast* taxed up to the hilt; *zich ~ met* take [*persoonlijk* personal] charge of, undertake, take upon o.s., charge o.s. with; *met een ontzaglijk tekort belast* saddled with an enormous deficit; *erfelijk belast zijn* have a hereditary taint, come of a tainted stock, be a victim of heredity; *belast en beladen* heavily laden; *belast woord* loaded word; *~d* (*fig.*) *zie* bezwarend

belasteren slander, calumniate, backbite, defame, blacken [a p.'s character]; *-ing* calum-

niation, defamation, backbiting, aspersion
belasting (*de handeling*) burdening, taxation, rating (*zie* belasten); (*gewicht*) load [the plane carried full ...], weight; *nuttige ~*, (*van vliegtuig*) pay-load; *hij voelde het als een zware ~ van zijn geweten* ... a heavy burden on his conscience; *bij volle ~*, (*van dynamo*) at full load; (*van renpaard*) weight, (*sl.*) impost; (*rijks~*) tax(es), (*plaatselijk*) rates (*gew. mv.*), (*indirect*) duty, (*voornamelijk hist.*) impost; *~ op hoge inkomens* surtax; *~ op openbare vermakelijkheden* entertainment tax; *~ over de toegevoegde waarde* value added tax; *~ heffen van* levy (impose) taxes, etc. on; *zie 't ww.* & erfelijk; *~aangifte* [make a false] (tax-)return; *~aanslag* assessment; *~ambtenaar* tax (*of:* revenue) official; *~betaler* tax-, rate-payer; *~biljet* tax-paper, notice of assessment; *~consulent* income-tax consultant; *~draagkracht* tax-paying (taxable) capacity; *~druk* burden of taxation, tax(ation) burden, (*Am.*) tax load; (*op de verschill. klassen der bevolking*) incidence of a tax; *~faciliteiten* tax concessions; *~heffing* levying of taxes, tax-levy; *~jaar* fiscal year; *~kantoor* tax-collector's office, taxation office; *~kohier* assessment-list; *~ontduiker* tax-evader; *~ontduiking* tax-dodging, -evasion, -fraud; *~opbrengst* yield of taxation; *~pachter* tax-farmer; *~papier zie ~*biljet; *~penningen* tax-money; *~plichtig, ~schuldig zie* belastbaar; *~schuldige* tax-, rate-payer; *~stelsel* system of taxation, fiscal system; *~stempel* (*op zilver*) duty-mark; *~vermindering* tax relief; *~vrij* tax-, duty-free, free of tax (of duty); *~wet* fiscal law; *~zegel* revenue stamp
belatafeld: *ben je ~, zie* belazeren
belazeren (*sl.*): *iem. ~, zie* bedotten; *ben je belazerd?* (*sl.*) are you barmy? (you're) nuts! not bloody likely!; *een belazerde troep* a beastly mess; *de organisatie was belazerd* was rotten
belboei bell-buoy; **beldeurtje**: *~ spelen* ring doorbells and run for it
beledigde offended (injured, insulted) party (*of:* person)
beledigen offend, (*opzettelijk*) affront, insult; (*grof*) outrage; (*kwetsen*) hurt [a p.'s feelings], injure [the vital parts *edele delen*], jar upon [the ear]; *zich beledigd gevoelen door* feel offended (take offence) at; *zwaar beledigd* greatly offended; *zich laten ~* take an affront, put up with an insult; *~d* offensive, abusive [epithet], insulting [*voor* to]; **-er** offender, insulter
belediging insult, affront, outrage, indignity; (*zie* beledigen); (*van de rechtbank*) contempt of court; (*kwetsuur*) hurt, injury, lesion; *'t is een ~ voor* ... it's an affront (an insult) to your understanding, an outrage on good taste; *een ~ aandoen, zie* beledigen; *ook:* offer an insult to, put an insult (an affront) upon; *de ene ~ op de andere stapelen* add insult to injury
beleefd civil, polite, courteous, obliging; *dat is niet ~, ook:* that is not (good) manners; *'t is niet meer dan ~ te* ... it is only civil (common politeness) to ...; *ik verzoek u ~* I should be

grateful if ..., would you be so kind as [to ...]; *~elijk* ...ly
beleefdheid civility, politeness, courteousness, courtesy, grace [you might have the ... to offer me something], decency [he hadn't even the ... to knock]; *de gewone ~ in acht nemen* observe common p.; *wat de ~ eist* [do] the civil thing; *dat laat ik aan uw ~ over* I leave it to your discretion; *zij bewezen hem de ~ te* ... they paid him the compliment of ...ing; *-heden* civilities, compliments; *hij zei haar allerlei -heden* he paid her all kinds of compliments, said all sorts of pretty things to her; *~saccept* accommodation bill; *~sbezoek* duty call, courtesy visit (*of:* call); *~sformule* complimentary phrase; *~shalve* out of p. (courtesy); *~svisite zie ~*sbezoek; *~svorm* a) formality; (*mv. ook*) (rules of) etiquette, conventionalities [disregard the ...]; *zie* vorm; b) complimentary form; polite form (of address)
beleen: *~baar* pawnable; **bank** a) loan-office; b) *zie* lommerd; *~briefje* pawn-ticket
beleg siege; *het ~ doorstaan* (*opbreken*) stand (raise) the siege; *'t ~ slaan voor* lay siege to; (*op brood*) ham, cheese, etc. on bread; *zie* staat
belegen matured [wine, cheese, cigars], seasoned [timber], ripe [cheese, wine]
belegeraar besieger; **belegeren** besiege, lay siege to
belegering siege; *~strein* s.-train, battering-train; *~swerken* s.-works
beleggen cover [floors with mats], overlay [with gold, etc.], carpet [floors], trim [a dress], silver [a looking-glass]; convene, convoke, call [a meeting], plan, arrange [a meeting *ontmoeting, vergadering*], set up [a conference]; (*mar.*) belay; invest [money]; *opnieuw ~* reinvest [capital], plough back [profits into business]; (*mar.*) belay; *broodjes met ham ~* prepare ham rolls; *belegd broodje* ham (cheese, etc.) roll; **-er** investor
belegging covering, etc. (*zie* beleggen); convocation [of a meeting]; investment [of money]; *~sfondsen* investment funds, -securities; *~smaatschappij* investment trust
beleghout, -klamp cleat
belegsel trimming(s); (*van uniform*) facings
belegstuk lining-piece
beleid (*leiding*) conduct, management, administration; running [of the firm]; [government] policy; course of action, (*overleg, enz.*) tact, discretion, prudence, generalship, statesmanship; *~vol* discreet, prudent, tactful
belemmeren hinder, hamper, impede, shackle [industry]; stunt [*in groei* in growth]; keep down [heather ... s down grass]; obstruct [the view; a p. in the execution of his duty]; cramp (*in vrijheid van beweging; ook fig.:* trade, etc.); interfere with [discipline]; hedge about [... d about with restrictions]; *zie* recht, **-ing** impediment, hindrance [*voor 't herstel* to recovery], handicap, obstruction; [free from any] trammels, shackles; *zonder –* without let or hindrance; *wettelijke – (voor uitoefening van recht,*

enz.) (legal) disability
belemniet belemnite
belenden border upon, be contiguous (adjacent) to; ~**d** adjacent [premises, etc.]
belending adjacency, contiguity
belenen (put) in pawn, (*effecten, polis*) borrow money on [securities, policy]; (*leenstelsel*) enfeoff, invest [*met* with]; **-er** pawnbroker; **-ing** pawn(ing); advance on security
belerend didactic
bel-esprit bel esprit, wit
belet: ~*!* don't come in! wait! (*fam.*) hang on please!; ~ *geven* refuse to see a p., deny o.s. (to a p.); ~ *hebben* be (otherwise) engaged, be prevented from seeing a p.; ~ *krijgen* be denied, (*fam.*) draw blank; ~ *vragen* ask for an appointment; *het huis is te zien na vooraf gevraagd* ~ the house may be seen by appointment
bel-etage first floor
beletsel hindrance, obstacle, impediment, bar [that can be no … to it]; *dat hoeft geen* ~ *te zijn* that need not stand in the way
beletten prevent [a marriage, etc.], obstruct [the wall … s the view], bar [one's entry]; *iem.* ~ *te schrijven* prevent (hinder) a p. from writing; *als ik 't hem niet belet had* if I had not prevented him; *dit belette hem te eten,* (*ook*) this kept him from eating; *de ruimte belet ons* … space precludes us from quoting (forbids us to quote) the entire passage
beleven live to see [he hasn't lived to see it], witness; go through, experience (hard times); *slechte dagen* ~ have fallen on evil days; *woelige tijden* ~ live in turbulent times; *zijn 80ste jaar* ~ live to be eighty; *als ik 't beleef* if I live; *zo iets heb ik nooit beleefd!* I never saw anything like it! I never saw the like!; *ik heb 't beleefd, dat zo iets gebeurde* I've known such things happen; *je beleeft tenminste nog wat* things do happen to you at least; *daar zal je wat van* ~ you will catch it (hot); *daar is meer aan te* ~ *dan jij denkt* there is more in it …, more to be had (got) from that …; *zie ook* waaien ('t zal er …); *het boek beleefde* … went through (ran to) many editions; *hij beleeft veel vreugde aan* … he is very happy in his children; *dat ik dit heb moeten* ~*!* that I should have lived to see this day!; **-is, beleving** experience
belezen *ww.* (*bezweren*) exorcize; (*overreden*) persuade; *bn.* well-read, widely read; *hij is zeer* ~, *ook:* he has read widely; *zijn* ~**heid** the extent of his reading; *zijn grote* – his wide reading
Belg Belgian; **België** Belgium; **Belgisch** Belgian
Belgrado Belgrade
belhamel bell-wether; (*fig.*) ringleader; (*deugniet*) rascal
Belial id.; ~**skind** child (son, man) of B.
belichamen embody; typify; **-ing** embodiment, incarnation
belichten light [a picture]; throw (let in, shed) light upon, illuminate, elucidate, illustrate [a fact]; (*fot.*) expose; *te lang (te kort)* ~ over-(under-)expose; **-ing** light(ing) [look at … in a

good light]; illumination, elucidation; (*fot.*) exposure; –**smeter** exposure meter, light meter
beliegen (*belasteren*) slander, belie; (*voorliegen*) tell [a p.] a lie, lie to [a p.]
believen I *ww.* please, oblige; *zoals u belieft* as you p. (*of:* like); *wat belieft u?* (*wat zei u?*) I beg your pardon? (*fam.*) what did you say?; *belieft u nog iets?* would you like anything else? (*in winkel*) anything else? what next, please?; *doe zoals u belieft* p. yourself; *als 't u belieft* [shall I go now?] (Yes,) p.; [Shall I accompany you?] Thank you!; [this way] (if you) p.; (*bij aanreiken*) *niet vertalen, of:* here's the book, etc.; (*fam.*) here you are; (*in winkel, enz. ook*) thank you!; *belieft u nog een kopje?* will you have (shall I give you) another cup? *alstublieft* thank you; yes, p.; *we zullen wachten, tot 't hem belieft* we shall wait his good pleasure; *wilt u alstublieft binnengaan?* please walk in; *heb je genoten? asjeblieft!* did you enjoy yourself? not half! didn't I! rather! I should think so!; **II** *zn.* pleasure; *wat is er van uw* ~? what is your p.? *naar* ~ at pleasure, at will, to taste [add salt …], ad lib.; *handel naar* ~ use your own discretion, please yourself, do as you please
belijden confess [one's guilt], avow [principles], profess [a religion, God, Christ]; ~*d lid* communicant member [of a church]; ~**is** confession, avowal; (*in godsd.*) confession (of faith), creed, profession; (*kerkgenootschap*) denomination; (*opneming in kerk*) confirmation; *zijn* – *doen* be confirmed; ~**iskerk** Confessional Church
belijder confessor [Edward the C.], professor
belijnen *zie* liniëren & omlijnen
belikken lick (all over)
bel: ~**knop** bell-handle, -pull; (*drukknop*) bell-button, -push; ~**koord** bell-rope, -pull
Bella Bella, Arabella, Belle, Isabel(la)
belladonna id., deadly nightshade
bellefleur *ongev.:* pearmain; *een kleur hebben als een* ~ have cheeks like rosy apples
bellen ring (the bell); pull (touch, press) the bell, press the button; *er wordt gebeld* there is a ring (at the bell, at the door), there's the (front-door) bell; (*om*) *iem.* ~ ring for a p.; (*fam., ook telefoon*) give a p. a ring; *de telefoon houdt op te* ~ goes dead; *3 maal* ~ *om* … three rings for …; *ik hoor* ~ I hear a ring
bellenbaan wake, track [of a torpedo]; **bellenvat** bubble chamber
belletje *zie* bel & beldeurtje
bellettrie belles-lettres, polite literature, polite letters
bellettrist belletrist; ~**isch** belletristic (*bw.* -ally)
beloeren spy upon, watch, peep at
belofte promise; [solemn] pledge; undertaking; (*in pl. v. eed*) affirmation; *de* ~ *afleggen,* (*in pl. v. eed*) affirm, make (one's) affirmation; *zijn* ~ *breken* break (go back on) one's p.; (*iem.*) *een* ~*doen* make (a person) a p.; *zijn* ~ *houden* keep one's p. [*tegenover* to], (*fam.*) deliver the goods; *iem. aan zijn* ~ *houden* hold a person to his p.; ~ *maakt schuld* a p. is a p., p. is debt

beloken: ~ *Pasen* Low Sunday

belommerd shady; **belommeren** shade

belonen reward, recompense, remunerate, requite, repay; *zie* lonen

beloning reward, recompense, remuneration, requital; *ter* ~ as a r.; *ter* ~ *van* in r. of, in return for; *'n* ~ *uitloven* offer a r.; *'n* ~ *van £ 5 ontvangen, ook:* be rewarded £5

beloop course, way; (*van schip*) lines, run; (*bedrag*) amount; *dat is 's werelds* ~ that is the way of the world; *het (de zaken) maar op zijn (haar)* ~ *laten* let things (matters) take their (own) course, let things drift (slide)

belopen walk [a road]; (*bedragen*) amount to, run into [thousands of pounds]; *'t is niet te* ~ it is not within walking distance; *door een storm* ~ *worden* be overtaken by (be caught in, encounter) a gale; *schade* ~ sustain damage; *met bloed* ~ *ogen* bloodshot eyes

beloven promise; (*plechtig*) vow; (*fig. ook*) bid fair [to become a great man, to be a success]; *'t belooft ... te worden* it promises to be a glorious day; *niet gauw iets* ~ be chary of making promises; *dat belooft veel goeds voor onze plannen* that augurs (promises) well for ...; *veel* ~, (*van leerling bijv.*) show great promise, be very promising; *de oogst belooft veel* (*niet veel*) the crops are very promising (unpromising); *zich heel wat plezier* ~ promise o.s. a good time; *ik beloof er mij veel van* I set great hopes on it; *ik beloof 't je, ook:* it's a promise; *je zult er spijt van hebben, dat beloof ik je* you will regret it, I p. you; *dat belooft wat!* there'll be trouble (*sl.:* ructions); *weinig goeds* ~*d* unpromising; *zie* gouden

belroos erysipelas, St. Anthony's fire

Belsazar Belshazzar

belslede sledge, sleigh (with bells)

belt *a*) *zie* asbelt; *b*) hummock

Belt: *Grote* (*Kleine*) ~ Great (Little) Belt

beluiden: *een dode* ~ toll (*of:* knell) for a deceased person, ring the passing-bell

beluisteren listen (in) to [a broadcast]; overhear [a conversation]; catch [a change of tone]; (*med.*) auscult(ate); -**ing** (*med.*) auscultation

belust: ~ *op* eager for, keen on, longing for; *zie* begerig; *een op schandaaltjes* ~ *publiek* a scandal-loving public

belvédère belvedere

bemachtigen make o.s. master of, seize (upon) take possession of; acquire [a certificate]; capture [trade, a town], secure [a seat, an order], snap up [the best seats], get one's hands on [a copy]; (*wederrechtelijk*) usurp [the throne]; -**ing** seizure, capture; usurpation

bemalen 1 drain [by means of mills]; 2 *zie* beschilderen

bemannen man [a ship, trench, fort]; garrison [a fortress]; *onvoldoende bemand* undermanned; -**ing** crew, ship's company; (*van vesting*) garrison; *voltallige* –, (*van schip*) complement [have a ... of 700 men]; *'t schip had een* – *van 20 man* carried a crew of twenty (hands)

bemantelen cloak, veil, disguise, palliate, gloze

over, gloss over [a fact], [use a pack of lies to] cover [it] up; (*stad*) wall (round); -**ing** cloaking, palliation, etc.

bemasten mast; *opnieuw* ~ remast; -**ing** (*handeling*) masting; (*masten*) masts

bemerkbaar perceptible, noticeable, observable; ~**heid** perceptibility

bemerken perceive, observe, notice, find [he ... s he has forgotten it] (*aan* by, from); -**ing** observation, remark

bemesten manure, dung, dress, fertilize; -**ing** manuring, etc.

bemiddelaar intermediary, mediator, go-between; ~**ster** mediatrix, go-between

bemiddeld in easy circumstances, well-to-do; ~ *man, ook:* man of means

bemiddelen (*geschil*) adjust, settle; ~*d optreden* mediate, intercede

bemiddeling mediation, intercession; *door* ~ *van* through, through the medium (intermediary, kind offices, agency) of; ~**scommissie** mediation (conciliation) committee (*of:* board); ~**spoging** mediatory effort; ~**svoorstel** compromise (*of:* conciliatory) proposal (*of:* offer)

bemind loved, beloved, much liked; (*zich*) ~ *maken* endear (o.s.) [*bij* to: his good nature ... ed him to everyone], make (o.s.) liked (loved) [*bij* by]; ~**e** well-beloved, lover, sweetheart, fiancé(e); **beminnaar** lover, amateur [of ...]

beminnelijk lovable, amiable, ingratiating; ~**heid** lovableness, amiability

beminnen love, like, be fond of; ~**swaardig** lovable; ~**swaardigheid** lovableness

bemodderen muddy, cover with mud, bemire; *bemodderd, ook:* mud-stained, -plastered

bemoedigen encourage, cheer [a ...ing smile], hearten [a ...ing sight], buoy up; -**ing** encouragement

bemoeial busybody, meddler, (*fam.*) Paul Pry, Nos(e)y Parker

bemoeien: *zich* ~ *met* mind [... your own business!], meddle with (in) [other people's business], interfere in [*gew. ongunstig:* with], concern o.s. with; *zich met de politiek gaan* ~ engage in politics; *zich met de zaak gaan* ~ step in, take action (a hand), take the matter up, take the matter in hand; (*fam.*) put one's oar in; *de rector behoorde zich ermee te* ~ the headmaster ought to interfere; *ik bemoei me niet met ...* I won't have anything to do with such people; *zich overal mee* ~ have a finger in every pie; *zich helemaal niet met ...* ~ leave politics severely alone; *zich met niem.* ~ keep o.s. to o.s.; *waar bemoei je je mee? ook:* what business is that of yours?

bemoeienis, bemoeiing exertion, trouble, pains; (*inmenging*) meddling, interference; *door zijn* ~ through his good offices

bemoeilijken hinder, thwart, cross, hamper; interfere with [it ... s (visitors ...) with my work]; *iem.* ~, *ook:* throw obstacles in a p.'s way; -**ing** thwarting, etc.; opposition, obstruction; impediment

bemoeiziek meddlesome, interfering; (*fam.*)

nos(e)y; **bemoeizucht** meddlesomeness, love of interference

bemonsteren sample; *bemonsterde offerte* offer with samples, sampled offer

bemorsen soil, (make) dirty

bemost moss-grown, mossy

bemuren wall (in, round)

ben basket; *zie* mand

benadelen hurt, harm, injure, (*jur.*) aggrieve, prejudice [rights], be injurious to [health], be prejudicial to [a p.'s interests]; *iem. financieel* ~ injure a p. financially; *dat benadeelde mij bij hem* that prejudiced (damaged) me in his eyes; *de benadeelde*, (*jur.*) the aggrieved person; **-ing** harming, etc.; injury, prejudice [*van* to]

benaderen (*beslag leggen op*) confiscate, seize; (*z. wenden tot*) approach; *moeilijk te* ~, (*ook*) inaccessible; (*ongev. bepalen*) estimate, compute roughly, approximate [numbers, etc.], get near; *benaderde waarden* approximations

benadering *a*) confiscation, seizure; *b*) approximation; *een* ~ *van de volmaaktheid* an approach to perfection; *vgl.* benaderen; *bij* ~ by approximation, approximately

benaming name, denomination, [official] designation, appellation; *verkeerde* ~ misnomer

benard critical, perilous; *in* ~*e omstandigheden* in distress, in great (*of:* desperate) straits, in straitened circumstances; ~*e tijden* hard (*of:* trying) times, times of stress; ~**heid** distress, embarrassment

benauwd (*drukkend*) close, sultry, muggy; (*om te stikken*) stifling, choking; (*bedompt*) close, stuffy, frowzy, poky [little room]; (*nauw*) tight; (*beklemd*) tight in the chest, oppressed; bad [dream]; (*bang*) timid, afraid (*alleen pred.*); anxious [an ... moment]; '*t* ~ *hebben* feel bad; '*t iem.* ~ *maken* make it hot for a p.; *een* ~*e overwinning* a narrow win; *zie verder* bang, beklemd, benard; ~**heid** closeness, sultriness, frowst (*vgl.* ~); (*op de borst*) tightness of the chest; (*angst*) fear, anxiety; *in de* – *zitten*, (*knel*) be in a tight corner, (*rats*) be in a (blue) funk

benauwen oppress; ~**d** oppressive; **-ing** oppression

bende gang, set, pack [of thieves, etc.], band [of robbers, soldiers], troop [of children], body [of armed men]; *een ruwe* (*goddeloze*) ~ a rough (godless) crew; *een* ~ *fouten* a pack (no end) of mistakes; *de hele* ~ the whole lot (*of:* bunch); *wat een* ~! what a mess!; ~**hoofd** g.-leader, chief (*of:* leader) of a g. (*of:* band)

beneden I *bw.* below, down; (*in huis*) downstairs, down; (*mar.*) down below; ~ *wonen* live on the ground-floor; *naar* ~ *gaan* go downstairs; fall, decline, go down; (*mar.*) go below; (*naar*) ~ *komen* come down(stairs), descend; crash [the chimney ... ed]; *naar* ~ *wijzen* point downwards; ~ *aan de bladzijde* (*trap*) at the foot (*of:* bottom) of the page (stairs); *10de regel van* ~ from bottom; *hier* ~ here below; *op 16 j. leeftijd, of daar* ~ at the age of sixteen, or under; *zie verder* onder & *sam.* met ne(d)er; II *vz.*

under [... five pounds, a girl ... twelve, ... (the) medium height], below [... Cologne, ... the value, ... cost-price], underneath, beneath; *tegen* ⅓ ~ *de kostende prijs* [sell] at a third off cost-price; *dat is* ~ *me* beneath me; ~ *mijn waardigheid* (*aandacht*) beneath my dignity (notice); ~ '*t oorspronkelijke* (*de eisen*) *blijven* fall short of the original (the requirements); *hij acht* '*t* (*niet*) ~ *zich te* ... he is above asking advice (not above eavesdropping); *het* ~ *zich achten, geld aan te nemen* disdain to accept money; ~**achterkamer** ground-floor back(-room); ~**arm** forearm; ~**buur** ground-floor (*of:* downstairs) neighbour; ~**dek** lower deck; ~**dijks** at the foot of the dike; **B**~**-Egypte** Lower Egypt; ~**eind** lower end, bottom [of the table]; ~**hoek** [left-, right-hand] bottom corner; ~**huis** ground-floor, lower half of a house; ~**kaak** lower jaw; ~**kamer** downstairs (*of:* ground-floor) room; ~**landen** lowlands; ~**loge** baignoire; ~**loop** lower course, lower reaches [of the Rhine]; **B**~**-Rijn** Lower Rhine; ~**ruim** (*mar.*) lower hold; ~**stad** lower town; ~**ste** lowest; lowermost, undermost, bottom [the ... row]; ~**stroom** undertow [of the tide]; ~**s** downstream (from); ~**verdieping** ground-floor; ~**vertrek** *zie* ~kamer; ~**voorkamer** ground-floor front(-room); ~**waarts** *bw.* downward(s); *bn.* downward; ~**winds** leeward [islands]; ~**woning** *zie* ~huis

Benedict(us) Benedict; **benedictie** benediction

benedictijn Benedictine

benedictine (*likeur*) id.; **benedictines** Benedictiness; **benedijen** bless

benefice: *ter* ~ *van* for the benefit of; *zie ook* benefiet; **beneficiant** beneficiary; **beneficie:** *aanvaarden onder* ~ *van inventaris* accept under benefit of inventory; **beneficium** benefice

benefiet(voorstelling) benefit(-performance; -night)

benemen take away [a p.'s breath, appetite, etc.], take [a p.'s life]; *zich* '*t leven* ~ take one's (own) life, make away with o.s.; *iem. de lust* ~ *in* set a p. against, spoil a p.'s pleasure in; *deze ervaring beneemt me de lust om het weer te doen* leaves me in no mind (mood) ...; *iem. de moed* ~ discourage (dishearten) a p., damp his courage, take the heart out of him; '*t beneemt hun de moed om* ... it discourages them from doing their duty; '*t benam hem al zijn moed* it sapped all his courage; *het uitzicht* ~ obstruct the view; *iem. de woorden* ~ render a p. speechless

benen *bn.* bone; *ww.* leg it; ~**wagen:** *met de* – *gaan* ride Shanks's pony (mare)

benepen (*verlegen*) diffident; (*kleinzielig*) small-minded, petty, small; (*klein*) confined, poky [little room], cramped; skimpy, scanty [dress]; pinched [face, smile]; '*t kwam er* ~ *uit* he sang small, spoke very timidly; *we wonen* (*zitten*) ~ we are pinched (cramped) for room; ~ *zitten, ook:* have no elbow-room; *een* ~ *stemmetje* a small (timid) voice; *met* ~ *hart* with a faint heart, one's heart failing one; ~**heid** diffidence, small-mindedness, etc.

beneveld foggy, misty, hazy; (*van oog*) dim; (*van verstand*)(be)muddled, clouded, muzzy; (*dronken*) fuddled, muzzy; **-en** befog [the mind], cloud [a p.'s judg(e)ment], dim, obscure; (*door drank*) fuddle, bemuse

benevens (together) with, besides, along with, in addition to, added to

Bengaals Bengal, Bengali (*ook de taal*); ~ *vuur* Bengal light(s), blue light(s) (fire, flame)

Bengalen Bengal; **-lees** *zn. & bn.* Bengalese (*ook -lezen*), Bengali, Bengalee

bengel bell; (*klepel*) clapper; (*persoon*) rascal, pickle, naughty boy

bengelen (*luiden*) ring; (*slingeren, ook: laten ~*) dangle, swing

benieuwd : ~ *zijn* be curious (*sterker:* anxious) to know (to hear, etc.), wonder; ~ *naar* curious about, curious to know [the result, etc.]; *ik ben* ~, *'t zal me* **benieuwen,** *of* ... I wonder if (*of:* whether)...; *'t zal me* ~! I wonder!

benig bony, osseous; **-heid** boniness

benijdbaar enviable

benijden envy [I ... you, I ... your strength, I ... you your strength], be envious of; *beter benijd dan beklaagd* better envied than pitied; *door allen benijd worden, ook:* be the envy of all; **~-s waardig** enviable; **benijd(st)er** envier; *zijn ~s, ook:* those envious of him

Benjamin id. (*ook fig.*)

benodigd wanted, required, necessary; **~heden** requisites; requirements, necessaries [of life], needs [travel ...]; (*theat.*) properties, props; (*voor gas, elektr. licht, enz.*) fittings

benoembaar qualified for appointment, eligible [*voor* for, to]; **~heid** eligibility

benoemd : ~ *getal* concrete number; **~e** appointee, nominee, person appointed

benoemen appoint [*voor een betrekk.* to a post; *bij* ... to the Royal Engineers], nominate; set up [a committee]; *iem.* ~ *tot commandant* appoint a p. (to be) commander; *tot lid der commissie* ~, *ook:* place upon the committee; ~ *naar* name after

benoeming appointment [to a post, as a professor], nomination; **~sbrief** letter of a.

benoorden (to the) north of, northward of

bent band [a ... of artists], set, clique, party; **~geest** esprit de corps, communal spirit, spirit of partisanship; **~genoot** partisan, fellow-, brother-artist

benul notion [have no ... of it]

benutt(ig)en utilize, avail oneself of, make the most of, turn to account

B. en W. = *Burgemeester en Wethouders, ongev.:* Mayor and Aldermen

benzedrine id., amphetamine

benzeen benzene

benzine id.; (*van motoren*) petrol, motor-spirit; (*Am.*) gas, gasoline; *zie* innemen; **~(laad)station** petrol (filling, petrol service) station; **~leiding** petrol pipe(s); **~meter** petrol gauge; **~pomp** petrol pump; **-slang** refuelling hose; **~reservoir, ~tank** petrol tank; **~toevoer** petrol supply

benzoë benzoin; **benzol** benzene

beoefenaar student [of a language, an art], practitioner [of medicine], votary [of an art, of golf]; ~ *der natuurwetenschappen* scientist; ~ *van de sport* sportsman

beoefenen study, cultivate [a science, music], follow, practise [a profession], ply [one's trade], practise [virtue], pursue [studies, sport]

beoefening practise, study, cultivation, pursuit [of Oriental studies]; *in ~ brengen* put into practice, practise

beogen have in view (at heart), aim at, contemplate; *'t beoogde plan* the intended plan; *'t had niet 't beoogde resultaat* it did not work

beoordelaar(ster) judge, critic, reviewer [of a book, etc.]

beoordelen judge [persons, institutions, etc.], judge of the [size of ...]; assess [persons, the possibilities]; (*boek, enz.*) review, criticize; (*schoolwerk, enz. door cijfer*) mark [papers]; evaluate [a proposal]; ~ *naar* j. by; *verkeerd* ~ misjudge; *men moet de zaak op zichzelf* ~ the matter must stand (*of:* rest) on its (own) merits (must be judged according to its merits); **-ing** judg(e)ment, appreciation; criticism, review; assessment [of the results]; *om de – te vergemakkelijken* in order to facilitate the judging; *dat staat ter – van* ... this is (with)in the discretion of the Speaker

beoorlogen make (*of:* wage) war upon (*of:* against), fight; *elkaar ~de staten* warring states

beoosten (to the) east of, eastward of

bepaalbaar definable, determinable

bepaald I *bn.* (*stellig, vast*) positive, absolute [refusal], definite [answer], strict [orders], well-defined [purpose], distinct [preference]; (*vastgesteld*) fixed [at the hour ..., a ... number, sum], appointed [on the ... day], stated [at ... hours], given [in a ... space of time], specified [amount]; *zie* bepalen; *in dat ~e geval* in that special (particular) case; *om ~e redenen* for certain reasons; ~ *lidw.* definite article; *als hierboven* ~ as provided above; ... *blijft niet beperkt tot een ~e streek* the increase is not confined to any one area; II *bw.* positively, etc.; quite [... impossible; I ... dread it]; *hij krijgt de betrekking* ~ he is sure to get ...; *ik weet 't* ~ for certain; ~ *aardig van je* really nice of you; *hij is* ~ *lelijk* positively (downright) ugly; ~ *afgrijselijk* simply (just) horrible; ~ *nodig* absolutely necessary; ~ *onaangenaam* distinctly disagreeable; ~ *waar* decidedly true; *niet* ~ not exactly [ill, clever]; *'t is niet* ~ ..., *ook:* it is hardly an ornament; *zonder* ~ *ziek te zijn* without being actually (positively)ill; *hij antwoordt alleen, als hij* ~ *wordt aangesproken* when pointedly addressed; *zie ook* vooral; **~elijk** specially, specifically, expressly [for that purpose], particularly [for you]; **-heid** definiteness, etc.

bepakken pack, load

bepakking (*mil.*) pack; *met volle* ~ in full marching-kit

bepalen (*vaststellen*) fix [a price: *op* at], fix, appoint [a day], settle, agree upon [terms], decide on (*omschrijven:* define) [one's attitude *houding*], assess [damages: *op* at], decide, determine [what shall be done]; (*vooruit ~*) stipulate (arrange) beforehand; (*berekenen*) determine [a weight, the velocity of ...], find, ascertain [the latitude of ...]; (*regelen*) arrange, determine [prices are determined by supply and demand]; (*omschrijven*) define, (*nader ~*) modify, qualify; (*gramm.*) qualify; (*voorschrijven van wet, contract*) provide, lay down [by this Act it is laid down that ...]; (*van wet*) ordain [the law ordains that ...], prescribe [the age ...d by law]; *de vergadering op zondag ~* fix on S. for the meeting, fix the meeting for S.; *zijn gedachten ~ tot* fix (concentrate) one's mind on; *om de gedachten te ~* for instance, ...; *wat ons denken bepaalt* what conditions our thinking; *zich ~ tot* confine (restrict) o.s. to [a few remarks]; *de schade bepaalde zich tot ... was* confined (restricted) to; *hij kon zich tot niets ~* he couldn't settle down to anything **bepalend** determining, etc.; modifying [words]; definite [article *lidwoord*]

bepaling ('*t bepalen*) fixing, etc., ascertainment, determination, definition; (*definitie*) definition; (*nadere ~*) modification; (*voorschrift*) regulation, prescription; (*van contract, enz.*) stipulation, clause, condition, (*van wet*) provision; (*gramm.*) adjunct; *zie ook* beding

bepantseren armour; *bepantserd, ook:* armourplated; **-ing** armour(ing), armour plating

bepareld pearled, pearly

beparelen adorn with pearls

bepeinzen meditate on, ruminate on, muse on, ponder (on, over); **-ing** meditation, musing, etc.

bepekken (cover with) pitch

beperken limit, set bounds to, confine; qualify [a statement]; (*besnoeien*) curtail, restrict [rights], reduce, cut down, retrench [expenses]; keep [a fire] within bounds; keep down [expenses]; *zich ~ tot* confine (restrict) o.s. to; '*t onderzoek ~ tot Londen* confine (narrow down) the inquiries to L.; *tot een minimum ~* minimize, reduce (cut down) to a minimum; **~d** restrictive; *–e bepalingen* restrictions; *zonder –e bepalingen* (*ook:*) without any strings; *een –e uitwerking* a cramping effect **beperking** limitation, restriction, constraint; curtailment, retrenchment; reduction [of armaments]; [endorse a statement without] qualification; [credit] squeeze; *~ van het consumentenkrediet* restrictions on consumer credit; *~ van 't kindertal, zie* geboorten~; *in de ~ toont zich de meester* there ought to be moderation in everything

beperkt limited [means, number, edition, in a ... sense; *ook van verstand:* he is rather ...]; restricted [train-service]; narrow [mind, views in the ...er sense]; contracted [mind, views] confined [space; my remarks are ... to these], reduced [space]; *de ruimte was ~*, (*ook*) the space was cramped; *~e aansprakelijkheid* l. liability; *~e dienst, ook:* skeleton (train-)service; *~ leverbaar* in short supply; **~heid** limita-

tion, limitedness, narrowness; *vgl.* **~**

bepikken 1 peck at; 2 *zie* bepekken

beplakken paste over, plaster [a wall with placards]; (*van binnen*) line

beplanken plank, board; (*met beschot*) wainscot; **-ing** ...ing, wainscot(ing)

beplanten plant (up); *zie* bebouwen; **-ing** plant-ing (up); (*aanleg*) plantation

bepleisteren plaster (over); **-ing** ...ing

bepleiten plead [*iems. zaak bij* ... a p.'s cause with ...], advocate, champion [a cause], argue [one's case], stand up for [one's rights]; *iems. zaak ~, ook:* hold a brief for a p.; **-er** pleader, advocate, champion; **-ing** pleading, advocacy

beploegen plough; **bepluimd** plumed

bepluisd covered with fluff, fluffy

bepoederen powder; **bepoten** plant; set [with flowers]; stock [a pond with fish]

bepraten (*praten over*) talk about, talk over [talk a thing over, talk over a thing], discuss; (*overhalen*) talk [a p.] over (*of:* round), prevail upon, persuade, get round [a p.]; *iem. ertoe ~* talk a p. into it; *iem. ~ 't (niet) te doen* talk a p. into (out of) doing it; *zich laten ~* (allow o.s. to) be persuaded; *ze werd door 't hele dorp bepraat* she was the talk of the village; *zie* overhalen

beproefd (well-)tried [friend, soldier, courage, recipe], well-tested [principles], trusty [friend, sword], approved [remedy, method], seasoned [soldiers]; *zie ook* zwaar & beproeven

beproeven (*proberen*) try, endeavour, attempt; (*op de proef stellen*) try, (put to the) test; (*met ziekte, enz.*) visit; afflict; *beproeft alle dingen: behoudt het goede* prove all things; hold fast that which is good (*1 Thess. 5 : 21*); *zie* proberen **beproeving** trial [he is a ... to himself and others], ordeal, tribulation, affliction

bepruikt periwigged, bewigged

beraad deliberation, consideration; *in ~ staan* be in two minds, be deliberating [*of* whether]; '*t in ~ houden* think it over, consider the position; *in ~ nemen* consider, take into consideration; *tijden van ~* time for reflection; *zie* rijp

beraadslagen deliberate [*over* on]; *~ met* consult with, confer with; *er wordt over beraadslaagd* it is under consideration; **-ing** deliberation, consultation

beraden I *ww. zich ~* think it over, consider; (*van besluit veranderen*) change one's mind, think better of it; II *bn.* well-considered, deliberate [opinion]; (*vast~*) resolute; **~heid** ...ness, resolution

beramen devise, contrive [plans, means]; (*en~*) compass [the destruction of ...]; concert [measures]; lay, concoct [a plot]; plc˙ [a man's destruction]; plan [an excursion]; (*schatten*) estimate [*op* at]; *vooraf beraamd* premeditated; **beraming** plotting, etc.; (*raming*) estimate

berapen rough-cast; **-ing** rough-cast(ing)

Berber id.

berberis barberry

berceau (*prieel*) bower, arbour; (*booggang*) pergola, covered walk

berceuse *a)* cradle-song; *b)* rocking-chair, (*fam.*) rocker

berd: *iets te ~e brengen* broach a subject, raise a point, bring a matter up; *argumenten te ~e br.* bring up (br. forward, adduce) arguments
berebijt bear-baiting
berechten (*kerkel.*) administer the last sacraments to; (*gerecht. behandelen*) try [rebels, a case *rechtszaak*]; (*uitspr. doen in*) adjudge, adjudicate [a case, a difference]; **-ing** administration of the last sacraments; (*jur.*) trial, adjudg(e)ment, adjudication
beredans bear-dance
beredderen arrange, put (set) in order; settle (up) [an estate *boedel*]; **-ing** arrangement; (*drukte*) fuss, ado
bereden mounted [police]; *~ paard* broken(-in) horse
beredeneerd reasoned [opinion, action, conclusion], annotated [catalogue]; *~ man* man of sound judg(e)ment; *~e oplossing* reasoned solution
beredeneren discuss, argue (out), reason out
beredruif bearberry
beregenen rain (up)on
beregoed (*sl.*) terrific, super
berehuid bear's skin, bearskin
bereid ready, prepared, disposed, willing; *~e tabak* manufactured tobacco; *~ houden* keep (hold) ready (in readiness)
bereiden prepare [meals, the way, etc.]; brew [punch, tea]; dress, curry [leather]; manufacture; give [a p. a kind reception, a surprise]; *zich ~, zie* voor~; *een wissel een goede ontvangst ~* protect a bill; *de weg ~* (*voor*), (*fig.*) pave the way (for); **-er** preparer, dresser, etc.; **-ing** preparation, manufacture, dressing; **-swijze** method of preparation, process of manufacture; **bereidheid** *zie* bereidwilligheid
bereids already
bereidvaardig, -willig ready, willing; **~heid** readiness, willingness
bereidverklaring (written) agreement
bereik reach, range; *binnen* (*boven, buiten*) *'t ~ van* within (above, beyond, *of:* out of) the r. of; *binnen het ~ van de stem* within call (*of:* earshot); *binnen uw ~* within your reach (grasp), [a price] within your means; ... *kwam zelden binnen zijn ~, ook:* such liquor seldom came his way; *onder het ~ der geweerkogels* (*kanonnen*) *zijn* (*komen*) be (come) within rifle-range (range of the guns); **~baar** attainable, within reach; (*van pers.*) approachable; *- worden* (*voor*) come within reach (*of*); **-heid** attainableness
bereiken reach [one's destination, a compromise, middle age, a p.'s conscience], attain [one's object, a result, the age of ...], touch [the price of £300], attain to [power, a certain age], gain [the opposite bank, one's object], achieve [a certain effect, nothing], effect [one's purpose]; *de brief bereikt me zeker, ook:* is sure to find me; ... *bereik je niets* in that way you get nowhere (*met vloeken* ... nothing is achieved by swearing); *hij heeft bereikt dat de kwestie nu wordt onderzocht* he has succeeded

in getting the question investigated; *hij was niet te ~* could not be got at; *gemakkelijk te ~ met trein, enz.* within easy reach of train, tram and bus [*zo ook:* all the theatres are within easy reach of this hotel]; *hij is gemakkelijk te ~* (= *genaken*) easy of access
bereiking attainment [of one's object]; *ter ~ van zijn doel* in order to attain his end
bereisbaar practicable, fit to be travelled over (*of:* in); **bereisd** (much-)travelled [man], much-travelled, -frequented [country]
bereizen travel (over); navigate [the seas]; visit, frequent [fairs *kermissen*]; *een streek laten ~* (*door handelsreizigers*) work a district (by commercial travellers)
berejong bear's (bear-)cub
bereken: *~aar* calculator, computer; **~baar** calculable; **~d:** *- op* calculated for [50 persons, effect]; (*niet*) *- voor zijn taak* (un)equal to, (not) up to one's task; *hij bleek - voor zijn taak, ook:* he rose to the occasion; *zie ook* berekenen; *'t te veel* (*te weinig*) *-e* the overcharge (undercharge); **~en** (*uitrek.*) calculate, compute [*op* at], figure (out), find [the amount; *bereken x* find x]; (*in rek. brengen*) charge; *iem. te veel -* overcharge a p.; *emballage wordt niet berekend* no charge is made for packing; *hoe bereken je dat? ook:* how do you make that out?; *zeer zuinig* (*scherp*) *berekend* [our prices are] cut very fine, closely calculated; *scherp berekende prijzen*, (*ook:*) sharp prices; **-d** (*fig.*) calculating
berekening calculation, computation; figuring [he did some ... on the paper]; charge; *vgl. 't ww.; iems. ~ in de war sturen* put a p. out of his c.; *volgens ruwe ~* on a rough c.; *huwelijk uit ~* marriage of convenience
bere: **~klauw** hogweed, cow parsnip; **~kuil** bear-pit, b.-garden; **~muts** bearskin (cap), busby
berennen assault, storm; (*insluiten*) invest, besiege
bere: **~oor** (*plant*) bear's ear; **~vel** *zie* ~huid
berg mountain; mount [M. Etna]; *~en hoog* m.-high, mountains high, mountainous [seas]; *~ op, ~ af* up hill and down dale; *een ~ van bezwaren* a m. of difficulties (objections); *ik zie er als een ~ tegen op* I shudder to think of it; *de ~ heeft een muis gebaard* the m. was delivered of (produced, brought forth) a mouse; *zijn haren rezen te ~e* his hair stood on end; *'t deed zijn haren ...* it made his hair stand on end (rise); *sensaties, waarvan je de haren ...* hair-raising thrills; *roman, enz. waarvan iem. de haren ...* hair-raiser; *als de ~ niet ...* if the m. will not come to Mahomet, Mahomet must go to the m.; *zie* gouden; **~aarde** ochre; **~achtig** mountainous; **~ader** metallic vein, lode; **~af** downhill (*ook fig.*)
bergamot bergamot(-pear)
berg: **~beklimmer** mountaineer, mountainclimber; **~beklimming** mountaineering; **~bewoner** mountain dweller; **~blauw** lapis lazuli; **~bouw** mining (industry); **~bruin** umber; **~cul-**

tuur upland cultivation; **~dal** mountain valley, dale; *nauw* – glen; **~eend** sheldrake

Bergen (*Belg.*) Mons; (*Noorw.*) Bergen

bergen (*plaatsen*) put, store; (*opslaan*) store, warehouse; (*wrakgoederen*) salve, salvage; (*lijk*) recover; (*zeil*) take in; (*bevatten*) hold, contain, accommodate [the room can ... 500 persons]; (*onderdak verlenen*) accommodate, put up [I can't put them all up]; *schip en lading* ~ save ship and cargo; *wrakgoederen* ~, *ook:* recover salvage; *zich* (*zijn lijf*) ~ save o.s. (o.'s skin), get out of the way (out of harm's way); *hij wist zich van schaamte* (*verlegenh.*) *niet te* ~ he did not know where to hide his head (his face, himself); *waar hij 't alles* (*zijn eten*) *bergt* ... where he puts it all is a mystery; *hij is geborgen,* (*veilig*) out of harm's way, (*verzorgd*) provided for, ('*binnen*') a made man; *veilig geb.* safely stowed (away), in safe stowage; *zie ook* opbergen

bergengte narrow pass, defile

berger salvor; (*onwettig*) wrecker

berg: ~forel char; **~geel** yellow ochre; **~geest** mountain spirit, gnome

berggeld *zie* bergloon

berg: ~god mountain-god; **~groen** m.-green; **~hars** bitumen, asphalt; **~helling** m.-slope

berghok shed; **berghout** (*mar.*) wale, bend

bergiep wych-, witch-elm

berging (*mar.*) salvage

bergings: ~auto breakdown lorry (vehicle); **~boot** salvage-vessel, -boat, -lighter; **~maatschappij** s.-company; **~schip, ~vaartuig** s. vessel; **~werk** s.-operations

berg: ~kam mountain-ridge; **~keten** chain (*of:* range) of mountains; **~kloof** ravine, cleft, gorge, gully, canyon; **~kristal** rock-crystal, rhinestone; **~kruin** m.-top, m.-summit; **~land** mountainous country; highlands

bergloon salvage(-charges, -money)

berg: ~mannetje (hob)goblin, gnome; **~massief** massif; **~meer** mountain-lake; (*klein*) tarn

bergmeubel (storage) cabinet

berg: ~muis lemming; **~nimf** mountain-nymph, oread; **~op** uphill; **~pas** m.-pass

bergplaats depository, repository; (*rommelkamer*) lumber-, box-room; (*loods, ook voor fietsen*) shed; *ook* = bergruimte

berg: B~rede Sermon on the Mount; **~rood** red ochre; **~rug** mountain-ridge

bergruimte storage capacity (space), accommodation; *ook* = bergplaats

berg: B~schot (Scottish) Highlander; **~spits** (mountain-)peak; **~spoor** (*geol.*) spur; **~spoorweg** m.-railway; **~stelsel** m.-system; **~storting** land-slip, -slide; **~streek** mountain(ous) district; **~stroom** m.-stream, torrent; **~tocht** m.-excursion, m.-journey; **~top** m.-top; **~verschuiving** *zie* ~storting; **~volk** mountaineers, m.-tribe; **~wand** m.-side; (*steil*) bluff, m.-face; **~zout** rocksalt

beriberi beri-beri; **~lijder** b.-patient

bericht news [no ... is good ...], tidings; (*een ~*) piece (*of:* item) of news (of information), n.

item; (*krante~*) paragraph, newspaper report; (*kennisgeving*) notice, intimation, communication, message; (*hand. ook*) advice, report [market ...]; *algemene ~en* general intelligence; *binnen-* (*buiten*)*landse ~en* home (foreign) n. (*of:* intelligence); *laatste ~en* latest n., (*in krant*) stop-press news; *telegr. ~en* telegrams; ~ *van aankomst* advice (notice) of arrival; ~ *van ontvangst* acknowledg(e)ment of receipt; ~ *van verscheping* advice of shipment; ~*en van verhindering,* (*vergadering*) apologies for absence; ~ *brengen* bring word; *heb je goede ~en van ...?* have you good news of your aunt?; ~ *ontvangen* recieve n. [*omtrent* about, of], get (have) word, hear [from a p.]; *er kwam* ~ word came [*ervan* of it; *dat* that]; ~ *sturen* (*zenden*), (*mond.*) send word; (*schrift.*) write word; *stuur ons spoedig* ~, *ook:* let us hear from you soon; *volgens alle ~en* [he is] by all reports [...]

berichten inform, let ... know, send (write) word, report; (*hand. ook*) advise; (*kennisgeven van*) give notice of; *iem. iets* ~ inform a p. of s.t.; *gelieve ons te* ~, *of* ... kindly inform us (let us know) if ...; *men bericht uit S.* it is reported from S.; *zoals reeds bericht is in ...* as already reported in the Daily Telegraph; *zie* ontvangst

berichtgever informant [my ...]; correspondent [our Paris ...]; (*verslaggever*) reporter; **-ing** news service; *objectieve* – objective reporting

berichtje (*in krant*) item of news, news item

berijdbaar practicable, passable; (*voor rijdier of fiets ook*) ridable

berijden ride [a horse], ride (drive) over [a road]; *een paard goed* ~ sit a horse well; *Silver Blaze, bereden door B.*, (*bij wedren*) S. Bl., B. up (ridden, mounted by B.), B. riding; *deze weg wordt druk bereden* is much frequented by cars (horsemen, etc.); **berijder** rider, horseman

berijmen rhyme, turn into rhyme(d verse); *berijmde psalmen* rhymed version of the psalms; (*in Eng.*) metrical psalms; **-er** rhymer; **-ing** rhyming, rhymed version

berijpt covered with hoar-frost; (*van vruchten*) pruinose [peaches]

beril *a*) beryl; *b*) = **~lium** beryllium

berin she-bear, female bear

berispelijk reprehensible, blamable, deserving of blame, censurable; **~heid** ... ness

berispen rebuke, reprimand, reprove, blame, chide, reprehend, censure [*wegens* for]; **-ing** rebuke, reproof, reprimand, [a fatherly] talking-to

berk: ~eboom birch; **~ehout** birch-wood; **~en** *bn.* birch(en); **~erijs** birch(-rod)

berkoen prop, shore; (*mar.*) stanchion

Berlijn Berlin; **~er** Berliner; **~s** Berlin; – *blauw* Prussian blue; – *zilver* German silver

berm (grass) verge [of a road]; (*hellend*) bank; (*versterkingskunst*) berm; *zachte* ~ soft shoulder; **~lamp** bumper light, spotlight; **~pje** groundling; **~toerisme** roadside picnicking

bermuda(broekje) Bermuda shorts, Bermudas

Bern Bern(e); **bernagie** (*plant*) borage
Bernard(us) Bernard; *zie* Sint-Bern(h)ard
Bernardina id., Bernardine
Berner Oberland Bernese Alps
beroemd famous, celebrated, renowned, illustrious; ~ *wegens zijn noordpooltocht* [Mr. S.] of arctic fame; ~ *worden, ook:* achieve(*plotseling:* spring into) fame; ~**heid** celebrity, fame, renown, illustriousness; *een* – a celebrity, (*theat., enz.*) a star
beroemen: *zich ~ op* boast (of), take a pride in, glory in, pride o.s. on; (*bluffen op*) boast (*of:* brag) of
beroep (*algem.*) occupation, calling; (*ambacht, bedrijf*) trade; (*zaak*) business; (*dat studie vereist*) profession; (*beroeping van predikant*) call, invitation [accept (get, receive) a(n) ...]; (~ *op iem., ook: hoger* ~) appeal; *een* – **doen** *op* (make an) appeal to; invoke; call on [a p.('s purse)]; throw o.s. on [a p.'s mercy, indulgence, etc.]; (*op de kiezers*) go (*of:* appeal) to the country; (**hoger**) ~ *aantekenen* give notice of (lodge an) appeal; **in** ~ *gaan van een vonnis* appeal against a conviction; *in hoger* ~ *gaan* appeal to a higher court, appeal against a sentence (a decision), move for a new trial; *in hoger* ~ [sentenced, acquitted, quash a sentence] on appeal; *de zaak zal in hoger* ~ *behandeld w. in* ... the appeal will be heard in May; *er is geen hoger* ~ *mogelijk* the decision of the Court is final, there is no appeal against this decision; *in hoogste* ~ *veroordeeld w.* be sentenced in the last resort; *'t vonnis werd in hoger* ~ *vernietigd, ook:* the appeal was upheld; *in zijn* ~ professionally [he is successful]; *op* ~ *preken* preach with a view to the pastorate; *van* ~ by profession (occupation, trade, calling); *zonder* ~ [Mr. A.] of no occupation; (*van zijn geld levend*) (of) independent (means); ~**baar** eligible; *zich – stellen* seek a pastorate
beroepen call [a minister to (the pulpit of) ...]; *hij was niet te* ~ he was too deaf to hear me; ~ *w. naar* ..., *ook:* receive a call to ...; *zich* ~ *op* appeal to [a p., a p.'s sense of justice], refer to [a p.'s own words], plead [one's innocence]; ~**gids** trade directory; (*telef.*) yellow pages
beroeps-, *dikw.* professional; ~**bezigheid** p. duty; ~**danser** (*in hotel, enz.*) p. dancer, (dancing) professional; (*sl.*) (lounge) lizard; ~**diplomaat** career diplomat; ~**eer** professional ethics; ~**geheim** p. secret (confidence); ~**halve** by virtue of one's profession, [I only see him] professionally; ~**keuze** choice of a profession (of a career, of employment); *bureau voor* (*voorlichting bij*) – vocational bureau (guidance); –**adviseur** careers advisory officer; ~**leger** (~**officier**) regular army (officer); ~**onderwijs** [lower, intermediate, higher] vocational education; ~**ongeval** occupational accident; ~**opleiding** vocational training; ~**oriëntatie** vocational guidance; ~**rijder** professional (skater, cyclist); ~**risico** occupational hazard; ~**speler** professional, (*fam.*) pro; ~**sterfte** occupational

mortality; ~**ziekte** occupational disease
beroerd miserable, nasty [smell, taste], horrid [I think it ...], rotten [business, weather], beastly [weather; it's ... cold]; ~*e boel* awful nuisance, rotten business; *'t* ~*e ding* the beastly thing; *die* ~*e kerel* the confounded fellow, (*sl.*) the blighter; *in een* ~*e toestand* in a devil of a state, in a mess; *ik had een* ~*e overtocht* a devil of a crossing; *dat is het* ~*e ervan* that's the awful part of it; *'t is* ~ *voor hem* it is rough on him; *ik voel me* ~ I feel out of sorts (*of:* rotten); ~ *genoeg!* zie jammer; *zie ook* afschuwelijk
beroeren stir, perturb, disturb, convulse [a country]; **-ing** trouble, disturbance, perturbation [of the mind], agitation, unrest, commotion; (*sterker*) turmoil [her mind was in a ...]; *hevige* – cataclysm, upheaval; convulsion; turbulence; *alles was in* – everything was in a state of commotion; *in* – **brengen**, *zie* beroeren
beroerling rotter, blighter
beroerte (apoplectic) fit, (paralytic) stroke, seizure; ~*n,* (*onlusten*) troubles; *een* ~ *krijgen* have a stroke, be seized by (struck with) apoplexy; *hij kreeg bijna een* ~, (*van boosheid, enz.*) he almost had (threw) a fit; *ik schrok me een* ~, (*fig.*) it gave me an awful turn; it nearly gave me heart-failure
beroeten smoke [glass]
beroken (blacken with) smoke; (*ontsmetten*) fumigate
berokkenen: *iem. verdriet* ~ give a p. pain, cause a p. sorrow; *zie* moeite, enz.
berooid beggarly, shabby, seedy, (*fam.*) down and out; ~*e beurs* (*schatkist*) empty purse (treasury; *ook:* beggared exchequer); ~**heid** beggarliness, etc.
berookt smoked [glass]; smoke-grimed, -stained, smoky
berouw repentance; (*zwak*) compunction; (*diep*) contrition; ~ *hebben over* (*van*) repent (of), regret, feel sorry for; *het* ~ *komt nooit te laat* it is never too late to mend; *'t* ~ *komt steeds te laat* repentance always comes too late; *zonder* ~ unrepentant [*over* ... of his action]; ~**en:** *het berouwt mij* I repent (of) it, I regret it, I feel sorry for it; *dat zal je –!,* (*bedreiging*) you'll be sorry for that!; ~**hebbend,** ~**vol** repentant, contrite, penitent, remorseful
beroven rob [*'t meest gew.:* r. a p. of his money, a place of its beauty]; deprive [of life, power]; bereave [of life, hope; bereft of her only son]; do [a p. out of his job]; rifle [a mail-bag, etc. (of its contents)]; strip [a p. of his clothes, etc.]; denude [of clothing, rights]; despoil [of armour, ornaments]; defraud [a p. of his rightful share]; de schatkist ~ defraud the revenue; *iem.* ~ rob a p.; *iem.* (*zich*) *van 't leven* – take a p.'s (one's own) life; *van zijn verstand beroofd* deprived of one's reason; *van al zijn schoonheid beroofd, ook:* shorn of all its beauty; **-ing** robbery, deprivation
berrie (hand-)barrow, stretcher; (*lijkbaar*) bier
berserker berserk(er); ~ *woede* berserker rage
Bertha Bertha; **Bertrand** Bertrand, Bertram

Bertus Bert, Albert
berucht notorious [*wegens* for], disreputable, of ill fame [a house ...], disorderly [house]; **~heid** notoriousness, notoriety
beruiken smell at, sniff at
berusten: ~ *op* rest (be founded, based) on; be due (attributable) to [a mistake, a false notion]; **~** *bij*, (*van stukken, enz.*) be deposited with (*zie ook* berusting); (*van rechten, enz.*) be vested in; *de beslissing berust bij mij* rests (*of:* is) with me; '*t daarbij laten* ~ let the matter rest there, leave it at that; ~ *in* resign o.s. to [one's fate], submit to [the will of God], acquiesce in, reconcile o.s. to; **~d** resigned [*in* ... to one's loss]
berusting acquiescence, resignation; *de stukken zijn onder mijn* ~ the documents are in my hands (keeping, custody)
bes 1 berry; (*aalbes*) [red, white, black] currant; 2 *zie* besje; 3 (*muz.*) B flat
besabbelen *zie* bezabbelen
besachtig baccate
beschaafd (*ontwikkeld, van goede smaak, enz.*) cultivated [reader, usage]; educated [man], cultured [voice], refined [face, character, manners, language]; (*welgemanierd*) well-bred, refined, polite; (*tegenover barbaars*) civilized; ~ *man, ook:* man of culture; *in* ~*e kringen* in polite society; *naar de* ~*e wereld terugkeren* return to civilization; *zie ook* A.B.N.; **~heid** refinement, polish, good breeding, good manners, education
beschaamd ashamed [*over* of; *zeld. attr.:* an ... look]; (*verlegen, met* ~*e kaken*) abashed, shamefaced; ~ *maken* (*doen staan*), *zie* beschamen *a*); ~ *staan* be a., *zie* zich schamen; **~heid** shame, shamefacedness
bè-schaapje baa-lamb
beschadig: ~baar: *licht* – easily damageable; **~d** damaged; *door zeewater* – sea-damaged; **~d-heid:** *vrij van* –, (*verzek.*) free of particular average, f. p. a.
beschadigen damage, injure; (**~** *& ontsieren*) deface; **~ing** damage, injury
beschaduwen shade, overshadow
beschaduwing shading
beschamen *a*) put to shame (to the blush), shame, confound; embarrass [her kindness ...ed him]; *b*) disappoint [a p.'s hopes], betray [a p.'s confidence]; *beschaam me niet* (*in mijn verwachtingen*), *ook:* don't let me down; **~d** humiliating; **-ing** confusion, shame; disappointment; *vgl. 't ww.*
beschaven (*eig.*) plane; (*fig.*) polish, refine [manners], civilize [savages]
beschaving culture, civilization; refinement, polish; **~sgeschiedenis** history of civilization, social history
bescheid answer, reply; (*officiële*) **~en** (official) documents, records; *iem.* ~ *doen* pledge a p., reply (respond) to a p.'s toast; ~ *geven* give an a., send word
bescheiden I *ww.* (*ontbieden*) summon, send for, order to appear; appoint [a mountain where Jesus had ...ed them]; (*toebedelen*) apportion,

allot; **II** *bn.* modest [*ook fig.:* a ... fortune, estimate], retiring, unassuming, unpretending, unpretentious, unobtrusive; *naar mijn* ~ *mening* in my humble (*of:* poor) opinion; *een* ~ *poging* a discreet attempt; *een beetje gokken* (*dansen*) *op* ~ *schaal* a little mild gambling (dancing); ~ *opmerken* observe under correction; ~ *protesteren tegen* enter a mild protest against; **~heid** modesty [I say so in all ...], unpretentiousness; *met alle* –, *ook:* with all (due) deference
beschenken *zie* begiftigen
bescheren: *zulk geluk was mij nooit beschoren* such good fortune never fell to my lot; *dat lot is mij beschoren* such is my fate; *hem was maar een kort leven beschoren* it was not granted to him to live long
beschermeling(e) protégé(e); ward
bescherm: ~en protect [*ook in de econ.; voor, tegen* from, against], shield, screen, shelter [from the wind, etc.], save [a p. from himself], guard [from moths], keep [o.s. from starvation]; (*protegeren*) patronize; –*de knik* patronizing nod; –*de kleur* protective colouring; –*de rechten* protective duties; –*d stelsel* protection(ism), protectionist system; **~engel** guardian angel; **~er** protector; (*weldoener, enz.*) patron; *de* – *over iem. spelen* patronize a p.; **~geest** tutelary spirit, (*good*) genius; **~god(in)** tutelary deity; **~heer(schap)** patron(age); **~heilige** patron(ess), patron saint
bescherming protection; (*beschutting ook*) shelter, cover [*voor* from]; (*steun*) patronage; ~ *zoeken tegen* ... take cover from bombs; *iem. in* ~ *nemen* take a person under one's p. (*fam.:* wing), shield a person; *onder* ~ *van* under cover of [the night], under the auspices of [H. M. the King]; *zie* B.B.; **beschermster** protectress
beschermvrouw patroness
bescheuren: *zich* ~ laugh fit to kill
beschieten 1 fire upon (*of:* at), bombard, shell, pound [...ed by artillery]; 2 (*bekleden*) line; (*met hout*) board [...ed roof], wainscot, plank; underdraw [a roof]; *met eikehout beschoten* panelled in oak; **-ing** bombardment, shelling
beschijnen shine (up)on, light up
beschijten: *zich* ~ shit in one's pants; *bescheten kijken* look silly
beschikbaar available, at a p.'s disposal (command); *-are last*, (*luchtv.*) disposable lift; ~ *komen* become a.; [the money will] be forthcoming; ~ *stellen* place [s.t., o.s.] at a p.'s disposal, make a.; **~heid** availability
beschikken (*regelen*) arrange, manage, order, see to [one's affairs]; *de mens wikt, God beschikt* man proposes, God disposes; *God beschikt ons lot* God sways (rules) our destiny; *het Noodlot had anders beschikt* Fate had decreed otherwise; ~ *over* have at one's disposal (command), have the disposal of, command [a majority in Parliament], possess [great courage]; decide [a p.'s fate]; *bij testament* ~ *over* dispose of [property] by will; *u kunt over mij* ~ I am at your disposal; *gelieve over 't bedrag te* ~ kindly

draw (*of:* value) on us for the amount; (*on-*) *gunstig op een verzoek* ~ grant (refuse) a request; **-er** arranger; disposer [God is the ... of all blessings]; *de – over leven en dood* the dispenser of life and death

beschikking disposal, command; (*regeling*) arrangement; (*besluit*) decree; ~ *der Voorzienigheid* dispensation of Providence; *een bijzondere* ~ *der Voorzienigheid* a special providence; *verdere ~en afwachten* await further orders (instructions); *ter* ~, available, (*mil.*) unattached; *ter* ~ *stellen* (*mil.*) place on the unattached list; *ter* ~ *stellen van iem.* place (put) at a p.'s d.; *zijn huis ter* ~ *stellen* (*voor een concert, enz.*) lend one's house for ...; *dat is te uwer* ~ at your d.; *zich ter* ~ *houden van* hold o.s. at the d. of; *de* ~ *hebben over* have the d. of, have at one's d. (command); *zie ook:* beschikken over; *bij* ~ *van* by order [of the Dean of St. Paul's]

beschilderen paint (over); *beschilderde ramen* stained glass windows; *beschilderd glaswerk* pictorial glass; **-ing** painting

beschimmelen get (grow, go) mouldy (mildewed), mildew

beschimpen abuse, call names, taunt, jeer (at), scoff (rail) at; **-er** scoffer, jeerer; **-ing** abuse, scoff(ing), jeering, taunt(s)

beschoeien camp-shed (*v. t. & v. dw.* ...ded), sheet-pile [a river bank], timber [a mine-shaft, a trench]; **-ing** camp-shedding, -sheeting, sheet-piling, timbering

beschonken drunk, tipsy, intoxicated; **~heid** intoxication, drunkenness, etc.

beschoren *zie* bescheren

beschot (*afscheiding*) partition; *waterdicht* ~ bulkhead; (*bekleding*) wainscot(ing); (*opbrengst*) yield, produce; *'n ruim* ~ *geven* yield an abundant crop

beschouwelijk contemplative, speculative

beschouwen consider, regard; (*bekijken*) look at, contemplate, view; ~ *als* consider, regard as, look upon as, take for, hold [the revolution was held to be inevitable]; *als niet geschreven* ~ disregard [a letter]; *als verloren* ~ give up for lost; *anders* ~ take another view of, think otherwise, (*alles*) *wel beschouwd* after all, all things considered, as a matter of fact, taking one thing with another; *op zichzelf beschouwd* taken by itself; *op zichzelf* ~ treat [each case] on its merits; *zie* kant; ~**d** *zie* beschouwelijk; **-er** looker-on, spectator, contemplator; **-ing** ('*t bekijken*) contemplation; (*bespiegeling*) speculation, contemplation; reflection; (*verhandeling*) dissertation, (*opmerking*) observation [...s about art]; (*opinie*) view [of life], way of thinking; *algemene –en*, (*Parl.*) general debate; *bij nadere* – on closer inspection (*of:* examination); *buiten – laten* leave out of consideration (*of:* account), l. aside; *dit kan voor ons betoog buiten – blijven* this is immaterial to our argument; *zie* treden; **-swijze** view

beschreeuwen *te* ~ *zijn* be within shouting distance, within hail; *zie* beroepen

beschreid tear-stained [face]; **beschreien** weep

(over), mourn, deplore, lament, bewail

beschrijven (*schrijven op*) write on [one side only]; (*geheel*) write all over; (*schetsen*) describe, set out [in detail]; (*meetk.*) describe, construct; (*vergadering*) convene, convoke, call; *een boedel* ~ draw up an inventory; *verkeerd* ~ misdescribe [goods for sale]; *de auto beschreef een complete cirkel op de weg* turned a complete circle in the road; *een baan om de zon* ~ (describe an) orbit round the sun; *moeilijk te* ~ nondescript [individual]; *dicht beschreven* closely written [sheets]; **-d** descriptive [poetry, geometry]; **-er** describer

beschrijving description; *op* ~ *verkopen* sell to specification; **~sbiljet** *a*) (*voor belasting*) return (*of:* assessment) form; *b*) = **~sbrief** *zie* convocatiebiljet

beschroomd timid, timorous, diffident, bashful, shy; **~heid** timidity, bashfulness, diffidence

beschuit (Dutch) rusk

beschuldigde *de ~*(*n*) the accused

beschuldigen accuse [*van* of], charge [*van* with], tax [*van* with], incriminate; (*inz. van staatsmisdaad*) impeach [*van* of]; (*gerechtelijk*) indict [*van moord* for murder; *ook, fig.:* the Government was indicted by ...], arraign; *beschuldigd w. van, ook:* stand accused of; **~d** accusatory; **-er** accuser

beschuldiging accusation, charge; indictment; impeachment; *hij stond terecht onder* ~ *van ...* he was before the Court on a charge of drunkenness; *een* ~ *tegen iem. inbrengen* bring a charge against a p.

beschutten shelter, screen [*voor ...* from the wind, heat, etc.], protect [*voor, tegen* from, against]; shade [a light, one's eyes]; *beschut plekje* sheltered spot; *beschutte bedrijven* (*werkplaats*) sheltered trades (workshop); **-ing** shelter [seek, take, find ...], protection, cover; *onder – van de kust* under the lee of the land, *zie* bescherming

besef (*idee*) notion, idea; (*bewustzijn van toestand, enz.*) realization, consciousness, awareness; *hij had er geen flauw* ~ *van* he had not the faintest notion of it; *geen* ~ *meer hebben* be unconscious; *iem. brengen tot het* ~ *van zijn verantwoordelijkheid* bring (*of:* rouse) a p. to a sense of his responsibilities; *elk* ~ *van verantwoordelijkheid ontbreekt* any sense of responsibility is lacking; *zie ook* bewustzijn; **-fen** realize, appreciate, be aware of [the magnitude of one's task], be alive to [the fact that ...]; *voor ik het besefte,* (*fam.*) (the) first thing I knew ...

besje (*vrouwtje*) old woman, granny, (old) crone; **~shuis** old women's hospice

besjoemelen fool [a p.]

beslaan cover [with leather, etc.], mount [with silver, etc.], hoop [a cask], set, stud [with nails], tire [a wheel], shoe [a horse; a pole with iron], tip [a cane], sheathe [the bottom of a ship], square [timber], furl [a sail], mix [mortar]; (*ruimte*) take up, occupy [room]; fill [a whole page]; (*van glas*) become dimmed (steamed, blurred), get dim; *de ramen waren beslagen, ook:* the windows were steamed up; (*dof worden, van metaal*) tarnish; *het koude water laten* ~ take the chill off the cold water; *500 bladzijden* ~ contain (run to) 500 pages; *doen* ~ steam, dim [the windows], blur [the rain blurred my glasses]; *men zou hem in goud* ~ he is worth his weight in gold

beslag (*van vuurwapen, kerkboek, kast, enz.*) mounting; (*van album ook*) clasps; (*van deur*) iron (*of:* metal) work; (*van vat*) bands, hoops; (*paarde-*) (horse-)shoes; (*van wiel*) tie; (*van stok*) tip, ferrule; (*van doodkist*) fittings; (*van schoen*) tips, rubbers; (*van schip*) sheathing; (*op tong*) fur, coating; (*voor gebak*) batter; (*brouwerij*) mash; (*-legging*) seizure, attachment, distraint, distress; sequestration [of one's income]; (*op schip*) embargo; *met ijzeren* (*koperen, zilveren, metalen*) ~ iron-studded (iron-clamped) [door], iron-shod[pole], brassbound [chest], silver-mounted [casket], metalfaced [door]; *de zaak haar* ~ *geven* clinch the business; *de zaak heeft* (*krijgt*) (*spoedig*) *haar* ~ the matter is (will soon be) settled; ~ *leggen op*, (*jur.*) attach, seize, distrain on [he had his goods ... ed on], levy a distraint (distress) on; sequestrate [a p.'s income]; put (lay) an embargo on [a ship]; (*zich toeëigenen*) annex; *de huisbaas legde* ~ *op de meubelen voor huur* the landlord distrained for rent; *er werd* ~ *op de meubelen gelegd* the brokers (the bailiffs) were put in; ~ *leggen op* ... trespass (make great demands) on [a p.'s time], *ik zal* ... I won't take up any more of your time; *er wordt veel* ~ *op* ... *gelegd* I have many calls on my time; ~ *leggen op 't gesprek* monopolize the conversation; *zie ook:* in ~ nemen; ~ *op iem. leggen*, (*fam.*) book a p. [for dinner, etc.]; *in* ~ *nemen, zie* ~ leggen op; *ook:* impound [a p.'s passport, bank-account]; (*fig.*) take up [room, a p.'s time; one side of the room was ...n up with books], take [it took me all day], occupy [too much space], command, arrest, engross [attention]; *'t neemt iem. al de tijd in* ~ it's a whole-time job; ... *wordt in* ~ *genomen door* ..., *ook:* this part of the boat is given over to machinery; *hij werd geheel in* ~ *genomen door zijn plannen, ook:* he was preoccupied with his plans; *zie* kistbeslag, schoenbeslag; **~bak** (*brouwerij*) mash-tub, -tun, -vat
beslagen *zie* beslaan; (*van paard*) shod; (*van glas*) steamed, steamy, blurred; (*van metalen*) tarnished, dull; (*van tong*) furred, coated, loaded; (*van muur*) sweating; *met ijzer, enz.* ~, *zie* beslag; *goed* ~ *zijn in* be well versed in, conversant with, a good hand at; *zie* ijs
beslaglegger seizor, broker('s man)
beslaglegging *zie* beslag
beslapen sleep on; *zich erop* ~ sleep on (*of:* over) it, take counsel of (consult) one's pillow; *het bed was niet* ~ had not been slept in
beslechten settle, arrange [a dispute], make up [a difference]; **-ing** settlement
beslijken *zie* bemodderen

besliskunde decision theory
beslissen decide [a question, a p.'s fate], determine; (*van rechter, voorzitter, enz.*) *ook:* rule [a p. out of order]; (*scheidsrechterlijk ook*) arbitrate (upon); ~ *over* decide (on); ~ *ten gunste* (*ten nadele*) *van* d. for (against); ~ *ten gunste van de eiser* find for the plaintiff; *zie* besluiten
beslissend decisive [take the ... step], final, conclusive; critical, crucial [the ... moment]; *van* ~*e betekenis* of crucial importance; ~*e factor* determining factor, determinant (factor); ~*e stem* casting vote; *niet* ~ inconclusive [debate]
beslissing decision, determination; (*van rechter, voorzitter, enz.*) *ook:* ruling; *een* ~ *nemen* make (come to, take) a d.; *tot een* ~ *brengen* bring to an issue; *de* ~ *overlaten aan* leave the d. to; *de* ~ *over de motie aan de Kamer overlaten* leave the motion to the free vote of the House; **~swedstrijd** final match; play-off
beslist decided [success, answer, speak in a ... tone], firm, resolute, peremptory; manifest [lie]; *'t antwoord was* ~ *ontkennend* was an uncompromising negative; ~ *laatste voorstelling* positively last performance; ~ *waar* absolutely true; ~ *zeker* dead certain; *ik weet 't* ~ I know it for a fact; ~ (*niet*) ! definitely (not)!; *ze mag het* ~ *niet weten* she must never know; **~heid** decision, determination, resolution, peremptoriness
beslommering care, trouble, worry
besloten (*van viswater, terrein, vergadering*) private; ~ *jacht-, vistijd* close season (*of:* time), fence-month, -time; ~ *gezelschap* private party, intimate circle, select group; ~ *koliek* iliac passion; ~ *vennootschap*, (*ongev.*) private company; *bij* ~ *water* when the canals (rivers) are frozen up (over); *ik ben* ~ I am resolved (determined), my mind is made up; *zie* besluiten; **~heid** resoluteness, determination
besluipen stalk [deer, etc.], steal upon (*ook fig.*), creep over [despondency crept over their hearts]
besluit (*einde*) conclusion, termination, close, end; (*slotsom*) conclusion; (*beslissing*) resolution, resolve, decision, determination, (*van vergadering*) resolution, (*van overheid*) decree; *zie* koninklijk; *een* ~ *nemen* form (make, come to) a resolution (a decision), take a decision; (*van vergadering*) pass (adopt) a resolution; *een* ~ *trekken* draw a c.; *tot* ~ in c., to conclude (wind up, finish up) with, finally, [some cream] to top up with; *tot een* ~ *brengen* bring [the matter] to a close; *dit bracht hem tot het* ~ *om heen te gaan* this decided him to leave; *tot een* ~ *komen* arrive at (come to, reach) a decision (conclusion), make up one's mind; *zonder dat men tot 'n* ~ *kwam* the meeting ended inconclusively; *volgens* ~ *der vergadering* by resolution (of the meeting)
besluiteloos irresolute, undecided, weak-kneed, wavering, shilly-shally; **~heid** irresolution, indecision, wavering, shilly-shally(ing)
besluiten (*in-, omsluiten*) enclose, contain; (*eindigen*) end, conclude, wind (*of:* end) up [met

with]; ('*n besluit nemen*) resolve, decide, determine; ('*n gevolgtrekk. maken*) conclude, infer [*uit ... tot* from ... to]; ~ *te gaan* resolve (decide, determine) to go (on going); *ik heb besloten deze te nemen, ook:* I've decided on this one; *zie* besloten; *wij moeten* ~ we must make up our minds; *ik kan er niet* **toe** ~ I cannot bring myself to do it; ~ *tot* decide (determine) on [certain measures, a line of conduct]; *dat deed mij* ~ that decided me; *de muziek besloot met het volkslied* the band wound up with the national anthem; *om mee te* ~, *zie:* tot besluit; *wat besluit ge* **uit** *zijn woorden?* what do you conclude from his words?

besluitvaardig resolute; ~**heid** resolution; ~**vorming** decision-making

besmeren (be)smear, daub over [with paint], spread [with butter]; butter [bread]

besmettelijk contagious, infectious, catching (*alle ook fig.:* laughter and sorrow are catching); *deze japon is zeer* ~ shows the dirt easily; ~**heid** infectiousness, contagiousness

besmetten infect; contaminate [milk, air, water, a p.'s life]; pollute [water, children's minds, etc.]; taint [meat, the mind]; *besmet verklaren* declare [a port] infected, black [a ship, goods]; *niet langer besmet verklaard* out of quarantine, (*na mond- en klauwzeer*) released [area]; *door pest besmet, ook:* plague-infected [port]; *besmette goederen,* (*bij werkstaking*) tainted (*of:* black) goods; *besmette arbeid* blacklist job

besmetting infection, contagion, taint, contamination, pollution; ~**shaard** focus of i., nidus

besmeuren besmear, soil, stain; besmirch [a p.'s memory]

besnaren string; *zie* fijnbesnaard

besneeuwd snow-covered, -clad, snowy

besnijden cut down, whittle [a stick]; (*van snijwerk voorzien*) carve; (*godsd.*) circumcise; *fijn besneden trekken* finely cut (clear-cut, clean-cut, chiselled) features

besnijdenis circumcision

besnoeien lop [trees], prune [fruit-trees, roses, shrubs]; trim, clip [hedges]; cut down, retrench, curtail [expenses]; whittle down, curtail [rights, salaries]; dock [wages]; encroach on, infringe [a p.'s rights]; cut down [a report]; **-ing** lopping; pruning [*ook fig.:* ... of the social services]; curtailment, retrenchment, cut [wage ... s, ... s in education, in a literary work]

besnuffelen sniff (at), smell at, (*fig.*) pry into

besodemieteren (*plat*) swindle; *ben je besodemieterd?* are you crazy?

besogne job, (piece of) work, occupation; *in* ~ *zijn* be engaged, be busy

besommen (*belopen*) amount to; (*opbrengen*) bring in, realize, fetch; (*visserij*) gross [£4000]; **-ing** (*visserij*) grossing(s)

bespannen span [with one's fingers]; string [a bow, violin, racket]; *opnieuw* ~ re-string; *met ossen* ~ drawn by oxen; *met 2 paarden* ~ *landauer* two-, pair-horse landau; *rijtuig met acht*

paarden ~ coach-and-eight; **-ing** set [of carriage horses], team [of cart-horses, oxen]

besparen save [*aan krachten* in strength; ... a p. time, trouble, labour, ... on railway fares], lay up [money, provisions, etc.], economize [time, ammunition], spare [... me that indignity]; *zich de moeite* ~ save o.s. the trouble; '*t bespaart ... it saves a chauffeur;* **-ing** saving (*aan* in), economization; *ter* – *van kosten* to save expenses

bespatten splash, (be)spatter

bespeelbaar playable (*ook van terrein, bal & tegenstander*), fit for play

bespelen play (on) [an instrument], touch [a lyre, piano, flute], chime [a carillon], play on [a billiard-table], play over [a golf course], play in [a theatre], play (up)on [a p.'s weakness]; *niet te* ~ [the tennis-court was] unplayable

bespeler player, performer; *vaste* ~, (*theat.*) resident company

bespeuren perceive, discover, descry, (e)spy, detect

bespieden spy on, watch; *laten* ~ set a watch on, have [a p.] watched (shadowed); **-er** spy, (*minder ong.*) watcher; **-ing** spying, espionage

bespiegelend: *een* ~ *leven* a contemplative life; *een* ~ *opstel* a reflective essay; ~*e wijsbegeerte* speculative philosophy

bespiegeling speculation, contemplation, reflection; ~*en houden* speculate [*over* on]

bespijkeren fasten with nails; stud, adorn with studs; **bespikkelen** speckle, dot, spot

bespioneren spy (up)on

bespoedigen accelerate, hasten, push [things] on, speed (*v. t. & v. dw.:* speeded) up [armament], hurry forward, expedite [the execution of an order], precipitate [a catastrophe]; **-ing** acceleration, speeding up, etc., [air-mail] speed-up

bespoelen wash

bespottelijk ridiculous, ludicrous, preposterous; ~ *maken* ridicule, hold up to ridicule (derision), deride; *zich* ~ *maken* make a fool of o.s.; *voor een* ~ *lage prijs* at a ridiculously low price; ~**heid** ... ness

bespotten ridicule, mock, deride, sneer at, scoff at, flout; **-er** mocker, scoffer; **-ing** ridicule, derision, mockery [non-intervention has become a ...], travesty [a ... of justice]; *aan de* – *prijsgeven* hold up to ridicule (derision)

bespraakt *zie* welbespraakt; *hij is niet erg* ~ he is a poor talker

bespreek: ~**baar** [seats are] bookable; ~**bureau** (*van theat.*) booking-office; ~**geld** booking-fee

besprek: *ik ben daarover met hem in* ~ I am negotiating (having discussions) with him about it

bespreken speak (talk) about, talk [things] over, discuss; ventilate [grievances]; review [a book]; (*kort aankondigen*) notice [a book]; (*afhuren, enz.*) book, engage, secure, reserve [seats, etc.], retain [a barrister]; *alle plaatsen* (*hotels*) *waren lang vooruit besproken* were booked up well ahead; *de zaak wordt thans druk besproken, ook:* the question is very much to the fore; *ik kan ... niet met u ~, ook:* I cannot go into the matter with you; *alle te ~ plaatsen* all bookable seats; *zie* besproken & passage

bespreking discussion, conversation, talk [...s between France and England]; (*na manoeuvre*) criticism; (*van boek*) review, (*kort*) notice; (*van plaats*) booking; *in ~ brengen* open the d. on, (*ter sprake br.*) raise [a question], moot [a subject]; *in ~ komen* come up for d.

besprenkelen (be)sprinkle, spray; dabble [with blood]; dust, dredge [with pepper, etc.]; (*vooral met wijwater*) asperse; **-ing** (be)sprinkling, aspersion

bespringen spring (leap, pounce) upon; (*mil.*) assault, assail; (*dekken*) cover; **-er** assailant, assaulter

besproeien water [flowers, streets], sprinkle; irrigate [land]; moisten [with tears]

besproeiing watering, etc., irrigation; **~swerken** irrigation-works

besproken reserved [seats], engaged [for the next dance]; *zie* bespreken & veel~

bespuiten squirt [with water], spray, syringe [roses, etc.]; syringe [plants], stream [windows], play upon [a fire]

bespuwen spit upon, spit at

besseboompje currant-bush

Bessemer id.; *b~ peer* B. convertor; *~ijzer* (*staal*) B. iron (steel); **b~en** treat by the B. process

bessen: **~dragend** bacciferous, berry-bearing; **~etend** baccivorous, berry-eating; **~gelei** currant-jelly; **~jenever** black-currant gin; **~wijn** currant-wine

bessesap (red) currant-juice; **bessestruik** currant-bush

best I *bn.* best; (*uitstekend*) excellent [coffee], very good; (*vriend, enz.*) dear; *'t is mij ~* I don't mind; *~e hond!* good dog!; (*mijn*) *~e kerel!* my dear fellow!; *mijn ~e man*, (*echtgenoot*) my dear husband; *zijn ~e kleren, zie* zondags; *in de ~e jaren des levens* in the prime of life; II *bw.* best; very well; *hij schrijft 't ~* he writes best; *deze zin kan het ~ worden weggelaten ...* had better be left out; *niet al te ~* (very) poor(ly), indifferent [sleep very ...ly]; *'t ziet er niet ~ uit* it does not look very promising; it is but a poor look-out; *hij ziet er niet ~ uit* he does not look well; *zijn hoed zag er niet al te ~ meer uit* was the worse for wear; *hij kan 't er ~ mee doen* he can do very well with it; *wil je niet? ~!* won't you? all right!; *ik zou ~ willen* I would not mind; *hij wil het ~ doen* he is very willing to do it; *'t kan ~ zijn* it may well be; *'t is ~ mogelijk* it is quite possible, very likely, quite on the cards; *zie ook* goed & tijd; III *zn.* best; advantage; *hij is de ~e van 't hele stel* the b. of the bunch; *het ~e van de oogst* the pick of the crop; *zijn ~ doen* do one's b.; *men kan niet meer dan zijn ~ doen* a man can but do his b.; *zijn ~ doen om op tijd te zijn* make an effort to be in time; *zijn uiterste ~ doen* do one's (exert o.s. to the) utmost, try one's hardest, use every effort [*om te* to], (*fam.*) do one's level b.; *het ~e!* all the b.! good

luck (to you)!; *'t ~e ermee*, (*bij ziekte*) I hope you'll soon be well again; I wish you a speedy recovery; *ik wens u 't ~e* I wish you every happiness (the b. of luck, all the b.); *'t ~e hopen* hope for the b.; *dat zal 't ~e zijn* that will be (the) b. (thing, plan); *'t zou 't ~e zijn, als ...* it would be b. if ...; *als de ~e, tegen de ~e* [he joked] with the b., [I can beat eggs] with anybody (I'm second to none in ...ing), [he is as brave] as the next man; *zij is zo schrander als de ~e* she is as clever as they make them; *dat kan de ~e overkomen* (*gebeuren*) that may happen to the b. of us; *doe dit, dan ben je een ~e* do it, there's a dear (a good fellow); *op zijn ~* at one's b. [at this time the country is at its b.]; (*sp.*) be in (on) top form; (*op zijn hoogst*) [pay 21p. in the pound] at b.; at most [forty at most]; *ten ~e geven* give [a song], offer [an opinion, a remark]; *Mej. S. zal iets ten ~e geven* will give us a song, etc.; *een fles wijn ten ~e geven* stand a bottle of wine; *de mening, die hij ten ~e gaf* the view which he put forward; *alles keerde ten ~e* everything turned out for the b.; *ten ~e raden* advise for the b.; *God zal alles ten ~e wenden* God will order everything for the b.; *tot (voor) uw eigen ~* for your own good, in your own interest; *zie* bovenst, enz.

bestaan I *ww.* exist, be [there is no reason why ...], be in existence; *~ in* consist in; *~ uit* consist (be composed, be made up) of; *~ van* live on, subsist on [Marken subsists on sight-seers]; *er heeft nooit iets tussen ons ~* there was never anything between us; *niet ~, ook:* be non-existent; *dat kan niet ~* that is impossible; *hoe bestaat het!* (*fam.*) would you ever! fancy!; *deze gewoonte bestaat nog* is still observed, still survives, still obtains [barter still obtains there]; *niet meer ~* e. no longer, be extinct; *de enige(n) die nog ~* the only ones in existence; *... die er bestaat* the nicest man living, the greatest rascal going; *het feit blijft ~* the fact remains; *goed (nauwelijks) kunnen ~* have a comfortable (precarious) subsistence; *zie ook* rondkomen; *elkaar in den bloede ~* be blood-relations; *ik besta hem in de vierde graad* I am related to him in the fourth remove; *iets ~* venture upon (attempt) s.t.; *hij heeft het ~ om ...* he has ventured to ..., he has had the nerve to ...; *zie na, plan, enz.*; II *zn.* being, existence; (*broodwinning*) livelihood, subsistence; *wat 'n ~!* what a life!; *behoorlijk ~* decent living; *royaal ~* comfortable subsistence; *stout ~* bold venture, daring enterprise; *'t honderdjarig ~ gedenken van* commemorate the hundredth anniversary of; *zie* leiden & strijd

bestaanbaar possible; *~ met* consistent (compatible) with; **~heid** possibility; compatibility, consistency

bestaand existing; *nog heden ~e* extant to this day; *al 't ~e* all that is

bestaans: **~middel** means of support (of subsistence); **~minimum** minimum of existence; **~recht** right to exist; **~reden** raison d'être; **~zekerheid** social security

bestand *zn.* truce; *bn.* ~ *tegen* proof against [temptation, etc.], (*opgewassen tegen*) a match for, equal to; [boats] able to stand up against [severe weather]; *tegen kogels, vuur, regen, 't weer, roest, inbrekers* ~ bullet-, fire-, rain-, weather-, rust-, burglar-proof; *het is* ~ *tegen wassen en bleken* it will stand washing and bleaching; *het is* ~ *tegen hitte* (*tegen motten*) it is heat-(moth-)proof

bestanddeel element, ingredient, component (part), constituent (part), item

besteden spend [money, time] [*aan* on], lay out [money] [*aan* on], pay [a price], give, devote [attention to s.t.], give up [the afternoon is ...n up to games]; (*als leerjongen*) (bind) apprentice [*bij* to]; (*in de kost doen*) put out to board [*bij* with], put [a baby] out to nurse; *de tijd zo goed mogelijk* ~ make the most (the best) of one's time; *veel zorg* ~ **aan** bestow much care on; *een grap is aan hem goed besteed* he can appreciate a joke; ... *niet aan hem besteed* a concert (good advice) is thrown away (wasted) on him; *het geld zou beter besteed zijn geweest*..., (*ook*) the money would have been better employed [in buying ...]; *een uur aan zijn toilet* ~ s. an hour over one's toilet; *slecht* (*goed, nuttig*) ~ make (a) bad (good) use of

besteding spending; **~sbeperking** credit squeeze, (policy of) retrenchment, investment restrictions

bestek (*ruimte*) compass, space; (*van bouwwerk, enz.*) (builder's) estimate, specification(s); (*tafelgerei*) cutlery, tableware, knives and forks; (*mar.*) reckoning, position; *veel in een klein* ~ much in a small compass; *in een kort* ~ in a nutshell; *in dit korte* ~ in our brief space; *buiten* (*binnen*) *het* ~ *van dit werk* outside (within) the scope of this work; *'t* ~ *afzetten*, (*mar.*) prick the ship off; *'t* ~ *opmaken*, (*mar.*) determine the ship's position; *gegist* ~, (*mar.*) position by dead reckoning; *geobserveerd* ~, (*mar.*) position by observation; **~bak** cutlery tray

besteken: ~ *met* stick with, set with

bestel management; (*inrichting van de staat, enz.*) polity; (*drukte*) fuss, to-do; *op uw* ~ by your order; (*Gods*) ~ divine (*of:* God's) ordinance, dispensation of Providence; **~auto** delivery van; **~baar** deliverable; **~biljet, ~briefje** order-form, -sheet; **~boek** order-book; **~dienst** (parcels) delivery service

bestelen rob; rifle; *zie* beroven

bestel: **~formulier** *zie* ~biljet; **~geld** porterage, carrier's fee, delivery fee; **~goed** parcels; *als verzenden* send by passenger-train; **~goederenkantoor** parcel booking-office; **~huis, ~kantoor** receiving-office; **~kaart** order-form; **~kring** delivery area, radius of delivery

bestellen ('*n bestelling geven*) order [*bij* from], place an order for [*bij* with], give an order for; (*bezorgen*) deliver [letters, etc.]; (*regelen*) order, arrange; (*iem.*) appoint [a p. towards evening]; *zie* aarde

besteller (*brieven-*) postman, letter-carrier; (*te-*

legram-) telegraph-boy; (*van winkel*) delivery man, carman, vanman; (*kruier*) porter

bestelling order; (*bestelde goederen*) articles (goods) ordered; (*van brieven*) delivery; *iem. een* ~ *doen* give a p. an o.; ... *zijn in* ~ new motors are on o.; *op* ~ [made] to o.; *volgens* ~ as per o.; *~en doen bij* place orders with; *grote ~en op speelgoed* large orders for toys; *bij een* ~ *van*... when ordering...; *twee ~en per dag* two deliveries a day; *zie* uitvoeren, enz.

bestelloon *zie* bestelgeld

bestelwagen (delivery) van

bestemmen destine, intend, mark out [...ed out for the supreme command]; (*geld, enz.*) set apart, earmark [money for ...], appropriate [£2000 for technical education], allocate [money to ...]; *naar Am. bestemd*, (*van schip*) bound for Am.; *bestemd voor afbraak*, (*van schip*) consigned to the breakers; (*zet een kruisje in*) *het daarvoor bestemde hokje* the appropriate box, the box provided; *voor koopman bestemd* intended for a merchant; *bestemd voor predikant* (*advocaat*) *ook:* intended for the Church (the Bar); *een dag* ~ *voor* fix (set apart, appoint) a day for; *voor haar bestemd* intended (meant) for her

bestemming destination [leave for an unknown ...]; (*lot*) destiny, fate, lot; *plaats van* ~ (place of) d.; *met* ~ *naar* bound for; *tocht met onbekende* ~ mystery tour; *een* ~ *geven aan*, *zie* bestemmen; **~shaven** port of destination

bestemoer (*vero.*) granny, grandam

bestempelen stamp; ~ *met de naam van* style, name; ~ *als*, *ook:* label (as)

bestendig (*duurzaam*) lasting, constant, durable; (*gestadig*) continual, continuous, incessant; (*van karakter*) firm, steady, steadfast; (*van weer*) settled; (*van barometer*) set fair; (*Z.-Ned.*) permanent [secretary]; **~en** continue [the import duties], perpetuate [the state of things]; confirm, continue [a p. in office]; **~heid** durability, constancy, continuousness, settled state; **~ing** continuance, continuation, perpetuation

besterven die [the words died (away) on his lips]; (*van vlees*) cool and harden; *laten* ~ hang [meat]; *je zult het nog* ~ it will be the death of you; *neen, al moet ik 't ook* ~ not if I die for it; *hij bestierf van schrik* he nearly died of fright (nearly jumped out of his skin); *zie* bestorven

bestevaar (*vero.*) grand(d)ad; old man, old fellow

bestiaal bestial; **bestialiteit** bestiality

bestiarium bestiary

bestier enz., *zie* bestuur, enz.

bestijgbaar climbable, scalable, accessible

bestijgen mount [a horse, bicycle, ladder, the throne], ascend [a mountain, the throne], accede to [the throne], climb [a mountain, a wall], scale [a wall], go into, mount [the pulpit]; **-ing** ascent, mounting, etc.; *de – van M. E., ook:* the conquest of Mount Everest; *zie* troons...

bestikken stitch, embroider

bestipp(el)en dot, speckle

bestje *zie* besje
bestoken harass [the enemy], press [a p.] hard (ply a p.) [with questions, etc.], [pirates] infest [the coast], shell [a fortress]
bestoppen *zie* benaaien
bestormen storm, rush, assault [a fortress]; bombard, besiege [with requests, letters, etc.]; *de bank werd bestormd* there was a run on the bank; **-er** stormer, assaulter; **-ing** storming, rush, assault; run [on a bank]
bestorven deadly pale; (*van vlees*) (well-)hung; *'t vlees is nog niet ~* the meat has not hung long enough yet; *dat* (*woord*) *ligt in zijn mond ~* that (word) is always on his lips; **bestoven** covered with dust, dusty; (*plantk.*) pollinated
bestraffen punish, chastise; (*berispen*) reprimand, scold; **-ing** punishment, chastisement; reprimand, scolding; **-ingsoorlog** punitive war
bestralen shine upon, irradiate; (*med.*) x-ray; **-ing** irradiation; (*med.*) (x-)ray treatment, radiation (treatment)
bestraten pave; **bestrating** (*abstr. & concr.*) paving; (*concr. ook*) pavement
bestrijden fight (against) [*ook fig.*: fight unemployment, smallpox], combat [a view, proposal, disease], battle with [abuses, etc.]; prevent [dandruff]; (*betwisten*) contest, dispute, controvert; oppose [a proposal, a claim]; defray, bear, cover, meet [expenses]; *krachtig ~* put up a vigorous fight against, offer stout resistance to; **-er** fighter, adversary, opponent; **-ing** fight [*van* against], fighting, combating; contest [*van* with]; defrayal [of the cost]; [noise, smoke] abatement; **-smiddel** insecticide, pesticide, herbicide, etc.
bestrijken pass one's hand (a magnet, etc.) over; spread (over), cover, (be)smear, coat [*met* with]; (*van fort*) command [the surrounding country]; (*van geschut*) cover, sweep [the road was swept by machine-guns], rake, enfilade; *'t verslag bestrijkt ...* the report covers an immense field; *bestreken ruimte* fire-swept zone; **-ing** spreading (over), covering, etc.
bestrikken trim (adorn, deck) with ribbons
bestrooien (be)strew [with flowers], (be-)sprinkle [with sand, sugar], dredge, dust [with flour, pepper, etc.], powder, sugar; (*met grind*) gravel
bestuderen study, (*onderwerp, enz. ook*) read up; *vlijtig ~* pore over; *zijn gezicht was het ~ waard* was quite a study; **-ing** study
bestuiven I *tr.* cover with dust; (*plantk.*) pollinate; (*met gifgas, enz.*) spray [swarms of locusts]; II *intr.* get dusty; **-ing** (*plantk.*) pollination
besturen govern, rule, run [a country, etc.], manage, administer [an estate, affairs], run, conduct [a business]; steer [a ship], pilot, fly [an aeroplane], drive [a motor-car, carriage], guide [a horse, a p.'s hand], direct [a p.'s thoughts]; **-ing** direction. management, steering, etc.; *dubbele -* dual control
bestuur (*regering*) government, rule; (*beheer*) management, administration, direction, control; (*bestuurders*) board (of managers, of management), management, managers; corporation [of a town], committee [of a club], executive [of a party, an exhibition], governors, governing body [of a school]; *in 't ~ zitten* be on the committee (on the board); *goddelijk ~* divine guidance; *plaatselijk ~* local g., (*concr.*) local authorities (authority); *zie bewind;* **~baar** manageable, navigable, steerable; (*van ballon*) dirigible; **~bare ballon** dirigible (balloon); **~der** governor, director, manager, administrator, principal; (*van vliegt.*) pilot; (*van voertuig*) driver; (*van tram, enz. ook*) motor-man; **~lijk** administrative [problems], managerial [level]
bestuurs: **~ambtenaar** government official, civil servant; **~apparaat** administrative machinery; **~kamer** committee-room, board-room; **~kunde** management science; **~lid** board member, member of the committee; **~raad** governing council; **~recht** administrative law
bestuurster manageress, directress, administratrix, governess; (*van vliegt.*) (woman) pilot
bestuurs: **~vergadering** board-, committee-meeting; **~vorm** form of government; **~zetel** seat on the board
bestwil *om* (*voor*) *uw ~* for your good; *uit ~ voor* for the good of; *uit ~ handelen* act for the best; *leugentje om ~* white lie
besuikeren sugar
bèta beta; **~-afdeling** science side; **~-faculteiten** science and medicine
betaalbaar payable [*op zicht* at sight; *aan toonder* to bearer]; *~ stellen* make payable, domicile, domiciliate; **~stelling** domiciliation
betaal: **~briefje** pay-warrant; **~d** *zie* betalen; **~dag** pay-day; quarter-day (*in Eng. 26 maart, 24 juni, 29 sept., 25 dec.*); **~-en-haal** *clausule* cash and carry clause; **~kaart** credit cheque; **~kantoor** pay-office; **~meester** paymaster; **~middel** means of payment, circulating medium; *wettig -* legal tender; *-en, ook:* currency; **~pas** cheque (guarantee) card; **~(s)rol** pay-roll, -sheet; **~tijd** date of payment
betalen pay [one's rent, a bill, a p., the driver; *ook:* the taxi], pay for [goods, one's lodgings, a ticket, a p.'s education], pay off [the taxi-driver; *ook:* ten volle ~: a debt], defray [expenses], meet [expenses, one's debts], pay up [I had to ...]; *wie zal dat ~?* who is to foot the bill? (*fam.*: pay the piper?); *betaal geregeld uw schulden* pay as you go; *hij kan niet ~* he cannot meet his commitments, is insolvent; *hij kon geen auto ~* he could not afford a car; *vooruit ~* pay (for) in advance (*vgl. ~*); (*hand.*) send cash with order; *vooruit te ~* payable in advance; *betaal op!* pay up!; *zich door de vijand laten ~* be in the enemy's pay; *laten ~* charge; *te veel laten ~* overcharge; (*sl.*) rush [they ...ed us ten pounds a night]; *slecht ~* underpay [workpeople]; *hij is slecht* (*langzaam*) *van ~* he is a bad (slow) payer; *de zaak betaalt goed* (= *is lonend*) the concern pays well; *ze ~ goed* (*zijn goed van ~*) they pay well; *te veel* (*te weinig*)

betaalde belasting overpaid (underpaid) tax; *met een pond zou 't ruim betaald zijn* a pound would be ample; *iem. iets betaald zetten* pay a p. back (out) [for s.t.], get even with (take it out of) a p., get one's own back; *met betaald antwoord* reply prepaid; *briefkaart met b. a.* reply postcard; *betaalde vakanties, ook:* holidays with pay; *een betaalde deskundige* a hired expert; *betaald, (onder rekening) paid, (payment) received;* ~**d** fee-paying [pupil], fare-paying [passenger]; *~de lading, (van vliegt.)* pay-load; *- logé* paying guest, P. G.; *bed voor - patiënt* pay-bed; *- patiënt* pay-bed patient

betaler payer

betaling payment; *~en doen* make p...s; *tegen goede ~* [agents wanted] at good pay; *tegen ~ van* (up)on p. of; *ter ~ van* in p. of; *~ op 1 maand met 5% korting* 5 per cent. for one month; *~ op 1 m. zonder korting* one month net; *zie staken;* ~**sbalans** balance of payments (of accounts); ~**smandaat** pay-warrant; ~**sopdracht** payment order; ~**stermijn** term of p.; ~**sverkeer** transfer of p.s

betamelijk becoming, seemly, fit(ting), decent, proper; *zij heeft geen gevoel voor wat ~ is* she has no sense of the proprieties; ~**heid** propriety, decency

betamen become, befit, be becoming (proper, seemly, fit)

betasten handle, feel [all over], finger; *(ruw, fam.)* paw; *(med.)* palpate; *iem. helemaal ~, ook:* frisk a p. [for arms, etc.]

bete: *~ broods* morsel *(of:* mouthful) of bread

bête stupid, silly

betegelen tile, pave *(of:* line) with tiles

betekenen mean, signify; stand for [what Christmas really...s for; what does 'a.m.'...?]; *(voorspellen)* spell [these clouds ... rain; it ...s ruin to our hopes], forebode, portend, betoken; *(vol tekenen)* cover with drawings; *iem. een dagvaarding ~* serve a writ (subpoena, summons) upon a p.; *wat moet dat (alles) ~?* what does it all mean? what's the meaning of this?; *dit betekent een stap vooruit* this marks a step forward; *dit betekent een gevaar voor ...* this constitutes a danger to ...; *ieder, die iets bet.* everybody who is anybody; *de adel heeft nog iets te ~* the nobility still stands for s.t.; *'t heeft niets te ~* it does not matter, is no matter (of no consequence, of no moment); *ook:* never mind! don't mention it!; *dat bet. niets, ook:* that's easy enough, it doesn't amount to anything; *de wond heeft niets te ~* the wound is nothing; *de voordelen betekenen niets in vergelijking met ...* the advantages are nothing compared with the drawbacks *(evenzo:* what is it compared with what I went through?); *wat betekende Hecuba voor hem?* what was H. to him?; *dat bet. meer dan 't schijnt* more is meant than meets the eye (the ear); *'t heeft niet veel te ~* it does not amount to (isn't anything) much; *wat zei ze? niet veel te ~* nothing much; *onze rust had niet veel te ~* we hadn't much of a rest; *als ... bet. hij niet veel*

he is not much of a critic, he is of no importance as a man of letters; *de bibliotheek (zijn werk) bet. niet veel* it is not much of a library, his work is not up to much; *hij bet. nogal wat (niets)* he is a man of some weight (a nobody); *dat bet. nogal iets (is nogal veel gevergd), (fam.)* that's rather a tall order; *weinig ~d* unimportant, of no consequence; ~**ing** *(jur.)* service [of a writ], legal notice; *zie 't ww.*

betekenis meaning, sense, signification; acceptation [of a word]; *(belang)* significance, importance, consequence, moment; *(steeds) in ~ toenemen* assume (ever) growing importance; *dat heeft voor mij geen ~* that means (is) nothing to me; *man van ~* man of note (of mark); *grote ~ krijgen* become of great importance; *dat is van weinig (geen) ~* that counts for little (is of no account); *niet van ~, zie* noemenswaard; *zie verder* belang, gewicht, zin; ~**leer** semasiology; ~**vol** significant, important

betel id.; ~**noot** betel-nut, areca-nut; ~**palm** areca

betengelen lath; **-ing** lathing

bête noire id., pet aversion

beter better; *de patiënt is ~ (maakt 't ~)* the patient is b., *(hersteld)* is well again [*ook:* my eyes are well again], is (has) recovered; *aan de ~e hand zijn* be on the mend, be getting better, be on the way to recovery; *de leerling kon ~ zijn* might do b.; *wat ~?* [how is your headache?] any b.?; *'t zou ~ zijn, dat hij dood was (een vrouw had)* he would be b. dead (married); *'t was ~ geweest, dat ...* the meeting had b. not have taken place, he'd b. have died; *'t is ~ dat je gaat* you'd better go; *misschien is het maar ~ zo* perhaps it's just as well; *~ worden* get b., improve, *(herstellen)* get well (again), recover; *'t zal mettertijd ~ w.* it will mend with time; *alsof 't (de toestand, enz.) daar ~ van werd* as if that made it b., as if that helped matters; *word ik er beter van?* do I get anything out of it?; *ik ben er niet ~ op gew.* the cure (etc.) has not done me any good; *hij is spoedig ~ gew.* he has recovered quickly; *uw kansen zullen er niet ~ op w.* your chances will not improve; *het zou nog ~ w.* something b. was to follow; *de zaken w. ~* things are looking up; *je doet (deed) ~ (met) te gaan* you had b. go, would do b. to go; *ik had ~ gedaan (met) te blijven* I had b. have stayed, I should have done b. to (have) stay(ed); *je kunt niet ~ doen dan te gaan* you cannot do b. than go; *ik kan 't niet ~ doen* [your work is excellent,] I can't improve upon it; *doe 't eens ~!* beat that (beat me at that) if you can!; *'t ~ doen (dan een ander), ook:* go one b.; *'t ('t werk) gaat nu ~* it goes b. now; *hij is een ~ leven begonnen* he has reformed, turned over a new leaf; *hij heeft 't ~ dan ...* he is b. off (in a b. position) than ...; *hij is ~ af dan ...* he is in a b. condition than ...; *zul je er daarom ~ aan toe zijn?* will you be the b. for it?; *ik geef het voor ~* it's only a suggestion; *ik heb het niet goed, maar hoe ik 't ~ ~ zal krijgen weet ik niet* I am not doing well, but I do not know how I shall do any b.; *trachten het ~ te krijgen* try to better o.s.; *~ maken,* (*gezond*) make [a p.] well (again), bring [a p.] round; *dat maakt de zaak niet ~* that doesn't matter; *'t maakt zijn humeur niet ~* it does not improve his temper; *zie verder* verbeteren; *'t staat wat ~ met hem, a*) he is a little b.; *b*) his affairs are looking up; *oud genoeg om ~ te weten* to know b.; *ik weet wel ~* I know b. (than that, than to do such a thing, etc.), (*fam.*) I know different; *ik weet nu wel ~, ook:* I am wiser now; *hij wist niet ~* he didn't know any b.; *ik weet niet ~ of ...* to the best of my belief (for all I know) he is in L.; *men weet niet ~ of ...* the b. opinion is that ...; *des te ~* (*zoveel te ~*) so much the b., that's all to the good; *de volgende keer ~!* b. luck next time!; *om hem ~ gade te slaan* the b. to observe him; *het ~e is de vijand van het goede* let well alone; *ik verlang niets ~s* (*dan ...*) I desire nothing b. (than ...); *daar ik niets ~s te doen had, ook:* for want of anything b. to do; *hij vond niets ~s te doen dan ...* the best he could do was to insist her; *de een is niets ~ dan de ander, ook:* there is nothing to choose between them; *hij heeft wat ~s te doen,* (*fam.*) he has other fish to fry; *zie* zeggen

beteren get (become) better, improve [in health]; (*van patiënt ook*) recover (one's health); *z'n leven ~* better one's life; *zich ~* mend one's ways, reform, turn over a new leaf; *God betere 't!* (God) save the mark!; *ik kan het niet ~* I cannot help it; *beter je!* mend your ways (your manners)!; *aan de ~de hand, zie* beter

be'teren tar

beterschap improvement, change for the better; amendment; recovery; *~ beloven* promise amendment, promise to behave better in future (to turn over a new leaf); *~!* I hope you will soon be well again; I wish you a speedy recovery

beteugelen check, restrain, bridle, curb [one's desires], keep in check, have [an epidemic, o.s.] in hand; **-ing** restraint, curb(ing), check-(ing), repression; *wetgeving ter – van enig euvel* repressive legislation

beteuterd non-plussed, taken aback, crest-fallen; *~ kijken, ook:* look dismayed; **-heid** perplexity

Bethanië Bethany; **Bethlehem** id.

betichten: *iem. van iets ~* accuse a p. of s.t., charge (*of:* tax) a p. with s.t., impute s.t. to a p.; **-ing** accusation, imputation

betijen: *laat hem ~* let (*of:* leave) him alone

betimmeren line with wood, board, wainscot; *iems. licht ~* obstruct the lights of a p.'s house; (*fig.*) stand in a p.'s light; *licht, dat niet betimmerd mag worden* ancient light(s); *met eikehout betimmerd* oak-timbered [house]; **-ing** wood lining, wainscot(ing), boarding, panelling

beting (*mar.*) bitt (*gew. in 't mv.:* bitts)

betingelen lath; **-ing** lathing

bêtise id.

betitelen (en)title, style, address; *hij werd betiteld als ...* he was entitled (*of:* styled) governor,

addressed as ...; **-ing** style

Betje Betty, Bess

betoeterd dazed; *ben je ~?* are you crazy?

betogen demonstrate, argue, contend; *de noodzakelijkheid ~ van, ook:* urge the necessity of; **-er** demonstrator; (*deelnemer aan -ing*) *ook:* demonstrationist; **-ing** demonstration; (*fam.*) demo

betomen *zie* beteugelen

beton concrete; *gewapend ~* reinforced c., ferroc.; *voorgespannen ~* pre-stressed c.; **~bouw** c. construction

1 betonen accent, (*vooral fig.*) accentuate

2 betonen show [kindness, one's gratitude, courage], extend [sympathy *medeleven*], manifest [one's joy]; *zich een man ~* prove o.s. a man; *zie* hulde

betonfundering concrete foundation(s)

betonie (*plant*) betony

betoning *zie* betoon

betonmixer truck mixer, transit mixer

betonmolen concrete mixer

betonnen buoy; **-ing** buoyage (*ook concr.*)

betonplateau (*luchtv.*) concrete area, (concrete) apron, tarmac

betonwerker concreter, concrete worker

betoog demonstration, argument(ation), disquisition, dissertation; *dat behoeft geen ~* that needs no argument; **~grond** argument; **~kracht** argumentative power, demonstrative (conclusive) force; **~trant** argumentation

betoon demonstration, show, display; manifestation [of ill-will]; *~ van vreugde* rejoicing(s)

betoverd enchanted, spell-bound; *zie 't ww.*

betoveren bewitch, cast a spell on (*of:* over), enchant, charm; (*fig. ook*) fascinate; *~de glimlach* bewitching smile; *~de schoonheid* ravishing beauty; *ze zag er ~d uit* she looked bewitching (enchanting)

betovergrootmoeder, -vader great-great-grandmother, -grandfather

betovering enchantment, bewitchment, spell, fascination, glamour [the ... of town-life]; *iem. onder zijn ~ brengen, zie* betoveren

betraand tearful, wet with tears, tear-stained

betrachten practise [virtue, economy]; excercise [the greatest care]; show [mercy]; do [one's duty]; **-ing** practising, practice; discharge [of one's duty]

betrappen catch, detect; (*onverhoeds*) catch a p.] napping; *iem. op een fout ~* catch a p. out; *iem. op heterdaad ~* take a p. in the (very) act, catch a p. red-handed; *iem. op diefstal ~* catch a p. stealing, take (surprise) a p. in the (very) act of stealing; *iem. op een leugen ~* catch (detect) a p. in a lie; *zichzelf op iets ~* catch o.s. doing s.t.; *als ik je er weer op betrap* if I catch you at it again

betreden tread (on), set foot on, enter; *de kansel ~* mount the pulpit; *de planken ~* t. the boards (the stage); *~ weg* beaten path

betreffen concern, touch, affect, relate to; *wat mij betreft* as for me, for my part, for myself; I, for one; so far as I am concerned; *dit wat hem* betreft so much for him; *wat 't water betreft* [we are all right] for water; *(de streek heeft weinig aan te bieden) wat natuurschoon betreft* in the way of scenery; *wat geld betreft, (ook)* moneywise; *waar 't zijn eer betreft* where his honour is concerned; *dit betreft u* this concerns you; *die beschrijving betreft ...,* ... applies to ...; *het betreft een wetsovertreding* it's a case of infringement of the law; *wat dat betreft, enz.,* zie aangaan 8; ~**de** concerning, regarding, with regard (respect) to, relative (pertinent) to, in respect of, on [a report on the matter]; *'t – woord,* zie desbetreffend

betrekkelijk relative [pronoun, etc.], comparative; *in ~e eenvoud* in comparative (relative) simplicity; *dat is ~* that depends; [isn't that splendid?] in a way; *~ klein* comparatively (relatively) small; *het liep ~ goed van stapel* it went off well, considering everything *(fam.,* considering), comparatively speaking; zie betreffende; ~**heid** relativity

betrekken I *tr.* 1 *(huis, enz.)* move into [a house, camp], take(enter into) possession of [a house], go into [winter-quarters]; *een huis ~, ook:* move (settle) in, take possession; zie aanvaarden & wacht; 2 *goederen ~* obtain (get, order) goods *[van, uit* from]; 3 *iem. ~ in* draw (drag) a p. into [the conversation], involve [America] in [European complications], implicate a p. in [a crime, etc.], mix a p. up in [a plot, quarrel]; *men trachtte ... er in te ~* they tried to implicate the Foreign Office; *iem. in rechten ~* sue a p., bring an action against a p.; II *intr. (van lucht)* become overcast *(of:* cloudy), cloud over; *(van gelaat)* cloud (over), fall; zie betrokken

betrekking 1 *(verhouding)* relation; *~ hebben op* refer (relate) to, have reference to, have a bearing on, bear (touch) upon; *in ~ staan tot* have (maintain) relations with; *in vriendschappelijke ~ staan tot* be on friendly terms with; *in welke ~ staat ge tot hem?* what are your relations (with regard) to him?; *zich in ~ stellen tot* communicate with, get into touch with, apply to; *met ~ tot* in r. to, with regard (respect) to, in respect of, with (in) reference to, relating to, [cautious] about [investments]; 2 *(ambt, enz.)* post, position, place; *(van dienstbode)* situation; *(fam.)* berth, job; *in ~* in employment; *buiten ~* out of employment *(fam.:* a job), jobless; *aan 'n ~ helpen* place *(zie ook* helpen); 3 ~*en (bloedverwanten)* relations

betreuren regret; *(sterker)* deplore, lament, bewail; *(een dode)* mourn for *(of:* over); *een verlies ~* mourn a loss; *er zijn geen mensenlevens te ~* no lives were lost; *ik betreur 't dat ...* I regret (am sorry) that ...; *de betreurde dode* the dear departed; *'t is (zeer) te ~ dat ...* it is a pity (a thousand pities) that ..., it is a matter for regret that ...; *zie* treuren; ~**swaard(ig)** regrettable, deplorable, lamentable

betrokken 1 *(van lucht)* cloudy, overcast; *(van gelaat)* clouded, *(door pijn, enz.)* drawn; *er ~ uitzien* look pinched [her face had a pinched

look]; 2 ~ *zijn bij* be concerned in, be a party to, be mixed up with [a plot, etc.], be involved in [a bankruptcy, etc.]; ~ *raken bij, ook:* get caught up in; *financieel ~ zijn bij* have a financial interest in [a theatre]; *erbij ~ zijn, (bij misdaad, enz.) ook:* be in it [we are all in it]; *10.000 arbeiders zijn erbij (bij staking, enz.)* ~ are involved; *zie* betrekken; *de ~ persoon* the person concerned *(of:* in question), *de ~ autoriteiten* the authorities concerned, the proper authorities, *de ~ leeftijdsgroep* the relevant age-group; *de bij het boerenbedrijf ~en* the farming interests; ~**e** *(van wissel)* drawee; *zie ook:* ~ persoon; ~**en** parties involved; ~**heid** involvement *(bij* in), participation

betrouwbaar reliable, trustworthy, dependable; ~**heid** reliability, trustworthiness; ~**heidsrit** reliability trial (test, run)

betrouwen: 1 *zie* vertrouwen (op) & toevertrouwen; 2 acquire by marriage

betten bathe, dab [one's eyes, etc.]

betuigen testify [that ..., one's faith, etc.], certify, attest, declare [that ...], bear witness to, attest to [the truth of], protest [one's innocence], express [regret, sympathy *deelneming*], profess [friendship]; *zijn dank ~* tender *(of:* express) one's (best) thanks; -**ing** expression, protestation, declaration, attestation, profession *(vgl. 't ww.)*

betuttelen find fault with; patronize

betweter one who always knows better, knowall, pedant, wiseacre; ~**ig** argumentative, pedantic; -**ij** pedantry

betwijfelen doubt, question, call in question, have one's doubts about; *dat betwijfel ik, ook:* I have my doubts; *dat valt te ~* that is doubtful (questionable)

betwistbaar contestable, challengeable, disputable [point, etc.], debatable [point, ground], questionable [honesty], open to question; ~ *punt, ook:* moot point; ~**heid** ...ness, disputability

betwisten dispute [the truth, every inch of ground, the validity of ...], contest [a p.'s right, seat in Parliament], challenge [a right, the validity of a contract], impugn [a statement], resist [a claim], call [a statement] in question; *(ontkennen)* deny; *iem. de prijs (de overwinning) ~* dispute the prize, etc. with a p.; contend with a p. for ...; *ik betwist niet, dat hij talent bezit* I do not deny him talent; *dat laat ik mij niet ~* I won't be argued out of that; *betwist punt* point in dispute (at issue); -**er** contestant, disputant

beu: *ik ben er ~ van (ben 't ~)* I am tired (sick) of it, disgusted (fed up) with it

beug cod-line, long-line

beugel bow, brace, clip, ring, strap; *(van geweer)* trigger-guard; *(van sabel)* (sword-)guard; *(van hangslot)* shackle; *(van beurs)* clasp, frame; *(bij het vissen)* trawl-head; *(van fles)* wire stoppleholder, clasp; *(van mand)* handle; *(van riem)* chape; *(van tram)* (contact-)bow; *(van kompas)* gimbals *(mv.); (voor been)* (surgical) irons [the child wore ...]; (*voor gebit*) brace(s); (*stijg~*) stirrup; *dat kan niet door de* ~ that won't do, cannot pass (pass muster); ~**fles** wire-stoppered bottle; ~**krop** bow; ~**riem** *zie* stijgbeugel ...; ~**sluiting** swing stopper; ~**tas** chatelaine-bag

beug: ~**er** long-liner; ~**lijn** = ~; ~**vis** line-caught fish; ~**visser** long-liner; ~**visserij** (long-)line fishing, long-lining

beuk 1 beech; (*nootje*) beech-nut; 2 (*van kerk*) nave (*hoofd~*), aisle (*zij~*); 3 *de~ erin!* get stuck in!; ~**eboom** beech (-tree); ~**ehout** beech(-wood)

beukelaar buckler

beukemast beech-mast

1 beuken *ww.* beat, batter, pound [the walls of a town], hammer [on the door, at the keys of the typewriter], bang; (*met vuisten*) pommel, pummel, pound; (*van golven*) lash, pound, buffet, dash against; *stokvis* (*vlas*) ~ b. stockfish (flax); *zie* los

2 beuken *bn.* beech(en); ~**bos** beech-wood

beukenoot(je) beech-nut; ~**s**, (*als varkensvoer*) beech-mast

beukvaren beech-fern

beul executioner, (*voor ophangen*) *ook:* hangman, (*voor onthoofding*) *ook:* headsman; (*fig.*) tyrant, brute, bully; ~**en** *zie:* (zich) afbeulen

beuling sausage, pudding; *zie* bloed~

beulshand(en): *door* ~ by the hangman

beun 1 (*zolder*) loft; 2 *zie* kaar

beunhaas (*knoeier*) bungler; (*wie liefhebbert*) dabbler; (*effectenbeurs*) outside broker

beunhazen bungle; dabble [in politics, etc.]; **-erij** bungling; dabbling

beuren 1 lift (up); 2 receive, take [money]

beurré beurré (pear), butter-pear

1 beurs rotten-ripe

2 beurs 1 purse; *je ~ of je leven!* stand and deliver! your money or your life!; *in zijn ~ tasten* put o.'s hand in o.'s pocket, loosen one's p.-strings; *met gesloten beurzen* on mutual terms; *met gesl. beurzen betalen* cry quits; *ga met uw ~ te rade* consult your p., let your p. be your master; *een ruime ~* [have] a long p.; *uit een ruime ~* regardless of expense; *voor iedere beurs* (presents, etc.) to suit all purses; 2 (*studie~*) scholarship, exhibition, grant; (*vooral Sc.*) bursary; *uit een ~ studeren* have a (study) grant, be an exhibitioner (a foundationer; *vooral Sc.*: a bursar), be on the foundation; *zie* dingen; 3 (*gebouw*) Exchange; (*buiten Eng. dikwijls*) Bourse [on the Berlin ...]; *op de ~* on 'Change (Change), in the House; *naar de ~ gaan* go to (*of:* on) 'Change (Change); *ter beurze van heden* at today's Exchange; *op de ~ speculeren* speculate on the Stock-Exchange; ~**affaires** *zie* ~**zaken**; ~**bediende** authorized clerk; ~**belasting** tax on Stock-Exchange dealings; ~**bericht** market-report; ~**bestuur** Exchange committee; ~**blad** financial paper; ~**fondsen** Stock-Exchange securities; ~**gebouw** Exchange

beursheid ripe-rot

beurs: ~**index** (Stock-Exchange) index; ~**jeskruid** *zie* herderstasje; ~**klikker** *zie* ~tele-

graaf; ~**notering** Stock-Exchange quotation(s), official list; (*telegr.*) tape-price; *in de opnemen* admit to a quotation in the official list; *de aanvragen* apply for an official quotation; ~**polis** exchange policy; ~**speculant** stock-jobber; ~**speculatie**, ~**spel** stock-jobbing; ~**student** scholar, exhibitioner, foundationer; (*vooral Sc.*) bursar; ~**telegraaf** stock-indicator, -ticker; ~**tijd** 'Change (Change) hours, House-hours; ~**usantie** (Stock-)Exchange custom; ~**vakantie** bank-holiday; ~**waarde** (current) rate of the day, market-value; *–n* stocks and shares; ~**zaken** (Stock-)Exchange business (transactions, operations)

beurt turn; (*van kamer*) (weekly) turn-out; *een ~ geven*, *a*) do, turn out [a room], give [a room] a turn-out (a cleaning); *b*) give [a pupil] a t.; *mijn ~ kwam* my t. came, it came to my t.; *zijn ~ afwachten*, *ook:* take one's place in the queue; *jij maakte daar een goede ~* you scored a good mark there; *wie is aan de ~?* whose t. is it? who is next?; *ik ben aan de ~* it is my t., I am next; *jij komt ook aan de ~* your t. will come too; ~ *om ~*, *om ~en* t. (and t.) about, by turns, in t., alternately, in rotation; *om de ~ iets doen* take turns in doing s.t. (at s.t.); *op uw ~* in your t.; *ieder op zijn ~ horen* hear every one in (his) t.; *op hun ~* [see patients] in the order of their arrival; *hij verkocht ze op zijn ~ aan mij* he in t. ...; *'t viel mij te* it fell to my share (*of:* lot) (to me); *voor zijn ~* [speak] out of (one's) t.; ~**dienst** (*van schepen*) regular service; ~**elings** [he was] in t. [actor and playwright]; *zie ook:* ~ *om* ~; ~**gezang** alternate singing; (*kerk.*) antiphonal s., antiphon(y), responsory; (*canon*) catch; ~**schip** market-boat; ~**schipper** skipper (of a market-boat); ~**vaart** regular (goods) service; *–adres* consignment note; ~**zang** *zie* ~gezang

beurzensnijder cut-purse

beuzelaar(ster) trifler, dawdler

beuzelachtig trifling, fiddling, trivial, paltry; ~**heid** triviality, paltriness

beuzelarij trifle; (*snuisterij*) gew-gaw, kickshaw

beuzelen trifle, fiddle; **-ing** *zie* beuzelarij

beuzelpraat twaddle, idle talk, cheap talk, nonsense, balderdash

beuzelwerk trash, rubbish

bevaarbaar navigable; ~**heid** navigableness, navigability

beval *o.v.t. van* bevelen

bevallen 1 please, suit; (*voldoen*) give satisfaction; *bevalt 't je hier?* do you like it here? do you like living here?; *'t bevalt me hier vrij goed* I quite like the place; *hoe bevalt 't je op school?* how do you like school?; *hoe bevalt 't u?* how do you like it?; *bevalt 't huis u?* do you like the house? does the house suit you?; *hij* (*'t artikel*) *beviel uitstekend* he (the article) gave every satisfaction; *het bevalt hem slecht* it is not at all to his liking; *zie ook* aanstaan; 2 be confined [van of]; ~ *van*, *ook:* be delivered of, give birth to; ~ *zijn* lie in; *ze moet* ~ she is about to have a baby, is about to be a mother; *ze moet in maart* ~ she is expecting in March

bevallig graceful, charming, comely; ~**heid** charm, grace

bevalling confinement, delivery, lying-in, childbirth; *pijnloze* ~ painless childbirth, (*met gedeeltelijke narcose*) twilight sleep; *doktershonorarium* (*onkosten*) *voor* ~ maternity fee (expenses)

bevangen seize [be ...d with trembling, fear], overcome [sleep overcame him], come over [a sense of loneliness came over him], (*fam.*) get [the cold got him]; ~ *door slaap* (*de hitte*) overcome with sleep (by the heat); ~**heid**, **bevanging** (*van kou*) chill; (*door de warmte*) heat-stroke; (*verlegenh.*) constraint, embarrassment; (*van dier*) founder

bevaren *ww.* navigate, sail [the seas]; *bn.* ~ *matroos* able(-bodied) seaman; (*fam.*) old salt, old tar; *drukst* ~ *zee* sea with heaviest traffic

bevattelijk 1 (*pers.*) intelligent, teachable, apprehensive; 2 (*zaak*) intelligible, clear, lucid; ~**heid** 1 intelligence, teachability, apprehensiveness; 2 intelligibility, lucidity, clearness

bevatten 1 (*inhouden*) contain, hold [the world ...s no nobler woman; *ook: kunnen* ~: the church holds 200 people]; run to [400 pages]; comprise; (*o. a.* ~) include [a biography of ...]; 2 (*begrijpen*) comprehend, grasp

bevatting comprehension, grasp; ~**svermogen** comprehension, mental (intellectual) grasp

bevechten fight (against); *de zege* ~ gain the victory

bevederd feathered; (*van jonge vogels*) fledged

beveiligen protect, safeguard [our interests against ...], shelter [*tegen* from], secure [*tegen* against]; *een met signalen beveiligde oversteekplaats* a signal-controlled crossing; -**ing** protection, safeguarding [of industries], shelter; (*concr.*) safety device, protective device; *onder* – *van de nacht* under cover of the night

bevel command [*over* of], order; (*vooral jur. ook*) injunction (*ook: uitdrukkelijk* ~); (*dicht.*) behest; (~*schrift*) warrant; ~ *tot aanhouding* warrant (of arrest), commitment warrant; ~ *tot beslaglegging* warrant of distress, distress-warrant; ~ *tot huiszoeking* search-warrant; ~ *geven* give orders; '*t* ~ *voeren* be in c. [*over* of]; '*t* ~ *op zich nemen* take (assume) the c.; '*t* ~ *overnemen* take over (the) c.; *onder* ~ *van* under the c. of; *op* ~ *van* at (by) the c. of, by order of [the police], on [the minister's] orders; *op wiens* ~? by whose orders?; *op zijn* ~, *ook*: at his bidding; *op* ~ *van de dokter* by (under) doctor's orders; *op* ~, *a*) [talk, murder, etc.] to order; *b*) = *op hoog* ~ by order; *op hoog* (= *koninklijk*) ~ by royal c.; *zie* commando

bevelen 1 order, command, charge; (*vero.*) bid; *wie heeft hier te* ~? who gives orders here?; *zie* gelasten; 2 commend [one's soul to God]; *in Uwe handen beveel ik mijnen geest*, (*Luc. 33 : 46*) into thy hands I commend my spirit; *Gode bevolen!* God be with you!

bevel: ~**hebber** commander; ~**hebberschap** command(ership); ~**hebbersstaf** baton; ~**schrift** warrant (*zie* bevel); – *tot betaling* pay-warrant;

~**voerder** commander; ~**voerend** commanding, [officer] in command

beven tremble [with fear, etc.], shiver [with cold], shudder [with horror], shake, quake [with fear, cold], dodder [with old age], quiver [a voice ...ing with emotion]; (*van stem ook*) quaver; ~ *bij de gedachte* t. at the idea; *over zijn hele lichaam* ~ t. all over (in every limb, in one's shoes), (*fam.*) be all of a tremble; ~ *als een rietje* t. like a leaf; ~ *voor iem.* t. before a p.

bever (*dier, bont, stof*) beaver; ~**geil** castor; ~**hoed** beaver hat, beaver

beverig trembling, tremulous, quavering, quavery [voice], shaky [hand], doddering [old man], wobbly [writing], tottery [legs]

bevernel (*plant*) burnet saxifrage

bever: ~**rat** coypu; ~**tien** beaverteen; ~**vel** beaver-skin; ~**woning** (beaver's) lodge

bevestigen (*vastmaken*) fix, fasten, attach [*aan* to], secure; (*versterken*) fortify [a town], consolidate [one's power, the empire, (*mil.*) one's position, friendship, cement [bonds, an alliance]; (*tegenov. ontkennen*) affirm, corroborate, bear out [a statement, a forecast], confirm [a rumour]; (*predikant*) induct, institute [*in 'n plaats* to a living]; (*ouderlingen*) ordain; *nieuwe lidmaten* ~ confirm new members of the Church; '*n brief* (*telegram*) ~ confirm a letter (telegram); *zie* ontvangst; *de uitspraak werd door het Hof bevestigd* the judge's finding was upheld by the Higher Court; *uitzonderingen* ~ *de regel* exceptions prove the rule; *onder ede* ~ affirm upon oath; ~**d** affirmative, confirmatory [information]; – *antwoorden* answer in the affirmative, affirmatively

bevestiging fastening; fortification; consolidation, cementing; affirmation, corroboration, confirmation [*ter* ~ in ...]; induction; ordination; *vgl.* '*t ww.*; ~**sdienst** induction service

bevind: *naar* ~ *van zaken* according to circumstances, as you may think fit; *handel naar* ~ *van zaken*, *ook*: use your judg(e)ment; *ik handelde naar* ~ *van zaken* I took my cue

bevinden find; *in orde* ~ find correct (in order); *zich* ~ be [in London, in difficulties]; (*tot 't besef komen, dat men is*) find o.s. [when I woke up I found myself in my bed; he found himself close upon the enemy]; ('*t maken*) be [how are you?], feel [how are you feeling?], be doing [mother and daughter are doing well]; *de positie waarin ... zich bevindt* the position in which Parliament finds itself; *daaronder* ~ *zich* among them are, they include; *zich in de noodzakelijkheid* ~ *te* be under the necessity of ...ing; *de vloeistof bevindt zich in een buisje* is contained in a tube; -**ing** experience; (*van commissie, enz.*) finding [the ...s are embodied in a detailed report]; *wij vergeleken onze* –*en* we compared notes

beving trembling; (*vrees*) trepidation

bevingeren finger; **bevissen** fish [a stream]

bevitten cavil at, find fault with

bevlagd beflagged [houses]

bevlekken soil, spot, stain, blot [paper]; (*fig.*

ook) blemish [beauty, reputation], besmirch [a p.'s honour], defile, pollute; *met bloed bevlekt* blood-stained; **-ing** ...ing, pollution, defilement

bevliegen fly [the ocean routes]

bevlieging caprice, whim, fit; *hij kreeg een ~ om* ... the fancy took (the whim seized) him to ...; *als hij een ~ krijgt* when the fit (fever) is on him

bevlijtigen *zie* beijveren

bevloeien irrigate

bevloeiing irrigation

bevloeren floor; **-ing** flooring

bevochtigen moisten, damp, wet, moisturize; **-er** (*van postzegels, enz.*) damper; **-ing** wetting, etc.; **-smiddel** wetting agent

bevoegd (*door ambt, enz.*) competent [judge, court], (*door exam., bekwaamh., enz.*) qualified [candidate], (*gemachtigd*) authorized, entitled; *de ~e autoriteiten* the c. (proper) authorities; *zich ~ achten te* think o.s. entitled (qualified) to; *van ~e zijde* [learn] on good authority, from an authoritative source; *tot oordelen ~* fitted (in a position) to judge; **~heid** competence, competency, qualification, authority; power [the manager was given power to ...]; *binnen de ~ van* within the competence (*of:* discretion) of; *zijn ~ verwerven* qualify; *zijn ~ ontnemen* remove [a doctor] from (strike ... off) the register; *zie* buiten; **~verklaring** qualification, certification

bevoelen feel, handle, finger; *zie* betasten

bevolken people, populate

bevolking population; (*handeling*) peopling; **~s-aanwas** growth of p., p. growth; **~sbureau** register (registry, registrar's) office; **~scijfer** p. figure; **~sdichtheid** density of p.; **~sexplosie** population explosion; **~sgroep** group (section) of the population; **~sleer** theory of p.; **~sregister** (parish) register; **~srubber** native rubber; **~sstatistiek** p. returns, registrar's returns

bevolkt [densely, sparsely] populated; *dicht ~, ook:* populous

bevoogden keep in tutelage

bevoordelen benefit (show favour to) [a p., o.s.], advantage, favour [...ed above others]

bevooroordeeld prejudiced, prepossessed, bias-(s)ed, [speak] with prejudice

bevoorraden provision; **-ing** provisioning

bevoorrechten privilege, favour; *de enkele bevoorrechten* the privileged few; **-ing** privilege, favouring; *stelsel van ~* favouritism

bevorderaar(ster) promotor, furtherer, patron [of art, etc.]

bevorderen promote, foster, further, advance [a cause, trade, science], help along (on, forward) [a work]; benefit, be beneficial to [health]; stimulate [the appetite], aid [digestion], lead to [tooth decay], (*krachtig*) boost [sales]; (*in rang*) promote, prefer; (*leerling*) move up; *tot kapitein bevorderd worden* be promoted captain, be promoted to a captaincy; *bev. worden,* (*school*) go up; *niet bev. worden* stay down; **-ing** promotion, advancement; furtherance; promotion, preferment; (*school*) promo-

tion; *vgl. 't ww.; ter ~ van* for the benefit of [one's health], for the furtherance of [our interests]

bevorderlijk : ~ *aan* (*voor*) conducive (beneficial) to; *~ zijn aan, ook:* conduce to, make for [peace]

bevrachten charter; (*laden*) load; **-er** charterer, freighter; **-ing** chartering

bevragen *: te ~ bij* apply to, inquire of; *te ~ alhier* inquire within

bevredigen appease, satisfy [hunger, etc.], gratify [one's desires, a p.'s whims], indulge [one's passions], satisfy, conciliate [a p.], pacify [a country]; (*bevrediging geven*) satisfy, give satisfaction; *moeilijk te ~* hard to please; **~d** satisfactory

bevrediging satisfaction, gratification, appeasement; pacification; *vgl. 't ww.*

bevreemden : '*t bevreemdt mij* I wonder (am surprised) at it; '*t bevreemdt mij, dat hij ...* I wonder (am surprised) he ...; '*t bevreemdde mij ... te vinden* I wondered (was surprised) at finding ...; '*t bevreemdt mij van hem* it surprises me in him; **~d** surprising

bevreemding surprise, astonishment

bevreesd afraid; *~ voor* a. of [ghosts], apprehensive of [danger]; (*bezorgd*) afraid (apprehensive) for; **~heid** fear, apprehension

bevriend friendly [nation], on friendly terms, intimate; *~e firma* business connection; *~ zijn* (*raken*) *met, ook:* be (get) friendly with; *~ worden* become friends; *~ worden met* make friends with

bevriesbaar congealable

bevriezen freeze (*ook van rekeningen, saldi, enz.*), congeal; (*doodvr.*) freeze to death; (*met ijs bedekt worden*) freeze (be frozen) over (up); (*van aardappelen, enz.*) become frosted; (*doen, laten*) *~* freeze; *zie* bevroren; **-ing** freezing (over), congelation

bevrijden free [from, of], deliver [from], rid [of the malaria mosquito]; (*in vrijheid stellen*) set free, set at liberty, release, liberate; (*redden*) rescue; (*van sociale beperkingen, enz.*) emancipate [women, slaves]; *zich ~ van, bevrijd raken van* get rid of, rid (free) o.s. from; *bevrijde slaven* freed slaves; *ik voel me bevrijd van een last* I feel relieved of a burden; **-er** deliverer, liberator, rescuer

bevrijding liberation, deliverance, release; rescue; emancipation; **~soorlog** war of liberation

bevroeden (*inzien*) understand, realize; (*vermoeden*) suspect, divine

bevroren frozen [ground, meat], frosty [road], frost-bitten [nose], frosted [potatoes, wheat, window-panes], frozen-up [water-pipes]; *de rivier is ~* is frozen over; *~ kredieten* f. credits

bevruchten impregnate, fecundate, fructify; (*plantk.*) fertilize; **-ing** impregnation, fecundation, fructification; fertilization; *kunstmatige ~* artificial insemination

bevuilen dirty, soil, befoul (*zie* nest); *zich ~* dirty o.s., get o.s. into a mess; *door de vliegen bevuild* fly-blown, fly-specked

bewaakster guardian, etc.; *zie* bewaker

bewaarder keeper, custodian, guardian; (*huis~*) caretaker; (*gevangen~*) warder; *~ der hypotheken* recorder of mortgages

bewaar: *~geld* warehouse rent, storage; safecustody (*of:* holding) charges, safe-keeping fee; *~gever* depositor, bailor; *~geving* custody, bailment

bewaarheiden confirm [a rumour, suspicion], verify [a prediction, suspicion], corroborate, bear out [a statement]; *zich ~, bewaarheid worden, (van voorspelling, enz.) ook:* come true, materialize; *aan hem wordt bewaarheid* he illustrates the truth of ...

bewaar: *~kluis* safe deposit vault; *~loon zie ~geld*; *~nemer* depositary, bailee; *~plaats* storehouse, depository, [furniture] repository; (*voor kinderen*) day-nursery, crèche; *~school* infant-, nursery-school, kindergarten

bewaken (keep) watch over, guard, watch [the house was being watched], monitor; *laten ~* set a watch over; *-er* keeper, attendant, caretaker; guard; guardian [of our interests]; (*cipier*) warder; *-ing* guard(ing), watch(ing), monitoring; [intensive heart] care; *onder – van* ... in the custody (in charge, in the charge) of two warders

bewallen *zie* omwallen

bewandelen walk (upon, over), walk in [God's ways]; *de gerechtelijke weg ~* go to law, take legal proceedings; *zie* pad

bewapenen arm; *-ing* armament; *-ingswedloop* arms race

bewaren keep [a present, silence, a secret, the peace], treasure up [pleasant memories], maintain [secrecy, one's gravity, independence], keep up [one's dignity], preserve [one's dignity, world peace, the memory of ...]; (*opzij leggen*) save, put by [money against a rainy day]; (*door inmaak*) preserve; (*beschermen*) protect, defend, save [*voor* from]; *een streng* (*zorgvuldig*) *bewaard geheim* a closely guarded secret; *bewaar me voor mijn vrienden!* save (preserve) me from my friends!; *fruit tegen rotten ~* k. fruit from rotting; *God* (*de hemel*) *beware me!* God (Heaven) forbid!; *God beware! bewaar me!* (Lord) save us! good gracious!; *dezelfde snelheid ~* k. up the same speed; *hij is hier goed bewaard* he is quite safe (out of harm's way) here; *deze appels laten zich niet ~* won't k.; *slechts enkele fragmenten zijn bewaard gebleven* ... have been preserved

bewaring keeping, preservation, custody; *in ~ geven* deposit [one's bag at the station, money with (*of:* at) a bank], place in safe-keeping; *'t werd mij ter ~ toevertrouwd* it was entrusted to my k.; *in ~ hebben* have in one's k., hold in trust; *in ~ nemen* take charge of; *iem. in verzekerde ~ nemen* take a p. into custody; *een som in gerechtelijke ~ stellen* pay a sum into court

bewasemen breathe upon, dim, steam

bewassen *zie* begroeien & begroeid

bewateren irrigate, water; *-ing* irrigation, watering

beweegbaar movable; *~heid* movability

beweeg: *~grond zie ~reden*; *~kracht* motive power, prime mover; *~lijk* mobile [mouth, features, troops]; (*levendig*) lively, mercurial [the ... Frenchman]; agile, nimble [mind]; (*onrustig*) fidgety; (*licht geroerd*) susceptible; (*beweegbaar*) movable; *~lijkheid* mobility; liveliness; susceptibility; *vgl. ~lijk*; *~reden* motive, ground, inducement

bewegen I *tr.* (*eig.*) move, stir; waggle (*of:* wiggle) [one's ears]; (*roeren*) move, stir, affect (*zie* traan); *iem. ~ te ...* induce (prevail upon, bring, get) a p. to ..., make a p ...; *zich ~* move, stir [not a leaf ... red], (*verroeren*) budge [don't ...]; *zich om zijn as ~* revolve round its axis; *zich op en neer ~*, (*van zuiger*) work up and down; *zich in hoge kringen ~* move in fashionable circles; *zich ~ op 't gebied van* be active in (the field of), be concerned with; *hij weet zich te ~* he knows how to behave; *hij weet zich niet te ~, ook:* he has no manners; **II** *intr.* move, stir, budge (*zie* zich ~)

beweging motion, movement, stir; action [liberty of ...]; (*nat.*) motion; (*met hand, enz.*) motion; (*lichaams~*) exercise; (*mil., dans*) *ook:* evolution; (*opwinding*) commotion, excitement; (*drukte*) bustle; *~ horen* hear movement; *een~ maken* make a movement (motion); *maak er toch niet zo'n ~ over* don't make such a fuss about it; *~ nemen* take exercise; *in ~ brengen* set going, set in m., start, actuate [the fan is ... d by a little motor]; stir [the case ... red the whole country; ... public opinion]; *in ~ houden* keep going, keep in m.; *in ~ komen* begin to move, start; *in ~ krijgen* get (set) going; *ik kan hem niet in ~ kr.* I can't get him to budge (shift); *hij is niet gemakkelijk in ~ te kr.* he is a slow mover, a slow-moving man; *zich in ~ zetten, zie* in ~ komen; *de stoet zette zich in ~* the procession moved off; *in ~ zijn* be moving, be in m., be on the move (on the go: she is always on ...); *de hele stad is in ~* is in commotion, is astir; *de wereld is in ~* is in a state of flux; *uit eigen ~* of one's own accord (free will, volition); ..., *zei hij uit eigen ~* [I'll do it,] he volunteered; *~loos* motionless; *~sleer* kinetics; *~soorlog* war of movement; *~sorganen* organs of locomotion; *~sverschijnsel* motory phenomenon (*mv.:* -ena); *~svrijheid* freedom of movement; *~swetten* laws of motion; *~szenuw* motor(y) (motorial) nerve

bewegwijzeren signpost

beweiden graze

bewenen weep for, mourn for (*of:* over) [a p.], mourn [a loss], deplore, lament, bewail; (*dicht.*) weep

beweren assert, contend, maintain, claim [I don't cl. to be a saint], profess [to know all details]; (*wat nog bewezen moet worden*) allege; (*voorgeven*) pretend, make out [not so poor as he ... s out]; *men beweert, dat dit ... is* this is claimed to be the biggest airplane; *ik zou niet willen ~ ...* I should not like to say ...; ... *wat hij te ~ heeft* hear what he has to say; *hij heeft weinig te ~* he has little to say for himself; *te veel ~* overstate one's case; *dit is te veel beweerd* this is saying too much; *telkens als ik iets beweer* whenever I make a statement; *wat ik beweer, is* ... my point is ...; *dat is juist wat ik* ... that's the very point I'm making; *de beweerde belediging* (*inbreker*) the alleged insult (burglar); *zijn beweerde vader* his reputed father; **-ing** assertion, contention, allegation; *vgl. 't ww.*

bewerkelijk laborious [piece of work, way *manier*], toilsome, labour-wasting [house], hard to run; *de tuin is erg ~* needs (takes) a lot of looking after

bewerken 1 (*bearbeiden*) till, cultivate, work, farm [land]; work [butter, dough]; hammer, beat [iron]; tool [stone]; process [raw materials], work on [the material on which he had to work]; work up [a subject]; (*machinaal*) machine; (*voor de pers*) edit [an author's works], compile [statistics], write up [an item of news into an interesting article]; (*opnieuw*) rewrite, revise [a dictionary]; work out [a plan, an idea]; (*met zorg*) elaborate; (*verwerken*) work up [materials]; (*vervaardigen*) manufacture [goods]; (*vormen*) fashion, model; *bewerkt naar* adapted from [the French; a novel adapted from that play]; *voor 't orkest ~* arrange for orchestra, orchestrate; *voor schoolgebruik ~* adapt for (use in) schools; *voor 't toneel ~* adapt for the stage, dramatize [a novel]: *voor de film ~* film [a play], adapt [a story] for the screen; *voor de omroep ~* adapt for broadcasting; *~ tot* work up (make) into, write up into (*zie bov.*); *bewerkte artikelen*, (*tegenov. grondstof*) finished articles; 2 (*beïnvloeden*) set to work on [a p.], use one's influence with, operate upon, manage, ply [a p. with arguments, with gin]; manipulate [a p., the press, the market, public opinion]; prime, tamper with [witnesses], canvass [voters, a constituency, a district], lobby [M.P.'s]; (*omkopen*) (*fam.*) fix, square; (*sl.*) get at [a p.]; 3 (*ranselen*) belabour; 4 (*veroorzaken*) cause, effect, bring about, work [a p.'s ruin], contrive [a p.'s escape]; *wat heb je erdoor bewerkt?* what have you achieved by it?; *hij wist te ~ dat 't gedaan werd* he managed (contrived) to get it done; *zie* bewerkstelligen

bewerker cultivator; author [of the trouble, etc.], originator, prime mover [of the war]; architect [of one's own downfall]; editor, adapter, reviser, compiler (*vgl. 't ww.*); **bewerking** tillage, cultivation; working; process; manufacture; compilation, revision, adaptation, dramatization, [dramatic] version [of a novel]; manipulation; canvassing; (*muz.*) arrangement, orchestration; (*van roman voor film*) film- (screen-)version; (*rek.*) operation; (*afwerking*) workmanship [a box of excellent ...]; *vgl. 't ww; in ~* in preparation

bewerkstelligen bring about, achieve, accomplish, effect [one's escape], effectuate [a change in procedure], compass [the down-

fall of the government], work out [one's own salvation or destruction]

bewerkster *zie* bewerker; editress

bewerktuigd organic; organized

bewerktuiging organization

bewesten (to the) west of, westward of

bewieroken incense; (*fig.*) praise (*of:* laud) to the skies, adulate; **-ing** incensing, (*fig.*) adulation

bewijs proof, (piece of) evidence; *'t* (*bewijzen*) demonstration; (*~grond*) argument; (*blijk*) evidence, mark [of respect], token; (*~stuk*) certificate, voucher, piece of evidence; (*van dokter*) medical certificate; *zie ook* ~je; *~ van deelgerechtigdheid* bonus share; *~ van goed gedrag* certificate (*of:* testimonial) of good conduct (good character); *~ van lidmaatschap* certificate of membership, membership credentials [required]; *~ van Nederlanderschap* certificate of Dutch nationality; *~ van ontvangst* receipt; *~ van oorsprong* (*herkomst*) certificate of origin; *~ van toegang* ticket of admission; *bewijzen geven* (*leveren*) *van* furnish (produce, adduce) p. (evidence) of, prove, demonstrate; *'t ~ leveren*, (*van bewering, enz.*) make out one's case; *concreet ~* material proof; *een doorslaand ~ leveren van* furnish a clear p. of; *'t is aan u om 't ~ te leveren* the onus of p. rests with (falls on) you; *met bewijzen aantonen* demonstrate; *niet 't minste ~* not a shred of p. (of evidence); *ten bewijze waarvan* in p. (support, witness, testimony) whereof (of which); *zie* aandeel; **~baar** demonstrable, provable, capable of p.; **~baarheid** demonstrability; **~exemplaar** *zie* ~nummer; (*van schrijver*) author's copy; **~grond** argument; **~je** (*briefje*) voucher, chit; (*schijntje*) suspicion [of a beard, liquor]; ghost [of a smile]; shade, touch [of pity]; **~kracht** conclusive (demonstrative) force; **~last** burden (*of:* onus) of p., onus probandi [the ... rests with you]; **~materiaal** evidence; *nieuw* – fresh material; **~middel** proof; **~nummer** (*van krant*) reference (*of:* voucher) copy; **~plaats** reference, (documentary) evidence (*ook: -en*), instance, record, passage quoted in support, authority; (*bijb.*) proof text; **~stuk** document in support, supporting document, (documentary, material) evidence, voucher; (*bij rechtszitting*) exhibit, piece of evidence; (*eigendomsbewijs*) title-deed; **~voering** argumentation; **~waarde** evidential (evidentiary) value

bewijzen 1 (*de juistheid van iets*) prove, demonstrate; establish, make out [one's claim]; substantiate, make out, make good [a charge, statement, claim]; *dat bewijst, dat hij ... is* that proves him (to be) a clever fellow, proves him (to be) right, proves that he is ...; *hij bewees, dat hij ... was* he proved himself ripe for it; *je bewijst zelf, dat* ... you are wrong on your own showing; *zij kunnen niet ~ dat hij 't gedaan heeft, ook:* they cannot bring the charge home to him; *als bewezen aannemen, wat nog bew. moet worden* beg the question; *niet bewezen* not proved, not made out; (*jur. in Schotl.*) not proven; *te ~, zie* bewijsbaar; 2 (*betonen*) show [kindness, gratitude, esteem], pay [attentions to: he paid her attentions], render [a service], confer [a favour, benefit] upon, do [a p. honour, a favour, a service], extend [a favour] to; *zie ook* eer, enz.

bewilligen: ~ *in* grant, concede [a p.'s demands], consent (agree, accede) to, acquiesce in; **-ing** consent, acquiescence; *Koninklijke* – Royal Assent [to a bill], *(tot verlening van rechtspersoonlijkh.)* certificate of incorporation

bewimpelen cloak, disguise, palliate, extenuate, gloss *(of:* gloze) over [a fact]

bewind government, administration; *'t ~ voeren* hold the reins of g.; *'t ~ voeren over* rule; *aan 't ~ zijn (blijven)* be (continue) in power *(of:* office); *(weer) aan 't ~ komen, (van ministerie)* come into (return to) power; *(van vorst)* come to the throne; *aan 't ~ geplaatst (geroepen) worden* be put (placed) in power; *zie* regering; **~hebber** manager, administrator, director; **~s-man** minister, member of government; **~voerder** *zie* ~hebber; *(faillissement)* trustee, receiver (in bankruptcy)

bewogen moved [*tot tranen* to tears], affected; ~ *zijn met* pity, feel pity for; ~ *tijden* stirring (troubled, eventful) times; **~heid** emotion, compassion, concern

bewolken cloud over *(of:* up), become cloudy *(of:* overcast); **-ing** clouds

bewolkt clouded, cloudy [*beide ook fig.:* ...brow], overcast; **~heid** cloudiness

bewonderaar(ster) admirer

bewonderen admire; **~swaard(ig)** admirable

bewondering admiration [*voor* for, of]; *uit ~ voor* in a. of

bewonen inhabit, live *(of:* dwell) in [the room is not lived in], occupy, reside in; *in de bew. wereld terugkeren* come back to civilization; **-er** *(van stad, land)* inhabitant, *(tegenov. bezoeker)* resident; *(van huis)* inmate, occupant, occupier, tenant; *(van kamer)* occupant; *(van zee, woud, enz.)* denizen [the ... s of the jungle]; **-ing** (in)habitation, occupation

bewoog *o.v.t. van* bewegen

bewoonbaar (in)habitable, *(fam.)* liv(e)able; **~heid** ...ness, habitability

bewoonster *zie* bewoner

bewoording(en) wording, terms, phrasing; *in gebiedende ~ vervat* peremptorily worded; *in gepaste ~* in appropriate terms

bewust 1 conscious [actions, etc.]; *zich ~ zijn van* be c. (aware, sensible) of, be awake to [dangers], be alive to [one's responsibilities], appreciate [the gravity of one's words]; *zich van geen kwaad ~ zijn* not be c. of having done any wrong; *ik ben me niet ~ dat ik ooit zo iets gezegd heb* I do not know that I have ever said anything of the kind; *ik werd het mij ~* I became c. (sensible) of it, it came home to me, it was borne in upon me, it dawned *(plotseling:* flashed) upon me; *zich ~ worden van 't feit, dat ..., ook:* wake up (come alive) to the fact that ...; ~ *of onbewust zondigen* sin wittingly or unwittingly; ~ *een valse opgave doen* knowingly make a

false declaration; **2** [the letter, etc.] in question

bewusteloos unconscious, senseless [the blow laid him ...], insensible; *volkomen ~* in a dead faint; *half ~* semi-conscious; *iem. ~ slaan* knock a p. out (senseless), stun a p.; **~heid** unconsciousness, insensibility, swoon

bewustheid consciousness, (full) knowledge; *met ~* knowingly, consciously, wittingly

bewustwording becoming conscious, awakening of [national etc.] consciousness

bewustzijn consciousness, awareness, (full) knowledge; *bij zijn ~* conscious; *buiten ~* unconscious; *in 't ~ van mijn onschuld* in the c. of my innocence; *'t ~ verliezen* lose c., pass out; *weer tot ~ komen* recover (regain) c., come to one's senses; *'t zedelijk ~ verhogen* elevate the moral sense

bezaaid *(her.)* semé(e) [*met* of], powdered [with fleurs-de-lys]

bezaaien sow, seed; *(fig.)* sow, (be)strew, stud [...ded with stars, islands], dot [...ted with flowers], litter [table...ed with papers]; ~ *met gras (tarwe)* seed to grass (wheat); *met sterren bezaaid* star-spangled, star-strewn

bezaan 1 *(mar.)* miz(z)en; **2 ~(leer)** roan, basan, basil; *in ~ gebonden* bound in sheep; **~sboom** spanker-boom; **~smast** miz(z)en-mast; *de ~s-schoot aanhalen, (een borrel schenken of drinken)* splice the main-brace

bezabbelen, -eren suck (at)

bezadigd sober-minded, staid, cool-headed, level-headed, thoughtful, steady, sedate, dispassionate [views]; *meer ~e leiders, ook:* more moderate leaders; ~ *maken* steady [marriage will ... you]; **~heid** ...ness

bezakken settle, go down, subside

bezanden (cover with) sand; *bezande steen* sand-faced brick

bezegelen seal [*ook fig.:* his fate is ...ed], put (set) the seal upon [a p.'s success]; cement [a friendship]

bezeilen sail [the seas]; *er is geen land (haven) met hem te ~* there's no doing anything with him; *een goed (slecht) bezeild schip* a good (bad) sailer

bezem broom, *(van twijgen)* besom; *nieuwe ~s vegen schoon* new brooms sweep clean; **~en** broom; **~heide** common heath, ling; **~kruid** broom; **~rijs** (birch-)twig(s); **~steel, ~stok** b.-stick, -handle

bezending *a)* consignment; *b) (gezantschap)* embassy; *de hele ~* the whole lot; *(sl.)* the whole shoot

bezeren hurt, injure; *zich ~* hurt o.s.

bezet 1 *(van plaats)* taken [is this seat ...?], engaged; *de zaal was goed (slecht) ~* there was a good (thin, poor) attendance; *geheel ~, (van hotel, tram, enz.)* full up; *(van school)* full to capacity; *... tot de laatste plaats ~* the church was filled to the last seat [every seat was filled]; *goed ~te schouwburg* well-filled house; *dicht ~* [the benches were] packed; **2** *(van persoon)* busy; *(van pers., tijd, enz.)* occupied, engaged; *ik ben zeer ~* my time is very much taken up;

ik ben (vanavond) ~ I have an engagement (*fam.*: am booked, fixed up) for to-night, am otherwise engaged, have an engagement elsewhere; *ik ben de hele week* ~ I am tied up all the week; *al mijn avonden zijn* ~ are booked up; *druk ~te dag* very full (*of:* crowded) day; 3 set, stuck [with pearls, diamonds], [diamond-] studded; 4 (*mil.*) occupied, under occupation; *ze hielden de stad* ~ they held the town; *door de Duitsers ~te landen* German-occupied countries; 5 *de rol is goed* ~ the part is well filled; *de rollen zijn goed* ~ there is a good (*of:* strong) cast; *goed ~ orkest* well-filled (beautifully balanced) orchestra; 6 *na ~te tijd* after closing-time, after hours; 7 (*op de borst*) suffering from congestion of the chest; 8 (*telec.*) [the line is] busy, engaged

bezeten possessed [by the devil]; obsessed [by a fixed idea]; *als een ~e* [go on] like one possessed, like mad (a madman); *als ~en* like mad(-men); **~heid** demoniacal possession, madness

bezetten take [seats], set [a chessboard with pieces, a ring with jewels], trim [a dress with lace], line [a road with trees], occupy [a town, university building], garrison, man [the posts, the frontier], cast [a play, the parts of a play], fill [an office, a vacancy]; *zie* bezet

bezetting 1 occupation [of a town], (*manschappen*) garrison; crew [of a tank]; *een ~ leggen in* garrison [a town]; 2 filling [of an office]; 3 cast [of a play]; 4 (*van orkest*) strength; complement [a total ... of 120]; 5 ~ *op de borst* congestion of the chest; **~sleger**, **~stroepen** army of o., occupying force(s); **~sstaking** stay-in (sit-down) strike; **~szone** zone of occupation

bezettoon (*telec.*) engaged tone

bezichtigen (have a) look at, view [a town; *fam.*: do a town (the sights)], inspect, go over, see (over) [a house]; *te* ~ on view, on show; (*hand.*) on view

bezichtiging view, inspection; *ter* ~ [be] on view, [send] for inspection; **~sbriefje** order to view

bezie berry; *zie* bes

bezield animated [nature], inspired [orator]; *met één geest* ~ inspired (animated) by one spirit; *met de edelste voornemens* ~ actuated by the most honourable intentions; *'t werk is met deze geest* ~ is infused with this spirit; *'t ~e marmer* the animated marble

bezielen inspire, inspirit, animate, imbue [with the spirit of ...]; *wat bezielt je toch?* what ever has come over you (has got you, possesses you)? (*fam.*) what's biting (bitten) you?; **~d** (*ook*) stirring [song], swinging [tune], rousing [speech]; *~e kracht* inspiration [of the mountains]; **-ing** animation, inspiration

bezien *zie* bezichtigen; *het staat te* ~ it remains to be seen; *dat staat nog te* ~, *ook:* I have my doubts; *zie ook* bekijken, beschouwen & zicht

bezienswaardig worth seeing (looking at); **~heid** curiosity, object of interest; show-place; (*mv. ook*) [the] sights [of a place], (local) places of interest

bezig busy, engaged, occupied; (*druk*) ~ (hard)

at work [*met iets* on s.t.], (hard) at it; *hij is ~ een oplichter te worden* he is in process of becoming a swindler; *hij was weer* ~ he was at it again; *~ zijn aan (met) iets* be at work (engaged, employed) on s.t., work at s.t., have a thing in hand, be doing [a room, geometry, etc.], be occupied in [writing]; ~ *met iets anders* otherwise occupied; *ze waren druk* ~ *met haar naalden* they busily plied their needles; ~ *met 't bouwen van ...* engaged in building a church; (*druk*) ~ *met pakken* (b.) packing; ~ *een onderzoek in te stellen* (busy) making inquiries; ~ *met 't laatste gerecht* engaged on the last course; *lang* ~ *met* [she was] a long time over [her toilet]; *nu ik er toch mee* ~ *ben* while I am about it, while I am on the subject; *wij zijn* ~ *met uw jas* your coat is in hand; *ze is* ~ *in de huishouding* attending to her household duties; ~ *houden, zie* ben.; **~en** use, employ; **~heid** occupation, employment, business; ('*t* ~ *zijn*) busyness; *zijn (dagelijkse)* **~heden** his (daily) pursuits, his work; *ik heb* **~heden** I am engaged, my time is taken up; *geen* **~heden hebben** have no occupation (nothing to do); *voor* **~heden** on business; **–stherapie** occupational therapy; **~houden** keep [a p.] at work (*of:* busy); hold, engage [a p.'s attention]; (*prettig*) – amuse, keep [the children] amused, entertain, *die gedachte hield mij (mijn geest)* ~ engaged (exercised) me, occupied my mind; *zich – met* occupy (*of:* busy) o.s. with [one's letters, etc.], employ o.s. in [reading], be engaged in [teaching], engage in [the purchase and sale of bills of exchange], go about [one's business]; *hoe hou je je ... ~?* what do you do with yourself all day? *zie* bemoeien

bezijden beside, at the side of; *dat is* ~ *de waarheid* that is beside the truth

bezingen sing (of), celebrate (in song), (*dicht.*) chant

bezinken settle (down); (*fig.*) [let one's arguments] sink (*of:* soak) in (into a p.'s mind), [let a remark] take effect; *doen* ~ precipitate; **-ingssnelheid** sedimentation rate

bezinkput (*op olieterrein*) settling-tank

bezinksel deposit, sediment, dregs, lees; (*chem.*) residuum

bezinnen reflect; *bezint eer gij begint* look before you leap; (*van gedachten veranderen*) change one's mind, think better of it; *zonder zich een ogenblik te* ~ without a moment's consideration; *zich op iets* ~ reflect on s.t., consider s.t. (carefully); *de regering moet zich eens goed* ~ the government must go in for some hard thinking

bezinning reflection; *tot* ~ *komen* come to one's senses; *zijn* ~ *verliezen* lose consciousness; (*eig. & fig.*) lose one's senses; (*fig.*) lose one's head; *zijn* ~ *niet verl.* keep one's head; *tot* ~ *brengen* bring [a p.] to his senses [*plotseling:* her voice brought him up sharp]; **~speriode** cooling-off period

bezique id.

bezit possession; (*eigendom*) property; (*jur.*)

tenure; (van aandelen, enz.) holding(s) [his wheat ...s]; (tegenov. schulden) assets; (fig.) ook: asset [a valuable...; the greatest... of the party]; in 't ~ zijn van be in p. (be possessed) of [all the facts, etc.], be in the p. of [the castle was in the p. of ...], enjoy [fairly good health]; zie geestvermogens; wij zijn (kwamen) in 't ~ van uw brief we are in receipt of your letter, your letter (came) duly to hand; in 't ~ geraken (komen) van iets come into p. of, obtain (get, gain) p. of s.t.; 't huis ging over in 't ~ van ... passed into the ownership of ...; 't raakte in mijn ~ it came into my hands; hij kwam in 't ~ van ... he came into his mother's money, entered upon his estate; ik ben in 't gelukkige ~ van ... I am fortunate in having...; in ~ nemen take p. of; iem. in 't ~ stellen van put a person in p. of; uit 't ~ stoten (van) dispossess (of), oust (from, of); een El Greco uit Nederlands ~ from a Dutch collection; ~loos unpropertied; ~nemer occupant; ~neming occupation, occupancy; (wederrechtelijk) usurpation; ~srecht ownership, right of p.; tenure right(s) [natives may sell their tenure rights]; ~ster proprietress, owner; ~telijk possessive [pronoun]

bezitten possess, own, have; be worth [a million pounds]; zie in 't bezit zijn van; ~d propertied, property-owning, moneyed; niet ~d unpropertied [classes]

bezitter owner, possessor, proprietor; holder [of the cup, the trophy]; de ~s en de niet-~s, (fam.) the haves and the have-nots; zie zalig

bezitting property (ook = ~en), possession; (landgoed) estate, property; (van rijk) possession, colony; ~en, (tegenov. schulden) assets; zijn ~en, (roerende goederen, 'spullen') his (personal) effects, his belongings; ~en hebben own p.

bezoar(steen) bezoar(-stone)

bezocht: druk ~ well-attended [meeting; there was a good attendance], much frequented [place]; slecht ~ poorly attended [meeting]; een [door kunstenaars enz.] veel ~e plaats a haunt [of artists, etc.]; ~ met ziekte stricken with disease; zie bezoeken

bezoden sod, turf

bezoedelen stain, soil; sully, tarnish, bespatter, besmirch [a p.'s honour]; defile, pollute, contaminate, (be)foul [a p.'s mind]; ~ met, ook: imbrue [one's hands, sword, etc.] in [crime, blood, etc.]; -ing ...ing, defilement, pollution, contamination

bezoek visit [aan Londen to L.]; (kort en vormelijk) call; (van school, enz.) attendance [at school, at a meeting; a large (small) ... (of visitors)]; (personen) visitors, company [there is ...], (fam.) people [have ...]; herderlijk ~ pastoral visitation; geen ~ no visitors; (bij sollicitatie) canvassing disqualifies (will be a disqualification); een ~ afleggen (brengen) pay a v. (a call) [bij to], (make a) call [at the Foreign Office]; ik leg geen ~en af I visit nowhere, pay no visits anywhere; ik kom

je morgen een ~ brengen I will come and see you to-morrow; een ~ beantwoorden return a v. (a call); ~ ontvangen receive visitors; wij ontvangen heden geen ~ we are not at home to-day; op ~ zijn (komen) be (come) on a v. [bij to]; dank u voor uw ~ thank you for coming (for calling); hij kwam voor een zesdaags ~ he arrived on a six-day visit; zie ook visite; ~dag at-home (day); (in ziekenhuis, enz.) visiting-day

bezoeken visit [ook van ziekte, enz.: measles ...ed the place; be ...ed with (by) the plague], pay a visit to, go to see, call upon [a p.], call at [a p.'s house]; (bijwonen) attend [church, school, a meeting, lecture, etc.]; (veelvuldig) haunt [auctions, the theatres]; (van geesten) haunt; (beproeven) afflict, try, (bijb.) visit [the sins of the parents are ...ed on the children]; zie bezocht; -er, -ster visitor [van to, of], caller, guest; (kerk, schouwburg, concert) church-, theatre-, concert-goer; (geregeld) frequenter, patron [of theatres, etc.]; aantal ~s, (eig.: bezoeken) number of attendances, (betalend) gate [at football match, etc.]; -ing visitation [the Black Death was a ...], trial [you're a ... to me], affliction

bezoektijd, -uur visiting-time, -hour

bezoldigen pay, salary; door mij bezoldigd, ook: in my pay; -ing pay, salary, stipend; de – der zonde is de dood the wages of sin is death

bezondigen: zich ~ sin [jegens God against God]; (aan iem.) wrong [a p.]; (aan iets) be guilty [of calumny, etc.], perpetrate [jokes, puns]; ik bezondig mij niet aan ... I am innocent of writing novels; hij bezondigt zich niet aan te grote zindelijkheid too great cleanliness is not one of his failings, he does not err on the side of cleanliness

bezonnen (fig.) well-considered [opinion], mature [thoughts]

bezonnen level-headed, steady, staid, sedate, sober-minded; ~heid level-headedness, etc.

bezopen fuddled, boozy; (fig.) crackpot [idea], [you're] daft

bezorgd 1 anxious [... look], apprehensive, uneasy, concerned [air voorkomen; speak in a ... voice]; ~ voor anxious (uneasy) about, solicitous about (for), apprehensive for, jealous of [one's good name, a p.'s welfare], considerate of [others]; ~ zijn voor, ook: fear for [a p.'s life]; ~ over concerned at [the life he leads], for [your safety]; zich ~ maken over worry (fret, be troubled) about; je hoeft je er niet ~ over te maken you need not let it worry you; maak je niet ~ don't worry; 2 (goed) ~ zijn be well provided for, well off, left comfortably off; (opgeborgen) out of harm's way; (getrouwd) settled; ~heid anxiety, uneasiness, concern, apprehension, solicitude [out of ... for him], misgiving

bezorgen 1 (verschaffen) procure [a p. a thing, a thing for a p.], get [a p. a place, it gets my house a bad name], find [I'll ... the money for you], gain, win [it won him many friends, fame, speedy promotion], earn [it earned for him the nickname of ...]; cause, give [the police a lively time], put [a p.] to [a lot of trouble]; *iem. een baantje ~*, (*fam.*) fix a p. up with a job; *zichzelf een complex ~* bring a complex upon o.s.; *zie* fonds, enz.; 2 (*bestellen*) deliver [parcels, etc. at a p.'s house; meat is brought to the door]; *zal ik 't laten ~?* shall I send it (home for you)? will you have it sent?; 3 (*zorgen voor*) attend to, effect [insurance]; *Mr. K. kan uw passage ~* can arrange for your passage; *zie* bezorgd, druk, enz.; *-er* deliverer; bearer [of a letter, etc.]; [baker's, etc.] roundsman; *-ing* delivery [of letters, etc.]

bezuiden (to the) south of, southward of

bezuinigen economize [*op* in, on], retrench (expenses), reduce (curtail, cut down) expenses, skimp; (*in de staat, enz., fam.*) apply the axe; *waar(op) kan bez. worden?* where can a saving be effected?; *we kunnen niet verder ~* we are down to the bone now

bezuiniging economy, retrenchment, cut(s) (in expenditure); (*in de staat, enz., fam.*) the axe; *~en tot stand brengen* effect (achieve) economies, economize; *afschaffen (aan de dijk zetten) ter ~*, (*fam.*) axe; *~spolitiek* retrenchment policy

bezuipen: *zich ~* fuddle o.s.; *zie* bedrinken

bezuren suffer (smart, pay) for [s.t.]

bezwaar objection, difficulty, (*gewetens~*) scruple; (*grief*) grievance; (*schaduwzijde*) disadvantage, drawback [the plan has its ...s]; *buiten ~ van 's Rijks Schatkist* without cost to the State; *de benoeming (de reis) geschiedt buiten ~ van de schatkist* the appointment carries no pay (no charge will fall on the Exchequer in connection with the journey); *~ hebben tegen* object to, take exception to; *hebt u er ~ tegen, als ik rook?* do you mind if I smoke (my smoking)?; *maar ik heb ~ tegen ...* but I draw the line at ...; *bezwaren hebben (maken)* raise (make) objections, have one's scruples, make difficulties, demur (to, at); *bezwaren opleveren* present difficulties; *op bezwaren stuiten* encounter difficulties

bezwaard weighted, loaded [with lead]; burdened [with guilt, debts]; oppressed [feel ...]; (*met hypotheek*) encumbered (with a mortgage), mortgaged [*zeer ~* heavily ...]; *~ eigendom*, (*jur.*) onerous property; *met ~ gemoed* with a heavy heart, with a troubled conscience; *zich ~ gevoelen te ...* scruple to ..., have scruples about ... ing; *ik voel er mij over ~* it weighs upon me, it lies on my conscience; *ik voel mij ~ door ...* I feel embarrassed by [his generosity]; *iem. die zich ~ acht door een belastingaanslag* any person aggrieved by any assessment; *zie* bezwaren

bezwaarlijk *bn.* hard, difficult; *bw.* hardly [I can ... believe it], [I could] not very well [comply with his request], with difficulty

bezwaarschrift petition, notice of objection; (*tegen belasting*) appeal [from assessment]; *tengevolge van een ~ werd zijn verkiezing ongel-*

dig verklaard he was unseated on petition

bezwachtelen swathe, bandage; **bezwadderen** (*fig.*) besmirch, bespatter [a. p.'s fair name]

bezwalken stain, sully, tarnish, cast a slur on, bespatter [a p.'s name]; **bezwangeren** impregnate; (*fig. ook*) saturate, fill, imbue; **bezwangerd** laden (filled, heavy) [with odours, smoke]; (*met rook*) *ook:* smoke-laden

bezwaren weight, load; (*vooral fig.*) burden; (*belemmeren*) handicap; (*met hypotheek*) encumber (with a mortgage), mortgage; *de maag ~* lie heavy on the stomach; *'t gemoed, enz. ~* weigh (lie, lie heavy) on the mind (one's conscience); *'t geheugen ~* burden the memory; *dat bezwaart mij te veel* (*kan er niet af*) I cannot afford it; *ik wil hem niet nog meer ~* I won't make it worse for him than it is; *zie ook* bezwaard; *~d* aggravating [circumstances], incriminating [evidence], damaging [facts, statements]; *~de voorwaarden* onerous terms

bezweek *o.v.t. van* bezwijken

bezweet perspiring, sweating [with ... brow], in a perspiration (a sweat); *geheel ~* bathed in perspiration, (*fam.*) all of a sweat

bezweren 1 (*onder ede bevestigen*) swear [I s. it, I s. that ...], swear to [it], make oath, take (swear) an oath [that ...]; 2 (*smeken*) adjure, conjure [kən'dʒuə]; 3 (*bannen*) exorcize, conjure ['kʌn(d)ʒə], lay [a ghost, a storm]; charm [snakes]; allay [a storm, panic, tumult]; ward off [danger]; (*oproepen*) conjure up, raise [spirits]; *-ing* 1 swearing; 2 adjuration; 3 exorcism, conjuration (*vgl. 't ww.*); *-ingsformule, -formulier* incantation, charm, spell

bezwijken succumb [*aan* ... to one's wounds, a disease]; succumb, yield [*voor de overmacht, verleiding* to superior numbers, to temptation]; die [*aan* ... of fever]; sink, give (way), break down, collapse [*onder* ... beneath (under) a load; the ice, his strength, gave way]

bezwijmen faint (away), swoon; *-ing* swoon, faint, fainting-fit

b.g. = *begane grond* ground floor

b.g.g. = *bij geen gehoor* if no answer, ...

b.h. bra, brassière

biaisband, -lint bias binding

B.I.B. Bank of (for) International Settlements

bibberatie: *de ~* the shivers, the shakes

bibberen shiver [with cold], tremble [with fear]; *zie* beven; *-ig* shivery, trembling

bibelot knick-knack

biblio: *~bus* mobile library; bookmobile; *~fiel* bibliophil(e); *~graaf* bibliographer; *~grafie* bibliography; *~grafisch* bibliographic(al); *~logie* bibliology; *~maan* bibliomaniac; *~manie* bibliomania, book-madness; *~thecaris* librarian; *~theek* library; *~wetenschap* librarianship, (*Am.*) library science

biceps biceps

biconcaaf biconcave; **biconvex** id.

bid: *~bankje* praying-, kneeling-stool, kneeler; *~dag* day of prayer

bidden pray, say one's prayers; (*vóór of na maaltijd*) say grace; (*smeken*) pray, beseech, implore; (*van hond*) beg; '*t onzevader* ~ say the Lord's Prayer; *tot God* ~ p. to God; *God* ~ *om* p. (to) God for ...; *ik bid de Hemel, dat* ... I p. to Heaven that ...; *na lang* ~ after a good deal of entreaty; *er werd gebeden* (*om* ..., *voor* ...) prayers (for peace, for the King) were offered in the churches; *ik bid u te* ... I p. you to ...; *iem.* ~ *en smeken te* ... beg and entreat a p. to ...; *ga niet, wat ik u* ~ *mag* pray don't go; *hij laat zich niet* ~ he does not need much pressing, does not require to be asked twice; ~ *de roof-sprinkhaan* praying mantis

bidder prayer; (*aanspreker*) undertaker's man; (*sprinkhaan*) praying mantis

bidet id.

bid: ~**kapel**, ~**plaats** oratory, chapel; ~**prentje** 'In Memoriam' card; ~**snoer** rosary; ~**sprinkhaan** *zie* bidder; ~**stoel** prie-dieu (chair); ~**stond** prayer-meeting; (*tijdens oorlog, enz.*) intercession service; ~**vertrek** oratory

biecht confession; *te* ~ *gaan* go to c. [she had been to c.], confess; *bij de duivel te* ~ *gaan* seek help from the wrong person; ~ *horen* hear confession; ~ *spreken* confess; *iem. de* ~ *afnemen*, (*fig.*) put a p. through his catechism; ~**eling** confessant, penitent; ~**en** confess, take (go to) c.; ~**geheim** seal of confession; ~**kind** *zie* ~eling; ~**penning** c.-money; ~**stoel** confessional (chair, stall, box); ~**vader** (father) confessor

bieden offer [money, one's arm], afford [a fine view], present [no difficulty]; (*op verkoping*) bid [a price]; ~ *op* (make a) bid for; *meer* (*minder*) ~ *dan iem.* outbid (underbid) a p.; *iem. de hand* ~ hold out one's hand to a p.; [*hardnekkig*] *weerstand* ~ offer, put up [a stubborn] resistance, resist; *zie* aanbieden, hoofd, enz.; **-er** bidder; **-ing** bid

biedkoersen buying rates

bief(stuk) fillet steak, rumpsteak

biel(s) (wooden) sleeper

bier beer, ale; *bitter* ~ bitter; *donker* ~ porter; *zie* boven; ~**azijn** b.-vinegar, alegar; ~**brouwer** (b.-)brewer; ~**brouwerij** brewery; ~**buik** pot-belly (*ook pers.*); ~**enbrood** b.-soup; ~**fles** beer-bottle; ~**gist** b.-yeast, brewer's yeast; ~**glas** b.-glass; ~**huis** alehouse, pothouse; ~**kaai**: *het is vechten tegen de* – it's labour lost, it's fighting a losing battle; ~**kan** b.-jug, tankard, pewter pot; ~**kelder** b.-cellar; ~**kroes** b.-mug, tankard; ~**pomp** b.-pump, -engine, -pull, -machine; ~**pul** *zie* ~kroes; ~**tapper** alehouse-keeper; ~**tapperij** *zie* ~huis; ~**tje** [have a] b. [a few beers]; ~**ton**, ~**vat** b.-barrel, -cask; ~**viltje** b.-mat, drip-mat; ~**wagen** brewer's van

bies (bul)rush; (*op kleren*) piping, facing; (*op gebak*) piping; (*rand*) border; *met rode biezen* piped with red; *zijn biezen pakken* (pack up and) clear out, hook it, make o.s. scarce; ~**look** chive(s); ~**varen** quillwort

biest beestings, (*wet*). colostrum

biet [red, white] beet(root); *geen* ~, *zie* donder (*geen* ...); *mij een* ~ I couldn't care less

bietebauw bogey, ogre

bietekroot (red) beet-root

bietencampagne beet-lifting (season); **bietenrooier** (sugar-)beet-lifter, (s.-)b. harvester

bietsen (*sl.*) *a*) cadge; *b*) pinch

biezen *bn.* rush; ~ *kistje*, (*Exod. 2: 3*) ark of bulrushes; ~ *stoel* rush-bottomed chair

bifocaal bifocal

bifurcatie bifurcation

big young (little) pig, pig, piglet, pigling

bigamie bigamy; **bigamist** id.

biggekruid (*plant*) cat's ear

biggelen trickle; *de tranen* ~ *haar over de wangen* tears trickle down her cheeks

biggen *ww.* farrow, cast pigs

bigot bigoted; ~**terie** bigotry

1 bij *zn.* bee

2 bij 1 (*plaats*) by, near, with; ~ *Londen* near L.; ~ '*t venster* at (by, near) the window; *kom* ~ *mij* come to me; *ik ben net* ~ *u geweest* I've just been round to see you; *hij woonde* ~ *hen* with them, at their house; *ik had iem.* ~ *me* I'd got someone with me; *hij ging* ~ *haar zitten* he sat by her; ~ '*t vuur zitten* sit by the fire; *een stoel* ~ '*t vuur trekken* draw a chair (up) to the fire; *doe* '*t kaartje* ~ *de bloemen* place (put) ... with ...; *de beschrijving* ~ *de tekening* the description taccompanying the drawing; *leg je bagage* ~ *die van* ... place (put, lay) ... with that of ...; *de slag* ~ *Waterloo* the battle of W.; *we zijn verzekerd* ~ *Lloyd* at Lloyd's; **2** ~ *een kop thee* (*sigaar*) [discuss the matter] over a cup of tea (a cigar); ~ *een gesprek dat ik had* during a conversation I had; ~ *mijn bezoek* during (on the occasion of) my visit; ~ *mijn bezoek aan* '*t museum* when visiting the museum; ~ *zijn werk* [fall asleep] over one's work; *je bent niet met je gedachten* ~ *je werk* your mind is not on your work; ~ *deze plannen* (*moet men erop letten* ...) when making these plans; **3** ~ *de Romeinen* with the Romans; ~ *Milton* in M.; ~ '*t leger*, *enz.* in the Army, the Navy, the artillery; *butler* ~ *Lord A.* b. to L. A.; *hij is (iets)* ~ *de accijnzen* (something) in the Customs; *hij is bij de Times* on the T.; *zie* spoor; **4** *ik heb* ... *niet* ~ *mij* I have not got it by me, have no money about (*of*: with) me, no match on me; ... ~ *zich hebben* carry an overcoat; **5** ~ *mijn ontbijt* [I take tea] with my breakfast; *gezien* ~ ... *populair* ~ *de ladies*; *werkzaam zijn* ~ ... be (work) with a firm; *er zijn twee partijen* ~ *een verzekering* there are two parties to an insurance; **6** ~ *Duitsland is Nederl. klein* in comparison (as compared) with; *dat is niets* ~ *wat* ... that is nothing to what I did; **7** ~ *dag* (*nacht*) by day (night); ~ *avond* in the evening, at night; ~ *uw volgend bezoek* on your next visit; ~ *zijn dood* at his death; ~ *zijn leven* during his life (lifetime); ~ *koud weer* in ...; ~ *een oostelijke wind* with ...; ~ '*t oversteken* in crossing; ~ *de tweede poging* at the second attempt; ~ '*t scheiden* at parting; ~ *het spelen* while playing; ~ *deze woorden* at these words; ~ *ontvangst* (*zijn aankomst, terugkeer*) on receipt (his arrival, return); ~ *achten* nearly (close upon) eight (o'clock), getting (going) on for eight; ~ *de zestig* close on sixty; 8 (*door, met behulp van*): ~ *proclamatie* by ...; ~ *gaslicht* by ...; *niet genoeg licht om ~ te zien* to see by; ~ *de grammofoon* [dance] to ...; *zie* noemen; 9 ~ *God* (*de Hemel, enz.*) by God, etc.; 10 ~ *honderden* by (*of:* in) hundreds, by the hundred; [they went there] in their hundreds; *ze kwamen ~ een en twee tegelijk* in ones and twos; ~ *'t gewicht, 't dozijn, 't pond* [sell] by weight, the dozen, the pound; ~ *de week* [take a room] by the week; 11 ~ *de hand* [take a p.] by the hand; 12 (*ondanks*): ~ *al zijn rijkdom* ... with all his riches he is not happy; 13 (*in geval van*): ~ *deling door 5* when divided by 5; ~ *ongelukken in* (the) case of accidents; ~ *niet-slagen* in the event of failure; ~ (*nauwkeurig*) *onderzoek* on (a close) examination; ~ *de minste storing* ... with the least disturbance the roof would fall in; 14 *zes el lang* ~ ... six yards long by five yards wide; 15 ~ *'t gele af, zie* af; 16 ~ *God is alles mogelijk* all things are possible with God; 17 ~ *haar eerste man* [a child] by her first husband; 18 *geld verliezen* ~ *een transactie* lose money over a transaction; *er niets* ~ *winnen* (*verliezen*) gain (lose) nothing by it; 19 *ik dacht* ~ *mijzelf* to myself; 20 *hij was er* ~, (*tegenwoordig*) he was present, was there, *er waren* ... ~ there were two doctors in attendance; *er getuigen* ~ *hebben* have witnesses present; *als er niem.* ~ *is* when nobody is by; *als zij er* ~ *is* don't say anything before her; *wees blij, dat je er niet* ~ *bent* you're well out of it; *wij zijn er* ~, (*fig.*) we're in for it, we are for it [wiə'fɔrit], the game is up; *ze was er met haar gedachten niet helemaal* ~ she had only half her mind on it; *twintig is er dichter* ~ nearer the mark; *er het eerst* ~ *zijn* get in first; *er wat* ~ *verdienen* add to one's income, make a little on the side; *zij prees hem waar hij* ~ *was* to his face; *de* (*koopmans*) *boeken zijn niet* ~ *are* not posted (*of:* written) up; *'t boek is* ~ up to date; *hij is* ~ with it; *een vriendelijk bedankje was er niet* ~, (*fam.*) never so much as a word of thanks; *hij is goed* ~ he has his wits about him (*sl.* is all there); *hij is goed* ~ *in dat vak* well up in that subject; *ik ben nog niet* ~ I am still behind [with my work, rent, etc.]; *ze is weer* ~(*gekomen*) she has come round; *zie verder* kas, kunnen, zitten, enz.

bij: ~**aldien** if, in case; ~**as** secondary axis; ~**baantje** side-line, additional job; ~**bank** bank branch(-office); ~**bedoeling** ulterior motive (design, purpose); *hij heeft een* –, *ook:* he has an axe to grind; *met de – dat* ... with the implication that ...; ~**behorend** belonging to it (them, etc.); *met –e*... chairs with sofa (dress with hat, note-paper with envelopes) to match; *–e,* (*van kous, enz.*) [its] fellow, twin

bijbel Bible; ~**boek** *a*) Bible, *b*) book of the B.; ~**geleerde** B.- (biblical) scholar; ~**genootschap** B.-society; ~**kenner** scripturalist; ~**kennis** scriptural knowledge, B.-lore; ~**kritiek** biblical criticism; ~**leer** scriptural doctrine; ~**lezing,** -**oefening** B.-class, Scripture-lesson, B.-reading [go to a ...]; ~**plaats** scriptural passage; ~**s** biblical, scriptural; *-e geschiedenis* sacred history; ~**spreuk** biblical text; ~**taal** biblical language; ~**tekst** Scripture-text; ~**uitlegger** expounder of Scripture, exegete (of the B.), exegetist; ~**uitlegging,** ~**uitlegkunde** (biblical) exegesis; ~**vast** versed in Scripture; ~**verhaal** Scripture-story; ~**verklaarder** enz., *zie* ~uitlegger, enz.; ~**verspreiding** propagation of the B.; ~**vertaling** translation of the B., B.-version; ~**woord** *a*) B.-word, scriptural passage; *b*) Holy Scripture

bijbenen *zie* bijhouden 2

bijbestellen, -ing *zie* na...

bijbetalen pay in addition (extra, the difference); -**ing** additional (extra) payment; **bijbetekenis** secondary (additional) meaning, connotation

bijbetrekking *zie* bijbaantje

bijblad supplement, extra sheet; (*van tafel*) (extra) leaf; (*plantk.*) stipule

bijblijven keep pace (keep up) with [a p.], keep abreast of [current developments]; *'t zal mij altijd* ~ it will stick in my mind (remain with me) for ever; *'t is me goed bijgebleven* it has remained clearly in my memory; *de woorden bleven hem bij* stuck in his memory; *die bijnaam bleef hem bij* that nickname stuck; *elkander* ~, (*van paarden*) run neck and neck, (*van boten*) race bow and bow; *een refrein, dat iem. bijblijft* a haunting chorus; **bijboek** subsidiary book; **bijboeken** enter, book up to date, write up, post up; **bijbol** (*plantk.*) clove

bijbouwen add [a wing]

bijbrengen 1 bring forward, produce [proofs], adduce [reasons, arguments], cite [instances]; 2 (*uit flauwte*) bring round (*of:* to); *iem. iets* ~ impart [knowledge, etc.] to a p.; (*inprenten*) instil [a notion] into, convey to [a p.]

bijcirkel epicycle

bijcultuur catch-crop

bijdehand smart, bright, sharp, quick-witted, wide-awake; (*sl.*) [be] all there; ~**je** sharp child, etc.; ~**s** *paard* near horse

bijdetijds up-to-date

bijdoen add; (*bij verkoping*) throw in

bijdraaien (*mar.*) heave to, bring to; (*fig.*) come round; *bijgedraaid,* (*mar.*) hove to

bijdrage contribution (*in alle bet.*); ~**n leveren voor** contribute to [a newspaper]

bijdragen contribute [to a fund, a magazine, a p.'s happiness, towards the cost of maintenance], tend [this fact...s to make his position difficult], make [for success, for clarity of ideas], conduce [to success]; *veel* ~, *ook:* go a long way (go far) [towards bringing peace]; ~ *voor pensioen, zie* storten

bije- bee: ~**angel** b.-sting; ~**cel** b.-cell

bijeen[1] together, [Parliament is] sitting; ~**behoren** belong t.; ~**blijven** remain t.; ~**brengen**

bring t. (*ook fig.*: bring the two sides t.), get t., raise [money, an army], accumulate [evidence, wealth], collect [money, one's thoughts], muster [sufficient forces]; (*met moeite*) scrape t. [money, etc.]; *zie ook* ~leggen & ~trommelen; ~doen put t.; ~drijven drive (herd) t., round up [cattle, criminals]; ~flansen knock t., throw t.; ~garen gather, glean [facts]; ~gooien throw t., lump t., jumble up; ~groeien grow t.; ~hangen hang t.; ~houden keep t.; ~jagen *zie* ~drijven; ~komen meet, come t., collect, assemble; (*in groten getale*) congregate; (*bij elkaar passen*) go [well, badly] t., match; *weer* ~, (*Parl.*) reassemble; ~komst meeting, conference, assemblage, assembly, gathering, rally; ~krijgen get t., raise [£200]; ~leggen put t.; (*samen*) club [money] t.; pool [tips *fooien*]; ~liggen lie t., lie near to each other; ~nemen take (put) t., gather (tuck) up [clothes]; *alles* ~*genomen* all things considered, take it (taking it) all in all; ~pakken pack t., pack up [one's books]; ~plaatsen put (place) t.; ~rapen scrape (rake, scramble) t., gather (t.), collect; ~geraapt *zootje* scratch collection (team, crew, etc.); *zie ook* moed & kracht; ~rekenen reckon (sum, add, cast, figure) up; *zie ook* ~nemen; ~roepen call [Parliament] (t.); (*vergadering*) call, convene, convoke, summon; ~roeping calling [of Parl.]; convocation, summons; ~scharrelen scratch up [a dinner], scrape (rake) t. [money]; *zie ook* ~trommelen; ~scholen, enz., *zie* samenscholen, enz.; ~schrapen scrape t., hoard up; *zie ook* ~scharrelen; ~spelden pin t.; ~staan stand t.; ~tellen add (up); ~trekken *tr.* pull t.; contract [one's brows]; concentrate [troops]; *intr.* contract; ~trekking contraction; concentration; ~trommelen drum up; (*fig. ook*) beat up, rake up, whip up [supporters]; ~voegen join t., unite, combine; ~voeging combination, junction, joining; ~zamelen gather, collect; ~zetten put (place) t.; ~zijn be t.; (*van Parl.*) be sitting, be in session; (*van congres, enz.*) be meeting; ~zoeken collect, gather, get t.)

bijen- bee: ~arend honey-buzzard; ~brood b.-bread; ~eter b.-eater; ~houder b.-keeper, apiarist; ~huis *zie* ~stal; ~kap b.-veil; ~koningin queen-bee; ~korf b.hive; ~orchis b.-orchis; ~stal, ~stand apiary, b.-house, b.-farm; ~teelt b.-culture, apiculture; ~was beeswax; ~wolf b.-eater; ~zwerm swarm of bees

bijfiguur subordinate figure

bijgaand enclosed, annexed; ~ *schrijven* accompanying letter; ~*e stukken* enclosures; ~ *een foto* attached is a photograph

bijgebouw annex(e), outhouse, outbuilding

bijgedachte side reflection, implication; *zonder* ~*n* without ulterior motives

bijgelegen adjacent, adjoining, contiguous

bijgeloof superstition

bijgelovig(heid) superstitious(ness)

bijgeluid extra(neous) noise, secondary noise [of a gramophone], mush [of radio]

bijgenaamd surnamed, nicknamed

bijgerecht side-dish, entremets

bijgeval I *bw.* by any chance, perhaps; *als ge hem* ~ *ontmoet* if you happen (*of:* chance) to meet him; *zie* toevallig; II *vw.* if, in case [anything should happen]

bijgeven add, (*bij verkoping*) throw in

bijgevolg in consequence, consequently

bijgieten add, pour in; bijgooien add (throw on) to; bijgroeien (*van haar, enz.*) grow again; (*van wond*) heal nicely, heal up

bijhalen bring near; bring in [Dutch engineers to ...]; call in [a doctor]; bring (drag) [a p. ('s name)] in (into it); (*bij deling*) bring down; *goed* ~, (*van telescoop*) magnify well; *er veel getuigen* ~ produce many witnesses; *zie haar*

bijharken rake up; bijhebben *zie* zeil

bijhelpen touch up, repair; (*uit flauwte*) bring round (*of:* to)

bijhorig *zie* bijbehorend; ~heden appurtenances

bijhouden 1 (*glas, enz.*) hold (reach) out; 2 (*iem., iets*) keep up (keep pace) with (*ook fig.*); (*in 't drinken*) drink level with [a p.]; *hij is niet bij te h.* there is no keeping up with him; 3 keep (*fam.*: do) [the books, the accounts], keep [a diary, etc.] posted up, post (write) up [the books]; 4 keep up [one's English, etc.]; *iets* ~ keep one's hand in at s.t.

bijkaart *a*) (*in atlas*) inset(-map); *b*) *zes troeven, en een aardige* ~ ... and a nice supporting hand

bijkans almost, nearly; *zie* bijna

bijkantoor branch-office; (*post*) sub-office

bijker *zie* bijenhouder

bijkerk chapel of ease; bijkeuken scullery, backkitchen; bijkleur accidental colour; bijknippen trim [a hedge, beard, etc.]; bijkok undercook

bijkomen (*bereiken*) get at, reach; (*bijgevoegd worden*) be added, be extra; (*uit flauwte*) come round (*of:* to), regain consciousness; (*na operatie ook*) come out of the anaesthetic; (*aankomen*) put on flesh (weight), gain [two pounds]; (*inhalen*) catch up; make up arrears; ('*bijdraaien*') come round; *dat komt* (= *past*) *er niet bij* does not match; *dat komt er goed bij* is a good match; '*t is niet even goed, maar 't komt er dicht bij* ... runs it close; *dat woord komt er het dichtst bij* is the nearest equivalent; *daar komt nog bij* what's more; add to this that ...; *dat moest er nog* ~! that crowns (would crown) everything! that would be the last straw! what next (I wonder)? [I did not do it on purpose] I should think not!; *er kwam pleuris bij* pleurisy supervened (*fam.:* came on top of it); *hoe kom je erbij?* what are you thinking of? who (*of:* what) ever put that idea into your head?; *hoe kom je er toch bij hem Jim te noemen?* what ever makes you call him Jim?

bijkomend attendant, incidental, accidental, adventitious [circumstances], minor [incidents]; extra [charges], incidental [expenses]; ~ *artikel* substitute, something similar; ~*e overweging* side-reflection; ~*e verdiensten* fringe benefits

bijkomstig accidental; subordinate; ~*e vertoning* side-show; *zie ook* bijkomend; ~heid a. circumstance

bijkrabbelen pick up, recover slowly

bijl axe, (*klein, voor één hand*) hatchet; (*dissel*) adze; *er met de brede* (*grove*) ~ *inhakken, a*) spend money freely; *b*) go at a p., lay about one; *op een ruwe kwast past een scherpe* ~ a rough customer needs rough handling; *de* ~ (*het ~tje*) *erbij neerleggen* chuck it, (*uit de zaken gaan*) shut up shop, (*bij staking*) down tools; *ik heb al lang met dat ~tje gehakt* I am an old hand at it; *voor de* ~ *gaan,* (*fig.*) be (in) for it

bijl. = *bijlage* enc(l).

bijlage enclosure, annex(e), appendix

bijlange (na) niet not nearly, not by a long way (chalk)

bijlappen patch up; *zie ook* lappen

bijl: ~**brief** builder's certificate; ~**bundel** fasces (*mv.*); ~**drager** lictor

bijleggen 1 (*bijvoegen*) add [to ...]; *ik moet er geld* ~ I am a loser by it, lose on it; *op ... moest bijgel. worden* both hotels were losing money; 2 (*beslechten*) settle, compose, compromise [a dispute], arrange, mend, make up [a quarrel, difference]; '*t* ~ make it up; (*overijld, tijdelijk, enz.*) patch it up; 3 (*mar.*) lie to; -**ing** settlement [of a dispute]

bijles extra (private) lesson (tuition), coaching; ~ *Frans g.* coach in F.

bijlhamer hammer-axe

bijlichten: *iem.* ~ give a p. a light, light a p. [to his room]; (*bij 't heengaan*) light a p. out; (*fig.*) give a p. a piece of one's mind

bijliggen: *het ligt mij zo bij,* (*voorgevoel*) I feel it in my bones, I have a presentiment [that ...]; *er ligt me iets van bij,* (*herinnering*) I seem to remember s.t. of it; it runs in my mind [that ...]

bijloper super(numerary), underling; *hij is maar een* ~ he doesn't count

bijltje little axe, hatchet; *zie* bijl; ~**sdag** day of reckoning

bijmaan mock moon, paraselene

bijmengen mix [with ...], add [to ...]; -**ing, -sel** admixture

bijna almost, nearly, all but [he ... cried], next to [nothing, nobody, no money], close on [£500], little short of, next door to [a miracle, miraculous]; ~ *altijd* nearly always; ~ *niet* hardly, scarcely; ~ *niets* (*niemand, geen, nooit, nergens*) hardly anything (anybody, any, ever, anywhere); ~ *niets,* (*ook:*) almost nothing; ~ *geen wind,* (*ook:*) almost no wind; *hij was ~ gedood* (*ook:*) he came near being killed; *hij had 't* ~ *gekregen, ook:* he just missed getting it

bijnaam surname; (*spotn.*) nickname, so(u)briquet; (*in beide bet.*) by-name, epithet

bijnier adrenal, suprarenal (gland, body, capsule)

bijomstandigheid accidental (attendant) circumstance; **bijoogmerk** *zie* bijbedoeling

bijoorzaak contributory (secondary) cause

bijou jewel, gem, trinket, bijou; ~**terieën** jewel-(le)ry; ~**teriekistje** jewel-, trinket-box (*of:* case)

bijpaard near-horse; (*handpaard*) led horse

bijpad by-path; **bijpassen** pay in addition (extra, the difference), make up the deficiency; *met*

~*de pantalon* with trousers to match

bijplaneet satellite, secondary planet

bijprodukt by-product, spin-off

bijregenboog secondary rainbow; **bijrekenen** include, add; *zie* meerekenen; **bijrijder** relief driver, driver's mate

bijrivier tributary (stream), affluent, feeder

bijschaduw penumbra, partial shadow

bijschaven plane, smooth; **bijschenken** pour on, add; fill (top) up [a glass]; refill [a teapot]; **bijschikken** draw near, draw (pull) up one's (a) chair, draw up to the table; **bijschilderen** 1 touch up, retouch; (*huis*) give a lick of paint; 2 paint in [trees, etc.]; **bijscholing** (*v. leraren*) in-service training; –**scursus** refresher course, updating course; **bijschrift** inscription, motto, legend; (*kanttekening*) marginal note; (*tekst bij plaatwerk*) letterpress; (*naschrift*) postscript; **bijschrijven** (*bijvoegen*) add; (*posten, enz.*) enter (up); write up, post up [the books, a diary]; **bijschuiven** *tr.* draw (pull) up [one's chair]; *intr. zie* bijschikken; **bijslaap** *a*) coition, cohabitation, copulation; *b*) bedfellow; **bijslag** *a*) extra allowance, [war] bonus; *b*) extra charge, supplement; **bijslepen** drag in; *zie* haar; **bijsluiter** information (instruction) leaflet

bijsmaak funny taste (flavour); '*t heeft een* ~ it has a taste; **bijspelen** play [a card, etc.]; **bijspijkeren** put in a few nails; (*fig.*) pick up, be progressing; ('*t achterstallige*) make up [arrears, one's rent]; *zie* bijwerken; **bijspringen:** *iem.* ~ come to a p.'s aid (help), help a p. out, come to the rescue; (*door zedelijke steun*) *ook:* keep a p. in countenance; *hij sprong bij met £ 100* he chipped in with ...

bijstaan assist, render assistance to, help, succour, stand by

bijstand assistance, aid, help, relief; (*sociale*) social security, [live on (the)] welfare; *geestelijke* ~ ministrations; *rechtskundige* ~ (*aanvragen*) (apply for a certificate of) legal aid; *verdrag van wederzijdse* ~ mutual assistance pact; ~ *verlenen* render (lend) a.; *zie* commissie

bijstander bystander

bijstellen (*techn.*) (re)adjust

bijstelling apposition

bijster I *bn.:* '*t spoor* ~ *zijn* have lost one's way, be off the track; (*fig.*) be at sea (at fault); (*van honden*) be off the scent, be at fault; '*t spoor* ~ *raken* lose (be thrown off) the scent; *iem.* '*t spoor* ~ *maken* put (throw) a p. off the scent; **II** *bw.* exceedingly [happy], extremely [cold]; *niet* ~ ... not particularly ...

bijstorten make an additional payment [of £5]; -**ing** additional payment

bijsturen (*mar.*) allow (correct) for drift; (*fig.*) make (small) corrections (to), (re)adjust

bijt hole (cut in the ice); (*voor brand*) fire-hole

bijtachtig snappish

bijtanken fill up (with petrol, etc.); (*fig.*) get up to date [on s.t.]

bijteken (*muz.*) accidental
bijtekenen (*mil.*) re-enlist, re-engage, sign on [for another term, for another five years]
bijtellen add; (*meetellen*) count in
bijten bite (*ook van bijtmiddel, enz.*); (*van scherp vocht*) sting; *'t bijt in de keel, op de tong* it bites the throat, bites (burns on) the tongue; *de vis wou niet ~* would not b.; *hij wou niet ~* would not b., not swallow the bait, not rise to the fly; *dat bijt elkaar niet* they don't clash; *in een appel ~* b. (into) an apple; *in 't stof* (*zand*) ~ b. the dust, (*van ruiter*) be thrown; *~ naar* snap at; *~ op* b. [one's nails, lips], clench [one's teeth], gnaw, nibble [a pencil], champ [the bit]; *van zich af ~* show fight; *zij weet van zich af te ~* she knows how to hold her own, (*fam.*) she has a tongue of her own, can stand up for herself, gives as good as she gets; *zie* toebijten; **~d** biting, caustic, corrosive; (*fig.*) biting, caustic, trenchant, incisive [scorn], cutting, poignant, mordant [sarcasm]; *-e scherts* sarcasm
bijtijds (*vroeg*) in good time, betimes; (*op tijd*) in (good) time
bijtmiddel mordant, caustic, corrosive
bijtoon by-tone; (*tlk.*) secondary stress, medium stress
bijtrekken draw (pull) up [a chair]; take in [another field], add [a field to one's own]; (*van kijker*) *zie* bijhalen; *dat trekt wel bij* it (the spot, etc.) will hardly show; *hij trekt wel bij* (*na boze bui*) he'll come round; *ze trok spoedig bij* (*na bleekheid*) she soon regained colour; *het weer trekt bij* the weather is taking up
bijtring teething-ring
bijv. e.g., for instance, for example
bijvak subsidiary (ancillary) subject
bijval approval, approbation, applause; ~, (*in kranteverslag*) cheers; *stormachtige ~ oogsten* draw down storms of cheers; *~ vinden* meet with (a p.'s) approval; (*van toneelstuk*) catch on; *geen ~ vinden, ook:* fall flat; *deze theorie vindt algemeen ~* finds general favour; **~len:** *iem. ~* back a p. (up), support a p., take a p.'s side; *zie ook* invallen
bijvalsbetuiging(en) applause
bijvegen sweep up [the hearth]
bijverdienen: *'n beetje ~* make a little on the side
bijverdienste extra earnings; *vette ~n* (*emolumenten*) good pickings
bijverschijnselen side-effects [of drug]
bijverven *zie* bijschilderen
bijvijlen file (*ook fig.*)
bijvoeding (baby's) supplementary feeding (nourishment)
bijvoegen add [I've nothing to ... to it]; subjoin [remarks], annex, append [the copy of a letter]; (*insluiten*) enclose; **-ing** addition; *onder ~ van* adding, enclosing; **-lijk** adjectival; *- naamwoord* adjective; *- gebruikt* used adjectivally; **-sel** addition, supplement, appendix, appendage
bijvoet (*plant*) mugwort; **~wol** moxa
bijvoorbeeld for instance, for example, say [in house-building], [Goethe] for one

bijvorm by-form, collateral form, variant
bijvrouw concubine
bijvullen fill up [a glass, a petrol tank], replenish [a pipe, a petrol tank, the stove], refuel [a car, plane]
bijwagen (*van tram*) trailer, second carriage; (*fig.*) second fiddle
bijweg by-road, by-path
bijwerk by-work, extra (*of:* outside) work; (*versiering*) ornamentation; (*van schilderij*) accessories; **~en** (*schilderij, enz.*) touch up, retouch; (*boek*) bring up to date; (*koopmansboeken*) write (post, enter) up; (*dagboek*) write up; update [a directory]; *achterlijke leerlingen ~* coach backward children; *'t achterstallige ~* make up arrears of work; **~ing** (*med.*) side-effect; **bijwijf** concubine
bijwijlen once in a while, now and then, at times
bijwijzen (*bij lezen*) follow with one's finger
bijwonen be present at, witness [an incident]; attend [divine service, mass, a meeting, a lecture]; *hij werd uitgenodigd de vergadering bij te wonen, ook:* he was invited to attend; *zo iets heb ik nooit bijgew.* I never saw (heard) the like (of it); *ik heb 't bijgew. dat hij ...* I've known him kick the children
bijwoord adverb; **~elijk** adverbial
bijwortel (*plantk.*) adventitious root
bijzaak (matter) of secondary importance, subordinate (accessory) matter, side-issue, sideshow, [that is but a] detail; *geld is ~* is no object, does not count; *katoen is ~* cotton is grown as a side-line
bijzettafeltje occasional table
bijzetten 1 place (nearer); place [a domino]; 2 (*lijk*) inter, entomb, lay to rest, place [in a vault]; 3 set [a sail]; 4 *kracht* (*klem*) ~ emphasize, punctuate, reinforce [a remark with ...], press [a demand], lend (add) force to [this fact lends (adds) force (*of:* weight) to the observation that ...], enforce [one's decisions], add volume to [the sirens added volume to the welcome]; *een partij leven ~* be the life and soul of a party; 5 *hij heeft niet veel bij te zetten, a*) he is as weak as water; *b*) he has no resources; *zie* luister, zeil, enz.; **bijzetteugel** bearing-rein
bijzetting interment, committal, deposition
bijziend near-, short-sighted, myopic; **~heid** near-, short-sightedness, myopia
bijzijn: *in het ~ van* in the presence of, [how can you say so] in front of [the girls], before [the whole company]
bijzin (subordinate) clause
bijzit concubine, (kept) mistress, kept woman
bijzitter (*van rechter*) assessor; (*exam.*) assistant examiner; **~schap** assessorship
bijzon mock sun, parhelion
bijzonder I *bn.* (*speciaal*) particular [a ... friend of mine], special [case, favour]; (*niet openbaar*) private [school, interests]; (*eigenaardig*) peculiar, strange; (*afzonderlijk*) particular, individual; *Gandhi was een ~ man* an extraordinary (an exceptional) man; *een ~e postzegel* a special

stamp; ~e school independent school; ~ verlof (wegens ziekte of sterfgeval) compassionate leave; niets ~s nothing p., nothing much [happened]; het (hij) is niet veel ~s it (he) is nothing out of the common, (fam.) nothing to write home about, not up to much, no great shakes; er was weinig ~s te bespreken ... few things of importance ...; in 't ~ in p., particularly; II bw. ... ly; (buitengewoon) uncommonly, exceedingly, singularly [ugly]; over [not ... well, ... pleased]; niet ~ geleerd not much of a scholar; ~heid (abstr.) particularity, (concr.) particular, detail, special feature; (eigenaardigh.) peculiarity; ~heden zullen volgen particulars to follow; tot in de kleinste ~heden down to the smallest detail; zie afdalen

bik chippings; (grof) rubble; ~hamer pick-(hammer)

bikini id.

bikkel knuckle-bone; ~en play at k...s (at dibs); ~hard (as) hard as nails; ~spel (game of) k...s, dibs

bikken chip [a wall, stone], scrape [a boiler, ship's bottom]; dress [a millstone]; (eten, fam.) tuck in; zij hebben niets te ~ they are starving

biksteen 1 grit(stone); 2 zie bik

bil buttock; ~len bottom; (van dier) rump; (van schip) buttock; wie zijn ~len brandt, moet op de blaren zitten as you make your bed, so you must lie on it; een kind voor de ~len geven spank a child

Bileam Balaam

bil: ~hamer, ~ijzer (millstone) dresser

biljard million milliard, thousand billion; (Am.) quadrillion

biljart a) (spel) billiards; b) billiard-table; ~ spelen play (at) b.; partij (spel) ~ game of b.; attr.: billiard; ~bal b.-ball; (mv. sl.) ook: ivories; ~band cushion; ~bok cue-rest, (sl.) jigger; ~en play (at) billiards, have a game of billiards; ~er b.-player; ~kampioen champion of billiards, billiards-champion; ~keu b.-cue; ~laken b.-cloth; ~spel billiards; ~speler b.-player; ~zaal b.-room; ~zak b.-pocket

biljet (kaartje) ticket; (bank-) note, (Am.) bill; (aanplak-) poster; (strooi-) handbill; ('kamers te huur', enz.) ticket; door ~ten aankondigen bill [an actor, a performance]

biljoen 1 (minderwaardige munt) debased currency; (muntmetaal) billion; 2 (miljoen × miljoen) billion; (Am.) trillion

billen dress, cut trenches in [a millstone]

billet doux billet-doux, love-letter

billijk fair [treatment, judgment], just, equitable, reasonable [wishes], moderate [price]; niet meer dan ~ only fair; om ~ te zijn tegenover haar to do her justice, to give her her due, in justice to her; 't is niet ~ tegenover ... it is not f. on her, not playing the game with the public; zie eerlijk; ~en approve (of); om redenen die ieder zal kunnen – which everybody will appre-

ciate; een eis ~ admit (acknowledge) the justice of a demand; ~erwijze in fairness, in justice; ~heid fairness, equity, justice, reasonableness, moderateness; vgl. ~; uit – tegenover in fairness (justice) to; op ~heidsgronden on grounds of fair play; ~heidshalve zie billijkerwijze; ~ing approval

bilnaad perineum; bilstuk rump

biltong id.; bilzekruid (plant) henbane

bimbam ding-dong

bimetaal bimetal; bimetallic strip

bimetallisme bimetallism; -list id.; -listisch bimetallic

binair binary; ~ cijfer b. digit

bindbalk tie-beam

binden bind [a book, a prisoner, sheaves], tie [a ribbon, one's shoes, a goat to a post], tie up [a bag, parcel, prisoner]; (met riem) ook: strap; (met touw) ook: rope; (mil.) contain; (dik maken, worden, van saus, enz.) thicken; (chem.) combine with, form a compound with; bezems ~ make brooms; iem. de handen ~ tie a p.'s hands (ook fig.; zie hand); er is niets dat mij bindt (waardoor ik mij gebonden acht) nothing binds me; de kleine bindt me zo Baby is such a tie (on me); ~ aan tie [a horse] to [a tree]; tie [the pound] to [gold]; tie [a p.] down to [a certain course]; iem. iets op 't hart ~ enjoin s.t. on a p.; tot een pakje gebonden tied up in a bundle; zich ~ bind (commit, pledge) o.s. [to ...], tie o.s. down [to a policy]; zie gebonden & verbinden; ~d binding [voor upon]; (vonnis, jur.) absolute

bind: ~er binder; ~erij bindery; ~garen string, packthread; ~ing tie, bond; ~kosten binding-costs; ~middel cement (voor verven, geneesmiddelen, enz.) binder, binding agent, vehicle; (voor ingewanden, enz.) styptic; ~rijs osier; ~rotting rattan; ~salade cos(-lettuce); ~sel band(age); (mar.) seizing; ~spier ligament; ~steen bondstone, bonder; ~ster binder; ~teken hyphen; (muz.) bind, tie; ~touw string; (van schoven) binder twine; ~vlies conjunctiva; ~ontsteking conjunctivitis; ~weefsel connective tissue; ~weefselontsteking phlegmon; ~wilg osier

bingelkruid (plant) (dog's) mercury

binnen[1] I vz. within [three days; my reach; too narrow limits; the enemy ... our gates]; inside [the walls]; ~ 't uur w. (inside [of]) an hour, [do the distance] in less than an hour; ~ een uur na ... w. an hour of his birth; ~ een uur nadat ... [he died] w. an hour of being admitted to hospital; II bw. in [is Mr. A. ...? ask him ...]; what time have you to be ...? the train, steamer, is ...]; inside [come (step) ...]; within [enquire ...]; ~ in inside; hier ~ in here; ~! come in!; hij is ~, a) he is in(doors); b) he is a made man, has made his pile; c) (ingerekend) he has been pinched; naar ~ gaan (komen, enz.) go (come, etc.) in; naar ~! in with you!; naar ~ krijgen, zie ~krijgen; naar ~ slaan, (van ziekte) strike

---

[1] Voor samenstellingen met binnen zie ook in...

inward, be driven in; (van vlam) flash back, strike back; naar ~ slaan (werken), (van eten) bolt [one's bread and butter], wolf down, gobble down, dispatch, polish off, put away; (met tegenzin) force down [food]; zich te ~ brengen recall, recollect; zie roepen; 't schoot me te ~ it suddenly came (back) to me; 't wil me niet te ~ schieten I cannot hit upon it, I cannot think of it now; daar schiet me iets te ~ that reminds me; van~ inside, [the door was locked] on (of: from) the inside, [the sound came] from within; ik ken 't huis van ~ I know the inside of the house; van ~ en van buiten inside and out, [he knows the town] inside out; ik ken hem (de zaak) van ~ en van buiten I know him (the business) like the back of my hand (know the ins and outs of the business); vochtig van ~ en bouwvallig van buiten damp within and ruinous without; van ~ naar buiten [the door opens] outwards, [in education we must work] from the inside outwards; ~bad covered (indoor) swimming-pool; ~bal bladder; ~band (inner) tube; ~bekleding lining; ~blijven keep (stay) indoors, keep one's room; ~band inside bend; ~bodem inner bottom; ~boords inboard; ~brand indoor fire, house-fire; ~brengen bring (take, carry) in; (schip) bring (take) into port; ~deur inner door; ~dienst indoor service; bij de - zijn be on the indoor staff; ~dijk inner dike; ~dijks (lying) on the landside of the dike; ~door gaan take a short cut; ~dringen I tr. penetrate (into); break into [a house]; force one's way into; enter by force; (met gedrang) crowd into; invade [a country; the water ...d the house]; enter [the bullet e.ed his heart]; II intr. force (of: push) one's way in; 't - van Rusland in Azië the intrusion of Russia into Asia; ~druppelen trickle in; come trickling in; ~gaan enter, go in; go into [the house]; turn in [he ...ed in here]; enter into [the new world]; - bij go into [Mrs. A.'s], turn into [a jeweller's]; even - look in [at a sale-room]; ~gaats inland; ~gedeelte inner part; ~goed (van sigaar) filler; ~halen fetch (bring) in; gather (in), get in [the crop(s)]; pocket, rake in, net, scoop up [profits]; land [a big fish]; zie inhalen & buit; ~handel home (of: inland) trade; ~haven a) inner harbour; b) inland port; ~hoek interior angle; ~hof inner court; ~houden keep [a p.] in; retain [food], keep [food] down; ~huis(je) (domestic) interior (ook schilderstuk); ~huisarchitect interior (designer and) decorator; ~in inside; ~kamer inner room (Matth. 6:6, enz.) closet; ~kant inside; ~kas (van horloge) inner case; ~komen come in (ook van trein, boot, vliegt., post, geld: there is nothing coming in), walk in, enter; get in [through the window]; (van trein ook) draw (pull) in; (van boot ook) come (drop) into port; wanneer moet de trein naar Londen –? when is the London train due in?; laat hem – let him come in, show (ask, have) him in; hij mocht

niet – he was not allowed in; kom(t) ~! (op kermis) walk up!; -d incoming [train, mail]; binnengekomen schepen, personen, enz. arrivals; ~komende entrant, newcomer; ~komst entrance, entry, coming in; ~koorts (s)low fever; ~kort before long, fairly soon, shortly, at an early date; ~krijgen get down [food]; get in [debts]; water – swallow water; (van boot) make (ship) water; ~kruipen creep in(to); ~land interior, inland; naar 't – gaan go inland, go up country; in ~ en buitenland at home and abroad; ~lander inlander; ~lands inland [postcard, navigation]; interior; internal [policy]; home-made [articles]; home-grown [tobacco]; home [trade, consumption, the ... press]; domestic, intestine [quarrels]; zie ook inlands; – Bestuur (Indian) Civil Service; Ambtenaar bij ... (Indian) Civil Servant; – nieuws home news; -e oorlog intestine (of: civil) war; -e Strijdkrachten Forces of the Interior; – verkeer inland communication; -e zaken home affairs; zie minister(ie); ~laten let in, show in (alleen van personen), admit; ~leiden usher (take) in; ~loods river-pilot; ~loodsen pilot [a ship] into port; ~lopen run (walk) in(to a house, etc.); (aanlopen) drop in [at the pub, upon a p.]; (van trein) run (draw) in (into the station); (van schip) put in (into port), make the harbour; ~meer inland lake; ~meid parlour maid; ~muur inner wall; ~nodigen invite (ask) in; ~oor inner ear; ~pad short cut; ~palmen pocket, appropriate; ~plaats court-yard; ~planeet inferior planet; ~plein inner court; ~pretje secret amusement; ~rijden ride (drive) in(to ...); (van trein) zie ~lopen; ~rijm internal rhyme; ~roepen call in; ~rukken march in(to a town, etc.), move in; ~scheepvaart inland navigation; ~schip(per) (master of a) river-vessel, (ook mv.) river-craft; ~shuis indoors; ~skamers (fig.) in private; ~slands in the country; ~slepen drag in(to the room, etc.), (schip) tow in(to port); ~smokkelen smuggle (in), run [goods, guns]; ~smonds under one's breath, between one's teeth, [swear] inwardly; – spreken, ook: mumble; ~sport indoor sport(s); ~stad inner town, town centre, centre of the town, city; naar (in) de – down town [go ...]; ~stappen step (of: walk) in(to the room, etc.) binnenst(e) bn. inmost, inner(most); zn. inside, interior; (diep) in zijn ~, in 't ~ van zijn hart in his heart (of hearts), in his inmost soul, at the back of his mind, deep down (in his heart), down under [he knew ...], [he cursed] inwardly; in zijn ~ lezen I can (read) him like a book; het ~ der aarde the bowels of the earth; ~-buiten inside out binnen[1]: ~stijds before one's time, before the set time; ~stomen steam into port (the river); ~stormen rush (dash, burst, bounce) in(to the room); ~stromen (ook fig.) stream (flow, pour, surge) in(to ...) [orders are pouring in]; 't – incursion [of water]; -d inrushing [water]; ~

[1] Voor samenstellingen met binnen zie ook in...

stuiven *zie* ~stormen; **~tijds** *zie* binnenstijds; ~**treden** *ww.* enter; *zn. zie* ~komst; ~**tredende** entrant, newcomer; ~**trekken** *zie* ~rukken; ~**vaart** inland navigation; ~**vader** master [of a work-house, etc.]; ~**vallen** drop in [*bij iem.* on a p.]; invade [a country]; (*van schip*) put in(to port); ~**gevallen schepen** arrivals; ~**verlichting** [*v. auto*) courtesy light; *hij is een* ~**vetter**, *ongev.*: he is a dark horse; ~**vragen** ask [a p.] in; ~**waaien** blow in (*ook fig.*: *bij iem.* on a p.); ~**waarts** *bw.* inward(s); *bn.* inward; ~**wateren** inland waterways, canals and rivers; ~**weg** short cut, by-road; ~**werk** inside work; (*van horloge*) works; (*van piano, enz.*) interior (work), mechanism; (*van sigaar*) filler; ~**werks** [3 ft] in the clear, inside measurement; ~**wippen** pop in [*bij* on]; ~**zak** inside pocket; ~**zee** inland sea; ~**zeilen** sail in(to port); ~**zijde** inside, inner side; ~**zool** insole

binocle (pair of) binoculars, opera-glass, binocular; **binomium** binomial; ~ *van Newton* binomial theorem

bint tie-beam, joist

biochemicus biochemist; **-chemie** biochemistry

biograaf biographer; **biografie** biography; **biografisch** biographical

bio-industrie factory farming, intensive agriculture

biologeren cast a spell on [a p.], mesmerize, fascinate; **biologie** *a*) biology; *b*) mesmerism

biologisch biological; **bioloog** biologist

biomagnetisme animal magnetism

bionica bionics

bioscoop[1] cinema, picture-theatre, -house, (*fam.*) pictures, (*sl.*) movies, flicks; *zie* bewerken; ~**bezoeker** film-, picture-goer; ~**commissie** board of film censors, film censorship board; ~**enthousiast** film fan; ~**orgel** cinema organ; ~**publiek** film-going public; ~**voorstelling** cinema show

biotechniek ergonomics

biotisch biotic

bips bottom

Birma Burma; **Birmaan, -anen, -s** Burmese

bis 1 encore; 2 (*noot*) B sharp

bisamrat(bont) musk-rat, musquash

Biscaïsch Biscayan

Biscaje Biscay; *Golf van* ~ Bay of Biscay; ~**r** Biscayan

biscuit id.; (*porselein*) biscuit (ware), bisque; ~**je** biscuit, cracker

bisdom diocese, bishopric

biskwie *zie* biscuit

bismut bismuth

bisschop bishop; (*drank ook*) mulled wine; ~**pelijk** episcopal; *-e regering* episcopacy

bisschops: ~**ambt** episcopal dignity; ~**mijter** mitre; ~**staf** crosier; ~**wijding** (episcopal) consecration; ~**zetel** bishop's (*of:* episcopal) see

bissectrice bisector

bisseren encore, recall

bit bit; *zie ook* gebit

bits snappish, snappy, acrimonious, tart [reply]; acidulous [remark]; sharp [tongue]; ~**heid** snappishness, etc., acrimony, acerbity

bitter I *bn.* bitter [draught, almonds, taste, truth, moment, death, tears, hatred, tone, words, cold, earnest, grief, complaints, disappointment, etc.]; *enigszins* ~ bitterish; ~ *als gal* (as) b. as gall; ~ *zijn jegens iem.* be b. with a p.; *dit maakte hem*~ this turned him sour; II *bw.* ... ly; ~ *wenen* weep ... ly, cry one's heart out; ~ *koud* bitter(ly) cold; ~ *weinig* next to nothing; III *zn.* bitters; *een glaasje* ~, *een* ~*tje* (a glass of) gin and bitters (*mv.*: two gins and bitters), an aperitif, a cocktail; ~**aarde** magnesia; ~**achtig** bitterish; ~**appel** b.-apple, b.-gourd, colocynth; ~**en** have a drink (*of:* drinks), have a gin (*of:* gins) and bitters; ~**fles** gin-bottle; ~**heid** ... ness (*fig. ook*) acrimony; ~**kers** b.-cress; ~**koekje** macaroon-(biscuit); ~**lijk** bitterly; B~**meren** B. Lakes; ~**tafel** cocktail-, drinking-table (in continental café); ~**tje** *zie* ~ *zn.*; ~**uur** cocktail time; ~**voorn** bitterling; ~**water** b. water, purging-water; ~**wortel** b.-wort; ~**zoet** b.-sweet [thoughts]; (*plant*) *ook:* woody night-shade; ~**zout** Epsom salt(s), magnesium sulphate

bitumen id.; **bitumineren** bituminize

bitumineus bituminous [coal]

bivak bivouac; *een* ~ *opslaan* lay out a b.; *zie* tent; ~**keren** bivouac; ~**muts** balaclava (helmet); ~**vuur** watch-fire

bizar bizarre, grotesque, eccentric

bizarrerie id., eccentricity

bizon bison (*ook mv.*: a herd of ...), (American) buffalo

bl. = *bladzijde* p.

blaadje leaflet; (*van samengesteld blad*) leaflet, foliole; (*bloem-*) petal; (*papier*) sheet; (*bedrukt*) leaflet; (*krant*) paper, (*min.*) rag [a Society ...]; (*thee~, enz.*) *a*) leaf; *b*) tray; (*presenteer~*) salver, tray; *'t* ~ *is gekeerd* the tables are turned; *bij iem. in een goed* ~ *staan* be in a p.'s good books, be well in with a p.; *bij iem. in een goed* ~ *trachten te komen* make up to a p.; *bij iem. in een slecht* (*kwaad*) ~ *staan* be in a p.'s bad (black) books; *zie* blad

blaag (young) scapegrace, brat

blaam blame, censure, reproach; (*smet*) blemish, reproach [it is a ... to the district]; *een* ~ *aanwrijven* (*werpen op*) cast a slur (reflections) on, reflect on; *hem treft* (*op hem rust*) *geen* ~ no b. attaches to him; *iem.* (*zich*) *van alle* ~ *zuiveren* exonerate a p. from all blame (exculpate o.s., clear one's character, clear one's (good) name), vindicate a p.

blaar blister (*ook op verf, enz.*); (~*tje*) vesicle; (*bles*) blaze; *blaren trekken* raise b ... s, blister the skin; *voeten met blaren* blistered feet; ~**koppen** black-and-white-faced cattle; ~**trekkend** raising b ... s, epispastic, vesicant, vesicatory; *– middel* blister, vesicant, vesicatory

blaas bladder; (*in water, glas, enz.*) bubble; ~**balg** (pair of) bellows; ~**breuk** rupture of the b.;

---

[1] *Zie ook* film

~ham ham-cured loin; ~instrument wind-instrument; *de* (*houten, koperen*) *-en, ook:* the (wood-, brass-) wind(s); ~je (*in lichaam*) vesicle; (*lucht, enz.*) bubble; ~jeskruid b.wort; ~kaak gasbag, windbag, braggart; ~kaken gas, swagger, brag(ging); ~kakerij gassing, swagger, brag; ~lamp blow lamp; ~ontsteking inflammation of the b., cystitis; ~orkest wind-band; ~pijp blow-pipe; (*van glasblazer ook*) blow-tube, blowing-iron; (*voor erwten*) pea-shooter; *-je* (*ademtester*) breathalyser; ~poepen: (*troep*) – German band; ~poot thrips; (*minder juist*) thrip; ~roer blow-pipe, -gun, -tube; ~steen vesical calculus, stone in the b.; ~varen b. fern; ~vormig b.-like, vesicular; ~wier b.-wrack, -kelp, -weed; ~worm b.-worm

blabla blah(-blah)

blad (*van boom, boek*) leaf, (*papier, metaal*) sheet, (*van gras, roeiriem, zaag*) blade, (*van lepel*) bowl, (*van tafel, wastafel*) top, (*uittrekbaar, van schrijftafel, enz., inleg~*) leaf, (*neerhangend*) flap, (*krant*) newspaper, publication; (*thee-, enz.*) tray; (*presenteer-*) tray, salver; *alleen ~ maken* run to l. [rather than to flower]; *geen ~ voor de mond nemen* not mince matters (one's words), call a spade a spade; *veranderen als een ~ aan een boom* become another man; *in 't ~ komen* (*schieten*), *~eren krijgen* come (burst) into l., put forth leaves; *in 't ~ zijn* be in l.; *van 't ~ spelen* (*zingen*) play (sing) at sight (from notes, prima vista); *'t van 't ~ lezen* (*zingen*), sight-reading (-singing); ~aarde l.-mould, l.-soil; ~achtig l.-like, leafy, foliaceous; ~deeg puff-pastry

bladder blister; ~en blister; ~ig bladdery, blistering

blader: ~dak (roof of) foliage; ~deeg puff pastry; ~dos foliage; ~en: *in een boek* – glance through a book, turn over (riffle through) the leaves (the pages) of a book; ~hark lawn-rake; ~ig leafy; (*van gebak, gesteente, enz.*) flaky; (*geol.*) *ook:* laminated; ~krans chaplet of leaves; ~kroon crown of a tree; ~loos leafless; ~rijk leafy; ~tooi foliage

blad: ~goud gold leaf, leaf-gold; (*klatergoud*) Dutch gold (*of:* metal); ~groen l.-green, chlorophyll; *-korrel* chlorophyll granule; ~groente (green) leaf(y) vegetables; ~haantje leaf-beetle; ~ijzer sheet-iron; ~knop l.-bud; ~koninkje yellow-browed warbler; ~koper sheet-copper, l.-brass; ~lood sheet-lead; ~luis plant-louse, green fly, aphis, aphid; ~maag *zie* boekpens; ~moes mesophyll; ~neus l.-nose(d bat); ~oksel l.-axil; ~plant l.-, foliage-plant; ~rand margin (of a l.); ~rank l.-tendril; ~roller l.-roller, tortrix; ~rups canker-worm; ~schede l.-sheath; ~schijf l.-blade, lamina; ~spiegel type page; writing area; text area, text space; ~stand arrangement of leaves, phyllotaxis; ~steel, ~stengel l.-stalk, petiole; ~stil: *'t was* – not a leaf stirred, there was a dead calm (not a breath of wind, not a stir of air); *'t werd* – there fell a dead calm; ~

tabak l.-tobacco; ~thee whole-leaf tea; ~tin tin-foil; ~veer l. spring; ~versiering l.-work, foliage; ~vlo l.-flea, plant-louse; ~vormig l.-shaped; ~vulling fill-up, stop-gap; *'t is maar* – it's mere padding; ~wachter catchword; ~wesp l.-wasp, saw-fly; ~wijzer *a*) index, table of contents; *b*) bookmark(er); ~zijde page [open your book at ... 5]; ~zilver l.-silver; ~zink sheet-zinc

blaffen bark [*tegen* at; *ook fig.*]; *hij blaft harder dan hij bijt* his bark is worse than his bite; *tegen de maan* – bay the moon; *de honden bijten niet barking dogs seldom bite; -er 1* (*ook fig.*) barker, yelper; 2 register

blafhoest barking cough

blaken burn; (*van zon*) blaze; bream [a ship]; (*schroeien*) parch, scorch; *~ van* glow with [patriotism, health]; *~d ook:* ardent; *in-e gunst* in high favour; *in-e welstand* in the pink (of health), in radiant (robust, rude) health, (*fam.*) alive and kicking

blaker flat candle-stick; ~en scorch, burn, parch, *de zon ~t de velden* the fields are blazing in the sun; *door de zon geblakerd* sun-baked [fields]; *zie* blaken

blamage disgrace, gaffe, s.t. to one's discredit

blameren bring discredit upon, discredit; *zich ~* compromise (*of:* disgrace) o.s., lose face

blanc-manger blancmange

blanco blank [cheque]; *~-accept* b. acceptance; *~-krediet* b. (*of:* open) credit; *~ laten* leave b.; *~-endossement* b. endorsement; *in ~ endosseren* endorse in b.; *in ~ opgemaakt* drawn up (made out) in b.; *in ~ verkopen* sell short [he sold short 1000 shares]; *~ stem* abstention; *~ stembiljet* b. voting-paper; *~ stemmen* abstain (from voting), send in a b. (an unmarked) paper; *~ volmacht* b. power of attorney; *nog ~ zijn* have an open mind, be undecided

blanda (*Ind.*) Dutchman, white (man)

blank I *bn.* white [as ... as silver], clear-skinned; (*van huid*) white [her ... arms], clear, fair [complexion]; plain [oak], (*blinkend*) bright; (*fig.*) pure; *'t ~e wapen* cold steel; *de ~e sabel* the naked sword (*met ...*, *ook:* [driven away] at the point of the sword); *~ ras* w. race; *~e slavin* w. slave; *~e verzen* blank verse; *~ schuren* scour bright; *het land staat ~* the land is flooded; II *zn.* (*domino*) blank; *een ~e* a white (man, woman); *~en* whites; *~etsel* (face, facial) paint, rouge; (*zich*) *~etten* paint, rouge; ~heid whiteness, fairness, purity; ~voorn roach

blaren 1 blister; ~staal blister steel; 2 *zie* blèren

blasé *zie* geblaseerd; blaten bleat

blauw I *bn.* blue [*van ...* with cold]; *~ bloed* b. blood; *~e boon*, (*fig.*) ounce of lead; *~e haai* b. shark; *~e knoop* b. ribbon (*lid daarvan* teetotaller); *hij is van de ~e knoop* he has taken the pledge; *een ~e maandag* a very short time; *iem. een ~ oog slaan* give a p. a black eye, black a p.'s eye; *~e plek* bruise; *gauw ~e plekken krijgen* bruise easily; *~e regen* wistaria; *~e scheen, zie* blauwtje; *~e zone* b. zone; *~ laten aanlopen* blue [steel]; *de zaak ~ ~ laten* leave the matter there, let the matter rest; *zie* druif & wimpel; II *zn.* blue [dressed in ..., the ... of the sky; *ook ~ porselein*]; *Zeeuwse ~en, (aardappelen)* Zeeland blues; *zie* Berlijns; **~achtig** bluish; **B~baard** Bluebeard; **~bekken:** *staan* - stand in the cold; **~bes** bilberry, whortleberry; **~boek** b.-book; **-je** pamphlet; **~borstje** b.-throat; **~druk(ken)** b.-print; **~en** *tr.* blue [linen, steel], water [milk]; *intr.* become b.; *(opdoemen)* loom (up); **~e-regen** wistaria; **~geruit** b.-checked; **~gras** b. grass; **~grijs** bluish grey; **~heid** blueness; **~hout** logwood; **~keeltje** b.-throat; **~kous** b.-stocking; **~maanzaad** poppy seed; **~mees** *zie* pimpelmees; **~ogig** b.-eyed; **~sel** blue; *door 't – halen* blue; **-zakje** blue bag; **~steen** *zie* azuursteen; **~tje** *(vlinder)* blue; *een – geven (lopen)* give (get) the mitten, turn (be turned) down; **~verven (-er)** dye(r) in b.; **~ziekte, ~zucht** b. disease, b.-jaundice, cyanosis; *lijdende aan –, ook:* cyanotic; **~zuur** Prussic acid

blazen blow [one's tea, a trumpet, glass; *ook van wind, walvis, enz.*]; sound *(zie* appèl, enz.); *(van kat)* spit, swear; *(van locomotief)* snort; *(damspel)* huff; *twee keer ~, (op trompet, enz.)* give two blasts; *iem. iets in 't oor ~* whisper s.t. in a p.'s ear; *~ op* b. (breathe on) [one's food], b. [the flute], b., sound [a whistle], b. (on), sound, wind [the horn]; *hoog van de toren ~* brag; *beter hard gebl. dan de mond gebrand* it is better to be safe than sorry; *het (hij) is geblazen* it (he) is gone; *ik zou je ~!* nothing doing!; *zie* aanval, bus, enz.

blazer blower *(ook: mijnspleet)*; *(zwaar ademend persoon)* grampus; *(jasje)* id.

blazoen blazon; **~eren** (em)blazon

bleef *o.v.t. van* blijven

bleek I *bn.* pale, pallid, wan; *zo ~ als een doek (de dood)* as white as a sheet, as p. as death; *~ worden* (go, get, grow, turn) p.; *~ zien* look p.; *~ van woede* p. with fury; II *zn.* bleach(ing)-field, -ground, -green; **~achtig** palish; **~blauw** p. blue; **~geel** palish yellow, sallow [complexion]; **~geld** *zie* ~loon; **~gezicht** p.-face; **~groen** palish green; **~heid** paleness, pallor; **~jes** palish; **~loon** bleaching-money; **~middel** bleach, decolorant; **~neus** pale child; **~poeder** bleaching-powder; **~rood** palish red, pink; **~veld** *zie* bleek *zn.;* **~vos** light bay (horse); **~wangig** p.-cheeked; **~water** bleach(ing-liquor); **~zucht** chlorosis, green-sickness; **~zuchtig** chlorotic; III *ww. o.v.t. van* blijken

blei white bream; **blein** blister

bleken bleach, whiten; **bleker** bleacher

blekerd pale wine

blende id.

blèren squall, bawl, howl, blare [the band ... d]; *(blaten)* bleat

bles *a)* blaze, *(kleine)* star; *b)* blazed horse, horse with a blaze

blesseren injure, wound

blessure injury, wound

bleu timid, bashful, shy; **~heid** timidity, bashfulness, shyness

bliek *zie* blei & sprot

blies *o.v.t. van* blazen

blijde *zn. (hist.)* ballista, mangonel, trebuchet

blij(de) glad [looks, news, tidings; I am glad to ..., that ...], happy [day, event; be happy to ...], joyful, joyous, pleased; *ik ben er ~ om (mee)* g. of (happy, pleased with) it; *iem. ~ maken* make a p. glad; *de kinderen eens ~ maken* give the children a treat; *~ te moede* in a happy mood; *~ toe!* and a good thing too!; *zie* boodschap, mus, verwachting, enz.; **blijdschap** gladness, joy [*over* at], glee [clap one's hands in ...]

blijeindend with a happy ending; *~ treurspel* tragi-comedy

blijgeestig(heid) *zie* blijmoedig(heid)

blijheid gladness, joy(fulness)

blijk token, sign, mark; *~ geven van* give evidence of; show [courage]; reflect [great optimism]; betray [fear]; register [surprise, boredom]; *ten ~e waarvan* in witness whereof

blijkbaar *bn.* apparent, obvious, evident; *bw.* ...ly

blijken appear, be (become) evident (obvious, apparent); *'t blijkt, dat ...* it appears that ...; *'t bleek mij, dat ...* I found that ...; *dat moet nog ~* that still has to be proved; *dat zal spoedig ~* we shall soon see; *dat blijkt aldoor* that shows all the time; *~ te zijn* turn out (prove) to be [a good teacher]; *waar (een hinderpaal) ~ te zijn* prove (to be) true (an obstacle) [our new maid proves (to be) a treasure, *een juweeltje*]; *doen ~ van* give evidence of; *laten ~* show, betray [one's ignorance], let [it] appear; *(fam.)* let on [he knows more than he lets on; don't let on to him that ...]; *hij liet (er) niets (van) ~, ook:* he gave no hint of it, he gave no sign; *(fam.)* he kept it dark; *je moet er niets van laten ~* don't seem to know anything about it, keep it dark; *~ uit* appear (be apparent) from; *uit alles blijkt dat ...* everything goes to show that ...

blijkens (as appears) from

blijmare glad news (tidings)

blijmoedig cheerful [a ... giver], joyful, merry, jovial; **~heid** cheerfulness, joviality, joyfulness, mirth

blijspel comedy; **~dichter, -schrijver** writer of -dies; *ook:* comedian

blijven 1 *(ergens)* stay *(meest van pers.)*, remain; *(fam., van pers.)* stop [with a p., to dinner, a few days in London; I'm not ... ping]; *(~ logeren, wonen, enz.)* stay on [one is staying on, all the others are going]; *(inz. Am.)* stop over; *nog wat ~* s. a little longer, stay on for a bit; *hij bleef langer dan ons lief was* he outstayed his welcome; *hij bleef (even) praten* he stayed for a chat; *ik ben blij dat ik er gebleven ben (op een kantoor bijv.)* I am glad I hung on; *blijf je vannacht?* are you staying the night?; *blijf je lang?* are you making a long stay?; *het is er en het blijft er* it has come to s.; *de ... blijft* the betting-tax has come to s.; *aan het radiotoestel ~* stand by; *waar blijft 't ontbijt?* where is breakfast?; *waar blijft 't geld?* where does the money go?;

waar is hij (mijn hoed)(toch) gebl.? what (whatever) has become of him (of my hat; whereever has my hat got to)?; *waar blijf je?* what keeps you? [I wonder what can be keeping him]; *waar ben je zo lang gebl.?* where have you been all the time?; *waar ben ik gebl.?*, *(in verhaal, enz.)* where was I? what was I saying?; *waar zijn we gebleven (met lezen)?* where did we get to?; *waar je gebleven bent* where you left off; *waar blijf je nou?* *(iron.)* so what?; *tot 't einde van ...* ~ stay the service out, sit out the concert; 2 *(in een toestand)* remain [young, a p.'s friend, I remain yours truly ...], continue [... friends, the weather ... d fine], stay [single *ongetrouwd*], keep [serious, quiet]; go [unanswered, undiscovered]; *goed* ~, *(van eetwaren)* keep; 3 *(overbl.)* remain, be left; *2 van de 5 blijft* 3 2 from 5 leaves 3; *er blijft mij geen andere hoop dan ...* I have no hope left but ...; *er blijft nog veel te doen* much remains to be done; 4 *(omkomen)* perish, fall, be killed, be left [on the field of battle]; 5 *(uitbl.)*: *hij blijft lang (weg)* he is a long time (in) coming (back); 6 *(doorgaan met)* continue ...ing, continue to, go on ...ing, keep (on) ...ing [he kept looking at me]; *(maar steeds)* ~ *zitten (wachten, hopen, enz.)* sit (wait, hope, etc.) on; *zie verder liggen, nablijven, zitten, enz.*; 7 ~ *eten (koffiedrinken)* stay to dinner (lunch); ~ *leven* live (on); *zie ook hangen, enz.*; 8 ~ *bij* stay (remain) with [a p.], abide (stand) by [what one has said], stick (adhere) to [one's decision], persist in, stand to [one's refusal]; attend to [one's work]; *zie mening, enz.*; *bij de zaak* ~ keep (stick) to the point; *hij blijft erbij, dat ...* he persists in saying (he maintains) that ...; *'t blijft er dus bij, dat ...* so it is agreed that ...; *en daarbij bleef het* and there the matter rested *(of:* stopped); *maar 't bleef niet bij ...* but the matter did not end with letter-writing; *alles bleef bij 't oude* things went on just as they were; *zie laten; dat blijft onder ons, a)* don't let it go any further; that is strictly between ourselves; *b)* it won't (shan't) go any further; *op het voetpad* ~ keep to the foot-path; *dus dat blijft (bepaald) op dinsdag?* so Tuesday stands?; *zie beneden, enz.*

blijvend lasting [impression, evidence, peace], enduring [value], fast [colour], permanent, [abode, teeth], standing [danger], abiding [he has an ... place in our hearts]; *niets is* ~ nothing lasts; ~*e belasting* dead load; *wij hebben hier geen* ~*e plaats, (bijb.)* here we have no continuing city; *ons fabrikaat heeft zich een* ~*e plaats verworven* has come to stay; *een geschenk van* ~*e waarde* a lasting present

blijver stayer; ~*tje*: '*t kind is geen* – the child will not live long

1 blik look, gaze; *(vluchtig)* glance, glimpse; *(heimelijk)* peep; *een* ~ *slaan (werpen) in (op)* (throw, cast, take a) glance at, *(heimelijk)* steal a glance at; *een* ~ *toewerpen* throw (cast) *(haastig:* shoot) a glance at, throw (cast, give) [a p.] a look; *begerige* ~*ken werpen op* throw (cast) covetous eyes upon; *zijn scherpe* ~, *(ook fig.)*

his keen eye; *iem. met een heldere* ~ man of quick discernment; *bij de eerste* ~ at first sight, at the first glance; *in één* ~ at a glance, with one look; *hij overzag 't gehele toneel met één* ~ he took in the whole scene at a glance; *zie afwenden, ruim, enz.*

2 blik 1 tin(-plate); *vlees in* ~ tinned *(Am.* canned) meat; 2 *(vuilnis-)* dust-pan; 3 *zie* ~*je*; ~*brood* tin-loaf; ~*groenten* tinned *(Am.* canned) vegetables; ~*je (zalm, enz.)* tin, *(Am.)* can; *een oud* – an old tin can

1 blikken *bn.* tin

2 blikken *ww.* look, glance; *(knipogen)* wink, blink; *zonder* ~ *of blozen* unblushingly, without blushing, without a blush, without batting an eyelid

blikkenmelk tinned *(Am.* canned) milk

blikkeren sparkle, flash

blikogen show the whites of one's eyes, blink

blikopener tin-opener, *(Am.)* can-opener

blikschaar (pair of) plate-shears; *(klein)* tin-snips

blikschade bodywork damage

bliksem lightning; *de* ~*s van het Vaticaan (van Jupiter)* the thunders of the Vatican (the thunderbolts of Jupiter); *hete* ~ apples and potatoes stewed and served hot; *wat* ~*!* what the blazes!; *arme* ~ poor devil; *als de* ~ like blazes, (as) quick as l., like (greased) l., like a house on fire; *als door de* ~ *getroffen* thunderstruck; *naar de* ~ *gaan* go to the dogs (to pot, west); *wéér f 100 naar de* ~ ... down the drain; *loop ...!* go to blazes!; *door de* ~ *getroffen* struck by l.; *zie donder & drommel*; ~*afleider* l.-conductor, l.-rod; ~*buis* fulgurite; ~*en* lighten; *(van ogen, enz.)* flash; *(uitvaren)* storm and swear, fulminate, thunder; *(plat)* smash; chuck; *het bliksemt* it lightens, there's a flash of l.; ~*flits* flash of l.; ~*licht (vuurtoren, fot.)* flashlight; ~*oorlog* blitzkrieg; ~*poeder* flash-powder; ~*s*! I *tw.* hang it! the deuce!; *bw.* devilish, deucedly [clever]; – *gauw, (sl.)* like greased lightning; – *veel geld* a hell of a lot of money; II *bn.* devilish, deuced, infernal; *(sl.)* bloody [the ... fool!]; ~*schicht* flash of l.; thunderbolt; ~*slag a)* stroke of l.; *b)* thunderclap; ~*snel* with l. speed, quick as l. (as thought); ~*snelheid* l. speed; ~*straal* flash (streak) of l., l. flash; *als een* – *uit een heldere hemel* like a bolt from the blue, [the news fell] like a bombshell; ~*vuur* lightning

blikslager tinman, tinsmith, whitesmith; *(rondtrekkend)* tinker; ~*(s) zie* bliksem(s); ~*swerk* tinware

bliktanden bare one's teeth

blikvanger *(in etalage, enz.)* eye-catcher

blikwerk tinware; ~*er* tin-plater

blind I *zn.* shutter; II *bn.* blind [*van* with; *ook fig.*: ... fury, prejudice; love is ...], sightless; ~*e bocht* b. corner (bend); ~*e darm* b. gut, caecum; *(onjuist* = *wormvormig aanhangsel)* (vermiform) appendix; ~*edarmontsteking* appendicitis; ~*edarmoperatie* append(ic)ectomy; ~*e deur* b. (sham, dead, blank) door; ~*(e) ge-*

hoorzaamheid (*geloof*) implicit (blind) obedience (faith); ~*e kaart* blank map, skeleton map; ~*e klip* sunken (submerged) rock; ~*e muur* dead (blank) wall; *een ~ paard kon er geen schade doen* the room was bare of furniture; ~*e passagier* stowaway; ~*e steeg* b. alley; ~ *toeval* mere chance; ~ *typen* touchtype; ~ *venster* b. (sham) window; ~*e vinken beef* (*of:* veal) olives; ~*e vlek* b. spot; ~ *werktuig* b. tool [in a p.'s hands]; ~ *worden* go b.; ~ *maken* blind (*voor* to); *ik heb er mij ~ op gekeken* I've pored my eyes out; *zich ~ staren op* have [an idea] on the brain, be obsessed by ...; *zo ~ als een mol* as b. as a bat (beetle, mole); ~ *aan één oog* b. in (of) one eye; ~ *voor* b. to [a p.'s faults, the beauties of nature]; *zie ook* ~e; III *bw.* blindly; *zie* ~*elings;* ~*vliegen* fly b.; ~**doek** bandage (before the eyes); (*fig.*) blind; *een – voorbinden* = ~**doeken** blindfold; (*fig.*) hoodwink; *geblinddoekt, ook:* blindfold; ~**druk** (*in boek*) blind impression; (*op band*) blind tooling; ~e b. man, b. woman; (*kaartspel*) dummy; *in 't land der* ~*en is éénoog koning* in the country of the b. the one-eyed man is king; *whist met de* ~*e* dummy whist; *met de* ~*e spelen* play with a dummy, have dummy for a partner; *in den* ~*e* blindfold, at random, blindly; ~**elings:** *– [te werk gaan]* [go at it] blindly, [vote] with one's eyes shut; (*obey, trust a p.*] blindly, implicitly; *zie* in den ~e; ~**eman** blind man; ~**emannetje** (*spelen*) (play at) blindman's buff; ~**enbibliotheek** library for the blind; ~**enboek** book for the blind, embossed book; ~**engeleidehond** guide-dog, (*Am.*) seeing-eye dog; ~**eninstituut** institute for the b., b. institution; ~**enschrift** writing (*of:* type) for the b., Braille, raised type; ~**eren** blind, armour; *geblindeerde trein* armoured train; ~**ganger** unexploded shell; ~**geboren** born b., b.-born; ~**heid** blindness; *met – geslagen* struck (smitten) with blindness, struck b.; ~**klinktang** riveting pliers; ~**vliegen** b. flying; ~**slang,** ~**worm** b.-, slowworm

blink *zie* glans & (*Z.-Ned.*) schoensmeer
blinken shine, glitter, gleam; *eksters houden van alles wat blinkt* ... are fond of anything bright
blinkerd white dune
blister(verpakking) bubble (blister) pack
blits hep
bloc: *en ~* id., [buy, sell] in the lump, [admit 14 new members] in a body, [reject demands] in their entirety; ~**note** note-, writing-, scribbling-, desk-, tear-off pad
blo(de) bashful, timid; *beter ~ Jan dan do Jan* better safe than sorry; discretion is the better part of valour
bloed 1 blood; ~ *in de urine* haematuria; *nieuw ~,* (*fig.*) fresh b., [infuse] new b. [into a business]; *het ~ kruipt waar het niet gaan kan* b. is thicker than water; *goed ~ ontaardt* (*liegt, verloochent zich*) *niet* b. tells, b. will show; ~*aanzetten* make (*of:* build) b.; *kwaad ~ zetten* breed (make, stir up) bad (*of:* ill) b. (*of:* feeling); *iems. ~ sneller doen kloppen* make a p.'s heart beat faster; *je*

haalt iem. 't ~ onder de nagels vandaan you'd try a saint; *hij beet zijn lip aan ~, zie:* tot bloedens toe; *dat zit in 't ~* that runs in the b., it is in my (etc.) b., it is part of my character; *zie* bestaan; *naar den ~e verwant* related by b.; *van adellijk ~ zijn* be of noble b. (*of:* extraction), (*fam.*) have blue b. in one's veins; *prinsen van den* ~e princes of the b. (royal); *zie* baden, koel, enz.; 2 (*sukkel*) simpleton; ~**aandrang** congestion, rush of b. [to the head]; ~**aanzettend** *zie* ~vormend; ~**achtig** b.-like, haematoid; ~**ader** vein; ~**agaat** b.-coloured agate; ~**arm** anaemic; ~**armoede** anaemia, poorness of b.; ~**baan** bloodstream; ~**bad** (*wholesale*) slaughter, bloodshed, carnage, massacre, shambles, b.-bath, bath of b.; *een – aanrichten* make a slaughter, massacre (butcher) the inhabitants of a place; ~**bank** bloodbank; ~**beuling** blackpudding, blood-sausage; ~**bezinking** b. sedimentation; ~**blaar** b.-blister; ~**bolletje** b.-globule; ~**braking** vomiting of b., haematemesis; ~**dorst** thirst for b., b.-lust, bloodthirstiness; ~**dorstig** bloodthirsty, sanguinary; ~**dorstigheid** *zie* ~dorst; ~**druk** b.-pressure; ~**drukmachine** sphygmomanometer; ~**druppel** drop of b.; *zijn* ~**eigen** *kinderen* his own flesh and blood; *mijn – broer* my very own brother; ~**eloos(heid)** bloodless(ness)
bloeden bleed (*ook fig.:* my heart ...s); *erg ~* bleed freely (profusely); *hij zal ervoor ~,* (*geldelijk*) he shall pay (*boeten, ook:* suffer) for it; *iems. neus aan 't ~ slaan, zie* bloedneus; *uit de neus* (*aan 't voorhoofd*) ~ bleed at (*of:* from) the nose (from the forehead); *hij doet alsof zijn neus bloedt* ... as if it's no concern of his; *de slag veroorzaakte een* ~*de wond* the blow drew blood; *met* ~*d hart* with a bleeding heart; *tot* ~*s toe* till it bleeds, till the blood comes (starts, runs)
bloed: ~**er** (*med.*) bleeder; ~**erig** bloody; *een – verhaal* a blood-and-thunder story; ~**erziekte** haemophilia; (*fam.*) bleeding; ~**geld** blood-money, price of b.; ~**getuige** martyr; ~**gever** (*bij* ~*transfusie*) b.-donor; ~**gierig** *zie* ~dorstig; ~**gift** b.-donation; ~**groep** b.-group; ~**heet** sweltering, broiling; ~**hond** bloodhound; (*fig.*) bloodthirsty person; ~**ig** bloody, sanguinary, blood-stained [hands, battlefield], gory [locks]; ~*e ernst* bitter (deadly) earnest; *een – incident* an incident involving bloodshed; *een* ~*e sport* a blood-sport; ~*e tranen schreien* shed tears of b.; *– werken* toil (and moil); *zijn – gespaarde geld* his hard-earned savings; ~**ing** bleeding, h(a)emorrhage; ~**je** (poor) little thing; ~**klonter** clot of b., b.-clot; ~**koek** mass of clotted b., coagulum; ~ **koraal** red coral; ~**lichaampje** [red, white] b.-corpuscle; ~**loop** dysentery; ~**neus** bloody (bleeding) nose; *iem. een – slaan* blood a p.'s nose; ~**onderzoek** b.-test; ~**plaatje** thrombocyte, b. platelet; ~**plakkaat** bloody edict; ~**plas** pool of b.; ~**plenging** bloodshed; ~**prijs** *zie* ~geld; ~**proef** b. test; ~**raad** Council of B., B. Tribunal, Bloody Council; ~**rijk** sanguineous;

~rood b.-red, scarlet; ~schande incest; ~schend(st)er incestuous person; ~schendig incestuous; ~schuld b.-guilt(iness); ~sinaasappel b.-orange; ~sneeuw red snow; ~somloop circulation (of the b.) [lesser and greater c.]; *moeilijkheden bij de* – circulatory difficulties; ~spoor *a)* trail of b.; *b)* trace of b.; ~spuwing spitting of b., haemoptysis; ~steen b.-stone, haematite; ~stelpend (*middel*) styptic; ~storting *zie* ~uitstorting & ~vergieten; ~stroom b.-stream; ~telling b.-count; ~transfusie b.-transfusion; ~uitstorting (*in de hersenen*) cerebral haemorrhage; ~vaan red banner; ~vat b.-vessel; ~vatenstelsel vascular system; ~vergieten bloodshed; ~vergiftiging b.-poisoning, pyaemia, sepsis; ~verlies loss of b.; ~ verwant (b.-)relation, relative, kins(wo)man; *mv. ook:* kinsfolk; ~verwantschap b.-relationship, consanguinity; ~vete b.-feud; ~vin *zie* ~zweer; ~vlag red flag; ~vlek b.-stain; ~vocht plasma; ~vormend b.-making, b.-building; ~vorming b.-making, -building, formation of b., sanguification; ~warmte b.-heat [keep at …]; ~water b.-fluid, serum; ~watering haematuria; (*bij vee*) red water; ~wel *zie* ~water; ~worst *zie* ~beuling; ~wraak vendetta, b.-feud, b.-revenge; ~wreker avenger of b.; ~ziekte b.-disease; ~zuiger leech, b.-sucker; ~*s aanleggen* apply leeches; ~zuiverend (*middel*) abstergent, depurative; ~zuivering b.-purification; ~zweer boil, bloody tumour; (*aantal bij elkaar*) crop of boils; ~zweet bloody sweat

bloei blossom (*inz. van vruchtboom*), flower, bloom; (*'t bloeien*) flowering, florescence; (*fig.*) flourishing (prosperous) condition (period), prosperity; bloom, flower [of youth]; *tweede* ~ second bloom(ing); *in* (*volle*) ~ *staan* be in (full) bloom (blossom, flower); *in de* ~ *der jaren* in the prime of life, in the flower of one's age; *tot* ~ *brengen* bring to prosperity; *tot* ~ *komen* become prosperous, reach perfection; ~en bloom, flower; (*inz. van vruchtboom*) blossom; (*fig.*) flourish, prosper, thrive; ~d *ook:* [lilies] in bloom; (*fig.*) *ook:* prosperous; *laat –de plant* late flowerer; ~kolf spadix; ~maand floweringmonth, May; ~periode, ~tijd flowering-time, blossom-time, florescence; (*fig.*) flourishingtime, flowering(-time), hey-day, palmy days; ~wijze inflorescence [definite, indefinite …]
bloem flower; (*van meel*) flour; *de* ~ *van* … the flower (pick, choice, pink, élite) of knighthood, etc.; ~*en op de ruiten* frost-flowers; *de* ~*en stonden op de ruiten* the windows were frosted over; *geen* ~*en* (*op verzoek*) no f…s (by request); *met* ~*en versierd* flowered; ~ *van zwavel* f…s of sulphur; *retorische* ~*en* f…s of rhetoric, f…s of speech; ~aarde fine mould; ~achtig f.-like; ~bak f.-box; (*buiten 't raam*) window-box; ~bed f.-bed; ~bekleedsels perianth; ~blad petal; ~bodem receptacle, torus; ~bol (f.-)bulb; *zie* bollenkweker, enz.; ~dek perianth; ~dragend phanerogamic, phanerogamous
bloemegeur scent (fragrance, perfume) of flowers

bloemen- flower: ~corso flower (floral) parade; ~feest floral fête; ~hulde floral tribute(s); ~mand f.-basket; ~markt f.-market; ~meisje f.-girl; ~pracht wealth of flowers; ~rand f.-border; ~spuit spraying syringe; ~stander, ~tafel f.-stand; ~teelt f. culture, floriculture; ~tentoonstelling f.-show; ~tooi decoration (*of:* display) of flowers; ~weelde wealth of flowers; ~winkel florist's (shop)
bloem flower: ~etje *zie* ~pje; *de* –*s buiten zetten* paint the town red, go (be) on the spree, live it up; ~godin goddess of flowers, Flora; ~hof f.-garden; ~hoofdje capitulum, f.-head; ~ig flowery; (*van aardappel*) floury, mealy; ~ist(erij) florist('s); ~kelk calyx; ~kever f.-beetle; ~knop f.-bud; ~kolf spadix; ~kool cauliflower; ~krans wreath (chaplet) of flowers, floral wreath; *zie* ~slinger; ~kroon corolla; ~kweker florist, floriculturist; ~kwekerij (*vak*) floriculture; (*zaak*) florist's (business); ~lezing anthology; (*als titel ook*) analecta; ~markt f.-market; ~perk f.-bed, f.-plot; ~pje little f., floweret; *zie* bloem; ~pjesdag flag-day; ~pot f.-pot; ~riet (*Indisch*) – canna; ~rijk flowery, (*fig. ook*) florid; ~rijkheid floweriness, floridity; ~ruiker bouquet, nosegay; ~schede spathe; ~scherm umbel; ~schikkunst f. arrangement; ~slinger garland of flowers; ~steel, ~stengel f.-stalk, peduncle; ~stuk (*bij feest, enz.*) bouquet, floral tribute; (*bij begraf. ook*) floral emblem; (*schilderij*) f.-piece, -picture; ~tafel f.-stand; ~tuil bunch of flowers, bouquet; (*bloeiwijze*) corymb; ~versiering floral decoration; ~zoet sugary
bloes(je) *zie* blouse
bloesem(en) blossom, bloom, flower
blohartig faint-hearted; ~heid …ness
bloheid bashfulness, timidity
blok (*hout, steen, huizen, van schavot, bij spoorw., log persoon*) block; (*hout ook*) log; (*brandhout*) billet; (*luchtv.*) chock [*de* ~*ken wegnemen* withdraw the …s]; (*mar.*) pulley-block; (*lood, tin*) pig; (*aan been*) clog, hobble; (*speelgoed*) building-)block, brick; (*wisk.*) parallelepiped; (*straftuig*) stocks; (*pol.*) [Central European] bloc, block; *in 't* ~ *sluiten* put in the stocks; *een* ~ *aan 't been hebben* be clogged; *zij was voor hem een* ~ *aan 't been* she was a drag on him; *voor 't* ~ *zetten* put [a p.] on the spot; *voor 't* ~ *zitten* be up against it; ~boek b.-book; ~druk b.-print(ing); ~fluit recorder; ~hoofd civil defence warden; ~huis blockhouse (*ook mil.*), loghouse; (*spoorw.*) signalbox; ~hut log-cabin; ~je (*bouillon, kaas, enz.*) cube, square; *aan* (*in*) –*s snijden* dice [potatoes]
blokkade blockade; *door de* ~ *heensluipen* run the b.; ~breker b.-runner
blokken 1 swot [for exams], mug up [a subject (*op*…)], plod, grind away [*op* at]; 2 (*bij spoorw.*) block
blokkendoos *zie* bouwdoos
blokker swot

blokkeren blockade; (*banksaldo, enz.*) block, freeze; (*van wielen*) lock; (*typ.*) turn [(for) a letter]; *de wegen waren geblokkeerd* the roads were blocked (up)

blok: ~**ketting** block-chain; ~**letter** b.-letter; *in –s,* (*op formulier, enz.*) *ook:* please print; ~**lood** pig-lead; ~**patroon** tile design; ~**schaaf** smoothing-plane; ~**schema** b.-diagram; ~**schip** b.-ship; ~**schrift** b.-letters, b.-writing; ~**signaal** b.-signal; ~**stelsel** b.-system; ~**wachter** signalman

blom *zie* bloem

blond fair, light, blond (*v* blonde: a ... girl); ~**e** blonde (lace); ~**harig** fair-haired; ~**heid** fairness, lightness; ~**ine** blonde, fair-haired (fair-complexioned) girl

blonk *o.v.t. van* blinken

bloodaard coward, faint-heart

bloot I *bn.* bare [arms], naked [body], bald [facts]; (*enkel*) mere, bare; *de blote gedachte* the mere (bare, very) thought [makes me shudder]; *blote sabel* naked (*of:* drawn) sword; *blo(o)t(e) formaliteit (toeval, vermoeden)* mere form (chance, suspicion); *met blote hals,* (*van dame*) in a low dress; *met blote rug,* (*van jurk*) bare-backed; *met 't blote oog* with the naked (unaided) eye; *met* (*op*) *blote voeten* barefoot(ed); *onder de blote hemel* in the open (air), under the open sky; *iem. op zijn blote knieën danken* thank a p. on one's bended knees; *op 't blote lijf dragen* wear next (next to) the skin; **II** *bw.* merely, barely; ~ *met de bedoeling om te* ... for the mere purpose of ...ing; ~ (*paard-*)*rijden* ride bareback; **III** *zn.* flesh, nudity; (*in advertentie e.d.*) (*sl.*) cheesecake; ~**geven:** *zich* –, (*schermen*) lay o.s. open; (*fig.*) show one's weak side (*of:* point), commit o.s.; *zich niet* –, (*fig. ook*) be non-committal; *zonder zich* ~ *te geven* [answer] non-committally, in a non-committal manner; ~**heid** nakedness, bareness, nudity; ~**je:** *in zijn* – mother-naked, in the altogether; ~**leggen** (*ook fig.*) lay open (bare), expose [foundations], bare [one's soul], uncover [the soil, a secret]; *zijn zaak* – state one's case; *zijn plan* – unfold one's plan; ~**liggen** lie bare, lie open [voor to], be exposed (to view); ~**shoofds** bare-headed, with bared head(s); ~**staan** *aan* be exposed (liable) to; ~**stellen** expose; *zij stelden hun leven* (*voortdurend*) ~ they carried their lives in their hands; *zich – aan* expose o.s. to [danger, derision], lay o.s. open to [criticism, derision, a charge]; ~**svoets** barefoot(ed); ~**wol** skin-wool

blos (*van verlegenh., enz.*) blush; (*van emotie*) flush; (*van gezondh.*) bloom; *een* ~ *aanjagen, zie* blozen (*doen ...*)

blotebillengezicht pudding face; (*fig.*) sight

bloterik *a*) nudist; *b*) (backless) sun-frock

blouse blouse; (*van jongen*) shirt

blozen blush [with shame]; blush like a beetroot], flush [with excitement], colour (up); *gauw* ~ b. (flush) easily; *doen* ~ cause to b.; *iem. doen* ~, *ook:* raise a b.; ~ *over zijn gedrag* b. at one's

conduct; ~ *tot over de oren* b. (*of:* colour) up to one's ears (eyes, temples); *over zijn hele gezicht* ~ b. all over; *zie* blikken; ~**d** blushing, flushing; (*vgl. bov.*); ruddy, florid, rosy [face]

blubber *a*) *zie* bagger; *b*) (*van walvis*) id.

bluf brag(ging), boast(ing), bounce, braggadocio, big talk; (*sl.*) swank, tall talk; ~ *slaan, a*) *zie* ~fen; *b*) (*vertoon maken*) cut a dash, (*sl.*) swank; ~**fen** brag, talk big, boast, (*sl.*) swank; – *op* brag (boast) of; ~**fer** braggart, boaster, swaggerer; (*sl.*) swanker; ~**ferig** bragging, boastful; ~**ferij** *zie* bluf

blunder id.; *zie* bok & flater

blus: ~**apparaat** *zie* ~toestel; ~**emmer** fire-bucket; ~**gereedschap** fire-(fighting) appliances; ~**middel,** ~**toestel** fire-extinguisher; fire-fighting appliance

blussen extinguish (*ook fig. van ijver, enz.*), put out; (*kalk*) slake, slack; (*dicht.*) quench; (*oproer*) quell; -**er** extinguisher; -**ing** extinction

blut(s) on the rocks, hard up, broke; (*na spel*) cleaned out; *iem.* ~ *spelen* clean a p. out

bluts dent; ~**en** dent

blz. = *bladzijde* p.

b.n.p. = *bruto nationaal produkt* G.N.P.

boa boa; (*bont*) *ook:* (fur) necklet; ~**-constrictor** boa constrictor

bobbel (*op vloeistof*) bubble; (*bult*) lump, swelling, (*op ijs*) hummock; ~**en** bubble; ~**ig** lumpy, bumpy, hummocky [ice]

bobber(d) squab, podge

bobijn bobbin; ~**en** wind [yarn] on bobbins; *make lace by means of bobbins*; ~**kant** b.-lace

bobslee bob-sled, -sleigh; ~**baan** bob-run

bochel hump, hunch; (*ook persoon*) hunchback, humpback

bocht 1 (*van weg, rivier, enz.*) bend [dangerous ..., take a ...], turn(ing), curve, crook [of the arm]; (*baai*) bay; bight [of Heligoland]; (*van touw*) bight, (*in uitgespannen touw*) slack; (*van slang*) coil; (*voor vee*) paddock; ~ *van Guinea* Gulf of Guinea; *in de* ~ (= *touwtje*) *springen* skip; *voor iem. in de* ~ *springen* take a p.'s part; *zich in allerlei* ~*en wringen,* (*ook fig.*) squirm, wriggle; *zie* draai; 2 (*rommel*) (bad) stuff, trash, rubbish; (*drank ook*) rot-gut; ~**aanwijzer** (*luchtv.*) turn indicator; ~**en** round up [cattle]; ~**ig** tortuous, winding, sinuous; ~**igheid** tortuosity, sinuosity

bockbier bock(-beer)

bod bid, offer; *een* ~ *doen* make a b. [*op* for]; *'t eerste* ~ *doen* start the bidding; *een* ~ *doen naar,* (*ook fig.*) make a b. for; *een hoger* ~ *doen* make a higher b., increase a b.; *een hoger* ~ *doen dan, ook:* outbid [a p.]; *u is aan* ~ bidding is with you; *twee aan* ~*!* I have two bids

bode messenger (*ook fig.*); (*ren-*) runner, courier; (*vrachtrijder*) carrier; (*dienst-*) servant; (*gemeente-*) beadle, porter; (*gerechts-*) usher; (*post-*) postman; per ~, (*post*) by special messenger; *de beste* ~ *is de man zelf* if you want a thing done, do it yourself

bodega id.

bodeloon messenger's fee, porterage

bodem (*van vat, zee, enz.*) bottom; [ocean] floor; (*grond*) soil (*ook fig.*: a fertile … for disease), ground; (*gebied*) territory, soil [native …, on foreign …]; (*schip*) ship, bottom; *een titel met een dubbele ~* with a hidden (an additional) meaning; *vaste ~ onder de voeten hebben*, (*fig.*) be on firm ground; *haast de ~ van het vat zien*, (*fig.*) scrape the b. of the barrel; *een ~ inzetten, zie* bodemen; *de ~ inslaan* stave in [a cask]; (*fig.*) frustrate, ruin [a p.'s plans, hopes, expectations], dash [a p.'s plans, etc.] (to the ground); (*fam.*) knock [a plan, etc.] on the head; *mijn hoop werd de ~ ingeslagen* my hopes were reduced to zero; *op de ~ der zee* at the b. of the sea; *op hechte ~* on firm ground, on a safe foundation; *de beker tot de ~ leegdrinken* drain the cup to the last drop (the dregs); ~**en** bottom; ~**erij** bottomry; ~**erijbrief** bottomry-bond; (*op lading*) respondentia-bond; ~**kunde** soil science, pedology; ~**loos** bottomless, abysmal; *een ~loze put* a b.less pit (*ook fig.*); ~**onderzoek** soil exploration; ~**schatten** mineral (natural) resources; ~**verheffing** (surface) relief, relief of the land; ~**vorming** (*geol.*) pedogenesis

boe (*schrikaanjagend*) bo(h)!, boo!, (*min.*) pshaw!, (*walging*) ugh! pah! bah!; *hij weet van ~ noch ba* he doesn't know chalk from cheese; *hij zegt ~ noch ba* he never opens his mouth; *hij durft geen ~ of ba te zeggen* he dare not call his soul his own, he can't say bo(o) to a goose

Boeddha Buddha (*ook* b~beeld)

boeddhisme Buddhism

boeddhist Buddhist; ~**isch** Buddhist(ic, -ical)

boedel estate, property, movables; *een ~ beheren* administer an e.; *zie* failliet; ~**afstand** cession; – *doen* take the benefit of the insolvent debtor's act; ~**beheerder** trustee; ~**beschrijving** inventory; *zie* beneficie; ~**bezorger**, ~**redder**, ~**scheider** executor, administrator; ~**scheiding**, ~**verdeling** division of an e. (of property); ~**uitzetting** eviction; ~**veiling** *zie* boeldag

boef knave, scoundrel, villain; (*tuchthuis-*) convict, jail-bird, (*sl.*) lag; ~**achtig** knavish, scoundrelly; ~**je** guttersnipe, young tough

boeg bow(s), prow; (*roeier*) bow; (*van paard*) shoulders, chest; *over dezelfde ~ liggen* stand on the same tack; *'t over een andere ~ gooien* (*wenden*) change one's tack, go on another tack, (*fig. ook*) try another tack, change one's policy (one's tactics), shift one's ground; *ik weet niet over welke ~ ik het wenden zal* which way I shall set to work; *heel wat werk voor de ~ hebben* have a lot of work on hand (in front of one); *we hebben … voor de ~* we have anxious times before us (ahead, ahead of us); *ik heb drie mijl voor de ~* I have three miles to go; *dwars voor de ~ athwart* one's hawse; *iem. dwars voor de ~ komen* cross a p.'s hawse; (*fig. ook*) cross a p.'s path; *klip voor de ~* rock ahead; ~**anker** bower(-anchor); ~**beeld** figure-head; ~**golf** bow-wave

boeg: ~**lijn** bowline, bower-cable; ~**seerlijn** tow-line, -rope; ~**seren** tow; (*fig.*) pilot [a

p.]; ~**spriet** bowsprit; – *lopen* walk the greasy pole; ~**stag** bowsprit shroud; ~**stuk** (*kanon*) bow chaser; ~**water** backwater

boei l (*gew. mv.; voet-*) fetters, shackles; (*hand-*) handcuffs, wristlets, (*sl.*) darbies, bracelets [slip the … on him]; (*fig.*) fetters, shackles, chains; *in de ~en slaan, de ~en aandoen* put (clap) in irons, (*hand-*) handcuff, (*sl.*) fix the darbies; *in de ~en van de winter* in the grip of winter, frost-bound; *zijn ~en verbreken* break (burst) one's chains (fetters); 2 (*baken*) buoy; *door ~en aanwijzen* buoy [a navigable channel]; *met een kleur als een ~* as red as a beetroot, blushing like a peony

boeien fetter, shackle, put in irons; handcuff (*zie* boei); (*fig.*) captivate, enthral(l), fascinate, grip [the reader, the audience]; arrest [a p.'s eye]; *de aandacht ~* grip (hold, rivet, arrest) the attention; *geboeid, ook:* spell-bound; ~**d** …ing; gripping [drama]; compelling [preacher]; engaging [subject]; absorbing, fascinating [novel, lecture]; *zie ook* spannend

boeienkoning escapologist, escape artist

boeier boyer

boeilijn *zie* boelijn; **boeireep** buoy-rope

boek book (*ook fig.*: the … of Nature; *ook: onderdeel van boek*); quire [of paper]; *het ~ der boeken* the b. of books; *voor mij een gesloten ~* a closed (a sealed) b. to me; *spreken als een ~* speak like a b. (by the b.); *dat spreekt als een ~* that is a matter of course, goes without saying; *te ~ staan als* be known (reputed) as, be reputed to be, pass for; *hij stond te ~ als eigenaar …* he was the registered owner of the car; *te ~ staan voor (een waarde van) …* stand (appear, figure) in the books at (a value of) …; *een post in de ~en* an item on the books; (*on*)*gunstig te ~ staan* have a good (bad) name, be well (ill) thought of; *iets te ~ stellen* set down, commit to paper, put (place) on record, record; ~**aankondiging** b.-notice; ~**achtig** bookish, booky

boekanier buccaneer

boek: ~**band** binding (of a b.); ~**beoordelaar** reviewer, critic; ~**beoordeling** (book) review, criticism, (*kort*) notice; ~**beschouwing** review of books; ~**beslag** mounting, clasps; ~**bespreking** (book) review; ~**binden** bookbinding, bookbinder's trade; ~**binder** bookbinder; ~**binderij** *a) zie* ~binden; *b*) book-binding-establishment, bookbinder's shop; ~**deel** volume [speak … s]; *in vier kloeke ~delen* in four weighty (hefty) tomes

boekdruk (*tegenover plaatdruk*) letterpress printing; ~**ken** printing; ~**ker** printer; ~**kerij** printing-office, -house, -establishment; ~**kersjongen** printer's devil; ~**kersleerling** printer's apprentice; ~**kunst** (art of) printing, typography; ~**pers** printing-press

boekebon book-token

boekelegger book-mark(er)

boeken enter (in the books); book [an order]; (*fig.*) score [a success], produce [results], record [losses]; *op iems. credit ~* pass (place) to the credit of a p.'s account; *op nieuwe rekening* ~ carry (carry forward) to new account; *geboekt staan* stand in the books [at a value of ...]; *zie ook* naam

boeken-[1] book: ~**beurs** b. fair, b. mart; ~**gek** bibliomaniac; ~**geleerdheid** *zie* boekgeleerdh.; ~**hanger** hanging shelf (shelves); ~**kast** b.-case; ~**kennis** *zie* boekgeleerdh.; ~**kraam** b.-stall; ~**liefhebber** b.-lover, bibliophil(e); ~**lijst** list of books, b.-list; ~**maker** b.-maker, writer of pot-boilers; ~**mens** bookman, bookish man; ~**molen** revolving b.-case; ~**plank** b.-shelf; ~**rek** b.-shelves, b.-rack; ~**schrijver** writer of books; ~**stalletje** b.-stall; *draaibare* ~**standaard** *zie* ~molen; ~**standertje** b.-rest; ~**steun** (*op tafel, enz.*) b.-end; ~**taal** bookish language; ~**tas** b.-bag, -carrier; (*op rug*) satchel; ~**vriend** *zie* ~liefhebber; ~**week** week of the b.; ~**wijsheid** *zie* boekgeleerdh.; ~**wurm** b.-worm (*ook fig.*)

boekerij library, book-room

boeket bouquet, nosegay; (*van wijn*) bouquet, flavour, aroma

boek[2]: ~**formaat** format; ~**geleerdheid** b.-learning, -knowledge; ~**geschenk** gift (*of:* presentation) b.; ~**handel** *a*) b.-trade; *b*) bookseller's (shop), b.-shop; *door middel van de* ~ [order] through a bookseller; ~**handelaar** bookseller; ~**houden** *ww.* keep the books; (*in huishouden*) keep accounts; *zn.* b.-keeping; *enkel* ~ b.-keeping by single entry; *dubbel* (*Italiaans*) ~ b.-keeping by double entry; ~**houder** b.-keeper; (*van rederij*) managing owner; ~**houding** b.-keeping, accountancy; ~**houdsysteem** accounting system; ~**ing** entry, booking (*vgl.* boeken); ~**jaar** financial year; ~**je** little b., booklet; *een* ~ *van iem. opendoen* show a p. up, tell things about a p.; *bij iem. in een slecht* ~ *staan* be in a p.'s black books; *buiten zijn* ~ *gaan* exceed (go beyond) one's powers (authority, book, duty); *dat is buiten zijn* ~ that is not (within) his province, does not come within his sphere; *op zijn* ~ - he has many offences to his record; ~**maag,** ~**pens** third stomach (of ruminants); (*wet.*) omasum; ~**omslag** b. cover; ~**staven** put on record, record, chronicle; ~**verkoper** bookseller; ~**verkoping** b.-auction, -sale; ~**verzamelaar** b.-collector, -hunter; ~**verzameling** collection of books

boekvink chaffinch

boek: ~**vorderingen** book-debts; *in* ~**vorm** [be published] in b.-form; ~**waarde** b.-value, balance-sheet value

boekweit buckwheat; ~**en** buckwheat

boek: ~**werk** book, work; ~**winkel** b.-shop; ~**winst** b. (*of:* paper) profit; ~**worm** b.-worm (*ook fig.*)

boel 1 *zie* boedel; 2 *een* (*hele*) ~ (quite) a lot, a whole lot, lots, heaps, any amount [of ...], no end [of ...]; *een* ~ *geld* (*mensen*) a lot (lots, oodles) of money (of people); *een* ~ *tijd* heaps of time; *een* ~ *kwaad doen* do a lot of harm;

zich een (*hele*) ~ *beter voelen* feel heaps better; *een* ~ *last bezorgen* give a lot of trouble; *een* ~ *te doen hebben* have lots to do; 3 (*rommel*); *een mooie* ~ a precious mess, a pretty kettle of fish; *een vuile* ~ a mess [make ...]; [the place was] a pigsty; *een saaie* ~ a slow affair (business); *een woeste* ~ a bear-garden; *ik heb nog nooit zo'n woeste* (*dolle*) ~ *gezien* I never saw such goings-on; *de hele* ~ the whole show (*of:* concern), [a pound for] the whole lot; *de hele* ~ *staat me tegen* I am sick of the whole business; *de* ~ *verraden* give away the whole thing (*of:* show), (*sl.*) squeak, squeal; *zie* boeltje, opscheppen, war, enz.

boeldag auction-day, (public) sale

boeleerder adulterer; **boeleerster** adulteress, wanton; **boeleren** commit adultery, play the wanton

boelgoed (furniture put up for) public sale; **boelhouder** auctioneer; **boelhuis** auction-room; (*verkoping*) auction-sale

boelijn bow-line

boeltje: *zijn* ~ his traps, his belongings; *zijn* ~ *erdoor lappen* run through one's property; *zijn* ~ *pakken* pack up (one's traps); *zie* armoedig

boem! bounce! bang!

boeman bogey(-man), bugaboo, bugbear, ogre

boemel: *aan de* ~ *zijn* be on the spree, be on the razzle(-dazzle), have one's fling, go the pace; ~**aar** reveller; (*ongunstiger*) rake, rip; ~**en** *a*) *zie* aan de ~ zijn; *b*) knock (*of:* loaf) about; *c*) (*in trein*) potter (along), travel by slow train; ~**trein** slow (*of:* stopping) train, (*Am.*) accommodation train

boemerang boomerang

boender scrubbing-brush, scrubber; **boenen** scrub, rub, polish, beeswax; **boenlap** polishing-rag, -cloth; **boenwas** beeswax

Boeotië Boeotia; ~**r, Boeotisch** Boeotian

boer (*landbouwer*) farmer, (*vero.*) husbandman; (*arme of onontwikkelde* ~) peasant; (*buitenman*) countryman, rustic; (*pummel*) boor, yokel; (*in kaartspel*) knave, jack; (*oprisping*) belch, (*fam.*) burp; (*Z.-Afr. B*~) Boer; *de* ~ *opgaan* go on (the) tramp, go on the road [for customers, etc.]; (*bij verkiezing*) go on the stump; *een* ~ *laten, zie* ~en; ~**achtig** *zie* ~s; ~**de fabliau; ~derij** farm(-house); ~**en** farm; (*een* ~ *laten*) belch, bring up wind, (*fam.*) burp; *goed* (*slecht*) ~ manage (one's affairs) well (badly), get on (*of:* do) well (badly)

boeren: ~**arbeid** farm-work; ~**arbeider** farm-labourer, -hand, -worker; ~**bank** *zie* ~leenbank; ~**bedrieger** confidence man, con-man; ~**bedrijf** farming, husbandry; ~**bedrog** swindle, humbug; ~**bond** farmers' association (*of:* union); ~**boter** farm(-house) butter; ~**bridge** Oh hell!; ~**brood** farmhouse loaf; ~**bruiloft** country-wedding, peasant's wedding; ~**dans** country (peasant, rural) dance; ~**deern** country-lass, peasant girl; ~**dochter** far-

---

[1] *Zie ook* boek... *en* boeke...

[2] *Zie ook* boeken...

mer's daughter; **~dorp** country (agricultural, rural) village; **~dozijn** baker's dozen, 13; **~dracht** country dress, peasant costume; **~eieren** farm eggs; **~erf** *a*) farmyard; *b*) *zie* **~hoeve**; **~fluit** *zie* herdersfluit & janboerefluitjes; **~gezicht** peasant face; **~herberg** village-inn; **~hoeve**, **~hofstede** farm(stead), farmhouse, homestead; (*kleine*) smallholding; **~jasmijn** mock-orange, syringa; **~jongen** country-lad; peasant-boy; **~s** brandy and raisins; **~kaas** farmhouse cheese; **~kaffer** *zie* **~kinkel**; **~kar** farm cart; **~kermis** country-fair; **~kiel** (peasant's) smock; **~kinkel** yokel, clod-hopper, (country-)bumpkin; **~kip** barndoor (farmyard) fowl; **~kleding** *zie* **~dracht**; **~knaap** *zie* **~jongen**; **~knecht** farmhand; **~knoop** granny (knot); **~kool** (curled curly) kale, kail; **~kost** country-fare; **~land** farmland(s); **~leenbank** agricultural loanbank, rural bank, land bank; **~leven** farmer's (*of:* country-)life; **~lul, ~lummel** *zie* **~kinkel**; **~meid** farm-girl; *zie ook* **~deern**; **~meisje** country-girl, -lass; **~mens** countryman, peasant; **B~oorlog** Boer War; *zie ook* **~krijg**; **~opstand** peasant revolt (*of:* rising); **~paard** farm-horse, shire-horse; **~plaats** *zie* **~hoeve**; **~pot** country-fare; **~pummel** *zie* **~kinkel**; **~schuur** barn; **~sjees** gig; **~stand** peasantry, peasant class; **~stulp** peasant cottage, hovel; **~taal** peasant dialect, patois; **~trien** lump of a girl; **~verstand** mother wit, natural (native) wit; **~volk** country people; **~vrouw** country-woman, peasant woman; **~wagen** farm wag(g)on; **~werk** farm-work; **~woning** farm-house; **~wormkruid** tansy; **~zoon** farmer's (peasant's) son, young farmer (peasant); **~zwaluw** (barn-)swallow

boerin *a*) farmer's wife; *b*) woman farmer; *c*) peasant (*of:* country) woman

boernoes burnouse(s)

boers boorish, rustic, countrified; **~e manieren**, *ook:* country manners; **~heid** boorishness, rusticity

boert (broad) joke, jest, pleasantry, bantering; **~en** joke, jest, banter; **~ig** broad, broadly comical, jocular

boete (*straf*) penalty; (*in geld*) fine, penalty, forfeit; (*boetedoening*) penance; **~ betalen** pay a fine; *in de* **~ slaan** fine; *een* **~ opleggen** impose a fine; *iem. een* **~ van £ 1 opleggen** fine a p. (mulct a p. in) £1; *£ 1* **~ krijgen** be fined £1; **~ oplopen** incur a fine; *op deze overtreding staat* **~** trespassers are liable to a fine; *op* **~ van** on (under) p. of; **~ doen** do penance; **~dag** day of humiliation; **~doening** penance, penitential exercise; **~kleed** penitential garment, hairshirt, white sheet (*ook fig.*: stand in a …); **~ling(e)** penitent

boeten (*netten, enz.*) mend, repair; (*vuur*) mend, light; (*lusten, enz.*) gratify; **~** (*voor*) atone for, suffer for [s.t.], expiate [a crime, sins]; *voor zijn vergissingen* **~** pay for one's mistakes; *je zult ervoor* **~** you shall pay (*of:* smart) for it; *hij zal er je voor laten* **~** he'll take it out of you; *zijn verraad met zijn leven*

~ pay for one's treachery with one's life

boeteprediker sermonizer; **boetepreek** *a*) penitential sermon; *b*) tiresome talking-to

boet: **~gebed** penitential prayer; **~gewaad** *zie* boetekleed; **~hemd** hair-shirt

boetiek boutique

boetpsalm penitential psalm

boetseer: **~der** modeller; **~klei** modelling-clay; **~kunst** (art of) modelling; **~was** modelling-wax; **~werk** modelling-work

boetseren model

boetvaardig penitent, contrite, repentant; **~heid** penitence, contrition, repentance

boeven: **~bende** pack of knaves; **~pak** 1 prison-clothes; 2 *zie* **~bende**; **~streek, ~stuk** (piece of) knavery; **~taal** thieves' slang, flash language; **~tronie** hangdog (*of:* gallows) face; **~tuig** *zie* **~bende**; **boeverij** *zie* boevenstreek

boezelaar apron

boezem bosom, breast; (*van hart*) auricle; (*zee-*) bay; (*van polder*) 'boezem': system of reservoirs for superfluous polder-water; *de vrouw* (*het kind*) *van zijn* **~** the wife of his b. (the child of his heart); *de hand in eigen* **~ steken** dive into (search) one's own heart (bosom); *in* (*uit*) *de* **~ *der vergadering*** [opposition arose] from the (body of the) hall, from the floor of the conference; *verdeeldheid in eigen* **~** division in the camp; **~vriend(in)** b.-friend, crony; **~vriendschap** intimate friendship

boezeroen (workman's) blouse; *Jan B~* the common man, (*iron.*) the horny-handed sons of labour

bof (*plof*) thud; (*gelukje*) piece (*of:* stroke) of luck, fluke; (*ziekte*) mumps, parotitis; *op de* **~** at random, at haphazard; *dat is een* **~** that's (there's) luck; *de* **~ hebben** have mumps

boffen have (a run of) luck, be in luck('s way), back (pick) a winner; *ik bofte* my luck was in; *hij boft altijd* everything turns up trumps with him, he always turns up trumps, he always scores; **-er** lucky dog; (*gelukje*) *zie* bof

bogaard orchard

bogen: **~** *op*, (*terecht trots zijn op*) glory in, boast [great painters]; (*pochen op*) boast of

Boheems Bohemian; **Bohemen** Bohemia

Bohemer Bohemian

bohémien Bohemian; **~sleven** bohemianism

bok 1 (he-, billy-) goat; (*gems, antilope, enz.*) buck; *als een* **~ op de haverkist** as keen as mustard; *oude* **~**, (*fig.*) old rake; *een* **~ aan 't touw hebben** be half seas over; *de* **~ken van de schapen scheiden** divide (separate) the sheep from the goats; 2 (*nors mens*) bear, cross-patch; 3 (*hijstoestel*) gin, derrick; (*mar.*) sheers; 4 (*vuur-*) firedog, andiron; 5 (*gymn.*) vaulting-horse; **~springen** vault(ing); (*haasje-over*) play at leapfrog; **~ staan** give a back; 6 (*van rijtuig*) (driving-)box; 7 (*schraag*) trestle; (*bilj.*) rest, jigger; 8 (*flater*) blunder, (*fam.*) bloomer; (*bij examen, enz.*) howler; *een* **~ schieten** make a blunder, etc.

bokaal beaker, cup, goblet, (*vol*) bumper

bok: **~achtig** goaty [smell]; *zie* **~kig**; **~je** 1 kid;

2 (*vogel*) jack-snipe; 3 (*krukje*) stool; ~ke-baard *zie* boksbaard; ~kehaar goat's hair; ~ke-leer kid, buckskin; ~ken (*van paarden*) buck-(jump); ~kepruik: *hij heeft de – op* he is in the sulks (in a bad temper), he's got a mood on; ~kesprong caper; –*en, ook:* antics; –*en maken* cut capers; (*fig.*) *zie* sprong (*kromme ...en*); ~kevel goatskin; ~kewagen goat-carriage, -cart; ~kig surly, churlish, bearish; ~kigheid surliness, etc.

bokking (*vers*) bloater; (*gerookt*) red herring; (*standje*) wigging, set-down; ~hang herring hang; ~roker herring-smoker; ~rokerij smoke-house

boksbaard goat's beard (*ook plant*); (*van man*) goatee

boksbeugel knuckle-duster

boksdoorn box-thorn

boksen box; '*t* ~ boxing, pugilism; *iets voor el-kaar* ~ fix it; *zie* opboksen; bokser boxer, pugilist, prize-fighter; (*fam.*) bruiser; (*hande-laar*) cut-price trader

bokshandschoen boxing-glove

bokshoorn goat's horn

boksijzer knuckle-duster

bokskunst (art of) boxing, ringcraft

boksleder goatskin

bokspartij boxing-match, -bout, prize-fight, pugilistic contest

bokspoot goat's foot, (*fig.*) Pan, satyr; *met boks-poten* goat-footed

boksprijs (*sl.*) cut price, knock-out price

bokspringen *zie* bok 5

bok-stavast high (hey, hay) cockalorum

bokswedstrijd *zie* bokspartij

boktor longhorn beetle

bol I *zn.* ball, sphere, globe; (*meetk.*) sphere; (*van lamp*) globe; (*van hoed*) crown; (*van plant, thermometer*) bulb; (*hoofd*) noddle, pate; (*brood*) round loaf; *een schrandere* ~ a clever fellow, a dab; '*t scheelt hem in zijn* ~ he is off his nut, crazy, barmy; *hoed met hoge* ~ high-crowned hat; *zie* half; II *bn.* (*van lens, enz.*) convex; (~*staand, van zeil, zak, enz.*) bulging; ~*le wangen* chubby (plump) cheeks; ~ *staan,* (*van zeil, enz.*) belly, bulge; ~achtig (*plantk.*) bulbous; *zie* bolvormig; ~bliksem ball (globular) lightning, fire-ball; ~buis bulb-tube

bolder (*mar.*) bollard, bitt

bolderik (*plant*) corn-cockle

bolderwagen rumbling cart

boldriehoek spherical triangle; ~smeting spheri-cal trigonometry

boleet boletus

bolero id. (*ook jasje*)

bolgewas bulbous plant

bolheid convexity, rotundity

bolhoed bowler (hat)

bolk (*vis*) *a*) whiting; *b*) *zie* steenbolk

bollebof (*sl.*) toff

bolleboos adept, (*fam.*) dab [*in* at]; ~ *in* '*t piano-spelen* crack pianist; *daarin is hij geen* ~ he is no hand (a poor hand) at it

bollen swell (out); (*van zeil*) belly (out), bulge

bollen- bulb-: ~kweker b.-grower; ~kwekerij b.-farm; ~schuur b.-shed; ~teelt b.-growing (in-dustry); ~veld b.-field

bolletje globule; *en zie* bol

Bologna id.

Bolognees *bn. & zn.* (*ook:* -ezen) Bolognese

bol: ~plant bulbous plant; ~rond *a*) globular, spherical, bulbous, bulb-shaped; *b*) convex; ~sector sector of a sphere; ~segment segment of a sphere

bolsjewiek Bolshevik, Bolshevist, (*fam.*) Bolshy, -ie

bolsjewisatie bolshevization; -seren bolshevize

bolsjewisme Bolshevism; -ist(isch) Bolshevist

bolstaand bulging, bellying [sails]; (*van groente-blik*) blown [tin]

bolster shell, husk; (*peluw*) bolster; *gladde pit in ruwe* ~ rough diamond

bolsteren *zie* pellen

bolton (*mar.*) spherical buoy

bolus (*aarde*) bole, bolus; (*pil*) bolus, ball; (*ge-bak*) (*ongev.*) Chelsea bun

bolvorm spherical shape; ~ig spherical, globu-lar, bulb-shaped; *zie* boldriehoek, enz.; ~ig-heid *zie* ~

bolwangig chubby(-cheeked)

bolwerk rampart, bastion, (*vero.*) bulwark; (*fig.*) bulwark, stronghold [of conservatism, etc.]; ~en: '*t* – bring (pull) it off, manage

bolworm maggot, brain-worm

bolwortel bulbous root

1 bom! bang! boom!

2 bom 1 bomb; *de* ~ *is gebarsten* the bomb has burst, the storm has broken, the fat is in the fire; 2 (*van vat*) bung; 3 bluff-bowed fishing-boat; 4 *zie* brom; 5 *een* ~ *geld* lots (a pot, pots, oodles, a mint) of money, a bomb; ~aanslag bomb-outrage; ~aanval bombing-attack, -raid

bombam ding-dong!; ~men (*van pers.*) ring the bell(s); (*van klok*) ring out

bombardement bombardment, (*uit vliegt.*) *ook:* bombing; ~svliegtuig *zie* bommen-werper *b*); bombarderen shell, bomb(ard); (*inz. uit vliegt.*) bomb; (*fig.*) bombard; *iem. bombarderen tot voorzitter* pitchfork a p. into the chair; bombardier id.

bombarie noise, tumult, fuss; ~ *maken* (= *op-scheppen*) throw one's weight about; ~schopper noisy fellow

bombast id., rant, fustian, high-falutin(g); *stuk* ~, (*pers.*) windbag; ~isch stilted, bombastic (*bw.*: -ally), ranting, high-falutin(g), magnilo-quent

bombaynoot(je) cashew (nut)

bombazijn(en) bombasine, fustian

bombrief letter-bomb

bomen 1 (*boot*) punt, pole, quant; 2 (have a) chat; (*fam.*) (spin a) yarn; (*sl.*) have a chin (a jaw); ~rij row of trees

bomgat bung-hole; (*van toren*) sound-hole

bomijs cat-ice

bommelding bomb alarm, bomb warning; (*inz. vals*) bomb scare

bommen boom; '*t kan me niet* ~ *!* (a) fat lot I care!

I should worry!; (*wat 't kost*) blow (the expense)!

bommen: ~last bomb load; ~richtkijker bombsight; ~ruim bomb bay; ~werper *a*) bomb-thrower; *b*) (*vliegtuig*) bomber, bombing-plane, -machine

bomschuit *zie* bom 3

bomvol chock-full

bomvrij bomb-, shell-proof; *zie* schuilplaats

bon ticket, voucher, check; (*voor cadeau*) token [book- ...]; (*in winkel*) coupon; (*voor levensmidd.*) coupon; (*bekeuring*) ticket; *op de* ~, (*van levensm.*) rationed; *van de* ~ off the ration, derationed; *op de* ~ *zetten*, (*sl.*) *zie* bekeuren

bona fide id., in good faith

Bonapartist(isch) Bonapartist

bonboekje coupon-book, (*distrib.*) ration-book

bonbon id., sweet, chocolate; ~doosje box of chocolates (sweets); ~nière id., bonbon-dish; ~schaaltje b.-dish, sweet-dish; ~tang b.-server

1 bond *o.v.t. van* binden

2 bond alliance, league, confederacy; (*staten-*) confederation, (*van Austr. staten*) Commonwealth; (*vak-*) union, association; ~genoot ally, confederate, associate; ~genootschap alliance, confederacy; ~igterse [style], concise, succinct; *zie* kort; ~igheid ... ness (*zie* ~ig), compression

bonds: ~akte treaty of confederation; ~bestuur association executive; ~dag federal diet; ~hotel listed hotel; ~kas union funds; ~kist ark of the covenant; ~lid member (of the Association); ~raad federal diet; ~regering federal government; ~republiek federal republic; ~rijwielhersteller official repairer (appointed by the cyclists' union); ~staat, ~stad, ~troepen federal state (town, troops)

bonekruid savory

bonen- bean-: ~akker b.-field; ~meel b.-meal; ~soep b.-soup

boneschil b.-pod; ~staak b.-pole, -stick

bongerd orchard

bonheur (du jour) cabinet

bonhomie id., geniality

Bonifacius Boniface

bonis: *hij is een man in* ~ he is a well-to-do man, his bread is well buttered

bonje (*sl.*) ructions

bonjour good morning etc.; (*bij heengaan*) goodbye; *iem. eruit* ~en bundle a p. off, chuck a p. out, shoo a p. out of the house

bonk (*bot*) bone; (*homp*) chunk, lump; (*knol*) jade, screw; (*pers.*) lump(ish fellow); (*oude zee-*) old salt, shell-back; *één* ~ *zenuwen* [she is] a bundle of nerves; ~en *op* thump, pommel; ~ig bony, scraggy

bon-mot bon mot, witticism, witty saying

bonne nursery governess, (*fam.*) nannie

bonnefooi: *op de* ~ at haphazard, at random, [start a business] speculatively, on spec; *ik kom maar op de* ~ I just come on the off-chance

1 bons thump, bump, thud; *de* ~ *geven* give [a p.] the sack (boot), (*Am.*) the air; (*'n minnaar*) jilt, throw over; *de* ~ *krijgen* be sacked, get the sack (boot); ~*!* bang!

2 bons *zie* bonze *c*)

bonstelsel (gift-)coupon system

bont I *bn.* parti-, party-, multi-, many-coloured; gay [dress]; variegated [colours]; spotted [cow, dog]; piebald, pied [horse]; motley [crowd, group, assembly]; (*van gevel, enz.*) gaudy, (*sl.*) jazz(y); '~e avond', *ongev.* mixed grill; ~e kraai hooded crow, hoodie(-crow); *één* ~e kraai *maakt nog geen winter* one swallow does not make a summer; ~ *programma* varied programme; (*sl.*) mixed grill; ~e rij ladies and gentlemen arranged in couples; *'n* ~e rij *maken* pair off ladies and gentlemen; ~ *vee*, *ook:* magpie cattle; *iem.* ~ *en blauw slaan* beat a p. black and blue; *je maakt 't* (*nu wordt 't*) *te* ~ you are (that is) going too far; *zie* bekend; **II** *zn.* 1 fur; *haar* ~ her furs; *met* ~ *gevoerd* furlined; 2 print(ed cotton); ~bekplevier ringed plover; ~enfur, furry; ~gekleurd gay-coloured; *zie verder* ~; ~gevlekt spotted, variegated; ~goed cotton prints; ~handelaar furrier; ~heid variegation; ~hoed fur hat; ~jas fur coat; ~je fur collar; ~kleurig *zie* ~gekleurd; ~kraag fur collar; ~mantel fur cloak; ~muts fur cap

bon-ton *a*) good breeding, good style, the fashion; *b*) people of fashion, (*fam.*) the upper ten (thousand)

bont: ~werk furriery, fur goods; ~werker furrier

bonus id.; ~aandeel bonus share

bon-vivant bon vivant, gourmand

bonvrij coupon-free, unrationed

bonze *a*) (*priester*) id.; *b*) (*Ind.*) bigwig; *c*) (*germ.*) [party-, union-] boss, [Nazi] big shot

bonzen thump, bump; (*van hart*) throb, thump, pound, drum [the blood ... med in his temples]; *op de deur* ~ bang at (hammer on, thump) the door; *tegen ... aan* ~ bump (up) against (barge into, run up against, run into) [a p., a lamp-post]; ~ *met ... tegen ...* bang one's head on the pavement

bood *o.v.t. van* bieden

boodschap (*mededeling*) message; (*opdracht*) errand; ~pen, (*'t gekochte*) purchases; *een blijde* ~ good news; *de blijde* ~ the glad tidings, the gospel; *een* ~ *doen* go on (do) an errand; ~pen *doen, a*) (*lopen*) run (go) errands; *b*) shop, be (go out) shopping, do some shopping [she always does the shopping]; *een kleine* ~ *doen*, (*kindertaal*) do number one; *grote* ~ number two; *zijn hond heeft een grote* ~ *op onze stoep gedaan* his dog has fouled our front steps; *een* ~ *achterlaten* leave a m., l. word [bij with]; *een* ~ *brengen* bring word, take a m.; *om een* ~ *sturen* (*zijn*) send (be out) on an errand; *een* ~ *sturen* send word; *daar heb ik geen* ~ *aan* that's no concern of mine (none of my business), I have nothing to do with that; *er kwam een* ~, *dat ...* word came that ...; *zwijgen* (*voortmaken*) *is de* ~ mum (sharp) is the word; *oppassen is de* ~*!* keep your weather-eye open! be careful! (*sl.*) keep your eyes skinned!; ~pen *ww.* announce, send (bring) word; ~penjongen, ~penloper errand-boy, messenger; ~penlijst(je) shopping-list;~**penmand** shopping-basket;~**pennet** string (shopping-)bag; ~**pentas** shopping-bag, carrier-bag; ~**per** messenger

1 boog *o.v.t. van* buigen

2 boog (*wapen*) bow; (*bk., van wenkbrauwen, hemel, enz.*) arch; *halve ~* semicircular arch; (*van cirkel*) arc; (*bocht*) curve, bend; (*muz.*) bind, tie; *de ~ spannen* bend (draw) the b.; *de ~ kan niet altijd gespannen zijn* the b. cannot always be bent, all work and no play makes Jack a dull boy; *zie* pijl; ~**brug** arch(ed) bridge; ~**gewelf** arched vault; ~**graad** degree of arc; ~**lamp**, ~**licht** [electric] arc-lamp, -light; ~**passer** *zie* krompasser; ~**pees** bowstring; ~**raam** arched window; ~**schieten** *zn.* archery; ~**schot** bow-shot; ~**schutter** archer, bowman; ~**schuttersvereniging** toxophilite society; ~**s-gewijze** archwise; ~**venster** arched window; ~**vormig** arched

boom 1 tree; *de ~ der kennis* (*des goeds en des kwaads*) the t. of knowledge (of good and evil); *~ des levens* t. of life; *een kerel als een ~* a great strapping fellow, a stalwart fellow; *zo ~ zo vrucht* as the t., so the fruit; *zie ook* vrucht; *hoge -men vangen veel wind* the highest positions are the most exposed; *door de -men 't bos niet zien* not see the wood for the trees; *oude -men verplant men niet* old people should not be uprooted; *van de hoge ~ teren* throw one's money about; *een ~ valt niet met de eerste slag* an oak is not felled with one blow; *je kan de ~ in* go to blazes; **2** (*mast-stok*) boom; **3** (*ploeg-, wevers-*) beam; **4** (*van kippen*) perch; **5** (*dissel*) pole; (*van lamoen*) shaft; **6** (*afsluit-*) bar, barrier; (*haven-*) boom; *met een ~ sluiten* bar; **7** (*vaar-*) punting-pole, quant; (*zeil-*) boom; **8** (*Ind.*) custom-house; **9** *een ~ opzetten, zie* bomen 2; ~**achtig** t.-like, arborescent; ~**agaat** t.-agate; ~**bast** t.-bark; ~**chirurg** tree surgeon; ~**cultuur** arboriculture; ~**gaard** orchard; ~**geld** toll; ~**gewas** *a*) trees; *b*) t. fruit; ~**grens** t.-, timber-line; ~**kano** dug-out (canoe); ~**kever** may-bug, cockchafer; ~**kikvors** t.-frog; ~**klever** nuthatch; ~**kruiper(tje)** t.-creeper; ~**kunde** dendrology; ~**kweker** (t.-)nurseryman, arbor(icultur)ist; ~**kwekerij** (*'t kweken*) arboriculture; (*tuin*) t.-nursery; ~**leeuwerik** woodlark; ~**loof** (t.-) foliage; ~**loos** treeless; ~**luis** tree-, plant-louse; ~**marter** pinemarten; ~**nimf** t.-, wood-nymph, (hama)dryad; ~**olie** salad-oil; ~**pieper** t.-pipit; ~**pikkertje** t.-creeper; ~**pje** little t.; (*jong*) sapling; ~**rijk** wooded; well-timbered; ~**schors** t.-bark, rind; ~**slang** t.-snake, -serpent; ~**snoeier** pruner, lopper (*zie* snoeien); ~**soort(en)** kind(s) of tree(s); ~**stam** t.-trunk, -stem; ~**kano** dug-out canoe; ~**steen** dendrite; ~**stomp**, ~**stronk** t.-stump; ~**tak** branch, bough (of a t.); ~**valk** hobby; ~**varen** t.-fern; ~**veil** ivy; ~**was** t.-wax; ~**wol(len)** cotton; ~**zwam** bracket fungus

boon bean; *grote* (*roomse, tuin-*) ~ broad b.; (*gedroogde ~: wit*) haricot (bean), (*bruin*) red kidney-bean, French b.; *ik ben een ~ als het*

niet waar is I'm a Dutchman (I'm blest) if ...; *een ~ in de brouwketel* a drop in the ocean; *in de -nen zijn* be at sea, be in a muddle; *zie* blauw

boontje bean; *~ komt om zijn loontje* chickens come home to roost; *heilig ~* (plaster) saint; *z'n eigen ~s doppen* take care of number one, look after one's own interests

boor (*omslag-*) brace-and-bit; (*dril-, ook van tandarts*) drill; (*voor rots*) borer; (*met horizontaal handvat*) gimlet, auger (= large gimlet)

boord 1 (*rand*) border [of a garment, carpet, flower-bed], bank [of a river, etc.], glass; *zie ook* zoom; **2** (*hals-*) collar; (*van hemdsmouw*) wristband; *staande* (*liggende, dubbele*) ~ stand-, stick-up (lay-, turn-down, double) c.; *~ met omgeslagen punten* butterfly-c., wing-c.; '... *met 'n wit ~je*' black-coated (white-collar, non-manual) workers; **3** (*van schip*) board; *aan ~* on b., on b. ship, on shipboard; *~ aan ~* b. and b.; *aan ~ van* ... on b. the Rodney, on b. an aeroplane; *aan ~* on b. her; *aan ~ gaan* go on b. (aboard), (*zich inschepen*) embark, take ship; *aan ~ gaan van* board [a vessel]; *aan ~ hebben* (*nemen, zijn, enz.*) have (take, be, etc.) on b.; *aan ~ hebben, ook:* carry [a doctor, wireless]; *aan ~ klampen* board [a ship], waylay [a p.]; *kom mij daar niet mee aan ~,* (*lastig vallen*) don't bother me with that; (*wijsmaken*) that won't go down with me; *kom me niet met de politiek* (*je spookgeschiedenissen*) *aan ~* don't come politics (your ghosts) over me; *kom je niet met je onzin aan ~* none of your nonsense, please! don't try that stuff on me!; *binnen ~* inboard; *buiten ~* outboard; *buiten ~ brengen* lower [the gangway, a boat]; *de lading steekt buiten ~* juts out; *over ~ gaan* go by the b.; *over ~ gooien* (*werpen*), (*ook fig.*) throw overboard, jettison [goods, etc.]; (*fig. ook*) scrap [old ideas], chuck; *over ~ slaan* carry (be carried) away; *over ~ vallen* fall overboard; (*een*) *man over ~!* man overboard!; *van ~ gaan* go ashore, (*zich ontschepen*) disembark; *de bemanning van ~ halen* bring off the crew; *zie* vrij; ~**band** galloon; ~**eknoopje** collar-stud; ~**en** border, edge, hem, lace; ~**evol** full to the brim, brimfull, full (filled) to overflowing; ~**evolletje** bumper; ~**je** *zie* boord 2; ~**lint** galloon; ~**schutter** air gunner; ~**sel** edging, facing, lacing; ~**vrij** free overside (f.o.s.); ~**werktuigkundige** (*luchtv.*) flight engineer, air-mechanic

boor: ~**eiland** (marine) drilling platform, oil-rig; ~**gat** bore(-hole); ~**houder** drill-chuck; ~**ijzer** bit; ~**installatie** drilling-plant, d.-rig; ~**kever** borer, death-watch; (*schorskever*) bark-beetle; ~**kop** drill-chuck; ~**machine** boring-machine, drill; *zie* hand-; ~**mal** *zie* mal; ~**meel** *zie* ~sel; ~**mossel** stone-borer; ~**omslag** brace; ~**platform** *zie* ~eiland; ~**schaaf** rabbet-plane; ~**schelpdier** borer; ~**sel** boremeal, -dust, borings

boort (*diamantslijpsel*) bort

boor: ~**tje** gimlet; ~**toestel** boring-, drilling-apparatus; ~**tol** (electric) handdrill; ~**toren** (drilling-)derrick, drilling-frame

boorwater boracic (boric) lotion
boorwerkzaamheden drilling-operations
boorworm *zie* paalworm
boorzalf boracic ointment
boorzuur boric acid
boos I *bn.* 1 (*nijdig*) angry, cross, (*inz. Am.*) mad; *erg* ~ in a dreadful temper; *boze bui* fit of anger, (outburst of) temper [she was in one of her tempers]; ~ *kijken* look black (as black as thunder); ~ *maken* make a., anger [a p.], (*fam.*) put (set) a p.'s back (*sl.*: monkey) up; *zich* ~ *maken*, ~ *worden* get a., lose one's temper, (*fam.*) get one's back up; *niet gauw* ~ *worden* be slow to anger; ~ *op* a. with; ~ *op zichzelf* a. (out of humour) with o.s.; ~ *om* (*over*) a. at, a. about; *zie* nijdig; 2 (*slecht, kwaadaardig*) bad, evil, wicked, malicious; *boze driften* (*geest, tong*) evil passions (spirit, tongue); [*met*] *'t boze oog* [*aanzien*] [cast] the (an) evil eye [upon]; *boze hond* vicious dog; *boze invloed* malign influence; *boze praatjes* scandal; *een boze stiefmoeder* a wicked step-mother; *boze tijden* bad (hard) times; ~ *weer* bad (heavy) weather; *de boze wereld* the wicked world; *een* ~ *wijf* a shrew, a virago; *boze zweer* malignant ulcer; *de boze* the Evil One; *uit den boze* fundamentally wrong; *vergelijkingen zijn uit* ... comparisons are odious; II *bw.* angrily, wickedly, etc., (*bijb.*) evilly; *zie* bedoelen; ~**aardig** malicious, malevolent, ill-natured; sinister [smile]; vicious [snarl]; malign [influences]; (*ziekte*) malignant; ~**aardigheid** malice, malevolence; malignity; ~**doener** evil-, wrong-doer, malefactor; ~**heid** anger, wickedness, malignity (*vgl.* ~); ~**wicht** criminal, wretch
boot boat, steamer; (*halssieraad*) brooch, pendant; clasp [of a necklace]; *in de* (*redding*)*boten gaan* take to the (life-)boats; *eerst in de* ~, *keur van riemen* first come, first served; *iem. in de* ~ *nemen*, (*sl.*) take the mickey out of a p.; *met de* (*per*) ~ *gaan* go by boat; *de* ~ *nemen te* ... take (the) b. at ...; *in de* ~ *nemen*, (*fig.*) fool [a p.]; *de* ~ *is aan* the boat is in; (*fig., fam.*) the fat is in the fire; *de* ~ *afhouden*, (*fam.*) refuse to commit o.s., play for time; shirk; *uit de* ~ *vallen* contract (opt) out; *per eerste* ~**gelegenheid** by first available boat; ~**hals** b.-neck [sweater]; ~**je** little b.; *zie* ~; – *zeilen*, (*van kind*) float (*of:* sail) boats; ~**jesdraaimolen** flying-boat (*of:* aerial) roundabout; ~**jes-schommel** swing-boat; ~**lengte** boat's length
boots: ~**gezel** sailor; ~**haak** boat-hook
bootsman boatswain, (*fam.*) bo's'n, bo'sun; ~**netje** (*dierk.*) waterboatman; ~**sfluitje** b.'s whistle, b.'s call; ~**smaat** b.'s mate
boot: ~**svolk** (ship's) crew; ~**trein** boat-train; ~**werker** docker, dock-labourer
borax id.; ~**zuur** boric acid
bord plate; (*plat*) dinner-p.; (*diep*) soup-p.; (*houten*) trencher; (*karton*) board; (*voor aankondigingen, schaak-, enz.*) (notice-, chess-, etc.) board; (*school-*) (black)board; *een* ~ *voor 't hoofd hebben* be brazen-faced
Bordeaux id.; *rode b*~ claret; *b*~*rood* claret-

(coloured); ~*se pap* B. mixture
bordeel brothel, bawdy-house, house of ill fame; ~**houder**, ~**houdster** b.-keeper
borden:~**doek** tea-towel; ~**drager** sandwichman; ~**kwast** dish-mop, -washer; ~**rek** plate-rack; (*in keuken ook:*) drainer; ~**wassen** *zn.* dish-washing; ~**wasser** dish-washer; ~**water** dish-water; ~**wisser** (*school*) eraser
borderel statement, list, memorandum, docket; (*formulier*) form
bordes (flight of) steps
bordje (small) plate; (*huur*~, *enz.*) (notice-) board, sign; (*bij plant, enz.*) tally, label; *de* ~*s zijn verhangen* the tables are turned, the positions are reversed
bordpapier(en) pasteboard, cardboard
borduren embroider (*ook fig.:* the story is freely embroidered *erg geborduurd*); (*fig. ook*) romance; *geborduurde pantoffels* worked slippers
borduur- embroidery-: ~**der**, ~**ster** embroiderer; ~**gaas** canvas; ~**garen** e.-thread; ~**lap** sampler; ~**naald** e.-needle; ~**patroon** e.-pattern; ~**raam** e.-frame; ~**sel**, ~**werk** embroidery; ~**wol** crewel; ~**zijde** e.-silk
boren bore [wood, a hole, a tunnel], drill [metal, a hole], sink [a well, a shaft], drive, burrow [a tunnel]; tunnel [wireworms ... into the stems of plants]; (*door*~) pierce, perforate; core [apples]; ~ *naar* bore (drill) for [oil]; *in de grond* ~ sink [a ship]; (*fig.*) ruin [a p.]; ~*d vuur*, (*mil.*) plunging fire; *zie* neus
1 borg *o.v.t. van* bergen
2 borg (*pers.*) surety, guarantee, guarantor; (*jur.*) bail, bailsman, surety; (*zaak*) security, guaranty, pledge, (*jur.*) bail; (*krediet*) credit, (*fam.*) tick; (*techn.*) keeper; ~ *blijven* (*staan, spreken, worden, zich* ~ *stellen*) become (stand) s.; (*jur.*) go bail [for a p.; *voor £ 200* in £200]; ~ *worden voor, ook:* guarantee [a p. for £100]; ~ *stellen* give security, give bail; *hij mocht* (*moest*)*'n* ~ *stellen van £ 200* he was allowed bail (had to find s.) in £200; ~ *staan voor iem.* (*iets*), (*fig.*) answer for a p. (s.t.); *daar sta ik je* ~ *voor* I'll go bail for that; *zie* instaan; *op de* ~ *kopen, zie* ~*en* 2; ~**en** 1 give credit, (*fam.*) (give) tick; 2 buy on credit, (*fam.*) (buy on, go on) tick; 3 (*ontlenen*) borrow; – *baart zorgen* borrow, sorrow; 4 (*techn.*) secure, lock; ~**moer** lock-nut; ~**spreking** suretysnip; ~**steller** surety; ~**stelling**, ~**tocht** security, guaranty, (*jur.*) bail; *onder* – *op vrije voeten gelaten worden* be admitted to (be released on) bail; *zie* persoonlijk & zakelijk
boring boring, etc. (*zie* boren); (*concr.*) well; (*van cilinder*) bore; ~*en doen*, (*naar petroleum, enz.*) make borings; ~*en, ook:* drilling-operations [for iron, etc.]
borrel drink, dram, drop, tot, nip; (*luchtbel*) bubble; *zie* ophebben; ~**aar** dram drinker; ~**en** 1 (*van water, enz.*) bubble; 2 have a drink, have a dram; ~**fles** gin-bottle; ~**ing** bubbling; ~**praat** twaddle, (stuff and) nonsense; ~**tijd**, ~**uur** *zie* bitteruur; ~**zoutje** salty (savoury) biscuit, saltine

1 borst lad, youth; *een flinke* ~ a strapping l.

2 borst breast (*ook fig.*), bosom; (~*kas*) chest; (*vrouwen*~) breast; (~ *van dier als voedsel*) brisket, breast; (*van kleed*) breast; (*van overhemd*) front; (*van schort*) bib; *een kind de* ~ *geven* give a child the b., suckle a child; *een brede* (*smalle, goede, zwakke*) ~ *hebben* have a broad (narrow, good, weak) chest; *een hoge* ~ (*op*)*zetten* throw (thrust) out one's cnest; (*fig. ook*) throw one's weight about; ~ *vooruit!* chest out!; *'t kind is* **aan** *de* ~ is b.-fed; *aan de* ~ *leggen* put [baby] to the b.; *iem. aan zijn* ~ *drukken* press a p. to one's bosom; *pijn* **in** *de* ~ *hebben* have a pain in one's chest; *zich* **met** *de* ~ *toeleggen op* apply o.s. vigorously to, bend o.s. bravely to [one's task]; *'t* **op** *de* ~ *hebben* suffer from congestion of the chest (from asthma), be short-breathed, (*fam.*) be chesty; *zich op de* ~ *slaan* strike one's b.; *'t stuit me* **tegen** *de* ~ it goes against the grain with me; *tot aan de* ~ up to the b., b.-high ; *uit volle* ~ at the top of one's voice, [sing] lustily; *van de* ~ *zijn* (*komen*), (*van kind*) be off (come off) the b.; *heel wat werk* **voor** *de* ~ *hebben* have a lot of work on one's hands (*of*: to get through); ~**aandoening** chest-affection; ~**ademhaling** pectoral respiration; ~**ader** thoracic vein; ~**beeld** bust; (*op munt*) effigy; ~**been** b.bone, sternum; ~**beklemming** tightness of the chest

borstel brush; (*van varken, enz.*) bristle; ~**achtig** *zie* ~**ig**; ~**en** brush, give [one's hair] a brush; *zie* afborstelen; ~**gras** matgrass; ~**ig** bristly, bristling; (*biol.*) hispid; ~**rups** hairy caterpillar; ~**schijf** b.-wheel; ~**werk** brushware; ~**worm** chaetopod

borst: ~**glas** breast-glass, -reliever; ~**harnas** b.plate, cuirass; ~**holte** chest-cavity, cavity of the chest, thoracic cavity; ~**kanker** cancer of the b.; ~**kas** chest, thorax; ~**kind**(**je**) b.-fed child; ~**klier** mammary gland; ~**kruiden** pectoral herbs; ~**kruis** pectoral cross; ~**kwaal** chest-trouble, -complaint; ~**lap** chest-protector; (*bij joden*) b.-plate; *ook* = ~**leder** (*van schermer*) fencing-pad, plastron; ~**lijder**(**es**) consumptive (patient); *ziekenh. voor* ~*s* chest hospital; ~**middel** pectoral medicine; ~**plaat** *a*) (*mil.*) b.plate, cuirass; *b*) badge (worn on the chest); *c*) (*lekkers*) (*ongev.*) fondant, fudge; ~**poot** (*dierk.*) thoracic leg; ~**riem** b.-strap; ~**rok** (under)vest, singlet; ~**slag** (*zwemmen*) b.stroke; ~**speld** brooch, b.-pin; ~**spier** pectoral muscle; ~**stem** chest-voice; ~**stuk** (*van harnas*) b.-plate; (*van dier, als voedsel*) breast, brisket; (*van insekt*) thorax; (*van kleed*) breast; ~**tering** *zie* longtering; ~**toon** chest-note; ~**verwijder** chest-expander; ~**vin** pectoral fin; ~**vlies** pleura; ~**vliesontsteking** pleuritis; pleurisy; ~**voeding** b. feeding; – *krijgen* be breast-fed; ~**wand** chest-wall; *ook* = ~**waterzucht** pectoral dropsy, hydrothorax; ~**wering** parapet; (*mil. ook*) b.-work; ~**wervel** thoracic vertebra (*mv.:* -brae); ~**wijdte** [have great] width of chest; chest measurement; ~**zak** b.-pocket; ~**zuiverend** (*middel*) expectorant

1 bos bunch [of keys, asparagus, violets, feathers], bundle [of sticks, straw], truss [of straw], bottle [of hay]; (*haar*)~ shock (of hair); ~(*je*) tuft [of hair, moss, grass]; wisp [of straw]; *zie* haarbos

2 bos wood(s), forest; ~**aanplant** afforestation; (*concr.*) forest reserve; ~**achtig** woody, wooded, woodlike; ~**anemoon** w.-anemone; ~**beheer** forest administration; ~**bes** (*blauw*) bilberry, whortleberry; (*rood*) cow-berry, red bilberry (whortleberry); ~**bewoner** woodsman, forest-dweller, forester; ~**bouw** forestry, sylviculture; ~**bouwschool** school of forestry, forestry-school; ~**brand** forest-fire; ~**cultuur** *zie* ~bouw; ~**duif** w.-pigeon; *kleine* – stockdove; ~**duivel** mandrill; ~**god** sylvan deity, faun; ~**godin** w.-nymph; ~**grond** woodland soil; ~**je** grove, spinney, (*van struiken*) bush, thicket; *bij* ~*s* by the handful; **B**~**jesman** Bushman; ~**kabouter** wood-gnome; ~**kant** fringe (edge) of a w.; ~**kat** wild cat; ~**land** woodland; ~**landschap** woodland scenery; ~**meester** (*slang*) lachesis; ~**mens** *a*) bush native; *b*) orang-outang; ~**mier** w.-ant, red ant; ~**muis** w.-mouse; ~**neger** (*W.-I.*) maroon

Bosnië Bosnia; ~**r, Bosnisch** Bosnian

bos: ~**nimf** wood-nymph; ~**opzichter** forester; ~**pad** wood-path; ~**partij** woodland scenery, wood

Bosporus: *de* ~ the Bosp(h)orus

bos: ~**rand** *zie* ~kant; ~**rank** traveller's joy, old man's beard; ~**recht** forest laws; ~**rietzanger** marsh-warbler; ~**rijk** wooded, woody; ~**ruiter** (*vogel*) wood-sandpiper

bosschage grove, spinney

bosseleren emboss

Boston id. (*ook spel*); (*bewoner*) *van* ~ Bostonian

bos: ~**uil** tawny owl; ~**viooltje** hedge-violet, wood-violet; ~**wachter** forester, forest-keeper; ~**weg** forest-road, -track; ~**wet** forest-law; Forestry Act; ~**wezen** forestry

bot **1** *zn.* 1 (*vis*) flounder; *de* ~ *vergallen*, (*fig.*) spoil the game; 2 (*knop*) bud; 3 (*been*) bone; 4 end of a rope; *een touw* ~ *geven* (*vieren*) pay out a rope; *zijn hartstochten* (*grillen*) ~*vieren* give rein (the reins, loose, a loose) to one's passions (whims); 5 ~ (*een* ~*je*) *vangen* meet with a refusal, (*iem. niet thuis vinden, falen*) draw (a) blank, (*bij roeien*) catch a crab; *ik ving* ~ *aan zijn hotel* I drew blank at his hotel; II *bn.* (*eig.*) blunt, dull; (*dom*) dull, obtuse; (*ronduit, lomp*) blunt; flat, point-blank [refusal]; ~ *maken* (*worden*) blunt, dull; ~(*af*) *zie* ~weg

botanicus botanist; **botanie** botany

botanisch botanical; **botaniseertrommel** botanical case, vasculum, *mv.* vascula

botaniseren botanize

botel bo(a)tel

botenhuis boat-house; -**verhuurder** boatman

boter butter; (*fam. = margarine*) marge; *met* ~ *besmeren* butter; *met* ~ *buttered* [toast]; *het is* ~ *aan de galg* (*gesmeerd*) it's all so much labour in vain; ~ *bij de vis* pay down on the nail; *er de*

~ *uit braden* have a good time; ~ *op z'n hoofd hebben*, (*fig.*) live in a glass house; ~, *melk en kaas spelen* play (at) noughts and crosses; (*Am. ook*) tic-tac-toc; *zie* neus; ~**achtig** butter, b.-like; ~**banket** *zie* banket; ~**bloem** b.cup, b.-flower; *gulden* – goldilocks; ~**briefje** (*rekening*) bill; (*scherts.*) marriage lines; ~**doek** b.-cloth, -muslin; ~**en** *a*) butter [bread]; *b*) make b., churn; *de melk wil niet* – the b. won't come; *'t wil niet* – I am making no progress (no headway), (*tussen hen*) they don't hit it off; ~**fabriek** creamery, dairy, b.-factory

boterham (slice of, some) bread (and butter) [his job meant his br. and b.]; ~*men meenemen* take sandwiches along; ~*men snijden* cut bread and butter; *een goede* ~ *verdienen* earn a good wage; *zie* droog; ~**bordje** bread-and-butter plate; ~**mandje** luncheon-basket; ~**papier** grease-proof (*of:* sandwich)-paper; ~**trommeltje** sandwich-case

boter: ~**karn** butter-churn; ~**koek** (*ongev.*) shortbread; ~**koekje** b.-biscuit; ~**koeler** b.-cooler; ~**letter** pastry-letter; ~**markt** b.-market; ~**olie** b.-oil; ~**peer** beurré, b.-pear; ~**spaan** b.-scoop, b.-pat; ~**stempel** b.-print, -stamp; ~**tje**: *'t is – tot de boom* everything in the garden is lovely (*of:* rosy), there isn't a rift in the lute; ~**ton**, ~**vat** b.-tub, -cask; ~**vis** gunnel, b.-fish; ~**vlootje** b.-dish; ~**waag** weigh-house (for b.); ~**zuur** butyric acid

botheid ... ness (*zie* bot), dul(l)ness

botje *zie* bot; ~ *bij* ~ *leggen* club together, pool money

botmuil blockhead, dunce

Botnië Bothnia; ~**r, Botnisch** Bothnian; ~*e Golf* Gulf of Bothnia

botsautootje dodgem (car)

botsen strike, dash, bump (up) [*tegen* against], impinge [*tegen* on]; *ik botste tegen hem aan* I knocked into him; *zie ook:* in botsing komen met

botsing collision (*ook fig.*), crash, smash [train ..., air..., motor...]; impact; clash [of two armies; of interests]; *in ~ komen met* collide with, come into c. with; (*eig. ook*) run (crash, dash) into [a motor-car]; (*fig. van belangen, wensen, enz. ook*) clash (conflict) with [we always clash on that subject]; impinge on [the interests of ...], run foul of [the law]

botskop Atlantic right whale

Botswana id.

bottel 1 (*van roos*) hip; 2 (*Z.-Afr.*) bottle

bottel: ~**aar** bottler; ~**arij** bottling-room; (*mar.*) store-room; ~**bier** bottled beer; ~**en** bottle; ~**ier** butler (*in Eng. tevens hoofdbediende*); (*op schip, in club, enz.*) steward

botten bud

botter fishing-boat; *ongev.:* seiner

botterik dunce, blockhead, noodle

bottine (lace-up, button-)boot, half-boot; (*vero.*) high-low; (*met elastiek*) elastic-sided boot

botulisme botulism

botvieren *zie* bot 4

botweg bluntly, [refuse] point-blank, flatly; *iets* ~ *ontkennen, ook:* give a flat denial

bouclé id.

boud bold; *dat is wat te ~ gesproken* that's putting it too strongly

bouderen pout, sulk

Boudewijn Baudouin, Baldwin

boudoir boudoir; (*dicht.*) (lady's) bower

boudweg boldly

bouffante muffler

bougainville (*plant*) bougainvillea

bougie wax candle, bougie; (*med.*) bougie; (*van motor*) sparking-, spark-plug, plug

bouilloire (tea-)boiler; kettle and stand

bouillon broth, beef-tea; stock (*voor bereiding van soep*); ~**blokje** beef-tea cube; ~**tablet** beef-tea tablet

boulevard id., esplanade; (*aan zee*) *ook:* (sea-)front; ~**blad** yellow newspaper, (*ongev.*) tabloid; ~**journalistiek** yellow journalism; ~**pers** yellow press

Bourbon id.; ~**s** *bn.* Bourbon

bourgeois(ie) id.

Bourgogne Burgundy; **b~(wijn)** burgundy

Bourgondië Burgundy; ~**r, Bourgondisch** Burgundian; flamboyant [personality]; ~ *kruis* St. Andrew's cross; *de ~e tijd* the B. period

boussole compass

bout 1 bolt; (*hout*) pin; (*los ijzer in strijk~*) heater; (*soldeer-*) iron; 2 (*algem. van dier*) quarter; (*van vogel*) drumstick; (*schape-*) leg (of mutton); 3 (*politieagent*) (*sl.*) copper, cop; *hij kan me de ~ hachelen*, (*volkst.*) he can drop dead

boutade sally

boutique id.

boutje drumstick, etc. (*zie* bout)

bouvier (*honderas*) Bouvier de Flandres

bouw 1 building, erection, construction (*ook van zin*); (*samenstel*) structure [of the atom], frame; build [of the body]; (*van drama, enz.*) framework; *tenger* (*krachtig, prachtig*) *van* ~ of slight (powerful, magnificent) build, slight etc. in build; 2 (*'t be-, verbouwen*) cultivation, culture; (*verbouw ook*) growth; *de* ~ *the b.* trade; ~**bedrijf** b.-trade, -industry; ~**begroting** builder's estimate; ~**blok** b.-block, -brick; ~**boer** arable farmer; ~**commissie** b.-committee; -authorities, -department; ~**doos** box of bricks; construction box; do-it-yourself kit; ~**en** build [a house, nest, ship, bridge, radio set, an engine, empire], (*ineenzetten*) construct, (*oprichten*) erect; (*verbouwen*) grow, cultivate; *zee* – plough the sea(s); *goed zee* – be a good sea-boat; *op iem. (iets)* – rely on a p. (a thing); *ook:* build (*of:* bank) upon it (a promise, etc.); *iem. op wie men kan* ~ a tower of strength; *op zand* – build on sand (*ook fig.*); *in 't buitenland* (*Groot-Brittanje*) *gebouwd* foreign-(British-)built; *goed gebouwde vrouw* fine figure of a woman; *'n krachtig geb. lichaam* a well-knit frame; *zie ook:* bouw (*van* ~); *zie* hoogte; ~**er** builder; ~**erij** *a*) agriculture; *b*) b.-trade; *c*) b.-site; ~**fonds** b.-

society; ~gereedschap b.-implements; ~grond
zie ~land & ~terrein; ~heer 1 builder; architect
[of the universe]; 2 principal (for whom a
house etc. is being built); ~kas building-
society; ~keet site hut; ~knecht farm-hand; ~-
kosten b.-expenses, cost of construction; ~-
kunde architecture; ~kundig architectural; –
ingenieur constructional engineer; ~kundige
building expert; architect; ~kunst architecture;
[Hadrian's wall is a remarkable feat of] engineering; ~land arable (agricultural) land,
farm-land; ~maatschappij b.-company; (coöpe-
ratief) b.-society; ~materialen b.-materials;
~meester architect; master builder; zie ~heer;
~muur structural wall; ~ondernemer (build-
ing-)contractor, builder and contractor;
~opzichter b.-inspector, clerk of the works;
~orde order [Doric ..., etc.], (style of)
arcnitecture, arcnitectural style, style of
b.; ~pakket construction (of: assembly) kit;
als – in kit form; ~plaat cut-out; ~plaats b.-
site; ~plan (van stad) b.-scheme, plan;
(van huis) plan; ~politie b.-inspectors; ~put
trench; ~rijp maken prepare [a site]; ~sel structure; ~speculant speculative builder; ~steen
b.-stone, -brick, (fig.) b. block; (mv. fig.)
materials; ~stijl zie ~orde; ~stoffen (ook fig.)
materials; ~stop building freeze; ~subsidie
b.-grant; ~terrein b.-site, -plot, -ground;
als – verkopen sell in b.-plots; ~toezicht
b.-inspectors; b.-department; ~trant zie
~orde; ~vak b.-trade; ~arbeiders, ~kers
building workers, construction workers;
building trades operatives; ~val ruin(s);
~vallig tumbledown, ruinous, crazy, ramshackle, rickety [bridge]; dilapidated (ook
fig.); ~valligheid ruinous condition, craziness,
decay, dilapidation; ~vereniging b.-society;
~vergunning b.-licence, b.-permit; [site with]
planning permission; ~verordening b. by-
laws, b.-regulations; ~volume building capacity; ~werk a) building, edifice, structure;
b) b.-work, constructional work; (van orgel)
swell

boven I vz. (hoger dan, ook fig.) above [water,
sea-level, Cologne, suspicion, the law, marry
... one's station]; (loodrecht ~) over [the door,
one's head, the fire, the mantelpiece, hold one's
hand ... one's eyes, hover ... the town]; (meer
dan) over [ten pounds, military age]; [live]
beyond [one's means]; zie ook benevens; ~ en
behalve, zie buiten 2; hij is ~ de 40 he is over
(turned) forty; de kamer ~ ons the room overhead; ~ de storm uit a. the storm; verstandig ~
zijn leeftijd wise beyond one's years; ~ iem.
staan be over a p.; hij is ~ zijn bier (theewater)
he has had a drop too much, is half seas over;
zie ook te ~ gaan, plaatsen, stand, enz.; II bw.
above; [hold the stone of the ring] uppermost;
on high, aloft; (in huis) upstairs; (Ind.) (up) in
the hills, up country; daar ~ up there; (= in de
hemel) on high; dit ~! this side up!; zoals ik ~
opmerkte as I observed above; ~ wonen live
upstairs; ~ aan de bladzijde (trap) at the top of

the page (stairs); ~ op on the top of [a bus, the
wall; ook fig.: a long march on top of a hard
day's work]; zie bovenop; ~ op elkaar one on
top of the other; ~ op de kachel zitten sit over
(of: on top of) the fire; de kerk stond ~ op de
heuvel the church topped the hill; als ~ as
(stated) a.; naar ~ up(wards), uppermost;
(meer) naar ~ higher up [the river, etc.]; naar
~ brengen bring up; naar ~ gaan, a) go upstairs;
b) (Ind.) go to the hills, go up country; te ~ gaan
exceed [£20], surpass, beat [everything], transcend [a beauty which ... s them all]; baffle [the
imagination]; 't karwei gaat mijn krachten te ~
the job is a. me; alle beschrijving te ~ gaan defy
(beggar) description, be beyond words; zie
begrip, enz.; te ~ komen surmount, overcome,
rise above, rise superior to [difficulties], get
over [difficulties, a shock], survive [a shock,
misfortunes], [we'll] outlive [such tittle-tattle],
outgrow [one's reputation for bashfulness],
recover from [a blow, an illness], live down
[sorrow, etc.], retrieve [losses]; de moeilijkheden te ~ k., ook: win through; hij is 't te ~ he
has got over it, has overcome the difficulty; hij
is zijn ziekte nog niet geheel te ~ he has not
quite shaken off his illness; de moeilijkheden te
~ zijn, ook: be out of the wood; zo iets zijn we te
~ we have outgrown (grown out of) that sort
of thing; van ~, a) [it is black] at the top; zie
bovenop; b) [all blessings come] from a.;
[seen] from a., from on top; c) from upstairs;
3de regel van ~ third line from the top; van ~
naar beneden from the top (from a.) down-
ward(s), [read] downward(s); van ~ tot beneden from top to bottom; from top to toe,
from head to foot; zie verder de samenstellingen

boven: ~aan at the top (upper end), [start] at
(from) the top; at the head [of the table]; – op
hun program in the forefront of their programme (of: platform); – staan be at the head (the
top) [of the list], head (of: top) the list, come
first [in a p.'s esteem], be at the top [of the
medical profession], hold the record;
~aangehaald above-cited; ~aards super-
mundane, supernatural, heavenly; ~ach-
terkamer top-floor back(-room); ~af: van
– from above, from the surface (the top);
[begin] at the top; ~al above all; [I like it] above
(of: of) all things; – in deze tijd at this time above
all others; – in L. in L. above all places; ~arm
upper arm; ~arms overarm [throw, bowling];
~bedoeld (referred) to above; ~bouw super-
structure; ~brengen take (carry) up [a p.'s
dinner, etc.]; bring up [bitter memories]; ~-
buur upstairs neighbour; de ~buren the people
upstairs; ~deel upper part; ~dek upper deck,
main deck; ~deur upper (part of a) door; ~dien
besides, what's more, (lit.) moreover, in addition; [little food, and poor food] at that; then
[and ..., it's no concern of mine]; en er is – 't
voordeel ..., ook: and there is the added advantage ...; ~dorpel, ~drempel lintel; ~drijven
float on the surface; (fig.) prevail, predomi-

nate; *–de partij* ruling party; ~**eind** upper end; (*van tafel*) head; ~**gedeelte** upper part; ~**ge-meld**, ~**genoemd**, ~**gezegd** above(-mentioned) aforesaid, '*t –e* (*jur.*) the premises; ~**goed** *zie* ~**kleding**; ~**grond** topsoil; *eigenaar van de –,* (*mijnb.*) owner of the surface rights; ~**gronds** overground [*tegenov.* underground] railway; elevated [railway = *luchtspoorw.*]; high-level [railway, platform, bridge]; overhead [wires, cable, system]; *–e kruising* fly-over; *– werk,* (*bij mijn*) grass-work; ~**hand** back of the hand; *de – hebben* (*krijgen*) have (get) the upper hand [*over, op* of]; ~**helft** upper half; ~**hoek** [left-, right-hand] top corner; ~**houden** keep above (water); ~**huis** *a*) upper part of a house; *b*) up-stairs flat (*of:* house); ~**in** at the top; ~**kaak** upper jaw; ~**kamer** upstairs room; '*t scheelt hem in de* – there is something wrong (he is weak) in his upper stor(e)y, he has bats in the belfry; ~**kant** upper side; ~**kast** (*typ.*) upper case; ~**kies** upper molar; ~**kleding**, ~**kleren** upper (*of:* outer) clothes, outer wear; ~**kleed** upper garment; ~**komen** come up(stairs); (*boven de grond*) come up; (*in vloeistof*) rise (come) to the surface (the top), emerge; (*van walvis, duikboot*) (break) surface; *laat hem* – show (ask, send) him up(stairs), (*fam.*) have him up; *zijn betere natuur* (*oude argwaan*) *kwam* ~ his better nature asserted itself (his old suspicion surged up); ~**korst** upper crust; ~**laag** upper (*of:* top) layer, superstratum; ~**laken** top-sheet; ~**land(en)** upland(s), highlands, (*Ind. ook*) hills; ~**lander** highlander; ~**lands** up-land; ~**last** deck cargo; ~**leer** upper leather, uppers; ~**leiding** (*van tram*) overhead line; ~**lichaam** *zie* ~lijf; ~**licht** skylight; window over a door, (*waaiervormig*) fan-light; (*aan plafond*) ceiling-light; ~**liggend** (*techn.*) overhead [cam-shaft]; ~**lijf** upper part of the body; ~**lip** upper lip; ~**loop** upper course, upper reaches [of the Thames]; ~**lucht** upper air; ~**mate** exceedingly, beyond measure, extremely; ~**matig** *bn.* exceed-ing, extreme; *bw. zie* ~mate; '*t* B~**meer** Lake Superior; ~**meester** headmaster; ~**menselijk** superhuman; ~**mest** topdressing; ~**nationaal** supranational; ~**natuurlijk** supernatural; ~**om** round the top

bovenop on (the) top [my hair is getting thin on top], at the top, atop; *er* ~ [he did not see it till he was almost] on top of it; *met … er* ~ sur-mounted (topped) by a flag; *zie* boven (op); *er weer* ~ *brengen* (*helpen*), (*patiënt*) pull (bring) through, set up; (*maatschappelijk*) set [a p.] on his feet again, put [our industries] on their feet again; '*t reisje zal hem er* ~ *br.* the trip will set him up, set him right again; *dat bracht hem er* (*maatschapp.*) ~ that was the making of him; *er weer* ~ *komen,* (*van patiënt*) pick up, pull through; (*financieel, enz.*) pull through, re-trieve one's losses, get one's head above water; *de patiënt kwam er spoedig weer* (*weer geheel*) ~ made a rapid (a good) recovery; *hij zal er niet weer* ~ *komen* he is not likely to live; *hij is er weer* ~ he is all right again, has got over it; *het*

ligt er duimdik ~ it sticks out a mile

boven: ~**over** over (*of:* along) the top; ~**raam** upper (upstairs) window; ~**rand** upper edge; B~-**Rijn** Upper Rhine; ~**rok** skirt, outer petti-coat; ~**slagmolen**, -**rad** overshot-mill, -wheel; ~**st** upper(most), topmost, top [drawer, button, etc.]; *een –e beste* a brick, a trump; '*t –e* the upper part, the top; ~**staand** *zie* ~gemeld; '*t –e* the above; ~**stad** upper (part of the) town; ~**standig** (*plantk.*) superior; ~**ste** *zie* ~st; ~**stem** treble; ~**stuk** upper (*of:* top) part; ~**tallig** supernumerary, surplus; ~**tand** upper tooth; ~**toon** overtone; *de – voeren* predominate [the sense of duty … d in her]; (*van persoon*) rule the roost, play first fiddle; ~**uit:** *overal – steken* rise (*of:* tower) above everything; *zijn stem klonk overal* – his voice was heard above everything; ~**venster** *zie* ~raam; ~**verdieping** upper stor(e)y (*of:* floor), top floor; *zie ook* ~kamer; ~**vermeld** *zie* ~gemeld; ~**vlak** upper surface; ~**voorkamer** top-floor front(-room); ~**waarts** *bw.* upward(s); *bn.* upward; ~**water** 1 surface water; 2 upper water(s) [of a river]; 3 (*molen*) overshot (wa-ter); 4 (*sluis*) upper water; ~**waterslag**, -**sche-pen** surface craft; ~**wijdte** chest (width); ~**winds** to windward; ~**woning** *zie* ~huis 2; ~**zijde** upper side; ~**zinnelijk** transcendental, supersensual

bowl (*kom*) id.; (*drank*) [claret, cider, etc.] cup; *een* ~ *maken* mix a [claret, etc.] cup

bowlen bowl

box (*baby*~) (play-)pen; (*van paard*) (loose) box; (*garage*) box, lock up; (*camera*) box-camera; *ook* = postbus & ~**calf** box-calf; ~**er** (*hond*) id.; ~**garage** lock-up garage(s)

boycot boycott; ~**ten** boycott

boze *zie* boos 2

braad: ~**aal** spitchcock; ~**kip**, ~**kuiken** roasting-chicken, broiler; ~**lucht** smell of frying (roast-ing); ~**oven** Dutch oven, roaster; ~**pan** casse-role; ~**rooster** gridiron, grill; ~**slee** roaster, roasting tin; ~**spil** windlass; ~**spit** roasting-spit; ~**spitdraaier** turn-spit; ~**stuk** roasting-joint; ~**varken** roasting-pig, roaster; ~**vet** frying-fat; (*afgedropen*) dripping; ~**worst** German sau-sage

braaf honest, good, virtuous; (*iron.*) good [don't be so terribly …]; **brave** *vent* honest fellow, regular trump; *de brave John Hull* honest J. H.; *brave jongen* (*ziel*) good boy (soul); *een brave burger* a worthy citizen; *die brave* (*oude*) *men-sen* those good (dear old) people; *een – meisje* a respectable (*of:* good) girl; ~ *drinken* drink hard; ~ *oppassen* behave well; ~ *schreeuwen* cry lustily; *hij doet* ~ *zijn werk* he does his work as a good boy; *zie* Hendrik; ~**heid** honesty, in-tegrity, probity

braak I *zn.* (*inbraak*) burglary, house-breaking; (*werktuig*) brake; II *bn.* fallow; ~ *liggen* lie fal-low (waste) (*ook van kennis, enz.*) *en ligt nog een groot terrein* ~ there is still a large unex-plored field

braakbal (*van roofvogel*) pellet

braakjaar year of rest

braakland -   138

braakland fallow (land)
braak: ~loop diarrhoea, (*Aziatische*) cholera;
~middel emetic; ~noot vomit nut, nux vomica;
~sel vomit; ~wortel ipecacuanha, (*fam.*) ipecac
braam 1 (*van metaal*) wire-edge, burr; 2 (*vis*)
(Ray's) bream; 3 = ~bes blackberry, bramble;
~bessen gaan zoeken go blackberrying; ~bos
blackberry brake; *het brandende* –, (*bijb.*) the
burning bush; ~sluiper (*vogel*) lesser white-
throat; ~struik blackberry bush, bramble
(bush)
Brabander Brabantine
Brabant id.; ~s Brabantine
brabbelaar(ster) jabberer; brabbelen jabber,
talk gibberish (*of:* double Dutch)
brabbeltaal jabber, gibberish, double Dutch
bracelet id.; *zie ook* boei
bracht o.v.t. *van* brengen
braden tr. & intr. roast [on a spit], bake, roast
[in an oven], grill [on a gridiron], broil [on a
fire or gridiron], fry [in a pan], (*knetterend*)
frizzle; *liggen te* ~ be baking (roasting) [in the
sun]; *gebraden rundvlees* roast beef; *het vlees
is prachtig gebraden* the meat is done to a turn;
zie duif, uithangen, enz.
braderie street-fair
Brahma id.
brahmaan brahmin, brahman; -nisme Brah-
minism
brahmapoetra brahma(pootra)
brailledruk, -schrift braille, raised type
1 brak zn. (*hond*) beagle; (*jongen*) brat, urchin,
little rogue; *jacht met* ~ken beagling
2 brak bn. brackish, saltish, briny
3 brak o.v.t. *van* breken
braken 1 tr. & intr. vomit (*ook fig.:* smoke, cur-
ses, etc.), throw up, belch [flames, etc.]; 2
break, brake [flax, etc.]; -er breaker [of flax]
brakheid brackishness, etc. (*zie* brak 2)
braking vomiting; brallen brag, boast
Bram Abraham, (*fam.*) Abe; bram (*flinke vent*)
brick; (*druktemaker*) swanker, swankpot; *zie*
uithangen
bramenzoeken, -er zn. blackberrying, -berrier
bramsteng, -zeil topgallant-mast, -sail
brancard stretcher; *per* ~ *vervoerde* s. case
branche line (of business); (*filiaal*) branch (establishment)
brand fire, (*grote*) conflagration; (*uitslaande*)
blaze; (~stof*) fuel, firing; (*branderig gevoel*)
prickly heat; (*uitslag*) eruption; (*in koren*)
blight, (black) rust, smut; ~! fire!; *er is* ~ there
is a f.; *vrij* ~ *hebben* have free firing; *de* ~ *erin
steken*, (*pijp*) light up; ~ *stichten* raise f.; *in* ~
staan be on f. (afire, ablaze); *in* ~ *raken* (*vliegen*)
catch (take) f., catch alight, burst into flames,
(*ontbranden*) ignite; *in* ~ *steken* set on f., set
alight, set f. to, fire, (*doen ontbranden*) ignite;
in de ~ *zitten* be in a scrape; *uit de* ~ *helpen* help
out of a scrape; *zo helder als een* ~, *zie* brand-
helder; ~alarm f.-alarm, f.-call, ~assurantie *zie*
~verzekering; ~baar combustible, inflammable; ~baarheid combustibility, (in)flamma-
bility; ~blaar blister raised by burning; ~blus...

zie blus...; ~bom incendiary (bomb), fire-
bomb; ~brief pressing letter; ~deur *a*) fireproof
door; *b*) (*nooddeur*) emergency-door
brandebourgs frogs
brandemmer fire-bucket
branden I intr. burn (*ook van lamp, gezicht, enz.*),
be on fire; (*fel*) blaze; (*van brandnetel*) sting;
'*t gas wil niet* ~ won't light; '*t geld brandt hem in
de zak* the money is burning a hole in his pocket;
~ *op de tong* b. (on) the tongue; '*t brandt
hem op de tong om* '*t te zeggen* he is burning (itching, dying) to tell it; *hij brandde over
zijn hele lichaam* his skin seemed to be all on
fire; ~van b. with [impatience], be aflame with
[excitement]; ~ *van nieuwsgierigheid* die of
curiosity; ~ *van verlangen om* be burning (dying) to ..., be (all) on fire to ...; II tr. burn
[one's hand, wood, lime, charcoal]; brand [a
criminal, sheep]; scald [with hot liquid];
cauterize [a wound]; distil [strong drinks];
roast [coffee]; singe [one's hair]; bream [a
ship]; stain [glass]; (*zengen*) scorch; ~ *aan* b.
[one's mouth] with [hot food]; *jij brandt je,*
(*bij spel*) you are getting warm; *de kachel* ~
have a fire; *hij is niet vooruit te* ~ there is no
way of getting him to move; *zie* vinger &
water
brandend burning; lighted [match, candle];
alight [with his clothes ...]; seething [waves];
ardent [desire]; ~ *heet* sweltering [day], burning (*of:* roasting) hot [day], scalding hot
[coffee]; ~*e hitte* torrid heat; ~ *vraagstuk* b.
question; ~ *van nieuwsgierigheid* dying with
curiosity; *zie* branden
brander 1 distiller; 2 fireship; 3 (*van lamp, enz.*)
burner; ~ig (*smaak, enz.*) burnt; (*gevoel*) burning, tingling; (*koren*) smutty, smutted; *het
smaakt* (*ruikt*) – it has a burnt taste (smell); ~ij
distillery, still
brandewijn brandy; ~ *op kersen* cherry-brandy
brand: ~gang (*in bos*) fire lane; (*Am.*) fire-break;
~gans barnacle (-goose); ~gat burn(-hole); ~-
gevaar *a*) fire-risk, risk of f., f. danger; *b*)
danger from fire(s); ~glas burning-glass, -lens,
sun-glass; ~granaat incendiary shell; ~haar
sting(ing hair); ~haard *zie* haard; ~helder
spotless, speckless, immaculate, as bright as
a new penny; *zie* kraakzindelijk; ~hout (piece
of) fire-wood; (*fig.*) rubbish, trash; *zie
mager*; ~ig *zie* branderig; ~ijzer (*om te merken*)
branding-, marking-iron; (*voor wond*) cauter-
izing-iron, cauter(y); ~ing breakers, surf,
broken water; ~kast safe, strong-box; ~klok
f.-bell; ~kluis *zie* kluis; ~kogel f.-ball, incendiary bullet; ~kraan f.-cock, -plug; ~ladder f.-
ladder, -escape; ~lucht smell of burning, burnt
smell; ~meester f.-brigade officer, f.-officer; ~-
melder f.-alarm; ~merk brand, stigma, ~mer-
ken brand; (*fig. ook*) stigmatize; ~middel
caustic; ~muur f.-proof wall; ~netel stinging
nettle; ~oefening (*houden*) (do, hold a) f.-drill;
~offer burnt-offering, holocaust; ~paal stake;
~plek burn; (*door vloeistof*) scald; ~polis f.-
policy; ~punt focus, mv. -ci, -uses (*ook fig.*: ...

of sedition, etc.); *in een – verenigen* focus; ~**puntsafstand** focal distance; ~**rol** (*mar.*) muster-list; ~**schade** damage (*geldelijk:* loss) by f., f.-damage, -loss; ~**schatten** lay under contribution, hold to ransom; ~**schatting** (levy of a) contribution, levy; ~**schel** f.-alarm; ~**scherm** safety-curtain, f.-curtain; ~**schilder** enameller; ~**schilderen** enamel; (*glas*) stain; ~**schilderwerk** enamel(ling); ~**schip** f.-ship; ~**schoon** *zie* ~helder; ~**schot** fire-proof bulkhead; ~**slang** f.-hose; ~**spiegel** burning-mirror; ~**spiritus** methylated spirit, meths; ~**spuit** f.-engine; (*drijvend*) f.-float, (river) float; ~**spuitgast** fireman; ~**stapel** (funeral) pile; (*voor lijk*) pyre; *op de – sterven* die at the stake; ~**stichter** incendiary, f.-raiser; ~**stichting** incendiarism, arson, f.-raising; ~**stof(fen)** fuel, firing; ~**stofcel** fuel cell; ~**stoffenverbruik** fuel consumption; ~**trap** f.-escape; ~**verf**, ~**verven** enamel; ~**verzekering** f.-insurance; ~**verzekeringsmaatschappij** f.-i. company; ~**vlak** focal plane; ~**vrij** f.-proof, -resisting; – *maken* (render) f.-proof; ~**waarborg** *zie* ~verzekering; ~**wacht** f.-watch; (*pers.*) f.-watcher; (*Am.*) f.-warden

brandweer fire-brigade; ~**auto** fire engine; ~**commandant** *zie* commandant; ~**greep** fireman's lift; ~**helm** fireman's helmet; ~**kazerne** fire-station; (*hoofdkazerne*) (general) headquarters of the f.-b.; ~**man** fireman; (*inz. Am.*) f.-fighter; ~**personeel** fire personnel; ~**post** fire-station

brand: ~**wezen** fire-service; ~**wond** burn; (*door vloeistof*) scald; *erge –en krijgen, ook:* be badly burnt (scalded); ~**zalf** ointment for burns and scalds

branie *bn.* bold, daring; *zn.* daring; (*ong.*) swank, swagger; (*pers.*) dare-devil; (*opsnijder*) swank; (*hele 'meneer'*) swell; *de – uithangen* throw one's weight about; ~**achtig** swanky; ~**kraag** sailor collar

bras (*mar.*) brace; **brasem** bream

braspartij orgy, (drunken) revel, riot, carouse, debauch

brassard id., armlet

brassen 1 carouse, revel; 2 (*mar.*) brace, square the sails to the wind

brasser carouser, reveller; ~**ij** *zie* braspartij

bravade bravado, swagger, bluff; **braveren** defy, face [death]; **bravissimo** id.

bravo *zn.* id. (*pers. mv.*: -os, *uitroep*: -oes); *tw.* bravo! well done! hear, hear!

bravoure *a*) bravura; *b*) *zie* bravade; ~**aria** b. (air), aria di b.; ~**stuk** *a*) (*muz.*) bravura; *b*) tour de force, (*sl.*) stunt

brazielhout Brazil wood

Braziliaan(s) Brazilian; **Brazilië** Brazil

breccie (-iën) breccia(s), rubble(-stone)

Brechtje Bridget

breed broad [shoulders, brim, street, ribbon, grin], wide [river, street, mouth, forehead, waist]; *een 3 voet brede tafel* a table three feet b. (wide); *'t meer is 3 Eng. mijlen ~, ook:* 3 miles across; *een brede blik, zie* ruim; *in brede trekken schetsen* trace in b. outline; *in den bre-*

de over een onderwerp uitweiden discourse upon a subject at large; *zie* ~voerig; *zij hebben het niet ~* they are in straitened circumstances, have to pinch; ... *maar het evenmin ~ had* but did not roll in plenty either; *die 't – heeft laat 't ~ hangen* those that have plenty of butter can lay it on thick; *zie* opgeven; ~**gebouwd** square-built; ~**gerand** b.-brimmed; ~**geschouderd** b.-shouldered, square-built; ~**getakt** spreading; ~**heid** (*ook fig.*) breadth, width

breedsprakig prolix, diffuse, verbose, long-winded; ~**heid** prolixity, verbosity, diffuseness

breedte breadth, width (*beide ook als 'baan' van stof*); (*aardr.*) latitude; *dubbele ~,* (*van stof*) double width; *in de ~* broadwise; *op 51° (N., Z.) ~ in lat. 51° (N., S.); over de hele ~ van ...* [printed] right across the page; *ter – van ... the* b. of [my thumb], [five feet] in b. (width); ~**cirkel** parallel of latitude; ~**graad** degree of latitude

breeduit: *ze ging ~ zitten* she spread herself out over her seat, she sprawled on the sofa

breedvoerig I *bn.* circumstantial [report], detailed; wide [discussion]; ample [treatment]; II *bw.* at (full) length, in detail, fully, at large; ~**heid** fulness (of detail)

breedwerpig: ~ *zaaien* (sow) broadcast

breedzij broadside; ~ *vuur,* (*mar.*) broadside fire

breefok square foresail

breekbaar breakable, fragile, brittle; ~ */* fragile!; *-are voorwerpen, ook:* breakables; ~**heid** fragility, brittleness

breekijzer crowbar, crow (*van inbreker ook*) jemmy

breekpunt breaking-point

breekspanning breaking-strain

breeuwen caulk [a ship, a seam]

breeuw: ~**er** caulker; ~**hamer** caulking-mallet; ~**ijzer** caulking-iron

breeveertien: *de – opgaan* go upon the streets

breidel bridle; (*fig. ook*) curb, check; *een – aanleggen,* ~ *en* bridle, curb, check, put a curb upon; ~**loos** curbless, unbridled

breien knit; *zie* gebreid; -**er** knitter

brei- knitting: ~**garen** k.-yarn; ~**gereedschap** k.-implements; ~**hout(je)** *zie* ~schee; ~**katoen** k.-cotton; ~**koker** k.-case; ~**kous** (unfinished) stocking, knitting; ~**machine** k.-machine

brein brain, intellect; *zie* opkomen; ~**baas** brainy type

brei- knitting: ~**naald**, ~**pen**, ~**priem** k.-needle, -pin; ~**sche(e)(de)** k.-case; ~**ster** knitter; *de beste – laat wel eens een steek vallen* it's a good horse that never stumbles

breitschwanz broadtail

breiwerk knitting; -**wol** k.-wool, fingering (wool)

brekebeen bungler, blunderer, duffer, bad hand [in at]

breken I *tr.* break [a glass, one's arm, neck, word, a fall, a p.'s power, pride, heart, resistance], fracture [a bone], refract [light]; (*verbrijzelen*) smash, shatter; *betalen wat men breekt* pay for breakages; *zie* hoofd, nek, enz.; II *intr.* break (*ook van wolken, golven, hart*), be

(get) broken (shattered), go to pieces; (*van hart*) burst; (*van touw, enz.*) *ook:* part; (*knappen, ook van touw*) snap [in two]; (*van oog*) grow dim, glaze; (*van licht*) be refracted; *door de vijand* ~ b. through the enemy; *de zon brak door de wolken* ... burst through the clouds; '*t was, alsof er iets in hem brak* something snapped (with)in him; give up, discontinue [a policy]; ~ *met* b. with [a p., the past, a tradition]; *met zijn verleden* ~, *ook:* put one's past behind one; *zie* sleur; *uit de gevangenis* ~ b. (out of) prison (*of:* jail), b. out
breker breaker; **brekespel** *zie* spelbreker
breking (*nat.*) refraction; ~**shoek** angle of r.
brem 1 (*pekel*) brine, pickle; *zo zout als* ~, *zie* bremzout; 2 (*plant*) broom
Bremen id.
bremraap broom-rape, (*grote* ~) chokeweed
brems horse-fly, gad-fly, breeze(-fly)
bremstruik broom
bremzout as salt as brine
brengen (*algem., naar de spreker*) bring [what ...s you here? an hour's walk ...s us to the place; his invention brought him fame]; (*van spreker af*) take [a letter to the post; ... take my card, a message, the ink]; see [a lady home, to the station, on board, to her seat, as far as the road]; drive [a p. to drink, despair]; land [it will ... you in prison, in difficulties]; put [one's hand to one's forehead]; (*overbrengen*) carry, convey [goods, passengers]; '*t ver* ~, (*in de wereld*) go far, go a long way; (*in een taal*) attain great proficiency in a language; *een knap gezicht brengt 't ver op 't toneel* good looks go a long way on the stage; *zie* verder; *iem.* ~ *waar men hem wil hebben*, (*fig.*) b. a p. to the point; *iem. aan 't weifelen* ~ make a p. waver; '*t bracht me aan 't denken* it set me thinking; *met zich* ~ bring (in its train, along with it); involve [great expense]; *dat brengt 't totaal op* ... that brings the total up to £50; *dat brengt mij op mijn onderwerp* that brings me to my subject; *ik bracht hem* ('*t gesprek*) *op dat onderwerp* I got him (turned the conversation) on that subject, brought the conversation round to ...; '*t gesprek op iets anders* ~ give a new turn to the conversation; *iem. geleidelijk* ~ *op* ... lead a p. up to the subject of ...; ~ *over* b. [misery, etc.] on [a p.]; *iem. ertoe* ~ *te* ... get (induce) a p. to ...; lead a p. to [believe ...], bring a p. to [see his error]; *wat bracht je ertoe 't te doen?* what made you do it? *dat brengt mij tot* ... that leads me to my second point; *tot 't houden van lakeien heb ik 't nog niet gebr.* I don't run to footmen as yet; *hij bracht 't tot kapitein* he rose to the rank of captain; *hij zal 't nooit tot iets* ~ he'll never get anywhere; *zie* bed, idee, trein, enz.
breng(st)er bearer; *met* ~ *dezes* [send answer] by b.
bres breach; (*meer algem.*) gap; *de* ~ *beklimmen* mount the b.; ~ *schieten* make (effect) a b.; *zich in de* ~ *stellen* (*in de* ~ *springen, op de* ~ *staan*) *voor*, (*ook fig.*) stand in (step into, throw o.s.

into) the b. for; *een* ~ *schieten in iems. financiën* make a hole in a p.'s finances
Bretagne Brittany; ~**r** Breton
bretels braces; (*inz. Am.*) suspenders
Breton id.; ~**s** *bn. & zn.* Breton
breuk (*barst*) crack, flaw, burst; (*van been, arm, schedel*) fracture; breach [in dike]; (*geol.*) fault; (*ingewands-*) rupture, hernia; (*ader-*) rupture (of a blood-vessel); (*wisk.*) fraction; (*hand.*) breakage [free from ...]; (*fig.*) rupture [between friends, with his father], split [there was no open ... between them], break [with tradition]; cleavage, rift [in the Cabinet]; [diplomatic] break; *eenvoudige* (*dubbele*) ~, (*van been, enz.*) simple (compound) fracture; *een* ~ *hebben* (*krijgen*) be ruptured; *het is tussen hen tot een* ~ *gekomen* it has come to a rupture (a' split) between them; *zie* beklemd, enz.; ~**band**(**maker**) truss(-maker); ~**kruid** rupturewort; ~**lijn** (*geol.*) line of fracture; ~**operatie** herniotomy; ~**steen** rubble (stone); ~**vlak** (*geol.*) fracture
breve [apostolic, papal] brief, breve
brevet certificate, brevet, patent; (*luchtv.*) (pilot's) licence, (flying-)ticket; *zichzelf een* ~ *van onbekwaamheid geven* stultify o.s., write o.s. down (as) incompetent
brevier (*gebedenboek*) breviary; (*soort drukletter*) brevier
bridge id.; **bridgen** (play) bridge
brief letter, epistle; packet [of pins, needles]; ~ *volgt,* (*in telegr.*) writing, (*op briefkaart*) to follow, l. following, l. follows; *brieven met volledige inlichtingen aan de Heer* ... write fully, Mr. ...; *per* ~ by l.; ~**geheim** privacy of letters; ~**hoofd** letterhead; ~**je** note (*ook: bank-*); (*fam.*) *ook:* chit [I'll give you a ... to Mr. A.]; *ik geef 't je op een* ~, *dat* ... you may take it from me that ...; ~**kaart** postcard; (*met betaald antwoord*) reply-postcard; ~**lias** l.-file; ~**omslag** envelope; ~**opener** paper-knife; ~**port** postage; ~**schrijver** l.-writer (*ook: brievenboek*); ~**stijl** epistolary style; ~**telegram** l.-telegram, cable-letter; ~**vorm** epistolary form; ~**wisseling** correspondence; – *houden* carry on (keep up) a correspondence [*met* with], correspond [they still ...]
Briel: *Den* ~, **Brielle** id., The Brill
bries breeze; *er kwam een flinke* ~ the wind freshened up; *zie* ~je
briesen (*van leeuw*) roar, (*van paard*) snort; ~ *van woede* fume and fret
briesje slant of wind; *zie* bries
brieven- letter: ~**besteller** postman; ~**boek** (*kopieboek*) l.-book; (*met modellen*) manual of l.-writing, l.-writer; ~**bus** l.-box, (*Am.*) mail-box; (*op straat, in Eng.*) pillar-box, posting-box; ~**maal** *a*) post-, mail-, l.-bag; *b*) = ~**post** mail, post; ~**tas** l.-case; ~**zak** *zie* ~maal *a*)
brieveweger letter-balance
brigade brigade; *zie* vliegend; ~**commandant** brigadier; ~**generaal** brigadier (general)
brigadier police-sergeant
brigantijn brigantine

Brigitta Brigitta, Bridget
brij porridge; (*fig.*) pulp; ~**achtig** pulpy, pappy; ~**en** l (*van aardapp.*) go mushy; 2 *zie* brouwen II
brijn brine; *zie* brem l
brik (*schip*) brig; (*rijtuig*) break, (*kleiner*) wag-onette; (*steen*) brick
briket (coal-)briquette
bril (pair of) glasses (spectacles; *fam.*: specs); (*stof-*) goggles; (*van W. C.*) seat; *twee* ~**len** two pair(s) of spectacles; *een* ~ *dragen* wear s., etc.; *zijn* ~ *erbij opzetten*, (*fig.*) look more closely at it; *iem. een* ~ *opzetten* hoax a p.; *iets door een rooskleurige* (*Duitse, enz.*) ~ *bekijken* look at (*of:* view) a thing through rose-coloured (German, etc.) s.; ~**duiker**, ~**eend** golden-eye
briljant *zn & bn.* brilliant
brillantine brilliantine
brille- spectacle: ~**doos**, ~**huisje**, ~**koker** s.-case; ~**glas** s.-glass; ~**man** s.-maker, -seller
brillen wear spectacles (glasses)
brillenmaker, ~**slijper** optician
brilmontuur spectacle-frame
brilschans lunette
brilslang spectacle(d) snake (*of:* cobra)
brink *ongev.*: village green
brisant: ~*e springstof* high explosive, H. E.; ~**granaat** high explosive shell
Brit Briton
brits plank bed, wooden bed
Brits British; *zie* eiland & rijk
britsen flog, whip
Brittanje, **Brittannië** Britain
broccoli id.
broche brooch
brocheren 1 stitch, sew [books]; 2 figure [materials]
brochure pamphlet, brochure, leaflet
broddel: ~**aar(ster)** bungler, botcher; ~**arij** *zie* ~werk; ~**en** bungle, botch; ~**werk** bungle, botch(-work)
brodeloos breadless; ~ *maken* throw out of employment, reduce to beggary; ... *maakte hem bijna* ~ the new tax brought him almost below the bread-line
broed brood, hatch; (*vissen*) fry; *een* ~ *eieren* a clutch (of eggs), a sitting; ~**blad** (*plant*) bryophyllum; ~**cel** brood-cell; ~**ei** hatching-egg, egg for sitting; ~**en** l *intr.* brood, sit (on eggs) [the hen is ...ting, a ...ting bird]; (*zitten te*) – *op*, (*fig.*) b. on (revenge, etc.], hatch [evil designs]; II *tr.* (*fig.*) *verraad* (*onheil*) – brew treason (mischief); *'t* –, *ook:* incubation; *zie* broeien
broeder brother (*als medelid van gild, vrijmetse-laars, enz., mv.:* brethren); (*orde-*) brother, friar; (*in ridderorde*) companion; (*verpleger*) male nurse; *alle mensen zijn* ~*s* all men are brothers; ~*s* (*in 't geloof*) brethren; *Geliefde* ~*s en Zusters* Dear Brethren (and Sisters), Brothers and Sisters; *halve* ~ half-b.; ~*s van dezelfde ouders* brothers german; ~*s van dezelf-de vader* brothers on the father's side; ~*s van*

dezelfde moeder brothers on the mother's side, brothers uterine; *een lustige* ~ a gay dog; *valse* ~ sneak, traitor; *hij is de ware* ~ *niet* he isn't Mr. Right; *zwakke* ~*s* weaker brethren; *zie* nat; ~**band** bond of brotherly love; ~**dienst** brotherly service, kind turn; *vrijstelling wegens* – exemption owing to one's brother's service; ~**gemeente** (community of the) Moravian (*of:* United) Brethren; ~**haat** hatred between brothers; *de* ~**hand** *reiken* extend (hold out, stretch out) the hand of fellowship [to ...]; ~**liefde** brotherly (fraternal) love; ~**lijk** brotherly, fraternal; – *omgaan met* fraternize with; ~**moord(er)** fratricide; ~**schap** fraternity, brotherhood; (*genootschap*) *ook:* community, fellowship, sodality; – *sluiten met* fraternize with; ~**sdochter** niece; ~**skind** nephew, niece; ~**szoon** nephew; ~**trouw** fraternal loyalty; ~**twist** quarrel between brothers
broed[1]: ~**hen**, ~**kip** brood-hen, breeder, [good] sitter; ~**kooi** breeding-cage; ~**machine** incubator, brooder, hatcher; ~**plaats** breeding-place, -ground, (*van vis*) spawning-bed, [fish] hatchery; ~**s** broody; *de kip is* –, *ook:* wants to sit; ~**sel** *zie* broed; ~**stoof** incubator; ~**tijd** breeding-, brooding-time, -season; (*van vogels ook*) nesting-season; *zie ook* ~machine; ~**vijver** breeding-pond
broei[2] (*van hooi*) heating; ~**bak** hot-bed, (cold, garden-)frame, forcing-bed; ~**en** l *intr.* 1 *zie* broeden l; 2 (*hooi, enz.*) heat, get heated (hot); 3 *'t broeit in de lucht* the air is sultry; *er broeit een onweer* a (thunder)storm is gathering (brewing); 4 (*fig.*) brew; *er broeit iets* there is s.t. (some mischief) brewing, there is s.t. in the wind (on foot); *er broeit een opstand* there is a rebellion brewing; *dat heeft al heel lang ge-broeid* that has been brewing for ever so long; II *tr.* scald [a pig]; *kinderen te veel* – keep (clothe) children too warm; *zie* broeden II; ~**end** *heet* broiling (hot); – *hooi* heated hay; ~**erig** close, sultry, sweltering [heat]; ~**ing** (*van hooi, enz.*) heating; ~**kas** hot-house; *terrein met* –*sen* forcing-ground; ~**nest** hotbed [of crime, disease, etc.]; ~**raam** (cold, garden-, forcing-) frame
broek 1 (*lang*) (pair of) trousers; (*sl.*) bags; (*Am.*) pantaloons, (*fam.*) pants; (*korte mans-*) (pair of) breeches, (*pof-*) plus fours; (*jongens-, sport-*) shorts, knickers; (*span-*) tights; (*slappe*) slacks; (*onder-*) (pair of) drawers, pants; *de vrouw heeft de* ~ *aan* the wife wears the breeches (trousers, *fam.* pants); *the grey mare is the better horse*; *een partij* (*proces*) *aan zijn* ~ *krijgen* lose the game (an action); *iem. achter de* ~ *zitten* keep a p. up to the mark, on his toes; *in de* (*lange*) ~ *komen* (*steken*) go (put) into t.; *voor de* ~ *geven* spank [a child]; *voor de* ~ *krijgen* be spanked; 2 (*van kanon*) breech; 3 (*van paarde-tuig*) breeching; 4 (*drasland*) marsh(y land), swamp; 5 (*reddingstoestel*) breeches buoy; ~

---

[1] *Zie ook* broei
[2] *Zie ook* broed-

achtig marshy, swampy
broeking breeching (*van scheepskanon*)
broekje knickers, panties; *jong* ~ youngster, (*eigenwijs*) whippersnapper
broekland marsh(y land)
broekpak trouser suit
broeks: ~**band** trouser(s)-band, waistband; ~**knoop** trouser(s)-, breeches-button; ~**pijp** trouser-leg; *omgeslagen –en* turn-ups
broek:~**stof** trousering;~**veer**trouser-clip;~**zak** trouser(s)-, breeches-pocket; *dat is – vestzak* it is robbing Peter to pay Paul
broer *zie* broeder; ~**tje** little brother; '*n – zijn van*, (*fig.*) be twin-brother (a near neighbour) to; *zijn kleine –* his baby brother; *daar heb ik een – aan dood* I hate it of all things, that's my pet aversion
broes (*van gieter*) rose
brok piece, bit, morsel, fragment, lump; *de pap zat vol ~ken* the porridge was lumpy (full of lumps); *overgeschoten ~ken* scraps, odd bits; *iem. de ~ken in de mond tellen* grudge a man every crust of bread; *de ~ken uit zijn mond sparen* pinch o.s.; *hij kreeg een ~ in z'n keel*, (*fig.*) he felt a lump (felt a lump rise) in his throat; *~ken maken* blunder, muck (mess) things up; (*met auto, enz.*) smash up [cars]
brokaat brocade
brok: ~**je** (little) bit; *zie* brok; ~**kelen** crumble; ~**kelig** crumbling, crumbly, friable, brittle; ~**keligheid** friability; ~**ken** break [bread into milk, etc.]; *hij heeft niets in de melk te*–his word carries no weight, he is of no account; *hij heeft veel in de melk te –, a*) he is well off; *b*) he is a man of weight, he can pull a string or two [in the press, etc.]; –**maker** accident-prone person; ~**sgewijze** bit by bit, piecemeal; ~**stuk** fragment, piece, scrap; *–ken van oude liederen* snatches (scraps) of old songs
brom: *een ~ in hebben* be tipsy (tight, screwed), have a skinful
brom: ~**bas** bombardon, bourdon; ~**beer** grumbler; ~**fiets** moped; –**er** moped rider
bromide id.; **bromisme** bromism
bromium bromine
brom: ~**men** (*van insekt*) hum, buzz; (*van persoon*) growl [*op* at], grumble [*over* at], (*sl.*) grouse; (*mompelen*) mutter; ('*zitten*') do time; *een week –* 'do' a week; ~**mer** *zie* ~beer & ~fiets; (*telef.*) buzzer; ~**merig** grumpy, grumbling, cross(-tempered); ~**pot** *zie* ~beer; ~**tol** humming-top; ~**vlieg** bluebottle
bron (*in bodem*) well, [hot, mineral] spring; (*van rivier*) source; (*fig.*) source, spring, fountain-(head), origin, cause; (*wet.*) authority, source; *~ van bestaan* means of living; *~ van inkomsten* source of income (of revenue); *we vernemen uit goede (geloofwaardige, gezaghebbende) ~* we learn from a reliable (well-informed, authoritative) source, we have it (it is reported) on good (high, reliable, the best) authority; ~**ader** (*ook fig.*) well-head, fountain-head; ~**bemaling** well-pointing
bronchitis id.

bron: ~**gas** water-well gas; ~**kuur** course of waters; *een – doen* take the waters
bronnen: ~**materiaal** source material; ~**studie** original research, study of the authorities
brons bronze; ~**periode**, ~**tijd** b. age, b. period
bronst (*van mann. dier*) rut; (*van vrouw. dier*) heat; ~**en** rut; ~**ig** rutting, at rut; on heat; ~**tijd** rutting-season, -time
bron: ~**vermelding:** *met* (*zonder*) *– overgenomen uit* reproduced (reprinted) with(out) acknowledgement from; ~**water** spring- (spa-, mineral) water
bronzen *bn. & ww.* bronze; *~ kunstvoorwerp* bronze; *~ tijdperk*, *zie* brons
brood (*stofn.*) bread; '*n ~ a* loaf (of bread); *ons dagelijks ~* our daily b., one's b. and butter; *geef ons heden ons dagelijks ~* give us this day our daily b.; *het ~ des levens* the b. of life; *zijn ~ is gebakken* he is a made man; *hij ziet er geen ~ in* he does not think it will pay; *de honden lusten er geen ~ van* nobody will touch it; *zijn ~ op het water werpen* cast one's b. upon the waters; *hij eet zijn eigen ~* he is his own master; *hij kan meer dan ~ eten* he knows what is what (knows a thing or two); *wiens ~ men eet, diens woord men spreekt, ongev.:* you've got to go where your bread is buttered; *zijn ~ hebben* make a living; *hij heeft goed zijn ~* he is comfortably off; *het beste ~ voor het venster leggen* put the best wares in the shop-window; *zich het ~ uit de mond sparen* stint o.s.; *iem. het ~ uit de mond stoten* take the b. out of a p.'s mouth; *zijn ~ verdienen* earn (make) one's b. (a living), earn one's b. and butter; *een eerlijk stukje ~ verdienen* turn an honest penny; *iem. aan een stuk ~ helpen* put a p. in the way to earn his b. and butter (a living); *de mens zal bij ~ alleen niet leven* man shall not live by b. alone; *hij doet het om den brode* he does it for a living (to keep the pot boiling); *ik zal 't hem op zijn ~ geven* I'll make him smart for it; *alle dagen krijg ik dit op mijn ~* this is thrown in my teeth every day; *gesneden ~*, *zie* koek; *zie* pastei; ~**bak** b.-tray, -basket; ~**bakker** baker; ~**bakkerij** *a*) baker's business, bakery; *b*) bakehouse, bakery; ~**bezorger** b. (*of:* baker's) roundsman, baker's man; ~**boom** b.-(b.-fruit) tree; ~**deeg** dough (for making b.), b.-paste; ~**dronken(heid)** wanton(ness); ~**heer** employer, master; ~**je** roll; *zoete –s bakken* eat humble pie [*tegenover* to], sing small; *onderwijs geven is mijn –* schoolmastering is my bread and butter; ~**kamer** (*mar.*) b.-room; ~**kar** b.-cart; ~**kast** pantry; ~**korf** b.-basket; *iem. de – hoger hangen* put a p. on short allowance; ~**korst** b.-crust; ~**kruim(els)** b.-crumbs; *de ~kruimels steken hem, ongev.:* he's getting too big for his boots; ~**maaltijd** (*ongev.*) cold lunch; ~**mager** (*as*) lean as a rake (a lath), (as) thin as a rail, gaunt, skinny, scraggy; ~**mand** b.-basket; ~**mes** b.-knife; ~**nijd** professional (trade) jealousy; ~**nodig** much-needed [holiday], highly necessary; *ik heb 't –* I need it badly; ~**pap** b. and milk, b.-sop; (*med.*) b.-

poultice; ~**plank** bread-board; ~**rooster** toaster; ~**schaal** b.-plate; ~**schrijver** hack (writer), penny-a-liner, literary hack, writer of potboilers; ~**schrijverij** penny-a-lining, pot-boiling; ~**soep** panada; ~**suiker** loaf-sugar; ~**trommel** b.-bin; ~**vorm** b.-tin; ~**vraag** question of life and death; ~**vrucht(boom)** b.-fruit (tree); ~**winner** b.-winner; ~**winning** (means of) subsistence, livelihood; *een goede* – a good business; *'t is zijn* – it's his b. and butter; ~**wortel** yam; ~**zaag** b.-slicer; ~**zetter** assizer of b.; ~**zetting** assize of b.

broom bromine; ~**kali** bromide of potassium; ~**vergiftiging** bromism; ~**zilver** (~**zout**, ~**zuur**) bromic silver (salt, acid); ~**zuurzout** bromate

1 broos (*toneellaars*) buskin

2 broos *bn.* (*eig.*) *zie* bros; (*fig.*) frail, fragile, brittle; ~**heid** (*eig.*) *zie* brosheid; (*fig.*) frailty, fragility, brittleness

bros crisp, brittle, (*van steen*) friable; ~**heid** ...ness

brosse: *haar en* ~ shaving-brush hair

brouilleren set at variance, embroil [one p. with another]; *zich* ~ *met* embroil o.s. with; *ze zijn gebrouilleerd* they have fallen out, they are no longer on speaking terms; **brouillon** rough draft

brouwen I *tr.* brew [beer], mix [a bowl of punch]; (*fig.*) brew [mischief, treason, etc.], hatch [a plot]; II *intr.* speak with a burr, burr one's r's

brouwer brewer; ~**ij** brewery, brewhouse; *leven in de – brengen* make things hum, make things lively, liven things up; *er kwam leven in de* – things came to life, things began to move

brouwers: ~**gild** brewer's company (*of:* guild); ~**knecht** brewer's man, drayman; ~**paard** drayhorse; ~**wagen** (brewer's) dray, dray-cart

brouw: ~**ketel** brewing-copper; ~**kuip** brewing-vat, -tub; ~**sel** brew, brewage, concoction; (*fig.*) brewage, concoction, stew [of calumny]

brr! ugh!

brug bridge (*ook op schip en in tandheelkunde*); (*loopplank*) gangway; (*gymn.*) (pair of) parallel bars; *over de* ~ *komen* pay up, come across; (*sl.*) fork out, cough up; *royaal over de – komen* come down handsomely; *zie* ho, slaan; ~**balans** (platform) weighing-machine; ~**boog** b.-arch; ~**dek** *a*) road-way, carriage-way; *b*) (*mar.*) b.-deck

Brugge Bruges

brugge- bridge: ~**geld** (b.-)toll; ~**hoofd** abutment of a b.; (*mil.*) b.-head; ~**man** *zie* brugwachter; ~**meester** b.-master; ~**nbouw** b.-building; [military] bridging

brugklas first form (of secondary school)

brugleuning railing (of a bridge); (*van steen*) parapet

Brugman: *hij kan praten als* ~ he has the gift of the gab, can talk the hind legs off a donkey

brug: ~**oefeningen** parallel bar work; ~**pijler** pier, pillar; ~**reling** (*mar.*) b.-rail; ~**wachter** bridgekeeper, b.-man, b.-master

brui: *de hele* ~ the whole show (*of:* concern); *ik geef er de* ~ *van* I chuck it (the thing), I throw

it up, I throw up the whole thing

bruid bride; ~ *des Heren* bride of Christ; ~**egom** bridegroom; ~**sbed** bridal bed, nuptial couch; ~**sboeket** bridal bouquet

bruids: ~**dagen** bridal days; ~**geschenk**, ~**gift** wedding-present; ~**goed** *a*) (*uitzet*) trousseau; *b*) a bride's personal property; (*hist.*) paraphernalia; ~**japon** wedding-dress, bridal gown; ~**jonker** (*van bruid*) bridal (bride's) page; (*van bruidegom*) (*ongev.*) best man, usher; ~**kleed** *zie* ~japon; ~**koets** bridal carriage, weddingcoach; ~**krans** bridal wreath; ~**meisje** bridesmaid; ~**nacht** wedding-night; ~**paar** bride and (bride)groom, bridal couple; ~**schat** (marriage) portion, dowry; ~**sluier** bridal veil; ~**stoet** wedding-procession; ~**suikers** wedding-sweets; ~**taart** wedding-cake; ~**tijd** bridal days; ~**tranen** hippocras

bruigom bridegroom

bruikbaar (*nuttig*) serviceable, useful; (*te gebruiken*) usable, (*van pers.*) employable; ~ *plan, ook:* workable plan; ~**heid** ...ness, utility

bruikleen (permanent) loan; *in* ~, *zie* leen (*in* ..., *te* ...)

bruiloft wedding(-party), marriage feast; (*dicht.*) nuptials; *1-, 5-, 10-, 15-, 20-, 25-, 50-, 60-jarige* ~ paper, wooden, tin, crystal, china, silver, golden, diamond wedding; *van ~en komen ~en* one w. makes (leads to) another, one marriage makes many; *een* ~ *geven* give a w.-party; ~ *houden* celebrate a w.; *tot de morgen* ~ *houden* keep up the w.-celebrations till the morning, make an all-night party of it; *'t is alle dagen geen* ~ life is not all beer and skittles

bruilofts- wedding: ~**dag** w.-day; ~**feest** w.-party; ~**gast** w.-guest; ~**gebak** w.-cake; ~**(ge)dicht** nuptial song, epithalamium; ~**kleed** w.-dress; (*van vogels*) breeding-dress; ~**lied** w.-song; ~**maal** w.-breakfast; ~**taart** w.-cake

bruin I *bn.* brown [bear, race, sugar]; (*rood~, van paard*) bay; ~*e beuk* copper beech; ~ *café* oldtime café (with brown interior); *de ~e tinten van de herfst* the browns of autumn; *'t nogal ~bakken,* (*fam.*) lay it on rather; ~ *worden* (*door de zon*) tan; (*van boon*) II *zn.* brown; *de ~e* the bay horse; *B~,* (*de beer*) Bruin; *dat kan B.* (*de ~e*) *niet trekken* I cannot afford it; *zie* licht; ~**achtig** brownish; ~**brood** b. bread, wholemeal bread; ~**eerder** burnisher; ~**eerstaal** burnisher, burnishing-iron; ~**eertand** burnisher; ~**en** I *tr.* (make) b., (*van zon ook*) tan, bronze; *door de zon gebruind* sunburnt; II *intr.* (become, get, grow) b.; (*van huid ook*) tan, bronze; ~**eren** burnish, brown; ~**gebakken** browned [toast]; ~**geel** brown(ish)-yellow; ~**harig** b.-haired; ~**kool** b. coal, lignite; ~**ogig** b.-eyed; ~**oog** brunette; ~**rood** brown(ish)-red; ~**spaat** b.-spar; ~**steen** manganese (dioxide), pyrolusite; ~**tje** *a*) *zie* bruin *zn.*; *b*) brunette; ~**vis** porpoise, sea-hog

bruis foam; (*op dranken*) froth; (*fijne waterdeeltjes van fontein, enz.*) spray; *zie* schuim; ~**en** (*van gazeuze dranken, enz.*) fizz, sparkle, effervesce; (*van zee*) seethe, roar; (*van beek*) bubble, brawl; (*van bloed*) rush, seethe; ~ *van woede* seethe with rage; *-de geestdrift* fervid enthusiasm; ~**poeder** effervescent powder, bicarbonate

brul: ~**aap** howling-monkey, howler; ~**boei** whistling-buoy; ~**kikvors** bull-frog; ~**len** roar [*van lachen* with laughter]; (*van roerdomp*) boom; *beginnen te* – set up a roar

brunette brunette

Brunswijk Brunswick; ~**er** *bn.* B.; *zn.* ... er

Brussel Brussels; ~**aar** inhabitant (native) of B.; ~**s** B.; *-e aarde* B. earth; *-e kant* B. lace; *– lof* (B.) chicory, witloof; *-e spruitjes* B. sprouts

brutaal I *bn.* impudent, impertinent, insolent, brash, brazen(-faced), barefaced [falsehood]; audacious, daring [thief, robbery]; (*minder sterk*) forward, saucy, cheeky, pert [servant-girl]; *nogal ~ van hem* rather cool of him; *wat ~!* the cheek of it! of all the nerve!; *zo ~ als de beul* as bold as brass; *hij was zo ~ om* ... he had the cheek (sauce, front, face, nerve) to ...; ~ *zijn tegen, zie* brutaliseren; *niet ~, alsjeblieft* none of your cheek; *zijn werk is een brutale kopie van het mijne* a barefaced reproduction of mine; *een ~ mens heeft de halve wereld* audacity pays; **II** *bw.* impudently, etc.; ~ *antwoorden* talk back, give back-answers; *zo ~ mogelijk* with the coolest cheek; *('t)* ~ *volhouden* brazen (face) it out; *zich er ~ doorheen slaan* put a bold face on the matter, brazen it out; ~**tje** saucy imp; (*meisje*) saucebox; ~**weg** coolly, barefacedly

brutaliseren: *iem.* ~ sauce (cheek) a p., give a p. sauce; bully a p.; *ik laat mij door hem niet* ~ I won't put up with his cheek, I won't be bullied by him

brutaliteit impudence, insolence, effrontery, assurance; (*fam.*) cheek, sauce, gall; *dat is een* ~ a piece of cheek (of impudence); *de* ~ *hebben om* ... have the front (face, cheek, gall, nerve) to ...

bruto gross [weight, profit, etc.]; ~ *voor netto* gross weight for net; ~ *nationaal produkt* g. national product, G.N.P.

bruusk brusque, abrupt, blunt, off-hand; ~**eren** snub, treat cavalierly (brusquely); ~**heid** brusqueness, abruptness, bluntness, brusquerie

bruut *bn.* brute, brutish; ~ *geweld* brute force; *zn.* brute, bully

B.T.W. V.A.T. (Value Added Tax)

bubs (*fam.*) lot, caboodle

buddleia id.

budget id.; *zie* begroting; ~**teren** b. for; ~**tair** budgetary

buffel buffalo; (*fig.*) (regular) bear, churl; ~**achtig** churlish, bearish; ~**achtigheid** churlishness, etc.; ~**en** *a*) *zie* afranselen; *b*) *zie* schransen; ~**huid** b.-hide; ~**leder** buff; ~**poel** b.-wallow

buffer buffer; (*aan einde van baan, ook*) deadend; ~**staat** b. state; ~**voorraad** b. stock

buffet (*meubel*) side-board; (*tapkast*) bar; (*in station enz.*) refreshment-bar, buffet; (*op partij*) buffet; ~**bediende** bar tender, barman;

~**houder** barkeeper; ~**juffrouw** barmaid; ~**loper** side-board cover

bui shower [of hail, rain, etc.]; (*wind- en regenvlaag*) squall; (*van hoesten, lachen*) fit; (*gril*) whim, freak; *droge ~* dry spell; *maartse ~* April s.; *voor de ~ binnen zijn*, (*fig.*) be in before the rain; *de ~ zien hangen*, (*fig.*) see what's coming; *een luie ~* a lazy fit; *een ~ krijgen* be in for a s.; *bij ~en* by fits and starts; *in een goede (slechte) ~ zijn* be in a good (bad) humour; *in een driftige ~* in a fit of temper; *zij had een kwade ~* she was in a bad temper, in a pet, in one of her tantrums (moods); *'t is maar 'n ~tje* it's only spitting

buidel bag, pouch; (*van dier*) pouch; (*beurs*) purse, pouch; *een dikke ~*, (*fig.*) a long purse; ~**beer** koala, Australian bear; ~**das** bandicoot; ~**dier** marsupial (animal); ~**mees** penduline titmouse; ~**mol** marsupial mole; ~**rat** opossum (rat); ~**wolf** zebra-wolf

buigbaar flexible, pliable, pliant; (*gramm.*) declinable; ~**heid** flexibility, pliability, pliancy

buigen I *tr.* bend [the knee, head, a stick, a p. to one's will], bow [the knee, head, shoulders, etc.]; diffract [rays *stralen*]; *'t hoofd ~*, (*fig.*) give in, submit; (*fam.*) knuckle down (*of:* under); *iems. wil ~* bend (bow) a p.'s will; ~ *en strekken* flex and extend [the limbs]; *zich ~*, (*van pers., takken, enz.*) bend, bow; (*bukken*) stoop; (*van rivier, enz.*) curve, make (take) a bend; (*zich vernederen*) stoop; (*zich onderwerpen*) submit, yield; *zich ~ over* devote one's attention to, go into [a problem]; *zich ~ voor* bow (submit) to [a p., public opinion, a demand, the inevitable], bow before [a p.]; **II** *intr.* bend, bow; (*een buiging maken*) bow [*voor* to]; *zie verder* zich ~; *goedkeurend ~* bow approbation; ~ *en kruipen* cringe and crawl; ~ *of barsten* bend or break; *om de hoek ~* turn (round) the corner; ~*d de kamer uitgaan* bow o.s. out (of the room); *zie* gebogen; ~**spier** (*buigspier*) flexor

buiging bend, curve (*zie* bocht); (*groet*) bow; (*diepe ~*) obeisance; (*révérence*) curts(e)y; (*van stem*) modulation, inflexion; (*gramm.*) (in-)flexion; (*stralen*) diffraction; (*med., meetk.*) flexure; [*iem.*] *een ~ maken* make [a p.] a bow, drop [a p.] a curtsy; ~**sleer** accidence; ~**suitgang** (~**svorm**) inflexional ending (form), inflexion

buig: ~**machine** bending-machine; ~**pees** flexor tendon; (*van knie*) hamstring; ~**spanning** bending-stress; ~**spier** flexor; ~**tang** (pair of) pliers

buigzaam flexible; (*ook fig.*) supple, pliant; (*fig.*) yielding, of a yielding disposition; ~**heid** flexibility; suppleness, pliancy

buiig showery, unsettled, gusty, squally

buik belly (*ook van fles, spier, enz.*); (*eufemistisch*) stomach; (*volkst.*) paunch; (*-holte*) abdomen; (*van ton, enz. ook*) bulge; (*nat.*) ~*en knopen* ventral segments and nodes; (*deel van zeil*) bunt; (*bolstaand zeil*) belly; *zie ook* ~**je**; *pijn in zijn ~ hebben* have a pain in one's stomach; *zijn ~ inhouden* hold in one's stomach; *het zijn twee handen op één ~* they are hand and (*of:* in) glove; *ik heb er mijn ~ vol van* I am fed up with it, I've had my bellyful of it; *op zijn ~ liggen* lie on one's stomach, lie face downwards; *zijn ~ vasthouden van 't lachen* hold one's sides with laughter; *van zijn ~ een afgod maken, zijn ~ dienen* (*zalven*) make a god of one's b.; *zie* hongerig; ~ademhaling abdominal respiration; ~band (*van pers.*) abdominal belt; (*van paard*) belly-band; ~dans belly-dance; ~dienaar b.-worshipper; ~en belly (out), bulge; ~gordel *zie* ~band; ~gording (*mar.*) buntline; ~griep gastro-enteritis; ~holte abdomen, abdominal cavity; ~ig paunchy; ~je (*dikke ~*) corporation [get a ...], bow-window, spread [develop (a) middle-age ...]; (*maag*) stomach; (*fam.*) tummy; *zijn ~ vol eten* eat one's fill; ~kramp gripes; ~landing (*luchtv.*) belly (pancake) landing; ~lijder abdominal patient (*of:* sufferer); ~loop diarrhoea; (*van vee*) scouring; ~operatie abdominal operation; ~pijn stomach-(b.-, [*fam.*] tummy-)ache, abdominal pain; *– hebben* have a pain in one's inside; (*fig.*) be worried; ~potig gast(e)ropodous; *– dier* gast(e)ropod; ~riem b.-band, girth; *de – aanhalen*, (*fig.*) tighten one's belt; ~rommeling rumbling (in the bowels), collywobbles; ~schild abdominal shield; ~spek belly; ~spreken *zn.* ventriloquy, -quism; *ww.* ventriloquize; ~spreker ventriloquist; ~tyfus enteric (fever), typhoid (fever); ~vin ventral fin; ~vlies peritoneum; ~vliesontsteking peritonitis; ~wand abdominal wall; ~zenuw abdominal nerve; ~ziek (*van vrucht*) rotten-ripe, sleepy [pear]; ~zijde ventral side; ~zwammen gasteromycetes; ~zwemmen breast-stroke swimming

buil 1 (*gezwel*) lump, swelling, bruise; (*van stoomketel bijv.*) bulge; 2 paper bag; (*meelzeef*) bolter, bolting-machine, -mill; *zich een ~ vallen*, (*fig.*) have a bad bargain; ~en *a*) (*van stoomketel bijv.*) bulge; *b*) bolt; ~enpest bubonic plague

buis 1 (*kledingstuk*) jacket; 2 (*pijp*) tube, pipe, conduit; (*van kachel*) flue; (*van radio*) valve, tube; (*TV*) tube, screen; *op de ~* on the telly (the box); (*in lichaam*) duct; (*van granaat*) fuse; *door -zen leiden* pipe [water]; 3 herring-boat; ~je *zie* ~; ~kool white-headed cabbage; ~lamp tubular lamp; ~leiding system of pipes, piping; (*voor petroleum*) pipe-line(s); ~verlichting strip lighting; tubular lighting; ~vormig tubular, tube-shaped

buit booty, loot, spoil(s), prize; (*sl.*) swag; *hele ~*, (*van jager*) bag; ~ maken capture, seize, carry off as a prize; *de ~ binnenhalen*, (*fig.*) gather in the harvest, (*fam.*) collect

buitelaar(ster) tumbler

buitelen tumble, roll, fall head over heels; (*luchtv.*) loop (*of:* do) the loop; *-ing* tumble; looping the loop; (*van fiets, paard*) spill; (*acrobatische toer*) somersault; *een – maken* turn a somersault

buiten I *vz.* (*zie behalve de volgende uitdrukk. de woorden, die met* **buiten** *een bepaling vormen*) 1 outside (of) [the town, Scotland], outside [my competence], out of [danger, school-hours, sight, a mile ... London, a fish ... water], beyond [my reach, my power]; ~ *de school* [teachers'] out-of-school (extra-mural) [activities]; ~ *zijn inkomen gaan* exceed (go beyond) one's income; *zie boekje & te ~* (*zie beneden*); *ik was = mijzelf van toorn* (*van verrukking*) I was beside myself with anger (could not contain myself for joy); *er ~ blijven*, zich er ~ *houden* keep (stand) out of it, stand aside; *de Pers er ~ houden* keep the Press out; *laat haar er ~* leave her out of it; *ik sta ~ alles* I am out of everything; *dat is ~ mij* that does not concern me, is none of my business; ~ *mij om* without my knowledge, unknown to me, over my head [he sent in a report ...]; ~ *iem. om handelen* go behind a p.'s back; 2 (*behalve*) except, but, beyond; besides (*zie* behalve); ~ *en behalve* over and above [his commission, what I told you, etc.]; ~ *en behalve de onkosten* exclusive of expences; 3 (*zonder*) without [doubt, etc.]; ~ *haar bestond niets voor hem* she meant the world to him; *ik kan niet ~ hem* I cannot do without him; *ik kan er niet* (*slecht*) ~ I cannot (afford to) do (can ill afford to do) without (it); *zie* schuld; II *bw.* outside [come, wait, sit ...], out of doors, outdoors, out [sit ... in the garden], [picnic] in the open; (*niet in de stad*) in the country; *hij mag niet ~ komen* he is not allowed out (of doors); *een dagje ~* a day in the country; *'t hooi is nog ~* is still out; *de hond ~ laten, zie* uitlaten; *naar ~ met hem!* turn (*fam.:* chuck) him out!; *naar ~ gaan, a*) go outside, go out of the house; *b*) go into the country, go out of town; *c*) (*van reddingboot*) put out (to sea), put off; *naar ~ snellen* run outside; *naar ~ volgen* follow [a p.] out; *naar ~ brengen* take [the chairs] out, lead [a p.] out [of the house], publish [a proposal]; *naar ~ opengaan* open outwards; *optreden naar ~* act in public, public action(s); *zijn voeten naar ~ zetten* turn one's toes out; *met zijn tenen naar ~* with his toes pointed out; *alle grenzen te ~ gaan* exceed all bounds; *zijn bevoegdheid te ~ gaan* exceed one's powers (duties), go beyond one's commission; *zich te ~ gaan* indulge in excesses, drink (eat) too much; *zich te ~ gaan aan* indulge too freely (over-indulge) in, (*aan de drank*) drink to excess; *van ~* [black] outside, [locked] on the outside, [as seen] from the outside; *hulp van ~* outside help; *invloeden van ~* influences from without; *van ~ komen, a*) come from the outside; *b*) come from the country (the provinces); *van ~ kennen* (*leren, opzeggen*) know (learn, say) by heart (by rote); *ik ken Amsterdam van ~* I know A. inside out (backward); *zie* binnen; III *zn.* country-seat, -house; *zie* buitenspeler

buiten: ~aards extraterrestrial; ~af on (*of:* from) the outside; *– gelegen* outlying [districts]; *van – horen, zie* ~wacht; ~antenne outdoor aerial; **~baan** outside track; **~bad** *zie* zwembad; **~band** [cycle] cover, outer cover, tyre; **~beentje** side-slip, by-blow; misfit, odd man out; **~bekleding** outer covering; **~bocht** outside bend; **~boord(s)** *zie* boord; **~boordskraan** (*mar.*) sea-cock; **~buurt** *zie* ~wijk; **~deur** *a*) outer door; *b*) street-, front-door; **~dien** besides, moreover; **~dienst** field organization; **~dijk** outer dike; **~dijks** outside the dike(s); **~echtelijk** born out of wedlock; **~gaats** outside, off the harbour (the entrance); **~gemeen** *bn.* uncommon, extraordinary, exceptional, out of the common; superlative [skill]; *bw. ook:* extremely [difficult], phenomenally [acute], [she enjoyed herself] to the top of her bent; **~gerechtelijk** extrajudicial; **~gewesten** outlying districts; (= *vroegere ~bezittingen, Ind.*) Outer Provinces; **~gewoon** *zie* ~gemeen; - *gezant* ambassador (*of:* envoy) extraordinary; - *hoogleraar* professor extraordinary; *-ne leerstoel* extraordinary chair; *school voor - onderwijs* special school (*zie ook:* achterlijke kinderen); *-ne uitgaven* extra expenses, extras; *-ne vergadering* extraordinary (*of:* special) meeting; *niets -s* nothing out of the common (out of the ordinary); **~goed** country-seat; **~gracht** (*van kasteel*) outer moat; **~haven** outer harbour; **~hoek** (*meetk.*) exterior angle; (*van oog bijv.*) outer corner; **~hof** outer court; **~huis** country-house, cottage; **~issig** strange, eccentric; **~issigheid** out-of-the-wayness (*mv.:* ... nesses), eccentricity, oddity, fad; **~kansje** stroke (piece, bit) of (good) luck, godsend, windfall; *ik had een -* a bit of luck came my way, I came in for a windfall; **~kant** outside, exterior; outskirts [of a town, etc.]; *'t zit maar aan de -* it's only on the outside; *schoonheid zit maar aan de -* beauty is but skin-deep; **~kast** outer case; **~kerkelijk** non-church; *-e non-church* member; **~klant** country customer; **~kluiver** (*mar.*) flying jib; **~land** foreign country (countries); *in* (*naar*) *'t -, ook:* abroad, *zie* ~slands; *de relaties van onze firma met het -* our foreign relations; *naar 't - vertrekken* leave for abroad; *uit 't -* from abroad; *in 't - gemaakt* (*gebouwd*) foreign-made (-built); **~lander** foreigner; **~lands** foreign [trade, products, etc.], external [loan, debt], exotic [plants], [news] from abroad, [a trip] abroad; *zie* minister(ie); **~leerling** out-of-town pupil; **~leven** *a*) open-air life; *b*) country-life; **~lid** non-resident member; **~loods** sea-pilot; **~lucht** I open air; *in de - slapen, ook:* sleep out; 2 country-air; **~lui** country-people; **~man** countryman; *zie ook* buitenspeler; **~mate**, **~matig** *zie* bovenmate, -matig; **~mens(en)** *zie* ~man & ~lui; **~model** non-standard; non-regulation [uniform]; *- artikelen* awkwards, off-sizes; **B~Mongolië** Outer Mongolia; **~muur** outer wall; **~om** [go] round the town, etc.; **~op** (*brief*) outside; **~parochie** out-parish; **~partij** party in the country; **~patiënt** out-patient; **~plaats** country-seat, place; *je noemt maar een -* say whatever

(name) comes to mind; **~planeet** outer (exterior) planet; **~poort** outer gate; **~post** outpost (*ook fig.:* the farthest ...s of the Empire); (*in kol.*) out-station; **~rand** outer edge; **~school** open-air school; **-s** out-of-school [activities]; **~shuis** out of doors, outdoors, out of the house; *- eten* dine (take one's meals) out; *- slapen* sleep out; **~s-lands** in foreign parts (*of:* countries), abroad; **~sluiten** lock [a p.] out, shut out [light, etc.]; (*fig.*) exclude, shut out; *zie* uitsluiten & uitgesloten; **~sluiting** *zie* uitsluiting; **~sociëteit** (*gev.*) country club; **~spel** (*sp.*) off side; **~speler** (*sp.*) [right, left] winger

buitensporig extravagant, excessive, inordinate; **~e prijs** exorbitant (prohibitive, fancy) price; *tegen de ~e rente van ..., ook:* at the extortionate rate of 60 per cent.; *~ drinken* drink to excess; **~heid** extravagance, exorbitance, excessiveness

buiten:~sport outdoor (field) sport(s); **~staander** outsider; **~ste** out(er)most, exterior; **~tekstplaat** full-page plate; **~temperatuur** outside temperature; **~tijds** out of season, out of hours, *zie* tussentijds; **~verblijf** country-house, -seat, -residence; **~waarts** *bw.* outward(s); **~wacht** advanced post, outpost; *ik heb het van de -* I heard it from an outsider; **~wand** outer wall; **~weg** country-road; **~wereld** outer (outside) world, outside public; **~werk** *a*) (*mil.*) outwork, advanced work; *b*) outdoor (out-of-door) work; **~werks** [4 ft.] outside measurement; **~wijk** suburb; (*mv. ook*) outskirts [of a town]; **~zak** outside pocket; **~zijde** outside

buitgeld prize-money; **buitmaken** *zie* buit

buizenpost pneumatic post

buizerd buzzard

bukken I *intr.* (*zich*) ~ stoop, bend down; (*duiken*) duck; *~ voor* bow to (before), submit (yield) to; *gebukt gaan onder* be bowed (weighed) down by [cares], labour under [a yoke], groan [under heavy taxation]; II *tr.* bend [one's head]

buks (small-bore) rifle

buks(boom) box(-tree)

bukshout(en) box-wood

bukskin buckskin

bul 1 (*stier*) bull; 2 [papal] bull; [university] diploma; 3 *zie* bullen

bulder: ~aar, **~bast** blusterer; **~en** (*van wind, kanon, enz.*) roar; (*van kanon, zee, enz.*) boom; (*van pers.*) roar, boom, bluster, storm, thunder; '*neen!*' *~de hij* 'no!' he roared; *- tegen* storm at; **~lach** guffaw, booming laugh

buldog bulldog

Bulgaar(s) Bulgarian, Bulgar

Bulgarije Bulgaria

bulhond bulldog

bulkboek book in newspaper format

bulken low, bellow, moo; *~ van het geld* roll (*of:* wallow) in money, have money to burn, be stinking rich

bullebak *a*) bully, browbeater; *b*) *zie* boeman

bullebijter bulldog; (*fig.*) bully
bullen things, effects, belongings; (*kleren ook*) togs, toggery
bullepees bull's pizzle
bulletin bulletin; **bulster** bolster
bult lump, bump, boss; (*bochel*) hump, hunch; *zie* lachen; ~**enaar** hunchback, humpback; [Richard the] Crookback; ~**ig** bumpy [road], lumpy [bed]; (*gebocheld*) hunchbacked, humpbacked; ~**os** *a*) bison; *b*) zebu, humped ox; ~**zak** straw-mattress
bun (fish-)well, trunk
bundel bundle [of clothes, sticks, etc.]; sheaf [of banknotes, letters, arrows]; wad [of banknotes]; volume, collection [of poems, essays]; shaft, band [of light]
bundelen (*artikelen, enz.*) bring together, collect [in one volume]; coordinate [research programmes, efforts]; rally, unite, concentrate [forces]
bundelpijler clustered column
bunder hectare: 2.471 acres
bungalow id.; ~**tent** family frame tent
bungelen dangle, swing (to and fro)
bunker id.; (*mil.*) pill-box; block house; (*voor duikboten*) (U-boat) pen; ~**en** *a*) coal, oil, bunker; *b*) *zie* schransen; ~**haven** coaling-station; ~**kolen** bunker-coals; ~**station** bunkering station, fuel station
bunsenbrander Bunsen burner
buntgras grey hair-grass
bunzing polecat, fitchew
burcht castle, citadel, stronghold; *een vaste ~*, (*fig.*) a stronghold sure [is our God]; a tower of strength; ~**heer** lord castellan; ~**voogd** castellan, warden (of a castle); ~**vrouw** chatelaine
bureau[1] 1 office, bureau; (*compagnies-*) orderly-room; (*politie-*) (police-)station; (*in hotel*) reception office (*of:* desk); 2 (*schrijf-*) writing-table, -desk; ~**ambtenaar** o.-clerk, -official; ~**chef** chief (*of:* head) clerk; ~**craat** bureaucrat; ~**cratie** bureaucracy, officialdom (*coll.*), officialism (*abstr.*); (*fam.*) red-tape; ~**cratisch** bureaucratic (*bw.:* -ally); ~**lamp** desk-lamp; ~**list** money-taker; (*schouwb. ook*) box-office clerk; (*station*) booking-clerk; ~**ministre** kneehole (*of:* pedestal) writing-table
bureel *zie* bureau 1
burelist *zie* bureaulist
buren *ww.* look in upon one's neighbours
burengerucht breach of the peace, breaking the peace, [cause a] nuisance by noise, disturbance [make a ...]
buret burette
burg castle, stronghold, citadel; *zie* burcht
burgemeester mayor; (*Nederl., Duitsl., Vlaanderen*) burgomaster; (*City of L., en enkele grote steden*) Lord Mayor; (*Schotl.*) provost (*soms:* Lord Pr.); (*vogel*) glaucous gull; *B~ en Wethouders* M. and Aldermen; ~**lijk** mayoral; ~**sambt, ~schap** mayoralty; burgomaster's office; ~**s-buik** corporation

burger citizen; (*niet-edelman*) commoner; (*poorter*) burgher; (*niet-mil.*) civilian; (~*man*) (lower) middle-class man; ~*s en studenten* town(smen) and gown(smen); *dat geeft de ~ moed* that's what cheers one up; *in ~*, *zie* ~*kleren*; ~**bevolking** civilian population, citizenry; ~**deugd** civic virtue; ~**es** citizeness; ~**gezin** (lower) middle-class household; *deftig* – upper middle-class h.; ~**ij** *a*) commonalty, middle classes [*de kleine* – the lower ...], ordinary people; *b*) citizens; ~**jongen** boy of the (lower) middle classes; ~**juffrouw** (lower) middle-class woman; ~**keuken** plain cooking (cookery); ~**klasse** middle class(es); ~**kleding, ~kleren** plain (*of:* civilian) clothes; (*mil. sl.*) civ(v)ies; *in –*, (*mil., mar.*) *ook:* in mufti; *agent in –* plain-clothes (police)man; ~**koning** citizen king (*in 't bijz.:* Louis Philippe); ~**kost** plain fare; ~**krijg** *zie* ~oorlog; ~**kring** middle-class circle; ~**kroon** civic crown; ~**lieden** middle-class people
burgerlijk (*van de staatsburger*) civil, civic; (*van de burgerstand*) middle-class, bourgeois [the ... parties; ... prejudices]; (*in ong. zin*) middle-class [be hopelessly ...], non-U; (*niet-mil.*) civil(ian); ~ *ambtenaar* civil servant; *de ~e beleefdheid* common politeness; ~ *huwelijk* civil marriage, register-office wedding; ~ *jaar* civil year; ~ *leven* civil life; ~ *recht* civil law; ~*e staat* marital (civil) status; ~*e stand* registration service, civil registration, registration of births, marriages and deaths; (*bureau van de b. s.*) registrar's (register, registry) office; *zie* ambtenaar; ~*e waardigheid* civic dignity; ~ *wetboek* civil code
burger: ~**luchtvaart** civil aviation; ~**lui** *zie* ~lieden; ~**maatschappij** civilian society; *na vijf jaar dienst kwam hij terug in de –* ... he returned to civilian life; ~**man** one who belongs to the (lower) middle classes, (petty) bourgeois; –**sideeën** middle-class ideas; ~**mens** *zie* ~man & ~juffrouw; ~**oorlog** civil war, c. strife; ~**pakje** (*mil.*) civvies; ~**personeel** non-military personnel; ~**plicht** civic duty, duty of citizenship; ~**politie:** *lid van* – special constable; ~**pot** plain fare; ~*'t kan koken van 'n* – plain cooking; *die 'n – kan koken* plain cook; ~**recht** civil (civic) right(s), citizenship; (*van stad*) freedom [of a city]; *het – verkrijgen*, (*fig.*) become current; *het – verlenen* enfranchise [a person]; (*van stad*) admit to the freedom [of a city]; *zijn –(en) verliezen* forfeit one's civil rights [he was deprived of his civil rights]
burgerschap citizenship; ~**srechten** civic rights, rights of citizenship
burger: *hogere* ~**school** (*hist., ongev.*) secondary modern school; (*Am.*) high school; ~**stand** middle class(es), commonalty; *deftige* (*kleine*) – upper (lower) middle classes; ~**trots** civic pride; ~**twist** civil dissension, internal discord; ~**vader** city-father; *zie* burgemeester; ~**vliegtuig** civil (aero)plane; ~**volk** [the] masses, common

---

[1] *Zie ook* kantoor-

people; ~**wacht** citizen (civic, civil) guard, citizen militia; ~**woning** middle-class house; ~**zin** civic (*of:* public) spirit

burg: ~**graaf** burg(g)rave, viscount; ~**graafschap** burg(g)raviate, viscountship, viscount(c)y; ~**gravin** viscountess; ~**heer**, enz., *zie* burcht-

burijn burin, graver

burlesk burlesque

burnoe, burnu burnous(e), burnoose

burrie (hand-)barrow, bier

bursaal grant-holder

bus (*brieven-, armen-, peper-, stem-, enz.*) box; (*koffie, thee*) canister; (*cacao, enz.*) tin; (*grote, voor gedroogde vruchten, voor verf, enz.*) drum; (*inmaak-*) tin, (*inz. Am.*) can; (*van wiel*) box; (*om stok*) ferrule; (*loop*) barrel; (*techn.*) bush; (*autobus*) bus; (*voor lange afstanden*)coach; *dat sluit als een* ~ it fits exactly; (*fig.*) it all fits together beautifully, it all fits in, that's watertight (air-tight); *in de* ~ *blazen* loosen the purse-strings; (*sl.*) fork out; *met de* ~ *lopen* make a collection; *een brief op de* ~ *doen* post a letter; *vlees uit de* ~ tinned meat; *laten we afwachten wat er uit de* ~ *komt* let's await the result; ~**brood** tin-loaf; ~**conductrice** bus conductress, (*fam.*) clippie; ~**dienst** bus service; ~**groente** tinned vegetables; ~**halte** bus stop; ~**je** (*VW enz.*) minibus; *zie* ~

buskruit gunpowder; *hij heeft het* ~ *niet uitgevonden* he will not set the Thames on fire; *opvliegen als* ~ fire (*of:* flare) up like touchwood (*of:* tinder); ~**fabriek** powder-mill; *zie* kruit

bus: ~**lichting** collection; ~**opener** tin-opener; ~**personeel** bus crew(s); ~**rit** bus ride

bussen (*techn.*) bush [a hole]

buste bust; ~**houder** brassière, bra

butaan butane

butagas (*ongev.*) calor-gas

butoor bittern

butskop Atlantic right whale

buur neighbour; *een goede* ~ *is beter dan een*

verre vriend a near n. is better than a distant cousin; *als goede buren leven* be on neighbourly terms; *de buren, ook:* the people next-door; ~**kind** n.'s child; *de* ~*kinderen* the children next-door; ~**land** neighbour(ing) country, neighbour; ~**lieden** neighbours; ~**man** neighbour; *al te goed is* –*s gek* all lay the load on the willing horse; ~**meisje** n.'s daughter, girl next-door; ~**praatje** gossip; *een* – *houden* gossip; ~**schap** *zie* buurt; *goede* – good neighbourhood, neighbourliness; (*goede*) – *houden* be on neighbourly terms; ~**staat** n. state

buurt neighbourhood (*ook de mensen*), vicinity, locality; (*wijk*) quarter, district; (*gehucht*) hamlet; *hier ergens in de* ~ somewhere about here, s. hereabouts; *bij jullie in de* ~ [any houses to let] your way?; *toevallig in de* ~ *zijn* happen to be about; *een boerderij in de* ~, *ook:* a near-by farm; *een temperatuur in de* ~ *van 100°* ... in the region of...; *in de* ~ *blijven* remain near at hand (in the n.); *blijf een beetje in de* ~ don't go far; *in de* ~ *van* in the n. of, (*rondom*) round about; *blijft uit zijn* ~ don't go near him, give him a wide berth; *ver uit de* ~ far off; *iem. uit de* ~ some one of the n.; ~**bezoek** *a*) district visit(ing); *b*) visit of (to) neighbours; ~**bezoek(st)er** district-visitor; ~**en** visit one's neighbours; ~**schap** hamlet; ~**spoor** local railway, branch line; ~**verkeer** local service

buurvrouw neighbour('s wife), woman next-door

b.v. = *bijvoorbeeld* e.g., for instance, for example

B.V. *zie* besloten (B... Vennootschap)

B.V.D. = *Binnenlandse Veiligheidsdienst* Internal Security Service, (*ongev.*) M.I.5

Byzantijn Byzantine; ~**s** B.; (*fig.*) sycophantic, cringing; **byzantinisme** sycophancy, toadyism; Byzantium id.

B.Z. = *Buitenlandse Zaken* the Foreign Office

C

C (*letter, noot, Rom. cijfer*) C

ca. c., circ., circa, about, abt.

cabaret cabaret; ~**ier** c. artist

cabine [bathing-]cabin; (*van vrachtauto, enz.*) cab(in); (*van vliegt.*) cabin; (*van bioscoop*) operating-box

cabretleer kid(-leather)

cabriolet id., convertible

cacao cocoa; ~**boom** c.-tree, cacao(-tree); ~**boon** c.-bean, *halve* – c.-nib; ~**boter** c.-butter, -fat; ~**poeder** cocoa

cachelot cachalot, sperm whale

cachemir *zie* kasjmier

cache-nez comforter, muffler

cache-pot flowerpot cover

cachet (*'t voorwerp*) seal, signet; (*merk, distinctie*) cachet, stamp, impress; *een zeker* ~ *hebben* (*verlenen*) have (give) a (certain) cachet (tone, distinction); *zijn* ~ *drukken op*, *zie* stempel

cachetteren seal

cachot lock-up, (punishment) cell, black hole, (*sl.*) clink

Niet opgenomen woorden zoeke men onder **K**

cactus cactus; ~achtig cactaceous

cadans cadence, lilt; rhythm

cadeau present; (in winkel) ook: presentation article, free gift; iem. een ~ geven make a p. a pr.; iem. iets ~ geven make a p. a pr. of s.t., give a person s.t. for a pr.; mijn vader heeft mij een nieuwe fiets ~ gegeven my father has treated me to a new bicycle; wij geven één vergroting ~ indien ... we give away free one enlargement if ...; ~ krijgen get as a pr.; ik heb 't ~ gekregen I had it given me; die vent geef ik je ~ I can do without that fellow; you can keep him; ik zou het niet ~ willen hebben I would not have it as a gift; geschikt voor ~, ook: gift [book; ook: ~ gegeven boek] presentation [watch, book, etc.]; ~bon gift coupon; ~stelsel gift(-coupon) system, free-gift scheme; ~zegel trading stamp

cadens (muz.) cadenza

cadet cadet; ~tenschool military school (of: college), cadet-school

café (zonder vergunning) café [Lyons'...], coffee-house; (met vergunn., ongev.) public house, (fam.) pub; ~bezoeker café-goer; ~-chantant (buiten Eng.) id.; ~houder c. proprietor

cafeïne caffeine; ~vergiftiging caffeism; ~vrij decaffeinated

café-restaurant id.

cafetaria cafetaria

cahier exercise-book; (met schrijfvoorbeelden) copy-book

caissière (girl, woman) cashier, cash-girl

caisson a) id., ammunition-wa(g)gon; b) (water-bouw) id.; ~ziekte c.-disease

Calabrië Calabria; ~r, Calabrisch Calabrian

calamiteus necessitous

calcineren calcine; calcium calcium

calculatie calculation; -tor costing-clerk

calèche calash

Caledonië Caledonia; ~r, Caledonisch Caledonian

caleidoscoop kaleidoscope; caleidoscopisch kaleidoscopic (bw.: -ally)

calembour pun, play upon words

calendae calends; ad -as Graecas on the Greek calends

calico(t) calico

Californië California; ~r, Californisch Californian

calorie id., caloric unit

calorifère hot-air stove (of: apparatus)

calorimeter id.; calorisch caloric

calque tracing; transfer(-picture)

calqueer: ~papier tracing-, transfer-paper; ~plaatje transfer(-picture)

calqueren trace, calk

Calvarie(berg) (Mount) Calvary

Calvijn Calvin; calvinisme Calvinism

calvinist Calvinist; ~isch Calvinistic(al)

camaraderie id.; zie kameraadschap

camarilla id., cabal, clique, junta

Cambodja Cambodia

Cambrië Cambria (= Wales); ~r Cambrian

camee cameo; camelia camel(l)ia

camera id.; ~ obscura id.; ~man c.-man; ~ploeg c. crew, c. team; ~wagen c.-crane

camouflage id.; (van schip ook) dazzle-painting

camoufleren camouflage, disguise

campagne campaign (ook fig.); (van fabriek, enz.) (working-)season; (mar.) poop; (fig. ook) drive [clean stage ..., ... to stop smuggling]; een ~ voeren conduct (run) a c. [tegen against]; ik heb ~s meegemaakt I have seen service

campêchehout Campeachy-, log-wood

camping camp(ing-)site

Canada id.; Canadees bn. & zn. Canadian

canaille rabble, mob, riff-raff, scum; (man) scoundrel; (vrouw) vixen; ~achtig raffish, blackguard(ly)

canapé sofa, settee; (hapje) id.

canard id., false report, hoax

Canarische Eilanden: de ~ the Canaries, the Canary Islands

candela (nat.) id., new candle

candelaber candelabrum (mv. -bra)

canna (plant) canna; ~bis id.

canneleren channel, flute, groove

cannelure flute; ~s, ook: channelling, fluting, fluted work

canon id. (in alle bet.); (erfcijns ook) rent-charge; ground-rent; (muz. ook) catch; round; ~iek canonical; ~recht canon law; ~isatie canonization; ~iseren canonize

cantate cantata

cantilene cantilena

cantille purl, wire ribbon, gold stitchery

canule cannula

c.a.o. collective labour agreement; ~-overleg collective bargaining

caoutchouc id., india-rubber

capabel able [to], capable [of]; niet ~, (dronken) drunk and incapable

capaciteit capacity, ability; (van motor, enz.) power, p. output; (van zaal, schouwburg) seating capacity; (elektr.) ook: capacitance; op volle ~ [work] at full c. (of: pressure); van hoge (geringe) ~ high- (low-)powered [diesel engine]; high-, (low-) capacity [power transformer]

cape id.

capella: a ~, zie a-capella

capillair capillary; -lariteit capillarity

capitonneren pad, stuff

Capitool enz., zie Kapitool, enz.

capitulant soldier who receives a guarantee of civil employment

capitulatie capitulation

capituleren capitulate (voor to)

Cappadocië Cappadocia; ~r, Cappadocisch Cappadocian

caprice caprice, whim, freak; (muz.) capriccio, caprice

capricieus capricious, whimsical

capriool caper; capriolen maken cut capers

capsule id.; (van fles ook) bottle-cap, (lead) cap

captie: ~(s) maken, (aanmerk.) raise an objection (objections), find fault; (chicanes) chicane;

(*tegenstribbelen*) resist, jib
capuchon capuchin; (*kap ook*) hood
capucijner *zie* kapucijner
Caraïbiër Carib; Caraïbisch Caribbean; ~e Zee Caribbean (Sea)
carambolage cannon; carambole cannon; caramboleren cannon (*ook fig.*)
caravan id., (*Am.*) house trailer; ~park c. park, c. site, (*Am.*) trailer park
carbid carbide
carbol carbolic acid (solution), carbolic lotion; (*fam.*) carbolic; ~ineren creosote; ~watten carbolized cotton-wool; ~zeep carbolic soap; ~zuur carbolic acid
carbon(papier) carbon (paper)
Carboon Carboniferous
carburateur, -tor carburettor, -ter
carburatie carburation
carbureren carburet
carcinoom carcinoma
cardanas propeller shaft, (*fam.*) prop-shaft
cargadoor ship-broker
cargalijst manifest; cargo cargo
cariës caries; -eus carious
carillon carillon, chimes; ~neur id.
caritatief charitable [institution]
carnaval carnival
carnet id.
carnivoor carnivore; (*mv. ook*) carnivora
Carolina Caroline; Carolus Charles
Carrarisch: ~ marmer Carrara(n) marble
carré square; (*zich*) *in ~ opstellen* form into s., form up in s., line up in s. formation
carrière career; ~ maken make a c., make one's way in the world; *zijn ~ mislopen* miss (mistake) one's vocation; carrièrisme, -ist careerism, -ist
carrosserie coach-work, (motor-)body, bodywork
carrousel merry-go-round, roundabout; (*techn.*) turret [lathe]
carte: *à la ~* id.; ~ *blanche* id.; *iem. - geven* give a p. carte blanche (a free hand, an open mandate, full discretion)
carter crank-case; (*van de versnellingen*) gearbox
Cartesiaans Cartesian; *zie* duikertje
Carthaags, Carthager Carthaginian
Carthago Carthage
cartograaf cartographer; cartografie cartography; cartografisch cartographic(al); ~e afdeling map department
cartotheek card file, filing cabinet
cartouche id.; cascade id.
cascara cascara (sagrada)
casco hull [of a ship], body [of a motorboat, car]; ~verzekering insurance on hull and appurtenances (on bodywork [of a car])
caseïne casein; casimir *zie* kasjmier
casino id., *mv.* -os; (*brood*) sandwich-bread
Caspar(us) Jasper
cassatie cassation, reversal of judgment, quash-

ing, appeal; ~ *aantekenen* give notice of appeal
cassave cassava, manioc
casseren (*vonnis*) cancel, quash, reverse; (*officier*) cashier, strike off the Army list
casserole id.
cassette (*voor geld*) cash-box; (*voor juwelen, enz.*) casket; (*met messen, enz.*) canteen [of cutlery]; (*schrijf-*) writing-desk; (*fot., bandrecorder*) id.; (*voor boek, van karton*) slip-case; *3 dln in ~* 3 vols boxed
cassière *zie* caissière
cassis black currant drink
castagnetten castanets, bones
castigeren (*tuchtigen*) castigate, chastise; (*boek*) expurgate, bowdlerize
Castiliaan(s) Castilian; Castilië Castile
castorolie castor-oil
castraat castrated person, eunuch; (*zanger*) castrato (*mv.* castrati); castratie castration; castreren castrate, cut; (*dier ook, mannetje*) geld, neuter, (*wijfje*) spay, (*vogel*) caponize; (*boek*) *zie* castigeren
casu: *in ~* in this case (instance); ~ *quo* in a given case, where appropriate; *zie ook* eventueel; casueel casual, accidental
casuïst casuist; ~iek casuistry
casus case; ~ *belli* id.
catacombe catacomb
Catalaan(s) Catalan
Catalaunisch Catalaunian [Fields]
catalogiseren catalogue
catalogus catalogue, (*Am. ook*) catalog; *centrale ~* union c., consolidated c.; *systematische ~* classified c.; ~prijs list-price; ~titel c. entry
Catalonië Catalonia; ~r, -isch ... n
cataract id.
catarraal catarrhal; catarre catarrh
catastrofe catastrophe; -faal catastrophic
catecheet catechist; -chese catechesis; -chetisch catechetic(al); -chisant confirmation candidate, catechumen; -chisatie confirmation class(es); - *geven* take confirmation classes; -chiseermeester catechist; -chiseren catechize, take ... (*zie* -chisatie); -chismus catechism; (*r.-k.*) *zie* catechisatie
categoraal, -riaal categorial
categorie category; -risch categorical (*bw.*: -ally); -*e imperatief* c. imperative
Catharina Catharine
cathedra id.; *ex ~* id., authoritatively; *zie* katheder
catheter id.
Cato id.; (*meisje*) Cathy; *van ~* Catonian
Caudijns Caudine; ~*e passen* C. forks
causaal causal
causaliteit causality; ~stheorie theory of causation; causatief causative
causerie id., talk [*over* on]; *een ~ houden* give a talk; causeur conversationalist
cautie bail, security, caution money; ~ *stellen* give bail; (*hand.*) give a guarantee
cavalcade cavalcade

cavalerie cavalry [light, heavy ...], horse; tanks; ~paard c.-, troop-horse, trooper; ~regiment tank-regiment; (*hist.*) c.-regiment; ~sabel sabre; cavalerist tank soldier; (*hist.*) c.-man, -soldier, trooper, horse-soldier

cavalier *a*) id., horseman; *b*) id., gallant; *c*) (*op bal*) partner

cavia cavy, guinea-pig; cavitatie cavitation

Cayenne id.; c~peper C. pepper, cayenne

Cecilia Cecilia, Cecily, (*fam.*) Cis

cedel *zie* ceel; cedent assignor

ceder cedar; ~boom c.(-tree)

cedéren cede, assign; (*zwichten*) yield

ceder(hout)en cedar; cederhout cedar(-wood)

cedille cedilla

cedul *zie* ceel

ceel certificate; (*van veem*) (dock-, warehouse-) warrant; (*lijst*) list; *op* ~ *verkopen* sell on stored terms; *een hele* ~ quite a string

ceintuur belt, sash, scarf; ~baan circular railway

cel cell (*ook fig.*: communist ...s); (*telef.*) (call-) box, kiosk; (*muz.*) cello; ~ *voor ter dood veroordeelde* condemned cell; *zie* celstraf; ~auto (motor) prison-van

Celebes id.

celebrant id., officiant, officiating priest

celebreren celebrate; *de mis* ~ c. mass

celebriteit celebrity

celestijn(er) Celestine

Celestina, Celestinus Celestine

celholte cell space

celibaat celibacy

celibatair celibate, celibatarian, bachelor

celkern (*biol.*) (cell) nucleus, *mv.* nuclei

cellist (violon)cellist; cello id.

cellofaan cellophane

cellulair cellular; ~e *gevangenis* c. prison; ~e *opsluiting* solitary confinement

celluloid id., xylonite; cellulose id.

Celsius centigrade, id.; *zie* graad

cel: ~stof cellulose; ~straf solitary confinement; (*mil.*) cells; ~systeem cellular system, system of solitary confinement, Pennsylvania system; ~vormig celliform, cellular; ~wagen *zie* gevangenwagen; ~wand cell-wall; ~weefsel cellular tissue

cement id.; ~atie cementation; ~(er)en cement, case-harden

cenotaaf cenotaph

censeren (*achten*) deem, assume; (*berispen*) censure

censor id., licenser [of plays, the press]; *door de handen van de* ~ *gaan* pass the c.; *van de* ~ censorial [the ... blue pencil]; censureren censor; census id.

censuur censorship; (*berisping & kerk. straf*) censure; *een* ~ *instellen* impose a c.; *onder* ~ *staan* be subject to c.; *onder* ~ *stellen* censor

cent (Dutch, American) cent; ~en [here's your] coin; [have you got the] cash?; [give poor children] coppers; (*sl.*) [the] shekels [don't matter]; (*salaris*) screw; ~en *hebben* have tin (brass); *om de* ~en for the L. S. D.; *ik heb geen* ~ I'm penniless, I haven't a penny to bless myself with (to call my own, to my name); *het is geen* ~ *waard* it's not worth a (red) c., not worth twopence; (*fig.*) it is as easy as A B C, it's mere child's play; '*t kan me geen* ~ *schelen* I don't care a c.; *geen* ~ *minder* not a farthing less; *geen* ~*je pijn* no trouble (problem) at all; *ze bleef zonder een* ~ *achter* she was left penniless; *iem. tot de laatste* ~ *betalen* pay a p. to the last farthing; *zie* duit

centaur id.; centaurie (*plant*) centaury

centenaar hundredweight (*112 Eng. ponden*)

centenbakje collection plate

centerboor centre-bit

centiare centiare; (*evenzo:* centigramme, -litre, -metre); centigraad (*100ste deel van rechte hoek*) grade; centime id.; centimeter centimetre; *ook:* measuring tape, tape-measure

centraal central; ~ *station* central station; *centrale verwarming* c. heating; *met ...* centrally heated; *inrichting voor ...* c.-heating apparatus; ~ontsteking: *patroon met* – c.-fire cartridge

centrale (*elektr.*) power (generating, electricity) station; (*telef.*) (telephone) exchange; (*verenigings*~) central council, federation; (*verkoopsorganisatie*) [potato, pig, milk] marketing board; *ook:* pig- (etc.) board; centralisatie centralization; centraliseren centralize

centrifugaal centrifugal; ~kracht c. force; ~machine c. machine; ~pomp c. pump

centrifuge id.; (*op boterfabriek*) separator; (*voor wasgoed*) spin-drier

centripetaal centripetal

centrisch centric

centrum (town, city) centre; *het C*~ the Centre (Party)

centurie century; centurio centurion

ceramiek ceramics, ceramic art

Cerberus id. (*ook fig.*)

cerealiën cereals

cerebraal cerebral [fever]; (*van kunstwerk, enz.*) (unduly) intellectual

ceremonie ceremony

ceremonieel *bn.* & *zn.* ceremonial

ceremoniemeester master of (the) ceremonies (M.C.); (*om toosten aan te kondigen bij officiële maaltijd*) toast-master

ceremonieus ceremonious, formal

Ceres id.

cert. = certificaat certificate; ~ *van aandeel* share c. [*aan toonder* ... to bearer; *op naam* registered ...]; ~ *van beschadiging* c. of damage; ~ *van oorsprong* c. of origin

certificeren certify

cervelaatworst saveloy

cessie cession, abandonment; cessionaris assign, cessionary; (*zeeverzek.*) abandonee

cesuur caesura

cetaceeën cetaceans

Cevennen: *de* ~ the Cevennes

Ceylon id.; (*staat*) Sri Lanka; ~s, ~ees Ceylonese, Sin(g)halese

chagrin 1 chagrin, vexation; 2 *zie* segrijn; ~ig chagrined, cantankerous, sullen, cross

chaise *zie* sjees; ~ longue id., couch

chalcedoon, -don chalcedony
Chaldea id.; Chaldeeër Chaldean, Chaldee
Chaldeeuws Chaldaic, Chaldee
chalet id., Swiss cottage
chalonstok staff, (*Am.*) rod
Cham Ham; *van* ~ Hamitic
chambree barrack-room
champagne id.; *souper met* ~ c. supper; ~cider
c.-cider; champie (*sl.*) (the) fizz, (the) bubbly,
cham(my)
champignon mushroom; (*parvenu*) upstart; ~s
zoeken gather m...s, go (be) mushrooming;
~saus m.-sauce, -ketchup
changeant *bn.* shot(-coloured); *zn.* shot silk
chansonnette ditty
chansonnier cabaret singer
chantage blackmail; *door* ~ *brengen tot* b.
[a p.] into; ~ *plegen jegens,* chanteren blackmail
chanteur *a*) singer; *b*) blackmailer
chanteuse singer
chaos id., welter; chaotisch chaotic (*bw.:* -ally)
chapeau bas [come, go] hat (*of:* cap) in hand;
~ *spelen tegenover* be hat (*of:* cap) in hand to
chapelle ardente id., chapel of rest
chaperon id., duenna; ~neren chaperon; (*van
heer ook*) squire [a lady]; *iem.* –, *ook:* (*fam.*)
play gooseberry
chapiter chapter; (*fig.*) subject; *dat is een ander*
~ that's another story; *op het* ~ *brengen* bring
upon the carpet; *om op ons* ~ *terug te komen* to
return to our subject (*fam.:* to our muttons);
iem. van zijn ~ *afbrengen* put a p. off his subject;
van ~ *veranderen* change the subject
char-à-bancs char-à-banc, charabanc
charade id.
charge id.; *een* ~ *uitvoeren* (*tegen*) charge [the
crowd]; *à* ~, *zie* getuige
chargé d'affaires id.
chargeren charge; (*overdrijven*) over-act (*ook
trans.:* ... a part), overdraw [the picture], exaggerate, lay it on thick
charisma id.; ~tisch charismatic
charitatief charitable
charivari (*ketelmuziek, enz.*) id.; (*sieraden*)
(bunch of) charms; (bunch of) seals
charlatan id., quack, mountebank, humbug;
~erie charlatanism, charlatanry, quackery
Charleston id. (*ook: de c~ dansen*)
Charlotte id.
charmant charming; ~*e kerel* sport; charme
charm; *uiterlijke* ~, *ook:* glamour; charmeren
charm; charmeur charmer, Prince Charming;
(*fam.*) glamour boy
charmeuse charmer, enchantress; (*fam.*) glamour girl; (*stof*) id.
chartepartij charter-party
charter id.; ~en charter; (*fam.*) engage
chartreuse id.; Charybdis id.
chassepot(geweer) chassepot
chasseur (*in hotel*) page-boy, buttons, (*fam.*)
bell-boy, bell-hop; (*in Fr. hotel*) id.; (*dames-

hoed*) (lady's) bowler(-hat)
chassinet (*vensterhor*) wire-blind; (*transparant*)
transparency
chassis (*van auto*) id., frame; (*foto.*) (dark) slide
chatelaine id. (*in beide bet.*)
chaufferen drive (a motor-car)
chauffeur id., (motor-car, taxi) driver; *auto
zonder* ~ self-drive car; *auto met* ~ chauffeur-
driven car; ~splaats driving-seat; ~sschool
school of motoring
chauffeuse id., woman driver
chauvinisme chauvinism; *Eng.* ~ jingoism
chauvinist id.; *Eng.* ~ jingo; ~isch chauvinist(ic),
jingois(tic)
chef chief; (*patroon*) employer, principal, (*fam.*)
boss; (*directeur*) manager; (*1ste bediende*)
chief (*of:* head) clerk; (*van afdeling*) = ~ *de
bureau* office-manager, department-head; (*station*) station-master; (*kok*) chef; ~ *van de
(Generale) Staf* C. of (the General) Staff; ~
van dienst der exploitatie, (*spoorw.*) traffic
manager; ~boekhouder head clerk; ~fin
(shop-)manageress; ~kok head chef
chemicaliën chemicals; ~fabriek(en) chemical
works; chemicus (analytical) chemist, analyst
chemie chemistry; chemisch chemical; ~ *reinigen*
dry-clean
chemisette id.; chenille id.
cheque id.; ~boek c.-book; ~rekening drawing-
account
chertepartij charter-party
cherub(ijn) cherub, *mv. ook:* cherubim
cheviot id.; chevron id., stripe
chiasme chiasmus
chic I *bw.* smart, stylish [shoes], fashionable
[quarter], swell [your ... friends], chic, dressy
[man], swagger, (*sl.*) posh [hotel], (*overdreven*) chichi, (*volkst.*) classy; *een chique
beweging,* (*van partij, enz.*) a dress affair;
II *zn.* smartness, etc., chic; *de* ~ the fashionable world, the upper ten
chicane chicane(ry); chicaneren chicane, find
fault; chicaneur chicaner
chicaneus chicaning, captious
chiffonnière chiffonier, (*hoog*) tallboy
chiffreren code, encipher
chignon id.
chijl chyle; chijm chyme
Chileen(s) Chilean, Chilian; Chili Chile, Chili;
Chiliaan(s) Chilean, Chilian
chiliasme chiliasm; chiliast id.
chilisalpeter Chili (*of:* cubic) saltpetre
chimaera chimera
chimpansee chimpanzee; (*fam.*) chimp
China id.; Chinees *zn.* Chinese, Chinaman;
(*min.*) Chinaman; (*sl.*) Chink; *de -nezen* the
Chinese; *zie* raar; *bn.* Chinese; China [tea];
(*in sam.*) Chino-, Sino-[Japanese, etc.]
Chinezenwijk: *de* ~ Chinatown
chinine quinine; chips (potato) crisps
chique *zie* chic
chiromantie chiromancy, palmistry

chirurg(ijn) surgeon

chirurgie surgery; **chirurgisch** surgical

chloor chlorine; ~achtig, ~houdend chlorous; ~kalk chloride of lime; ~natrium chloride of soda

chloraal chloral; **chloras calicus** chlorate of potash; **chloreren** chlorinate

chloroform id.; ~(is)eren (put under) chloroform; **chlorofyl** chlorophyll

chocolaatje chocolate; (*fam.*) choc

chocola(de) chocolate, cocoa; ~fabriek c.-mill; ~melk (drinking) chocolate, cocoa; ~reep bar (*of:* stick) of c.

cholera id.; *Aziatische* ~ Asiatic (epidemic, malignant) c.; *inlandse* ~ European c., summer c., c. nostras

cholerine id.; **cholerisch** choleric

choquant shocking

chrestomathie chrestomathy, selection

chrisma chrism

christelijk Christian, Christianlike, Christianly; ~e *leer* Christianity; ~heid Christianity

christen Christian; ~dom Christianity; ~ezielen! Christ!; ~heid Christendom; ~mens Christian; ~ziel: *geen* – not a soul

Christiaan Christian; **Christin** Christian (woman); **Christina** Christina, (*fam.*)Chris(sy)

Christoffel Christopher

Christus Christ; *de* ~ the Christ; *na* ~ after Christ; A.D., *vóór* ~ before Christ, B.C.; ~beeld image of Christ; (*kruisbeeld*) crucifix; ~doorn honey-locust; ~kop C.'s head; ~verhaal: '*t* – the C. story

chromatiek chromatics; **chromatisch** chromatic

chromatograaf, -grafie chromatograph, -graphy

chromo id.; ~lithografie chromolithography; ~soom chromosome

chronicum chronogram

chronique scandaleuse id.

chronisch chronic (*bw.:* -ally); ~ *lijder* chronic (sufferer)

chrono- id.; ~graaf, -grafisch c.graph, -graphic; ~gram id.; ~logie, -logisch c.logy, -logical; ~meter, -metrie c.meter, -metric

chroom *a*) chromium; *b*) = ~leer; ~geel chrome (yellow); ~leer chrome leather; ~zuur chromic acid

chrysant(hemum) chrysanthemum

c.i. civil engineer

ciborie ciborium; **cicade** cicada

Cicero id.; **cicerone** id., guide

Ciceroniaans Ciceronian

cichorei (*in beide bet.*) chicory

cider cider; **cigarette** id.; *zie* sigaret

cigarillo id.

cijfer figure, digit; (*op klok*) numeral; (*van beoordeling*) mark; (*in geheimschrift*) cipher; *een* ~ *geven*, (*op werk*) mark [papers, pupils]; '*n laag* ~ *geven* mark low; *in ronde* ~s in round figures; ~ *der eenheden, tientallen, enz.* units f., tens f., etc.; ~aar cipherer; ~boek cipheringbook; ~boekje (*van leraar*) mark(s) book; ~en cipher; ~kunst arithmetic; ~lijst mark(s) list,

list of marks; ~matig numerical; ~meester arithmetician; ~schrift 1 numerical notation (*ook in muz.*); 2 (*geheimschr.*) cipher, code; *in* – *overbrengen* (en-)code, encipher [a message]

cijns tribute, tribute-money; tax; ~baar tributary; ~plichtig(e) tributary

cilinder cylinder; (*in muziekdoos, enz.*) barrel; (*hoed*) top-hat; ~bureau roll-top desk, c.-desk; ~pers cylinder-press; ~vormig, cilindrisch cylindrical, cylindriform

cimbaal cymbal

cineac news-cinema, newsreel c.; **cineast** filmmaker, film-operator, -producer; scenariowriter; **cinefiel** cineast(e)

cinema *zie* bioscoop

cinematograaf cinematograph

cingel (*r.-k.*) cingulum

cipier jailer, gaoler, warder, turnkey

cipres cypress

circa about, circa [500 B.C.], approximately, roughly [200 pages]

Circassië Circassia; ~r, **Circassisch(e)** Circassian

circuit id.; racing-track, (*Am.*) motordrome

circulaire circular (letter); ~s *zenden aan* send circulars to, circularize; ~ *kredietbrief* c. letter of credit

circulatie circulation; *in* ~ *brengen* put in(to) c.; *in* ~ *komen* go into circulation; *aan de* ~ *onttrekken* withdraw from c., call in [a book], recall; ~bank bank of issue, note-issuing bank; ~middel circulating medium, currency

circuleren circulate; *laten* ~ send round, circulate

circumflex id.

circus id., ring; ~directeur c.-master; ~klant c.-performer; ~knecht c.-hand; ~nummer c. act (turn)

cireren (bees)wax

cirkel circle; *zie* kringetje; ~boog arc of a c.; ~en circle; ~gang *zie* kringloop; ~lijn circular line; ~omtrek circumference of a c.; ~oppervlak area of a c.; ~redenering circular argument (reasoning); ~segment segment of a c.; ~tje circlet; ~vlak plane of a c.; ~vorm circular shape; ~vormig circular; ~zaag circular saw

cis (*muz.*) C sharp

Cisalpijns Cisalpine

ciseleerwerk chased work, chasing; **ciseleren** chase, emboss; **ciseleur** chaser

cissus id., kangaroo vine

cisterciënzer Cistercian

citaat quotation; **citadel** citadel

citatie (*dagvaarding*) citation, summons

citer cither(n), cittern, zither

citeren cite; (*woordelijk*) quote; (*dagvaarden*) cite, summon(s)

citerpen plectrum

cito quickly, immediately

citroen lemon; (*grote*) citron; *een hete* ~ a hot l.; *zie* ~tje; ~boom lemon-tree, citron(-tree); ~geel *bn.* citrine, l.-yellow, -coloured; *zn.* citrine, l.-colour; ~kleur(ig) l.-colour(ed); ~kruid southernwood; ~limonade (*als siroop*) l.-

syrup; (als drank) l.-drink; ~melisse (plant) balm; ~olie oil of citron; ~pers l.-squeezer; ~schil l.-peel; ~tje a) zie ~vlinder; b) (vogel) icterine warbler; c) een – a lemon-brandy; ~vlinder brimstone (butterfly); ~zuur citric acid; ~zuurzout citrate

civet id.; ~kat civet(-cat)

civiel civil; (billijk)moderate, reasonable [price]; ~e actie, zie ~e zaak; ~e bediening prompt attendance; ~e behandeling fair treatment; ~ behandelen treat [a p.] fairly (decently); ~e dienst c. service, (aan boord) catering-staff; ~ effect professional qualification (conferred by university degree, etc.); ~ingenieur c. engineer; ~e lijst c. list; ~e partij party in a c. suit; zich ~e partij stellen bring a c. suit against a p.; ~ recht c. law; ~e zaak c. suit, c. action; hof voor ~e zaken c. court; in ~, zie burgerkleren; civiliseren civilize, humanize

claim id., right; ~recht: met – cum rights; zonder – ex rights; het – uitoefenen exercise one's right to subscribe

clair-obscur chiaroscuro, clear-obscure

clairvoyance, -voyant zie helderziendheid 2 & helderziend 2

clandestien clandestine, secret [newspaper], illegal [slaughtering], illicit [trading]

claque (hoed) opera-, crush-hat; (claqueurs) claque; claqueur id.

Clara Clare, Clara

claris Clare; ~sen Poor Clares

Clarissa id., Clarice

classicaal classical; -ale vergadering, ongev.: diocese meeting; (in Presb. Kerk) presbytery

classicisme classicism; classicistisch classicist; classicus classicist

classificatie classification; -ceren classify, class; (van schepen) scrape [ship's walls, tanks, etc.]

classis id. (of Protestant parishes in Holland)

claus (theat.) speech; (wacht~) cue

clausule clause, proviso, stipulation; -leren make (put in) provisos

clavecimbel harpsichord; -cinist h.ist

claviatuur key-board

clavichord(ium) clavichord

claxon klaxon, motor-horn; ~neren sound the (one's) horn

clearing (financ. term) id., transfer

clematis clematis, virgin's (lady's) bower

Clemence, Clemens Clement

clement lenient, clement, merciful; ~ behandelen, (ook) let down lightly (gently)

clementie leniency, clemency, mercy, indulgence; zich (iem.) in de ~ van het Hof aanbevelen throw o.s. on the m. (recommend a p. to the clemency) of the Court; ik roep uw ~ in voor ... I ask your indulgence for ...

Clementina Clementine

Clementius Clement

cleresie, -sij clergy; de oud-bisschoppelijke ~, (ongev.) the Jansenists; clerus clergy

cliché (stereotype) block (of: plate), process

block, (zeld.) id.; (fig.) id., hackneyed phrase; als bn.: id., stereotyped [ideas]

clicheren stereotype, engrave

cliënt(e) (Rome & van advocaat) client; (klant) customer, client; cliënteel, clientèle clientele, customers, connexion; zie klandizie

clignotatie winking (flashing) indicator

climax id.; cloaca id.

cloqué seersucker

closet water-closet, w.c.; droog ~ earth-closet; ~papier(rol) toilet-paper (roll)

clou (outstanding) feature [of an exhibition, etc.], chief attraction, (essential) point [of a story]

clown id.; voor ~ spelen play the c., clown it

club id.; ~bestuur c. committee; ~fauteuil easy chair, armchair; ~huis c.-house, pavilion; ~je club, party, set

Co. Co., Coy. (= company)

coadjutor (bishop-)coadjutor

coalitie coalition [C. government, etc.]; ~man coalitionist

co-assuradeur co-insurer

coaxiaal co-axial

cobra id.

cocaïne cocaine, (sl.) snow; ~gebruiker c. addict

cochenille cochineal

cocktail id.; ~prikker c. stick

cocon cocoon

code (in beide bet.) id.; in ~ overbrengen encode; ~bericht c. (coded) message; ~ren (en)code; ~telegram c. telegram, cipher t.; ~woord c. word

codex id., mv. codices; codicil codicil

codicologie codicology

codificatie codification; -ceren codify

coëducatie co-education, mixed education

coëfficiënt coefficient

coelacant coelacanth

coëxistentie co-existence

cognac brandy, cognac

cognossement zie connossement

coherent id.; cohesie cohesion; cohort(e) cohort

coifferen: iem. ~ dress a p.'s hair; erg gecoiffeerd zijn met be enormously bucked with; coiffeur id., hair-dresser; coiffeuse id., woman hairdresser; coiffure id., head-dress, style of hairdressing, hairdo

coïtus coitus, coition

cokes coke; geklopte ~ broken c.; ~klopper c.-crusher

col polo-neck

colbert jacket; ~kostuum lounge-suit

Coliseum Colosseum, Coliseum

collaborateur collaborator, collaborationist

collage id.; collaps collapse

collateraal collateral

collatie (in alle bet.) collation; ~recht advowson

collationeren collate, check; (telef.) repeat

collator patron

collectant collector, canvasser [for charities]; (in kerk) collector, sidesman

collecte collection; (aan uitgang) retiring-c.; een

~ **houden** make a c., (*fam.*) send (pass) the hat round; *zie* huis; ~**bus** collecting-box; (*kerk*) offertory-box; **collecteren** collect, make a collection; **collecteschaal** collection-plate

collecteur, -trice state lottery-office keeper

collectezakje offertory-bag, collecting bag

collectie collection

collectief *bn. & zn.* collective; ~ *contract* c. contract; *-ieve arbeidsovereenkomst* collective agreement; *-ieve nota* c. note

collectioneur collector

collectiviseren collectivize [...d farms]

collectivisme, -ist(isch) collectivism, -ist

collega colleague; ~ *Pieterse* my (respected) colleague, (Mr.) P.; *mijn* ~, *ook:* my brother journalist (musician, etc.); ~**schrijvers** enz. fellow authors, etc.

college (*lichaam*) college [of cardinals, etc.], board; (*aan univ.*) lecture, course (of lectures); (*scholengemeenschap*) *zie ald.; ~ van B. & W.* Court of Mayor and Alderman; ~ *van* (*univ.*) Governing Body; ~ *van Regenten* Board of Trustees; *de* ~*s zijn begonnen* term has started; ~ *geven* lecture [*over* on; ... twice a week]; give (a course of) lectures, give a lecture; *zijn* ~*s hervatten* resume one's lectures; ~ *lopen* attend (the) lectures (a course of lectures); ~**geld** tuition (university, lecture) fee; ~**tas** brief-case, portfolio; ~**zaal** lecture-room, (*amfitheater*) lecture theatre

collegiaal fraternal [greetings], amicable [relations], [act] as a good colleague; *-ale rechtspraak* jurisdiction by court of justice

collegialiteit good-fellowship

colli *mv. van* **collo** (*zie dit*)

collie id.

collier necklace

collo package, case, bale

collodium collodion; **colloïde** colloid

collotypie collotype

colofon colophon

colombine Columbine

colonnade id., portico

colonne column

coloradokever Colorado beetle

coloratuur, -uren (*muz.*) coloratura, gracenotes; *-tuursopraan* c. soprano

Colossenzen Colossians

Colosseum *zie* Coliseum

colportage (book-)hawking, door-to-door sales

colporteren hawk (about), sell in the streets; (*fig. ook*) spread, retail [news, lies]

colporteur id., canvasser, (book-)hawker

coltrui polo-neck (pullover), (*Am.*) turtle-neck (sweater)

columbarium id.

Columbia (*staat*) Colombia

combattant combatant

combi estate (car), (*Am.*) (station) wagon

combinatie combination; (*syndicaat*) combine, ring [coal..., etc.]; ~**slot** c.(-lock); ~**vermogen** power of c.; ~**wagen** estate car, (*Am.*) station wagon

combination (*hemdbroek*) combinations, combination garment

combine *a*) combine (harvester); *b*) collusion; ~ *maken* collude

combineren combine

comédienne id.

comestibles id., provisions, (*fijne eetwaren*) delicacies; *handelaar in* ~ provision dealer; ~**winkel** provision-shop

comfort id.; (*van hotel, enz.*) conveniences; ~**abel** comfortable, commodious [house]

comité committee; *en petit* ~ with only a few intimate friends; ~-**generaal** C. of the Whole House; *in* – (*over*)*gaan* go into C.

commandant commander; (*van vesting, enz.*) commandant; (*gezagvoerder*) master, captain, commander; (*van brandweer*) superintendent, fire-master; (*Am.*) f.-marshal, fire-chief; -**ement** (*mil.*) command [the London ...]; -**eren** command, order, be in command of; *de vrouw -eert* calls the tune; *ik laat me niet* – I won't take orders from anybody, won't be dictated to; *hij -eert mij maar* he orders me about; *commandeer je hond en blaf zelf* (*fam.*) I don't take orders from you; *-de officier*) Commanding Officer (C.O.), Officer Commanding (O.C.), Officer in Command; -**eur** commander; -**itair:** – *vennoot* limited partner; *-e vennootschap* limited partnership

commando (word of) command; (*troepenafd.*) command; (*Z.-Afr. en 2e Wereldoorlog*) commando; *het* ~ *voeren* (*over*) be in c. (of); *'t* ~ *overnemen* take over c.; *op* – [talk, etc.] to order; ~**aanval** commando raid; ~**brug** navigating-bridge, control platform; ~**post** (*mil.*) c.-post; ~**staf** baton, staff of office; ~**toren** conning-tower

comme il faut id.; *zie* netjes *bn.*

commensaal boarder, lodger; (*biol.*) commensal

comment: ~**aar** commentary [*op* on], comment; – *leveren op* comment upon; – *overbodig* comment is superfluous (needless); ~(**ari**)**ëren** comment upon; ~**ator** id.

commercieel commercial; *commerciële radio, televisie* sponsored (*of:* commercial) radio, T.V.

commère id.

commies custom-house officer, exciseman; (*te water*) (*hist.*) tide-waiter; (*van departement, enz.*) clerk; ~**brood** ammunition [ration, army] bread

commissariaat *a*) commissionership; (*van maatsch.*) directorate, directorship; *b*) police-station

commissaris commissioner; (*van maatsch.*) director; (*van politie*) superintendent of police, (*ongev.*) Chief Constable; (*der Kon.*) Queen's Commissioner, provincial governor; (*van orde*) steward; (*van sociëteit, enz.*) steward; ~ *zijn van* be on the board of [a company]

commissie (*personen*) committee, board; (*opdracht, enz.*) commission; (*bestell.*) order; (-*loon*)commission; ~ *van advies* advisory body (*of:* committee); ~ *voor algemene zaken*, (*in gem. raad*) General Purposes C.; ~ *van beheer* board of control; ~ *van bijstand*, (*in gem. raad*) [financial, education] (sub-)c.; ~ van deskundigen expert c.; ~ van onderzoek c. of inquiry; (Am.) fact-finding c.; ~ van Openb. Werken Board of Works; ~ van ontvangst reception-c.; ~ van toezicht board of visitors (of supervisors), visiting committee; in ~ [send goods] on consignment, [sell] on commission (on sale or return); in de ~ zitten be (serve) on the c. (the board); ~boek order-, consignment-book; ~goederen goods on consignment, consigned goods; ~handel commission-business; ~loon commission; ~zaak commission-business, -house

commissionair commission-agent, -merchant; (kruier) commissionaire, porter; ~ in effecten stockbroker

commissoriaal: ~ maken refer to a committee

commis-voyageur commercial traveller

committent principal

commode chest of drawers; (hoog) tallboy

commodore (mar.) id.; (luchtmacht) air c.

communaal communal (ownership); commune id.; communicant id.

communicatie communication; ~media media (of communication); ~middel(en) means of c.; ~stoornis failure in c.

communiceren communicate (beide bet.)

communie (Holy) Communion; zijn ~ doen receive Holy C. for the first time; ~bank altar-, communion-rails; ~tafel c.-table

communiqué id.

communisme communism

communist id.; ~isch communist(ic)

comp. company; compact id.

compagnie company; ~sbureau orderly-room; ~schap partnership; zie vennootschap; ~scommandant c.-commander

compagnon partner, business associate; zie vennoot; ~schap zie compagnieschap

comparant appearer, party; getrouwe ~ regular attendant; comparatist comparat(iv)ist; compareren appear

comparitie a) appearance; b) meeting

compartiment compartment

compatibel compatible

compensatie compensation; ~slinger c.-, compensating-pendulum

compenseren (opwegen tegen) compensate, counterbalance, offset; (vergoeden) make good [a loss], compensate [a p.] for s.t.; elkaar ~ balance out; een ~de toeslag a compensating bonus

competent id.; (jur. ook) cognizant; zijn ~e portie his rightful share; ~ie competency; (jur. ook) cognizance; competeren be due

competitie (sp.) league; ~stand league table; ~systeem competition system; ~wedstrijd l.-game, l.-match

compilatie compilation; compilator compiler; compileren compile

compleet complete, full; (fig. ook) utter [failure]; downright [scandal]; regular [down-

pour]; [I] clean [forgot it]; utterly [I am ... indifferent to it]

complement id.; ~air complementary [colours]; ~shoek complementary angle

complet (kostuum) ensemble; completen complin(e), complin(e)s; completeren complete

complex id.; (gebouwen) block; ~ie constitution, nature; van verliefde - of an amorous temper

compliantie compliance

complicatie complication; -eren -ate

compliment id. (ook iron.: you can tell him, with my compliments, that ...); doe hem mijn ~en give him my c...s, my c...s to him (ook iron.); (doe) mijn ~en aan uw broer (give) my regards (respects) to your brother; ~en aan je oom, ook namens mijn vrouw my c...s to your uncle, in which my wife joins; ~en van allemaal they all send you their c...s (fam.: their love); ~en thuis remember me to all at home; ~en van Pa, en of u hem uw snoeimes even wilt lenen Dad's c...s and will you lend him your pruning-knife for a moment?; zonder (meer) ~en without ceremony, unceremoniously, without more ado, off-hand; een ~ afsteken make (pay, turn) a c.; ik wacht van u geen ~en af I will stand none of your cheek, I will not be pulled up by you; veel ~en hebben be hard to please; (maak) geen ~en no c...s (no ceremony), please!; don't stand on ceremony; iem. zijn ~ maken (over) pay a p. a c. (on), compliment a p. (on); ik maak je mijn ~ my c...s to you!; te veel ~en maken strain courtesy; zie regenen; ~eren compliment [a p. upon s.t.]; ~eus complimentary; ~je zie ~

component id.; componeren compose

componist (musical) composer; composiet (plant) composite (plant); compositie composition; compositum compound; compost(eren) compost; compote id., stewed fruit

compressie compression; ~kamer, ~ruimte combustion-chamber; ~verhouding c. ratio; compressor id.

comprimeren compress

compromis compromise; ~ van averij grosse average-bond; compromittant compromising; compromitteren compromise, commit; zich ~ c. (commit) o.s.; gecompromitteerd zijn be under a cloud; ~de situatie compromising situation

comptabel responsible, accountable

comptabiliteit (rekenplichtigh.) accountability; (vak) accountancy, accounts; (instelling) audit-office; (afdeling) accountancy department; ~sambtenaren commissioners of audit

computer id.; ~iseren c.ize; ~kunde c. science, computation

con amore id., with right good will

concaaf concave; ~-convex concavo-convex

concentratie concentration; ~gebied (mil.) c. area; ~kamp c. camp; ~vermogen powers of c.

concentreren concentrate [troops, one's attention, etc.], focus [one's thoughts, attention],

fix [one's mind]; *zich ~ c.* [on a subject], put one's mind [to a project]; *zijn hoop concentreerde zich op ...* his hopes centred (were centred) in (on, round) ...

concentrisch concentric (*bw.:* -ally)

concept (= *begrip*) id.; (= *ontwerp*) (rough, first) draft (*of:* copy); **~contract** d. contract; **~ie** conception; **~reglement** d. regulations; **~wetsontwerp** d. bill

concert id.; (*door één persoon of van één componist*) recital; (*muziekstuk*) concerto; **~bezoeker** c.-goer; **~eren** give a c.; **~meester** leader (of an orchestra); (*Am.*) c.master; **~o** id.; **~stuk** c.-piece, concerto; **~vleugel** c.-grand (piano); **~zaal** c.-hall, c.-room; **~zanger(es)** c.-singer

concessie concession, grant, charter; (*van autobus enz.*) licence, franchise; (*mijn-*) claim; *~ aanvragen* apply for a c.; *een ~ doen* make a c.; *~ verlenen* grant a c.

concessionaris concessionaire, concessionary

conciërge caretaker, hall-porter, doorkeeper, janitor, concierge, (*van school*) school-porter

conciliant conciliatory, conciliating

concilie council

concipiëren draft, conceive [a plan, method]

conclave conclave

concluderen conclude, infer [*uit* from]

conclusie conclusion, inference; finding; *een ~ trekken* draw a c. (an inference) [*uit* from]; *tot 'n ~ komen* arrive at (come to, reach) a c.

concordaat concordat

concordantie concordance

concours match, competition; *~ hippique* horseshow; *vgl.* spring~

concreet concrete [proposals, etc.]; tangible [results, etc.]; **concretiseren** give concrete form to

concubinaat concubinage, cohabitation; **concubine** id.

concurrent *zn.* competitor, rival; *bn. ~e crediteuren* unsecured (ordinary) creditors; *~ zijn,* (*bij faillissement*) rank pari passu

concurrentie competition, rivalry; *~ aandoen* enter into c. with

concurreren compete [*met* with]; *niemand kan hiertegen ~, ook:* nobody can touch it; **~d** *ook:* competitive [price], rival [firm]

condens condensed milk

condensatie condensation; **-sator** condenser, (*Am.*) capacitor; **-seren** evaporate, condense [...d milk]

condens(atie)streep (*van vliegtuig*) vapour (condensation) trail

conditie condition, (*mv. ook*) terms, (*toestand*) condition, state; (*dienst*) service; *in goede (slechte) ~,* (*van goederen, enz.*) in good (bad) c.; *in (goede) ~,* (*sp.*) in (good) form (condition); *in uitstekende ~,* (*sp.*) in capital (splendid) form (condition), in fine fettle, at the top of one's form, in the pink of c.; *in slechte ~,* (*sp.*) in poor c., out of c. (form); *om in ~ te blijven* [take long walks] in order to keep (o.s.) fit (*of:* in c.); *uit ~ raken,* (*sp.*) go off form; *zie voorwaarde*

conditionalis conditional; **conditioneel: -nele** *acceptatie* qualified acceptance

conditioneren stipulate, condition; *zie* geconditioneerd

condoleantie condolence; **~bezoek** call of c.; **~brief** letter of condolence

condoleren condole; *iem. ~ c.* with a p. [*met* on], express one's sympathy, sympathize [with a p. in his loss]; *hij kwam ~ ...* he called to sympathize on my mother's death; *ik condoleer je* you have my sympathy, accept my sympathies

condoom condom, sheath

condor id.

conducteur (*van trein, diligence*) guard, (*Am.*) conductor; (*van tram, bus*) conductor; **~swagen** guard's van

conductor id.

conductrice conductress; (*fam.*) clippie

conduitelijst, -staat conduct-roll, -sheet; (*mil.*) confidential report

confectie ready-made (ready-to-wear) clothing (clothes), (*fam.*) off-the-peg [suit]; (*fam.*) reach-me-downs; **~kleermaker** ready-made tailor; **~magazijn, ~zaak** r.-m. (clothes) shop; **~pakje** ready-made suit, (*fam.*) suit off the peg

confederatie confederation, confederacy

conferencier lecturer; entertainer; compère

conferentie conference [hold a ...], parley, (*fam.*) palaver

confereren consult (together), confer (together), hold a conference; *~ met ... over* c. (confer) with ... on

confessie confession; (*r.-k.*) (= *gelofte*) vow; **-ioneel** confessional; (*van school, enz.*) denominational, (*enigszins ongunstig*) sectarian (*ook zn.*)

confetti id.

confidentie confidence; *een ~ doen* make a c. [to a p.]; **confidentieel** confidential

confirmatie confirmation; **-meren** confirm

confiscatie confiscation, seizure

confiserie confectioner's (shop)

confiseur confectioner, pastry-cook

confisqueerbaar confiscable

confisqueren confiscate, seize

confituren candied fruit

conflict id., dispute; *in ~ komen met* come into c. with, conflict (*of:* clash) with, come up (find o.s. up) against

conform in accordance with, in conformity with, conformably to; *voor kopie ~* conformable to the original; [of which] this is a true copy; *voor ~ boeken* book in conformity; **~iteit** conformity

confrater colleague; confrère; (*jur.*) [my] learned friend, [his] brother counsel

confrère id.; *zie* confrater

confrontatie confrontation

confronteren confront [*met* with]

confuciaan(s) Confucian; **-isme** -ism

Confucius id.; **confusie** confusion

confuus confused, abashed, taken aback

congé id., dismissal; *zijn ~ geven* dismiss, send packing, (give the) sack, give [a p.] his congé (his marching orders), fire [the cook], (*sl.*)

give the boot; *hij kreeg zijn* ~ he was sacked (sent packing), got the sack (his congé, [*sl.*] the boot)

congestie congestion; **~punt** bottleneck

conglomeraat conglomerate, conglomeration

congreganist (*r.-k.*) congregationist

congregatie congregation

congres conference, [world] congress; *het* (*Am.*) C~ C.; **C~lid** (*Am.*) member of C., Congressman; **~sist** c. member, delegate

congruent identically equal, equal and similar; (*zeld.*) congruent; *~e figuren, ook:* duplicates; **~ie** equality and similarity (*niet:* congruency); (*gramm.*) concord

coniferen conifer (*mv. ook:* coniferae)

conisch conic(al)

conjectuur conjecture

conjugatie conjugation; **-eren** conjugate

conjunctie conjunction (*in alle bet.*)

conjunctief subjunctive

conjunctuur conjuncture; (*hand.*) tendency (condition, trend) of the market, business (trade) outlook, state of trade; *opgaande* ~ upward movement, revival in trade; *dalende* ~ decline, slump; **~golf** trade cycle, cycle of trade, business cycle

connectie connection, -xion; *veel* ~*s hebben,* (*hand.*) have a large c.; *zij had uitstekende* ~*s* she was excellently connected

connossement Bill of Lading, B/L [*over ...* for *...,* covering *...*]

conrector vice-principal, senior master

consacreren consecrate

consciëntie conscience; *in* ~ in all c.

consciëntieus conscientious, scrupulous

conscriptie conscription

consecratie consecration

consecreren consecrate

consent id.; (*verlofbrief*) permit, licence

consenteren consent; *zie* zwijgen

consequent consistent; **~ie** *a*) (*~e geest*) consistency; *b*) (logical) conclusion, consequence

conservatie conservation, preservation; **conservatief** *bn. & zn.* conservative; *bn. ook:* unprogressive; **conservatisme** conservatism; **conservatoir:** ~ *beslag* garnishee; ~ *beslag leggen op* garnishee [a p.'s salary]; **conservatorium** school (college, academy) of music; (*inz. Am.*) conservatory; (*niet-Eng.*) conservatoire; **conservator** id., keeper, custodian, curator [of a museum]

conserven preserves; **~fabriek** preserving-, tinning-factory, (*inz. Am.*) canning-factory, cannery

conserveren preserve, keep; (*in blik*) tin, (*inz. Am.*) can; *goed geconserveerd,* (*ook van pers.*) well preserved; *~d middel* preservative

considerans preamble

consideratie consideration [treat a p. with great ...]; ~ *gebruiken* make allowances [for a p.]; exercise leniency (mercy); *uit* ~ *voor* in deference to, out of c. for

consignataris consignee

consignatie consignment; *in* ~ [send] on c.; **~factuur** c.-invoice; **~gever** consignor; **~goederen** goods on c.; **~nemer** consignee; **~rekening** c.-account

consigne instructions, orders; (*wachtwoord*) password; **consigneren** consign; (*mil.*) confine to barracks [troops are standing by in the barracks]

consistent full-bodied [wine]; id.; **~ie** consistency; **~vet** hard grease

consistorie consistory, vestry; (*r.-k.*) *ook:* -rium consistory; **~kamer** vestry

console console, bracket, cantilever

consolidatie consolidation; **-deren** consolidate

consommé id., beef-tea, broth, clear soup

consonant id.

consorten confederates, associates; *en* ~, *ook:* and company, & Co., [you] and your likes

consortium id., combine, ring, syndicate

constant id.; (*van pers. ook*) firm, staunch, loyal; *hij liet mij* ~ *in de steek* he was forever letting me down; **~e** constant

Constantia Constance, (*fam.*) Connie; **Constantijn** Constantine; **Constantinopel** Constantinople

constateren ascertain; establish [a truth, a p.'s guilt]; put [a fact] on record; find, note [a deficit of ...]; (*ziekte*) diagnose [ten cases of smallpox], certify [heart-trouble], confirm [foot-and-mouth disease]; *de dood* ~ certify death, testify to a p.'s death; *... zo constateerde men in de pers* it was observed in the papers ...; *we moeten* ~ *dat ...* we have to accept the fact that ...

constellatie configuration, set-up; (*sterrenbeeld*) constellation

consternatie consternation

constipatie constipation

constituante constituent assembly

constitueren constitute; *zich* ~, (*tot commissie, enz.*) c. themselves; *~de vergadering* constituent assembly; **constitutie** constitution; (*van pers. ook*) make-up [his whole ...]; **constitutioneel** constitutional

constructeur design engineer, designer

constructie construction, structure; (*'t construeren*) construction; **~fout** faulty c., faulty design; [the bridge collapsed owing to a] structural defect; **~tekening** working drawing (*of:* plan); **~werkplaats** engineering works

construeren construct

consul id. (*ook van wielrijdersbond*); **~aat** consulate; **~aatskosten, -rechten** consulage, consular fee(s); **~air** consular [invoice, etc.]; **consulent** *a*) adviser, counsel; *b*) clergyman who has the care of a vacant parish; *c*) advisory expert, consultant; *zie ook* belastingconsulent

consul-generaal consul-general

consult consultation, *in* ~ *roepen* take into c.; call in in c.; *iem. in* ~ *roepen, ook:* call in a consultant, seek a second (another) opinion;

~ant id. (*in beide bet.*)

consultatie consultation; ~**bureau** health centre; – *voor (aanstaande) moeders* maternity centre, antenatal clinic; – *voor zuigelingen* infant welfare centre; – **consultatief** consultative

consulteren consult; *een dokter* ~, *ook:* take medical advice, see a doctor [about ...]; ~**d** advisory; – *geneesheer* consulting physician, consultant

consument consumer; ~**enbond** consumers' association; ~**enkrediet** c. credit; **consumeren** consume

consumptie consumption; ('*t genuttigde*) food [the ... and cellar are good], fare, drink(s), refreshment(s); *uitstekende* ~ excellent catering [at moderate prices]; *voor* ~ *geschikt* fit for c., edible; *in* ~, (*hand.*) duty paid; ~**aardappelen** potatoes for the retail market; ~**artikel** article of c.; ~**bedrijf** catering industry; ~**goederen** consumer goods; ~**ijs** ice-cream; ~**maatschappij** consumer society; ~**melk** liquid milk; ~**tent** coffee-stall

contact contact, touch; *in* ~ *komen met* contact; ~*en leggen* make contacts; *zie* aanraking; ~**afdruk** c. print; ~**baan** c.-path; ~**beugel** c.-bow; ~**detector** c.-detector; ~**doos** power point; ~**draad** c.-wire; ~**lens** c. lens; ~**maker** c.-maker; ~**mijn** c.-mine; ~**persoon** contact, person to be contacted; ~**plaat** c.-plate; ~**punt** terminal; (*auto, enz.*) point; ~**sleuteltje** ignition key; ~**weerstand** c.-resistance

contaminatie contamination

contant cash; *à* ~ [sell] for c. (down), for ready money, c. in hand; *prijs à* ~ c.-price; ~ *met 2% korting* c. less 2 per cent.; *2% voor* ~ 2 per cent. for c.; ~ *zonder korting* net(t) c.; ~ *betalen* pay c., pay money down, pay on the nail; ~ *tegen documenten* c. against documents; *extra* ~ prompt c.; ~*e betaling* c. payment; ~*e waarde* market value; ~*e zaken* ready money transactions; ~*en* (hard) cash, ready money, specie; *£ 20 aan* ~*en* in c.

contemporain contemporary

context id.

continent id.; ~**aal** continental; *zie* plat

contingent id., quota, proportion; ~**eren** ration [imports], impose quotas; ~**ering** rationing, quota (*of:* rationing) system

continubedrijf factory, etc. with day and night shift work; continuous working

continueren continue [a p. in office, etc.]

continuïteit continuity

conto account; *à* ~ on account; ~ *finto* pro forma invoice

contour id.; ~**scherpte** (*fot.*) acutance

contra contra, against; (*jur.*, *sp.*) versus, v.

contra[1]: ~**appèl** check-roll; ~**bande** contraband (goods); ~**bas** double-bass, big bass; ~**beleefdheid** return of civilities; ~**bezoek** *zie* visite; ~**boek** customer's book; ~**ceptie** contraception; ~**ceptief**, ~**ceptioneel** contraceptive; ~*ve* (-*nele*) *middelen* contraceptives

contract contract, agreement; (*leer-*~) articles (of apprenticeship), indentures; *een* ~ *aangaan* (*sluiten*) enter into (make, conclude, fix) a c.; *bij* ~, *zie:* ~**ueel**; *bij* ~ *aangenomen* articled [clerk]; *op* ~ by c., on a c.; *volgens* ~ according to c.; ~**ant** contracting party; ~**arbeid(er)** c. (*of:* indentured) labour(er); ~**breuk** breach of c.; ~**eren** contract; *-de partijen* contracting parties; *gecontracteerd* contract [price], [the salary] contracted for; ~**koelie** c. (*of:* indentured) labourer; ~**polis** floating policy; ~**ueel** contractual; *zich* – *verbinden* bind o.s. by c.; – *verbonden zijn aan* be under c. to

contradictie contradiction; **contradictio in terminis** contradiction in terms

contra[1]: ~**dans** country dance; ~**fagot** double bassoon; ~**fort** (*bk.*) counterfort, buttress; ~**gewicht** counterweight; ~**merk** *a)* countermark; *b)* (*theat., enz.*) (pass-out) check; ~**mijn** countermine; ~**mine** (*hand.*) bears; *in de* – *zijn* be contrary, be in opposition; (*hand.*) speculate for a fall, sell short; *hij is altijd in de* –, *ook:* he is naturally contradictious, ~**minedekking** bear-covering; ~**mineur** bear, speculator for a fall; ~**moer** check-, back-, lock-nut, safety nut; ~**monster** counter (*of:* reference) sample; ~**order** counter-order; ~**prestatie** *zie* tegen...; ~**punt** counterpoint; ~**puntist** id.; ~**rechten** countervailing duties; ~**remonstrant** id.; ~**revolutie** counter-revolution

contrarie contrary; *juist* ~ just the other way about; *zie* Jantje; **contrariëren** thwart, cross

contrasigneren countersign

contraspionage counter-espionage

contrast id.; *een groot* ~ met a great c. to

contrasteren contrast [*met* with]

contravisite return call, return visit; *een* ~ *brengen* return a call

contrecœur: *à* ~ half-heartedly

contrefort (*van schoen of laars*) counter, stiffener

contreien parts, regions

contrescarp (*mil.*) counterscarp

contribuabel(e) *zie* belastingschuldig(e); **contribuant** contributor; **contribueren** contribute; **contributie** (*als lid*) subscription; (*belasting*) contribution, tax

controle check [*op* on], supervision; inspection [of tickets]; *iem. onder* ~ *houden* keep a c. on a p.; *doorlopende* ~, (*van boekhouding*) continuous audit; *door de* ~ *gaan*, (*station*) pass through the (ticket-)barrier; ~ *uitoefenen op*, *zie* controleren; ~**groep** control group; ~**klok** time-clock; ~**lamp** pilot lamp; ~**lijst** tally sheet; ~**post** (*sp.*) checking-, control-point; (*mil.*) checkpoint; *de* – *bereiken* check in

controleren check [a p., a statement], verify [accounts, etc.], (*van accountant*) audit [accounts]; examine, inspect [tickets, the books]; supervise; monitor [radio transmissions]; *behoorlijk* ~ keep a proper c. on; ~**d** *geneesheer* medical officer [of the Company]; -**eur** controller, checker; (*van kaartjes*) ticket-inspector, -collector, check-taker, checker; (*Ind.*) district-officer (D.O.), collector, deputy-commissioner; —**weger** (*in mijn*) check-weigher, check-weighman

controverse, -sieel controversy, -sial

contubernaal fellow-boarder, fellow-lodger, room-mate; (*kostganger*) boarder

conus cone

convalescent *bn. & zn.* id.

convectie convection; **-tor** id., convection (convector) heater

convenabel becoming, suitable, fit

conveniëren suit, be convenient to; *het convenieert me niet,* (*financieel*) it is not quite convenient; I can't afford it

convent id.; *ook* = **conventie** convention; *de door ~s beheerste wereld* the c.-ridden world; **conventioneel** conventional

conventueel (*r.-k.*) conventual

convergentie convergence; **-geren** converge

conversabel conversable

conversatie *a*) conversation; *b*) (social) intercourse; *ze hebben veel* (*weinig, geen*) ~ they see much (little, no) company; **~les** c.-lesson; **~zaal** (*hotel, enz.*) lounge

converseren converse; (*omgaan*) have intercourse, associate [*met* with]

conversie conversion; **~lening** c.-loan

converteerbaar: -*bare effecten* conversion (convertible) stock; **converteren** convert [*in* into]

convex id.; **~-concaaf** convexo-concave

convocaat = **convocatie** *b*)

convocatie *a*) convocation; *b*) notice (convening a, the, meeting); **~biljet** *zie* ~ *b*)

convoceren convene, convoke

coöperatie co-operation; **-tief** co-operative [society, stores]; **-tor** co-operator

coöptatie co-op(ta)tion; **-teren** co-opt

coördinaten co-ordinates; **~net** grid; **coördinatie** co-ordination; **coördinator** co-ordinator; **coordineren** co-ordinate

copieus abundant, plentiful

copuleren copulate

cordiet cordite

cordon id. (*ook van ridderorde*); *zie* kordon

Corinthe Corinth; **-thiër, -thisch** Corinthian; *-e spelen* Isthmian games

Cornelia id.; **Corneli(u)s** Cornelius

cornet id.; **cornet-à-piston(s)** id., cornopean

Cornwallis Cornwall; *van* ~ Cornish

corona id., *mv.* -ae

corporatie corporate body, corporation; *als* ~ [*act*] in a corporate capacity; **-ratief** corporative [State]

corps corps (*mv. id.*), body; ~ *leraren* teaching-staff; ~ *diplomatique* id., diplomatic body; *en* ~ in a body; **~lid, ~student** member of students' corps, c. student

corpulent stout, corpulent, obese; (*fam.*) tubby

corpulentie corpulence, stoutness, obesity

correct id.; *~ handelen, ook:* do the c. thing; **~heid**

...**ness**; **~ie** correction; **~ief** corrective; **~ielak** correcting fluid; **~ioneel** correctional; **~or** (proof *of:* printer's) reader, corrector

correctrice correctrix

correlatief correlative; **correleren** correlate

correspondent(e) correspondent, correspondence clerk

correspondentie correspondence; *de ~ voeren* conduct the c.; **~adres** accommodation address, mailing address; **~kaart** c.-card; **~les** c. lesson

corresponderen correspond [*met* with], be in correspondence; *we ~ geregeld* we are regular correspondents; (*van treinen, enz.*) *zie* aansluiting hebben; **~d lid** corresponding member

corridor id.

corrigenda id.

corrigeren correct (*ook: berispen, straffen*); read [proofs], proof-read; mark [papers, proofs]; set [a p.] right

corrosie corrosion

corrupt id.; **~ie** corruption

corsage bodice, corsage; (*op japon*) spray

Corsica id.; **Corsicaan(s)** Corsican

corvee fatigue(-duty); (*troep*) fatigue(-party); (*hele karwei*) tough job, hardship, fag; **~dienst** f.(-duty), orderly duty; **~ër** orderly; **~tenue** f.-dress, denim

coryfee coryphaeus

cosecans cosecant; **cosinus** cosine

cosmetica cosmetics

costi: *à* ~ at your place

costumier id.; **-ier, -ière** (*theat.*) wardrobe-keeper, -master, -mistress

cotangens cotangent

coterie id., clique

cothurn(e) buskin, cothurnus

cotillon id.

couchette id., bunk, (sleeping-)berth

coulant accommodating, business-like; *~e voorwaarden* reasonable terms

coulisse side-scene, -wing, movable scene, coulisse; *achter de ~n* behind the scenes, in the wings, [step back] into the wings

couloir lobby

coup id., stroke, move; ~ *d'état* id., coup; ~ *de théâtre* id., sensational trick (*of:* surprise)

coupe (*snit*) cut; (*schaal*) cup; (*biol.*) section

coupé (*van trein*) compartment; *ook:* carriage [travel in the same ...]; (*rijtuig, auto = coupeetje*) brougham, coupé; *halve* ~, (*van trein*) coupé

couperen (*kaartspel*) cut; (*staart, enz.*) dock; (*in toneelstuk*) cut, make cuts; (*iets onaangenaams*) preclude [further questioning]; cut short [a p.'s excuses]

coupeur, coupeuse cutter(-out), tailor's cutter; **~skamer** cutting-out room

couplet stanza, stave; (*tweeregelig*) couplet; (*liedje*) topical song; **~zanger** music-hall singer

coupon id. (*ook voor geschenk* = gift-c.); (*van stof*) remnant, cutting; **~belasting** c.-tax; **~blad**

Niet opgenomen woorden zoeke men onder **K**

c.-sheet; **~boekje** c.-, ticket-book; **~ring** rubber band; **coupure** cut [in film, etc.]; (*van effecten, enz.*) denomination

cour court; (*ten hove*) *zie* receptie

courage id., pluck, spirit; (*sl.*) guts; ~ *!* cheer up! never say die! thumbs up!

courant I *bn.* current, marketable; **~e maten** stock sizes; *niet* **~e maten** off-sizes; II *zn.* 1 *Nederl.* ~ Dutch currency; 2 (news-)paper, journal; *zie verder* krant, *ook voor samenstellingen*

coureur racing motorist (cyclist)

courgette id.

courtage brokerage

courtine (*mil.*) curtain

courtisane courtesan, -zan

coûte que coûte at all (any) cost, cost what may

couvade id., man-childbed

couvert envelope; (*op tafel*) cover [a dinner of ten ... s]; *onder* ~ under cover

couveuse incubator

cowboy id.; **~film** western (picture)

c.q. *zie* casu quo

crapaud low-seat easy chair; (*rond*) tub chair

craquelé crackle(-china, -glass, -ware)

crayon id.; *in* ~ in crayon(s), in chalk; **~tekenaar** crayonist, pastellist; **~tekening** c.(-drawing), chalk-drawing

creatianisme creationism

creatie creation (*in alle bet.*)

creativiteit creativeness, creativity

crèche id., day (*of:* public) nursery

credenstafel credence(-table)

credit id.; *in mijn* ~ [it stands] to my c.; *in iems.* ~ *boeken, zie* **~eren**; **~eren:** – *voor* pass (place) to a p.'s c.; *de* ~ *de* c. of a p.'s account), credit a p. with; **~eur** creditor; *–en,* (*bkh.*) accounts payable; **~eurenrekening** creditor account; **~eurlanden** creditor countries; **~nota** c.-note; **~post** c.-entry, entry on the c.-side; **~saldo** c.-balance; **~zijde** c. (creditor) side

credo id., *mv.* -os

creëren create (*in alle bet.*)

crematie cremation

crematorium id., crematory

crème *zn.* cream [*ook fig.*: the ... of the military riders]; *bn.* cream(-coloured)

cremeren cremate

Cremona id. (*ook de viool*)

cremortart cream of tartar

creoline creolin; **~balletje** c.-ball

creolisering creolization; **creool(se)** Creole

creosoot, creosoteren creosote

crêpe id., crepe; ~ *de Chine* id.

crepeergeval desperate case; **creperen die** (miserably), (*sl.*) pop off (the hooks), croak

cresc., crescendo id.

Cresus Croesus

cretin id.; **~isme** cretinism

cretonne id.

criant: ~ *vervelend* deadly dull

cricket id.; **~en** play c.; **~er** id.; **~veld** c.-ground, -field

crime: '*t is een* ~ it's a shame, it's more than flesh and blood can bear

criminalist id., criminal lawyer

criminaliteit criminality

crimineel criminal; (*fig.*) horrible, outrageous; ~ *vervelend, zie* criant

criminologie, -loog criminology, -logist

crinoline id., hoop-petticoat

crisis id. (*mv.* crises), critical stage (moment, point), turning-point; *de zaken hebben een* ~ *bereikt* things have come to a c. (a head); *de Kerk maakt een* ~ *door* the Church is in a critical situation; *hij is de* ~ *te boven,* (*van patiënt, enz.*) he has turned the corner; *de* ~ *van de dertiger jaren* the depression of the 1930's; **~tijd** time of c.

Crispijn Crispin

criterium criterion (*mv.:* criteria), (acid) test

criticaster id.; **criticus** critic

Croesus id.

croquant crisp

croquet id.; **~ten** play c.

croquette croquette, rissole

croupier id.

cru *bn.* crude, blunt; *bw.* ...ly

cruciferen cruciferae; **crucifix** id.

crustaceeën crustacea(ns)

crypt id.; **~isch** cryptic

crypto: **~communist** id.; **~gaam** cryptogam; **~gram** id.; **~katholiek** crypto-catholic; **~logie** cryptology; **~loog** cryptologist

c. s. = *cum suis* (*zie ald.*)

Cuba id.; **Cubaan(s),** -se Cuban

cuisinier caterer

cul-de-sac id., blind alley

culinair culinary

culminatie culmination; **~punt** culminating-point (*ook fig.*)

culmineren culminate (*ook fig.*)

cultisch cultic

cultivéparel cultured pearl; **cultiveren** cultivate

cultureel cultural

cultures plantations, estates; (*aandelen*) plantation shares; *zie* cultuur; **cultus** cult

cultuur cultivation, culture; (*van bacteriën*) culture; *in* ~ under c.; *in* ~ *brengen* bring into c., put under the plough; **~bezit** cultural heritage; **~geschiedenis** *zie* beschavings–; **~gewas** *zie* ~plant; **~grond(en)** cultivated land; **~historicus** cultural historian; *uit* **~historisch** *oogpunt* from a cultural-historical point of view; **~maatschappij** c. (development, exploitation) company; **~onderneming** plantation (estate) company; **~plant** cultivated plant; **~stelsel** culture-system; **~taal** civilized language, l. of civilized people; **~techniek** land development; **~technische** *werken* land development projects; **~volk** civilized nation

cum: ~ *grano salis* id. (*fam.:* cum grano), [accept] with a grain of salt; ~ *laude zie* lof (*met* ...); ~ *suis et al.,* and others; *zie* consortes

cumulatie cumulation; (*van ambten*) plurality, pluralism

cumulatief cumulative; ~ *preferent aandeel* c. preference share

cumuleren cumulate
cumulus id.
Cupido Cupid; **cupidootje** cupid, love
Curaçao id. (*ook likeur*)
curatele guardianship, custodial care; *onder ~ staan* be in ward (under g., under tutelage); *iem. onder ~ stellen* put a p. in ward, place a p. under guardianship, appoint a guardian over a p.
curator guardian; (*van krankzinnige*) committee; (*museum, enz.*) curator, custodian; (*faillissement*) (official) receiver, trustee; (*gymnasium, univ.*) *ongev.*: governor, trustee; *~ium ongev.*: board of control (of governors, of trustees)
curette id.; **curetteren** curette
curie (*r.-k.*) Curia
curieus curious, odd, queer; (*sl.*) rum
curiositeit curiosity, curio; *artistieke ~en* articles of virtu, bric-à-brac; **~enhandelaar, -verzamelaar** curio-dealer, -hunter
curiosum rarity; *mv.* **-sa** id.
cursief in italics, italicized; *~je* (gossip, etc.) column; **~(letter)** italic (letter), (*mv.*) italics
cursist course-member
cursiveren print in italics, italicize; *ik cursiveer* the italics are mine, my (own) italics
cursorisch cursory
cursus *a*) course (of study), curriculum; *b*) school-year; *driejarige ~* three years' c.; *een ~ volgen* take classes [in cookery, etc.], take a

course [of first aid]
curulisch: *~e stoel* curule chair
curve id.; (*grafische voorst.*) *ook:* graph
custode catchword
custos keeper, custos, custodian; (*bladwachter*) catchword
cyaan cyanogen; **~kali** cyanide of potassium; **~zuur** cyanic acid
cybernetica cybernetics
cyclaam, cyclamen cyclamen, sow-bread
Cycladen: *de ~* the Cyclades
cyclisch cyclic(al)
cyclometer id.
cyclonaal cyclonic; **cycloon** cyclone
cycloop cyclop(s) (*mv.:* cyclopes, -ops, -opses); **cyclopisch** cyclopean, -plan
cyclostyle id.; **-styleren** cyclostyle
cyclotron id.
cyclus cycle
cylinder enz., *zie* cilinder, enz.
cynicus cynic; **cynisch** cynic(al)
cynisme cynicism
cypers Cyprian; *~e kat* tabby(-cat)
cypres *zie* cipres
Cyprisch, Cyprioot Cyprian, Cypriot(e)
Cyprus id.
cyrillisch Cyrillic
cyste cyst; **~naaltje** potato eelworm
cytologie cytology
czaar enz., *zie* tsaar, enz.
Czech enz., *zie* Tsjech, enz.

D

D D (*ook noot en Rom. cijfer*); **D-kruis** D sharp; **D-mol** D flat
daad action, act, deed; move [one of the first ...s of the new government]; (*roemrijke*) achievement, exploit; *iedere dag een goede ~* a daily good turn; *de ~ bij 't woord voegen* suit the a. to the word; *tot daden overgaan* proceed to a.; *daden spreken beter dan woorden* actions speak louder than words; *een man van de ~* a man of a.; *zie betrappen & omzetten*; **~werkelijk** actual
daags: I *bw.* (*des ~* by day, in the day-time; *~ daarna* the next day; *~ te voren* the day before; *eenmaal* (5 *gulden*) *~ once* (five guilders) a day; II *bn.* daily; *~e kleren* everyday (week-day, workaday) clothes; *voor ~* for ordinary wear
daalder (*hist.*) dollar; *zie* klap; **Daan** Dan
daar I *bw.* there; here [... they come; ...'s Bob; ... we are again]; *kom, bèn je ~?* ah, here you are!; *ben je ~?* are you there?; *ben jij* (*met accent*) *~?* is that you?; *wie praat ~?* who's that talking?; *~ ben ik warempel mijn horloge kwijt* if I haven't lost my watch!; *ik ben ~ gek!* I'm

not that daft!, catch me!; *~ ging de deur open* then the door opened; *zie* gaan; *ze kreeg me ~ ...* she went and had twins; *~ had je lelijk kunnen vallen* you might have had a bad fall then; *'t einde is nog niet ~* the end is not yet; *Kerstmis is weer ~* is here again, has come round again; *tot ~ as* far as that; *van ~* from there; *..., ~ niet van ...*, to be sure; admittedly, ...; II *vw.* as, because; *~ hij ziek was, kon hij ...*, *ook:* being ill ...; **~aan** = *aan + vnw.*; *zie* hebben; **~aantoe:** *dat is tot* – let that pass; **~aanvolgend** next, following; **~achter** behind it (that); **~beneden** *a*) under it; *b*) down there; *zie* beneden; **~benevens** *zie ~*nevens; **~bij** *a*) near it; *b*) *zie ~*nevens; – *komt nog, dat* add to this that ..., besides, what is more; – *moet men bedenken* ... in doing so one should remember ...; *zie* laten, enz.; **~binnen** within, in there; **~boven** *a*) over (*of:* above) it; *b*) up there; *van vijf gulden en* – of five guilders and upwards; *16 j. en* – boys aged 16 years and upwards (and over); **~buiten** outside (it); *op de beurs of* – on change or off; *zie* buiten (*er ...*); **~door** *a*) through that (this, it, there); *b*) by that, by these means; thereby; *zonder te beseffen dat hij –* ... that by doing so ...; *zie* ~om; **~enboven** besides, moreover; **~entegen** on the contrary, on the other hand; **~even** just now; **~gelaten** *zie* ~laten; **~ginds** over there; out there (*bijv. in Australië*); **~heen** there, (*vero.*) thither; **~in** in it (that, this, there); **~langs** by (past) it, by (along) that road, etc.; **~laten**: *dat zullen we maar* – we will leave it at that, drop it; *dit* ~*gelaten* apart from this, putting this aside; (*nog*) ~*gelaten, dat* ... let alone that ...; ~*gelaten of men* ... whether or not [one accepts this thesis]; **~me(d)e** with that [he left us]; *zie* uit; **~na** after that, next, then; [dinner, and dessert] to follow; *de zondag* – the S. after; *kort* – shortly after; *wat hij* – *zou doen* [he looked round] for the next thing to do; **~naar** by that; – *handelen* act accordingly; **~naast** beside (by the side of, next to) it; (*bovendien*) besides; **~nevens** besides, over and above that; **~om** therefore, for this (that) reason, hence, on that account, that's why [I can't come]; *waarom! wel,* – why? well, just because; well, I won't, that's why; *maar – kun je toch wel met hem dansen?* but surely that's no reason for not dancing with him?; **~omheen** around it, about it; **~omstreeks** [30 or] thereabouts; **~omtrent** *a*) thereabouts; *b*) as to (concerning) that; **~onder** *a*) under it (that), underneath; *b*) among them; **~op** *a*) (up)on it (that); *b*) (up-) on (after) that, thereupon; *zie* ~na; **~opvolgend** next, following; *–e regens* subsequent rains; **~over** *a*) over (across) that (it); *b*) about (concerning) that, on that point; **~tegen** against that; **~tegenover** opposite; – *beweer ik* I, on the other hand, maintain; **~toe** for that (it), to that end, for that purpose; – *is 't gekomen* it has come to that; *de – dienende maatregelen* the appropriate measures; *vgl.* tussen; **~uit** out (of that), from that; **~van** *a*) of that; *b*) from that; *zie* niets; **~vandaan** *a*) (away) from there; *b*) therefore, hence; **~voor** 1 for that (purpose); – *zijn ze* that's what they are for; – *zijn we hier* that's what we're here for; 2 [he was punished] for it; 3 (*tijd*) before that; *enige jaren* – some years previously; 4 (*plaats*) in front of it (that, them); **~zo** there; **~zó** *zie* ~even

1 daas *a*) dazed; *b*) daft; woolly-minded
2 daas(vlieg) horse-fly, cleg
da capo id.; *een* ~ an encore
dacht *o.v.t. van* denken
Dacië Dacia; **~r, Dacisch** Dacian
dactylisch dactylic; **dactylus** dactyl
dadaïsme, -ïst dadaism, -ist
dadel date; **~boom** date-tree
dadelijk I *bn.* immediate; *~e levering, ook:* prompt delivery; II *bw.* immediately, directly, at once, this instant, on the instant, right (straight) away; *aannemen!* ~ *meneer!* waiter! coming, sir!; *hij wist zo* ~ *niets te zeggen* he did not know what to say on the spur of the

moment; ~ *in 't begin* right at the beginning (the start); ~ *van 't begin af,* ~ *al* right away from the start, at the outset, from the first; *laat me* – *zeggen* ..., *ook:* let me say right here ...; ~ *opzegbaar,* (*hand.*) withdrawable at call; *zie* onmiddellijk & straks; **~heden** assault and battery, [come to] blows
dadelpalm, -pruim date-palm, -plum
dader(es) doer, perpetrator, author; (*van misdaad*) offender, culprit; (*tegenov. medeplichtige*) principal; *zie* kerkhof
dading compromise, settlement
dag day; (*binnenwerkse maat*) clear; *~!a*) hullo!; *b*) good bye, bye-bye!; *de ~ der dagen* [Christmas Eve], the d. of days; *wat voor ~ is 't?* what d. of the week is it? what day is it to-day?; ~ *en nacht* [work] night and d.; *'t wordt* ~ d. is breaking; *'t wordt kort* ~ time is running out fast; *'t is kort* ~ there is little time left; *er zal 'n* ~ *komen dat* ... there will come a d. when ...; *de gehele* ~ all d. (long), the whole d.; *gehele ~en* (for) whole days, for days together; *alle ~en* every d.; (*één*) *dezer ~en,* (*toekomst*) one of these (fine) days, (*verleden*) the other d., lately, recently; *de ~ daarna* the d. after, the next d.; *de ~ te voren* the d. before, the previous d.; *'t is morgen vroeg –* we have to get (be) up early tomorrow morning; *de ~ hebben* be on duty; *goeden~!* (*bij komen of gaan*) good day! (*bij gaan ook*) good-bye!; *goeden ~ zeggen* say good day (good-bye) to [a p.], bid (give) [a p.] good d., bid [a p.] good-bye; *goede ~en hebben, a*) be in easy circumstances; *b*) have a pleasant time of it; *zeg eens ~ tegen* ... say 'How do you do?' to ...; *hij had betere ~en gekend* he had seen better (had fallen on evil) days; *een huis dat betere ~en had gekend* a house of broken fortunes; *de ~ des Heren* the Lord's day; *het was een grote ~ voor hem* he had a field day; *de jongste ~* Doomsday, the Day of Judgment, the Last D.; *de oude ~* old age; (*sl.*) A. D., Anno Domini [suffer from ...]; *elke ~ heeft genoeg aan zijn eigen kwaad* sufficient unto the day is the evil thereof; *prijs de ~ niet voor de avond* don't praise (bless) the d. before it is over; ~ *aan* ~ d. by d.; *aan de ~ brengen* bring to light; *aan de ~ komen* come to light, emerge [two facts have ...d so far]; (*van gesteente, ook van karaktertrek, enz.*) crop out; *'t komt altijd aan de ~ murder* will out; *zie ook:* voor de ~ komen; *aan de ~ leggen* display [courage, advanced ideas], manifest, evince [affection, curiosity, interest]; *bij* ~ by d., in the d.-time; *bij de ~ leven* live by the d. (from d. to d.); ~ *in* ~ *uit* d. in (and) d. out; *in onze ~en* in our time; *in de laatste ~en* during the last few days, of late, lately; *in vroeger ~en* in former days, in olden times; *3 voet in de* ~ 3 ft. in the clear; *met de ~ erger worden* get worse d. by d. (every d.); *om de andere ~, zie* ander; *om de drie ~en* every third d.; *later op de ~* later in the d.(-time); *op de ~ af* to the d.; *midden op de ~* in broad d.-light;

op een goeie (*mooie*) ~ one fine d.; *op mijn oude* ~ in my old age; *op zekere* ~ one (fine) day; *over* ~, *zie* over~; *heden ten* ~*e* in our days, nowadays; *ten* ~*e van* in the days of; *tot op deze* ~ to this d.; *'t onderwerp* (*boek, enz.*) *van de* ~ the topic (book, man) of the d.; *ook:* current [topics, fiction]; *van* ~ *tot* ~ from d. to d.; *van de* ~ *een nacht maken* turn d. into night; *van de ene* ~ *op de andere* from one day to the next; *voor* ~ *en dauw* before daybreak, at earliest dawn, [be up, rise] with the lark; *gevraagd ..., voor* ~ *en nacht* wanted ..., sleep in; *dienstbode voor* ~ *en nacht* resident servant; *voor de* ~ *brengen* bring out, produce, turn out [he didn't ... much]; *voor de* ~ *halen* take out [one's watch], produce [the cards], get out [a bottle of wine]; pull (dig) out [ten-p. pieces]; (*plotseling*) whip out [a revolver]; *zie ook* opdiepen (*fig.*) & ophalen; *voor de* ~ *komen* appear, turn up, make one's appearance; (*van gebreken, enz.*) become apparent [the defect made itself apparent], show; (*van vos*) break cover; (*met cadeau, enz.*) produce [a present]; (*met denkbeeld, enz.*) come out (up) [with one's guess, an idea, a speech], come forward [with a scheme], put forward [a proposal], advance [a theory], weigh in [with an argument], trot out [old commonplaces]; (*plotseling*) spring [a question, a surprise] on a p.; *hij kwam er niet mee voor de* ~, *ook:* he kept it back; *openlijk voor de* ~ *k.* come out into the open; *'t best voor de* ~ *k.* show up best; *nogal goed voor de* ~ *k.* make a fair show; *netjes voor de* ~ *k.* present a good appearance; *voor de* ~ *ermee!*, (*zeg op*) out with it!, (*fam.*) cough it up! spit it out! trot it out!

dagafschrift statement

dagblad daily (paper); *in de* ~*en geadverteerd* advertised in the daily press; ~**artikel** newspaper-article; ~**pers** daily press; ~**schrijver** journalist, newspaper writer; *zie* courant

dag: ~**blind(heid)** day-blind(ness); ~**boek** diary, journal; (*bkh.*) d.-book; *wie een – houdt* diarist; ~**boot** d.-boat; ~**bouw** open-cast mining; ~**brander** by-pass (burner), pilot flame, p. jet; ~**cirkel** diurnal circle; ~**dief** idler, dawdler; ~**dienst** *a*) (*van boot, enz.*) d.-service; *b*) d.-duty [be on ... – *hebben*]; ~**dieven** idle (away one's time); ~**dieverij** idling; ~**elijks** *bw.* every day, daily; *zo iets komt – voor, ook:* these are everyday happenings; *bn.* daily, everyday [occurrences]; *ook:* workaday [life]; (*inz. van hemellich.*), diurnal [rotation of the earth]; *-e behoeften* (*van een koopman*) current needs; *-bestuur,* (*lichaam*) executive (committee), (*van gemeente*) mayor and aldermen, (*handeling*) day-to-day management; *-e order,* (*mil.*) routine order, order of the day; *- verbruik* everyday consumption; *-e zonde* (*r.-k.*) venial sin

dagen *tr. zie* dagvaarden; *intr.* dawn; *'t daagt* day is breaking (dawning); **dag-en-nacht-evening** equinox [*voorjaars-* vernal e., *najaars-* autumnal e.]; **dageraad** dawn (*ook fig.:* ... of life), daybreak

dagge dagger, poniard

dag: ~**geld** *a*) *zie* ~**loon**; *b*) (*Beurs*) d.-to-d. money; ~**gelder** d.-labourer; ~**geldlening** loan on call; ~**hit** *zie* ~**meisje** & hit; ~**huur** *zie* ~**loon**; *een* ~**je** *uit* (*naar buiten*) a day out (in the country); *hij wordt een* ~*je ouder* he is getting on; ~**jesmensen** (day) trippers; ~**kaart** d.-ticket; ~**koers** day's quotation, day's rate of exchange; ~**leerling** d.-scholar, d.-boy; ~**lelie** d.-lily; ~**licht** d.light; *bij* – by (in) d.l.; *in 't volle* – in broad d.l.; *dat kan 't* – *niet verdragen* (*zien, velen*) it will not bear the light of d., (*fam.*) it is not on the level; *in een helder* – *stellen* throw a flood of light upon; *in een ander* – *stellen* put a different face (complexion) upon; *in een* (*on*)*gunstig* – *stellen* put in a favourable (an unfavourable) light; *in een verkeerd* – *stellen* misrepresent; ~**loner** d.-labourer; ~**loon** d.'s (daily) wages; ~**mars** d.'s march; ~**meisje** d.-girl, d.-servant, daily maid (girl, help), (*fam.*) daily; ~**opening** (*radio*) *ongev.:* thought for the day; ~**orde** order of the d.; ~**order** *zie* dagelijks; *bij* – *vermeld worden* be mentioned in general orders; ~**pauwoog** peacock butterfly; ~**ploeg** d.-shift; ~**recreant** tripper; ~**regen:** *'t wordt een* – it's settling in for a wet d.; ~**register** d.-book, journal; ~**reis** d.'s journey; ~**retour** d.-return; ~**scholier** *zie* leerling; ~**school** d.-school; ~**schotel** plat du jour, (*fam.*) to-day's special; ~**schuw** *zie* lichtschuw; ~**slaper** (*vogel*) nightjar; ~**sluiting** (*radio*) *ongev.:* close-down (and a thought at bedtime); ~**taak** d.'s work; full-time job; *halve* (*onvolledige*) – half-time (part-time) job; ~**tekenen** date; *zie* dateren; ~**tekening** date; ~**tocht** d.('s) excursion; ~**uil** d.-owl; ~**vaarden** summon(s), cite, subpoena, serve a subpoena on; ~**vaarding** summons, citation, subpoena, warrant to appear, writ; ~**verblijf** (*ziekenh. enz.*) d.-room; ~**verdeling** division of the d., time-table; ~**verpleegster** d.-nurse; ~**vlieg** *zie* eendagsvlieg; ~**vlinder** (diurnal) butterfly; ~**vorstin** orb of d.; ~**wacht** (*mar.*) morning-watch; ~**werk** d.-work, daily work; *als je dat allemaal wou doen, had je wel* – you'd have your work cut out for you; ~**werker** d.-labourer; ~**wijzer** calendar, date indicator; ~**winkel** lock-up shop

dahlia dahlia

Dajak(ker) Dyak; **Dajaks** Dyak

dak roof; *een* ~ *boven zijn hoofd hebben* have a r. over one's head; *met een rood* (*plat, enz.*) ~, *ook:* red- (flat-, etc.) roofed; *open* ~ (*van auto*), *zie* schuifdak; *er is* ~ *op het huis* we are not by ourselves; *onder* ~ *brengen,* *a*) cover in, roof (in, over) [a house]; *b*) put up [a friend], accommodate [a p.], house [one's car in a garage]; *wij werden bij hem onder* ~ *gebr.* they took us in; *onder* ~ *zijn,* (*van huis*) be covered in; (*van pers.*) be under cover [during a storm, etc.]; (*fig.*) be well off, be a made man; *ik wil niet langer onder één* – *met hem wonen* I will no longer live under the same r. with him; *onder* *mijn* ~ [such things are not tolerated] beneath my roof; *iem. op zijn* ~ *komen* give a p. what for; *die vent komt mij eeuwig en altijd op mijn* ~ bothers (pesters) the life out of me; *op zijn* ~ *krijgen* get what for, get a sound trouncing; *dat krijg ik op mijn* ~ they'll lay it at my door; *iem. iets op zijn* ~ *schuiven* fasten s.t. (a crime, etc.) upon a p.; *je zult me daar ineens vijf soldaten op je* ~ *gestuurd krijgen* fancy being saddled with five soldiers (having five s. thrown on your hands) all of a sudden; *ga op het* ~ *zitten!* go to blazes!; *van de* ~*en prediken* proclaim (preach, shout) from the housetops; ~**balk** r.-beam; (*mv. ook*) r.-timbers; ~**bedekking** roofing; ~**bint** tie-beam; ~**dekker** roofer; (*met riet of stro*) thatcher; (*met pannen*) tiler; (*met lei*) slater; (*met dakspanen*) shingler; ~**drop**, ~**druip** eavesdrop, -drip; (*dakrand*) eaves, ~**goot** (r.-, eaves-)gutter; ~**je** circumflex (accent); *zie* leien; ~**kamertje** attic, garret, room under the leads; ~**kapel** dormer; ~**leer** roofing felt; ~**lei** roof(ing)-slate; ~**licht** sky-light; ~**look** houseleek; ~**loos** roofless, homeless; ~**loze** homeless person, waif; *zie* asiel; ~**pan** roof(ing)-tile, (pan)tile; ~**pansgewijs** [overlapping] like roof(ing) tiles, (*biol.*) imbricate(ly); ~**pijp** gutter-pipe; ~**raam** *zie* ~venster; ~**rand** (*onderste*) eaves; ~**reclame** sky-sign; ~**riet** thatch; ~**ruiter** *a*) roof-turret; *b*) ridge-beam; ~**schild** r.-face; ~**spaan** shingle; ~**spar** rafter; ~**stoel** truss; ~**stro** thatch; ~**tuin** r.-garden; ~**venster** dormer-, garret-, attic-window, sky-light; ~**vilt** roofing felt; ~**vorst** ridge of a (the) r.; ~**werk** roofing

dal valley; (*dicht.*) vale, dale; (*klein houtrijk ketel-*) dell; (*nauw*) glen; ~ *der schaduw des doods* valley of the shadow of death; ~**bewoner** inhabitant of the (a) valley, dalesman

dalen (*vliegtuig, enz.*) descend, alight [on the sea]; (*zon*) sink, go down; (*stem*) sink, drop; (*avond, duisternis*) close in, descend; (*barometer, water, temperatuur*) fall, drop; (*prijs*) fall, go down, drop, decline, give way, (*snel*) slump [the French franc ...ed]; ease [the rate ...d to 4 %]; (*fig.*) sink [in a p.'s estimation]; *de uitvoer is* (£ ...) *gedaald* exports are down (by £ ...); *in't graf* ~ sink into the grave; *doen* ~ bring down [prices]; *laten* ~ lower (drop, sink) [one's voice]

dalgrond high peat soil

daling descent, fall, drop, decline, slump (*vgl. 't ww.*); *de* ~ *van het ledenaantal* the falling off in the number of members

dalles poverty, misery

Dalmatië Dalmatia; ~**r, Dalmatisch** ...n; ~*e hond* (*Dalmatiner*) Dalmatian

Dalton id.; **d~iseren** Daltonize; **d~methode** D. plan (system, method)

dalweg Thalweg, valley line

dam 1 dam, dike, embankment; causeway; (*in riv.*) weir, (*op grote schaal, in Nijl, enz.*) dam, barrage; *een* ~ *opwerpen tegen* cast up a d. against, arrest the course of, check; *zie* hek & schaap; 2 (*penant*) pier; 3 (*in* ~*spel*) king;

een ~ *halen* crown a man, go to king

Damascener: ~ *staal* Damascus steel; ~ *kling* (*zwaard*) Damascus blade

damasceren damascene

Damascus id.

damast damask; ~**bloem** rocket, dame's-violet; ~**en** damask; ~**linnen** d.-linen; ~**pruim** damson

dambord draught-board, (*Am.*) checkerboard

dame lady, gentlewoman; (*bij dans, aan tafel, enz.*) partner; (*spel*) zie koningin; ~ *van gezelschap* (l.-)companion; *vergezeld van hun* ~*s, ook:* accompanied by their womenfolk; *een* ~ (*niet*) *passend* (un)ladylike; ~*s,* (*opschrift*) ladies (only)

dames: ~**blad** women's magazine; ~**fiets** lady's (bi)cycle; ~**handtasje** *zie* ~tasje; ~**kapper** ladies' hairdresser; ~**kleermaker** ladies' tailor; ~**koor** female choir; ~**kostuum** l.'s suit, l.'s costume; ~**kousen** women's stockings; ~**mantel** l.'s cloak, l.'s coat; ~**rijpaard** l.'s mount; ~**tasje** l.'s (vanity, fancy) bag, hand-bag; ~**verband** sanitary towel; ~**vest** cardigan; ~**zadel** side-saddle [ride ...]; (*van fiets*) l.'s saddle

dametje little lady

damhert fallow-deer (*ook mv.*); *jong* ~ fawn; *mannetjes*~ buck; *wijfjes*~ doe

dammen play at draughts, (*Am.*) at checkers

dammer draught-player, (*Am.*) checkers-player

Damocles id. [the sword of D.]

damp vapour, steam, smoke, fume; ~**bad** v.-, steam-bath; ~**en** steam, smoke; puff (away) at one's pipe (cigar); ~**ig** vaporous, vapoury, hazy; (*kortademig, van paard*) broken-, short-winded, pursy, chest-foundered; ~**igheid** vaporousness, pursiness, etc.; broken-windedness, pursiness; ~**kring** atmosphere; ~**kringslucht** atmospheric(al) air; ~**meter** vaporimeter; ~**prop** (*in buis*) air-lock; ~**vormig** vaporous, vaporiform; ~**vorming** vaporization

dam: ~**schijf** draughtsman; (*Am.*) checker; ~**spel** *a*) (game of, at) draughts, (*Am.*) checkers; *b*) draughts(men) and board, draught-board and men; ~**wand** sheet-pile wall, sheet-piling

dan I *bw.* then; *onvertaald:* verlies *ik*, ~ *verlies ik* if I lose, I lose; *als hij 't zegt*, ~ *is 't waar* it is true; *doe het*, ~ *ben je een beste meid* there's (that's) a dear (girl); *en jij* ~? what about you?; *deze schoenlapper* ~ *had het erg arm* this cobbler, as I was saying, was very poor; ~ *ook* consequently, accordingly, therefore; *ik vind* ~ *ook* ... in fact, I think ...; *zie ook* ook; *kom* ~ *toch* do come; *zij leven, zo niet in weelde*, ~ *toch zonder vrees voor de toekomst* if not in plenty, then without fear of the future; *hij hielp alleen mij, en* ~ *nog niet eens van harte* and that half-heartedly; [*'t zal om te beginnen een heel karwei zijn,*] *en* (*waar zijn we*) ~ *nòg* and even so; II *vw.* (*na comparatief*) than; *ik weet niet of hij ziek is*, ~ *wel* ... whether he is ill, or ...; *ik ben te oud*, ~ *dat jij mij een standje moet maken* for you to scold me

Danaïden Danaides; *zie* vat 1

dancing: *een* ~ a dance-hall

dandy id., fop

Daniël Daniël; (*fam.*) Dan

danig *bn.* thorough, tremendous; *een ~e honger hebben* be awfully hungry; *bw. ... ly*; *iem. ~ de waarheid zeggen* to tell a p. off properly; *~ koud* dreadfully cold; *~ bezeerd* badly hurt; *zich ~ vergissen* be sorely mistaken; *zich ~ weren* give a good account of oneself, exert o.s. to the utmost; *er ~ van houden* like it of all things; *zie* deerlijk

dank thanks, acknowledgement; *mijn ~!* (my best) t.!; *veel ~!* many t.! t. very much! t. ever so much!; *geen ~* you're welcome!, don't mention it!; [thank you so much!] not at all!; that's quite all right; *en dat is mijn ~ ervoor* and this is my reward, and that's all the thanks I get; *zijn ~ betuigen* express (tender) one's t.; *de voorzitter werd de ~ der vergadering gebracht* a vote of t. was passed to the chair; *ik heb er geen ~ van gehad* small (little, *iron.*: much) t. I got for it (for my pains); *wij zijn hem grote ~ (ver)schuldig(d)* we owe him a great debt of gratitude; *iem. iets ~ weten* thank (be grateful to) a p. for s.t.; *~ zeggen* return (give, render) t.; *vriendelijk ~ zeggen* tender one's best t. [to ...]; *ik zeg er u ~ voor* I thank you for it; *God zij ~* thank God; *~ zij uw steun* t. to your support; *dat is (helemaal) ~ zij jou* it is (all) your doing; *in ~ ontvangen* received with t.; *in ~ terug* returned with t.; *in ~ aanvaarden* accept gratefully; *hij nam het u niet in ~ af* he took it ill of you

dankbaar grateful (*ook van taak, rol, enz.*), rewarding [task], thankful; **~heid** gratitude, thankfulness; *uit ~* in gratitude [*jegens* to];

dankbetuiging expression (vote, letter) of thanks, acknowledgement; *onder ~* with thanks; **dankdag** thanksgiving day

dankdienst thanksgiving service; *~ voor 't gewas* harvest festival (service)

danken thank, give (render, return) thanks; (*aan tafel*) say grace; (*te danken hebben*) owe [s.t. to a p.]; be indebted to [a p. for s.t.]; *dank u*, (*bij aanneming*) t. you, (*bij weigering*) no, t. you; t. you, no; ['may I offer you a cigar?'] 't. you, I don't smoke'; *ik dank* not for me, thanks; *dank u zeer* t. you (thanks) very much, t. you so much, many thanks, much obliged to you; *dank je* thanks! (*fam.*) ta!; *dank je wel* thanks very much (*ook iron.*), (*fam.*) ta ever so!; *ik zou je ~, dank je wel, daar dank ik voor* t. you for nothing; *hem vragen? ik zou je ~! ...* no, t. you! I am not taking any, thanks; *ik zou je ~ om ...* I'm blessed if I would ...; *ik dank ervoor om ...* I'm not going to ..., I decline to ...; *dat dankt je de drommel!* you bet!; *je hebt het aan jezelf te ~* you have yourself to t. for it, you may t. yourself for it, you have only yourself to blame; *dat heb ik aan u te ~ (ook = te wijten)* I may t. you for that, I owe it to you; *waar heb ik dat aan te ~?* what have I done to deserve this?; *het was te ~ aan ...* it was owing (due) to ...; *niet te ~, zie* dank (*geen ...*); *zie* gastvrijheid; **~swaardig** thankworthy

dank: ~feest thanksgiving-feast; (*voor 't gewas*) harvest festival; **~gebed** prayer of thanks, (prayer of) thanksgiving; **~lied** song (*of:* hymn) of thanks, thanksgiving; **~offer(ande)** thank-offering; **~stond** thanksgiving service; **~woord** word (speech) of thanks; **~zeggen** *zie* dank; **~zegging** thanksgiving; *zie* ~betuiging

dans dance [may I have the pleasure of this ...?]; *de ~ openen* open the ball, lead off; *de ~ ontspringen* get off scot-free; (*op 't nippertje*) escape by the skin of one's teeth, have a narrow escape; *ten ~ leiden* lead (*of:* take) out, lead on to the floor; **~club** d-, dancing-club

danse macabre id.; *zie* dodendans

dansen dance (*ook van bootje, enz.*); (*fam.*) foot it; *~ op ...* d. to the music (the gramophone); *'n kind op zijn knie laten ~* dandle a child on one's knee; *er werd gedanst* we (they) had a d., there was dancing; *gaan ~* take the floor; *zie* hart, pijpen, enz.

dans: ~er dancer; **~eres** (girl-, woman-)dancer; *zie* ~meisjes; **~euse** *a*) id., ballet-dancer; *b*) partner; **~figuur** dance-figure; **~hol** (*sl.*) dancing-dive; **~huis** dancing-, dance-room, -hall; **~instituut** school of dancing; **~je** dance; (*fam.*) hop; *een ~ maken* have a d. (*fam.:* a hop); (*fam.*) shake a leg; **~kunst** art of dancing; **~leraar** *zie* ~meester; **~lerares** dancing-instructress; **~les** dancing-lesson, d.-class; **~lokaal** dancing-room; **~meester** dancing-master, dance-teacher; **~meisje** (*Ind.*) dancing-girl, nautch-girl; **~mug** dancing fly; **~muziek** dance-music; **~paar** dancing couple; **~partij** dance, dancing-party, (*fam.*) hop; **~pas** dance-step; **~schoen** pump, dance-, dancing-shoe; **~school** dance-, dancing-school; **~vloer** dance-, dancing-floor; **~wijsje** dance-tune; **~woede** dancing-mania; **~zaal** ball-room; dancing-saloon; *zie ook* ~huis; **~ziekte** *zie* ~woede

Dante id.; (*in de stijl*) *van ~* Dantean, Dantesque; **Danzig** id.

dapper brave, gallant, valiant, stout-hearted; *~ ventje* plucky little fellow; *zich ~ houden* behave (bear up) bravely; (*zich verweren*) offer a stout resistance, make a gallant stand; *~ vechten* put up a gallant fight; *hou je ~!* never say die! keep your tail up!; *~ schreeuwen* shout lustily (vociferously); *zie* moedig; **~heid** bravery, valour, gallantry, prowess

dar drone

Dardanellen: *de ~* the Dardanelles

darm intestine; gut [blind ...]; *~en, ook:* bowels, entrails; *dikke (dunne) ~* large (small) i.; **~been** ilium, iliac bone; **~bloeding** intestinal hemorrhage; **~breuk** intestinal rupture; **~jicht** iliac passion; **~kanaal** intestinal canal; **~kronkel** twist(ing) of the bowels (of the guts), volvulus; **~net** omentum, epiploön; **~ontsteking** enteritis; **~scheel** mesentery; **~snaar** catgut, gut-string; **~vernauwing** intestinal obstruction; **~vlies** *zie* ~net

darren mess about, work (wander) aimlessly

dartel playful, frisky, sportive, frolicsome, rollicking; skittish [horse, woman]; wanton [child, mood]; *zo ~ als een veulen* as frisky as a lamb; ~**en** frolic, gambol, sport, frisk, rollick, dally; ~**heid** playfulness, etc.

darwinisme Darwinism

darwinist(isch) Darwinian, Darwinist

das 1 (*strop~*) tie, (*Am.*) necktie; (*sjaal*) scarf; (*bouffante*) comforter, muffler; *dat deed hem de ~ om* that settled his hash, cooked his goose; 2 *a*) badger; *b*) = ~hond

dashboard id., (*Eng.*) fa(s)cia

das: ~**hond** dachshund; ~**je** (neck-)tie; ~**look** ramson(s), bear's-garlic; ~**sehol** badger's burrow (hole, earth, lodge, set(t)); ~**sejacht** badger-baiting, -drawing

dasspeld scarf-, tie-pin

dat I *aanw. vnw.* that; *wat zijn ~?* what are they (those)?; ~ *zijn de vleugels* those are ...; *ben jij ~?* is t. you?; ~ *is ~,* ~ *hebben we* (*weer*) *gehad* t. is t., so much for t.; *'t is* (*hij is*) *niet* (*je*) ~ it's (he's) not all that marvellous; ~ *is het 'm juist* that's just it; ~ *doe je niet!* you'll do nothing of the sort; *Mijnheer A.?* ~ *ben ik zelf* I am he, that's me; *hoe weet je ~?* how do you know?; *acht uur? ~ is 't nog niet* it's not t. yet; ..., *maar wat zou ~?* but what of t.? ~ *zou ik denken* I should think so; *griep, en ~ in juni* flu, if you please, in June; II *betr. vnw.* that, which; *vgl.* die; III *vw.* that (*dikw. onvert.:* I know he was there; how old do you think he is?); *op de dag,* ~ ... on the day that (*of:* when) ...; *zo slecht geschreven ~ het onleesbaar was* so badly written as to be illegible

data id.; ~**bank** id.

dateren date; *gedateerd 9 mei* dated (under date, under the date, bearing date) May 9(th); ... *is gedateerd* ..., *ook:* the will bears date June 4; *gedateerd omstreeks 1600* dated to about 1600; *dat boek is nogal gedateerd* is rather dated; *vroeger ~* antedate; *later ~* post-date; *dat dateert van eeuwen her* (*van 30 j. geleden, van 1200*) that dates back for many centuries (dates 30 years back, dates back to, dates from ...)

datgene that; ~ *wat* that which

datief dative

dato: (*onder*) ~, *zie* dateren (*ge*...); *3 maanden na ~* three months after date

datum date; *welke ~ hebben we vandaag?* what's the date to-day?; *de brief draagt geen ~* is not dated; ~ *postmerk* d. as postmark; *van gelijke* (*van jonge*) ~ of even (of recent) d.; *zonder ~* undated; ~**grens** date-line; ~**stempel** date-stamp

dauphin id.; ~**e** dauphiness

dauw dew; ~**achtig** dewy; ~**braam** d.-berry; ~**droppel** d.-drop; ~**en** *ww.* dew [it is beginning to ...]; *'t dauwt* the d. is falling; *'t heeft sterk gedauwd* there has been a heavy d.; *zn.* dewfall; ~**punt** d.-point; ~**trappen** go out into the country while the d. is still on the grass; ~**worm** (*pier*) d.-worm, earth-worm; (*ziekte*) ring-worm

d.a.v. = *daaraanvolgende* following, next

daveren boom, thunder, shake; ~*de toejui-*

ching(*en*) thunders of applause; *doen ~* shake [cheers shook the building]; *de rede werd ~d toegejuicht* was cheered to the echo, brought the house down; *de zaal daverde van het lachen* resounded (rang, rocked) with laughter; *een ~d succes* a roaring success; ~*d welkom heten* roar forth a welcome to

daviaan Davy (lamp), safety lamp

David id.; (*fam.*) Davy; **davidster** Star of D.

davits (*mar.*) davits

dazen jaw, gas, blether, talk rot

d.c. = *da capo* D. C.

d.d. = *de dato, zie* dateren (*ge*...)

de the; *een daalder ~ el* half-a-crown a yard; *3 gulden ~ duizend* a (per) thousand; *hij is dè man* he is *the* [ði:] man; *'t is dè tabak* it is *the* [ði:] tobacco

debâcle débâcle; ('*krach*') crash, smash; ruin, collapse, cataclysm

deballoteren black-ball

debarkeren disembark

debat debate, discussion; *het ~ sluiten* close the d., apply the closure; *in ~ treden met* enter into argument with; *voorstellen 't ~ te sluiten* move the closure; *zie* discussie; ~**ing-club** debating-society; ~**teren** debate, discuss; – *over d.* (on), discuss; *daar valt over te –* that is a matter of debate, opinions may differ on that

debet debit; (*door te veel disponeren*) overdraft; ~ *en credit,* (*bkh.*) Dr(s). and Cr(s)., debtor(s) and creditor(s); *ik heb een ~ bij mijn bankier* I have an overdraft at my banker's; I have overdrawn my account with the bank; *iem. ~ zijn* owe a p. money, be in a p.'s debt; *het is in uw ~ geboekt* it has been passed to the d. of your account; *ik ben er niet ~ aan* I am not guilty of it, I am not to blame for it; ~**nota** d.-note; ~**post** d. entry; ~ *en creditposten* debits and credits; ~**saldo** d.-balance, balance due; ~**zijde** d.-, debtor-side

debiel backward, mentally defective

debiet sale; *een groot ~ hebben* command (find) a ready market, meet with a ready sale, sell readily; **debitant** retail dealer, retailer

debiteren 1 *we hebben u voor 't bedrag gedebiteerd* we have debited you with the amount, passed (placed, carried) it to the debit of your account; *voor de kosten moet zijn rekening gedebiteerd worden* the cost is to be debited (charged) to his account; 2 sell; (*in 't klein*) retail; *aardigheden ~* crack jokes [*over* on]; *hij debiteerde een grap,* (*ook*) he delivered himself of a joke

debiteur debtor; ~**en** (*bkh.*) accounts receivable; ~**engrootboek** sold ledger; ~**enrekening** debtor account; ~**landen** debtor countries

deblokkeren release (unblock) [an account]

Debora Deborah

debouché outlet, market, opening

deboucheren debouch

debutant(e) débutant(e); (*vrouw ook, fam.*) deb

debuteren make one's début (one's first appearance, one's bow); (*in de wereld*) ~, (*van jong meisje*) come out

debuut début, first appearance (before the public); *zijn ~ maken, zie* debuteren
decaan dean; *zie* school- & studenten~
decade id.; **decadent** id.; ~**ie** decadence
decagram decagram(me); *evenzo:* decalitre; decametre
decanaat deanery, deanship; **decanie** deanery
decanteren decant
december December
decemvir(i) id.; **decemviraat** decemvirate
decennium id. (*mv.* -ia), decade
decent id.; **decentie** decency
decentralisatie decentralization, devolution; **decentraliseren** decentralize
deceptie disappointment, disillusionment
decharge discharge; *te uwer* (*onzer*) ~ to your (our) d.; *hem werd ~ verleend, zie* dechargeren; *zie ook:* getuige
dechargeren discharge; *hij werd gedechargeerd* he obtained his discharge, was relieved of all responsibility; *iem. voor een bedrag ~* credit a p. for an amount
deciare id.; **decibel** id.
decideren decide; *zie* gedecideerd
decigram decigram(me); **deciliter** decilitre
decimaal I *bn.* decimal; *decimale breuk* decimal (fraction); ~ *stelsel* d. system; II *zn.* decimal place; *tot in 5 decimalen* [correct, calculate] to 5 places of decimals (d. places); ~**punt**, ~**teken** d. point
decimeren decimate
decimeter decimetre; *dubbele ~* (inch-)rule
declamatie declamation, recitation
declamator reciter; -**trice** (lady) reciter, diseuse
declameren recite, declaim, (*fam.*) spout [poetry]; (*ong.*) mouth
declarant id.
declaratie declaration; (*douane-*) (customs) entry; (*van onvergolden gelden*) statement of expenses, voucher; ~**strook** d. slip
declareren declare; (*goederen ook*) enter; (*uitgaven*) claim [expenses]; *iets te ~?* anything to d.?; *in consumptie ~* release for home consumption; *zich* (*zijn liefde*) ~ d. o.s. (one's love), propose (to a girl)
declasseren: *gedeclasseerd* declassé(e); *gedecl. worden* lose caste
declinatie (*van ster*) declination; (*van kompas*) declination, variation; (*gramm.*) declension; ~**hoek** angle of d.
declineren decline; (*iem.: door handeling*) slight, (*door woorden*) belittle
decoderen decode
decolleté décolleté, décolletage, low-necked dress; -**teren**: *zich* – wear (a) low(-necked) dress(es); *zie* gedecolleteerd
deconfiture suspension of payment, failure
decor: ~(*s*) scenery, décor; ~**ateur** decorator, ornamental painter; (*theat.*) scene-painter, scenic artist; ~**atie** decoration (*ook* = order of knighthood, cross, star); (*theat.*) scenery; ~**atief** *bn.* decorative; *zn.* scenery; ~**atieschilder** *zie* ~ateur; ~**eren** decorate; (*met ridderorde ook*) confer an order of knighthood upon; ~

ontwerp setting (scenic) design; ~**er** stage designer
decorum id.; *het ~ in acht nemen* observe the proprieties (the decencies)
decreet decree, enactment
decrescendo id.
decreteren decree, ordain, enact
dédain disdain, contempt, hauteur
dedicatie dedication
deduceren deduce, infer; **deductie** deduction, inference; **deductief** deductive
deed *o.v.t. van* doen
deeg dough; (*gerezen*) sponge; (*van gebak*) paste; ~**achtig** doughy; ~**rol(ler)** rolling-pin
1 deel board, plank; (*dorsvloer*) threshing-floor
2 deel part, portion [happiness had not been his ...]; (*aandeel*) share [get one's ..., I've had my ...], (*sl.*) whack [you've had your proper ...]; (*afdeling*) section; (*boek-*) volume; *dat is een essentieel ~ van mijn werkzaamheden* that is p. and parcel of my occupations; *neem 3 delen suiker, ...* take 3 parts of sugar, 6 of flour; *een ~ van ...* [walk] p. of the way; *zij was een ~ van hem* she was p. of him; *... zij uw ~!* good luck attend you!; *ik heb er geen ~ aan* I am no party to it; *ik heb er geen ~ in* I have no share in it; ~ *uitmaken van* form p. of; *roman in 2 delen* three-volume novel, (*fam.*) three-decker; *in allen dele* in every respect; *deze redenering gaat niet in allen dele op* this argument does not meet all the facts of the case; *in genen dele* not at all, by no means; *iem. ten ~ vallen* fall to a p.'s share (*of:* lot), fall to a p. [this colony fell to France]; *hem viel een hartelijke ontvangst ten ~* he was accorded a hearty reception; *ten dele, voor een ~* partly; *zie* deels; *voor een groot ~* to a great extent, largely; *voor 't grootste ~* for the most (the greater) p.; *'t grootste ~ van het land,* (*ook:*) most of the country; *zie* ~nemen; ~**achtig**: – *zijn* (*worden*) participate in, share; – *maken* impart to; *de hemelse zaligheid – worden* enter upon the joys of Heaven
deelbaar divisible [*door* by]; *3 is ~ op 9* 3 goes into 9, 9 is divisible by 3; ~ *getal* composite number; ~**heid** divisibility
deelgenoot sharer, partner; (*hand.*) partner, (business) associate; ~ *maken van een geheim* confide a secret to; ~**schap** partnership
deelgerechtigd entitled to a share; ~**heid** title (*of:* right) to a share; *zie* bewijs
deelhebber *zie* deelgenoot
deelname *zie* deelneming
deelnemen: ~ *aan* take part in, participate in, join in [a game, war, the conversation], enter [a competition], be a party to [a plot], partake of [a meal], sit for [women are not allowed to ... this exam.]; *zie* meedoen; *ze gingen aan de oorlog ~* they entered the war; ~ *in, zie* delen in; ~**d** sympathetic, sympathizing
deelnemer participant [in a plot], participator, partner; (*vgl. exam., wedstr.*) competitor; (*exam., wedstr.*) entrant; (*wedstr.*) contestant; (*paard*) runner

deelneming participation [*aan* in]; (*aan wedstr.*) entry; (*medegevoel*) sympathy [in a loss], compassion, commiseration; *betuiging van* ~ condolence(s), expression of sympathy; *iem. zijn* ~ *betuigen* condole with a p. [on a loss]; ~ *tonen* be sympathetic; *zonder* ~ unsympathetic; *heel wat* ~, (*wedstr.*) a considerable number of entries, a c. entry; **~sformulier** entry (enrolment) form

deels partly [pay ... in money, ... in goods], part [it's ... cause and ... effect of the catastrophe], partially; ~ *door drinken*, ~ *door spelen* what with drinking and gambling

deel: **~som** division sum, [do a] sum in division; **~staten** federal states; **~tal** dividend; **~teken** diaeresis; (*rek.*) division sign, double point; **~tje** particle; **~verzameling** (*wisk.*) subset; **~woord** participle [present, past ...]

deemoed humility, meekness, submissiveness

deemoedig humble, meek, submissive, chastened [mood]; **~en** humble; humiliate, mortify, *zich* – humble o.s.; **~heid** *zie* deemoed; **~ing** humiliation, mortification

Deen Dane

Deens Danish; *~e dog* D. dog, (Great) Dane; *~e* D. woman, Dane

deerlijk sad, pitiful, pitiable, piteous, miserable; ~ *gewond* badly wounded; ~ *teleurgesteld* grievously disappointed; *zich* ~ *vergissen* be very much (greatly) mistaken, make a profound mistake

deern(e) lass, wench, hussy

deernis pity, commiseration, compassion; ~ *hebben met* have (take) pity on; **~waardig** pitiable; **~wekkend** pitiful, pathetic

deerntje lassie

defaitisme, -ist(isch) defeatism, -ist

defect I *zn.* id., deficiency, hitch; (*in constructie*) fault; ~ *aan de machine* (*motor*) breakdown of the engine, engine-trouble; II *bn.* faulty [valve, tire, brake, engine], defective [brake motor-car, bath], out of (working) order, broken-down [motor-car]; ~ *raken* get out of order, break down, go wrong

defensie defence; **defensief** defensive; *in het* ~ on the d.; ~ *optreden* be (act, stand) on the d.; *zie* dringen

deficit id., deficiency

defilé (*engte*) defile; (*mil.*) march-past; (*luchtv.*) fly-past; ~ *langs de baar* procession past the bier; **defileerpunt** saluting-base, -point

defileren march (*of:* file) past (*ook* = ~ *langs*), defile; (*luchtv.*) fly past; *langs de kist* ~ file past the coffin; *de troepen defileerden voor de Koning* the King took the salute

definiëren define; *niet gemakk. te* ~ not easily definable, elusive; *niet te* ~ indefinable

definitie definition; *per* ~ by d.; in the nature of things

definitief definitive, definite [result, answer], final [settlement], permanent [appointment], absolute [the decree nisi becomes ...]; ~ *aangesteld w.*, (*in rijksbetrekking, enz., ook:*) be established

deflatie deflation; ~ *tot stand brengen in* deflate [the currency]; **deflationistisch** deflationary [policy]

deftig stately [building, bearing], grave [as ... as a judge], dignified, solemn [style, language]; fashionable [dress, house, people, school, part of the town], elegant, high-class [school], aristocratic [quarter], distinguished [air], [people] of high rank, of gentle birth; (*gew. iron.*) genteel; ~ *en gezet* portly [gentleman]; ~ *gezin* well-to-do family; ~ *doen* give o.s. airs; **~heid** stateliness, gravity, fashionableness, smartness; dignity; (air of) distinction; (*gew. iron.*) gentility

degel (*typ. & van schrijfmachine*) platen

degelijk I *bn.* sound [argument, reasoning, judge], substantial [house, food], thorough [knowledge], solid [argument, house, man], sterling [man, character, qualities], steady [character], conscientious [housewife]; *ver van* ~ [her knowledge is] very sketchy; ~ *geleerde* sound (thorough, profound) scholar; II *bw.* soundly, etc.; *wel* ~ really, positively, [he did it] right enough; *het geld is er wel* ~ the money is there all right; *ik meen het wel* ~ I do mean it; *maar hij hield wel* ~ *stil* but stop he did; **~heid** soundness, thoroughness, solidity, sterling character, reliability

degen sword; (*scherm-*) foil; *de* ~ (*de* ~*s*) *kruisen* cross (measure) swords [*met* with]; (*fig. ook*) have a passage of arms; *de* ~ *opsteken* (*trekken*) put up (draw) the s.; *de* ~ *voeren* carry the s.; *met de* ~ *in de vuist* s. in hand; *met* (*op*) *de* ~ *duelleren* fight (a duel) with swords

degene he, she, the one [who ...]; *~n* those [who ...]

degeneratie degeneration, degeneracy

degenereren degenerate (*ook med.*)

degen: **~gevest**, **~greep** sword-hilt; **~kling** s.-blade; **~knop** pommel; **~koppel** s.-belt; **~krab** king-crab; **~kwast** s.-knot; **~schede** s.-sheath, s.-scabbard; **~slikker** s.-swallower; **~stok** s.-stick, s.-cane; **~vis** cutlass-fish

degradatie degradation; (*Am.*) demotion; (*mil.*) reduction to the ranks; (*mar.*) disrating; (*sp.*) relegation

degraderen degrade; (*Am.*) demote; (*mil.*) reduce to the ranks [the police-inspector was reduced to P.C.]; (*mar.*) disrate, (*sp., intr.*) be relegated

degressief degressive

deinen heave, roll, sway

deining swell, (back-)wash; (*fig.*) stir, excitement

deinzen shrink (back); (*mar.*) gain sternway

deïsme deism; **deïst, ~isch** deistic

dejeuner lunch(eon)

dejeuneren (have) lunch

dek 1 cover; 2 horse-cloth, blanket; 3 bedclothes; 4 (*mar.*) deck

Dekan the Deccan

dek: **~balk** deck-beam; **~bed** eiderdown (quilt); *donzen* – duvet; **~blad** (*plantk.*) bract; (*van sigaar*) wrapper

deken 1 blanket, (*van paard ook*) (horse-)cloth; *onder de ~s, zie* wol; *samen onder één ~ liggen* play into each other's hands, be hand and (*of:* in) glove; 2 (*persoon*) dean; doyen [of ambassadors]; **~aat**, **~schap** deanship, deanery; **~kist** b. chest

dek: **~geld** stud fee, service fee; **~glaasje** (*van microscoop*) cover-glass, glass cover-slip; **~hengst** sire, (breeding-)stallion, stud-horse; **~huis** deck-house

dekken I *tr.* cover; (*huis*) (*met pannen*) tile, (*met lei*) slate, (*met stro, riet*) thatch; (*merrie*) cover, serve; (*mar.*) damp down [the fires]; (*onkosten*) cover, defray; (*assurantie*) cover; (*tekort, schade*) cover, make good; (*sauveren*) screen, shield [a p.]; (*sp.*) mark [one's opponent]; (*schilderk.*) scumble; *de aftocht ~* c. the retreat; *de tafel ~* lay (*of:* set) the table, lay the cloth; *zijn raadsheer ~* c. one's bishop; *bankbiljetten gedekt door goud*, (*ook*) notes backed by gold; *zich ~* cover o.s., put on one's hat; secure o.s. [against loss]; (*mil.*) take c. [from the gun-fire]; *zich gedekt houden*, (*fig.*) keep in the background, keep a low profile, (*fam.*) lie low; *hou je gedekt, ook: a*) be on your guard; *b*) keep calm; *zich gedekt opstellen* place o.s. under c.; *gedekt zijn tegen verlies* be secured against loss(es); II *intr.* = *de tafel ~* (*zie boven*); *~ voor 't ontbijt* (*avondeten, enz.*) lay breakfast (supper, etc.); *~ voor de thee* set tea [in the drawing-room]; *er werd* (*was*) *gedekt voor 5 pers.* the table was (dinner, tea, etc. was) laid for five; *voor nog iem. ~* lay another place; *ik liet voor hem ~* I had a c. laid for him

dekker *zie* dakdekker; **~en** streamline [a windmill]

dekking cover (*ook in hand. & mil.*); shelter, protection, guard; (*sp.*) marking; (*van dieren*) service; *~ zenden*, (*hand.*) provide funds; *~ zoeken* seek (take) c. [from the enemy's fire]; *ter ~ uwer kosten* to cover your expenses, for your reimbursement; *zonder ~*, (*hand.*) uncovered, without funds; **~stroep** covering party; **~en** covering troops

dek: **~kleed** (horse-)cloth, cover; (*presenning*) tarpaulin; **~kleur** body-colour, scumble; **~knecht** (*mar.*) deck-hand; **~laag** upper layer; **~lading**, **~last** deck-cargo, -load; **~lei** roofing-slate; **~mantel** cloak; (*fig. ook*) mask, disguise, colour; front [for unlawful business]; *onder de – van* under the cloak of, under (the) cover (colour) of; **~officier** warrant-officer; **~passagier** deck-passenger; **~personeel** (*mar.*) deck-crew, -hands; **~riet** thatch; **~schaal** (vegetable) dish, tureen; **~schild** wing-case, wing-sheath, elytron

deksel cover, lid, top [of a basket, etc.]; *te ~!* the deuce!; *wat ~ ...!* what the deuce (the dickens) ...!; **~s**, *zie* drommels

dek: **~servet** *ongev.* place-mat; **~steen** (*van muur, enz.*) covering slab, cap-stone, coping-stone; *dekstenen*, (*van muur*) coping; **~stoel** deck-chair, canvas chair; **~stro** thatch; **~stuk** (*van zuil*) abacus; **~ve(de)ren** (wing-, tail-)coverts; **~verf** body-colour, scumble; (*van verf*) **~zeil** tarpaulin

del (*slons*) slut, slattern; *zie ook* vod

delcredere del credere

delegatie delegation; **delegeren** delegate

delen divide; (*op school*) do division; (*opinie, enz.*) share [a p.'s views], [I cannot] subscribe to [this view]; *een kamer ~ met, ook:* double (up) with; *'t verschil ~* split the difference; *eerlijk ~!* share and share alike!; *gelijk (op) ~* share alike; *de derde plaats ~* tie for third place (*met* with); *een gedeelde derde plaats bezetten* tie in third place; *20 ~ door 5* d. 20 by 5; *~ in* participate in, share (in) [a triumph]; (*verdelen*) d. into [parts]; *in tweeën ~* d. in two; *ik deel in uw smart* I sympathize with you in your grief; *doen ~ in* share [one's good fortune] with; *iets ~ met* share s.t. with; *5 op 20 ~* d. 5 into 20; *vgl. ~ door; zie* gelijk

deler divider; (*rek.*) divisor; *zie* gemeen

delfstof mineral; **~felijk** mineral; **~fenrijk** m. kingdom; **~kunde** mineralogy

Delfts Delft; *~* (*aardewerk*) delf(t), D. ware

delgen discharge, pay off, clear off, wipe out, extinguish, amortize [a debt]; redeem, call in [a loan]

delging discharge, payment, extinction, amortization; redemption; *vgl. 't ww.*; **~sfonds** sinking-fund

deliberatie deliberation; **delibereren** deliberate [*over* on], debate [whether ...]

delicaat delicate, ticklish [affair]; (*lekker*) delicious, dainty; **delicatesse** delicacy; (*lekkernij ook*) (table) dainty, dainty bit

delict offence, delinquency, delict

Delila Delilah

deling division; (*verdeling*) partition [of Poland]; (*biol.*) fission [reproduction by ...]

delinquent id., offender

delirium id.; *~ tremens* id., (*fam.*) D.T., the D.T.'s

Delphi id., Delphos

Delphisch Delphic [oracle], Delphian

delta id.; **D~plan** Delta scheme; **~spier** deltoid (muscle); **~vormig** deltoid; **D~werken** Delta works

delven dig [a grave, potatoes], quarry [slate], extract, mine [coal]; **-er** digger

demagnetiseren demagnetize

dema: **~gogie** demagogy; **~gogisch** demagogic (*bw.*: -ally); **~goog** demagogue

demarcatielijn line of demarcation

demarche démarche, step

demaskeren unmask

demasqué démasqué

dement demented

dementeren deny (officially)

dementi démenti, denial, repudiation, disclaimer; *een ~ geven* give [a p.] the lie

demi *zie* ~saison; **~finale** semifinal(s); *deelnemer aan – semifinalist*

demilitarisatie demilitarization

demilitariseren demilitarize
demi: ~-mondaine id.; ~-monde id.; ~-saison spring- (summer-, autumn-, *Am.:* fall-) overcoat (*of:* topcoat)
demissie dismissal; *zie* ontslag
demissionair: '*t kabinet is* ~ is under (has tendered its) resignation; '*t* ~*e kabinet* the outgoing Cabinet
demobilisatie demobilization
demobiliseren demobilize, (*fam.*) demob
demo d.: ~craat d.crat; ~cratie d.cracy; ~cratisch d.cratic (*bw.:* -ally); ~cratiseren d.cratize; ~cratisering d.cratization; ~graaf d.grapher; ~grafie d.graphy; ~grafisch d.-graphic
demon id.; ~isch demoniac(al)
demonetiseren demonetize
demonstrant demonstrator
demonstratie demonstration; *een* ~ *houden* make a d.; ~f demonstrative; ~vlucht d. (*of:* exhibition) flight, display
demonstreren demonstrate, display
demontage ...ing, *zie* **demonteren** dismount [a gun], dismantle [machinery, an aeroplane, a mine, a wireless station], take apart [machinery], remove [a machine part]
demoralisatie demoralization
demoraliseren demoralize
dempen (*sloot, enz.*) fill in (up); (*oproer*) quell, stamp out, put down, crush; (*licht*) subdue, dim, soften; (*geluid*) deaden, (*inz. muz.*) mute; (*muz.*) damp; *de vuren* ~ quench (extinguish) the fires, damp down the furnaces; *gedempt geluid* muffled sound; *met gedempte stem* in a subdued (muffled, hushed) voice, in an undertone; **demper** (*van mach., piano, enz.*) damper; (*muz.*) mute, sordine
dempig *zie* dampig
demping filling up, extinction, etc.; *zie* dempen
den fir(-tree); *grove* ~ pine(-tree); ~appel fircone; pine-cone
denaturaliseren denaturalize
denatureren denature [tea, alcohol]
denderen rumble, shake, dither; *het resultaat is niet bepaald* ~*d* the result is not exactly overwhelming
Denemarken Denmark
denigreren denigrate
denkbaar imaginable, conceivable, thinkable; *het is niet* ~ *dat* ... it is unthinkable that ...
denkbeeld idea, notion; (*mening*) *ook:* view [on art, etc.]; *ik kan er mij geen* ~ *van maken* I cannot form an i. of it; *zie* idee; ~ig imaginary, hypothetical [put a ... case], fictitious, illusory; *het gevaar is niet – dat* ... there is a real danger that ...; *-e ontdekking* (*vondst*) mare's nest
denkelijk probable, *zie* waarschijnlijk
denken think; (*van plan zijn*) intend [to go], think of [going]; (*verwachten*) expect, think [I never thought to find you here]; *zie ook:* mening (*in de ... verkeren*); (*even*) ~, (*fam.*) have a think (*zo ook:* have a long, a hard think); *terdege* ~ do some hard thinking; *ik*

dacht 't je gezegd te hebben I thought I told you; *wat denk je te doen?* what do you intend (mean) to do?; *wat denkt hij te bereiken?* what does he expect to achieve?; *ik had gedacht, dat hij meer verstand had, ook:* I'd have given him credit for more sense; *dan men zou* ~, *ook:* [he has more gifts] than one would give him credit for; ... *zou ik* ~ [you'll see enough of her] I should imagine; *dat dacht ik al* I thought as much; *ken je hem? dat zou ik* ~ rather! you bet! I should t. I did! I should jolly well t. so!; *zie of* (*en of!*); *dat kun je net* ~! catch me (at that)! not I (he, etc.)! not likely! not much!; *ik zou* ~, *dat* ... I am inclined to t. that ...; *om zo iets ook maar te* ~! the very idea (of it); *de grootste lafaard, die men zich kan* ~ the greatest coward imaginable; *dàcht ik het niet!* just as I feared!, I knew it!; *dat feit geeft te* ~ that fact sets one thinking, gives one food for thought, is enough to make us t.; *zich* ~, *zie* zich voorstellen *b*); *denk u op* ... imagine yourself in a small island; *dat laat zich* (*gemakkelijk*) ~ that may be (easily) imagined; *denk eens aan!* just t. of that! just fancy (that)! only t.!; ~ *aan* t. of; *zie ook:* ~ *om*; *zij dacht aan geen kwaad* she thought no harm; *ik* (*men*) *moet er niet aan* ~ I cannot bear to t. of it (it doesn't bear thinking of it); *laten we er niet meer aan* ~ let's forget about it; *hij dacht helemaal niet aan haar* (*er ... aan*) he never gave her (it) a thought; *zonder te* ~, *ook:* [act] unthinkingly; *zonder te* ~ *aan* ..., *ook:* without a thought for (unmindful of) his own safety; *nu ik eraan denk* now I come to t. of it; *denk aan mij* remember me; *daar dacht ik juist aan* that's what I had in mind (*zo ook:* he was the person I had in mind just now); *hij denkt niet aan eigen voordeel* he is regardless of his own profit; *ik dacht er niet aan dat het zondag was* I did not realize it was Sunday; *ze kan alleen maar aan kleren* ~ she cannot think of anything but clothes; *ik denk er niet aan* ('*t te doen*) I'll do nothing of the kind; I should not dream of (doing) it; I have not the slightest intention of doing it; *geen* ~ *aan!* it is out of the question; *ik denk er niet aan om te* ... I have no idea of ...ing; *zie* vallen; *doen* ~ *aan* make [a p.] t. of; (*herinneren aan*) remind [a p.] of, recall [s.t.], be reminiscent of; *zulke taal doet* ~ *aan B.* savours (is suggestive) of Billingsgate; *niets dat deed* ~ *aan* ... [there was] no suggestion of robbery; *bij zichzelf* ~ t. to o.s.; ~ *om geld* think (in, in terms of) money; ~ *aan* om t. of; remember [the latch-key]; mind [the step, the paint, the baby, the fire]; [I'll] bear [you] in mind; *om de eieren* ~ time the eggs; *denk erom!* remember! mind!; *denk erom dat* ... mind you are ready by eight; be sure you have a good breakfast; *denk erom te schrijven* mind and write; *denk erom wat* ...! be careful what you are saying!; *vóór we erom* ~, *ook:* [he'll be here] before we know where we are; ~ *over* t. about (upon, of), t. [it, the matter] over; *zie ook:* ~ aan; *erover* ~ *te* ... t. of ...ing;

hij dacht erover, zelfmoord te plegen he contemplated suicide; *er anders over ~ t.* otherwise; *er net zo over ~* be of the same way of thinking; *hij denkt er lichtvaardig over* he regards it lightly; *~ van t.* of, say to [what do you ... a walk?]; *ik weet niet, wat ik ervan (van hem) ~ moet, ook:* what to make of it (of him); *je mag ervan ~ wat je wilt, ook:* you are welcome to your own opinion about that; *dat had ik niet van hem gedacht* I would never have believed it of him; *zie mijn;* ~d thinking, rational [being]

denker thinker

denk: ~fout wrong inference, [make an] error in reasoning, logical error; ~gewoonte habit of thought; ~kracht thinking-, brain-power; ~oefening mental exercise; ~proef mental-test, intelligence test; ~raam mental capacity; ~sport (art of) puzzle-, problem-solving; *(rubriek)* brain-teasers; ~vermogen thinking-faculty, intellectual capacity; ~wereld way of thinking; ~werk headwork; ~wijze way of thinking (of thought); ~wolk(je) *(fam.)* balloon [in a strip cartoon]

denne: ~appel fir-cone, pine-cone; ~boom fir-tree; ~hars fir-resin, pine-resin; ~hout fir-wood, pine-wood; ~lucht piney smell, smell of pine-resin; ~naald fir-, pine-needle, spine of a fir-tree

dennen: ~bos fir-wood; ~scheerder pine-weevil

dennerupsvlinder pine-beauty (moth)

denominatief denominative

dentaal dental

deodorans, -rant deodorant, anti-perspirant

departement department; *(regerings- ook:)* Office; *zie* ministerie; ~aal departmental; ~sambtenaar departmental officer, civil servant; ~s-chef head of a d.

depêche dispatch, telegram, message

dependance annex(e)

deployeren deploy

deponeren put down, place; *(geld, enz.)* deposit [with, at a bank], pay in, pay [into a bank]; *(documenten)* file, lodge; *(handelsmerk)* have [a trade mark] registered

deport backwardation

deportatie deportation, transportation

deporteren deport, transport

deposant depositor

depositaire, depositaris depositary

deposito deposit; *in ~* on d.; *gelden in ~ nemen* receive money on d., receive deposits; *~ met (zonder) voorafgaande opzegging* d. at notice (at call); ~bank bank of d., d.-bank; ~bewijs receipt of d.; ~rekening d.-account; ~rente d.-rate

depot id. *(ook mil.)*, dump [petrol ...]; *(filiaal)* branch(-establishment); *in ~ geven, zie* deponeren; ~fractiebewijs trust unit; ~houder branch manager

deppen dab

depreciatie depreciation; **depreciëren** depreciate

depressie depression *(ook fig.)*; trough of low pressure; ~f depressive

deprimeren depress; ~d depressing

deputaat deputy, delegate; **deputatie** deputation; **deputeren** depute

deraillement derailment; **derailleren** go (run) off the rails (lines, metals, track), be (get, become) derailed, derail, jump (leave) the rails; *doen ~* derail; **derailleur** id.

derangeren (put to) inconvenience, put out; *derangeer u niet om mij* don't put yourself out on my account, don't let me disturb you, don't trouble; *zie* storen

derde third; *een ~, a)* a third (part); *b)* a third person (party); *vertel 't niet aan ~n* don't let it go farther; ~half two and a half; ~jaars ... third-year [undergraduate]; ~machtsvergelijking cubic equation; ~machtswortel cube root; ~n *ook:* outside (organizations, etc.); *zie* ten, maal, stand, verzekeren, verzekering; ~ndaagse *koorts* quartan fever *(of:* ague); ~rangs third-rate

deren hurt, harm, injure; *dat deert niet* there is no harm in that; *wat niet weet, wat niet deert* what the eye doesn't see the heart doesn't grieve about; *zie* schelen & oog

dergelijk such(-like), similar, like; *een ~e ontwikkeling* some such development; *en ~e* and such-like, and the like, [talk of dogs] and things; *iets ~s* something (anything) like it; *iets ~s heb ik nooit gezien* I never saw the like (anything like it, such a thing, anything of the sort); *in ~e geest* in a like spirit; *vgl.* verwant

derhalve therefore, so, consequently

derivaat derivative, derivate; -vatief derivative

dermate in such a manner, to such a degree, to such an extent, so much

dermatologie, -loog dermatology, -logist

derrie clayey peat; *(vuil)* muck

derrière *(fam.)* id., b.t.m.

dertien thirteen; *~ in een dozijn* [they are] ten a penny; ~de *bn. & zn.* thirteenth; ~jarig *vgl.* jarig

dertig thirty; ~er person of t. (years); *in de ~jaren (de jaren ~)* in the thirties; *zie* goed; ~jarig *vgl.* jarig; ~ste *bn. & zn.* thirtieth

derven lack, be deprived of, lose

derving lack, privation, loss

derwaarts thither

derwijze in such a way *(of:* manner)

derwisj dervish

1 des *(muz.)* D flat

2 des of the; *zie* avond, enz.; *~ te beter (erger, meer)* so much the (all the) better (worse, more); *hoe meer (beter, enz.) ..., ~ te meer (beter, enz.)* the more (better, etc.) ... the more (better, etc.); *~ te meer, omdat ...* the more so as ...; *ze werkte ~ te beter, omdat zij ... was* she worked all the better for being in love; ~alniettemin nevertheless, for all that, notwithstanding all that, despite it

desastreus calamitous, disastrous

desavoueren repudiate, disavow [an agent], disown; -ing repudiation, disavowal

des: ~betreffend relating to this (matter), [the matter] in question, relative [the ... act *wet*], relevant [the ... passage]; ~**bevoegd** competent; ~**bewust** conscious of it, wittingly

desem leaven, yeast; ~**en** leaven

deserteren desert (the colours); **deserteur** deserter; **desertie** desertion

desespereren despair

des: ~**gelijks** likewise; ~**gevorderd**, ~**gevraagd** if required, if necessary; – *verklaarde hij* when asked ...; ~**gewenst** if required; *u kunt* – ... if you like

deshabillé dishabille, undress

desideratum id., *mv.:* desiderata

desillusie disillusion(ment)

desillusioneren disillusion

desinfecteren disinfect

desinfectie disinfection; ~**middel** disinfectant

deskundig expert [*on op het gebied van*]; informed [criticism]; ~**e** expert; (*bij examen, ongev.*) external examiner; ~**heid** expertness, expertise

desniettegenstaande, -niettemin *zie* desalniettemin; **desnoods** if necessary, if need be, in case of need, at need, in an emergency, at a pinch

desolaat (*woest*) desolate; (*treurig*) disconsolate, desolate; *desolate boedel* insolvent estate

desondanks *zie* desalniettemin

desorganisatie disorganization

desorganiseren disorganize

desperaat desperate, despairing

despoot despot; **despotisch, -tiek** despotic (*bw.:* -ally); **despotisme** despotism

dessa (*Ind.*) id., village; ~**hoofd** village headman

dessert id.; *aan het* ~ at d.; ~**appel**, ~**lepel**, ~**vork** d.-apple, -spoon, -fork

dessin design, pattern; ~**eren** pattern

dessous *a)* underlying reasons, hidden motives; *b)* women's (ladies') underwear, undies

destijds at the (that) time, in those days

destillateur enz., *zie* distillateur, enz.

destructor id.

desverkiezende if desired; if so inclined

desverlangd if desired; **deswege** on that account, for that reason, therefore

detachement detachment, draft

detacheren detach, detail, draft, tell off; *gedetacheerd zijn, ook:* be in detachment; *bij een ander wapen* ~ attach (second) [an officer] to another arm; *gedetacheerd leraar* part-time master; -**ing** detachment, detail(ing), telling off; attachment, secondment

detail detail; (*hand.*) retail; *en* ~, *a*) = *in* ~s in d.; *b*) by retail, [sell] retail; *in* ~s *treden* go (enter) into detail(s); ~**handel** retail trade; *ook* = ~**zaak**; ~**leren** detail, specify; ~**list** retailer; ~**onderzoek** detailed investigation (examination); ~**prijs** retail price; ~**punt** point of detail; ~**verkoop** retail sale; ~**zaak** retail business

detective id., (*sl.*) tec, sleuth, (*Am.*) dick; (*boek*) d. (crime) novel, (*fam.*) tec; *particulier* ~ private inquiry agent; ~**roman** detective novel, crime novel, (*fam.*) tec, (*inz. Am.*) whodunit; ~**verhaal** d. (crime) story

detentie detention

detergens detergent

determineren *tr.* determine; (*plantk.*) identify; *intr.* botanize; **determinisme** determinism

detineren detain

detonatie detonation; **detonator** id.

detoneren *a)* detonate; *b)* be out of tune; (*fig.*) be out of keeping, be out of tune

deugd virtue, (good) quality; *lieve* ~! good heavens!; *zie ook* ~**elijkheid**; *de* ~ *loont zichzelf* virtue is its own reward; *dat doet me* ~ it does my heart good; *zie* eer, gebrek & nood

deugdelijk sound [advice, argument], reliable [article]; airworthy [plane]; valid [argument, proof]; substantial, conclusive [proof]; (*duurzaam*) durable, [stuff] that wears well; *geen enkele* ~*e reden* not a single solid reason; ~ *bewezen* proved up to the hilt; ~**heid** ...ness, reliability, durability, good quality; validity

deugdzaam virtuous; ~ *blijven* keep straight; ~**heid** virtuousness, virtue

deugen 1 *niet* (*willen*) ~, *nergens voor* ~ be good for nothing, be no good (at anything), be a good-for-nothing (boy, fellow, etc.), be a waster, be a rotter, be a ne'er-do-well; (*fam.*) be a bad lot (hat, egg); 2 *niet* ~, (*van dingen*) be good for nothing, be no good; *dat werk deugt niet* will not do, is below the mark; 3 ~ *voor* be good (fit) for; *je deugt niet voor onderwijzer* you will never do for a teacher, will never make a good teacher; *wat voor de een deugt, deugt nog niet voor de ander* one man's meat is another man's poison

deugniet good-for-nothing (fellow, boy, girl); ne'er-do-well, rascal, rogue, scamp; *kleine* ~ little rascal (rogue, scamp)

deuk dent [in a hat, etc.], dint; (*fig.*) blow [to one's prestige]; ~**en** dent, indent; *gedeukt* dented, dinted; ~**hoed** soft felt hat, squash-hat, trilby (hat), Homburg (hat)

deun *zie* gierig & schraal

deun(tje) air, tune; (*eentonig*) sing-song; *een vervelende* ~ the tune the old cow died of

deur door; *daar is de* ~! there's the d.!; *dat doet de* ~ *dicht* (*toe*) that clinches (settles) it, (*fam.*) puts the lid on; *zie* neus; '*n open* ~ *intrappen* force (beat upon) an open d.; *politiek van de open* ~ policy of the open d., open d. policy; *de* ~ *open laten voor* leave the d. open to [negotiations]; *de* ~ *openzetten voor* open the d. to [all kinds of abuses]; *de* ~ *sluiten voor* ... close the d. to a settlement (on further negotiations); *de* ~ *uitgaan* leave the house, go out of doors; *ik kom de* ~ *niet uit* I never go out, always keep indoors; *hij mag de* ~ *nog niet uit* he is still kept indoors (confined to the house); *iem. de* ~ *uitzetten* (*uitgooien*) turn (*fam.:* chuck) a p. out, show a p. the door; (*zet hem*) *de* ~ *uit!* to the d. with him! *de* ~ *uit!* out with you!; *iem. de* ~ *wijzen* show a p. the d.; *aan de* ~ [stand, knock] at the d.; *aan de* ~ *wordt niet gekocht* (*en drukwerken worden niet teruggegeven*) no hawkers (and no circulars); *aan de* ~ *kopen* buy at the d., buy from hawkers; *buiten de* ~ *staan wachten* be waiting outside, cool one's heels; *door de ~* [he poked his head] through the d.; *door de ~ naar binnen gaan* enter by (through) the door; *in de (open) ~ staan* stand in the door(way); *met gesloten ~en* behind closed doors, in camera, in private; *met open ~en* with open doors, [the inquiry will be held] in open court; *met de ~ in huis vallen* get down to business at once, plunge into the matter; *dat staat ons voor de ~* that is in store for us; *een hongersnood staat voor de ~* a famine is imminent, is staring us in the face; *zie aanstaande; veeg voor uw eigen ~* sweep before your own d., keep your own house in order; ~**bel** d.-bell; ~**beslag** metal-work (of a d.); ~**collecte** house to house collection, (*kerk*) retiring c.; ~**gat** (*Z.-Ned.*) doorway; ~**ketting** d.-chain; ~**klopper** d.-knocker; ~**knop** d.-handle, d.-knob; ~**kozijn** d.-frame; ~**opening** doorway; *de heer A., staande in de ~* framed in the doorway; ~**plaat** finger-plate; ~**post** d.-post; ~**sleutel** (*Z.-Ned.*) *zie* huissleutel; ~**stijl** d.-post; ~**tegenhouder** d.-stopper

deurwaarder sheriff's officer, bailiff, process-, writ-server; (*in rechtszaal*) usher, crier; ~**s-exploot** summons; (*dagvaarding*) subpoena; warrant of execution

deurwachter porter, door-keeper

Deuteronomium Deuteronomy

deuvik spigot; ~**en** tap (draw) through the s.

deux-pièces two-piece (suit, costume)

devaluatie devaluation, depreciation

devalueren devaluate, devalue

deveine a run of bad luck; *ik heb ~, ook:* luck is against me, I'm down on my luck

deviatie deviation

devies motto, device; (*her.*) device, charge

deviezen *a*) foreign bills, foreign paper; *b*) foreign currency, f. exchange; ~**bank** authorized bank; ~**regeling** exchange control; ~**smokkel** currency smuggling; ~**vergunning** currency permit; ~**verordening** currency law

devoot devout, pious

devotie devotion, piety

dextrine dextrin, British gum

deze this, (*mv.*) these; (*de laatstgen.*) the latter; *~ en gene* [I heard it from] various people; *~ of gene* one or other; *als ~ of gene er naar vraagt* ... if anybody asks; *bij (door) ~n* herewith; *in ~n* in this; *na* (*voor*) *~n* after (before) this; *de 2e ~r* the 2nd inst.; *zie* brenger, dag, schrijver, enz.

dezelfde the same; *dit is ~* this is the s. (one); *dit zijn ~(n)* these are the s. (ones); *zie* precies

dezer *zie* deze; ~**zijds** on this side; *– zullen wij alles doen ...* on our part we shall do everything ...

dezulken such; *derzulken* of such [is the Kingdom of Heaven]

D. G. = *Dei gratia* id., by the grace of God

dia *a*) [colour] transparency, [colour] slide; *b*) diameter

diabetes id.; *zie* suikerziekte

diabolisch diabolic(al); **diabolo** id.

diachronisch diachronic

diaconaal diaconal

diacones deaconess; ~**senhuis** deaconesses' nursing-home (hospital)

diaconie poor-relief board; *hij krijgt van de ~* he receives parochial relief, is on the parish; ~**huis** almshouse

diacritisch diacritic (*ook = ~ teken*)

diadeem diadem

diafragma diaphragm, (*fot. ook*) stop; **diafragmeren** (*fot.*) stop down

diagnose diagnosis; *de ~ opmaken van = diagnostiseren* diagnose [a disease]

diagnosticus diagnostician

diagonaal *bn. & zn.* diagonal; ~**sgewijze** diagonally; **diagram** diagram

diaken deacon; ~**huismannetje** beadsman

diakones *zie* diacones

dialect dialect; -**tica, -tiek** dialectics, dialectic; ~**icus** dialectician; ~**isch** (*van dialect*) dialectal; (*van dialectiek*) dialectic(al)

dialoog dialogue

dialyse dialysis

diamant diamond; *zie* ongeslepen; ~**achtig** d.-like; ~**boor** d.-drill; ~**druk** d. (type); ~**editie**-edition; ~**en** *bn.* diamond; ~**gruis** *zie* ~poeder; ~**houdend** d.-bearing, diamondiferous; ~**klover** d.-splitter, -cleaver; ~**letter** d. (type); ~**naald** d. stylus; ~**poeder** d.-powder, -dust; ~**slijper** d.-cutter; (*in engere zin*) d.-polisher; ~**slijperij** d.-cutting establishment; ~**uitgave** d.-edition; ~**veld** d.-field; ~**werker** d.-cutter; ~**zetter** d.-setter

diameter id.; (*van cilinder ook*) bore; *in ~* [ten feet] in d., [ten feet] across

diametraal diametral; (*ook fig.*) diametrical

Diana id.

diaprojector slide projector; **diaraampje** slide mount (binder)

diarree diarrhoea; (*bij vee*) scour

diathermaan diathermanous, diathermic

diathermie diathermy

diatomee diatom

diatonisch diatonic

dichotomie dichotomy

dicht I *bn.* (*deur, enz.*) closed, shut; (*gordijnen, ook*) drawn; (*auto, enz.*) closed; (*niet lek*) tight; (*~ opeen*) dense [population, forest, crowd], compact [mass], thick [wood, crowd, fog (*zeer ~* dense f.), hair], close [writing, order, texture]; (*van kraan*) off; *hij is zo ~ als een pot* as close as an oyster; *de paraplu wil niet ~* won't shut (up); II *bw.* densely [populated], thickly [planted], closely [written]; *~ bijeenstaand* close-set [eyes]; *~ bij* near [home, the truth], close to [the church], close upon [twenty]; *~ bij 't vuur zitten* hug the fire (*zie* kust); *zij knoopte haar mantel ~er vast* she buttoned her coat closer; *dat is ~er bij de waarheid, er ~er bij,* (*fig.*) that is nearer (to) the mark; *hoe ~er bij Rome, hoe slechter christen* the nearer the church, the farther from God; *~(er)bij komen* draw near(er); *~er komen bij* draw nearer to; *~er bij elkaar brengen* draw more closely together, bring nearer to each other;

sta er niet zo ~ bij don't stand so close; *zie ~bij* & *naderbij*; *dit komt er het ~st bij* this is the nearest approach to it; ~ *op* close upon; *iem. ~ op de hielen zitten* be close upon a p.'s heels; *zit niet zo ~ op me* don't crowd me so; ~ *op el- kaar* tight-packed; III *zn.* poetry; (*ge~*) poem; ~ *en ondicht* prose and poetry

dichtader poetic vein

dicht[1]: **~bevolkt** densely populated; **~bij** close by, close at hand, near (at hand); *van* – at close quarters, close to (up); *van te* – [don't look at it] from too close; *een ~zijnd gebied* a nearby territory; *zie* dicht & nabij; **~binden** tie up; **~branden** sear up [a wound]; **~doen** close, shut, draw [the cur- tains]; **~draaien** turn off [a tap]; **~duwen** push to, shut

dichten 1 make verses, write poetry (verses); 2 (*gat, enz.*) stop (up), seal (up), close, fill; seal (close) [a dike]

dichter poet; **~es** poetess; **~lijk** poetic(al); – *ge- voel* poetic feeling; *zie* vrijheid; **~schap** life (work) as a poet

dichtgaan shut, close; (*van wond*) close, heal up; *de deur ging dicht*, (*ook*) the door shut to

dichtgave poetic talent, gift for poetry

dichtgenootschap poetry club

dicht[1]: **~gooien** slam [a door, book], bang [a door], fill in [a grave]; **~groeien** (*van wond*) close, heal up; **~heid** density, compactness, closeness (*vgl.* dicht); (*inz. van dikke vloeistof*) consistency; **~houden** keep [one's mouth] shut; **~klappen** slam [door], shut up, snap together [o.'s book], snap shut [lid]; **~knijpen** squeeze; *de neus* – hold (pinch) one's nose; *zijn ogen* – screw up one's eyes; *zie* keel; **~kno- pen** button up

dicht[1]: **~kunde**, **~kunst** (art of) poetry, poetic art; **~maat** metre; *in* – in verse

dicht[1]: **~maken** close, stop [a hole]; screw up [a coffin]; fasten, button (pin) up; *zie* sluiten; **~metselen** brick up, wall up; **~naaien** sew up [a hole, wound]; **~plakken** seal (up) [a letter], stick (*of:* gum) down [an envelope], paste up [a window]

dichtregel verse

dicht[1]: **~schroeien** sear up [a wound]; **~schroeven** screw up (down); **~schuiven** slide to; **~slaan** *tr.* bang [a desk], slam [the door] (shut); bung up [a p.'s eye]; *intr.* slam (to); **~slibben** silt up; **~smijten** *zie* ~gooien

dichtsoort kind of poetry

dicht[1]: **~spijkeren** nail up (down); board up [a window]; **~stoppen** plug, stop up [a hole]

dichtstuk poem; **dichttrant** poetic style

dicht[1]: **~trappen** kick [the door] to; **~trekken** pull [the door] to (*of:* shut, close), draw [the curtains]

dichtvallen fall (*in 't slot:* click) shut

dichtvorm form of poetry; *in* ~ in verse

dicht[1]: **~vouwen** fold up; **~vriezen** freeze (be frozen) over (*of:* up), freeze solid

[1] *Voor samenstell. met* dicht *zie ook* toe...

dichtwaaien blow (be blown) shut

dichtwerk poetical work, poem

dictaat dictation; lecture notes; *op ~ schrijven* write from d.; ~ *maken* take (down) notes; **~- cahier** note-book

dictator id.; **~iaal** dictatorial; **~schap**, **dictatuur** dictatorship; **dictee** dictation; **dicteermachine** dictating machine; **dicteersnelheid** dictation speed (at ...); **dicteren** dictate

dictie diction; **dictionaire** dictionary

didacticus lecturer in education; didactician; **didactiek** didactics; **didactisch** didactic (*bw.*: -ally)

die I *aanw. vnw.* that, (*mv.*) those; the [here's the old coat you asked for *hier heb je* ...]; ~ *Brown, enz.*, (*min.*) t. B., t. actress girl, t. anarchist (painter, etc.) fellow (*of:* chap); ~ *staking* ... this strike is a serious business; *je broer?* ~ *is uitgegaan* he has gone out; ~ *met de zwarte jas aan* the one in the black coat; *hij was een genie,* ~ *L.* he was a genius, was Low; (*evenzo:* he could ..., could H., etc.); *Mijnheer, enz.* ~ *en* ~ Mr. So and So; ~ *of* ~ *stad* this or that town; ~ ...! these women! these English!; ~ *ben ik* I am he, that's me; *zie* goed; II *betr. vnw.* who, which, that; *hij was altijd de eerste* (*laatste*) ~ *naar huis ging* he was always the first (last) to go home; ... ~ *hij was* confirmed bachelor that he was; *gehoorzame man,* ~ *hij was* [he sat down] like the dutiful husband he was

Diedenhoven Thionville, Diedenhofen

Diederik Theodoric, Thierry, Derrick, Derek

dieet diet, regimen; ~ *houden, op ~ leven* live (be) on a d., be under doctor's orders, diet o.s.; *op* (*streng*) ~ *stellen* diet, put on a (strict) d.; (*attr.*) dietary, dietetic

dief thief; (*aan kaars*) thief, (*dial.*) (candle-) waster; *met dieven moet men dieven vangen* set a t. to catch a t.; *houdt de ~!* stop t.!; '*houdt de ~!*' *roepen* raise the hue and cry; *als een ~ in de nacht* as a t. in the night; *wie eens steelt is altijd een* ~ once a thief, always a thief; '*t is* ~ *en ~jesmaat* dog does not eat dog, rogues don't split on each other; **~achtig- (heid)** thievish(ness); **~jesmaat** *zie* ~; **~stal** theft, robbery; (*jur.*) larceny; *letterkundige* – plagiarism, piracy; *zie* lijf

diegene he, she; **~n** those

Diemensland: *Van* ~ Tasmanja

diemit dimity; **~en** dimity

dienaangaande with respect (reference) to that, as to that; on that head

dienaar servant; (*buiging*) bow; ~ *des Woords*, *zie* bedienaar; *de dienaren der Kroon* the min- isters of the Crown; *uw dienstwillige* (*dienst- vaardige, onderdanige*) ~ *W.* yours faithfully (obediently) W.; *uw* ~ my service to you; *een* ~ *maken*, (*vero.*) make (scrape) a leg

dienares(se) servant; (*fig.*) handmaid [educa- tion, the ... of religion]; (*buiging*) curts(e)y; *een* ~ *maken*, (*hist.*) drop a curts(e)y

dienbak (dinner-)tray, dumb-waiter
dienblad (dinner-)tray, (*kleiner*) salver
diender policeman, constable; (*sl.*) cop(per); *dooie* ~ dull fellow, stick; *zie* stil
dienen I *tr.* serve [God, a master, one's country]; *de mis* ~ serve at mass; *zie* heer; *op deze manier worden uw belangen 't best gediend* your interests will be best served in this way; *God heeft mij geroepen om anderen te* ~ to minister to others; *om u te* ~ at your service! right you are! [Mr. D.?] that's my name; *dat kan u niet* ~ that won't s. your purpose (*of:* turn); *kan ik u met wat vlees* ~? may I help you to some meat?; *waarmee kan ik u* ~? what can I do for you? (*in winkel ook*) what can I show you? can I help you?; *'t geluk diende hem* fortune favoured him, his luck was in; *daarmee kan ik u* ~ it is at your service; *daarmee ben ik niet gediend* that is (of) no use to me; *daarop zal ik hem* ~, *ik zal hem van antwoord* ~ I'll give him a Roland for his Oliver; I'll give him as good as I got; *iem. van raad* ~ advise a p.; *daarvan* (*van uw grappen*) *ben ik niet gediend* none of that for me! (none of your jokes! I don't want your jokes; keep your remarks for those who want them); II *intr.* 1 *a*) serve [as a footman, etc.], be in (domestic) service [*bij* with]; *b*) be in the armed forces, serve [*bij de* ... in the artillery]; *gaan* ~ go (out) to service, go into service; *gaan* ~ *bij*, (*van dienstbode*) take service with; 2 ~ *als* (*tot, voor*) s. as (for); *ter vergelijking diene dat* ... for the sake of comparison it may be pointed out that ...; *dit dient tot kurk* this does duty as (for) a cork; *nergens toe* (*tot niets*) ~ be of no use, s. no useful purpose, be no good; *waartoe zou 't* ~? what's the good (the use) of it?; *waartoe dient deze klep?* what is the purpose of this valve?; *laat hem dat tot waarschuwing* ~ let that be a warning to him; *deze dient om u te berichten* ... this is to inform you ...; 3 (*behoren*): *je dient te gaan* you should (ought to) go; *'t dient te gebeuren* it needs to be done; *zij dient te luisteren*, (*lit.*) it behoves her to listen; *zij* ~ *genoemd te worden* they call for mention; 4 (*van rechtszaak*) come up, be down for hearing; 5 *ijs* (*wind*) *en weder* ~ *de* weather permitting
dienluik serving-, service-hatch
dienovereenkomstig accordingly
dienst service (*ook* = *tak van* ~: consular s., etc.); (*'t* ~ *hebben*) duty [he took ... for me; *zie* ~ hebben, enz.]; (*van dienstbode*) place; (*op brief*) O.H.M.S. (On His [Her] Majesty's Service); *Commissie van Goede D* ~ *en* [U.N.] Commission of Good Offices; ~ *des gebeds* s. of prayer; *de ene* ~ *is de andere waard* one good turn deserves another; *heden geen* ~, (*godsdienstoef.*) no s. to-day; *iem. een* ~ *bewijzen* (*doen*) render (do) a p. a s., do a p. a good turn; *iem. een slechte* ~ *bewijzen* do a p. a bad (an ill) turn (an ill s., a disservice); *hij heeft zijn partij voortreffelijke* ~*en bewezen* he has done his party yeoman s.; *bewezen* ~*en worden spoedig vergeten* eaten bread is soon

forgotten; ~ *doen* function [the driver also ... s as conductor; this railway ... s no longer], do duty [that coat did duty on festive occasions], serve [this one might ... as well]; (~ *hebben*), be on duty; *zijn hoed had veel* ~ *gedaan* had seen s.; *deze jas heeft me veel* ~ *gedaan* has done me long and loyal s.; *'t kan nog wel eens* ~ *doen* it will do again; *de* ~ *doen*, (*van predikant*) officiate; *een* ~ *houden* hold a (religious) service; *dat heeft zijn* ~*en gedaan* it has served its turn; ~ *doen als* serve for (as), do duty for (as) [a sack did duty for curtain]; act as [interpreter]; ~ *hebben* be on duty (on call); *geen* ~ *hebben* be off duty, (*zonder* ~ *zijn*) be out of place (employment); *20 jaar* ~ *hebben* have twenty year's s.; ~ *nemen* enlist (*opnieuw:* re-enlist), take s., join (go into) the army, etc., *fam.:* join up; *de* ~ *opzeggen*, (*de mevrouw of de dienstbode*) give [a p.] notice; *met één maand de* ~ *opzeggen* give a month's warning (*of:* notice); *de* ~ *is haar opgez.* she is under notice (to go); *de* ~ *verlaten* retire; leave the army; (*van officier ook*) be gazetted out (of the army); (*met pensioen*) be pensioned off; *de* ~ *weigeren* (*van pers.*) refuse orders; (*van motor, enz.*) miss, cease working; *zijn benen weigerden hun* ~ refused their office; *een* ~ *zoeken* look out (be on the look-out) for a place; *buiten* ~, (*van pers.*) *a*) off duty; *b*) retired [major, etc.]; (*van lift*) out of use; (*van bus*) private; (*van schip*) laid up; *buiten* ~ *stellen*, (*schip*) scrap, (*tijdelijk:*) lay up, moth-ball [a cruiser]; (*omnibus, enz.*) take out of s.; *door de* ~ *verstrekt* issue [cigarettes]; *in* ~ *gaan*, (*van dienstbode*) go (out) to s., go into s.; (*mil.*) *zie* ~ nemen; *in* ~ *komen* take up one's post (one's appointment), enter upon one's duties; enter a p.'s s. (employment); (*mil.*) enter the s. (the army); *in* ~ *nemen* engage, take [a p.] into one's employ, take [a p.] on; *weer in* ~ *nemen* reinstate [strikers]; *in* ~ *stellen* put into s. (into use), press into s.; (*inz. oorlogsschip*) (put in) commission; *in* ~ *stellen van* press into the s. of, harness [science to creative fancy]; *in* ~ *treden*, *zie* in ~ komen; *in* ~ *zijn*, (*van dienstbode*) be in s.; (*mil.*) *zie* onder ~ zijn; *bij mij in* ~ in my s. (my employ); *in* ~ *van*, *ook:* in the pay of (employed by) [the Government]; *in* ~ *zijnde* (*oorlogs*)*schepen* ships in commission; ... *in en door de* ~ an accident arising out of and in the course of one's employment; *gezant in gewone* (*buitengew., algemene*) ~ ordinary ambassador (amb. extraordinary, amb. at large); *onder* ~ *gaan*, *zie* ~ nemen; *onder* ~ *zijn* be in the army, serve with the colours; *hij was twee jaar onder* ~ he did military service for two years; *onder de* (*kerk*) ~ during the service; *ter* ~*e van handelsscholen* for the use of ...; *de faciliteiten die hun ten* ~*e staan* the facilities (that are) at their s.; *ten* ~*e stellen van* put [one's knowledge, etc.] at the s. of; *'t is tot uw* ~ it is at your s.; *tot uw* ~! don't mention it! (you are) welcome; *tot de heilige* ~ *toegelaten w.* take (be admitted) to holy orders; *uit de ~ gaan, zie* de ~ verlaten; *uit de militaire ~ ontslaan* discharge from the services; *van ~ zijn* be of use; *waarmee kan ik u van ~ zijn? wat is er van uw ~?* what can I do for you?; *kan ik u van ~ zijn?* can I be of any use (of s.) to you?; *wij zullen u gaarne van ~ zijn* we shall be happy to oblige you; *zie* kamerheer; *zonder* ~ out of place (employment); ~**aanbieding** offer of s.; ~**aanvaarding** entrance upon one's duties; ~**auto** official car (vehicle); ~**baar** *a*) in s.; *b*) – *aan* subservient to; – *maken* subjugate [a nation]; – *maken aan* make subservient to; ~**bare stand,** ~**baren** servants, (*min.*) menials; ~**baarheid** servitude, bondage; ~**betoon** service(s) rendered; ~**betrekking** relation between master and servant; (*dienst*) employment, service; ~**bode** (maid-)servant, domestic (servant); *zie* meid & bediende; ~**bodenvertrek** servants' hall; ~**brief** official letter; ~**contract** contract of s.; ~**doend** (*van wacht, beambte, enz.*) on duty; (*aan 't hof*) [lord, etc.] in waiting; (*van geestelijke, ambtenaar*) officiating; (*waarnemend*) acting; ~**doener(ij)** *zie* ~klopper(ij); ~**er(tje)** waitress; ~**geheim** official secret; ~**hebbend** *zie* ~doend; ~**ig** serviceable, of service, useful, expedient; – *voor* conducive (instrumental) to [your welfare]; – *achten* deem useful, think fit; ~**igheid** serviceableness, usefulness; ~**ijver** professional zeal; ~**jaar** year of s.; (*boekjaar*) financial (*of:* fiscal) year; *hij heeft 40 ~jaren, ook:* he has been in office for forty years; ~**jubileum** long-service anniversary; ~**kleding** uniform, livery, service dress; ~**klopper(ij)** stickler (stickling) for regulations and discipline, martinet(ism); *ook:* an over-zealous constable, a fussy official; ~**knecht** (man-)servant; ~**maagd** (maid-)servant, (*bijb.*) handmaid; ~**meid** (maid-)servant; *het werk van een* – menial work; ~**meisje** servant-girl; (*fam., ongev.:* '*hitje*') slavey; ~**neming** enlistment; ~**ontduiker** shirker; ~**opzegging** notice; ~**order** order; ~**paard** (*mil.*) charger; ~**personeel** domestic staff, servants; ~**pet** uniform cap; ~**plicht** National Service, compulsory (military) s., conscription; *algemene* – general conscription; ~**plichtig** liable to (military) s.; *van –e leeftijd* of military age; *–e* National Serviceman, conscript; ~**plichtigheid** liability to (military) s.; ~**regeling** time-table, schedule; ~**reglement** (s.-) regulations; ~**reis** tour of duty; ~**rooster** duty-roster; ~**staat** *zie* staat van dienst; ~**tableau** duty-roster; ~**tak** *zie* ~vak; ~**trap** s.-stairs, s.-staircase; ~**tijd** time (*of:* term) of s.; (*ambtsperiode*) term of office; *ook* = ~uren hours of attendance; ~**vaardig(heid)** obliging(ness), eager(ness) to oblige; *te ... (te grote –)* officious(ness); *zie* dienaar; ~**vak** department, branch of the s.; ~**verband** tenure [his ... expires in May]; ~**verlenende** *bedrijven* service industries; ~**verlening** service; ~**verrichting** odd job firm; ~**vervulling** discharge of one's duties; *bij*

behoorlijke – on approved s.; ~**voorschrift** s.-regulation; ~**voorwaarden** conditions of s.; ~**vrij** exempt from military s.; ~**weigeraar** disobedient (insubordinate) person; (*mil., uit principe*) conscientious objector, (*fam.*) C. O., conchy; (*Am.*) draft resister (evader, dodger); ~**weigering** refusal to obey orders, wilful disobedience; (*mil.*) refusal of (military) s. (of duty); (*uit principe*) conscientious objection; (*te velde*) disobedience in the field; ~**willig(heid)** *zie* ~vaardig(heid) & dienaar; ~**woning** official residence; ~**zaak,** ~**zaken** official business

diensvolgens *zie* dienvolgens

dientafeltje dumb-waiter

dientengevolge therefore, in consequence, as a consequence, as a result

dienvolgens accordingly, consequently

dienwagentje serving-trolley, dinner-waggon

diep I *bn.* deep [water, cupboard, room, forest, insight, sigh, voice, colour, mourning, sleep, sorrow, regret, sympathy, indignation, meaning, cause, mystery, silence], profound [*meest fig.:* darkness, secret, sympathy, interest]; ~*er maken* (*worden*) deepen; ~ *buiging* low bow; ~ *geheim, ook:* close (strict) secret; *z'n ~ste geheimen* one's innermost secrets; ~*e minachting* sovereign contempt; *in ~e gedachten* d. in thought; *in 't ~st van mijn ziel* [I believe] in my deepest soul, in my heart of hearts; *uit 't ~st van mijn hart* [thank you] from the bottom of my heart; II *bw.* deeply [d. moved, breathe d.], profoundly [unhappy, etc.], low [bow l., he had fallen very l.], far [penetrate f. into the wood]; *'t schip ligt zes voet* ~ draws six feet of water; *'t zit niet ~ bij hem* he is rather superficial; ~ *in de schuld* deep(ly) in debt; ~ *in de vijftig* well on in the fifties; *tot ~ in de nacht* (till) far (late, well) into the night; *'t werd ~ geheim geh.* it was kept a close secret; III *zn.* (*vaarwater*) canal; (*diepe plaats, zee*) deep; ~**bedroefd** deeply afflicted, (profoundly) distressed, broken-hearted; ~**denkend** d.-thinking; ~**druk** gravure; ~**en** deepen; ~**gaand** searching [inquiry, questions], profound, thorough [investigation], penetrating [study], deep-lying [difference], radical [changes], [investigation] in depth; ~**gang** draught; *20 voet – hebben* draw twenty feet (of water); *de behoorlijke – geven* bring [a vessel] to normal trim; *met grote (geringe)* – heavy-(shallow-)draught [vessels]; ~**gevoeld** heartfelt [thanks]; ~**geworteld** d.-rooted; ~**lader** low loader; ~**liggend** d.-set [eyes], d.-seated [causes, feelings], d.-lying [characteristics]; ~**lood** sounding-lead, deep-sea lead, plumb-line; ~**stekend** d.-drawing [ship]; ~**te** depth (*ook fig.*); (*zee, enz.*) deep [the creatures of the ...]; *op grote –* at great depth; *uit –n van ellende, uit de –n,* (*Ps. 130*) out of the depths; ~**tebom** depth-charge; ~**telijn** depth-contour; ~**temeter** fathometer; ~**tepsychologie** depth psychology; ~**tepunt** lowest point, low, nadir; ~**teroer** diving-rudder; ~**testructuur**

diep structure; **~vriesgroente** deep-freeze vegetables; **~vrieskast** deep freezer; **~zee-** d.-sea [fishes, etc.]; **~zeeonderzoek** d.-sea research

diepzinnig deep, profound, abstruse, recondite; **~heid** depth, ...ness

dier *zn.* animal, beast, creature; (*redeloos ~*) brute

dierage virago, vixen

dierbaar dear, beloved; cherished [memories]; ~ *maken* endear; **~heid** dearness

diere- animal: **~geluid** a. noise; **~huid** skin of an a., a. skin; **~leven** a. life; **~mest** a.-manure

dieren- animal: **~aanbidder** a.-worshipper; **~ aanbidding** a.-worship; zoolatry; **~arts** veterinary surgeon, (*fam.*) vet; **~bescherming** protection of a...s; *vereniging voor* – (Royal) Society for the Prevention of Cruelty to A...s, (R.)S.P.C.A.; *wet op de* – A...s Protection Act; **~beschrijver**, **-ing** zoographer, -phy; **~beul** tormentor of animals; **~epos** beast-epic; **~fabel** beast-fable; **~geluid** animal noise; **~geografie** zoogeography; **~gevecht** wild-beast fight; **~kenner** zoologist; **~opzetter** taxidermist; **~park** *zie* ~tuin; **~pension** pets' home; **~riem** zodiac; **~rijk** a. kingdom; **~schilder** a.-painter; **~temmer** wild-beast tamer; **~tent** menagerie; **~tuin** zoo, zoological garden(s); **~vriend** a.-lover; **~wereld** a. world; **~winkel** pet-shop

dierevel *zie* dierehuid

diergaarde *zie* dierentuin

dier-: ~geneeskunde veterinary science; **~geografie** zoogeography; **~kunde** zoology; **~kundig** zoological; **~kundige** zoologist; **~lijk** animal [food, heat, magnetism, courage, fear, instinct]; bestial, brutal, brutish [lusts]; *'t ~e in de mens* the animal nature of man; **~lijkheid** bestiality, brutality; **~mens** brute; **~soort(en)** species of animals; **~tje** (*microscopisch*) animalcule

1 dies therefore; *en wat ~ meer zij* and so on, etc.

2 dies *zie* dies natalis

diesel id.; **~motor** d. engine; **~trein** d. electric train

dies natalis *ongev.*: Founder's (Founders') day, (*Oxf.*) Commemoration(-day)

diëtist(e) dietician

diets: *iem. iets ~ maken, zie* wijs 2

Diets (mediaeval) Dutch

dievegge (female) thief

dieven *ww.* thieve, pilfer, (*sl.*) pinch

dieven-: ~bende gang (*of:* pack) of thieves; **D~eilanden** Ladrones, Marianas; **~hol** thieves' den; **~lantaarn** dark lantern, bull's eye; *op het ~pad* out stealing; **~pak** *zie* ~bende; **~sleutel** pass-, master-key; **~streek** thievish trick; **~taal** cant, thieves' Latin, flash (language); **~wagen** prison van; (*fam.*) Black Maria

dieverij theft, robbery, thievery, thieving

differentiaal differential; **~rekening** (differential) calculus

differentieel differential; *-ële rechten* d. (*of:* discriminating) duties

difficiel hard to please, difficile

diffunderen diffuse; **diffuus** diffuse

difterie, difteritis diphtheria

diftong diphthong; **~ering** d.ization

digereren digest; **digestie** digestion

digestief digestive

digestievisite party-call, dinner-call

diggel potsherd; *aan ~en slaan* smash to bits (to fragments, to smithereens)

digitaal digital [clock, computer]

digitaline digitalin; **digitalis** id.

dignitaris dignitary

digressie digression

dij thigh; **~been** thigh-bone, (*wet.*) femur

dijen *a*) swell; *b*) thrive

dijenkletser side-splitting remark, joke, etc.; slapstick comedy

dijharnas cuisses (*mv.*)

dijk dike, dyke (*deze beide soms =* ditch), bank, dam, embankment; *aan de ~ zetten* (give the) sack, send packing, give a p. his marching orders, (*Am.*) walking papers; (*ter bezuiniging, fam.*) axe; **~baas** d.-inspector; **~bestuur** d.-board; **~breuk, ~doorbraak** d.-dam-burst; **~er** dike; *zie* eten; **~geld** d.-rates; **~graaf** d.-reeve; **~meester** d.-master; **~schouw** inspection of dikes; **~wacht** d.-watcher; **~werker** diker, d.-workman; **~wezen** (construction and maintenance of) dikes

dijn thine; *zie* mijn

dijstuk leg (of mutton); (*van harnas*) cuisse

dik I *bn.* thick [book, coat, line, lips, soup, weather]; (*groot*) big [boy, tears]; (*log, moeilijk te hanteren*) bulky [fellow, folio]; weighty, hefty [tome *boekdeel*]; (*dicht*) thick [hair, fog], dense [fog]; (*van pers., ook van boek, enz.*) fat [woman, volume], (*zwaarlijvig*) stout; (*mollig*) plump [girl, cheeks], chubby [child]; (*kort en ~*) podgy; (*opgezet*) swollen [cheeks, eyes]; (*geklonterd*) curdled [milk], clotted [cream]; *3 duim ~, ook:* ... in thickness; *in een rij van 3 ~* three deep; *een ~ke 40* forty odd, [he is] forty something; *een ~ke 5 gulden* five guilders odd; *een ~ke 10 mijlen* a good ten miles; **~ke** *buik* paunch, big belly, pot-belly, (*fam.*) corporation; **~ke** *huid* t. skin (*ook fig.*); **~ke** *letter*, *zie* vet; **~** *uur* good hour; **~ke** *vrienden* great (close, fast, firm) friends; *'t zijn ~ke vrienden* they are very t. (as t. as thieves), hand in (and) glove; *zie* darm, room, woord, enz.; *zich ~ maken* get excited (about), make heavy weather (of); *maak je niet ~,* (*sl.*) keep your hair (*of:* wool, shirt) on; **~** worden grow fat, put on flesh, fill out; (*van mist*) thicken; **II** *bw.* thickly, densely; *hij zit er ~ in* he has money to burn; *hij zit ~ in de schulden* is over head and ears in debt; *hij heeft er ~ aan verdiend* he has made a big profit on it; *alles was ~ in orde* everything was shipshape; *'t er ~ op leggen* lay it on t. (*of:* with a trowel), pile it on; overstate [a case]; *er ~ op liggen* be laid on t.; *'t ligt er ~ op* it's quite obvious, it leaps to the eye; **III** *zn.* thick [of the arm, etc.], grounds [of coffee]; *door ~ en dun* *gaan* go through t. and thin; *door ~ en dun met iem. meegaan* go with (stand by) a p. through t. and thin, go all lengths with a p.; *door ~ en dun meegaand* t.-and-thin, out-and-out [supporter]; ~**achtig** thickish; ~**bek** hawfinch; ~**bloedig** t.-blooded; ~**buik** pot-belly; (*als schn.*) fat-guts; ~**buikig** big-, pot-bellied, corpulent; ~**doener** swanker; –**ig** pompous; ~**hoofdig** t.-headed; ~**huid** pachyderm; ~**huidig** (*ook fig.*) t.-skinned, pachydermatous; – *dier, ook:* pachyderm; ~**ke-darmontsteking** colitis; ~**kerd** *zie* ~zak; ~**kop** t.-skull; (*vlinder*) skipper; (*kikkervisje*) tadpole; ~**lippig** t.-, blubber-lipped; ~**neuzig** t.-nosed; ~**schalig** t.-shelled; ~**schedelig** t.-skulled; ~**snavelig** t.-billed; ~**te** thickness, etc.; (*van plaatijzer, glas, enz.*) gauge; *een* – a swelling, lump; *twee –n*, (*van stof*) two thicknesses; ~**tongig** t.-tongued; ~**wangig** chubby-cheeked; ~**werf**, ~**wijls** often, frequently; *we ontmoetten elkaar –, ook:* we saw a lot of one another; *zie* vaak; ~**zak** big fellow, (*fam.*) fatty (*vooral als aanspr.*); (*volkst.*) fats, fat-chops, -guts; *korte (kleine)* – podge, humpty-dumpty, roly-poly

dilemma id. [be in an awkward d.]; *iem. voor een ~ stellen* place a p. in a d., on (*of:* between) the horns of a d.

dilettant(e) dilettante (*mv.:* dilettanti), amateur; ~**achtig** dilettantish, amateurish; ~**en-toneel** amateur theatricals; ~**isme** dilettantism, amateurishness

diligence (stage-)coach; *dagen van de ~* coaching days (*of:* period)

diligent active, vigilant

dille (*plant*) dill

diluviaal diluvial; **diluvium** id.

dimlicht dipped headlights

dimmen dip [the headlights]

dimschakelaar dipswitch

Dina Dinah

diner dinner, dinner party; *officieel ~* public d., (official) banquet; *iem. een ~ aanbieden* entertain a p. at d., dine a p.

dineren dine; *~ met soep, een schapebout, enz.* d. on soup, off a leg of mutton, etc.; *zie* eten

ding thing, (*fam.*) affair [this wooden ..., a huge ..., her handbag was an expensive ...]; (*dingsigheidje*) gadget, contraption; (*meisje*) thing [poor ..., stupid ...]; *aardig ~* nice little thing; *dat is een goed ~* that's a good t.; '*t is een heel ~* it's no easy matter, it's a job [to understand him]; '*t is me een ~*, (*gekke geschiedenis, enz.*) it's a pretty business!; *ik zou een mooi (lief) ~ geven om ...* I would give my ears (my right hand) to ...; *ik heb eens over de ~en nagedacht* I've been thinking things over; *zie* drie

dingen haggle, higgle, bargain, chaffer; *~ naar* compete for [a post, prize, etc.], stand for [an office, a scholarship *beurs*], sue for [the hand of ...], bid for [a larger share of ...]

Dinges: *Meneer ~* Mr. So-and-So, Mr. What's his name

dingetje little thing; *zie* ding

dingsigheidje gadget, trifle

dinosaurus dinosaur

dinotherium dinothere

dinsdag Tuesday; *bw.* ~s on T ... s, (*Am.*)T ... s; *bn.* T

diocees diocese; **diocesaan** *bn. & zn.* diocesan diocese id.

Diocletianus Diocletian; **diode** id.

dionysisch Dionysian

Dionysius id.; **Dionysus** id.

diopter (*kijkspleet*) aperture; **-trica, -triek** dioptrics; **-trie** diopter; **-trisch** dioptric

diorama diorama; **Dioscuren** Dioscuri

diploma certificate (of qualification); (*getuigschrift*) diploma; (*van lidmaatschap*) member's ticket, membership card; *een ~ verwerven als ...* qualify as [a stenographer]; *zonder ~(s)* unqualified, uncertified

diplomaat diplomat(ist); **diplomatenkoffertje** attaché case; **diplomatie** diplomacy, diplomatics, [be in the] diplomatic service; **diplomatiek, -tisch** diplomatic (*bw.:* -ally); *langs ~e weg* by d. procedure, through d. channels

diplomeren certificate; *zie* gediplomeerd

dipool dipole

dipsaus dip

direct *bn.* direct [taxes, evidence, communication]; *~e levering* prompt delivery; *~e uitzending* live broadcast, direct transmission; *rechtse ~e*, (*sp.*) straight right; *bw.* directly, at once, right away; (*rechtstreeks*) direct [from the manufacturer]; *niet ~ ...* not exactly [tactful]; *zie* dadelijk

directeur (*van fabriek, zaak, bank, schouwb., enz.*) manager; (*toneel-, opera-, enz., proefstation*) director; (*maatschappij*) managing director; (*postkant.*) postmaster; (*gevangenis, Eng. Bank*) governor; (*school*) headmaster, principal; (*ziekenh., dierentuin, begraafpl.*) superintendent; (*museum, bibliotheek*) director, curator; *zie* dirigent; ~~**generaal** director-general, general m., general managing director; (*van Ministerie ongev.:*) (Permanent) Under-Secretary of State; ~**staak** managerial duties

directie management (*abstr. & concr.*), board (of directors), directorate, managing (governing) board; ~**keet** site hut; **Directoire** Directory; *d~* knickers, pants; **directoraat** directorate; **directrice** directress, directrix; (*van zaak*) manageress; (*school*) headmistress, (lady-) principal; (*ziekenh.*) matron(-in-chief), superintendent; (*directeur's*) baton; **dirigent** conductor, choirmaster; **dirigeren** direct; (*orkest*) conduct; *~d officier van gezondh.* 1ste (2de, 3de) klas surgeon colonel (lieutenant colonel, major); **dirigisme** id., state (economic) planning; **dirigistisch** dirigiste [approach, etc.]

Dirk Derrick, Derek, Thierry [I, Count of Holland]

dirkjespeer yellow diamond pear

1 dis (*muz.*) D sharp

2 dis table, board; *'s Heren ~* the Lord's table

disagio discount; *10 %* ~ *doen* be at a discount of 10 %

discant descant, treble

discipel disciple (*ook scherts.* = pupil)

disciplinair disciplinary; ~ *straffen* take d. action against; **discipline** id.; *commissie van* ~ disciplinary board (*of:* committee)

disciplineren discipline, regiment

disco-: ~**bar** discotheque; ~**grafie** discography

disconteerbaar discountable

disconteren discount; **-ingsbank** (*bij huurkoop*) finance company

disconto (rate of) discount; (*bank-*) bank-rate; *particulier* ~ market d.; *in* ~ *nemen* discount, take up; ~**bank** d.-bank; ~**politiek** d.-policy; ~**voet** rate of d.

discotheek record library

discours conversation

discreet (*bescheiden*) modest; (*kies*) considerate, delicate; (*geheimhoudend*) discreet

discrepantie discrepancy

discretie modesty; considerateness; discretion (*vgl.* discreet); ~ *verzekerd* privacy guaranteed

disculperen exculpate; *zich* ~ justify (vindicate) o.s.

discus discus, disc, disk

discussie discussion, debate [*over* on], argument; *hiermede sluiten wij de* ~ this d. must now close, this correspondence is now closed; *zonder* ~ [the bill passed through the House] undiscussed; *zie* debat & punt; ~**nota**, ~**stuk** *ongev.* working paper

discussiëren discuss

discuswerper discus-thrower, discobolus

discutabel open to question, debatable

discuteren discuss, argue; *over een zaak* ~ d. a subject; ~ *met iem.* argue with a p.

disgenoot fellow-guest; *de disgenoten* those at table, the guests

disharmonie disharmony, discord

diskrediet discredit; *in* ~ *brengen* discredit [*bij* with], bring into d. (disrepute), bring d. on, disparage; *in* ~ discredited, under a cloud; *in* ~ *geraken* become (get) discredited, fall into discredit [*bij* with]

diskwalificatie disqualification

diskwalificeren disqualify

dispache average statement (adjustment); *de* ~ *opmaken* state (adjust) the average

dispacheur average-adjuster, -stater

disparaat dissimilar

dispensatie dispensation

dispenseren: ~ *van* dispense (exempt) from

displezier annoyance, vexation

disponeren: ~ *over* collect [an amount]; ~ *op* ... *voor* value (draw) on [a p.] for [an amount]; *zie verder* beschikken & gedisponeerd

disponibel available, at command, at one's disposal

dispositie disposition, disposal; (*geldopneming*) withdrawal; *zie* beschikking; ~**kosten** collecting-charges

disputatie *zie* dispuut a)

disputeren dispute, argue; *over dat punt valt te*

~ the point is arguable

dispuut a) dispute, disputation, argument, (*fam.*) spar; b) = ~**college** debating-club

dissel pole; (*bijl*) adze; ~**boom** pole; (*lamoen*) (pair of) shafts; ~**en** adze; ~**haak** p.-hook; ~**paard** p.-horse; ~**pin** pole-pin, pole-bolt

dissenter id., nonconformist

dissertatie thesis (for a doctorate) (*mv.:* theses); (*verhandeling*) dissertation; *zie* proefschrift

dissident id.

dissonant discord; (*fig.*) jarring (discordant) note; **dissoneren** jar (*ook fig.*)

distaal distal

distantie distance; *zie* afstand; ~**vracht** ratable freight

distantiëren: *zich* ~ *van* dis(as)sociate o.s. (distance o.s.) from [an action, an opinion]; keep aloof from [one's inferiors]

distel thistle; ~**achtig**, ~**ig** thistly; ~**pluis** thistle-down; ~**vink** goldfinch; ~**vlinder** painted lady

distichon distich

distillateur, **-atie** distiller, -ation

distilleer: ~**derij** distillery; ~**ketel** still; ~**kolf** receiver [of a still]; ~**toestel** still

distilleren distil

distinctie distinction, (*fam.*) [have] class

distinctief badge, mark

distractie distraction, absent-mindedness

distrait(e) id., absent-minded

distribueren distribute; ration [food]; (*radio*) rediffuse, relay [radio programmes]

distributie distribution; [food] rationing; (*radio*) rediffusion, radio relay; ~**bedrijven** distributive trades; ~**kaart** ration-card; ~**kantoor** food office; ~**stelsel** rationing system

district id.; *zie ook* kiesdistrict; ~**enstelsel** constituency voting system; ~**shoofd** cnief of a d.

dit this; ~ *werk*, (*in recensie*) the present work; ~ *zijn mijn boeken* these are ...; ~ *en dat* [talk of] t. and that; *bij* ~ *en dat* [swear] by all that is holy; *allerlei* ~**jes** *en datjes* all sorts of things (remarks, excuses); *over* ~*jes en datjes praten* talk about one thing and another; ~**maal** this time; *zie* keer (*deze* ...)

dithyrambe, **-isch** dithyramb, -ic

dito ditto, do.; (*sl.*) same here!

divan (*raad*) id.; (*rustbank*) id., ottoman, couch; ~**bed** divan-bed; ~**kleed** sofa-rug

divergeren diverge

divers various; ~**en** sundries

dividend id.; *met* (*zonder*) ~ cum (ex) div.; '*t* ~ *passeren* pass the (a, its) d., pay no d.; *zie* voorstellen, enz.; ~**bewijs** d.-coupon; ~**mandaat** d.-warrant; ~**stop** d. limitation

divisie division; (*typ.*) en-rule, dash; ~**commandant** divisional commander

Djakarta Jakarta

djatiboom, **-hout** teak(-tree, -wood)

d.m.v. = *door middel van* by means of

do (*muz.*) do, doh; **do.** do., ditto

dobbe pool

dobbel: ~**aar** dicer, gambler; ~**arij** dicing, gambling; ~**beker** dice-box; ~**en** (play) dice, gamble; *laten we erom* – let us throw for it; ~**koorts** gaming-fever; ~**kroes** dice-box; ~**spel** game at (of) dice, dice-playing, gambling; ~**steen** dice (*mv.:* dice), (*sl., mv.*) ivories; (*fig.*) cube [... s of bread], (*in mv.*) dice [cut bread into dice]; *tot* ~*stenen snijden, ook:* dice [carrots]; ~**zucht** gaming-fever

dobber (*van hengel*) float; (*boei*) buoy; *een harde* ~ *hebben* be hard put to it; ~**en** bob (up and down), dance, drift about; *op zee* – toss on the seas; (*fig.*) fluctuate; *zie* schommelen; *tussen hoop en vrees* – hover between hope and fear

docent teacher, master, university lecturer; *deze leraar is een goed* ~ this master is a good teacher; ~**enkamer** masters' room, common room, staff room; **doceren** teach

doch but, yet, still

1 docht *o.v.t. van* dunken

2 docht thwart, (rowing-)bench

dochter daughter; subsidiary (company); *jonge* ~, *zie* jongedochter; ~**huis** d.-nouse; ~**kompas** repeater compass; ~**maatschappij** subsidiary (*of:* d.-)company; ~**tje** little (small) d., baby d.

doctor doctor; ~ *in de lett.* D. Litt. [di:'lit], Ph. D. ['pi:eit∫'di:]; (*med.*) D. of Medicine, M.D.; (*recht.*) D. of Laws, LL.D.; (*theol.*) D. of Divinity, D.D.; *zie* dokter; ~**aal** *bn.* doctoral; *zn.* examination for the 'drs.' degree; ~**aat** doctorate, d.'s degree; ~**andus** candidate for a d.'s degree; (*ongev.*) M.A. *enz.;* ~**eren** *zie* promoveren; ~**es** (woman-, lady-)d., (*zeld.*) doct(o)ress; ~**sgraad** d.'s degree, (*fam.*) doctor (get one's d.)

doctrinair doctrinaire, doctrinarian

document id.; ~*en tegen accept* (*betaling*) documents against acceptance (payment); *officiële* ~*en*, (*ook*) official records; ~**aire** *wissel* document(ary) draft; – *film* documentary film; ~**alist** id.; ~**atie** *zie* ~ering; ~**eren** document; ~**ering** documentation

dodaars little grebe, dabchick

doddegras timothy(-grass)

dodd(er)ig *a*) *zie* soezerig; *b*) *zie* snoezig

dode dead man (woman); *de* ~, *ook:* (the) deceased; *de* ~*n* the dead; *van de* ~*n niets dan goed* nothing but good should be said of the dead; *1500* (*aan*) ~*n en gewonden* 1500 (in) killed (*of:* dead) and wounded; '*t aantal* ~*en en gewonden* the number of casualties; *er waren geen* ~*n*, (*bij ongeluk*) there was no loss of life; *zie* rusten

Dodecanesos, -sus Dodecanese Islands, the Dodecanese

dode: ~**kop** colcothar; ~**lijk I** *bn.* mortal [fear, agony, wound], deadly [blow, poison, weapon], fatal [accident, injury, disease], killing [disease], death-dealing [weapon], lethal [dose, weapon]; *ongeluk met* ~*e afloop* [road, motoring, traffic] fatality; **II** *bw.* mortally, fatally [wounded, injured]; – *verschrikt* frightened to death; – *verliefd* desperately in love; – *verliefd op*, (*sl.*) gone on; – *vervelend* deadly dull; *zie* vervelen

dodemanskruk (*in elektr. trein*) dead man's handle

doden kill (*ook fig.*); (*verheven*) slay; (*fig.*) mortify [the flesh]; *de tijd* ~ kill (the) time

doden: ~**akker** God's-acre, graveyard; ~**boek** Book of the Dead; ~**cijfer** death-roll; ~**dans** dance of death, danse macabre; ~**herdenking** commemoration of the dead; ~**huis** ossuary; ~**lijst** death-roll; ~**mars** dead march, funeral march; ~**masker** death-mask; ~**rijk** realm of the dead

doder killer

doding killing; mortification [of the flesh]

dodo (*uitgestorven vogel*) id.

doedel *zie* ~zak; ~**en** *a*) play the bagpipe, skirl; *b*) tootle; '*t* –, *a*) skirl; *b*) tootle; ~**zak** bagpipe, (bag)pipes; *met* –*muziek begeleiden* pipe [a newly married couple]

doe-het-zelf, -ver do-it-yourself, -er

doek 1 (*het* ~) cloth, linen; (*schilders-, schilderij*) canvas; (*zeil, zeilen*) sail(s), canvas; (*theat.*) curtain (*zie* gordijn); (*film*) screen (= '*t witte* ~); *op* '*t* ~ *brengen* place on (commit to) canvas, paint; **2** (*keuken-, enz.*) cloth; (*omslag-*) shawl, wrap; (*luier*) napkin; *zie ook* hals~, vlagge~, enz.; *zo wit als een* ~ as white as a sheet; *hij had zijn arm in een* ~ he wore his arm in a sling; *uit de* ~*en doen* explain, reveal, disclose; ~**je** cloth, etc.; rag [on one's finger]; *zie* ~; *open* – applause during performance; *een* – *voor* '*t bloeden* a mere blind, mere eyewash; *er geen* –*s om winden* not mince matters, speak out, speak in plain terms, put it baldly, make it clear (that ...); *om er maar geen* –*s om te winden* not to put too fine a point upon it; *zonder er* –*s om te winden, ook:* [she said so] bluntly; ~**boom** cloth-beam; ~**speld** brooch

doel (*mikpunt, ook fig.*) target, butt; (*eindpunt, sp.*) goal; (*oogmerk*) aim, object, end (in view), purpose, goal, target, design; objective; *wat is het* ~ *van uw reis?* what is your destination? '*t enige* ~, *ook:* the be-all and end-all [of life]; '*t* ~ *heiligt de middelen* the end justifies the means; '*t is voor een goed* ~ for (in) a good cause; *een* ~ *beogen* (*najagen*) have an object (an end) in view, pursue an object; *zijn* ~ *bereiken* attain (gain, secure, achieve) one's end (object); *zijn* ~ *missen*, (*ook fig.*) miss one's mark (one's aim) [the remark failed of its purpose]; *zijn woorden misten hun* ~ *niet* went home; *zich een* ~ *stellen* set a goal for o.s.; *het* ~ *treffen* hit the mark; *zijn* ~ *voorbijstreven* overshoot one's mark, defeat one's own object (*of:* end); *wie het* ~ *wil, moet de middelen willen* you cannot make an omelette without breaking eggs; *zie ook* middel; *met (tot) dat* ~ for that purpose, to that end, with that object; *met* '*t* ~ *om* ... with a view to (with the aim of, for the purpose of) ...ing; *zie* oog; *recht op het* ~ *afgaan* go (come) straight to the point; *zich ten* ~ *stellen te* ... make it one's object to ..., set out to ...; *dat had hij zich ten* ~ *gesteld* this task he had set himself; *deze vereniging heeft tot* ~ ... the object of this society is ...; *voor dat ~*, *zie* met dat ~, *zie ook* bedoeling; ~**aanwijzende** *bijzin* final clause; ~**aanwijzer** (*luchtv.*) target indicator; ~**bewust** purposeful, purposive; ~**bewustheid** purpose, singleness (fixity) of purpose; ~**einde** end [for better ...s], purpose; ~**en** I *ww.*: – *op* aim at; (*fig. ook*) allude to; *dat ~t op mij* that is a hit at me; *waar ik op doel, is* ... what I am driving at is ... II *zn.* shooting-range, butts; ~**gericht** (*psych.*) goal-directed; ~**heid** purposiveness; ~**lat** cross-bar; ~**lijn** goal-line

doelloos aimless, purposeless; (*nutteloos*) useless, pointless; ~ *voortleven*, *ook:* drift on; '*t doelloze van* ..., *zie* ~**heid** ... ness

doelman (*sp.*) goal-keeper, (*fam.*) goalie

doelmatig fit for the purpose, appropriate, suitable, answering its purpose, practical; (*van gebouw, ook*) functional; ~**heid** ... ness, suitability

doel: ~**mond** goal-mouth; ~**paal** g.-post; ~**punt** goal; ~**punten** make (*of:* score) a g.; ~**schop**, ~**trap** g.-kick

doelstelling objective, aim [war ...s], goals [of education]

doeltreffend effective [help], efficient, efficacious, to the purpose; '*t ~e van* ... the effectiveness (efficacy, efficiency) of ...

doelverdediger, -wachter *zie* doelman

doelwit *zie* doel

doelzuivering (*sp.*) clearance (kick)

doem: ~**en** doom [...ed to failure, etc.]; *ten vure* – condemn to the flames; *ten ondergang ged.* [our civilization is] doomed; *reeds van te voren ged. tot mislukking* foredoomed to failure; *hij was ged. nooit voet aan land te zetten* he was fated never to set foot on land; ~**(ens)waard(ig)** condemnable, damnable; ~**vonnis** doom, sentence of condemnation

doen I *ww.* 1 do [a p. a service, eight miles in one minute, one's hair, etc.], make [a discovery, request, journey], take [a step, walk], put [it in your pocket], ask [a question]; *dat doet men* (*eenvoudig*) *niet* it (simply) isn't done; *een kamer ~* do (turn out, do out) a room; *zij doet* (*met hem*) *wat ze wil* she has it all her own way (with him); *zie ook* 9; *ik heb niets gedaan* (*ook: geen kwaad*) I have done nothing; *hij kan mij niets ~* he can do nothing to me; *hij heeft je nooit iets gedaan* he has never done you any harm; *het* (*schilderij*) *doet me niets* it does not appeal to me; '*t doet je wat* it does things (something) to you, it gets you, somehow; *wat heb je hem gedaan?* what have you been doing to him?; *zie ook* gedaan; *wat moet ik ~* (= *beginnen*)? what is to be done? what am I to do?; *wat zullen we ~* (= *uitvoeren*)? what shall we do with ourselves?; *wat ~ we nu?* (= *zullen, moeten we ~*) what do we do now?, where do we go from here?; *hij weet niet, wat hij doet* he does not know what he's about; *ze wist* (*van angst, enz.*) ... she hardly knew what she did; *hij weet* (*van verveling*) *niet wat hij ~ zal* he does not

know what to do with himself; *hij wist wel wat hij deed* he knew what he was about; *doe maar wat je niet laten kunt* suit yourself; *wat doet hij* (*voor de kost*) (*wat is zijn vak*)? what does he do for a living? what is his business (profession)?; *wat doet* (= *moet*) *dat boek hier?* what is that book doing here?; *je hebt het beloofd, maar nu ook ~!*, ... but be sure you do it now!; *zie* boodschap, goed 2, enz.; *zie ook* 9; 2 (*met het:*) '*t om 't geld ~* do it for the money; *hij kan 't goed ~* he is comfortably off; *hij kan 't* (*financieel*) *niet ~* he cannot afford it; *dat doet 't hem* that's the reason, that's why; '*t geld doet 't hem niet alleen* money is not everything; *hij deed* (= *lapte*) '*t* he managed it, (*fam.*) he (*van machine, enz.* it) did the trick; *de koffiemolen doet 't niet meer* won't work any more; *wat doet 't buiten?* what sort of weather is it? what's the weather doing? what's it like outside?; *ik kan 't er niet zonder ~* I cannot do without (it); *daar kan ik 't mee ~* that will do; *daar kun je 't mee ~*, (*iron.*) put that in your pipe and smoke it; *hij kan het me ~* he can go to blazes; *hij doet 't erom* he does it on purpose; *ik doe 't* (*lekker*) *toch niet*, (*van kind*) shan't; *zie ook* 4; 3 (*bergen, steken, enz.:*) put [it in your pocket]; stick [a stamp on the envelope]; *doe 't weer in de fles* return it to the bottle; 4 (*met te:*) *ik heb veel te ~* I have a good deal to do (on my hands); *heb je veel te ~?* are you very busy?; *de jongen geeft me heel wat te ~* gives me a lot of trouble; *ik geef het je te ~* sooner you than me, it's a pretty daunting task; *het is niet te ~* it's an impossible job; *een dagje naar A'dam is nog wel eens te ~* is not too expensive; *wat is daar te ~?* what is up (what is going on) there?; *om iets te ~ te hebben* [study French] for something to do; *niets te ~ h.* be at a loose end; *er is niets te ~*, (*in zaken*) there is nothing doing; *er is niets aan te ~* there is no help for it, it can't be helped, nothing can be done about it; *hij had 't er erg mee te ~* he was extremely concerned over it; *om mee te ~ te h.* [a difficult man] to deal with; *ik heb met je te ~* I am sorry (very grieved) for you (*zo ook:* he was extremely sorry for himself); *ik wil niets met hem te ~ h.* I will have nothing to do with him, I'll have no truck with him; *anders krijg je met mij te ~* or you'll have to deal with me; '*t is mij te ~ om te* ... my object is to ...; '*tis hem alleen om 't geld te ~* he only does it for the money; '*t is mij om mijn geld te ~* it's my money I want; *is 't je daarom te ~?* is that your little game?; *daarom is 't je te ~* that's what you're up to; '*t is maar om honderd gulden* (*één week*) *te ~* it's a matter of a hundred guilders (one week) only; *daarom is 't niet te ~*, (*dat is niet de zaak*) that is not the question (the point); *zie* staan; 5 (*ter vervanging van een ww.:*) *hij werkt korter, dan jij ooit gedaan hebt* than you have ever done; *ik zal eerst ontbijten; — dat zou ik niet ~* I wouldn't; *zal ik 't hem zeggen, of wil jij 't ~?* or will you?; 6 (*met onbep.*

wijs:) make [a p. laugh, believe s.t.], set [a p. thinking], lead [a p. to believe]; *zie* gelden, weten, enz.; 7 (*met er:*) *dat doet er niet(s) toe* that does not matter (does not make the slightest difference); (*dat heeft er niets mee te maken*) that is neither here nor there; *'t geld doet er niet toe* money does not count; *zie ook* 4; 8 (*kosten:*) *wat doet de boter vandaag?* what is the price of butter today?; *wat doet dit huis* (*deze kamer?*) what is the rent of this house? (how much is this room?); *het doet ... per jaar* it is £80 a year; *deze* (*peren, enz.*) ~ ... these are 3p.; 9 (*met voorzetsels, enz.:*) ~ **aan** go in for [sport, spiritualism, Santa Claus, etc.], indulge in [sunbathing]; *wat aan 't Latijn* ~ put some time in on Latin; *er meer aan* ~ give more time to it; *ik doe niet meer aan* ... I am off dancing (off that game); *aan de politiek gaan* ~ take to (engage in) politics; *aan Engels gaan* ~ go in for (take up) English; *hij is katholiek, maar hij doet er niet meer aan* he is a Roman Catholic, but he has left off practising; *hij doet er niet veel aan,* (*aan godsd., fam.*) he does not do much about it; *hij deed aan 't verzamelen van* ... he was something of a collector of china; *je wilt er dus niets aan* ~? so you refuse to do anything in the matter?; *je* (*men*) *moet er iets aan* ~ you must do s.t.; ~ (s.t. ought to be done) about it; *iets aan zijn fiets* ~ do something to one's bicycle; *wat kan ik eraan* ~? what can I do? how am I to help it?; *er is niets aan te* ~ it can't be helped; *ik kon er niets aan* ~ (= *moest wel*), I could not help myself (help it); *daar kan ik niets aan* ~ I can't help it; *zie ook* helpen; *hij gaat niet, als ik er iets aan kan* ~ if I can help (prevent) it; ~ **alsof** make as if (as though) [he made as if he wanted to ...], pretend (feign, affect) to [cry; she either did not see him, or affected not to], make a pretence (a show) of [reading], make believe [to read]; *hij deed alsof hij wou gaan* he made as if (as though) to leave; *doe alsof je thuis bent* make yourself at home; *hij doet alsof hij gek is* he acts dumb, (*houdt zich gek*) he is shamming mad; *doe net* (*als*)*of ik er niet ben* don't take any notice of me, don't worry about me; *je deed beter dadelijk te gaan* you had better go at once; *zie* beter; *erbij* ~ add; *hoe kunnen ze het ervoor* ~? how can they do it at that price?; *ik doe het ervoor* I'll be glad to do it on those conditions; **goed** ~, *zie* goed 2; ~ **in** deal in [coffee, etc.]; *doet u ook in sigaren?* *ook:* do you keep (*of:* stock) cigars?; *hij doet in zeep* (*olie, enz.*), *ook:* he is in the soap (oil, etc.) line; *je doet maar* please yourself, do as you please; *zie ook* 1; *hij doet maar zo* he is only shamming (making believe, pretending), it is only make-believe on his part; *daar kan hij 't mee* ~ that is one (a smack) in the eye for him; *wat doet ze met haar tijd?* what does she do with her time?; *ze kan met hem* ~ *wat ze wil* she has him (he is) in her pocket, she holds him in the hollow of her hand; *met een gulden*

kan men niet veel ~ a guilder does not go far; *ik moet 't met mijn jas nog een jaartje* ~ my coat will have to last for another year; *ik moet lang met mijn goed* ~ I have to make my things last; *hoe lang doe je met een bus cacao?* how far does a tin of cocoa go?; *wat heb je met mijn auto gedaan?* what have you done (*kapot:*) to, (*zoek:*) with my car?; *zie ook* 4 & gedaan; ~ **om**, *zie* 4; *een jongen op 't schoenmaken* ~ apprentice a boy to a shoemaker; *zie* school; *hoe lang heb je er over gedaan?* how long has it taken you?; **vreemd** ~ behave oddly; *doe wel en zie niet om* do right without expecting thanks; ~ **zonder**, *zie* 2, *zie ook* lief, verstandig, enz.; II *zn.* doing(s); *ons* ~ *en laten* (all) our doings (actions); *er is geen* ~ *aan* it's no go; *zijn gewone* ~ his usual way of life; *hij is niet in* (*is uit*) *zijn gewone* ~ he is not himself; *iem. uit zijn gewone* ~ *brengen* put a p. out (*of:* about), upset a p.; *'t is 't oude* ~ it's the old story; *in goeden* ~ well-to-do, well (comfortably) off, in a good position; *in slechten* ~ badly off; (*fam.*) out at elbows; *voor zijn* ~ [he spoke very well], for him; *zij was erg opgewonden voor haar* ~ she was, for her, very excited

doende doing; *al* ~ *leert men* practice makes perfect, live and learn; *zie* bezig

doeniet do-nothing, idler

doenlijk practicable, feasible, doable

doenlijkheid practicability, feasibility

doerak scamp, skunk, beast

doerian (*Ind.*) durian; **does** poodle

doetje silly (woman), softy, simpleton

doezel 1 = ~aar; 2 doze, drowse; **~aar** stump; **~en** 1 stump; 2 doze, drowse; **~ig** *a*) (*vaag*) fuzzy, blurred; *b*) drowsy, dozy

dof I *bn.* dull [colour, metal, sound]; lack-lustre, dim [eye]; dead [surface, gold, copper]; (*lusteloos*) dull; dumb [misery, despair]; *~fe slag* d. thud; *~grijs* d. grey; ~ *worden* (*maken*) tarnish, dull; II *zn.* 1 (*bons*) thud; (*duw*) push; 2 (*van japon, enz.*) puff; **~fen** 1 push; 2 puff

doffer cock-pigeon

dofheid dullness, dimness, lack of lustre

doft thwart, (rowing-)bench

dofwit dull white, dead white

dog mastiff, bulldog

doge doge; **~schap** dogate

dogger *a*) cod-fisher; *b*) = **~boot** dogger

Doggersbank Dogger Bank

dogkar dogcart

dogma id.; **~ticus** dogmatist; **~tiek** dogmatics; **~tisch** dogmatic (*bw.:* -ally); **~tiseren** dogmatize; **~tisme** dogmatism

dok dock; *drijvend* ~ floating dock; (*muz.*) jack

doka dark-room

dok: ~gelden dock-dues, dockage; **~ken** *a*) dock, put in(to) d., dry-dock; *b*) fork out [a pound]; *zie* opdokken; **~meester** d.-master

doksaal rood-loft, rood-screen

dokter doctor, physician, medical man (adviser); (*fam.*) medico; *zie* huisarts; *onder*

dokteren -   184

~s handen in the doctor's hands, under
the d., under medical treatment (niet
langer ..., ook: out of the d.'s hands);
zijn eigen ~ zijn, ook: doctor o.s.; zie consulteren; ~en (van dokter) doctor, practise
(as a d.); (van patiënt) be under the d.; – aan,
(fig.) doctor, tinker at, patch up; ~es zie doc-
tores; ~sattest d.'s (of: medical) certificate; ~s-
gang: mijn gang is geen – it's quite easy for me
to call again; ~sjas white overall; ~srekening
d.'s bill; ~sverklaring zie ~sattest
dokwerker dock-labourer, docker
1 dol zn. thole(-pin)
2 dol[1] (gek) mad; (woedend) frantic, wild, mad;
rabid [hate, hunger]; (dwaas) zie dolzinnig;
(van kompas) whirling; (van schroef) stripped
(drunken) [the screw does not bite]; ~ van
woede (vreugde) m. with rage (joy); ~ van opwinding agog with excitement; ~le drift frenzy;
~le hond m. dog; ~le inval m. scheme; ~le
klucht roaring farce; ~le pret rollicking fun;
~le streek m. trick, monkey-trick; ~ verliefd
over head and ears (frantically) in love, infatuated, (fam.) dead gone [op with]; ~ op
iem. zijn be m. on (of: about) a p., be crazy
about a p., dote on a p.; ~ op iets zijn be very
fond of s.t., be m. (of: keen) on s.t., adore
[cats, plays]; overdreven ~ op muziek (dansen)
music-(dancing-)mad; wat zijn ze er ~ op!
how they love it!; 't is ~ druk geweest life has
been one mad rush; ~ gelukkig deliriously
happy; zich ~ amuseren have great fun; door
't ~le heen zijn be delirious [with joy, etc.];
door 't ~le heen redeneren lose all sense of
proportion; ~ maken drive m.; ~ worden run
m.; ~ worden op go mad on [polo]; het is om
~ te worden it's enough to drive you m.
dolappel thorn-apple
dolblij overjoyed, as pleased as Punch
dolboord gunwale, gunnel
doldraaien strip [a screw]; (fig.) iem. ~ drive
a p. crazy
doldriest foolhardy, reckless, dare-devil [horse-
man]; ~e kerel dare-devil; ~heid foolhardiness, recklessness
doldriftig a) hot-headed; b) furious; ~heid a)
hot-headedness; b) fury, frenzy
dolen wander (about), roam, rove, ramble;
gaan ~ go for a ramble; ~de ridder knight
errant
dolerend: ~e kerk (Dutch) Nonconformist
Church; ~e dominee dissenting minister; een
~e a (Dutch) dissenter
dolf o.v.t. van delven
Dolf Adolph(us)
dolfijn dolphin
dolgraag: 't ~ willen (lusten) be very keen on it,
like it very much (ever so much); ik zou ~
willen [will you come too?] I'd love to; ik mag
haar ~ I am very fond of her
dolheid a) madness, frenzy; b) lark(s), (mad)
prank(s); dolhuis madhouse

dolichocefaal dolichocephalous
dolik (plant) darnel
dolk dagger, poniard, dirk, stiletto
dolkmes dagger-knife
dolkop madman, madcap
dolksteek, -stoot dagger-stab
dolkwesp dagger-wasp
dollar id.; papieren ~ d. bill; $^1/_4$ ~ quarter; $^1/_{10}$
~ dime; ~cent (American) cent; ~gebieden
d. area; ~teken d. sign, d. mark
dollekervel hemlock
dolleman madman, madcap; ~spraat mad (wild)
talk; 't is – it's sheer madness to talk like that;
~svlucht (luchtv.) crazy flying; ~swerk piece of
folly, sheer madness
dollen intr. romp, lark [with the dog]; tr. pole-
axe [an ox]; dolligheid zie dolheid
dolman id.; dolmen id.
dolomiet dolomite; de D~en the D...s
dolzinnig mad, frantic, hare-brained [scheme],
wild-cat [speculation, expedition, notions];
~e onderneming wild-goose chase; zie dol; ~
heid madness, frenzy
1 dom zn. 1 cathedral (church), [York] Minster;
(van stoomketel) (steam-)dome; 2 (Port. titel)
id.
2 dom stupid [in at], dull, dense; (onnozel) simple; je hebt ~ gedaan you've been stupid; hij is
te ~ om voor de duivel te dansen, zo ~ als een
koe (als 't achtereind van een varken) he
is too stupid for words, as stupid as they
make 'em; hij is niet zo ~ als hij lijkt not
such a fool as he looks; dat is nog zo ~ niet
there's some sense in that; de ~ste zijn, (in
klas) be at the bottom of the form; ~ houden
keep ignorant; zich van de ~me houden play
(pretend) innocence; dat is 't ~me ervan that's
the stupid part of it
domaniaal domanial; ~ale goederen d. estates
domein domain (ook fig.: the ... of science; it is
out of my ...); crown-land, demesne; publiek
~ public property; ~bestuur d.-board; management of crown-lands (in Eng. opgedr. aan:)
the Crown Estates Commissioners; ~gronden
d. lands
domheer canon, prebendary
domheerschap canonry, canonship
domheid stupidity, dullness, denseness; een ~ a
stupidity
domicilie domicile (ook van wissel); ~ van afkomst d. of origin; ~ van onderstand place of
settlement; ~ kiezen choose one's d.; domici-
liëren domicile, (van wissel ook) make
payable; gedomicilieerd zijn te ... be domi-
ciled at ...; gedomicilieerde wissel domi-
ciled draft
dominant (muz.) id.
dominee clergyman, rector, vicar; (fam., soms
min.) parson; incumbent [of the parish]; (niet-
anglicaans) minister (of religion); (als aanspreekvorm) rector, vicar; (fam., vooral mil.)
padre; ~ (J.) S. (the) Rev. J(ohn) Smith; (volkst.)

---

[1] Zie ook gek

(the) Rev. Smith; *er ging een ~ voorbij* there was a lull in the conversation; *~ worden* go into the Church (the ministry); *hij moet ~ w.* he is intended for the Church; **~achtig** parsonic (*bw.*: -ally), parsonified

dominees: **~bank** rector's (vicar's) pew; **~briefje** *zie* kerkbriefje; **~vrouw** clergyman's (etc.) wife

domineren 1 *tr.* dominate, lord it over; *intr.* (pre)dominate; 2 play (at) dominoes

dominicaan, dominicaner (*monnik*) Dominican, Black Friar; **dominicanes(se)** Dominican nun

Dominicus Dominic

domino id.; (*spel*) dominoes; **~spel** *a*) (game of) dominoes; *b*) set of dominoes; **~steen** domino

domkapittel (dean and) chapter

domkerk cathedral (church)

domkop blockhead, thick-, fat-head, woodenhead, noodle, dunce, duffer, dolt, numskull, dunderhead, ignoramus

dommekracht jack-screw, (screw-)jack

dommel doze; *in de ~ zijn* be in a d., be dozing; **~en** doze, drowse; **~ig** dozy, drowsy; (*fig.*) unalert; **~igheid** doziness, drowsiness; **~ing** *zie ~*

dommerik, domoor *zie* domkop

dompel: **~aar** (*vogel*) diver; (*van werktuig*) plunger; *elektr.* – immersion heater; **~doop** baptism by immersion; **~en** plunge [*look fig.*: in (*of*: into) darkness, mourning, sorrow], dive, dip, duck; **~ing** immersion

dompen extinguish, put out [a light]

domper extinguisher (= **~tje**); (*fig.*) obscurant-(ist); *de ~ zetten op* damp down [their joy], put a damper on [a p.'s spirits]; **~geest** obscurantism

dompig close, stuffy

domproost dean; **dompteur** beast tamer

domsticht diocese

domweg thoughtlessly; *er was ~ geen plaats*, (*fam.*) there simply was no room

don don; doña, dona id., donna

donateur, -trice (*schenker*, *-ster*) donor; (*van vereniging*) supporter; **donatie** donation

Donau Danube; **~bekken, ~gebied, ~landen, ~staten**, (*hist.*) **~vorstendommen** Danubian basin (area, countries, states, Principalities)

donder[1] thunder (*ook van geschut*); *er zit ~ in de lucht* there is t. in the air; *voor de ~!* by t.!; *wat ~ wil je toch?* what the t. (what in t.) do you want?; *arme ~* poor devil, poor wretch; *daar kun je ~ op zeggen* you bet! you can lay your shirt (bet your life) on it; *naar de ~ gaan* zie flies (*op de ...*); *iem. op zijn ~ geven* give a p. a good hiding, a proper dressing down (*dit ook mondeling*); *door de ~ getroffen* t.-struck; *geen ~* [I do] not [know] a damn thing [about it]; [he does] not [care, give] a damn; *'t helpt geen ~*, (*volkst.*) it's n. b. g. (no bloody good); **~aal** loach; **~aar** (= ~*god*; *ook fig.*: *schetteraar*) thunderer; (*kweller*) bully; **~bui** t.-shower, -storm; **~bus** blunderbuss

donderdag Thursday; *zie* wit; **~s** *bw.* on Thurs-

days; *bn.* Thursday; (*fam.*) *zie* donders

donderen I *intr.* thunder (*ook van geschut, waterval, enz.*); (*uitvaren*) thunder [*tegen* against], hector, fulminate, storm; (*vallen*) tumble [down the stairs], drop, smash; *'t dondert* it thunders; *hij keek of hij 't in Keulen hoorde ~* he stared like a stuck pig, in utter bewilderment; II *tr. a*) rag, bully, come the bully over [a p.!]; *b*) (*gooien*) fling, pitch, hurl; **~d** ...ing, thunderous [applause]; *met ~de stem, ook:* in a voice of thunder

donder: **~god** thunder-god, thunderer; **~goud** fulminating gold; **~jagen** bully; rag; *zie ook* zaniken; **~jool** (students') rag; **~keil** t.-bolt; **~kop** t.-head; **~kruid** ploughman's spikenard; **~lucht** thundery sky; **~pad** *a*) (*zee-*) fatherlasher; (*rivier-*) miller's thumb; *b*) *zie* kikkervisje; **~poeder** fulminating powder; **~s I** *tw.* the devil, the deuce! II *bw.* deucedly, confoundedly [difficult], thundering [good lawyer], (*Am.*) doggone; III *bn.* devilish, deuced, a deuce of a [fellow], thundering [liar], darned [fool], (*Am.*) doggone; *de hele ~e zo* the whole bally lot; *'t ~e ding* the blamed (bally) thing; **~slag** thunderclap, peal (*of*: burst) of t., thunderbolt; *vgl.* bliksemstraal; *een ~speech houden*, (*ongev.*) lay down the law; **~steen** t.-stone; *een echte ~ a* regular handful (*kind*: pickle); (*lamstraal*) = **~straal** blighter; **~wolk** t.-cloud; **~zilver** fulminating silver

dong *o.v.t. van* dingen

Don Juan id., gay Lothario, lady-killer

donker I *bn.* dark [night, colour; *ook fig.*: d. days], obscure; (*akelig*) murky, gloomy, dull [weather]; dusky, d.-skinned [races]; swarthy [man: ~ uitziend]; strong [beer]; (*fig.*) *ook*: black [the outlook is ...]; *helemaal ~, ook*: [the house was] all in darkness; **~e kamer**, (*fot.*) d. room; *~ maken* (*worden*) darken; *'t wordt ~* it's getting d.; *het ziet er ~ voor hem uit* it's a d. outlook for him, things look black for him; *zie* maan; II *bw.* darkly; *~ kijken*, (*boos*) look black, (*somber*) look gloomy; *zie* inzien; III *zn.* dark, darkness; *bij* (*voor, na*) ~ at (before, after) d.; *in 't ~* in the d.; *tegen ~* towards d., at dusk; *zie ook* duister, kat, enz.; **~achtig** darkish; **~blauw, (~bruin, enz.)** dark-, deep-blue, (-brown, etc.); **~blond** dark blonde; **~heid** darkness, obscurity; **~rood** dark-, deepred; **~te** *zie ~ zn.*

donkey (*mar.*) donkey-engine; **~ketel** donkeyboiler

donor id.

Don Quichot Don Quixote; **donquichot**: **~achtig** quixotic; **~terie** quixotism, quixotry

dons down, fluff; **~achtig** downy, fluffy; **~deken** eiderdown

donzen down; *~ deken* eiderdown; *ook* = **donzig** downy, fluffy

1 dood *bn.* dead (*ook van vingers, enz.*); *~! (tegen hond)* die!; *zo ~ als een pier* as d. as a door-

---

nail (as mutton); ~ *of levend* d. or alive; ~ *van de slaap* d. sleepy; *voor* ~ *liggen* lie like one d.; *voor* ~ *laten liggen* leave [a p.] for d.; *hij* ('*t lieve vaderland, enz.*) *is nog lang niet* – there's life in the old dog yet; *een dooie boel* a slow affair; ~ *gat* (*van plaats*) d. hole, deadalive place; ~ *getij, zie* doodtij; ~ *gewicht* d. weight; *in de dode hand* in mortmain, in (the) d. hand; *dode hoek*, (*mil.*) d. angle (space, ground); (*luchtv.*) blind spot; (*auto*) blind area; ~ *kapitaal* d. capital; *dooie diender* dry stick; *dode letter* [this law is a] d. letter; *dode punt* d. point, d. centre; *op 't dode punt zijn*, (*fig.*) be at a d.lock; *op 't dode punt brengen* bring to a d.lock, d.lock [the conference]; *iets van 't dode punt afbrengen* remove the d.lock; ~ *spoor* d.-ended siding; *op* ~ *spoor raken*, (*fig.*) come to (reach) a d. end; *dode talen* d. languages; ~ *vlees* proud flesh; *dode vulkaan* extinct volcano; ~ *water* d. water; *de Dode Zee* the D. Sea; *zich* ~ *drinken* (*zuipen*) drink o.s. to death; *zich* ~ *ergeren* be mortally vexed, die with vexation; *zich* ~ *houden* sham d.; *zich* ~ *lachen* die with (of) laughing, be tickled to death; *ik lach me* ~ *als* ... I'll be tickled pink if ...; *zich* ~ *schrikken* be frightened to death, jump out of o.'s skin; *zich* ~ *werken* work o.s. to death; *maken, dat iem. zich* ~ *werkt* work a p. to death; ~ *verklaren* send [a p.] to Coventry, ostracize, boycott; (*van dokter*) certify dead; *op sterven na* ~ as good as (all but) d.; *zie verder de samenstell.* & dode, have, vervelen, enz.

2 dood *zn.* death; *dat zal je* ~ *zijn* it will be the d. of you; *als de* ~ *zijn voor* be mortally afraid of; '*t is er de* ~ *in de pot* it's the deadest hole on the face of the earth; *de een zijn* ~ *is de ander zijn brood* one man's meat is another man's poison; *de* ~ *nabij* at d.'s door; *de* ~ *aandoen* be the d. of; *de* ~ *laat zich niet verbidden* d. will have no denial; *de* ~ *ligt hem op 't gezicht* he looks like d., the seal of d. is in (*of:* on) his face; *de* ~ *maakt allen gelijk* d. is the great leveller; *de* ~ *sterven* die the d.; *de* ~ *voor 't vaderland sterven* die (lay down one's life) for ...; *duizend doden sterven* die a thousand deaths; *een langzame* ~ *sterven* die by inches; *een natuurlijke* ~ *sterven* die a natural d.; *een zachte* ~ *sterven* die without a struggle; *hij ziet er uit als de* ~ *van Ieperen* he looks like d.; *de* ~ *vinden* meet (come by) one's d.; *zijn* ~ *in de golven vinden* find a watery grave; *hij heeft er de* ~ *aan gezien* he hates it like d.; *de* ~ *zoeken* seek one's d., court d.; *bij de* ~ *van* at the d. of; *in* (*na*) *de* ~ in (after) d.; *na de* ~ *van de vader geboren* (*van de schrijver uitgegeven*) posthumous [child, works]; *om de* (*dooie*) ~ *niet* not on your life; *op iems.* ~ *wachten* wait for dead men's shoes; *tegen* (*voor*) *de* ~ *is geen kruid gewassen* there is no remedy against (no cure for) d.; *ten dode opgeschreven zijn* be doomed (to death), be a dead (a doomed) man, (*fam.*) be done for; *ten dode toe vervolgen* pursue to the d., hound to destruction; *ter* ~ *brengen*

put to d.; *trouw tot in de* ~ true till the d.; *uit de* ~ *verrijzen* rise from the dead; *zie* kind, veroordelen, zwart, enz.

dood: ~**af** dead-beat, done up, knocked up, fagged out, dog-tired; ~**arm** as poor as Job (as a church mouse), poverty-stricken; – *worden* be ruined; ~**bedaard** quite calm, as cool as a cucumber; ~**bidder** undertaker's man, mute; ~**bijten** bite to death; ~**blijven** remain dead, be killed [*op de plaats* on the spot, outright]; *hij blijft* ~ *op een halve cent* he grudges every penny; *op een kleinigh.* – stumble at a trifle; ~**bloeden** bleed to death; (*fig.*) blow over, die a natural death; ~**doener** knockdown (*of:* sledge-hammer) argument, corker, clincher; ~**drukken** squeeze (*of:* crush) to death, squash [a mosquito]; ~**eenvoudig** perfectly simple; *zie ook* ~**gemakkelijk**; ~**eerlijk** dead honest; ~**enkel** *zie* keer; ~**ergeren** *zie* dood *bn.*; ~**eter** idler, loafer, drone; *hij is een* – he is eating his head off; ~**familiaar** quite familiar, unceremonious; ~**gaan** die, (*fam.*) peg out; *laten* – kill [the hero in the last chapter]; ~**geboren** still-born (*ook fig.*), [the child was] born dead; '*t boek was een* – *kindje* fell s.-b. from the press; ~**gemakkelijk** dead easy, as easy as falling off a log (as ABC); ~**gemoedereerd** *zie* ~**leuk**; ~**gewoon** quite common; run-of-the-mill, common or garden [schoolmaster]; *een* – *verslag* quite an ordinary report; *als iets* –*s* [he looks upon it] as all in the day's work; *ze sloeg hem* – *om de oren* she made nothing of boxing his ears; *hij is* ~**goed** he is good to a fault, he wouldn't hurt a fly; ~**gooien** kill; ~**graver** grave-digger; (*kever*) burying-beetle, sexton(-beetle); ~**hongeren** *zie* verhongeren; ~**jagen** ride [a horse] to death; ~**jammer** [it is] a great pity, a thousand pities; ~**kalm** *zie* ~**bedaard**; ~**kist** coffin, (*Am.*) casket; *drijvende* – floating coffin; ~**kistenmaker** coffin-maker; ~**kloppertje** death-watch (beetle); ~**kniezen** *zie* kniezen; ~**knuppelen** club to death; ~**kruid** deadly nightshade; ~**leuk** coolly; calmly; blandly; ~**liggen** overlie [a child]; *lig* ~*!* (*tegen hond*) die!; ~**lopen** (*van straat, enz.*) come to a dead end, end in a blind alley; (*van onderneming, enz.*) peter out, come to nothing; '*t getij* – stem the tide; *zie* vastlopen; –*de weg* dead-end road; (*als waarschuwing*) no through road; *zich* (*iem.*) – walk (run) o.s. (a p.) off one's (his) legs; ~**maal** funeral meal; ~**mak** as quiet as a lamb; ~**maken** kill; ~**martelen** torture to death; ~**moe** *zie* ~**af**; ~**nuchter** quite sober, as s. as a judge; *ook* = ~**leuk**; ~**ongelukkig** quite wretched; ~**onschuldig** as innocent as a lamb; ~**op** *zie* ~**af**; ~**rijden** *a*) *zie* ~**jagen**; *b*) knock down and kill

doods deathly, deathlike, dead [silence], dead-alive [place]

doods: ~**advertentie** death notice; ~**akte** death certificate; ~**angst** pangs of death; (*fig.*) mortal fear, agony of terror; *in* –, *ook:* in white terror; ~**attest** *zie* ~**akte**; ~**baar** bier; ~**bang** mortally (deadly) afraid, terrified [*voor* of], [be] in mortal fear (terror); thoroughly scared;

~bed death-bed; ~beenderen human bones; (skull and) cross bones; ~benauwd (*eig.*) suffocating; (*fig.*) *zie* ~bang; ~benauwdheid *zie* ~angst; ~bericht death notice, obituary (notice); ~bleek [he went] deathly (deadly) pale, pale as death, dead white, quite white; ~ceel *zie* ~akte

dood: ~schamen *zie* schamen; ~schieten shoot (dead, to death), shoot and kill; ~schoppen kick to death; ~schrikken *zie* dood bn.

doods: ~engel angel of death; ~gerochel death-rattle, ruckle; ~gevaar danger of life, deadly peril, mortal danger; *in* – *verkeren* be in danger (*of:* peril) of one's life; ~gewaad, ~hemd *zie* doodskleed *a*); ~heid deadness, deathliness; ~hoofd death's-head, skull; ~hoofdvlinder death's-head moth; ~kleed *a*) shroud, winding-sheet; *b*) (*baarkleed*) pall; (*fig.*) pall, shroud; ~kleren grave-clothes; ~kleur livid colour, deadly pallor; ~klok death-, passing-, funeral-bell, (death-)knell; ~kop *zie* ~hoofd

dood: ~slaan kill (*ook:* the wallpaper kills the furniture), strike dead, beat to death, swat [a fly], silence [a p. by a sharp retort]; *zij trachtte hem ~ te sl. met* ... she flung her social position at him; *zie* halfdood; ~slag homicide, manslaughter

doods: ~laken *zie* ~kleed *a*); ~nood agony (of death), death-struggle; ~oorzaak cause of death; ~schouw autopsy, post mortem; ~schrik mortal fright, the fright of one's life; *iem. een – op 't lijf jagen* frighten a p. out of his wits (senses, life); ~slaap sleep of death; ~snik last gasp; ~stonde *zie* doodsuur; ~strijd death-struggle, agony of death; (*van walvis*) (death) flurry; *een zware – hebben* die hard; ~stuip spasm of death

dood: ~steek (*ook fig.*) death-blow (*voor* to), finishing stroke; *zie* genadeslag; ~steken stab to death; ~stil stock-still, as still as death, [all was] deadly quiet; ~straf capital punishment, death-penalty; *daarop staat de* – it is punished (punishable) by death; *de* – *ondergaan, ook:* pay the last penalty; ~stroom slack water; *het is hier* – there's nothing doing here

doods: ~uur hour of death; ~verachting contempt of death; ~vijand(in) mortal (deadly) enemy; ~wade *zie* lijkwade; ~zweet sweat of death, death-sweat

dood: ~tij *a*) neap(-tide); *b*) (*tussen eb en vloed*) slack water; ~trappen kick (*onder de voet:* trample) to death; ~vallen fall (drop) dead; (*van hoogte, ook*) fall to one's death; *val dood!* drop dead!; *zie ook* ~blijven; *zich* ~vechten fight to the death; ~verf dead colour; ~verklaren *zie* dood bn.; ~verklaring boycott, ostracism; ~verlegen at one's wit's end, completely at a loss [what to do, for s.t.]; ~verven (*eig.*) dead-colour; *hij wordt met die betrekking gedoodverfd* he is generally thought to be the favourite candidate; *iem. als de dader van iets* – attribute s.t. to a p., lay s.t. at a p.'s door; *ge*~verfd

als Premier tipped as Pr. (for the Premiership); ~vissen over-fish(ing); ~vonnis sentence of death, death-sentence; (*bevel tot voltrekking van* –) death-warrant; *'t* – *is over hem uitgesproken* he lies under sentence of death; ~vreter *zie* ~eter; ~vriezen be frozen (freeze) to death; ~werken *zie* dood bn.; ~wond mortal (fatal) wound; *dat is geen* – it won't kill you; worse things happen; ~zeilen stem [the tide]; ~ziek dangerously (critically) ill; ~zonde mortal (deadly) sin; *'t is* – it is a downright shame; ~zuinig exceedingly thrifty; ~zwak extremely weak, as weak as water; ~zwijgen ignore, take no notice of

doof deaf; *dove kool* dead coal; *dove vingers* dead fingers; *zo* – *als een kwartel* as d. as a post; ~ *aan het ene oor* d. of (in) one (an) ear; *aan dat oor is hij* ~ he is d. on that side, he won't hear of it; ~ *van het geraas* d. with the noise; ~ *zijn voor* be d. to [advice, etc.]; ~ *blijven voor* turn a d. ear to [entreaties]; *Oostindisch* ~ *zijn, zich* ~ *houden* sham deaf(ness), pretend not to hear; *zie* dove & muzikaal; ~achtig somewhat d.; ~heid deafness; ~pot extinguisher; *iets in de* – *stoppen* hush up (cover up, smother up) a thing, keep it dark; *politiek van de* – hush-hush policy; ~stom d. and dumb; ~stomheid deaf-mutism; ~stomme d.-mute [two ...s]; ~stommeninstituut institution for the d. and dumb

dooi thaw; *zie* invallen; ~en thaw [it is ...ing; the snow ...s]; *'t begon te* – the t. set in, the frost broke

dooier yolk; *met dubbele* ~ double-yolked [egg]; ~vlies yolk-bag, -sac

dooiweer thaw

1 dook *o.v.t. van* duiken

2 dook (*techn.*) dowel

doolhof (*ook fig.*) labyrinth (*ook van oor*), maze, (*van straatjes en steegjes*) warren

doolweg wrong.way, wrong track; *op de* ~ *geraken* go astray

doop (*ook van schip, klok, enz.*) baptism, christening; *de* ~ *toedienen* (*ontvangen*) administer (receive) b.; *ten* ~ *houden* present [a child] for baptism (*of:* at the font); *door de* ~ *opgenomen worden in* ... be baptized into the Church; ~akte certificate of b.; ~bekken baptismal (*of:* christening-)font; ~boek baptismal register, parish register; ~ceel certificate of b.; *iems.* – *lichten* bring out a p.'s record, show a p. up; ~formulier order of b.; ~gebak christening-cake; ~gelofte baptismal vow; ~getuige sponsor; ~heffer godfather; ~hefster godmother; ~hek baptistery-screen; ~jurk christening-robe, baptismal robe; ~kapel baptistery; ~kind godchild; ~kleed *zie* ~jurk; ~lid *worden van* be baptized into [the (R. C. church)]; ~moeder godmother; ~naam Christian name, baptismal name; ~plechtigheid christening (baptismal, *van schip:* naming) ceremony, baptism; ~register *zie* ~boek; ~sel baptism; ~sgezind(e) baptist, Mennonite; ~**vader** godfather; ~**vont** *zie* ~bekken; ~**water** baptismal water

door I *vz.* 1 (*plaats*) through [look ... the window] (*ook fig.*: pass ... many hands; be ... one's examination); ~ *geheel Engeland* throughout England; ~ *de stad dwalen* roam about the town; ~ *het rode licht heen rijden* jump the red light; 2 (*tijd*): ~ *alle eeuwen heen* through all ages, throughout the ages; ~ *de week* on week-days; *'t ene jaar* ~ *'t andere* one year with another; 3 (*oorzaak, middel*) by [be killed ... one's enemy, send ... post, perish ... the sword], through [make mistakes ... ignorance, pay ... a bank], by dint of [hard work]; (*wegens*) on account of, for [I can't see ... the fog], from [lack of space]; ~ *te lezen* by reading; ~ *wie is dat (geschreven)?* who's that by?; ~ *hem heb ik de stad leren kennen* thanks to him ...; *zie* elkaar; II *bw.* through; *ik ben 't boek* ~ I have finished (got t.) the book; *hij heeft je* ~, (*fam.*) he has got your number (right); *de hele nacht* (*zijn hele leven, 't hele concert*) ~ all t. the night (his life, the concert), throughout the night, etc.; *'t hele jaar* ~, *ook*: all the year t. (*of*: round); *de hele wereld* ~ all over the world, all the world over; *we liepen steeds maar* ~ we walked on and on; *de tand is er* ~ is t.; *hij is er* ~ he has got t., he is t.; *de wet is er* ~ the bill has been passed; *'t engagement is er* ~ the engagement has come off; *al* ~, *zie* aldoor; ~ *en* ~ thoroughly, t. and t. [English ..., know a p. (Paris, etc.) ...], out and out, [he is] downright [Welsh], radically [wrong], [know a p.] inside out, like a book; *ik ken hem* (*Napels, enz.*) ~ *en* ~, *ook*: like the back of my hand; *iem.* ~ *en* ~ *vertrouwen* trust a p. implicitly; ~ *en* ~ *een dame* a thorough lady, a lady to the finger-tips; ~ *en* ~ *eerlijk* honest to the core; ~ *en* ~ *een gek* an absolute fool; ~ *en* ~ *goed* kind to a fault; ~ *en* ~ *nat, zie* ~nat; ~ *en* ~ *een schurk* an out-and-out scoundrel; ~ *en* ~ *slecht* thoroughly bad; ~ *en* ~ *verkleumd* chilled to the bone; ~ *en* ~ *zwak, zie* doodzwak; *zie* kunnen, enz.; ~**àderd** veined; ~**babbelen** *zie* ~praten; ~**bàkken** *bn.*: *goed* (*slecht*) – *brood* well-(slack-)baked bread; ~**berekenen** pass on (along) [the purchase tax to the customers]; ~**berekende** *kosten* expenses recharged; ~**berekeningsclausule** escalator clause; ~**betalen** continue [a p.'s salary]; ~**bijten** bite t.; *niet* –, (*van vis*) nibble; ~**bladeren** turn over the leaves of, run over, glance (cursorily) at, leaf (riffle) t. [a book]; ~**blazen** blow t.; '~**boren** bore t., perforate, pierce; ~**bóren** run t., transfix [with a bayonet, etc.], stab [with a dagger], gore [with the horns], riddle [with bullets], drill t. [the window-pane was ...ed clean t.], tunnel [a mountain], (*in alle richtingen*) honeycomb; *met zijn blikken* – transfix with one's looks, look daggers at; –*d, zie* ~dringend; ~**boring** tunnelling, transfixion; ~**braak** (*van dijk*) burst; (*van water*) breaking t.; (*mil.*) break-t. [of the enemy's lines]; [the political] break-t.

[of 1945]; (*plaats van* –) breach; ~**braden** roast well (*of*: thoroughly); ~**branden** 1 *intr.* burn on; burn [day and night]; 2 *intr. & tr.* burn t.; (*van elektr. lamp*) blow; (*van vuur*) draw up; ~**breken** *tr.* break [a stick], break t. [the enemy], run [the blockade]; *vgl.* verbreken; *intr.* (*dijk, zweer*) burst; (*dijk, ook*) break; (*zon*) break (burst) t., come out; (*tanden*) *zie* ~komen; ~**brengen** spend [one's holidays, the night], pass [tne time], run t., (*sl.*) blow (blue) [one's money]; *zijn leven* – *met anderen te helpen* spend one's life (in) helping others; *hoe heb je de dag* ~*gebr.?* what did you do with yourself to-day?; *de tijd met nietsdoen* – idle away one's time; *£ 1000 er* –, (*ook*) make away with £1000; ~**brenger** spendthrift, wastrel, waster; ~**buigen** bend; (*van muur, enz.*) sag; ~**connossement** t. Bill of Lading; ~**dacht** well-considered, well-thought out; ~**dansen** go on dancing; wear out [one's soles] with dancing; dance t. [the night]; ~**dat** because [he did not have enough time], through [not having had enough sleep], owing to [their being sold in sealed tins]; '~**denken** think (well), reflect; ~**dènken** consider, think out; *zie* ~dacht; '~**denkertje** indirect remark; ~**dien** as, because, since; ~**doen** *zie* ~halen 2 & ~scnrijven; ~**draaien** keep on turning; (*stukdr.*) break (by turning); (*boemelen*) racket (about), be on the spree, make a night of it; (*op veiling*) destroy [vegetables not fetching minimum price]; *de schroef draait* ~ the screw doesn't bite; *zich er* – get t. somehow; ~**draaier** fast (*of*: gay) fellow, rake; ~**draven** trot on; (*fig.*) talk at random; run on [how you ...!]; *hij was weer aan 't* –, *ook*: he was off again; ~**draver** person whose tongue runs away with him; ~**drijven** drive [a proposal] t., (*met geweld*) force [a bill] t.; *zijn zin* – have (it all) one's own way; *zie* ~zetten; ~**drijver** headstrong person; ~**drijverij** obstinacy; ~**dringbaar** penetrable [by the eye, etc.], permeable, pervious [to heat, water, etc.]; ~**dringbaarheid** penetrability, permeability, perviousness; '~**dringen** penetrate; (*doorsijpelen*) ooze t., filter t.; – *in* penetrate into [a country, a secret], press [far] into [enemy territory], enter into [the spirit of a poet], push out into [the unknown], get beneath the surface of [a language]; – *tot* penetrate as far as; (*van stem ook*) carry [to every part of the hall]; *'t drong tot hem* ~, *dat* it dawned (*plotseling:* flashed) on him that; *de ernst ervan drong tot hem* ~ came home to him; *'t was niet tot hem* ~*gedr.* it had not sunk in (into him, his mind), he had not taken it in; *wat hij zei, drong niet tot mij* ~ did not register; *het lawaai drong tot mij door* the noise came to my ears; *hij drong tussen hen* ~ he pushed his way between them; ~**dríngen** penetrate, pierce, permeate, pervade; leaven [a whole generation with his ideals]; *iem. van iets* – impress [a fact, the necessity of s.t.] on a p., bring [s.t., the truth, etc.] home to a p., rub [a thing] in; *dit moet 't publiek* – *van 't*

feit, dat ... this should bring home to the public the fact that ...; ~**dringend** piercing [cold, eyes, look, cry], penetrating [smell], searching [look, wind], permeating [fluids, light]; (*alles* –) pervading, pervasive [spirit]; *zijn –e blik, ook:* his gimlet eye; ~**dringendheid** piercingness, etc., penetration; ~**dringingsvermogen** (*van kogel, enz.*), penetration, penetrative power; ~**drongen** *zie* ~dringen; – *zijn van* be deeply convinced of, be impressed with, be fully alive to [the importance of ...], be imbued with [the necessity of ...]; ~**drukken** 1 press (squeeze, push) t.; 2 go on printing; 3 (*papier*) mackle; *de bladzijde is ~gedrukt* the type shows t. (the page); *bijna iedere bladzijde is doorgedrukt* there is showthrough on nearly every page; ~*gedrukt linoleum* inlaid linoleum; 4 push through; *een maatregel* (*er*) – steamroller (*Am. ook:* railroad) a measure through; ~**duwen** push t.

dooreen together, pell-mell, higgledy-piggledy, in confusion; ~ *genomen* on an average, one (thing, year, etc.) with another; *zie* elkaar; ~**gooien** throw (bundle) t. higgledy-piggledy, jumble t. (*of:* up), make hay of [one's papers]; ~**halen**, ~**haspelen** mix (*of:* jumble) up, muddle t.; ~**mengen** mix t.; ~**schudden** shake up; give [a p.] a [good] shaking; ~*geschud w.*, (*in rijtuig*) be jolted (to pieces); ~**strengelen** intertwine; ~**vlechten** interlace; ~**weven** interweave; *zie verder de hoofdwoorden*

dooreten eat on, continue one's meal

doorfietsen cycle (*of:* pedal) along

doorgaan 1 go (*of:* walk) on; *de trein gaat door, a)* the train does not stop here; *b)* the train goes straight through, it is a through-train; *ga door!* go on! (*fam.*) carry on! (*loop heen*) go on! get along with you!; *'t kon zo niet* (*blijven*) ~ it couldn't last; ~ *met* continue with [the medicine], carry on with [one's work], proceed with [the sale, the programme]; (*doorzetten*) go through with [a plan, etc.], see [a plan] through; *niet verder met de zaak* ~ proceed no further in the matter; ~ *met* (*te*) ... keep (continue) ...ing; ~ *met roken, ook:* smoke on; *'t gaat maar door met regenen* it keeps on raining; *op* (*over*) *de zaak* (*'t punt*) ~ pursue the subject, press the point, (*telkens herhalen*) [don't] rub it in; (*tot vervelens toe*) flog [a good idea] to death; 2 (*gaan door*) go (pass) through [the garden], go through [life], go over [a museum]; *rekeningen, enz.* ~ go through (over) accounts (a lesson, etc.); *de lijst snel weer* ~ run through it again; *onder ...* ~ pass under a ladder; *hij ging de kamer een paar maal door* he took a turn or two about the room; 3 (*van zweer*) burst; 4 *er van* ~ go off, make off, cut and run, make a dash for it; run away [with another man], (*do a*) bolt; dash away [in a motor-car]; ('*met de noorderzon*') abscond, take French leave, decamp; '*t paard ging er vandoor* the horse bolted (ran away with him); *ik ga er vandoor*, (*ga heen*) I am off; 5 (*plaatshebben*) come off, take place

[the strike, the concert, the marriage will not ...], go through [the scheme, the divorce goes through], stand [the arrangement ...s]; *de koop, enz., gaat niet* (*wel*) *door* the sale (bet, ball, wedding, etc.) is off (on); *niet* ~, (*van wedstrijd*) be scratched (cancelled, abandoned) [owing to bad weather, etc.]; *gaat de conferentie door?* is the conference (still) on?; *gaat A.'s examen woensdag door?* does A.'s exam stand for Wednesday?; *het plan gaat niet door* the plan falls through; *er* ~, (*wet*) pass, (*motie*) be carried, (*van beide*) go through; '*t wetsontwerp zal er glad* ~, (*sl.*) will romp home; 6 (*steek houden*) hold (good) [the rule does not always ...]; *zie* gelden; 7 ~ *voor* pass for [one's brother, a rich man], pass as [old enough to ... my grandfather], go (pass) by the name of, be reputed [to be rich]; *laten* ~ *voor* pass off as (for); *zich laten* ~ *voor* pass o.s. off as (for), pose (masquerade) as [a widow]

door through; ~**gaand** (*algem.*) general [rule]; (*aanhoudend*) continuous; – *biljet* t. ticket; *-e passagier* t. passenger; *-e trein* t. (non-stop) train; – *verkeer* t. traffic; *-e wagen, a)* t. carriage; *b)* corridor carriage; ~**gaans** generally, usually; ~**gang** passage; (*door menigte*) *ook:* lane, corridor; (*onder spoorbaan, enz.*) underpass; transit [of Venus, e.c.]; (*tussen banken*) aisle, gangway; *nauwe* – bottleneck; *geen –!* no thoroughfare!; ~**gangshoogte** headroom; [low bridge] height ...; ~**gangshuis** refuge, asylum, shelter; rescue home [for fallen women]; (*voor zwervers enz. ook:*) casual ward; (*fig.*) clearing-house [Gr. Br. is the ... for emigrants]; ~**gangskamp** transit camp; ~**gecomponeerd** through-composed, non-strophic; ~**geefkast** cupboard functioning as serving-hatch, pass-through cupboard; ~**geefluik** service-(serving-)hatch; ~**gefourneerd** fully paid; (*fig.*) double-distilled [scoundrel]; ~**gelegen** *zie* ~liggen; ~**gestoken** *zie* '~steken; ~**géuren** perfume, scent; ~**geven** pass [the salt, the bottle], pass [a message, etc.] on [*aan* to], pass down [an order], hand [the letter] on [*aan* to]; (*radio*) relay [a programme]; –! (*spelletje*) pass it on, neighbour!; ~**gewinterd** dyed-in-the-wool [schoolmaster]; ~**glippen** slip t.; ~**gloeien** inspire, thrill; ~**goed** thoroughly good; ~**graven** dig t., tunnel [a mountain]; (*landengte*) cut, pierce; ~**graving** ...ing (*zie* ~graven); ~**groeid** *a)* (*plantk.*) perfoliate; *b) zie* ~regen; ~**gronden** fathom [a p.'s character], penetrate [a scheme], get to the bottom of [a secret], see t. [a p., his plans]; ~**hakken** cut (t.), cleave, split

doorhalen 1 (*ergens* ~) pull through; (*door zeepsop*) flip [in soap-suds]; 2 (*woord, enz.*) strike (cross, scratch) out, cancel, delete; *door te halen wat niet verlangd wordt* please cross (strike) out what does not apply, delete as necessary, delete if not applicable; *iem.* ~, (*als lid, enz.*) strike a p.'s name off the list; 3 (*duchtig* ~: *iem.*) take up roundly, haul over the coals, trounce; (*boek, enz.*) cut up, slate; 4 *de zieke zal 't er zeker ~ is* sure to pull through; *er ~* pull [the patient] through; (*verkiezings-kandidaat*) carry a candidate, (*wetsontw.*) carry a bill, pilot a bill through Parliament; **-ing** deletion, crossing out [five ...s out]

doorhebben see through; *hij heeft je door*, (*fam.*) he has got your number, he is up to your tricks

doorheen through; *ik ben er juist ~*, (*door corres-pondentie, enz.*) I am just t.; *ik moet er ~* I must get t.; *zie* doorkomen, enz.; *zich er ~ slaan* break t., force one's way t.; (*fig.*) win t., scrape t., carry it off, make the best of it; (*brutaal*) brazen it out, put a bold face upon the matter; (*er ~scharrelen*) muddle t.

door through: **~helpen** help (see) t., get [a p.] out of a scrape; **~hollen** *intr.* hurry on; *tr.* hurry t. [the street]; scamper t. [a book]; **~jagen** *intr.* *a*) go on hunting; *b*) hurry (rush) on; *tr.:* *er* – run t. [one's property, money]; (*sl.*) blue [money]; (*wetsontwerp*) rush (hurry, race) a bill t.; **~kappen** *zie* ~hakken; **~kiezen** (*telec.*) dial direct; direct dialling; **~kijk** vista; **~blouse** see-through blouse; **~kijken** look (glance) t. (*of:* over), go t. [accounts], run (one's eye) over, skim through [a book]; **~klieven** cleave (in two); cleave, wing [the air], breast [the waves, wind], cleave, plough [the waves]; *een schreeuw doorkliefde de lucht* a shout rent the air; **~knagen** gnaw t.; **~kneed** *in* well-versed in, steeped in [French literature]; **~kneedheid** *in* intimate acquaintance with, thorough knowledge of; **~knippen** cut (t.), snip (t.); **~knoopjurk** button-through dress; **~koken** boil thoroughly; **~komen** get t. [the crowd, difficult times, an examination], pass [an exam.], live t. [the winter], tide over [a difficult period]; (*van zon*) *zie* ~breken; *het radioprogramma kwam slecht door* the radio programme came through badly; (*van tanden*) come t., erupt; *zijn tandjes komen ~, ook:* he is cutting his teeth; *met ... zal ik de winter wel* – this supply will carry me t. the winter; *er* – (*door menigte, exam., ook van wetsontwerp*) get t., (*door exam. ook*) pass, (*door ziekte*) pull t., survive; *er net* – scrape t. (an exam.); *er is geen – aan* it is impossible to get t.; **~krabben** scratch t.; **~krijgen** get [a pupil] t. (an examination), pull [a patient] t.; get down [food]; put [a scheme] across; (*wetsontw.*) carry [a bill]; (*fam.*) (= *doorzien*) see through [a person, his motives]; **~kruiden** (*ook fig.*) season, spice; **~kruipen** *a*) creep (crawl) t.; *b*) wear out by creeping; **~kruisen** traverse (in all directions); cross [a p.'s mind]; scour, range [the seas, woods]; thwart, (*fam.*) stymie [a p.'s plans]; **~laat** culvert; **~laatpost** (*mil.*) checkpoint; **~lappen** *zie* ~jagen *tr.*; **~laten** let t., let [a p.] pass, pass [a candidate], transmit [light]; *geen water –*, (*stof*) be waterproof, (*schoenen*) be watertight; (*geen*) *water –*, (*van bodem*) be (im)pervious to water; *licht –d* pervious to light; *geen geluid –* be sound-proof; **~gel.** *w.*

(*van goederen*) pass the customs; **~lekken** leak t.; **~leven** live (pass) t.; *weer* – live [one's schooldays] over again, relive; **~lezen** *tr.* read t., peruse; *intr.* go on reading, read on; *maar al* – read on and on; **~lezing** perusal; **~lichten** X-ray [a patient]; make careful examination of, (*fam.*) vet [a document]; **~lichting** radioscopy; **~lichtingsapparaat** fluoroscope; **~lichtingswagen** radiography van; **~liggen** *zich* – become bedsore, contract bedsores; *~gelegen plek* bedsore; **~loop** passage

dóórlopen 1 go (walk, run) on [*tot* as far as]; *~!* move on (pass on, pass along), please!; 2 *wat ~* mend one's pace; *flink ~* step out well, keep up a stiff pace; 3 *~ onder* pass under [the bridge]; *het schrift loopt door onder het zegel* the writing continues under the seal; 4 (*van molen*) run away; 5 (*van kleuren*) run; 6 (*lopen door*) go (walk, run) through, walk down [a street]; traverse; *zie* doorgaan 2; 7 (*schoenen*) walk through; *haar schoenen waren doorgel.* her shoes were worn through; *zijn voeten ~* get footsore; 8 *zie* doorkijken

doorlópen 1 *zie* dóórlopen 6; 2 pass through [a school], complete [the full course]; 3 *zie* door-kijken

doorlopend continuous, non-stop [programme, etc.], running [commentary, fire of interruptions, etc.]; *~e kaart* season-ticket; *~e polis* open (*of:* floating) policy; *~ recht van toegang* standing right of entry; *~ nummeren* number consecutively; *~e* (*regel*)*nummering* through (line) numbering; *~ ruzie hebben* keep up a running quarrel; *zie* voortdurend; **doorlopers** (*schaatsen*) speed skates, fen-runners

door through: **~luchtig** illustrious; *Uwe -e Hoogheid* Your Serene Highness; **~luchtigheid** illustriousness; *Uwe –, zie* ~luchtig; **~maken** go (pass) t. [a crisis, period, etc.], experience; *wat hij ~gemaakt heeft* [remember] what he has been t.; *zie* ~leven; **~marcheren** *a*) march on; *b*) march t. [the town]; **~mars** march-t.; **~mengen** mix t., mix with; **~midden** in two, in half, [tear it] across; *zie* middendoor

doorn thorn, prickle, spine; (*van mes, enz.*) tang; *dat is me een – in het oog* it is a t. in my side (*of:* flesh), (*van lelijk gebouw, enz.*) eye-sore

doornachtig thorny, spinous

doornappel thorn-apple

doornat wet through, soaking (wet), soaked, drenched to the skin; (*van zweet*) wet all over; *~ maken* drench

doornbos thorn-, bramble-bush

doornemen take [a passage] through, go through, over [a lesson]

doornen thorny; *~ haag* thorn-hedge

doornenkroon crown of thorns

doorneuzen *zie* doorsnuffelen

doorn: **~haag**, **~heg** thorn-hedge; **~haai** spine shark, spiny (*of:* spiked) dog-fish; **~ig** thorny (*ook fig.*); spinous [fins]

Doornik Tournai, Tournay

Doornroosje the Sleeping Beauty

doorn: ~**struik** thorn-, bramble-bush; ~**uitsteeksel** spinous process

doornummeren number consecutively, n. through

doornvormig thorn-shaped, -like; **-zaad** hedgeparsley

door through; ¹~**ploegen** go on ploughing; ~**plóegen** plough [*ook fig.:* ... the sea; a face ...ed (*of:* scored, furrowed) with wrinkles]; ~**praten** *intr.* go on talking, talk on; *tr.* discuss, canvass [a subject]; ~**priemen** pierce; ~**prikken** prick; (*met lancet*) lance [an abscess]; ~**rammelen,** ~**ratelen** rattle on; ~**razen** keep on raving; ~**regen** streaky [bacon], marbled [meat]; ~**regenen** *a*) keep on raining; *b*) rain t.; *'t dak regent* ~ the roof lets in the rain; *'t regent hier* ~ the rain is coming t. (in); ~**reiken** *zie* ~**geven;** ~**reis** passage (journey) t.; *op mijn* – on my way t., [I'll stay a few days in Paris] en route, [buy clothes in P.] as you pass t.; ¹~**reizen** pass (travel) t.; *de hele nacht* – travel all night; ~**réizen** travel all over; ~**rijden** 1 ride (drive) on; (*na wachten bij verkeersssein*) go; *zie ook* rijden; 2 *wat* – ride (drive) faster; 3 ride (drive) t. [the village]; 4 gall [a horse]; *zich* – get saddlesore; (*sl.*) lose leather; *zich* ~**gereden hebben** be saddle-sore; ~**rijhoogte** headroom, clearance, headway; ~**rit** passage; ~**roeien** row on; (*stud.*) carry on without sleep; ~**roeren** stir; ~**roesten** rust t.; ~**roken** *intr.* smoke on; *tr.* smoke (thoroughly); colour [a pipe]; ~**roker** colouring-pipe; ~**rollen** roll t.; *er* – get t. by the skin of one's teeth, scrape t. [an exam]; ~**schemeren** glimmer t., filter t. [ground glass]; *hij liet* – *dat* ... he hinted that ...; ~**scheuren** tear, rend (to pieces, in two); *zie* dwars; ¹~**schieten** *intr.* go on shooting (firing); *er* – shoot t.; (*groente*) shoot up; *tr.* shoot t. [s.t.]; ~**schíeten** 1 riddle [with bullets]; 2 interleave [a book]; ~**schijnen** shine (show) t.; ~**schijnend** translucent; diaphanous [dress]; see-through [dress]; ~**schijnendheid** translucency; ~**schrappen** strike (scratch, cross) out, run t., cancel; ~**schrijven** *a*) write on; *b*) carbon copy; ~**schrokken** bolt, wolf down [one's dinner]; ~**schudden** shake (up) (*ook een persoon*); shuffle [cards]; ~**schutten** pass [a boat] t. [a lock]; ~**seinen** transmit; ~**sijpelen** ooze (filter, seep) t., percolate; (*van dak*) let in water; *'t* – seepage; ~**sjouwen** pound on (*of:* along)

doorslaan I *tr.* drive [a nail] through; punch [metal, leather]; break through, pierce [a wall]; (*op schrijfmachine*) x out [a line]; *zie ook* doorschrappen; (*in tweeën slaan*) knock in two; (*kapot*) smash [a window-pane]; beat up [eggs]; *zijn geld er* ~, *zie* doorjagen *tr.: zich er* ~, *zie* doorheen; II *intr.* 1 (*doordraven*) run on; *hij slaat door als een blinde* **vink** his tongue is running away with him; *haar tong slaat lustig door* her tongue is wagging freely; 2 (*van paard*) break into a gallop; 3 (*van balans*) dip; *de* **balans doen** ~ tip the scales; turn the scale [*ten gunste van* in favour of]; 4 (*van papier*) blot, run; 5 (*van muur*) sweat; 6 (*van schroef,*

motor) race; (*van wielen*) skid, race; *mijn remmen sloegen door* would not take (hold); 7 (*van zekering*) blow (out); (*bij verhoor*) blab, (*sl.*) spill the beans; ~**geslagen zekering** blown fuse; *er is 'n zek. doorgesl., ook:* the light has fused (the fuse is gone); ~**d** *bewijs* proof positive; *zie* bewijs; ~**de deur** swing(ing) door

door through; ~**slag** 1 (*vergiet*) colander, strainer; 2 (*van brief*) carbon copy, carbon; 3 (*drevel*) punch; drift, 4 turn of the scale, overweight; *de* – *geven* turn the scale, (the balance); clinch (decide) it, settle the matter (it); *jeugd heeft de* – youth is more than half the battle; –**gevend** decisive; 5 *in* –, *zie* ~snede; –**papier** copying paper; ~**slapen** sleep on; sleep t. [the night]; ~**slecht** thoroughly bad; ~**slepen** drag (pull) t.; ~**slijten** wear t.; ~**slikken** swallow (down); (*met behulp van water*) wash down [a pill]; ~**slippen** slip t.; ~**sluipen** steal t.; ~**smelten** (*elektr.*) *zie* ~slaan 7; ~**smeren** lubricate; ~**snede** section; *zie* dwars- & overlangs; *in* –, (*eig.*) in section; (*fig.*) on an average; ~**sneemonster** bulk sample; ~**sneeprijs** average price; ~**snellen** *a*) run (rush) on; *b*) run (rush) t. [the country]; ¹~**snijden** cut (t.), cut in two; ~**sníjden** intersect, cross, traverse; (*in alle richtingen*) *ook:* crisscross; ~**snijdend** piercing, penetrating; ~**snuffelen** rummage [*in* among], forage in, ransack, hunt t. [every corner]; ~**spekken** lard; (*fig. ook*) interlard, interperse; ~**spelen** *a*) play on; *b*) play t. [the night]; *c*) pass on [information, a request]; *'t hele stuk nog eens* – play (take) the whole piece t. (*of:* over) again; ~**splijten** split; ~**spoelen** rinse [a tube, linen], flush [a drain *riool*], wash down [one's food]; ~**sporen** (*land*) travel t. (by train); – *tot* travel (go) as far as; ~**spreken** go on speaking (talking); ~**spuiten** syringe [a p.'s ear]; ~**stáan** stand [a shock, the test (*proef*), the enemy's fire, an attack, a siege, cold, criticism], pass [a test], sustain [a siege, an attack], bear [criticism, examination], endure [pain], survive [all perils], pull t. [an illness, danger], ride out (weather) [the storm, crisis]; *wat hij* – *heeft* what he has gone t.; *de vergelijking kunnen* – *met* bear (stand) comparison with; *de proef* –, *ook:* abide the test; ¹~**staan** (*van wind*) (continue to) blow hard; ~**stappen** *zie* ¹~lopen 2; ¹~**steken** pierce [ice, etc.], open, cut [dykes], prick [a blister], (*met lancet*) lance [an abscess], clean [a pipe], tuft [a mattress]; *doorgestoken kaart* put-up job, got-up thing, fiddle, plant; ~**stéken** stab, run t., pierce; ~**steker(tje)** piercer, pricker; ~**stikken** stitch t.; ~**stoot** (*bilj.*) follow, run-through (stroke); ~**stoten** push (thrust) t.; (*bilj.*) run t., play a follow; ¹~**stralen** shine t., *zie* ~schemeren; ~**strálen** light up, irradiate, illuminate; ~**strengelen** entwine, interweave; ~**strepen,** ~**strijken** *zie* ~schrappen; ~**stromen** flow (run, stream) t.; ~**stroomschema** flow chart, flow-sheet; ~**studeren** continue one's studies; (*boek*) *zie* ~werken; ~**sturen** *zie* ~zenden; ¹~**tasten** act with decision, take (strong) action (a strong line); *zie* ~zetten; ~tástend I *bn.* drastic [measures], energetic (*fam.*: go-ahead) [man], vigorous; sweeping [reforms]; II *bw.* energetically, drastically, etc.; ~tastendheid energy, thoroughness; *goed* ~timmerd substantially built; ~tintelen thrill

Doortje Dolly, Doll, Dora

door through: ~tocht march t., passage, [Germany demanded a] right of way [t. Belgium], transit; *zich een – banen* force one's way t.; ~trappen (*kapot tr.*) kick to pieces; (*op fiets*) pedal on; ~trapt unmitigated, consummate, thorough-paced, double-dyed, out-and-out, arrant [villain, scoundrel], [rogue] in grain; ~traptheid cunning, craft; ~trek (*tekening*) tracing; *zie ook* ~reis; '~trekken 1 (*door opening tr.*) pull t.; 2 (*stuk tr.*) pull to pieces (in two); 3 extend (*meetk.*: produce) [a line]; extend, carry forward, push on [a railway]; pursue [the comparison further]; 4 go (march) t. [the streets], traverse [the desert]; *'t hele land* – go all over the country; 5 trace [a drawing]; 6 (*van W. C.*) flush; ~trekken pervade, imbue, soak, saturate; *zie* ~trokken; ~trekker (*ook vogel*) transmigrant; '~trekking (*van weg, enz.*) extension; ~treklaken (*onder zieke*) drawsheet; ~trillen thrill (t.); ~trokken soaked [with water, alcohol, etc.], imbued [with Scotch ideas], steeped [in romance, science], leavened [with humour]; – *van de zonnewarmte* sun-drenched [fields]; *van vooroordelen* – steeped in prejudice; ~vaart passage; ~vaarthoogte (*van brug*) (clear) headway, clearance; ~vallend *licht* transmitted light; ~varen pass (sail) t. [a canal]; pass [under a bridge]; (*verder* –) sail on; ~vechten fight on; *zich er* – fight one's way t.; ~verbinden connect [with]; ~verbinding t. connection; ~verkopen resell; ~vijlen file t.; ~vlechten interweave, intertwine, interlace; ~vliegen fly t. [the air, the street], rush t. [a book]; ~vloeien flow t.; (*van papier*) blot; ~voed well-fed

doorvoer transit; ~en convey (*of.*: pass) [goods] in t.; carry [a principle, a reform] through; support, sustain [a role, character]; *te ver* – push [a principle] too far, carry [modesty] to excess; ~goederen t. goods; ~handel t. trade; ~haven t. port; ~kamp t. camp; ~rechten t. duties

door through: ~vracht t. freight; *goederen in* – t. goods; *in* – *verzenden* forward in t. f.; ~vreten eat t. [s.t.]; ~waadbaar fordable; *~waadbare plaats* ford; ~waaien blow t.; *zich laten* – go for (get, have) a blow, [go for a walk to] blow the cobwebs away; ~waden wade t., ford; (*te paard ook*) ride [a brook]; ~waken watch t. [the night]; ~wandelen *intr.* walk on; *tr.* walk t., walk all over [a place]; ~was (*plant*) hare's ear; ~wássen *zie* ~regen; ~weekt soaked, sopping, sodden, soggy, waterlogged [fields]; ~weken soak, steep; '~werken *intr.* work on, go on with one's work; *het proces heeft nog niet ver genoeg doorgewerkt* the process has not worked sufficiently yet; *deze gevoelens zullen*

ongetwijfeld – in het milieubeleid will no doubt carry over into ...; II *tr.* work t. [a book], finish; *laten* – put [a pupil] t. [a book]; *zich er* – work one's way t.; ~wèrken elaborate; interweave, work [with gold, etc.]; ~*werkt*, *ook* = ~wrocht; ~weven interweave (*ook fig.*); ~woelen root up; ~worstelen struggle t. [difficulties]; struggle (wade, work one's way) t. [a book], wrestle with [a book]; ~wrijven rub [one's fingers] sore; ~wrocht elaborate; ~wroeten grub (*of.*: root) up; ~zagen *tr.* saw t.; *intr.* saw on; *iem.* –, *a*) question a p. closely; *b*) keep on bothering a p.; *zie ook* zagen; ~zakken (*van muur, telegraafdr., enz.*) sag; (*van pers.*) give at the knees; (*van knie, enz.*) give, sag [my ankle gave under me]; (*luchtv.*) pancake (*ook: doen* –); (*zich bedrinken*) booze, drink to excess; *~gezakte knie* football knee; ~zakking sag; ~zaklanding (*luchtv.*) pancake landing; ~zeilen *tr.* sail on; *intr.* sail t.; ~zenden send on, forward (on), transmit, redirect [a letter]; ~zetten: *iets* – carry (see put) a thing t., go t. with a thing (a plan, etc.), press [an attack], push on [a work], assert [one's will]; (*volharden*) persevere, press on, see it t. (*of.*: out), go the whole hog; *de ziekte zette niet door* did not develop further; ~zetter pushful (go-ahead) man; (*sl.*) sticker; (*Am.*) go-getter; ~zettingsvermogen perseverance; ~zeuren keep whining (*zie* zeuren); ~zeven riddle [with bullets]; ~zicht penetration, discernment, perspicacity, insight; ~zichtig transparent (*ook fig.*: pretext, etc.), clear [glass, *tegenov. matglas*], thin [excuse, disguise]; *'t is nogal* –, (*fig.*) it's a bit obvious; ~zichtigheid transparency (*ook fig.*); ~zichtkunde perspective; '~zien *zie* ~kijken; ~zien see t. [a p., his designs, tricks, disguise], read [a p.] aright, size up [a p.]; *ik* ~*zie hem ook:* I've got his number all right, I can read him like a book; ~zijgdoek straining-cloth; ~zijgen *tr.* strain, filter; *intr.* strain (filter) t.; ~zitten: *zich* – sit o.s. sore; (*op zadel*) get saddle-sore; (*broek*) wear t. the seat of one's trousers; ~zoeken search [a house, pocket], rummage, ransack [a room], go t. [a p.'s pockets], scour [a district], beat, comb [the woods for a criminal], comb out [the London underworld]; ~zoeking search, etc.; *vgl. 't ww.*; ~zonkamer through lounge; ~zweet perspiring all over, dripping with sweat; ~zwelgen swallow; ~zwerven wander (ramble, roam, rove) t., roam [the fields]; ~zweten sweat t., transude; *de nacht* ~zwieren make a night of it; ~zwoegen toil t. [life, the night]

doos box, case; (*WC*) lav. (= lavatory); *in de* ~ *zitten* be in quod, be in jug, be doing time; *iem. in de* ~ *stoppen* put (*of.*: clap) a p. in quod (in jug); *de* ~ *ingaan* go into clink, get time, get a stretch; *uit de oude* ~ old, antiquated; old-time [stories]

doosje (little) box; (cigarette) carton; *de wereld in een* ~ in a nutshell; *hij ziet er uit alsof hij uit een* ~ *kwam* he looks as if he came out of a bandbox; **doosvrucht** capsule

dop (*van ei, noot*) shell; (*van zaden*) husk; (*van erwt, boon*) pod; (*deksel*) lid, cover; (*van vulpen, flacon, enz.*) cap, top; (*van floret*) button; (*van hoedepen*) guard; (*hoed*) bowler (hat), (*hoge*) topper; **in de ~** (*fig.*) budding (sucking) [lawyer, etc.], ... in the shell (bud, making), ... in embryo, embryo [poet, etc.]; **hij is pas uit de ~** he has hardly left (is hardly out of) the shell; **kijk uit je ~pen** look where you're going!

dopeling child (person) receiving baptism

dopen baptize, christen; (*schip, klok, enz.; ook: een bijnaam geven*) christen; name [a ship]; (*in-*) dip; (*soppen*) sop [bread in milk]; water [milk, etc.]; **hij werd Jan gedoopt** he was christened (by the name of) John [*naar* after]; **doper** baptizer; **Johannes de D~** John the Baptist

dop: ~**erwt** green pea (*mv.* peas); ~**heide** bell-heather, bottle-heath, (cross-leaved) heath; ~**hoed** zie ~; ~**je** zie ~; (*dameshoed*) cloche (hat); ~**moer** cap (box, blind) nut; ~**pen** shell [beans, peas, eggs, nuts]; (*groeten*) cap; *voor zijn leraar* – cap one's master; zie **boontje;** ~**pers** zie **doperwt;** ~**sleutel** (*techn.*) socket spanner (wrench)

dor dry [wood], barren [land], arid [desert]; (*fig.*) dry, arid, barren [subject]; (*verdord*) withered (*ook van lichaamsdeel*); ~**re streken,** (*Am.*) barrens

Dora Dora, Dolly, Doll

dorade (*vis*) dorado; **Dorado** El Dorado

doren zie **doorn**

dorheid dryness, barrenness, aridity; zie **dor**

Doriër Dorian; **Dorisch** (*van Doris*) Dorian, Doric; (*muz.*) Dorian; (*bk., tlk.*) Doric

dorking(hoen, -kip) Dorking (hen)

Dorothea id., Dorothy, (*fam.*) Dolly, Dot

dorp village; **op een ~** in a v.; ~**achtig** zie **dorps**

dorpel threshold; zie **drempel**

dorpeling villager

dorper (*hist.*) villein; (*fig.*) boor

dorps village-like, countrified, rustic

dorps- village: ~**bewoner** villager; ~**dominee** country rector, etc.; ~**gemeenschap** v.-community; ~**gemeente** rural parish; ~**genoot** fellow-villager; ~**heer** squire; ~**herberg** v.-, country-inn; ~**hoofd** v.-head(man); ~**huis** village social centre; ~**kermis** country-fair; ~**meisje** country-lass, -girl; ~**pastoor** v.-priest; ~**pastorie** v.-parsonage, etc.; zie **pastorie;** ~**plein** *ongev.:* v.-green; ~**praatjes** v.-gossip; ~**predikant** country parson, etc.; zie **predikant;** ~**school(meester)** v.-school(master); ~**veldwachter** v.-constable

dorren wither

dors (*jonge kabeljauw*) torsk; (*dorsvis*) hake

dorsen thresh; *hooi* ~, zie **stro** (... *dorsen*); -**er** thresher; -**machine** threshing-machine

1 dorst *o.v.t. van* **durven**

2 dorst thirst (*ook fig.*); ~ *hebben* (*krijgen*) be (get) thirsty; ~ *naar* t. for (after) [glory, blood, etc.]

dorsten: ~ *naar* thirst for (after), be thirsty for [peace]

dorstig thirsty; ~ *werk* thirsty work; ~**heid** thirst(iness)

dorstijd threshing-season

dorst: ~**lessend,** ~**stillend** thirst-quenching; ~**verwekkend** causing thirst; (*fam.*) thirsty [work]

dors: ~**vlegel** flail; ~**vloer** threshing-floor

Dorus Theo(dore), Ted(dy)

dos attire, dress; (*dicht.*) raiment

doseren dose; **dosering** dosage

dosis dose (*ook fig.*), quantity; *te grote ~* overdose; *te kleine ~* underdose; *'n kleine ~ gezond verstand* a modicum of sense

dossen attire, dress; (*tooien*) deck

dossier id., file

dot 1 knot [of hair, etc.], tuft [of grass, moss, hair]; *een ~ watten* a cotton swab; 2 (*voor zuigeling*) sucking-bag; 3 *een ~ van een hoed* (*kind*) a dream of a hat (a perfect pet); *wat een ~(je)!* what a (little) dear!; zie **snoes**

dotatie donation; **doteren** zie **begiftigen ...**

dotje zie **dot**

dotterbloem marsh-marigold, kingcup

douairière dowager

douane custom-house, [the] Customs; *ook:* = ~**beambte** c.-h. (customs-)officer; ~**bestand** tariff truce; ~**boot** revenue-cutter (-launch); ~**formaliteiten** customs formalities; ~**kantoor** custom-house; ~**loods** customs shed; ~**onderzoek** customs examination; ~**rechten** customs duties, customs; ~**tarief** customs tariff, tariff rate(s); ~**unie** customs union; ~**verklaring** customs declaration; *onder* ~**versluiting** under customs seal; ~**voorschriften** customs regulations; ~**zegel** customs seal

douanier zie **douanebeambte**

doublé 1 gold-plated work; 2 (*bilj.*) doublet

doubleren (*bilj., bridge*) double; (*klas*) repeat a class, stay down; (*kaap*) double; (*theat.*) double [a part]; (*voeren*) line

doublet id.; (*dubbel exemplaar*) duplicate, double(t); **doublure** (*theat.*) understudy; duplication; (*in boek*) id.

douceur(tje) douceur; (*fooi*) gratuity, tip, perquisite; (*ter omkoping*) palm-oil, lubrication; (*buitenkansje*) windfall, (*fam.*) money for old rope

douche shower(-bath); (*inz. med.*) id.; *koude ~,* (*fig.*) cold douche [on a p.'s zeal, etc.]; ~**cel** shower (cubicle)

douw(en) zie **duw(en);** *een douw krijgen,* (*fam.*) get punished

dove deaf person; *de ergste ~n zijn zij, die niet willen horen* none are so deaf as those who will not hear; *dat heb je aan geen ~ gezegd* I'll make a note of that; *voor ~n preken* preach to deaf ears; ~**kool** dead coal; *hij klopte aan ~mans deur* his words (his proposal, etc.) fell on deaf ears

doven extinguish, put out, black out, switch (*of:* shut) off (*half:* dim) [the lights of a motor-car]; (*as*) quench; (*met as dekken*) damp down [a fire]; (*dempen*) deaden [sound]

dovenetel dead nettle

dovig -   194

dovig somewhat deaf; *zie* hardhorig
doyen id.

dozijn dozen; *een, twee, verscheiden, enz.* ~ *(boeken)* one, two, several, etc. d. (books); *enige
~en (boeken)* some dozens (of books); *~en
boeken* dozens of books; *een paar* ~ a couple
of dozen; *bij het* ~ *(bij ~en)* verkopen sell by
the dozen (in dozens)
Dr. id.

dra *(lit.)* soon, before long
draad thread *(ook in glas, enz., van schroef en
fig.:* ~ of life, etc.); *(metaal-)* wire; *(vezel)* fibre,
filament; *(van peul)* string; *(in elektr. lamp)*
filament; *(richting van houtvezels)* grain; *(van
mes, schaats, enz.)* wire-edge; *D~,* (*fam.* =
marconist) Sparks; *een* ~, *ook:* a length of t.;
de draden van iets in **handen** *hebben* hold the
clue to (the threads of) s.t.; *hij heeft geen droge
~ aan 't lijf* he has not a dry t. *(of:* stitch) on
him; *geen* ~ *aan iem.* **heel** *laten* not leave a rag
on a p. *(ook fig.)*; *er bleef geen* ~ *heel van de
verklaring* the statement was torn to rags, not
a thread of the st. remained; *de* ~ *kwijt raken
(zijn)* lose (have lost) the t. (of the story, etc.);
de ~ *van ... weer* **opvatten** take up (resume)
the t. of the conversation, gather up the
threads (of thought); *een* ~ *in de* **naald** *steken*
thread a needle; *dat loopt er als een rode* ~
doorheen that runs through it like a (continuous) t.; *de draden uit een wond halen* take the
stitches out; *aan een zijden* ~ *hangen* hang by
a t., hang in the balance; *per* ~ *antwoorden*
reply by wire; *tegen de* ~ against the grain; *hij
is altijd tegen de* ~ he is a cross-grained sort of
chap; *tot op de* ~ *versleten* worn to a t., threadbare; *van draden voorzien* wire; *voor de* ~ *ermee!* speak up!; *met iets voor de* ~ *komen* come
out with s.t.; ~**baan** wire-way; ~**bank** draw-
bench; ~**bericht** wire, telegraphic message,
telegram; ~**borstel** wire-brush; ~**glas** *a)* wire-
glass, wired glass; *b)* filigree glass; ~**harig** wire-
haired [terrier]; *-e terrier, ook:* wire-hair; ~**je**
thread *(zie* ~); *elke dag een – is een hemdsmouw
in het jaar* many a little makes a mickle; ~**kabel** wire-cable, -rope; ~**kogel** cross-bar shot;
~**kruising** *(van tramdraden)* frog
draadloos wireless; ~ *telegram* radiotelegram;
-ze telegrafie (telefonie) w. telegraphy (telephony); ~ *telegraferen* w.; ~ *omroepen (uitzenden)* broadcast, radio; ~ *station* w. station
draad: ~**molen** *zie* ~trekkerij; ~**nagel** wire-nail;
~**omroep** rediffusion; ~**ontspanner** *(fot.)* cable
release; ~**schaar** wire-cutter; ~**schuier** *zie* ~
borstel; ~**spanner** turnbuckle; ~**tang** pliers; ~
trekken wire-drawing; ~**trekker** wire-drawer;
~**trekkerij** wire-drawing mill; ~**versperring**
(barbed) wire fence; ~**vormig** thread-like; ~
werk wire-work; *(fijn, van goud, enz.)* filigree;
~**wiel** wire-wheel; ~**wissel** telegraphic transfer,
T.T.; ~**worm** thread-worm, nematode
1 **draagbaar** *zn.* stretcher, litter
2 **draagbaar** *bn.* portable [goods, etc.]; movable [altar]; bearable; *(kleren)* wearable; ~**heid**
...ness, portability

draag: ~**balk** supporting-beam, girder; ~**band**
strap, belt; *(voor gebroken arm)* sling; *(mv.:
bretels)* braces; ~**berrie** *zie* ~baar 1; ~**boom** carrying-pole; ~**golf** *(telec.)* carrier wave; ~**hemel**
(portable) canopy; ~**juk** yoke; ~**koets** palanquin, -keen; ~**korf** pannier; ~**kracht** bearing-
power; *(van schip, brug, enz.)* carrying-capaci-
ty; *(van vuurwapen)* range; *(van stem)* carry-
ing-power, range; *zie ook* ~wijdte; *financiële*
– financial strength; *de minder –igen* the financially weak; ~**kussen** cushion *(of:* pillow) to
carry a baby on
draaglijk *bn.* tolerable, endurable; *(tamelijk)
ook:* passable, so-so, fair; *bw.* tolerably, passably
draag: ~**loon** porterage; ~**plaats** *(tussen 2 rivieren,
bijv.)* portage; ~**riem** (carrying-)strap; *(van officier)* Sam Browne (belt); ~**stoel** *(hist.)* sedan
(-chair); *(Ind., enz.)* palanquin, -keen; *(van
zieke)* carrying-chair; *(van de paus)* gestatorial
chair; ~**stok** carrying-pole; ~**tas** carrier (bag);
~**vermogen** (load-)carrying capacity; *zie* ~
kracht; ~**vlak** *(van vliegt.)* plane; *(fig.)* basis;
~**vleugelboot** hydrofoil; ~**wijdte** range [of a
gun]; import [of a p.'s words]; scope [of a
decision]; ~**zeel** strap; ~**zetel** *zie* ~stoel; ~**zuil**
supporting-column
draai turn; *(van touw ...)* turn, twist; *(van weg, enz.)*
bend [dangerous ...], turn(ing), curve; *iem.
een* ~ *(om de oren) geven* give a p. a box on the
ear(s), box (cuff) a p.'s ears; *er een* ~ *aan geven,
(fig.) a)* pass [the matter] off [adroitly]; *b)*
give it a twist (= misrepresent); *zijn* ~ *hebben*
be in high feather, be as pleased as Punch;
een ~ *maken* make (take) a t. [to the right];
(om eigen as) slew *(ook doen m..:* slew the boat
round); *de* ~ *te kort (te wijd) nemen* take too
short (too wide) a bend (turn), take the turning too sharply (too widely); *zijn* ~ *nemen,
(fig.)* change front, make a (complete) change
of front; *hij is aan de* ~ *geweest* he has been on
the spree (on a bend), has been going it; ~
baar revolving; ~**bank** lathe; ~**bas** swivel-gun;
~**beitel** turning-chisel; ~**boek** *(van film)* scenario *(ook fig.: uitgewerkt plan)*; (shooting)
script; ~**boom** swing-gate; *(tourniquet)* turnstile; ~**bord** *(op kermis, enz.)* spinner; *(van
roulette)* spinning-wheel; ~**brug** swing-,
swivel-bridge; ~**cirkel** turning circle; ~**deur**
(van hotel, enz.) revolving door
draaien I *intr.* turn; *(om as of middelpunt ook)*
revolve, rotate; *(snel)* spin (round); *(in cirkel,
spiraal)* gyrate, whirl; *(van stoel, boekenmolen,
enz.)* swivel; *(van motor)* run; *(kronkelen)* turn,
wind; *(van wind)* shift, *(met de zon)* veer, *(tegen
de zon)* back; *(fig.)* equivocate, prevaricate,
hedge, fence; *(van bedrijf, fabriek, enz.)* run, be
in production; *zitten te* ~ wriggle, fidget [on
one's chair], be fidgety; *(van film)* show; *(van
grammofoonplaat)* play, turn; *'n tol laten* ~
spin a top; *mijn hoofd draait* my head swims,
my brain reels; *alles draait mij* the room whirls
round me, my brain is in a whirl; ~ *om* t.
(revolve) on [an axis]; *alles draait hierom*

everything turns (hinges, pivots) on this, this is the crux of the whole question; *de hele zaak draait erom of* ... the whole issue is whether ...; *de huishouding draait om hem* the household revolves round him; *er omheen* ~ beat about the bush, hedge, wriggle, equivocate, prevaricate; *met zijn ogen* ~ roll one's eyes; *met zijn hoed (aan zijn snor)* ~ twirl one's hat (one's moustache); *hij zat te* ~ *met* ... he sat fiddling with a pencil; *met* ~*de motor* with the engine running; *zie* wind [a wheel, wood, ivory, etc.]; traverse [a gun]; roll [pills]; wind [a piece of string round s.t.]; twiddle [a knob]; (*telef.*) dial [a number]; show [a film]; play [a record]; *kapot* ~ overwind [one's watch]; '*t zo* ~, *dat* ... represent things in such a way that ...; *zich* ~ turn [to the right, etc.]; *zich eruit* ~ wriggle out; *zie* orgel, gedraaid, enz.; ~*de beweging* rota(to)ry motion

draaier turner [in ivory, etc.]; (*fig.*) twister, shuffler, prevaricator; (*wervel*) axis; ~**ig(heid)** dizzy, giddy (-iness); ~**ij** turnery, turner's business; (*fig.*) shuffling, twisting, shift(s), prevarication, equivocation, fencing, hedging; *met* ~*en omgaan, zie* draaien (*fig.*)

draai: ~**gewricht** pivot joint; ~**hals** wry-neck; ~**hek** swing-gate; (*tourniquet*) turnstile; ~**ing** turn(ing); rotation [on an axis], revolution [round the sun]; (*duizeligh.*) giddiness; ~**ings-as** axis of rotation; ~**kever** whirligig (beetle); ~**kolk** whirlpool (*ook fig.*), eddy, swirl, vortex; ~**kruis** turnstile, kissing-gate; ~**kruk** crank; ~**krukje** revolving stool; ~**ladder** (*bij brand*) turn-table ladder; ~**licht** revolving light; ~**lier** hurdy-gurdy; ~**molen** round-about, merry-go-round; ~**molenverkeer** roundabout (gyratory) traffic; ~**moment** (*techn.*) torque, twisting-moment; ~**orgel** street-organ; (*draagbaar*) hand-organ; ~**punt** turning-point; centre of rotation; ~**raam** casement; ~**schijf** *a*) (*spoorw.*) turn(ing)-table, traverse-table, traverser; *b*) (*potter's*) wheel; *op de* ~ *gemaakt* made on the wheel, wheel-made [pottery]; ~**spiegel** swing-glass, cheval-glass; ~**spil** capstan; ~**spit** roasting-spit; ~**spoel** (*radio*) moving coil; ~**stel** (*van treinwagen*) truck, bogie; ~**stoel** swivel-, revolving-chair; (*van horlogemaker*) turn-bench; ~**stroom** *a*) *zie* ~kolk; *b*) (*elektr.*) rota(to)ry current, three-phase current; ~**stroommotor** rotary-current motor; ~**tafel** (*van grammofoon*) turntable; ~**tol** (spinning-, peg-) top; (*fig.*) weathercock; ~**toneel** revolving stage; ~**torretje** whirligig-beetle; ~**trap** spiral staircase; ~**vuur** revolving light; ~**werk** turnery (ware), turner's work; ~**worm** coenure; ~**ziekte** staggers, goggles

draak dragon; (*theat.*) blood-and-thunder play; *een echte (oude)* ~ a perfect horror, an old terror (fright); *een* ~ *van een kind* an odious (detestable) child; *gevleugelde* ~, (*her.*) wyvern; *de* ~ *steken met* poke fun at, make fun of

drab(be) dregs, lees, sediment

drabbig turbid, thick, muddy; ~**heid** turbidity, thickness, muddiness

drachme (*gewicht*) drachm, dram; (*Oudgr. munt*) drachm(a); (*Nieuwgr. munt*) drachma

dracht (*kleder-*) dress, costume, garb, wear [summer...; black is the only ... now]; (*last*) load, charge; (*draagwijdte*) range [of a gun]; (*zwangerschap*) gestation; (*van wond*) matter, discharge, pus; ~ *slagen* sound thrashing; *honden van één* ~ dogs of the same litter

drachtig with young; in foal; in calf; in lamb; in pig; (*van teef*) in pup; ~ *zijn, ook:* go with young; ~**heid** gestation

drachtlijn *zie* lastlijn

draconisch Draconian, Draconic

drad(er)ig thready, stringy; ropy [liquid]; ~**heid** threadiness, etc.

draf 1 trot; *op een* ~ at a t., at a run; *in vlugge* ~ at a brisk (quick) t.; *in volle* ~ at full t.; *in* ~ *brengen (zetten)* bring (put) to the (a) t.; '*t op een* ~ *zetten* break (strike) into a t.; 2 (*varkensvoer*) swill, hogwash, draff; *met* ~ *gevoerd* swill-fed [pigs]

dragant (*plant*) milk-vetch; (*gom*) tragacanth

dragee dragée; (*med.*) coated tablet

dragelijk *zie* draaglijk

dragen bear [a weight, fruit, sorrow, the marks of ..., a name, date, inscription, loss, the cost, responsibility; the trees are ...ing, the ice ...sl]; (= *schragen*) support; *wapens* ~ (= *soldaat zijn*), b. arms; (*aan 't lichaam*) wear [clothes, spectacles, a ring, beard, a cheerful expression, a worried look, the crown; a sword]; carry [s.t. from one place to another, one's hat in one's hand, one's head high, one's arm in a sling], (*bij zich hebben*) carry [a stick, a parcel, fire-arms; I never ... a watch]; (*van wapen, stem*) carry [the rifle, his voice, does not ... far]; (*van wond*) fester, discharge [matter], run, suppurate; (*drachtig zijn*) *zie* drachtig; *de koe draagt 9 maanden* the cow goes with young for nine months; *dit geweer draagt 1000 m, ook:* has a range of ...; *die mand draagt ongemakkelijk* is uncomfortable to carry; *niets om hier bij te* ~ nothing to wear with it; *deze stof blijft goed in 't* ~ this stuff wears well; *de koepel wordt door 4 pijlers gedr.* four piers carry the dome; *ik kan 't niet langer* ~, (*uithouden*) I cannot bear it any longer; *je draagt je jaren met ere* you carry your years well, you wear well; *de gevolgen* ~ take the consequences; *moedig* ~ bear up against [misfortunes], face [illness] courageously; *deze boom draagt geweldig* this tree is a great bearer; *niet te* ~, (*van kleren*) unwearable; ~*de waarde* contributory value; *zie* hand, schuld, wapen, enz.

drager bearer (*ook bij begrafenis & van brancard*), carrier, porter; (*med.*) carrier, vector; (*fig.*) exponent [of a principle]; *de taal is de* ~ *der gedachte* language is the vehicle of thought

dragline id.

dragoman id.; *mv.* -mans, -men

dragon 1 sword-knot; 2 (*plant*) tarragon

dragonder dragoon; (= *manwijf*) virago; *zie* vloeken; **dragonnade** id.

drainage id., draining; ~gebied catchment area, drainage area (basin); **draineerbuis** drain(age)-pipe; **draineren** drain

drainering drainage, draining; drains

drake: ~bloed (*plant*) bloodwort, bloody dock; (*kleurstof*) dragon's blood; ~bloedboom dragon-tree; ~kop dragon's head (*ook plant*)

drakerig: *een ~ stuk*, *zie* draak (*theat.*)

draketanden dragon's teeth

dralen tarry, linger, delay; (*treuzelen*) dawdle, dally; *zonder ~* without (further) delay; ~d hesitating(ly)

draler lingerer, laggard, dawdler, slow-coach

drama id.; ~tiek drama, dramatic art; ~tisch dramatic (*bw.:* -ally); ~tiseren dramatize; ~-tisering dramatization; ~turg dramaturge, dramatist; -ie dramaturgy

drammen *zie* zeuren

drang pressure [of public opinion], urgency, impulse, impulsion, [inner] urge, craving [*naar liefde* for love]; *~ naar eenheid* urge to(wards) unity; *onder de ~ der omstandigheden* under (the) stress (by stress) of circumstances; *zie* aandrang; ~hek crush-barrier; ~reden urgent reason

drank drink, beverage; (*van dokter*) medicine, mixture, draught; (*voor dier*) drench; *sterke ~* strong drink, spirits, liquor, intoxicant; *aan de ~ zijn* be addicted to liquor, be given to d., (*fam.*) be on the d.; *aan de ~ raken* take to drink(ing), (*fam.*) go on the d.; *zie* invloed & staan (*laten ...*); ~accijns d.-duty; ~bestrijder temperance advocate; ~bestrijdersvereniging temperance-society; ~bestrijding temperance movement, prohibitionism; ~fles spirit-bottle; ~flesje medicine-bottle, (m.-)phial; ~gebruik use of alcoholic d.; ~handel liquor-trade; ~hol drinking-den; ~huis public house, (*fam.*) pub; ~je mixture, draught, potion; drink; ~misbruik excessive drinking; ~offer drink-offering, libation; ~orgel drunken swab (*of:* sot), soak; ~smokkelaar, -arij liquor-smuggler, -ing, (*Am. sl.*) bootlegger, -ing; ~verbod prohibition; *voorstander van* ~ prohibitionist; ~verbruik consumption of d.; ~vergunning d.-licence, liquor l.; ~verkoop sale of liquor, d.-traffic; *verbod van* ~, *zie* ~verbod; ~verko(o)p(st)er liquor-seller; ~vraagstuk d.-problem, liquor question; ~vrij teetotal; ~wet licensing-act; ~winkel wine (and spirit) merchants; ~zucht dipsomania, addiction to d.; ~zuchtig given to drink(ing), dipsomaniacal; ~zuchtige dipsomaniac, d.-addict; *herstellingsoord voor ~n* home for inebriates, inebriate(s') home

draperen drape; -ing draping; *ook =* **draperie** drapery, hangings

dras *zn.* mire, marshy land; *bn. zie* drassig; ~land marsh-land, marshy land, swamp

drassig marshy, swampy, spongy, soggy, squelchy, miry; ~heid marshiness, etc.

drastisch drastic (*bw.:* -ally), radical [measure], sweeping [change]

draven trot (*ook van pers.*)

draver trotter; ~ij trotting-match

dravik (*plant*) brome

1 dreef *o.v.t. van* drijven

2 dreef alley, lane, avenue; (*veld*) field, pasture, (*dicht.*) mead; *hij was goed* (*prachtig*) *op ~* he was in good (great, fine, brilliant, excellent, top) form, had got into his stride; *uitstekend op ~*, *ook:* at the top of one's form; *niet* (*erg*) *goed op ~* (somewhat) out of form, off form; *op ~ komen* get into one's stride (one's swing, the swing of one's work), get one's hand in, get going; *een dag waarop men niet op ~ kan komen* an off-day; *iem. op ~ helpen* give a p. a start (*fam.:* a shove-off), help a p. on

dreg drag, grapnel, grappling-iron, creeper; ~anker grapnel; ~gen drag, trail, creep [*naar* for]; *er werd gedregd tot ...* dragging-operations were carried out till ...; ~haak grapple, drag-hook; ~net drag-net, trawl

dreigbrief threatening letter; (*om geld af te persen*) blackmailing letter

dreigement threat, menace

dreigen threaten (*ook fig.:* the cliff ...s to fall, it ...s to be an expensive undertaking), menace; *iem. ~ met* t. a p. with [death, etc.]; *met de dood* (*boete*, *enz.*) ~ t. death (a fine, etc.) [he ...ed suicide; the Premier ...ed a dissolution]; *met de vinger ~* shake o.'s finger at; *er dreigt een onweer* a (thunder)storm threatens; *hij dreigt te zullen aftreden* he threatens to resign; ~ *erin te vallen* be in imminent danger of falling in

dreigend threatening [clouds, circumstances], menacing; lowering [sky], imminent [danger], impending [misfortune], (*lit.*) minatory; *de ~e menigte*, *ook:* the ugly mob; *een ~e houding aannemen* adopt a t. (menacing) attitude, (*fam.*) get ugly; (*woest*) ~, *ook:* glowering [eyes]; ~ *kijken* (*naar*) frown (at)

dreiging threat, menace

dreinen whine [*om* for], pule [a puling child]; (*dial.*) = treiteren

dreiner whiner, puler; ~ig whining, etc.

drek muck, dung, dirt, filth, ordure, excrements; droppings [of beasts and birds]; (*slijk*) mire, dirt; *voor sam. zie* mest; ~k(er)ig mucky, dirty, miry; ~tor dung-beetle

drempel threshold (*ook fig.:* on the ... of manhood), doorstep; (*boven-*) lintel; (*van sluis*) sill; (*zandbank in havenmond*) bar; (*van zeebodem*) rise; *hij komt bij mij niet weer over de ~* he shall never cross my t. again, shall darken my door(s) no more; *zie* plat; ~vrees t. fear; ~waarde t. value

drenkbak *zie* drenktrog

drenkeling *a*) drowning person; *b*) drowned person; *c*) [resuscitate an] apparently drowned person

drenken water [cattle, etc.]; (*van regen*, *bloed*, *enz.*) drench; (*in iets*) steep, soak, imbue

drentel: ~aar saunterer, lounger; ~en saunter, lounge; ~gang saunter, lounge

drenzen, -erig *zie* dreinen, -erig

dresseren train [animals], teach [a dog] tricks; break (in) [horses]; drill, coach [pupils];

(*paard*) break to the rein (*of:* saddle); *gedresseerd* trained, performing [dogs, etc.]; *de hondjes zijn goed gedresseerd* very well disciplined; **dresseur** trainer, horse-breaker

dressoir sideboard, (kitchen) dresser

dressuur training, etc.; (*paard*) dressage; *zie* dresseren

dreumes toddler, (little) mite, tiny tot, nipper

dreun roar(ing), boom, drone, rumble; shaking; (*bij lezen, enz.*) singsong, drone, chant; *op dezelfde ~* in the same singsong (*of:* monotone); (*sl.*) *zie* opstopper; *geef hem een ~!* (*fam.*) sock him one!; **~en** (*van donder*) rumble, roar; (*van geschut*) boom, roar; (*van ramen, enz.*) shake; (*bij lezen, enz.*) drone; *doen – shake;* '*t –*, **~ing** *zie ~*

drevel (driving-)punch, drift, set; **~en** punch, drift

dribbel(aar, -aarster) toddler; (*kind ook*) toddle

dribbelen toddle, trip; (*voetbal*) dribble

drie three; (*bij dobbel- & kaartspel ook*) trey [... of diamonds]; *twee ~ën* two threes, (*dobbelspel*) two treys; *alle goeie dingen bestaan in ~ën* third time lucky, three for luck; *het werk in ~ën doen* in three stages; *vgl.* aan, bij, delen, met, rijden, regel, trein, vouwen, zetten; **~achtste** t. eighths; – *maat* t.-eight (time); **~armig** t.-armed; **~benig** t.-legged; **~blad** trefoil; **~bladig** trifoliate, t.-leaved; *de* **D~bond** (*hist.: Duitsl., Oostenr., Ital.*), the Triple Alliance; **~daags** t. days'; **~dekker** t.-decker; (*vliegt.*) triplane; **~delig** tripartite; **~dik** threefold, treble, t.-ply; (*van pleisterwerk, enz.*) t.-coat; **~distel** carline (thistle); **~draad** drill; **~draads** t.-ply [rope, etc.]; **~dubbel** treble [dose], triple [line of soldiers], double-dyed [fool], threefold; *je moet er – voor betalen* you must pay for it three times over; *zie ook* dubbel en dwars; *de* (*H.*) **D~ëenheid** the (Holy) Trinity; **D~ëenheidsleer** Trinitarianism; **~ënig** triune; **~ërhande, ~ërlei** of three sorts; **~fasig** t.-phase [engine]; **~gestreept** (*muz.*) thrice-marked; *vgl.* eengestreept **~helmig** (*plantk.*) triandrous

driehoek triangle; (*teken-*) set square, triangle; **~ig** triangular, three-cornered; **~smeting** trigonometry; **~stransactie** three-way transaction, triangular deal; **~sverhouding** (*man, vrouw, minna[a]r[es]*) triangular love affair, [the] eternal t.; **~sverkiezing** triangular (three-cornered) election (contest, fight)

drie: ~hoevig three-hoofed; **~hokkig** trilocular; **~honderdjarig** tercentenary; – *bestaan, -e gedenkdag* t.; **~hoofdig** t.-headed [serpent]; *-e armspier* triceps (muscle); **~jaarlijks** triennial; **~jarig** *zie* jarig; *ook:* triennial [period]; **~kaart** tierce; **~kant(ig)** t.-cornered [hat], triangular, trilateral; **~klank** (*taal*) triphthong; (*muz.*) triad; *harmonische* – common chord; **~kleppig** trivalvular; **~kleur** tricolour; **~kleurendruk** t.-colour print(ing); **~kleurig** t.-colour(ed); *zie* viooltje; **D~koningen(feest)** Epiphany, Twelfth-night; **~kroon** tiara; **~kwart** t. fourths; t. quarters of [a mile]; *voor –*

t. parts [empty, drunk, etc.]; t.-quarter [full], t. quarters [full], [it has] t. quarters [ruined you]; *– idioot* next door to an idiot; **~kwartsmaat** t.-four (time); **~ledig** threefold, tripartite; t.-barrelled [question]; t.-draw [telescope]; t.-power [magnifier *loep*]; (*wisk.*) trinomial; **~lettergrepig** trisyllabic; – *woord* trisyllable; **~letterwoord** four-letter word; **~ling** (set of) triplets; (*een der drie*) triplet; **~lobbig** t.-lobed, trilobate; **~loops** t.-barrelled; **~luik** triptych; **~maal** t. times; (*vero. & lit.*) thrice; **~maandelijks** *bw.* quarterly, every t. months; *bn.* quarterly, three-monthly (*beide ook: – tijdschrift*); **~maands** t. months old, t.-months'; **~man** triumvir, (*mv. ook*) triumviri; **~manschap** triumvirate; **~master** t. master; **~motorig** triple-engined; **~ponder** t.-pounder; *zie* ~ponds t.-pound, of t. pounds; **~poot** *zie* ~voet; **~puntig** t.-pointed, t.-cornered; **~puntslanding** (*luchtv.*), three-point landing; **~regelig** of three lines, t.-line; – *vers* triplet; **~riemsgalei** trireme

Dries Andy, Andrew

drie: ~slagsmaat triple time; **~slagstelsel** three-course rotation; **~snarig** t.-stringed; **~span** team of t. (horses, oxen); **~sprong** t.-forked road; (*fig.*) *zie* tweesprong

driest audacious, impudent

drie: ~stal three-legged stool, tripod; **~star** asterism; **~stemmig** for t. voices, t.-part [song]

driestheid audacity, impudence

drie: ~strengs t.-ply [cord]; **~stuiverstuk** threepenny bit; **~tal** (number of) three, trio, triad, threesome; *een – dagen* t. days; **~talig** trilingual; **~tallig** ternary; *vgl.* tientallig; **~tand** trident; **~tandig** t.-pronged, -tined [fork]; (*biol., plantk.*) tridental, tridentate; **~tenig** t.-toed; *-e meeuw* kittiwake (gull); *-e zandloper* sanderling; **~versnellingsnaaf** three-speed gear; **~vlakshoek** trihedral angle; **~voet** tripod (*ook van camera*); (*treeft*) trivet; **~voetig** t.-footed, t.-legged; **~voud** *a*) multiple of three; *b*) treble; *in – opgemaakt* drawn up in triplicate; **~voudig, ~vuldig** threefold, triple, treble; tripartite [pact *verdrag*]; *zie* verbond; **~voudigheid** triplicity; **D~vuldigheid** *zie* Drieëenheid; **D~vuldigheidsdag** Trinity Sunday; **~waardigheid** trivalency; **~wegkraan** t.-way cock; **~werf** thrice, t. times; **~wieler** tricycle; *berijder van –* tricyclist; **~zijdig** t.-sided, trilateral, tripartite [treaty]

drift (*opvliegendh.*) passion, (hot) temper, heat [she spoke the words in ...]; (*hartstocht*) passion [evil ...s]; (*drang*) impulse, urge, [reforming] zest; (*haast*) haste, precipitation; (*kudde*) drove [of oxen], flock [of sheep], flight [of geese]; (*~recht*) *zie* weiderecht; (*mar.*) leeway, drift; (*in zee*) drift-(current); (*van wolken*) scud, drift; *in ~* in a fit of p., [act] in hot blood; *in ~ raken, zie* driftig worden; *hij is zijn ~ geen meester* he cannot keep his temper; *op ~ gaan,* (*mar.*) break adrift

driftig (*van aard*) quick-, hot-tempered, passionate, irascible, choleric, hasty; (*boos*) in a passion, angry, hot [answer ...ly]; (*haastig*) hasty, hurried; (*mar.*) adrift; *zie* bui; ~ *worden, zich* ~ *maken* fly into a passion, lose one's temper; ~ *worden*, (*mar.*) break adrift; **~heid** passionateness, irascibility, quick (hot) temper; **driftkikker, -kop** spitfire, hothead; *zijn ~ van een vrouw* his s. (of a) wife

driftrecht *zie* weiderecht

driftstroom drift

drijf: **~anker** sea-anchor, floating anchor, drogue; **~as** driving-shaft; **~bak** *zie* ~schaal; **~baken** spar buoy; **~beitel** chasing-chisel; **~bout** driving-bolt; **~gas** propellant; **~haard** refining-furnace, -hearth; **~hamer** chasing-hammer; **~hout** drift-wood; **~ijs** drift-(drifting, floating) ice; **~ijzer** driving-bolt; **~jacht** *zie* klopjacht; **~kracht** motive power; (*fig. ook*) driving-force, moving spirit, drive, dynamic force; *van* – *voorzien* power; **~kunst** chasing(-art); **~nat** soaking (sopping) wet; **~net** drift-net; **~rad** driving-wheel; **~riem** driving-belt, -band; **~schaal** floating bowl; **~stang** connecting-rod; **~til** trembling bog; **~tol** whipping-top; **~veer** moving-spring, mainspring; (*fig. ook*) spring [the ...s of his actions], incentive, (actuating) motive; **~vermogen** buoyancy; **~weefsel** (*plantk.*) floating tissue; **~werk** *a*) chasing, chased work; *b*) (*van mach.*) driving-gear; **~wiel** driving-wheel; **~zak** (tarpaulin) raft, flo(a)tation-bag; **~zand** quicksand(s), shifting sand(s)

drijven I *intr.* 1 float [on (in) the water, in grease, in the air], swim [in butter, on the surface], drift [with the current, down the river, ashore, the clouds ...ed westward]; *zie* wiek; 2 (*nat zijn*) be soaking (sopping, wringing) wet; *de vloer dreef van 't bloed* swam in (with) blood; *ik drijf*, (*van 't zweet*) I'm swimming, I'm pouring with perspiration; 3 (*in godsdienst, enz.*) fanaticize, be a fanatic (a zealot); II *tr.* 1 drive [cattle to market, a p. to despair]; drive, propel [a machine], whip [a top]; *door stoom gedr.* driven (propelled, worked) by steam, steam-driven; *elektrisch gedr.* electrically driven (operated); *door nieuwsgierigheid gedreven* actuated by curiosity; *iem.* ~ drive (urge) a p. on; (*jachten*) hurry (hustle, rush) a p.; *een zaak* ~ carry on (conduct, run) a business; *de zaken (het) te ver* ~ (*zo ver* ~ *dat* ...) carry (*of:* push) things too far (to such lengths that ...); *de voorzichtig. zo ver* ~ *dat* ... carry precaution to such a point that ...; *nu drijf je 't te ver, ook:* now you're going too far; *de prijzen in de hoogte* ~ force up prices; *door edele beginselen gedr.* prompted (actuated) by noble principles; *z.* aandrijven, engte, handel, uiterste, enz.; 2 chase, emboss [metals]; (*sp.*) dribble [the ball]; **~d** floating [crane, point *komma*], drifting [mine]; adrift [on the ocean]; afloat [remain ...]; – *houden* buoy up; *zie* brandspuit, dok, enz.

drijver (*van vee*) driver, drover; (*jacht*) beater; (*van metalen*) chaser, embosser; (*van vliegboot, visserij, enz.*) float; (*fig.*) zealot, fanatic;

(*bekrompen* ~) bigot; **~ij** zealotry, fanaticism, bigotry; **~tje** (*van nachtlicht*) float

dril 1 (*stof*) drill; 2 (*boor*) drill; 3 (*gelei*) (meat-) jelly; **~boog** drill-bow; **~boor** drill; **~len** 1 (*boren*) drill; 2 drill [recruits, pupils, etc.]; (*voor exam.*) coach, cram; **~meester** drill-sergeant; (*fig.*) crammer; **~school** cramming-school; **~systeem** (*bij onderwijs*) cramming-system

dringen I *intr.* push, (*van menigte ook*) crowd, throng, hustle, jostle; *niet* ~! don't p.! no pushing, please!; *er werd vreselijk gedr.* there was a terrible crush; *de tijd dringt* time presses; ~ *door* pierce, penetrate (through); (*door menigte, enz.*) force (push, elbow) one's way through, squeeze through [the crowd, etc.]; ~ *in*, *zie* binnendringen; *zie* nood; II *tr.* push [a p. aside], crowd [...ed into a corner], press, hustle, jostle; (*fig.*) urge [a p. to action], force [a p. on to the defence]; *van de Beurs* ~ crowd (*of:* hustle) off the Exchange; *zich* ~ *in* insinuate (*of:* worm) o.s. into a p.'s favour (confidence, etc.); *zie* gedrongen

dringend urgent [request, telegram], pressing [need, invitation], crying [need]; ~ *nodig hebben* be in u. need of; ~ *verzoeken* request earnestly (urgently, insistently)

drinkbaar drinkable, potable; **~heid** ...ness

drink: **~bak** (*van paard*) water(ing)-trough; (*van hond, enz.*) water-bowl, drinking-trough; **~bakje** (*van vogel*) (drinking-)fountain; **~beker** cup; (*lit.*) goblet, beaker; *laat deze* – *aan mij voorbijgaan* let this cup pass from me; **~ebroer** tippler, toper, soak; (*fam.*) boozer

drinken I *ww.* drink; (*met kleine teugjes*) sip; (*aan de drank zijn, ook*) be given to drink(ing); *wat* ~ have a drink; *zwaar* ~ drink deep (hard); *te veel* ~ d. to excess; *wat wil je* ~? what are you having? (*fam.*) what's yours?; *een glas wijn met iem.* ~, *ook*: join a p. in a glass of wine; *onder de tafel* ~ d. under the table; *op iemand(s gezondheid)* ~ d. (to) a p.'s health [*met* ... in champagne, in a glass of port], d. to a p., toast a p.; *ik stel voor op de bruid* (*op de heer K.*) *te* ~ I (I'll) give you the bride (I propose Mr. K.'s health); *op onze nadere kennismaking* ~ d. to our further acquaintance; ~ *op de ondergang van* d. confusion to; *ik drink op je succes* here's to your success!; *op een koop* ~ d. on a bargain; *daar moeten we op* ~ we must have a drink on this; *zie* tempelier; II *zn.* drinking; (*concr.*) drink(s), beverage; *dat is geen* ~ (*niet te* ~) not fit to d.; **~sbak-(je)** *zie* drink ...

drink: **~er** *zie* **~ebroer**; **~fontein** drinking-fountain; **~gelag** drinking-bout, carouse, carousal; *in hun* –*en* over their cups; **~geld** drink-money; **~gelegenheid** drinking-place; **~gewoonte** drink(ing)-habit; **~gezel** drinking-companion; **~glas** drinking-glass; (*zonder voet*) tumbler; **~hal** (*in badplaats*) pump-, well-room; **~hoorn** drinking-horn; **~kan** tankard; **~kroes** (drinking-)mug; **~lied** drinking-song; **~nap** drinking-bowl; **~plaats** watering-place; **~schaal** (shallow) drinking-cup; **~schuitje** (*voor* zieke) spouted cup, feeding-cup; ~trog water-(ing)-trough, cattle-trough; ~water drinking-water; –voorziening zie water-

droef sad, afflicted; ~ peinzend wistful [look]; ~ te moede in low spirits, cast down; door droeve noodzakelijkheid by dire necessity; ~enis sorrow, grief, affliction, distress; ~geestig melancholy, mournful, sad; – peinzend wistful; —heid melancholy, mournfulness, sadness; ~heid sadness, sorrow (over at)

droeg o.v.t. van dragen

droes 1 (kwade) glanders; (goedaardige) strangles; 2 zie drommel

droesem dregs, lees, sediment

droesemig dreggy, turbid, thick

droevig sad, sorrowful; (beklagenswaardig) sad, pitiful [sight], sorry [present a ... spectacle]; de ~e zekerheid the melancholy certainty; zie bedroefd, ridder

droezig glanderous, glandered

drogbeeld illusion, phantom

droge dry land, dry spot; op 't ~ on dry land; op 't ~ brengen land; op 't ~ zetten be stranded (ook fig.); zie schaapje, enz.

drogen I tr. dry [one's hands upon a towel], wipe (dry); (fruit) dry, evaporate; (kunstmatig) dehydrate; gedroogde klapper desiccated coconut; II intr. dry

drogenaaldets dry-point, etching in dry-points

drogerij drying-house, -room; ~en drugs, dyes, colours, chemicals; droget drugget

drogist chemist, druggist; ~erij chemist's, druggist's shop

drogman dragoman, mv. -mans, -men

drogreden sophism, fallacy; ~aar sophist

drol (plat) turd

drom crowd, throng, multitude, drove; in ~men in droves

dromedaris dromedary

dromen dream; (fig. ook) moon; droom prettig! pleasant dreams!; lopen te ~ moon about; je droomt you are dreaming; wie had dat kunnen ~ who could have dreamt of such a thing; ik kan het wel ~ I know it backwards; dromenland dreamland

dromer dreamer

dromerig dreamy; far-away, -off [look]

dromerij reverie

drommel deuce; arme ~ poor devil; wat ~! confound it! dash (hang) it all!; wat ~ bedoel je toch? what the devil (the deuce, the dickens, the something, what in the name of wonder) do you mean?; hoe ~ ...! how the deuce, etc., how on earth [did he get there]; heel de ~ the whole blessed lot; om de ~ niet slecht by no means bad; om de ~ niet! bless me no! not on your life!; laat hij naar de ~ lopen! blast him!; de ~ hale hem (het)! the deuce take him (it)!

drommels[1] I tw. ~! by Jove! by gum!; ~ nog toe hang it all; II bw. ~ heet confoundedly (dashed, darned) hot; ik zal 't hem ~ goed aan 't verstand brengen I'll jolly well make him under-

stand; III bn. deuced, blessed, confounded; een ~e kerel a devil of a fellow; die ~e jongen! drat the boy!

drommen crowd, throng

drong o.v.t. van dringen

1 dronk o.v.t. van drinken

2 dronk drink [a ... of water], draught; hij heeft een kwade (goedaardige) ~ over zich he is quarrelsome (extremely cordial) when drunk; een ~ instellen op propose (give, call) a toast to, toast [each other's sovereigns]; zie drinken op

dronkaard drunkard, inebriate

dronke: ~lap soak; ~man drunk; een ~mansgebed doen count one's money; ~manspartij (jool) drunken frolic; (ruzie) drunken brawl; ~manspraat drunken talk; ~manswaanzin delirium tremens, D. T.

dronken drunken (alleen attr.), drunk (alleen pred.), intoxicated, inebriated, tipsy, in drink, the worse for drink, (fam.) tight; zo ~ als een katrol as drunk as a lord (as a fiddler), as tight as a drum; ~ van vreugde drunk (intoxicated) with joy; ~ worden van get drunk, etc. on [one glass, brandy, etc.]; iem. ~ maken (voeren) make (get) a p. drunk, etc. [met on gin]; ~schap drunkenness, inebriety, intoxication; in z'n ~ – in his drunken fit [he said things]

droog dry [climate, cow, cough, humour, sherry, subject, etc.; ook: zonder drankverkoop]; (dor) arid (ook fig.); (van weer) ook: fine [there were 200 ... days in the year]; erg ~ dryasdust [book, writer]; dr. batterij d. battery; ~ brood, (in beide bet.) d. bread; hij verdient geen ~ brood he doesn't earn enough to live on; daar zit geen ~ brood in it won't keep body and soul together; ~ closet earth-closet; droge min d.-nurse; met dr. ogen with d. eyes, d.-eyed; dr. stoom d. steam; een dr. vent a dull fellow, a dry stick; dr. waren d. goods; zie maat; ~ warm weer fine and warm weather; 't zal wel ~ blijven the day (the weather) will hold, the rain will hold off, it will keep fine; ~ worden, (zonder drankverkoop) go d.; (van stroom) run d., dry up; (van koe) go d.; zo ~ als kurk (zand) as d. as dust (a bone), bone-dry; hij is nog niet ~ achter de oren he is still wet behind the ears; zie droge, aaneenhangen, enz.; ~bloem cudweed; ~doek tea-towel; ~dok d.-dock, graving-dock; drijvend ~ floating dock; in – plaatsen d.-dock; in – gaan go into d.-dock, be d.-docked; ~haard zie ~oven; ~heid dryness; ~houden keep d.; ~huis drying-house; op een ~je without anything to drink; ~jes drily, dryly, with d. humour; ~kamer drying-room; ~koken boil d.; ~komiek zn. d.-boots; bn. (ook: ~komisch) drily humorous; ~lat drying-pole: ~leggen drain [land, bogs], reclaim [the Zuider Zee]; (drankverkoop verbieden in) make d.; ~legging drainage, draining; reclamation; making dry (*vgl. 't vor.*); *plan tot – van de Zuiderzee* Zuider Zee reclamation scheme; (*verbod alcoholverkoop*) prohibition; ~**lijn** clothes-, washing-line; ~**lopen** run d., dry up; ~**machine** drying-machine, drier; ~**maken** dry; *zie verder* ~**leggen**; ~**makerij** reclaimed marshland; ~**making** *zie* ~legging; ~**malen** *zie* ~leggen; ~**middel** siccative; ~**oven** drying-kiln; ~**poetsen** d.-rub; ~**pompen** pump d.; ~**pruim(er)** d. stick, old stick; (*van vrouw ook*) d. piece of goods; ~ ~**raam**, ~**rek** drying-frame; (*voor kleren*) clothes-horse; ~**rekje** (*fot.*) draining-rack; ~ **scheerapparaat** electric shaver, dry-shaver; ~ **scheerder** cloth-shearer; ~**scheren** *a*) shear cloth; *b*) dry-shave; ~**schuren** d.-rub; ~**schuur** drying-shed; ~**stempel** embossed stamp; ~ **stoppel** *zie* ~pruim(er); ~**te** *a*) dryness, drought; *b*) shoal, sandbank; ~**toestel** drying-apparatus, desiccator; ~**voets** dry-shod; ~**weg** *zie* ~jes; ~ **zolder** drying-loft; ~**zwemmen** practise swimming-strokes out of the water; (*fig.*) rehearse, have (make) a dry run

droom dream; *dromen zijn bedrog* dreams are empty; *dromen komen altijd omgekeerd uit* dreams go by contraries; *in dromen verzonken zijn* be lost (*dicht.*: cradled) in dreams, (*wakend*) be in a day-d., be day-dreaming; *iem. uit de ~ helpen* undeceive (disabuse) a p., open a p.'s eyes; ~**beeld** phantasm, vision, illusion; ~**gezicht** vision; ~**land** d.-land; ~**uitlegger, -ster** interpreter of dreams; ~**wereld** d.-world

droop *o.v.t. van* druipen

drop 1 liquorice, licorice; 2 (*drup*) drop, bead [of perspiration]; ('*t druppelen*) drip; *zie* druppel, regen; *van een ~je houden* be fond of a drop

droppel enz., *zie* druppel

droppen *zie* druppelen

drops id.

dropsteen *zie* druipsteen

dropwater licorice-water

drossaard (high) bailiff, sheriff; ~**schap** bailiwick, sheriffalty, shrievalty

drossen run away, dash off, desert

drost(ambt) *zie* drossaard(schap)

drs. *zie* doctorandus; *Drs. X, ongev.* Mr. X, M.A. (M. Sc., etc.)

drug id.; ~**gebruiker** d. addict

druïde druid; ~**nvoet** pentagram

druif grape (*ook van kanon*); *blauwe* (*witte*) ~ black (white) g.; *de druiven zijn zuur* the grapes are sour; [cry] 'sour grapes'; *druiven van distelen lezen* gather grapes from thorns; *rare ~* queer cuss; *zie* fijn; ~**hyacint** g.-hyacinth; ~**luis** vine-pest, phylloxera

1 druil (*mar.*) driver

2 druil mope; ~**en** mope, pout; (*van weer*)drizzle, mizzle; ~**erig** moping, mopish; (*van weer*) sullen, drizzling, mizzling; weeping [sky]; ~**oor** mope; ~**orig** moping, mopish

druip: ~**en** drip [*van* ... with blood]; (*van kaars*) run, gutter; (*zakken*) be ploughed, be plucked [in an exam.]; – *van 't zweet, zie* drijven; – *van medegevoel*, (*iron.*) ooze sympathy; *mijn kleren*

– are dripping; *het geld druipt hem door de vingers* money slips through his fingers; *laten –*, (*bij exam.*) plough; *zie* mand; ~**er** (*plat*) clap; ~**lijst** drip-moulding, dripstone; ~**nat** dripping (wet), soaked; ~**neus** running nose; (*pers.*) sniveller; *een – hebben* run at the nose, snivel; ~**plank** draining-board; ~**staartend** *weglopen*, (*ook fig.*) go off with one's tail between one's legs; ~**steen** sinter (deposits); (*hangend*) stalactite; (*staand*) stalagmite; ~**steengrot** stalactitic (stalagmitic) cave; ~**vet** dripping

druisen roar, swish

druive- grape: ~**blad** vine-leaf; ~**bloed** g.-juice; ~**moer** (wine-)marc; ~**nat** g.-juice

druiven- grape: ~**kas** vinery, g.-house; ~**kuur** g.-cure; ~**kwekerij** g.-culture, (*concr.*) grapery; ~**lezen, -lezing** vintage, g.-gathering; ~**lezer** vintager, g.-gatherer; ~**oogst** g.-harvest, vintage; ~**pers(er)** wine-press(er); ~**pluk(ker)** *zie* ~lezen, -er; ~**schaar** g. scissors; ~**treder** g.-treader; ~**tros** bunch of grapes

druive- grape: ~**pit** g.-stone; ~**sap** g.-juice; ~ **suiker** g.-sugar, glucose, dextrose; ~**ziekte** vine disease

1 druk I *bn.* (*vol beweging*) busy [scene, street, spot, traffic, day, time, practice *praktijk*], bustling, lively; heavy [traffic]; (*~ bezocht*) much frequented [watering-place, café, shop]; (*levendig*) lively, brisk [trade, conversation], close [in ... conversation]; (*vol*) crowded [meeting, week]; (*bedrijvig*) bustling [woman]; (*zenuwachtig ~*) fussy, fidgety; (*van versiering, kleuren, enz.*) loud, obtrusive, gaudy, jazz(y); *wegens ~ke bezigheden* [resign] owing to pressure of work; *~ gebruik maken van* make much use of; *een ~ leven hebben* lead a strenuous life; *in de ~ke tijd* in the height of the season; *~ke tijden* times of pressure; *~ke uren*, (*aan station, enz.*) busy (rush, peak) hours; *'t is me hier te ~* there is too much noise for me here; *~ke zaak* well-patronized shop; *'t is hier niet ~* there is little doing here; *het ~ hebben* be b.; (*van winkel*) do a good business; *'t ~ hebben met schrijven* be b. writing; *'t te ~ hebben met ... om ...* be too b. writing to talk much; *ze hebben 't er ~ over* it is the general topic of conversation; *zich ~ maken* get excited, worry, trouble oneself [*over* about]; *maak je* (*daarover*) *niet ~* don't bother (about it); *'t zich niet ~ maken* take things easy; II *bw.* [talk] busily, animatedly, etc.; ~ *aan 't schrijven* writing busily; *ze waren zo ~ aan 't spelen* they were so absorbed in their game; *~ bezig* very busy; *~ in gesprek* in close conversation, deep in ta:k; *een van de ~st bereden lijnen ter wereld* one of the most intensively used railway lines ...; *~ bezochte vergadering* well-attended meeting; *er werd ~ gestemd* there was a large poll, the polling (voting) was heavy; *~ gevraagd* (*verkocht*) *w.* be in great demand (find a brisk sale)

2 druk *zn.* pressure [atmospheric, high, low ..., a ... of three atmospheres, a ... of the hand; *ook fig.*: mental ..., financial ...], weight, burden [of taxation], strain [on the nerves], squeeze [of the hand]; (*drukkend gevoel, onderdrukking*) oppression; (*van boek*) print(ing). (*uitgave*) edition; *onveranderde* ~ [second] impression; *grote* (*kleine*) ~ large (small) print (*of:* type); *een vel* ~*s* a sheet; *100 blz.* ~*s* 100 pages of print; ~ *uitoefenen op* bring p. to bear upon, put (exert) p. on; *in* ~ [see one's name] in print; *in* ~ *geven* have [a work] printed, publish; *in* ~ *verschijnen* appear (in print), be published; *onder hoge* ~ [work, live] at high p.; *onder de* ~ *der* ... under the stress of [circumstances], under the p. of [necessity]; *iem. onder* ~ *zetten* put pressure on (pressure) a p.; *voor de* ~ *bezorgen* see [a book] through (prepare ... for) the press, edit; ~**bel** push-bell; ~**doenerig** swanky; ~**feil**, ~**fout** misprint, printer's error, typographic(al) error, error of the press; ~**foutenduiveltje** printer's imp; ~**inkt** printer's (printing-)ink; ~**kajuit** (*luchtv.*) pressure cabin

drukken I *tr.* press, squeeze; (*fig.*) oppress [this thought ... ed him]; (*van belasting, enz.*) weigh (heavy) upon; (*van zorgen, enz.*) weigh (heavy) upon, lie heavy on, weigh down, weigh upon a p.'s mind [the responsibility ...ed upon his mind]; (*boek, katoen*) print; *dat drukt hem zeer* that weighs (sits) heavy (heavily) upon him (on his mind), it preys on his mind; *het boek wordt gedr.* is in the press (at press), is being printed; *duizend exemplaren* ~ print (run off) a thousand copies; *iems. hand* ~ press (squeeze) a p.'s hand; *iem. de hand* ~ shake hands with a p.; *de markt* ~ depress the market; *de prijzen* ~ depress, send (force) down prices; *iem. aan zijn hart (borst)* ~ press (fold) a p. to one's heart (breast); *zie* aandrukken; *iem. in zijn armen* ~ clasp (press) a p. in one's arms, embrace (hug) a p.; *iem. geld in de hand* ~ slip money into a p.'s hand; *de hoed in de ogen* ~ pull one's hat over one's eyes; *iem. iets op 't hart (gemoed)* ~ impress (urge, enjoin) s.t. (up)on a p.; *iem. tegen de muur* ~ press (pin, squeeze) a p. against the wall; *de grap is niet geschikt om gedr. te w.* is not printable, is unprintable; *zie* voetstap, enz.; II *intr.* press; (*knellen*) pinch; *zich* ~ shirk; ~ *op* p. [a button], stress [a syllable]; (*Am.*) printshop; (*katoen*-) *deze wet drukt zwaar op de armen* this law bears (presses) hard (heavily, severely) upon the poor; *zie verder* I

drukkend heavy, burdensome, onerous [taxes], (*sterker*) crushing [taxation]; oppressive [feeling, heat], (*zwoel ook*) close, sultry, muggy

drukker (*boek-, katoen-*) printer; *zie ook* drukknop; *naar de* ~ *gaan* (*zenden*) go (send) to press; *bij de* ~ *zijn* be in the press; ~**ij** printing-office (-works), (*Am.*) printshop; (*katoen*-) printing-shop; ~**sgezel**, ~**sknecht** p.'s assistant, journeyman-p.; ~**sjongen** p.'s devil; ~**spatroon** master-p.; **drukking** pressure, weight

druk- printing; ~**knoop** press-stud, -button, snap-fastener; ~**knop** push-button; (*van bel ook*) bell-push; ~**kosten** p.-expenses;

~**kunst** (art of) printing, typography, typographic art; ~**letter** (printing) type; (*tegenov. schrijfletter*) roman letter, print-letter, printed character; ~*s s.v.p.* please print; ~**loon** *zie* ~kosten; ~**meter** pressure gauge; ~**papier** p.-paper; ~**pers** (p.-)press; *zie* vrijheid; ~**proef** (printer's) proof(-sheet); ~**raam** (*fot.*) p.-frame; (*typ.*) chase; ~**rol** p.-roller; ~**schakelaar** pressure switch; ~**schrift** (*drukletters*) print-hand; (*tekst*) letter-press, printed matter; ~**sluiting** *zie* ~knoop

drukte (*herrie*) bustle, to-do; *zie* herrie; (*opwinding*) excitement, stir; (*last*) trouble, bother; (*ophef*) fuss, pother; (*in zaken*) rush (pressure, press) of business; (*aan station, bij uitverkoop, enz.*) rush; (*kouwe* ~) swank; (*zenuwachtige* ~) flurry; (*omslag*) *zie aldaar;* ~ *en beweging* stir and bustle (and movement); *tijden van* ~, (*in zaken*) times of pressure; *waar is al die* ~ *over?* what is all this fuss about?; *veel* (*kouwe*) ~ *hebben* swank, swagger; *veel* ~ *maken* make a great fuss (*of:* to-do) [*over* about; (*fam.*) *ook:* make a great song about]; *zij houdt ervan, dat er veel* ~ *over haar gemaakt wordt* she likes to be fussed over; *veel* ~ *om niets* much ado about nothing; *zie* ophef; *in één* ~ *doorgaan, zie* moeite; ~**maker** *a*) noisy (rowdy) fellow; *b*) swaggerer

druk: ~**vorm** (printing-)form(e); ~**werk** printed matter; [it looks like] print; *tarief voor* ~ printed paper rate; ~*en, (op brievenbus)* book-packets and newspapers; *als* ~ *verzenden* send by book-post; *zie* deur

drumband marching band

drup *zie* drop

druppel drop, drip [a ... on the tip of her nose]; (*fam.*) spot [not a ... to drink, a ... of whisky]; ~*s, (medicijn*) drops; *er valt een enkele* ~ it is spitting (with rain); *een* ~*(tje) drinken* have a d. of drink; '*t is een* ~ *aan de emmer (in de zee)* it is a d. in the bucket (the ocean); *de* ~ *die de emmer doet overlopen* the last straw; *op elkaar lijken als twee* ~*s water* be as like as two peas (in a pod); *de gestadige* ~ *holt de steen uit* constant dropping wears away the stone; ~**aar**, ~**buisje** dropper; ~**en** drop, drip, trickle [the tears trickled down her cheeks]; dribble [the teapot dribbled at the spout]; ~**flesje** drop-bottle; ~**gelijkrichter** (*auto*) trickle charger; ~**ings**, ~**sgewijs** d. by d., in (by) drops; (*fig.*) by drib(b)lets; ~ *binnenkomen, (van nieuws, enz.)* trickle in; ~**teller** [medicine bottle with] dropper; ~**tje** droplet; *zie* ~; ~**vanger** drip catcher; ~**vuur** dropping fire

drupsje acid drop

dryade dryad, wood-nymph

Ds.: ~ *Smith* (the) Rev. (= Reverend) J(ohn) Smith, (the) Rev. Mr. Smith

D-trein express train (with surcharge)

dualis dual (number); ~**me** d.ism; ~**tisch** d.istic

dubbel I *bn.* double [door, flower, eagle, standard]; double-fronted [house]; ~*e besturing* dual control(s); *een* ~*e betrekking hebben* hold a dual post; ~e *bodem* false bottom; (*fig.*) d. bottom [a d.-bottomed remark]; ~e *breuk* d. hernia; ~e *briefkaart* reply postcard; ~e *deur*, *ook:* folding door(s); ~e *kans* d. (d.-barrelled) chance; *een ~ leven leiden* lead a d. life (a Jekyll and Hyde existence); ~e *naam* d. (d.-barrelled, hyphenated) name; ~e *punt* colon; ~ *raam* double-glazed window; (*het buitenste raam*) storm window; *de ~e som* d. the sum; ~ *spel spelen* play a d. game, play d.; ~ *spoor*, *zie* ~spoor; ~ *twee*, (*roeien*) d. sculls; *helft van ~ woonhuis* semi-detached residence; *zie* boekhouden; II *bw.* doubly [be ... welcome; in the rain the house looked ... dreary]; ~ *zo duur* twice as dear, double the price; *wie spoedig geeft, geeft ~* he gives twice who gives quickly; (*de dingen*) ~ *zien* see (things) double; *hij verdient 't ~ en dwars* he jolly well (richly, more than) deserves it; ~ *gedistilleerd* double distilled; III *zn.* (*bridge*) double; ~e, (*doublet*) duplicate, double, doublet; *'t ~e van 5* the double of five; *'t ~e* double the sum, twice the amount, etc.; *'t ~e daarvan* [the weight is] double that; ~ *of quitte* double or quits; ~en double; (*van schip*) sheathe; ~ganger double; (*geestverschijning*) *ook:* wraith, fetch; ~hartig d.-hearted, -faced, -tongued; – *mens* d.-dealer; ~hartigheid d.-dealing, duplicity; ~ing (*van schip*) sheathing; ~koolzure *soda* sodium bicarbonate, bicarbonate of soda, (*fam.*) bicarb; ~koolzuurzout bicarbonate; ~kruis (*muz.*) d. sharp; ~loops d.-barrelled; ~mol (*muz.*) d. flat; ~opname d. exposure; ~parkeren park d., d. parking; ~polig bipolar; ~rol (*Am.*) double (role); ~schaduwigen amphiscians; ~schroef(stoomboot) twin-screw (steamer); ~slaan d. (up); *zie* tong; ~spel (*sp.*) double(s); (*golf*) foursome; (*honkbal*) d. play; ~spion d. agent; ~spoor d. (-line) track; twin-track [recorder]; *van – voorzien* d.-track; ~ster d. star, binary star; ~tal d. number, two

dubbeltje ten-cent piece; *de ~s*, (*sl.*) the tin; *op de ~s passen* take care of the pence; *voor een ~ kaneel* a pennyworth of cinnamon; *voor een ~ op de eerste rang willen zitten* want all the frills without the expense; *zie* kant & omkeren; ~skwestie question of L.S.D.

dubbel: ~tongig (*fig.*) *zie* ~hartig; ~tonig twotone; ~vouwen double (up), fold in two; ~werkend double-acting; ~zien *zn.* double vision, diplopia; ~zinnig ambiguous; backhanded [compliment]; (*ook: verdacht*) equivocal; (*onkies*) d.-meaning, indecent; ~zinnigheid ambiguity, equivocalness, equivocality; (*onkiesheid*) double entendre, d.-meaning; ~zout d. salt

dubben be in two minds, brood [over], worry [about]

dubieus doubtful, dubious; questionable [practices]; *dubieuze vordering* (*debiteur*) d. debt (debtor)

dubio: *in ~ staan* waver, hesitate

dubloen doubloon

duchten dread, fear

duchtig *bn.* sound, thorough, strong; *bw.* ...ly; [be] heavily [beaten], [abuse a p.] roundly, [fight, etc.] like a good one, with a will; *iem. ~ afranselen* give a p. a sound thrashing; *ik gaf er hem ~ van langs* I gave it him hot and strong; *zie* danig & flink

duel id. [*op de degen* with swords], single combat; ~leren (fight a) d.; ~list id.

duenna id., governess, chaperon

duet id.; ~zanger duettist

duf musty, fusty, stuffy, frowzy; nosy [hay]; (*fig.*) musty, fusty, stale

duffel(s) duffel, duffle

dufheid mustiness, etc.; *zie* duf

duidelijk clear, plain; distinct [pronunciation]; broad [hint]; (*klaarblijkelijk*) obvious [mistake]; patent [violation]; (*uitdrukkelijk*) explicit; (~ *omschreven*) c.-cut [proposal]; *zo ~ als tweemaal twee* as plain as a pikestaff (as the nose on your face); *'t is mij niet ~* it's not c. to me, I am not c. about it; *het werd hem ~ til* dawned upon him; *het is zonder meer ~* it needs no explaining; *hoe moeten we dit aan de gewone man ~ maken?* how are we to get it across to the man in the street?; *om 't maar eens ~ te zeggen* to put it quite plainly; *dit bewijst vrij ~* this goes far to prove; *hij toont ~ aan, dat ...* he makes it c. that ...; ~ *schrijven* write clearly, distinctly; (*van inhoud*) write clearly, lucidly; ~heid ...ness, clarity; ~heidshalve for the sake of clearness (clarity), for clearness' sake

duiden I *intr.* ~ *op* point to; *zijn vlucht duidt op schuld* his flight argues guilt; *dat duidt op mij* that is meant for me; ~*de op*, (*ook*) indicative of; *zie* wijzen; II *tr.* interpret; *te kwade ~*, *zie* kwalijk nemen; ~ing interpretation

duif pigeon; (*minder gewoon*) dove; *jonge ~* squab; *onder iems. duiven schieten* poach on a p.'s preserves; ~huis p.-house; ~kruid small scabious

duig stave; *het plan viel in ~en* the plan fell through, miscarried, collapsed, fell to pieces, came to nothing; *'t plan lag in ~en* had fallen through; **duighout** clapboard

duik dive; *uit de ~ halen*, (*luchtv.*) pull out of the d.; ~bommenwerper dive-bomber

duikboot sub(marine); (*Duitse*) U-boat; ~jager s. chaser; ~oorlog s. warfare

duikeend diving duck, sea-duck; **duikelaar** diver; (*duif*) tumbler; (*ook:* ~tje) tumbler; *zie* sloom

duikelen (*buitelingen maken*) turn somersaults, somersault; (*van vliegt.*) loop (the loop); (*tuimelen*) tumble, fall head over heels; (*duiken*) dive; (*fig.*) come to grief; (*bij exam.*) be ploughed; -ing *zie* buiteling

duiken dive [*naar* for], dip, duck, plunge, take a plunge (a header); (*van eend*) up-end; (*zich buigen*) duck; (*weg-*) huddle [into one's coat]; *ineengedoken* hunched (huddled) (up), doubled up, hunched [over one's work]; (*weg-*)*gedoken* ensconced [in an easy-chair]

duiker diver; (*vogel*) diver, diving-bird; (*onder dijk, enz.*) culvert; *zie ook* drommel; ~eend *zie* duikeend; ~helm diving-helmet; ~klok diving-bell; ~pak diving-dress, -kit, -suit; ~sluis culvert; ~tje: *Cartesiaans* – Cartesian devil (*of:* diver); ~toestel diving-apparatus

duik: ~vest Davis apparatus; ~vlucht (*van vliegt.*) (nose-)dive; ~vogel *zie* duiker

duim thumb; (*maat*) inch, (*haak*) hook; ~en *draaien* twiddle (twirl) one's thumbs; *iem. onder de* ~ *hebben* (*houden*) have (hold) a p. under one's t. [*ook:* he is under my t.], keep a tight hand over a p.; *hij kan op zijn* ~ *fluiten* he may whistle for it; *tussen* ~ *en vinger* between finger and thumb; *iets uit zijn* ~ *zuigen* make up (trump up, invent, fabricate) a story; *hij heeft alles uit zijn* ~ *gezogen* he has made it all up; *geen* ~*breed wijken* not move (*of:* budge, give) an inch, not yield an inch of ground; *één* ~*breedte dik* one inch thick; ~eling t.-stall; ~elot thumb-stall; ~en: *ik zal voor je* – I'll keep my fingers crossed; ~gewricht t.-joint; ~greep t.-index, -register; ~kruid (*geld*) palm-grease, -oil; *iem.* – *geven* grease (oil) a p.'s palm; ~leer t.-stall; ~pje (little) t.; (small) hook; *ik ken 't op mijn* – I have it at my fingers' ends (finger-ends, -tips), I have it (the story, etc.) pat, I have [all the regulations] off by heart; *zie klein;* ~schroef thumb-screw; *iem. de* ~*schroeven aanleggen* put on the thumb-screws, (*fig.*) put on the screw; ~stok (folding pocket-)rule; (*van 1 voet*) foot-rule

duin dune; ~achtig d.-like; ~doorn sea buckthorn; ~enrij range of dunes; ~gras, ~helm *zie* helm; ~grond d.-soil

Duinkerken Dunkirk

duin: ~pan dip, hollow in the dunes; ~pieper tawny pipit; ~roos burnet-rose

Duins the Downs [Battle of the D.]

duin: ~water spring-water (drawn from the dunes); ~waterleiding water-works (drawing its water from the dunes)

duister dark [night, future], obscure [style, etc.]; (*schemerig*) dim [eyes … with tears, burn … ly]; (*pikdonker*) murky; (*somber*) gloomy; (*fig. ook*) abstruse [pronouncement], mysterious [business]; *iem. in 't* – *laten* keep a p. in the d.; *in 't* ~ *tasten* grope in the d., be in the d. [*omtrent* about, as to]; *zie* donker & hullen; ~heid obscurity, darkness, gloom; ~ling obscurant(ist); ~nis darkness, dark, obscurity

duit *ongev.:* farthing, (*hist.*) doit; *de* ~*en* the dibs (brass, tin, L.S.D.); *geen rooie* ~ *geven* not give a brass farthing; *hij heeft geen rooie* ~ he hasn't got a penny to bless himself with, (*sl.*) he hasn't got a bean; *een* ~ *in het zakje doen* contribute one's mite, put in a word, put (shove) in one's oar; *een flinke* ~ *kosten* cost a pretty penny; *een mooie* ~ *verdienen* turn a tidy (*of:* pretty) penny; *hij verdient er een aardige* ~ *aan* he makes an excellent thing out of it; *hij is erg op de* ~*en* he is always after money; *zie* cent; ~blad frog-bit; ~endief money-bags

Duits German; *zie* komma & rijk 1; ~e G. (woman, lady); ~er German, (*sl.*) Jerry; ~gezind(e) pro-G., Germanophil; ~land Germany

duive- pigeon; ~boon horse-, tick-bean; ~drek p.-dung; ~ëi p.-egg; ~gat p.-hole

duivekater: (*wat*) ~! the deuce! the dickens!; ~s *zie* drommels

duivekervel fumitory

duivel devil, the Evil One; (*fam.*) Old Nick, Old Harry; fiend; *des* ~s [such things are] of the d., [he was] furious; *de* ~ *en zijn moer* the d. and his dam; *arme* ~ poor d.; *kleine* ~, (*kind*) *ook:* little demon; *alle* ~s! the d.! confound it!; *hoe* ~ *weet je dat?* how the deuce do you know?; *wat* ~ *wil je toch?* what the deuce do you want?; *daar mag de* ~ *wijs uit worden* the d. take me if I can make head or tail of it; *om de* ~ *niet, zie* drommel; *de* ~ *hale hem!* the deuce (the devil) take him!; *de* ~ *in hebben* (*krijgen*) have (get) one's monkey up, be (get) wild; *hij had de* ~ *in, ook:* his blood was up; *iem. de* ~ *injagen* put a p.'s monkey up; *wat heeft hij de* ~ *in!* what a temper he is in!; *de* ~ *is in hem gevaren* the d. is in him, he is like one possessed; *loop naar de* ~! go to the d. (to hell, to blazes)! be hanged to you!; *hij mag naar de* ~ *lopen* he may go to the d.; to the d. with him! blast him!; *iem. naar de* ~ *wensen* wish a p. at the d.; *de* ~ *speelt ermee* the d. (the deuce) is in it; *maak de* ~ *niet zwarter dan hij is* give the d. his due; *de* ~ *is niet zo zwart als men hem maakt* the d. is not so black as he is painted; *wie de* ~ *aan boord heeft moet met hem varen* he must needs go whom the d. drives; *als je van de* ~ *spreekt, dan trap je op zijn staart* talk of the d. and he is sure to appear (*of:* and his horns will appear); talk of an angel and you hear the flutter of its wings; *zie* biecht & dom; ~aanbidder diabolist, d. worshipper; ~achtig devilish, fiendish, diabolical, impish; ~arij devilry, devilment; ~banner, ~bezweerder exorcist; ~banning, ~bezwering exorcism; ~en *tr.* bully; *intr., zie* zaniken; ~endom devilry; ~in she-devil; ~jagen *zie* ~en

duivels I *bn.* devilish, diabolical, fiendish; *die* ~*e jongens!* drat the boys!; *een* ~*e kerel* a devil of a fellow; *een* ~ *lawaai maken* make a devil of a noise; *een* ~ *gezanik* a confounded bother; ~ *maken* infuriate; ~ *zijn* (*worden*), *zie* de duivel in hebben (krijgen); *je zou er* ~ *van worden* it's enough to provoke a saint; **II** *bw.* devilish(ly), deuced(ly) [pretty]; (*wel*) ~! the devil! the deuce!; ~ *veel last veroorzaken* cause the devil of a lot of trouble; *zie* drommels & donders

duivels: ~advocaat devil's advocate; ~broed spawn of the devil; ~drek asafoetida; D~eiland Devil's Island; ~kind child of the devil, limb (of Satan), imp; ~kunstenaar magician, wizard; ~kunst(enarij) the black art, sorcery, devilry; ~list devilish trick; ~naaigaren (*plantk.*) dodder; ~toejager stooge, factotum, drudge, handyman, dogsbody; ~werk devilish work, a devil of a job

duiveltje little devil, imp; ~ in een doosje jack-in-the-box; duivelverering diabolism, devil-worship

duive- pigeon: ~melk p.'s milk; ~mest p.-dung

duiven- pigeon: ~hok p.-house, -loft, pigeonry, dovecot(e); ~houder p.-fancier; ~kot zie ~hok; ~melker p.-fancier; ~plat pigeon-loft; ~post p.-post; ~schieten p.-shooting; ~slag, ~til zie ~hok; ~sport p.-flying; ~vlucht a) flight of pigeons; b) zie ~hok

duivepastei pigeon-pie

duizelen grow (get) dizzy (giddy); 't duizelt mij my head swims, my brain reels; ik duizel van al die cijfers my head is in a whirl with all those figures; je verhaal doet me ~ your story staggers me; ~d dizzy, giddy

duizelig dizzy, giddy; het maakte me ~ it made my head spin; ~ worden turn (feel, fam.: come over) giddy; ~heid dizziness, giddiness, swimming of the head

duizeling dizziness, vertigo, dizzy spell; door een ~ overvallen worden be taken with d.; ~wekkend dizzy(ing), giddy; (fig.) [a] staggering [number]

duizend grow a (one) thousand; vgl. bij, de, tegen, enz.; de D~-en-één-nacht the Arabian Nights (' Entertainments), the T. and One Nights; de ~ en één ... the t. and one points of difference; ~blad milfoil, yarrow; ~erlei of a t. kinds; ~guldenkruid centaury; ~hoofdig many-headed, t.-headed, with a t. heads; ~jarig of a t. years, millennial; het ~ rijk the millennium; ~knoop knot-grass; ~koppig zie ~hoofdig; ~kunstenaar zie duivels-; hij is een – he can do anything he puts his hand to; ~maal a t. times; – dank (pardon) a t. thanks (pardons); ~poot centipede; ~schoon sweet-william, sweet-john; ~ste bn. & zn. thousandth; ~tal t.; ~voud multiple of 1000; ~voud(ig) bn. thousandfold; bw. a thousandfold; ~werf a t. times

dukaat ducat; dukatengoud standard gold; dukaton ducatoon

dukdalf dolphin, mooring-buoy (-post)

Dulcinea id.

duldbaar bearable; duldeloos unbearable

dulden (pijn) bear, endure, suffer; (iem., sekte, enz.) tolerate [he is ...d more than desired]; (behandeling, enz.) stand, put up with; (toestaan) allow; geen uitstel ~ brook no delay; hij wordt hier slechts geduld he is here on sufferance; deze regering wordt slechts geduld exists only on sufferance; hij kan geen tirannie ~ he is impatient of tyranny

dumdum dumdum (bullet), soft-nosed bullet, expanding bullet

dun thin [board, beer, blood, hair, beard, air], slender [waist, stem], rare, tenuous [atmosphere], scanty [hair]; ~ bier, zie ben.; ~ne bevolking t. (of: sparse) population; ~ne darm small intestine; ~ papier t. paper, flimsy (paper); ~ne soep clear soup, (waterachtig) t. (of: washy) soup; zijn rede was (uiterst) ~ his

speech was not up to much (was extremely t.); dat is ~, (gemeen) that is mean; zie dunne-tjes; aan de ~ne zijn have diarrhoea; ~ bevolkt thinly (sparsely) populated (settled); 't zal hem ~ door de broek lopen he'll be sorry; ~ smeren spread [butter] thin(ly); ~ toelopen thin down, taper; eerlijke mensen zijn ~ gezaaid are scarce; ~ner worden (van mist) thin; ~been spindleshanks; ~bier t. (of: small) beer, (sl.) swipes; ~doek bunting; flag, colours; ~druk thin-paper (india-paper) [edition]; ~harig t.-haired; ~heid ...ness; rarity, tenuity [of the air]; scarcity; vgl. ~; ~huidig t.-skinned

dunk opinion; een hoge ~ hebben van have a high o. of, think highly (much, a good deal, no end, the world) of [a p., o.s.]; een hoge ~ hebben van zichzelf (als schaaksspeler, schilder, van zijn Engels) ook: fancy o.s. (at chess, as a painter, fancy one's English); een geringe ~ hebben van have a low (poor) o. of [human nature]; te veel ~ van zichzelf krijgen, (fam.) get above o.s.; een slechte ~ hebben van, ook: think badly of

dunken: mij dunkt I think; it seems to me; wat dunkt u daarvan? what do you think of it?

dunlijvig lank; dunlippig thin-lipped

dunnen tr. thin [a tree, the ranks], thin out, cull [plants], single [turnips]; intr. thin; gedunde gelederen depleted ranks

dunnetjes I bw. thinly; zijn godsdienst zit er ~ op religion sits lightly on him; het ~ overdoen go through it again; (weer proberen) have another try (another go); II bn. rather thin; (but) so-so; shaky [his grammar is ...]; [it's] a poor show; zie dun

dunsel a) thinnings; b) young lettuce

dunte zie dunheid

duo duo, duet; ~ rijden ride pillion

duodecimo id. (ook fig. = diminutive), 12mo (spr. duodecimo of twelvemo); in ~, ook: in twelves

duorijd(st)er pillion-rider, -passenger

duozitting pillion(-seat); daarop rijden ride p.

dupe id., victim; hij werd er de ~ van he had to suffer for it, had to stand the racket (pay the bill, fam.: carry the baby)

duperen disappoint, let [a p.] down, fail [a p.], upset a p.'s plans; (bedriegen) dupe; ik ben erg gedupeerd door het uitvallen van die trein I am greatly put out by the withdrawal of that train

duplicaat duplicate; dupliceren rejoin

dupliek rejoinder

duplo: in ~ in duplicate; in ~ opmaken draw up in duplicate, duplicate

dur (muz.) major; durabel zie duurzaam

duren last [it will ... my time]; continue [the storm ...d all night]; go on [that cannot .... for ever; it has gone on long enough]; (in stand blijven) ook: endure [as long as British prestige ...s]; (in onpers. uitdr.) be [it was long before he came; it may be weeks before ...]; (goed blijven) keep [the fruit will not ...];

de tentoonstelling zal ... ~, *ook:* will extend over ten days; '*t spel duurt 90 minuten* is of 90 minutes' duration; *zolang 't duurt* while it lasts; '*t duurde niet lang, of hij kwam* (*of er werd een aanbod gedaan*), *ook:* he (an offer) was not long in coming; '*t duurde niet lang, of hij bemerkte* ..., *ook:* he was not slow in perceiving ...; '*t duurde lang, voor de brief af was* writing the letter took a long time; *met de trein reizen duurt veel langer* travelling by train takes much longer; *duurt 't lang voor 't ontbijt klaar is?* is breakfast going to be long?; *dat zal nog wel 10 j.* ~ that is ten years ahead; *wat duurt 't lang* (*voor je komt, enz.*) what an age you are!; *wat duurt dat een tijd, voor je je hoed op hebt!* what a time you are putting on your hat!; *zolang de oorlog duurt* for the duration of the war, (*fam.*) for the duration; '*t zal lang* ~ *voor ik het weer probeer* I won't try it again in a hurry; '*t zal nog één uur* ~ *voor* ... *om is* the Old Year still has one hour to run; '*t duurt mij te lang* it is too long for my liking; *langer* ~ *dan*, (*ook*) outlast [her grief did not ... the spring]

durf pluck, daring, nerve; ~**al** dare-devil; ~**niet** coward, poltroon

durven dare [he d. not go; he dares to go; d. he do it?; I d. not; *v.t.:* he dared (*vero.:* durst) not go, did not d. to go]; *ik durf beweren* I venture to say; *ik durf zweren* I'll swear; *dat zal hij niet* ~ *beweren* he won't have the face to say so, he wouldn't dare say so; *dat durf ik niet zeker zeggen* I couldn't say for certain; *jij durft!* you've got a nerve, (*brutaliteit, ook:*) you've got plenty of cheek; *hoe durf je!* how d. you!; *je moet maar* ~*!* of all the nerve!; *als je durft!* if you dare!; *durf!* be bold!; *zie* aandurven

dus (*bijgevolg*) so, consequently, therefore, then [then it is settled that ...?]; (*aldus*) thus; **dus-danig** *bn.* such; *bw.* in such a way (manner), so

duster housecoat

dusver(re): *tot* ~ so far, thus far, up to now, hitherto; *zie* heden (*tot* ...); *tot* ~ *is 't in orde* so far so good

dut nap, snooze, doze, (*fam.*) shut-eye; *in de* ~ *raken* doze off; *uit de* ~ *helpen* undeceive [a p.]; '*n* (*zijn*) ~**je doen** take (have) a nap (a snooze, forty winks, *fam.:* a bit of shut-eye); ~**ten** doze, snooze, (take a) nap; *hij zit te* –, (*fig.*) is dreaming (wool-gathering)

1 duur *zn.* duration [of the war, etc.]; currency (term) [of a contract]; lifetime [during the ... of the present Parliament], life [the ... of a passport is two years]; *op den* ~ in the long run; *van lange* (*korte*) ~ of long (short) d., long-(short-)lived; (*reeds lang bestaande*) of long standing; *zie* rust

2 duur *bn.* dear [year, shop, bootmaker; bread is ..., life is ... in Belgium]; expensive [hotel, dress, cigar, seats, doctor, travelling is ...]; costly [our ... law-courts]; (*in 't gebruik*) wasteful [heater]; '*t vlees is weer* ~*der* meat

is up (has gone up) again; *te* ~ *worden* [our goods will] price themselves out of the market; *een dure les*, (*fig.*) a dearly bought lesson; *een dure liefhebberij* an expensive hobby; *hoe* ~ *is dat?* how much is it?; *dat komt nogal* ~ it comes rather expensive; *het is onze dure plicht* our bounden duty; *een dure eed zweren* swear a solemn oath; II *bw.* dear(ly); ~ (*ver*)*kopen* (*betalen*) buy (sell, pay) dear; *zijn leven* ~ *verkopen* sell one's life dearly; '*t kwam hun* ~ *te staan* it cost them dear(ly); ~ *bevochten* dearly won, hard-won [peace]; ~**koop** dear (of the money)

duurte dearness [the ... of Belgium], expensiveness; ~ *en schaarste* dearth; ~**bijslag**, ~**toeslag** cost-of-living allowance

duurzaam durable, lasting [peace; the peace did not last]; [stuff] that wears well; (*van stof ook*) hard-wearing; ~ *bouwen* build for permanence; ~ *zijn*, (*van stof*) wear well; ~**heid** ...ness, durability, [guaranteed for] hard wear

duvel(tje) *a*) small cooking stove; *b*) sharp child; *zie verder* donder, drommel & duivel

duw push; (*por*) thrust, poke, shove; ~(**tje**) (*met elleboog*) nudge; *een* – *geven*, (*met elleboog*) nudge [a p.]; *zie* stoot(je); ~**en** push; thrust [s.t. into a p.'s hand]; shove [it down]; dig [one's spurs into one's horse's flanks]; cram [one's hat firmly on one's head]; *opzij* –, *ook:* elbow aside; *de menigte opzij* – elbow one's way through the crowd; *niet* ~*!* don't push!; *zie ook* stoten; ~**boot** pusher tug

D.V. id., God willing, under God

dv., dw. *zie* dienstvaardig, -willig

dwaal altar-cloth

dwaal: ~**begrip** misconception, erroneous idea, false (*of:* mistaken) notion, fallacy; ~**geest** erring (*of:* wandering) spirit; ~**leer** false doctrine, heresy; ~**licht** will-o'-the-wisp, jack-o'-lantern, ignis fatuus; ~**spoor** wrong track (way, path); *op een* – *zijn* be on the wrong track; *op een* – *brengen* lead astray; (*fig. ook*) put [a p.] off the scent; *op een* – *geraken* go astray (*ook fig.*); ~**ster** planet, wandering star; ~**tuin** *zie* doolhof; ~**weg** *zie* ~spoor

dwaas I *bn.* foolish, silly, absurd, daft, inept; *wees nu niet* ~ don't be silly (absurd, an ass); *ik was zo* ~ *om te* ..., *ook:* I was fool enough to ...; *je bent* ~ *dat je 't doet* you are a fool to do it; *des te dwazer van je!* the more fool you!; *hij was zo* ~ *zich te verbeelden* ... he fondly imagined ...; *zie* aanstellen, gek, onderneming; II *zn.* ass, (*fam.*) silly; *een grote* ~, (*fam.*) a prize fool; ~**heid** folly, foolishness, absurdity, ineptitude; (*dwaas stukje*) piece of folly

dwalen wander (*ook van gedachten, enz.*), roam, rove, stray [his eyes ...ed about the room]; (*in dwaling verkeren*) err; ~ *is menselijk* to err is human; *zie* dolen & weiden

dwaling error, mistake; *in* – *verkeren* be in e., labour under a mistake; *iem. uit zijn* ~ *helpen* undeceive (disabuse) a p.; *de* ~*en zijns weegs inzien* see the e. of one's ways; *rechterlijke* (*ge-*

rechtelijke) ~ miscarriage of justice, judicial e.
dwang compulsion, coercion, constraint; *onder* ~ [act] under c. (coercion); (*inz. jur.*) under duress; ~**arbeid** (*jur.*) penal servitude, hard labour; forced labour; ~**arbeider** convict; *troep –s* convict gang; ~**bevel** warrant, writ; enforcement order; (*voor belastingen*) distress-warrant; ~**buis** strait waistcoat (jacket); *zie* aanleggen 1; ~**maatregel** coercive measure, (*pol. ook*) sanction; ~**middel** means of coercion; ~**nagel** agnail, hang-nail; ~**neurose** compulsion neurosis; ~**positie** (*bridge*) squeeze (= *in een – brengen*); (*fig.*) *in een – verkeren* have one's hands tied, have a situation forced upon one; ~**som** recognizance; ~**voorstelling** obsession, fixed idea; ~**wet** coercion act; ~**zet** (*schaaksp.*) forced move

dwarrel whirl(ing); ~**en** whirl (round), flutter [...ing leaves]; *alles ~t mij* my head is in a whirl; ~**ing** whirl(ing); ~**wind** whirlwind, tornado

dwars transverse, diagonal; (*fig.*) cross-grained, fractious, perverse, wrong-headed, mulish, pig-headed, contrary; *een ~ mens* a cross-patch; *iem. de voet ~ zetten, iem. ~ zitten, zie* ~bomen; *dat zit me ~* it worries me, it's (preying) on my mind; ~ *oversteken* cross [the street]; ~ *van Dover* abreast of D.; ~ *door ... heen, ~ over* (right) across; ~ *doorsnijden* cut (right) across; ~ *doorscheuren* tear [a letter] across; ~ *op* transversely to, across; *zie* boeg; ~**balk** cross-beam, joist, transverse beam; (*her.*) fesse; ~**bank** cross-bench; ~**besturing** (*luchtv.*) lateral control; ~**bomen** cross [a p.('s plans, wishes)], thwart, frustrate [a p.]; ~**dal** t. valley; ~**door** straight (*of:* right) across; ~**doorsnede** cross-section, t.-section; ~**draad** (*weverij*) weft, woof, filling; ~**draads** cross-grained; ~**drijven** *zie* ~bomen; (*fam.*) be contrary; ~**drijver** *zie* ~kop; ~**drijverij** contrariness, pig-headedness, perverseness, cussedness; ~**fluit** German flute; ~**gaan** (*van paard*) traverse; ~**gang** t. passage; ~**heid** (*fig.*) *zie* ~drijverij; ~**helling** (*luchtv.*) bank; ~**hout** cross-beam; ~**kijker** spy, (*fam.*) snooper; *zie* assessor; ~**kop** cross-patch, cross-grained fellow; ~**koppig** *zie* ~ (*fig.*); ~**lat** cross-lath; (*sp.*) cross-bar; ~**liggen** be contrary (obstructive); ~**ligger** (*spoorw.*) sleeper; (*fig.*) obstructionist; ~**lijn** cross-line, t. line; ~**linie** (*mar.*) line abreast; ~**naad** cross-seam; ~**over** across, athwart; (*aan de overkant*) across the road; ~**pad** cross-path; ~**scheeps** athwartships; [wind] abeam, on the beam; ~**schip** (*van kerk*) transept; ~**schot** (*mar.*) bulkhead; ~**snede** cross-section; ~**spier** t. muscle; ~**stang** cross-bar; ~**steeg** side alley; ~**steek** cross-stitch; ~**straat** cross-, side-street; *een paar ~straten noemen* mention a few

examples (cases) at random; ~**streep** cross-line, t. line; ~**strooms** athwart the stream; ~**stuk** cross-piece; *in de ~te* across, athwart; ~**weg** cross-road; ~**wind** cross-wind; (*mar., luchtv.*) beam-wind; ~**zee** beam-, cross-sea

dwaselijk foolishly, absurdly

dweep: ~**achtig** *a*) (*fanatiek*) fanatic(al); *b*) enthusiastic (*bw.:* -ally); ~**ster** *zie* dweper; ~**ziek** *zie* ~achtig; ~**zucht** fanaticism

dweil (floor-)cloth; (*stok-*) mop; (*mar.*) swab; (*wijf*) slut; (*zuiplap*) soaker, sod; ~**en** wash [floors], mop, swab [the deck]; *langs de straten – gad* about; *de vloer met iem. – mop* the floor (the ground) with a p.; *zie* boemelen; ~**stok** mop-, swab-stick

dwepen (*in godsd., enz.*) be fanatical, be a fanatic; (*fam.*) enthuse; ~ *met* be enthusiastic (gush, enthuse) about, be passionately fond of, rave about, be mad on (about) [Bach, a woman], think all the world of, idolize [a p.]; *zij dweept met Brigitte Bardot* she is a B. B. fan; *ik dweep niet met hem* I don't much care for him; ~**d** fanatic(al)

dweper *a*) fanatic, zealot, bigot; *b*) enthusiast; ~*s met Shaw* Shaw devotees; ~**ij** fanaticism; extravagant enthusiasm, cult [the Byron ...]

dwerg dwarf, pygmy, pigmy, manikin, midget; ~**achtig** dwarfish, pygmean, stunted; ~**boom** d.-tree, stunted tree; ~**eik** d.-oak; ~**gors** little bunting; ~**hert** chevrotain; ~**hondje** miniature dog; ~**muis** harvest-mouse; ~**palm** d.-palm; ~**vlas** allseed, flax-seed; ~**volk** d.-tribe, dwarfs

dwingeland tyrant; ~**ij** tyranny

dwingen I *tr.* force [a p. (o.s.) to do (into doing) s.t.], compel, constrain; (*door geweld*) *iem.* (*tot iets*) ~ coerce a p. [Ulster cannot be coerced], force a p.'s hand; *iem. tot betaling* (*gehoorzaamh.*) ~ enforce payment (obedience); *tot gehoorzaamh.* ~, *ook:* compel (in)to obedience; *tot de slag* ~ force a battle on, bring to battle; *hij laat zich niet* ~ he won't yield to force; *zo iets laat zich niet* ~ force is of no use in such matters; *zie* gedwongen; II *intr.* (*van kind*) whine, pule; ~ *om* whine (cry) for; ~**d** coercive [force], compelling [reason], cogent [argument], imperative [task]

dwingerig troublesome, insistent

dwong *o.v.t. van* dwingen

d.w.z. = *dat wil zeggen* i.e., that is (to say)

dynamica dynamics; **dynamiek** dynamic(s)

dynamiet dynamite; *met ~ vernielen* d.; ~**patroon** d. cartridge

dynamisch dynamic(al)

dynamo id., *mv.* -os; ~**meter** id.

dynast id.; ~**ie** dynasty; ~**iek** dynastic (*bw.:* -ally)

dysenterie dysentery

dyslexie dyslexia

E

E E (*ook noot*)

e.a. = *en andere(n)* and others, and other things, etc., *et al.*

eau de cologne eau-de-Cologne

eb(be) ebb(-tide); *'t is* ~ the tide is out, it is low tide; ~ *en vloed* ebb and flow, low tide and high tide

ebbeboom ebony(-tree)

ebbehout(en) ebony; *van nagemaakt* ~ ebonized [furniture]

ebben ebb, flow back; *'t water is aan 't* ~ the tide is going out, is on the ebb

eboniet ebonite

ebstroom ebb-tide

ecarté écarté; **ecarteren** *intr.* play at écarté; *tr.* discard, cast aside

ECG id., electrocardiogram

echappement escapement

echarpeervuur oblique fire

echec check, rebuff, repulse, set-back, failure; (*van regering, enz.*) defeat, reverse; ~ *lijden* meet with a rebuff; (*van regering, enz.*) be defeated

echelon echelon; *en* ~ in e.

echo echo; ~ën (re-)echo, reverberate; ~(peil)-lood e.sounder; ~put echoing well

1 echt I *bn.* genuine [Java coffee, document, breed *ras*], real [silk, diamonds, her hair is not ..., a ... flirt], authentic [documents], thorough [a ... mess], thoroughgoing, perfect [snob], regular [hero, scamp, townspeople], true(-born) [Dutchman], [his room was a] proper [pigsty]; (*wettig*) legitimate [child]; *'t* ~*e toneel* (*drama*) the legitimate theatre (drama); *een* ~*e Tory* (*Schot*) a true-blue Tory (a Scot to the backbone); *kindergeweertjes? neen,* ~*e!* no, the real thing!; *'t ziet er uit als* ~ it looks like the real thing, (*Am.*) like the real McCoy; *een* ~*e ananas* an honest-to-goodness pineapple; *dat is* ~, (*leuk*) top-hole, first-rate, ripping; II *bw.* really; ~ *boos* downright angry; *'t is* ~ *waar* it's really true; *'t is* ~ *gebeurd* it's a true story; *ik meen 't* ~ honestly, I mean it; *dat is* ~ *iets voor hem a*) that is just like him; *b*) that is the very thing for him

2 echt marriage, matrimony, wedlock; *in de* ~ *treden, zich in de* ~ *begeven* enter the married state, enter into matrimony; *in de* ~ *verbinden* join in matrimony; ~**breekster** adulteress; ~**breken** commit adultery; ~**breker** adulterer; ~**breuk** adultery; ~**breukig** adulterous

echtelieden married people; *de* ~ the married couple

echtelijk conjugal, matrimonial, connubial, marital; *de* ~*e staat* the married (wedded) state, (the holy estate of) matrimony, wedlock; *zie huwelijks...*

echten legitimate, legitim(at)ize [a child]

echter however, nevertheless, yet

echtgenoot husband, spouse

echtgenote wife, spouse, lady

echtheid genuineness, authenticity, legitimacy; *vgl.* echt; *de* ~ *bewijzen van*, (*ook*) authenticate; **echting** legitimation

echtpaar married couple; *het* ~ *A. B.* Mr. and Mrs. A. B.; **echtscheiden** divorce

echtscheiding divorce; ~ *aanvragen* sue (bring a petition) for a d., start (institute) d. proceedings, file a divorce suit; *hij weigert in* ~ *toe te stemmen* he refuses to give her a divorce; ~**saanvrage** d. petition, application for (a) d.; ~**sproces** d. suit, d. case

echtverbintenis, -vereniging marriage, matrimonial alliance; *25-jarige* ~ silver wedding

echtverklaring legitimation [of a child]

eclat id.; *veel* ~ *maken* make a great stir (*fam.*: a splash); **eclatant** (*schitterend*) brilliant; (*opzienbarend*) sensational, startling; resounding [success]

eclecticus, eclectisch eclectic (*bw.* -ally)

eclips eclipse; ~**eren** *tr.* eclipse (*ook fig.*); *intr.* abscond, decamp; **ecliptica** ecliptic

ecologie, -gisch ecology, -gical

econometrie, -trist econometrics, -trician

economie (*staathuishoudkunde*) political economy, economics; (*zuinigh.*) economy; *geleide* ~ planned economy, (economic) planning; **-misch** economic [problems, geography, affairs, etc.]; (*zuinig, zuinig werkend*) economical; *-e snelheid* economic(al) speed; **-miseren** economize, **-mist** (political) economist; **econoom** economist; (*in klooster*) procurator, procuratrix

eczeem eczema; *vochtig* ~ weeping e.

e.d. = *en dergelijke(n)* and such, etc.

Edam id.; ~**mer** *kaas* E. cheese

Edda id.; **Eddy** id., Ned(dy)

edel noble [character, lord, animal], precious [metals, stones]; inert [gases]; rich, generous [wine]; *niet-* ~ *metaal* base metal; *de* ~*e delen* the vital parts [of the body]; *de* ~*en* the nobility, the nobles; ~**aardig(heid)** n.-minded(ness); ~**achtbaar** worshipful; -*bare* (*als aanspr.*) Your Worship, Your Honour, my Lord; *zijn -bare* His Lordship; ~**denkend** high-minded; ~**geboren** of n. birth; ~**gesteente** precious stone, gem, jewel; ~**heid** nobleness, nobility; *Uwe E-* Your Honour; ~**hert** red deer; ~**knaap** page; ~**lieden** *mv. van* ~**man** nobleman, noble; ~**marter** pine-marten; ~**moedig** generous, magnanimous; ~**moedig**-

heid generosity, magnanimity; ~**smid** worker in precious metals, gold- and silversmith; ~**steen** *zie* ~gesteente; *kenner (slijper) van* ~*stenen* lapidary; ~**vrouw** noblewoman, n. lady

edelweis(s) edelweiss

Eden id., Paradise

edict id., decree; **edik** vinegar

Edinburg Edinburgh

editie edition (*ook fig.:* a younger ... of his father); (*van krant ook*) issue

Edmond Edmund

edoch however, yet, still, but

Edom id.; ~**iet** Edomite

Eduard Edward

educatie education; *zie* opvoeding & onderwijs; ~**f** educational

eed oath; *de ~ afleggen* take the o.; *de ~ afleggen in handen van* be sworn (*bij ambtsaanvaarding:* sworn in) by; *de ~ afnemen* administer the o. to, swear [a witness], (*bij ambtsaanvaarding*) swear [a p.] in; *zijn ~ breken* break one's o.; *een ~ doen* swear (take) an o.; *ik doe er een ~ op, dat ...* I will take my o. that ...; *ik zou er een ~ op kunnen doen* I could swear to it; *mij werd een ~ opgelegd* I was put on my o.; *onder ede bezweren (verklaren, getuigenis afleggen)* swear (declare, give evidence) on o.; *onder ede staan* be on (one's) o.; ~**aflegging** taking an (the) o.; ~**afneming** administration of an (the) o., swearing-in (*vgl.* ~); *zie* beëdiging; ~**breker**, ~**breekster** perjurer; ~**breuk** breach of o., violation of one's o., perjury; – *plegen* break one's o.; ~**formulier** o.-formula; (*gedrukt*) o.-card; ~**genoot** confederate; ~**genootschap** confederacy; ~**schender**, ~**schending** *zie* ~breker, ~breuk

Eefje Eve, Eva, Evie, Eveline

EEG *a) = Europese Economische Gemeenschap* (European) Common Market, EEC; *b)* id., electroencephalogram

eega(de) spouse

eek 1 vinegar; 2 bark (of an oak), tan; (*runwater*) ooze

eekhoorn squirrel; *vliegende ~* flying s.; (*N.-Am.*) *gestreepte ~* chipmunk; ~**nest** s.'s nest, dray, drey; ~**tjesbrood** cep

eelt callus, callosity, horny skin; ~**(acht)ig** callous, horny; ~**igheid** callosity; ~**knobbel**, ~**plek** callosity; (*aan grote teen*) bunion

1 een an (*voor klinker*), a (*voor medekl.*); *een Nero* a Nero; *~ dertig* some (*of:* about) thirty

2 één[1], **een** one; *ene Jansen* one J.; *twee enen* two ones; *ik ken er ~ die ...* I know of someone who ...; *man en vrouw zijn ~* are one; *hij is er niet ~ om ...* he is not one to run away; *iedere stuiver is er één voor mij* I have to count my pennies; *niet ~ op de duizend* not one man in a thousand; *bloemen van één kleur* flowers of a single colour; *~, twee ... drie!* one, two, three (and away!); now a long pull and a strong pull, here goes! ready, steady, go!; *doe't (in) ~, twee,*

drie in two twos; before a man can say Jack Robinson; *dat is er ~ (punt, succes, enz.) voor jou* that's one up to you; *~ en al gehoor* all ears (*zo ook:* all eyes, smiles, attention); *~ en al zenuwen* [he is] a bundle (mass) of nerves; *~ en al verwaandheid* a mass of conceit; *~ en al eenvoud* [she is] simplicity itself; *~ en al ... in* the house all is festivity; *'t ~ en ander* something, a thing or two [I know ... about it]; one thing and another; *'t (de) ~ of ander* something (some one) or other; one or other [of his friends, of these books]; *'t ~ of ander boek* some book (or [an]other); *de ~ of andere dag* some day; *'t ~ of 't ander* [either stay or go on] one or the other; *noch 't ~, noch 't ander* neither one thing nor the other; *'t ~ met 't ander* [I've spent £100] one way and another; *zo met 't ~ en ander* what with one thing and what with another [the day passed pleasantly enough]; *~ en ander tegen de prijs van ...* all this at the price of ...; *de ~ de ander, zie* elkander; *van 't ene deel van 't land naar 't andere* from one part of the country to another; *met Mevr. S. aan de ene arm en ...* with Mrs. S. on one arm and Mrs. P. on the other; *op ~ stellen, (wisk.)* set at unity; *op ~ na* [all] except one, [the last] but one; *tot ~ worden* become (grow into) one; *zij zijn van ~ leeftijd (grootte)* they are of an age (a size); *~ voor ~* one by one, one at a time; *zie* alles, woord, zijde, enz.; ~**akter** one-act play, one-acter; ~**armig** one-armed; ~**bes** herb Paris; ~**bladig** one-leaved; (*van bloemkrans*) monopetalous, gamopetalous; (*van kelk*) monophyllous; ~**bloemig** uniflorous; ~**broederig** (*plantk.*) monadelphous; ~**cellig** unicellular

eend duck; *jonge ~* duckling; *wilde ~* wild d., mallard; *wat ben je een ~!* what a goose you are!; *vreemde ~ in de bijt* stranger, intruder, outsider

eendaags one-day, day [return, trip]; once daily

eendachtig duck-like; (*fig.*) silly, stupid, asinine

eendagskuiken day-old chick

eendagsuitstapje day-trip

eendagsvlieg ephemeron (*mv. ook:* ephemera, ephemera (*mv.* -ras), may-fly

eende- duck: ~**bout(je)** leg (*of:* wing) of a duck; ~**ei** d.'s egg; ~**jacht** d.-shooting

eendekker monoplane; (*bus*) single-decker

eendekroos duck-weed; -**mossel** (d.-)barnacle

eenden- duck: ~**kom** d.-pond; ~**kooi** (duck) decoy; ~**planken** (*mil.*) d.-boards; ~**roer** fowling-piece, duck-gun; ~**vijver** d.-pond

eender alike, the same; *'t is mij ~* it's all one (*of:* all the same) to me

eendesnavel duck's bill

eendje duckling [the ugly ...]

eendracht concord, union; *~ maakt macht* union is strength; united we stand, divided we fall

eendrachtig *bn.* united, unanimous; *bw.* ...ly,

in concord, hand in hand, as one man; ~ *sa-menwerken*, (*ook*) pull together

eenduidig unequivocal, unambiguous

eendvogel duck; *zie* eend & schot

eeneiig (*van tweelingen*) identical, uniovular [twins]

eenfasig single-phase [current]

eengestreept (*muz.*) once-marked, once-accented, (*Am.*) one-lined [octave]

eengezinswoning (small) family house (dwelling)

eenhandig one-handed

eenheid (*in getallen, strategische ~, enz.*) unit; ('*t één zijn*) unity, oneness, (*wisk.*) unity; *een zekere ~ van denken* a certain agreement of thought; *dramatische eenheden* dramatic unities [of time, place and action]; *tot een ~ maken* unify

eenheids: ~**front** united front; ~**prijs** *a*) unit price; *b*) uniform price; ~**staat** unitary state; ~**worst:** *ergens* (*een*) – *van maken* treat everyone (everything) uniformly; **eenhelmig** (*plantk.*) monandrous; **eenhoevig** one-hoofed

eenhoofdig (*van staatsbestuur*) monarchical; (*anders*) one-head [system, management]; ~*e regering* monarchy

eenhoorn unicorn; ~**ig** one-horned, unicornous; ~**vis** narwhal, unicorn-fish

eenhuizig (*plantk.*) monoecious

eenjarig of one year, one year old; yearling [colt, stallion, heifer]; ~ *dier* yearling; ~*e plant* annual

eenkennig shy, timid; ~**heid** shyness, timidity

eenklank (*muz.*) unison; (*klinker*) monophthong

eenkleppig univalve

eenkleurig unicoloured, solid coloured, of one colour; monochromatic [light, painting]

eenlettergrepig monosyllabic; ~ *woord* monosyllable

eenling individual; (*alleenstaande*) solitary (unattached) person, free-lance, (*fam.*) lone wolf, loner

eenlobbig monocotyledonous; ~*e plant* monocotyledon

eenloopsgeweer single-barrelled rifle

eenmaal once [we're only young ...]; (*te eniger tijd*) [you will agree with me] one day; ~ *is geen maal* first try doesn't count; ~, *andermaal, derdemaal* going, going, gone; once, twice, for the last time; ~ *en andermaal* repeatedly; *als we* (*je*) *maar ~ ...* when once we are out of the Channel; when you are once my wife; '*t is nu ~ zo* [it is lamentable, but] there it is; it cannot be helped; *ik haat nu ~ de zee* I just hate the sea; *ze was nu ~ zo* that's the way she was; *jongens zijn nu ~ jongens* boys will be boys; *zie* anders; ... *worden nu ~ ruchtbaar* such things do get about; '*t moet nu ~ gebeuren* there's no getting out of it

eenmaking integration

eenmalig once-only [grant], one-off [operation, event]

eenmannig (*plantk.*) monandrous

eenmans: ~**gat** (*mil.*) fox-hole; ~**wagen** single-manned bus (tramcar); ~**zaak** one-man business; (*kleinerend*) one-horse show

eenmaster single-masted vessel

eenmotorig single-engined [plane]

eenogig one-eyed; **eenoog** one-eyed person; *zie* blinde

eenparig I *bn.* unanimous; ~*e beweging* uniform motion; II *bw.* ...ly with one consent (*of:* accord), by common consent, [declare] with one voice; [they were in white gloves] to a man; ~ *versneld* uniformly accelerated; *men is ~ van oordeel, dat ...* there is a consensus of opinion that ...; *zij prijzen hem ~* they unite in praising him; ~**heid** unanimity, uniformity

eenpersoons one-man [canoe], single [bed, bedroom]; ~ *vliegtuig* single-seater

eenre: *ter ~* [party] of the one (of the first) part

eenregelig one-(single-)line, of one line

eenrichtingsverkeer one-way traffic; *straat met ~* one-way street

eens I *bw.* (*eenmaal*) once; (*op een keer in 't verl.*) once, one day; (*in sprookjes*) once upon a time [there was ...]; (*in de toekomst*) one day; (*toonloos*) just [... come here; ... get me some cigars]; *ik heb de eieren nu ~ gebakken* I've fried the eggs for a change; *dat is ~ maar nooit weer* never again; *een ~ beroemd man* a o.-famous man; *de ~ zo sterke man* the man who used to be so strong; ~ *op een dag* (*avond, enz.*) one day (evening, etc.); *hoor ~, Jan* I say, John!; *als je nu ~ ging slapen* suppose you go to sleep now; *kijk nu toch ~* look at that now!; *zij moest 't toch ééns horen* she had to hear it some day; *hij bedankte mij niet ~* he did not so much as (did not even) thank me, he never o. thanked me; *en niet ~ zo ver van L.* and not so far from London either; ~ *voor al* o. (and) for all; (*nog*) ~ *zoveel* as much (many) again, twice as much (many); ~ *zo groot* twice as large, as large again; *zie* eenmaal, nog, enz.; II *bn.* '*t ~ zijn* agree, be at one [*met* with]; (*onder één hoedje spelen*) be hand and (*of:* in) glove (with each other); *ik ben 't met u ~, ook:* I am of your way of thinking, I am [wholly] with you; *ik ben 't niet met hem ~, ook:* I disagree (don't see eye to eye) with him, differ from (*of:* with) him (in opinion); *daarmee kan ik 't niet ~ zijn* I cannot subscribe to that; *ik ben 't met mijzelf niet ~* I am in two minds about it; I am not sure in my mind [whether ...]; *vgl.* instemmen; *daarover zijn we 't allen* (*volmaakt*) ~ upon that we are all agreed, we are in complete agreement on that; *men is het er algemeen over ~ dat ...* there is general agreement that ...; *daarover is men 't ~, ook:* that is common ground; *we zijn 't erover eens dat ...* we are agreed that ...; *over hem zijn allen 't ~* there is but one opinion about him; *daarover moeten allen 't wel ~ zijn* there can be no two opinions (minds) about that; *u zult 't met mij ~ zijn, dat ...* you'll agree that ...; *zie* geleerde; '*t ~ worden* come to an agreement (to terms); *'t ~ w. over een plan* agree upon a plan; *we konden 't op dat punt niet ~ w.* we could not agree on that point; *'t ~ w. met zichzelf* make up one's mind

eenschelpig univalve (*ook: ~ dier*)

eens: ~**deels** ... *anderdeels* partly ..., partly; for one thing ..., for another; ~**denkend** of one mind; ~**gezind** unanimous, at one, in harmony; united [family]; solid [the nation is ... ly behind him]; concerted [action]; ~**gezindheid** unanimousness, unanimity, harmony, [working-class] solidarity; ~**klaps** suddenly, all at once, (all) of a sudden; ~**luidend** of the same tenor [*met* as]; uniform [*met* with]; – *afschrift* true copy; *voor – afschrift* I certify this to be a true copy (of ...); – *boeken* book in conformity

een-: ~**snarig** one-stringed; ~**span** one-horse carriage; ~**steensmuur** single-brick wall; ~**stemmig** (*muz.*) for one voice; – *gezang (lied)* unison singing (song); – *zingen* sing in unison; *zie ook* ~parig; ~**stemmigheid** unanimity, agreement, consensus (of opinion)

eentalig monolingual, unilingual

eentje one; *jij bent me er ~!* you are a one! you're a nice one!; *jij bent er ook ~ om mee te gaan winkelen!* what a one you are to come shopping!; *er ~ nemen (pakken, snappen)* have a drink (a drop), have one (a quick one); *neem er nog ~* have another; *hij gaf me er ~ op mijn oog (in de rug)* he caught me one in the eye, gave me a oner in the back; *op (in) mijn ~* all by myself; (*fam.*) on my lone(some); *op zijn ~ handelen* play a lone hand, go it alone; *zie* alleen

eentonig monotonous, drab, humdrum [routine]; sing-song [voice]; ~**heid** monotony, monotone; drabness [of modern life]

eenvormig(heid) uniform(ness)

eenvoud *zie* eenvoudigheid; *in ~ des harten* in singleness of heart; *~ is het kenmerk van het ware* simplicity is the hall-mark of truth

eenvoudig I *bn.* simple [subject, style, taste, dress, manners, person], plain [food, meal, man, the ... truth], homely [fare], frugal [meal]; *een daad van ~e beleefdheid* an act of common politeness; *zie* breuk; *ook* = enkelvoudig; *in ~e bewoordingen* in plain terms; II *bw.* simply [dress ...]; *it ... isn't true; it's ... awful]*, plainly; *ik doe 't ~ niet* I just won't do it [*zo ook:* I just can't; I just dote on it; it's just plain theft]; *~ een belediging* [it's] nothing short of an insult; ~**heid** simplicity, plainness, homeliness; ~**heidshalve** for the sake of simplicity; ~**weg** just; *zie ~ bw.*

eenwording unification, integration

eenzaadlobbig *zie* eenlobbig

eenzaam solitary [walk, life], lonely [road, it is ... here]; (*afgezonderd*) retired, secluded [spot, life], isolated [spot], sequestered [nook], unfrequented [road]; (*verlaten, doods*) desolate; *eenzame opsluiting* s. (close, separate) confinement; *zich ~ voelen* feel lonely; *hij leeft erg ~* he leads a very solitary life; ~**heid** solitude, solitariness, loneliness, seclusion, retirement, privacy

eenzelfde one and the same

eenzelvig solitary(-minded), self-contained, retired; *~ worden, ook:* be driven in on o.s.; ~**heid** solitariness, self-containment, retiredness

eenzijdig one-sided [view; look at a thing ...ly]; unilateral [contract, disarmament; the contract was ... ly cancelled]; lop-sided [education]; (*partijdig*) bias(s)ed, partial, ex parte [statement]; (*sl.*) one-eyed [view]; *~e akte* unilateral deed, deed-poll; ~**heid** one-sidedness, partiality

1 eer *bw. zie* eerder; *vw.* before; (*vero.*) ere

2 eer honour, credit; *~ aandoen (bewijzen)* honour, do h. to, do [a p.] h. [you do me great h., the h. you're doing me], pay tribute to; *een diner (alle) ~ aandoen* do (full) justice to a dinner; *iem. alle mogelijke ~ aandoen*, (*fam.*) do a p. proud; *zijn familie (zijn naam) ~ aandoen* be a credit to one's family (live up to one's name); *dat doet u (uw smaak) ~ aan* it does credit to you (your taste); *doe mij de ~ (aan) te ...* do me the h. to ...; *goddelijke ~ bewijzen* pay divine honours (to); *de laatste ~ bewijzen* render (pay, do) the funeral (the last) honours (to); pay a last tribute of respect (to); *iem. de ~ geven van* give a p. the credit of; *zichzelf er de ~ van geven* take credit to o.s. for it; *ik moet Birmingham alle ~ geven voor* ... I must give (hand) it to B. for ...; *de ~ hebben te* have the h. to; *ik heb de ~ gehad* [have you seen her?] I have had the h.; *ik heb de ~ u te berichten* I beg to inform you; *ik heb de ~ te zijn uw dw.* ... I am, Yours respectfully, ...; *ik heb niet de ~ (u te kennen)* I have not the h.; you have the advantage of me; *daar heb je ~ van* that's to your (that does you) credit, that reflects h. on you; *de ~ aan zich houden* save one's face; not let o.s. down; *~ inleggen met* gain h. (credit) by; *je legt er geen ~ mee in* it does you no credit; *hij kreeg er de ~ van* he got the credit of it; *er een ~ in stellen te* make it a point of h. to, consider it an h. to, take a pride in ...ing; *hij stelde er een ~ in, ook:* he prided himself on it; *ere wie ere toekomt* h. to whom h. is due; *'t zal mij een ~ zijn* I shall be honoured (by it); *ere zij God* glory to God; *gij zijt aan uw ~ verplicht te ...* you are in h. bound to ...; *in alle ~ en deugd* in h. and decency; *in ere houden* honour, keep up [a tradition]; *iems. aandenken ... hold a p.'s memory in esteem, keep a p.'s memory green, cherish a p.'s memory; *zich met ere kwijten van* acquit o.s. with h. (with credit, honourably, creditably) of; *met ere een plaats innemen tussen ...* hold one's own among; *met militaire ~ begraven* bury with military honours; *zie* dragen; *naar ~ en geweten* to the best of my knowledge, in good conscience; *op mijn ~* upon my h.; (*fam.*) h. bright!; (*sl.*) honest Injun!; *te zijner ~* in his h.; *ter ere van de dag* in h. of the day; *acceptatie (betaling) ter* *ere* acceptance (payment) for h.; *het zij tot zijn ~ gezegd* to his h. be it said (spoken); *'t strekt u tot ~ tot ~* it does you credit, redounds to your h., reflects h. (credit) on you; *'t strekt ... tot eer* it is to the credit of ...; *zie* aanrekenen, behalen, na, nageven, tasten, enz.

eerbaar virtuous, chaste, modest, good [a ... girl]; **~heid** virtue, chastity, modesty

eer: ~betoon, ~betuiging, ~bewijs, ~bewijzing (mark of) honour, homage; *militaire ~bewijzen* military honours, compliments [no ... are paid]

eerbied respect, regard, veneration, reverence; *met alle ~ voor* with all r. for; *uit ~ voor* out of r. for, in deference to [his wishes]

eerbiedig respectful, reverent, reverential, dutiful, deferential; (*vroom*) devout; *zie* afstand; **~en** respect; (*iems. wensen, enz.*) *ook:* defer to; **~heid** respect; (*godsd.*) devotion; **~ing** respect, deference

eerbied: ~shalve out of respect; ~waardig respectable [motives], venerable [priest, building, age]; time-honoured [customs]; ~wekkend imposing

eerder I *bn.* earlier, former, prior; II *bw.* before, [I've heard of it] before now; sooner, rather; *~ in deze maand* earlier this month; *hoe ~ hoe liever (beter)* the sooner the better; *~ meer dan minder* more rather than less; *~ te hoog dan te laag* rather too high than ...; *het neemt ~ toe dan af* it increases, if anything; *je zou mij toch ~ geloven dan hem* surely you would believe me sooner than him; *hij zal 't ~ krijgen dan ...* he is more likely to get it than ...; *hij zal 't ~ doen, als je ...* he will do it more readily if you ...; *zie ook* liever

eergevoel sense of honour; *als je enig ~ hebt* if you have a grain of honour in you; *het ging tegen zijn ~ in* it wounded his pride [to ...]

eergierig ambitious; ~heid ambition

eergister ... [the night, etc.] before last

eergisteren the day before yesterday

eerherstel rehabilitation

eerlang before long, shortly, (*vero.*) ere long

eerlijk I *bn.* honest [man, dealings, truth], honourable [man, intentions], fair [fight, chance, it is my ... share]; straightforward (square) [dealing]; *een ~e beoordeling* a fair-minded appraisal; *~ is ~* fair is fair; *zo ~ als goud* as h. as the day, (as) straight as a die, (as) true as steel; *~ duurt 't langst* honesty is the best policy, honesty pays; *geef hem een ~e kans* give him a fair chance; *~ spel* fair play; *dat is geen ~ spel* that's not playing the game, not cricket; *een ~ stukje brood verdienen* turn an h. penny; *dat zou niet ~ zijn tegenover u* that would not be fair to you; *~ zijn tegenover zichzelf* be h. (candid) with o.s.; *~ blijven (d.w.z. niet meer stelen of inbreken)* keep (go) straight; II *bw.* honestly, etc.; *iem. ~ behandelen, (fam.)* give a p. a square deal; *we worden niet ~ beh.* we 're not having (*of:* getting) a fair deal; *alles ~ doen* do everything on the square; *alles gaat ~ toe* everything is above-board, is

fair and square; *zorgen, dat alles ~ toegaat* see fair play; *~ handelen, ook:* play fair, act straight, play the game [*tegenover* by], go straight; *'t ~ menen met iem.* have the most h. intentions with a p.; *~ met iem. omgaan* play straight with a p.; *~ spelen* play fair, play straight; *~ (waar)!* really (and truly)! (*sl.*) h. Injun!; *~ waar, ik ... honestly* (and truly) I don't know; I don't know! honest, I don't; *~ de waarh. zeggen* tell the h. truth; *~ gezegd* honestly (speaking) [I don't know], to tell the (h.) truth; *het moet ~ worden gezegd dat ...* it must be said, in fairness, that ...; ~heid honesty, fairness, probity; –shalve in all fairness [I have to add]

eerloos infamous, dishonourable; ~heid infamy

eerroof defamation (of character)

eerrovend defamatory; **eerrover** defamer

eershalve for honour's sake

eerst I *bn.* first; (*voornaamste ook*) chief, leading [men, families, papers], first-class [firms], foremost [authorities], prime [minister, meridian], premier [hold one of the ... posts], senior [surgeon, medical officer]; [one of the] earliest [voyages to India]; *de ~e april* the f. of April; *de ~e de beste* the f. man (you meet), the next man [I see, etc.], the f. comer, any man [will tell you that]; *hij is de ~e de beste niet* he is not just anybody; *de ~e de beste gelegenheid* [take] the f. (the earliest possible) opportunity; ~e *bediende* chief (*of:* head) clerk; *'t ~e begin*, (*van slechte gewoonte, enz.*) the thin end of the wedge; ~e *bod, ook:* opening bid; *de ~e christenen* the early Christians; *de ~e dagen, a)* the f. days; *b) zie* ~volgend; ~e *hulp (bij ongelukken)* f. aid (*de mannen van ...* the first-aid men); ~e *hulp verlenen* render f. aid; ~hulpdienst* ambulance service; *zie* hulppost; ~e *levensbehoeften* necessaries of life; *de ~e maanden van 't jaar* the opening months of the year; *van 't ~e ogenblik af* from the f.; ~e *redevoering* maiden speech; ~e *reis*, (*van schip*) maiden voyage; ~e *steen* foundation stone; [*we zijn*] *de ~e tijd* [volledig bezet] for some time to come; *de ~e tijd* [*gebeurde er niet veel*] at first ..., for some time ...; ~e *uitgaven* initial expenses (*of:* outlay); *de ~e(n) = ~genoemd(en)*, (*van twee*) the former; (*van meer*) the first-(named); *de ~en der stad* the leading men (people) of the town; *ik was de ~e (kwam 't ~)* I was f.; *hij is de ~e van de klas* he is at the top of the class, is top-boy, (*van de school*) head-boy; *hij zou de ~e zijn om ...* he would be the f. to admit this; *de ~en zullen de laatsten zijn* the f. shall be the last; *dat is 't ~e wat ik hoor* that's the f. thing I hear; *in 't ~* at f.; *ten ~e* first(ly), in the f. place; *ten ~e ..., ten tweede, ook:* for one thing ..., for another; *voor 't ~* for the f. time; *'t is voor 't ~ dat ik 't hoor* that is news to me, this is the f. I've heard of it; *zie* gezicht, plaats, enz.; II *bw.* first; (*in 't ~*) at first; *het is kouder dan ~* it is colder than it was; *die 't ~ komt, 't ~ maalt* f. come, f. served; *zij sprak 't ~* she spoke f., was the f. to speak; *ik zal dit* *morgen 't ~ doen* I shall do this first thing to-morrow; (*pas, slechts*) only [the barony was created ... in 1890; the practice was ... abolished in 1830]; *we zijn ~ vanmorgen begonnen* we did not begin until (we only began) this morning; *hij is ~ gisteren getrouwd* he was married as recently as yesterday; *ik kwam ~ om 2 uur thuis* I did not come home until two o'clock; *~ toen ik sprak* not until I spoke [did he move]; *toen ~* not until then [did he come]; *nu begrijp ik ~ ...* only now do I understand ...; *dat moet ~ nog blijken* that remains to be seen; *als ik maar ~ in L.* ben when once I am in L.; ~aanwezend senior [officer, etc.]; *-e, ook:* Commanding Officer, C.O.; ~beginnende beginner, tiro, tyro; ~daags one of these days; ~edagenveloppe first-day cover; ~ehands f.-hand [information]; ~ejaarsstudent f.-year student, freshman, fresher; ~ekamerlid senator; *vgl.* kamer; ~eklas ... f.-class [compartment, patient, ticket]; *zie* ~erangs; *een ~ rakkertje* a regular little rascal; ~eling f.-born (child); (*van dier*) firstling; (*bijb., gew. mv.*) f.-fruits; (*fig.*) f.-fruit(s) [of his genius], firstling; ~ens first, in the f. place; ~erangs f.-rate, f.-class; ~geboorte primogeniture; ~geboorterecht right of primogeniture, birthright; ~geboren(e) f.-born; ~genoemde *zie onder* eerst; ~komend *zie* ~volgend; *de -e* the f. comer; ~volgend next, following; *de -e dagen* the next few days; *een periode van de -e drie jaar* a period of three years next following; *de -e trein* the next train due

eertijds formerly, in former times

eervergeten lost to all sense of honour, devoid of honour, vile, villainous

eerverlies (*jur.*) corruption of blood

eervol honourable; *de Koningin heeft ~ ontslag verleend aan ...* the Queen has accepted the resignation of ...; *~le vermelding* h. mention; *een ~le vermelding krijgen*, (*mil.*) be mentioned in dispatches; *~le vrede* peace with honour; *niet ~, zie* on-~; Eerw. = Eerwaarde Reverend; *de ~ Heer J. S.* the Rev. J(ohn) Smith; *~ Heer*, (*aanspr.*) Sir; *~ Moeder* Mother Superior; *Uw ~* Your Reverence

eerwaardig venerable, time-honoured [institutions]; ~heid venerableness

eerzaam respectable; (*van vrouw ook*) modest

eerzucht ambition; ~ig ambitious, aspiring

eerzuil *zie* erezuil

eest oast(-house), kiln(-house); ~en kiln-dry

eetbaar eatable, edible; *zie* vogelnest; ~heid ...ness, edibility

eet: ~bak *zie* etens-; ~gelegenheid eating place; ~gerei dinner things; ~hoek dinette, dining area; ~huis eating-house, eating-place; ~kamer dining-room; ~keteltje (*mil.*) mess-tin, canteen; ~keuken kitchen-diner; ~lepel table-spoon; *een – vol* a tablespoonful

eetlust appetite; *~ hebben* (*geven*) have (give) an a. [they've all got good appetites]; *een gezonde ~ hebben* have a healthy (hearty) a.; *geen ~ hebben* have no a., be off one's food (*fam.:*

one's feed); *de ~ opwekkende drank, enz.* appetizer; *iem. de ~ benemen* take away a p.'s appetite, put a p. off his food (*fam.:* his feed); *de ~ kwijtraken* lose one's appetite, (*fam.*) go off one's food (one's feed); *de ~ komt al etende* a. comes with eating; ~opwekkend appetizing

eet: ~partij feed; ~servies dinner-set, -service; ~ster eater; *zie* eter; ~stokjes chop-sticks; ~tafel dining-table; ~waar, ~waren eatables, food(s), provisions, victuals; ~zaal dining-hall, -room; (*mil., mar.*) mess(room); (*mar.*) dining-saloon; (*in klooster; soms in 'college'*) refectory

eeuw century [the 19th...], (*lang tijdvak*) age [the golden ...; the ... of Queen Anne]; *ik heb je in geen ~ gezien* I have not seen you for ages; *in de vorige ~* (in the) last c.; *door alle ~en heen* throughout all ages, [his words ring] down the centuries (*of:* ages); *van de 18de ~* eighteenth-century [London]; ~enheugend, ~enoud centuries(-)old, age-old [customs]; ~enlang *bn.* age-long [enmity], secular [quarrel]; *bw.: – heeft men ...* for centuries (on end) ...; ~feest centenary

eeuwig eternal [life; *ook fig.:* his ... umbrella, the ... triangle]; perpetual [edict, snow; *ook fig.:* her ... nagging]; perennial [youth; *ook fig.:* the ... joke about the mother-in-law], everlasting [grant us life ...], undying [friendship]; *ten ~en dage, voor ~* for ever, for all time, [the picture will remain in Holland] in perpetuity; *tot mijn ~e spijt* to my lasting regret; *een ~e tijd blijven* stay an unconscionable time; *wat duurt dat ~ lang* (*wat blijf je ~ lang weg, enz.*)! what a time you are; you've been ages!; *'t is ~ jammer* it's a thousand pities; '*eeuwig jeugdig*' *persoon, enz., ook:* evergreen; *~ en altijd, altijd en ~* forever, everlastingly; *hij loopt ~ dat liedje te zingen* he is forever singing that song; *zie* rust; ~durend *zie ~*

eeuwigheid eternity; *de ~ ingaan* pass into e.; *een ~ (weg)blijven, zie* eeuwig (... *lang*); *in der ~ niet, nooit in der ~* not (never) in a month of Sundays; *ik heb je in geen ~ gezien, zie* eeuw; *tot in ~* to all e.; *zie* eeuwig (*voor ...*); *van ~ tot ~ (tot amen)* world without end, for ever and ever; eeuwjaar secular year

eeuw: ~wisseling [at the] turn of the century

efemeer ephemeral; **efemeride** (*biol.*) ephemera (*mv.* -ae & -as); (*astron.*) ephemeris (*mv.* -ides)

Efese Ephesus; *van ~* Ephesian, of E.

Efeziër Ephesian

effect effect; (*bilj.*) side; *een bal* (*te veel*) *~ geven* put (too much) side on; *dat had geen ~* that was ineffectual; *dat zal geen ~ hebben* (*sorteren*) that will produce no effect (result); *op 't ~ werken, op ~ najagen* strain after e.; *het schot had ~* the shot took e. (went home); *op ~ berekend* calculated for e.; *civiel ~* (professional) qualification (conferred by a university degree, etc.); *zie* effecten; ~bejag straining after e., clap-trap

effecten stocks (and shares), securities; *in sam.:* stock-; **~beurs** s.-exchange [on the ...], *(buitenl. ook)* Bourse; **~bezit** s.-holding; **~handel** s.-jobbing; s.-broking, s.-broker's business; **~ handelaar** stock (and share) dealer, s.-jobber; **~houder** s.-holder; **~kantoor** s.-broker's office; **~koers** price of stocks; **~makelaar** s.-broker; **~markt** s.-market; **~rekening** s.-account

effectief I *bn.* effective, efficacious; *in -ieve dienst* on active service (*of:* duty); *-ieve kracht* e. power; *-ieve paardekracht* actual horse-power, a. h. p.; *-ieve rang,* (*mil.*) substantive rank (*zo ook:* substantive major, etc.); II *zn.* (*mil.*) effective

effectueren effect [a sale]; execute [an order]

effen smooth, level, even; (*van stoffen*) plain, unpatterned, unfigured; (*van rekening*) settled; *een ~ gezicht* [crack jokes with] a straight face, an impassive (poker) face; *een ~ gezicht zetten* straighten one's face; *~ is kwaad treffen* it is difficult to please everybody; *in ~ zwart* in plain (*of:* sober) black; *~ maken* smooth, (*rekening*) settle; *zie* even & rekening; **~en** level, smooth (down, over, out), make even; *'t pad – voor* smooth (pave) the way for; *zie ook* vereffenen; **~heid** smoothness, evenness; **~ing** levelling, etc.; **~tjes** *zie* even(tjes)

effigie effigy [burn a p. in ...]

efoor ephor; **eg** harrow, drag

egaal smooth, level, even; *de lucht was ~ grauw* the sky was a uniform grey; *'t is mij ~* it's all the same (all one) to me

egalisatiefonds exchange equalization fund

egard(s) regard(s), attention(s), consideration; *de ~ tegenover iem. in acht nemen* show deference to a p.

Egeïsche Zee Aegean Sea

egel hedgehog

egelantier sweet-briar, eglantine

egelboterbloem spearwort, banewort

egelskop (*plant*) bur-reed

egelstelling (*mil.*) hedgehog

egelvis globe-, puff-, swell-fish, puffer

egge *zie* eg

eggen harrow, drag; **egger** harrower

egg(er)ig (*van tanden*) on edge; *~ maken* set on edge

egocentrisch egocentric (*bw.* -ally), self-centred

egoïsme egoism, selfishness; *ziekelijk ~* egomania; **egoïst** egoist, self-seeker

egoïstisch egoistic(al), selfish

Egypte Egypt; **~naar** Egyptian

Egyptisch(e) Egyptian; *~e duisternis* E. darkness, intense darkness

egyptologie Egyptology; **egyptoloog** Egyptologist

E.H.B.O. first aid

1 ei *tw.* indeed! ah!

2 ei *zn.* egg; (*wet., dierk.*) ovum, *mv.* -va; (*plantk.*) ovule, (*~ van een vent*), (*sl.*) wet, clot, bore; *'t ~ van Columbus* the e. of Columbus; *een zacht gekookt ~tje,* (*fig.*) a piece of cake, a walk-over, (*Am.*) a cinch; *beter een half ~ dan een lege dop* half a loaf is

better than no bread; *het ~ wil wijzer zijn dan de hen* teach your grandmother to suck eggs; *als een kip die haar ~ niet kwijt kan* in nervous unrest like a cat on hot bricks; *zijn ~ niet kwijt kunnen* be unable to express o.s.; *zij lijken op elkaar als het ene ~ op het andere* they are as like as two peas (in a pod); *als op ~eren lopen* tread (walk) on eggs; *hij koos ~eren voor zijn geld* he made the best of a bad bargain, came down a peg or two; *zie* zoeken

eiber *zie* ooievaar

eicel germ-cell, ovum

eiderdons eider(-down)

eidereend, -gans eider(-duck)

eier- egg; **~boer** seller of eggs; **~brood** brioche; **~dans** e.-dance; **~dooier** (e.-)yolk; **~dop** e.shell; **~dopje** e.-cup; *dat is 't hele ~eten* there is nothing more to it; **~klopper, ~klutser** e.-beater, e.-whisk; **~koker** e.-boiler; **~kolen** ovoid coal(s), ovoids; **~korf** e.-basket; **~leggend** e.-laying, oviparous; **~lepeltje** e.-spoon; **~levendbarend** ovoviviparous; **~lijst** ovolo (moulding), e. and dart, e. and anchor, e. and tongue (moulding); **~lopen** (*volksfeest*) e.-and-spoon race; **~mijn** e.-market; **~muts** e.-cosy; **~netje** e.-net; **~pannekoek** omelet(te); **~plant** e.-plant; **~poeder** dried eggs, powdered eggs; **~produktie** e.-production, -yield; **~pruim** e.-plum; **~punch** e.-flip; **~rek(je)** e.-rack, e.-stand; **~schaal** e.shell [china *porselein*]; **~snijder** e.-slicer, -cutter; **~stander, ~stel** e.-stand, e.-frame; **~stok** ovary; **~struif** (contents of broken) egg; **~tikken** crack(ing) eggs together; **~verzamelaar** e.-collector; **~wekker** egg-timer; **~zoeker** e.-hunter; **~zwam** chanterelle

Eiffeltoren Eiffel Tower

eigen own; private [grave, carriage, car, girls with ... incomes]; (*aangeboren*) innate, natural; (*eigenaardig*) peculiar; (*vertrouwelijk*) familiar, intimate; *~ bedankt* family hold back; *op de ~ dag* (on) the very (the same, the very same) day; *voor ~ gebruik* for one's private use; *geld tot zijn ~ gebruik aanwenden* apply money to one's o. use; *zijn ~ huis* his o. house; *hij heeft een ~ huis* (*wil, enz.*) he has a house (a will, etc.) of his o.; *hij kent zijn ~ belang* he knows (on) which side his bread is buttered; *zijn ~ dood sterven* die a natural death; *... die hij zijn ~ kan noemen, ook:* he has not a penny to his name; *~ teelt* home-grown [tobacco]; *zij is een ~ zuster (nicht, enz.) van ...* she is o. sister (cousin, etc.) to ...; *~ weg* private road; *ze gingen ieder hun ~ weg* they went their respective (separate) ways; *dit zijn haar ~ woorden, ook:* these are her very words; *die glimlach is hem ~* is his own special smile; *zoals honden ~ is* [the dog made up to him] as dogs will; *is deze klank u ~ of aangeleerd?* is this sound natural to you or acquired?; *het lachen is de mens ~* (*~ aan de mens*) laughing is peculiar to man; *met de hem ~ moed* with the courage so characteristic of him; *~ aan* [defects] inherent in [the system]; [diseases] proper to [certain regions]; *zich ~ maken* acquire [a manner, a language, etc.], contract [a habit], get conversant with, master, pick up [a language]; *we maakten ons hun gewoonten spoedig ~, ook:* we soon fell into their habits; *ik ben hier al ~* I am already at home here; (*zeer*) ~ *zijn met iem.* be on (the most) intimate terms with a p.; *zeer ~ met elkaar, ook:* [they are] very thick (together); *de liefde tot het ~e* love of one's own; *zie gelijk, naam, persoon, enz.*; ~**aar** owner [of a book, an estate, etc.], proprietor [of an estate, a hotel, etc.]; *van – veranderen* change hands; *verandering van* – change of owner(ship); ~**aardig** peculiar, singular; *–e bekoring (atmosfeer)* [the place has] a charm (an atmosphere) all its own; *op zijn –e manier* [he cut up his bread] in a way he had; *'t heeft iets –s, ook:* there is s.t. curious (*nog iets–s* another curious thing) about it; ~**aardigheid** peculiarity, (*vooral geestelijke*) idiosyncrasy; *hij heeft zijn -en,* (*ook*) he has his oddities; ~**ares** (woman) owner; proprietress (*zie* ~aar); ~**baat** egoism, selfishness; ~**belang** self-interest; *uit* – from interested motives; ~**bouw** home-grown tobacco; home-built [racing car]

eigendom property; *uit huizen bestaand ~* house p.; *'t ~ van ..., ook:* owned by ..., [British] owned; *'t ~ worden van ...* pass into the ownership of ..., pass to [his son]; *hij aanvaardde zijn ~* he came into his own; *iets tot zijn ~ maken,* (*fig.*) make something one's own; *gebouwde en ongebouwde ~men* real estate; ~**sbewijs** title-deed; ~**soverdracht** transfer of p.; ~**srecht** proprietary right(s), ownership, title [the ... remains in the seller], tenure; (*van boek*) copyright

eigen: ~**dunk** self-conceit; ~**dunkelijk** (self-) opinionated; *zich ~en voor, zie:* geschikt *zijn voor;* ~**(ge)erfde** free-holder; ~**gebakken,** ~**gebrouwen,** ~**gemaakt** home-baked (-made), -brewed, -made; ~**gerechtig(heid)** self-righteous(ness); ~**gereid** arbitrary [behaviour], self-willed [person]; ~**gesponnen** home-spun; ~**gewicht** nett weight; ~**handig** with one's own hand, [written] in one's own hand(writing), autograph(ic); (*op brief*) by hand; *– geschreven brief (stuk)* autograph (letter, document), holograph (l., d.); *door de Koning – geschreven* in the King's own handwriting; ~**liefde** self-love, love of self, amour-propre

eigenlijk I *bn.* proper [fraction *breuk*]; sense *betekenis*]; real [name, reason]; *de ~e roman* (*negers, City*) the novel (negroes, City) p.; *'t ~e Griekenland, ook:* Greece properly so called; II *bw.* properly (strictly) speaking (= *~ gezegd*), really; *dat is 't, waarvoor ik ~ kom* that's what I really came for; *wat voer je nu ~ uit?* what are you doing actually?; *wat weten we er ~ van?* what do we know of it after all?; *wat wil je ~, dat ik doe?* what exactly do you want me to do?; *wat is een standvogel ~?* just what is a resident bird?; *wat moet je hier ~?* what are you here for anyway?; *~ moest het*

niet nodig zijn in theory it should not be necessary; *~ deed hij niets verkeerds* in point of fact he did nothing wrong; *~ niet, ook:* hardly [I can ... say I like it; it's ... fair]; *ik kan 't toch ~ niet doen* I can't very well (I can hardly) do it; *~ vreselijk* dreadful when you come to think of it

eigen: ~**lof** *zie* lof; ~**machtig** arbitrary, high-handed; – *optreden, ook:* take matters into one's own hands; ~**machtigheid** arbitrariness, high-handedness; ~**naam** proper name; ~**schap** quality [of persons; *ook = goede –:* he has lots of qualities; *zie* hoedanigheid], property [of things: the properties of mercury, of the circle, of matter *de stof*], attribute [of God, persons, things]; (*vereiste –*) qualification; (*rek.*) law, rule; *goede –pen,* (*van paard, enz.*) points; ~**tijds** contemporary, modern; –**heid** contemporariness, modernity; ~**waan** self-conceit, overweening conceit; conceitedness; ~**waarde:** *gevoel van* – self-respect, self-esteem; sense of one's own dignity; *een overdreven gevoel van* – *hebben* overrate one's own (*of:* personal) importance; ~**wijs** pig-headed, opinionated, (*sl.*) bloody-minded; *kinderen zijn zo* – children always think they know better; ~**wijsheid** self-conceit, conceitedness; ~**willig** *bn. zie* ~zinnig; *bw.* voluntarily, of one's own free will; ~**zinnig** self-willed, obstinate, wilful, headstrong, wayward, wrong-headed; (*fam.*) pig-headed; ~**zinnigheid** self-will, obstinacy, wilfulness, waywardness, (*fam.*) pig-headedness

eik oak; ~**ebast** o.-bark; ~**eblad** o.-leaf; ~**eboom** o.-tree; ~**ehakhout** oak-scrub; ~**ehout** o.-(wood); ~**ehouten** oak; (*vero.*) oaken; ~**ekrans** wreath of o.-leaves; ~**ekroon** crown of o.-(leaves), o.-crown; *Orde van de* – Order of the Crown of Oak

eikel acorn; (*anat.*) glans; ~**cacao** homoeopathic cocoa; ~**dopje** a.-cup; ~**dragend** glandiferous; ~**koffie** homoeopathic coffee; **eikeloof** oak-leaves

eikelvormig acorn-shaped, glandiform
eikemos oak-moss
eiken *zie* eikehouten
eiken- oak: ~**bos** o.-wood; ~**bosje** o.-grove; ~**laan** o.-avenue; ~**woud** o.-forest
eiker *zie* aak
eike: ~**schors** oak-bark; *gemalen –* tan; ~**stam** oak-trunk; ~**tak** oak-branch; ~**varen** oak-fern
eilaas, eilacie alas, alack-a-day
eiland island; (*dicht.,* & *met* [Britse] *eigennaam, gew. van kleine ~en*) isle [the Isle of Wight; the island of Java]; *de Britse ~en* the British Isles; *zie* wind; ~**bewoner** islander; ~**engroep** group of islands, archipelago; ~**enrijk** (*Engeland, Japan*) i. kingdom (empire); (*onze voormalige Oost*) archipelago; ~**enzee** archipelago; ~**er** islander; ~**je** islet, (*in Thames*) eyot
eileider oviduct; **eilieve** pray; (*vero.*) prithee
eind end, termination, conclusion, close; ending [a happy ...]; (*uiteinde*) extremity, end; tail [the ... of the procession]; (*dood*) [it made

me think of my] (latter) end; (*stuk*) piece [of wood, of string], length [of rope, of string]; (*afstand*) distance, way; *een heel ~* quite a long way; *een heel ~ over tienen* well after ten; *ze kon ~en ver lopen* she could walk long distances; *zie ook ~je*; *een ~ weegs* [accompany a p.] part of the way; *een ~ weg kletsen* talk away, do no end of talking, *'t ~ van 't liedje was dat ...* the end (the upshot) of it was that ...; *dat is 't ~e*, (*sl.*) the ultimate, out of this world; *~ goed, al goed* all is well that ends well; *aan alles komt een ~* there is an end to everything, all things come to an end; *er scheen geen ~ aan ... te komen* the journey seemed interminable; *eindelijk kwam er een ~ aan* at last it came to an e.; *er kwam een ~ aan de vorst* there was a break up of the frost; *daar moet een ~ aan komen* that must stop; *daarmee kom ik een heel ~* it will go far to pay (towards paying) my expenses (to pay for my journey, etc.) it will go a long way; *een ~ maken aan* put an e. (a stop) to, make an e. of, end [one's life], cut short [a p.'s career], terminate [the partnership], bring [a campaign] to a close (a conclusion), (bring to a) stop, put down [abuses], break up [a party]; *een heel ~* (*weg*) a long way (off); *ik ben al een heel ~ in dat boek* I am quite a way through that book; *een heel ~ in januari* [we are] well into January; *een heel ~ in de 60* [he is] well into (well on in) the sixties, well over 60; *hij stak een heel ~ boven hen uit* he rose (towered) head and shoulders above them; *zie ook stuk*; *'t ~e zal de last dragen* we'll see what we'll see; *hij voelde zijn ~e naderen* he felt his e. drawing near; *'t ~ van mijn bemoeiingen was een weigering* my exertions resulted in a refusal; *ik zie er 't ~e niet van* I see no e. to it; *een ~e nemen* come to an end, *zal dat gezeur dan geen ~e nemen?* shall I never hear the last of it?; *onnozel dat ze is, daar is 't ~ van weg* she is no end of a simpleton; *praten dat ze doen, daar is het ~ van weg* there is no end to it; *aan 't andere ~ van de wereld* [live] at the back of beyond, on the edge of the world, [the place is almost] off the map; *we zijn nog niet aan 't ~e* the e. is not yet; *lelijk aan zijn ~ komen* come to a bad e.; *aan 't langste ~ trekken* have (get) the better e. of the stick, have the best of it; *aan 't kortste ~ trekken* have the worst e. of the stick, come off a loser; *je hebt 't bij 't rechte ~* you are right, you have hit the mark; *je hebt 't bij 't verkeerde ~* you've got hold of the wrong e. of the stick, you have the wrong sow by the ear; *bij 't verkeerde ~ aanpakken* tackle [a problem] at (from) the wrong e.; *in 't ~* in the e., at last; *op het ~ van* at the e. of [April], [it was] late [July]; *op 't ~ van de 14de eeuw, ook:* late in the 14th century; *op een ~e lopen, zie* ten ~e lopen; *het loopt met hem op een ~* his e. is drawing near, he (the patient) is sinking fast; *te dien ~e* to that e., for that purpose, with that e. in view; *tegen 't ~e*, (*van 't leven bijv.*)

latterly; *tegen 't ~e van mei* towards (by) the e. of May; *ten ~e* [his troubles are] at an e.; *ten ~e te* in order to; *ik ben ten ~e raad* at my wits' (wit's) end; *het boek ten ~e lezen* read (right) through the book; *ten ~e lopen* draw to a close, come to an end, (*van contract, enz.*) expire; *zie ook:* op een ~; *de winter loopt ten ~e, ook:* the winter is wearing itself out; *mijn geduld loopt (is) ten ~e* is wearing thin (is at an end, is worn out); *ten ~e brengen* bring to a conclusion (an e., a close), go through with; *ten ~e toe* [they will disagree] to the end (of the chapter); *de zaak werd tot een goed ~e gebracht* the affair was carried to a happy (successful) conclusion; *tot 't ~e (toe)* till the e.; *zie ook* ten ~e toe; *tot 't ~e der tijden* to the e. of time; *hoor mij aan tot 't ~e* hear me out; *... tot 't ~e bijwonen* stay [the service] out, see out [a long play]; *de zaak tot 't ~ toe doorzetten* see the thing through; *tot een ~ komen* come to an e., terminate; *van 't ene ~ tot 't andere* [the ship was ablaze] from e. to e.; *zonder ~* without end; endless [screw, labour, etc.], interminable [discussions]; ~**beslissing** final decision, f. say; ~**bestemming** ultimate destination; ~**diploma** (school-)leaving certificate; ~**doel** final (ultimate) object (aim); *~e zie* ~; ~**elijk** I *bw.* at last, at length, in the end, finally, ultimately; *- en ten laatste* at long last; *zie* nu; II *bn.* ultimate; ~**eloos** endless, unending, infinite, interminable; (*sl.*) super; *het duurde - voordat hij kwam* he took an interminable time to come; ~**eloosheid** endlessness, infinity; ~**er** horizon; ~**examen** (school-)leaving examination, final examination; *vgl.* examen; ~**haven** terminal port; **eindig** finite

eindigen I *intr.* end, finish, terminate, conclude [now I must ...], come to an e. (a conclusion), stop [we'll ... now], e. up [she ends up thus]; *in het juist geëindigde jaar* in the year just completed; *de zitting eindigde*, (*ook*) the session broke up; *~ als onderkoning* (*fam.*) e. up Viceroy; *~ in* e. (terminate) in [a point, etc.]; *~ met* e. in [death, defeat], wind (finish, end) up with [a song]; *~ met ... te* (up) by saying (by opposing each other); *de omwenteling eindigde met de omverwerping van ...* resulted in the overthrow of the government; *~ op een klinker* e. in a vowel; *hij eindigt, waar hij begonnen is, ook:* he has come full circle; II *tr.* end [one's life], finish [one's work], close, conclude [a letter], terminate [a contract]

eindigheid finiteness

eindje *zie* eind; [cigar-]end, -stub, -stump, -butt; (*potlood, enz.*) stub; *aan 't ~ van de wereld, zie* eind (*aan 't andere ...*); *~ kaars* bit of candle, c.-end; *~ touw* piece (*of:* length) of string (*dik:* of rope), (*ter afranseling*) rope's end; *een klein ~*, (*afstand*) a short distance; *het huis staat een ~ van de straat* stands back from the street; *een ~ verder* a little way further; *ik liep een ~ met hem op* I walked part of the way with him; *zijn ~ vasthouden* stick to one's point (one's text); *de ~s aan elkaar knopen*, (*fig.*) make both ends meet

eind- *dikw.* final: ~klank, ~klinker, ~letter, ~lettergreep, ~medeklinker f. sound, vowel, letter, syllable, consonant; ~oogmerk ultimate aim; ~oordeel f. judg(e)ment; ~oorzaak f. cause; ~paal limit, bound, goal; (*bij wedstrijd*) winning-post; ~produkt finished article; ~punt end, farthest point; (*van spoorw., enz.*) terminus; *is dit het –?* is this as far as we go?; *– !* all the way! all change, please!; ~redacteur (*ongev.*) chief editor; ~redactie final editing; ~reductie final drive ratio; ~regeling f. settlement; ~resultaat f. (net, grand) result, upshot, shot, [the] sum total [is that ...]; ~rijm end-rhyme; ~ronde f. round; ~schikking f. arrangement; ~snelheid f. velocity; ~standig (*plantk.*) terminal; ~station terminus, terminal station; *de* ~stemming *zal gehouden worden op* ... the f. vote will be taken on ...; ~streep (*sp.*) [cross the] finishing line, [go through the] finish; ~strijd final(s); ~termen goals [of an educational programme]; ~vonnis f. sentence, f. judgment; ~wedstrijd f. (match); (*om beker*) cup f.; ~zitting closing session [of a congress], winding-up session

eirond oval, egg-shaped, egg-like

eïs (*muz.*) E sharp

eis demand, claim; *export is een dringende* ~ is an urgent necessity; (*gestelde* ~, *voor exam., enz., gew. mv.*) requirement, (*voor toelatingsex. ook:*) qualifications for entrance; (*tot echtscheiding, enz.*) petition; (*van Openb. Ministerie*) sentence demanded by the Public Prosecutor (*bestaat niet in Eng.*); *de* ~*en van 't verkeer* (*van 't moderne drama*) the exigencies of traffic (of the modern drama); ~ *tot schadevergoeding* claim for damages; *naar de* ~ properly, as (is, was) required; *naar de* ~*en des tijds ingericht* up-to-date; *iems.* ~ *afwijzen,* (*jur.*) find against a p., nonsuit a p.; *van zijn* ~ *afzien* waive one's claim; *een* ~ *instellen* bring (file, put in) a claim [*tot* for], bring an action [*tegen* against]; *een* ~ *instellen tegen iem.,* (*jur. ook*) sue a p. [*tot* for]; ~*en stellen* make demands; *hoge* ~*en stellen* make high demands [*aan* upon], pitch one's demands high; *hoge* ~*en aan iems. betrouwbaarheid stellen* exact a high standard of reliability; *de* ~ *toewijzen,* (*jur.*) enter (give) judg(e)ment for the plaintiff, find for the p.; *aan de* ~*en voldoen* come up to the requirements; *zie* ontvankelijk & ontzeggen

eisen demand [*van* of, from], require [*van* of], claim [damages from], take [time], call for [the cases ... separate consideration]; *herstel* ~ d. reparation; *'t vraagstuk eist dringend de aandacht* the problem is clamouring for attention; *u eist heel wat* yours (*of:* that) is a tall order; *dit eiste veel mensenlevens* this caused heavy loss of life; *zie* vergen; eiser(es) (*jur.*) plaintiff, prosecutor (prosecutrix); (*vooral jur.*) claimant, suitor; (*bij echtscheiding*) petitioner

eitje (little) egg; (*dierk.*) ovule; *zie* ei

eivol chock-full, crammed, as full as an egg is of meat

eivorm egg-form, oval; ~ig egg-shaped, oviform, ovoid

eiwit (*stof*) white of egg, glair, albumen, (*med.*) albumen, protein; ~achtig(*e stof*); albuminoid; ~houdend albuminous; ~stof *zie* ~; ~ten *ww.* glair

e.k. *zie* eerstkomend

ekster magpie

eksteroog corn; *iem. op zijn -ogen trappen* tread on a p.'s corns (*ook fig.*); *zie* likdoorn

el (Dutch) ell; (*bijb.*) cubit; (*Engelse* ~) yard = 91,4 cm; *bij de* ~ *uitmeten* measure by the yard

elan élan, dash, impetuousness

eland elk; *Noordam.* ~ moose(-deer); (*Z.-Afr.*) eland

elasticiteit elasticity; (*van biljartband*) pace of the table

elastiek *zn.* elastic; ~(je) (piece of) e., rubber band; *bn.* = ~en elastic; elastisch elastic (*ook fig.*), springy

elatine (*plant*) waterwort

Elckerlijc Everyman

elders elsewhere; *ergens* ~ somewhere else; *nergens* ~ nowhere else; *overal* ~ everywhere (anywhere) else; *naar* ~ [go] e.

eldorado id.

elefantiasis elephantiasis

elegant id., graceful, stylish, smart [...ly dressed]; ~ie elegance, grace(fulness)

elegie elegy; elegisch elegiac

elektra *a*) electricity (supply); *b*) electrical goods

elektricien electrician

elektriciteit electricity; *door* ~ *ontleden* electrolyse; *terechtstellen* (*doden*) *door* ~ electrocute; elektrificatie electrification; elektrificeren electrify

elektrisch electric [light, railway, current, chair], electrical; ~ *gedreven* (*verlicht, geladen*) electrically driven (lit, charged), driven, etc. by electricity; *zie* bedrijf & centrale

elektriseren (*ook fig.*) electrify; -ing electrification

elektrocutie electrocution

elektrode electrode

elektro: ~dynamica electrodynamics; ~dynamisch electrodynamic; *-e luidspreker* moving coil speaker; ~lyse electrolysis; ~magneet, ~magnetisch, ~magnetisme electromagnet, -magnetic, -magnetism; -meter electrometer; ~motor electric motor; *-isch* electromotive; ~n electron; ~nenflits electronic flash(-gun); ~nenmicroscoop electron microscope; ~nica electronics; ~nisch electronic; ~scoop electroscope; ~technicus electrical engineer; ~techniek electro-technics, electrical engineering; ~technisch electro-technical; *– ingenieur* electrical engineer; ~therapie electrotherapeutics, electropathy; ~typie electrotype, -typing

element id.; (*fig. ook*) spirit [discontented ...s]; (*elektr.*) cell; *zich* (*niet*) *in zijn* ~ *voelen* be in one's e. (be out of one's e., feel out of it, feel lost); ~air elementary; *– leerboek* e. textbook, primer

Eleonora Eleanor

elevatie elevation; (*r.-k.*) Elevation (of the Host); ~**hoek** (angle of) e.; **elevator** id., hoist

1 elf *zn.* elf, *mv.* elves

2 elf *telw.* eleven; *vgl.* met

elfde *bn.* eleventh; *zn.* eleventh (part); *ter ~r ure* at the e. hour; *ter ~r ure gegeven* (*gedaan, enz.*) e.-hour, last-minute [instructions, etc.]

elfderhande, -lei of eleven sorts (kinds)

elfen... elfin [feet], fairy [ring]

elfendertigst: *op zijn ~* at a snail's pace; *hij doet alles op zijn ~* in a slow and roundabout way; *zie* gemak (*op ...*)

elfhoek hendecagon; ~**ig** hendecagonal

elfjarig *vgl.* jarig

elfje fairy

elfstedentocht [Frisian] e.-towns skating-race

elft shad

elf: ~**tal** (number of) eleven; (*sp.*) eleven, team, side; ~**commissie** selection committee; ~**tallig** undecimal; *vgl.* tientallig; ~**uurtje** [have one's] elevenses; ~**voud** multiple of e.; ~**voudig** e.-fold

elger eel-spear

Elia (*I Kr. 8 : 27*) Eliah; (*I Kon. 17 : 1*) Elijah; (*Matth. 11 : 14*) Elias; **Elias** id.

eliminatie elimination

elimineren eliminate (*ook in wisk.*), cut out

elisie elision

elitair élitist

elite élite, smart set, rank and fashion, upper ten, best people, top people; ~**regiment** crack regiment

elixer elixir

Eliza id.; **Elizabeth** id.; *van* (*Koningin*) ~ (= **Elizabethaans**) Elizabethan [age, poetry]

elk (*bijvoegl.*) every [he comes here ... day], any [he may come ... day]; (~ *afzonderlijk*) each; (*zelfst.*) everyone, everybody, anyone, anybody, each; [they cost a penny] each, apiece; *zie* ieder, iegelijk & wil

elkaar, elkander[1] each other, one another; ~ *zenuwachtig maken* get on each other's (one another's) nerves; *ik kan ze niet aan* ~ *krijgen* they won't join; *aan* ~ *zetten* set [the tables] together (*of:* one to another); *achter* ~ behind (after) each other (one another); [they lined the pavement six] deep; *achter* ~ *de kamer in* (*uit*)*gaan* file into (out of) the room; *achter* ~ *lopen* walk in single (*of:* Indian) file; *zie* achtereen; *bij* ~ together; *zij nam haar rokken bij* ~ she gathered her skirts; *deze woorden worden door* ~ *gebruikt* are interchangeable, are used indifferently; *door* ~ [everything was lying] in a heap (*of:* higgledy-piggledy), [they were sitting about] just anyhow; *door* ~ *genomen* (*gerekend*) one (one year, etc.) with another, on an average; *door* ~ *spreken* speak together (at the same time); *hun handen in* ~ *leggen*, (*ten huwelijk*) join their hands; *in* ~ *zetten* put together; assemble [parts of a motorcar], stack [plates *borden*], (*vlug*) knock together [a play], run up [a fire-escape]; *... zat goed in* ~ [the play] was well made, [the evening] was well organized; *ik snap niet hoe de zaak in* ~ *zit* I cannot get the hang of the business; *met* ~ together; *ze hadden met* ~ *nog geen shilling* they could not muster a shilling between (among) them; *zij kochten het huis met* (**onder**) ~ between them (*van twee of meer*), among them (*van meer*); *getallen onder* ~ *zetten* place one figure below the other; *na* ~ after each other, one after another, [they arrived] within [a few minutes] of each other; *10 dagen na* ~ *verzonden* shipped 10 days apart; *3 jaar na* ~ 3 years in succession; **naast** ~ side by side, abreast; *onder* ~ [they were talking] among themselves; *zie ook bov.*; *op* ~ one on top of the other, on top of each other; *de punten van de pen liggen over* ~ the nib is crossed; *ik ken ze niet uit* ~ I don't know them apart, I don't know one from the other (which is which); *uit* ~ *gaan* separate, (*met ruzie*) split up; *het kan uit* ~ *worden genomen* it can be taken to pieces; *ze hebben niets van* ~ they have nothing in common, are absolutely unlike; *van* ~ *gaan* separate, part (company); *ver van* ~ [his eyes were] wide apart; *met zijn knieën van* ~ his knees apart; *dat is voor* ~ that is settled; *ik heb 't voor* ~ I've planned (thought) it all out

elkeen everybody, everyone

elleboog elbow (*ook van kachelpijp, enz.*); *de ellebogen vrij hebben* have elbow-room; *zijn ellebogen steken door de mouwen* he (his coat) is out at elbows; *met de ellebogen werken* fight (push) one's way up; *achter de* ~, *zie* mouw (*achter ...*); *zie ook* stoten

ellemaat *a*) ell, yard; *b*) tape-measure

ellende misery, distress, woe(s), wretchedness; *de* ~ *van de oorlog* the miseries of war; *geen* ~ *vóór de tijd* it's no use meeting trouble halfway; ~**ling** wretch, villain

ellendig miserable, wretched [the ... story; I feel ...]; (*sl.*) rotten [have a ... time, feel ...]; *'t ~e was, dat ...* the mischief (the trouble) was that ...; *zie* beroerd; ~**e** *zn.* (poor) wretch; ~**heid** ...ness

ellenlang (many) yards long; (*fig.*) enormous, sesquipedalian [words]

elle: ~**pijp** ulna; ~**stok** yard-stick; ~**waar** drapers' goods, soft goods; ~**winkel** drapery shop

ellips (*figuur*) ellipse; (*gramm.*) ellipsis (*mv.* -ses), ellipse; **elliptisch** elliptic(al)

elm(u)svuur: (*sint-*)~ St. Elmo's fire

elpee L.P., long-playing record

elpenbeen ivory; **-benen** ivory

els 1 (*priem*) awl; 2 (*boom*) alder

Els(je) Elsie

Elseneur Elsinore

Elysium id.

Elyzees Elysian; **-zeese velden** E. fields

Elzas: *de* ~ Alsace, Alsatia; ~**-Lotharingen** A.-Lorraine; ~**ser**, ~**sisch** Alsatian

elzeboom, -hout alder-tree, -wood

---

[1] *Zie ook* aaneen, bijeen, ineen, uiteen, enz.

elzen *bn.* alder; ~bosje a.-brake
Elzevier Elzevir
Em. *zie* eminentie & emeritus
email enamel; ~ *artikelen* enamel(led) ware; ~~
leren enamel
emanatie emanation
emancipatie emancipation
emanciperen emancipate
Emanuel Emanuel
emballage packing; **emballeren** pack (up); **em-
balleur** packer
embargo id.; *onder ~ leggen* embargo, lay an e.
on, lay under an e.; '*t ~ opheffen* raise (remove
lift) the e.; ~ *tot ...,* (*pers*) embargoed until
[12.00 noon, Thursday, October 21st]
embarkeren embark
embarras du choix embarras de (du) choix,
superfluity of good things
embleem emblem
emblema emblem; ~tisch emblematic(al)
embolie embolism; **embolus** id.
embonpoint id., plumpness, stoutness
embouchure id.
embryo id.; ~logie embryology; ~loog embryo-
logist; ~naal embryonic
emelt leather-jacket
emendatie emendation; -eren emend
emeritaat superannuation; *zijn ~ aanvragen* apply for (*of:* seek) s.; *tijdens zijn ~* after his
retirement
emeritus id., retired; ~ *predikant* pastor e.; ~
Prof. Strong Em. Prof. Strong
emfaze emphasis
emigrant emigrant; **emigratie** emigration;
emigré émigré; **emigreren** emigrate
Emile id.; **Emilia, Emilie** Emily
eminent id., outstanding; **eminentie** eminence;
Zijne (*Uwe*) *E~* His (Your) E.
emir emir, ameer; ~aat emirate
emissie issue; (*nat.*) emission; ~huis issuing
house; ~koers price of issue
emittent issuer; **emitteren** issue
Emmaüsgangers men of Emmaus
emmer pail, bucket; *iem. een ~ koud water over
't lijf gieten,* (*fig.*) pour cold water on a p.'s
joy (enthusiasm, etc.); '*t regent alsof 't met ~s
uit de lucht valt* it is coming down in buckets,
it is raining cats and dogs; ~baggermolen
bucket-ladder dredger; ~en (*fam.*) twaddle;
bungle; ~pomp stirrup-pump
emolumenten emoluments, perquisites, (*fam.*)
pickings, extras, (*sl.*) perks
emotie emotion, excitement, stir
emotioneel emotional
empathie empathy
empire Empire [style, furniture]
empiricus empiric, empiricist; **empirie** empiri-
cism; **empirisch** empiric(al)
emplacement [railway-, station-, goods-] yard;
(*voor kanon*) [gun-]emplacement
emplooi employ, employment; (*theat.*) part
employé employee, assistant, clerk
employeren employ
emulgator emulsifier; **emulsie** emulsion

en and [miles and miles, mile upon mile]; (*i.*
rek. & chem.) plus; *en ... en ...* both ... and
...; *er zijn dichters ~ dichters* there are poets
and poets; *en?* well?
enakskind Son of Anak
en bloc [sell, buy] in the lump; [vote against it]
en bloc (*of:* in a body)
encadreren frame; (*mil.*) *a*) enrol(l) [recruits]; *b*)
(*van kader voorzien*) officer [the army; be wel
...ed]
encanailleren: *zich ~* keep low company, cheap-
en oneself
encaustiek encaustic
enclave id.
en corps in a body
encycliek encyclical (letter)
encyclopedie (en)cyclop(a)edia; *een wandelende
~* a walking e.; **-pedisch** (en)cyclop(a)edic
-pedist encyclop(a)edist
end *zie* eind
endeldarm rectum
endemie endemic (disease)
endemisch endemic (*bw.:* -ally)
endocrien endocrine, ductless [gland]
endogamie endogamy, marrying(-)in
endosmose id., endosmosis
endossant endorser; **endossement** endorsement
endosseren endorse; (*fig.*) pass [a question,
etc.] on [to ...]
endotherm endothermic
enenmale: *ten ~* entirely, altogether, absolutely,
utterly
energie energy, push, drive, go; power; *hij heeft
veel ~, ook:* (*fam.*) he has plenty of go in him,
is full of go (of push); **energiek** energetic (*bw.*
-ally), pushing; ~ *persoon,* (*fam.*) live wire
enerlei of the same kind (*of:* sort); *zie* eender
enerzijds on the one side; ~ ... *anderzijds* on
the one hand ... on the other
en face *a*) (in) full face; *b*) face to face
en famille [live] as a member of the family
enfant terrible id., little (*of:* holy) terror
enfileervuur enfilade (fire), raking fire
enfileren enfilade
enfin: *a*) ~, *ga door* well, go on; *b*) (*kortom*) in
short, in fine; *maar ~* but there
eng (*nauw*) narrow, (*nauwsluitend*) tight; (*grie-
zelig*) creepy, weird, eery; ~*e poort,* (*bijb.*)
strait gate; ~*e blik* n. view; *in ~ere zin* in a
narrower sense; *een ~e vent, zie* engerd; ~ *behuisd zijn* be cramped (pinched) for room;
waar je ~ van wordt [a story] that gives you
the creeps
engagement id. [*met* to]; ~sring e.ring
engageren engage; ('*n advocaat ook*) brief; *zich
~* become engaged [*met* to]; *geëngageerde
schrijver* committed writer
engel angel (*ook fig.:* an a. of a child)
engelachtig angelic (*bw.:* -ally), cherubic, sera-
phic; ~heid angelic nature
Engeland England, (*dicht.*) Albion
engelbewaarder guardian angel
engelen: ~bak (upper) gallery; (*de personen*) the
gods, the gallery; ~geduld patience of an angel,

angelic patience; ~**groet** angelic salutation; ~**koor** angelic choir, choir of angels; ~**kopje** cherub's head; ~**leer** angelology; ~**rei** *zie* ~**koor**; ~**schaar** host of angels; ~**stem** angel's voice; ~**zang** hymn of angels

engelin angel; **Engelina** Angelina

Engels English; '*t* ~ E.; *de* ~*en* the E.; *zuiver* ~ pure E., the King's E.; *de* ~*e Bank* the Bank of England; ~*(e) drop* liquorice all-sorts; ~ *gras* thrift, sea-pink; ~*e hoorn* E. horn, cor anglais; ~*e Kerk* Church of England (C. of E.), Anglican Church; *lid van de* ~*e Kerk*, *ook:* Anglican, churchman, churchwoman; *ook:* she was C. of E.; ~ *leer* moleskin (*broek daarvan* moleskins); ~*e pleister* court-plaster; ~*e sleutel* monkey-wrench, shifting spanner; ~*e vlag* British (national) flag, Union Jack; ~*e wissel* cross points; ~*e ziekte* rachitis, [the] rickets (*daaraan lijdend* rickety); ~ *zout* Epsom salt(s), magnesium sulphate; ~**e** Englishwoman; *zij is een* ~**e**, *ook:* she is E.; '*t zijn* ~*en*, *ook:* they are E.; ~**man** Englishman (*ook:* he is E.)

Engeltje Angelina

engel: ~**tje** (little) angel; (*op schilderij*) love; ~**tjesmaakster** baby-farmer; ~**tjesmakerij** babyfarming; ~**wortel** angelica

engerd horrible (horrid) fellow, horror, creep; *hij is een* ~, *ook:* he gives you the creeps

engerling white grub

enghartig(heid) narrow-minded(ness)

engheid narrowness, tightness

en gros wholesale [sell ...]; ~ *en en detail* w. and retail; ~ *handelaar* (*prijs*, *zaak*) w. dealer (price, business); ~ *prijs*, *ook:* trade price

engte narrow(s); (*zee-*, *ook:*) strait(s); (*berg-*) defile; (*land-*) isthmus; (*van weg*, *van geest*) narrowness; *zie verder* nauw *zn.*

enig I *bn.* (*zonder 2de*) only [child], sole [heir], one [his ... hope; the ... blot on this beautiful landscape]; (*ongeëvenaard*) unique; *een* ~ *kans*, *ook:* the chance of a lifetime; *iets geheel* ~*s* s.t. entirely unique; '*t is* ~ it is wonderful; ~ *in zijn soort* unique of his (its) kind (*ook:* it's the o. book etc. of its kind); *de* ~*e* the o. man (woman), the o. one; ... *de* ~*(st)e(n) niet*, *ook:* in this he is (they are) not singular; '*t* ~*st(e) dat ik weet* (*waaraan hij denkt*) the o. thing I know (all he thinks about); II *bw.:* ~ *en alleen* simply and solely; ~ *mooi* extremely beautiful, wonderful; *wat* ~*!* how marvellous!; III *vnw.* some [give me ... money, ... books], any [have you ... money, ... books? without ... trouble], a few [books]; *te* ~*er tijd* at any time; ~*en zeggen* some (people) say; *nogal* ~*e(n)*, *zie* enkele(n); ~**erhande**, **-lei** of some kind (sort); ~**ermate** to some extent, in some degree, in a (*of:* some) measure; ~**erwijze** in some way (or other), in any way; ~**geboren** only-begotten; ~**heid** union, unity, unanimity; ~**lijk** solely; ~**st** *zie* ~ *bn.*

enigszins somewhat, in some degree (measure), slightly, distantly (remotely) [it ... resembles

a blue-bell]; [can you drive a motor-car?] after a fashion; [he was] a bit of (something of) [a dandy]; (*fam.*) [I am] sort of [responsible for her]; '*t is* ~ '*n tegenvaller* it's a bit of a disappointment; *ook maar* ~ at all [if it is at all possible]; *als hij er ook maar* ~ *om gaf* if he cared at all; ~ *ongeduldig*, *ook:* with a touch of impatience [he said ...]; *als hij het* ~ *kan vermijden* if he can possibly avoid it; *alle* ~ *belangrijke factoren* all factors of any importance

enjambement enjamb(e)ment; **enjamberende** *versregel* unstopped (run on) line

1 enkel *zn.* ankle; *tot de* ~*s* up to the ankles, a.-deep [in snow, etc.], a.-length [skirt; skirts are ...]

2 enkel I *bn.* single; ~*e*, (*enige*) a few [hours], one or two; *geen* ~ *huis* not a s. house; *een* ~ *deel van Dickens* an odd volume of D.; *een* ~*e handschoen* an odd glove; *met de* ~*e uitzondering van* ... with the solitary (sole) exception of ...; *een* ~ *ogenblikje* (*regeltje*, *woord*) just a moment (line, word); *in* ~*e uren*, (*ook*) in a matter of hours; *één* ~ *woord(je)* [may I say] just one word?; ~*e reis* s. journey, (*kaartje*) s. (ticket); *drie* ~ *tweede Groningen* three singles second class G., please; *nogal* ~*e(n)* quite a few, a good (*fam.*: a tidy) few; *met* ~*e Chinezen*, *ook:* [Americans] with a sprinkling of Chinese; *zie* keer & spoor; II *zn.:* ~*en* some few; III *bw.* simply, only, merely; ~ *en alleen* simply and solely

enkelgewricht ankle-joint

enkel: ~**ing** individual; *slechts een* – *bereikte de eindstreep* only one or two reached the finish; ~**lader** single-loader; ~**spel** single(s); ~**spoor** single track; ~**voud** singular (number); ~**voudig** (*tegenov. meervoudig*) singular; (*tegenov. samengesteld*) simple [fraction, leaf, tenses]

Enkhuizer Enkhuizen man; *de* ~ (*almanak*), *ongev.:* Old Moore('s Almanac); *dat is er een uit de* ~ that is a chestnut

enne ... and eh ...

enorm enormous; '*t is* ~ *belangrijk*, (*fam.*) it's immensely important; ~**iteit** enormity

en masse id.

en passant in passing, by the way; ~ *slaan*, (*schaaksp.*) take [a pawn] en passant

en profil in profile

enquête (official) inquiry; *een* ~ *instellen* (*houden*) set up (hold, conduct) an i. [*naar* into]; ~**commissie** i. committee, fact-finding c.; ~**formulier** questionnaire

ensceneren stage, stage-manage; (*fig.*) frame up [a burglary]

ensemble id. (*ook kostuum & muz.*), whole, general effect, combined play

ent graft

entablement entablature

entameren begin [a task]; broach, approach [a subject], take [the matter] up

enten graft [*op* upon]

entente ~ (*cordiale*) id.; *de* E~ the E.

enter 1 grafter; 2 (*dier*) yearling

enter: ~**bijl** boarding-axe; ~**dreg** grapnel; ~**en board;** ~**haak** grappling-iron, grapnel; ~**ing** boarding

enthousiasme enthusiasm, keenness

enthousiasmeren kindle with enthusiasm, enrapture; -**ast** I *zn.* enthusiast; (*fam.*) [football-, radio-] fan; II *bn.* enthusiastic (*bw.:* -ally), keen; (*fam.*) wild [*over* about]; *zich – tonen,* (*fam.*) enthuse

enting (en)grafting

entiteit entity

entmes grafting-knife

entomologie, -loog entomology, -logist

entourage id., surroundings

en-tout-cas id.

entr'acte id., interval, wait (between the acts); (*fig.*) interlude

entre-deux (*van kant, enz.*) insertion

entree ('*t binnenkomen*) entrance, entry; (*ingang*) entrance; (*vestibule*) (entrance-)hall; (*geld*) *zie* ~**geld;** (*recht van toegang*) entrée; (*voorspijs*) entrée; ~ *betalen* pay for admission, (*als lid*) pay (for) one's footing; ~ *heffen* charge for admission; ~ *vrij* admission free; *zijn* ~ *maken* enter; (*fig.*) make one's debut; ~**biljet** ticket (of admission); ~**geld** admission(-money), entrance-fee; (*als lid*) entrance-fee; *gezamenlijke* ~*en,* (*sp.*) gate(-money, -receipts); (*theat.*) box-office takings; *zie ook* recette; ~**prijs** price of admission, a. price

entrefilet newspaper item, paragraph; (*fam.*) par.

entremets id., sweet

entre nous between you and me

entrepot bonded warehouse; *particulier* ~ private b.w.; *in* ~ *opslaan* (store in) bond; *in* ~ *verkopen* sell in bond; *goederen in* ~ bonded goods, goods in bond; *in* ~ *geleverd New York* bonded terms N. Y.; ~**houder** (bonded) warehouse-keeper; ~**stelsel** warehousing-system

entresol entresol, mezzanine(-floor)

entrijs graft, scion; **entspleet** graft; **entstof** inoculum; (*koepok-*) vaccine (matter)

entstreepje insertion

envelop(pe) envelope

enz. etc., and so on, and so forth; ~ ~ etc., etc.; and so on and so forth

enzym enzyme

e.o. *a*) ex officio; *b*) and environs (surroundings)

eoliet eolith

eolisch aeolian

eolusharp Aeolian harp

epacta epact

epaulet epaulet(te); (*van lakei*) shoulder-knot

epicentrum (*geol.*) epicentre

epicurisch epicurean

epicurist epicurean; (*gastronoom*) epicure

epicuristisch epicurean

epidemie epidemic

epidemisch epidemic (*bw.:* -ally)

epidiascoop epidiascope

epiek epic (poetry)

epigonen epigones, epigoni

epigram id.; ~**maticus** epigrammatist; ~**matisch** epigrammatic (*bw.:* -ally)

epilepsie epilepsy; **epilepticus** epileptic

epileptisch epileptic

epileren epilate

epiloog epilogue

episch epic; ~ *gedicht* epic (poem)

episcoop episcope

episcopaal(s) episcopal, episcopalian

episcopaat episcopacy

episode episode; incident [only an ... in the conflict]

epistel epistle; (*vervelend*) *ook:* screed

epitheton epithet

epoque epoch; ~ *maken* make (mark) an e.; make history; ~**makend** e.-making

epos epic, epopee

eppe (*plant*) smallage, wild celery

equator id.; ~**iaal** equatorial

equilibrist id., rope-walker, acrobat

equinox id.; ~**iaal** equinoctial

equipage (*rijtuig*) id., carriage, (*fam.*) turn-out (*mar.*) crew, ship's company; ~**meester** boat swain

equipe (*sp.*) team, side

equipement equipment, (soldier's) kit; ~**sstuk** ken accoutrements, kit

equivalent id.; *ook:* counterpart [the French 'juge d'instruction' has no ... in the English system of justice]

er[1] there; *we zijn* ~, (*na reis*) we're t.; *de ... zijn* ~ *strawberries are here; ik heb* ~ *nog drie* I have three left; *ik heb* ~ *nóg drie* I have three more *ik heb* ~ *geen* I haven't any; ~ *zijn* ~, *die ... t* are those who ...; *wat is* ~? what is it? what's the trouble?; *is* ~ *iets?* is anything the matter? *nu ben ik* ~ (= *ik heb 't*) I've got it; *we zijn* ~ *nog niet* (= *uit de moeilijkheden*) we are no yet out of the wood; *je hoefde alleen maar ... en dan was je* ~ and that would be that; *de dokter was* ~ *nog niet geweest* had not yet been ~ *ging niemand voorbij* nobody passed; ~ *wer geen schade aangericht* no damage was done; ~ *werd verondersteld, dat ...* it was supposed that ...; ~ *werd ... gedanst* t. was dancing tha night; ~ *wordt minder gedronken dan vroeger* t. is less drinking than there used to be; *e wordt onzettend veel gelogen* a great deal o lying goes on; ~**aan, enz.,** *zie* aan, enz.

era id.

erachten: (*vero.*) *mijns* ~**s** in my opinion

Erasmiaans Erasmian

erbarmelijk pitiable, pitiful, lamentable, miserable, wretched, rotten [roads], poor [excuse]

erbarmen I *ww. zich* ~ *over* have mercy (*of.* pity) on, compassionate; *Heer, erbarm U onze* Lord, have mercy upon us; II *zn.* = **erbarming** pity, compassion

ere honour; *zie* eer 2; ~**ambt** post of h., honorary post; ~**avond** gala night; (*van acteur*) benefit (night); ~baantje *zie* ~ambt; ~blijk mark of h.; ~boog *a*) triumphal arch; *b*) *zie* haag *b*); ~burger(es) (woman) freeman; ~burgerschap (honorary) freedom [of a city]; *hem werd het – der stad aangeboden* he was admitted to (presented with, offered) the freedom (he was made free) of the city; ~code code of honour; ~degen sword of h.; ~dienst (public) worship, cult; ~diploma [award an] honorary certificate; ~divisie premier division; ~doctoraat honorary degree; ~gast guest of h.; ~gestoelte seat of h.; ~graf mausoleum; ~haag lane; *zie* haag *b*)

ereis just [... come here]!; *er was ...* once upon a time there was ...

ere: ~krans wreath of honour; ~kroon crown of h.; ~kruis cross of h.; ~lid honorary member; ~lidmaatschap (honorary) freedom [of a society], [he was made free of the society, *hij kreeg het ...*]; ~medaille medal of h.; ~metaal insignia

eren honour, (*sterker*) revere; *wie 't kleine niet eert, is 't grote niet weerd* if you don't value small things you are not worthy of greater things

ere: ~naam name of honour; ~palm palm (of h.); ~penning medal of h., commemorative medal; ~plaats seat of h.; *de – innemen,* (*fig.*) have pride of place; ~poort triumphal arch; ~post *zie* ambt; ~prijs (leading) prize; (*plant*) speedwell, veronica; ~raad court of h.; ~sabel sword of h.; ~saluut salute; *'n – brengen* [we] salute [these pioneers]; ~schot salute; ~schuld debt of h.; ~teken mark of h.; (*ordeteken*) badge of h.; *–s, ook:* decorations and honours, insignia; ~titel title of h., honorary (honorific) title; ~voorzitter(schap) honorary president (presidency); ~wacht guard of h.; ~wijn wine of h., wine drunk in h. of the occasion; *ongev.:* loving-cup [the ... circulated]; ~woord word of h.; (*inz. mil.*) parole [break one's ...]; *op mijn –* on my word, on my h., word of h.! (*fam.*) h. bright! (*sl.*) honest Injun!; *op zijn – vrijgelaten* liberated on parole; ~zaak affair of h.; point of h.; ~zetel seat of h.; ~zuil commemorative column; ~zwaard sword of h.

erf yard, farmyard; (*Ind.*) compound; *huis en ~* premises; *der vaderen ~* our native soil; *ieder is baas op zijn eigen ~* a man's house is his castle; ~adel hereditary nobility; ~bezit(ter) hereditary property (owner); ~cijns *zie* ~pacht *b*); ~deel portion, heritage; *moederlijk –* maternal portion; *vaderlijk –* patrimony; *zijn – krijgen* come into one's own; ~dienstbaarheid easement; ~dochter heiress

erfelijk hereditary, heritable, transmissible [defects]; *~e belasting* h. taint, h. transmission; *zie* belasten; ~heid heredity; ~heidsleer genetics

erfenis inheritance, heritage, legacy (*ook fig.*: a ... from former times)

erffactor hereditary factor

erfgenaam heir [to, of, a p.; to property]; *rechtmatige ~* h. apparent; *vermoedelijke ~* h. presumptive; *wettig ~* heir-at-law

erfgename heiress

erf- *dikw.* hereditary; ~gerechtigd heritable; ~goed inheritance, heritage, estate; *vaderlijk –* patrimony, patrimonial estate; ~huis *a*) house of a deceased person where the public sale of his effects takes place; *b*) sale by auction; – *houden* sell by auction; ~laatster testatrix; ~land h. land; ~later testator; (*van vast goed ook*) devisor; ~lating bequest; (*concr. ook*) legacy; ~leen h. fief, allodium; ~oom uncle from whom one expects a legacy; ~opvolging succession; ~pacht *a*) (tenure by) long lease, h. tenure; *b*) (*de som,* = *–canon*) rentcharge, ground-rent; fee-farm; *in – hebben* (*afstaan, nemen*) hold (let out, take) on long lease; ~pachtcontract long-lease contract; ~pachter long leaseholder; ~prins(es) h. prince(ss); ~recht *a*) law of succession; *b*) (*recht om te erven*) right of succession; *c*) (*erfelijk recht*) h. right; ~schuld h. debt; ~smet h. taint; ~stadhouder h. stadtholder; ~staten succession (successor) states; ~stelling testamentary disposition; ~stuk heirloom; ~tante *zie* erfoom; ~vijand(in) h. enemy; ~vijandschap h. enmity; ~vorst(in) h. monarch; ~zonde original sin

1 erg (*nat.*) erg, ergon

2 erg I *bn.* bad; (*van zieke ook*) ill, poorly (*ook:* the patient is very low to-day); severe [pains]; *is het zo ~?* is it so serious?; *dat is al te ~* that's too b., that's beyond a joke; *'t wordt te ~* it's getting beyond a joke; *al ~ genoeg* quite b. enough; *zo ~ zal 't wel niet zijn* it won't be as bad as all that; *'t is niet (zo) ~* it does not (really) matter; *zo ~ als 't maar kan* [protectionism] with a vengeance; *ik vind het niet ~* I don't mind; *'t is heel ~ om arm en ziek te zijn* it's a terrible thing to be poor and ill; *zie ook* ~er & ~st; **II** *bw.* badly [treat a p. ..., ... damaged, I need it ...], severely [suffer ...], very [bad, much, etc.]; very much [she trembled ...]; *niet ~* [didn't you sleep well?] not very; [are you hurt?] not much; *'t komt niet ~ te zien* it doesn't show much; *'t bloedde ~* it bled freely; *niet ~ schitterend* [the outlook is] none too bright; *~ mishandeld* cruelly maltreated; *~ nalatig* grossly negligent; *hij is er ~ aan toe* he is in a bad way; *hij maakt 't te ~* he is going too far; *maak 't niet te ~* don't be too hard upon him, (*overdrijf niet*) don't overdo it, draw it mild, don't lay it on; *heb je zo ~ 't land aan hem?* do you hate him as much as that?; *zijn das had ~ veel van de jouwe* looked very much like yours; **III** *zn. zonder ~, a*) unintentionally, unthinkingly; *b*) without malice, meaning no harm; *hij had er geen ~ in* he was not aware of it; *voor ik er ~ in had, ... ook:* before I knew where I was he had seized me

ergdenkend suspicious; ~heid ...ness, suspicion

ergens somewhere (*ook: ~ naar toe:* let's go ...), anywhere (did you see him a.?); (*Am. ook:*) some place, any place; (*in enig opzicht*) somehow; *hier ~* [there must be a farm] s. near; *waar heb je het ~ gelegd?* whereabouts did you put it?; *~ waar ...* [let us go] where we can talk quietly; ~ *mee belast zijn* be responsible for doing s.t.; *hij vraagt nooit ~ om* he never asks for anything; *zie* anders

erger worse; *'t wordt steeds ~* it is getting w. and w.; *'t zou nog ~ worden* w. was to follow, there was w. to come; *des te ~* so much the w., w. luck, more's the pity; *wel, 't had ~ kunnen zijn, ook:* (*fam.*) well, w. things happen at sea

ergeren (*kwaad maken*) annoy, vex, spite [he does it to ... you], mortify; (*aanstoot geven*) scandalize, shock, give offence; *zich ~* be offended (vexed, annoyed) [with a p., at s.t.], take offence [*aan* at], be scandalized (shocked), fret; *zij ergerde de mensen in 't dorp* she caused a scandal in the village; *hij ergert zich al over niets* the slightest thing puts his back up; *deze uitdrukking ergerde hem* he took offence at this expression; *mens, erger je niet,* (*fam.*) keep your hair on; *zie* dood

ergerlijk annoying, provoking, vexatious, aggravating, exasperating; (*aanstootgevend*) offensive (language), scandalous, outrageous, shocking [...ly dirty]; *'t ~e ervan is* ... the outrageous (etc.) part of it is ...; ~**heid** ...ness

ergernis (*aanstoot*) scandal, offence; (*verdrietelijkheid*) annoyance, vexation, exasperation; (*wrok*) heart-burning; (*doorn in 't oog*) thorn in one's side; *~ geven, zie* ergeren; *tot grote ~ van* to the great s. (annoyance) of

ergo therefore; (*gew. scherts.*) ergo

ergonomie ergonomics

ergst worst [prepared for the ..., tell me the ...]; *de ~e belediging, ook:* the crowning insult; *'t ~e is, dat* ... the w. of it is that ...; *'t ~e is voorbij, ook:* the corner has been turned; *op zijn ~* (at the) w., [bureaucracy] at its w.; *in 't ~e geval* at worst, if the worst comes to the worst

erica id., heath(er)

Eriemeer: *'t ~* Lake Erie; **Erik** Eric

erkennen[1] acknowledge [their ...d leader], recognize [a ...d authority], avow (= *openlijk ~:* one's errors); (*toegeven*) admit [...ted facts], grant, allow, own, confess [guilt, etc.]; *erkend, ook:* approved [method], accepted [leader], [the] accredited [results of modern science]; *algemeen erkende feestdag* legal (statutory) holiday; *een vordering ~* allow a claim; *niet ~, ook:* disown [one's son, one's signature], repudiate [one's debts]; *ontvangst ~* a. receipt [*van* of]; *ik erken, dat ik verslagen ben, uw verwijt verdiend heb* (*ongelijk heb*) I admit (that) I'm beaten (own myself beaten), own to deserving your reproach (to being wrong); *ik erken, dat ik nieuwsgierig ben* I confess to curiosity (to being inquisitive); *ik erken, dat ik zeer teleurgesteld ben* I confess to a feeling of profound disappointment; *~ bang te zijn voor* ... confess to (having) a dread of ...; *men erkent, dat dit de beste zijn, ook:* these are admittedly the best; *en laat me ~,* ... and, be it admitted, a great deal more; *naar hij zelf er-*

kent on his own confession, by his own admission; -**ing** acknowledg(e)ment, recognition; admission [of a fact, etc.]; *ter – van* in recognition of [his merits]

erkentelijk grateful, thankful; ~**heid** gratitude, ...ness

erkentenis *zie* erkenning & erkentelijkheid; *tot ~ komen van* see, realize

erker (*hoekig*) bay window; (*rond*) bow window; (*van bovenverdieping*) oriel (window); ~**kamer** bay-, bow-windowed room

erlangen obtain, acquire, gain [admission]

Ernestina, -e Ernestine

Ernestinus, Ernst Ernest; (*fam.*) Ern(ie)

ernst earnest(ness), seriousness, gravity [of the situation]; *in* (*volle, alle*) ~ in (real, sober, deadly) earnest, in all seriousness, joking apart; *ik meen 't in ~* I am serious, I mean business; *'t is hem geen ~* he is not in earnest; *dat meen je niet in ~* you don't (really) mean it; *'t in ~ opnemen* take it seriously; *'t wordt nu ~* it is getting serious now, matters are taking a grave turn; *hij is de ~ in persoon* he is the soul of gravity

ernstig serious [illness, accident, case, matter, person], serious-minded [person], grave [condition, fears; be seriously, though not gravely ill], severe [illness, ...ly wounded], earnest [say an ... word]; (*~ en deftig*) grave [as ... as a judge]; *~ gezicht* grave face; *een ~ gezicht zetten* look grave, put on a solemn face; *'t is helemaal niet ~* it is not anything serious, (*fam.*) (there are) no bones broken; *'t niet ~ nemen met* palter (trifle) with; *zie* inzien; ~**heid** seriousness, earnestness, gravity

erogeen erogenous

Eros id.; **erosie** [soil] erosion

erotica id.

erotiek eroticism, sex

erotisch erotic (*bw.:* -ally); **erotomaan** erotomaniac; **erotomanie** erotomania

erratisch erratic [blocks]

erts ore; ~**ader** mineral vein, lode; ~**bedding** o.-deposit; ~**gang** *zie* ~ader; **E~gebergte** Erzgebirge; ~**houdend** o.-bearing; ~**laag** o.-deposit; ~**rijk** rich in ore; ~**winning** ore mining; ~**zeef** jig

eruditie erudition

eruptie eruption; **eruptief** eruptive [rocks]

ervaren I *ww.* experience; discover; *hij ervoer tot zijn schade* ... he found out to his cost; II *bn.* experienced, expert, skilled, practised [teacher]; *~ in, ook:* versed in; ~**heid** skill, experience, routine

ervaring experience (*in* of); *een man met veel ~* a man of much experience; *uit* (*eigen*) *~* from (one's own) e.; *hierdoor doe ik ~ op* this gives me practice; *zie* ondervinding; ~**sfeit**, ~**s-gegeven** empiric(al) fact (datum); ~**sleer**, ~**swetenschap** experimental science

erven I *zn.* heirs; *de ~ Van Nelle* V.N. Heirs; II *ww. tr.* inherit [*van* from], come into [the earldom, property, everything], succeed to [a

---

[1] *Zie ook* bekennen

title]; *wat* ~ come into a little money; *ze heeft wat geërfd, ook:* she's been left s.t.; *intr.* inherit [*van* from]; come into money

erwt pea; ~**edop** p.-pod; ~**enblazer** p.-shooter; ~**ensoep** p.-soup

es 1 (*muz.*) E flat; 2 ash(-tree); 3 (*ongev.*) mark

escadrille (*luchtv.*) flight; ~**commandant** f. lieutenant

escalade id.; **escaladeren** scale

escalatie escalation; **escaleren** escalate

escapade id.; **escapisme** escapism

escarpe (e)scarp

eschatologie eschatology

eschatologisch eschatological

escorte escort; **escorteren** escort

escouade squad, sub-section

Esculaap Aesculapius; (*fam.*) medico, *mv.* -os

Escuriaal Escurial, Escorial

esdoorn maple(-tree)

eskader squadron; **eskadron** squadron

Eskimo id. (*ook schrift & taal*)

Esopisch Ae-, Esopian; **Esopus** Ae-, Esop

esoterisch esoteric (*bw.:* -ally)

esp asp, aspen, asp-tree

espagnolet espagnolette, French-window fastener

esparcette (*plant*) sainfoin

espartogras esparto, alfa, Spanish grass

espe: ~**blad** aspen-leaf; ~**boom** asp, asp-tree, aspen; **espen** *bn.* aspen

esperantist Esperantist; **Esperanto** id.

esplanade esplanade

esprit: ~ *de corps* id.; *zie* korpsgeest

essaai assay; ~**balans** a.-balance

essaaieren assay

essaai: ~**gewicht** assay-weight; ~**kantoor** a.-office

essay id.

essayeur assayer, assay-master

essayist id.; ~**isch** essay-like

esse: ~**boom** ash-tree; ~**hout** a.(-wood); ~**houten** ashen; ~**loof** ash-leaves

essen *bn.* ashen

essence id.

essenootje ash-key

essentieel essential; *een* ~ *punt* an e. (point); *van* ~ *belang* of vital importance; *'t -ele* the essence [of religion], the essential part, the quintessence, the gist [of the matter]

estafette dispatch-rider, estafette; (*ook* =)~**loop, -rit** relay (team, team pursuit) race

estheet aesthete

esthetica, -tiek aesthetics; [an] aesthetic [of criticism]; **-cus** aesthetician; **-tisch** aesthetical

Estland Est(h)onia; ~**er, ~s** ... n

estrade platform, estrade, dais

estrik flag(-stone)

estuarium estuary

etablissement establishment; *zie* marine~

etage stor(e)y, floor; (*als afzonderlijke woning*) flat; (*met bediening*) service flat; ~**bed** bunkbed; ~**bewoner** flat-dweller; ~**pand** block of flats

etagère what-not, bracket

etagewoning (*één etage*) flat; (*'t geheel*) block of flats, apartment-house, mansions

etalage (*'t raam*) shop-, show-window; (*uitstalling*) display; ~*s kijken* window-shopping; ~**diefstal** (*door stukslaan van venster*) smash-and-grab raid; ~**kast** show-case; ~**pop** window dummy; ~**verpakking** dummy (package); ~**wedstrijd** window-dressing competition

etaleren I *ww. tr.* display [articles, learning, one's attractions]; *intr.* dress (shop-)windows; II *zn.* ~ window-dressing

etaleur window-dresser

etappe (*rustpunt*) halting-place, stage; (*afstand*) stage, lap; (*van vliegt., fam., ook:*) hop, leg [cover 800 miles in the first ...]; (*van voorraden*) depot; *in* ~*n* [travel] by (easy, short) stages; ~**dienst** supply service, supply department; ~**district, -gebied** lines of communication district (*of:* area); ~**lijnen** *zie* ~**weg**; ~**plaats** refilling-point; ~**troepen** supply-troops; ~**verbindingen, -weg** lines of communication

état-major (the vessel's) staff, commissioned officers on board a naval vessel

etc. id.

eten I *ww. tr.* eat; *intr.* eat; (*aan tafel*) dine; *al gegeten?* had your dinner?; *ik eet daar niet* I don't have my meals there; *wat* ~ *we?* what's (what is there) for dinner? what are we going to have for dinner?; (*gauw*) *wat* ~ snatch a meal, have a snack; (*fam.*) get a spot of dinner (lunch, food, etc.); *laten we even wat* ~ let's have something to eat; *we* ~ *om 7 uur, ook:* dinner is at seven; *hij eet uit je hand* he feeds (eats) out of your hand; *te veel* ~ eat too much, (*zich ziek* ~) overeat (o.s.); *driemaal daags* ~ take three meals a day; *je eet daar heel goed* the food is very good there; (*fam.*) they do you very well there; *er goed* (*slecht, eenvoudig*) *van* ~ eat (*fam.:* feed) well (badly, simply); *goed kunnen* ~ have a good appetite; *eerst* ~, *dan kun je gaan* first eat your dinner, then ...; *flink* (*weinig*) ~ make a good (a poor) meal; *warm* ~ have a hot meal; *zie* lekker; *zich dik aan iets* ~ eat one's fill of something; *zij at bijna niets aan 't ontbijt* she ate hardly any breakfast; *ik eet nooit veel aan de* ... I never e. much lunch; *ik eet bij mijn oom* I dine at my uncle's; *kom bij ons* ~*!* come and have dinner with us!; *mensen te* ~ *hebben* (*verwachten*) have (expect) people to dinner; *hij is hier te* ~ he is here to dinner; *ik had hem 't hele jaar te* ~ *en te slapen,* (*fam.*) I boarded and lodged him the whole year round; *uit* ~ *gaan* dine out; ~ *als een wolf* (*dijker, enz.*) eat like a wolf (a horse); *zie om* 8 & oor; *zie ook 't zn.'t zn.:* II *zn.* (*kost*) food, fare; [horseflesh is good] eating; (*sl.*) grub; (*maal*) meal, dinner, supper; ~ *voor drie bestellen* order dinner for three; *'t* ~ *is er goed* the food (the cuisine) is good there, (*fam.*) they do you well there; ~ *geven* feed [the ducks]; *dat is* ~ *en drinken voor hem, hij laat er* ~ *en drinken voor staan* it is meat and drink to him; *hij houdt veel van* (*lekker*) ~ he is fond of his food (of good food); *dit is mijn geliefkoosd*~ this is my favourite dish; *de zieke krijgt weer trek in* ~ is getting his appetite back; *het ~ klaar maken* prepare dinner, cook the dinner; *de tafel stond vol lekker* ~ the table was full of good things to eat; *het zonder ~ stellen* go without one's dinner; *zich kleden voor 't* ~ dress for dinner; *voor* (*na, onder*) *den* ('*t*) ~ before (after, during) dinner; *ten ~ vragen* ask to dinner; *dat is geen* ~ that is not fit to eat

etens: ~bak(je) (eating-, food-, feeding-) trough, feeder; ~bel dinner-bell; ~bord dinnerplate; ~drager (*ongev.*) dinner pail; ~kast storecupboard; (*voor brood, enz.*) pantry; (*voor vlees, enz.*) larder; ~lucht smell (*of:* odour) of cooking; ~resten left-overs; ~tijd meal-, dinner-time; ~uur dinner-hour

etentje small dinner-party

eter eater; *hij is een flinke, slechte* ~ a large (great, big), poor (small) eater; ~ij food, eatables; (*fam.*) eats; (*sl.*) grub

eterniet eternite, asbestos cement

etgras, -groen aftermath, after-grass

etheen ethene

ether id.; *onder* ~ (~*narcose*) *brengen* etherize; *in de* ~, (*radio*) on the air; ~isch ethereal; ~*e olie* essential oil; ~narcose etherization; *zie* ~; ~piraat pirate radio (transmitter, station)

ethica ethics; -cus ethicist; ethiek *a*) ethics; *b*) ethic [professional ...]

Ethiopië Ethiopia; ~r, -sch ...n

ethisch ethic(al); (*gramm.*) ethic [dative]

ethologie ethology

ethos id.

etiket label (*ook fig.:* party ...); (*met touwtje*) tag; ~teren label

etiquette id.; *tegen de* ~ *zijn* be contrary to e., be a breach of good manners

etmaal 24 hours' day, natural day, (space of) 24 hours

etnisch ethnic

etno: ~graaf ethnographer; ~grafie ethnography; ~grafisch ethnographic(al); ~logie ethnology; ~logisch ethnologic(al); ~loog ethnologist

Etolië Etolia; ~r, Etolisch Etolian

Etrurië Etruria

Etruriër, Etrurisch Etrurian, Etruscan

ets etching

Etsch Adige

ets: ~en etch; ~er etcher; ~grond etchingground; ~kunst (art of) etching; ~naald etching-needle; *droge* – dry-point; ~water etching-water, mordant

ettelijke several, some, quite a few

etter matter, discharge, pus; (*persoon*) twerp, pain in the neck; ~achtig(heid) purulent (purulence); ~blaas, ~buil abscess, gathering; ~dracht discharge of pus; ~en suppurate, fester, ulcerate, run; (*fig.*) bellyache; ~gezwel *zie* ~buil; ~haard septic focus; ~ig *zie* ~achtig; ~ing, ~vorming suppuration; ~wond suppurating wound; ~zak cyst

etude study

etui case [card-, spectacle- ...], [spoons in handsome] container

etymologie etymology; etymologisch etymological; etymoloog etymologist

eucalyptus id.; ~olie e. oil, oil of e.

eucharistie eucharist

eucharistisch eucharistic [congress]

Euclides, -isch Euclid, ... ean

eufemisme euphemism; -tisch euphemistic (*bw.* -ally)

eufonie euphony; -isch euphonic (*bw.:* -ally)

euforie euphoria; -risch euphoric

Eufraat Euphrates

eugenetica eugenics; *beoefenaar der* ~ eugenist

eugenetisch eugenic (*bw.:* -ally)

Eugenius Eugene

eunuch id.

Eurazië, Eurazisch Eurasian

eureka id.

Euromarkt European market

Europa Europe; Europeaan, Europees European; Europoort (the) Europort (area)

Eustachiaans: ~*e buis* Eustachian tube

Eustachius Eustace; Eustatius: *St.*~ id.

euthanasie euthanasia, mercy killing

eutrofisch eutrophic

euvel evil, fault; '*t ~ van 't gebruik van bedwelmende middelen* the dope e.; *hij gaat aan dat ~ mank* he is given to that fault; *aan 't zelfde* ~ ... suffer from the same defect; *aan 't andere* ~ ... err on the other side; ~ *duiden* (*opnemen*) take ill (amiss, in bad part), resent; *duid 't mij niet* ~ don 't take it ill of me; ~daad evil deed, wrong-doing, ~misdeed, crime; ~moed wantonness, insolence

e.v. = *en volgende: bl. 52 e.v.* p. 52 f(f), sq(q)

EVA = *Europese Vrijhandelsassociatie* Efta, EFTA (= European Free Trade Association)

Eva Eve; *dochter* ~*s* daughter of E.

evacuatie evacuation; evacué(e) evacuee

evacueren evacuate [a fortress; wounded soldiers, etc.]

evangeliarium gospels

evangelie gospel; *het* ~ *naar Mattheus* the G. according to St. Matthew, St. M.'s G.; *wat hij zegt is geen* ~ not g.(-truth); *neem zijn woorden niet aan als* ~ don 't take his words as (*of:* for) g.; *tot het* ~ *bekeren* evangelize; *het* ~ *prediken* preach the G.; ~bediening ministry; ~dienaar Minister (*of:* preacher) of the G.; ~leer doctrine of the G.; ~prediker preacher of the G., evangelist; ~prediking preaching of the G.; ~verspreiding propagation of the G.; ~woord gospel

evangelisatie evangelization; evangelisch evangelic(al); evangeliseren evangelize

evangelist *a*) id., Gospel-writer; *b*) id.

Eveline Eveline, Evelyn

even I *bn.* even; ~ *of on*~ odd or e.; '*t is mij om 't* ~ it is all the same (all one, quite immaterial) to me; *om 't* ~ *wat* no matter what; II *bw.* equally, as [it is equally useful to boys and girls; as useful to ... as to ...]; (*eventjes*) just; *haal me* ~ *een fles wijn* just get me ...; *wacht* ~

(just) wait a moment (a bit, half a minute); ~ *wachtte hij, toen* ... one moment ...; *dit moet ~ worden gezegd* this has to be said; *als ze 't maar ~ vermijden kunnen* if they can possibly avoid it; *was ik ~ blij, dat ik niets gezegd had!* was(n't) I glad ...; *was dát ~ een harde slag!* some blow, that!; ~ *lang (hoog, wijd)* of the same length (height, width); *ze zijn ~ groot, (hebben dezelfde lengte)* they are of a size, *(beide zijn groot)* are equally tall; *we zijn ~ oud* (of) the same age, of an age; *in een ~ groot aantal* in an equal number (in equal numbers); ~ *rijk als Rothschild* as rich as R.; ~ *goed, zie ben.; hij heeft 't altijd ~ druk* is always very busy; *alles is er ~ zindelijk* everything there is spotlessly clean; ~ *in de 40* [he is] in the early forties, *(van effecten)* in the low forties; ~ *over de 20* just over twenty; ~ *daarna (later)* shortly after, presently; *ik kwam er maar ~ aan* I scarcely (only just) touched; *maar ~ £ 200* a cool £200; *een schadevergoeding van maar ~* ... damages to the tune of ... (of no less than ...); *een lading van maar ~ 30 ton* to (in) the order of 30 tons

evenaar 1 equator; 2 tongue [of a balance]

evenals (just) as, (just) like; *hij, ~ andere kooplieden* ... he, in common with other merchants ...; *zie* zoals

evenaren equal, be a match for, come up to (the level of); *bijna ~* run hard *(of:* close); *niet te ~* unapproachable

evenbeeld image, (exact) likeness, (very) picture, (precise) counterpart; *(fam.)* [he is] the very *(of:* the dead) spit [of his father]

eveneens (just) as well, too, also, likewise

evenement event

even: ~**goed** *bw.* (just) as well, [it will answer the purpose] equally well; [able to use both hands] alike; [he has lost but] all the same [he wants more; but he wants more] just the same; [thank you] anyway; ~**knie** equal, compeer; ~**matig** proportional; – *deel* aliquot part; ~**mens** fellow-man; ~**min:** – *als* no more than, not any more than, as little as; *ik slaagde niet en hij* – I did not succeed, nor *(of:* no more) did he; *er is* – *een excuus voor* ... neither (nor) is there any excuse for ...; *... en kon evenmin ...,* ... and equally could not ...

evennaaste fellow-man

evennachtslijn equator, equinoctial (line)

evenredig proportional, proportionate, commensurate; ~ *aan* proportionate (proportional, in proportion) to, commensurate with *(of:* to); ~*e bijdrage* pro rata contribution; ~*e vertegenwoordiging* proportional representation; *de straf behoort ~ te zijn aan 't misdrijf* the punishment should fit the crime; *recht (omgekeerd) ~ met* directly (inversely) p. to; *de 4de ~e zoeken van* find a 4th p. to; ~**heid** proportion; *zie* verhouding

eventjes just, (for) a moment; *zie* even *bw.*

eventualiteit eventuality, contingency

eventueel I *bn.* (any) possible [in order to re-

press ... disorders], potential [buyers]; eventual [an ... aggressor, his ... return to the Cabinet]; -*ele onkosten worden vergoed* any expenses will be made good; -*ele klachten indienen bij* ... complaints, if any, to be lodged with ...; *bij* -*ele levering* in the event (in case) of delivery; II *bw.* *indien hij ~ mocht komen* ... if (by any chance) he should come; *indien de maatschappij ~ mocht weigeren* if, for any reason, the company should decline ...; *mocht dit ~ 't geval zijn* if such should be the case; *u kunt ~ betalen in ponden* you may, if necessary (if desired), pay in sterling

evenveel as much, as many; the same amount (number); *ik zal altijd ~ van je houden* I shall always love you the same

evenwel however, yet, still, nevertheless

evenwicht balance, equilibrium, poise; *in ~* in equilibrium, well-balanced, poised; *gebrek aan ~* imbalance; *'t (z'n) ~ bewaren* keep one's b., maintain one's equilibrium; *in ~ brengen* bring into equilibrium (balance), make [income and expenditure] balance, balance [the budget], equilibrate, steady; *uit 't ~ brengen* unbalance, throw out of b. (into imbalance); throw [a p.] off his b.; *'t ~ herstellen* redress (restore) the b. *(ook fig.:* of the world, etc.); *'t ~ herkrijgen* recover one's b.; *in ~ houden* balance, keep in equilibrium, keep well balanced; *'t ~ verliezen* lose one's b. *(ook fig.),* overbalance; *zijn ~ kwijt zijn* be off one's b.; *'t niet in ~ zijn van de internationale betalingsbalansen* the disequilibrium in international balances of payment; *zie* staatkundig; ~**ig** well- *(of:* evenly) balanced, steady; *(fig. ook)* level-headed; ~**heid** balance, poise; ~**sklap,** ~**klep** *(van vliegt.)* aileron; ~**skunstenaar** equilibrist; ~**sleer** statics; ~**sorgaan** balancing-organ; ~**sstoornis** disturbance of equilibrium; ~**stoestand** equilibrium

evenwijdig parallel [*aan, met* to, with]; ~*e lijn* p. (line); ~**heid** parallelism

evenzeer as much, equally; alike [it demoralizes ... the givers and receivers]; ~ *als* as much as, no less than

evenzo likewise, similarly; [do] the same; ~ *doen, ook:* follow suit; ~ *rijk als* as rich as

ever wild boar

Everharda Everarda

Everhard(us), Evert Everard

everzwijn wild boar

evolueren evolve

evolutie evolution; ~**leer** theory of e., evolutionism

ex ex [ex-Premier], former, late, one-time [chancellor], old [lag *boef*]; ~ *dividend* id.; ~ *schip* ex ship

exact id., precise, strict; ~*e wetenschappen* (exact) sciences

exaltatie exaltation

examen examination, *(fam.)* exam; *een ~ afnemen* examine; *'t ~ zal ... worden afgenomen* in three weeks the e. will be held; *een ~ afleggen* undergo an e.; ~ *doen* sit for (an, one's) e., take one's (an, the) e.; ~ *doen voor een beurs* sit for a (the) scholarship (e.); ~ *doen* (*en slagen*) pass an e.; *heb je wel eens een ~ gedaan?* have you ever been up for an examination?; *zich aan een ~ onderwerpen* go in for an e.; *voor zijn ~ slagen* pass (one's e., the examiners); *de bij een ~ gestelde vragen* the questions put in (*of:* at) an e.; ~**commissie** examining-board, board of examiners; ~**eis** e. requirement; ~**geld** e.-fee; ~**kandidaat** *zie* examinandus; ~**lokaal** e.-room; ~**opgaaf** e. paper; ~**pakket** (selection of) e. subjects; ~**programma** e. syllabus; ~**stelsel** examinational system; ~**tijd** e. time; ~**vak** e. subject; ~**vrees** e. fright; ~**werk** e. paper(s)

examinandus examinee, candidate

examinator examiner; **examineren** examine [*in* upon]; *hij wordt geëxamineerd,* (*is onder 't mes*) he is under examination

exarch id.; ~**aat** exarchate

Exc. *zie* Excellentie

excavateur, -tor excavator, digger, dragline, mechanical shovel

excellent id.; ~**ie** excellency; *Zijne* (*Uwe*) *E–* His (Your) Excellency

excelsior id.

excentriciteit eccentricity, crankiness

excentriek I *bn.* eccentric (*bw.:* -ally), odd; ~ *persoon, ook:* eccentric, crank, faddist, freak; II *zn.* eccentric; ~**ring** e. strap; ~**schijf** e. sheave; ~**stang** e. rod

excentrisch eccentric (*bw.:* -ally)

exceptie exception, (*jur. ook*) demurrer, bar; *een ~ opwerpen,* (*jur.*) put in a demurrer, demur [*tegen* to]

exceptioneel exceptional

excerperen make an abstract of, epitomize; **excerpt** abstract

exces excess; extravagance; ~**sief** excessive; extravagant

exclusief exclusive; (*in hotel, enz.*) excluding service charges, tips extra; ~ *onkosten* e. of charges; ~ *emballage* packing extra

exclusivisme exclusivism, exclusiveness

excommunicatie excommunication

excommuniceren excommunicate

excrement id.

excursie excursion, outing, trip, [nature] ramble; **excursionist** id.

excuseren excuse; *ook:* excuse [a p.] from attendance; *excuseer de vraag* pardon the question; *zich ~* excuse o.s., send (plead) an excuse; *ze heeft gevraagd haar te willen ~* she has asked to be excused; (*fam.*) she has begged off

excuus excuse, apology; ~ *maken* apologize, make (offer) an (one's) apology (one's apologies); *ik vraag u ~* I beg your pardon

executant id., performer

executeren execute [a criminal]; (*wegens schulden*) sell a p.'s goods under execution; *'n hypotheek ~* foreclose a mortgage

executeur executor; ~ *testamentair* executor (of a will)

executie execution; (*van hypotheek*) foreclo-

sure; *bij ~ laten verkopen* sell under e.; ~**peloton** firing squad

executoir executory

executoriaal: *-ale verkoop* distress sale, sale under distress, compulsory sale; ~ *beslag leggen op iems. bezittingen* (*wegens schuld*) levy execution against a p. (for debt)

executrice executrix, *mv.:* -trices

exegeet, -gese exegete, -gesis

exempel (moral) example, exemplum (*mv.* -a); (*schrijfex.*) copy-book heading

exemplaar specimen (*ook van pers.*) [a splendid ...], sample; (*van kunstproduct*) example; (*van boek, enz.*) copy, (*inz. Am.*) exemplar; (*van wissel*) via; **-plair** exemplary [punishment]

exequatur id.

exerceren drill (*tr. & intr.*)

exercitie drill, practice; ~**loods** d.-shed; ~**patroon** dummy (*of:* practice) cartridge; ~**tenue** dress for d., d.-order; ~**veld** d.-ground, parade-(ground), practice-ground

exhibitionisme exhibitionism

existentialisme existentialism; **-tieel** existential

ex-libris book-plate, ex-libris

exodus id.; (*fig. ook*) trek [to the sea-side]

ex officio id., by office, in virtue of one's office

exogamie exogamy, marrying(-)out

exogeen exogenous

exoot exotic

exorbitant exorbitant

exorcisme exorcism; **exorcist** id.

exosmose id., exosmosis

exoterisch exoteric (*bw.* -ally)

exotherm exothermal, -mic

exotisch exotic

expansie expansion; ~**f** expansive, ~**politiek** expansionist policy, policy of e.

expediëren forward, dispatch, ship

expediteur forwarding-, shipping-agent

expeditie (*tocht*) expedition; (*verzending*) forwarding, shipping; (*van akte*) copy [of a deed]; ~ *van de goederen bezorgen* forward the goods; ~**afdeling** shipping-, forwarding-, dispatch-department; ~**boek** forwarding-, delivery-book; ~**firma** firm of forwarding agents; ~**kantoor, ~klerk, ~kosten** forwarding-office, -clerk, -charges; ~**leger** expeditionary force; ~**onderneming** parcels delivery company; ~**opgaaf** shipping-instructions; ~**zaak** shipping-office, forwarding-business, -firm, -agency; (*Am.*) express company

experiment id.; ~**eel** experimental; ~**eren** experiment

expert id.; (*verzek.*) assessor, surveyor

expertise *a*) assessment. survey (report); *b*) surveyor's certificate

expertiseren (*verzek.*) survey

explicateur explicator; **-catie** explanation

expliciet explicit; **expliciteren** make explicit, state explicitly

exploderen explode

exploitabel paying, workable, remunerative

exploitant licensee; proprietor; (*Am.*). operator [of a store]

exploitatie working [of a mine, railway], exploitation (*ook = uitbuiting*); *in ~* in working order, in operation; *in ~ brengen* put into operation, open (up) [a mine, an oil-well]; *maatschappij tot ~* development company [of oil fields; estate d. c. (*van bouwterrein*)]; *in eigen ~, zie* beheer; **~kapitaal** working-capital; **~kosten** working-expenses, running- (operating-)costs; **~maatschappij** operating company; **~overschot** return; **~rekening** trading-, revenue-account, working a.

exploiteren exploit [oil-fields, mines, etc.; *ook ong.:* a p.], work [mines, railways], run [a railway, etc.], operate [an air service]; trade on [a secret], grind down [the workers]

exploot writ; *~ van gijzeling* w. of attachment; *~ van executie* w. of execution: *iem. een ~ betekenen* serve a w. upon a p.

explorateur prospector; **exploratie** exploration

explosie explosion, blast, detonation; **~f** *bn.*, *bw.* explosive(ly); *zn. =* **~stof** explosive; **~motor** internal-combustion engine

exponent id., index; **~ieel** exponential [equation, growth]

exponeren *a)* expose; *b)* expound

export id., exportation; **~artikel** article for export; *mv. ook:* exports; **~eren** export; **~eur** exporter; **~firma** e.-firm, shipping-firm; **~handel** e.-trade; **~huis** shipping-house; **~order** e. order; *zie verder* uitvoer

exposant exhibitor; **exposé** id., exposition; **exposeren** exhibit (*ook intr.*)

expositie (*tentoonstelling*) exhibition, show; (*uitstalling*) exhibit; (*theat., muz.*) exposition

expres I *bn.* express; *~se bestelling* e. delivery; *~se brief* express, e. delivery letter; II *bw.* expressly [I came ... to see you], intentionally, on purpose, purposely; III *zn. zie* **~trein**; **~goed** express goods; *als – verzenden* send express; **~se** *a)* express, special messenger; *b) =* **~se brief** (*zie ~*); (*op brief*) express; *per –* [send] by special messenger, by e. post; **~selijk** *zie – bw.;* **~sie** expression; **~sief** expressive; **~sievak:** *-ken* arts and crafts subjects (at school); **~sionisme** expressionism; **~trein** express (train)

extase ecstasy, rapture(s); *in ~* in ecstasies, in an e.; *in ~ brengen* throw into ecstasies, move to e.; *in ~ geraken* go into raptures (ecstasies) [over s.t.]; *in ~ zijn*, (*ook*) rave (be ecstatic) [*over* about, over]

extatisch ecstatic(ally)

ex-tempore *bw.* extempore, impromptu; *zn.* e. speech, etc., impromptu

exterieur exterior

extern non-resident; *~e* (*leerling*) day-pupil; *~ onderwijzer* non-resident master

externaat day-school

exterritoriaal extraterritorial

extra I *bn.* id. [... dividend], special [offer], added [responsibility]; II *bw.* id. [an ... long cigar, make a point ... clear]; [she had seen it] specially [well]; *hij heeft er ~ onder te lijden* more than others; III *zn.* id. [no extras]; *~ belasting* (*op hoge inkomens*) surtax; *~ blad* (*editie*) (e.) special edition; *~ fijn* e. fine, superfine; *~ kosten* e. (additional) charges; *~ nummer* special number (edition), song, etc. by special request; *~ port* surcharge; *~ telefoon-(toestel)* extension telephone; *~ trein* special (train); *~ voeding* supplementary food; *~ vracht* excess fare, e. fare; *zie* tarra; **extraatje** extra, windfall

extract id. [of beef, etc.; from a book], excerpt [from a book]; *zie* uittreksel

extraheren extract, excerpt

extraneus external candidate, outsider

extraordinair extraordinary

extraparlementair non-party [cabinet]

extrapoleren extrapolate

extravagant id.; **extreem** extreme

extremist(isch) extremist

extremiteiten extremities

extrusie extrusion

ex-voto id., votive offering

Ezechiël Ezekiel

ezel (jack)ass (*ook van pers.*), donkey (*scherts. ook van pers.*); (*sl.*) moke [a coster's ...]; (*van schilder*) easel; *hij is zo dom als een ~* as stupid as an owl; *een ~ stoot zich geen tweemaal aan dezelfde steen* once (bit)ten twice shy

ezelachtig asinine, (*fig. ook*) stupid, [be] ass [enough to ...]; *sta me niet zo ~ aan te gapen* don't stare at me like a stuck pig; *wat heb je je ~ aangesteld!* what an ass you have been making of yourself!; **~heid** stupidity

ezeldrijver donkey-driver

ezelen drudge, work like a horse

ezelin she-, jenny-ass; **~nemelk** ass's milk

ezels: **~brug(getje)** *ongev.* aid to memory, memoria technica, mnemonic; **~dom** asinine, stupid; **~hoofd** (*mar.*) cap; **~huid** ass's skin; **~kop** ass's head; (*fig.*) dunce, blockhead; **~oor** ass's ear; (*van boek*) dog('s)-ear; *~oren maken in* (dog's)-ear [a book]; *een boek vol ~oren* a dog('s)-eared book

ezeltjerijden *zn.* donkey-riding

ezelwagen donkey-cart; **Ezra** id.

F

F F; ~*-kruis* F sharp; ~*-mol* F flat; *f.* = *florijn*
fl., (Dutch) florin, guilder; = *forto* f(orte)
fa (*muz.*) fa; **fa.** = *firma* Messrs.

faag phage

faam fame, reputation, repute

faas chisel edge, bevel; (*her.*) fesse

fabel fable; (*verzinsel ook*) fiction, fabrication;
~..., *ook:* fabled; ~**achtig** fabulous [...ly
rich]; ~**boek** f.-book; ~**dichter** fabulist; ~**en**
fable; (*fig.*) romance; (*kletsen*) twaddle; ~**leer**
mythology; ~**tje** f., fiction

fabricage, -catie manufacture, fabrication; ~
kosten cost of m.; **fabriceren** manufacture,
(*vooral fig.*) fabricate [lies], concoct, cook up
[a story]

fabriek factory, mill, works, (manufacturing)
plant; ~**en** (*in elkaar zetten*) knock together

fabrieks- factory: ~**aardappelen** industrial potatoes; ~**arbeid(st)er** f.-hand, -worker, mill-
hand; ~*arbeidster, ook:* f.-, mill-girl; ~**baas**
foreman, overseer; ~**bedrijf** manufacturing
business; ~**bevolking** industrial population; ~
boter creamery butter; ~**chef** f.-manager; ~
complex f.-buildings; ~**district** manufacturing-
district; ~**eigenaar** f.-, mill-owner; ~**entrepot**
bonded factory; ~**fluit** hooter, buzzer; ~**gebouw** f.(-building); ~**geheim** trade secret; ~
goed manufactured goods; ~**hal** machine shop;
~**installatie** f.-plant; ~**meester** *zie* ~baas; ~
meisje *zie* ~arbeidster; ~**merk** trademark; ~
nijverheid manufacturing industry; ~**opzichter**
f.-inspector; ~**prijs** manufacturer's (cost-)
price; ~**schip** f. ship; ~**schoorsteen** f. chimney;
~**stad** manufacturing-town; ~**streek** *zie* ~
district; ~**waren, -werk** manufactured goods;
~**wet** f.-act; ~**wezen** *a*) f.-system; *b*) *zie* ~nijver-
heid

fabrikaat manufacture, make [a pistol of
French ...]; *geheel Brits* ~ [it is] British-made
throughout; **fabrikant** manufacturer, factory-,
mill-owner; ~ *van* ... maker of ...

fabuleus fabulous

façade id.; **face-à-main** lorgnette

facet id., aspect [of an affair]

facet(ten)oog compound eye

fâcheux troisième: ~ *zijn* play gooseberry

facie (*fam.*) phiz, (*sl.*) mug

faciliteit facility; **facsimile** id.

facteur (*inz. Z.-Ned.*) postman; (*mil.*) postal
orderly

factie faction; **factitief** factitive

factoor factor, agent; **factor** id. (*ook fig.*)

factorij trading-station, -post, factory

factotum id., handy-man

factureren invoice; **facturist** invoice-clerk

factuur *a*) invoice [*over* of]; *30 dagen na dato* ~

thirty days from date of i.; *b*) workmanship
~**bedrag** i.-amount; ~**boek** i.-book; ~**prijs** i.
price; ~**waarde** i.-value

facultatief optional, facultative; *iets* ~ *stellen*
make s.t. optional

faculteit faculty; (*rek.*) factorial

faecaliën, faeces faeces

faëton phaeton

fagocyt phagocyte, phage

fagot bassoon; ~**tist** bassoonist

faience id.

failleren fail, become (a) bankrupt, go bankrupt; (*fam.*) go smash, be smashed

failliet I *zn.* zie faillissement; (*pers.*) bankrupt
II *bn.* ~*e boedel* (*massa*) insolvent('s) (*of:* bankrupt's) estate; ~ *gaan, zie* failleren; ~ *doen gaan,
ook:* bankrupt [a p.]; [a slight depression will]
land [him] in the bankruptcy court; ~ *verklaard worden* be adjudged (adjudicated)
bankrupt; (*in Eng. ook*) go into the Gazette;
~**verklaring** adjudication in bankruptcy, adjudication (order); *zijn* – *aanvragen, zie* '*t
volgende*

faillissement bankruptcy; ~ *aanvragen* file one's
petition (in bankruptcy), present a bankruptcy
petition [against o.s., a firm], petition a firm's
bankruptcy; ~*aanvragende crediteur* petition-
ing creditor; ~**saanvrage** petition (in bankruptcy); ~**swet** Bankruptcy Act

fait accompli id., accomplished fact; *iem. voor
een* ~ *stellen* place a p. before (present a p.
with) a f. a.

faki(e)r fakir

fakkel torch; (*luchtv.*) flare; *de* ~ *aan anderen
overdragen* hand on the t. [of science, etc.]; ~
dans t.-dance; ~**drager** t.-bearer; ~**licht** t.-light;
~**optocht** t.-light procession

falanx phalanx; *een aaneengesloten* ~ *vertonen*
(*fig.*) show a united front

falbala flounce, furbelow

falen (*mislukken, ontbreken*) fail; ('*t mis hebben*)
make a mistake; (*missen*) miss; *niet* (*nooit*) ~
unfailing, unswerving [devotion]; *een nooit* ~*c
schutter* a dead shot

falie mantle; *iem. op z'n* ~ *geven* dust a p.'s
jacket, pitch into (tear a strip off) a p.;
~**kant:** – *uitkomen* go wrong, go awry;
'*t plan kwam* (*helemaal*) – *uit, ook:* the plan
misfired (completely)

fallisch phallic; **fallus** phallus

falsaris forger, falsifier

falset falsetto, *mv.* -os

fameus *bn.* famous; enormous [it's ...!], capital,
stunning, glorious, grand; *bw.* enormously;
famously [we got on ...]; *we hadden* ~ *veel
plezier* we had a high old time (of it)

familiaar familiar [expression, etc.], informal [party]; *een ~ praatje* a free-and-easy chat; *hij is wel wat ~* rather free; *~ omgaan met* be f. (on f. terms) with, hobnob with; *kom ~ bij ons eten* come and take pot luck; **-iteit** familiarity; *zich ~en veroorloven* take liberties

familie (*geslacht & gezin*) family; (*~leden*) relations, relatives; *de ~ is gewaarschuwd*, (*bij ongeluk*) next of kin have been informed; *mijn ~* (= *~leden*) my relations (*fam.*: people, friends); *wat voor ~ is hij* (*is hij ook ~*) *van je?* what relation is he (is he any relation) to you?; *we zijn verre ~* distant relations; *ik ben ~ van hem* I am related to him, he is a relation of mine; *hij is van goede ~* of good f., of good birth, well-born; *de ~ Smith* the Smith f., the Smiths; *zonder vrienden en ~* without kith and kin; *van je ~ moet je 't maar hebben* more kin than kind; *zie zitten;* **~aangelegenheden** f. affairs; **~band** f. tie; **~bank** f. pew; **~begunstiging** nepotism; **~berichten** (notices of) births, marriages and deaths; **~betrekking** f. connection, f. relation; relationship, kindred; *zie ook* ~lid; **~bijbel** f. bible; **~drama** domestic drama; **~feest** f.-celebration; **~gelijkenis** f.-likeness; **~goed** f.-estate; **~graf** f.-grave, f.-vault; **~hotel** private (residential) hotel; **~kring** f.- (*of:* domestic) circle; **~kwaal** f.-complaint; *'t is een* – it runs in the f.; **~leven** f.-life, domestic life; **~lid** member of the (a) f.; (*bloedverwant*) relative, relation; (*bij begrafenis*) f.-mourner; **~naam** surname; (*van adellijke* ~) f.-name; *wegens* **~omstandigheden** owing to f.-affairs; **~pension** private boarding-house; **~raad** f.-council; *een* – *beleggen* convoke the members of the (a) f.; (*verborgen*) **~schandaal** skeleton in the cupboard, f.-skeleton; **~stuk** f.-piece, heirloom; **~trek** f.-feature, -trait; **~trots** f.-pride, pride of f.; **~vennootschap** private company; **~vete** f.-feud; **~wapen** f. (coat-of-)arms; **~zaken** f.-affairs, -matters; **~ziek** over- (excessively) fond of one's relations

fanaal ship's lantern; signal light

fanaat *bn.* fanatical; *zn.* fanatic

fanaticus fanatic; **fanatiek** fanatical, *bw.:* -ly; **~eling** enthusiast

fanatisme fanaticism

fandango id.

fanfare *a)* id., flourish; *b)* = **~korps** brass band

fantaseren *intr.* romance, indulge in fancies, fantasize; (*muz.*) improvise, play extempore, *tr.* invent [a story]; *hij fantaseert maar, ook:* his imagination runs away with him

fantasia id.

fantasie fantasy, fancy; (*muz.*) fantasia; (*op kerkorgel*) voluntary; *rijk aan ~* imaginative; *dat is ~* (= *uit de lucht gegrepen*) that is a mere fabrication; **~artikelen** fancy-articles; **~prijs** fancy-price; **~stoffen** fancy suitings, fancies; **~vest** fancy-waistcoat

fantasmagorie phantasmagoria

fantast id., phantast, dreamer, visionary; **~isch** fantastic (*bw.:* -ally); visionary [ideas]; fancy [prices]; *ze* (*een actrice bijv.*) *is* – she is terrific;

~e verhalen, ook: wild stories

fantoom phantom; (*model van lichaam*) manikin

farao Pharaoh; **~mier** p. ant; **~rat** mongoose

farce 1 id., piece of low comedy; 2 (*vulsel*) forcemeat, stuffing; **farceren** stuff

farceur id., joker

farizeeër Pharisee, (*fig. ook*) hypocrite

farizees Pharisaic(al), hypocritical

farizeïsme Pharisaism

farmaceut *a)* (pharmaceutical) chemist; *b)* pharmaceutical student; **~isch** pharmaceutical; **farmacie** pharmacy

farmacologie pharmacology

farmacologisch pharmacological

farmacopoea, -pee pharmacopoeia; [the National] Formulary

faro (*bier, spel*) id.

Faroër Faroe Islands, Faroes

fasces id.; **fascine** id.

fascineren(d) fascinate, -ing; *zie* boeien

fascisme Fascism

fascist id.; (*fam.*) Blackshirt; *mv. ook:* Fascisti; **~engroet** [the] Fascist salute; **~isch** Fascist; **~oïde** semi- (quasi-)Fascist

fase phase; stage [of an illness]

fat dandy, fop, swell; (*Am.*) dude (*v.:* dudine)

fataal fatal; **fatalisme** fatalism

fatalist id.; **~isch** fatalistic (*bw.:* -ally)

fata morgana id., mirage

fatsoen (*vorm*) fashion, form, shape, make, (*van kleren*) cut; (*fatsoenlijkh.*) decency; (*goede manieren*) (good) manners, decorum, good breeding; *hij kent geen ~* he is without a sense of decency; *zijn ~ houden* behave onseself; *zijn ~ ophouden* keep up appearances; *met* (*goed*) ~ decently, with (in) decency [as soon as he could ... go], very well [I can't ... do it]; *hij is erg op zijn ~* he is a great stickler for the proprieties; *uit zijn ~* [a hat hopelessly] out of shape; *voor zijn ~* for decency's (for form's) sake; *voor zijn ~ moest hij wel meedoen* in common decency he had to join them; *zie* grabbel

fatsoeneren fashion (*tot* into), shape, lick [a resolution] into shape, model, re-model [he had his nose ... led]; (*van hoed*) block; *opnieuw ~* re-block [a hat]

fatsoenlijk decent [fellow, girl, clothes, shop], respectable [people, shabby dressed], good [girl]; *zij komen ~ voor den dag* they keep up a proper appearance; *de ~e armen* the deserving (the honest) poor; *~e armoede* d. (genteel) poverty, shabby gentility; *hij is een ~e kerel* a d. (sort of) chap; *~ blijven* keep straight; *je moest zo ~ zijn ...* you ought to have the decency (the grace) to keep it to yourself; **~heid** respectability, decency

fatsoens: **~shalve** for decency's sake, in decency; *zie* fatsoen (*met ..., voor ...*); **~srakker** (self-appointed) moral censor

fatt(er)ig foppish, dandified; **~heid** dandyism, foppishness

fatum fate

faun id.; **fauna** id., [the] wild life [of ...]

fausset falsetto, *mv.:* -os
fauteuil easy-chair, arm-chair; (*theat.*) id., stall; -*s de balcon* dress-circle
faveur favour; ~**tje** windfall
favoriet favourite; ~**en**, **favoris** mutton chop whiskers, side-whiskers; (*Am.*) sideburns
favoriseren favour; **fayence** faience
fazant pheasant; ~**ehaan** cock-p.; ~**ehen** hen-p.
februari February
federaal federal; -**lisme** federalism; -**list** id.; –**isch** federalist(ic)
federatie federation; ~**f** federative
fee fairy; *de* ~*en, ook:* the good people; *zie* weldoen; ~**achtig** f.-like; ~**ënland** Fairyland; ~**ërie** fairy scene; ~**ëriek** fairy-like
feeks virago, battleaxe, termagant, vixen, shrew; ~**achtig** shrewish, vixenish
feest fête (*meestal buitenshuis*), feast (*vooral kerk.*), festival (*ook kerk.*), festivity; celebration; function; party; *'t zal me een waar* ~ *zijn* it will be quite a treat to me; *het is* ~ *vanmiddag* we're having a party (there's a celebration) this afternoon; *dat* ~ *gaat niet door*, (*fam.*) not (bloody) likely!, you've got another think coming on that one; ~**avond** festive evening; ~**banket** banquet; ~**bokaal** *ongev.:* loving-cup [the ... was passed round]; ~**bundel** anniversary (memorial) volume, festschrift; ~**commissie** organizing-committee; ~**dag** (public) holiday, fête-day, day of rejoicing, feast-day (*vooral kerk.*), festival day, festal day; (*kerk., ook*) holy day; *zie* nationaal; *op zon- en* –*en* on Sundays and public holidays; *kerkelijke* –*en, ook:* feasts of the Church; *veranderlijke* –*en* movable feasts; ~**diner** celebration dinner; ~**dis** festive board; ~**dos** festive (festal) attire; ~**dronk** toast; ~**drukte** festivities; ~**elijk** festal, festive; – *onthalen* entertain, fête; *dank je* –*!* no, thank you!, not on your life!; *zie* stemming; ~**elijkheid** festivity, merry-making, (*mv. ook*) rejoicings; ~**eling** *zie* ~**vieren**; ~**gave** *zie* ~**geschenk**; ~**gedruis** sound of revelry; ~**genoot** (fellow-)guest; ~**getij** *zie* ~**tijd**; ~**gewaad** *zie* ~**dos**; ~**gezang** *zie* ~**lied**; ~**gids** *zie* ~**wijzer**; ~**je** party, (little) celebration, [Sunday-school] treat; ~**lied** festive song; ~**maal** feast, banquet; ~**neus** false nose; ~**rede** speech of the day (the evening); ~**redenaar** official (principal) speaker; ~**stemming** [in] festive mood, [with] festive cheer; ~**tent** marquee; ~**tijd** festive season; ~**varken** hero of the feast, guest of the evening, guest of honour; ~**verlichting** gala (festive) illumination; ~**vierder** reveller, merry-maker; ~**vieren** celebrate, feast, make merry; ~**viering** celebration, feasting, merry-making; ~**vreugde** merry-making; (*luidruchtig*) revelry; ~**wijzer** programme of festivities; ~**zaal** hall (room) for parties, receptions, etc.
feil (*gebrek*) fault; (*misslag*) mistake, error; '*de vriend, die mij mijn* ~ *en toont*' [save me from] the candid friend; ~**baar** fallible, liable to error; –**heid** fallibility, liability to err; ~**en** make a mistake (a slip), err; ~**loos** faultless; –**heid** ...ness

feit fact; '*t* ~ *bekennen* confess the f.; '*t is* (*blijft*) *een* ~ it is (remains) a (*of:* the) f. [that ...]; *we staan voor* '*t* ~ there is no help for it, we have no alternative; *in* ~*e* in f.
feitelijk I *bn.* actual, real, de facto [the ... government], moral [a ... impossibility]; II *bw.* practically [the same], virtually, morally [it is ... impossible], for all practical purposes, to all intents and purposes [he reigned ... as a king], in point of fact, as a matter of fact, in fact, in effect; ~**heid** fact; act of violence
feitenkennis knowledge of facts, factual k.
fel fierce [heat, wind, fire, cold, struggle, competition], sharp [contest, fire, frost], keen [wind, competition], vivid [colour, flash of lightning], glaring [light]; (*fam.*) tearing [a ... old Tory]; *hij is er* ~ *op* he is (dead) keen on it; *iets* ~ *afkeuren* denounce s.t. passionately; ~**heid** ... ness
felicitatie congratulation, message of c.; ~ *met verjaardag* birthday greetings; *dat is een* ~ *waard* that is a matter for c.; ~**bezoek** visit of c.; ~**brief** letter of c.
feliciteren congratulate [met on], wish a [p.] joy [*met* of], wish [a p.] (good) luck; *zich* ~, *ook:* pat o.s. (give o.s. a pat) on the back, hug o.s. [*met* ... over a piece of luck]; *ik feliciteer je, ook:* you have my congratulations; (*wel*) *gefeliciteerd!* congratulations!, (*alleen van verjaardag*) many happy returns (of the day)!
Felix id.; **fellah** id. (*mv.:* ~**een**, ~**s**)
feloek (*vaartuig*) fellucca
femelaar(ster) canter, sniveller, hypocrite
femelarij canting, snivelling
femelen cant
feminisme feminism
feminist id.; ~**isch** feminist(ic)
fenacetine phenacetin
Fenicië Phoenicia; **Feniciër, Fenicisch** Phoenician
feniks phoenix
fenol phenol
fenomeen phenomenon (*mv.:* -mena)
fenomenaal phenomenal
fenotype phenotype
feodaal feudal
Ferdinand id.
ferm (*van de markt*) firm, steady; *zie verder* flink
fermate (*muz.*) fermata
ferment id.; ~**atie** fermentation; ~**eren** ferment
fermeteit, fermiteit firmness; *zie verder* flinkheid
fermoor(beitel) ripping-chisel
fernambukhout Brazil wood
festijn feast, banquet; **festival** id.; **festiviteit** festivity
festoen festoon; **festonneren** festoon; button-holing
fêteren fête, make much of [a p.]
fetisj fetish; ~**dienaar** fetishist; ~**dienst**, ~**isme** fetishism
feudaal feudal
feuilleté(deeg) puff pastry
feuilleton *a*) serial (story, novel); *b*) (*lit. of wet. artikel*) id.; *als* ~ [appear] in serial form, seri-

ally; *als ~ uitgeven* serialize [a novel]; *als ~ ver-schijnen* be serialized; ~ist serialist

feu sacré: *het* ~ the sacred fire (*of:* flame)

fez *id.*, *mv.:* fezzes

fiasco id. (*mv.:* -os), failure, collapse [of a scheme], (*fam.*) [he (it) is a] fizzle (a wash-out), [the book (the singer, the dinner) was a complete] frost, flash in the pan, [the piece, book, meeting was a] flop; (*Am.*) turkey; ~ *maken* make (turn out) a f., be (prove) a (complete) failure, break down, fall flat, misfire [the plan ...d]

fiat id.; ~*!* done! that's a bargain!; ~**teren** fiat, attach one's f. to, (mark) O.K. [an order], sanction; (*typ.*) sign (mark, pass) for press

fiber fibre

fiche (*speelschijfje*) counter, marker, fish, chip; (*kaartje*) (index) card, slip; **ficheren** card-index

fichu id., neckerchief

fictie fiction; **fictief** fictitious, fictive; *fictieve winst* imaginary profit; **fictioneel** fictional

ficus rubber plant

fideel jolly, jovial; *fidele vent* jolly good fellow, (regular) sport, sportsman, brick, trump, [he is the] right sort

fideï-commis entail

fidibus spill, pipe-light

Fidji-eilanden Fiji Islands

fiduciair fiduciary [currency, etc.]

fiducie trust, confidence; *niet veel ~ hebben in* not take much stock in [an undertaking]

fiedel fiddle; ~**en** fiddle

fielt scoundrel, villain; ~**achtig** scoundrelly, rascally; ~**achtigheid** scoundrelism, rascality; ~**enstreek,** ~**erij** piece of villainy; ~**erig** *zie* ~*achtig*

fier proud, high-spirited, -hearted; ~**heid** pride, high-spiritedness, high spirit

Fietje Sophy

fiets[1] (bi)cycle, (*fam.*) bike; (*tegenov. motorfiets*) push-bike, pedal cycle; *per ~* on one's b., by b.; *wat heb ik nu aan mijn ~ hangen?* (*fam.*) what's up now?, what on earth (what the dickens) is happening now?; ~**band** b.-tire, -tyre; ~**bel** b.-bell; ~**benodigdheden** b.-accessories; ~**broek** cycling-breeches, knickers; ~**dracht** cycling-wear

fietsen cycle, bike; *wat gaan ~* go (for) a bicycle ride; (*fam.*) go for a spin (on one's bicycle); *ik fietste van ...,* (*fam.*) I biked it from ...; *mijn ... is ~,* (*fam.*) is gone; ~**berg(~bewaar)-plaats** (bi)cycle shed, b. store; ~**dief** bicycle thief; ~**handelaar** cycle-dealer; ~**hok** b.-shed; ~**magazijn** cycle-shop; ~**rek** b.-stand

fiets-, bicycle; ~**er** cyclist, bicyclist; *woest –* scorcher; ~**kaart** cycling-map; ~**kappen** handle-bar muffs; ~**ketting** b.-chain; ~**lantaarn** b.-lamp; ~**mandje** handle-bar basket; ~**pad** cycle-path, -track; ~**pomp** bicycle pump, inflator; ~**sleutel** b.-wrench, -spanner; ~**slot** cycle lock; ~**tas(je)** saddle-bag, cycle-bag, (*klein*) tool-

bag, (*dubbel*) pannier-bag; ~**tocht** cycling-tour; *een –je gaan maken* go for a b.-ride (for a spin on one's b.)

fig. *zie* figuur(lijk)

figuraal figural

figurant(e) supernumerary (actor), walking-gentleman, -lady, showgirl, mute; (*fam.*) super; (*fig.*) dummy, (mere) cipher, puppet; ~**enrol** walking-on (non-speaking) part

figuratie, -tief figuration, -tive

figureren figure, pose [*als* as]

figuur figure (*in alle bet.*); (*in drama, enz.*) character; (*meetk. ook*) diagram; *'t ~, dat hij sloeg* [I shall never forget] the f. he cut; *een goed* (*mooi, slecht, droevig, gek*) ~ *maken* (*slaan*) make (*fam.:* cut) a good (fine, poor, sorry, foolish) f., make a good showing; *hij maakte geen mooi ~, ook:* he didn't shine; *'n prachtig ~ m., ook:* put up a great show; *een tamelijk goed ~ m.* make a fair show, show up rather well; *een slecht ~ m.* make a poor show, show up badly [*naast* beside]; *een ~ als modder slaan* cut a sorry figure; *iem. een mal* (*gek*) ~ *laten m.* make a p. look silly, let a p. down; *zijn ~ redden* save one's face; *zie verlegen*; ~**lijk** figurative; ~**naad** dart; ~**raadsel** picture-puzzle, rebus; ~**rijden** f.-skating; ~**schijf** f.-target; *een aardig ~tje* a pretty f.; ~**zaag** fretsaw; ~**zagen** *ww.* do fretwork; *zn.* fret-work, fret-sawing

fijn fine [rain, hair, sand, point, gold, taste]; (*heerlijk*) delicate [food, fruit], lovely [a ... pear, day], [that's] great; (*sl.*) ripping, scrumptious, topping [a ... life], (*uitgelezen*) exquisite, choice [wines]; (*chic*) smart [how ... you look!], swell [a ... party], swagger [his ... clothes]; (*femelend*) sanctimonious; *er ~ uitzien, ook:* look a swell; ~*!* fine! lovely! capital!; ~ *afgewerkt* highly finished; *zich ~ amuseren* enjoy o.s. no end, have a ripping time; *zich ~ voordoen,* (*huichelen*) play the saint; *dat is ~* that's a bit of all right; ~*e gereedschappen* (*instrumenten*) precision tools (instruments); *een ~ gehoor* a f. ear; *een ~ gezichtje* a delicate face; *'n ~e druif, 'n ~ heer* (*lid*), (*iron.*) a nice specimen (*of:* sort); ~*e kam* small-, fine-tooth comb; ~*e kerk* orthodox church; *zijn ~e manieren* his fancy manners; ~*e neus,* (*fig.*) keen (quick) nose, subtle sense; ~*e onderscheiding* nice (subtle) distinction; ~*e opmerking* shrewd remark; ~*e roomse* strict Roman Catholic; ~ *schrift* close writing; ~ *stemmetje* small voice; ~ *verschil* subtle difference; ~*e zus* bigot; *een ~e* (*iron.*) a precisian; *de ~en,* (*Sc.*) the unco guid; *hij weet er het ~e van* he knows the rights (the ins and outs) of it; *'t ~e van de grap* the cream of the joke; *'t ~e van de zaak te weten komen* get to the root of the matter; *zie puntje & ben.;* ~**aard** (*Z.-Ned.*) slyboots; *ook =* ~**baard** canter, sniveller; ~**besnaard** finely (-)strung; ~**besneden** fine-cut [features]; ~**gebouwd** slight [figure], slightly built; ~**gevoelig**

---

[1] *Zie ook* rijwiel

sensitive; delicate, finely(-)strung; ~gevoeligheid sensitiveness, delicacy; ~hakken cut small, mince, chop up (finely); ~heid fineness, delicacy; (van onderscheiding) nicety; (in godsd.) piety, godliness, sanctimony; vgl. fijn; ~igheden niceties, tricks [know the ... of the trade]; ~kauwen masticate; ~kloppen break, pound, crush (up); ~korrelig f.-grain(ed); ~maken pulverize, crush (up), break up [food], mash [bananas]; ~malen grind (down, up, to pieces); (kauwen) masticate; ~proever connoisseur; ~regelaar sensitivity screw; ~snijden cut up fine (of: small); ~stampen mash [potatoes], pulverize, pound, bray; ~straal (plant) flea-bane; ~te fineness; ~tjes smartly, cleverly; [smile] subtly; with fine irony; ~wrijven rub down, pound, pulverize, powder
fijt whitlow
fik(kie) (sl.) fire
fikken a) zn. mv. (fam.) paws; b) ww. (sl.) burn
fiks zie flink; ~heid zie flinkheid
filantroop philanthropist
filantropie philanthropy
filantropisch philanthropic (bw.: -ally)
filatelie philately
filatelist philatelist; ~isch philatelic
fil d'écosse lisle thread
file id., queue, string [of taxis], (traffic) jam; zie queue
fileet fillet
fileren fillet [fish; ...ed haddock]
filet fillet [of beef], undercut, tenderloin; ~ van schelvis filleted haddock; (ornament, enz.) fillet
fileverkeer single-file (lane) traffic; filevorming traffic jam(s)
filharmonisch philharmonic
filhelleen philhellene
filiaal branch(-establishment, -office); (van bank, ook) affiliation; ~zaak multiple shop, (Am.) chain store
filigraan filigree
Filippenzen Philippians
filippica philippic
Filippijnen: de ~ the Philippine Islands, the Philippines
filippine philippine, philippina, philopoena
Filippino Filipino (mv.: -s)
Filips Philip; ~ de Schone P. the Fair
filister philistine
Filistijn Philistine
film[1] id., (bioscoop~) motion-picture, (sl.) flick, movie; (eig. 't doek) screen [stories written for the ...]; bij de ~ zijn (komen, gaan, een baantje bij de ~ hebben) be (get, go, have a job) on the films; zie sprekend, zwijgend; ~acteur, ~actrice f.-, screen-actor, -actress; ~artiest zie ~acteur; ~bewerking f.-, screen-version [of a novel]; ~camera f. camera, cine-camera, (Am.) movie camera; ~censuur zie ~keuring; ~club cine-club; ~drama f.-, screen-play; ~druk screen-printing; ~en film, shoot; ~fotograaf

camera-man; ~industrie motion-picture industry; ~isch filmic; ~journaal newsreel; ~keuring f.-censorship; (commissie) board of f.-censors; ~keurmeester f.-censor; ~kunst cinematographic art; ~liedje screen-song; ~liga f.-society; ~operateur f.-operator, camera-man; projectionist; ~opname shot; 'n – doen take a moving picture [van of], (fam.) shoot a f. (a scene); ~otheek f. library; ~pakchassis (fot.) f.-pack adapter; ~rechten f. rights [of a novel]; ~ster f.-star; ~studio id.; ~vertoning f.-show; ~zon camera floodlight
filologie philology; filologisch philological; filoloog philologist
filomeel philomela, nightingale
filosoferen philosophize; filosofie philosophy
filosofisch philosophic(al); filosoof philosopher
filozel filoselle
filter filter, percolator, strainer; (van waterleiding) filter-bed; (elektr., fot.) filter; ~en filter
filtraat filtrate
filtreer-: ~doek filtering-cloth, ~kan biggin; ~koffiepot coffee percolator; ~machine, ~toestel filtering-machine, -apparatus, percolator; ~papier filter(ing)-paper
filtreren filter, filtrate, strain, percolate
Fin Finn
finaal total, complete [failure]; final [decision]; finale uitverkoop shut-down (closing down) sale; ~ onmogelijk absolutely (utterly) impossible; ik vergat 't ~ I clean forgot it; finale id.; (sp.) final(s); finalist id.
financieel financial [...ly independent], pecuniary, monetary; ~ wetsontwerp money bill; -ele commissie committee of ways and means; de -ele kant ervan the money side of it; -ele kracht money-power; de -ele wereld the world of finance; zijn zaak staat er ~ goed voor his business is financially sound; zie geldelijk
financiën (geldmiddelen) finances; (financiewezen) finance; zie minister(ie)
financier id.; grote ~s captains of finance; ~en tr. & intr. finance [a newspaper, etc.], back [a Broadway production]; (gew. ongunstig) financier
financiewezen finance, financial system
fine: ter ~ van consideratie en advies for consideration and advice (report and advice)
fineer(hout, -bladen) veneer
fine fleur fine flower [of the aristocracy], [the] pick of the bunch
fineren a) refine [gold, etc.]; b) (opleggen) veneer [wood, furniture]
finesse nicety [know the -ties of entertaining], subtlety; ~s, ook: the finer points, [know] the ins and outs; tot in de ~s down to the minutest details
fingeren feign, simulate; stage [a robbery]; (sl.) fake; zie gefingeerd
Finland id.; Finoegrisch Finno-Ugrian; Fins Finnish, Finnic; (in sam. ook) Finno-[Russian, Swedish]

___
[1] Zie ook bioscoop

fint (*vis*) twaite, twaite shad

fiool phial; *fiolen laten zorgen* let things drift; *de fiolen des toorns uitstorten* pour out the vials of wrath [*over* upon]

firma firm, concern, house; *onder de ~ ...* [carry on business] under the style of ...

firmament id., sky; *zie* uitspansel

firmanaam firm, style

firmant partner; *zie* oudste, enz.

firmastempel company stamp

fis (*muz.*) F sharp

fiscaal *bn.* fiscal; *~ recht* revenue tax; *zn.* (*mil.*) Judge Advocate

fiscus: *de ~* the Inland Revenue, the exchequer, the (inland) treasury, (*fam.*) the tax man; *de ~ legt beslag op het grootste deel van de winst* most of the profit goes in taxes

fistel fistula, sinus; **~achtig** fistulous

fit id.; *ik voel me nog niet helemaal ~* I'm not feeling quite up to scratch yet

fitis (*vogel*) willow-warbler, -wren

fitter id.; **fitting** id., lamp-holder, socket

fixatie (*psych.*) fixation

fixeer (*fot.*) fixer; **~bad** fixing-bath; **~middel** fixative; **~zout** fixing-salt

fixeren fix (*ook fot.*); *iem. ~* fix a p. with one's eyes, stare at a p.; (*psych.*) fixate; **fixum** fixed sum (salary)

fjeld id.; **fjord** fiord, fjord

fl. = *florijn* id., (Dutch) florin, guilder

flabberen flap, flutter

flacon bottle, flask; (*reukflesje*) scent-, smelling-bottle; *op de ~, zie* fles

fladderen flutter [flags ...], flap, flit; hover [round a p.]; stream, flow [her hair ...and behind her]; *de kleren fladderden hem aan 't lijf* flapped about him

flagellant id.

flageolet id.

flagrant id., glaring, notorious; *en ~ délit* in the very act, [take a p.] red-handed; *in ~e tegenspraak* in flat contradiction

flair id.

flakkeren flicker, waver

flambard slouch(-hat), wide-awake (hat)

flamberen flambé

flambouw torch

flamingant Flamingant, nationalist Fleming

flamingo flamingo, *mv.:* -os

flanel flannel; **~achtig** flannelly; **~len** flannel; *–broek* f. trousers, flannels; **~(letje)** f. vest, f. shirt, singlet

flaneren stroll, lounge, saunter, laze about the streets

flaneur lounger, idler, flâneur

flank id., side; *rechts* (*links*) *uit de ~* to the right (left) about; *met vieren uit de ~* in columns of four; *met tweeën uit de ~* in file; *in de ~ aanvallen* take in f., attack in (*of:* on) the f.; **~aanval** f.-attack; **~beweging** flanking-movement; **~dekking** f. protection; **~eren** flank; *–d vuur* flanking fire; **~eur** guide, flanker

flansen 1 *zie* samenflansen; 2 (*gooien*) chuck, dash

flap *zn.* slap, blow, box [on the ear]; (*gebak*) turnover; *tw.* flop!; *~! zei de deur* bang! went the door; **~drol** (*plat*) dud; **~hoed** slouch(-hat); **~kan** lidded jug, tankard; **~oor** large (sticking-out) ear, [dog's] floppy ear

flappen flap; *er uit ~* blurt out; *'t flapte neer* it came flop down; **flapuit** blab(ber)

flarden rags, tatters; *aan ~* in rags, in tatters, [he left with his reputation] in shreds; [tear] rags (to shreds, to ribbons)

flat id., (*Am.*) apartment; *zie* **~gebouw**; **~bewoner** f.-dweller; (*Am.*) a.-dweller

flater blunder; (*sl.: bij examen, enz.*) howler; *zie* begaan

flat: **~gebouw** block of flats, flat (building); (*Am.*) apartment building, a.-house; **~je** flatlet, little flat; **~woning** *zie* flat

flatteren flatter; *de balans ~* cook (doctor) the balance-sheet; *gefl. foto* flattering (flattered) photo; *je portret is gefl.* the photo flatters you; *zie* opsieren; **flatteus** flattering; becoming [dress, hat]

flauw (*smakeloos, geesteloos, ook fig.*) insipid [remarks, anecdotes], vapid [conversation], flat [the beer tastes ...]; (*van grap*) silly, mild, feeble, poor [joke], pointless [anecdote]; (*niet helder*) dim [light, outline, a, idea, memories], remote [resemblance], faint [colour, idea, murmur]; (*zwak*) weak, faint, half-hearted [effort], languid [interest]; wan [smile]; (*van markt*) dull, flat, weak, inactive; (*zich ~ voelend*) faint [*van honger* with hunger]; *ik voel me wat ~* I'm a bit peckish; *een ~e jongen* a mollycoddle, a sissy; *een ~e vent* a silly fellow; (*kleingeestig*) [he is] no sport; *dat's ~ van je* I think that's horrid (beastly) of you; *aan de ~e kant zijn,* (*van grap*) verge on silliness; (*van voedsel*) be a bit tasteless; (*van fondsen*) be rather flat; *ik heb er geen ~ idee van* I have not the faintest (remotest, *fam.:* foggiest, haziest) idea (notion) of it, (*fam.*) I haven't the foggiest; *ik had er een (geen) ~ vermoeden van* I had an (no) inkling of it; *ik werd* (*voelde me*) *~* I was taken (I felt) faint; **~vallen** faint, swoon, fall into a swoon, go off (in a swoon), pass out; (*van boord*) wilt; *~ gevallen* fainted [girl]; *~ liggen* be in a swoon; *er zich ~ van bewust zijn* be dimly conscious of it; **~ekul** [a load of] codswallop; **~erd, ~erik** *a*) silly (fellow); *b*) (*bangerd*) molly-coddle, milksop; **~hartig(heid)** faint-hearted(ness); **~heid** insipidity, faintness, weakness, silliness, etc.; *zie* ~; **~iteit** insipid (silly) joke; **~lijn** *met –en,* (*papier*) ruled faint (feint); *–en ww.* faint-(feint-) rule; **~te** swoon, fainting-fit, faint; *een – krijgen* swoon, faint, have a fainting-fit; **~tjes** dimly [visible], [breathe] faintly; **~zoet** sweetish

flecteren inflect; *~de taal* inflexional language

fleemkous, fleemster cajoler, coaxer

fleer (*klap*) box on the ear; (*slons*) slut

flegma phlegm, stolidity; **~tiek, ~tisch** phlegmatic (*bw.:* -ally), stolid

flemen cajole, coax; **flemer** cajoler, coaxer, fawner; **flemerij** cajolery, coaxing, fawning

flens flange; **flensje** thin pancake

flenter splinter, rag; *mv. ook:* flinders, shivers; *aan ~s, zie* flarden; **~tje** thin slice, shave, [the last] wafer [of soap]

fleppen sip

fles bottle; (*met zuurtjes, enz.*) glass jar; *dubbele* ~ magnum; *met de ~ grootbrengen* bring up on the b. (*of:* by hand); *met de ~ grootgebracht, ook:* b.-fed; *samen een ~ drinken* split a b.; *op flessen doen* bottle [beer]; *op ~en* bottled [ale, lemonade]; *op de ~ gaan,* (*sl.*) go to pot, go west, go bust, go phut, go to smash; *hij is op de ~* he has gone to pot, etc., is up the spout; *hij houdt veel van de ~* he is fond of (addicted to) the b., is fond of a drop; *zie* knappen; **~je** (small) b.; (*voor azijn, enz.*) cruet; *zie* half; **~jeswaterpas** water-level

flesse- bottle: **~bakje** b.-stand; **~bier** bottled beer; **~borstel** b.-brush; **~gas** b.(d) gas; **~kind** b.-baby, b.-fed child; **~melk** bottled milk

flessen swindle; *je bent geflest* you've been had

flessen- bottle: **~keldertje** cellaret; **~mand** b.-basket, wine-cradle; (*op wieltjes*) wine-carriage; **~rek** b.-rack; **~trekker** swindler; **~trekkerij** swindling, swindle; **flessestander** (*om fles te laten rondgaan*) coaster

flets dull, lacklustre [eyes]; dim [light]; pale; (*verlept*) faded (*ook van pers.*); wilted [flowers]; (*van pers. ook*) off-colour; ~ *worden,* (*van bloemen*) wilt; **~heid** ...ness

fleur 1 prime, bloom, flower, hey-day; *in de ~ van het leven* in the p. (bloom) of life; *in volle ~* in full bloom; *nog in zijn volle ~* still going strong; *de ~ is eraf* the bloom is off; 2 fishing-line; **~ig** blooming; florid [face]; lively, merry, gay; **~igheid** bloom; liveliness

flexibel flexible

flierefluiter good-for-nothing, irresponsible person

flikflooien coax, cajole, fawn on [a p.], flatter; **-er** flatterer, coaxer, cajoler, fawner; **-erij** coaxing, cajolery, fawning

flikje chocolate-drop

flikken cobble [shoes], patch, mend; (*plat*) *dat zal ik hem wel ~* I am sure I can manage it (bring it off)

flikker *a*) caper; *b*) (*plat*) blighter; *c*) homo, pansy; *d*) body; (*fam.*) *iem. op z'n ~ geven* give a man a good hiding; (*plat*) *hij weet er geen ~ van* he does not know a thing about it, he hasn't a clue

flikker: **~en** *a*) flicker [a ...ing candle], twinkle [twinkling (winking) stars]; glitter, glint; *b*) (*plat*) drop, chuck; *de straatlantaarn ~de zwakjes* the streetlamp feebly glimmered; **~ing** flicker(ing), twinkling, glittering, gleam, glint; **~licht** flickering light; (*van auto*) flashing light; (*van vuurtoren*) = **~vuur** flash-light

flink I *bn.* (*lichamelijk*) fine [boy, woman], comely [woman], vigorous, robust, stalwart; (*energiek*) energetic, pushing, competent, efficient, capable [servant]; (~ *in de huishouding*) managing [woman, housewife]; (*kranig*) pluck-

y, spirited; (*aanzienlijk*) considerable [quantity], substantial [sum, increase, building, volume *boekdeel*], handsome [reward], goodly [number], good-sized, sizable [garden]; (*degelijk*) thorough [scolding *uitbrander*, lesson *lesje*], sound [thrashing *pak ransel*]; ~e *bestelling* considerable (substantial, fair-sized) order; ~e *bui* sharp shower; ~e *dosis* stiff (generous) dose; ~e *houding,* (*fig.*) firm attitude; ~e *maaltijd* good, square meal; ~e *meid* strapping girl; *met een ~e pas* [trot, go, etc.] at a good round pace (*zie ben.: ~ doorstappen*); ~e *portie* liberal helping; ~e *prijs* stiff (*nogal ~:* stiffish) price; ~e *slag* (*tik, draf*) smart (sharp) blow (tap, trot); ~e *slok* [take a] stiff pull [at one's glass]; *'n ~e vent* an excellent (a fine) fellow, a man's man; ~e *wandeling* [take a] good walk; *hij is nog ~* he is still hale and hearty (still going strong); *wees eens ~* pull yourself together; *ik voel me niet erg ~* I don't feel up to the mark; ~ *zo!* that's the stuff (to give them!); II *bw.* vigorously, energetically; [beat a p.] soundly, [wash it] thoroughly; [work] away (hard, with a will); *'t ~ schoonmaken* (*uitborstelen, omspoelen*) give it a good clean (brush-out, swill); *zijn kapitaal ~ aanspreken* dip freely into one's capital; ~ *betalen* pay handsomely; ~ *eten* make a good meal; ~ *doorstappen* walk along briskly (at a round, brisk, steady pace), step out well; *iem. ~ de waarheid zeggen* give a p. a piece of one's mind; ~ *optreden tegen iem.* deal firmly with a p., be firm with a p.; *iem. ~ aan de kaak stellen* show a p. up properly; ~ *vooruitgaan* make substantial progress; *doe de ketel ~ vol* fill the kettle up well; *zich eens ~ wassen* have a good wash; **~gebouwd** strapping [girl, fellow], robust; **~heid** thoroughness, push, spirit, nerve; **~weg** openly, [speak] roundly

flinter *zie* flenter

flintglas flint-glass

Flip Phil, Pip

flippen flip

flipper plunger; **~en** play pin-ball; **~kast** pin-table, (*Am.*) pin-ball machine

flirt id.; **~en** flirt; (*vooral van man*) philander

flits *a*) arrow, dart; *b*) flash (of lightning); (*fig.*) flash [... es from the sporting world]; **~en** flash; **~er** flash(-gun); **~lampje** flash bulb

flodder *a*) dirt, mire, mud; *b*) (*vrouw*) dowdy, slattern, frump; *c*) *losse ~* blank (cartridge); **~broek** baggy trousers, slacks; **~en** *a*) flounder (*of:* splash) through (*of:* in) the mud; *b*) hang loosely, flap, flutter; **~ig** floppy [tie], sloppy [dress], baggy, sagging; **~madam** dressed up female; **~mijn** fougasse; **~muts** full-bottomed lace cap

floep (*van fles*) pop!; (*in water*) flop! plop!

floers (black) crape; (*fig.*) veil

flonker: **~en** sparkle, twinkle; **~ing** sparkling, twinkling, sparkle; **~licht** sparkling light; **~ster** twinkling star; (*fig.*) luminary

floot *o.v.t. van* fluiten

Flora id. (*in alle bet.*)
Florence id.; **Florentijn(s)** Florentine
floreren flourish, prosper; *de zaak* (*zaken*) *doen* ~ make things hum
floret 1 foil, fencing-sword; 2 = ~**zijde** *zie* floszijde
Florida id.; *Straat* ~ the Florida Channel
florijn florin; **Floris** id., Florence
florissant flourishing, prospering
floszijde floss-silk, filoselle
flotteur ball-cock
flottielje flotilla; ~**leider** f.-leader
flousje *zie* smoesje
flouw (*net*) flue; **flox** phlox
fluctuatie fluctuation; **-eren** fluctuate
fluïdum (*spiritisme*) ectoplasm, aura
fluim phlegm; (*volkst.*) gob; *een* ~ *van een vent* a squirt; ~*en opgeven* = ~**en** expectorate
fluister: ~**aar(ster)** whisperer; ~**campagne** whisper(ing) campaign; ~**en** whisper; *iem. iets in 't oor* – whisper s.t. in a p.'s ear; *er werd ge-fluisterd, ook:* word got round [that ...]; –*d, ook:* in a whisper, in an undertone, under one's breath; *half* –*d* [speak] in a half-whisper; *hardop* –*d* in a stage whisper; ~**galerij**, ~**gewelf** whispering-gallery, -dome; ~**ing** whisper(ing)
fluit flute (*ook hist. slank wijnglas* & = ~**brood** & ~**schip**); (*op de*) ~ *spelen* play (on) the f.; (= *pijp*) fife; *hij weet er geen* ~ *van* he doesn't know a thing about it; ~**brood** French loaf; ~**eend** widgeon
fluitekruid (*plant*) cow parsley, wild chervil
fluiten whistle (*ook van wind, kogels, locomotief, enz.; ook op fluitje*); (*van vogel*) flute, pipe; (*op fluit*) flute, play (on) the f.; (*uitfluiten*) hiss; (*van kogel ook*) whiz, zip; (*van radio*) sing, howl; (*van wind, kogel, ook*) pipe; (*op fluitje ook*) blow (*of:* sound) a (one's) whistle; *hij floot, ook:* he gave a w.; (*om*) ... ~ w. (for) [a p., a dog]; *een wedstrijd* ~, (*fam.*) ref a match; *driemaal* ~ give three blasts on a w.; *hij kan ernaar* (*naar zijn geld*) ~ he may w. for it (for his money); *en dan kun je ernaar* ~ [they borrow your money] and then you can say good-bye to it; *iem. laten* ~ leave a p. out in the cold; **-er** *a*) whistler; *b*) (*vogel*) (wood-)warbler
fluit: ~**glas** (*hist.*) flute(-glass); ~**ist** flautist, (*Am.*) flutist; ~**je** whistle; (*van vogelaar*) bird-call; ~**ketel** whistling (tea-)kettle; ~**register** (*van orgel*) flute-stop; ~**schip** flute, fluyt; ~**signaal** whistle-signal; ~**speler** flute-player; *zie ook* ~ist; ~**toon** whistle, whistling tone; (*korte*) b(l)eep
fluks quickly, immediately
fluor id., fluorine; ~**escentie** fluorescence; –**lamp** fluorescent lamp; ~**esceren** fluoresce; ~**ide** id.; ~**ideren** fluoridate
flut slops; (*fig.*) rubbish(y)
fluweel velvet; ~**achtig** velvety (*ook fig.:* tone, manner); **fluwelen** velvet; *zie* handschoen; ~ *tong* silken (honeyed) tongue
fluwijn stone-, beech-marten
flux de bouche [have a great] flow of words (of

language), [have] the gift of the gab
FM VHF (*Very High Frequency*) FM
fnuiken: *iems. macht* ~ clip a p.'s wings, cripple a p.'s power; *iems. trots* ~ put down a p.'s pride; ~**d** fatal
fobie phobia
focus(seren) focus
foedraal (umbrella-, spectacle-)case, casing, sheath [of the colours *vaandel*], cover, (re-volver-)holster; *'t vaandel in* ~ the colours sheathed (*of:* cased)
foef(je) dodge, trick, wrinkle, (*sl.*) wheeze, (*sl.*) gimmick; (*smoesje*) (mere) pretext; *'t oude* ~ the old wheeze; *hij probeerde dat* ~ he tried to come that dodge [*bij mij* over me]
foei (*for*) shame! fie! shame upon you!; ~**lelijk** positively ugly, as ugly as sin, ugly in the extreme
foelie (*van muskaat*) mace; (*achter spiegel of edelsteen*) (tin-)foil; **foeliën** tin-foil, (quick-)silver; **foeliesel** (tin-)foil
foerage forage, provisions; ~**geld** forage allowance
foerageren forage
foerier quartermaster-sergeant
foeteren (*uitvaren*) storm, rage; (*mopperen*) grumble [*op* at]
foetsie (*sl.*) gone
foetus id., fetus
foezel(olie) fusel oil
fok *a*) foresail; *b*) (*fam., bril*) specs, goggles (*beide mv.*)
fokhengst stallion, stud-horse, sire
fokke: ~**bras**, ~**mast** fore-brace, -mast
fokken breed, rear, raise; **fokker** breeder; (*van vee*) stock-breeder, cattle-raiser
fokkera foreyard
fokkerij *a*) [horse-, poultry-, pig-] breeding; (*van vee*) cattle-, stock-breeding; *b*) (*van vee*) stock-farm; (*van varkens*) pig-farm
fokke: ~**schoot**, ~**stag**, ~**want** fore-sheet, -stay, -rigging
fokmerrie broed-, breeding-mare
foksia fuchsia
fokstier bull (kept for breeding)
fokvee breeding-cattle, -stock
fokvereniging breeding association
fol. id., fo.; *zie* folio; **folder** brochure; **foliant** folio(-volume), [a heavy] tome
folie fold; **foliëren** foliate
folio id.; *in* ~ in f., (in) fol.; *ezel in* ~ consummate (unmitigated, prize) ass; *gek in* ~ arrant (*of:* prize) fool; ~**formaat** f. size; ~**papier** foolscap; ~**vel** folio
Folkert Fulke
folklore id.; **-rist** id.; **-ristisch** folkloristic
folter: ~**aar** torturer, tormentor; ~**bank** rack; ~**en** (*eig. & fig.*) put on (*of:* to) the rack, torture; (*fig.*) torment; –*d* excruciating, agonizing [pains], racking [headaches]; ~**ing** torture, torment; (*fig. ook*) agony; ~**kamer** torture chamber; ~**pijn** torture, torment; ~**(werk)tuig** instrument (implement) of torture
fond *a*) bottom; *b*) background [black spots on

a yellow …]; *zijn ~ is goed* he is a good fellow at b. (at heart); *à ~* thoroughly; *au ~* at b.; *~ van waarheid* substratum of truth

fondament foundation; (*achterste*) bottom (b.t.m.), fundament; *zie verder* fund…

fondant id.

fondement *zie* fondament

fondering foundation

fonds (*uitgevers~*) (publisher's) list; (*reserve~, enz.*) fund; (*zieken~, enz., ongev.*) the National Health; (*kapitaal*) funds; *~en*, (*effecten*) securities, stock(s), funds; *~ bezorgen* (*fourneren*) send cover, provide funds, provide with security, place [a p.] in funds; *geen* (*voldoende*) *~ aanwezig* no effects, no funds, R. D. (= refer to drawer); *zijn ~en rijzen*, (*ook fig.*) his stock is rising; **~artikelen:** *onze –* the works published by us, the w. on our list; **~catalogus** publisher's catalogue, p.'s list; **~dokter** (*ongev.*) National Health doctor; **~enbeurs** enz., *zie* effecten …; **~kapitaal** original stock; **~lijst** a) *zie ~catalogus*; *b*) stocklist; **~patiënt** (*ongev.*) National Health patient; **~restanten** publisher's remainders

fondue id.

foneem phoneme; **fonematisch** phonemic

foneticus phonetician; **fonetiek** phonetics; **fonetisch** phonetic (*bw.:* -ally)

fonkelen sparkle, scintillate; **-ing** sparkling, sparkle, scintillation

fonkelnieuw spick-and-span (new), bran(d)-new

fonograaf phonograph; **fonogram** phonogram

fonologie *a*) phonology; *b*) phonemics

fontanel (*anat.*) fontanel(le); (*med.*) issue

fontein fountain; *zie* springen; **~kruid** pondweed; **~tje** fitted basin, hand-, (small) washbasin, handwash; (*van vogel*) fountain

fontenel *zie* fontanel

fooi tip, gratuity; *de meid* (*25 p.*) *~ geven* tip the servant (25p.); *geen ~en* no gratuities, please; *zie ook* bonnefooi

fooienstelsel tipping-system

foppen fool, hoax, gull; (*bedriegen*) cheat, take in; *we zijn gefopt* we are sold; *weer gefopt!* sold again!

fopper hoaxer; **~ij** hoax, trickery; **~tje** *zie* fopspeen

fopspeen comforter, (baby)soother, dummy

force majeure id., superior force, circumstances beyond one's control; (*in connossement*) Act of God

forceps forceps (*mv.:* id.); *ook:* a pair of f.

forceren force [a p., door, lock, plants], burst [the door], strain [one's voice]; *de dingen ~* f. the issue; *we hoeven 't* (*de zaak*) *niet te ~* there's no need to f. the pace; *zie* geforceerd

ford Ford (motor-car); *oud ~je*, (*sl.*) tin Lizzie

forel trout (*mv.:* trout); **~kwekerij** t.-farm, t.-hatchery; **~schimmel** t.-coloured horse

forens non-resident; (*oorspr. Am.*) commuter; **~en** *ww.* (*fam.*) commute; **~enbelasting** non-resident (non-residence) tax; **~enbuurt** dormitory area; **~enplaats** dormitory town; **~isch** forensic

forma: *in optima ~* in due form; *pro ~* for form's sake; *pro ~ factuur* pro forma invoice

formaat size, format; (*fig.*) stature; *groot ~* commercial size; *klein ~* note size; *van groot ~* largesized; (*fig.*) of large stature; *een schrijver van ~* a writer of stature; **~zegel** stamped paper

formaline formalin

formaliseren, -ring formalize, -ization

formalisme formalism

formalist id.; **~isch** formalistic (*bw.:* -ally)

formaliteit formality, (mere) form; *zekere ~en vervullen* go through (complete, comply with, perform) certain formalities

formatie formation; (*personeelssterkte*) establishment; *boven de ~* supernumerary to the establishment; *buiten de ~*, (*mil.*) off the strength; *in ~* [fly] in f.; **~vliegen** f.-flying; **~vlucht** f.-flight

formeel formal [denial, etc.]; (*volslagen*) fully-fledged; downright, flat [refusal; refuse …ly], clean [it means a … break]; *iets ~ ontkennen* formally deny s.t.; *~ gek* fairly mad

formeren form [a government, etc.], create; **-ing** formation, creation

formica id.

formidabel formidable

formulair formulaic [poetry]

formule formula (*mv. ook:* formulae)

formuleren formulate, word; *zoals hij het zeer juist formuleert* as he aptly puts it; **-ing** formulation, wording

formulier form, blank, (*kerkelijk*) formulary; *~ van aangifte*, *zie* aangifte-; *~ van de Ziekentroost* service for the visitation of the sick; **~gebed** collect

fornuis cooker, kitchen-, cooking-range

fors robust, big, stalwart, hefty [fellows], strong [wind, voice], large, massive [figure, forehead], loud [voice], bold [letters, handwriting], vigorous [language], forceful [style], smart, lusty [blow]; *~e greep* firm grip; **~gebouwd** square-built, strongly-built; **~heid** robustness, strength, vigour

1 fort forte, strong point; *dat is mijn ~ niet*, *ook:* not my long (*of:* my strong) suit

2 fort (*mil.*) fort(ress)

forte (*muz.*) id.

fortificatie fortification

fortissimo (*muz.*) id.

fortuin fortune; *~ maken* make a f. [*in …* in (out of) sugar]; *zijn ~ maken* make one's f.; *een groot ~ maken*, *ook:* land a big f.; *je ~ is gemaakt* you're a made man; *zijn ~ zoeken* seek one's f.; **~lijk** lucky; *– zijn* be in luck; *niet – zijn* be out of luck; **~tje** *a*) small f.; *b*) piece of good f., windfall, (*sl.*) scoop; **~zoeker** f.-hunter, adventurer; **~zoekster** adventuress

Fortuna id., Fortune

forum id.; (*radio*) panel, brains trust

fosfaat phosphate

fosfor phosphorus; **~brons** phosphor bronze; **~escentie** phosphorescence; **~esceren** phosphoresce; **~igzuur** phosphorous acid; **~isch**

237 - Fransman

phosphorescent; ~**necrose** p. necrosis; (*fam.*)
phossy jaw; ~**zuur** phosphoric acid; ~*zure*
meststoffen phosphatic fertilizers
fosgeen phosgene
fossiel *bn. & zn.* fossil
foto photo, *mv.:* -os; ~**album** photo album; ~**ar-**
tikelen photographic materials; ~**cel** photo-
electric cell; ~**geniek** photogenic; ~**graaf**
photographer; ~**graferen** photograph; *zich*
laten ~ have one's photo taken; ~**grafie**
photograph;(*de kunst*) photography; ~**grafisch**
photographic (*bw.:* -ally); – *atelier* photographer's studio; ~**gravure** photogravure;
~**handelaar** photographic dealer; ~**kopie**,
-**kopiëren** photocopy; ~**kopieerapparaat** pho-
tocopier; ~**lijst** photo frame; ~**montage**
photomontage, composite photograph (*of:*
picture)
foton photon
foto: ~**pagina** picture-page; ~**reportage** photo
reportage; (*aan sjako*) busby-lines, -cords ~**telegrafie**
picture telegraphy; ~**toestel** camera; ~**troop,**
-**tropie** phototropic, -pism; ~**typie** phototype;
~**zaak** photographer's (shop)
fouilleren search, frisk [a p. for arms, etc.]
foulard id., silk neckerchief
fourage *zie* foerage
fourneren furnish, put up [the money]; *volge-*
fourneerde aandelen (fully) paid-up shares; *zie*
fonds & fineren *b*)
fournissement call
fournituren [tailor's, seamstress's, etc.] requisites
fourragères aiguillettes, shoulder-knots,
-points; (*aan sjako*) busby-lines, -cords
fout I *zn.* mistake, error, lapse; (*gebrek*) defect;
(*moreel & bij wedstrijd*) fault; *een ~ begaan*,
in de ~ gaan make a mistake, commit an
error, (*sl.*) slip up; ~ *gaan* (*lopen*) go wrong;
grove ~ blunder; *een grove ~ maken* blunder;
de oude ~ maken fall into the old m. (error) [of
supposing ...]; *persoonlijke ~* personal equation; ~ *op ~ maken* pile up blunder upon
blunder; *ik kom zonder ~* I shall come without
fail, shall not fail to come; *geen mens is zonder*
~*en* is faultless; *er is geen systeem, waarmee*
geen ~en gemaakt kunnen worden no system
is foolproof; II *bn. = foutief* wrong, faulty
foutloos faultless, perfect, without blemish
foutvracht dead freight
foyer id., lobby
fr. *zie* franco & freule
fraai fine, pretty, handsome; *dat staat je ~*
(*iron.*) that's nice of you!; *zie* mooi; ~**heid**
prettiness, beauty; ~**igheid** fine thing; *'t was*
een gedwongen – it was a case of must; it was
Hobson's choice; *dergelijke* ~**igheden** such
rubbish; ~**tjes** prettily, nicely; (*iron.*) properly
fractie fraction; (*pol.*) (parliamentary) party;
section [a small ... of the Labour party]; *een*
~ *lager* a f. lower, fractionally lower; *een* ~ *van*
een seconde a split second; ~**leider** leader of
parliamentary party; *vgl.* onderdeel; **fractio-**
neel fractional

fragiel fragile
fragment id.; *zie* brokstuk; ~**arisch** fragmenta-
ry, scrappy, patchy
frak dress-coat, (*fam.*) swallow-tail
framboesia id., yaws
framboos raspberry; *een ~je* a glass of r.-brandy
frambozen: ~**brandewijn** raspberry-brandy; ~
gelei r.-seedless; ~**jam** r.-jam; ~**limonade** (*als*
siroop) r.-syrup; (*als drank*) r.-drink, (*met*
spuitwater) r.-pop
framboze: ~**nat,** ~**sap** raspberry-juice; ~**nuit-**
slag framboesia, yaws; ~**struik** r.-bush
franc id.
Française Frenchwoman, French lady
franchise id.; **Francisca** Frances
franciscaan Franciscan; **-aner** *monnik* grey friar,
F. friar; – *non* F. nun
Franciscus Francis
franc-maçon freemason; ~**nerie** ...ry
franco (*per post*) post-paid, postage-paid; (*van*
goederen) carriage paid; *niet* ~ carriage forward; ~ *boord* free on board, f.o.b.; ~ *emballa-*
ge packing free; ~ *huis* free domicile, free
destination; ~ *lichter* free overside; ~ *pakhuis*
free warehouse; ~ *spoor* free rail; ~ *station*
free station; ~ *wagon* free on truck; ~ *vracht*
carriage paid; ~ *wal* free on quay
franc-tireur id., partisan
franje fringe, edging; (*fig.*) frill(s) [the rest is
mere frill], flounces and furbelows, trimmings
Frank (*persoons- & volksnaam*) id.
1 frank *bn.* frank, free, bold; ~ *en vrij* frank
and free
2 frank (*munt*) franc
frankeer: ~**kosten** postage [of a letter], carriage
[of a parcel]; ~**machine** postage meter; ~**waarde**
postal value
Frankenland Franconia
frankeren prepay; (*postzegel opplakken*) stamp
[a letter]; *gefr.* post(age) paid; *onvoldoende*
gefr. insufficiently stamped, under-stamped,
underfranked; -**ing** prepayment; – *bij abonne-*
ment, (*op krant, enz.*) (postage) paid [8p., etc.]
Frankfort id.; **Frankisch** Frankish
Frankrijk France
1 Frans Francis; *een vrolijke* ~ a live wire, a
(gay) spark, a bit of a lad, a playboy; *leven als*
vrolijk ~*je* go the pace
2 Frans French; *de* ~*en* the F.; *tien* ~*en* ten
Frenchmen; *in 't* ~ in F.; ~*e titel* half-, bas-
tard-title; *manie* (*voorliefde*) *voor wat* ~ *is* Gallomania, predilection for things F.; *hij kent*
zijn ~ he knows his F.; *zich er met een* ~*e slag*
van afmaken give it (the room, etc.) a lick and
a promise, do it in a slapdash manner, be
rather haphazard about it; *met de* ~*e slag ge-*
daan perfunctory; *daar is geen woord* ~ *bij* that's
plain speaking (language, English); ~*e* Frenchwoman, F. lady; (*in sam. zoals* ~**Duits**)
Franco-[German, American, etc.]; ~**gezind**
pro-French, Francophil; –*e* Francophil
Fransje (*meisje*) Fanny; (*jongen*) Francie; *zie*
Frans
Fransman Frenchman

Fransoos Frenchy, Frog(gy)
Franstalig French-speaking [Belgium], Francophone [Africa]
frappant striking
frappé: *champagne* ~ iced champagne
frapperen *a)* (*treffen*) strike; *b)* ice [wine]
frase (high-sounding) phrase; (*muz.*) id.; (*holle*) *~n* (hollow) phrases, empty talk; **~ologie** phraseology; **~ren** phrase
fraseur phrase-monger, -maker, windbag
frater (lay) brother, friar; **~huis** friary; **~school** (Christian) Brothers' school; **~tje** (*vogel*) twite
fratsen nonsense, caprices, freaks, whims; **~maker** buffoon, clown
fraude fraud; ~ *plegen* = **frauderen** practise fraud
frauduleus fraudulent [bankruptcy]
Frederik Frederick; **Frederika** Frederica
frees fraise (*in alle bet.*); (*werktuig*) milling cutter; **~bank, -machine** milling-machine
fregat frigate; **~vogel** frigate(-bird)
frenologie phrenology
frequent id.; **~atief** frequentative; **~eren** frequent; **~ie** frequency; **~modulatie,** (*radio*) frequency modulation
frère (et) compagnon: ~ *zijn met iedereen* be hail-fellow(-well-met) with everybody
fresco id.; *al* ~, *in* ~ in f.; **~schilderij, ~schildering** f. painting, painting in f.
fresia (*plant*) freesia
fret 1 ferret; 2 (*muz.*) id.; 3 = **~boor** (twist) auger; **~ten** ferret; **~zaag** fretsaw
Freudiaan(s) Freudian
freule 'Freule', unmarried noble lady; ~ *R.*, *ongev.:* the Honourable Miss R.
frezen mill
fricandeau id.; **fricassee** id.
frictie friction; **Frida** Freda
friemelen fumble, fiddle [*met* with]
fries (*stof & in bk.*) frieze
Fries *zn. & bn.* Frisian; ~ *bont* F. (cotton) prints; *~e ruiters* chevaux-de-frise
Friesland id.; **Friezin** Frisian (woman)
frigide frigid
frik pedant, pedagogue, beak; (*v*) schoolmarm
frikadel minced-meat ball
fris fresh [flower, air, breeze, complexion; I never felt ...er in all my life], refreshing [drinks], cool [morning, weather], fit [feel very ...]; *met ~se kleur* (~ *gezicht*) f.-complexioned (-faced); *zo* ~ *als een hoen(tje)* as f. as a rose (as a daisy, as paint); *gezond en* ~ hale and hearty; *iem. ~se moed geven* put f. courage into a p.; *minder* ~, *zie* onfris; *zie* lekker; **~drank** soft drink
friseerijzer, **~tang** crisping-, curling-iron, -tongs; **friseren** friz(z), frizzle, crisp, crimp, curl; **friseur** hairdresser
fris: **~haard** refining-forge, -furnace, -hearth; **~heid** freshness, coolness; **~jes** somewhat f.; *'t is* –, *ook:* there is a nip in the air, it's nippy (chilly)

frissen (*ijzer*) refine, puddle
frites (*fam.*) chips, French fries
Frits Fred; (*als Duitse naam*) Fritz
fritten French-fry
fritter (*draadl. telegrafie*) coherer
frituren deep-fry
frivolité tatting; ~ *maken* tat
frivoliteit frivolity; **frivool** frivolous
fröbelschool kindergarten
frommelen rumple, crumple, fumble
frons(el) frown, wrinkle; (*dreigend*) scowl
fronsen knit, knot, pucker, wrinkle [one's forehead, one's (eye)brows]; *zijn voorhoofd* (*wenkbrauwen*) ~, *ook:* frown, (*dreigend*) scowl; *zie* gefronst
front front (*in alle bet.*); (*van gebouw ook*) façade, frontage; (*halfhemdje ook, fam.*) dick(e)y; *aan 't* ~ at the f.; *met het* ~ *naar de straat* fronting (on, towards) the street; *met 't* ~ *naar 't Z.* with a southern aspect (*of:* frontage); *van* ~ *veranderen,* (*ook fig.*) change f.; *voor 't* ~ *der troepen* in f. of the troops; *voor 't* ~ *komen* stand (*of:* step) forward; ~ *maken* (turn to the) f.; ~ *maken naar* front (to, towards), face; ~ *maken tegen* front [the enemy, etc.]; **~aal** frontal; *frontale botsing* head-on collision; **~aanval** frontal attack; **~ispice, ~ispies** frontispiece; **~je** front, (*fam.*) dick(e)y; **~loge** f.-box; **~mars** f.-march, advance in line; **~on** id., pediment; **~verandering** (*ook fig.*) change of f.; **~vuur** frontal fire
frotteerhandschoen flesh-glove
fruit fruit; **~areaal** acreage under fruit-culture; **~ben** f.-basket
fruiten fry
fruit[1]: **~handel** fruit-trade; **~handelaar** fruiterer; **~mand** f.-basket; **~markt** f.-market; **~pulp** f.-pulp; **~schaal** f.-dish, f.-stand; **~stalletje** f.-stall; **~venter** f.-hawker, coster(monger); **~verkoper** f.-seller, fruiterer; **~vrouw** f.-woman; **~winkel** fruiterer's shop, f.-shop
frunniken fumble, fiddle
frustreren frustrate
frutselen fumble, fiddle
Frygisch Phrygian
fuchsia id.; **fuchsine** id.
fuga fugue
fuif party, spree, celebration, jollification; (*sl.*) binge, beano, bust; *een* ~ *geven* (*houden*) throw (have) a party; **~nummer** gay spark
fuik bow-net, fish-trap, eel-basket, -pot, -trap; *in de* ~ *lopen* go into the net, fall into the trap, be (en)trapped
fuiven feast, celebrate, revel, (*sl.*) have a blow-out, be on the binge, junket, have (hold) high jinks; *iem.* ~ feast a p. [*op* with], entertain, treat (to); **fuiver** reveller
fulmineren fulminate [*tegen* against], thunder [*tegen* against, at]
fumarole (*geol.*) id.
functie function; *in* ~ *zijn* be in f. (in office); *een nieuwe* ~ *aanvaarden* take up a new appoint-

---

ment; *een verantwoordelijke* ~ a responsible position; *in* ~ *treden* enter upon one's duties; *de* ~ *van gastheer vervullen* officiate as host; *in zijn* ~ *van* in his capacity as (of); **functionaris** functionary; **functioneel** functional [disease]; established [chair *ordinariaat*]; **functioneren** function [the propeller no longer ...ed]; officiate [*als* as]

fundament *zie* fondament; **~eel** fundamental, basic [agree on ... points]

fundatie foundation

funderen fund [a debt]; lay the foundations of [a building]; ~ *op* base on; **-ing** foundation; (*van schuld*) funding

funest fatal, disastrous

fungeren ~ *als* act (officiate) as, perform the duties of; **~d** deputy [chairman], acting

funiculaire funicular (*of:* cable) railway

furie fury (*ook fig.*); **furieus** furious

furore id., enthusiastic admiration; ~ *maken* create a f., make a big hit [in a play]

fuselage id., body [of an aeroplane]

fuselier fusilier; (*voorm. N. I.*) private

fuseren fuse; (*hand.*) merge

fusie fusion, amalgamation, merger, take-over

fusillade id.; (*'t fusilleren*) shooting

fusilleren shoot (down)

fust cask, barrel; *wijn op* ~ wine in (*of:* from) the wood; *slecht* ~ frail packing; *zie* ledig; **~age** packing

fustein fustian

fut spirit, spunk, push (and go), go, vim, zip;

de ~ *is er bij hem uit* he has no go (pep, kick) left in him; *er zit geen* ~ *in hem* there is no s. (spunk, ginger) in him, he lacks incentive; *zij hebben er geen* ~ *genoeg voor* they have not enough grit for it; *er zit nog genoeg* ~ *in hem* there is any amount of kick left in him, there's life in the old dog yet; *vol* ~ full of go

futiel futile, frivolous [complaints]

futiliteit futility, frivolity, triviality

futloos pithless, spineless, (*Sc.*) feckless

futselaar(ster) trifler, fumbler; **futselarij** trifling, fiddling; **futselen** trifle, fiddle

futselwerk trifling work

futurisme futurism

futurist id., **~isch** futurist

futurologie, -loog futurology, -logist

futurum future

fuut (*vogel*) (great crested) grebe

fylogenese phylogeny, phylogenesis

fysica physics; **fysicus** physicist

fysiek I *bn.* physical; *dat is* ~ *onmogelijk* that is a p. impossibility; II *zn.* physique, physical structure

fysiologie physiology; **-logisch** physiological; **-loog** physiologist; **-(g)nomie, -gnomiek** physiognomy; **-therapeut, -therapie** physiotherapist, -py

fysisch physical

fytopathologie phytopathology

fytopatholoog phytopathologist

G

G G

gaaf sound [wood, fruit, teeth], whole, entire; perfect [game *partij*]; **~heid** ...ness; *morele* – moral integrity; **~randig** (*plantk.*) entire

gaai jay; (*houten vogel*) popinjay; *naar de* ~ *schieten, zie* vogelschieten

gaaike (*van vogel*) mate

gaal (*in breiwerk, enz.*) ladder; *galen vertonen* (*krijgen*) ladder

gaan go (*ook van bel, fluit, klok, radio, de tijd, enz.*: the knocker is going all day; there goes the gong), pass [the wheel ...ed over his head; ... through the country]; move [to the door]; *de telefoon ging* the telephone went (tinkled, rang); *de fluit ging* the whistle went (blew, sounded); *daar gaat mijn hoed (de trein)!* there goes my hat (the train)!; *ik ga* I am going, I am off, I'll be moving; *we* ~ (*d.w.z. de trein of boot vertrekt*) we are moving; *daar* ~ *we!* off we go!; *ik moet* ~ I must be going (must go, must say goodbye now); *ik zie hem liever* ~ *dan komen* I prefer his room to his company;

zich laten ~ let o.s. go, speak (launch) out freely, expand; *hij liet zijn oog over 't papier* ~ he ran his eye over the paper; *hij liet zijn vingers over de letters* ~ he passed his fingers over the letters; *hij liet hem* ~ (= *zond hem weg*) he dismissed him; *ik laat ... met 6 weken* ~ I've given the servant six weeks' warning; *laten we* ~ let us be off; *hoe* ~ *we?* (= *zullen we* ~?) how do we go?; *hoe gaat het?* how are you? how are you getting on? how goes it?; *hoe gaat dat liedje?* how does that song go?; *hoe gaat 't met je broer?* how is your brother?; *hoe gaat het met hem* how is he doing?; *hoe gaat 't met de zaken?* how is business?; *'t gaat nogal* middling! pretty fair!; *'t gaat slecht in de handel* trade is bad; *'t gaat hem goed (slecht)* he is doing well (badly), things are going well (badly, hard) with him; *'t gaat goed (slecht) met de zaken (de patiënt)* things are (the patient is) in a good (bad) way, the business is doing well; *'t gaat goed met de nieuwe leerjongen ...* is shaping well; *'t gaat niet erg goed met hem* he isn't doing any too well; *gaat 't goed met de kleine?* is the baby doing well?; *het gaat met een dier als met een mens* it is with a beast as with a man; *'t gaat hem bijzonder* he is getting on swimmingly; *'t ga je goed!* good luck to you!; *als alles goed gaat,* ... if all goes well ...; *zo gaat 't goed!* that's the way (the style)!; *zo iets gaat zelden goed* such arrangements seldom answer; *mijn horloge gaat goed* my watch goes well (keeps good time); *gaat die klok goed?* is that clock right?; *'t moet voortaan anders en beter (met je)* ~ you will have to change your conduct for the better; *'t is mij heel anders gegaan* I fared quite differently; *'t gaat niet* it can't be done; I cannot manage it; *'t ging niet (op)* it (the plan, etc.) didn't work; *ik vrees, dat 't niet zal* ~ that it will not be possible; *dat gaat zo niet (langer)* that won't (does not) do, that will never do; it's no go, this cannot go on any longer; *'t zal niet* ~! *(iron.)* nothing doing (thank you)!; ['I'll come in';] 'I don't think you will'; *zo gaat 't (in de wereld, in 't leven)* such is life; that's the way of the world; *'t artikel gaat (niet)* the article sells well (does not sell); *'t boek ging helemaal niet* did everything but sell; *'t stuk ging heel goed* the play went very well; *'t zal zeker* ~ it is sure to catch on; *daar gaat ie!* here goes!; *daar ga je!* here goes! here's to you!; *'t is mij net zo gegaan* it was just the same with me; *zijn geld ging aan zijn neef* went to his nephew; *'t gaat me aan 't hart* it goes to my heart; *al zijn geld gaat aan boeken* goes in books; *hij ging bij de marine* he joined the navy; *dat gaat boven alles* that beats everything, there is nothing like it (nothing to beat it); *er gaat niets boven een glas wijn* there is nothing like a glass of wine; *dat gaat bij mij boven alles* that comes first with me; *de eer gaat boven alles* honour comes before everything; *zijn spaarduiten gingen eraan* his savings went; *zie ook* aan; *'t boek ging erin (bij 't publiek)* went down (with the public); *er* ~ ... *in* ... the hall will hold (accommodate, seat) 400 people; the car holds four people; the pail holds three gallons; *'t boek gaat niet in de tas* will not go in the bag; *in de politiek* ~ take up politics; ~ *doen in* ... go in for poultry; *mijn auto ging juist langs de vrachtauto* my car just cleared the lorry; *zij ging met* ... she went with another chap; *met de Rembrandt* ~ sail in the R.; *ga even naar de overkant om sigaren* just slip across for cigars; *de boot gaat naar A.* is bound for A.; *waar gaat deze weg naar toe?* where does this road go (lead) to?; *waar gaan we naar toe? (fig.)* what are we coming to?; *'t gaat om uw eer (uw belangen)* your honour is (interests are) at stake (in question); *'t gaat om 't leven (om zijn leven)* it is a matter of life and death (with him); *waar gaat 't om? (spel)* what are you playing for?; *'t gaat erom, of* ... the issue is whether ...; *daar gaat 't om, (bij*

verkiezing, enz.) that's the point (at issue); *waar het om gaat* the issue at stake; *daar gaat 't niet om* that's not (that is beside) the point; *maar daar gaat 't nu niet om, ook:* but that's quite by the way; *'t gaat hier niet om* ..., *ook:* we are not concerned here with ...; *'t gaat er mij alleen om, dat je* ... all I want is that you ...; *'t gaat er maar om of* ... what matters is whether ...; *als 't om* ... *gaat* if it is a question of ...; ... *waar 't om ging* he was in L. at the time in question; *(helemaal) niet begrijpen, waar 't om gaat* miss the point (entirely); *4 gaat 3 maal op 12* 4 into 12 goes (4 is contained in 12) three times; *6 op 5 gaat niet* 6 into 5 will not go; *6 op 13 gaat 2 keer, blijft 1* 6 into 13 goes twice and one over; *hoeveel maal gaat 5 op 10?* how many times does 5 go into 10? how many fives make ten?; *er* ~ *er 10 op een pond* ten of them go to a pound; *over Amsterdam* ~ go via (by way of) A.; *het boek gaat over* ... the book tells about (is concerned with) ...; *waar gaat het over?* what is it about?; *hij gaat over 't pakhuis* he is in charge of the warehouse; *over de kleine kas* ~ control the petty cash; *zij gaat over het huishoudelijk personeel* she supervises the domestic staff; *Dr. N. ging over hem* Dr. N. attended him, he was Dr. N.'s patient; *tot Utrecht* ~ go as far as U.; *ik wil tot 12 pond* ~ I will go to £12; *het gaat tussen hem en mij* the choice is between him and me; *ga mij uit 't licht* stand out of my light; *ga me uit 't gezicht* get out of my sight; *het oude handwerk gaat er uit* ... is on its way out; *de kurk gaat niet van de fles* the cork will not come out; ... *ging voor* ... this picture went for 950 guineas; ~ + *infinitief:* *hij gaat een zaak beginnen* he is going to set up in business; *iem.* ~ *bezoeken* go to see (go and see) a p.; *wanneer je erover gaat denken* when you come to think of it; ~ *eten* go and dine; ~ *halen* go and fetch; *je zult ervan* ~ *houden ('t* ~ *haten)* you'll come to love (to hate) it; *men is ze* ~ *vieren als feestdagen* they have come to be observed as holidays; *ga je klaar maken* go and get ready; *het gaat regenen* it is going to rain; ~ *roeien* go (out) rowing, go for a row; ~ *trouwen* get married [she is getting married at Christmas]; ~ *vissen* go (out) fishing; ~ *wandelen* go for a walk; *ga je wassen* go and wash; *ga het zoeken* go and find it; *zie verder* doorgaan, gerucht, heen, hoe, liggen, slapen, enz.

gaande[1] going; on foot [peace talks are on foot, there is a movement on foot to ...]; afoot [something evil is ...]; *(her).* passant; *de* ~ *en komende man* comers and goers; *er is een oorlog* ~ there's a war on; *wat is er* ~*?* what is the matter (what is up, going on)?; *daar is iets* ~ there is s.t. the matter (s.t. on, s.t. in the wind); ~ *houden* keep [the pumps, etc.] g., keep [the conversation] alive; *de aandacht* ~ *h.* hold (engage) the attention, keep the interest alive;

't gesprek ~ h. keep the conversation g., keep up the conversation, keep the ball rolling; ~ *maken* set [machinery, things] g., set in motion; (*opwekken*) work up, stir [a p.'s pity], rouse, provoke [a p.'s anger]

gaanderij *zie* galerij

gaandeweg little by little, by degrees, gradually; [his work improved] as he went along

gaans: *een uur* (*een kwartiertje*) ~ an hour's (a quarter of an hour's) walk

gaap yawn; **~schelp** gaper(-shell)

gaapziekte the gapes

gaar done; (*van leer*) dressed; (*fig.*) wide-awake, [be] all there, (*sl.*) fly; (*van vermoeidh., enz.*) [feel] done (up); *goed ~ stoven, enz.* do [the meat] well; *te ~ overdone; te ~ koken* overcook; *goed ~* well(-)done; *niet ~* underdone; (*van pap, rijst*) not cooked enough; *precies ~,* (*van vlees*) done to a turn; *een gare kerel* a knowing one; *hij is niet helemaal ~* he is half-baked (half-witted, crack-brained), he is not all there; *halve gare* softy, zany

gaard(e) garden; *zie ook* gard

gaarkeuken (cheap, low-class) eating-house, cook-shop, soup-kitchen; **~houder** = **gaarkok** eating-house keeper, caterer

gaarne willingly, readily, gladly; *ik zal ~ ...,* I shall be pleased (happy) to answer any questions; *uw antwoord ~ tegemoet ziende* ... looking forward to (receiving) your reply (to hearing from you) ...; *zie verder* graag *bw.*

gaas gauze, [mosquito] netting; (*kippe-*) wire netting; *fijn* (*metaal*)~ small-mesh wire-netting; **~achtig** gauzy; **~doek** cambric; **~je** *a*) square of g.; *b*) = **~vlieg** lace-wing(ed) fly

gaatje (little) hole; (*in fluit, enz.*) ventage, (*finger-*)hole; (*merk van dier*) punch-mark [in the right ear]; *zie* gat *en* hoekje

gaatjesstoel cane chair

gaatsteen air-brick

gabardine gaberdine

Gabriël Gabriel

gade husband; wife; (*m & v*) consort, spouse; ~ *en kroost* wife and family

gader: *te ~* together; **~en** *zie* garen 1

gadeslaan watch, observe, regard

gading: *ieder vindt hier zijn ~* everyone will find s.t. to his taste here; *dat is niet van mijn ~* it doesn't suit me (my requirements), that won't serve me (my turn), that is not in my line; *is er iets van uw ~ bij?* is there anything you fancy?; *alles is van zijn ~* nothing comes amiss to him, all is fish that comes to his net; *zie* alleman

gaf *o.v.t. van* geven

gaffel (*2-tandige vork*) two-pronged fork; (*hooivork*) pitch-fork; (*algem.*) fork; (*mar.*) gaff; (*van Neptunus*) trident; **~been** *zie* vorkbeen; **~bok, ~er** prong-buck; **~dissel** (pair of) shafts; **~schoener** fore and aft schooner; **~vormig** forked; **~zeil** boom sail, trysail

gage salary; (*van scheepsvolk*) pay

gagel (*plant*) gale, bog-myrtle

gaggelen gaggle

gaillarde galliard

gajes rabble

gal 1 bile, gall; *de ~ loopt hem over* his blood is up; *de ~ doen overlopen* stir up a p.'s bile; *zijn pen in ~ dopen* dip one's pen in gall; *zijn ~ uitspuwen* vent one's spleen (gall), spit one's venom [*over iem.* on a p.]; 2 (*bij paard, enz.*) (wind-)gall; 3 *zie* ~noot

gala *a*) (*feest*) id.; *b*) *zie* ~kleding; *in ~* in (full) gala, in full dress, in state; **~avond** g. night; **~bal** dress-, state-ball

galachtig bilious; (*fig. ook*) choleric, **~heid** biliousness; (*fig. ook*) choler, spleen

gala: ~dag gala day; **~degen** dress-sword; **~diner** state dinner (*of:* banquet)

galafscheiding secretion of bile

galakleding gala dress, full dress, robes of state, (full) state dress

galant *bn.* gallant; *zn.* intended, fiancé

galanterie gallantry; **~ën** fancy-goods, -articles; **~kraam** stall for fancy-goods; **~winkel** fancy-goods shop

galantine id.

galappel oak-apple, gall-nut

Galaten Galatians

Galatië Galatia; **~r** Galatian

galavoorstelling gala (state) performance

gal: ~beker *zie* lijdensbeker; **~bitter** (as) bitter as gall; **~blaas** gall-bladder; **~buis** *zie* ~gang

galei galley (*ook: zetplankje*); *tot de ~en veroordelen* send to the galleys; **~boef, ~slaaf** galley-slave; **~proef** g. proof, slip proof; **~straf** (forced labour in) the galleys

galerij gallery (*ook mil. & van mijn*); (*Ind. ook*) veranda(h); **~flats** galleried flats

galg gallows, gallows-tree, gibbet; (*mv.: bretels*) braces; *rijp voor de ~* ripe for the g.; *de ~ ziet hem uit de ogen* he has a gallows face, a hanging look; *aan de ~ sterven* (*helpen*) die on (bring to) the g.; *daar staat de ~ op* it is a hanging affair; *hij groeit op voor ~ en rad* he will end on the g.; *zie* boter

galgang gall-duct, -pipe, biliary duct

galge: ~aas gallows-bird; **~brok** gallows-bird; **~humor** grim (sardonic, gallows) humour; **~maal** last meal, farewell dinner; **~strop** *zie* ~brok; **~tronie** gallows-face, hang-dog look; **~veld** place of execution

Galicië Galicia; **~r, Galicisch** Galician

galigaan (*plant*) galingale

Galilea Galilee; **Galileeër, Galilees** Galilean

galinsekt gall insect

galjoen galleon; **~beeld** figure-head

galjoot galliot

galkanaal *zie* galgang; **galkoorts** bilious fever

gallen 1 (*ververij*) gall; 2 *een vis ~* take the gall-bladder out of a fish

gallicisme gallicism; **Gallië(r)** Gaul

gallig(heid) *zie* galachtig(heid)

Gallisch Gallic, Gaulish; *de ~e haan* the Gallic cock

gallofiel Gallophil(e); **gallomaan** Gallomaniac; **gallomanie** Gallomania

galm boom, (booming) sound, echo (*in kerk*); **~bord** sound(ing)-board, (*in kerktoren*) louver-board

galmei calamine

galmen sound, resound, (re-)echo; (*van persoon*) bawl; **galmgat** sound-hole, (*in kerktoren*) louver-hole

galmug gall-fly; **galnoot** gall-nut, oak-apple; **galnotezuur** gallic acid

galon lace, braid, galloon; **~neren** (trim with) lace [laced coat], braid

galop gallop; (*voor genoegen ook*) scamper; (*dans*) galop; *korte* ~ canter; *in* ~ at a g.; *in volle* ~ (at) full g.; *in korte* ~ at (in) a canter; *het paard in* ~ *brengen* (*zetten*) put the horse into a g.; **~pade** gallopade; **~peren** gallop; (*van dansers*) galop; *laten* – gallop [a horse]; *gaan* – strike into a gallop

galsteen gall-stone, bile-stone

galsterig rancid; **~heid** rancidity

galvanisch galvanic; **galvaniseren** galvanize (*ook fig.*); **galvanisme** galvanism

galvano electrotype; **~meter** id.; **~plastiek** galvanoplasty, electrotyping; (*voorwerp*) electrotype

gal: **~weg** *zie* ~gang; **~wesp** gall-wasp; **~ziek** bilious; **~ziekte**, **~zucht** bilious complaint; **~zuur** glycocholic (*of:* taurocholic) acid

gambiet (*schaakspel*) gambit

gambir gambier

gameet gamete

gamel (*mil., mar.*) mess-tin

gamelan (*Ind.*) gam(e)lan

gamma 1 (*letter*) id.; 2 (*toonladder*) gamut, scale; **~straal** gamma ray; **~straling** gamma radiation; **~-uiltje** gamma, Y-moth; **~wetenschappen** social sciences

gammel crazy, shaky, ramshackle

gander id.

1 gang (*van huis, enz. & onderaards*) passage; (*van gravend dier*) tunnel; (*van gebouw en trein*) corridor; (*vestibule*) hall; (*aan boord*) alleyway, companion-way; (*scheepsbouw*) strake; (*steeg*) alley; (*in mijn*) gallery, level; (*anat.*) duct, canal

2 gang (*wijze van lopen*) walk, gait; (*snelheid, vaart*) pace, speed; (*schermen*) pass; (*verloop van ziekte, enz.*) course; (*mar.*) tack (*zie ook* 1); (*gerecht*) course; ~ *van zaken* course of things (*handel:* of business); *de gewone* ~ *van z.* the usual course (of events), the u. procedure, [vary] the routine; **~en**, (*handelingen*) movements [no news could be obtained of his ...]; ~ *der gesprekken* trend of conversation; *zijn laatste* ~ *doen* go to one's death; *iem. op zijn laatste* ~ *begeleiden* follow a p. to the grave; *er zit* ~ *in hem* he is full of go; *er zit geen* ~ *in* there is no go in it; *zijn eigen* ~ **gaan** go one's own way, take one's own line, follow one's own devices, live (*of:* lead) one's own life (in one's own way), suit oneself; *ga uw* ~! do as you please, have it your own way, you are welcome! (*tartend*) do your worst! (*na u!*) after you!; (*gew.: gaat ...*) (*van winkelier die klant uitlaat*) thank you; *ga gerust uw* ~, *ook:*

carry on, don't mind me; *ze ging zo rustig haar* ~ she went on her way so quietly; *alles gaat zijn gewone* ~ things are going on as usual (life continues normally); *iem. zijn* ~ **laten** gaan let a p. have his way, give him his head, give him a free run, let him follow his bent; *laat hem zijn* ~ *gaan, ook:* let him (be); *hij laat de zaken hun* ~ *gaan* he lets things take their course; ~ **hebben** (*mar.*) have way on; *de stoomboot had niet genoeg* ~ *meer* had not sufficient way left on her; *een goede* ~ *hebben*, (*van paard*) have good action; *hij* **maakte** ~ *bij het einde van de weg* he put on a spurt at the end of the road; *iems.* **~en** *nagaan* watch a p.'s movements, dog a p.; *iems.* **~en** *laten nagaan* have a p. watched, set a watch on a p.; *ik wil u die* ~ *sparen* I will spare you that journey; *zich een* ~ *sparen*, (*fam.*) save shoe-leather; [1] *aan de* ~ *blijven* keep going (moving); *aan de* ~ *brengen* set (get) [a watch] going, start (up) [an engine], touch off [a conflagration]; '*t* (*de zaak*) *aan de* ~ *br.* start the ball rolling; *weer aan de* ~ *br.* re-start [the wheels of industry]; *iem. aan de* ~ *br.*, (*lachen, enz.*) set a p. off (laughing, etc.); *aan de* ~ *gaan* set to work; *aan de* ~ *helpen* start a p. [in business, in life], set a p. up in business, give a p. a start in life; *iem. weer aan de* ~ *helpen* set a p. on his legs again; *de zaak aan de* ~ *houden* keep things going, keep the ball rolling; *het gesprek aan de* ~ *houden* keep the conversation alive; *de winkel* (*dienst, enz.*) *aan de* ~ *houden* keep the shop (service, etc.) running; *hij wou aan de* ~ *komen* he wanted to get his hand in, wanted to get a start in life; *ik kon niet aan de* ~ *komen* I could not get going; *ik kon de motor niet aan de* ~ *krijgen* I could not get the engine started; *de motor aan de* ~ *laten* leave the engine running; *aan de* ~ *maken, zie:* aan de ~ brengen; *de pomp aan de* ~ *maken* fetch the pump, set the pump going; *toen raakte* '*t aan de* ~, (*nl. de ruzie*) then it got going; *aan de* ~ *zijn*, (*van pers.*) be at work; (*van vergadering*) be on; (*van motor*) be running; (*van campagne, verhaal, enz.*) be under way; *onderhandelingen zijn aan de* ~ negotiations are in progress; ... *is nog maar ... aan de* ~ the football season is only a week old; *de kerk is al* (*nog*) *aan de* ~ church has already begun (is not yet over); *de voorstelling is al aan de* ~ the performance is now on; *ze zijn weer aan de* ~ *geweest* they have been going it (have been at it) again; *wat er in Genève aan de* ~ *is* what is going on at G.; *er* ~ *achter zetten* push things on, push on with it; *alles is in volle* ~ everything is in full swing (in full blast); '*t seizoen was in volle* ~ was at its height; *de fabriek is weer op* ~ is in working-order again; (*goed*) *op* ~ [things are] (well) under way; *op* ~ *komen* get under way; *zie ook:* aan de ~; *kwalijk ter* ~ *zijn* move (walk) with difficulty

gangbaar current [coin, words, article], sal(e)able [article]; ~ *zijn* pass c.; *nog* ~ [the tickets are] still available; *niet meer* ~ out of date; ~**heid** currency

gangboord gangway; **Ganges** id.

gangetje 1 (narrow) passage-way; 2 jog-trot; *'t gaat zo'n* ~ things are jogging on pretty well (not too well); *'t gewone* ~ *volgen* go on in the old way, continue on the old lines

gang: ~**gesteente** gangue; ~**kleedje** corridor-rug; ~**klok** hall-clock; ~**lamp** hall-lamp; ~**loper** passage-, corridor-carpet; ~**maken** pace; ~**maker** p.-maker; ~**making** p.-making; *met* ~ paced; *zonder* - unpaced; ~**mat** hall-, corridor-mat; ~**pad** footh-path; (*tussen stoelen, enz.*) gangway; (*in kerk*) aisle

gangreen gangrene

gang: ~**spil** capstan; ~**steen** (*mijnb.*) gangue

gangster id., gun-man

gang: ~**werk** driving-gear; ~**wissel** gear change, gear box, changing gear

gannef swindler; (*scherts.*) (little) rascal (rogue); **ganneven** *zie* gappen

1 gans goose (*ook fig.*); *zie* wild; *Moeder de* ~ Mother Goose; *als de ganzen achter elkaar, zie* ganzenorde

2 gans I *bn.* whole [the ... week, etc.], all, entire; *zie verder* geheel & hart; II *bw.* wholly, entirely; absolutely; ~ *niet mooi* by no means (not at all) pretty; ~**elijk** *zie* ~ *bw.*

gansje little goose (*ook fig.*), gosling

Ganymedes Ganymede

ganze- goose: ~**bek** g.-bill; ~**bloem** ox-eye (daisy); ~**bout** leg (*of:* wing) of a g.; ~**ëi** g.-egg; ~**jacht** goose-shooting; ~**kuiken** gosling; ~**leverpastei** g.-liver paste, pâté de foie (gras)

ganzen- goose: ~**bord** (royal) game of g.; ~**borden** play the game of g.; ~**hagel** goose-shot; ~**hoed(st)er** goose-herd, *v ook:* g.-girl; (*in de*) ~**mars, ~orde** (in) single (*of:* Indian) file; ~**roer** fowling-piece, shot-gun; ~**spel** *zie* ~bord

ganze: ~**pen** goose-quill; ~**rik** *a*) gander; *b*) cinquefoil; ~**voet** (*plant*) goose-foot, pigweed; ~**wijn** Adam's ale

gapen (*geeuwen & van afgrond*) yawn; (*opzettelijk & van mond, wond, enz.*) gape; (*dom verbaasd kijken*) gape; ~*de afgrond* yawning abyss; ~*de wond* gaping wound; *tegen een oven* ~ *a*) yawn one's head off; *b*) attempt impossibilities; *tegen die oven kan ik niet* ~ they are (it is) too much for me

gaper yawner, gaper; (*dierk.*) clam; ~**ig** yawny

gaping gap, hiatus, lacuna (*mv.:* lacunae); *een* ~ *aanvullen* fill up a blank (*of:* gap)

gappen pinch, bag, filch, pilfer, collar, sneak; (*sl.*) scrounge; **-er** pilferer

garage id.; *in de* ~ *stallen* garage [the car]; ~**houder** garagist, g.-keeper, -proprietor

garanderen guarantee, warrant; *gegarandeerd krimpvrij* warranted not to shrink

garant guarantee, guarantor; *z.* ~ *stellen voor* guarantee, warrant, vouch for, stand surety for

garantie guarantee, guaranty, warranty, security; ~ *stellen* give a g.; *een* ~ *opheffen* revoke a g.; *met* ~ guaranteed, warranted; ~**bewijs**

guarantee, warranty; ~**fonds** g.-fund; ~**provisie** g.-commission; ~**syndicaat** underwriting syndicate; *lid daarvan* underwriter; (*onderling*) ~**verdrag** pact of mutual g.

gard rod

garde guard(s); *koninklijke* ~ Royal Guards, Household Troops

garde-meuble furniture repository

gardenia id.

garde-officier officer of the Guards, guardsman; **garderegiment** Guards regiment

garderobe wardrobe; (*in schouwb., station, enz.*) cloak-room; (*voor bagage, ook*): left luggage office; ~**juffrouw** cloak-room attendant

gardiaan guardian

gareel collar, harness; (*van paard*) horse-collar; *in 't* ~ in harness; *in iems.* ~ *draven* follow a p. blindfold; *altijd in 't* ~ *lopen* be always in harness; *zij lopen in 't zelfde* ~ they are yoked together; *in 't* ~ *slaan* harness, put to; *iem. in 't* ~ *spannen* set a p. to work; *ben de hele dag in 't* ~ *geweest* had my nose to the grindstone all day

1 garen *ww.* gather, collect

2 garen *zn. & bn.* thread, yarn; (*naaigaren*) cotton; ~ *en band* haberdashery, smallware(s); *getwijnd* ~ twine; *wollen* ~ woollen yarn, wool [a ball of ...]; *iem. in zijn* ~ *krijgen* ensnare a p.; ~ *handschoenen* (*kousen*) thread (yarn, lisle) gloves (stockings); *zie* spinnen; ~**(-en-band)winkel** haberdasher's (shop), smallware shop; ~**haspel** yarn-reel; ~**klos** sewing-thread reel; ~**twijnder, -ster** thread-twister; ~**winkel** *zie bov.*

garf sheaf; *in garven binden, zie* garven

garnaal shrimp; (*steur*~) prawn; *garnalen vangen* shrimp, prawn; *hij heeft een geheugen als een* ~ his memory is like a sieve

garnalen: ~**broodje** shrimp roll; ~**pasteitje** shrimp-patty, -pie; ~**vangst** shrimping, prawning (*zie* garnaal); ~**visser** shrimper (*ook de boot*) prawner

garneerband trim band

garneren trim [a garment, a dish], garnish [a dish]; **garnering, garneersel** trimming; (*mar.*) dunnage

garnituur 1 (*van kleed*) trimming; (*van schotel*) trimmings, garniture; 2 set of jewels; 3 choice, [second] rate

garnizoen garrison; ~ *leggen in een plaats* garrison a place; *in* ~ *liggen te* ... be in g. at ..., be garrisoned at ...; *zie* parade; ~**scommandant** garrison commander; ~**sdienst** g.-duty; ~**splaats** g.-town

garstig rancid; ~**heid** rancidity

garven sheave, sheaf, bind into sheaves

gas gas; *er is geen* ~ *in 't huis* g. is not laid on in the house; *door* ~ *verlicht* g.-lit; *door* ~ *bedwelmen* (*doden*) gas; *door* ~ *verdrijven* gas out; ~ *geven* (*auto*) open (out, up) the throttle, (*oorspr. Am.*) step on the g.; *meer* ~ *geven* give more g., open out the engine; *minder* ~ *geven*, ~ *afnemen* throttle down (*of:* back); *vol* ~ *geven* give full throttle; *met vol* (*half*) ~ *lopen* run at full (half) throttle; *zie* koken; ~**aanleg** *a*) laying on of g.; *b*) g.-fittings; ~**aansteker** g.-lighter; ~**aanvoer** g.-supply; ~**achtig** gaseous; ~**afsluiter** obturator; ~**afsluiting** obturation; ~**arm** g.-bracket; ~**bedrijf** g.-industry; [local] g. board, g. works; ~**bel** gas pocket; ~**beton** aerated (cellular) concrete; ~**brander** g.-burner; ~**buis** *zie* ~**pijp**

Gascogne Gascony; ~**r** Gascon

gascokes gas-coke

gasconnade gasconade

gas: ~**dampen** gas-fumes; ~**dicht** g.-tight; ~**druk** g.-pressure; ~**exercitie** g.-drill; ~**fabriek** g.-works; *de –, (bestuur, enz.)* the g. board; *man van de – (g.-man*; ~**fitter** g.-fitter; ~**fornuis** g.-cooker; ~**geiser** gas water heater; ~**gloeilicht** incandescent g.-light; ~**haard** g.-fire; ~**houder** g.-holder, gasometer; ~**kachel** g.-stove, g.-fire, g.-heater; ~**kamer** (*van ontsmettingsinrichting*) fumigator; (*voor verstikking*) lethal chamber; ~**kastje** gas-meter cupboard; ~**kolen** g.-coal; ~**komfoor** g.-ring, -cooker; ~**kousje** g.-mantle; ~**kraan** g.-tap; *de – stond (geheel) open* the gas was turned (full) on; ~**lamp** g.-lamp; ~**lantaarn** g.-light, -lamp; ~**leiding** (*hoofdleiding*) g.-main; (*in huis*) g.-pipes; ~**lek** escape of g., g.-leak(age); ~**licht** g.-light; ~**masker** g.-mask; ~**meter** gas-meter; ~**motor** g.-engine; ~**munt** gas token; ~**olie** diesel oil; ~**ontladingslamp** vapour discharge lamp; ~**oven** g.-oven; (*in dierenasiel*) lethal chamber; ~**pedaal** accelerator (pedal)

gaspeldoorn furze, gorse; (*inz. Sc.*) whin

gas: ~**pijp** gas-pipe; (*hoofdbuis*) g.-main; (*tussen straat en huis*) service pipe; ~**pit** g.-jet; (*~arm*) g.-bracket; ~**prop** air-lock; ~**sen** *ww.* fumigate [ships]; ~**slang** g.-tube; ~**stel** *zie* ~**komfoor**

gast guest (*ook parasiet*), visitor (*beide ook van hotel*); (*theat.*) g.-actor, -actress; (*ere~*) guest of honour; ~**en** (*sp.*) visitors, visiting team; *slimme ~* sly dog; *vrolijke ~* jolly fellow; *wakkere ~* lusty fellow; *iems. ~ (bij iem. te ~) zijn* be a p.'s g.; *te ~ gaan, (smullen)* do o.s. well; *te ~ gaan aan* feast upon; *zie* ongenood; ~**arbeider** foreign worker, (im)migrant worker; ~**s** f. labour; ~**dirigent** g.-conductor; ~**docent** visiting (guest) lecturer

gasteer gas-tar, coal-tar

gastenboek visitors' book; (*van hotel*) hotel register

gasteren be starring

gastereren feast, banquet

gastheer host; *de gulle ~* the giver of the feast; (*van parasiet*) host, (*plant ook*) h.-plant; (*mv. sp.*) home club, home team

gasthoogleraar visiting professor

gasthuis hospital; (*voor oude lieden*) home (for the aged and infirm); ~**meester**, ~**vader** superintendent of a h.; ~**moeder** matron of a h.

gastland host country; **gastlidmaatschap** special membership

gastmaal feast, banquet, entertainment

gastoestel gas appliance; *zie ook* gaskomfoor

gastoevoer gas-supply

gast: ~**recht** right of hospitality; ~**reis** starring-tour; ~**reren** *zie* gastereren

gastrisch gastric; ~**e koorts** g. fever

gastrol star-part; *de ~ vervullen* star

gastronomie gastronomy, **-nomisch** gastronomical; **-noom** gastronome

gasturbine gas-turbine

gast: ~**voorstelling** guest-performance, g.-production; *–en geven* star; ~**vrij** hospitable; ~**vrijheid** hospitality; *– verlenen* give (extend) hospitality; *dank voor uw –* thank you for having me; ~**vrouw** hostess

gas: ~**verdichter** gas-condensor; ~**vergiftiging** [death by] g.-poisoning; ~**verlichting** g.-lighting; ~**verwarming** g.-heating; ~**vlam** g.-flame, g.-jet; ~**vormig** gasiform, gaseous; ~**vorming** gasification; ~**vrij** g.-proof [shelter]; ~**zinker** underwater g.-main

gat hole, opening, gap; (*in dijk ook*) breach; (*achterste*) bottom, b.t.m.; (*fam.*) backside; (*plat*) arse; *vgl.* kont; (*in weg*) (pot-)hole, (*door water, ook*) wash-out; (*zee~*) *zie* aldaar; (*krot*) hole; (*dorpje, enz.*) (dog-)hole, wretched (rotten) hole of a place; *... heeft een ~ ...* the steamer has a hole below the water-line; *hij heeft een ~ in zijn hand* he spends money like water; *een ~ eten in* make a h. in [the pudding]; *een heel ~ maken in* [tobacco and beer] make a big h. in [his income]; *een ~ (gaten) maken in* hole [the wall]; *een ~ in de dag slapen* sleep far into the day; ~**en boren in een schip** scuttle (*of:* hole) a ship; *zijn schoenen, enz. zitten vol ~en* his shoes, etc. are in holes (full of holes); *hij heeft ~en in de kousen (mouwen)* he is out at heels (elbows); ~**en krijgen**, (*van kous, enz.*) wear (go) into holes; *hij kreeg een ~ in z'n hoofd* he broke his head; *iem. 'n ~ in 't hoofd slaan* break a p.'s head; *de storm sloeg ~en in de dijken* breached the dikes; *hij sloeg een ~ in de lucht* it took away his breath, he jumped out of his skin; *een ~ stoppen* stop a gap (*ook fig.*); *een ~ maken om een ander te stoppen* rob Peter to pay Paul; *iem. 't ~ van de deur wijzen* show a p. the door; *daar is 't ~ van de deur!* there's the door!; *ik zie er geen ~ in* I am up against a blank (brick, stone) wall, I don't see a way out (of the difficulty); *voor elk ~ een spijker weten* have a nail for every h.; *hij is voor niet één ~ te vangen* he knows more than one trick; has more than one string to his bow; *hij heeft het in de ~en* he has noticed it, (*fam.*) has twigged it; *ik had hem gauw in de ~en* I had soon found him out, had soon sized (summed) him up; *houd hem in de ~en!* keep your eye on him! watch him! (*zo ook:* he wants watching), don't trust him out of your sight!; *in de ~en krijgen* get sight of, spot, twig [a p., s.t.]; get wind of [s.t.]; *in de ~en lopen* attract notice; *het begint in de ~en te lopen dat hij ...* people are getting wise that he ...; *met ~en* holey [socks, etc.], [coat] in holes; ~**en** *ww.* hole, perforate; ~**plant** monstera; ~**likker** lickspittle, toady; ~**likkerij** toadyism

gaufreertang goffering-tongs
gaufreren goffer
gauw I bn. quick, swift; *hij was me te ~ af* was too quick (was one too many) for me; **II** bw. ...ly, [suspect a p. too] readily; (*spoedig*) soon, before long; easily [he is not ... satisfied, laugh ...]; *~ wat!* be quick! look sharp! look alive!; *ik kom ~ terug* I'll be back soon, I shall not be long; *dat geeft ~ een gevoel van teleurstelling* that tends (is apt) to give ...; *hij zal hier zo ~ niet weer komen* he won't come here again in a hurry; *hij wist zo ~ niet wat hij zou zeggen* he did not know what to say on the spur of the moment; *hij vergeeft niet ~* he is slow to forgive; *ik pieker niet ~* I don't brood easily; *dat is ~er gezegd dan gedaan* that's easier said than done; **~dief** pickpocket; **~dieverij** pickpocketing, thievery; **~erd** sharp fellow; **~igheid** quickness, swiftness; (*handigheid*) knack; *in de –* in a hurry, hurriedly; *in de – vergat hij zijn portefeuille* in the rush; *hij nam in de – een bad* he took a hurried bath; *zie* gauw

gave gift (*ook fig.:* have the ... of poetry), donation; bounty [the ...ies of Nature]; *de ~ van 't woord hebben* have the g. of speech; *man van grote ~n* highly gifted man; *zijn ~ om de mensen voor zich in te nemen* his faculty of (gift for) ingratiating himself with people; *~n (aalmoezen) uitdelen* dispense charity

gaviaal gavial
gavotte gavotte
gazel(le) gazelle; *met ~leogen* g.-eyed
gazen gauze; **gazeus** aerated [drinks]
gazon lawn, green, (green)sward
ge *zie* gij
geaard (*in sam.*) natured, disposed, tempered; **~heid** nature, disposition, temper
geabonneerde *zie* abonnee
geaccidenteerd (*van terrein*) broken [ground]
geacheveerd finished, perfected, sophisticated
geacht esteemed, respected; *~e Heer Dear Sir; de ~e afgevaardigde voor ...* the honourable member for ...; *mijn ~e collega,* (*rechtszaal*) my learned friend
geaderd veined [hands, leaves, marble, wood]
geadresseerde addressee; (*van goederen*) consignee
geaffecteerd affected; *zie* gemaakt 2; **~heid** affectation; **geagiteerd** agitated, flustered, fluttered, [be] in a flutter
geallieerd allied; *de G~en* the Allies; *de opmars der ~en* the A. advance
geappeld dapple-grey, dappled
gearmd arm in arm, with arms locked (*of:* linked); **gearresteerde** *zie* arrestant
geassureerde *de ~* the insured
geavanceerd advanced [ideas, etc.], sophisticated [techniques]
gebaar gesture (*ook fig.*), gesticulation; flourish [patriotism is something more than a ...]; *mooi ~,* (*fig.*) fine (graceful, handsome) g.,

beau geste; *breed ~* large g.; *met een breed ~* [he dismissed the subject] cavalierly; *gebaren maken* gesture, gesticulate
gebaard bearded
gebabbel (*onschuldig*) prattle; (*in ongunstiger bet.*) chatter, tittle-tattle, gossip
gebak pastry, cake(s); **~deeg** paste; **~je** pastry (*ook = -s*), tart(let), (fancy) (cake
gebakkelei tussle, scuffle, scrap; (*sl.*) slogging
gebakschaal cake-dish
gebalk bray(ing)
gebaren: **~kunst** mimic art; **~spel** *a*) gestures, gesticulation; *b*) mime, dumb-show; **~taal** sign, gesture-language
gebas bay(ing)
gebazel empty talk, waffle, (*fam.*) hot air
gebbetje (*fam.*) joke, lark
gebed prayer; (*voor & na maaltijd*) grace; *'t ~ des Heren* the Lord's prayer; *een ~ doen* say a prayer; *zijn ~(en) doen* say one's prayers; *in ~ zijn* be at one's prayers (*of:* devotions); *zie* gedachtig
gebedenboek prayer-book
gebeds: **~genezer** faith healer; **~riem** phylactery; **~verhoring** answer to prayer
gebeente bones (*ook stoff. overschot*); *wee je ~!* [you'll do it right, or] I'll know the reason (why)!; *de ondeugd zit hem in 't ~* he is a rogue in grain; *verkleumd tot op 't ~* chilled to the bone
gebeft with bands, banded
gebeier chiming, ringing
gebekt beaked; *ze is goed ~* she has the gift of the gab, she has her tongue well oiled; *hij is erop ~* he is keen on it; *zie* vogeltje
gebel ringing
gebelgd incensed, offended [*over iets* at s.t.], huffish, huffy; *~ zijn over, ook:* resent; **~heid** resentment [*over* at], pique
gebergte chain of mountains, mountain range; **~vorming** mountain-building; *zie verder* berggebeten bit(ten); *~ zijn op* have a grudge (a spite) against, owe [a p.] a grudge; *zie* hond
gebeteren: *ik kan het niet ~* I cannot help it
gebeurde: *'t ~* what has (had) happened
gebeuren happen, chance, come about, come to pass, occur; (*lit.*) befall; *'t moet ~* it has to be done; *wat gebeurd is, is gebeurd* what is done, is done; *it is no use crying over spilt milk; zo iets gebeurt meer* such things will h.; *hij zei, 't zou niet ~* he put his foot down; *het zal niet weer ~,* (*als excuus*) it shall not h. again; *dat zal me niet meer ~* you won't catch me at it again; *zal het weldra ~?* is it to come about (*of:* off) soon?; *wat is er met u gebeurd?* what has happened to you?; *voor hij wist wat er met hem gebeurde* before he knew where he was; *ik zal wel zorgen dat er niets met haar gebeurt* I will keep her out of harm's way; *en wat zal er vandaag ~?* and what's the programme for to-day? what's on (for) to-day?; *er gebeurt hier niets* nothing ever happens here; *er is niet*

veel *gebeurd* there have been hardly any developments; *[de dag ging voorbij] zonder dat er iets gebeurde* uneventfully; *wat er ook gebeure* whatever may h., happen (*of:* come) what may (come); *als er eens iets mocht* ~ just in case; *wat zij zegt, gebeurt* what she says goes; *zie* best III

gebeurlijk possible; *dat zijn ~e dingen* such things are possible; **~heid** contingency, possibility, eventuality

gebeurtenis event, occurrence; *blijde ~*, (*ook van bevalling*) happy e.; *een nationale ~* a national occasion; '*t is een hele ~* it is quite an e.; *de jongste ~sen* recent happenings; *de loop der ~sen afwachten* watch events, wait and see

gebeuzel trifling, toying, fiddle-faddle

gebied territory [of a state], dominion; area [the flooded ...]; belt [corn-belt, cotton-belt, etc.]; (*rechts-*) jurisdiction; (*fig.*) domain [the ... of trade], territory, province, field, department, sphere; *~ der letteren* domain (*of:* republic) of letters; *op Frans ~* in (on) French t., on Fr. soil; *op dit ~ is hij zonder weerga* in this field (domain) he is unrivalled; *deskundige op het ~ van ...* expert on ...; *vooraanstaande personen op ieder ~* in every walk of life; *op verstandelijk ~* in the sphere of the intellect; *vragen op belasting~* income tax queries; '*t ~ voeren* be in authority, have authority [*over* over]; *dat behoort niet tot mijn ~* that is outside my province, is out of (beyond) my sphere

gebieden order, command, direct; *stilte ~ o.* (*of:* call for) silence; *wat uw plicht gebiedt* what your duty dictates; *de grootste voorzichtigheid blijft geboden* the greatest caution should be exercised; *de waarheid gebiedt te zeggen ...* the honest truth must be told ...; I am in all honesty compelled to say ...; *zie* liefde

gebiedend commanding (peremptory) [tone], imperative [tone, necessity, etc.], compelling [look, tone], vital [necessity]; (*vooral van pers.*) imperious; *... is een ~e eis* is imperative; *~e wijs* imperative (mood); *~ noodzakelijk* imperative, essential; **~erwijs** imperiously, authoritatively; **gebieder** ruler, lord, master; **gebiedsdeel** territory

gebint cross-beams

gebit set of teeth [a good ...], teeth; (*van toom*) bit; *zie* kunst~

gebitketting curb

geblaard blistered; **geblaas** blowing; (*van kat*) spitting; **geblaat** bleating; **gebladerte** foliage, leaves; **geblaf** barking, bark

geblaseerd blasé, surfeited (cloyed) with pleasure(s), jaded [taste, palate]; **~heid** satiety

gebloemd flowered [dress, silk, etc.]

geblok swotting, plodding

geblokt chequered, check [cloth]

gebluf boasting, brag(ging), tall talk

gebocheld hunch-, hump-backed; **~e** hunchback, hump-back

gebod order, command, injunction; (*goddelijk*) commandment; *de tien ~en* the ten commandments, the decalogue; *de ~en aflezen* (*stuiten*) proclaim (forbid) the banns; *zij staan onder de ~en*, (*kerk.*) they have been asked in church, they have had their banns published, (*burg. stand*) notice of their marriage has been given; **~sbord** mandatory sign

geboefte riff-raff, rabble

gebogen bent (crooked) [stick], bowed [figure], arched [nose], curved [blade, mirror]

gebom(bam) booming, ding-dong

gebonden (*niet vrij*) tied; (*van boek*) bound (*in leer, ook:* leather-bound); (*van saus, enz.*) thick; (*van warmte*) latent; (*van stijl*) poetic; *~ zijn,* (*fig.*) be committed (to s.t., to do s.t.); *aan handen en voeten ~* bound hand and foot; *aan tijd ~* tied for time; *zie* binden; **~heid** lack of freedom; thickness; latency; *vrijheid in ~* freedom in restraint

gebons banging, thumping; *zie* bonzen

geboomte trees, timber

geboorte birth; (*van gewelf*) skew-back; *bij de ~* at b.; *ze stierf bij de ~ van een zoon* she died in giving birth to a son; (*van*) voor de ~, antenatal, prenatal [care]; (*van*) na de ~ post-natal; *een Brit van ~* a Briton by b., British-born (*zo ook:* London-, Turkish-born, etc.); *van hoge (lage) ~* of high (low) b.; *van zijn ~ af aan* [dumb] from b., from one's b. (up); *nog in de ~,* (*fig.*) zie in wording; *iets in de ~ smoren* kill a thing at b., nip a thing in the bud; **~adel** nobility by b.; **~akte** certificate of b., b.-certificate; **~dag** b.day; **~golf:** *na-oorlogse ~* post-war bulge; **~grond** native soil; **~huis** b.-place; **~jaar** year (date) of [a p.'s] b.; **~land** native country, n. land, home land

geboorten- birth: **~beperking** b.-control; **~cijfer** b.-rate; **~overschot** excess of births over deaths, natural increase in population; **~regeling** b.-control, family planning; **~register** b.-register, register of births; **~statistiek(en)** statistics of b., b.-returns

geboorte- birth-: **~plaats** b.-place; **~recht** b.-right; **~stad** native town, home town; **~uur** hour of [a p.'s] b.

geboortig: *~ uit H.* born at (in) H., a native of H.

geboren born; *een ~ dichter* a b. poet, a poet b.; *~ uit een blanke moeder* borne by (born of) a white mother; *zij is een ~ Engelse* an Englishwoman (English) by birth; *Mevrouw K., ~ H.* Mrs. K., née H. (whose maiden name was H., formerly Miss H., *fam.:* Miss H. that was); *~ Hagenaar* native of The Hague; *hij is ~ in 1900* was b. in ...; *ik ben hier ~ en getogen* I was b. and bred in this place; *hem werd een dochter ~* a daughter was b. to him; *uit dit huwelijk werd ... ~* from this marriage one child was b.; *een ~ idioot* a congenital (*of:* b.) idiot; *~ luilak* b. idler; *weder ~ worden* be b. again; *hij is ~ tot heersen* he is a b. ruler; *... moet nog ~ worden ...* is not b. yet, is still unborn

geborgenheid [sense of] security

geborneerd narrow-minded [people], narrow [views]; *zie* gezichtskring

geborrel bubbling [of water]; (*drinken*) tippling

gebouw building; (*ook fig.*) structure, edifice; (*fig.*) fabric [the social ...]; *de conciërge woont in het* ~ lives on the premises; **~encomplex** block of buildings

Gebr.: ~ *J. J.* Bros

gebraad roast (meat)

gebrabbel gibberish, jabber, gabble

gebrand burnt; *zie* branden; ~*e amandelen* roasted (burnt) almonds; ~ *glas* stained glass; ~ *paarlemoer* smoked pearl; ~ *zijn op* be keen on, be hot on, (*sterker*) be mad about

gebras feasting, revelry, debauchery

gebreid knitted; ~*e goederen* k. goods, knitwear, hosiery; *met de hand* ~ hand-k.

gebrek (*gemis*) want, lack [*aan of:* there is no lack of criticism]; (*schaarste*) shortage, shortness [*aan of*], dearth [*vooral* = ~ *aan levensmiddelen:* time of ...]; *ook:* ... of labourers, etc.]; deficiency [a ... of teachers], want, lack; (*armoede*) want, indigence; (*lichamelijk*) defect; (*fout*) failing [virtues and ...s; their greatest ... is their lack of cleanliness], fault, defect, shortcoming; (*in wet, enz.*) defect, flaw; *de* ~*en van de oude dag* the infirmities of old age; *er is* ~ *aan koper* (*aan werkkrachten, enz.*); *ook:* there is a copper (labour, etc.) famine, a famine in copper (labour, etc.); *een* ~ *aan de machine* a defect in the machine; ~ *hebben (lijden)* be in w., suffer w., starve; ~ *hebben aan* be in w. of, go short of; *groot* ~ *hebben aan* be hard up for; *aan niets* ~ *hebben* want for nothing; *de bodem heeft* ~ *aan kalk* the soil is deficient in lime; ~ *aan ruimte* h. be cramped (pinched) for room; ~ *h. aan personeel* be short-handed; *zij lijden aan alles* ~ they are short of everything, are destitute; ~ *krijgen aan* run short of; *bij* ~ *aan* for w. (for lack) of; *bij* ~ *aan bewijs* for lack of evidence; *bij* ~ *aan beter* for want of something better; *bij* ~ *daaraan* failing that; *bij* ~*e van* in default of, in the absence of, failing [an answer, a successor, etc.]; *door (uit)* ~ *aan* for lack (want) of, [fail] from lack of [goodwill]; *in* ~*e blijven* fail [*te* to], (*te verschijnen, schulden te betalen, enz.*) default; *niemand bleef in* ~*e* no one held back; *hij bleef niet in* ~*e te* ... he was not slow to ..., was not backward in [doing likewise]; *in* ~*e stellen* hold liable, put (declare) in default; *in* ~*e zijn* be in default; **~kelijk** infirm, crippled; *zie ook* **~kig** defective [eyesight, pronunciation, apparatus], insufficient (deficient) [packing], faulty [English, material, principle, expression], poor [argument, English, writing], [his] imperfect [English], vicious [style]; (*pers.*) deformed, crippled, lame; (*van ouderdom*) decrepit; –*e voordracht* halting delivery; – *Engels spreken* speak broken English; *zich – uitdrukken* express o.s. badly; *een* –*e* a cripple; **~kigheid** defectiveness, etc.

gebrild (be)spectacled; ~*e zeeëend* surf-scoter

gebroed brood (*ook fig.*); (*van vis ook*) fry; '*t jonge* ~, (*fig.*) the small fry; *vuig* ~ devil's spawn

gebroeders: *de* ~ *F.* the F. brothers, the brothers F.; (*als firma*) F. Bros

gebroedsel *zie* gebroed

gebroken broken; fractured [rib]; (*door smart*) heart-broken; ~ *Engels* b. English; ~ *getal* fractional number, fraction; ~ *dak* curb (*of:* mansard) roof; ~ *hartje*, (*plant*) bleeding heart, dicentra; *met* ~ *stem* in a b. voice, with a break in one's voice; ~ *wit* broken white, off-white

gebrom buzz(ing), murmur; (*radio*) hum; (*van hond*) growl(ing); (*van pers.*) grumbling [*over* at, about], growling [*op* at], growl; *zie* brommen; **gebronsd** bronzed [face]

gebrouilleerd: ~ *zijn* be on bad terms

gebruik use [of one's arms, legs, instruments, medicine, coffee, tobacco]; (*gewoonte*) usage, practice, custom, habit; *joodse* ~*en* Jewish observances; (*verbruik*) consumption [unfit for ...]; '*t* ~ *beslist* usage decides; *zoals* ~ *is onder* ... as is the practice among ...; ~ *maken van* make use of, use [one's authority], avail o.s. of [an offer, an opportunity] take advantage of [the occasion], exploit [a situation], utilize [the forces of nature], enlist [the services of ...], command [you may ... me], exercise [a right]; *er werd 'n druk* ~ *gem. van* ... revolvers were freely used; *een goed* ~ *van iets m.* put a thing to good u., make good u. of a thing, turn a thing to good account; *er 't juiste* ~ *van m.* put it to the right u.; *een slecht* ~ *m. van* make bad use of, put to a bad u., misuse; *slecht* (*verkeerd*) ~ misuse [of one's talents]; *buiten* ~ out of u.; *buiten* ~ *raken* go (drop) out of u., fall into disuse; *buiten* ~ *stellen* put out of u.; *buiten* ~ *gestelde begraafplaatsen* disused burial-grounds; *door 't* ~ [learn the gender of words] by practice; *in* ~ in u.; *de pier is weer in* ~ the pier is working again; *dagelijks* (*algemeen, voortdurend*) *in* ~ in daily (general, constant) u.; *in* ~ *komen* (*nemen*) come (put) into u.; *niet langer in* ~, *ook:* disused; *ten* ~*e van* for the u. of [schools, etc.]; *hij stond 't mij ten* ~*e af* he gave it for my u.; *voor dagelijks* ~, (*van kleren*) for everyday wear; *voor uitwendig* ~ for outward application; *zie* vrij

gebruikelijk usual, customary; *op de* ~*e wijze* in the u. way (manner); ~*e breuk* proper fraction; **~heid** usage

gebruiken I use [books, instruments, a p.'s name, one's time well], employ [instruments, servants], make use of, exercise [one's talents]; 2 take [food, medicine, one's meals, sugar in one's tea], drink [alcohol], have [breakfast, lunch, etc.], partake of [a nice little dinner], eat [one's dinner]; (*verbruiken*) consume; *ik kan het* (*helemaal*) *niet* (*niet meer*) ~ I have no (mortal) use (no further use) for it; *ieder, die 't kan* ~ anybody who has a use for it; *zo goed mogelijk* ~ make the most of [one's time, etc.]; *ik kan hier geen honden* ~ I have no use for dogs here; *ik kan 't nog wel eens* ~ I'll find a use for it sooner or later; *hij kan wel een extra* *portie* ~, *(aan tafel)* he can do with an extra helping; *hij kan van alles* ~ all is grist that comes to his mill, nothing comes amiss to him; *ik zou best ... kunnen* ~ I could do with a few pounds (a new coat, etc.); *kunt u ook een tuinman* ~? can you do with a gardener?; *een partij kunnen* ~, *(hand.)* have a use (be open) for a parcel; *wat* ~ have some refreshments; *wat zul je* ~? what are you going to (what will you) have? *(fam.)* what's yours? what shall it be?; *vraag mijnheer T. wat hij* ~ *zal* take Mr. T.'s order; ask Mr. T. what he is going to have; *wat zal mijnheer* ~? what can I get you, please;? *ik gebruikte gauw wat* I snatched a hasty breakfast (supper, etc.); *hij gebruikt nooit ...* he never touches drink (meat, etc.); *zie* gebruikt

gebruiker user; *(verbruiker)* consumer

gebruiks: ~**aanwijzing** directions for use; ~**goederen** consumer goods; ~**klaar** ready for use; ready-to-eat [food]; convenience [foods]; ~**voorwerp** utensil; ~**waarde** useful value

gebruikt used [cup, match]; second-hand, used [car]; spent [match-stick]; *niet meer* ~ disused [church]; *te veel* ~ overworked [word], over-used [banknotes]

gebruind sunburnt, (sun-)tanned

gebruis *a)* effervescence; *b)* seething, roaring

gebrul roaring, howling; **gebuikt** bellied

gebulder boom(ing), roar(ing)

gebulk lowing, bellowing, mooing

gecarbureerd carburetted [hydrogen]

gecharmeerd: ~ *zijn van* be (greatly) taken (be smitten) with

geclausuleerd with provisos, with conditions (strings) attached

gecommitteerde delegate; *(bij examens)* external examiner; **gecompliceerd** complicated; ~*e breuk* compound fracture

geconditioneerd: *goed* ~ in good (order and) condition, well-conditoned

geconfedereerd confederated; *de* ~*en*, *(Am. hist.)* the C... States, the Confederacy

geconfirmeerd confirmed [bank-credit]

geconsigneerd consignee

geconsolideerd consolidated [debt, stock]

geconstipeerd constipated, costive

gecorseerd full-bodied [wine]

gedaagde defendant; *(vooral bij echtscheidingsproces)* respondent

gedaan done; *(in akten, enz.)* given [this 8th day of May]; *heb je* ~? have (are) you finished (done)?; ~ *hebben met schrijven* have finished writing; *'t is met hem* ~ he is done for *(of:* finished), it's all over *(of:* up) with him; *'t is met je spelletje* ~ it's all up with your little game; *'t is (helemaal) met mijn geluk* (bij spel, enz.) ~, *'t is met de rust* ~ my luck is out; goodbye to peace and quietness!; *'t is niets* ~ it's no good (no go, *sl.:* a wash-out); *'t is niets* ~ *met hem* he is a failure; ~ *geven* give the sack, *(Am., tijdelijk)* lay off; ~ *krijgen* get the sack;

(bij werkstaking) be locked out; *hij kan alles van haar* ~ *krijgen* she will do anything for him; *ik kan niets van hem* ~ *krijgen* I have no influence over *(of:* with) him, I cannot get anything out of him *[zo:* she can get anything out of him]; *hij kreeg 't* ~ he brought it off, managed it; *gedane zaken nemen geen keer* what is done cannot be undone, it is no use crying over spilt milk; *zie* rusten

gedaante shape, figure, form; *in (onder) de* ~ *van* in the s. of; *in menselijke* ~ in human s.; *in elke* ~ *en vorm* in every s. and form; *zich in zijn ware* ~ *vertonen* show o.s. in one's true colours (character) *[zo:* this shows him in his true colours]; *van* ~ *veranderen* change one's s.; *van* ~ *(doen) verand., ook:* metamorphose; *zie ook* aanzien *zn.*; ~**verandering,** ~**verwisseling** metamorphosis *(mv.:* -ses), transformation, transfiguration

gedaas hot air, vapourings

gedachte thought *[aan of]*, idea, notion; *(herinnering)* memory; *(nadenken)* thought, reflection; *(mening)* opinion; ~*n zijn tolvrij* t. is free; *zijn* ~*n gingen terug naar ...* his mind went back (his thoughts returned) to that day; *waar zijn je* ~*n?* what are you thinking of?; *daar had ik geen* ~ *op* I did not suspect that, I had no idea of it; *ik had betere* ~*n van u* I had a better opinion of you; *haal je zulke* ~*n niet in 't hoofd* don't entertain such thoughts; *zijn* ~*n hebben bij* keep one's mind on [one's job]; *zijn* ~*n waren bij iets anders* his thoughts were elsewhere; *zijn* ~*n niet bij elkaar hebben* be absent-minded, be wool-gathering; *zijn* ~*n laten gaan over* think about, give one's mind to, give thought to, turn over in one's mind; *zijn* ~*n verzamelen* collect one's thoughts; *hij glimlachte bij de* ~ *...* he smiled to think ...; *in* ~*n, (in de geest)* [I am with you] in t., in the spirit; *(in* ~*n verzonken)* absorbed (buried, lost, wrapped) in t., deep in t., preoccupied, *(fam.)* in a brown study; *met ... in* ~ with this idea in mind; *houd dat in* ~ bear that in mind, remember that; *'t kwam hem in de* ~ *dat ...* it occurred to him that ...; *naar alle* ~*n* in all probability [he'll come]; *dat heeft me op de* ~ *gebracht* that first suggested the idea to me; *wie (wat) heeft je op die* ~ *gebracht?* who (what) put that notion into your head (made you think so?); *iem. tot andere* ~*n brengen* make a p. change his mind; *tot andere* ~*n komen* change one's mind; *iem. tot betere* ~*n brengen* bring a p. to a better frame of mind; *'t uit de* ~*n zetten* put *(of:* get) it from *(of:* out of) one's mind; *zie* afzetten *(van zich ...)*; *nooit uit zijn* ~*n* [it was] uppermost in his thought; *van* ~*(n) veranderen* change one's mind; *van* ~*n wisselen* exchange views; *zie ook* bepalen, hinken, idee, opkomen, enz.; ~**loos** thoughtless, unthinking, unreflecting; ~**heid** thoughtlessness; ~**ngang** train (line, trend) of t. *[ook:* the train of British t.]

gedachtenis (*abstr.*) memory, remembrance; (*concr.*) memento, souvenir, keepsake; *ter ~ van* [a statue] in m. of, to the m. of; *te zijner ~* in m. (in remembrance) of ·him; *zaliger ~* of blessed m.; *iem. iets in ~ brengen* put a p. in mind of s.t.; **~dienst** memorial service, s. of remembrance; **~kerk** memorial church; **~mis** (*r.-k.*) anniversary (requiem) mass; *maandelijkse* – month's mind; **~rede** commemoration speech

gedachten- thought: **~kring** sphere (*of:* range) of t., attitude of mind; **~lezen, -er** t.-, mind-reading, -er; **~loop** *zie* ~gang; **~overbrenging** t.-transference; **~reeks** train of thought(s); **~sprong** sudden jump in a train of thought; **~streep** dash; **~wending** turn of t.; **~wereld** range of ideas; **~wisseling** exchange (interchange) of troughts (views, ideas); **~wolkje** balloon

gedachtig mindful (of); *wees mij(ner) ~* remember me [in your prayers]

gedecideerd decided, resolute; *een ~e weigering* a flat (an uncompromising) refusal; **~heid** resolution, decision

gedecolleteerd [women] in low(-necked, -cut) dresses, décolleté(e)

gedecoreerd decorated (*ook van aardewerk*)

gedeeld (*her.*) (party) per pale; *zie* smart

gedeelte part, section, instalment; (*aandeel*) share; *een mooi ~ van Edinburgh* a pretty district (part) of E.; *~n uit een boek* excerpts from a book; *de lagere ~n der rivier* the lower reaches of ...; *voor elke volgende 2 ons of ~* ... for each additional 2 oz. or fraction (of 2 oz.); *bij ~n afbetalen* pay in (*of:* by) instalments; *de roman zal bij ~n geplaatst worden* will be inserted in instalments, will appear in serial (form); *voor 't grootste ~* for the most (the greater) p.; **~lijk** *bn.* partial [eclipse]; *ter ~e afdoening* in part-payment; *bw.* partly, in part; *– gemeubileerd* semi-furnished; *zie* deels

gedegen native [gold, silver, etc.]; *~ zink* virgin spelter; *zie* degelijk

gedegenereerd(e) degenerate

gedeisd quiet

gedekt laid [table]; secured [creditors]; (*kaartspel, enz.*) guarded; *~e kleuren* subdued colours; *~e nasaal* covered nasal; *~e r* supported r; *niet ~* unguarded; *zie verder* dekken

gedelegeerde delegate [*bij de Ver. Naties* to ...]; (*bij examen*) external examiner

gedender roar [of traffic]

gedenk: ~bladen *zie* ~boeken; **~boek** memorial volume; *mv.:* annals, records; **~boom** memorial tree; **~bundel** commemoration (memorial) volume, miscellany; **~cedel** (*bijb.*) phylactery; **~dag** anniversary

gedenken remember (*ook:* in one's last will, prayers; *ook:* r. the Sabbath-day); commemorate; *iem. in liefde ~* keep a p.'s memory green

gedenk: ~jaar jubilee-year; **~naald** obelisk; **~penning** commemoration medal; **~plaat** memorial (commemorative) tablet (plaque); **~raam** memorial window; **~rol** annals, record; **~schrift** memoir; **~spreuk** apophthegm, apho-

rism; **~steen** memorial stone (*of:* tablet); **~stuk** memorial, monument; **~tafel** *zie* ~steen; **~teken** monument, memorial; **~waardig(heid)** memorable(ness); **~heden** memorabilia; **~zuil** commemorative column

gedeponeerd: *~ handelsmerk* registered trademark; **gedeporteerde** deportee

gedeputeerde deputy, delegate; *G~ Staten, ongev.:* County Aldermen

gederangeerd deranged, not in one's right mind; **gedesequilibreerd** unbalanced

gedetailleerd *bn.* detailed; *bw.* in detail

gedetineerde (trial, remand) prisoner, detainee

gedicht poem

gedienstig obliging, attentive; *al te ~* officious, too obliging; *~e* (*geest*) servant; **~heid** obligingness; (*te grote*) officiousness

gedierte animals, beasts; (*ongedierte*) vermin; (*één dier*) animal, creature, brute

gedijen prosper, thrive, flourish [*van* on]; *~ ten koste van* batten on; *onrechtvaardig* (*kwalijk*) *verkregen goed gedijt niet* ill-gotten goods never prosper; *ten kwade ~* tend to do harm

geding lawsuit, action, case; (*fig.*) quarrel; *in 't ~ zijn* be at stake (at issue); *kort ~*, (*jur.*) short cause; *in kort ~ beslissen* settle [a case] summarily (in Chambers; *Am.:* in short order); *in kort ~ gaan* apply for immediate judgment

gediplomeerd certificated [midwife, etc.], qualified [expert, nurse, teacher], trained [nurse], registered [nurse], chartered [accountant]; *~ zijn* hold certificates

gedisponeerd disposed [*te* to]; *goed* (*slecht*) *~ in* good (bad) form; *er niet toe ~* not in the mood for it; *niet ~* indisposed

gedistilleerd spirits, strong liquor; *handelaar in wijn en ~* wine and spirit merchant

gedistingeerd refined [features], refined-looking, distingué, distinguished; *zij is niet ~* she has no style; **~heid** distinction

gedobbel dicing, gambling

gedocumenteerd documented [report]; documentary [bill *wissel;* evidence]

gedoe (*druk*) bustle; (*mal, mondain*) doings, goings-on; (*gezanik*) bother; *'t hele ~(tje)* the whole concern, the whole show

gedogen tolerate, permit, suffer, allow

gedonder (peals of) thunder; *dat ~!* confound it! deuce take it (him, etc.)!; *daar heb je 't ~* the fat is in the fire!; **~jaag** nagging, bullying; carry-on; **gedraaf** trotting (about)

gedraai turning; (*op stoel, enz.*) wriggling, fidgeting; (*fig.*) shuffling, twisting; *~d* twisted [legs of a table]; *zie* draaien

gedraal lingering, loitering, delay

gedrag (*zedelijk*) conduct; (*optreden, manieren*) behaviour, demeanour, deportment, bearing; *~ tegenover de omgeving* social behaviour; *van goed* ~ well-conducted, -behaved; *getuigschrift van goed* (*zedelijk*) *~* certificate of good character; *daar ga je met je goeie ~*, (*fam.*) that's all the thanks you get; I might have saved myself the trouble

1 gedragen: *zich ~* behave, conduct o.s.; *zich*

goed ~ behave well; (*vooral van kind*) behave (o.s.) [behave yourself! behave!]; *zich voor de gelegenheid* (*op z'n best*) ~ be on one's best behaviour; *zich goed* ~, ('*n solide leven leiden*) *ook:* run (go) straight; *zich netjes* ~ (*in gezelschap*) be on one's best behaviour; *zich slecht* ~ misbehave (o.s.); *zich beter gaan* ~ mend one's ways; *zich* ~ *naar, zie* schikken; *zich goed* (*fatsoenlijk*) ~*d* well (decently) behaved [people]

2 gedragen *bn.* lofty [style, etc.]

gedragingen *zie* gedrag

gedrags: ~**boek** conduct-book; ~**cijfer** conduct-mark [good, bad ...]; ~**lijn** line of conduct (of action, of policy), course (of action), policy; *zijn* – *bepalen* decide upon one's ...; *een zekere* – *volgen, ook:* take (adopt) a certain line (course); ~**regel** rule of conduct, maxim; *ook* = ~*lijn;* ~**wetenschappen** behavioural sciences

gedrang crowd, throng, crush, squash [what a ...!], [there was no] crowding, scramble [for seats], rush [to the exit]; *in 't* ~ *komen* get in among the crowd; (*fig.*) get into a corner (a tight place); *'t godsdienstonderwijs komt in 't* ~ religious instruction is going to suffer, it will be (go) at the expense of r. i.

gedreun drone, din, shaking, etc.; *zie 't ww.; het* ~ *van de machine* the thud of the engine

gedrocht monster, monstrosity, freak (of nature); ~**elijk** monstrous, misshapen; ~**elijkheid** monstrosity (*ook concr.*)

gedrongen: ~ *gestalte* thick-set (squat, stocky) figure; ~ *stijl* terse style; *we zaten nogal* ~ it was rather a squeeze; *zich* ~ *voelen te* ... feel impelled to ...; *zie* dringen; ~**heid** (*van pers.*) compact build; (*van stijl*) terseness

gedruis noise, rush, roar

gedrukt printed [book, cotton]; (*neerslachtig*) dejected, depressed, low(-spirited); (*handel*) depressed, dull; *als* ~ copperplate [writing], [it looks] like print; *het ijzer was* ~, *maar wordt williger* iron was dull, but is looking up; *ik voelde mij zeer* ~, *ook:* my feelings were at a low ebb; ~**heid** dejection, depression, dullness (*vgl.* ~)

gedruppel drip(ping)

geducht I *bn.* formidable [opponent], redoubtable; (*vero. & scherts.*) doughty [opponent]; (*enorm*) tremendous, enormous; ~ *pak slaag* sound thrashing; ~ *! wat een* (*donder*)*slag* good heavens, what a clap!; *dat maakte zijn naam* ~ that made his name feared; II *bw. zie* duchtig; ~**heid** formidableness

geduld patience, forbearance; *een ogenblik* ~! one moment, please!; ~ *hebben* (*oefenen*) have (exercise) p., be patient; *ik heb geen* ~ *meer, mijn* ~ *is op* I have come to the end of my p., my p. is at an end (is exhausted); *ik heb* (*helemaal*) *geen* ~ *meer met hem* I have lost (all) p. with him; *u moet nog wat* ~ *met hem hebben* you should be patient (bear) with him for a while yet; ~ *overwint alles* p. overcomes all

things; *zijn* ~ *raakte op* his p. was wearing thin; *hij verloor zijn* ~ he lost p.; *dat deed hem* (*helemaal*) *z'n* ~ *verliezen* that put him out of (all) p.

geduldig patient; *het papier is* ~ anything can be put on paper; ~**heid** patience, forbearance

gedupeerde [war damage] victim

gedurende (*3 weken enz. lang*) for [ill ... three weeks, ... a year], over [stay ... the week-end]; (*tijdens*) during [... his whole life, ... the night some rain fell]; ~ *het middagmaal* all through dinner; ~ *'t onderzoek* pending the inquiry

gedurfd daring [her ... dress, ...ly dressed], risky, risqué, provocative [film]

gedurig I *bn.* continual, incessant; ~(*e*) *evenredigheid* (*produkt*) continued proportion (product); II *bw.* ...ly, time and again; **geduvel** *zie* gedonder; **geduw** pushing, elbowing

gedwarrel whirl(ing)

gedwee submissive, subdued, meek, docile; ~ *worden, ook:* come (meekly) to heel; *zo* ~ *als een lam* as meek as a lamb; ~**heid** meekness, submissiveness; **gedweep** *zie* dweperij

gedwongen enforced [holiday, idleness], forced [gaiety, laugh, smile, sale, loan], compulsory [sale], constrained [manners], laboured [gaiety], strained [mirth], twisted [smile]; ~ *arbeid* forced (compulsory, conscript) labour; ~ *landing, zie* noodlanding; ~ *voeding* forcible feeding; ~ *glimlachen* smile forcedly, force a smile; *zie ook* dwang (*onder* ...); ~**heid** constraint [a feeling of ...], forcedness

geëerd honoured; *Uw* ~*e order* your valued order; *in afwachting van Uw* ~*e opdrachten* awaiting your commands

geef: *dat is te* ~ dirt-cheap; *ik zou 't niet te* ~ *willen hebben* I wouldn't have it at (even as) a gift; *soms:* I wouldn't give it house-room; *dat is ook niet te* ~*!* that's not exactly giving it away; **geefster** giver, donor

geëigend appropriate

geel I *bn.* yellow; *het gele gevaar* the y. peril; *gele koorts* y. fever; *de gele pers* the y. press; *het gele ras* the y. race; ~ *worden* turn (become) y., yellow; *de bladeren worden* ~ the leaves are turning; *zie* groen; II *zn.* yellow; (*van ei*) yolk; ~**achtig** yellowish; ~**bek** fledg(e)-ling; ~**borstje** icterine warbler; ~**bruin** yellowish brown, tan; fawn(-coloured); ~**filter** y. filter; ~**gieter** brass-founder; ~**gieterij** brass-foundry; ~**gors** y.-hammer, y.-bunting; ~**grauw** drab(bish); ~**heid** yellowness; ~**hout** y.-wood, fustic; ~**ijzersteen** y.-iron-ore; ~**koper(en)** brass; ~**sel** yellow (dye); ~**tje** (*goudstuk*) y.-boy; (*vogel, vlinder, enz.*) yellow; ~**vink** (*goudstuk*) y.-boy; ~**wit** off-white; ~**zucht(ig)** jaundice(d)

geëmailleerd enamelled; ~*e goederen* enamel ware

geëmotioneerd excited

geëmployeerde employee

geen (*bijv.*) no, not a [not a bird sang, this is not a busy street, not a minute later], not any, not [he doesn't know French; the garrison was not a hundred strong]; (*zelfst.*) not one, none, not any, ~ *van hen* (*beiden*) neither (of them); ~ *van hen* (*allen*) none (not one) of them; *ik ken* ~ *van hen* I don't know any (*van twee:* either) of them; ~ *van beide staat mij aan* I like neither; '*t is* ~ *afstand* it's no distance; *ze zou* ~ *vrouw geweest zijn, als* ... she would have been less than woman if *...*; *er was* ~ *betere* [she was a good mother]; none better; *de auto kwam, maar* ~ *Jan* the car came, but no John; *hij was* ~ *Nelson* he was no N.; *hij heet* ~ *Piet* he isn't called Peter; *dat is* ~ *Engels* (~ *voetballen, enz.*) that is not English (not football, etc.); *dat kost volstrekt* ~ *inspanning* that does not cost the least exertion; *hij is* ~ *van de sterksten* he is none of the strongest; *zie einde, enz.*

geëndosseerde endorsee
geeneens *zie* eens I (*niet* ...)
geëngageerd engaged (to be married) [*met* to]; [socially] committed
geenszins by no means, not at all, in no way, nowise, noways
geep garfish, sea-pike, sea-needle
geer gore, gusset; **Geertje** Gerty
Geertrui(da) Gertrude, (*fam.*) Trudy
1 geest (*zandgrond*) id.
2 geest (*tegenov. lichaam*) spirit; (*met betrekk. tot denken, waarnemen, willen*) mind; (*geestigheid*) wit; (*persoon*) spirit [noble ...s], mind [the greatest ...s]; (*aard, karakter*) spirit, genius [of a language, a law]; (*onstoffelijk wezen*) spirit, ghost, spectre; *de* ~ *van de tijd* the s. of the times; *boze* ~*en* evil spirits; *er heerst een goede* ~ *in de klas* happy atmosphere; (*in reisgezelschap, enz.*) friendly feeling; ~ *van verzet* s. of revolt; *een grote* ~ a master mind; *de Heilige* ~ the Holy Spirit (*of:* Ghost); *de* ~ *van de troepen* the s. of the troops; '*n nieuwe* ~ a new s.; *vliegende* ~ ammonia; ~ *van zout* spirits of salt; *opgewektheid van* ~ animal spirits, sprightliness; *tegenwoordigheid van* ~ presence of mind; *de* ~ *is wel gewillig, maar het vlees is zwak* the s. is willing, but the flesh is weak; *als de* ~ *vaardig wordt over hem, als hij de* ~ *krijgt* when the mood is on him, when the s. moves him; *de* ~ *geven* breathe one's last; (*vero.*) give up the ghost; *door de* ~ *gaan* pass through one's mind; '*t is geheel in de* ~ *van* ... it is quite in the s. of the British soldier; *hij sprak in dezelfde* ~ to the same effect, in the same strain; *haar antwoord was in dezelfde* ~ in the same vein (*of:* strain); *de meeste antwoorden waren in de* ~ *van* ... were on the lines of that given by ...; ... *of woorden in die* ~, ... or words to that effect; *de* ~ *waarin* '*t gedaan wordt* the s. in which it is done; *ik zal in de* ~ *bij u zijn* I shall be with you in (the) s.; *gehoorzamen naar de letter en naar de* ~ obey in letter and in s.; *de armen van* ~ the poor in s.; *volgens de* ~ *van de wet* according to the s. of the law; *voor de* ~ *komen* come (*plotseling:* spring, leap) to one's

mind; *haar beeld kwam hem voor de* ~ her picture rose up before him; *voor de* ~ *roepen* (*brengen*) call up before one's mind, bring (call) to mind; *weer voor de* ~ *roepen* recall [names, etc.]; '*t roept mij mijn vorig bezoek weer voor de* ~ it brings back to me my previous visit; *het staat mij nog duidelijk voor de* ~ it is distinctly present to my mind (stands out clearly in my memory); '*t toneel, dat hem voor de* ~ *stond* the scene in his mind; *hij zag er uit als een* ~ he looked like a ghost; *hoe groter* ~, *hoe groter beest* great men have great faults; *zie* letter, oproepen, zweven, *enz.*; ~**dodend** soul-killing, -destroying [routine], deadly [monotony], dull, monotonous; – *werk, ook:* drudgery; ~**drift** enthusiasm; *in* – *brengen* enrapture, throw into ecstasies; *in* – *komen* (*geraken*) become enthusiastic, (*fam.*) enthuse; ~**driftig** enthusiastic (*bw.:* -ally), rousing [welcome]; [he was cheered] to the echo; ~**drijver** fanatic, zealot; ~**drijverij** fanaticism, zealotry
geestelijk (*onstoffelijk*) spiritual, immaterial [beings]; (*verstandelijk*) intellectual, mental; cultural [life]; (*kerkelijk*) spiritual, ecclesiastical; sacred [songs]; religious [orders]; (*van de geestelijkheid*) clerical [robes; garb *gewaad*], ecclesiastical, sacerdotal [office *ambt*]; ~*e bijstand* ministration; *hij heeft de* ~*e ontwikkeling van iem. van 11 j.* his mental age is 11; ~*e rechtbank* ecclesiastical (*of:* s.) court; ~*e staat* holy orders, clerical state; ~*e vader* s. father; ~ *voorbehoud* mental reservation; ~ *welzijn* s. welfare; ~*e zaken* s. affairs
geestelijke minister of religion, cleric, [Anglican] clergyman, [R.C.] priest; ~ *worden* go into the Church, take (enter into) holy orders, enter the ministry; *hij moet* ~ *worden* he is intended for the Church; *andere* ~*n* other clergy
geestelijkheid clergy; *de* ~, *ook:* (*fam.*) the cloth
geesteloos spiritless, insipid, dull, vapid; ~**heid** ...ness, insipidity
geesten: ~**banner, -ning** exorcist, -ism; ~**bezweerder** necromancer; *ook* = ~*banner;* ~**bezwering** necromancy, conjuring up of spirits; *ook* = ~*banning;* ~**heer, -heir** host of spirits; ~**leer** pneumatology; ~**rijk, ~wereld** spirit world, invisible world; ~**ziener** visionary
geestes: ~**beschaving** culture (of the mind); ~**gaven** intellectual gifts (powers), mental faculties; ~**gesteldheid** mentality; mental make-up; ~**houding** attitude of mind; ~**kind** brain-child, child of (one's) brain; ~**leven** cultural life; ~**oog** mind's eye; ~**produkt** brain-child, product of (one's) brain; ~**richting** attitude of mind; ~**storing** mental derangement (disorder), derangement of mind; ~**toestand** state of mind, mental state; *zijn* – the state of his mind; ~**wetenschap:** *de* –*pen*, (*ongev.*) the humanities; ~**ziek** mentally defective, insane; –**te** mental illness
geestgrond geest
geestig witty, smart; *een* ~ *man* a wit; '*t* ~*e, zie* ~**heid;** ~**heid** wit, wittiness; (*aardigheid*) witticism, quip, wisecrack; *ik zie de* – *van de grap*

niet I don't see the point of the joke, I don't see where the joke comes in

geestkracht strength of mind, fortitude

geest: ~**rijk** (*van pers., enz.*) witty; ~*e dranken* spirituous liquors, strong drinks, (ardent) spirits; ~**verheffend** noble, sublime; ~**vermogens** (mental) faculties; *in 't volle bezit* (*genot*) *zijner* – in full possession of his (mental) faculties; *zijn – waren gestoord* his mind was disturbed; ~**verrukking** ecstasy, rapture, exaltation, trance; ~**verschijning** apparition, phantom; (*even voor of na iems. dood*) wraith; ~**vervoering** *zie* ~verrukking; ~**verwant** *bn.* congenial; *zn.* kindred (congenial) spirit; (*aanhanger*) supporter, adherent; *zijn –en, ook:* those of his way of thinking; ~**verwantschap** congeniality of spirit (of mind); ~**vol** *zie* ~rijk

geeuw yawn; ~**en** (give a) yawn; ~**er** yawner; ~**erig** yawny

geeuwhonger canine hunger; (*wet.*) bulimia

geëvacueerde evacuee

geëvenredigd proportional; *goed* (*beter*) ~ well-(better-)balanced [programme]; *zie verder* evenredig

geëxalteerd high-strung, highly strung, overstrung, over-excited, overwrought

gefailleerde bankrupt; **gefemel** cant(ing)

gefingeerd fictitious [name, story], feigned [name], made-up [name, story], sham [invoice], bogus [address], faked [burglary]; ~*e factuur* pro forma invoice

gefladder flutter(ing), flitting; **gefleem, geflikflooi** coaxing, fawning; **geflikker** twinkling, twinkle, glitter(ing), flash(ing), sparkle, sparkling; **geflirt** flirtation

geflonker *zie* geflikker; **gefluister** whisper(ing)

gefluit whistling; (*van vogels*) warbling, fluting [of the blackbird]; (*in theater, enz.*) catcall(s) *zie* fluiten; **gefonkel** *zie* geflikker

geforceerd forced [march, smile, etc.]

gefortuneerd wealthy, rich, [man] of means

gefrankeerd post-paid; ~*e enveloppe* stamped envelope

gefronst frowning [face]

gefundeerd funded [debt]; *goed* ~ well-(-)founded, well(-)grounded

gegadigde interested party; (*bij koop*) intending (would-be, prospective) purchaser (buyer); (*bij inschrijving*) intending subscriber; (*sollicitant*) applicant, candidate

gegageerd (*mil.*) discharged

gegeneerd embarrassed, ill at ease; ~**heid** embarrassment

gegeven I *bn.* given [at a ... moment]; ~ *de lengte, zoek de breedte* g. the length, find the breadth; ~ *overvloed van tijd kan ik ... g.* plenty of time I can ...; *in de* ~ *omstandigheden* in the circumstances; *zich aan zijn* ~ *woord houden* stick to one's word, be as good as one's word; *zie* geven; II *zn.* datum, *mv.:* data; information

gegiechel giggling, titter(ing), snigger(ing)

gegier, gegil scream(ing), yell(ing)

geginnegap tittering, titter(s), sniggering

geglaceerd glazed [cardboard, paper, calico]; (*van gebak*) iced, frosted; (*van vruchten*) candied, crystallized [fruits]; ~*e kastanje* marron glacé, iced chestnut

geglansd glazed; **gegleufd** grooved, fluted

gegoed well-to-do, well(-)off, in easy circumstances; ~*e stand* moneyed (comfortable, propertied) classes; *de meer* ~*en* the better-off; *zijn minder* ~*e vrienden* his less well-to-do friends; ~**heid** wealth, affluence, easy circumstances

gegolfd waving, wavy, undulating [ground, hair]; corrugated [iron, glass, paper]; (*plantk.*) corrugated; (*van bladrand*) sinuate

gegomd gummed [envelope]; **gegons** buzz(ing), hum [of insects], whirr [of wheels, wings]

gegoochel (*ook fig.*) juggling, legerdemain

gegooi: *daar heb je 't* ~ *in de glazen* now the fat is in the fire (there will be the devil to pay)

gegoten: ~ *ijzer* cast (*of:* foundry) iron; ~ *glas* pressed glass; *zie verder* gieten

gegrabbel scramble, scrambling, grabbling; *vgl. 't ww.*; **gegradueerde** graduate; (*mil., officier*) officer, (*onderofficier*) N.C.O.

gegrinnik chuckle, chortle

gegroefd (*biol., delfstk. & techn.*) grooved, striated, scored; (*van zuil*) fluted; (*van gelaat*) lined, furrowed

gegrom snarl(ing), growl(ing), grumbling

gegrond well-founded, -grounded, just; good [hopes of recovery, reason for joy],, sound [reasons], strong [motive], reasonable [doubt]; *zonder* ~*e redenen* [I can't discharge him] without proper cause; ~**heid** soundness, justness, justice

gehaaid sharp, knowing, deep [he is a ... one]

gehaast hurried; ~ *zijn* be in a hurry

gehaat hated [make o.s. ...], detested

gehakt minced meat, force-meat; (*varkens-*) sausage meat

gehalte (*algem.*) quality, standard; (*van goud, enz.*) (degree of) fineness, alloy; strength [of beer, of a solution *oplossing*]; (*normaal* ~ *van alcohol*) proof [above, below ...] (*zie ook:* alcohol~); (*water-, eiwit-, enz.*) percentage [of water etc.]; *petroleum*~ petroleum content; *arsenicum*~ [the] arsenic content [of the soil]; *zie* vet~, enz.; *zedelijk* ~ moral worth (*of:* standard); *innerlijk* ~ intrinsic value [of table-talk]; *goud van een* ~ *van 950* gold of 950 thousandths fine; *van 't zelfde* ~ *als*, (*fig.*) of a piece with; *gezelschap van 't slechtste* ~ of the worst sort; *erts* (*olie, genogens*) *van laag* ~ low-grade ore (oil, amusements); *geestigheden van twijfelachtig* ~ witticisms of a questionable quality

gehandicapt handicapped

gehandschoend gloved

gehannes messing around

gehard (*van staal, enz.*) tempered; (*fig.*) hardened [*tegen* against], hardy; seasoned, battle-tried [soldiers]; ~ *tegen rampspoed* steeled against adversity; ~ *tegen pijn* inured to pain; ~**heid** temper; (*fig.*) hardiness, inurement

geharnast in armour, armoured; (*fig.*) strongly-worded [answer], strong [language]

geharrewar bickering(s), squabble(s)

gehaspel 1 (*geknoei*) bungling, botching; 2 *zie* geharrewar; 3 trouble

gehavend battered, dilapidated; [his clothes were] in rags; tattered [books]; [the vessel was] badly b. [*of:* damaged]; *zijn reputatie was deerlijk ~ . . .* was in shreds; *het door de oorlog ~e Europa* war-torn E.

gehecht: ~ *aan* attached to, (*sterker*) devoted to [one's children, each other]; *zij zijn bijzonder aan elkaar ~, ook:* they are devotedly attached, a devoted couple; *hij is ~ aan goede vormen* he is a stickler for good manners; ~**heid** attachment, devotion

geheel 1 *bn.* whole, entire, complete, integral; ~ *getal* w. number, integer; ~ *Engeland* (*Londen*) all (*of:* the w. of) E. (L.); *de -le natuur* all (*of:* the w. of) Nature; *de -le wereld* all the (the w. of) Nature; *de -le wereld* all the (the w.) world; *de -le dag* all day, the w. day; *gister* (*morgen*) *de -le dag* [I was, shall be, out] all day yesterday (tomorrow) [*zo:* I didn't sleep all last night]; *hotels het -le jaar open* open all the year (round); *over het -le land* all over the country; *de kunst vordert de -le mens* art requires the w. of man (the entire man); *de -le stad* the w. town; *de -le stad spreekt ervan, ook:* it is all over the town (*of:* place); *de -le Shakespeare lezen* read the w. of S.; *een -le Vondel kopen* buy the complete works (a complete set) of V.; *-le stukken vlees* large pieces of meat; *hij kent -le stukken uit Shakespeare van buiten* he knows entire passages from S. by heart; *met ~ mijn hart* with all my heart; *zijn -le bestaan;* [these things made up] the w. of his life, *zie ook* heel; II *bw.* wholly, entirely, completely, quite [different], all [. . . alone; . . . in white]; full [leather binding]; ~ *en al* altogether, entirely, quite, utterly; ~ *of gedeeltelijk* in whole or in part; ~ *de Uwe* yours sincerely; ~ *wol* (*zij, enz.*) all-wool, -silk, etc. [underwear]; ~ *gekleed* fully dressed; *zie ook* helemaal; III *zn.* whole; *de cilinder vormt één ~ met . . .* is integrated with; *'t land als ~* the country as a w.; *zeven in 't ~* seven in all; *in 't ~ niet* (*niets*) not (nothing) at all, not a bit of it; *in 't ~ niet vervaard* nothing daunted; *'t duurde vier jaar in 't ~* it lasted altogether four years; *'t in zijn ~ bakken* (*inslikken*) bake (swallow) it w.; *in zijn ~ drukken* print in full; *'t artikel in zijn ~ aanhalen* quote the paper in its entirety; *'t huis in zijn ~ verplaatsen* move the house bodily; *de huid was er in z'n ~ afgekomen* the skin had come off complete; *in hun ~ of gedeeltelijk* [read good authors] in w. or in part; *de zaak in haar ~ beschouwen* look at the matter as a w.; *over het ~* (up)on the whole, in the main

geheelonthouder total abstainer, teetotal(l)er; ~ *worden,* (*fam.*) take the pledge; ~**svereniging** temperance society; (*van jongelieden in Eng.*) Band of Hope; **geheelonthouding** total abstinence, teetotalism

geheid (*fam.*) firm(ly); certain [goal]; [it's] a dead cert; decidedly [wrong]

geheim I *bn.* secret [door, drawer, treaty, meeting; *ook op brief*]; occult [science]; hidden [designs, feelings]; (*ongeoorloofd*) clandestine [marriage, sale of strong drinks]; illicit [still *distilleerinrichting*]; underground [organizations]; *zie ook* ~zinnig; ~*e agent* s. agent, (*politie*) detective; ~*e invloed* s. (*of:* backstair) influence; ~*e handelingen* hole-and-corner proceedings; ~*e politie* s. police, (Scotland Yard) special branch; ~*e Raad* Privy Council; ~ *station,* (*radio*) s. (*of:* phantom) station; ~*e stemming* s. voting, voting by ballot; ~ *telefoonnummer* silent (unlisted, ex-directory) t. number; ~*e zender,* (*radio*) secret transmitter; ~*e zitting* s. (*of:* private) session; (*diep*) ~ hush-hush [conference]; (*diep*) ~ *blijven* remain a (dead) secret; *'t ~ houden* keep it (a) secret [*voor* from], keep it close (*of:* dark); ~ *gehouden* [bound for an] undisclosed [destination]; *wat ben je er ~ mee!* how mysterious you are about it!; *zie* gemak; II *zn.* secret, mystery; *publiek ~* open s.; *een ~ bewaren* keep (*of:* guard) a s.; *geen ~en voor iem. hebben* have no secrets from a p.; *iem. 't ~ mededelen* let a p. into the s.; *een ~ openbaren* reveal a s.; *in 't ~ zijn* be in the s.; *in 't ~* in s., in secrecy, secretly, on the quiet, (*sl.*) on the q. t.; *zie* inwijden, verklappen; ~**doenerij** secretiveness

geheimenis mystery; ~**vol** mysterious

geheimhoudend secretive, secret, close

geheimhouding secrecy, privacy; ~ *in acht nemen* maintain secrecy; *iem.* ~ *opleggen* (*laten zweren*) enjoin s. upon a p., bind a p. over to s., swear a p. to s. [he was sworn to the strictest (closest) s.]

geheim: ~**middel** nostrum, quack remedy; ~**raad** privy councillor; ~**schrift** cipher, cryptography; ~**schrijver** (*hist.*) (private) secretary; ~**zegel** privy seal; ~**zegelbewaarder** Lord (Keeper) of the Privy Seal, Lord Privy Seal

geheimzinnig mysterious [*met iets* about s.t.], dark [. . ., she added darkly]; cryptic [retort], uncanny [his . . . sixth sense]; ~ *doend* m., secretive; *zeer ~ doen* wrap o.s. in mystery; ~**doenerij** mysteriousness, secretiveness; ~**heid** . . . ness, mystery

gehelmd helmeted

gehemelte (*in mond*) palate [hard, soft . . .]; (*van troon*) canopy; ~**klank,** ~**letter** palatal (sound, letter); ~**plaat** (dental) plate

Gehenna id.

geheugen I *zn.* memory [good, bad . . .], remembrance; *sterk ~* strong (retentive, tenacious) m.; *'n slecht ~ voor namen hebben, vgl.* onthouden 3; *houd dat in het ~* keep that in mind; *'t ligt* (*mij*) *nog vers in 't ~* it is (still) fresh in (my) m., is still present to the (my) mind; *iets* *in 't ~ prenten* imprint s.t. on the m.; *zie* bedriegen, garnaal, memorie, enz.; II *ww. zie* heugen; ~**beeld** m.-picture; ~**is** *zie* heugenis; ~**leer** mnemonics; ~**oefening** m.-training; ~**steuntje** aid to memory; ~**stoornis** temporary (partial) amnesia; ~**verlies** loss of m., amnesia; *(louter)* ~**werk** (mere) matter of m.

gehik hiccup(ing), hiccough(ing)

gehinnik neighing, whinny(ing)

gehol running, scurry(ing), scamper

gehoor (*'t horen, ~vermogen*) hearing, sense of h.; *(audiëntie)* audience; *(hoorders)* audience, auditory, hearers, (*in kerk*) congregation; (*geluid*) sound [a disagreeable ...]; *goed (fijn)* ~ good (quick) ear; *geheel* ~ *zijn* be all ears; *absoluut* ~ absolute (perfect) pitch; *geen muzikaal* ~ *hebben* have no ear for music, be tone-deaf; ~ *geven aan* listen to [a p.'s advice]; respond to [an appeal, a call for help]; answer [the call of duty]; accept [an invitation]; follow [the dictates of one's heart]; comply with [a request]; *ik kreeg (vond) geen* ~ I obtained no h.; *(bij kloppen)* I could not make myself heard, failed to get any answer, could not make anyone hear; *(telef.)* I could not get through; there was no answer; *een welwillend* [he was sure of] an appreciative (a sympathetic) h.; *hij weigerde mij* ~ he would not listen to me, would give me no h.; *buiten ~ van* out of hearing of; *in 't ~ liggen (vallen)* appeal to the ear; *ik zat onder zijn* ~ I was among his audience (hearers), *(van predikant)* I sat under him; *op 't ~ opschrijven* write down from hearing; *op 't ~ spelen* play by ear; *ten -re brengen* play [a sonata], present [a cantata, a radio play]; *scherp van* ~ sharp of h.; *oefening van 't* ~, *zie* ~oefening; *zie ook* audiëntie; ~**aandoening** affection of the ear; ~**apparaat** hearing-aid, ear-appliance, deaf-aid; ~**beentje** ear-bone; ~**buis** *a)* acoustic duct, auditory canal; *b) zie* ~hoorn; ~**drempel** threshold of audibility; ~**gang** *zie* ~buis *a)*; ~**gestoord** hearing-impaired; ~**grens** limit of audibility; ~**hoorn** ear-trumpet; ~**leer** acoustics

gehoornd horned

gehoor: ~**oefening** ear-training; *een – an* e.-t. exercise; ~**organen** auditory organs; ~**safstand** hearing distance; *op –* [be] within earshot, within hearing (distance); *buiten –* out of hearing, out of earshot; ~**scherpte** keenness of hearing; ~**steentje** ear-stone, otolith; ~**vlies** eardrum; ~**zaal** *a)* auditory, auditorium, concert-hall; *b)* audience-chamber

gehoorzaam obedient, dutiful; ~ *aan de wet* o. to the law, law-abiding

gehoorzaamheid obedience, dutifulness; *tot ~ brengen (reduce)* to o.; *tot ~ komen* submit, yield; *zie* opzeggen

gehoorzamen *tr.* obey; *intr.* obey, be obedient; ~ *aan* obey [a call], be obedient to; *hij weet zich te doen* ~ he knows how to make himself obeyed (to enforce obedience); *niet* ~, (*tr. &*

intr.) ook: disobey; ~**d** *aan* in obedience to

gehoorzenuw auditory (*of:* acoustic) nerve

gehorig noisy [houses]; *dit huis is zeer* ~, *ook:* this house is anything but sound-proof, you hear everything in this house

gehos jigging (and singing), jigging and jogging

gehouden: ~ *te* bound to, obliged to; *ik acht mij ~ te* ... I think myself b. (think it my duty) to ...; *niet ~ zijn aan een aanbeveling* not be b. to act upon a recommendation; ~**heid** obligation

gehucht hamlet

gehuichel hypocrisy, dissembling

gehuicheld feigned, pretended, sham

gehumeurd: *goed, slecht* ~ good-, ill-humoured (-tempered); *wat ben je slecht ~!* what a temper you are in!

gehuppel hopping, skipping, frisking

gehuwd married; ~*e staat* married state; ~*en* m. people (persons); *voor ~en, ook:* married [quarters]

gei (*mar.*) clew line; ~**en** clew (up)

geiger(müller)teller Geiger counter

geijkt: ~*e maten* legally stamped measures; ~*e uitdrukking (term)* accepted (set) expression, stereotyped (stock) phrase; *de ~e vraag* the invariable question; ~*e methode* time-honoured (traditional) method

geil *a)* lascivious, salacious, lecherous, lustful, lewd, hot, goatish; *b) (van bodem, plant, groei)* rank; ~**heid** *a)* ... ness, salacity, lust; *b)* ... ness

geïllustreerd illustrated, pictorial; ~*e bladen* picture papers

geïmproviseerd improvised, extemporized, impromptu; makeshift [dinner], scratch [meal]

gein (*fam.*) *a)* fun; *b)* high jinks

geïncrimineerd incriminated [passage]

geïntegreerd integrated [circuit, whole]

geïnteresseerd interested, involved, concerned [*bij* in]; ~*en, zie* gegadigde

geïnterneerde internee

geiser geyser; (*van bad ook*) gas (water-)heater, bath-heater

geisha id.

geisslerse buis Geissler tube

geit (she-)goat, nanny(-goat); *zie* vooruit

geite: ~**baard** goat's beard (*ook plant*); ~**blad** honeysuckle; ~**bok** billy-goat; ~**haar** goat's hair; ~**leder** goatskin; ~**melk** g.'s milk

geiten: ~**fuif** hen-party; ~**hoed(st)er** goat-herd; ~**melker** nightjar, goatsucker

geite: ~**vel** goatskin; ~**vlees** goat's flesh

geitje kid, little (*of:* young) goat

geitouw (*mar.*) clew line

gejaag hunting; (*fig.*) hurry(ing), hurry-scurry, hustle, drive

gejaagd hunted; (*fig.*) agitated, flurried, fluttered, flustered, nervous; [life is so] rushed; *blik als van een ~ dier* hunted look; ~ *maken* flurry, fuss, put [a p.] in a flutter; ~**heid** agitation, flurry, flutter, fluster; **gejacht** *zie* gejaag (*fig.*)

gejakker scramble, etc.; *zie* jakkeren

gejammer lamentation(s), wailing(s)

gejank yelping, whining, whine; **gejast** coated
gejeuk itch(ing); **gejodel** yodelling
gejoel shouting, cheering; **gejok** (*liegen*) fibbing; (*scherts*) bantering, joking
gejouw hooting, boos; **gejubel, gejuich** cheers, (burst of, bursts of) cheering, shouts, shouting, exultation, jubilation
gek I *bn.* (*krankzinnig*) mad, frantic, crazy, crack-brained, (*sl.*) batty, loony; (*dwaas*) foolish, mad, silly, wild [stories]; (*koddig*) funny; (*vreemd*) queer, funny, odd, (*fam.*) rum(my); *een ~ke uitdrukking* a funny expression; *op de ~ste plaatsen* in the most unlikely places; *zich ~ houden* sham madness; *je zult me nog ~ maken* you'll drive me mad (silly) next; *iem. ~ maken, ook:* drive a p. to distraction (*fam.:* up the wall); *~ worden* go (run) mad; *je wordt er ~ van* it is maddening, it's enough to drive one mad (silly); *tot ~wordens toe* [love a p.] to distraction; *dat wordt te ~* it's getting a bit thick; *ik heb er mij half ~ naar gezocht* I am half crazy with looking for it; *het is ~, hoe een kopje thee je opknapt* it is curious (funny) how a cup of tea does you good; *hij is lang niet ~* he is no fool; *dat is nog zo ~ niet* there's some sense in what you say, there's something in that; *hij is niet zo ~ als hij er uitziet* he is not such a fool as he looks; *'t is ~, maar hij schijnt te menen* ... strangely enough, he seems to think ...; *dat is al te ~, te ~ om los te lopen* that is too ridiculous (too absurd) for words (for anything); *hij is ~ dat hij zo iets doet* he is a fool to do such a thing; *hij stond te kijken, alsof hij ~ was* he looked as if he had taken leave of his senses; *hij liep (schreeuwde) alsof hij ~ was* he ran (shouted) like mad; *ben je ~?* are you mad?; *'t zou er ~ uitzien als* ... it would be rather awkward (we should be in a fix) if the train had gone; *dat is een ~ geval (zaakje)* it's an awkward affair; (*sl.*) a rum go; *hij (het) heeft een ~ke smaak* he (it) has a funny taste; *hij is al te ~ met zijn jongen* he is too fond of (dotes on) his boy; *hij is ~ op dat meisje* he is m. on (madly in love with) that girl, crazy about her; *~ op* ... m. on dancing (sport, pictures) (*ook:* dance-mad girls); *~ van de kiespijn* m. with toothache; *~ van vreugde* m. with joy; *'t ~ke van 't geval is* ... the strange (funny) part of it is ...; *zo iets ~s* [did you ever see] such a funny thing?; *zie dol, vreemd, figuur, enz.*; II *bw.* madly, etc.; *zie mal, opkijken, toegaan*; III *zn.* (*krankzinnige*) madman, madwoman, lunatic, (*sl.*) loony; (*idioot*) idiot, half-wit; (*dwaas*) fool; (*mode-*) fop; (*schoorsteen-*) cowl, turn-cap; *een ouwe ~* an old fool; *iedere ~ heeft zijn gebrek* everybody has his faults; *de ~ken krijgen de kaart* fools have fortune, fortune favours fools; *één ~ kan meer vragen dan tien wijzen kunnen beantwoorden* one fool may ask more than ten wise men can answer; *lopen (rijden, enz.) als een ~* run (ride, etc.) like mad; *hij stond te kijken als een ~* he stared like a stuck pig; *de ~ scheren (steken) met, voor de ~ houden* poke fun at, make fun

(game, sport) of, make a fool of [a p.], guy [a p.], (*fam.*) pull a p.'s leg, kid [a p.], take a rise (*sl.* the mickey) out of a p.; (*bedriegen*) fool [a p.]; *zij hield hem (haar minnaar) voor de ~* she played fast and loose with him; *iem. voor ~ laten lopen* send a p. on a fool's errand; *voor ~ spelen* play the fool (the giddy goat); *zie buurman & kruit*
gekabbel purling, murmur, babbling
gekakel cackle, cackling; (*fig. ook*) chit-chat, tittle-tattle; **gekamd** crested [waves, bird, etc.]
gekanker grousing(s)
gekant: *~ zijn tegen* be set against, be opposed to; **gekanteeld** crenellated, embattled, battlemented; **gekarteld** *a*) crenate(d) [leaf]; *b*) milled [coin]; knurled [cap, handle]
gekeerd: *~e japon* turned dress; *in zichzelf ~, zie* teruggetrokken; **gekef** yelping; (*ook van pers.*) yapping(s); **gekeperd** twilled
gekerm moans, moaning, lamentation(s)
gekeuvel chat(ting), chit-chat
gekheid (*dwaasheid*) folly, foolishness, madness, (tom)foolery; (*scherts*) joke(s), joking; (*pret*) fun, lark(s); *'t is geen ~, (d. w. z. ernstig genoeg)* it's no joke, no laughing matter; *zo'n erfenis is geen ~* such a legacy is not to be sneezed at; *geen ~!* no funny business!; *~! (onzin)* nonsense!; *alle ~ op een stokje* (all) joking apart; *~ maken* joke, lark [with the dog]; *jij maakt er maar ~ van* you are just fooling; *~ uithalen* play pranks (tricks); *hij kan geen ~ verdragen* he cannot take (stand) a joke; *ik versta (= permitteer) geen ~* I'll stand no nonsense [*van* from]; *uit ~* for (in) fun; *zonder ~* putting all jokes aside, joking apart; *zie* grap
gekibbel squabbling, bickering(s)
gekietel tickling, titillation; **gekijf** quarrelling, bickering(s), wrangling, wrangle(s); (*bekijving*) scolding; **gekir** cooing
gekittel tickling, titillation
gekkelijk foolish
gekken joke, jest; *met iemand ~* make fun of a person; *ik gek er niet mee* I mean it in sober earnest
gekken: *~dag* All Fools' Day; *~huis* madhouse, bedlam; *~nummer* (number) eleven; *~praat* (stuff and) nonsense; *~werk* madness, folly, (*sl.*) a mug's game; **gekkigheid** wantonness; *hij wist van ~ niet wat te doen* ... out of sheer joy and excitement; **gekkin** fool
gekko gecko
geklaag complaining, lamentation(s); moaning [the gentle ... of the pines]; (*bij dode*) wailing(s)
geklak (*van klompen*) click-clack
geklank clank(ing), clink, chink-chink
geklap clapping [of hands]; (*van zweep*) cracking; (*fig.*) prattle, tittle-tattle; **geklapper** (*van deur, zeil, enz.*) flapping; (*van zeil ook*) slatting; (*van tanden*) chattering; **geklater** splash(ing), splash-splash; **geklauter** clambering; **geklauwd** clawed; unguiculate, (*her.*) armed
gekleed dressed [in black; she went ... like a man]; (*vero.*) clad; *~ om uit te gaan* dressed

for the street; *keurig ~, ook: (fam.)* perfectly turned out; *'t staat ~* it is very smart; *(fig.)* it is fashionable (stylish); *-de jas* frock-coat; *~ kostuum* formal dress

geklep *(van klok)* tolling, clanging; *(ook: ~per) (van ooievaar)* clapping; *(van hoeven)* clatter(ing), clip-clop; *(van vleugels)* flapping

geklets smacking, banging; *(kletspraat)* twaddle, rot, jaw, rubbish

gekletter clashing, clanging, clattering

gekleurd coloured; *sterk ~* highly c. [pictures, stories]; *hij stond er ~ op, (fam.)* he looked pretty silly; *~e bril* tinted glasses; *~ glas* stained glass, coloured glass; *~e platen* colour plates; *~e reproduktie, ook:* reproduction in colour

geklik tale-telling, tale-bearing; **geklikklak** clatter(ing), clash(ing), clicking [of heels]; **geklingel** jingle, tinkling, tinkle; **geklink** clink; **geklok** clucking [of a hen]; glug-glug [of a bottle]

geklop knocking, hammering; **geklots** dashing [of the waves]; **geknaag** gnawing

geknars *(van scharnier, enz.)* grating; *(van tanden)* gnashing; *(van wiel ook)* grind(ing); crunch [of steps on the gravel]; jar

geknetter crackling, crackle; ping-ping [of rifles]; sputtering [of melted butter, of a candle]

gekneusd bruised

gekneveld moustached; *zie* knevelen

geknik nod(ding); **~kebol** dozing

geknipt *~ voor* cut out for [a teacher]; cut out (made, meant) for [one another]; *ze is voor je ~* she is the very wife for you; *dat is als voor mij ~* that is just the thing for me; *zie* kort

geknoei *a)* bungling, botching; *b) (gekonkel)* intriguing, plotting, scheming, jobbery, backstair influence; *zie* knoeierij

geknor grunt(ing), grumbling

geknutsel niggling (work); *vgl.* knutselen

gekoketteer coquetting, flirtation(s), flirting

gekonkel *zie* geknoei *b)*

gekorven *zie* kerven; *~ dieren* insects; *~ nagels* jagged nails

gekostumeerd *(van pers.)* in costume; *~ bal* fancy(-dress) ball; *~e optocht* pageant

gekrab scratching; *~bel a) = ~; b)* scribbling, [I can't read your] scrawl

gekrakeel wrangling, bickering(s), squabbling

gekras *a)* scratching; *(van grammofoon ook)* surface noise; *b)* croaking [of ravens], screeching [of owls]

gekreun groaning, moaning, groans

gekrijs screaming [of gulls], screeching

gekrioel swarming; **gekroesd** *zie* kroes

gekrol caterwaul(ing)

gekromd curved, bent

Gekruisigde *de ~* the Crucified

gekruist 1 crossed [arms]; *met ~e benen* cross-legged; *~e beenderen, (op grafzerk, piratenvlag)* cross-bones; 2 cross-bred; *(van ~ ras)* cross-breed (cross-bred)

gekscheren joke, banter, jest; *~ met* make fun of; *zonder ~* joking apart, in (sober) earnest; *het is geen ~* it's no joke; *hij laat niet met zich ~* he will stand no nonsense

gekuifd crested [waves, birds], tufted [birds]; *zie* aalscholver

gekuip intriguing, intrigues, plotting, scheming; **gekuist** chaste, pure; *(van stijl, enz.) ook:* chastened; *(van boek)* expurgated, *(overmatig)* bowdlerized; **gekunsteld** artificial, affected, mannered [style]; laboured [gaiety]; *'t ~e (de ~heid) van ...* the artificiality of ...

gekwaak croak(ing) [of frogs], quacking [of ducks]; *(fig.)* cackling, chattering

gekwakkel *(van pers.)* ailing; *(van winter)* sluggishness

gekwalificeerd qualified [personnel, majority]; skilled [trades]

gekwartileerd *(her.)* quartered

gekwebbel cackling, jawing

gekwetste wounded (injured) person; *er waren 30 ~n* 30 were wounded (injured), there were 30 casualties

gekwezel cant(ing); **gekwinkeleer** warbling

gekwispel (tail-)wagging

gel *(chem.)* id.

gelaagd *(van gesteente)* layered, stratified

gelaarsd booted; *~ en gespoord* booted and spurred; *de ~e kat* Puss in Boots

gelaat countenance, face; *iems. ~ aanschouwen* see a p. face to face, see a p. in the flesh; *zie* lezen; **~kenner**, **~kundige** physiognomist; **~kunde** physiognomy

gelaats~: **~hoek** facial angle; **~kleur**, **~tint** complexion; *met een donkere (frisse) ~* dark-(fresh-)complexioned; **~massage** face-massage; **~spier** facial muscle; **~trek** feature, lineament; **~uitdrukking** facial expression, expression of [one's] countenance, [his sour] aspect; **~vorm** form of the face; **~zenuw** facial nerve

gelach laughter, laughing

geladen *(fig.)* full of suppressed anger; *de stemming was ~* the atmosphere was explosive (tense, charged with tension, emotion); *een ~ idealist* a committed (ardent) idealist

gelag score; *'t is een hard ~ (voor je)* it is hard lines (on you); *'t ~ betalen* pay the s., foot the bill; *(fig.)* pay the piper

gelagkamer tap-room, bar-room; *(fam.)* tap

gelakt *a) zie* verlakt; *b)* sealed [letter]

gelambrizeerd wainscoted, dadoed

gelamelleerd laminated

gelamenteer lamentation(s), whining, whimpering

gelang: *naar ~ van* in proportion to, according to; *naar ~ van zaken* (according) as circumstances may require; *naar ~ (dat)* according(ly) as, as [I'll give you money as you want it]; *naar ~* [everything was] in proportion, in keeping

gelasten order, direct, charge, instruct, (*vero.*) bid; *hem werd gelast 't veld te verlaten* he was ordered off (the field); *iem. ~ 't huis te verlaten* order a p. out of the house
gelastigde delegate, deputy, proxy
gelaten resigned, uncomplaining; ~**heid** resignation
gelatine gelatin(e); ~**achtig** gelatinous; ~**pudding** jelly
gelauwerd laurelled, laureate; ~*e dichter* poet laureate
gelazer bother
geld money; ~*en* moneys, monies; *toegestane* (*aangevraagde, uitgetrokken*) *gelden* appropriations; *je ~ of je leven!* your m. or your life! (*hist.*) stand and deliver!; *vals ~* bad m., base coin; *ik heb geen ~ voor een postzegel* (*een taxi*) I haven't the price of a postage stamp (taxi); *'t ~ voor een dienstbode uitsparen* save the cost of a servant; *kinderen half ~* children half price; *goed ~ naar kwaad ~ gooien* throw good m. after bad; *is er ook kwaad ~ bij?* can't you knock off something?; *~ als water verdienen* coin m., make big m., make money hand over fist (*vgl.* uitgeven); *iem. die* (*iets waarmee men*) *~ als water verdient* money-spinner; *daar is* (*een hoop*) *~ mee te verdienen* there is (big) m. in it; *~ is de ziel van de negotie* m. is the life-blood of trade; *~ is bij hen alles* m. (the almighty dollar) is everything with them; *'t ~ groeit me niet op de rug* I am not made of m.; *honderd gulden aan ~* a hundred guilders in cash; *mensen met ~* people with m., moneyed people; *'t is met geen ~ te betalen* it's worth its weight in gold; *een souvenir, dat met geen ~ te betalen is* a keepsake beyond price; *met heel weinig ~ beginnen* start on a shoestring; *zie* smijten; *te ~e maken* turn (convert) into m., realize; *~ slaan uit* make m. out of; *man van ~* man of means (of substance); *zie* bulken; *ik heb gehad wat ik voor mijn ~ kon verlangen* I've had my money's worth; *'t is voor geen ~ te koop* m. will not buy it; *voor geen ~* (*van de wereld*) [I would] not [have him here] at any price, not for (all) the world, not for worlds *ik zou me voor geen ~ met hem willen vertonen* I would not be seen dead with him; *voor ~ of goede woorden* for love or m.; *voor ~ doet men veel* m. is a great temptation; *zonder ~* without m., penniless, impecunious; *zie* balk, grof, klein, kloppen, rollen, toestaan, Zwitser, enz.; ~**adel** moneyed aristocracy; ~**afpersing** extortion of m.; ~**aristocratie** *zie* ~adel; ~**bakje** *a*) (*in kantoor*) cash-tray; *b*) *zie* centenbakje; ~**belegging** investment; ~**beurs** purse; ~**boete** fine; ~**buidel** m.-bag, purse; (*fig.*) Croesus; ~**crisis** monetary crisis; ~**dorst** thirst (*of:* lust) for m.; ~**duivel** demon of m., mammon; m.-grubber
geldelijk monetary [loss, reward, transaction, offer], pecuniary [difficulties, advantage], financial [support, difficulties, worries]; *ook:* money [... troubles, the ... side of it, take the

purely ... point of view]; *alles van de ~e kant beschouwen* measure everything in terms of money; *~ getroffen worden* suffer financially
geldeloos moneyless
gelden (*van kracht zijn, opgaan*) be in force, be operative, be valid, obtain, apply, hold (good); (*kosten, vero.*) cost; *dat geldt niet* that does not count; *die bepaling geldt in dit geval niet* that provision does not apply to this case; *deze regel geldt zonder uitzondering* this rule holds good (obtains) universally; *zulke redeneringen ~ niet bij mij* such arguments do not weigh (*of:* count) with me; *6 geldt als voldoende* ranks as a pass-mark; *dat geldt mij meer dan schatten* that counts with me more than treasures; *wat hij zegt, geldt* what he says goes; *wie geldt het?* who(m) is it meant for? (is it aimed at?); *'t geldt mijn eer* (*mijn leven*) my honour (my life) is at stake; *zie ook* betreffen; *het geldt hier snel te handelen* quick action is called for here; *dat laat ik ~* I grant (admit) that; *zijn aanspraken* (*invloed, rechten*) *doen* (*laten*) *~* assert one's pretensions (influence, rights) [*bij* with]; *zijn invloed doen ~, ook:* make one's influence felt; *zich* (*weer*) *doen ~* assert (reassert) o.s. (itself), make itself felt, come into play; *ras doet zich ~* blood tells; *dat geldt ook van de anderen* the same applies to (holds good with regard to, goes for) the others; *hij geldt voor niets* he counts for nothing; *~* (*opgaan*) *voor* apply to [that applies only to our country], hold (good) for; *~* (*doorgaan*) *voor* be said to be, be considered (to be), rank as; *dat geldt zowel voor Engeland als voor Duitsland, ook:* that is true both of E. and G.; *dat geldt ook voor jou* that also goes for you; *nog meer ~ voor* apply with greater force to; *zijn smaak geldt voor goed* is considered (accounted) good; *de beurs geldt voor één jaar* the scholarship is tenable for one year; *zie* stem; *de algemene ~de opinie* (*gewoonte*) the (generally) received opinion (custom); *de thans ~de prijzen* ruling (current) prices, the prices now prevailing
Gelderland G(u)elderland, Guelders
Gelders Guelders; ~**man** native of G(u)elderland
geld: ~**gebrek** want of money, lack of funds, impecuniosity; – *hebben* be short of m. (of cash); *zie* ~verlegenh.; ~**gever** lender; ~**gierig** avaricious, m.-grubbing; ~**god** mammon; ~**handel** banking (business); ~**handelaar** m.-dealer, banker
geldig valid [*volgens de wet* in law], operative; *slechts ~ voor de dag van afgifte* available (valid) on the day of issue only; *niet meer ~* [the passport is] out of date; *~ maken, verklaren* make, declare v., validate; *de schuld werd ~ verklaard* the debt was allowed to stand; *'t contract* (*besluit, enz.*) *is niet ~* the contract (decree, etc.) cannot stand; *zie ook* van kracht; ~**heid** validity; (*van kaartjes*) availability; *onderlinge –* interavailability [of railway and bus tickets]; ~**heidsduur** = ~**heid**

geld: ~**ing** validity; –**sdrang** assertiveness, desire to assert o.s.; (*psych.*) aggression; ~**kist** strong-box, coffer; ~**kistje** cash-box; ~**koers** rate of exchange; ~**kwestie** question of m.; ~**lade** till, cash-drawer; ~**lening** loan; ~**maker** m.-maker; ~**makerij** *zie* ~winning; ~**man** financier, capitalist; ~**markt** m.-, stock-market; ~**middelen** pecuniary resources, means, finance(s); ~**nemer** borrower; ~**nood** *zie* ~gebrek & ~schaarste; ~**omloop** circulation of m.; ~**ontwaarding** *a*) inflation; *b*) devaluation; ~**prijs** m.-prize; ~**riem** m.-belt; ~**sanering** *zie* ~zuivering; ~**schaal(tje)** m.-balance; ~**schaarste** scarcity (dearth, stringency, tightness) of m.; ~**schieter** m.-lender; ~**schuld** m.-debt; ~**smijterij** *zie* ~verspilling; ~**snoeier** coin clipper; –**ij** coin-clipping; ~**som** sum of m.; ~**soort** kind of m., coin; ~**standaard** monetary standard; ~**stuk** coin; ~**swaarde** m.-value, m.-worth, value in m.; *brief met* – m.-letter; ~**swaardige** *papieren* papers of value, securities; ~**trommel** cash-box; ~**trots** purse-pride; ~**verkeer** [international] finance; ~**verlegenheid** financial difficulties, money problems; *in – verkeren, ook:* be hard pressed, be hard up (for m.), be pushed for m.; ~**verlies** loss of m.; ~**verspilling** waste of m., (*fam., vooral van overheid*) squandermania; ~**verzending** remittance; ~**voorraad** supply of m.; *te grote* – glut of m.; ~**wereld** world of finance; ~**wezen** finance, monetary matters; ~**winning** m.-making (business); '*t is een* – they are coining m.; ~**wisselaar** m.-changer; ~**wolf** m.-grubber; ~**zaak** m.-affair, -matter; ~**zak** m.-bag; ~**zakje** *a*) cash bag; *b*) cash-pocket; ~**zending** remittance; ~**zorgen** m.-troubles, -worries; ~**zucht** lust for m.; ~**zuchtig** m.-grubbing, mercenary; ~**zuivering** currency (monetary) reform

geleden ago; (*van een punt in 't verleden gerekend*) before, previously, earlier [I had seen him a week ...]; *korte tijd* ~, *ook:* a short time since (*of:* back); *een jaar* ~ *was hij* ... this time last year ...; '*t is lang* ~, *dat* long time (past), for ever so long, it is a long time since I saw him last; '*t is 10 j.* ~ *dat* ... it is ten years since (it was ten years ago that) he died; *hoe lang is dat* ~? how long ago is that?; *heel kort* ~ quite recently; *lang, lang* ~ in the long long ago

gelederen *zie* gelid

geleding (*biol.*) articulation, joint; (*van harnas, enz.*) joint; (*van kust*) indentation; (*personen*) echelon; *in al zijn* ~*en*, (*fig.*) in all its branches

geleed articulate, jointed (stalk, tail); (*van kust*) indented; ~ *dier, ook:* articulate; *gelede bus* articulated bus; ~**potigen** arthropods

geleend: '*t* ~*e* [repay] the loan; *zie* pronken

geleerd learned [man, education, name, word], scholarly [work, production], academic [circles]; *de* ~ *wereld*, the learned world, the world of learning, (*natuurw.*) the w. of science; *hij is* ~ *in het Grieks* a good Greek scholar; *dat*

is mij te ~ that is beyond me (beyond my comprehension); *hij spreekt mij te* ~ he talks (his talk goes) over my head; *hij deed erg* ~ he looked very wise; *zie* uitzien; ~e scholar, man of learning, (*natuurw.*) scientist, (*sl.*) egghead; (*Hindoes & scherts.*) pundit; ..., *als de* ~*en 't niet eens zijn?* who shall decide when doctors disagree?; ~**heid** learning, erudition; –**svertoon** display of learning

gelegen 1 situated [*aan* ... on a river], lying; *een slecht* ~ *kerk* an ill-sited church; ~ *zijn in*, *zie* liggen in; 2 convenient, opportune; *te* ~*er tijd* (*ure*) in due time, in good season; *dat komt mij nu niet* ~ it does not suit me now, it is not convenient to me now; *komt dat* ~? is that convenient?; *zie ook:* van pas komen; *ik weet niet hoe de zaken* ~ *zijn* how matters stand; *hoe is 't daarmee* ~? what about that?; '*t is zo* ~ it's like this, it's this way; *er is mij veel aan* ~ *u te overtuigen* I am anxious to convince you; *er is* (*mij*) *veel aan* ~ it is of great importance (to me); *daar is niets aan* ~ it does not matter; it is of no consequence; *er was ons niet veel aan* ~ we did not feel strongly in the matter; *aan hem was niet veel* ~ (a) good riddance of bad rubbish; *ze lieten zich weinig aan mij* ~ *liggen* they paid little attention to (took little notice of) me

gelegenheid occasion; (*gunstige* ~, *kans*) opportunity, chance, opening; *ruim* ~ ample scope [to show your ability]; (*plaats, ruimte*) place, accommodation, convenience; (*café, enz.*) place, [a high-class] establishment; *zekere* ~ convenience, w.c.; ~ *om zich te wassen* (*kleden*) washing (dressing) accommodation; *mooie* ~ *om schaatsen te rijden* fine place for skating; *prachtige* ~ *voor 't golfspel* excellent golfing facilities; *er is* ~ *voor sport* provision is made for games; *de* ~ *biedt zich aan* (*doet zich voor*) *a*) the opp. offers (presents itself); *b*) the occ. arises; *ruimschoots* ~ (*aan*)*bieden voor discussie* give ample scope for discussion; '*t meer biedt uitstekende* ~ (*aan*) *om* ... the lake affords excellent fishing and bathing; *de* ~ *aangrijpen* seize (take, avail o.s. of) the opp. [of doing, to do], take occ. (time) by the forelock; *men moet de juiste* ~ *aangrijpen* time and tide wait for no man, (there is) no time like the present; '*t toeval bracht hem een gunstige* ~ fortune brought him an opp.; ~ *geven* give (afford) an opp., enable; ~ *hebben* have (an) opp.; *weinig* ~ *hebben* have little opp.; ~ *krijgen* (*maken, vinden*) get (make, find) an opp. [*om te* to]; *de* ~ *maakt de dief* opp. makes the thief; an open door may tempt a saint; *de* ~ *laten voorbijgaan* allow the opp. to slip by, let the opp. slip; *als de* ~ *zich voordoet* as occ. offers; *bij* ~ on occ., occasionally; *stuur het me bij* ~ *terug* return it at your convenience; *bij* ~ *van* on the occ. of [his silver wedding]; *bij die* ~ *had ik geen* ~ *om* ... on that occ. I had no opp. to ...; *bij de eerste* ~ on (at) the first opp.; *bij elke* ~ on every occ., on all occasions; *bij feestelijke -heden* on festive occasions; *bij voorkomende* ~ when opp. offers, when occ. arises; *in de* ~ *stellen* give (afford) an opp., enable; *in de* ~ *zijn te* be in a position to, have an (the) opp. to, be able to; *naar de een of andere* ~ (*schouwburg, enz.*) *gaan* go to a show; *ik deed het op eigen* ~ unaided, off my own bat, (*sl.*) on my own hook; *op eigen* ~ *reizen* travel on one's own (independently); *per eerste* ~ [send] by first boat (train), by the earliest opportunity; *ter* ~ *van* on the occ. of; *voor de* ~ [written] for the occ.

gelegenheids: ~**gedicht** (-lied) occasional (topical) poem (song); ~**gezicht** [with a] countenance to suit (well suited to) the occasion; ~**kleding** formal dress; ~**koopje** (chance) bargain; ~**preek, ~rede, ~spreker, ~vers** occasional sermon (speech, speaker, poem); ~**wetgeving** ad hoc legislation; ~**woord** nonceword

gelei (*vruchten-*) jelly, preserve; (*dierlijk*) jelly; *paling in* ~ jellied eel(s); ~**achtig** j.-like

gelei: ~**biljet, ~brief** (*spoorw.*) way-bill; (*douane*) permit; (*vrijgeleide*) safe-conduct; ~**buis** conduit-pipe

geleid guided [*projectiel* missile]; *zie* economie

geleide attendance, guard, care, protection; (*mil., enz.*) escort; (*van vloot*) convoy; *onder* ~ under escort; *onder sterk* ~ under a strong guard; *onder* ~ *van* [children] in charge of [an adult]; *hij bood haar zijn* ~ *aan* he offered to accompany her (to see her home); *dank je voor je vriendelijk* ~ thank you for showing me the way (for seeing me home); *zie* leiding; ~**biljet** waybill; ~**hond** guide-dog, (*Am.*) seeing-eye dog; ~**licht** leading (guiding) light

geleidelijk *bn.* gradual; *bw.* ...ly, by degrees, little by little; ~ *afvoeren, opheffen, enz.* phase out; ~**heid** gradualness, graduality; *langs lijnen van* – = ~ *bw.*

geleiden lead, conduct, accompany, escort, attend; (*mil.*) escort; (*vloot*) convoy; (*nat.*) conduct [heat, electricity]; *naar tafel* ~ take [a lady] in (hand ... down) to dinner; *zie* altaar, economie; ~**d** conductible

geleider leader, guide, conductor; (dog-) handler; (*nat.*) conductor; *slechte* ~ nonconductor

geleidestraal (*luchtv.*) beam

geleiding leading, conducting, etc.; (*nat.*) conduction [of heat, etc.]; (*concr.*) (electric) wiring, conducting-wire; *zie* leiding; ~**svermogen** conductivity

geleidraad conducting-wire

geleidster leader, guide, conductress

geleiëngel, ~geest guardian angel, attendant spirit; **geleischip** tender

gelen *tr.* (make) yellow; *intr.* (get, turn) yellow

geletterd literary, lettered, [man] of letters; ~**e** man of letters, literary person; ~**en, ook:** literati; **geleuter** rot, drivel, twaddle, waffle

gelid (*gewricht*) joint; (*mil.*) rank (*ook fig.*), file; (*bijb.*) generation; *voorste* (*achterste*) ~ front

(rear) rank; *in 't* ~ *gaan staan* fall in, line up; *in enkele* (*dubbele*) *gelederen* in single (double) file(s); *zich in* ~ *opstellen* draw up; *in 't* ~*!* line up!; *in de voorste gelederen van de beweging* in the forefront of the movement; *de gelederen sluiten* close the ranks; *de gelederen verbreken* break rank; *uit het* ~ *treden* leave the ranks, fall out; *uit de gelederen voortkomen,* (*van officier*) rise from the ranks; *zie* gesloten; ~**sluiter** file-closer

geliefd dear, beloved, well-liked (*bij* by, of); *hij is niet erg* ~ he is not liked very much; *hij was overal* ~ he was a favourite everywhere; *zijn* ~ *hoekje* his favourite corner; *zijn* ~ *plan* his pet scheme; *zijn* ~*e literaire werkzaamheden* the literary pursuits he loved; *zie ook:* trek (*in* ...); ~**e** sweetheart, dearest, love, beloved, [his] lady-love, [her] lover

geliefhebber dilettantism, amateurism, dabbling [in poetry, etc.]

geliefkoosd favourite, cherished

gelieven I *zn.* lovers; II *ww.* please; *gelieve mij te berichten* kindly inform me, please inform me; *ik zal wachten tot 't hem gelieft* (*mij te helpen, enz.*) I'll wait his pleasure; *wat hij geliefde te noemen* ... what he chose (*of:* was pleased) to call ...; *hij geliefde mij niet te geloven* he was pleased not to ...; *ja, dat gelief jij te zeggen* well, you are pleased to say so

gelig yellowish; **geligniet** gelignite

gelijk I *bn.* (*niet verschillend*) equal, identical, similar, alike; [a] like [amount]; (*effen*) even [teeth], smooth [lawn], level [country]; ~ *en gelijkvormig, zie* congruent; *vijftien* ~, (*sp., enz.*) fifteen all; *zichzelf* ~ *blijven* be consistent (with o.s.); ~ *maken,* (*zie* ~maken; ~ *spel* draw; ~ (*spel*) *maken,* (*sp.*) draw (level), equalize [at 7-7]; ~ *worden* (*op 't zelfde peil komen*), *ook:* level up; *het is mij* ~ it is all the same (makes no difference) to me; *de klok is niet* ~ is not right; *zie ook* ~gaan; *jullie mannen zijn allemaal* ~ you men are all alike; *zij zijn* ~ *in jaren* (*van grootte*) they are of an age (of a size); ~ *zijn met,* (*ook sp.*) be level with; ~ *met, ook:* flush with [the ground, etc.]; *de deur is geheel* ~ *met* ... the door fits flush into the wall; *10 min 4 is* ~ *6* ten less four equals six; *in* ~*e mate* equally, in the same degree; *met* ~*e wapenen en onder* ~*e voorwaarden strijden* fight on equal terms; ~ (*d. i. onder* ~*e condities*) *beginnen* start on a level; *onder overigens* ~*e omstandigheden* other things being e.; *op* ~*e wijze* in the same way (manner); *de gevallen zijn niet* ~, *zie* ~staan; *op* ~*e hoogte met de begane grond* [the door was] at ground level, [windows] flush with the floor; *van* ~*e datum* of same (*of:* even) date; ~ *van humeur* even-tempered; II *bw.* equally, similarly, alike; [she treated all men] the same; (*tegelijk*) at the same time, simultaneously; ~ *opdelen* (share and) share alike, (*van 2 pers. ook*) go fifty-fifty, divide (*of:* share) the profits etc. fifty-fifty (on a fifty-fifty basis); ~ *denken* think alike; *zij, die met hem* ~ *denken* those who think with him; III *zn.* right; ~ *bij* ~ like to like; *iem.* ~ *geven a*) declare that a p. is right, agree with a p., be of a p.'s opinion, bear a p. out; (*fam.*) back a p. up; *b*) decide in a p.'s favour, put a p. in the right; *ik geef je* ~, *ook:* I think you are right; ~ *hebben* be right, be in the right; *hij wil altijd* ~ *h.* he always wants to carry his point (to be right); *hij is overtuigd van zijn eigen* ~ ... of being in the right; *je hebt* (*groot*) ~ *met dat te zeggen* you are (quite) right to say so; *daar heb je* ~ *aan* there you are right; ~ *heb je!* right you are!; *hij kreeg* ~ he was put in the right; *iets* **in** '*t* ~ *brengen* set a thing to rights; *in* '*t* ~ *stellen, zie* ~ geven; *dat* (*de uitkomst, enz.*) *stelde haar in* '*t* ~ that (the event, etc.) put her in the right, justified her; ~ *met* ~ *vergelden* render like for like; *van* '*s* ~*en!* (the) same to you!; *zie* insgelijks; IV *vw.* as [do it ... I have shown you]; (*fam.*) like; ~**beduidend, ~betekenend** of like meaning, synonymous; ~**benig** isosceles [triangle]; ~**delend** *erfrecht* gavelkind

gelijke equal; [you will not find his] peer (*ook:* e.); *uws* ~*n, ook* (*min.*): the likes of you; '*t heeft zijns* ~ *niet, ook:* it is not to be equalled; *als* ~(*n*), *zie ook:* voet (*op* ... *van gelijkheid*)
gelijkelijk equally, evenly [divided], [divide] in equal shares; *zie* gelijk *bw.*
gelijken: ~ (*op*) resemble, look like, be like; *dit is een goed* ~*d portret* this photo is very like, it is a good likeness; *zie verder* lijken
gelijk-en-gelijkvormigheid *zie* congruentie
gelijkenis resemblance [*met, op* to], likeness [to ...], similarity; (*bijb.:* afbeelding) likeness; (*parabel*) parable; *zie* vertonen
gelijkerwijs, -wijze likewise
gelijk: ~**gaan** keep good time; *gaat uw horloge* ~*?* is your watch right? have you got the right (correct, exact) time?; *mijn horloge gaat* ~ *met* ... my watch is correct (right) by the station clock; – *met elkaar* agree [all the clocks ...d to a second]; ~**gerechtigd** equal, coequal [partners]; – *zijn, ook:* rank equally; ~**gerechtigdheid** *zie* rechtsgelijkh.; ~**gericht:** *mensen met* ~*e belangstelling* people with common interests; ~**gestemd** (*fig.*), ~**gezind** like-minded, of one mind; ~**hebberig** disputatious; ~**heid** = quality;(*gelijkenis*) similarity;(*eenvormigheid*) sameness; (*van oppervlak, enz.*) smoothness, evenness; *zie* voet; ~**prediker** leveller, egalitarian; ~**hoekig** equiangular; ~**knippen** trim; ~**komen** *met* come up with; ~**lastig** *zijn*, (*mar.*) be on an even keel; ~**lopen** *a*) *zie* ~gaan; *b*) run parallel [*met* to]; ~**lopend** *a*) keeping good time; *b*)(*van lijnen, enz.*) parallel; ~**luidend** homonymous [words]; (*van document*) of (the) same (of even) tenor (and date), identical; – *afschrift* true copy; *zie* eensluidend; ~**maken** equalize [*aan* to, with]; (*sp.*) draw (level), equalize, level the scores; (*effenen*) level [the ground], smooth; *met de grond* – raze to the ground, level to (with) the

ground; – *aan*, (*brengen op* '*t peil van*) level up (down) to; '*t Schots gebruik – aan* '*t E.* bring Scottish practice into line with English; ~**maker** (*sp.*) equalizer, tying goal; ~**making** equalization; levelling; ~**matig** equable [temperature, climate], uniform [motion], steady [pressure]; even [temperature, tint, speak in ... tones], equal; *een – humeur* an even temper; ~**matigheid** equableness, equability, uniformity, evenness; ~**moedig** equanimous, even-tempered; ~**moedigheid** equanimity, evenness of temper; ~**namig** of the same name; (*van breuken*) having the same denominator; (*elektr.*) similar, like [poles]; *zie* pool; – *maken* reduce [fractions] to the same denominator; ~**namigmaking** reduction to ... (*zie* '*t vor.*); ~**richten** align [particles]; rectify [a current]; ~**richter** rectifier; ~**schakelen, -ing** co-ordinate [with ...], -ation; standardize, -ization; ~**schakelingstendens** egalitarian trend; ~**slachtig** homogeneous; ~**slachtigheid** homogeneity; ~**soortig** similar; ~**soortigheid** similarity; ~**spelen** (*sp.*) draw [at 3-3]; *Liverpool en Everton speelden gelijk* L. and E. drew (their match); *L. speelde gelijk met E.* L. drew with (to) E.; ~**staan** be equal [*met* to], be level (on a par, on a level) [*met* with]; – *met, ook:* be tantamount (equivalent) to, amount to [an affront]; *de gevallen staan niet* ~ the cases are not on all fours; ~**standig** (*wisk.*) homologous [sides]; ~**stellen** put on a par (on a level, on the same footing) [*met* with], equate, identify; ~**stelling** equalization [of men and women]; ~**strijken** smooth; ~**stroom** direct (*of:* continuous) current; –**motor** d.-c. engine; ~**teken** sign of equality; ~**tijdig** *bn.* simultaneous, synchronous; contemporary [writers]; *bw.* simultaneously, concurrently, [arrive] at the same time; ~**tijdigheid** simultaneousness, simultaneity, synchronism; ~**vloers** *a*) on the ground floor, on the entrance floor, on ground (street) level; –*e kruising* level intersection, (*Am.*) grade crossing; *b*) on the same floor; (*fig.*) plain, homely, pedestrian [style]; ~**vormig** of the same form, similar [figures]; ~ *en* –, *zie* congruent; ~**vormigheid** conformity, similarity; ~**waardig** equivalent [*aan* to]; of the same value; [diploma] of equal merit; ~**waardigheid** equivalence; ~**zetten** set [the clock, one's watch] [*met* ... by the town-clock], put (set) [one's watch] right; (*met elkaar*) synchronize [clocks]; ~**zijdig** equilateral [triangles]; –**heid** e.ness; ~**zwevende** *temperatuur*, (*muz.*) equal (*of:* even) temperament
gelijmd: ~ *papier* sized paper
gelik licking, lapping; (*fig.*) toadyism
gelikt highly finished, polished
gelinieerd ruled [paper]; **gelint** ribboned
gelipt lipped; **gelisp(el)** lisping, lisp
gelobd lobed, lobate; (*van blad*) sinuate
geloei (*bel*)lowing; roar(ing), booming (*van misthoorn*); *zie* loeien; **geloer** spying, watching

gelofte vow, (solemn) promise; *de ~ afleggen*, *(r.-k.)* take the v.; *een ~ doen* make a v.; **~gift** ex voto, votive offering

geloken closed, shut; **gelol** bawling; *(van kat)* caterwauling; **gelonk** ogling

geloof belief, faith, credit; *(godsd.)* faith, belief, persuasion; *(~sbelijdenis)* creed; *~, hoop en liefde* faith, hope and charity; *een blind ~* [have] blind (implicit) faith [in a p.'s honesty]; *~ aan* faith (belief, trust) in; *~ hechten (slaan) aan* believe, give (attach) credence (credit) to; *geen ~ hechten aan, ook:* discredit [a rumour, statement]; *iem. ~ schenken* believe a p.; *~ stellen in* trust, put faith in; *geen ~ verdienen* deserve no credit; *~ vinden* find credence; *het ~ kan bergen verzetten* faith will remove mountains; *op goed ~ aannemen* take (up)on trust; *zie* artikel; **~baar, gelofelijk** believable, credible; **geloofbaarheid** credibility

geloofs: **~artikel** article of faith (of religion); **~begrippen** religious opinions (convictions); **~belijdenis** confession (profession) of faith, creed; **~bezwaren** religious scruples; **~brieven** *a)* credentials, letters of credence; *b)* documentary proof of one's election; **~daad** act of faith; **~dwang** compulsion in matters of faith; **~formulier** creed; **~gemeenschap** religious community; **~genoot** co-religionist; **~geschil** religious controversy; **~getuige** martyr; **~haat** religious hatred; **~halve** for the sake of one's religion; **~held** champion of the faith, hero of faith; **~ijver** religious zeal; **~leer** dogmatics, religious doctrine; **~leven** religious life; **~onderzoek** test *(of:* trial) of faith; **~overtuiging** religious conviction; **~punt** point of doctrine, doctrinal point; **~rechter** inquisitor; **~regel** rule of faith; **~twist** religious quarrel; **~(en),** *ook:* religious strife; **~vertrouwen** (religious) faith; **~vervolging** religious persecution; **~verwisseling** change of faith (religion); **~verzaker** apostate, renegade; **~verzaking** apostasy; **~vrijheid** religious liberty; **~waarheid** religious truth; **~zaak** matter (question) of faith

geloofwaardig credible [account, story], reliable [person, account], plausible [account]; [a witness] of credit; *klinkt dat ~?* does that ring true?; *zie* bron; **~heid** credibleness, credibility, reliability

geloop running (to and fro), coming and going

geloven believe *(ook:* one's eyes, etc.), credit; *(van mening zijn)* think, believe; *niet ~, ook:* disbelieve *(tr. & intr.);* ~ *dat iem. dood is, ook:* b. a p. (to be) dead; *ze kon haar ogen niet ~, ook:* she could not credit her senses; *dat moet je zien om 't te ~* it has to be seen to be believed; *hij kon maar niet ~ dat ...* he could not bring himself to b. ...; *hij gelooft alles* he will swallow anything; *geloof dat maar* you may take my word for it; *geloof maar, dat hij een handige kerel is* give him credit for being a clever fellow; *doen ~* make [a p.] b., bring [a p.] to b.; [he is not so stupid as you want to] suggest; *geloof gerust, dat ...* you may take it

for granted that he is a clever fellow; *niet te ~* [it is] not to be believed; *zie ook:* ongelofelijk; *dat geloof ik graag!* I should think so! I dare say! I can well b. it; ['I don't like the word']; 'I dare say not'; ~ *wat men graag wil* wishful thinking; *hij gelooft 't wel* he does not trouble his head about it; he takes things *(of:* everything) for granted; *het verder wel ~* leave it at that; *je kunt me ~ of niet* b. me or not; ~ *aan* b. in [God, ghosts]; *je moet eraan ~, (fig.)* you are in for it now; *mijn horloge* (auto, enz.) *moet eraan ~* my watch (car, etc.) will have to go; ~ *in* b. in; *zie* woord

gelovig faithful, believing, pious; *de ~en* the faithful, the believers, the worshippers; *de overleden ~en, (r.-k.)* the faithful departed; **~heid** faithfulness, piety

gelui ringing, tolling; *vgl.* luiden

geluid sound; *allerlei ~en* various noises; *'n ander ('n optimistisch) ~ laten horen* strike a different (an optimistic) note; **~dempend** s.-damping, -deadening, -proofing [material]; **~demper** s. absorber, s. suppressor; *(muz.)* mute; *(van motor)* silencer, *(Am.)* muffler; *(van vuurwapen)* silencer; **~demping** *(van huis, enz.)* s.-proofing; **~dicht** s.-proof; **~gever** *(van grammofoon)* s.-box; **~loos** soundless; **~meetapparaat** *(mil.)* s.-ranger; **~meting** *(mil.)* s.-ranging; **~sband** magnetic (recording) tape; **~sbarrière** s.-barrier; **~sfilm** s.-film, *(sl.)* talkie; **~sgolf** s.-wave; **~shinder** noise nuisance (interference, pollution); *bestrijding van –* n. abatement, n. control; **~singenieur** s. engineer, audio-engineer; **~sleer** acoustics; **~sopname** *(film)* s.-record; **~soverlast** *zie* **~shinder;** **~ssein** *(mar.)* s.-signal; **~sspoor** *(film)* s.-track; **~strilling** acoustic *(of:* sound) vibration; **~svolume** volume of sound; **~swagen** recording van; **~vrij** s.-proof; **~zoeker** s.-locator; **geluier** idling, laziness

geluimd: *goed ~* good-humoured, in a good humour; *erg goed ~* in high feather; *slecht ~* in a (bad) temper, out of humour; *wat is hij slecht ~!* what a temper he is in!; *ik ben er niet naar ~ om ...* I am not in the mood to ...; *zie* gestemd

geluk *(gevoel)* happiness [domestic ...], *(sterker)* felicity, bliss; *(door omstandigh.)* fortune; *(gelukkig toeval)* (good) luck, good fortune; *(succes)* success; *zie ~je; wat een ~!* what a piece of luck!; *wat een ~, dat ...* what a mercy she was not at home; *het was een ~ voor me dat ...* luckily for me [the train was late], it was well *(of:* lucky) for me that ...; *zie ook:* gelukkig dat; *bij ~* by (great) good fortune; *bij louter ~, ook:* by a mere fluke; *op goed ~ (af)* at a venture, at haphazard, at random; hoping for the best; *een selectie op goed ~* a random selection; *iets op goed ~ af doen, ook:* draw a bow at a venture; *~ ermee!* I wish you joy (of it)!; *dat is meer ~ dan wijsheid* it is more by luck than by judg(e)ment, more luck than skill; *meer door ~ dan wijsheid, ook:* through no virtue of his own [he found ...], more through luck than through anything else; '*t ~ is met de stoutmoedige* fortune favours the bold; '*t ~ diende hem* his luck was in; good fortune attended him; '*t is een ~ bij een ongeluk, ongev.* it's an ill wind that blows nobody any good; ~ *hebben* be in luck, be fortunate; *ik had het ~ te* ... I had the good fortune to ...; '*t liefste meisje, dat ik* '*t ~ gehad heb te ontmoeten* the sweetest girl it has been my lot to meet; *een hoefijzer brengt ~* a horseshoe brings good luck; *zijn ~ beproeven* try one's luck (fortune); *je mag nog van ~ spreken, dat* ... you may think (*of:* count) yourself lucky that ... (thank your stars that ..., congratulate yourself that ...); *je mag van ~ spreken* (*dat je er niets mee te maken hebt*) you are well out of it; ~ *wensen, zie ben.; ~aanbrenger* bringer of good luck, mascot; ~*je* piece of (good) luck, stroke of good fortune, windfall, godsend

gelukken succeed; *niets gelukt hem* nothing succeeds with him; *alles gelukte hem* he succeeded in everything, he carried all before him; '*t (kunstje) gelukte niet* it (the trick) did not come off; *de kiek gelukte goed* the photo came out well; *het gelukte hem* he succeeded [*te* ... in ...*ing*], he was successful; *het is eindelijk gelukt* at last our efforts have been successful; '*t gelukte mij binnen te komen, ook:* I managed to get in; '*t gelukte hem niet* he failed [*te* ... *to* ...]; '*t gelukte haar goed* (*niet*), (*fam.*) she made a (good) job (a bad job, a poor job) of it; *dat zal je niet ~!* you won't get away with that; (*mij beet te nemen, enz.*) you won't get any change out of me; *gelukt* successful [plan]

gelukkig (*gemoedstoestand*) happy [days, thought, he is as h. as the day is long]; (*door omstandigheden*) fortunate; (*door toeval*) lucky [Sunday is a ... day for me]; (*voorspoedig*) successful [merchant], prosperous [voyage]; *zich ~ voelen met iets* feel happy about s.t.; ~! thank goodness!; ~*e afloop* h. issue (ending); *G~ Arabië* Arabia Felix; *in zeer ~e bewoordingen* in very felicitous terms; *de ~e bezitter* the lucky possessor; ~ *toeval* lucky (happy) chance, fluke; ~*e vertaling* h. translation; ~ *voorteken* good omen; *zijn ~e wijze van uitdrukking* his felicity of phrase; ~ *zijn*, (*boffen*) have (good) luck, be in luck; *we zijn zo ~, mej. B. vanavond als spreekster te hebben* we are fortunate in having Miss B. as lecturer tonight; (*als de politie erachter komt*) *dan zijn ze nog niet ~*, (*fam.*) they'll be for it; ~ *in* '*t spel, ongelukkig in de liefde* lucky at cards (at play), unlucky in love; *en maar ~ ook!* and a (jolly) good thing (*of:* job) too!; ~ *dat hij* ... (a) good job (good thing) he ...; *hij was de ~e* he was the lucky man; *de ~e loopt alles mee* nothing succeeds like success; ~(*erwijze*) fortunately, happily; luckily, he is. luck would have it

geluks: ~*bode* bearer of good news; ~*dag* lucky (happy) day, red-letter day; ~*godin* goddess

of fortune, Fortune; ~**hanger** (*aan horlogeketting*) charm; ~**kind** fortune's favourite, spoilt child of fortune, (*fam.*) lucky dog; *hij is een ~, ook:* he was born with a silver spoon in his mouth; ~**nummer** lucky number; ~**penning** lucky coin; ~**poppetje** mascot; ~**rad** wheel of change; ~**spinnetje** money-spider, -spinner; ~**ster** lucky star; *zijn ~ rijst* his star is in the ascendant; ~**stoot** fluke, lucky hit; ~**telegram** greetings tel.; ~**vogel** *zie* ~kind

geluk: ~**wens** congratulation; *mijn –en!* (you have) my congratulations [*met* on]; ~**wensen** *ww.* congratulate [*met* on], offer one's congratulations, wish [a p.] good luck (happiness), wish [a p.] joy (of it); ~**zalig** blessed, blissful; '*t verblijf der –en* the abode of the blessed; ~**zaligheid** bliss, blessedness, beatitude; ~**zoeker** fortune-hunter, adventurer; ~**zoekster** adventuress

gelul (*plat*) gas, claptrap

geluw (*Z.-Ned.*) yellow, yellowish

gemaakt 1 ready-made, ready-to-wear [clothes], made-up [tie *das*]; ~*e kleren, ook:* (*fam.*) ready-mades, reach-me-downs; 2 affected, prim, mincing [speech, gait], niminy-piminy; ~*e glimlach* simper; ~*e nederigheid* sham humility; ~*e vrolijkheid* artificial (forced) gaiety; ~ *lachen* (*spreken*) laugh (speak) affectedly (mincingly); ~ *spreken, ook:* mince one's words; ~**heid** affectation, primness

gemaal 1 consort (*vooral in titels:* prince c.), spouse; 2 ('*t malen*) grinding; (*accijns*) (*hist.*) duty on flour; (*machine*) pumping-engine; (*gebouw*) pumping-station; (*gezeur*) bother, worry

gemachtigde proxy, assignee, deputy, attorney; (*van postwissel, enz.*) endorsee

gemak (*behaaglijkh.*) ease, comfort; (*gemakkelijkh.*) ease, facility; (*gerief*) comfort, convenience, facility; (*heimelijk ~*) convenience. w.c.; *van moderne ~ken voorzien* fitted (out) with modern conveniences (appliances, comforts), labour-saving [house]; *huis met vele ~ken, ook:* commodious house; *hou je ~! a*) don't move! *b*) compose yourself! (*sl.*) keep your hair on!; *zijn ~ nemen* take one's e., make o.s. comfortable; *met ~* with e., easily; *met ~ winnen, ook:* win hands down; (*rennen & fig.*) have a walk-over, win in (at) a canter, romp in (*of:* home); *iem. met ~ verslaan* beat a p. hands down (at, in, a canter); *op zijn (dooie) ~* at (one's) ease, (*zonder haast*) at one's leisure, leisurely, [win] hands down; *ook = met ~; zich (niet) op zijn ~ voelen, ook:* feel (un)comfortable; *doe het op uw ~* take it easy, take your (own) time (over it); *op zijn ~ reizen* travel by easy stages; *op zijn ~ lopen* stroll; *hij zette zich op zijn ~ in zijn stoel* he settled down comfortably in his chair; *op zijn ~ gesteld zijn, van zijn ~ houden* be fond of taking things easy; *iem. op z'n ~ stellen* put (set) a p. at his e., make a p. feel at home, make a p.

comfortable; *voor mijn* ~ [a telephone] for my convenience
gemakkelijk easy [sum, problem, life, posture, carriage, steps]; commodious, labour-saving [house]; comfortable [bed, coat, hat]; [those signposts are] practical; ~ *baantje* e. (light, *sl.:* soft, cushy) job; ~e *betalingsvoorwaarden* e. terms (of payment); ~e *buit* e. prey; ~e *houding* comfortable position; ~ *leven* e. (*sl.:* soft) life; ~e *regeling* convenient arrangement; ~e *stoel* comfortable (easy) chair; *des zomers heeft hij 't* ~ in summer he has an e. time of it; ~ *te vinden* e. to find; *'t is niet* ~, *ook:* it's no e. matter (*of:* job); *dat is niet* ~ *te overtreffen, ook:* that takes some beating; *ze is niet* ~ *te begrijpen* she takes some understanding; *u zult* ~ *begrijpen* you will readily understand; *'t was niet* ~ *haar te sussen* she took some soothing; *ze is lang niet* ~ she is a difficult person, is not easy to get on with; *haar hoofd is wat* ~*er* is a bit easier; *hij is* ~ *te bereiken* he is e. of access; *dat wordt* ~ *misverstaan* it is apt (liable) to be misunderstood (liable to misconstruction); *vgl.* 1 licht II; ~ *verdiend geld* [it's] e. money; *hij werd* (*haalde*) ~ *no. 1* he was an e. first; *hij is wat* ~ he takes things e., is (an) e.-going (man); *'t is zo* ~ *als wat* as e. as ABC (as winking, as falling off a log); *'t zich* ~ *maken, a*) (*zijn gemak nemen*) make o.s. comfortable, take one's ease; *b*) = *wat* ~ *zijn* (*zie bov.*); *maak 't je* ~ take your ease; *de toestand* ~*er maken* ease the situation; *hij spreekt* ~ he is a ready (fluent) speaker; *hij spreekt niet* ~, *ook:* his delivery is halting; *we spreken zo* ~ *over het leren van een taal* we talk casually about learning a language; ~ *zitten* (*van pers.*) be comfortably seated, be comfortable; *zit je* ~? are you comfortable?; (*van kledingstuk*) be an e. fit, be comfortable; (*van schoenen*) *ook:* be e. to one's feet; *zie* omgang, zeggen, enz.; ~**heid** ease, facility, easiness, comfortableness, commodiousness
gemakshalve for convenience(' sake)
gemakzucht love of ease; ~**ig** easy-going, ease-loving
gemalied mailed; **gemalin** consort, spouse
gemaniëreerd mannered; ~**heid** mannerism
gemarineerd marinaded; **gemarmerd** marbled
gemaskerd masked; ~ *bal* masked ball; *een* ~*e* a masked person, a mask
gematigd moderate [temperature, man, drinker, principles, language], moderate-minded [people], measured [in ... terms], temperate [zone *luchtstreek*]; *de* ~*en* the moderates; ~**heid** ...ness, moderation
gematteerd matt(ed) [gold]; powdered [cigar]; frosted [glass]
gember ginger; ~**bier** g.-beer, g.-ale; ~**koek** gingerbread; ~**wortel** g.-root
gemeen I *bn.* (*gemeenschappelijk*) common, joint; (*algemeen*) common, public, general; (*gewoon*) ordinary, common, usual; (*slecht*) bad, vile [colour, road, weather; write a ... hand], beastly (foul) [weather], nasty [smell];

(*min, laag*) low, mean, base, sordid, dirty [you ... dog!], foul [murder], scurvy [trick]; (*vals*) vicious [dog]; (*plat, vuil*) obscene, scurrilous [writings], filthy [talk]; ~*ne afzetterij* beastly swindle; (*grootste*) ~*ne deler* highest c. factor; (greatest) c. divisor (*of:* measure); (*kleinste*) ~*ne veelvoud* (least) c. multiple; ~*ne dief,* (*sl.*) low-down thief; ~ *goed, a*) c. property; *b*) = ~ *goedje* vile (nasty, filthy) stuff; *de* ~*ne man, zie* gewoon; *ik kan zijn* ~ *poot niet lezen* I can't read his ghastly handwriting; ~*ne slag* backhander, foul (scurvy) blow; ~*ne snee* nasty cut; ~ *soldaat* private (soldier); ~ *spel* foul play, [play a] low-down game; ~*ne streek* shabby (dirty, scurvy, low-down) trick; ~*ne taal* scurrilous (filthy, offensive) language, billingsgate; ~*ne taal uitslaan* talk billingsgate; *een* ~*ne vent* a skunk, a rotter; ~ *vergif* rank poison; ~ *wapen* nasty weapon; *de* ~*ne zaak* the public cause; ~*ne zaak maken met* make c. cause with, throw in one's lot with; (*niets*) ~ **hebben** (*met*) have (nothing) in common (with); *'t is* ~ it's a (beastly, rotten) shame, it's a rotten thing to do, it's a dirty trick; *dat is* ~ *van je* it's horrid of you; *het werd* ~ (*d.w.z. tot* ~*goed*) *gemaakt* it was made c. property; *zich iets* ~ *maken* make o.s. familiar with s.t.; II *bw.* meanly, etc.; beastly, perishing(ly) [cold]; *iem.* ~ *behandelen* treat a p. shabbily, (*sl.*) do the dirty on a p.; (*eig. Am.*) hand a p. a dirty deal; III *zn. 't* ~ the rabble, the mob, (*scherts.*) the great unwashed; ~**goed** common property; *deze woorden zijn* ~ these words are common coin; ~**heid** meanness, shabbiness, beastliness, etc.; shabby trick; filthy talk, scurrility
gemeen: ~lijk usually, commonly; ~**plaats** commonplace, platitude, tag, bromide
gemeenschap (*'t gemeen-hebben*) community [of interests]; (*omgang*) intercourse; (*verbinding, betrekking*) connection, connexion, communication; (*maatschappij, enz.*) community [useful members of the ...; the European Economic C...]; *vleselijke* ~ sexual intercourse; ~ *van goederen* c. of goods; *in* ~ *van goederen trouwen* marry in c. of property (on equal terms); *buiten* ~ *van goederen* [marry] under the separate estate arrangement; *de* ~ *der Heiligen* the communion of saints; *de* ~ *van de Heilige Geest* the fellowship of the Holy Spirit; *in* ~ *staan met,* ~ *hebben met* be in communication with, communicate with; ~ *houden* (*hebben*) *met* hold intercourse with, be in touch (communication) with, hold [close, intimate] communion with [Nature]; *alle* ~ *verbreken* break off all intercourse, (*met iem.*) break with a p. altogether
gemeenschappelijk I *bn.* common [friend, staircase, action, the C... Market], joint [action, effort, report, railway-line]; ~ *beheer* communal management; ~ *bezit* collective (communal) ownership, (*bezitting*) c. property; ~ *gebed* corporate prayer; ~ *gezang* community singing; *zij hebben een* ~ *huis* a house in c.; ~*e keuken* communal kitchen; ~ *leven* communi-

ty life; *'t gaat voor ~e kosten* the expenses are borne in c.; *~e muur* party-wall; *voor ~e rekening* on (*of:* for) joint account; II *bw.* ....ly, (con)jointly, [have s.t.] in common, [act] together; *~heid* community [of interests]

gemeenschaps-: *~geest, ~gevoel* communal sense, public spirit; *~leven* [individual and] corporate life; *~zin zie ~geest*

gemeenslachtig of common gender

gemeente (*burgerlijke*) municipality; (*kerk.*) parish; (*voor uitvoering der armenwet*) (civil) parish; (*van predikant*) charge [the priest and his ...], (*'t gehoor*) congregation; *de goe ~* the gullible public, simple souls

gemeente[1]: *dikw.* municipal; *~ambtenaar* m. (*of:* parish) official; *~architect* m. (city, town) architect; *~arts* (m.) medical officer (of health); *~bedrijven* m. (public) works; *~beheer* m. ownership; *in – nemen* municipalize; *~belasting* (local, town-, parish-) rates; *~bestuur* municipality, (m.) corporation, the local authorities; *~bibliothecaris* municipal (public, borough) librarian; *~bode* (*vero.*) (parish) beadle; *~bureau* m. office; *~bus* corporation bus; *bijdrage uit het ~fonds* (*ongev.*) rate support grant; *~fondsen* corporation stock(s); *~geld* m. money; *~grond* m. land; *~huis* m. (*of:* common) hall, town-, village-, parish-hall; *~kas* m. treasury, civic chest; *~lasten zie ~belasting; *~lid* parishioner; *~lijk* municipal; corporation (bus service, etc.); *in – beheer nemen* municipalize; *~naar* inhabitant of a (the) town (village), parishioner; *~obligaties* corporation bonds; *~ontvanger* city (town, m.) treasurer; *~opzichter* borough surveyor; *~raad* (*zonder de burgemeester*) town-, city-council, municipal council; (*met de burgem.*) (m.) corporation; *zie raad; *~raadslid* town-, city-councillor, common councillor; *~raadsverkiezing* m. (local) election; *~reiniging* municipal cleansing department; *~school* m. school; *~secretaris ongev.:* town clerk, (*in kleine plaatsen*) clerk of the council; *~tram* corporation tramways; *~verordening* by-law (of a municipality); *~wapen* town- (city-, m.) arms; *van ~wege* by authority (of the local council); [a grant] from (the) local funds; *~weide* common; *~werken* m. works; *directeur der – m.* (city, town) surveyor; *~werkman* corporation (*of:* m.) workman; *~wet* Local Government Act; *~woning* (council, corporation, municipal) house; *~zegel* m. seal

gemeenzaam familiar, intimate; *gemeenzame uitdrukking* f. (*of:* every-day) expression; *zich ~ maken met, ook:* familiarize o.s. with; *~heid* familiarity, intimacy

gemeld above-mentioned, above

gemêleerd mixed

gemelijk peevish, morose, cross, sullen, fretful, mopish; *~heid* ...ness

gemenebest commonwealth, republic

gemenerik nasty character

gemengd mixed [feelings, marriage, farm(ing)], mingled [feelings], miscellaneous [collection]; *~ baden* m. bathing; *~e berichten, ~ nieuws* miscellaneous news; *~ getal* m. number; *~ gezelschap* m. (miscellaneous) company, m. crowd, all sorts and conditions of men; *~ koor* m. choir, [for] m. voices; *~e lading* general cargo; *~e polis* endowment policy; *~ (spoorweg)rijtuig* composite carriage; *~e school* m. (*of:* co-educational) school; *~e verzekering* endowment insurance

gemest: *het ~e kalf*, (*bijb.*) the fatted calf; *~e os* stalled ox

gemeubileerd furnished [apartments]; *~ verhuren* (*te huur*) let (to be let) f.; *~e boterham* ham (cheese, etc.) roll

gemiddeld I *bn.* average [number, price], mean [time]; *van ~e lengte* (*grootte*) [man] of medium height, medium-sized; II *bw.* on an a.; *~ opbrengen* (*bedragen, wegen, enz.*) a. [10p., 5 pounds; the wind ...d 120 miles an hour]; *~ twee hazen per dag schieten* a. two hares a day; *~ neerkomen op* ... average out at ...; *~e average* [above the ...]; *het – nemen* strike an a.

gemier bother, botheration

gemijmer musing, meditation, reverie

gemijterd mitred

gemis lack [*aan* of], want; miss [of a p.'s presence; feel the ... of it]; deprivation, loss; *een ~ vergoeden* supply (fill up) a want

gemma gem; (*plantk.*) id.

gemodder *a*) muddling, bungling; *b*) *zie* geschipper

gemoed mind, heart; *in ~e* [recommend, advise] conscientiously, earnestly [convinced], [ask] in all conscience; *zijn ~ schoot vol* he was deeply moved; *de ~eren kwamen in beweging* (*waren verhit*) feeling ran high; ... *houdt vele ~eren bezig* that question excercises many minds; *zie ook* hart, luchten & werken

gemoedelijk kind(-hearted), good-natured, genial, jovial; *~ gesprek* heart-to-heart talk; *~heid* kind-heartedness, good nature, geniality, joviality; good-natured, easy-going disposition

gemoedereerd: *dood~, zie* doodleuk

gemoeds-: *~aandoening* emotion; *~aard* disposition, temper; *~beweging* emotion; *~bezwaar* conscientious scruple (objection); *~gesteldheid* temper, disposition, attitude (*of:* frame) of mind; *~leven* inner life; *~rust* tranquillity (*of:* peace) of mind, inward peace; *~stemming* frame of mind, mood; *~toestand* state of mind

gemoeid: *mijn leven* (*toekomst, enz.*) *is ermee ~* my life (future, etc.) is at stake, the prestige of the country (a sum of £600) is involved; *daar is ... mee ~* it will take the whole day (a lot of money); *er zijn 3 j. mee ~ om ... te voltooien* the tunnel will take three years to complete; *alsof zijn leven ermee ~ was* as if his life depended on it; *zie* hoofd

gemotoriseerd motorized [army]

gems chamois; **~bok** c.-buck; **~le(d)er** shammy (leather), c. (leather)

gemunt (*van geld*) coined; *~ geld* specie; *~ op* aimed at; *zij hebben het op u* (*uw geld*) *~ they* are aiming at you (are after your money); *hij heeft 't altijd op mij ~* he has got his knife into me; he is always down on me (has it in for me); *dat was op mij ~* was meant (intended) for me

gemutst: *goed* (*slecht*) *~* in a good (bad) temper (humour); *ik ben niet ~ om te werken* I am not in the mood for work, don't feel like work(ing)

gemzebok enz., *zie* gemsbok, enz.

gen (*biol.*) gene

genaakbaar accessible, of easy (easy of) access, get-at-able; **~heid** accessibility

genaald (*van grassen*) awned

genaamd named, called; *Willem~, ook:* William by name, of the name of W.

genade (*goddelijke ~*) grace; (*barmhartigh.*) mercy; (*begenadiging*) pardon; *grote* (*goeïe*) *~!* good gracious! good grief! (Lord) bless me! Lord love me (*of:* you)! great Scott! my!; *goeie ~, kerel!* man alive!; *Uwe ~* your Grace; *'n kunstenaar bij* (*van*) *Gods ~* an artist by the g. of God; *door Gods ~* by the g. of God; *iem. weer in ~ aannemen* receive a p. back into favour; *overgeleverd* (*prijsgegeven*) *zijn aan de ~ van* be at (be left to) the mercy of [a p., the waves], be abandoned to the tender mercies of; *van iems. ~ afhangen* be dependent on a p.'s good graces; *zich overgeven op ~ of on~* surrender at discretion, make an unconditional surrender; *hij gaf zich over op ~ of on~, ook:* he cast himself on (the mercy of) his enemies; *om ~ smeken* (*roepen*) pray (cry, cry out) for mercy; *hij is zonder* (*kent geen*) *~* he is without (knows no) mercy; *iem. ~ betonen* (*verlenen, schenken*) pardon a p.; *de vijand gaf geen ~* gave no quarter; *ik vond geen ~ in zijn ogen* I found no favour in his eyes; *uit ~* as an act of g.; *~ voor recht laten gelden* temper justice with mercy; *zie* gratie; **~brief** letter of pardon; **~brood** bread of charity (of dependence); *– eten* eat the bread of (live on) charity; **~daad** act of grace; **~gift** (gift of) g.; **~kruid** hedgehyssop; **~leer** doctrine of g.; **~loos** ruthless; **~middel** means of g.; *de –en der Kerk* the (last) sacraments; **~oord** place of pilgrimage; **~schot** coup de grâce; **~slag** finishing stroke, death-blow, final (fatal) blow, knock-out (blow), [receive, give] the quietus; *de – geven, ook:* torpedo [the conference]; *dat gaf hem de – that* finished him (off), (*sl.*) settled his hash; **~staat** state of g.; **~stoel, ~troon** mercy-seat; **~stoot** *zie* ~slag; **~verbond** covenant of g.

genadig (*van God, enz.*) merciful, gracious; (*nederbuigend*) gracious, (*minder gunstig*) condescending; *~e hemel!* m. Heaven!; *God zij mij ~!* God have mercy upon me!; *wees hem ~* have mercy on him, be m. to him; *er ~ afkomen* get off (escape) cheaply (easily, lightly); *iem. ~ behandelen* let a p. down gently (lightly); **~heid** condescension; *zie ook* genade; **~lijk** ...ly; *– verlenen* vouchsafe [an audience]

genageld (*her.*) ungled, unguled, armed

genaken *tr.* approach; *intr.* draw near, approach; *hij is haast niet te ~* he is almost inaccessible; *moeilijk te ~* difficult of access

gênant embarrassing, awkward

genas *o.v.t. van* genezen

gendarme id.; **gendarmerie** id.

gene that, the former; *deze ... gene* the latter ... the former; *deze beweert ... ~ daarentegen ...* one maintains ... another ...; *aan ~ zijde* on the other side; *aan ~ zijde van de rivier* ('t *graf*) beyond the river (the grave, the tomb); *zie* deze

genealogie genealogy; **-logisch** genealogical; **-loog** genealogist

Geneefs Genevan

genees: **~heer** physician, doctor, medical man; *beroep van ~* medical profession; *hij oefende het beroep van – uit* he followed the medical profession, he practised as a physician (a doctor); *—directeur* medical superintendent; **~kracht** curative (*of:* healing) power; **~krachtig** healing, curative, therapeutic; officinal, medicinal [herbs]; *–e eigenschappen* curative (healing) properties; **~kunde** medicine, medical science, physic, therapeutics, healing art

geneeskundig medical; *~ onderzocht w.* be medically examined; *~e bijstand* m. aid; *~e commissie* m. board; *~e dienst,* (*mil.*) Royal Army Medical Corps, (*gemeentelijk*) public health department, local board of health, (*arts van de ... medical* officer of health); *– toezicht* Health Authorities; **-e** *zie* geneesheer; **geneeskunst** *zie* geneeskunde

geneeslijk curable, remediable; **~heid** curability, ...ness

genees: **~middel** remedy, medicine; (*fam.*) physic; *zie* kwaal; **~middelleer** pharmacology; **~wijze** mode of treatment, cure

genegen inclined, disposed, minded [to do s.t.]; *ik ben hem ~* I am favourably (kindly) disposed towards him; *ik ben ertoe ~, ook:* I am ready (willing) to do it; *de goden waren hem ~* the gods were kind (to him)

genegenheid affection, attachment, inclination; *~ hebben voor* feel (have) a. for, have a warm place (corner) in one's heart for; *~ opvatten voor* take a liking to

geneigd: *~ te* (*tot*) inclined (disposed, given) to; (*gew. tot iets verkeerds*) prone to [error, mischief]; *men is ~ te denken ...* people are apt to think ... (... *te vergeten, ook:* it is apt to be forgotten); *ik ben ~ te denken ...* I am inclined (tempted) to think ...; **~heid** inclination, proneness, propensity

generaal *bn. & zn.* general; *-ale bas* thoroughbass; *-ale staf* g. staff; *-ale verklaring,* (*douane*) ship's report; *-ale volmacht* full proxy; *zie*

repetitie; **~agent** g. agent; **~majoor** major-general; **~schap** generalship
generalisatie generalization; **-seren** generalize
generalissimus generalissimo
Generaliteit States General
generatie generation; **~f** generative [grammar]; **~kloof** g. gap; **~wisseling** (*biol.*) alternation of g.s
generator id.; (*gasmachine*) gas-producer; **~gas** producer-gas
1 generen inconvenience, incommode, be in the way (of); *geneer ik* (*u*)*?* am I in your way?; *zich* ~ feel embarrassed, be shy; *geneer je niet* make yourself at home, don't be shy; *geneer je niet voor mij* don't mind me; *ik zou me dood* ~ I'd die of shame; *zich* ~ *te* ... hesitate to ..., be shy of ...ing; *zich niet* ~ *te, ook:* not scruple to; *geneer u niet het aan te nemen* you needn't feel embarrassed about accepting it
2 generen (*vero.*) *zich* ~ earn one's livelihood
genereren generate; (*radio*) oscillate
generfd nerved, nervate
generisch generic
generlei of no kind
genese genesis
genesis, G~ id.
genet 1 (*paard*) jennet; **2** = *genetkat*
genetica genetics; **-cus** geneticist
genetisch genetic (*bw.:* -ally)
genetkat (*ook 't bont*) genet
geneugte pleasure, delight, joy
Genève Geneva; (*bewoner*) *van* ~ Genevan, Genevese; *zie* meer
genezen I *tr.* cure [*iem. van* ... *a p. of* ...]; restore [a p.] to health; heal [wounds]; ... *had hem van die gekheid* ~ a rough time had knocked the nonsense out of him; II *intr.* recover [*van* ... from an illness], get well again, regain one's health, be restored to health; (*van wond*) heal (up), close; *ik ben* (*ervan*) ~, (*fig.*) I am cured (of it); **~d** (*middel*) curative
genezing cure, recovery, healing
geniaal highly gifted, brilliant [a ... young man]; ~ *man* (-*ale zet*) man (stroke) of genius; ~ *zijn in* ... have a genius for ...; *iets* ~*s, 'n -ale trek* [have] a touch of genius
genialiteit genius
genie 1 genius (*ook* = man of g.); **2** military engineering; *de* ~ the (Royal) Engineers; **~korps** corps of (military) engineers; **~officier** engineer officer
geniep: *in 't* ~ on the sly, by stealth, furtively, stealthily; **~ig I** *bn.* sneaky, sneaking; *-e streek* underhand trick; II *bw.* sneakingly, in an underhand (a hole-and-corner) way, on the sly; **~(ig)erd** sneak; **~igheid** sneakiness
geniesoldaat engineer
genietbaar enjoyable; **~heid** ... ness
genieten I *tr.* enjoy [life, advantages, privileges, confidence, esteem]; relish [the beauties of Shakespeare], *een goede opvoeding* ~ receive a

good education; *salaris* ~ receive (draw) a salary; *nauwkeurige aandacht* ~ receive close attention; *zie* gezondh.; II *intr.* enjoy o.s.; (*fam.*) have a good time; ~ *van* enjoy [a concert, ball, trip]; *zoveel mogelijk* ~ *van* make the most of [one's holidays, etc.]; *hij genoot als nooit te voren* he had the time of his life; **-ing** enjoyment; (*genot ook*) pleasure
genietroepen engineers; **genist** (military) engineer; *inz.:* engineer officer
genitaliën genitals
genitief genitive; **~verhouding** genitival relation
genius id. (*mv.:* genii); *goede* ~ good g.
genodigde person (*mv. ook:* those) invited, guest; (*fam.*) invitee; *avond voor* ~*n* guest-night
genoeg enough, sufficient(ly); (*geen*) *geld* (*doktoren*) ~ (not) e. money (doctors), (not) money (doctors) e.; ~ *voor allen* e. to go round; *meer dan* ~ more than e., e. and to spare; ~ *!* enough!; ~ *daarvan!* e. of this (of that)!; *dat is* ~, *ook:* that will do; *zonderling* ~, *hij* ... oddly e., he ...; *de schuld was* (*al*) *groot* ~ it was a large e. debt (to pay); *de plaats is veilig* ~, *ook:* it's a safe e. place; *zichzelf* ~ self-sufficient; *ik ben niet deskundig* ~ *om* ... not e. of an expert to ...; *zeg maar als 't* ~ *is*, (*bij inschenken*) say when; *ik had papier* ~ *voor 't hele jaar* paper e. to last me through the year [*zo ook:* it lasted me about a fortnight]; *ik had er ruim* ~ *aan* it lasted me out handsomely; *ik had* ~ *te doen met* ... I had e. to do putting everything right; *ik heb er* ~ *van* (~ *van hem*) I've had e. of it (of him), (*fam.*) I am fed up (I'm through) with it (with him); *ik heb er schoon* ~ *van* I'm heartily sick of it; *ik heb* ~ *van de radio, ook:* no more radio for me; *hij keek, tot hij er* ~ *van had, ook:* he glazed his fill; ~ *van iem.* (*iets*) *krijgen* get e. of ..., tire (weary) of ..., get bored (*fam.:* fed up) with ...; *hij kreeg nooit* ~ *van werken*, (*fam.*) he was a whale for work; **~doening** satisfaction, reparation; – *eisen* demand satisfaction [*voor* for]; *ten* ~*e van, zie* genoegen
genoegen[1] pleasure, joy, delight; liking; satisfaction; *de* ~*s des levens, ook:* the sweets of life; *veel* ~ *doen* (*geven*) give (afford) great (much) p.; *om hem* ~ *te doen* to please (oblige) him; *'t doet mij* ~ *te* ... I am glad (pleased) to ...; *je zou me een* ~ *doen als* ... I'll thank you to shut that door; *wil je mij 't* ~ *doen me te schrijven* (*te bezoeken*)*?* will you oblige me with a letter (a visit)?; *wil je mij het* ~ *doen?* will you do me the p. (the favour)?; *Mej. N. zal ons het* ~ *doen iets te zingen* Miss N. will oblige us (*fam.:* oblige) with a song; *het zal me een waar* ~ *zijn* I shall be only too delighted; *zijn* ~ *drinken* (*eten*) drink (eat) one's fill; ~ *geven, zie boven; wij hebben het* ~ *U te berichten* ... we have the p. of (have p. in) informing you ...; *ik heb niet 't* ~ (*U te kennen*) I haven 't the p.; ~ *nemen met* be content with; *ik neem* ~ *met uw verzekering* your assurance is enough for me;

daar neem ik geen ~ mee I won't put up with it; *~ scheppen in* take (a) pleasure (delight) in, delight in; *'t ~ is aan mij* the p. is mine; *met ~* with p.; [come and have lunch with me] I shall be delighted; *met alle ~* with the greatest p.; *met veel ~ voldoe ik aan uw verzoek* it gives me great pleasure to comply with your request; *de goederen waren naar ~* were satisfactory, gave satisfaction; *ik hoop dat alles naar je ~ is* I hope everything is to your liking; *de zaak werd naar ieders ~ geschikt* the matter was settled to the satisfaction of everyone; *ik ben naar zijn ~ werkzaam geweest* he was satisfied with my work; *wij hopen u naar ~ te hebben ingelicht* we trust that the above information will meet your requirements; *neem ervan naar uw ~* take as much (many) as you like; *ten ~ van ...* to please ...; *ten (tot) ~ van* to the satisfaction of; *zie ook bov.* (naar ~); *ik zie tot mijn ~, dat ...* I am pleased to see that ...; *tot ~!* good-bye! I hope we shall meet again; *voor zijn ~, zie* plezier

genoeglijk pleasant, agreeable, enjoyable; **~heid** ...ness
genoegzaam sufficient (*bw.:* -ly); **~heid** sufficiency
genoemd: *~e persoon* (the) said person, the person mentioned
1 genoot *o.v.t. van* genieten
2 genoot fellow, companion, associate, partner
genootschap society, association; **~pelijk** of a (the) s. (association), society-..., club-...; **~s-gebouw** building(s) of a (the) s., club-building, -house
genot joy, pleasure, delight; *('t genieten)* enjoyment, delectation [for the ... of the morbid public]; *(vruchtgebruik)* usufruct; *in 't volle ~ van zijn vermogens* in full possession of one's faculties; *het is een ~ te ...* it is quite a treat to listen to him; *onder het ~ van een glas bier* over a glass of beer; **~middel** *(tabak, wijn, enz.)* stimulant; **~rijk, ~vol** delightful, enjoyable; **~ziek** pleasure-loving; **~zoeker** pleasure-seeker; **~zucht** love of pleasure, self-indulgence; **~zuchtig** *zie* ~ziek
Genoveva Geneviève, Genevieve, Genoveva
genre style, genre, kind; *(in de kunst)* genre; **~groep** conversation-piece; **~schilder** genre-painter; **~stuk** genre-piece, painting of incident
genst *(plant)* genista, broom
gent gander; **Gent** Ghent
gentiaan *(plant)* gentian
Genua Genoa; **Genuees** *zn. & bn.* Genoese
genus *(biol.)* id.; *(tlk.)* gender
geocentrisch geocentric *(bw.:* -ally)
geode id.
geodesie geodesy; **geodetisch** geodetic *(bw.:* -ally), geodesic *(bw.:* -ally)
geoefend practised, trained [ear, eye, soldier], expert [swimmer]; *~ in* p. (trained) in; **~heid** *zie* bedrevenheid
geofysica geophysics
geograaf geographer; **geografie** geography; **geografisch** geographic(al)

geolied oiled; *zie* oliën & smeren; *~ doek* oilcloth; *~ papier* oil-paper
geologie geology; **geologisch** geological
geoloog geologist; **geometrie** geometry; **geometrisch** geometric(al); **geomorfologie** geomorphology
geoogd looped
geoorloofd lawful, allowed, admissible, permissible; *~ middel* lawful means
geopend: *'t ~e venster* the open(ed) window; *~ verklaren* declare open; *~ van ... uur* ... hours of opening ...; *dagelijks ~* open daily; *~ voor het publiek* open to the public
George id.; **Georgië** Georgia; **~r** Georgian
gepaard in pairs (couples), coupled, by twos, two and two; *'t gaat ~ met ...* it is attended with [fever], it is attended by [the happiest results], it involves [great expense]; *grotere produktie ~ met ...* a larger output coupled with a better price; *dit verlangen ging ~ met een gevoel ...,* ... was allied to a feeling ...; *de gevaren, die met deze ... ~ gaan* the dangers that attend (the dangers attendant on) these marriages; *... en daarmee ~ gaande ...* war and its attendant horrors; *met die liefde ... gaat ... ~* with that love of the sea goes a deep love of his country; *zie* vergezeld; **~hoevigen** *(biol.)* artiodactyls, odd-toed ungulates
gepakt packed; ready-packed [the trunk is ...]; *~ en gezakt* ready for the journey; *zie* pakken
gepantserd armoured [car, knight, train], armour-clad; *~e kruiser* battle-cruiser; *~e vuist* mailed fist; *~ tegen* steeled against'
gepareld: *~e gerst* pearl barley
geparenteerd related *[aan* to]; *ik ben aan hem ~, ook:* he is a relation of mine
gepast becoming, fit(ting), proper, suitable, seemly, apt, apposite [remark]; *~ ge'd, zie* afgepast; *~e maatregelen* appropriate measures; **~heid** fitness, propriety, becomingness, seemliness, suitableness, suitability; [the] aptness [of the name]
gepatenteerd proprietary, patent [articles, medicines]; *(fig.)* arrant [liar]
gepeins meditation(s), reflection(s), reverie, brooding; *in ~ verzonken* absorbed (wrapped) in thought, lost in meditation, in a brown study
gepeld: *~e gerst* hulled (peeled) barley
gepensioneerde recipient of (a) pension; retired [major, etc.]; pensioner
gepeperd peppered, peppery; *(fig.)* peppery [style, writings], salted [bill], tall, steep [price]; *(pikant)* highly seasoned (spiced)
gepeupel mob, populace, rabble, riff-raff
gepikeerd piqued, nettled, sore *[over* at]; *enigszins ~* [reply] with mild pique; *gauw ~ zijn* be touchy (huffy, apt to take offence); **~heid** pique
geplaatst: *~ kapitaal* subscribed capital; *~e spelers,* (tennistoernooi) seeded players
geplekt stained, spotted; *(van fruit)* specked
geploegd: *~e plank* grooved board
gepluimd plumed, feathered
geporteerd: *~ voor* prejudiced (prepossessed,

bias(s)ed) in favour of

geposeerd steady, sedate; ~*e leeftijd* mature age; ~*e foto* posed photograph

gepraat tittle-tattle, talk; *er zou* ~ *van komen* it would set people talking

gepresseerd pressed (for time), in a hurry

geprevel muttering, mumbling; **geprikkeldheid** irritation; **geprivilegieerd** privileged

geprofeste (*r.-k.*) professed Brother (Sister, Father)

gepromoveerde holder of a (doctor's) degree (of a doctorate)

gepronk ostentation, showing-off, parade [of learning]

geprononceerd pronounced; *een* ~*e mening hebben over ook:* hold strong views on, feel strongly about

geproportioneerd: *goed* (*slecht*) ~ well-(ill-)proportioned; *slecht* ~, *ook:* disproportioned, out of proportion

gepruikt bewigged, periwigged

gepruil pouting, sulkiness

geraakt (*fig.*) offended, nettled, [feel a bit] sore [*over* at], huffed; *enigszins* ~ [reply] with a touch of temper, in a huff; *zie* gepikeerd & licht~; ~**heid** irritation, pique

geraamte skeleton; (*fig.*) *ook:* frame(work), carcass [of a ship, a building], shell [of a building], fuselage [of an aircraft]; *een levend* (*wandelend*) ~ a living (walking) s., a mere s.

geraas din, noise, hubbub, roar

geraaskal raving(s)

gerabbel gabble, rattling

geraden advisable; *het is je* ~ (*het te doen*) you'd better (do it); *ik acht 't* ~ I think it a.; *het zou niet* ~ *zijn om* ... it would be bad policy to ...

geraffineerd refined (*ook fig.:* cruelty, etc.); exquisite [torture]; subtle [play a ... game]; sophisticated [equipment]; scheming, cunning, wily [person]; ~*e schurk* thorough-paced (double-dyed) villain; ~*e leugenaar* arrant liar; *die meest* ~*e vorm van* ... [she asked his advice], that subtlest form of flattery; ~ *uitgedacht* ingeniously contrived; ~**heid** cunning, craftiness, wiliness, subtlety

geraken[1] get, arrive, attain; *in gesprek* ~ fall into conversation; *onder dieven* ~ fall among thieves; *bij iem. in de gunst* ~ win a p.'s favour; *te water* ~ fall into the water; *tot zijn doel* ~ attain one's end; *tot eer* (*macht, bloei*) ~ attain (come) to honour (power, prosperity); *zie* gezelschap

gerammel clanking, rattling, clatter

gerand edged, bordered; (*van munt*) milled

geranium id.

gerant manager; **Gerard** id.

geravot romping, romp(s); **Gerda** id.

1 gerecht course [dinner of five ... s, five-course dinner]; dish [a delicious ...]

2 gerecht I *bn.* just, righteous, condign [punish-

ment], due [receive the ... reward of one's deeds]; ~*e prijs,* (*econ.*) just price; *de* ~*e straf doen ondergaan* bring to justice; ~*e Hemel!* Good Heavens!; II *zn.* court of (justice), tribunal; *voor 't* ~ *brengen* bring [a p.] into c. (to trial); have [a p.] up, take [a matter] into c.; *voor 't* ~ *dagen* summon (to appear in c.); *zich aan 't* ~ *overleveren* give o.s. up to justice; *voor 't* ~ *verschijnen* appear in c.

gerechtelijk judicial [murder; Joan of Arc was ... ly burnt]; legal [adviser; take ... steps]; *een* ~*e dood ondergaan* die at the hands of justice; ~*e geneeskunde* medical jurisprudence, forensic medicine; ~*e verkoop* j. sale; *iems. bezittingen* ~ *laten verkopen* sell a p. up; *iem.* ~ *vervolgen* proceed against a p., enter (bring) an action (take, *of:* institute, proceedings) against a p.; *zie* dwaling

gerechtigd qualified, entitled; *ik acht mij* ~ *zo iets te zeggen* I hold myself entitled (warranted) to say (justified in saying) so; ~*en* authorized persons

gerechtigheid justice

gerechts[2]**:** ~**bode** usher, sheriff's officer; ~**dag** court-day; ~**dienaar** *zie* politieagent; ~**gebouw** court-house; ~**hof** court (of justice); ~**kosten** law-costs, legal charges (expenses); ~**plaats** place of execution; ~**zitting** session (of the court)

geredekavel logic-chopping

geredelijk readily

geredeneer arguing, (*fam.*) argufying

gereed ready [to go, for a journey]; (*af*) finished, done; (*van huis*) ready for occupation;[**l**]*de aftrek vinden* find a r. sale; -*de betaling* cash payment; ~ *geld* r. money; *ik ben* ~, *a*) I am r.; *b*) (*heb geëindigd*) I have (am) done (finished), I am through (with it); ~ *houden* hold [one's ticket, the fare] in readiness; *kaartjes* ~ *houden!* all tickets r., please!; *zich* ~ *houden,* ~ *staan* hold o.s. ready (in readiness), stand by [troops ... in their barracks]; *'t stond* ~ it stood in readiness; ~ *leggen, zie* klaarleggen; ~ *maken* prepare, get r.; *zich* ~ *maken* prepare, get r., make r.; ~**heid** readiness, [military] preparedness; *in* – *brengen* put in readiness, get ready

gereedschap ~(*pen*) tools, instruments, implements, utensils; ~**sbak, -kist** toolbox, -chest; ~**sschuurtje** tool-shed; ~**stas** tool-kit; ~**swerktuig** machine tool

gereformeerd Calvinist(ic); -*e* Calvinist

geregeld regular, orderly, fixed; *in* ~*e banen leiden* regularize; ~*e toevoer* constant supply [of water]; *'n* ~ *huishouden* a well-regulated household; ~ *gevecht* stand-up fight; ~*e veldslag* pitched battle; ~ *denken* think connectedly (rationally, consecutively); ~ *baden* habitual bathing; *hij komt* ~ *te laat* he is constantly late; ~**heid** regularity

gerei [fishing-, shaving-] tackle, [steering-]

---

[1] *Zie ook* raken
[2] *Zie ook* rechts-

Voor niet opgenomen woorden met ge- *zie men de hoofdwoorden*

gear, [coffee] things, implements, utensils
gerekt: (*lang*) ~ long-drawn(-out) [tone, nego-
tiations], protracted [hearing *verhoor;* dis-
pute], long-winded [speech]; lengthened
[vowel]; **~heid** protractedness, protraction,
long-windedness
gerel jabber, gabble, cackle
geremd (*psych.*) inhibited
1 gerèn running (to and fro)
2 geren *intr.* slant; (*van rok*) flare; *tr.* gore
gerenommeerd famous, renowned; well-known,
noted, well-established [business]
gereserveerd reserved, uncommunicative, reticent [*omtrent* upon], remote [in his ... way];
~e plaats r. seat; *een ~e houding aannemen* hold
(keep) aloof, hold back; **~heid** reserve, aloofness
gereutel (*van stervende*) death-rattle, ruckle;
(*geleuter*) rot, drivel, twaddle
geriatrie, -trisch geriatrics, -tric
geribd ribbed [cloth, etc.], corrugated [glass,
cardboard], scored [binding *boekband*],
knurled [knob]
1 gericht (*radio*) directional [wireless; transmitter *zender;* aerial *antenne; ook:* beam aer-
ial], beamed [transmission]; (*van activiteit*)
with a specific purpose in mind, addressed
[to]; *~e vragen* [the information was elicited
by] carefully selected questions; **~heid** (*radio*)
selectivity; (*algem.*) directedness
2 gericht: *het jongste* ~ the last Judg(e)ment,
the Judg(e)ment Day, Doomsday; *tegen God
in 't ~ treden* enter into judg(e)ment with God
gerief convenience, comfort, accommodation;
ten gerieve van for the convenience (*of:* use) of
geriefelijk convenient, commodious, comfortable [house]; *~ gelegen* (*ingericht*) conveniently
situated (arranged); **~heid** convenience, accommodation; *~heden, ook:* facilities; *de ~he-
den des levens* the comforts (amenities) of life
gerieve *zie* gerief
gerieven accommodate, oblige [*met* with]; *om
... te ~* to meet the convenience of [travellers,
etc.]; *kan ik u daarmee ~? ook:* will it be of
service (of use) to you?
gerijmel rhyming, versifying
gerik(ke)kik croaking [of frogs]
gerikketik ticking, tick-tock, tick-tick
gerimpeld *zie* rimpelig
gering small, scanty, trifling, slight [not the
...est idea, effect], narrow [majority]; *uiterst
~* minute [quantity]; *geen ~e verlichting* no s.
relief; *geen ~e prestatie* no mean achievement;
in geen ~e mate in no s. measure; *de verliezen
(in veldslag) waren ~* the casualties were few
(light); *de nodige kracht is slechts ~* the power
required is but little; *~e kans* faint (slender,
slim, remote) chance; *daar moet je niet ~ over
denken* that is no small matter; you should
not make light of that; *een ~e dunk hebben van*
have a poor (low) opinion of; *'t ~ste herinnerde ...* the slightest thing reminded him of her;
zie minst; **~achten, -ing** *zie* ~schatten, -ing
gering: ~heid smallness, scantiness; **~schatten**

hold cheap, have a low opinion of, disparage,
depreciate; **~schattend** disparaging(ly), slight-
ing(ly), derogatory [remark]; **~schatting** depreciation, disregard, disdain; *iem. een blijk
van – geven* put a slight upon a p.; *met – spreken over* speak slightingly of
gerinkel, gerinkink jingling, clank [of chains],
clink, chinking [of glass], tinkle [of a bell]
geritsel rustling, rustle; *zie* geruis
Germaan Teuton, German; **Germanen** Germanic, Teutonic; **Germanië** Germania
germanisme Germanism
germanist Germanist, German(ic) scholar
gerochel ('*t opgeven*) expectoration; (*doods-*)
(death-)rattle, ruckle; (*van pijp*) gurgling
geroddel gossip, tittle-tattle, backbiting
geroep calling, shouting, calls, shouts, cries
geroepen: ~ *zijn* (*zich ~ voelen*) *te ...* be (feel)
called upon to ...; **geroerd** moved, affected
geroezemoes buzz, bustle, din, hum [of
voices]; (*sterker*) hurly-burly
geroffel roll, rub-a-dub [of the drum]
gerokt (*van vrouw*) skirted; (*van heer*) *zie* rok
(*in ...*); (*plantk.*) tunicated [bulb]
gerommel rumbling; (*in ingewanden*) *ook:* collywobbles; *zie* rommelen; **gerond:** *~e klinker*
rounded vowel; **geronk** snoring, snorting,
drone, roar, etc.; *vgl.* ronken
geronnen curdled [milk]; clotted [blood]; ~
bloed, ook: gore; *zie* winnen
gerontologie gerontology
geroutineerd experienced [typist], practised,
seasoned [traveller]; *'n ~e* an old hand [at it]
Gerrit Gerard; (*ekster*) magpie, (*kraai*) crow
gerst barley
gerste: ~bier barley-beer; **~brood** bannock; **~kor-
rel** b.-corn; (*stof*) huckaback; **~nat** (b.-)beer;
ook = **~water** b.-water
gerucht rumour, report; (*geluid*) noise; *een los
~* a mere (a floating) r., mere hearsay; *'t ~ gaat
(loopt) dat ...* there is a r. (afloat, abroad), it is
rumoured (reported, noised abroad), the story
goes, rumours are current, r. has it that ...; ~
maken make a noise (*ook fig.* = make a noise
in the world, cause a stir); *ik weet 't bij ~e* I
have it by (from) hearsay, on hearsay evidence); *in een kwaad ~ staan* be in bad
repute (*of:* odour); *zie* wolf; *klein ~(je), zie*
kleintje; **~makend** sensational
geruim [some] considerable [time]; *'t zal ~e tijd
van te voren worden aangekondigd* ample notice will be given of it
geruis noise; rustle, rustling [of a dress, trees,
rain], rushing [of water], swish [of a skirt, of
silk], tingling [in the ears]; (*med.*) murmur;
(*van grammofoonplaat*) surface noise; **~loos**
noiseless, silent; **~makend** noisy; **~peiler** sound-
locator; **~vol** noisy
geruit checked, chequered; *~ pak* check(ed) suit
~e stof check; *Schots ~ goed* tartan; *zie* blauw;
gerust easy; (*rustig*) quiet, calm, peaceful; *~, hij
komt wel* he'll come all right, he is sure to
come; *~ geweten* clear (*of:* e., good) conscience; *ik durf ~ beweren dat hij ongelijk heeft*

I don't hesitate to say that he is wrong; *ge kunt* het ~ *nemen* you are welcome to take it; *hij mag (voor mijn part)* ~ *zijn hals breken* he is quite welcome to break his neck, he may break his neck and welcome; *je mag* ~ *enige weken niets doen* you are welcome to a few weeks' quiet; *je kunt (men kan)* ~ *zeggen, dat* ... you may safely say (it is safe to say) that ...; *laat hem* ~ *gaan* you may safely let him go; ~! certainly! yes, indeed!; *wees daar maar* ~ *op* make yourself (your mind) e. on that point; *hij is er niet* ~ *op* he is not e. (happy) about it; *ge kunt er* ~ *op zijn dat* ... you may rest assured that ...; ~**heid** peace of mind, security, calm; *met* ~ quietly, confidently; *dat is een grote* ~ *voor mij* that is a great comfort to me; *gevoel van* ~ sense of assurance

geruststellen [a p.] reassure [a p.'s mind] at ease (at rest), ease [a p.'s mind]; *stel u gerust!* make yourself (your mind) easy about that (on that score); ~**d** reassuring [news], [a] soothing [thought]; **-ing** reassurance, relief, comfort

ges (*muz.*) G flat

geschaard chipped, jagged; *zie* scharen

geschal flourish [of trumpets], ringing sound(s), shouts

geschapen created; *zo staat 't ermee* ~ such is the state of things, the matter stands like this; *het staat slecht met hem* ~ he is in a bad way; *tot heersen* ~ *zijn* be born to rule, be a born ruler; *al 't* ~*e* all created things, the whole creation

geschater peals (burst, roars) of laughter

gescheiden (*van man of vrouw*) divorced; *'n* ~ *paar* a d. couple; *ze leeft* ~ *van haar man* she lives apart from ...; ~ *man* (*vrouw*) divorcee; *zie* scheiden

gescheld abusive language, abuse

geschenk present, gift; *hij gaf 't (bood) het mij ten* ~*e* he made me a present of it, gave it me as a present, presented me with it; *als* ~ *verpakken* gift-wrap; ~ *des hemels* godsend; ~**abonnement** gift (complimentary) subscription; ~**verpakking** gift wrapping

geschept: ~ *papier* hand-made (mould-made) paper; **gescherts** joking, jesting, banter(ing)

geschetter blare, flourish [of trumpets], (*fig.*) rant(ing), bragging

geschiedbladen, -boeken annals, records

geschieden happen, occur, take place; (*vero.*) come to pass; *Uw wil geschiede* Thy will be done; *u zal geen leed* ~, (*vero.*) no harm shall befall you; *'t kwaad is eenmaal geschied* the mischief is done; *zie* gebeuren & recht

geschiedenis history; (*verhaal*) story, tale; *de nieuwe* ~ modern h.; *de oude* ~ ancient h.; *'t is (al weer) de oude* ~ it's the old story (over again); *daar is een* ~ *aan verbonden* thereby hangs a tale; *een lastige* ~ an awkward affair; *'t is 'n beroerde* ~ a nasty business, a bad job; *een onverkwikkelijke* ~ an unsavoury business; (*dat is*) *een mooie (gekke)* ~*!* a fine (rum) go!

here's a pretty business! fine doings these!; *'t is een lange* ~ it's a long story; *dat is een andere* ~ that's another story; *de hele* ~, (*boel*) the whole concern; *dat is de hele* ~ that's all there is to it; *dat behoort tot de* ~ that is (a matter of) h. now, that is a thing of the past; ~**boek** h.-book; ~**leraar** h.-master; ~**les** h.-lesson

geschied: ~**kunde** history; ~**kundig** historical; ~**kundige** historian; ~**rol** historical record, (*mv. ook*) archives; ~**schrijver** historian, historiographer; ~**schrijving** historiography; ~**verhaal** history; ~**vorser** historian

geschift (*fig.*) dotty, daft, nuts, crackers, balmy (barmy)

geschikt fit, proper, suitable [for presents], suited [to, for, the purpose], appropriate [for, to the occasion], eligible [candidates]; (*bekwaam*) able, capable; (*schappelijk*) decent [a ... sort of chap], all right [is he ...?]; obliging, polite; ~ *om te eten* f. to eat, f. to be eaten; *een* ~ *persoon voor dat baantje, ook:* a likely person for that job; ~ *ogenblik* appropriate (*opportune*) moment; ~*e tijd* convenient time; ~ *voor onze behoeften* suited to (for) our wants; *goed* ~ *voor een opera* well fitted for an opera; *was niet* ~ *om onze zenuwen te kalmeren* did not tend to soothe our nerves; *dat is* ~ *voor mijn doel (mijn beurs)* that suits my purpose (my purse), that will serve my purpose; *ik ben niet* ~ *voor zo iets (niet* ~ *om iets te vragen)* I am no good at that sort of thing (at asking for things); ~ *zijn voor, ook:* make [the house would ... an excellent sanatorium; he would ... a splendid soldier]; ~ *maken ook:* fit [a p. for s.t.]; ~**heid** fitness, suitability; ability, aptitude, capability; obligingness; *vgl.* ~

geschil difference, quarrel, controversy, dispute; *een* ~ *hebben met, ook:* be at odds with; *zie* beslechten; ~**punt** point (matter, question) at issue, (controversial) issue, moot point, point of difference

geschoeid (*r.-k.*) calced [Carmelites, etc.]

geschoold trained, practised, schooled; ~ *arbeider* skilled workman; ~*e arbeiders* skilled labour

geschoren: *hij zit er lelijk mee* ~ he is saddled with it, has it on his hands

geschreeuw cries, shouts, outcry; *veel* ~ *en weinig wol* much ado about nothing

geschrift writing; *bij* ~*e* [spread communism] by published writings; *in* ~*e brengen* commit to paper, put in w.; *in woord en* ~ through the spoken and the written word

geschubd scaly, scaled

geschulpt scalloped

geschut artillery, guns, ordnance; *zie* bedienen, grof, enz.; ~**bedding** gun-platform; ~**koepel** armour-plated cupola; ~**metaal** gun-metal; ~**park** artillery-park; ~**poort** port-hole; ~**stelling** gun position; ~**talie** gun-tackle; ~**toren** (gun-)turret; ~**trein** a.-train; ~**vuur** gun-fire

gesel scourge (*ook: bezoeking*), lash, whip; *de*

~ *Gods* [Attila] the s. of God; *de ~ der satire* the lash of satire; *onder de ~ komen van* come under the s. (the lash) of; *~aar a)* scourger; *b)* = ~broeder flagellant; ~en flog, cane, whip, flagellate; (*fig.*) scourge, lash; ~ing flogging, etc.; flagellation; ~koord lash; ~monnik flagellant; ~paal whipping-post; ~roede scourge, rod, lash; ~slag lash; ~straf flogging, whipping, lashing

gesepareerd [send] separately, under separate cover; geserreerd terse [style]

gesitueerd [well-, better] circumstanced (situated); *de beter ~en* the better off

gesjacher bartering, haggling, chaffering; traffic [in titles, etc.]

gesjochten: *een paar ~ jongens*, (*fam.*) a couple of down-and-outs; *nou ben je ~*, (*fam.*) now you're for it

geslaagd successful [campaign, joke, etc.]; ~e s. candidate; *aantal ~n* number of passes

1 geslacht [*accijns op*] *het ~* [duty on] slaughtered (butchered, butcher's) meat

2 geslacht (*familie, enz.*) race, family [spring from a noble …], lineage; (*generatie*) generation [from … to …]; (*biol.*) genus *mv.*: genera; (*orgaan*) genitals, privy parts; [male] member; (*sekse*) [male, female] sex; (*tlk.*) [masculine, feminine, neuter] gender; *'t ~ der Habsburgers* the Hapsburg family; *'t menselijk ~* the human r., mankind; *'t schone ~* the fair sex; *'t opkomende ~* the rising generation; *'t volgende ~* the next generation; *uit 'n Frans ~* [come] of French stock; *zie* zwak; ~elijk sexual; ~kunde genealogy; ~kundige genealogist; ~loos sexless, asexual; (*tlk.*) genderless

geslachts: ~boom family tree, genealogical tree, pedigree; ~delen genital (*of:* privy) parts, genitals; ~drift sex urge, sexual instinct (desire, appetite); ~gemeenschap sexual intercourse; ~kenmerk sexual characteristic; ~lijn line of descent; ~lijst *zie* ~register; ~naam family name, patronymic; ~omgang *zie* ~gemeenschap; ~onderscheid difference of gender (sex); ~orgaan sexual organ; ~register genealogical register; ~rijp sexually mature; ~rijpheid puberty, sexual maturity; ~tafel genealogical table; ~uitgang gender-marking suffix; ~verwantschap genetic affinity; ~wapen family (coat-of-)arms; ~ziekte venereal disease, V.D.

geslagen beaten [gold]; wrought [iron]; *~ vijand* declared (professed, sworn, avowed) enemy

gesleep trailing, dragging

geslenter lounging, sauntering, hanging [about shops *langs etalages*]

geslepen whetted, sharp(ened); (*fig.*) astute, sly, cunning; *~ glas* cut glass; *een ~ vent* a knowing (*of:* artful) one, a sly dog; *hij is erg ~* he's a deep one; ~heid astuteness, slyness, cunning

gesloten closed, shut, (*op slot*) locked; closed [motor-car]; (*fig.*) uncommunicative, secretive, close [he is very … about it], close-tongued, -mouthed, reticent [about one's business], tight-lipped, self-contained, reserved; *alle deuren zijn voor haar ~* every door is shut to her; ~ *circuit* c. circuit; ~ *gelederen* serried (closed) ranks; ~ *enveloppe* (*inschrijvingsbiljet*) sealed envelope (tender); *in ~ formatie* in close formation; ~ *jachttijd* close (*of:* fence) time (*of:* season); ~ *huis*, (*geen winkel*) private house; ~ *orde* close order; ~ *als het graf* as silent as the grave, as close as an oyster; *ik verklaar onze werkzaamheden voor ~* I declare our proceedings terminated; *zie* beurs, boek, deur; ~heid closeness, reticence

gesluierd veiled; (*fot.*) fogged, foggy

gesmak smacking; gesmeed: ~ *ijzer* wrought iron; gesmeek supplication(s), entreaty, -ties, pleading

gesmijdig *zie* smijdig; gesmolten melted [butter], rendered [fat], molten [lead]

gesmul feasting, banqueting; gesnap tittle-tattle; small talk; (*van kind*) prattle

gesneden: ~ *ham* sliced ham; ~ *beeld*, (*bijb.*) graven image; ~ *kater* gelded cat; ~ *steen* carved stone; *zie* koek

gesnoef boast(ing), brag(ging); (*sl.*) tall talk

gesnuffel snuffling, sniffing; rummaging

gesoebat coaxing, begging

gesol dragging about, fooling about [with …]

gesorteerd assorted, graded [apples, eggs, etc.]; *ruim ~ zijn* have a large stock (assortment) [in of], be well stocked

gesp buckle, clasp

gespan team [of horses]

gespannen stretched, bent; *zie* spannen; tense [cord, muscles; *ook fig.*: situation *toestand*]; tight [rope, the coat is too … under the arms], (*mar.*) taut; ~ *toestand, ook:* (state of) tension; ~ *verhoudingen* strained relations; *met ~ aandacht* [listen] with rapt (close) attention, [watch a p.] intently; *in ~ verwachting* in keen (*of:* on tiptoe(s) with) expectation; *de verwachtingen waren hoog ~* expectations ran (were pitched) high; *mijn zenuwen waren ~* my nerves were (set) on edge; *zij staan op ~ voet* relations are strained between them, (*sterker*) they are at daggers drawn

gespartel thrashing, sprawling, floundering

gespat splashing; gespatieerd spaced

gespeel playing; (*pers.*) play-fellow

gespekt: *~e beurs* long (well-lined) purse

gespen buckle; (*met riem*) strap

gespierd muscular, brawny; (*van taal, enz.*) nervous, sinewy; forceful [style, language]; ~heid muscularity; (*fig.*) nervousness

gespikkeld speckled, spotted

gespleten *zie* splijten; ~heid (*fig.*) cleavage, dichotomy, schizoid character

gespoord spurred

gesprek conversation, talk; discussion; *ons ~ aan de telefoon* our talk (c.) on (over) the 'phone; *25 ct. per ~*, (*telef.*) 5p. per call; *in ~*, (*telef.*) number engaged; *in ~-toon* engaged signal; *een ~ voeren* hold (carry on) a c.; *hij was de enige, die 't ~ voerde* he did all the talking (he monopolized the conversation); *'t ~ brengen op* turn (switch) the c. on to, lead (draw) the c. round to; *'t ~ op iets anders brengen* change the c. (subject), *(fam.)* start another hare; *zie* aanknopen, druk, gaande, mengen, enz.; *~kenteller (telef.)* call checker *(of:* recorder); *~kosten* call charges; *~scentrum* forum for discussions; *~sgroep* discussion group; *~spartner* interlocutor; party to a discussion; *~stof* subject (food) for conversation

gesproken spoken [language]; *~ boek* talking book

gespuis rabble, scum, vermin

gestaag, gestadig steady [rain; it rained steadily], continual, constant, settled; *~ vooruitgaan* make s. progress; *zie* druppel; *~heid* steadiness, constancy; *(volharding)* perseverance

gestalte figure, stature, shape, size, build; *(concreet)* figure, shape; *klein van ~* short in (short of, of short) stature; *hij had een prachtige ~* he was a fine figure of a man; *~ krijgen* take shape

gestand: *zijn woord (belofte) ~ doen* keep (live up to, fulfil, stick to) one's word (promise), redeem (honour) one's pledge

geste gesture *(ook fig.); zie* gebaar

gesteente 1 (precious) stone(s); 2 stone, rock-(formation); *'t vaste ~* the solid (the live) rock, bedrock; 3 monument, tomb

gestel constitution, system, frame; *hij is sterk (zwak) van ~* he has a strong (weak) c.

gesteld: *~, dat ik ...* suppose (supposing) I ...; *de ~e machten* the constituted authorities, the powers that be; *de over u ~e machten* the authorities set over you; *goed ~* well-worded, -phrased, -written [letter, article]; *slecht ~* ill-phrased [document]; *de aan deze subsidie ~e voorwaarden* the conditions governing this grant; *binnen de ~e tijd* within the time specified (set, appointed); *het ~e in art. 1* the provisions of ...; *zo is 't ermee ~* that's how matters stand; *hoe is het ~ met ...?* how is it with ...?; *hij is er zeer op ~ om te gaan* he is very much set (very keen) on going; *op zijn familie ~* fond of one's relations; *erg op geld ~* keen on money; *op de vormen (op zijn waardigheid) ~* zijn stand on ceremony (on one's dignity), be a stickler for etiquette; *men was niet langer ~ op ...* his presence was no longer appreciated; *zie* stellen & taak; *~heid* state, condition, constitution, [his physical] make-up, [his bodily] temperament; *– van de bodem* character (nature) of the soil; *bepaling van –, (gramm.)* predicative adjunct

gestemd tuned; *(fig.)* disposed; *~ zijn voor* be in the vein (mood, humour) for; *... gunstig ~ zijn* be favourably disposed to (towards) a p., be sympathetic to the government; *al naar hij ~ is* as the mood takes him; *zie* geluimd

gesternte constellation, star(s); *mijn gelukkig ~* my lucky star; *onder een gelukkig ~ geboren* born under a lucky star

gesticht I *zn.* institution, establishment, building, edifice; asylum, home, hospital; *liefdadig*

~ charitable institution; II *bn. zie* stichten; *allesbehalve ~ zijn over* be far from pleased (be annoyed) at

gesticulatie gesticulation

gesticuleren gesticulate

gestie management, administration

gestoelte seat, chair; *zie ook* spreek~

gestoffeerd [apartments] with curtains and carpets, upholstered [furniture]; *(fig.)* furnished; *hoog ~* sprung

gestommel bumping noise

gestort: *~ kapitaal* paid-up capital; *~e lading* bulk cargo

gestrafte punished person; *(mil.)* defaulter; *~nappèl (mil.)* defaulters' parade

gestreept striped; *(wet.)* striate(d); *(muz.) zie* een~, enz.

gestreken: *~papier* coated paper

gestrekt stretched; *~e galop* full gallop; *in ~e galop (draf)* at full 'gallop (trot); *met ~e arm* [he held the paper] at full stretch of his arm; *~e hoek* angle of continuation, straight angle

gestreng(heid) *zie* streng(heid)

gestrikt (be)ribboned; *zie* strikken

gestudeerd: *~ man, ~e* university man, college man, graduate

gesuf day-dreaming, dozing

gesuis buzz(ing); singing [in one's ears]; sough [of the wind]

gesukkel 1 indifferent health; *chronisch ~* invalidism; 2 trudging, plodding

getaand tanned, tawny, bronzed

getabbaard, -berd robed, in robes

getakt branched; forked [lightning]

getal number; *bij 't ~ verkopen* sell by n.; *in groten ~e* in great numbers, [arrive] in (great) force; *in groten ~e voorkomen, ook:* abound; *in vollen ~e* in full force, in their full numbers; *ten ~e van ...* to the n. of thirteen, thirteen in n., numbering thirteen; [houses spring up] at the rate of [600 a year]; *zie* rond; *~geheugen* memory *(of:* head) for numbers; *~lenleer* theory of numbers; *~lenmystiek, -symboliek* numerology

getalm procrastination, lingering, loitering

getalsterkte numerical strength; *volledige ~, ook:* (full) complement; *van groter ~* numerically superior [*dan* to]

getand toothed, notched, jagged; *(van wiel, enz.)* cogged, toothed; *(van blad)* dentate, serrate(d)

getapt *zie* tappen; *(fig.)* popular [*bij* with]

getaxeerd: *~e polis* valued policy

geteisem riff-raff

getekend: *mooi ~ (van dier)* beautifully marked; *een ~e* a marked man; *hij behoort tot de –n* he is marked (branded) by nature

Gethsemane id.

getier noise, clamour

getij(de) tide; *getijden,* (kerk.) hours; *dood ~* neap t.; *hoog (laag) ~* high (low) t.; *op 't ~ lopend (varend)* tidal [train, boat]; *aan de ~n blootgesteld* tidal [portion of a river]; *'t ~ waar-*

nemen take time by the forelock; 't ~ *verloopt* the t. goes out; 't ~ *laten verlopen*, (*fig.*) let the opportunity slip by; *met 't ~ meegaan* drop down with the t.; *elk vist op zijn~, ongev.:* every dog has his day; *hij vist op elk ~* all is fish that comes to his net; *zie* baken

getij(den)boek breviary, (Book of) Hours
getijgerd tiger-striped, -marked, -spotted
getij: ~**golf** tidal wave;(*hoog, in riviermond*) bore; ~**haven** tidal harbour; ~**meter** tide-gauge; ~**rivier** tidal river; ~**sluis** tide-lock, -gate; ~**stroom** tide-run, -race; ~**tafel** tide-table
getik (*van klok, houtworm, enz.*) ticking, tick; (*met vinger, enz.*) tapping, rapping; (*van breinaalden*) click(ing); ~**tak** tick-tick, tick-tack, tick-tock; **getikt** (*fig.*) *zie* geschift
getimmerte structure, building
getingel tinkling, [the] ting-ting [of the bell]; **getintel** sparkling, twinkling; (*van koude*) tingling; **getiteld** (*pers.*) titled; (*boek, enz.*) entitled; **getjilp** chirp(ing), twitter(ing), cheep; **getjingel** *zie* getingel; **getob** (*gezwoeg*) toiling, drudgery; (*zorgen*) worry, bother
getogen *zie* geboren
getouw gear, loom; *zie ook* touw
getralied (cross-)barred, grated, latticed
getrappel stamping, trampling, tramp; *zie* hoef~
getrapt: ~*e verkiezingen* elections at two (or more) removes (*of:* by indirect vote), double elections; **getreuzel** dawdling, lingering, loitering, dilly-dallying; **getrippel** tripping
getroebleerd (mentally) deranged, troubled in mind; '*n beetje* ~ a bit cracked, slightly touched
getrokken *zie* trekken; ~ *loop* rifled barrel; *met ~ loop* rifle-barrelled
getroost comforted; *de dood* (*zijn lot*) ~ resigned to death (to one's fate); ~**en:** *zich veel moeite* - spare (grudge) no pains, go to great pains; *zich ongemakken* – rough it; *zich ontberingen* – put up with privations
getroubleerd *zie* getroebleerd
getrouw faithful [*ook fig.:* translation, memory; portrait], true, loyal, devoted, reliable, trusty, exact [copy]; ~*e parafrase* close paraphrase; ~ *blijven aan* ... remain true to one's principles; ~ *naar het leven* true to life; ~ *tot in de dood* f. until death; *zie* trouw; ~**e** f. follower, supporter, *oude* – old stand-by, old stalwart, f. retainer; ~**heid** f.ness, fidelity [to the original], loyalty, reliability
getto ghetto
getuige witness [*bij* ... to a marriage, an agreement; (*toeschouwer, ook*) bystander; (*getuigenisaflegger ook*) deponent; (*bij duel*) second; *stomme* ~*n* mute evidences; ~ *à charge* w. for the prosecution (for the Crown); ~ *à decharge* w. for the defence; *het idee vond grote weerklank*, ~ *de vele reacties* ... (as) w. the many reactions; *God is mijn* ~ *dat ik* ... God is my w. I ...; *ten* ~ *waarvan* in testimony whereof; *ik heb goede* ~*n van u gegeven* I've given you a good character; *keukenmeid, van uitstekende* ~*n voorzien* cook with excellent references;

iem. tot ~ *roepen* call (take) a p. to w.; (*in rechtszaal ook*) put a p. in(to) the (witness-) box, (*Am.*) on the stand; *als* ~ *voorkomen* go into the witness-box, (*Am.*) take the stand; ~ *zijn van* witness, be a w. of (to)
getuigen I *tr.* ~, *dat* ... testify (attest, depose) that ..., say in evidence that ...; *ik kan* ~, *dat hij daar geweest is* I can testify (attest, depose, bear witness) to his having been there; *jij kunt* ~, *dat ik de waarheid gesproken heb* you can bear me out; II *intr.* appear as a witness, give evidence; (*godsd.*) testify, bear testimony; *zoals de geschiedenis van de school getuigt* as is witnessed by ...; ~ *tegen* give evidence against, testify against; *de feiten* ~ *tegen hem* the facts are against him; ~ *van* testify (attest, bear witness, bear testimony) to, speak of [want, a refined taste], speak well for [this speaks well for his honesty], argue [this ...s a dangerous levity of character], show [inventiveness], bespeak [patience]; *voor iem.* ~ testify in a p.'s favour; *dat getuigt voor u* that speaks (tells) in your favour, speaks well for you
getuigen: ~**bank** witness-bench; (*plaats waar getuige getuigenis aflegt*) witness-box, (*Am.*) witness-stand; ~**geld** witness's fee (*of:* money), subpoena money; (*reis- & verblijfkosten*) conduct-money
getuigenis evidence, testimony; (*schriftelijk*) deposition [100 ...s have been taken *afgenomen*]; ~ *afleggen* give (bear) e., (*in rechtszaal ook*) go into the (witness-)box, (*Am.*) take the stand; ~ *afleggen van* bear witness (testimony) to, testify (depose) to; *valse* ~ *afleggen* bear false e. (*of:* witness); *gij zult geen valse* ~ *spreken tegen uw naaste* thou shalt not bear false witness against thy neighbour; *een welsprekend* ~ *zijn van* be eloquent of
getuigen: ~**verhoor** examination of the witnesses; '*t* – *is afgelopen* the evidence is closed, all the evidence has been taken; ~**verklaring** (statement of) evidence, deposition, testimony
getuigschrift certificate [school ...; *zie* gedrag], testimonial, attestation; (*van dienstbode*) character [be dismissed without a ...]
geul channel, gully
geur fragrance, perfume, scent, odour, smell, flavour (*geur en smaak*); (*van wijn*) *ook:* bouquet; ~ *van heiligheid* odour of sanctity; ~ *maken* make (cut) a (great) dash, make a splash; *iets in ~en en kleuren vertellen* tell s.t. circumstantially (in great detail)
geuren smell, give forth scent (perfume); (*opscheppen*) swank, cut a dash; ~ *met* show off, parade [one's talents], sport [a gold watchchain], flaunt [one's happiness before one's friends]; (*sl.*) flash (about) [one's money in front of a p.]; *hij geurt ermee, dat* ... he boasts about reading such books; *leerling, enz., waarmee men 'geurt'* prize pupil, etc.
geurig fragrant, odorous, aromatic [coffee], sweet-smelling, sweet(-scented), odoriferous; ~**heid** *zie* geur

geurmaker braggart, swaggerer, swanker, swank-pot; ~**ig** swanky; ~**ij** swank

geurtje scent; flavour; *er is een ~ aan*, (*fig.*) it stinks

1 geus Beggar, Protestant

2 geus (*mar.*) jack

gevaar danger [*voor* ... to the public, to navigation; of fire], risk, peril; ~ *geweken!* (*luchtaanval*) all clear! [the ... (signal)]; ~ *lopen* incur risks (a risk); ~ *lopen om te* ... run the risk of ... ing; *er is geen ~ bij* there is no d.; *rijden, zodat 't ~ oplevert voor 't verkeer* drive to the d. of the public (to the public, *of:* common, d.); *buiten ~ zijn* be out of d. (off the d.-list, (*fam.*) out of the wood); *in ~* in d., in jeopardy; *nog in ~*, *ook:* still on the d.-list; *in ~ brengen* endanger, put in danger, put at risk, imperil, jeopardize [a p.'s life]; *in ~ komen* get into d.; *met ~ van zijn leven* at the risk (peril, hazard) of his life; *met groot ~ voor* ... at great risk (peril) to himself; *op ~ af van u te vervelen* at the risk of boring you; *daar is geen ~ voor* there is no d. (no fear) of that

gevaarlijk dangerous [... ly ill], perilous, risky, hazardous; (*mil.sl.*) unhealthy [corner]; ~ *voor* dangerous to; ~*e onderneming* d. undertaking, risky affair; ~*e zone* danger zone (*of:* area); *de* ~*e plek* the danger spot [in Europe]; *zie* heer; ~**heid** dangerousness, etc., danger

gevaarte colossus, monster; *een kolossaal ~*, (*fam.*) [the sideboard was] a huge (vast) affair

gevaarvol hazardous, perilous

geval case; *3 ~len van pokken* three small-pox cases; *'t tegendeel is 't ~* the contrary is the c. (the fact); *laat ons dit ~ stellen* let us put this c.; *een concreet ~* a concrete instance; *'t ~ wilde, zie* toeval; *dit is het ~ met de meeste mensen* this is the c. with most people; *dat is met mij ook het ~* it's the same with me, I am in the same position; *lastig ~* [we're up against a] tough (stiff) proposition; *wat heeft ze nu voor een raar ~ op haar hoofd*, (*fam.*) ... a strange affair ...; *bij ~*, *zie* bijgeval; *in geen ~* in no c., under no condition, by no means, on no account, not on any account [don't on any account ..]; *in allen ~le*, *in elk* (*ieder*) ~ at all events; at any rate, in any case, anyhow, anyway; *in elk ~ bedankt* [I don't need your help, but] thanks all the same; *in negen van de tien ~len* in nine cases out of ten; *in ~*, *zie* ingeval; *in 't ergste ~* at (the) worst, if the worst comes to the worst; *in ~ van* ... in (the) c. of (in the event of) war; *zie* nood; *in voorkomende ~len* should the c. arise; *van ~ tot ~* [decide] as each case arises; *voor 't ~ dat* ... in c. the police wanted to see him; ... *voor 't ~ dat 't bootje mocht omslaan* she wore a bathing-costume in c. of a spill; *voor 't ~ dat* [*hij kwam enz.*] [it would make enough for two] in c.; *ten ~le van* for the sake of

gevallen *ww.* please; *'t zich laten ~* put up with it; **gevalletje**: *het hele ~ is versleten* the whole

contraption is worn out

gevallig pleasing, agreeable

gevang *zie* ~enis

gevangen captive, imprisoned; *zich ~ geven* giv o.s. up (as a prisoner), yield o.s. prisoner, sur render; *zie de sam.*; ~**bewaarder** warder (prison-)officer, jailer; ~**bewaarster** wardress

gevangene prisoner [make four ... s], captive *ge zijt mijn ~* consider yourself under arrest

gevangenhouden detain, keep in prison, keep (hold) [a p.] a prisoner; -**ing** detention

gevangenis prison, jail, gaol; *de ~ ingaan* go t p. (to jail); *'t zal je in de ~ brengen* it will lan you in p.; *in de ~ stoppen* (*werpen, zetten*) cla (put, throw) into p., commit to p., jail [a p.] *naar de ~ voeren* take to p.; *uit de ~ breke* break p.; ~**boef** jail-bird, convict; (*sl.*) old lag ~**kleren** p. (*of:* convict) clothes; ~**predikant** p. chaplain; ~**straf** imprisonment, confinement *tot – veroordelen* sentence to p. [be sentence to 10 days in gaol]; *een – van tien jaren* a term of imprisonment ...; ~**wezen** penology p.system

gevangen: ~**maken** take captive; ~**nemen** arrest apprehend; (*mil.*) take prisoner (captive) capture; ~**neming** arrest, apprehension, cap ture; *bevel tot – committal to prison*; ~**poor** gate-house; ~**schap** imprisonment, confine ment, captivity; ~**wagen** prison-van, police van; *de –*, (*fam.*) Black Maria; ~**zetten** put ir (into) prison, commit to prison, imprison; ~ **zetting** imprisonment, committal (to prison) ~**zitten** be in prison (in jail)

gevankelijk: ~ *wegvoeren* carry off (as) a pris oner (prisoners), lead captive

gevarendriehoek (breakdown) warning triangle

gevat ready- (quick-, sharp-)witted, quick (good) at repartee, clever, smart; ~ *antwoora* witty (clever, ready) retort, repartee, smar answer; *hij is zeer ~*, *ook:* he has a ready wit ~ *ventje* sharp little boy; ~**heid** ready wit smartness, quickness at repartee, quick-(sharp-)wittedness

gevecht fight, battle, combat, action [killed in ..., go into ...], engagement, encounter; *buiten ~ stellen*, (*kanon*) put out of action, (*fam.*) knock out; (*soldaat*) disable; (*bokser*) knock out; *in 't ~ brengen* engage [troops]; *zie* man & strijd

gevechts: ~**bommenwerper** fighter-bomber; ~ **eenheid** fighting unit; ~**front** battle-front; ~ **groep** task-force; ~**houding** fighting attitude; ~**klaar** *zijn* be in fighting-trim, be fighting-fit; –**heid** combat readiness; ~**kruiser** battle-cruiser; ~**leer** battle tactics; ~**linie** fighting-line; ~**sterkte** fighting-strength; ~**terrein** battle-ground; ~**trein** combat train; ~**troepen** combat troops; ~**uitrusting** [full] battle-kit; ~**vliegtuig** fighter; fighting-, battle-, combat-plane; (*Am.*) pursuit plane; ~**waarde** fighting-value, -power, efficiency; ~**wagen** tank, armoured car; ~**zone** battle zone

gevederd feathered; **gevederte** feathers
geveerd (*van blad*) pinnate(d)
geveins *zie* veinzerij
geveinsd simulated, pretended, feigned, assumed [indifference], hypocritical; **~heid** hypocrisy, simulation
gevel façade, front; **~breedte** frontage, extent of front
gevelingschotten (*mar.*) shifting-boards
gevel: ~spits, ~top gable; **~steen** stone tablet; **~toerist** cat burglar; **~trapjes** corbie-steps, (crow-)stepped gable
geven give (*ook van koe:* she knew to a gill what each cow gave), present with; spare [a penny for the guy]; afford, yield, produce; (*geur, warmte, enz.*) give out; (*verlenen*) bestow, confer, grant; (*kaartspel, tr. & intr.*) deal; *verkeerd ~* (make a) misdeal; *eens gegeven blijft geg.* once given, always given; *geef mij 't zuiden van Fr. maar g.* me the south of France (for my money); *~ en nemen* g. and take; *men moet ~ en nemen, ook:* there must be g. and take [*zo ook:* the g. and take of life; use a little g. and take]; *ik gaf hem (de zieke) niet meer dan ...* I gave him no more than a week (to live); *ik gaf haar niet meer dan 30 (jaar)* I put her down at no more than thirty; (*zie* schatten op); *jij moet ~* it is your deal, the deal is with you; *wie spoedig geeft, geeft dubbel* he gives twice who gives quickly; *wie geeft wat hij heeft, is waard dat hij leeft* the Lord loveth a cheerful giver; *God geve* would to God!; *God (de Hemel) geve, dat ...* God grant that we may soon see him again; *God geve hem succes!* God grant him success!; *ik wou 't niet voor minder ~* I would not let it go (part with it) for less; *mag ik u wat aardappels ~?* may I help you to some potatoes?; *geef mij nog een glas bier, ook:* let me have another glass of beer; *zijn leven ~* lay down one's life; *hun werd een lunch geg.* they were entertained at lunch; *wat wordt er geg.?*, (*theat.*) what is on?; *men geeft Hamlet* H. is on [*zo:* there's a film on called ...]; *een kreet ~ g.* a scream (a cry); *zijn oordeel ~* state one's view; *een teken ~* make a sign; *bij de vertaling werden te veel woorden geg.* in the examination paper too many words were supplied; *zie ook* woord; *ik zou heel wat willen ~ om te weten ...* I would g. a good deal to know ... (*zie* ding); *ik gaf ik weet niet wat om 't te krijgen* I would g. the world for it; *'t is niet iedereen gegeven om ...* it is not given to everyone to ...; *ik geef het gewonnen* I g. it up; *zich gewonnen ~* own (admit) o.s. beaten, accept (admit) defeat, throw up the sponge, knuckle under; *niet gewonnen ~, ook:* hang on; *dat moet ik u gewonnen ~* you are right there; *zijn betrekking eraan ~ g.* up (throw up, chuck up) one's post (job); *zijn zaken eraan ~* go out of business, retire from business; *de hele zaak (alles) eraan ~* cut the whole concern, chuck up the whole thing (*zo ook:* cut a meeting, etc.); *de sigaren (genot-middelen) eraan ~* cut out cigars (luxuries);

zich ~ aan give o.s. to [study], throw o.s. into [one's work]; *zich ~ (minder stijf worden)* unbend, expand, come out of one's shell; *zich ~ zoals men is* be without affectation of any sort; *dat geeft niet(s),* (*doet er niet toe*) that doesn't matter; never mind! (*fam.*) no bones broken!; *'t geeft niets* it is no use (no good, of no avail, not the least good); *'t geeft niets om te schrijven* it is no good writing, there is no use in writing; *'t geeft niet, of je (je vader) al zegt ...* it's no use (no good) your (your father) saying ...; *protesten ~ niets* protests are unavailing; *de kuur heeft mij niets geg.* I've had no benefit from (I'm none the better for) my cure; *dat geeft niet veel* that is no good (*zie ook* helpen); *wat zal dat ~?* what will be the end of it (all)?; *wat geeft 't, of men er over praat?* what's the good of talking about it?; *wat geeft 't?* what's the use (the good)?; *maar wat geeft (= zou) dat nu?* but what of that?; *wat geeft een politieagent in zo'n geval?* what good is a policeman in such a case?; *dat zal wat ~!* there'll be trouble (*sl.:* ructions); *veel (weinig) ~ om* care a great deal (little) for, set much (little) store by, attach much (little) value to, make much (little) of; *veel ~ om, ook:* hold dear; *niets ~ om* not care for [wine], think nothing of [such a walk], hold [life] cheap; *wie geeft er wat om, of ...* who cares if ...?; *hij geeft om niets* he cares for nothing; *ze gaf niet om de regen* she did not mind the rain; *ik geef niet veel voor zijn kansen* I don't rate his chances very highly; *zie* denken, eentje, geven, geest, langs, voorbeeld, enz.
gever giver, donor; (*bij bloedtransfusie*) donor
gevest hilt
gevestigd established; *~e belangen* vested interests; *~e mening* fixed (firm) opinion; *~e orde van zaken* constituted order of things; Establishment; *~e reputatie* e. reputation; *~e zaak* (old-)established business, going concern
gevierd fêted, toasted [the ... beauty]; *met ~e schoten* with flowing sheets
gevierendeeld (*her.*) quarterly, quartered
gevind finned, finny; (*van blad*) pinnate(d)
gevingerd fingered; (*plantk.*) digitate [leaves]
gevit fault-finding, cavilling; **gevlag** flag-flying
gevlamd flamed [tulip], flamboyant; grained [beautifully ...wood]; watered [silk]
gevleesd fleshy, plump; *de ~e duivel* the devil incarnate; **gevlekt** spotted [skin], stained
gevleugeld winged; (*wet.*) alate(d); *~e mier* antfly; *'t ~e paard* the w. horse, Pegasus; *~wild* game birds; *~ woord* w. word
gevlij: iem. in 't ~ zien te komen worm one's way (manage to get) into a p.'s good graces, play (make) up to a p.
gevoeg: zijn ~ doen ease nature
gevoeglijk decently, properly, appositely; *je zou ~ kunnen gaan ...* quite in order for you to go; **~heid** decency, propriety, appositeness
gevoel (*-szin*) feeling, touch; (*gewaarwording*) feeling, sensation; (*niet-lichamelijk ~*) *ook:*

sentiment [a matter of ...]; ~ *van warmte* sensation of warmth; ~ *voor het schone* (*humor*) sense of beauty (humour); ~ *van wat goed* (*verkeerd*) *is* sense of what is right (wrong); *een vals* ~ *van veiligheid* a false sense of security; *wat voor* ~ *is 't?* what does it feel like?; *ik ken dat* ~ I know what it feels like; *het* ~ *is een gevaarlijke leidsman* feelings are dangerous guides; *ik heb zo'n* ~ *dat* ... I have a f. that ...; *een* ~ *hebben alsof men moet braken* feel like vomiting; *geen* ~ *hebben in zijn voeten*, (*van kou, enz.*) have no f. in ...; *zij had zelf ook dikwijls dat* ~, *ook:* she often felt that way (the same way) herself; *met* ~ *spreken* speak feelingly; *naar mijn* ~ *drijft hij het te ver* I cannot help feeling that he carries it too far; *op 't* ~ [judge, know, etc.] by the feel (of it), [knit] by feel; *ik kan 't wel op 't* ~ (*af*) *vinden* I can find it by the touch; *hij vond de weg op 't* ~ he groped (felt) his way; *zacht op 't* ~ soft to the touch (the feel); *zie* gevoelen

gevoeld: ~*e behoefte* [supply a] felt want

gevoelen I *zn.* feeling, sentiment, opinion, sense [represent the ... of the country, of the meeting]; *dat zijn mijn* ~*s* those are (*scherts.*: them's) my sentiments; *naar zijn* ~ in his opinion, to his mind, to his way of thinking; *ik ben van* ~, *dat* ... I am of (the) opinion that ...; *ik ben geheel van uw* ~ I quite agree (concur) with you; *ik verschil met u van* ~ I differ from (*of:* with) you (in opinion); *men was algemeen van* ~ it was commonly felt; II *ww.* feel; *zie* voelen

gevoelig (*vatbaar voor gewaarwordingen*) sensitive; (*van pers. ook*) feeling, susceptible; (*pijnlijk*) tender, sensitive [skin, feet]; (*van instrument*) sensitive (delicate) [scales]; (*fot.*) sensitive, sensitized [paper]; (*lichtgeraakt*) touchy, sensitive; ~*e klap* smart (sharp) blow; ~*e koude* bitter cold; ~*e les* sharp lesson; ~(*e*) *nederlaag* (*verlies*) heavy defeat (loss); *een* ~*e nederlaag lijden* suffer a severe set-back; ~*e pijn* sharp pain; ~*e plek* tender spot; *hij raakte mij op een* ~*e plek*, (*fig.*) he touched me on the raw; *zie* snaar; *hij gaf 't paard een* ~*e tik met de zweep* he flicked ... sharply with the whip; *op dat punt is hij* ~ he is very touchy on that point; *wees niet zo* ~ don't be so thin-skinned; ~ *voor* s. to [pain, cold, criticism, an affront], accessible, susceptible to [praise], sensible of [your kindness], appreciative of [an offer]; ~ *zijn voor, ook:* appreciate [a p.'s attentions]; ~*heid* sensitiveness, sensibility, tenderness (*zie* ~); *iems. – ontzien* (*kwetsen*) spare (hurt, wound) a p.'s feelings (sensibilities, susceptibilities)

gevoelloos unfeeling, callous, apathetic; impassive; insensible [*voor* ... of pain, to shame]; (*van lichaamsdeel*) numb; *zie* gevoel; ~ *maken*, *zie* verdoven; ~**heid** unfeelingness, callousness, apathy; insensibility

gevoels: ~**leven** inner life, emotional life; ~**mens** man of feeling, emotional person; *overdreven* – sentimentalist; ~**waarde** emotional value [of a word]; ~**zenuw** sensory (sensorial) nerve; ~**zin** sense of feeling (touch), tactile sense; **gevoelvol** full of feeling, tender, [speak] feelingly

gevogelte birds, fowls, poultry

gevoileerd veiled [ladies, voice]; (*wazig*) dim, hazy; (*fot.*) fogged

gevolg (*van pers.*) train, suite, retinue, following; (*resultaat, enz.*) consequence, result, outcome; (*after-*)effect [of an illness]; (*goed* ~) success; *geen nadelige* ~*en ondervinden van* be none the worse for [one's adventure]; *de* ~*en zijn voor jou* (you must) take the consequences; *aan een plan* ~ *geven* carry out a plan; *aan een opdracht* (*aanbeveling*) ~ *geven* carry an order (a recommendation) into effect, give effect to a r.; ~ *geven aan een verzoek* grant (comply with) a request; *geen* ~ *geven aan een bevel* refuse to comply with an order; ~ *geven-de aan* in response to [an invitation]; *zie ook* ingevolge; *met goed* ~ successfully, with success; *met als* ~ ... resulting in ...; *ten* ~*e hebben* bring on, bring in its train, be the cause of [a p.'s death], result in [loss, etc.]; *ten* ~*e van* in consequence of, as a result of; *ten* ~*e daarvan, ook:* as a result [he cancelled his passage]; *zonder* ~, (*resultaat*) without success, unsuccessful(ly); *werkloosheid als* ~ *van* ... unemployment consequent on the coal-strike; *en als* ~ *daarvan* ... [the flooding of the station] and consequent interruption of the train-service; ~**aanduidend** (*tlk.*) consecutive; ~**trekking** conclusion, deduction, inference; *tot de* – *komen dat* ... arrive at (reach) the conclusion that ...; ~*en maken* draw conclusions [*uit* from]; *voorbarige* ~*en maken* jump at (to) conclusions

gevolmachtigd having full powers; ~ *minister* minister plenipotentiary; ~*e* proxy, attorney; (*van regering, enz.*) plenipotentiary

gevorderd advanced [season], late [hour]; *op* ~*e leeftijd* at an a. age, [be] well on in years

gevorkt forked, (bi)furcate(d); **gevraagd** (*van waren*) in request, in demand; *zie* vragen & koop; **gevreesd** dreaded

gevrij love-making, billing and cooing; (*fam.*) cuddling, petting, necking

gevuld full [lips]; figure *gestalte*]; (*van pers.*) filled out, plump, full-figured [woman]; ~*er worden* fill out; ~*e beurs* long (heavy, well-lined) purse; *met* ~*e zitting* upholstered [chair]

gewaad attire, garment(s), garb, dress, robe [of state], [church] vestment

gewaagd risky, hazardous [enterprise]; (*fam.*) chancy; equivocal, risqué [expression, story]; ~*e gissing* bold guess; *een* ~ *spel spelen* play a bold game; *ze zijn aan elkaar* ~ they are well matched, it is six of one and half a dozen of the other; *zie* gedurfd; ~**heid** riskiness, etc.

gewaand supposed, pretended, feigned

gewaardeerd valued, prized; *zie 't ww.*

gewaar: ~*worden* become aware of, notice, perceive, experience; (*te weten komen*) find out; *zonder dat iem. er iets van ~ wordt* without anyone being (any) the wiser; ~*wording* sensation, perception, feeling

gewag: *de honden maakten* ~ gave tongue; *maak er geen ~ van* do not speak about it (mention it); *er wordt geen ~ gemaakt van verliezen* no casualties are reported

gewagen *van* mention, make mention of; *niet ~ van, ook:* be silent of (as to, about, on)

gewapend armed [soldier, forces, neutrality, magnet, etc.]; live [shell, bomb]; ~ *oog* armed (assisted) eye; ~*e vrede* a. peace, a. truce; *zie* beton

gewapenderhand by force of arms

gewas vegetation, growth; (*oogst*) crop(s), harvest; (*plant*) plant; (*uitwas*) excrescence

gewast waxed; ~*e taf* wax-taffeta, oil(ed) silk

gewaterd watered [silk]

gewatteerd quilted [cover *boekband*], padded; ~*e deken* quilt, quilted coverlet

gewauwel twaddle, drivel, waffle, rot, rigmarole; *sentimenteel* ~ sentimental slush, slipslop; **geweeklaag** lamentation(s), wailing(s); **geween** weeping

geweer rifle; (*jacht-*) gun; *over 't* ~! slope arms!; *presenteer 't* ~! present arms!; *schouder 't* ~! shoulder arms!; *'t* ~ *afzetten* order arms; *zet af 't* ~! order arms!; *staan met afgezet* ~ (*met 't* ~ *bij de voet*) be at the order; *in 't* ~ *zijn* (*komen*) stand to (arms); *in 't* ~! stand to!; *in 't* ~ *roepen* call to arms; *de wacht kwam in 't* ~ the guard turned out; *in 't* ~ *doen komen* turn out [the guard]; *naar 't* ~ *grijpen* take up arms; ~*fabriek* small-arms factory; ~*kogel* (r.-)bullet; ~*kolf* r.-butt; ~*lade* stock; ~*loop* r.-barrel; ~*maker* gunsmith, -maker; ~*mitrailleur* automatic r.; ~*riem* r. sling; ~*schot* r.-, gunshot; (*binnen*) –*safstand* (within) r.-range; ~*slot* gunlock; ~*vuur* r.-fire, musketry, fusillade

gewei (pair of, set of) antlers, horns; (*geweide*) intestines, entrails; (*uitwerpselen*) droppings; *met een* ~ antlered; ~ *met twaalf takken* twelve-tined antlers

geweld (*kracht*) violence, (brute) force; (*lawaai*) noise, hubbub, din, racket; *met* ~ by (main) force, by v., forcibly; [resist force] by force; *met* ~ *van wapenen* by force of arms; *hij wil er met alle* ~ *heen* he wants to go there by all means (at any cost, by hook or by crook); *de zaak met (alle)* ~ *tot 'n beslissing brengen* force the issue, force a solution; ~ *aandoen* do v. to [one's conscience, the law], violate [the law], stretch, strain [the meaning of a word, one's conscience, the law, the truth], outrage [one's sense of beauty]; *zichzelf* ~ *aandoen* restrain o.s., put a restraint on o.s.; ~ *gebruiken* use force, use v.; ~*daad* act of v., outrage; *openlijke* ~*en* open violence; ~*dadig* *bn.* violent [die a ... death]; *bw.* ....ly, by v.; ~*dadigheid* (act of) v., outrage; ~*enaar* tyrant, usurper; ~*enarij* tyranny, usurpation

geweldig vehement, violent, powerful, mighty, enormous, huge [a ... slice of ham], prodigious [pressure; he panted ...ly], tremendous [explosion], massive [air operations], phenomenal [attendance]; (*vreselijk*) dreadful(ly), terrible, -bly, awful(ly); ~! (*sl.*) terrific!; *ik heb er een* ~*e afkeer van* I loathe it, I hate it like poison; ~*e(r)* (*mar.*) master-at-arms; ~*heid* vehemence, violence, force

geweldpleging (personal) violence

gewelf vault(ing), arch, dome, (arched) roof; ~ *des hemels* v. (*of:* canopy) of heaven, firmament; ~*boog* vaulted arch

gewelfd vaulted, domed, arched; (*van voorhoofd*) domed, curved [forehead]; (*van weg*) cambered [road]

gewend accustomed; ~ *zijn aan* be used (accustomed) to; *niet* ~ *aan, ook:* unused to; ~ *zijn te ... be in the habit of ...ing; hij is niet veel* ~ he is not used to much; *hij is hier nog niet* ~ he does not feel at home here yet, he has not yet settled down; *zie* gewoon

gewennen I *tr.* accustom, habituate [*aan* to]; *aan ontberingen* ~ inure to hardships; *een paard aan 't zadel* ~ break a horse to the saddle; II *intr.* ~ *aan* = *zich* ~ *aan* accustom o.s. to, get accustomed (used) to, grow familiar with; *zie* wennen; -*ing* habituation

gewenst (*verlangd*) desired, wished for; (*wenselijk*) desirable, advisable; *hoe* ~ *zou het zijn ...* what a desirable thing it would be ...; *'t* ~*e van ..., de* ~*heid van ...* the desirability of ...

gewerveld vertebrate (*ook* = ~ *dier*)

gewest region; (*provincie*) province; *betere* ~*en* the abode of the blessed; *naar betere* ~*en gaan* be called to higher spheres, (*fam.*) go to glory; ~*elijk* provincial; dialectal

geweten conscience; *kwaad* ~ bad (guilty) c.; *ruim* ~ elastic c.; *rustig* ~ easy c.; *een rein* (*zuiver*) ~ a good (clear, clean) c.; *om des* ~*s wil* for conscience' sake; *zijn* ~ *werd wakker* (*begon te spreken*) his c. awoke (pricked him); *gekweld door 't* ~ conscience-stricken; *ik kan 't niet met mijn* ~ *overeenbrengen* I cannot reconcile it to (square it with) my c.; *met zijn* ~ *op goede voet blijven* keep on good terms with one's c.; *op zijn* ~ [he has s.t.] on his c. (*zo ook:* I won't have that on my c.); *heel wat op zijn* ~ *hebben, ook:* have much (*fam.:* a lot) to answer for

gewetenloos unscrupulous, unprincipled, conscienceless, heartless [fraud]; ~*heid* ...ness

gewetens- conscience: ~*angst* pangs (qualms) of c.; ~*bezwaar* (conscientious) scruple, conscientious objection; *zonder* – without a qualm; *vrijstelling wegens* ~*bezwaren, ook:* exemption on grounds of c.; –**de** conscientious objector; ~*dwang* moral constraint; ~*geld* c.-money; ~*knaging* twinges (compunctions) of c.; ~*nood* moral dilemma; ~*onderzoek* examination of conscience, searching of hearts; ~*vraag* *a*) soul-searching question; (*fam.*) poser; *b*) question (matter) of conscience; ~*vrijheid* freedom (liberty) of c.; ~*wroeging**

stings (twitches, twinges, pricking, qualms, pangs) of c., compunction(s), heart-searching, remorse; *door* – *gekweld* c.-stricken; ~**zaak** matter of c.

gewettigd justified, legitimate [hope]

geweven woven; ~ *stoffen* textiles, (textile) fabrics

gewezen late, former, ex-, past (president)

gewicht weight (*ook van klok*); (*fig. ook*) importance, moment; (*van slachtvee: levend*) live w., w. on the hoof, (*schoon aan de haak*) dressed w.; *soortelijk* ~ specific gravity; *bij 't* ~ *verkopen* sell by w., by the pound; *hij bezweek onder 't* ~ *der smart* he sank down under the w. of sorrow, was weighed down by sorrow; *weer op zijn* ~ *komen* recover one's lost w.; *man van* ~ man of w. (of consequence); (*fam.*) bigwig, big bug (pot, shot, noise); *een zaak van groot* ~ a matter of great w. (importance, moment); *zie* belang; *haar mening is van* ~ carries weight; *van meer* ~ *zijn dan* outweigh; *spreken op een toon van* ~ speak portentously; ~ *dragen*, (*van renpaard*) carry w.; *hun namen hebben het meeste* ~ carry most weight; *'t* ~ *niet hebben* be under w., be deficient in w.; *hecht geen* ~ *aan zijn woorden* do not attach any importance (*of:* weight) to his words; *veel* ~ *hechten aan, ook:* make much of [the fact that ...]; *goed* (*slecht*) ~ *geven* give good (full) w. (short w.); ~ *heffen* lift weights, put the w.; ~ *in de schaal leggen* carry w.; *'t legt geen* ~ *in de schaal* it does not carry any weight; it cuts no ice; *'t legt niet veel* ~ *in de schaal* it doesn't carry much w.; *zulk een overweging legt bij mij geen* ~ *in de schaal* such a consideration does not weigh (does not count) with me; *zijn* ~ *in de schaal werpen*, (*fig.*) throw one's w. into the scale; ~**heffen** w.-lifting, putting the w.

gewichtig important, momentous, weighty; (~-*doend*) pompous, consequential, self-important; ~ *doen* give o.s. airs, behave importantly, set up for a man of importance; (*fam.*) put it on (a bit); ~**doend** *zie* ~; ~**doenerij** display of self-importance; ~**heid** importance, weight; pomposity; *vgl.* ~

gewichtloos weightless

gewichts- weight: ~**eenheid** unit of w.; ~**manco** short w., deficiency in w.; ~**toename** w. increase (gain); ~**verlies** loss of w.

gewiekst knowing, sharp, smart, (*sl.*) fly; *een* ~*e* a k. one, a deep one; ~**heid** ...ness, gumption

gewiekt winged; **gewijd** consecrated [earth], sacred [history, poetry, music], hallowed [spot], devotional [music]

gewijsde judg(e)ment entered; *het vonnis is in kracht van* ~ *gegaan* sentence has been entered

gewild (*in trek*) in demand (request, favour), run after, much sought after, popular; (*gemaakt*) affected, laboured, studied; ~ *geestig* studiously (would-be) witty, intended to be humorous; *een* ~ *blad* a popular paper

gewillig willing, ready (*zie* geest), tractable,

docile, *zich* ~ *overgeven* surrender with a good grace; ~ *'t oor lenen aan* lend a ready ear to; ~**heid** willingness, readiness, docility

gewin gain, profit; (*van bijen*) take [of honey]; *vuil* ~ filthy lucre; *'t eerste* ~ *is kattegespin* first winnings don't count; ~**nen** win, gain; (*bijb.*) beget [children]; *zie verder* winnen; ~**zucht** love of money, covetousness; ~**zuchtig** *zie* ~-ziek

gewis *bn.* certain, sure; *dat is een* ~*se dood* that is c. death; *bw.* ...ly, to be sure; *zie* zeker; ~**heid** certainty, certitude

gewoel bustle, stir; (*menigte*) crowd, throng; *het* ~ *van de massa* the madding crowd

gewold woolly; **gewolkt** clouded, cloudy

gewonde wounded person; *zie* dode

gewoon I *bn.* (*gewend*) accustomed, used [*te* to], habituated; (*gebruikelijk*) usual [the ... hour]; customary, accustomed [his ... corner]; (*niet on-* of *buitengewoon*) ordinary [an ... boy, year, ... people, members], common [mistake, cold *verkoudheid*], plain [fare *kost;* ... and illustrated postcards; ... and milk chocolate; stained and ... glass]; (*ordinair*) common [manners, people]; *neus* ~, (*signalement*) ordinary nose; *gewone aandelen* ordinary (*Am.:* common) shares, equities; *gewone breuk* vulgar fraction; ~ *brood* household bread; *de gewone burger* the average citizen; ~ *hoogleraar* (full) professor; ~ *gezant* ambassador in ordinary; *de gewone lezer* the general reader; *de gewone man* the common man, the man in the street; *gewone pas* quick march (step, time); *in de gew. pas marcheren* march at the quick; *het gewone publiek* the general public; *een heel* ~ *zakenman* just an ordinary businessman; (*scherts.*) a common or garden b.; ~ *schrift*, (*tegenov. stenografie*) longhand; *in* ~ *schrift*, (*van telegr.*) in clear (*tegenov.:* in cipher); *meer* (*beter*) *dan* ~ above the common; *zoals hij* ~ *was* as was his wont, [he stared in front of him] as his habit was; *hij was niet* ~ *zo behandeld te w.* he was not used to being treated like that; *dat was men niet van hem* ~ that was an unusual thing with him; ~ *zijn te, ook:* be in the habit of ...ing; *hij was* ~ *hier veel te komen* he used to come here frequently; *het is heel* ~ *dat kinderen op straat spelen* it is quite common for children to play in the street; ~ *raken* (*worden*) *aan* get used (accustomed) to, grow familiar with; *iets heel* ~*s* nothing out of the common; (*sl.*) nothing to write home about; *zie* gewend & doen *zn.;* II *bw.* commonly, [behave quite] ordinarily; simply [I ... cannot think now]; ~ *doen, ook:* be ordinary, behave naturally; *zie* ~weg; ~**heid** (*alledaagsh.*) commonness; *zie ook* gewoonte; ~**lijk** usually, generally, ordinarily, habitually, as a rule; *als* – as usual; *ze was niet zoals ze* ~ *was* she was not her usual self

gewoonte (*algem. aangenomen gebruik*) custom [national ...s], usage, use, practice; (*persoon-*

lijk) custom, habit; (*aanwensel*) habit; trick [he has ... s that remind me of his father]; *zijn slordige ~n*, (*ook:*) his slovenly ways; *attr. ook:* habitual [liar, criminal, drinker, drunkard]; *als naar ~, volgens ~* as usual, according to c., by c.; *zie* ouder; (*louter*) *uit ~* from (out of) (sheer) habit, from (sheer) force of habit; *'t is een ~ van hem* it's a custom (habit) with him; *'t is niet mijn ~ om te liegen* I am not in the habit of lying; *'t is alles ~* it's all a matter of habit; *hij heeft de ~ met zijn vingers op de tafel te trommelen* he has a trick of drumming with his fingers on the table; *~ is een tweede natuur* c. (use, habit) is a second nature; *er een ~ van maken te ...* make it a rule to ..., make a habit (a practice) of ...ing; *een ~ worden* become the practice, grow into a c. (habit); *zie* aannemen, enz.; *~dier* creature of habit; *~drinker* enz., *zie bov.* (*attr.*); *~recht* common (*of:* customary) law; *~vorming* (*psych.*) habit formation

gewoonweg downright, perfectly [wonderful]; just [I ... don't know what to do; this is ... not possible]; *ik ben ~ doornat* I am simply soaked; *het was ~ een janboel* it was a regular mess; *hij brulde ~ van het lachen* he positively roared with laughter

geworden come to hand [your letter has ...]; *ik zal het u doen ~* I'll send it you, let you have it; *laat hem ~* let him have his way; *ik kan er niet mee ~* I cannot get on with it

gewricht joint, articulation

gewrichts- joint; *~band* ligament; *~breuk* fracture of a j.; *~holte* j.-cavity, socket; *~knobbel* condyle; *~ontsteking* arthritis, synovitis; *~reumatiek* articular rheumatism, rheumatoid arthritis; *~vocht* synovia, synovial fluid, j.-oil; *~ziekte* articular disease

gewriemel wriggling; **gewrijf:** *na veel ~ en geschrijf* after no end of writing

gewrocht production, creation, work

gewroet rooting, burrowing; (*fig.*) *a)* toil, drudgery; *b)* intrigues, underhand manoeuvres, schemings; **gewrok** sulking, fretting

gewrongen tortuous [style]; disguised [handwriting]; **gewulf** *zie* gewelf

gezaagd sawn [timber]; serrate(d) [leaf]

gezag authority, power, prestige; *zijn stem heeft ~* his voice carries weight; *zijn ~ doen gelden* put one's foot down; *met ~* with a., [speak] authoritatively; *geloof op ~* blind faith; *op ~ aannemen* accept upon authority, take on trust; *op ~ van ...* [we have it] on the a. of ...; *op eigen ~* on one's own a., arbitrarily, (*fam.*) off one's own bat; *'t ~ voeren* (be in) command; *'t ~ voeren over* command, be in command of; *een man van ~* an authority [on Greek]; *~hebbend* authoritative; *in ~e kringen* in influential (leading) circles; *op ~e toon spreken* speak authoritatively; *zie* bron; *~hebbenden* authorities; *~hebber a)* manager, administrator, director; *b)* = *~voerder; ~drager* authority; (*streng*) *~sman* authoritarian; *het Hoge G~sorgaan* the HighA.; *~voerder* (*mar.*) master,

(sea) captain, commander, master mariner; (*luchtv.*) captain; *oudste - (der maatschappij)* commodore; *als - varen* be in command

gezakt (*in zakken*) bagged; (*bij examen*) failed, (*sl.*) ploughed; *zie* afgewezen *en* gepakt

gezalfde: *de G~ des Heren* the Lord's Anointed

gezaligden: *de ~* the blessed, the blest

gezamenlijk I *bn.* complete [the ... works of S.], total, aggregate [amount], joint [owners, for their ... use], united [forces, consent], collective [responsibility], combined [efforts]; *~(e) actie (optreden)* concerted (joint, united) action; *de ~e burgers* the whole body of citizens; *~ gezang, zie* samenzang; *voor ~e kosten* at joint expense; *voor ~e rekening* for (on) joint account; *~ werk* team-work (*ook op wetenschapp. gebied*); **II** *bw.* ...ly, together, [go] in a body; *~ en hoofdelijk aansprakelijk* jointly and severally liable, collectively and individually responsible; *~ optreden* act in concert

gezang (*'t zingen*) singing; (*kwelen*) warbling; (*lied*) song; (*kerk-*) hymn; *'t ~ van een vogel* song, (*kort*) note of a bird; *~boek, ~bundel* hymn-book, hymnal

gezanik bother(ation), fuss

gezant envoy, (*van lagere rang*) minister resident; (*algemeen*) minister; (*pauselijk*) apostolic nuncio (*van lagere rang:* internuncio); (*afgezant*) envoy, ambassador, (*geheim*) emissary; *buitengewoon ~ en gevolmachtigd minister* envoy extraordinary and minister plenipotentiary; *de Britse ~ in IJsland* the British (*formeel:* Her Britannic Majesty's) Minister to Iceland; *de IJslandse ~ bij 't Eng. Hof* (*of: te Londen*) the Icelandic Minister to the Court of St. James's (to Gt. Britain, in London); *~ des hemels* messenger from Heaven

gezantschap legation, embassy

gezantschaps- legation: *~gebouw, ~hotel* l.; *~personeel* l. staff; *~raad* councillor to a (the) l.; *~secretaris* l. secretary

gezapig easy-going

gezegd (*bovengenoemd*) said, above(-said), -mentioned; *Simon, ~ Petrus* called Peter; *de eigenlijk ~e roman* the novel proper

gezegde saying, expression, phrase; (*uitspraak*) dictum; (*gramm.*) predicate; *bekend ~,* (*ook:*) household word

gezegeld sealed [envelope]; stamped [paper]

gezegend blessed; *~ met b.* with [worldly goods]; *daar is hij mee ~,* (*iron.*) good luck to him!; *zij verkeert in ~e omstandigheden* she is in the family way, is in an interesting condition; *in de ~e ouderdom van ...* [die] at the good (the ripe) old age of ...; *zie* aandenken

gezeggen: *zich laten ~* be docile, be open to good advice, listen (be amenable) to reason; *zich niet laten ~* refuse to listen to reason

gezeglijk docile, obedient, amenable to discipline; *~heid* docility, obedience

gezeik (*fam.*) *zie* gezanik

gezel fellow, companion, mate; (*handwerks-*) journeyman [butcher, etc.], [plumber's] mate, workman, working printer (carpenter, etc.)

gezellig (*van pers.*) companionable, convivial, sociable, (*fam.*) chummy, matey; (*van vertrek, enz.*) pleasant; (*intiem*) cosy, snug; ~ (*pratend*) chatty; *~e omgang* social intercourse; ~ *levende dieren* social (gregarious) animals; *de mens is een ~ dier* man is a social animal; *~e avond* pleasant evening; ~ *avondje*, (*muziek, enz.*) social evening, (*fam.*) social; ~ *bijeenkomst* social meeting (gathering), (*fam.*) social; *hij is 'n ~e baas, ook:* he is good company; *'t is ~ om samen uit te gaan* it's fun to go out together; *zie ook* baas; *'t was erg ~,* (*na bezoek*) thank you for a delightful evening; *je bent allesbehalve ~* you are precious poor company; *onder een ~ glaasje* over a cheerful (social, sociable) glass; ~ *hoekje* cosy corner, snuggery; *een ~ tehuis* a happy home; ~ *vertrek* snug room, snuggery; **~heid** companionableness, sociability, conviviality, chumminess; (*van vertrek, enz.*) snugness, cosiness; *huiselijke* – home (*of:* fireside) comfort(s); *ik heb* – *nodig* I want fellowship (companionship); *voor de* – for company; –**svereniging** social club

gezellin companion

gezelschap company, society, party [of friends]; (*theat., enz.*) company, troupe; *dit doorluchtige ~* this august assemblage; *juffrouw van ~, zie* ~sdame; *in ~ van* in the c. of, in c. with; *in goed ~* [if I am wrong, I'm erring] in good c.; *in slecht ~ geraken* fall (get) into bad c. (among bad companions); *kwade ~pen bederven goede zeden* evil communications corrupt good manners; *iem. ~ houden* keep (bear) a p. company; *niet van 't ~ zijn* [I shall] not be of the party; *hij vermeed alle ~* he kept (himself) to himself; *zijn ~ waard zijn* be good c.

gezelschaps: ~**biljet** (cheap) party ticket; ~**dame** (lady-)companion [*bij* ... to an old lady]; **G~-Eilanden** Society Islands; ~**juffrouw** *zie* ~dame; ~**leven** social life; ~**regel**, ~**rekening** (rule of) partnership (fellowship); ~**reis** organized tour, (*fam.*) Cook's tour; ~**spel** round game, party game

gezet corpulent, stout, portly; (*gedrongen*) thick-set, stocky; (*vast*) set [times], definite, fixed; regular [read the Bible ...ly]; *van ~te leeftijd* of mature age; *~(te) onderzoek* (*studie*) close examination (study); ~ *denken* think intently; *zie* gesteld, taak & zetten

gezeten: ~ *zijn* be seated; be mounted [on a fine horse]; ~ *boer* (*burger*) substantial farmer (citizen); ~ *man* man of substance; *zie* zitten

gezetheid *a*) corpulence, stoutness; *b*) regularity; *vgl.* gezet

gezeur bother(ation); [the story is just] drivel

gezicht (*'t zien*) sight; (*'t vermogen*) (eye-)sight; (*gelaat*) face; (*met 't oog op de uitdrukking*) countenance; (*lit.*) visage; (*wat men ziet*) view, sight [a sad ...]; (*uitzicht*) view [a beautiful ...]; prospect, (*uitzicht van pers.*) looks [I don't like his ...]; (*visioen*) vision; *'t was géén ~* it

was (he looked, etc.) a perfect sight; *zijn ~ is niet heel scherp* his eyesight is none of the sharpest; *een vrolijk* (*ernstig*) ~ *zetten* put on a cheerful (serious) face; ~ *op Amsterdam* view of A.; *hou je ~!* (*fam.*) shut up!; hold your tongue!; *hij verloor zijn ~* he lost his (eye-)sight (the use of his eyes); *zijn ~ verliezen,* (*fig.*) lose face; *zijn ~ redden,* (*fig.*) save one's face; *~en trekken* pull (make) faces [*tegen* at]; *een gek* (*zuur*) ~ *trekken* make a queer (a wry) face, make a grimace; *hij trok een lang ~* he pulled (made) a long face; *~en zien* see visions, see things; *aan 't ~ onttrekken* blank out; *bij 't ~ van ...* [his face brightened] at the s. of her; *iem. vlak in zijn ~ kijken* look a p. full (*of:* straight) in the face; *in 't ~ van* in s. (view) of; *in 't ~ komen* come in(to) s. (*of:* view), (*op zee, & fam. in algem. zin*) heave in s. [another pedestrian hove in s.]; *in 't ~ krijgen* get (catch) s. of, sight [land, a sail]; *ik lachte hem in het ~ uit* I laughed in his face; *iem. in zijn ~ prijzen* praise a p. to his face; *ik zei het hem in zijn ~* I told him so to his face; *in 't ~ zijn* be (with)in s.; *iem. een slag* (*klap*) *in 't ~ geven, iem. in 't ~ slaan* give a p. a slap in the face (*ook fig.*), slap (smack) a p.'s face; *hij kreeg een slag* (*klap*) *in 't ~* he got (*of:* had) his face smacked; *'t was me, alsof ik een klap in 't ~ kreeg* it was like being hit in the face; *de waarheid in 't ~ slaan* fly in the face of truth; *iem. in 't ~ staan* block a p.'s view; *met een onschuldig ~* with an air of innocence; *op 't ~* [play, sing] at s.; *op 't ~ van* at s. of; *op 't eerste ~* at first s., at the first blush (glance); *on the face of it* [it seems probable]; *iem. op zijn ~ geven* tan a p.'s hide; *op zijn ~ krijgen* get a licking; *wou je dat hebben?* (*fam.*) *op je ~!* not on your life!; *op zijn eerlijk ~* [they lent him £50] on the strength of his honest appearance; *uit 't ~* out of s.; *uit mijn ~!* out of my s.!; *uit 't ~ verdwijnen* disappear (vanish) from s.; *hij is zijn vader uit 't ~ gesneden* he is the very image (*fam.:* the very spit) of his father; *uit 't ~ verliezen* lose s. of; *uit 't ~ verloren* lost to s. (to view); *iem. van ~ kennen* know a p. by s.; *de handen voor 't ~ houden, ook:* shield one's face with one's hands; *voor 't ~ van de mensen* for the look of the thing; ~*je zie* snoetje

gezichts[1]: ~**as** visual axis; ~**bedrog** optical illusion; ~**beeld** visual image; (*aan de*) ~**einder** (on the) horizon, skyline; *dat ligt buiten onze* – that is beyond our ken (our horizon); ~**hoek** optic (visual) angle, angle of vision (*ook fig.*); ~**kring** (intellectual) horizon, ken; *z'n* – *uitbreiden* extend (widen) one's horizon, broaden one's mind; *beperkte* – restricted outlook; *zie ook* gezichtseinder; ~**lijn** visual line; ~**orgaan** organ of sight; ~**punt** point of view, viewpoint, aspect; *uit een ander* (*medisch*) – *bezien* view [life] from a different angle (from the

---

[1] *Zie ook* gelaats...

Voor niet opgenomen woorden met ge- *zie men de hoofdwoorden*

angle of medical science); ~**scherpte** acuity of sight, visual acuity; ~**veld** field of view (vision), range of vision, visual field; ~**verlies** (*fig.*) loss of face; ~**vermogen** (eye-)sight, visual faculty (*of:* power); ~**zenuw** optic nerve; ~**zin** (sense of) sight; ~**zintuig** organ of sight

gezien *a*) visa; *b*) esteemed, respected; *voor ~ tekenen* visa; (*boven handtekening*) seen by me; *voor ~ houden* take as read; *hij is hier zeer ~, ook:* he is highly thought of here; *zeer ~ onder* very popular with [his friends]; *het mag ~ worden* it will bear inspection; *~ onze lage prijzen* in view of our low prices; *~ wat volgt* in view of (considering) what follows

gezin family, household; *uit een groot ~ komen* come from a large f.; *'t ~ bestaat uit 3 personen* they are three in f., there are three in the f.

gezind disposed, inclined; *iem. gunstig (goed) ~ zijn* be kindly d. (well-d.) towards a p.; *zij zijn elkander kwaad ~* there is no love lost between them; *hij is mij slecht (vijandig) ~* he is ill-d. (hostile) towards me; *democratisch (evangelisch) ~* democratically (evangelically) minded; ~**heid** disposition, inclination; (*godsdienstige*) religious conviction, persuasion

gezindte denomination, sect, persuasion

gezins family: ~**beperking** f. planning; ~**bijslag** *zie* ~**toelage**; ~**bijstand** national assistance; ~**hoofd** *a*) head of the (a) f.; *b*) householder; ~**hulp** home help; ~**leden** members of the f.; ~**leven** f. life, home life; ~**toelage**, ~**toeslag** f. allowance; ~**verpleging** boarding out [of mental patients, orphans, etc.]; ~**verzorgster** mother's help; ~**was** f.-washing

gezocht: (*zeer*) ~ in (great) demand (in request), much sought after, in vogue; (*onnatuurlijk*) studied, laboured, affected; (*ver*~) far-fetched, recherché; (*verzonnen*) got-up [pretext]; ~**heid** (great) demand; studiedness, affectation; far-fetchedness; *vgl.* ~

gezoem buzz(ing), hum(ming)

gezond healthy [man, constitution, sleep, etc.]; sound [reasoning, principle, argument, judg(e)ment, on a ... basis]; (*gaaf*) sound [wood, fruit]; (*geestelijk* ~) sane; (~*heidbevorderend*) healthy [climate, house], healthful, health-giving, salubrious [climate]; (*van spijs, drank*) wholesome [food, etc.; *ook fig.:* advice, punishment, outlook upon life]; (*pred. van persoon*) in (good) health, well; *zij is uitstekend ~* she has (is in) excellent health; *~ denkbeeld* sound idea; ~*e eetlust* h. (hearty) appetite; ~*e kijk op 't leven* sane outlook on life; ~*e maag* good stomach; ~*e taal spreken* talk sense; ~ *verstand* common sense; *zo ~ mogelijk* [he is] in the best of (in perfect) health; *hij is niet erg ~* in poor (indifferent) health; *zo ~ als een vis* as fit as a fiddle, as sound as a bell; ~ *en wel* safe and sound, alive and well; ~ *naar lichaam en geest* sound in body and mind; ~ *van geest* healthy-minded; ~ *van lijf en leden* sound in wind and limb, able-bodied; ~ *bidden* cure by prayer (*zie ook ben.*); ~ *blijven*

keep well, keep fit; ~ *houden* keep [the body] in health; ~ *maken* restore to health, cure, make [a p.] well (again); *weer ~ worden* recover (one's health), get well again; *die zaak is ~* that's all right, that's O.K.; *hij redeneert ~* his reasoning is sound; ~**bidden** faith-healing, -cure (*zie ook bov.*); ~**bidder** faith-healer, -curer

gezondheid health; healthiness [of a climate]; soundness; saneness, sanity; *vgl.* gezond; *slechte ~* ill-health; ~ *van oordeel* soundness (sanity) of judg(e)ment; *zijn ~ was als gewoonlijk* he was in his usual h.; *hoe is 't met zijn ~?* how is his h.?; *zijn ~ is in de laatste tijd niet goed* he has been in ill-health for some time; *een goede (uitstekende) ~ genieten* enjoy good h., be in excellent h.; ~ *is de grootste schat* (*gaat boven rijkdom*) h. is better than wealth; *op iems. ~ drinken* drink a p.'s h.; (*op je*) ~! here's luck! here's to you! to your good health! here's your very good h.! cheerio!; *zie* prosit; *voor zijn ~* for the sake (the benefit) of his h.; *slecht voor de ~* bad for (injurious to) (the) h.; *goed voor de ~* good for (the) h.

gezondheids: ~**attest** certificate of h.; ~**commissie** board of h., (public) h. committee; ~**dienst** public h. service, health authorities; (*mil.*) Royal Army Medical Corps; *bureau van de ~* public h. office; *ambtenaar van de ~* public h. officer; *arts van de ~* (civil) medical officer; ~**halve** for the sake of one's h.; ~**kolonie** h. colony; ~**leer** hygiene, hygienics; ~**oord** h.-resort; ~**pas** bill of h. [*schoon* clean; *vuil* foul]; ~**redenen** reasons (considerations) of h., h.-reasons; *om ~ for* reasons of h. (h.-reasons), on the ground of ill-health; (*algemene*) ~**toestand** state of (public) h., h. conditions; ~**wezen** sanitation; ~**zorg** hygiene, sanitation; *openbare* ~ public health (hygiene); ~**zout** h.-salt

gezouten salt [butter, beef, fish, cod], corned [beef], salted [herring]; strong [language]; (*pred.*) salted

gezusters: ~ *W.* the sisters W., the W. sisters

gezwam gas, hot air, vapourings, slush, tosh

gezwel swelling, growth, tumour

gezwendel swindling, swindle, take-in

gezwind swift, quick, rapid; *met ~e pas* at the double; ~**heid** quickness, rapidity, swiftness, celerity

gezwoeg toil(ing), drudging, drudgery

gezwollen swollen [cheek, ankle, river]; (*fig.*) bombastic, stilted, turgid, inflated [style]; ~**heid** swollenness, etc., turgidity

gezworen sworn [friends, enemies]; ~*e* juror, juryman; *de ~en, ook:* the jury

G.G.D. Municipal Health Service

Ghana id.; **Ghanees** Ghanaian

gibbon id.

Gibraltar id.; (*fam.*) Gib; *ook:* the Rock

gibus opera-hat, crush-hat

gids (*man*) guide; (*boek*) guide(-book), hand-book; *een ~ van Londen* a guide to L.

giechelen giggle, titter, snigger; -**ig** giggly

giek (*boot*) gig; (*zeilboom*) boom; (*zwaaiarm*) jib, boom

gier 1 vulture; 2 (*gil*) scream, screech; 3 (*mar.*) sheer; 4 (*mest*) stale, liquid manure; ~**achtig** vulturine

gierbrug flying-bridge

gieren 1 scream [with laughter], screech [...ing shells]; (*van wind*) whistle, howl; (*van banden*) squeal; *hij deed ons voortdurend ~ van 't lachen* he kept us in screams of laughter; *zie* gillen; 2 (*mar.*) yaw, sheer; 3 dress (*of:* feed) with liquid manure

gierig avaricious, stingy, niggardly, mean, close-fisted, miserly; ~**aard** miser, skinflint; ~**heid** avarice, miserliness, stinginess, meanness, niggardliness; *zie* zuinigheid

gierpont rope-, wire-ferry

gierput manure-pit, dung-hole

gierst millet; ~**koorts** miliary fever, miliaria; ~**uitslag** miliary herpes

giervalk gerfalcon, gyrfalcon

gierzwaluw swift, martlet

giet: ~**beton** cast concrete; ~**blaas** blow-hole; ~**bui** downpour, pouring rain; ~**cokes** foundry coke •

gieteling 1 pig of iron; 2 (*vogel*) blackbird

gieten 1 pour (*ook van regen*); *'t giet* it is pouring; 2 cast [bells, a statue, iron]; found [guns, bells, glass]; mould [candles]; (*fig., van gedachten, enz.*) mould; *in een andere vorm ~ remould; ... zit als (aan 't lijf) gegoten* the coat fits him like a glove

gieter 1 watering-can; 2 founder, caster, moulder; **gieterij** foundry

giet: ~**gat** sprue(-gate); ~**ijzer** cast iron, foundry iron; ~**kolen** non-bituminous coal, stone coal; ~**kroes** crucible; ~**lepel**, ~**pan** casting-ladle; ~**sel** *a*) pour; *b*) = ~**stuk**; ~**staal** cast (*of:* crucible) steel; ~**stuk** casting; ~**tafel** casting-table; ~**vorm** casting-mould, matrix (*mv.:* matrices); ~**waren** cast wares, foundry goods; ~**werk** cast work; ~**zand** casting-sand

gif... *zie* gift... 2

gifkikker vermin, poisonous fellow

1 gift present, gift, donation, gratuity, contribution; (*in kerk*) offering; (*dosis*) dose

2 gif(t) poison, (*dierlijk en fig. ook*) venom; (*smetstof*) virus, toxin; ~ *spuwen*, (*fig.*) spit venom; ~**beker** poisoned cup, p.-cup; ~**blaas** p.-bag

giftbrief deed of gift

gif(t)drank poisoned draught

gif(t)gas poison-gas

giftig poisonous, venomous, toxic; (*fig.*) venomous, virulent [remark]; *ik werd ~* I saw red, was furious; *zie* vergiftig; ~**heid** poisonousness, venomousness, virulence

gif(t): ~**klier** poison-gland; ~**meng(st)er** poisoner; ~**tand** venom-tooth, p.-fang; ~**vrij** nonpoisonous; ~**werend** antitoxic

gigant giant; (*fig. ook*) jumbo, colossus; ~**isch** gigantic, giant, colossal

gigolo id.; (*sl.*) lounge-lizard

gij (*ev. & mv.*) you, (*dicht.*) ye; (*ev. dicht.*) thou

gijl ferment; **gijlen** ferment

gijlieden you; *zie ook* jullie

gijlkuip fermenting-vat

gijn gin; **gijpen** (*mar.*) gybe, (*Am.*) jibe

Gijs Bert(ie); **Gijsbertus** Gisbertus

gijzel: ~**aar** hostage; (*wegens schuld*) prisoner for debt; (*onjuist gebr.*) kidnapper, hijacker; ~**en** imprison for debt; kidnap, hijack; ~**ing** imprisonment for debt; hijack(ing); hostage-taking; (*met politiekordon*) siege; *in – houden* hold hostage; ~**kamer**, ~**plaats** debtors' prison

gil yell, shriek, scream, squeal [give a ...]

gild(e) guild, corporation, craft; (*in de City*) City (*of:* livery) company; ~**brief** charter; ~**broeder** g.-brother, member of a g.; ~**huis** g.-hall; ~**meester** g.-master, warden of a (the) craft; ~**patroon** saint [of painters, etc.]; ~**penning** medal (*of:* badge) of a g.; ~**proef** masterpiece; ~**wezen** (everything relating to, system of) guilds

gillen yell, shriek, scream; *'t is* (*jij bent*) *om te .. it is* (you are) a (perfect) scream, (*Am.*) it's for crying out loud; *de kinderen gilden om 't hardst* were yelling their hardest (their heads off); ~*de keukenmeid* whistling fire-cracker; **giller** scream, hoot

Gilles Giles

gillettemesje (razor-)blade

ginder = *ginds, bw.;* **ginds** I *bw.:* (*daar*) ~ over (up) there, yonder; ~ *bij de deur* over by the door; ~ *bij de rivier* down by the river; ~ *in Egypte* [he died] out in Egypt; II *bn.* yonder, (*dicht.*) yon; ~ *huis* the house over there; *aan ~e kant* on the other side, over the way, across; *aan ~e kant van, ook:* beyond [the river]

ging *o.v.t. van* gaan

gingang gingham

ginnegappen giggle, snigger

ginst genista, broom

gips gypsum; (*gebrand*) plaster (of Paris); *zie* ~**verband;** ~**afgietsel** plaster-cast; (*van dode*) death-mask; ~**beeld** plaster (of Paris) figure (*of:* image); ~**en** *bn. & ww.* plaster; ~**meel** powdered g.; ~**model** plaster cast; *naar –len tekenen* draw from casts; ~**ornament** stucco-ornament; ~**plaat** plasterboard; ~**verband** plaster (of Paris) bandage (dressing, casing); *een – aanleggen* dress (place, put) in plaster (of Paris); ~**vorm** plaster-mould

giraal *geld* deposit money

giraffe id.

girandole id.

gireren transfer

giro id., credit transfer; ~**afrekening** g. statement; ~**bank** clearing (*of:* transfer) bank; ~**betaalkaart** g. payment card; ~**biljet** g. form; ~**cheque** id.; ~**dienst** g. service; (*Br.*) National Giro; (*centraal*) ~**kantoor** g. centre

girokompas gyro-compass

Girondijn(s) Girondist

giro: ~**overschrijving** g. transfer; ~**pas** g. guarantee card; ~**rekening** giro (transfer) account; ~**stelsel** giro (transfer) system; ~**storting(s-kaart)** g. inpayment (form)

1 gis (*muz.*) G sharp
2 gis guess; *op de* ~ by g., at random; ~ *in 't wilde* wild guess; *dat viel uit de* ~ I (he, etc.) had not bargained for that
3 gis *a*) bright, fly; *b*) chancy, hazardous
gispen blame, censure, castigate; (*onbarmhartig, van pers.*) scarify; **-ing** blame, censure, castigation, scarification
gissen guess, conjecture, divine; *naar iets* ~ g. (make a guess, *fam.*: have a shot) at a thing; *men kan* ~ *hoe dat afliep* the result may be easily conjectured; *zie* bestek; **gissing** guess, conjecture; (*schatting*) estimation; *naar* ~ at a g., at a rough estimate; *het zijn (allemaal) maar ~en* it is (all) mere guess-work
gist yeast, barm
gisten ferment, work, rise; *laten* ~ ferment; *aan 't* ~, (*fig.*) [the minds are, the town is] in a ferment, in a state of fermentation
gister(en) yesterday; *ik was* ~ *de hele dag thuis* I was at home all day y.; ~ *voor* (*over*) *een week* y. week; *ik herinner het me als de dag van* ~ as if it was (happened) yesterday; *hij is niet van* ~ he was not born y., knows how many beans make five; *de Telegraaf van* ~ y.'s Telegraph; **~avond** last night, y. evening; **~middag, -morgen, -nacht** y. afternoon (morning, night)
gisting fermentation, ferment (*beide ook fig.*); *in* ~, *zie* aan 't gisten; **~sproces** process of f.
gistkuip fermenting-vat, -tun
gistmiddel, -stof ferment
git jet
gitaar guitar; **~speler, gitarist** guitarist; g.-player
gitten (made of) jet
gitzwart jet-black, (as) black as jet
glaasje (little) glass; (*sl.*) peg [of whiskey]; (*van toverlantaarn & microscoop*) slide; *bij een* ~ over a g.; *van een* ~ *houden* like a (one's) g., like (be fond of) a drop; *hij heeft te diep in 't* ~ *gekeken* he has had a g. (a drop) too much, he has had one too many; *een* ~ *pakken* have a quick one; *zie* afscheid
glacé kid(-leather), glacé kid; **~handschoenen, glacés** kid gloves, (*fam.*) kids; **glacépapier** glazed paper
glaceren glaze [pottery, paper]; ice, frost [cakes]; candy, crystallize [fruits]
glacis id. (*ev. & mv.*)
glad I *bn.* smooth [surface, skin, sea, tongue, style], sleek [hair, skin], plain [ring]; bald [tyres]; (*glibberig*) slippery [road, floor]; (*bij vorst, ook*) icy [roads]; (*slim*) clever, cunning, cute, long-headed [a ... fellow]; *~de loop* s.-bore barrel; *~de schedel* shiny top; ~ *van tong* s.-tongued, -spoken [he has a glib (s., oily, ready) tongue]; *~de vogel* slippery eel (customer); ~ *voorhoofd* s. (unwrinkled) brow; *dat is nogal* ~ that goes without saying, is a matter of course; *'t is* ~ *buiten* it is slippery out(side); *de wegen zijn plaatselijk* ~ there are icy patches on the roads; *zie* spiegelglad, aal, ijs, enz.; II *bw.*

smoothly, smooth; ~ *geborsteld* smoothly-brushed [hair]; ~ *lopen* run smooth(ly), go slick [the machine goes very slick]; *'t gaat hem* ~ *af* it comes easy to him; *'t gaat hem nog niet* ~ *af* he has not got the knack of it yet, he has not got his hand in; *de woorden* ~ *achter elkaar opzeggen* say the words straight off (the reel); *'t zat hem niet* ~ [he tried to pump me, but] it did not wash; *dat zal je niet* ~ *zitten* you're not going to get away with that, (*'t van mij te weten te komen, enz.*) you won't get any change out of me; *ik ben het* ~ *vergeten* have clean forgotten it; ~ *verkeerd* altogether wrong; *zie* mis, stapel & *ben.*; **~af** [refuse] flatly
gladakker pariah-dog; (*oude knol*) screw; (*gemene vent*) scoundrel, rascal; (*leperd*) sly dog, slyboots, slick customer
glad: ~boenen polish; **~borstelen** brush (down), smooth (down); **~dekschip** flush-deck ship; **~den** polish; **~digheid** *zie* ~heid
gladekker *zie* gladakker
glad: ~geschoren clean-shaven; **~harig** sleek-, smooth-haired; **~heid** smoothness (*ook van taal, enz.*) slipperiness; *denk om de* – be careful, it's slippery out(side); **~hout** sleeking-stick, polisher
gladiator id.
gladiolus, gladiool gladiolus, *mv.*: gladioli
glad: ~janus slyboots, slick customer; **~loop(s-geweer)** smooth-bore; **~maken** smooth, polish; **~schaaf** smoothing-plane; **~schuren** *zie* schuren; **~strijken** smooth (out, down), sleek down [hair]; iron out [a crease, differences]; (*korenmaat*) stroke [a bushel]; (*van vogel*) *ook:* plume, preen [its feathers]; **~gestreken** level [spoonful]; **~vijl** smoothing-file; **~weg** [confess] readily; [I have] clean [forgotten it]; **~wrijven** polish
glans gloss [of hair, a hat, collar, silk], lustre [of eyes, metals], glitter [of gold]; a peculiar ... in a p.'s eyes], shine, sheen; (*fig.*) lustre [of his name], splendour [with royal ...], brilliancy; (*poetsmiddel*) polish; *verblindende* ~ glare; *zachte* ~ gleam; ~ *van genoegen* flush of pleasure; *een* ~ *van genoegen lag op zijn gelaat* his face shone with joy; *hij slaagde met* ~ he passed with flying colours (with distinction); *zijn* ~ *verliezen* lose its lustre, tarnish; *vgl.* ~loos; **~borstel** polishing-brush; **~hout** *zie* gladhout; **~karton** glazed cardboard; **~loos** lustreless, lack-lustre [eyes]; **~machine** glazing-machine; **~periode** heyday [the ... of his life, his power], golden age; **~plaat** (*fot.*) ferrotype plate; **~punt** acme, height, crowning event, high(-)light, high(-)spot [of the fête], hit [of the day], shining glory [of the museum], (outstanding) feature [of the exhibition], (*fam.*) star-turn; **~rijk** glorious, brilliant, resplendent, radiant; ~ *succes* signal (smashing) success; *'t* – *afleggen* fail signally (*of:* gloriously); *zie ook:* met glans; **~rijkheid** resplendence, splendour, brilliancy; **~rol** (*theat.*) star part; **~steen** polishing-stone;

~**stijfsel** borax starch; ~**verf** gloss (glossy) paint
glanzen *intr.* shine, gleam, shimmer [...ing silk], glisten; *tr.* gloss [silk, collars], glaze [cloth, leather, a photo, picture], put a shine on [collars], furbish [metals], polish; ~*d haar* glossy (sleek) hair; ~*d papier*, (*fot.*) glossy paper, calender (paper); **-er** polisher, glosser
glanzig glossy, shining
glas glass; (*ruit*) (window-)pane; (*van lamp*) chimney; (*van bril*) glass, lens; (*mar.*) bell [*drie glazen* three ...s]; ~ *water* g. of water; *achter* ~ *zetten* glaze [a picture]; *bij een* ~ *wijn* over a g. of wine; *onder* ~ [grown] under g.; *zijn eigen glazen ingooien* stand in one's own light, cut one's own throat; *zie* gegooi, lood; ~**aal** elver; ~**achtig** glassy, glass-like, vitreous; – *lichaam*, (*van oog*) vitreous humour; – *vlies* hyaloid membrane; ~**achtigheid** glassiness, vitreousness; ~**blazen** *ww.* blow g.; *zn.* g.-blowing; ~**blazer** g.-blower; ~**blazerij** g.-works; ~**blazerspijp** blow-pipe; ~**cultuur** g. cultivation (culture); ~**diamant** artificial (imitation) diamond; ~**dicht** glazed; ~**elektriciteit** vitreous (positive) electricity; ~**fabriek** g.-works; ~**gal** g. gall, sandiver; ~**gordijn** net-, lace-curtain; ~**groen** bottle-green; ~**handel** g.-trade; ~**hard** (*fig.*) as hard as nails; ~**helder** (as) clear as g. (as crystal), crystal-clear (*ook: fig.* his exposition was ...); [a voice] as clear as a bell; ~**-in-loodraam** leaded window; ~**jaloezie** window-ventilator; ~**kolf** bulb-tube; ~**kraal** g. bead; ~**kruid** pellitory (of the wall), wallwort; ~**lichaam** vitreous humour [of the eye]; ~**oog** wall-eye, g.-eye; *met* ~*ogen* wall-eyed; ~**oven** g.-furnace; ~**parel** artificial pearl; ~**raam** window(-frame); ~**ruit** (window-)pane; ~**scherf** fragment of g., g. splinter; *mv. ook:* splintered (shivered) g.; ~**schilder** painter on g.; ~**schildering** g.-painting; ~**schuim** *zie* ~gal; ~**slijper** g.-grinder; ~**snijder** g.-cutter; ~**splinter** *zie* ~scherf; ~**verzekering** plate-g. (window-g.) insurance; ~**vezel** g. fibre; (*materiaal*) fibreglass; ~**vlies** (*van oog*) hyaloid (membrane); ~**vlinder** clearwing; ~**waren** glassware, glass(-work), g. articles; ~**werk** *a*) *zie* ~waren; *b*) glazing [of a building]; ~**wol** g. wool, spun g.
glauberzout Glauber('s) salt(s)
glazen (of) glass, glassy; ~ *deur* glazed door, g. door; ~ *koets* g. coach; ~ *oog* g. eye; *wie een* ~ *huis bewoont, moet geen stenen op buurmans dak werpen* people who live in g. houses should not throw stones
glazen: ~**doek** glass-cloth; ~**ier** glass painter; ~**kast** glazed cabinet; (*in keuken*) kitchendresser; ~**maker** glazier; (*insekt*) dragon-fly; ~**makersdiamant** glazier's diamond, glasscutter; ~**spuit** window-cleaning syringe; ~**wasser(ij)** window-cleaner (window-cleaning business); ~**wisser** squeegee
glazig glassy; ~*e ogen*, *ook:* glazed eyes; ~*e aardappel* waxy potato
glazuren glaze; *geglazuurd papier* glazed (coated) paper; *gegl. aardewerk* vitreous china;

glazuur(sel) (*van tanden*) enamel; (*van aardewerk*) glaze, glazing; (*op gebak*) (sugar) icing, frosting
gleed *o.v.t. van* glijden
gletsjer glacier; ~**ijs** g.-ice; ~**kom** pot-hole; ~**melk** g.-milk; ~**poort** g.-mouth, snout; ~**puin** morainic debris; ~**spleet** crevasse
gleuf groove; (*lange opening*) slit [of a letter-box], slot [of a slot-machine]; (*voor horloge-glas*) bezel; ~**hoed** Trilby hat, trilby
glibberen slither [in the mud], slip
glibberig slithery, slippery [road, character], greasy [road], slimy [fish]; ~**heid** slitheriness, etc.
glij: ~**baan** slide; ~**bank** (*in giek*) sliding-seat, slide(r); ~**boot** gliding-boat, hydroplane (motor-boat)
glijden (*op glijbaan, enz.*) slide; (*van boot, gedaante, vogel, enz.*) glide; (*uit-, af-, enz.*) slip; (*van vliegt.*) plane, glide; *het gleed mij door de vingers* it slipped through my fingers; *over* ... *heen* ~ s. (glide) over [a difficulty, a subject]; pass lightly over, slur over [a p.'s bad points]; *een glimlach gleed over zijn gezicht* passed over his face; *de mantel gleed van zijn schouders* slipped from his shoulders; *hij liet 't in zijn zak* ~ he slipped it into his pocket; *hij liet zijn blik* ~ *over* he let his look travel over ...; *zich van 't paard laten* ~ slip off one's horse; *hij liet zich van de helling* ~ he slid down the slope; *zie* kleed; ~*de (loon)schaal* sliding scale (of wages)
glijder (*fon.*) continuant
glijhoek (*luchtv.*) gliding-angle; **glijplank** skid; **glijvlucht** glide, volplane
glimkever *zie* glimworm
glimlach smile; ~**en** smile [*tegen* at, on *over* at]; – *tegen iem., ook:* give a p. a s.; ~*d naar binnen kijken* s. in at the window; ~*d te kennen geven* s. [one's thanks, appreciation]; ~**je** half-smile
glimmen glimmer [...ing ashes]; shine [his face shone from soap], gleam [his teeth ...ed], glisten [with perspiration]; *zijn ogen glommen van vreugde* shone with joy; *zijn pak glom* his suit was shiny (at the seams); ~**d** shining [boots], shiny [trousers, sofa, nose]
glimmer mica; ~**aarde** micaceous earth
glimmerlei mica(ceous) schist (*of:* slate)
glimp glimpse; gleam [of hope], glimmer [of understanding]; *de zaak een* ~ *geven* give the thing a colour (an air); *hij trachtte er een* ~ *aan te geven* he tried to gloss it over; *een* ~ *van waarheid geven aan* give some colour to; *met een* ~ *van waarheid* [it might be said] with some colour; *onder de* ~ *van vriendschap* under colour (the guise) of friendship
glimpieper wide boy
glimworm glow-worm, fire-fly
glinsteren glitter, glisten, sparkle, twinkle, glint; *zie* glimmen; ~**d** *ook:* shiny; **-ing** glitter(ing), sparkle, sparkling, glint
glip slit, split
glippen slip [my foot, my bicycle, ...ped]; *door de vingers* ~ s. through one's fingers; *een ge-*

legenheid laten ~ let an opportunity s. (through one's fingers); *de teugels laten* ~ drop the reins
glissen glide, slip; **glit** litharge
globaal *bn.* rough; broad [survey]; *een globale raming (berekening) maken* make a r. estimate (calculation); *bw.* ... ly, in the gross; ~ *bekijken* take an overall view of; ~ *genomen* taking it roughly, broadly, (roughly) speaking, in the aggregate, [educated men] in the mass; ~ £ *1000* roughly £1000
globaliseren rough out [a plan]; **globaliter** roughly
globe id., sphere
gloed glow, blaze (*ook fig.:* a ... of colour); (*fig.*) ardour, [speak with great] fervour, fire, warmth, verve; *in* ~ aglow; *in* ~ *geraken over zijn onderwerp* warm up to one's subject; *'t schouwspel zette zijn hart in* ~ set his heart aglow; ~*nieuw* brand-new; ~*vol* [give a] glowing [account of ...], colourful [scene], warm [his ... baritone]; *in –le bewoordingen* in glowing terms
gloeidraad filament
gloeien I *intr.* glow, be red-hot; (*fig.*) glow, be aglow [her eyes were ...], [her ears began to] burn, tingle; ~ *van* g. with [enthusiasm], burn (blaze, be ablaze) with [indignation]; *mijn hoofd gloeit* my head burns, is (all) on fire; II *tr.* make red-hot (white-hot); (*uit-*) anneal; ~**d** *bn.* glowing, etc.; red-hot [iron, lava, anger]; ardent [love]; *-e kolen* live coals; *een druppel op een –e plaat* a drop in the ocean; *een verontwaardiging* blazing indignation; *– van* aglow with [delight], ablaze with [anger]; *zie* spijker; *bw.* – *heet* burning hot, broiling, blazing [day]; (*van vloeistof*) scalding (piping) hot; (*van metaal*) red-hot; – *contant* prompt cash; *je bent er – bij*, (*fam.*) you're in for it; *hij was – vervelend* he made a thorough nuisance of himself; *zie* land
gloeierig burning, tingling
gloei: ~*hitte a*) white (red) heat; *b*) intense heat; ~**ing** glowing, incandescence; ~**kousje** gas mantle, incandescent m.; ~**kathode** hot cathode; ~**lamp** [electric] (light) bulb, incandescent lamp; glow-lamp; ~**licht** incandescent light; ~**oven** heating-furnace
glom *o.v.t. van* glimmen
glooien slope, shelve; *het land glooit zacht af naar de zee* shelves gently away to the sea
glooiing slope; ~**shoek** gradient
gloor glow; (*fig.*) lustre, splendour
glop *zie* slop
gloren glimmer; (*van de dag*) dawn, break; *zie* ochtend~
glorie glory [there it stood in all its ...], lustre; [his son was his] pride; ~**krans** glorible; ~**kroon** crown of g.; ~**rijk**, **glorieus** glorious; ~**tijd** heyday
glorificatie glorification
glossarium glossary; **glos(se)** gloss, commentary; (*spotternij*) gibe; ~*sen maken op* gloss [a text]; (*fig.*) gloss (comment) upon; **glosseren** gloss [a text]

glottisslag glottal stop
glucose id.
gluipen sneak, spy, skulk; **gluiper(d)** sneak, skulk; **gluiperig** sneaking, skulking [fellow], hangdog [look], furtive [eyes]
glunder cheerful; *een* ~ *gezicht* a face shining with happiness
glunderen smile happily, beam; *hij glunderde bij die gedachte* his face shone (beamed) at the thought
gluren peep, peek, peer; (*ong.*) leer [*naar* at]; *naar binnen* ~ peep (peer, peek) in (at the window)
glutenbrood bran bread, diabetic bread
glutine gluten
gluurder voyeur; -**ogen** *zie* gluren
glycerine id.
gneis gneiss
gniffelen chuckle [*over* over, at], laugh in one's sleeve; **gnoe** gnu
gnome id., maxim; **gnomon** id.
gnoom gnome; **gnuiven** *zie* gniffelen
goal id.; *een* ~ *maken* make (score) a g., score
gobelin id., Gobelin tapestry
God God; ~ *de Heer* the Lord G.; *van* ~ *noch zijn gebod weten* live without God in the world; ~*s water over* ~*s akker laten lopen* let things slide, let things take their (own) course; *zie* genade; ~ *zij dank* thank G.; *zo waarlijk helpe mij* ~ *almachtig* so help me G.; *zo waar* ~ *leeft*, ... as sure as God's in heaven; *van* ~ *gegeven* G.-given [leader]; *ik zal het in g~s naam maar doen* I'll do it, though it goes against the grain; *ga in g~s naam niet* don't go for Heaven's (for goodness') sake; *ik wou in g~s naam* ... I wish to Heaven ...; *wat* ... *in g~s naam* what in the name of fortune [do you want?]; *omg~s wil* for God's (Heaven's) sake; *bij* ~ *is alles mogelijk* with G. all things are possible; *bij alle* ~*en!* by (the living) Jingo!; *zij kwamen* ~ *weet waar vandaan* from goodness knows where; *ze hebben een leven als* ~ *in Frankrijk* they live in clover; *grote g~en!* good Heavens! great Scott! ye gods (and little fishes)!; *de g~en waren ons gunstig* the stars were in our favour; ~ *zal me liefhebben!* good God (Heavens)!; ~ *zal me kraken!* G. strike me pink!; *zie* beteren, bewaren, geven, klagen, minder, naast, willen
goddank thank God; thank heaven! thank goodness!; *hij stierf* ~ *vóór* ... mercifully, ...
goddelijk divine (*ook fig.:* she sings ...) ly), godlike, sublime; *de* ~*e deugden* the d. virtues: Faith, Hope and Charity (*of:* Love); *'t was* ~ it was bliss(ful), marvellous, delicious, grand; ~**heid** divineness, divinity
goddeloos godless, ungodly, impious, sinful, wicked, unholy (*ook fig.:* a most ... mess), nefarious; ~, *wat een geld!* Lord bless me! what a lot of money; ~ *lawaai* dreadful noise; *hij kan* ~ *liegen* he lies shamelessly; ~**heid** godlessness, impiety, wickedness
goddom(m)e, -dorie damn it, dash it
goden: ~**dienst** idolatry; ~**dom** (heathen) gods; *het Germaanse* – the Germanic pantheon; ~~

drank nectar; ~**leer** mythology; ~**schemering** twilight of the gods; ~**spijs** ambrosia, food of the gods; ~**tijd** mythical age; ~**wereld** world of the gods; ~**zoon** son of a god; **godes(se)** goddess

Godfried Godfrey, Geoffrey

god: *de* ~**ganse(lijke)** *dag* the livelong day, the whole blessed day; ~**geklaagd** disgraceful [scandal]; *zie ook* klagen; ~**geleerd** theological; ~**geleerde** divine, theologian; ~**geleerdheid** theology, divinity; ~**gevallig** pleasing to God; ~**gevloekt** cursed, damned; ~**gewijd** consecrated to God, sacred; ~**heid** (*abstr.*) godhead, divinity; (*concr.*) deity, divinity; *de G*– the Deity, the Godhead; ~**in** goddess; ~**je** (*iron.*) (little) tin god, tin-pot deity; ~**lasterend** blasphemous; ~**loochenaar** atheist; ~**loochenend** atheistic (*bw.*: -ally); ~**loochening** atheism; ~**loos** godless; **G~mens** God-man

gods: ~**advocaat** God's advocate; ~**akker** God's acre, churchyard, graveyard; ~**begrip** idea (conception) of God; ~**beschikking** dispensation (of Providence)

godsdienst religion; (*de oefening*) divine worship; *van welke* ~ *is hij?* what r. is he?; ~**haat** religious hatred; ~**ig** religious, devout; ~**igheid** religiousness, devotion; (*dikw. voorgewend of dweperig*) religiosity; ~**ijver** religious zeal; *blinde* – fanaticism; ~**ijveraar** religious zealot; ~**loos** irreligious; ~**oefening** divine service; *de* – *leiden* officiate; ~**onderwijs** religious teaching (instruction); ~**onderwijzer** teacher of r., religious teacher; ~**oorlog** religious war, war of r.; ~**plechtigheid** religious ceremony (*of:* rite); ~**plicht** religious duty; ~**twist** religious quarrel; ~**vrijheid** religious liberty; ~**waanzin** religious mania; *lijder aan* – religious maniac; ~**wetenschap** theology, divinity, science of religion; ~**zin** religiousness, piety

Gods-, gods-: ~**gericht** *a*) (trial by) ordeal; *b*) divine judg(e)ment, judg(e)ment of God; ~**gezant** divine messenger; ~**huis** *a*) house of God, place of worship, church, temple; (*van afgescheidenen*) chapel, tabernacle; *b*) charitable institution; ~**jammerlijk** pitiable, wretched, miserable; ~**lasteraar(ster)** blasphemer; ~**lastering** blasphemy; ~**lasterlijk** blasphemous; *–e taal uitslaan* blaspheme; ~**liederlijk** *zie* ~jammerlijk; ~**man** man of God, godly man, prophet, apostle; ~**mogelijk:** *hoe is het* ~, (*fam.*) how on earth is it possible?; ~**naam** *zie* God; ~**onmogelijk** absolutely impossible; ~**oordeel** *zie* gericht; ~**penning** earnest-money; ~**regering** theocracy; ~**rijk** kingdom of God; ~**spraak** oracle; ~**verering** worship of God, divine worship; ~**vrede** truce of God, political truce; ~**vrucht** piety; godliness, devotion; *van* ~**wege** in the name of God; ~**wil** *zie* God

godverdomme God damn it

godvergeten God-forsaken [place], abandoned [wretch]

godverzaker enz., *zie* godloochenaar, enz.

godvrezend, -vruchtig God-fearing, godly, pious, devout; ~**heid** piety, godliness, devotion

godzalig godly; ~**heid** godliness

godzijdank *zie* goddank

1 goed I *bn.* good [*ook:* his g. (= *niet bezeerde*) hand, his g. ear; this egg is not quite g.; this ten-pound note is not g. (= *echt*)]; (*goedaardig*) kind, good-natured; (*juist*) right [the ... age for marriage], correct; (*gezond*) well; (*niet bedorven*) sweet [the meat, etc. is still ...]; II *bw.* well; (*juist*) right [do a sum ...], correctly; properly [clean them ...]; *als je* ~ *kijkt* if you look carefully; *was de wond* ~ *uit* wash the wound thoroughly; *ik was* ~ *moe* I was jolly tired; *wat* ~ *voor je is, ook:* [we only want] your g.; *hij was zo'n goeie vent* he was such a g. sort; *die goeie ouwe!* the old dear!; *geen al te* ~*e dag* [the patient had] not too g. a day; *zie ook* dag; *hij is te* ~ *voor deze wereld* he is too angelic for this world; his wings are sprouting; *ik ben (voel me) niet* ~ (= *sterk, enz.*) *genoeg (daarvoor), ook:* I am not (don't feel) up to it; *een* ~(*e*) ... a g. hour, a g. ten miles, [he looks] a g. fifty-five; *een* ~*e 80 pond* eighty odd pounds (*zo ook:* forty odd years, miles, etc.), eighty pounds odd, upwards of eighty pounds; *hij is een* ~*e dertiger* he is turned thirty, is thirty something; ~*e morgen!* g. morning!; *op een* ~*e morgen* one fine morning; *op een* ~ *ogenblik* (*moment*) [*kan 't je niets meer schelen*] the moment comes (there comes a moment) when ...; *een* ~*e beloning* a liberal reward; *en maar* ~ *ook* [you never see it now] and a g. thing (a g. job) too! and quite right too!; *'t is maar* ~ *dat hij dood is* (*dat hij 't niet heeft*) he is well dead (he is just as well without it); *'t is maar* ~ *it's* just as well [you didn't go]; *'t is (maar)* ~ *dat je 't zegt* thank you for reminding me; *alles is* ~ *met hem* all is well with him; ~ *om te eten* g. to eat, g. eating; ~ *over iem. denken* think well of a p.; ~ *van iem.* **spreken** speak well of a p.; *G~e Vrijdag* G. Friday; *G~e Week* Holy Week; (*alles*) ~ *en wel* (all) well and g., that is all very well (very nice) [but ...]; *toen hij* ~ *en wel weg was* when he was well gone [*zo ook:* I wished myself well out of the room]; *dat blijft niet* ~, (*van eetwaren*) that won't keep (good); (*van bloemen*) last [the flowers will ... some days]; *zijde blijft niet zo lang* ~ does not stand wear so well; *als 't weer* ~ *blijft* if the weather holds; *... is niet helemaal* ~ *meer* the meat (milk, etc.) is slightly (a bit) off, is beginning to go off; *het is niet* ~ *om te pessimistisch te zijn* it won't do (is not a good thing) to be too pessimistic; *hij kaart* ~ is a g. card-player; *de Australiërs spelen*~the A.s play a good game; the A.s are playing very well; *jij hebt* ~ *praten* it is all very well for you to talk (to say so); *hij slaapt minder* ~ indifferently; *'t smaakt* ~ it tastes g. (*of:* nice); *dat's* ~, *zei Bob* g., said B.; *is dat* ~? [I'll come at two;] will that do?; *elke envelop is* ~ any envelope will do; *heel* ~, *mijnheer!* very g., Sir!; *mij* ~, *ook:* I don't mind; it's all right with (by) me; *'t zou* ~ *zijn getuigen te hebben* it would be well to have witnesses; *'t gaat nooit* ~ *als W. erbij is* things never go right when W. is there; *niets ging ~ (met hem)* nothing went right (with [*of:* for] him); *zie ook* gaan; *hij was heel ~ voor me* very g. (kind) to me; *Guinness is ~ voor u* G. is good for you; *deze weg is niet ~ voor de auto* is not doing the car any good; *hij is ~ voor die som* he is safe (good) for ...; *daar is de verzekering ~ voor* the insurance will take care of that; *nergens ~ voor* [he (it) is] g. for nothing; *hij is er niet te ~ voor* he is not above that sort of thing; *ik acht hem er niet te ~ voor*, (*er wel toe in staat*) I wouldn't put it past him; *ben je niet ~?* (*fig.*) what's wrong with you?; *je bent niet ~! (fam.)* you're crazy (nuts)!; *wil je weer ~ op me zijn?* will you be friends with me again?; *ze zijn weer ~ op elkaar* they have made it up, are on good terms again; *die is ~!* that is a g. one! that's g.; [make a fool of myself?] I like that!; *~ af, zie* af; *hij maakt 't ~* he is doing well; *~ Engels spreken* speak g. English, speak English well; *~ in de talen (in 't oplossen van raadsels)* g. at languages (at riddles); *~ in 't rekenen* quick at figures, good at sums; *ze verdienen ~ geld* they earn (make) g. money; *hij wordt er ~ voor betaald* he gets g. money for it; *zit* (*lig, enz.*) *je ~?* are you quite comfortable?; *'t ~ hebben* be well off; *heb je 't hier niet ~?* aren't you comfortable here?; *als ik 't ~ heb* if I am not mistaken; ... *of ik 't ~ verstaan heb* I am not sure if I have heard rightly; *ik begrijp niet ~* ... I don't quite understand...; *~ komen* come right; *'t komt wel ~* it will work out (in the end); *er ~ van leven* live well; *'t kan niet anders dan ~ werken* it's all to the g.; *ik kan 't niet ~ krijgen* I can't get it right; *hij kan de dingen zo ~ uitleggen* he is so g. at explaining things; *ben ik op de ~e weg naar ...?* am I (is this) right for ...?; *zo is 't ~* that will do; *~ zo! zo gaat ie ~!* that's right! all right! well done! very good! (*fam.*) right ho! that's the way!; [I've just sold my old car for £100.] good for you! good man!; *'t is ~ zo,* (tegen *kelner, enz.*) you can keep the change; *zo ~ als dood* as g. as (all but, nearly) dead; *zo ~ als niets* (*niem., geen ervaring*) next to nothing (nobody, no experience); *hij heeft 't mij zo ~ als gezegd* he as good as told me so; *zo ~ als onbezeerd, ook:* practically uninjured; *zo ~ en zo kwaad als het gaat* as best it may, as best I (you) can, somehow or other; *zo ~ ik kon, ook:* [I described it] to the best of my ability; *zo ~ hij kon* [he picked up a living] as best he could; *zo ~ ik weet* to the best of my knowledge; *hij was zo ~ niet of hij moest betalen* he had to pay, there was no help for it; *wees zo ~ mij te helpen* be so kind as (have the kindness) to help me, be g. enough to help me; *wees zo ~ niet te spelen met* ... oblige me by not fiddling with that knife; *wil je zo ~ zijn ...?* will you please go at once?; *u wilt wel zo ~ zijn* ... you will be good enough ..., you will have the goodness ...; *dat kan ik* (*toch eigenlijk*) *niet ~ doen* I can't well do it [*zo ook:* I cannot very well invite ladies]; *ik moet je eens spreken. ~!* I

want to talk to you. Good!; *~! dan heeft ze dat gezegd. wat dan nog?* all right! so she said it. so what?; *~, hij is dom, maar ...* admittedly, ...; *~ bedoeld* well-meant, -intentioned; *zie ook* goed 2, bij, buurman, genade, houden, kant, maken, tijd, trouw, werken, woord, zitten, enz.

2 goed *zn.* (*tegenov.* kwaad) good [think g. of your fellow-man]; (*bezit*) goods, property; (*land~*) estate; (*stof*) stuff, material; (*kleren*) things; (*bagage*) luggage, things, traps; (*waar*) goods, wares, stuff; (*rommel, ~je*) stuff [this ... is worthless]; (*gerei*) things; *een waardevol ~* [healthy family life is a national] asset; *'t ~e uit iem.* halen bring out the g. in a p.; *men kan van 't ~e te veel krijgen* one can have too much of a g. thing; *'t vele ~e* the many g. things; *ze heeft veel ~s* she has many g. points; *ik kan niets anders dan ~s van haar zeggen* I have nothing but g. to say about her; *iedereen heeft wel iets ~s* there is g. in everybody; *er zit nog wel iets ~s in hem* he is not all bad; *~ doen* do g. [what g. can it do? the bath did me g.]; *'n verandering zal hem ~ doen* he will be the better for a change; *anderen ~ doen* do g. to others; *'t ~e doen* do what is right, do the right (thing) [by a p. *jegens iem.*]; *dat 't je veel ~ doe!* much g. it may do you!; *'t had hem verbazend veel ~ gedaan* it had done him all the g. in the world; *de reis zal je* (*je gezondheid*) ~ *doen* will benefit you (your health); *'t deed zijn hart ~* it did his heart g., it rejoiced his heart; *dat zal hem ~ doen,* (*moed geven*) that will cheer (*sl.:* buck) him up; *'t kan onmogelijk enig ~ doen* it cannot do any possible g.; *daarna kon ik geen ~ meer doen* after that I could not do anything (could do nothing) right; *ik kon geen ~ bij hem doen* he never had a g. word to say whatever I did; there was no pleasing him, try as I might; *je hebt* (*er*) ~ (*aan*) *gedaan* (*met hier te komen*) you have done well (*of:* right) (to come here); *zich te ~ doen* well [*aan* on]; *zich te ~ doen aan, ook:* feast upon, tuck into [a pie]; *ik heb 5 pond* (*3 maanden salaris*) *te ~* I have £5 owing to me (3 months' back pay outstanding); *ik heb een brief van hem te ~* he owes me a letter; *hij had geld te ~* money was owing to him; *ik zal 't geld tot morgen te ~ houden* the money may stand over till to-morrow; *je kunt niet hebben en te ~ houden* you cannot eat your cake and have it, you cannot have it both ways; *ten ~e* (*of ten kwade*) [influence] for g. (or evil); *ook:* for g. or ill [the die is cast]; *veranderen* (*verandering*) *ten ~e* change for the better; *houd 't mij ten ~e* excuse me [for saying so], don't take it ill of me; if you don't mind my saying so; *'t zal uw gezondheid ten ~e komen* it will do your health g., it will benefit your h.; *zie ook* ~ doen (*zie boven*) & keren; *voor ~*, *zie* voorgoed; *trek je ~ uit* take off your things; *'t kleine ~(je)* the youngsters, the small fry; *aardse ~eren* worldly goods; *~ en bloed* life and property; *zie* vuil

goedaardig *a*) good-natured, kind-hearted, benignant; *een ~ mannetje* a mild little man; *b*) (*van ziekten*) benign, mild [...form of measles]; *~ gezwel* benign (innocent, harmless) tumour; **~heid** *a*) good(-)nature, kind-heartedness, harmlessness; *b*) (*van ziekte*) mildness, benign character, non-malignity

goedachten *zie* goedvinden

goedang godown

goedbloed: (*Joris*) *~*, *zie* goedzak

goeddeels for the greater part

goeddoen do good; *zie* goed 2; **~d** beneficent

goeddunken *ww.* think fit (proper); *zn.* pleasure; *naar ~* at will; *naar ~ van* at the discretion of; *naar zijn ~* at his discretion, as he sees fit; *handel naar ~* use your own discretion, suit yourself

goede *zie* goed 2

goededag good day; (*wapen, hist.*) morningstar, morgenstern, mace; **~zeggen** [Johnny, come and] say how d'you do; (*afscheid nemen*) say good-bye [to a p.]: *zie ook* dag

goederen goods, merchandise, commodities; *zie* goed 2; **~beurs** produce exchange; **~bureau** goods-office; **~handel** produce (*of:* goods) trade; **~kantoor** *zie* ~bureau; **~klerk** parcel-clerk; **~krediet** goods-credit; **~loods** goods-shed; **~makelaar** produce-broker; **~prijzen** commodity prices; **~ruil** exchange of commodities; **~station** goods-station; **~trein** goods-train, (*Am.*) freight-train; **~verkeer** (*tussen landen*) exchange of goods; = **~vervoer** goods-, carrying-traffic; **~vliegtuig** freight(er)-plane; **~voorraad** stock (of goods), stock-in-trade; **~ wagen** goods-van; (*open*) truck

goederhand: *iets van ~ hebben* have s.t. on good authority (from a good source)

goedertieren merciful, clement; **~heid** mercy, loving-kindness, clemency

goed: **~gebouwd** well-built; **~geefs** generous, liberal, open-handed, free-handed; **~geefsheid** generosity, liberality, open-handedness, free-handedness; **~gehumeurd** good-tempered, -humoured; **~gelijkend** good [photo], [this photo is an excellent likeness]; **~gelovig** *a*) credulous, trusting, trustful; *b*) orthodox; **~geloofheid** *a*) credulity, trustfulness; *b*) orthodoxy; **~geordend** well-regulated [mind]; **~gevormd** well-shaped; **~gewicht** turn of the scale; **~gezind** well-disposed, kindly disposed [towards ...], well-affected [subjects], well-meaning; **~gunstig** kind, obliging; (*iron.*) gracious(ly); *–e lezer* gentle reader; **~gunstigheid** kindness; **~hals** *zie* ~zak; **~hartig(heid)** *zie* ~aardig(heid) *a*); **~heid** goodness, kindness; *uit –* out of the kindness of one's heart; *grote –!* good gracious! Lord bless me!; **~heiligman** benevolent saint (Nicholas); **~houden** *zie* houden; **~ig** good-natured; *te –* too soft; **~igheid** good(-)nature; softness; **~je** stuff, truck

goedkeuren (*oordeel*) approve of, (*gezag*) approve; endorse [the action of ...]; (*rapport, notulen*) adopt; (*van dokter*) pass [a p.], pass [a p.] (as) fit [for military service]; (*film*) pass (for public exhibition); (*vliegt.*) certify as airworthy; *goedgekeurd worden*, (*med.*) *ook:* satisfy (pass) the doctor, pass the test; *goedgek. worden*, (*van begroting*) be agreed to; (*van dividend*) be approved (confirmed); *koninklijk goedgek. worden*, (*van maatschappij, enz.*) be incorporated [the Incorporated Association of Headmasters]; **~d** *knikken* nod approvingly, nod approval

goedkeuring approval, approbation; (*koninklijke*) (royal) assent; (*van notulen, rapport*) adoption; (*goede aantekening*) good mark, good conduct mark; *zijn ~ hechten aan* approve of, give one's blessing to [a scheme]; *zijn ~ onthouden* withhold (refuse) one's consent; *zijn ~ uitdrukken* express one's agreement; *ter ~ voorleggen* submit for a.; *ter Koninklijke ~ voordragen* present [a bill] for Royal Assent; *de Kon. ~ verkrijgen* receive the Royal Assent; *een ~ verdienen*, (*fam.*) deserve a pat on the back; *zie* wegdragen

goedkoop I *bn.* cheap (*ook fig.:* ... popularity, humour, success, gibe *hatelijkheid*), inexpensive; low-priced [cars], low-cost [tourist flights]; **~**(*er*) *maken* (*worden*), cheapen; *-pe mop* c. (feeble, poor) joke; *~ voor het geld* c. at the money; *~ en slecht* c. and nasty; *~ is duurkoop* quality pays; *dat is 't ~st in 't gebruik* that goes farthest (works out cheapest); II *bw.* [buy, sell] cheap, at a low price; cheaply; *er ~ afkomen* get off cheaply; *Am. kunnen -er leveren dan ...* Americans can undersell the British producer; **~heid, ~te** cheapness

goed: **~lachs** fond of laughing, given to laughter; *hij was erg –* it did not take much to make him laugh, he had a ready laugh, was quick to laugh; **~leers** teachable, docile, intelligent; **~leven** *zie* pater; **~maken** make good, make up for, recoup (compensate for) [a loss], make [it] all right, repair [a mistake], redeem [an error, one's past]; *her wit ...s her plain face*], make restitution for [a wrong], put [a wrong] right, make reparation for [everything], make amends for [past misdeeds], retrieve [one's shortcomings], expiate [a crime]; *... heeft mijn dag ~gemaakt* has saved my day; *wij kunnen de interest niet –* we are losing on interest account; *ze kunnen de kosten nauwelijks –* they can scarcely defray the cost (earn expenses); *'t weer –* make amends; *zijn gebreken worden meer dan ~gemaakt door ...* his faults are outweighed (more than counterbalanced) by his virtues; *niet meer ~ te m.* irreparable [harm], irretrievable [errors]; **~moedig** good-natured, kind-hearted; **~praten** gloss over [a p.'s shortcomings], explain away [a mistake], excuse [a p.'s conduct]; *'t is niet ~ te pr.* it allows of no excuse; **~rond** straightforward, frank, candid; **~s** *zie* goed 2; **~schiks** with a good grace, willingly; *g. of kwaadschiks* willy-nilly, willing or unwilling, amicably or forcibly; **~smoeds** (*welgemoed*) [be] of good cheer, cheerful; (*koelbloedig*) in cold blood, deliberately; **~**

spreken *voor* make o.s. answerable (go bail) for; ~**vinden** I *ww.* think fit (*of:* proper); (*goedkeuren*) approve of; *hij vindt alles* ~ anything will do for him; *als u het ~vindt* if you agree; *als je moeder het ~vindt* if your mother does not mind, will let you (go, etc.); *ik vind het ~ dat hij 't geld krijgt* I shall be content for him to get the money; *hij moet 't maar –* if he does not like it, he will have to lump it; II *zn.* consent; [I leave it to your] discretion; *met wederzijds* – by mutual agreement (consent); *naar* – at pleasure; *handel naar –* use your discretion; *met (zonder) uw –* with (without) your permission; ~**willig(heid)** willing(ness); ~**zak** kind soul; (*sul*) softy; ~**zeggen** *zie* ~spreken

goegemeente *zie* gemeente

goeie! (*fam.*) 1 'bye! 'morning! etc.; 2 goodness!; 3 well done! good for you!; ~**morgen!** (*fig.*) goodness gracious!; *jawel, –!* that's what you think!

goeierd good-natured (person)

goelijk good-natured

goeling (*Ind.*) Dutch wife

goenie gunny; ~**zak** g.-bag, -sack

gok (*beursslang*) nap; (*fam.*) *'t is een* ~ it's taking a chance; it's a toss-up; *de* ~ *wagen* take the chance; *iets op de* ~ *doen* do s.t. on the off-chance [that ...]; ~**automaat** gaming machine; ~**huis** gaming-house; ~**je** (tiny) flutter [have a ...], (*Am.*) flyer [take a ...]

gokkantoor betting shop; bucket-shop

gokken gamble; (*sl.*) plunge; *ik gok erop dat het waarde heeft* I take a chance on its value

gokker gambler; (*sl.*) plunger; ~**ij** gamble, gambling; **gokspel** game of chance

gold *o.v.t. van* gelden

golf 1 wave, (*groot*) billow, surge, (*lang en zwaar*) roller; (*inham*) gulf, bay; ~ *bloed* stream of blood; *op de korte* ~, (*radio*) [reception] on the short w., in the short-w. band; short-w. [reception] 2 (*spel*) golf; ~ *spelen* (play) golf; ~**baan** golf-links (*ev. & mv.*), golf-course, green; ~**band** (*radio*) w.-band; ~**berg** top (crest) of a w.; ~**beweging** undulatory motion, undulation; ~**breker** breakwater, groyne; ~**club** golf-club; ~**dal** w.-trough, trough of the sea; ~**geklots** dash of the waves; ~**geleider** (*nat.*) waveguide; ~**ijzer** corrugated iron; ~**jongen** caddie; ~**karton** corrugated cardboard; ~**kruin** crest (*of:* ridge) of a w.; ~**lengte** w.-length (*ook fig.*); ~**lijn** waving (wavy) line; (*nat.*) w.-line; ~**meter** (*elektr.*) w.-meter; ~**plaat** corrugated iron (asbestos, etc.); ~**sgewijs** in waves, w.-like; ~**slag** wash (dash) of the waves; *zie* kort; ~**speler** golf-player, golfer; ~**stok** golf-club, -stick; **G~stroom** Gulf Stream; ~**terrein** *zie* ~baan; ~**theorie** w.-theory, undulatory theory; ~**trein** wave-train

Golgotha id.; **Goliath** id.

golven wave, undulate; gush; ~**d** waving [grass], wavy (flowing) [hair], undulating (rolling) [field, landscape], billowing [hills], surging [crowd]

golving waving, undulation; ~**stheorie** *zie* golftheorie

gom gum; *zie* vlakgom; *Arabische* ~ g. arabic; ~**achtig** gummy; ~**boom** g.-tree, india-rubber tree; ~**elastiek** india-rubber; ~**elastieken** rubber [ball, etc.]; ~**hars** g.-resin; ~**houdend** gummy; ~**lak** g.-lac; ~**men** *a*) gum; *b*) rub (out)

gondel gondola; (*van luchtschip ook*) nacelle; ~**ier** gondolier; ~**lied** barcarole, gondolier's song; ~**vaart** *a*) trip (excursion) in a g.; *b*) procession of boats

gong id.; (*als huisbel*) chime

goniometrie goniometry

goniometrisch goniometric(al)

gonje gunny; ~**zak** g.-bag, -sack

gonorrhoe gonorrh(o)ea

gonzen hum, buzz, drone, whirr; *mijn oren* ~ my ears are buzzing (singing); ~ *van bedrijvigheid* be a hive of activity

goochel: ~**aar(ster)** conjurer(-or), juggler, illusionist; ~**arij** conjuring, juggling; ~**beker** conjurer's cup; ~**en** conjure, juggle (*ook fig.:* with figures, words), do tricks; ~**kunst** art of conjuring; [handbook for] magic; ~**kunstje** conjuring-(juggling-)trick; ~**spel** *zie* ~arij; (*fig.*) illusion; ~**stuk** *zie* ~kunstje; ~**tas** conjurer's bag; ~**toer** *zie* ~kunstje

goochem knowing, smart, wide-awake; ~**erd** slyboots, knowing one

gooi throw, cast; (*naar doel ook*) shy; *een* ~ *doen naar* have a shot (a shy) at; (*fig. ook*) make a bid for [the Presidency]; *hij doet een goede* ~ *naar de betrekking* he stands a good chance of getting the post; *ergens een (goede)* ~ *naar doen, ook:* have a (good) run for one's money; *ga je –!* do as you please!

gooien fling, throw, cast, pitch [*naar* at]; (*fam.*) chuck; (*naar doel ook*) shy; *jij moet* ~ it is your throw; *met de deur* ~ slam (bang) the door; *met de dingen* ~ throw things; *iem.* ~ *met* pelt a p. with [snowballs, rotten eggs], fling (throw, pitch) ... at a p.; *door elkaar* ~ *zie* dooreen~; *'t* ~ *op ... a*) turn the conversation on (*plotseling:* switch on to) politics; *b*) put it down to ...; *er een schep geld tegenaan* ~ spend pots of money on ...; *ertussen* ~ interject [a remark], throw in [a(n occasional) question]; *hij werd uit 't rijtuig gegooid* he was pitched out of the carriage; *zie* balk, hoofd, papier, smijten, enz.

gooi- en smijtfilm knockabout comedy film, custard-pie (comedy)

gooier thrower

goor (*onfris*) dingy; frowzy [a ... looking shop]; sallow [face]; (*onsmakelijk, enz.*) nasty; ~**heid** dinginess, etc.

goospenning earnest-money

1 goot *o.v.t. van* gieten

2 goot (*dak-, straat-*) gutter; (*straat-*) *ook:* kennel, drain; (*dak-*) *ook:* spout; *iem. uit de* ~ *oprapen* take a p. out of the g.; ~**gat** sink-hole; ~**pijp** water-pipe; ~**steen** (kitchen-)sink [*gooi 't in de* – throw (pour) it down the ...]; ~**water** g.-water, slops

gordel belt, waistband, girdle; *(niet om middel)*
ook: zone; *(van forten)* circle, ring, girdle;
onder de ~ [hit] below the belt *(ook fig.)*; ~-
dier armadillo; ~**pantser** armour-belt; ~**riem**
belt, girdle; ~**roos** shingles
gorden gird; *zich ten strijde ~* gird o.s. for the
fight
gordiaans: *de ~e knoop doorhakken* cut the
Gordian knot
gordijn curtain *(ook in theat.)*; *(theat. ook)* act-
drop; *(rol~)* blind; *(van bed)* curtains, (bed-)
hangings; *er is geen ~ voor het raam* the
window is uncurtained; *'t ~ gaat op (valt),*
(theat.) the c. rises (drops, falls); *'t ~ ophalen*
(neerlaten) pull up (let down, pull down,
drop) the blind, *(theat.)* raise (drop) the c.; *'t*
sein geven om 't ~ op te halen (neer te laten)
ring the c. up (down); *'t ~ valt, (toneelaanw.)*
curtain, act-drop; *'t ~ gaat op voor ...* the c.
rises on the second act; *'t ~ gaat op en ver-
toont ...* the c. rises on a room with ...; *met
~en behangen* curtain; *met ~en afsluiten* c. off;
~**rail** c. rail, c. track; ~**roede** c.-rod, -pole; ~-
stof curtain(ing) material, curtaining; ~-
vuur c.-fire, barrage
gording *(balk)* girder; *(mar.)* buntline
gorgel throat; ~**drank** gargle; ~**en** gargle; *(kwinkeleren)* warble; ~**water** gargle
gorgo, gorgone gorgon
gorig(heid) *zie* goor(heid)
gorilla id.
gors (reed-)marsh; *(vogel)* bunting; *zie* geel-,
grauw-, sneeuwgors
gort 1 groats, grits; 2 *(varkensziekte)* measles;
~**ebrij,** ~**epap** barley-gruel; ~**ig** *(van vlees)*
measly; *je maakt het al te –* you are going too
far
Gosen Goshen; **goser** *(sl.)* bloke
gossie! (by) golly! by gum! gosh!
goteling pig of iron; *(ketel)* copper
Goten Goths; **gotiek** Gothicism, Gothic (style);
Gotisch, g~ Gothic; *~e letter* black (Gothic)
letter
gotspe cheek, effrontery
goud gold; *het is al geen ~ wat er blinkt* all that
glitters (glistens, glisters) is not g.; *een hart
van ~* a heart of g.; *dat is ~ waard* it is worth
its weight in g.; *zie* bekronen; ~**aarde**
auriferous (g.-bearing) earth; ~**achtig** g.-
like, like g., golden; ~**ader** g.-vein, -lode,
vein of g.; ~**agio** premium on g.; ~**amal-
gama** g.-amalgam; ~**appel** golden pippin; ~**bad**
(fot.) g. toning bath; ~**beurs** purse of g.; ~**blad**
g.-leaf, g.-foil, leaf-g.; ~**bladelektroscoop** g.-
leaf electroscope; ~**blok** g.-bloc (countries); ~-
blond golden; ~**brasem** gilt-head; ~**brokaat** g.-
brocade; ~**brons** *zn.* g.-powder, gilded bronze;
bn. bronze(-coloured), ormolu; ~**brons-
artikelen** ormolu; ~**bruin** golden brown,
auburn; ~**dekking** g.-backing, -cover(age);
~**delver** g.-digger; ~**dorst** thirst for (of) g.,
lust of g., g.-thirst, -hunger; ~**draad** g.-wire,
(gesponnen) g.-thread; ~**druk** g.-printing
gouden gold [coin], golden [hair, wedding]; ~

bergen beloven promise the earth; ~ *bril* g.-
rimmed spectacles; ~ *lorgnet* g.-framed glasses; ~ *eeuw* golden age; *de G~ Hoorn* the
Golden Horn; *het ~ kalf aanbidden* worship
the golden calf; *de ~ koets* the gilded coach; ~
standaard g.-standard [*de ... laten varen (los-
laten)* abandon (go off) the g. s.; *zo ook:* be
off the g. s.]; ~ *tor* flower-beetle; ~ *vaatwerk* g.
plate; ~**regen** *(plant)* laburnum; *(vuurwerk)*
golden rain
goud gold: ~**erts** g.-ore; ~**essaai** assay of g.; ~**fazant** golden pheasant; ~**galon** g.-lace; ~**geel** g.-
coloured, golden [corn]; ~**gehalte** g.-content,
fineness [of coins]; ~**geld** g. coin, gold; ~**ge-
rande** *waarden* gilt-edged stock *(of:* securities); ~**glans** lustre of g., golden splendour; ~-
glit g.-litharge; ~**graver** g.-digger; ~**haantje**
(vogel) golden crested wren; *(insekt) zie* ~-
kever; *er uitzien (blinken) als een* – be dressed
up to the nines; *een leven als een* – *hebben* live
in clover; ~**houdend** g.-bearing, auriferous; ~-
kast (goldsmith's) show-case; ~**kever** rose-
chafer, -beetle; ~**kleur(ig)** g.-colour(ed); ~-
klomp nugget of g.; ~**koorts** g.-fever; ~**korrel**
grain of g.; **G~kust** G. Coast; ~**laag** *(geol.)*
auriferous formation; ~**lak** g.-varnish; *(bloem)*
wallflower; ~**laken(s)** g.-cloth, cloth of gold; ~-
lakense fazant golden pheasant; ~**land** g.-
(producing) country; *(fig.)* eldorado; ~-
le(e)r(en) g.-leather; ~**lokkig** golden-locked;
~**merel** golden oriole; ~**mijn** g.-mine; *(fig.)* g.-
mine, mine of wealth; *een* – *vinden, (fig.)* strike
oil, *(Am. ook:)* strike lucky; *een echt –tje* a
regular money-spinner; ~**obligatie** g.-bond; ~-
pletter g.-beater; ~**pluvier** golden plover; ~-
poeder g.-powder; ~**prijs** price of g.; ~**punt** g.-
point; ~**regen** *(vuurwerk)* golden rain; ~**renet**
golden rennet; ~**reserve** g.-reserve; ~**rijk** rich
in g.; ~**sbloem** marigold
Gouds Gouda [cheese]; *~e pijp* long clay (pipe),
churchwarden
goud: ~**schaal** g.-scales, -balance; *zijn woorden
op een –tje wegen* weigh every word, pick
one's words; ~**schuim** *zie* ~glit; ~**slager** g.-
beater; ~**smederij** *a)* goldsmith's art; *b)* goldsmith's (shop)
goudsmid goldsmith; ~**skunst** g.'s art; ~**swerk**
g.'s work
goud: ~**staaf** bar *(of:* ingot) of gold; ~**stof** g.-
dust; ~**stuk** g. coin; ~**trekker** g.-wire drawer;
~**veil** *(plant)* golden saxifrage; ~**veld** g.-field;
(mv. ook) g.-diggings; ~**vink** bull-finch; *(gouden munt)* g.-finch; ~**vis** g.-fish; *(fig.)* rich
heiress; ~**viskom** fish-globe, -bowl; ~**vlieg**
greenbottle; ~**vlies** g.-beater's skin; ~**voorraad**
g.-stock(s), g.-holding [of the Bank of Eng-
land]; ~**vos** *(paard)* light bay; ~**waarde** g.-
value; ~**wasser** g.-washer; ~**wasserij** *(handel-
ling)* g.-washing; *(plaats)* g.-wash(ings); ~-
weefsel g.-tissue; ~**werk** g.-work, goldsmith's
work; ~**wesp** ruby-wasp; ~**winning** g.-mining;
~**wolf** jackal; *(fig.)* money-grubber; ~**zand** g.-
sand, auriferous sand; ~**zoeker** g.-seeker,
-finder; ~**zucht** greed of g., g.-hunger
goulash id.

gouvernante governess; (*in familie*) (nursery) governess, (*fam.*) Nanny, nanny

gouvernement government; ~**eel** governmental; ~**sambtenaar** g.-officer, g.-official; *in* ~**sdienst** *zijn* be in g.-employ; ~**shotel** g.-house; ~**sorder** *ongev.*: Order in Council

gouverneur governor; (*van vesting ook*) commandant; (*onderwijzer*) tutor; (*commissaris der Kon.*) *ongev.*: Lord Lieutenant; ~~-**generaal** g.-general; ~**schap** *a*) governorship; *b*) tutorship; ~**shuis** government house

gouw district, canton, region

gouwe: *stinkende* ~ celandine, swallowwort

gouwenaar long clay, churchwarden

Govert Geoffrey, Godfrey

govie (*vis*) gudgeon, goby

gozer (*sl.*) bloke

graad (*van hoek, enz., thermometer, academische* ~) degree (*ook:* different degrees of perfection, etc.); (*rang*) degree, rank, grade; (*mar.*) rating; (*van verwantschap*) degree, remove; *12 graden Celsius* 12 degrees centigrade, 12° C.; *alle graden doorlopen* pass through all the ranks; *een* ~ *halen* graduate, get (take) one's d.; *de* ~ *van M.A. halen* proceed (to the d. of) M.A.; *bij 0 graden* at zero; *in graden verdelen* graduate; *in hoge* ~ to a high d. (*fam.*: to a d.); *in de hoogste* ~ [he is vain] to the last d., (*fam.*) to a d.; *tot* (*in*) *zekere* ~ to a certain d., in a d.; *neef in de tweede* ~ cousin twice removed; *op 105 graden lengte en 53 graden breedte* in longitude 105, latitude 53; *een* ~(*je*) *beter* a d. better; *een* ~*je boven u* a cut above you; *zie* nul; ~**boog** protractor; ~**je** *zie* ~; ~**meter** graduated scale; (*fig.*) gauge; ~**meting** measurement of a d. of latitude; ~**verdeling** graduation

graaf (*Engelse*) earl, (*buitenlandse*) count [Earl Beatty, Count Bentinck]

graafmachine *zie* excavateur

graafpoot (*bijv. van mol*) digging claw

graafschap *a*) earldom, countship; *b*) (*Eng. prov.*) county, shire; *de* ~*pen om Londen* the Home Counties

graafwerk digging, excavation(s)

graafwesp digger(-wasp)

graag I *bn.* hungry; eager; ~ *zijn* be h. (for one's meals); ~ *zijn op* be keen on; II *bw.* gladly, readily, willingly; ~ *of niet* you may take it or leave it, if you don't like it you can leave it; ~*!* with pleasure! yes, please! [Another cup of tea?] Thank you!; *wat* (*heel*) ~*! van harte* ~*!* with all my heart, with the greatest pleasure, I shall be delighted; *ik doe 't* ~ I like to do (doing) it; *hij zou 't zo* ~ *hebben* he wants it so badly; *ik zou 't* ~ *weten* I should like to know; *ik zou 't zo* ~ *willen* I do so wish it; *ik zou hem* ~ *willen ontmoeten* I should be glad to meet him; *ik zou toch zo* ~ *gaan* I should love to go; *hij zou niet* ~ *willen, dat ...* he would not care for his wife to go there; *hij zou niet* ~ ... *zijn* he would not

Zie ook koren...

be that fellow G. for anything; *ik zal 't je* ~ *geven* (*afstaan, enz.*) you're welcome to it; *ik laat 't antwoord* ~ *aan u* I'm quite content to leave the answer to you; *ik erken* ~... I frankly (freely, willingly) admit ..., I am willing to admit ...; *het hondje bijt* ~ the dog is given to biting; *zie geloven & mogen*; ~**te** eagerness, appetite; *met* – *aannemen* accept eagerly

graaien grabble, grub, rummage; (*kapen*) grab; ~ *naar* grab at

graal (Holy) Grail; ~**ridder** Knight of the Round Table; ~**roman** romance of the Holy Grail, G. romance

graan[1] corn, grain; *granen* cereals; ~**beurs** corn-exchange; ~**bouw** c.-growing; ~**elevator** c.-elevator; ~**etend** granivorous; ~**factor** c.-factor; ~**gewas** c.-crop; ~**gewassen** cereals; ~**handel** c.-trade; ~**handelaar** c.-dealer, c.-chandler; ~**kever** c.-weevil; ~**korrel** grain of c.; ~**pakhuis** grain warehouse, granary, silo; ~**schuur** granary; ~**silo** *zie* silo; *een* ~**tje** *pikken* have a quick one; *een* – *meepikken* get one's share; ~**vrucht** caryopsis; ~**zolder** c.-loft; ~**zuiger** (c.-)elevator; ~**zuiveraar** c.-sifting machine

graat fish-bone; (*berg-*) crest; *van graten ontdoen* bone; *van de* ~ *vallen, a*) lose flesh; *b*) faint; *c*) have a roaring appetite; *hij is niet zuiver op de* ~ not altogether reliable; *rood op de* ~ *zijn* be a socialist; ~**achtig** bony [fish]; ~~**balk,** ~**spar** hip-rafter; ~**rib** groin

grabbel: *geld te* ~ *gooien* throw money to be scrambled for; *te* ~ *gooien,* (*zijn geld, fig.*) make ducks and drakes of one's money; (*zijn eer*) throw away one's honour, prostitute one's honour [for the sake of money]; (*zijn fatsoen*) throw decorum to the winds; ~**en** scramble [for pennies], grabble [in ...]; ~**ton** lucky dip (bag, tub), bran-tub

Gracchen: *de* ~ the Gracchi

gracht (*in stad*) canal; (*om slot, vesting*) moat, ditch; ~**engordel** ring of canals

gracieus graceful, elegant

gradatie gradation; **graderen** graduate

graduale (*r.-k.*) gradual

gradueel [difference] in degree

gradueren (*in graden verdelen*) graduate; (*een graad verlenen*) confer a degree upon, (*Am.*) graduate

graecisme Gr(a)ecism

graecus Greek scholar, Grecian

graf grave; (*verheven*) tomb, sepulchre; *zie* heilig; *hij graaft zijn eigen* ~ he is digging his own g.; *er loopt iemand* (*of: een hondje*) *over mijn* ~ somebody is walking over my g.; *hij staat met de ene voet in het* ~ he has one foot in the g.; *het* ~ *maakt allen gelijk* Death is a great leveller; *een stilte als van 't* ~ the silence of the tomb; *aan 't* ~ at the graveside, at the g.; *rede aan 't* ~, *zie* ~rede; *aan gene zijde van 't* ~ beyond the tomb; *hij zou zich in zijn* ~ *omkeren* he would turn in his g., it is enough to make him turn in his g.; *dat zal hem in het* ~

brengen that will be the death of him, that will bring him to the (his) g.; *iem. in 't ~ volgen* follow a p. into (*of:* to) the g.; *een ~ in de golven vinden* find a watery g.; *hij nam 't geheim met zich in 't ~* he carried the secret to his g., the secret died with him; *ten grave dalen* sink into one's g.; *zie ook* ~waarts; *ten grave slepen* carry off; *zie* zwijgen; ~delver g.-digger; ~dief g.-robber

grafeem grapheme

grafelijk of a count (an earl); like a count (an earl); [his] earl's [robes]; *~e waardigheid* countship; earldom, earlship; *vgl.* graaf & graven...

graffito id. (*mv.* -ti), scratch-work

graf: ~gesteente *zie* ~steen & ~monument; ~gewelf sepulchral vault; (*onder kerk, enz.*) crypt; ~gezang *zie* ~zang; ~giften grave-furniture, burial goods; ~heuvel g.-mound, burial mound; (*hist. ook*) barrow, tumulus, *mv.* -li

graficus graphic artist

grafiek *a*) graphic art; *b*) (*voor statistiek, enz.*) graphics; *c*) *zie* grafische voorstelling

grafiet graphite, plumbago

grafisch graphic (*bw.:* -ally); *de ~e vakken* the printing trade; *~e voorstelling* graph, diagram

graf: ~kamer (*in piramide*) sepulchral chamber; ~kelder burial-, family-vault; *koninklijke* – royal tomb-house; ~krans funeral wreath; (*kunst-*) memorial wreath; ~kuil grave; ~legging interment, sepulture [of Christ]; ~monument sepulchral monument; ~naald sepulchral obelisk

grafologie graphology; grafologisch graphological [report]; grafoloog graphologer, handwriting expert

graf: ~rede funeral oration, graveside speech; ~schender (~schennis) desecrator (desecration) of a g. (of graves); ~schrift epitaph; ~stede tomb; ~steen tomb-stone, g.-stone; (*rechtopstaand*) head-stone; ~stem sepulchral voice; ~teken sepulchral monument; ~terp *zie* terp; ~tombe tomb; ~urn, ~vaas funeral urn; ~waarts gravewards; – *geleiden* follow to the g.; ~zang funeral song, dirge; ~zerk *zie* ~steen; ~zuil sepulchral column

1 gram *zn.* gram(me)

2 gram *bn.* wroth, wrathful; ~heid wrath, ire

grammatica grammar; grammaticaal grammatical; grammaticus grammarian

grammatisch grammatical [...ly correct]

grammoedig wrathful, incensed

grammofoon gramophone; (*Am.*) phonograph; *zie* bij 8 & opnemen; ~kastje g.-cabinet; ~muziek g. music, recorded m.; ~opnemer pickup; ~plaat g.-record, disc

gramschap anger, wrath, ire

gramstorig angry, wrathful; ~heid *zie* gramschap

granaat 1 = ~appel; 2 shell; (*hand~*) grenade; *met -aten bestoken* shell; 3 (*steen*) garnet; ~appel pomegranate; ~boom pomegranate (-tree); ~buis fuse; *zie* vertragen; ~huls shell-case; ~inslag shell-burst; ~kartets shrapnel

shell; ~en shrapnel (shells); ~scherf shell-splinter; ~steen garnet; ~trechter shell-hole, -crater; ~vrij *zie* bomvrij; ~vuur shell-fire

granaten *bn.* garnet [necklace]

grande (*Spanje*) grandee

grandioos grandiose

grand seigneur id., swell; *de ~ spelen* put on lordly airs

graniet granite; ~achtig granitic; ~en granite; ~rots granitic rock; ~steen granite

granulatie granulation; -eren granulate (*ook van wond*); -leus granular, granulous

grap joke, jest, pleasantry; *een ~, ook:* a bit of fun; ~pen maken make jokes, joke; *dolle ~* lark; *uitgehaalde* (*niet vertelde*) ~ practical j.; (*mystificatie*) hoax; ~pen vertellen crack jokes; *dat is geen ~(je)* it's no j. (no picnic); *dat is geen ~ meer* that is past (is getting beyond) a j.; *geen ~pen!* none of your jokes! none of that!; *'n dure ~*, (*fig.*) an expensive business; *hij maakt ~jes* he is joking; *hij maakte er een ~(je) van* he made fun of it; *hier begint de ~* that's where the fun comes in; *zo'n ~ hebben we nooit beleefd* we never had such a lark; *een ~ uithalen* play a joke; *die ~pen moet je met mij niet uithalen* don't play those tricks on me; *'t was maar een ~ van me* it was only my fun; *uit (voor) de ~* for fun, in fun, in sport, in play, for the fun of it (of the thing); *dat zou een lelijke ~ wezen* that would be awkward; *een mooie ~!* (*iron.*) a nice to-do! a pretty howd'ye-do!; *het mooiste van de ~ was* the best of it was ...; *hij zit vol ~pen* he is full of fun; *hij houdt van 'n ~je* he must have his little j.; *hij kan wel tegen een ~* he can take a joke; *zie ook* afmaken

grapjas *zie* grappenmaker; grapje *zie* grap

grappenmaker joker, wag; ~ij drollery

grappig funny, droll, comic, amusing, facetious; *ik zie 't ~e ervan niet* I don't see where the joke comes in; *'t ~ste was dat ...* the funny thing about it (the funniest part of it) was that ...; *wat ~!* what fun! how funny!; ~heid drollery, facetiousness, fun

gras grass [please keep off the g.]; ~sen grasses, gramineae; *met ~ begroeid* g.-grown, grassy; *je moet er geen ~ over laten groeien* don't let the g. grow under your feet; *we lieten er geen ~ over groeien, maar schaften ze dadelijk aan* we lost no time in getting them; *je hebt mij het ~ voor de voeten weggemaaid* you have cut the g. from under my feet; *zie* groen; ~aartje spikelet, spike; ~achtig grassy, grass-like; (*wet.*) gramineous, graminaceous; ~bloem daisy; ~boer g.-, dairy-farmer; ~boerderij dairy-farm; ~boter g.-butter; ~duinen browse; – *in* browse in [a library, a book], browse among [books, antiquities]; ~etend herbivorous, graminivorous; ~gewassen graminaceous plants; ~groen grass-green; ~grond *zie* ~land; ~halm g.-blade, blade of g.; ~je blade of g.; ~kalf g.-fed calf; ~klokje harebell, (*Sc.*) bluebell; ~lam g.-lamb; ~land g.-land, pasture(-land); *tot* – *maken* lay down

[land] to g.; ~linnen g.-cloth; ~maaier g.-mower; ~maaimachine (*voor tuin*) lawn-mower; ~maand April; ~mat (*van sport-veld*) turf; (*luchtv.*) grassed surface; ~mus white-throat; ~oogst hay-crop; ~parkiet budgerigar; ~perk lawn, g.-plot, greensward; ~pieper meadow-pipit; ~plant g.-plant; ~rand g. border; (*langs weg*) g. verge; ~rijk grassy; ~schaar (pair of) garden-shears; ~scheut, ~spriet blade of g.; ~tapijt grassy carpet, turf; ~veld g.-field, greensward; *ook* = ~perk; *tot* – *maken* grass over; ~vlakte grassy plain, prairie, stretch of g.; ~zaad g.-seed; ~zode turf, sod
gratie (*bevalligh.*, *gunst*) grace; (*kwijtschelding van straf*) pardon, (*jur.*) free pardon; (*van doodstraf*) reprieve; *bij de* ~ *Gods* by the g. of God, by divine right (and authority); *ko-ningschap bij de* ~ *Gods* divine right of kings; *weer in de* ~ *komen bij iem.* get into a p.'s good books again, be reinstated in (regain) a p.'s favour; *bij de meisjes in de* ~ *zijn* be in the good graces of the girls; *ik ben bij hem in de* ~ I am in favour with him (in his good books); *bij iem. uit de* ~ *geraken* lose a p.'s favour, get into a p.'s bad (*of:* black) books, lose favour with a p.; *uit de* ~ *zijn* be out of favour [*bij* with], be in disgrace, be under a cloud; ~ *verlenen* (grant a free) pardon; (*van doodstr.*) reprieve [a p.]; *verzoek om* ~ petition for mercy; *de jury beval de misdadiger aan voor* ~ the jury recommended the criminal to mercy
gratificatie extra pay, bonus, gratuity
gratig bony [fish]
gratis I *bn.* id., free (of charge), gratuitous; (*fam.*) for free; ~ *bijvoegsel* (*exemplaar, mon-ster*) free supplement (copy, sample); give-away [puzzle, etc.]; (*Am.*) courtesy [bus]; II *bw.* id., without (free of) charge, [be admitted] free; gratuitously; ~ *admissie verlenen*, (*jur.*) certify for legal aid
1 grauw *zn.* (*snauw*) snarl, growl
2 grauw *zn.* (*gepeupel*) rabble, mob
3 grauw *bn.* grey, gray; (*fig.*) drab; *zie* grijs; ~*e erwten* yellow peas; (*pakje in*) ~ *papier* brown paper (parcel); *zie* klauwier; ~achtig greyish, grizzly; ~bruin grey(ish) brown
Grauwbunderland The Grisons
grauwen 1 snarl, growl; 2 grey
grauw: ~geel grey(ish) yellow; ~gors corn-bunting; ~heid greyness; ~schildering grisaille; ~tje donkey; (*fam.*) Neddy; (*sl.*) moke; ~vuur fire-damp
gravamen id.; *mv.:* gravamina
graveel gravel, stone, calculus; ~steen (urinary, renal) calculus, (urinary) stone
graveerder engraver
graveer: ~ijzer, ~naald, ~staal, ~stift graving-tool, engraving-needle, graver, burin; ~kunst art of engraving, engraver's art; ~werk engraving
graven dig [a hole, a canal, peat; *naar* ... for gold], sink [a mine, a well], cut [ditches, trenches, canals]; (*van konijnen, enz.*) burrow
's-Gravenhage The Hague

graven: ~huis line of counts; ~kroon earl's (count's) coronet; ~titel title of earl (count); *vgl.* graaf
graver digger
graveren engrave [on copper, etc.]; sink [dies *stempels*]
graveur engraver; (*van munten*) die-sinker
gravin (*Eng. & buitenl.*) countess
gravitatie gravitation, gravity
gravure engraving, wood-, copper-plate
grazen graze, feed; (*fam.*) *iem. te* ~ *nemen* pull a p.'s leg, rag a p.; grazig grassy
greb(be) furrow, trench
1 greep *o.v.t. van* grijpen
2 greep ('*t grijpen*) grip, grasp, clutch; (*hand-vol*) handful; (*handvat*) hilt [of a sword], handle; (*van geweer*) small of the butt (of the stock); (*van pistool*) butt; (*werktuig*) fork; (*handigheid*) knack; (*muz.*) touch; *een geluk-kige* ~ *doen* make a lucky hit, (*Am.*) strike lucky; *een ongelukkige* ~ an unlucky shot; *een stoute* ~ a bold stroke; *een* ~ *in de zak doen* dive into one's pocket; *hij deed er een* ~ *naar* he made a grab at (a dive for) it, snatched at it; ~ *naar de macht* bid for power; (attempted) coup; *God zegen de* ~, (*ongev.*) let's trust to luck; *z'n* ~ *op het publiek ver-liezen* lose one's hold of the public; ~plank (*muz.*) finger-board
gregoriaans 1 Gregorian; 2 = ~ *gezang* Grego-rian chant, plain-chant, plain-song; ~e *stijl* Gregorian (*of:* New) Style; Gregorius Gregory
grein grain; (*stof*) camlet; *zie* ~tje; ~en, ~eren granulate; ~en *bn.* (of) camlet; ~ig granular, rough
greintje: *geen* ~ not a grain, not an atom [of truth], not a shred (tittle, scrap, rag) [of evidence], not a spark [of shame, of jealousy]; *als hij een* ~ *eergevoel heeft* if he has a grain of honour in his composition; *zonder een* ~ *trots* without an ounce of pride; *er is geen* ~ *ver-schil tussen hen* there is not a pin to choose between them, they are as like as two peas; *geen* ~ *verstand* not a particle (grain, ounce) of (common) sense
greling (*mar.*) cablet, hawser, warp
grenadier id.
grenadine id. (*stof & drank*)
grendel bolt (*ook van geweer*); *de* ~ *erop doen* (*schuiven*) shoot (draw, run) the bolt
grendelen bolt; *hij grendelde de deur van binnen* he bolted the door on the inside
greneboom Scotch fir
grenehout fir, deal, pine-wood; *Amerikaans* ~ pitch-pine; grenen (red) deal
grens (*grenslijn, -punt, ook fig.*) limit; (*vooral mv.*) bound [his joy knew no ...s]; (*van land, landgoed, enz.*) boundary; (*vooral mv.*) con-fine(s) [of civilization]; (*zoom*) border, mar-gin; (*staatkundige* ~) frontier; [we had no trouble at the] border; *natuurlijke* ~ natural boundary; *-zen der stad* city-bounds, -bound-aries; *alles* (*mijn geduld, enz.*) *heeft zijn -zen* there is a l. to everything (to my patience,

etc.); *er zijn* -zen there are limits; *-zen stellen aan* set bounds (limits) to; *geen -zen stellen aan* ... put no limit on the amount to be paid; *daar trek ik de ~* I draw the line (I stick) at that; *men moet de ~ ergens trekken* one has to draw the line somewhere; *een vaste (scherpe) ~ trekken* draw a hard and fast line, draw a strict dividing line [between ...]; *nu is de ~ bereikt* that's the l.; *aan de ~* on the frontier; *aan de -zen der stad* on the outskirts of the city, at the city boundary; *binnen de -zen van* ... [credit] within the limits of ...; *binnen de -zen der mogelijkheid* within the bounds of possibility; *binnen enge -zen* within narrow limits (bounds); *binnen zekere -zen* [true] within (certain) limits; *binnen zekere -zen blijven* keep within certain bounds; *'t dispuut binnen zekere -zen houden* limit the scope of the dispute; *dat gaat alle -zen te buiten* that exceeds (is beyond) all bounds; *buiten de -zen van de wet* beyond the pale of the law; *'t is (net) op de ~*, (*fig.*) it is (just) on the (border-)line; *op de ~ van* on the verge of [madness], on the borderline of [imbecility]; *over de ~ zetten* conduct to the frontier, put across (*of:* over) the frontier, deport; **~bedrijf** (*econ.*) marginal undertaking; **~beeld** terminal figure, term; **~bewaker** frontier guard; **~bewoner** frontier inhabitant; (*inz. tussen Eng. & Schotl.*) borderer; **~commies** frontier custom-house officer; **~commissie** boundary commission; **~conflict** *a*) border clash; *b*) frontier (boundary) dispute; **~correctie** frontier readjustment; **~district** frontier district; **~dorp** frontier village; **~gebied** border(land), confines, marginal area; **~geschil** boundary dispute; (*botsing*) frontier clash; **~geval** borderline case; **~incident** border i.; **~kantoor** frontier custom-house; **~land** borderland; **~lijn** line of demarcation, boundary-line; **~muur** boundary-wall; **~overschrijding** crossing (of) the border (frontier); **~paal** boundary-post, -mark, landmark; **~plaats** border (frontier) town; **~politie** frontier police; **~rechter** (*voetb.*, *tennis*) linesman; (*rugby*) touchjudge; **~regeling** delimitation (*of:* settlement) of the frontier; **~rivier** boundary-river; **~scheiding** line of demarcation; **~stad** frontier town; **~station** frontier station; **~steen** boundary-stone, landmark; **~teken** landmark; **~verandering** modification of the frontier, f. modification; (*verbetering*) rectification of the frontier; boundary rectification; **~verkeer** frontier traffic; **~vlag** (*sp.*) boundary flag; **~waarde** limit; (*econ.*) marginal value; **~wacht(er)** frontier guard; **~wijziging** *zie* ~verandering

grenzeloos boundless, limitless, unlimited, unbounded, illimitable; **~heid** ... ness

grenzen: *~ aan* border (up)on, abut on [the river], adjoin [the road]; (*fig.*) border (trench, verge) (up)on [the ridiculous, despair, etc.]; *ook:* his skill touches the (is little short of) miraculous; *zijn landgoed grenst aan het mijne*

adjoins mine; *Nederland grenst ten oosten aan Duitsland* Holland is bounded on the East by Germany; *aan elkaar ~*, (*van kamers, tuinen, enz.*) join

grep(pel) trench, (field-)drain, ditch

Greta id., Margaret, Maggie

gretig eager, desirous, greedy, avid [reader]; *zie* toehappen; **~heid** eagerness, greediness, avidity

Grevelingen Gravelines

gribus slum

grief grievance, gravamen; (*sl.*) grouse; (*krenking*) offence, wrong; *een ~ hebben tegen* have (nurse) a g. against

Griek Greek; **~enland** Greece

Grieks Greek; (*vooral van kunst*) Grecian; **~e**, **~-orthodoxe**, **~-katholieke kerk** Greek (Orthodox, Eastern) Church; *'t ~* Greek; **~-Bulgaars, -Italiaans** Gr(a)eco-Bulgarian, -Italian [war]; **~-Romeins** Gr(a)eco-Roman [wrestling]

griel (*vogel*) stone-curlew

griend (*waard*) holm; (*met rijshout*) willow-coppice, osier-bed; **~hout** osiers, willow-shoots

grienen sniffle, blubber, blub, whine, whimper

griener cry-baby; **~ig** cryish

griep influenza, (*fam.*) flu

gries grit; **griesmeel** semolina

Griet Meg, Maggie, Peg(gy); *g~*, (*sl.*) dame, baby, bit (piece) of skirt, bird; *een boze g~* a virago, a shrew; *grote g~!* great Scott!

griet (*vis*) brill; (*vogel*) godwit

Grietje Meggy, Peggy, Margery, Marjory; *g~* (*sl.*) broad, chick

grieven grieve, hurt, gall; *hij voelde zich gegriefd* he felt aggrieved; *het griefde mij diep* it cut me to the heart (to the quick); **~d** grievous, galling, mortifying

griezel 1 *zie* rilling; 2 *een ~*, (*pers.*) a horror; *zie* griezeltje; **~en** shudder, shiver; *iem. doen ~* give a p. the creeps, make a p.'s flesh creep, set a p.'s teeth on edge; *zie* huiveren; **~film** horror film; **~ig** creepy, gruesome, grisly, weird, (blood-)curdling; *hij is ~ knap* he is uncannily clever; **~tje** wee bit; **~verhaal** blood-curdling (creepy) story

grif promptly, readily; *dat zal ~ gebeuren* that is sure (*of:* bound) to happen; *~ toegeven* admit readily (freely); *er ~ in toestemmen* agree to it like a shot; *~ van de hand gaan* sell readily (*of:* like hot cakes)

griffel slate-pencil; **~en** *zie* griffen; **~koker** (slate-)pencil case

griffen (en)grave, impress; *'t staat in mijn geheugen (geest) gegrift* it remains stamped on my memory, has (en)graved (impressed) itself (is indelibly printed) on my mind

griffie office of the clerk (*zie* griffier); *een document ter ~ deponeren* file a document; *het voorstel werd ter ~ gedeponeerd*, (*fig.*) the proposal was put on the shelf (was shelved)

griffier clerk (of the court), recorder, registrar; (*1ste Kamer*) Clerk of Parliament; (*2de Kamer*) Clerk of the House, Reading Clerk; (*Prov.*

Staten) Clerk to the County Council; (*Kantongerecht*) *ongev.*: Clerk of the Peace
griff(i)oen griffin
grift slate-pencil; *zie* griffel
grifweg promptly, readily; *zie* grif
grijnen enz., *zie* grienen
grijns sneer, grin, grimace; ~**lach** sneer, sardonic smile; **grin**; ~**lachen** sneer, grin
grijnzen sneer, grin (make a) grimace, mouth
grijp griffin; (*fig.*) *zie* grijpgier
grijparm tentacle
grijpemmer grab(-bucket)
grijpen seize, catch, grasp, grip [a p.'s hand], clutch, grab, snatch, lay hold of; *in elkaar* ~, *zie* ineengrijpen; *iem. in de ziel* ~ touch a p. to the quick; ~ *naar* clutch (grab, snatch, make a grab) at, reach (out) for [one's hat; *zie* zwaard & wapen]; *om zich heen* ~, (*van vuur, ziekte, enz.*) spread [the fire spread rapidly]; *je hebt ze maar voor 't* ~ they are as common as grass (dirt), they go (a-)begging; *zulke kandidaten zijn niet voor 't* ~ do not grow on every bush (*of:* hedge); *de boeken voor 't* ~ *hebben* have the books to one's hand (ready to hand); *hij had ze maar voor 't* ~ he found them ready to hand; *ze denken, dat ik 't geld maar voor 't* ~ *heb* that I am made of money; *zie* keel
grijp: ~**gier** ('*haai*') kite, vulture, hawk, shark; ~**lijnen** (*voor drenkelingen*) beckets; ~**orgaan** grasping-organ; ~**staart** prehensile tail; ~**stuiver:** *hij heeft er een aardige* ~ *aan* it's earning him a nice bit on the side; ~*s*, (*sl.*) paws, claws; ~**teen** prehensile toe; ~**vogel** *a*) griffin; *b*) *zie* lammergier; (*fig.*) *zie* ~gier
grijs grey, gray, grey-headed; (*van ouderdom, eerwaardig*) hoary; *grijze beer* grizzly (bear); *de grijze oudheid* remote antiquity; *'t grijze verleden* the dim (hazy) past; ~ *worden, zie* grijzen; ~**aard** g.-haired man, old man; ~**achtig** greyish, grizzly [beard]; ~**bok** (*Z.-Afr.*) grysbok; ~**heid** greyness; (*ouderdom*) old age; ~**kop** g.-head
grijzen grey, get (go, become) grey; ~**d** greying, grizzled; [hair] shot with grey
grijzig greyish
Grik(w)a's Griquas
gril caprice, whim, crotchet, fad, quirk, freak (*ook fig.*: of fate, etc.), vagary (*ook:* of the weather, etc.), whimsy, fancy; *een* ~ *van het noodlot* a trick of fate; ~*len en grollen* whims and fancies
grilleren grill
grillig whimsical, capricious, fanciful, crotchety, faddy, fantastic (*bw.*: -ally), fickle, wayward, flighty; freakish, fitful [weather]; *ook:* freak [weather, (thunder)storm]; *de* ~*e bewegingen van de markt* the erratic movements of the market; ~**heid** whimsicalness, whimsicality, capriciousness, etc.; ~**heden, zie** grillen
grimas grimace, wry face; ~*sen maken* make grimaces, pull faces
grime make-up; **grimeren** make up (*ook: zich* ~); **grimeur** make-up man
grimlach grin, sneer; ~**en** grin, sneer

grimmen be angry (furious); (*grommen*) grumble; *de honger grimt hun tegen* hunger stares them in the face
grimmig grim; sullen; furious; ~**heid** grimness; fury
grind gravel; (*inz. op 't strand*) shingle; *met* ~ *bedekken* gravel; ~**kuil** g.-pit; ~**pad**, ~**weg** g.-path, -walk, -road, gravelled path (road)
grinniken (*genoeglijk*) chuckle, chortle; (*giechelen*) snigger
grint enz., *zie* grind enz.
grisaille id.
Griselda id.
grissen snatch, grab; (*gappen*) pinch, pilfer
1 groef *o.v.t. van* graven
2 groef groove; flute [in a column]; (*in molensteen*) trench; (*rimpel*) furrow; ~**rail** grooved rail; ~**schaaf** grooving-, fluting-plane; ~**taster** stylus
groei growth; *hij is nog in de* ~ he is still growing [a growing boy]; *op de* ~ *gemaakt* made to allow for growing
groeien grow [you've ...n; nothing is growing yet]; *iemand boven 't hoofd* ~ outgrow a p.; (*fig.*) get beyond a p.'s control; *hij zal spoedig in deze kleren* ~ he'll soon fill out these clothes; *ergens in* ~ revel in (gloat on, over) a thing [thrive on other people's misfortunes]; *uit zijn kleren* ~ outgrow (g. out of) one's clothes; *er zal nooit ... uit hem* ~ he'll never make a good teacher; *wat zal er van hem* ~? what will become of him? [*ook:* Heaven knows what he'll g. into]; *zie* geld, kracht & verdrukking
groei growth: ~**fonds** g. stock; ~**kern** g. centre (*zo ook:* g. market, university, enz.); ~**koorts** *ongev.*: growing-pains; ~**kracht** growing-power, vital (vegetative) force, vitality; ~**plaats** habitat; ~**punt** (*biol.*) growing-point; ~**voet** rate of g., g. rate
groeistuipen growing-pains
groeizaam favourable (to vegetation); ~ *weer* growing weather
groen I *bn.* green; (*fig. ook*) fresh, inexperienced; *in haar* ~*e jeugd* in her (green and) salad days; ~*e erwten* g. peas; ~*e kaart* g. card, International Motor Insurance Card; *een* ~ *Kerstmis* a g. Christmas; ~*e zeep* soft soap; *'t werd me* ~ *en geel voor de ogen* my head was swimming, everything swam before my eyes; *het* ~*e licht g.* give the go-ahead (the green light); *zo* ~ *als gras* as g. as grass (*ook fig.*); **II** *zn. a*) (*kleur*) green; *b*) (*planten*) greenery, green, verdure; *c*) (*pers.*) greenhorn, Johnny Raw; (*univ.*) freshman, fresher; ~**achtig** greenish; ~**bemester, -ing** green manure, -ing; ~*en a*) grow g.; *b*) make g.; ~**d** virescent; ~**haring** fresh (*of:* white) herring; ~**hart** greenheart; ~**heid** greenness; ~**ig** greenish
Groenland Greenland; ~**er** Greenlander; ~**vaarder** whaler, whaleman; (*schip ook*) Greenlandman
groen: ~**ling** greenfinch; ~**lopen** be a freshman, be ragged; ~**maken** drape with greenery, festoon; ~**mest** g. manure; ~**pootruiter** green-

shank; ~**steen** g.-stone; ~**strook** green belt
groente (green) vegetables, greens, green stuff;
(*fam.*) veg [vedʒ], *mv.* veges ['vedʒɪz]; (*als toe-kruid*) pot-herb(s); *een* ~ a vegetable; *twee* ~*n*
two vegetables, (*fam.*) two veg.; ~**boer** green-grocer; ~**markt** vegetable market; ~**schaaf**
vegetable slicer; ~**schaal** vegetable dish; ~**soep**
vegetable soup, julienne; ~**stalletje** vegetable
stall; ~**tuin** kitchen-garden; ~**wagen** vegetable
barrow, greengrocer's barrow; ~**winkel**,
~**zaak** greengrocer's (shop), greengrocery
business
groen: ~**tijd** noviciate, freshmanship; ~**tje** *zie* ~
zn. c); ~**vink** greenfinch; ~**voe(de)r** green food
(*of:* stuff), grass-fodder; ~**zand** g.-sand
groep group, cluster [of trees, stars, houses],
clump [of trees], batch [of recruits], body
[of men], panel [of experts]; (*luchtv.*) flight;
(*elektr. huisleiding*) branch circuit; ~(*je*),
ook: knot [of persons, trees]; *bij* ~*en, zie*
~sgewijze; *in* ~*jes van twee of drie* in twos
and threes; ~**agedienst** joint-cargo system,
grouped traffic; ~**eren** group; *zich* – group
themselves, centre [my happiest memories ...
round this place]; ~**ering** grouping; *zie* partij-
...; ~**scommandant** (*politie*) district superintendent; (*mil.*) file-leader; ~**sgeest** group loyalty; ~**sgewijze** in groups, [be admitted] in
batches; ~**sleider** g.-leader; *in* ~**sverband** [trav-
el] in (as) a group
groet greeting, salute, salutation; *een* ~ *brengen*
give a s.; *een* ~ *zenden* send greetings; *met* (*na*)
vriendelijke ~*en* with kind(est) regards; *de* ~*en*
aan ... remember me (kindly) to ..., give my
love (my kind remembrances) to ...; *vriendelijke* ~*en, ook van J.* J. joins with me in kind
regards, kindest regards in which J. joins; ~*en*
(*een* ~) *wisselen* exchange greetings (a word
of greeting); *jawel, de groeten!* (*fam., iron.*)
not on your life; *zie* compliment
groeten greet, salute, bow, take off one's hat
(to), (*fam.*) pass the time of day; *ik ken hem
net goed genoeg om hem te* ~, (*een knikje te
geven*) I only know him to nod to; *groet van
zuster hartelijk van mij* remember me kindly
to your sister, give my kind regards (*fam.:
my love) to your sister; *hij laat u* ~ he sends
you his compliments, wishes to be remembered to you, (*fam.*) sends his love; *gegroet*
good-bye! so long!; *wees gegroet, Maria*
hail, Mary; *ik groet je hoor!* (*iron.*) (a very)
good day to you!; *zie* terug~
groeve (*kuil, mijn*) pit; (*steen~*) quarry; *zie*
groef & graf; **groeven** *ww.* groove, score
groezelig dingy, grubby, dirty; ~**heid** dinginess, etc.
grof coarse [bread, gravel, linen, face, features,
language], rude [remarks, you're most abom-
inably ..., treat a p. ...ly], rough [towel],
gross [abuse, sensuality, carelessness, inattention, pleasures], big [lie], crass [stupidity, ig-
norance], profound [ignorance, mistake],
glaring [error], broad [humour, joke], abusive
[letter]; *grove den* Scotch fir, pine; *grove fout*

gross (bad) mistake, blunder; ~ *geschut* heavy
guns (artillery, ordnance); (*fig. ook*) heavy
metal; *met* ~ *geschut beginnen* start throwing
one's weight about; ~ *haakwerk* c. crocheting;
grove kerel c.(-grained) fellow; *grove ketterij*
rank heresy; *grove stem* harsh (*niet ong.:*
deep) voice; *grove suiker* granulated sugar;
grove taal, ook: [use] bad language; *met
grove trekken* c.-featured; ~ *van beenderen*
big-boned; ~ *liegen* lie shamelessly; ~
spelen play high; *er werd* ~ *gespeeld* play
was high; ~ *geld betalen* pay through the
nose; ~ *geld verdienen* earn (make) big money,
coin money; ~ *geld verteren* spend money like
water, spend lots of money; *hij wordt dadelijk*
~ he cuts up rough directly; *'t te* ~ *maken, zie*
bont; ~**dradig** c.-threaded; (*van hout, enz.*) c.-
grained; ~**gebouwd** big-boned, large-limbed;
~**grein** grogram; ~**heid** coarseness, etc.; *iem.* ~-
heden zeggen say rude things to a p.; ~**korrelig**
c.-grained; ~**smederij** *a*) blacksmith's workshop; *b*) ironworks; ~**smid** blacksmith; ~**te**
coarseness, etc.; ~**vezelig** c.-fibred; ~**wild** big
game; ~**zinnelijk** voluptuous, lewd
grog grog; (*met suiker*) toddy; *een* ~(*je*) a g.
grogstem groggy (throaty) voice
grol antic; *zie* gril
grom 1 guts; 2 (*gegrom*) growl, snarl; ~**men** 1
gut [a fish]; 2 growl, snarl [*tegen* at], grumble;
(*van de donder*) growl, rumble; ~**mig** grumpish,
grumpy, snarly; ~**pot** grumbler, growler
grond (*aarde*) ground, earth; (*met 't oog op de
aard*) soil [poor, rich ...]; (*land*) land [own a
great deal of ...]; (*bouw-*) site [... and build-
ing]; *stuk* ~ plot; (*bodem van zee, enz.*) bottom;
(*vloer*) floor; (*grondslag*) ground, foundation
[rumour without ...]; (*motief*) ground [the
...s of my decision], reason; ~*en*, (*van wetenschap*) elements, fundamentals, rudiments,
ABC; (*van onderwijs*) [good] groundwork,
grounding; *de* ~*en van hoger beroep* the
grounds of appeal; *vaste* ~ *onder de voeten
hebben* be on firm (*fig. ook:* on sound) g.;
de ~ (*de* ~*en*) *leggen, zie* ~slag; *er is goede*
~ *om te geloven* ... there is good reason
to believe ...; *er is een* ~ *van waarheid in*
it has a basis of truth; *'t mist alle* ~ it is
without any foundation; *'t* (*hoger*) *beroep mist
alle* ~ there are no merits in the appeal; *wij
vonden* ~ (*bij 't loden*) we struck soundings; *ik
kon geen* ~ *vinden* I had got (was) beyond my
depth; *ik voel* ~ I feel (touch) g., I am (with)in
my depth; *ik voel geen* ~ I am out of my depth;
~ *winnen* (*verliezen*) gain (lose) g.; *aan de* ~
lopen (*raken*) run aground; *aan de* ~ *zitten* be
aground; (*fig.*) be in low water; *aan de* ~ *zetten*,
(*mar.*) run aground, beach; (*luchtv.*) set [an
aircraft] down; *boven de* ~ above g.; *'t was 20
voet boven de* ~ there was a drop of twenty
feet to the g.; *hij had wel door de* ~ *willen zinken*
he felt he could sink through the floor (into
the earth); *'t was alsof ik door de* ~ *zonk* I was
dumbfounded; *in de* ~ essentially, fundamentally; *in de* ~ *is hij eerlijk* he is honest at bottom

(at heart); *in de ~ tegengestelde meningen* fundamentally opposite views; *in de ~ van de zaak* to all intents and purposes, fundamentally [the position has not changed], basically; *in de ~ boren* sink, send to the bottom; *in de ~ kennen* know thoroughly; *in de ~ zeilen (lopen)* run down [a steamer]; *met ~* with (good) reason; *zie* gelijkmaken; ... *ging naar de ~* the vase crashed (to the g.); *onder de ~* [hide] underground, under g.; (*dood*) below g., under g., [she had buried three husbands]; *spoorweg onder de ~* underground railway; *onder de ~ stoppen* put underground; *op goede ~* [act] on good grounds; *op goede ~en berusten* be well(-)founded; *ik geloof het op goede ~* I have good grounds for my belief, believe it on good grounds; *wit op zwarte ~* white on a black field; *op ~ van* on the g. of, on account of [ill health]; (*krachtens*) on the strength of, in (by) virtue of; under [article 15]; *protesteren op ~ dat ...* protest on the g. (the score) that ...; *op die ~* on that g., on that account; *de geweren op de ~ leggen* ground arms; *op de ~ vallen (gooien)* fall (throw) to the g. (floor); *zijn krediet staat op solide ~* stands on firm g.; *op Belgische ~, zie ~gebied; te ~e gaan* go to (w)rack and ruin [to pieces, *fam.*: to the dogs], (*van pers. ook*) go under, perish; *te ~e liggen aan, zie ~slag; te ~e richten* ruin, wreck; *tegen de ~ gooien* throw to the g. (floor); knock down; pull (take) [a house] down; *hij ligt tegen de ~* he is down; *zie* slaan; *tot de ~ toe afbranden* be burnt to the g.; *uit de ~ verrijzen* spring out of the g.; *uit de ~ mijns harten* from the bottom of my heart; *van de koude ~* open- (outdoor-) grown [strawberries]; (*fig.*) twopenny(-halfpenny) [poet], [a politician] of a sort, of sorts; shallow [philosophy]; *iets weer van de ~ ophalen* begin again at the very beginning (from the bottom up); *van de ~ komen,* (*luchtv.*) become airborne; (*fig.*) get off to a good start; *niet van de ~ komen,* (*fig.*) be bogged down; *van alle ~ ontbloot, zonder enige ~* without any g. (*of:* foundation), [the rumour is] utterly baseless; **~aas** g.-bait; **~achtig** earthy [taste], muddy; **~afschuiving** landslip; **~afweergeschut** ground defences; **~akkoord** fundamental chord; **~bedrijf** (estate) development corporation; **~beginsel** basic (*of:* root) principle; *~en,* (*van wetenschap, enz.*) elements, rudiments; **~begrip** fundamental (*of:* basic) idea; **~belasting** *ongev.:* land-tax; **~bestanddeel** fundamental part (ingredient); **~betekenis** original meaning; **~bewerking** tillage; **~bezit** landed property; (*wijze van –*) land tenure [in Java]; *zie* groot ...; **~bezitter** landed proprietor, landowner, landlord; *de –s* the landed class; **~boor** earth-drill; **~deining** g.-sea, g.-swell; **~dienst** (*luchtv.*) *zie* ~organisatie; **~eigenaar** *zie* ~bezitter; (*bij erfpacht*) g.-landlord; **~eigendom** landed property; **~eigenschap** axioma

grondel(ing) gudgeon; *kleine ~* feckled (*of:* spotted) goby

grondelen (*van eend*) up-end

grondeloos bottomless, unfathomable; abysmal [ignorance]; **~heid** ...ness, bottomless depth

gronden *ww.* base, found, ground [*op* on]; (*grondvesten*) found, lay the foundations of; *zie ook* gronderen; *hierop grond ik mijn mening* I found (base) my opinion on this

grond: **~eren** ground, prime, dead-colour; **~erig** *zie* ~achtig; **~ering** grounding, priming, dead-colouring; **~fout** basic error; **~gebied** territory; *op Belgisch –* on (in) Belgian territory, on Belgian soil; **~gedachte** root (basic, underlying) idea; **~getal** base

grondig (*eig.*) earthy, muddy [taste]; (*fig.*) thorough [scholar, knowledge, investigation, he knows it ...ly], profound [investigation], intimate [knowledge], radical [cure], searching [examination], exhaustive [inquiry, search]; *de zaak ~ onderzoeken, ook:* probe (*of:* sift) the matter to the (very) bottom; **~heid** thoroughness, profoundness, etc.

grond: **~ijs** ground-ice; **~kamer** land-control board; **~kleur** g.-, priming-colour; (*primaire kleur*) primary colour; **~krediet** agricultural credit; **~kredietbank** land mortgage-bank; **~laag** first layer; (*verf*) priming-coat; **~lasten** *ongev.:* land-tax; **~legger, ~legster** founder; **~legging** foundation; **~lijn** base; **~loon** basic wages; **~lucht** earthy smell; **~oorzaak** root (first, basic, original) cause; **~organisatie** (*luchtv.*) g.-organization; *chef van de –* g.-engineer; **~pacht** g.-rent; **~papier** lining paper; **~personeel** (*luchtv.*) g.-staff; **~plan** g.-plan; **~regel** principle, maxim; **~rente** g.-rent; **~salaris** basic salary; **~slag** foundation(s), g.-work; basis [of negotiations]; nucleus [for a fund]; *ook = ~salaris; zie* ~(en); *de – leggen van* (*tot, voor*) lay the foundation(s) of; *dat legde de – tot zijn fortuin* that was the beginning (the foundation) of ...; *op hechte – plaatsen* place on a firm footing; *wat ligt eraan ten –?* what is at the root of it?; *dit beginsel ligt aan de zaak ten –* this principle underlies (lies at the root of) the matter; *de omstandigheden die eraan ten – liggen* the underlying conditions; **–enonderzoek** fundamental research; **~soort** (type of) soil; **~sop** dregs, grounds; **~speling** ground clearance; **~steen** *zie* hoeksteen; **~stelling** (*van leer*) tenet; (*wisk.*) axiom; *zie ook* hoofdbeginsel & stelregel; **~stof** raw material, element; **~taal** parent language; **~tal** base; **~tekst** original text; **~toon** key-note, fundamental (tone); (*fig.*) key-note, g.-note, prevailing tone; **~trek** characteristic feature, groundwork; **~troepen** ground forces; **~verf** g.-colour, prime (*of:* dead) colour, primer, priming, first coat; **~verven** prime, ground, dead-colour; **~verzakking** subsidence; **~vesten** I *zn.* foundations; *op zijn – doen schudden* rock (shake) [society] to its foundations (roots, depths); II *ww.* found, lay the foundations of; **~vester** founder; **~vlak** base; **~vorm** primitive form (*of:* type); **~waarheid** fundamental (basic) truth; **~water** ground water, subsoil water; **–stand** water-table; **~werk** g.-work; (*mil.*) earth-work; **~werker** navvy; **~wet** (written) constitution, fundamental law; **~wetsartikel (-herziening)** article (revision) of the constitution; **~wettelijk** constitutional [government]; **~wettig(heid)** constitutional-(ity); **~woord** radical (word); **~zee** *zie* ~deining; **~zuil** *zie* steunpilaar

Groningen id.; **~er, Gronings** *vgl.* Amsterdammer, Amsterdams

1 groot (*oude munt*) (Dutch) groat (= one half-penny); (*Engl. groat = 4d.*)

2 groot (*uitgestrekt*) large; (*zeer uitgestr.*) vast; (*omvangrijk*) big, large; (*lang*) tall [of stature]; high [when you were 3 you were so ...]; (*volwassen*) grown(-up); (*veel indruk makend*) great; (*fig.*) great, big [the ...gest fool ever born]; (*op -e schaal*) large [the ... st employers, a ... shareholder], big [one of the ...gest landowners]; ... *en 'n grote* (*ook*), [a lie] and a big one (at that); (*groots*) grand; *een hele -e pad* a great big ugly toad; *3 maal zo ~ als ...* [a ball] three times the size of a football; *hoge hakken maken je groter* add to your height; *zo dom* (*lui, enz.*) *als hij ~ is* as stupid (lazy, etc.) as they make 'em; *vrij ~ aantal* goodish number; *een vrij ~ plantsoen* sizable public gardens; *een -e B* capital B.; *'t ~ste deel van* the greater (the best) part of [the way]; the bulk of [our exports]; *zie* deel; *-e cirkel* great circle; *-e eter* big eater; *-e hitte* (*koude*) intense heat (cold); *je bent al een -e jongen* you're already a big boy [you're big enough now so ..., the boys are getting so big that ...]; *-e kinderen* grown-up children; *~ lezer* great reader; *hij is geen ~ lezer, ook:* he is not much of a reader; *~ licht* (*van auto*) full (undipped) headlights; *de -e lijnen van het plan* the broad lines ...; *-e* (*voorname*) *lui* grand folk, (*sl.*) posh people; *~ man* great man; *-e man* tall man; *-e manoeuvres* grand manœuvres; *-e mars* maintop; *de -e massa* the masses; *-e mast* mainmast; *-e menigte* large crowd; *-e mensen* grown-ups; *als -e mensen spreken moeten kinderen zwijgen* children should be seen and not heard; *de -e mogendheden* the Great Powers; *het -e publiek* the public at large; *de Grote Oceaan* the Pacific (Ocean); *G~ Oosten* Grand Lodge; *-e ra* mainyard; *de ~ste snelheid van de auto is ...* the car has a top speed of ...; *een ~ uur* a good hour, upwards of an hour; *een ~ verschil* a great (wide) difference; *er is grote vraag naar ...* there is a heavy demand for ...; *~ want* main rigging; *-e weg* high-road; *de -e wereld, a*) the fashionable world, Society, (*fam.*) the upper ten (thousand); *b*) the world at large; *een cheque ~ £ 5* a cheque for £5; *~ met elkaar zijn* be great friends, be thick together; *~ worden* (*van kind*) grow up, shoot up, grow into a man (woman); (*lang w.*) grow tall; *-er worden, zie ook* aangroeien; *ge hebt ~ gelijk* are perfectly right; *te ~ leven* live beyond one's means; *~ en klein* great (big) and small,

high and low; *in 't ~ en klein verkopen* sell wholesale and retail; *hij doet alles in 't ~* he does everything on a large scale; *iets ~s* something great (grand, noble, sublime); *de -en van Spanje* the (Spanish) grandees; *zie* boon, getal, hoop, klok, oog, operatie, woord, ~houden, enz.; **~aalmoezenier** Grand (*of:* Lord High) Almoner; **~achtbaar** worshipful; **~bedrijf** big industry; **~bek** braggart; (*vogel*) toucan; **~boek** ledger; *– der nationale schuld* register of Government stock; **~brengen** bring up, rear, raise [a large family], nurture; *met de borst* (*fles*) – breast-feed (bottle-feed); **G~Brittannië** Great-Britain; **~doen** put on airs, swagger; (*fam.*) swank; **~doener** braggart, swaggerer; (*fam.*) swanker; **~doenerij** swagger, (*fam.*) swank; **~edelachtbaar** most worshipful; **~grondbezit** large landownership, landlordism; **~grondbezitter** large landowner; *–s* landed gentry

groothandel wholesale trade; (*concr.*) w. house; **~aar** wholesale dealer, merchant, (*fam.*) wholesaler; **~sgebouw** merchandise mart; **~sprijs** wholesale price

groothartig(heid) *zie* grootmoedig(heid)

grootheid greatness, magnitude; (*pers.*) man of consequence; (*fam.*) bigwig, big pot; (*wisk.*) quantity [unknown ...]; *van ziel* magnanimity; **grootheidswaanzin** megalomania, self-aggrandisement; *lijder aan ~* megalomaniac

groot: **~hertog** grand duke; **~hertogdom** grand duchy; **~hertogelijk** grand-ducal; **~hertogin** grand duchess; **~hoeklens** (*fot.*) wide-angle lens; *zich ~houden* bluff, carry it off, put a good (a brave) face on it (on a bad business); *zie ook* (zich goed) houden; *de ~industrie* the big (major) industries, big industry; **~industrieel** captain of industry, big industrialist

grootje granny, grannie; *maak dat je ~ wijs!* tell that to the marines!; *je ~!* bosh!

groot: **~kanselier** Lord High Chancellor; *'t ~kapitaal* the moneyed interest, high finance; **~kruis** grand-cross; **~machtig** almighty; (*scherts.*) high and mighty; **~maken** make great, be the making of; (*prijzen*) praise, laud; **~mama** grand-mamma; **~marszeil** main topsail; **~meester(schap)** grand-master(ship)

grootmoeder grandmother; **~lijk** ...ly; **~schap** ...hood

grootmoedig magnanimous, high-minded, generous; **~heid** magnanimity, generosity

groot: **~mogol** Great (Grand) Mogul; **G~Nederland** Greater Netherland; **~officier** great (*of:* high) officer; **~oor** (*vleermuis*) long-eared bat; **~ouders** grandparents; **~papa** grandpapa, grand(d)ad; **~s** grand, grandiose, august, majestic, noble, ambitious [an ... programme]; (*trots*) proud, haughty; **~scheeps** I *bw.* [live, do things] in grand style, on a large scale; *'t –doen, ook:* launch out; II *bn.* princely, grand; ambitious [attempt], all-out [effort], large-scale [enterprise]; **~scheepvaartkanaal** ship-canal; **~schrift** text-hand, large hand; **~semi-**

narie seminary; **~sheid** grandeur, majesty, grandiosity; *(trots)* pride, haughtiness; **~spant** *(mar.)* beam; **~spraak** boast(ing), brag, bravado; *(sl.)* tall talk; **~sprakig** grandiloquent, bombastic*(bw.:* -ally); **~spreken** boast, brag; **~spreker** braggart, boaster; **~steeds** of a large town (city), grand

grootte size, bigness, greatness, tallness, extent, magnitude; *(lengte van pers.)* height; *'t heeft de ~ van* ... it is the s. of ...; *op ware ~* full-sized, full (actual) s., at natural s.; *ter ~ van* [half] the s. of [walnuts]; *iem. van uw ~* someone (of) your s. (of your inches); *zij zijn van dezelfde ~* of a s., (of) the same s.; *van de eerste ~* [a star, blunder] of the first magnitude; *van behoorlijke ~* fair-sized; *de ~ van de klassen van 32 op 50 brengen* raise the s. of the classes from 32 to 50; **~orde** order of magnitude

grootvader grandfather; **~lijk** ...ly; **~schap** ...ship, ...hood

groot: **~vizier** grand-vizier; **~vorst** grand-duke; **~vorstendom** grand-duchy; **~vorstin** grand-duchess; **~waardigheidsbekleder** high dignitary; **~winkelbedrijf** multiple store; **~zegel(bewaarder)** (Keeper of the) Great Seal

gros 1 *(12 dozijn)* gross; 2 gross, mass, main body [of an army], bulk; *'t ~ der mensen* the common herd, the ordinary run of people; *zie ook* en-gros

groslijst list of candidates

grosse engrossment, engrossed document

grosseren engross

grossier wholesale dealer, *(fam.)* wholesaler; **~derij** wholesale business; **~shuis** wholesale house *(of:* firm); **~sprijs** wholesale price, trade price

grot grotto, cave, cavern

grote *zn., zie* 2 groot & boodschap

grotelijks greatly, largely, to a high degree, to a great extent

grotendeels for the greater (the most) part; *~ afhangen van, ook:* depend largely upon (... was based in large part upon)

grotesk grotesque, fanciful; **~e** grotesque

grotonderzoek speleology

grotwerk grotto-, rock-work; rough-cast

grovelijk rudely, coarsely, grossly

gruis grit; *(geol.)* [rock-]waste; *(van kolen)* slack, coal-dust, breeze; **~kool** slack, coal-dust; **~thee** fine tea, siftings (of tea), fannings

gruizelementen: *aan ~* [knock] (in)to smithereens, [smash] to atoms (pieces, fragments), [fall] into shivers, [the boat was smashed] to matchwood

gruizelen pulverize, pound, bray

gruizen bruise, kibble [maize, etc.], pound [salt]

grut 1 *(tw.)* law(s)! Lord; 2 *'t kleine ~* the small fry; 3 *zie* grutten

grutmolen hulling-, pearling-mill

grutten groats, grits; **~brij**, **~pap** groat-, grit-gruel

grutter corn-chandler, dealer in groats; **~ij** corn-chandler's (shop, business); **~swaren** corn-chandler's wares

grutto *(vogel)* black-tailed godwit

1 **gruwel** (water-)gruel

2 **gruwel** *(daad)* atrocity, horror [the ...s of war]; *(gevoel & wat afschuw wekt)* horror, abomination; *dat is mij een ~* I abhor it; **~daad** atrocity; **~ijk** horrible, atrocious, abominable; **~ijkheid** horribleness, atrocity; *(concr.)* horror, atrocity; **~kamer** chamber of horrors; **~stuk** atrocity; *(toneelstuk)* thriller; **~verhaal** tale of terror

gruwen shudder *[bij* at]; *~ van* abhor

gruwzaam horrible; **~heid** horribleness

gruyère(kaas) Gruyère (cheese)

gruzelementen *zie* gruizelementen

guano guano; **guds** *zie* guts

Guelf Guelph; **~isch** Guelphic

guerrilla guer(r)illa (warfare); **~benden** guer(r)illa forces

guichelheil *(plant)* (scarlet) pimpernel, shepherd's glass

guide *(mil.)* guide

guillocheerwerk guilloche; **-ren** adorn by rose-engine turning, chequer; *'t* – engine-turning; *geguillocheerd* engine-turned

guillotine id.; **guillotineren** guillotine

Guinea, Guinee Guinea; **Guinees** Guinea; *~ biggetje* g.-pig

guipure id.

guirlande garland, wreath, festoon, [paper] chain

guit wag, [little] rogue

guitachtig *zie* guitig

guitenstreek, -stuk, guiterij roguish trick

guitig roguish, arch; **~heid** ...ness

1 **gul** *zn. (vis)* codling

2 **gul** *bn. (mul)* loose [sand]; *(gulhartig) zie* aldaar; *(vrijgevig)* open-handed, generous, liberal; **~le lach** breezy laugh

guldeling golden pippin

gulden *zn.* guilder, Dutch florin; *bn.* golden; *~ boterbloem* goldilocks; *zie* middelmaat, -weg; *~ Vlies* Golden Fleece; **~getal** golden number; **~roede** *(plant)* golden rod, woundwort; **G~Sporenslag** Battle of the Spurs

gulgauw, gulhartig genial, frank, cordial, open-(hearted); **~heid** geniality, frankness, cordiality, open-heartedness, openness

gulheid *a) zie* gulhartigheid; *b)* open-handedness, generosity, liberality *(vgl.* gul)

Gulik Juliers

gulp 1 fly [in trousers]; 2 gush [of blood, water]; **~en** gush, pour (forth), spout

guluit, gulweg genially, frankly, openly

gulzig gluttonous, greedy, voracious; *~ eten,* *(tr. & intr.)* gobble; *zij aten ~ hun boterham* they bolted (wolfed down) their bread and butter; **~aard** glutton, gourmand; **~heid** gluttony, greed(iness), voracity

gummi (india-)rubber; **~band** r. tire (tyre); **~laarzen** gum-boots, rubber boots, *(Am.)* gums; **~overschoenen** galoshes, rubbers; **~stok** (r.) truncheon, r. stick, [policeman's] baton; **~zwabber** squeegee

gunnen *(toewijzen)* allow, grant, award; *(niet*

misgunnen) not grudge, not envy; *de levering* (*aanbesteding*) ~ *aan* award the contract to; *een order* ~ *aan* place an order with [a firm]; *ik gun 't je, 't is je gegund* (*ook iron.*) you are welcome to it; much good may it do you; *hij gunt mij 't licht in mijn ogen niet* he begrudges me everything; *hij gunt zich de nodige tijd niet om* ... he begrudges the time necessary to ...; *ze gunt zich geen ogenblik rust* she does not allow herself a moment's rest; *niet* ~, *zie ook:* misgunnen

gunning allotment [of shares], award [of a contract]; ~**skoers** price of a.

1 gunst *tw.* ~ (*nog toe*)*!* good(ness) gracious! fancy (that) now!

2 gunst *zn.* favour; (*hand.*) favour, patronage, support, custom, goodwill; *iem. een* ~ *bewijzen* do a p. a f., bestow a f. upon a p.; ~*en bewijzen* accord favours; *in iems.* ~ *trachten te geraken* ingratiate o.s. (curry f.) with a p., make up (cotton up) to a p.; (*zeer*) *in de* ~ *komen bij* find (great) f. with, (*fam.*) get on the right side of; *weer in de* ~ *komen* return to f. [he was received again into the king's f.]; *in de* ~ *herstellen* restore to f.; *in de* ~ *staan bij iem.* be in a p.'s good books (good graces); *in hoge* (*blakende*) ~ *staan bij iem.* be in high f. with a p., stand high in a p.'s f.; *naar de* ~ *dingen van* court (the favour of); *iem. om een* ~ *verzoeken* beg a f. of a p.; *ten* ~*e van* in f. of; *de prijzen bewogen zich ten* ~*e van kopers* prices moved in f. of buyers, showed a downward tendency; *uit de* ~ *geraken* fall out of f., fall into disfavour [*bij* with]; *uit de* ~ *zijn* be in disfavour (in disgrace), be out of f. [*bij* with]; ~**bejag** f.-currying; ~**betoon** mark(s) of f.; ~**bewijs** (mark of) f.; ~**eling(e)** favourite

gunstig favourable, propitious, auspicious; ~ *gelegen* conveniently (favourably) situated; *bij* ~ *weer* weather permitting; *al naar de gelegenheid* ~ *is* as opportunity serves; *'t geluk* (*lot*) *was ons* ~ fortune favoured (smiled upon) us; *in 't* ~*ste geval* at (the) best; ~*e voorwaarden* f. terms; ~ *bekend staan* enjoy a good reputation; ~ *stemmen* propitiate; ~ *gestemd jegens*

f. to, in favour of; *iems. woorden zo* ~ *mogelijk uitleggen* put the best construction on a p.'s words; *zich* ~ *voordoen* make oneself agreeable

gupje (*vis*) guppy

gust barren; (*geen melk gevend*) dry

Gust Gus; **Gusta** Augusta, Gustava

Gustaaf Gustavus, Gustave

gut! good gracious!; gosh!

guts gouge; (*voor linoleumsnede*) lino-cutter

gutsen 1 gush, spout [blood ...ed from the wound], swirl [the rain ...ed down]; 2 (*met een guts uithollen*) gouge

guttapercha gutta-percha

guttegom gamboge

gutturaal guttural

guur raw, bleak, inclement, rough; ~**heid** rawness, bleakness, inclemency, roughness

Guus *zie* Gustaaf & Gusta

gym *a*) (*gymnastiek, -zaal*) gym; *b*) *zie* gymnasium; **gymnasiaal** grammar-school ...; ~*onderwijs* classical teaching; *met -e opleiding* grammar-school educated; **gymnasiast** grammar-school pupil; **gymnasium** (*ongev.*) (secondary) grammar-school; **gymnast** id.

gymnastiek gymnastics (*ook fig.*: intellectual ...); (*fam.*) gym, P. E. (= physical education), P. T. (= physical training); ~**broek** gym knickers; ~**juffrouw, ~lerares** gym(nastics) mistress; ~**leraar** gym(nastics) instructor (master), P. E. (P. T.) instructor; ~**lokaal** *zie* ~zaal; ~**onderwijzer(es)** *zie* ~leraar, -ares; ~**pak** gymnasium (*fam.*: gym) costume (*of:* suit); ~**rokje** gym-slip, -skirt; ~**schoen** gym-shoe, plimsoll; ~**school** gymnasium (*mv.*: -s, -ia); ~**uitvoering** gymnastic display; ~**vereniging** gymnastic (athletic) club; ~**werktuigen** gymnastic apparatus; ~**zaal** gymnasium, drill-hall

gymnastisch gymnastic; ~*e toer* g. feat

gymnastiseren do (practise) gymnastics

gympjes (*fam.*) gym-shoes

gynaecologie gynaecology; -**logisch** gynaecological; -**loog** gynaecologist

gyroscoop gyroscope

H

h h; *zie* weglaten

ha hectare

ha! ha! oh! ah!

Haag: *Den* ~ The Hague

haag hedge, hedgerow; (*van personen*) lane [form a ...], [pass between a] double line [of drummers], [under an] archway [of swords]; *achter de* ~ *lopen* play truant; *zie* levend; ~**appel** haw; ~**beuk** hornbeam; ~**doorn** hawthorn;

(*wit*) whitethorn; ~**eik** holm-oak

Haags (of The) Hague

haagwinde great bindweed, bellbine

haai I *zn.* shark; (*fig. ook*) kite, vulture, hawk; *je bent voor de* ~*en* it's all up with you, you've had it; *naar de* ~*en gaan* go to the bottom, go to Davy Jones's locker; ~*en op de kust, zie* kaper; II *bn.* (*sl.*) fly; ~**achtig** s.-like; (*wet.*) squaloid

haaibaai shrew, termagant, scold

haai: ~etand shark's tooth; triangular road marking [at major road]; ~evel s.-skin; ~evin s.-fin [soup]; ~ig grasping; ~rog s.-ray

haak hook [boat-, fish-hook, etc.]; (*van stok of paraplu*) crook; (*zethaak*) composing-stick; (*van venster, enz.*) hook, hasp, clasp; (*winkel-*) square; (*teken-*) T.-square; (*van fiets*) (lamp-) bracket; (*telef.*) hook, cradle; *de telefoon weer op de* ~ *leggen* replace the receiver (on its cradle); (*kapstok*) (coat-)hook, peg; (*om slot open te steken*) picklock; ~(*je*), (*insluitingsteken*) (round (), square [], pointed *of* angle < >) bracket, (*rond*) parenthesis (*mv.:* -theses), {} brace; *haken en ogen* hooks and eyes; (*fig.*) difficulties, squabbles, bickerings; *met haken en ogen vastmaken* h. and eye; *aan de* ~ *slaan* hook [a fish; *ook fig.:* a customer]; *zich aan de* ~ *laten sl.* get hooked; *schoon aan de* ~ *woog 't beest 400 pond* the dressed carcass weighed (*ook:* the ox dressed) 400 pounds; *zie ook* gewicht; *'t weer in de* ~ *brengen* put it right, set it to rights, square it; *'t is niet in de* ~ it is not as it should be; *er is iets niet mee in de* ~ there is something wrong (fishy) about it; *tussen* ~*jes* in brackets, in parentheses; (*fig.*) by the way, in passing, parenthetically; *maar dat is tussen twee* ~*jes* but that is by the way; *tussen twee* ~*jes* by the way, incidentally; ~**bek** (*vogel*) pine-grosbeak; ~**bus** (h)arquebus; ~**garen,** ~**katoen** crochet-cotton; ~**je** *zie* ~; ~**kruis** *zie* hakenkruis; ~**naald,** ~**pen** crochet-hook, -pin; ~**patroon** crochet-pattern; ~**s** *bn.* square(d); *bw.* square(ly); – *op* at right angles to; ~**sleutel** picklock; ~**ster** crochet-worker; ~**vormig** hooked, hook-shaped; ~**werk** crochet(ing)

haal (*aan touw, sigaar, enz.*) pull; (*met pen*) stroke [down-stroke, up-stroke], dash [by one dash of the pen *met* ...]; (*schoorsteen~*) (pot-) hanger, chimney crook; *aan de* ~ *gaan* take to one's heels; (*sl.*) do a bunk; *zij ging met* ... *aan de* ~ she ran off (eloped, bolted) with ...; *aan de* ~ *zijn* be on the run

haalbaar attainable, realizable; -*re kaart* winner; (*fig.*) workable (realistic) proposition

haalmes draw-knife

haam 1 hames (*mv.*), collar; 2 (*net*) draw-net; ~**hout** splinter-bar; ~**kussen** collar-pad; ~**tuig** collar-harness

haan cock; (*van geweer*) cock, hammer; *zijn* ~ *kraait koning* he is (the) cock of the walk, he has it all his own way; *daar zal geen* ~ *naar kraaien* nobody will be (any) the wiser; *zonder dat er een* ~ *naar zou kraaien* [you could ...] and no questions asked; *de* ~ (*van geweer*) *overhalen* cock a gun; *met geheel* (*half*) *overgehaalde* (*gespannen*) ~ at full (half) c.; *de rode* ~ *op het dak zetten* set fire to a house; *zie* uithangen; ~**pal** (*van geweer*) safety-catch

haantje young cock, cockerel; (*fig.*) young fighting-cock, little spitfire; *hij is* ~ *de voorste* he is (the) cock of the walk (the ringleader)

1 haar I *bez. vnw.* her, *mv.* their; *de* (*het*) *hare*

hers, *mv.* theirs; *zie* mijn; II *pers. vnw.* her, *mv.* them; *dit is van* ~ this is hers (theirs)

2 haar *zn.* hair (*ook van plant*); (*hoofd~*) *ook:* (*fam.*) thatch [lose one's ...]; (*huid met* ~) coat; *rood* ~ red h., (*sl.*) carrots, ginger; *zijn wilde haren verliezen* sow one's wild oats, settle down; *je groeit door je* ~ your h. (*fam.:* thatch) is coming off; *ik heb er grijze haren van gekregen* it has turned my h. grey; *'t scheelde geen* ~ *of hij* ... he was within an ace of being killed; he came perilously near to killing (marrying) her; *'t scheelde geen* ~, *of ik had hem geraakt* (*gevonden, enz.*) I just missed hitting him (finding him, etc.); *'t scheelde maar een* ~ it was touch and go (a near thing, a close shave), he had a hair-breadth escape; *hij heeft* ~ *op de tanden* he has a tongue of his own; *er is geen* ~ *op mijn hoofd dat er aan denkt* I should not dream of doing such a thing; *hij had spijt als haren op zijn hoofd* he was as sorry as could be (as they come, as sorry); *hij trok zich de haren uit het hoofd* he tore his hair; *er is geen goed* ~ *aan hem* he has not a good point about him; *hij is geen* ~ *beter dan jij* he is not a whit (not one jot) better than you; *geen* ~ *aan iem. heel laten* not leave a rag on a p.; *'t er bij de haren bijslepen* drag (*of:* lug) it in by the head and shoulders; *elkaar in 't* ~ *zitten* be at loggerheads, be by the ears; *elkaar in 't* ~ *vliegen* fly at each other; *alles op haren en snaren zetten* leave no stone unturned, move heaven and earth, carry things to extremes; (*tot*) *op een* ~ to a h., to a nicety, to a T.; *tegen het* ~ *in strijken* stroke against the hair; (*fig.*) rub [a p.] up the wrong way; *zie* berg, doen, krenken, enz.; ~**achtig** h.-like; ~**bal** h.-ball; ~**band** *a*) *zie* ~lint; *b*) h.-band, fillet, head-band; ~**barstje** (*in porselein*) hair crack; *vol* ~*s maken* (*worden*) craze; *met* ~*s* crazed; *porselein met* ~*s* crackle(-china, -ware); ~**borstel** h.-brush; ~**bos** tuft of h.; (*al 't haar*) mop (*of:* shock) of h.; *met een ruige* ~ shock-headed; ~**breed(te)** h.('s)-breadth; ~**buis** capillary (vessel)

haard (*open*) hearth, fireplace, fireside; (*fam.*) grate [throw a match into the ...]; (*kachel*) stove; (*ziekte-*) nidus, focus, foyer; (*van brand*) seat; (*van aardbeving*) (seismic) focus, centre; (*fig.*) hotbed [of cholera, of sedition]; *bij de* ~, *in 't hoekje van de* ~ by (at) the fireside; *eigen* ~ *is goud waard* there is no place like home; ~**goden** *zie* huisgoden; ~**hekje** fender; ~**ijzer** (~*rand*) fender; (*waar 't brandende hout op rust*) fire-dog, andiron; ~**kleedje** h.-rug; ~**kolen** cobbles

haar: ~**doek** (horse) hair-cloth; ~**dos** (head of) hair; *haar rijke* – her wealth of h.; ~**dot** knot of h.; ~**dracht** *zie* kapsel

haard: ~**plaat** hearth-plate; ~**rand** fender; ~**scherm** fire-screen; ~**stede** fireside (*ook fig.*): they fought for their ...s); *zij vochten voor* –*n en altaren* they fought for their hearths and homes (for home and country); ~**steen** h.-stone; ~**stel** (set of) fire-irons; ~**stoel** fireside chair; ~stoffer, ~vegertje h.-brush; ~vuur h.-fire, open fire

haar: ~fijn I *bn.* as fine as a hair; (*fig.*) subtle, fine-spun [distinctions], minute; II *bw.* minutely, [tell s.t.] in great (in exact) detail; ~groei growth of h.; ~hygrometer h.-hygrometer; ~kam h.-comb; ~kloven split hairs (straws), quibble; ~klover hair-, straw-, word-splitter; casuist; ~kloverij h.splitting, quibbling; casuistry; ~knippen *zn.* h.-cutting; – £ 2 h.-cut £ 2; –, *mijnheer?* h.-cut, Sir?; ~knipper h.-cutter; ~krul curl of h.; ~kunde, -kundige trichology, -gist; ~lak h. set, h. spray (lacquer)

Haarlem id.; ~mer *bn.* Haarlem; *zn.* native (inhabitant) of H.

haar hair: ~lijn(tje) h.-line; ~lint h.-ribbon; ~lok lock of h.; ~middel h.-restorer, -tonic; ~mos h.-moss; ~mug marsh-fly; ~net(je) h.-net; ~olie h.-oil; ~pijn hangover; [have, get up with, it gives you] a head; ~rook peat smoke; ~roos dandruff; ~scheiding parting of the h.; ~scherp (*fot.*) dead sharp; ~scheurtje *zie* ~barstje; ~schuier h.-brush; ~snijden, ~snijder *zie* ~knippen, ~knipper; ~speld(bocht) h.-pin (bend, turn); ~speldje (*verschuifbaar*) h.-slide; ~stijl h. style; ~tangetje (pair of) tweezers; ~tje *zie* haar; ~tooi head-dress, coiffure; ~vat capillary; ~verf h.-dye; ~vilt fur felt; ~vlecht plait, braid (of hair); (*hangend ook*) pigtail; (*vals*) switch; ~wassing shampoo; ~water h.-lotion; ~werk(er) h.-work(er); ~wild fur; ~worm thread-, h.-worm; ~wortel hair-root; ~zak(je) h.-tidy; (*anat.*) (h.-)follicle; ~zeef h.-sieve; ~ziekte disease of the h.; ~zijde h.-side [of hides, parchment]

haas hare; (*fam.*) puss; *zie ook* osse~; *zo bang als een ~* as timid as a h.; *twee -zen (tegelijk) najagen* ride two horses (at once); *~ vreten,* (*sl.*) get the wind up; *als een ~ (de hazen)* in a hurry, with no time lost; *hij ging er van door als een ~* he was off like a shot; *wat een ~!* (*bangerd*) what a mouse!; *mijn naam is ~,* (*fam.*) it's nothing to do with me; *jonge ~* = haasje leveret, young h.; *hij is 't –,* (*fam.*) he is for it, he has had it; —*over spelen* play at leap-frog

1 haast *bw.* almost, nearly; *~ is nog niet half* a miss is as good as a mile; *kom je ~?* are you never coming?; *ben je ~ klaar?* *a*) are you nearly ready? *b*) have you nearly finished? are you nearly done?; *ik kreeg ~ een ongeluk* I nearly had an accident; *ik had het ~ gedaan* I came near doing it; *zie* bijna

2 haast *zn* haste, speed; (*te grote ~*) hurry; *in ~* in h., in a hurry; *in grote ~, ook:* post-haste; *in vliegende ~* in no end of a hurry; *er is ~ bij* there is no time to be lost, the matter cannot wait (is urgent); *er is geen ~ bij* there is no hurry (about it); *er is ~ bij de machines* we are in a hurry for the machines; *ik heb ~* I am in a hurry [he was in too much of a hurry to ...]; *verschrikkelijk veel ~ hebben* be in a tearing hurry; *het heeft niet zo'n haast* it is not wanted in a hurry; *~ maken* make h., hurry up; *~*

maken met speed up [production], hurry up [dinner], press on with [an order]; *hij maakte geen ~ met te antwoorden, ook:* he took his time in replying; *~ zetten achter iets* urge matters on; *waarom zo'n ~?* what's the hurry? why the hurry?; *hoe meer ~, hoe minder spoed* more haste less speed; *zie* inderhaast

haasten hurry [a p.]; *zich ~* hasten, make haste, hurry; *haast je wat!* hurry up! be quick! look sharp (alive, *fam.*: slippy)!; *ik laat me niet ~* I am not going to be hurried; *haast je maar niet* don't hurry, take your time; *haast u langzaam!* hasten (make haste) slowly!; *je haast mij te veel* you press me too much; *haast je, rep je* [away we went] helter-skelter, in a tearing hurry; *zonder zich te ~* unhurried [breakfast]; *zie* gehaast

haastig I *bn.* hasty, hurried, speedy; *~e spoed is zelden goed* more haste less speed; II *bw.* hastily, hurriedly, in a hurry; *~ wat eten* snatch a hasty dinner (supper, etc.); *~ ontbijten* hurry through one's breakfast; *~ getrouwd, lang berouwd* marry in haste, repent at leisure; ~heid hastiness, hurry

haastwerk hasty work, rush work (job)

haat hatred [*tegen* of, for]; (*dicht.*) hate

haatdragend resentful, vindictive; *hij is niet ~* he bears no malice; ~heid ...ness, rancour

habbekra(t)s *zie* krats

haberdoedas *zie* labberdoedas

habijt (monk's) habit, frock

habitué id., frequenter, regular visitor (customer)

habitus id.

Habsburg(er) Habsburg(er), Hapsburg(er)

hachee hash, hashed meat

hachelen eat; *je kan me de bout ~* go to blazes

hachelijk critical, precarious, perilous, desperate [position]; *wij verkeren in ~e omstandigheden* we are in deep waters; ~heid precariousness, critical state

hachje 1 (*waaghals*) daredevil; (*rakker*) scamp, handful; 2 *hij schoot er 't ~ bij in* it cost him his life; *z'n ~ redden* save one's bacon (one's skin); *bang zijn voor zijn ~* be anxious to save one's skin; *hij was te bang voor zijn ~* [he never went there], he valued his skin too much

haciënda hacienda; Hades id.

had *o.v.t. van* hebben

hadj id., hajj; hadji id., hajji

Hadrianus Hadrian

haf lagoon; haft may-fly

hagebeuk hornbeam; hagedis lizard

hagedoorn *zie* haagdoorn

hagel hail; h.stone; (*om te schieten*) shot; ~bui h.-storm, shower of h.; *een – van* stenen a shower of stones; ~en hail; *'t ~de kogels op de vijand* volleys of shot (showers of bullets) came down on the enemy; ~jacht h.-storm; ~korrel *a*) h.-stone; *b*) pellet (*of:* grain) of shot; ~patroon shot-cartridge; ~schade damage caused by h.; ~slag *a*) h.-storm; *b*) *zie* ~schade; *c*) (*lekkernij*) (*ongev.*) hundreds and thousands; *chocolade –* chocolate

strands (vermicelli); ~snoer (*in ei*) balancer, (*wet.*) chalaza (*mv.:* -zae); ~steen h.stone; ~toren shot-tower; ~vlaag h.-squall; ~wit (as) white as snow, snowy white
Hagenaar inhabitant of The Hague
hage: ~prediker hedge-priest, -parson; ~preek hedge-sermon; (*de bijeenkomst*) field conventicle
hagiograaf, -grafie hagiographer, -phy
haie: *zich 'en ~' opstellen* form a lane; *vgl.* haag
hak 1 *van de ~ op de tak springen* jump from one subject to another, ramble (from one subject to another), (*fam.*) wander all over the place; *brief* (*toespraak*) *waarin men van de ~ op de tak springt* rambling (desultory) letter (address); 2 heel; *met hoge ~ken* high-heeled [shoes]; ~ken zetten onder schoenen (new-)heel shoes; *het heeft niet veel om* (*de*) ~ken it isn't anything much; *iem. op de ~ nemen* ridicule a p.; *zie* hiel, sloot; 3 (*werktuig*) hoe, pickaxe, pick, hack; 4 (*houw*) cut; *iem. een ~ zetten* put a spoke in a p.'s wheel, play a p. a nasty trick; spite a p.; ~band (*van schaats*) heel-strap; ~beitel mortise-chisel; ~bijl hatchet; (*van slager*) chopper, cleaver; ~blok chopping-block; ~bord chopping-board
haken I *tr.* (*vast~, enz.*) hook, hitch [a horse to a tree]; (*handwerkje*) crochet; (*beentje lichten*) trip (up); II *intr.* (*blijven ~*) catch; (*handwerken*) crochet; *hij bleef met zijn voet* (*jas*) *daarin ~* he caught his foot (coat) in it, his foot (coat) caught in it; ~ *naar* hanker after, crave for, yearn for [after]; ~kruis swastika
hakgewricht (*van paard, enz.*) hough, hock
hakhout coppice, copse
hakig hooked, hooky
hakkebord (*muz.*) dulcimer; (*fig.*) bad piano; (*mar.*) taffrail
hakkelaar(ster) stammerer
hakkelen stammer, stutter, flounder, stumble [in one's speech]
hakkelig stammering, faltering, stuttering
hakken cut (up), hew, hack, chip, hash, mince, [meat]; (*kloven*) cleave, chop; *in kleine stukjes ~* chop up; *in de pan ~* cut up, cut to pieces; *hij zit altijd op mij te ~* he is always down on me, has his knife into me, is always stabbing at me; *zie verder* inhakken & spaander
hakkenei ambler, ambling horse
hakkepoffen chug
hakketakken, hakketeren bicker, wrangle, squabble
hakleer heel-leather; (*van schaats*) heel-strap
hak: ~machine mincing-machine, mincer, chopping-machine; ~mes chopper, cleaver, chopping-, mincing-knife
hakpees hamstring, hock-tendon; *de ~ doorsnijden* hock, hamstring [a horse]
haksel chopped straw, chaff; ~machine, -snijder straw-, chaff-cutter
hakstro *zie* haksel; **hakstuk** heel-piece
hal *a*) (market-)hall, covered market; *centrale ~* (*in gebouw*) (main) concourse; *b*) frost (patch); *eeuwige ~* permafrost

halali (*jachtkreet*) tally-ho
halen fetch (*ook muz.:* he can't f. the top notes), go for [the police], get; draw (run) [a comb through one's hair], pull [a chair towards o.]; recover [the body was ...ed from the river]; collect (*zie* afhalen); make [the front page]; (*theat.*) raise (draw) the curtain; *'n akte ~* obtain (secure) a certificate; *hij haalde ... he* took a diploma in economics; *zie* graad; *zijn kleren wat bij elkaar ~* give a stitch to one's clothes here and there; *laten ~* send for; *koffie laten ~*, (*buitenshuis*) send out for coffee; *de dokter ~* go for (call in) the doctor; *de politie erbij ~* call in the police; *een kind ~* deliver a child (by a forced delivery); *de post ~* catch the post; *goede cijfers ~* get good marks; *een hoge prijs ~* f. a high price; *haal mij een glas bier* get me a glass of beer; *de trein ~* catch the train, [he just made the 8.15]; *van de trein ~* meet [a p.] at the station, meet a p.'s train; *word je geh.?* is anybody coming for you?; *ga je moeder ~* go and find (fetch) your mother; *hij ging hulp ~* he went for help; *ze werd iedere dag gehaald en gebracht* she was fetched and delivered every day; *er moest* (*vijfmaal*) *voor hem* (*de acteur*) *geh. worden* he got (had) a curtain-call (*fam.:* a curtain) (five curtain-calls); *er is hier niets te ~* there is nothing to be got here; *is er iets voor hem te ~?* are there any pickings for him?; *hij ziet altijd of er iets voor hem te ~ is* he is always on the lookout for pickings; ~ *wat er te ~ is* take all one can get; *iem. van wie iets te ~ is* a man out of whom s.t. can be had; *door elkaar ~* mix up; *hij haalt de morgen niet* he will not last (*of:* live) out (*of:* through) the night, will not last till morning; *denk je dat hij het zal ~?* (*zieke*) do you think he will pull through?; *hij haalt zijn 80ste verjaardag nog wel* he'll live to be eighty yet; *hij haalt 180 pond* he scales 180 pounds, turns (dips, tips) the scale at ...; *de koe kon geen 600 pond ~* could not draw (*of:* balance) 600 pounds; *hij haalde net de 6 voet* he touched six feet [*zo ook:* the car touched 120 miles an hour]; ... *haalde 't net* our candidate scraped (squeezed) through; *de vliegmachine haalde 't net* the plane barely made it; *de bus kon de helling niet ~* could not take the incline; *dat haalt niet bij wat ik zag* that is nothing to what I saw; *dat haalt er niet bij* that cannot compare with it [there is nothing to compare with skiing], cannot touch it, is not a patch upon it; *niem. haalt bij hem* there is no one to touch him; *daar haalt niets bij* nothing touches that; *hij haalt niet bij u* he cannot hold a candle to you, you beat him hollow; *wat uiterlijk aangaat haalt ze niet bij* ... she is not in the same street with (she is not a patch on) her sister for looks; *ze haalt het bij de kruidenier* she gets it from the grocer; *we halen er 'n mannetje bij* we'll have a man in [to do the repairs]; *naar zich toe ~* rake in [money], sweep (gather) in [the winnings];

haal niet alles naar je toe don't grab; *uit de zak* ~ take out [one's watch]; *de waarheid uit iem.* ~ elicit the truth from (*met veel moeite:* drag ... out of) a p.; *je moet het uit hem* ~ you have to worm it out of him; *iets uit iem. trachten te* ~, (*voordeel*) try to get s.t. out of a p.; *zoveel mogelijk uit z'n vakantie* ~ make the most of (get the most out of) one's holiday; *iem. uit z'n werk* ~ drag a p. away from his work; *geld van de spaarbank* ~ withdraw money from the savings-bank; *waar haal je 't vandaan?* how did you get it into (how did it enter) your head?; *waar hebt ge uw uitspraak vandaan gehaald?* where did you pick up your pronunciation?; *waar zal ik het geld vandaan* ~? where shall I find the money?; *zie* bed, bij-, door-, uithalen, drommel, enz.

half half; semi-[circle, oriental, savage, barbarian; be ...-conscious]; (*van huis*) semi-detached [villa, cottage]; *'t (zijn) halve rijk* h. the (his) empire; *halve dokter* [he is] h. a doctor; *halve bol* hemisphere; *een* ~ *broodje (flesje)* a small loaf, h.-bottle; ~ *Europa* h. Europe; *voor halve dagen* h.-time [pupils, etc.]; *een* ~ *flesje melk, ongev.* a pint (bottle) of milk; *drie en een halve el* three yards and a h., three and a h. yards; ~ *vijf* h. past four; *3 min. voor (over)* ~ *vijf* 27 minutes past four (to five), [three minutes to (past) the half-hour]; *halve eindstrijd* semi-final(s); *een halve gulden,* (*waarde*) h. a guilder, (*munt*) a h.-guilder; *omstreeks* ~ *juli* about the middle of July; *halve kennis* h.-knowledge; *halve kost* partial board; *in 't halve licht* in the h.-light; *halve maan, zie* halvemaan; *zij moet niets van halve maatregelen hebben* no h. measures (h.-way measures) for her; *langer dan een halve minuut, ook:* for the better part of a minute; *met een* ~ *oog (oor)* [see] with h. an eye, [listen] with h. an ear; *de ogen ('t boek)* ~ *sluiten* h.(-)close the eyes (the book); *'t raam* ~ *dicht doen* put the window half-way down; *tegen de halve prijs, voor* ~ *geld* at h.-price, [travel] h.-rate; *halve storm, zie* waaien; *halve stuiver* halfpenny; *wie de halve tijd werkt* h.-timer [in a factory]; *de treinen vertrekken om drie minuten vóór het halve uur* at three minutes to the h.-hour; *halve vracht* h.-fare; *halve waarheid* h.-truth; ~ *werk doen (zijn werk ten halve doen)* do one's work (do things) by halves; *zie* keren; *hij heeft maar een* ~ *woord nodig* he needs no more than a hint; ~ *klaar met* h.-way through [one's dinner]; *de maaltijd was* ~ *geëindigd* the meal was h.-way through; ~ *ontloken* h.-blown; *niet* ~ *zo veel* not h. so much (many); *niet* ~ *lang genoeg* not h. long enough; *niet* ~ *zo goed als* ... not h. (not nearly) so good as ...; *je weet niet* ~ ... you little know how I feel; ~ *slaan* strike the h. hour; *'t slaat juist* ~ the h.-hour is just striking; *de klok slaat heel en* ~ strikes the (full) hours and the h. hours; *ik heb het maar* ~ *verstaan* I did not understand more than h. of it; ~ *rijp* h. ripe; *dat is mij maar* ~ *naar de zin, ik vind het maar* ~ (~) I only h. like it, I can't say I like it, I find it only so-so; ~ *lachend,* ~ *schreiend* h. laughing, h. crying; *between a laugh and a cry* [he said ...]; *hij is er* ~ *en* ~ *van op de hoogte* he is partially informed; ~ *en* ~ *beloven* as good as promise; *ik had* ~ *en* ~ *zin om, dacht er* ~ (*en* ~) *over om* ... I had h. a mind to ..., I h. thought of ...ing, I was h.-way inclined to ...; *ik dacht (hoopte) zo* ~ *en* ~ I rather thought ... (I had a sort of hope that ...); *al* ~ *en* ~ *besloten h.* have more or less decided; ~ *om* ~ ['how shall I mix them?'] 'h. and h.'; *zie verder* ben. & verstaander, enz.; ~**aap** h.-ape; ~**bakken** h.-baked (*ook fig.*), slack-baked; ~**bloed** zn. h.-breed, -blood, -caste; *bn.* h.-bred, h.-blooded; ~**bouwer** métayer, share-cropper; ~**broer** h.-brother; ~**cirkelvormig** semi-circular; ~**dek** quarter-deck; ~**donker** zn. semi-darkness, h.-dark(ness), twilight; ~**dood** h. dead [*van* ... with fatigue]; *iem – slaan* h. kill a p., thrash a p. within an inch of his life; *zich – lopen* run (walk) o.s. off one's legs, nearly kill o.s. with running; ~**door** *snijden* cut h. through; ~**dronken** h. drunk, h.-seas-over; ~**duister** *zie* ~donker; ~**edelsteen** semi-precious stone; ~**fabrikaat** semi-manufactured article; ~**gaar** h.-done, h.-baked; (*fig.*) h.-baked, dotty, h.-gone; ~**geleider** semi-conductor; ~**geschoold** semi-skilled; ~**god(in)** demigod(dess); ~**heid** h.-heartedness, irresolution, shilly-shallying; ~**hemdje** front, dickey; ~**jaar** six months, h. a year; ~**jaarlijks** *bn.* h.-yearly, semi-annual; *bw.* every six months; ~**je** *a*) h. a glass, 'half a one'; *b*) h.-cent; ~**kalfsleer** h.-calf; ~**klinker** semi-vowel; ~**leer** half (*hoeken niet van leer:* quarter) leather; *in – gebonden* h.(q.)-bound; ~**leren band** h.(q.)-binding; ~**linnen** (*van boekband*) h.(q.)-cloth; ~**luid** in an undertone; ~**maandelijks** *bn.* fortnightly [paper], semi-monthly; *bw.* every fortnight; ~**mast** *zie* ~stok; *een broodje* ~**om** salt beef and liver roll; ~**-om-** ~ h. and h. (mixture of curaçao and bitters); ~**rond** zn. hemisphere; *bn.* hemispherical; ~**schaduw** penumbra; ~**slachtig** half-bred, mongrel [dog, race, American]; (*amfibisch*) amphibious, (*fig. ook*) h.-hearted, h.-and-h. [people, measures], half-fledged [protectionist], h.-way [measures]; ~**slachtigheid** h.-heartedness, indecision, irresolution; ~**slag** (*van klok*) the h.-hour; (*fig.*) h.-breed, h.-bred, mongrel; *– jongen* h.-grown boy; *zie* ~slachtig; ~**sleten, ~sleets** h.-worn, second-hand; ~**speler** half-back; ~**steensverband** stretcher-bond; ~**stijf** semi-rigid [airship]; ~**stok:** *de vlag woei* ~ the flag was flying (at) h.-mast; *– hijsen* h.-mast; ~**vasten** mid-lent; ~**vet** (*typ.*) semi-bold, black-faced [type]; ~**vleugeligen** hemiptera; ~**vocaal** semivowel; ~**waardetijd** (*nat.*) half-life; ~**was** improver; ~**wassen** h.-grown; ~**weg** h.-way; ~**wekelijks** *bn.* h.-weekly; *bw.* twice a week; ~**wijs** h.-witted; ~**wijze** h.-wit; ~**wind** quarterly wind; ~**wol(len)** h.-wool(len); ~**zacht** half-baked; ~**zijde** h.-silk; ~**zuster**

h.-sister; ~zwaargewicht (*boksen*) light heavy-weight
halleluja hallelujah, alleluia
hallo hullo! (*ook bij telef.*)
hallucinatie hallucination; ~s *hebben, ook:* see things [you're seeing things]; **hallucinogeen** hallucinogen(ic)
halm [corn-]stalk, blade [of grass, of corn]
halma id.
halmstro threshed stalks, straw
halo id.; ~**fyt** halophyte; ~**geen** halogen
hals neck (*ook van fles, enz.*); tack [of a sail]; (*onnozele*) ~ mug, simpleton; *iem. de ~ af-snijden* cut a p.'s throat; *de ~ breken* break one's n.; *dat zal hem de ~ breken* that'll be his undoing; *dat kan* (*zal*) *je de ~ kosten* it is a hanging matter; *met open ~* open-necked [shirt]; *iem. om ~ brengen* kill a p.; (*sl.*) do a p. in; *iem. om de ~ vallen* fall upon a p.'s neck, throw one's arms (o.s.) round a p.'s neck; *zich iets op de ~ halen* bring (draw) s.t. on o.s., incur [debts, a p.'s displeasure], catch [a cold, a disease]; *je weet niet, wat je je op de ~ haalt* you don't know what you are letting yourself in for (*evenzo:* let o.s. in for no end of worry); *iem. ... op de ~ schuiven* shove the difficulty on to somebody, (*Am.*) pass the buck; *iem. de verantwoordelijkheid op de ~ schuiven* saddle a p. with the responsibility; ~ *over kop vertrekken* leave helter-skelter, dash off; *iem. ~ over kop doen heengaan* send a p. helter-skelter; *hij viel ~ over kop in de kuil* he fell head foremost (headlong, head over heels) into the pit; ~ *over kop trouwen* rush into marriage; *zich iets van de ~ schuiven* shuffle things off one's shoulders, shift a thing (the blame, etc.) from o.s. upon another; ~**ader** jugular (vein); ~**band** collar; ~**berg** (*hist.*) hauberk; ~**bontje** fur necklet; ~**boord** n.-band; ~**brekend** breakneck; *met -e vaart* at breakneck speed; ~**doek** neckerchief, (*vero.*) scarf; ~**gerecht** *a*) criminal justice; *b*) criminal court; ~**gezwel** tumour (swelling) in the neck (throat), cervical tumour; ~**keten** collar, n.-chain, necklace, necklet; ~**klier** jugular gland; ~**kraag** collar; (*geplooide*) frill, (*hist.*) ruff; (*van harnas*) gorget; ~**kwabbe** (*van vee*) dewlap; (*van varken, enz.*) wattle; ~**kwestie** matter of life and death; ~**lengte** n.-length; *met een – winnen* (*verslaan*) win (beat) by a n.; ~**misdaad** capital crime; ~**recht** *a*) criminal jurisdiction; *b*) execution; ~**slagader** carotid (artery); ~**snoer** necklace, necklet
halsstarrig obstinate, stubborn, head-strong, stiff-necked, wilful; ~**heid** obstinacy, stubbornness, wilfulness
hals: ~**straf** capital punishment; ~**stuk** (*van kledingstuk*) neck-piece; (*van geslacht dier*) neck of beef (of mutton), scrag(-end) of mutton
halster halter; *de ~ strijken* slip the h.
halsteren halter
hals: ~**wervel** cervical vertebra (*mv.:* -brae); ~**wijdte** width round the neck; ~**zaak** *zie* ~**misdaad**; ~**zenuw** cervical nerve

halt halt, stop; (*commando*) halt!; ~! *wie daar? halt!* who goes there?; ~ *of ik schiet* stop or I'll fire; ~ *commanderen* call a h.; ~ *houden* (*maken*) make (call) a h., make a stand, halt; ~ *laten houden tr.* halt; *intr.* call a h.; *een ~ toe-roepen* call to a h.; *halt* [a development]
halte stopping-place, stop [go out at the next ...]; [railway] halt, halting-place, wayside station; *volgende ~!* next stop, please!
halter (*kort*) dumb-bell; (*lang*) bar-bell; ~**oefeningen** d.-b. (b.-b.) exercises
halve: *ten ~, zie* half
halvemaan half-moon, crescent; (*fort.*) demi-lune; (*broodje*) crescent; ~**vormig** crescent (-shaped), half-moon shaped [window]
halveren halve, divide into halves (into two equal parts); bisect [an angle etc.].
halverhoogte: *ter ~* half way up
halveringstijd (*nat.*) half-life
halverwege half-way (through, down, across)
halverwind (*mar.*) having the wind on the beam; **halvezolen** *ww.* half-sole
halzen (*mar.*) wear (*v.t. & v.dw.* wore)
ham id.
hamamelis wych-, witch-hazel
Haman id.; *het* ~**sfeest** Purim
Hamburg id.; ~**er** *bn.* (of) H.; *zn.* Hamburger, H. man; **h~er** id.
hamei portcullis
hamel wether; ~**vlees** mutton
hamer hammer; (*houten ook*) mallet; *tussen ~ en aanbeeld* between the devil and the deep (blue) sea, in a scrape; *onder de ~ brengen* bring to (under) the h., put up to (for) auction; *onder de ~ komen* (*gaan*) come (go) under the h., be put up to (for) auction, come up for sale; ~**baar** malleable; ~**baarheid** malleability; ~**en** hammer [*op ...* at the door]; (*van specht*) drum; *hij ~t er altijd op* he is always hammering at it, is always dinning it into my ears, keeps dinning it in; *zie* aanbeeld; *op iets blijven* – keep on about s.t.; *door – harden* h.-harden; *iets erin – hammer* s.t. home; ~**haai** *zie* ~**vis**; ~**slag** *a*) stroke of a h., h.-blow; *b*) h.-scale, iron-dross; ~**steel** handle of a h.; ~**stuk** item of business dealt with as a formality (passed on the nod); ~**teen** hammer toe; ~**vis** h.-head(ed shark), h.-fish; ~**vormig** h.-shaped; ~**werpen** throwing the h.
hamster hamster; ~**aar** (food-)hoarder; (*sl.*) food-hog; ~**en** hoard; *'t –* (food-)hoarding, panic-buying
hand hand [his h. was against every man and every man's h. was against him]; ~**en thuis** hands off; *zijn ~en thuis houden* keep one's hands off [other people's property]; *'t was zijn ~* the writing was in his h., it was his h.(-writing), (*fam.*) his fist; *ik gaf* (*drukte*) *hem de ~* I gave him my h., shook hands with him (clasped his h.); *zij gaven* (*schudden*) *elkaar de ~* they shook hands, shook each other by the h.; *elkaar de ~ geven* (*om een keten te vormen*) link hands, make a (human) chain; *ik gaf er*

hem de ~ op I gave him my h. upon it, we shook hands on it; *hij mag zijn ~en dichtknijpen* he may count himself lucky; *je ~ erop!* your hand upon it!; *hij had er de ~ in (de ~ in 't spel)* he had a h. in it (in the game), had a finger in the pie, was in it [I'll have no h. in it]; *hij heeft overal de ~ in* he has his finger in every man's pie; *ik heb mijn ~en vol aan hem* he is a handful, I have my work cut out with him, he gives me no end of trouble; *ik had mijn ~en vol* I had my hands full [*aan* with], I had my work cut out (for me); *hij had er de ~en aan vol om ...* he had his work cut out (had quite a job) to stop her, it was as much as (it was all) he could do to keep his men within bounds, [the police had a busy time keeping the crowd back]; *~en vol geld* [he spent] heaps (lots) of money; *de ~ houden aan* enforce [rules]; *je moet er de ~ aan houden* you must keep a strict h. upon it, keep it up; *de ~ boven de ogen houden* shade one's eyes with one's h.; *iem de ~ boven 't hoofd houden* support a p., back him up; shield (screen) an offender; *ik wil er mijn ~ niet toe lenen* I won't have a h. in it; *de ~ leggen op* lay hands on; *de politie legde de ~ op hem, ook:* the police put their hands on him; *zij legden de ~en in elkaar* they clasped hands [over the anvil at Gretna Green]; *de ~ lezen* read o.'s palm; *de ~ lichten met, zie* lichten; *veel ~en maken licht werk* many hands make light work; *ik draai er mijn ~ niet voor om a)* I don't care a rap (for it), it leaves me cold; *b)* I think nothing of it; *de ~en tegen iem. opheffen* raise one's hands against a p.; *de ~ aan zichzelf slaan* lay violent hands upon o.s., die by one's own h.; *de ~ aan de ploeg slaan* put one's hand to the plough; *de ~en aan 't werk slaan* set to work; *de ~en ineenslaan, (eig.)* strike one's hands together, clasp one's hands; *(fig.)* join hands, band together; *zij sloegen hun ~en in elkaar van verbazing* they threw up their hands in astonishment; *de ~en staan hem verkeerd* his fingers are all thumbs; *mijn ~ staat er niet meer naar* my h. is out; *de ~en uit de mouwen steken* put one's shoulder to the wheel, take off one's coat to it, buckle to, turn to; *als de ene ~ de andere wast, worden zij beide schoon, ongev.:* one good turn deserves another; scratch my back and I'll scratch yours; *laat uw rechter ~ niet weten wat uw linker doet* let not thy right h. know what thy left h. doeth; *iem. de vrije ~ laten (de ~en vrijlaten)* leave (give, allow) a p. a free h.; *de ~en niet vrij hebben* not have a free h., not have one's hands free, *(niet geheel)* have one h. tied behind one's back; *ik legde de laatste ~ aan mijn werk* I put the finishing (final) touches to my work; *ik wil er mijn ~ voor opsteken* I will take my oath on it; *stemmen door de ~en op te steken* vote by show of hands; *zij schonk haar ~ aan ...* she gave her h. to ...; *een goede (mooie) ~ schrijven* write a good (beautiful) h.; *ik steek geen ~ uit* I won't

stir (lift, raise) a finger [to help him]; *nooit een ~ uitsteken* never do a hand's turn (of work); *ik wil er mijn ~ niet onder zetten* I won't put my h. to it; *geen ~ voor ogen kunnen zien* be unable to see one's h. before one's face (in front of one); *aan iems. linker ~* [sit] on a p.'s left (h.); *aan de ~ van deze cijfers* (judging) from (in the light of, with the help of, on the basis of) these figures [it may be stated ...]; *aan ~en en voeten gebonden* bound h. and foot; *iem. iets aan de ~ doen* put s.t. in a p.'s way, suggest s.t. (a means, a remedy) to a p., put a p. in the way of doing s.t., throw out a hint (a suggestion) to a p., put a p. on to [a good dentist, a good thing]; *~ aan ~ gaan* go h. in h. *(ook fig.)*; *zijn fiets aan de ~ hebben* wheel one's bicycle; *wat heb je nu aan de ~?* what are you doing now?; *hij heeft veel (andere) zaken aan de ~* he has many (other) irons in the fire; *te veel aan de ~ hebben* have too much on h.; *aan de ~ houden* hold by the h.; *wat is er aan de ~?* what is up? what's doing? what's the trouble?; *er is iets aan de ~* there is s.t. in the wind *(of:* going on); *is er iets met zijn gezondheid aan de ~* is there anything the matter with his health?; *er is niets aan de ~* there is nothing wrong (nothing up); *aan de betere ~, zie* beter; *iets achter de ~ hebben* have s.t. up one's sleeve *(of:* in reserve), have s.t. to fall back upon, have a second string to one's bow; *achter de ~ houden* keep in hand; *achter de ~ zitten* be the youngest h. [at cards], play last; *bij de ~ hebben* hold by the h.; *(fig.)* have at h., have handy; *(bezig zijn met)* be engaged on; *de bel (vlak) bij de ~ hebben ...* (straight) to one's h.; *'t zo plaatsen, dat men 't vlak bij de ~ heeft* place it ready to h.; *een geschiedschrijver moet altijd een kaart bij de ~ hebben ...* at his elbow; *ik heb dit vaker bij de ~ gehad* I am an old h. at this; *wat heeft hij bij de ~?* what is he doing [for a living]?; *bij de ~ nemen* take by the h.; *bij de ~ zijn* be at h., be handy, be about; *(gewiekst) zie:* bijdehand; *vlak bij de ~* near at hand; *vroeg bij de ~ zijn* be up (be astir) early; *iem. die vroeg bij de ~ is* is an early riser; *hij is nog niet bij de ~* he is not stirring h.; *in ~en, (op brieven)* by h.; *in de eerste (tweede) ~, (hand.)* in first (second) h.; *met de hoed (een camera) in de ~* hat (camera) in h.; *een kind een boek in ~en geven* put a book into a child's hands; *hij heeft uw leven in zijn ~* he holds your life in the hollow of his hand; *ik heb het niet alleen in de ~* it's not entirely up to me; *de partij in ~en hebben tot ...* have the refusal of the parcel till ...; *een markt in ~en hebben* control a market; *de politie heeft de zaak in ~en* the police have the case in h.; *in de ~ houden* have [matters] under control; *in eigen ~ houden* keep control over; *~ in ~ gaan* go hand in hand with; *tijdig in ~en komen* come to h. in due time; *in ~en krijgen, ('n order)* secure an order; *('n boek) light (toevallig: chance) upon a book; [he would read* anything he could get hold of]; *in andere ~en overgaan* change (pass into other) hands; *in ~en der Regering overgaan* pass under Government control; *elkaar in de ~en slaan* [buyer and seller] slap hands; *iem. iets in ~en spelen* smuggle s.t. into a p.'s hands; *in ~en stellen van* refer [a matter] to [a committee]; place [the case] in the hands of [the police]; *iem. iets in de ~en stoppen* foist (*of:* palm) s.t. off upon a p.; *hij laat zich gemakkelijk wat in de ~en stoppen* he is easily cheated; *iem. een fooi in de ~ stoppen* slip a tip into a p.'s hand; *in verkeerde* (*in slechte*) *~en vallen* fall into the wrong (into bad) hands; *in ~en van de vijand* (*de politie*) *vallen* fall into the enemy's hands (get into the clutches of the police); *gebied in ~en van de vijand* enemy-held territory; *'t boek viel mij in ~en* came my way; *in de ~ werken,* (*iets*) promote, facilitate; (*iem.*) play into the hands of, play (promote) the game of; *elkaar in de ~ werken* play into each other's hands; *de macht moet in één ~ zijn* the power should be in one h.; *in ~en van Duitse firma's* [this business is largely] in the hands (*of:* the control) of German firms; *gebied in ~en van de vijand* enemy-held territory; *de zaak kan in geen betere ~en zijn* cannot be in better hands; *in goede* (*veilige, de beste*) *~en zijn* be in good (safe, the best of) hands; *zie* raden; *met beide ~en aangrijpen* jump at [a thing, a proposal]; *ook:* grasp the offer (take the opportunity) with both hands; *met ~en vol weggooien* spend [money] like water; *met ~ en tand verdedigen* defend tooth and nail; *met de ~ over elkaar* (*gekruist*) hands crossed; *met de ~* by h., hand-[made, feed, etc.]; *met de ~ geschreven* hand-written; *zie* eigenhandig; *met de ~en in 't haar zitten* be at one's wit's (wits') end, be at a loss what to do; *met de ~ over 't hart strijken* strain (*of:* stretch) a point [*ter wille van u* on your behalf]; *zie* hart, ledig, schoot, zacht; *zij kan hem naar haar ~ zetten* she knows how to manage him; *iem. naar zijn ~ zetten* bend a p. to one's will; *alles naar zijn ~ zetten* have it all one's own way; *zie* dingen; *niets om ~en hebben* have nothing to do, be at a loose end; *om haar ~ vragen, zie* huwelijk (*ten ..*); *onder de ~* meanwhile, in the mean time, incidentally; [he may die] on your hands; *onder ~en hebben* have [a task] in h., be engaged on [a task], be at work on [a picture]; *onder ~en nemen,* (*zaak, persoon*) take in h., (*zie ook ter ~ nemen*); *iem. onder ~en nemen, ook:* take a p. to task, give him a good talking-to, call (*of:* haul) him over the coals, take him up roundly; *hij moet eens goed onder ~en genomen w., ook:* he wants a good talking-to; *uw schoenen zijn onder ~en* are in h.; *onder ~en zijnde werken* works being performed (carried out); *zie* dokter; *op eigen ~* on one's own account (responsibility, initiative); *iem. op de ~en dragen* worship a p.; *op ~en en voeten* [go, creep] on all fours; *iem. erg op de ~en zien* watch a p.

closely; *op ~en zijn* be near at h., be imminent, be drawing near (*zie* aanstaande); *ik heb hem* (*hij is*) *op mijn ~* I have him (he is) on my side; *~ over ~* [lose money] h. over h., h. over fist; *'t misbruik nam ~ over ~ toe* gained ground (rapidly), spread (gradually), became rampant; *ter ~ nemen* take [a task] in h., put [an order, the work, repairs] in h., take [the matter] up; *ter ~ stellen* hand [a p. something, s.t. to a p.], deliver [s.t.] into a p.'s hands; *om uit de ~ te eten* [these plums are pleasant] to eat [and are excellent for cooking]; *uit de eerste* (*tweede*) *~* (at) first (second) h. [first-h. (*ook:* inside) information, buy second-h.]; *uit de eerste ~, ook:* [I've got it] straight from the horse's mouth; *de dingen uit de eerste ~ bestuderen* study things at first h.; *schot uit de vrije ~* off-h. shot; *de beweging loopt* (*hem*) *uit de ~* is getting out of h. (out of his control); *uit de ~ verkopen* sell by private contract (by pr. treaty); *zie* koop; *uit de ~ der justitie blijven* keep on the right side of the law; *uit de ~ geschilderd* (*gemaakt*) h. -painted (-made) [*zo ook:* h.-sewn, -woven, etc.], painted (made) by h.; *iem. werk uit ~en nemen* take work off someone's hands; *uit de ~ vallen* fall short of one's expectations; *zie* eten; *van de ~ doen* dispose of, sell, part with; *het van de ~ doen* the disposal (disposition) of [goods]; *dat gaat hem flink van de ~* he is handy (quick, a quick h.) at it; *duur van de ~ gaan* sell at high prices; *goed* (*vlot, vlug*) *van de ~ gaan,* (*van waren*) sell well (rapidly), sell like hot cakes; *'t werk gaat vlug van de ~* is getting on well, is proceeding smoothly; *van de ~ in de tand leven* live from h. to mouth, lead a h.-to-mouth life (existence); *van de ~ wijzen* refuse, (*zwakker:*) decline [a request, an offer], dismiss [an appeal *beroep*]; turn down [a proposal, etc.]; repudiate [a theory]; *onder dankzegging van de ~ gewezen* declined with thanks; *van ~ tot ~* from h. to h.; *van dezelfde ~* [a picture] by the same h.; *van hoger ~* from a high quarter, from the government, on high authority; *bevel van hoger ~* superior orders; *voor de ~ komen* come to h. [seize the first weapon that comes to h.], come handy; *hij neemt alles wat hem voor de ~ komt* he takes everything that comes his way; *voor de ~ liggen* go without saying, be self-evident, be obvious, be natural; *voor de ~ liggende opmerkingen* obvious comments; *de meest voor de ~ liggende gevolgtrekking* the most plausible inference; *voor de ~ zitten,* (*kaartspel*) have the lead, play first; *zie ook* buik, omhoog, enz.; *~appel* eating-apple, eater; *~bagage* h.-luggage; *~bal* h.-ball; *~bel* h.-bell; *~bereik: binnen –* within reach; *~beschermer* (*van geweer*) h.-guard; *~beweging* motion (*of:* wave) of the h., gesture; (*van hypnotiseur en goochelaar*) pass; *met een – beduidde hij mij te gaan zitten* he motioned me to a chair; *~bibliotheek* reference library; *~ bijbel* small-sized bible; *~blusser* h.-extinguisher; ~boeien hand-cuffs, manacles; *zie* boei; ~boek manual, h.book, textbook; ~boog h.-bow, long-bow; ~boogschutter archer; ~boor gimlet; *elektrische* ~boormachine electric drill, (domestic) power tool; ~brandspuit manual fire-engine; ~breed(te) h.'s breadth; *zie ook* duimbreed; ~doek towel; *(op rol)* roller-, jack-towel; *ruwe* – Turkish towel; *stof voor* –*en* towelling; ~doekrek towel-rack, t.-rail(s); ~druk handshake, h.-grasp, h.-clasp, h.-squeeze; *een* – *wisselen* shake hands

1 handel *(van machine)* handle

2 handel trade *[op Am.* to . . .], commerce, business; *(vaak ong.)* traffic [in women, in indulgences, drug . . ., white slave . . .]; *(zaak)* business; *zie ook* ~sstand; *(sl.)* caboodle, affair, business; *zijn* ~ *en wandel* his conduct (life, dealings, manner of living); *eerlijk zijn in* ~ *en wandel* lead an upright life; ~ *drijven* carry on t., trade *(zie* handelen); *in de* ~ *gaan* go into business; *(in de* ~ *zijn, (van pers.)* be in t.; *(van artikel)* be in (on) the market; *in de* ~ *brengen* place (put) upon the market, bring out, launch, market; *in de* ~ *komen* come into the market; *niet in de* ~ not supplied to the t., not in (on) the market; *(van boek)* printed for private circulation (for members) only; ~aar merchant, dealer, trader; trafficker; *vgl.* ~

handelbaar tractable, manageable, docile; ~heid tractability, manageability, docility

handeldrijvend trading, commercial, mercantile

handelen *(te werk gaan)* act; *(handel drijven)* trade *[met iem.* with a p.; *op een land* to a country], deal, carry on business *(of:* trade); ~ *in* deal (trade, traffic) in *(vgl.* handel); ~ *over* treat of, deal with; ~ *overeenkomstig (naar) zijn belofte* act up to one's promise; *ik handelde volgens uw raad (dit besluit, instructies)* I acted on your advice (this decision, instructions); ~*d optreden* take action; *zie* believen

handeling action *(ook in drama)*, act; *een verslag van zijn* ~*en* a report of his doings; ~*en van het Aardrijkskundig Genootschap* Transactions (Proceedings) of the Geographical Society; ~*en der Staten-Generaal* Official Parliamentary Reports; *(van 't Eng. Parl.)* Hansard; ~*en der Apostelen* Acts of the Apostles; *zie* plaats

handelmaatschappij trading-company

handels- *dikw.:* commercial; ~aangelegenheid trade (business) matter; ~adresboek business directory; ~agent(schap) c. agent (agency); ~artikel article of commerce, commodity; ~attaché c. attaché, trade commissioner; ~balans balance of trade, trade balance; ~bediende clerk; ~bedrijf trade, business; ~belang c. interest, trade i.; ~belemmeringen trade barriers; ~bericht c. report, market report; *(voor Londen)* City article; –*en, ook:* c. intelligence; ~besprekingen trade talks; ~betrekkingen c. relations; ~beurs *zie* koopmansb.; ~blad c.

paper; ~brief business letter; ~correspondentie c. correspondence; ~economie c. economy; ~firma trading-firm; *op* ~gebied in the domain of trade; ~gebruik trade (trading) custom, c. practice, c. usage; ~geest c. spirit; *(ong.)* commercialism; ~gewassen plants grown for c. purposes; ~haven shipping (mercantile, commercial) port; ~hogeschool School of Economics, Business School; ~huis business house, firm; ~inlichtingen commercial intelligence; ~kamer *a)* zie kamer van koophandel; *b)* c. court; ~kantoor business (merchant's) office; ~kennis c. practice, c. (business) knowledge; ~krediet trade credit; ~kringen trade circles, c. circles; ~loopbaan business career; ~luchtvaart c. aviation; ~magnaat merchant prince, business tycoon; ~man businessman; *[gedeponeerd]* ~merk [registered] trade mark; *Wet op de* –*en* Merchandise Marks Act; ~methoden business methods; ~naam trade name; ~natie trading nation; ~nederzetting trading-post, -station; ~onderneming c. undertaking (enterprise), trading (business) concern; ~onderwijs c. education; ~oorlog trade war; ~overeenkomst trade *(of:* c.) agreement; ~papier c. paper; ~plaats c. town, trading-town; ~politiek c. policy; ~premie c. bounty; ~prijs trade price; ~recht c. (trade) law; ~rechtbank c. court; ~referentie trade reference; ~register c. register; ~reiziger (c.) traveller, *(Am.)* (travelling) salesman; ~rekenen c. arithmetic; ~relaties c. relations, trading contacts; ~school c. school; ~stad *zie* ~plaats; ~stand trade circles; ~statistiek(en) trade return(s) (statistics); ~stelsel c. system; ~stijl business style; ~taal business language; ~term business term; ~traktaat c. treaty; ~transactie business transaction; ~uitdrukking *zie* ~term; ~usance *zie* ~gebruik; ~vaartuig trading-vessel, merchantman; ~verdrag c. treaty; ~vereniging trading-company; ~verkeer trade, c. intercourse, c. traffic; ~vlag *zie* koopvaardijvlag; ~vloot mercantile marine, merchant fleet; ~vriend business friend; ~vrijheid freedom of trade; ~waar commodity; *(ook:* ~waren) merchandise; ~waarde c. *(of:* salable) value; ~weg trade route; *langs de* – by way of trade; ~wereld c. world, business community; ~wet c. law; ~wetboek c. code; ~wissel trade bill; ~zaak business, business concern; *ook* = ~aangelegenheid; *tot* – *maken* commercialize [sport]

handelwijze procedure, proceeding, way of acting, method, policy

hand- ~enarbeid *a)* manual labour; *b)* zie slöjd; ~enbindertje [Baby is such a] tie; ~ en spandiensten personal service and carriage; *iem.* – *bewijzen* aid and abet a p.; ~exemplaar desk copy; author's copy; ~galop h.-gallop, (h.-)canter; ~gauw quick-handed; *(diefachtig)* light-fingered; ~gebaar *zie* ~beweging; ~geklap h.-clapping, applause; ~geld earnest-money, handsel; *(mil.)* (King's) bounty, *(hist.)* King's (Queen's) shilling, press-money; *ik zal je* – *geven, (aan venter)* I'll buy one (etc.).

and give you a start; **~gemeen** I *bn.: - worden* come to blows, close (in) [*met* with], come to close quarters (to grips) [with the enemy] *– zijn* be at grips (at close quarters) [*met* with]; II *zn.* hand-to-hand fight, mêlée, scuffle; **~getouw** h.-loom; **~gift** *zie* ~geld; **~granaat** (h.-) grenade, Mills bomb; **~greep** grip, grasp; (*kunstgreep*) knack; (*truc*) trick, dodge; (*~vat*) handle; *de ~grepen van 't geweer* manual exercise (*of:* drill), rifle-exercises; **~habiliteit** manual skill; (*van goochelaar*) legerdemain, sleight of hand

handhaven maintain [discipline, order, rights], uphold [the law, a decision, one's honour], live up to, make good [one's reputation], assert [one's independence], vindicate [rights]; *zich –* hold one's own; *staalaandelen handhaafden zich* were supported (sustained, maintained); *hij heeft zich weten te ~* he has maintained his position; *iem. in zijn ambt ~* continue a p. in office; *wij kunnen hen niet als lid ~* we cannot retain their membership; **-er** maintainer, upholder; **-ing** maintenance, preservation [of order]

handicap id.; disability

handig (*vaardig*) handy, deft [blow], clever [with one's hands], skilful, adroit, dext(e)rous, expert [*in* at], nimble [liar], neat [with one's fingers; *ook:* neat fingers], (*fam.*) slick (*gemakk. te hanteren*) handy [volume, sailing-vessel]; *~ zijn in, ook:* be a good hand at; *'t ~ aanleggen* set about it cleverly; *~ gedaan, ook:* neatly done; *hij heeft 't ~ gedaan* he has made a good (a nice) job of it; *~ gelegen* conveniently situated; *op ~e wijze wist hij zijn vrouw weg te krijgen* he manoeuvred his wife out of the way; **~heid** handiness, adroitness, dexterity, etc.; *een –je* a knack

handje (little) hand; *hij heeft er een ~ van om ... he is apt to ...*, he has a trick (way) of ...ing; *een ~ helpen* give (lend, bear) a hand, give [a p.] a lift; *hij had een ~ meegeholpen bij de inbraak* he had taken a hand in the burglary; *~ contantje*, (*fam.*) down the nail; *zeg maar dag met het ~* forget it; *zie ook* hand; **~bakken** slap hands; **~gauw** (*vechter*) (little) bantam; (*gapper*) pilferer; **~plak** hot cockles; *– spelen met* be in league with; **~s-geven** handshaking(s), handshakes; **~vol** handful

hand: ~kar barrow, h.-cart, -truck, pushcart; **~kijker** opera-glass(es); **~koffer** small case (*plat*) suitcase; *plat –tje* attaché-case; **~kus** h.-kissing; *tot de – toegelaten worden* kiss hands, kiss the king's etc. h.; **~lang(st)er** ('*werktuig*') tool, creature, henchman; (*medeplichtige*) accomplice, confederate; *–sdiensten bewijzen* aid and abet; **~leiding** manual, guide; instruction booklet; *– voor gebruik* directions (instructions) for use; **~lichting** emancipation; *beperkte –* restricted e.; *– verlenen* declare (pronounce) of age; **~lijst** (*van trap*) h.-rail; **~molen** h.-mill; **~nervig** palmate; *in een* **~omdraai** in the turn of a h.; **~**

oplegging laying on (imposition) of hands; **~opsteken** show of hands [vote by a ..., the motion was carried by ...]; **~paard** led horse; **~palm** palm of the h.; **~palmafdruk** palm print; **~papier** h.-made paper; **~peer** eating-pear; **~penning** earnest-money; **~pers** h.-press; **~pomp** h.-pump; **~reiken** assist; **~reiking** assistance; **~rem** h.-brake

handschoen glove; (*pantser-, rij-, scherm-, sport-, werk-*) gauntlet; *de ~ opnemen* take up the gauntlet (*of:* glove); *de ~ opnemen voor* take up the gauntlet (the cudgels) for; *iem. de ~ toewerpen* throw down the gauntlet (*of:* glove), hurl defiance at a p.; *met de ~ trouwen* marry by proxy [*zo ook:* proxy wedding]; *met fluwelen ~en aanpakken* handle with kid (*of:* velvet) gloves; **~endoos** g.-box; **~enkastje** (*van auto*) g. locker, g. compartment, g.box [light]; **~rekker** g.-stretcher

hand: ~schrift *a*) manuscript; *b*) handwriting; **~schroef** h.-screw; **~slag** slap with the hand; *'t met (op, onder) – beloven* slap hands upon it; **~spaak** handspike; **~spiegel** h.-mirror, h.-glass; **~tas(je)** h.-bag; (*met spiegeltje, enz.*) vanity-bag

handtastelijk palpable, manifest [lie]; *~ worden* become aggressive; paw [a girl, woman]; **~heden** [they came to] blows, physical violence; pawing; *geen –!* hands off!; *zie* handgemeen

hand-: ~tekenen free-hand drawing; **~tekening** signature; [under the royal] sign-manual; *–en verzamelen* collect autographs; *zie* zetten; *–enjager* autograph hunter; **~vaardigheid** manual dexterity; **~vat(sel)** handle, (*neervallend*) drop-handle; *met zilveren –* silver-handled [cane]; **~vest** charter [of the United Nations], covenant [of the League of Nations]; **~vleugelig** cheiropterous; *– insekt, ook:* cheiropteran, *mv. ook:* cheiroptera; **~vlijt** *zie* slöjd; **~vol** handful; *'t kost een – geld* a lot of money; **~vormig** h.-shaped; **~vuurwapens** small arms; **~waarzegger(ij)** ch(e)iromancer (-mancy), palmist(ry); **~wagen** *zie* ~kar; **~water:** *dat heeft er geen – bij* that cannot touch it; *zie* halen bij

handwerk *a*) trade, (handi)craft; *b*) (*tegenov. machinaal werk*) handwork; *c*) *= –je; deze sigaren zijn ~* are hand-made; (*abstr.*) *ook:* needlecraft [... contest]; *nuttige ~en* plain needlework; *fraaie ~en* art needlework, fancy-work; *~en ww.* do needlework; **~er** handworker, manual labourer (worker); **~je** piece of fancy-work (needlework); **~gezel** journeyman, workman, hand; **~gilde** craft-guild; **~slieden, -lui** *mv. van* **~sman** artisan; (*voor fijner werk*) artificer; **~sstand** artisan class(es)

hand: ~werktuig hand-tool; **~wijzer** finger-, sign-, guide-post; **~woordenboek** concise dictionary, desk d.; **~wortel** carpus; **~wortelbeentje** carpal (bone); **~zaag** handsaw; **~zaam** (*van pers.*) manageable, tractable; (*gemakk. te hanteren*) handy; (*van veer*) fine

hane: ~**balk** purlin, collar-beam; *onder* (*in*) *de* –*en* in the garret, at the top of the house; ~**ëi** yolkless egg; (*dial.*) cock's egg; ~**gekraai** cockcrow(ing); ~**kam** cock's comb (*ook plant*)

hanen: ~**gevecht** cock-fight(ing); ~**mat** cock-pit

hane: ~**poot** (*eig.*) cock's foot: (*plant*) *o.a.* panic-(grass); ~**poten**, (*slecht schrift*) scrawl; ~**spoor** cockspur; ~**ve(d)er** cock's feather; *ook* = vechtersbaas; ~**voet** (*plant*) crowfoot

hang (*rokerij*) smoke-house, [herring] hang

hanga(a)r hangar, (aircraft) shed

hang: ~**baan** suspension-railway; ~**brander** inverted burner; ~**brug** suspension-bridge; ~**buik** pot-belly; *met 'n* – pot-bellied

hangen I *intr.* hang [*aan* ... on, against, from the wall], be suspended [*aan* from: a lamp was suspended from the ceiling]; (*van bloem, oogleden, lip, enz.*) *ook:* (*leunen*) loll [don't ... on that desk]; II *tr.* hang, suspend; *gehangen worden* be hanged, [that fellow 'll] swing; *je zult ervoor* ~ you'll h. (*fam.:* swing) for it; *tussen* ~ *en wurgen* between the devil and the deep (blue) sea; *'t is tussen* ... it's a ticklish affair; *met* ~ *en wurgen* by the skin of one's teeth; *hij hangt*, (*fig.*) he's for it; *zie ook* blijven ~ aan; *het onderzoek hangt nog* the enquiry is still pending; *zie* ~d; *'t hoofd* (*de oren*) *laten* ~ h. one's head (ears); *de hond liet zijn staart* ~ had his tail down, hung its tail; *de bloemen laten de kopjes* ~ the flowers are drooping (their heads); *terwijl ze haar hoofd liet* ~ [no, she said] with a droop of her head; *ze liet haar hand* (*buiten de boot*) *in 't water* ~ she trailed her hand (her hand trailed) in the water; *ik laat me* (*ik mag*) ~ *als ik er wijs uit kan worden* I'll be hanged if I can make head or tail of it; *aan de kapstok* ~ h. on the peg; ~*de aan een spijker* hanging on a nail; ~ *aan*, (*fig.*) cling to [a p., old customs, etc.], be (very much) attached to [a house, etc.]; *zijn hart hangt eraan* he has set his heart on it, it is near to his heart; *hij hangt aan geld* he is always after money; *hij hangt erg aan de letter van de wet* he is a great stickler for (sticks to) the letter of the law; *aan iems. woorden* ~ h. on a p.'s words; *aan elkaar* ~ be attached to each other; *zij* ~ *erg aan elkaar* they are quite wrapped up in each other; *zie ook* aaneenh.; ... *hing erbij* his ear was almost hanging off; *blijven* ~ *aan* catch (be caught) in (on); *hij bleef met zijn jas aan een spijker* ~ his coat caught in (on) a nail; *ik ben daar blijven* ~ I got hung up (stuck) there; *blijf niet aan de letterlijke betekenis* ~ don't stick to the literal sense; *ik ben aan dat huis blijven* ~, (*veiling*) I was in for the house, (*mislukte doorverkoop*) I got stuck with the house; *er is weinig van blijven* ~, (*fig.*) very little of it has stuck (to him, me, etc.); ... *blijft* ~ the smell of a cigarette clings (lingers); *een beetje van de laster blijft altijd* ~ some of the mud will always stick; *dat hangt ons boven 't hoofd* that is hanging over our heads (impending over us); *erin* ~, *zie* hakken; *de kleren* ~ *hem om 't lijf* h. on him; ~ *over* h.

over, overhang [trees ... ing the road]; *over 't vuur* ~ crouch over the fire; *staan te* ~ h. about [at street-corners, etc.]; *zie ook* Barbertje, draad, klok, lip, enz.

hangend(e) hanging, drooping [eyelids, moustache]; [the matter is still] pending, sub judice, in abeyance, dragging on (= *slepende*); [there are four cases] outstanding [against him]; *'t proces bleef maar* ~*e* the suit hung fire; ~*e kwesties* pending issues; ~*e tuinen* h. gardens; ~*e 't onderzoek* pending the inquiry

hang- en sluitwerk fasteners, fastenings

hanger (coat-, dress-)hanger; (*aan halssnoer, enz.*) pendant; (*in oor*) (ear-)drop; (*mar.*) sling; ~*ig* drooping, listless, limp, languid

hang: ~**ijzer** pot-hanger; *dat is een heet* – it's a ticklish affair, a sore subject; ~**kamer** mezzanine room; ~**kast** hanging-cupboard; ~**klok** hanging (*of:* wall) clock; ~**lamp** hanging-lamp, suspension lamp; ~**lip** *a*) hanging lip; *b*) flapmouthed person; ~**mat** hammock; ~**oor** lopear, drooping ear; (*sukkel*) booby, mug; (*tafel*) gate-legged (*of:* Pembroke) table, dropleaf table; ~**op** bag-cheese; *ongev.:* curds; ~**partij** (*sp.*) adjourned game; ~**plant** hanging plant; ~**slot** padlock; ~**snor** drooping (weeping) moustache; ~**stelling** cradle; ~**wangen** hanging (baggy) cheeks; ~**wieg** hanging cradle

hanig quarrelsome, snappish, waspish

Hannes *zie* Hans; (*sul*) blockhead, juggins

hannesen *zie* prutsen, treuzelen, zaniken

Hannover Hanover; ~**aan**, ~**s** Hanoverian

Hans Jack; *domme* ~ Simple Simon; *grote* ~ bigwig, big pot, big noise, panjandrum; ~ *en Grietje* Hansel and Gretel; ~**je** *a*) Jack; *b*) Jane; *wat* – *niet leert, zal Hans niet kennen* it is hard to teach an old dog new tricks; *voor '*—*mijn-knecht' spelen* fetch and carry

hansop (child's) sleeping-suit

hansworst buffoon, clown, jack pudding, merry-andrew, Punch(inello); ~**erij** buffoonery, clownery, clowning

hanteerbaar manageable; *gemakkelijk* ~ easy to handle

hanteren handle, operate, ply, work [a gun, typewriter], wield, employ, manage [a weapon]; *kan ze gemakkelijk de naald* ~? is she anything of a hand with the needle?; *gemakkelijk te* ~, *ook:* easy in operation; *moeilijk te* ~ unwieldy; *'t* ~ *der wapenen* the use (handling) of arms; -**ing** handling, manipulation

Hanze Hanseatic League, Hanse; ~**aat**, ~**atisch** Hanseatic; ~**stad** Hanse(atic) town; ~**verbond** = ~

hap *a*) (*'t happen*) bite; *b*) (*stuk*) bite, morsel, bit, mouthful; *in één* ~ at one b., at one swallow; *dat is een grote* ~ *uit mijn inkomen* that eats deeply into my income; *hij weet er een* ~ *en een snap van* he has a smattering of it [of English, etc.]; *ouwe* (*nieuwe*) ~, (*mil. sl.*) old (new) mob

haperen (*bij 't spreken*) falter, stammer; (*van*

machine) not function properly, miss [the engine …ed], come to a standstill (every now and then), stick; *haar stem haperde* her voice broke, there was a break in her voice; *er hapert iets aan* there's a hitch somewhere, there is something wrong (with …); *'t gesprek haperde* the conversation hung (*of:* flagged); *zie ook* ontbreken; *zonder* ~ without a hitch

hapering hitch; (*bij 't spreken*) hesitation; [there was a] break (halt) [in her voice]

hapje *zie* hap *b*); *'n* ~ *eten* [have] a snack, [get] a spot of food (dinner, lunch, etc.); ~ *suiker* teaspoonful of sugar; *lekker* ~ titbit, appetizing morsel; *'t is me een* ~! a nice job, I am sure!; *dat is geen* ~ that's no joke, [such a life is] no picnic

happen bite; ~ *naar* snap at; ~ *in* bite (into); *een stuk uit 't brood* ~ b. a piece out of the loaf; (*fam.*) *hij hapte niet* he did not rise to the bait

happig eager, keen; *hij is erg* ~ *op* he is (very) keen on it; (*om te* …) as keen as mustard to play; *hij was niet erg* ~ he was none too keen; ~**heid** …ness

harakiri hara-kiri, happy dispatch

harceleren harass [the enemy]

hard I *bn.* hard [*ook fig.*: judge, treatment, face, features, law, heart, blow, struggle, fate, necessity, winter, times, water, worker], harsh [measures], hard-boiled [egoist], keen [frost], solid [rock, figures (*cijfers*)], loud [voice, crash], glaring [colours], stern [facts, necessity, reality], uncharitable [judg(e)ment, feelings]; II *bw.* hard [work, freeze, rain, blow …], [rain] heavily, [treat a p.] hardly, [don't talk so] loud; (*snel*) fast; ~*e banken*, (*in trein*) bare boards; ~ *van de vorst* h. with frost, frost-bound; *zo* ~ *als een* **kei**, *zie* keihard; *hij heeft een* ~ *hoofd* he is thick-headed (*dom*); pig-headed (*koppig*); *ik heb er een* ~ *hoofd in* I have my doubts about it (about the result); *'t is* ~ *voor mij* it his h. lines (it is hard, *fam.*: rough) on me; ~ *zijn voor zichzelf* be h. on o.s.; ~ *in de bek*, *zie* ~bekkig; ~*e* **woorden** h. (harsh) words; *er zijn enkele* ~*e woorden gevallen* there have been some h. words said; *er kwam een* ~*e uitdrukking in* … his eyes hardened; ~ *betwijfelen* doubt greatly (very much); *ik denk er* ~ *over om te* …) I have a good mind to …; *het gaat* ~ **tegen** ~ it is pull devil, pull baker; it is a tug of war between them; *'t water kookt* ~ is boiling h.; ~ *gekookt* h.-boiled [eggs]; *'t was* ~ *nodig*, *dat 't gedaan werd* it badly needed doing; *je zult je geld* ~ *nodig hebben* you will need every penny of your money; *hij is* ~ *ziek* he is very ill; *de band was zo* ~ *mogelijk opgepompt* was blown up to full pressure; *zo* ~ *mogelijk rijden* drive (ride) at top speed, (at) full pelt, flat out, as hard as one can (*of:* can go); *hij reed zo* ~ *hij kon*, (*in auto*) *ook:* he was getting every ounce out of his car; *rijd* (*loop*) *zo* ~ *als je kunt* drive (run) for all you are worth; *ik liep* ~ *door* I walked on quickly; ~*er lopen* (*vliegen, enz.*) *dan, ook:* have the legs of; *zo* ~

mogelijk …, *ook:* work (pull, etc.) one's hardest; (*spreek wat*) ~*er!* speak up; ~*er!* (*sneller*) faster!; ~ *vooruitgaan* make great progress, get on fine; *te* ~ *rijden* speed; ~ *worden* harden; (*van kalk, enz.*) set; *om 't* ~*st met elkaar lopen* (*fietsen, enz.*) race each other; *ik wil om 't* ~*st met je naar huis lopen* I'll race you home; *ze schreeuwden om 't* ~*st* they shouted at the top of their voices, they shouted their loudest; *zie* hardvallen, verantwoorden, enz.; ~**bekkig** h.-mouthed, h. in the mouth; ~**draven** run (in a trotting-match); ~**draver** (fast) trotter, trotting-horse; ~**draverij** trotting-match

harden harden, temper [steel], steel [one's nerves, o.s. against s.t.]; *ik kon het niet langer* ~ I could not stand (*fam.*: stick) it any longer; *die stank is niet te* ~ that stench is unendurable (not to be endured)

harder (*vis*) lesser grey mullet

hardglas hardened glass

hardhandig hard-handed, rough, drastic, violent; ~**heid** hard-handedness, etc.

hardheid hardness, etc.; *zie* hard; *een politiek van* ~ a policy of toughness

hardhoofdig obstinate, headstrong; ~**heid** obstinacy

hardhorig dull (hard, thick) of hearing; ~**heid** …ness of hearing

hardhout(en) hardwood; **hardhuidig** hard- (*fig.*: thick-)skinned; ~*en* sclerodermi, -derms

hardleers slow of understanding, dull, unteachable, a slow learner; ~**heid** …ness

hardlijvig constipated, costive; ~**heid** constipation, costiveness

hardlopen run, race; *zn.* running

hardloper runner, racer; (*op korte afstand, man & paard*) sprinter; (*boot*) fast sailer; ~s, (*schaatsen*) speed skates; ~s *zijn doodlopers*, (*ongev.*) slow but sure; ~**ij** foot-race

hardnekkig obstinate [person, disease], dogged [person, resolution *vastberadenheid*], stubborn [fight, cold *verkoudh.*], persistent [cough, bronchitis, rumour, drizzle, heat]; ~ *weigeren* refuse doggedly; ~ *weerstand bieden* offer a stubborn (tough) resistance; ~**heid** obstinacy, stubbornness, persistency

hardop loud, aloud; ~ *bidden* (*denken*) pray (think) aloud; *zeg 't* ~ say it out loud

hardrijden race; (*op de schaats*) speed-skating; *kampioen in 't* ~ s.-s. champion

hardrijder speed-skater, racer; ~**ij** skating-match, -race

hardste(e)n(en) freestone, ashlar

hardstikke *zie* hartstikke

hardvallen be hard upon [a p.]; *'t valt me hard* … it's a great wrench to leave the place; *val hem niet te hard*, *ook:* don't bear too hardly upon him, don't blame him too much

hardvochtig hard(-hearted), harsh, heartless, unfeeling, callous; ~**heid** …ness

hardzeil: ~*en zn.* sailing-match, regatta; ~*er* fast sailer; racer, racing-yacht; ~**erij**, ~**partij** *zie* ~en

harem harem, seraglio

1 haren *ww.* whet [a scythe]
2 haren *bn.* hair [shirt]
harent: *te* ~ at her (*mv.:* their) house; ~**halve** for her sake; (*van*) ~**wege** in her name; *om* ~**wil** for her sake
harerzijds on her part
harig hairy, hirsute, pilose, pilous; ~**heid** hairiness, pilosity
haring herring; (*gezouten en gerookt*) kipper; (*van tent*) (tent-)peg; *ik wil er* ~ *of kuit van hebben* I want to get to the bottom of it, I want to know how matters (how I) stand; *zo dicht gepakt als* ~ *in een ton* packed like sardines in a tin; ~**buis** h.-boat; ~**graat** h.-bone (*ook in bk.; zie* visgraat); ~**haai** porbeagle, mackerel shark; ~**kaken** *zn.* (gutting and) curing of herrings; ~**kaker** h.-gutter, h.-curer; ~**koning** h.-king; ~**logger** h.-drifter; ~**roker** h.-curer; ~**sla** Russian herrings; ~**tijd** h.-season, -time; ~**ton** h.-barrel, -tub; ~**vangst** *a*) h.-harvest, -catch, *b*) h.-fishery; ~**vijver**(*scherts.*) North Sea; *Grote* ~, (*Atl. Oc.*) h.-pond; ~**visser**(**ij**) h.-fisher(y); ~**vloot** h.-fleet
hark rake; *zo stijf als een* ~ as stiff as a poker; (*stijve*) ~, (*fig.*) stick (of a fellow), gawky [girl]; ~**en** rake; ~**er** raker; ~**erig** stiff, wooden; ~**keermachine** acrobat rake
harlekijn harlequin, buffoon; (*vlinder*) h. (magpie, gooseberry) moth; (*speelgoed*) jumping-, supple-jack, dancing-man; ~**spak** motley
harlekinade harlequinade
harmonie harmony; *in* ~ in h., in keeping [*met* with]; ~ *der sferen* h. (*of:* music) of the spheres]; ~**leer** theory of h., harmonics; ~**orkest** military band
harmoniëren harmonize, go [*met* with]; *goed* ~, *ook:* agree (go) well together; ~ *met, ook:* chime with [pictures chiming with his sombre fancy], tone with [the wallpaper], be in (*niet* ~ be out of) step with [society]
harmonieus harmonious
harmonika concertina, accordion; (*van trein*) c.-vestibule, c.-passage; ~**bed** fold-up bed; ~**gaas** wire netting; ~**trein** corridor-, (*Am.*) vestibule-train
harmonisch (*welluidend, overeenstemmend*) harmonious; ~*e tonen* harmonic tones, harmonics; **harmoniseren** harmonize
harmonium id.
harnachement harness (and saddlery)
harnas armour; (*borst*~) cuirass; *een* ~ a suit of a.; *iem. in 't* ~ *jagen* put a p.'s back up, stir a p.'s bile, (*sl.*) rile a p.; (*tegen zich*) antagonize a p.; *ze tegen elkaar in 't* ~ *jagen* set them against one another, set them by the ears; *ik zal er me geen* ~ *over aantrekken* I shan't get hot under the collar about it; ~**mannetje** (*vis*) bull-head, miller's thumb; ~**sen** armour; *zich* ~ *tegen* arm (o.s.) against
harp harp; (*zeef*) riddle; ~**en** (*ziften*) riddle; ~**e**-**naar,** ~**enist** harper, h.-player, harpist
harpij harpy; (*vogel*) harpy(-eagle)
harpist(e) harpist; *vgl.* harpenist
harpoen harpoon; ~**(er)en** harpoon; ~**ier** har-

pooner; ~**kanon** whaling-gun
harp: ~**spel** harp-playing; ~**speler,** ~**speelster** harp-player, harpist
harpuis resin; **harpuizen** resin
harrewarren bicker, wrangle, squabble
harrewarrerij bickering(s), wrangling(s), wrangle(s), squabble(s)
hars resin; (*inz. in vaste toestand, vioolhars*) rosin; ~**achtig** resinous; ~**boom** resiniferous tree; ~**houdend** resiniferous; ~**koek** cake of r.
harst sirloin
hart heart; (*kern*) heart (*ook van kool*), core; ~ *en hoofd* head and h.; *zie ook* harten; *haar* ~ *is nog vrij* she is still h.-whole (fancy-free); *zijn* ~ *is niet in orde, zie ben.: hij heeft 't aan ...; waar 't* ~ *vol van is, loopt de mond van over* what the h. thinks (from the fulness, out of the abundance of the h.) the mouth speaks; *... omdat haar* ~ *zo vol was* she could not speak because of the fulness of her h.; *hij brak zijn moeder het* ~ he broke his mother's h.; *zijn* ~ *danste van vreugde* his h. danced (leapt, leapt up) with joy; *zijn* ~ *klopte in de keel* he had his h. (his h. was) in his mouth; ['*t deed ... it brought his h. into (put his h. in) his mouth]; *hij heeft geen* ~ he has no h.; *daar heb jij 't* ~ *niet toe* you have not the nerve (*fam.*: the guts) to do it; *heb 't* ~ *niet te* ... don't you dare to ...; *hij heeft een* ~ *van goud (van steen)* a h. of gold (of stone, of flint); *hij heeft* ~ *voor de zaak* his heart is in the business; *mijn* ~ *draaide ervan om in mijn lijf* it turned my stomach, it gave me such a turn; *hij heeft 't* ~ *op de rechte plaats* he has his h. in the right place; *zijn* ~ *aan iets ophalen* eat (drink, etc.) to one's heart's content, eat (drink, have, etc.) one's fill [of s.t.]; ~ *en hand schenken* give hand and h.; *hij heeft (draagt) het* ~ *op de tong* he wears his h. on his sleeve; *iems.* ~ *stelen* steal (away) a p.'s h.; *iems* ~ *veroveren* win a p.'s h.; *een* ~ *vormen (van kool, enz.)* heart (up); *zijn* ~ *zetten op* set one's h. on; *het gaat me aan mijn* ~ it goes to my h. [to disappoint you]; *hij heeft 't aan 't* ~ he has a weak h., has a h. condition, has h.-trouble; *dat ligt mij na aan het* ~ it is near to my h.; *hij is mij 't naast aan 't* ~ he is nearest (to) my h.; *wat haar 't naast aan 't* ~ *lag, ook:* the things that touched her most nearly; *zie* drukken; *de pijn in zijn* ~ the pain in his h.; *in* ~ *en nieren* to the back-bone; *in zijn* ~ [he knows] in his h. (of hearts) ...; *in zijn* ~ *altijd een Forsyte* ever a F. at h.; *in zijn* ~ *is hij een goeie kerel* he is a good fellow at h. (at bottom); *in zijn* ~ *toch wel houden van* have a sneaking fondness (love) for; *in haar* ~ *houdt zij nog van hem* she still has a soft spot (in her h.) for him; *hij zegt wat er in zijn* ~ *omgaat* he speaks his mind freely, speaks as his h. dictates; *zich met* ~ *en ziel aan de zaak geven* throw one's h. and soul into the business; *zich met* ~ *en ziel toeleggen op zijn taak* apply o.s. to one's task h. and soul; *er met* ~ *en ziel op ingaan* enter h. and soul into it; *hij is er niet met* ~ *en ziel bij* his h. is not in it; *een man naa-*

mijn ~ a man after my own h.; *licht om 't* ~ light-hearted; *zich lichter om 't* ~ *voelen* feel lighter at h. (in one's mind), feel relieved; *'t was* (*werd*) *mij bang om 't* ~ my h. was heavy (my h. sank); *met de hand op het* ~ *kan ik verklaren* ... I can lay my hand on my h. and say ...; *met de hand op 't* ~ [do you mean it?] across (*fam.*: cross) my heart; *iem. iets op het* ~ *binden* (*drukken*) impress (enjoin) s.t. on a p., urge a p. to ...; *ik heb iets op 't* ~ I have s.t. on my mind; *zeg, wat je op 't* ~ *hebt* say what lies on your mind, get it off your chest; (*sl.*) cough it up; *ik heb gezegd, wat ik op 't* ~ *had, ook:* I've had my say; *ik kon het niet over mijn* ~ *krijgen* I had not the heart (could not find it in my h.) (to do it), I could not bring myself to do it; *zie* hand; *iets ter* ~*e nemen* lay a thing to h.; take [a warning, a lesson] to h., heed [a warning]; *uw belangen gaan* (*uw welzijn gaat*) *mij ter* ~*e* have your interests (your welfare) at h.; *die woorden kwamen uit zijn* ~ came (straight) from his h.; *uit 't* ~ [a cry] from the h.; *die woorden waren mij uit 't* ~ *gegrepen* were quite after my heart; *van* (*ganser, heler*) ~*e* heartily, with all my h. [we wish with all our hearts ...], [sympathize] whole-heartedly [with ...], [thank you] from my h.; *'t van* ~*e doen* put one's h. into it; *hij doet 't werk niet van* ~*e* his h. is not in the job; *zijn belangstelling was niet van* ~*e* was half-hearted; *jong van* ~ young in h.; *het moet me van 't* ~, *dat* ... I have to confess ..., I can't help observing ...; *zie ook* hartje, goed 2, grond, pak, rein, snijden, stilstaan, toedragen, uitstorten, vasthouden, enz.; ~**aandoening** affection of the h., h. affection, h. condition; (*plotseling*) h. attack; ~**aanval** h. attack; ~**ader** great artery, aorta; (*fig., van verkeer, enz.*) artery; *in de* ~ (*trachten te*) *treffen* strike (aim) at the h. [of trade, etc.], deal a mortal blow; ~**afwijking** h. condition; ~**beklemming** oppression of the h.; ~**boezem** auricle (of the h.); ~**brekend** h.-breaking, h.-rending (*bw.*: ...ly); – *snikken, ook:* sob one's h. out
hartebeest hart(e)beest
harte-: heart-; ~**bloed** h.('s)-blood, life-blood; ~**dief** *zie* ~lap; ~**kreet** cry from the heart; ~**lap** darling, love, pet; ~**leed** (h.-felt) grief, h.-break, -ache; ~**liefje** *zie* ~dief
hartelijk hearty, cordial; affectionate; *zij is een* ~*e vrouw* a warm-hearted woman; *hij schudde mij* ~ *de hand* he shook me warmly by the hand; ~ *lachen* laugh heartily; *hij laat u* ~ *groeten* he sends his kindest regards (his love); *met* ~*e groeten,* (*onder brief*) with kind regards, yours sincerely; *overdreven* ~ effusive; ~**heid** heartiness, cordiality
harteloos heartless; ~**heid** ...ness
hartelust: *naar* ~ to one's heart's content; to the top of one's bent; *naar* ~ *lachen* have one's laugh out; *de vogels zongen naar* ~ whistled their hearts out
harten (*kaartspel*) hearts; *één* ~ one heart; ~**aas**, -**boer, -heer, -tien, -vrouw** enz. ace (knave [*of:*

jack], king, ten, queen, etc.) of hearts; ~-**jagen** (*sp.*) hearts
hart- en vaatziekten cardiovascular diseases
harte: ~**pijn** *zie* ~leed; ~**wens** heart's desire, fondest wish; *alles ging naar* – everything went off as desired (splendidly, according to plan)
hartgeruis heart- (*of:* cardiac) murmur(s)
hartgrondig I *bn.* heart-felt, whole-hearted, cordial; **II** *bw.* whole-heartedly, cordially, from the bottom (*of:* depth) of one's heart; *ze verfoeide hem* ~ she cordially detested him; *zich* ~ *vervelen* be abysmally bored
hartig (*zout*) savoury, salt and piquant; (*flink, krachtig*) hearty [meal, drink]; *een* ~ *woordje* a word in season; a heart-to-heart talk; *ook jou moet ik een* ~ *woordje zeggen, ook:* you too want some plain speaking; ~**heid** savouriness
hartinfarct heart (*med.*: myocardial) infarct, h. attack, (*fam.*) coronary
hartje (little) heart; *mijn* ~! dear(est) h.!; *als je* ~ *maar kon begeren* [as beautiful] as you could wish for; *in 't* ~ *van Afrika* in the h. of Africa; *in 't* ~ *van de winter* in the dead (the depth) of winter; *in 't* ~ *van de zomer* (*van 't seizoen*) in the height of summer (of the season)
hart: ~**kamer** ventricle (of the heart); ~**klep** valve of the h., h. (*of:* cardiac) valve; (*van pomp*) suction-valve; *ziekte der* –*pen* valvular disease of the h.; ~**klop** h.-beat; ~**klopping** palpitation (of the h.), h.-flutter(ing); ~**kolk** pit of the stomach; ~**kramp** spasm of the h.; ~**kuil** *zie* ~kolk; ~**kwaal** h. condition, [have] h.-disease, disease of the h., h.-trouble, a h. condition; ~**lap** *zie* hartelap; ~**massage** cardiac massage; ~**mossel** cockle; ~**patiënt** cardiac patient; ~**roerend** h.-stirring, touching, pathetic (*bw.*: -ally); ~**schelp** heart-cockle; ~-s-**geheim** secret of the h.
hartshoorn *zie* hertshoorn
hart: ~**slag** heart-beat, pulsation of the heart; ~**specialist** h.-specialist; ~**sterkend** tonic, bracing; ~**sterking** *zie* ~versterking
hartstikke utterly [crazy]; ~ *dood* stone dead; ~ *goed* smashing
hartstocht passion
hartstochtelijk passionate [love-letter], impassioned [protest], keen [horse-woman, motorcyclist]; ~ *veel houden van* have a passion for [birds]; *hij was een* ~ *liefhebber van* ... music was his passion (was a passion with him); ~**heid** passionateness
hartstreek region of the heart, cardiac region
hartsvanger hanger, cutlass
hartsvriend(in) bosom friend
hart: ~**tonen** cardiac sounds; ~**vergroting** enlarged heart, dilatation of the h., cardiac dilatation, athlete's heart; ~**verheffend** exalting, ennobling, elevating, sublime; ~**verlamming** h.-failure, h.-seizure, paralysis of the h.; ~**veroverend** ravishing, entrancing; ~**verscheurend** h.-rending, poignant [scenes], agonizing [cry]; *zie* ~brekend; ~**versterking**

cordial, refresher; (*sl.*) reviver, bracer, pick-me-up; ~**vervetting** fatty degeneration of the h., [death was due to] (a) fatty h.; ~**verwarmend** heart-warming; ~**verwijding** *zie* ~**vergroting**; ~**vlies** endocardium; ~**vlies-ontsteking** endocarditis; ~**vormig** h.-shaped, cordiform, cordate; ~**water** (water-)brash; (*wet.*) pyrosis; ~**werking** h.-action; ~**zakje** pericardium; ~**zeer** h.-break, heartache, (h.-felt) grief; *ik zal er geen – van krijgen* it won't break my h.; *van – sterven* die of a broken h.; *van – verteren* eat one's h. out, pine away with grief; ~**ziekte** h.-disease; *aanval van –* h.-attack; ~**zwakte** cardiac weakness

hasj hash

hasji(e)sj hashish, hasheesh, Indian hemp

haspel reel, hose-reel; *zie ook* stoet~; ~**aar** reeler, winder; (*knoeier*) bungler; ~**arij** *zie* gehaspel; ~**en** reel, wind; (*knoeien*) bungle, (*sl.*) (muck about); (*kibbelen*) bicker, wrangle; ~**wagen** (*van brandweer*) hose-tender

hassebassen, -erij *zie* harrewarren, -erij

hatelijk spiteful, malicious, invidious, nasty, snide [remarks], ill-natured, odious, hateful; ~**heid** ...ness, malice, spite; *een* – a gibe, a taunt, a (nasty) dig

haten hate; *zie* pest; **hater** hater

hatsjie atishoo

hausse rise, (*snel & sterk*) boom; *à la* ~ *speculeren* speculate for a r., bull; *een* ~**positie** *afwikkelen* liquidate a bull position

haussier bull, bull operator

hautain haughty

haute: ~ *école* id.: higher horsemanship; *la* ~ *finance* high finance; *la* ~ *nouveauté* the latest fashion; ~ *volée*, *zie* chic

hauteur id., haughtiness

haut-reliëf haut-relief, high relief

hauw (*plantk.*) silique, siliqua; ~**tje** silicle

H(h)avanna Havana (*ook* = H. cigar)

have property, goods, stock; *levende (dode)* ~ live (dead) stock; ~ *en goed* goods and chattels

haveloos ragged, shabby; *-loze vent* tatterdemalion; ~**heid** raggedness, shabbiness

haven harbour, port; (*sluis*~) dock; (~*stad*) port; (*vooral fig.*) haven; *de* ~ *van Dover* D. harbour; *veilige* ~, (*fig.*) haven of safety (of refuge); *in behouden (veilige)* ~ safe in port, bring [the agreement] safely into port; *een (de)* ~ *binnenlopen (binnenvallen)* put (drop) into port; *weer naar de* ~ *terugkeren* put back (return) to port; *zie* inklaring, enz.; ~**arbeider** dock-worker, docker; ~**bedrijf** port (harbour, dock) installations; ~**bestuur** port authorities, (dock and) h.-board; ~**boom** h.-boom; ~**commandant** port-admiral; ~**complex** dock-system; ~**dam** jetty, mole, pier

havenen handle roughly, ill-treat, batter, mess (up); *zie* gehavend

haven-: ~**gelden** dock-, harbour-dues, -charges; ~**hoofd** jetty, pier, mole; ~**installaties** h.installations; ~**kantoor** h.- (h.-master's) office; ~**kom** basin; ~**licht** h.-light; ~**loods** h.-pilot; ~

meester h.-master; (*Am.*) port-warden; ~**plaats,** ~**stad** port, (sea)port town; ~**schap** Port Authority; ~**werken** h.-works

haver oats; *van* ~ *tot gort kennen* know [a p., a thing] inside out; ~**brij** oatmeal porridge; ~**brood** oaten bread; (*dun & hardgebakken*) oatcake; ~**doppen** oat-husks; ~**(de)gort** (oat-) groats; ~**gras** oat-grass; ~**halm** oat-stalk, -straw

haver-: ~**kaf** oat-chaff; ~**kist** oat-bin, -chest; *zie* bok; ~**klap:** *om een (de)* – *boos worden* get angry at every moment (at the merest trifle); ~**meel** oatmeal; ~**mout** rolled oats; (*pap*) oatmeal porridge; ~**stro** oat-straw; ~**veld** oatfield; ~**vlokken** oat-flakes; ~**zak** oat-bag; (*van paard*) nose-bag

havezate (*ongev.*) manorial farm

havik goshawk; *vgl.* duif; ~**skruid** hawk-weed; ~**sneus** hawk-, hook-nose, aquiline nose; *met* – hawk-, hook-nosed

HAVO higher general secondary education

hazardspel game of hazard (of chance)

haze- hare: ~**distel** milk-thistle, h.'s lettuce; ~**jacht** h.-shooting; (*met windhonden*) coursing

hazelaar hazel(-nut tree); ~**sbos** hazelwood; ~**shout** hazel-wood

hazeleger form of a hare; **-lip** hare-lip

hazel- hazel: ~**hoen** h.-grouse, -hen; ~**katjes** h.-catkins, (*fam.*) lambs' tails; ~**muis** dormouse; ~**noot** (h.-)nut; (*dessert-*) filbert; (*grote*) cobnut; ~**noteboom** *zie* ~aar; ~**struik** h.-bush; ~**worm** blind-, slow-worm

haze-: *het* ~**pad** *kiezen* take to one's heels, show a clean pair of heels; ~**peper** jugged hare; – *zonder haas* Hamlet without the Prince; ~**poot(je)** (*plant*) hare's foot, dogs and cats; ~**prent,** ~**spoor** prick of a hare; ~**slaap** cat-nap, snatch of sleep; ~**sprong** shin-bone (and splint-bone) of a hare's hind leg; ~**vel** hare-skin; ~**wind** greyhound; *kleine* – whippet; *Russische* – borzoi, Russian wolf-hound; *Afghaanse* – Afghan hound

H-bomb H.-bomb

H.B.S. (*hist.*) (Secondary) Modern School

he(e) dear me! oh, [what a pity]; I say! hey! hi! [you there!]; heigh-ho! [sighed Nicholas]; eh? (*mar.*) ahoy!; *aardige kerel,* ~? nice fellow, what?; ~*! die is ...* (*Am.*) gee, that's good!

hearing *zie* hoorzitting

hebbeding thingummy; ~**etje** gadget

hebbelijk reasonable, tolerable; ~**heid** habit, idiosyncrasy, peculiarity, trick; *de* – *hebben om ...* have a way of [staring at people]

hebben I *ww.* have; *hij heeft 50000 pond per jaar, ook:* he is worth £50000 a year; *heb je 't warm?* are you warm?; *ze* ~ *'t arm* they are poor; *ik heb geen telefoon* I am not on the telephone; *heb je 't al lang?* (*de pijn, enz.*) have you had it long?; *nu heb ik je* (*gesnapt, vastgezet*) I h. you now, I've got you; caught you this time!; *ik heb 't,* (*ben er*) I've got it, I have it; *daar had ik hem* (*te pakken*) I had him there; *we* ~ *.. (in huis) gehad* we've had the paper-hanger in *hoe laat heb je het?* what time do you make it?; *ik heb het tien uur* I make it ten; *we ~ nu de 18e* we are now at the 18th; *we ~ nu april* this is April; *daar heb je bijv. ... take ...; wie ~ we daar?* whom h. we here?; *daar heb je 't al, heb ik het je niet gezegd?* there we h. it! there you are! didn't I tell you? what did I tell you?; *zizo, dat ~ we weer gehad* well, that's that; *daar had je nu eens een man, die ...* here was a man who ...; *wat heb je daar?* what's that you've got there?; *wat heb* (= *scheelt*) *je?* what is the matter with you? what's worrying (biting) you?; *..., wat zullen we nu ~!* good Heavens! what's up?; *hij heeft iets* (*waar hij over piekert*) there is s.t. (s.t. is preying) on his mind; *hier heb je 't geld* here is the money; *hier heb je 't!* here you are!; *we moeten haar op de thee ~* we must h. her to tea; *hebt u £ 40 (een ogenblikje, enz.) voor mij?* can you spare me £40 (a minute, etc.)?; *morgen zul je 't ~* to-morrow you'll get it; *~ of niet?* take it or leave it!; *ik had nog (tijd, enz.) tot ...* I had until to-morrow; *ik wil mijn geld ~* I want my money, I insist on getting my money; *ik wil het niet ~, (toestaan)* I won't h. it, I'm not having it; *ik wil niet ~, dat je zulke dingen zegt (dat je de hele dag niets uitvoert)* I won't h. you saying such things (doing nothing all day); *ik zou voor geen geld willen ~ (had voor ... gewild) dat dit gebeurde* I would not h. (wouldn't have had) this happen for the world; *ik wil niet ~, dat erover gesproken wordt* I won't h. it spoken about; *dat lawaai kan ik niet ~* I can't have that noise; *ik kan niet ~ dat hij er zijn neus voor ophaalt* I cannot bear to have him turning up his nose at it; *dat kan ik nog niet ~* I am not up to it yet; *dat speelgoed kan heel wat ~* can stand rough treatment; *moet je mijnheer D. hebben?* do you want to see Mr. D.?; *dit is de man, die ik moet ~* this is my (the) man; *men moet je ~, (er wordt naar je gevraagd)* you're wanted; *ik moet hem dadelijk ~, (spreken)* I must see him directly; *wat wilt u ~? (in bar bijv.)* what would you like?; *ik moet geld van u ~* you owe me money; *voor zacht weer moet je het zuiden van Frankrijk ~* for mild weather give me ... (every time); *honden moet ik hier niet ~* I have no use for dogs here; *ik moet er niets van (niets van hem) ~, (fig.)* I'll h. none of it (of him), I won't h. anything to do with it (with him), I h. no use for it (for him); *dank je wel! ik moet er niets van ~, (fam.)* thanks! I'm not having (of: taking) any; *van die Morele Herbewapening moet ik niets ~!* none of your Moral Rearmament for me!; *ik moet niets meer van de tropen ~* no more tropics for me!; *ik moet niets van vleermuizen ~* I positively dislike bats; *van je grappen moet ik niets ~* I don't want your jokes; *ik moet niets van dure kleren ~, ook:* I don't believe in expensive clothes; *zie* ophebben met; *ik moet er niets meer van (niets meer van hem) ~* I h. no further use for it (for him); *ik heb er niets (meer) aan* it's of no use

to me (I h. no further use for it); *ik heb thee graag sterk* I like tea strong; *o, dat we toch een betere regering hadden!* oh, for a better Government!; *o, als ik maar een hengel had!* if only I had a rod and a line!; *~ is ~, krijgen is de kunst* possession is nine points of the law; *wie heeft, die wordt gegeven* to every one that hath shall be given; *je weet nooit wat je aan hem hebt* you never know where you are with him; *'t aan 't hart ~* suffer from one's heart; *wat heb je daaraan?* (of) what use is it to you? what is the use (the good) of it?; *wat heeft hij aan kleren? a)* what has he got in the way of clothes?; *b)* what use are clothes to him?; *ik heb het bij mij* I've got it with me; *zij had een zoon bij haar eerste man* she had a son by her first husband; *ik heb het in de rug* I've got back trouble; *hij moet met de zweep ~* he wants the whip; *ik wist niet hoe ik 't had (wat ik eraan had)* I did not know what to make of it; *hoe heb ik 't nou met je?* I cannot make you out; *daar heb ik het niet op* I don't care for that sort of thing; *ik heb 't niet op zulke lui* they are not the sort of people I care for; *'t ~ over* talk about (of); talk [finance, horses]; hold forth on [all kinds of subjects]; *daar ~ we het niet over* that's not the point; *iedereen heeft 't erover* it's the talk of the moment; *nu we 't er toch over ~* as we are on the subject; *waar had ik 't ook weer over?* what was I saying (going to say)?; *zij heeft iets over zich, dat ...* there is something about her that the others have not; *we ~ te gehoorzamen* there is nothing for it but to obey; *ik heb er niets tegen* I don't mind, I'm willing; *ik heb niets tegen je* I h. nothing against you; *ik had 't tegen ...* I was talking to ...; *zie* tegen; *hij had 't van een vriend (gehoord)* he had it from a friend; *mijn dochter is muzikaal, maar dat heeft ze niet van mij* she doesn't get it from me; *'t heeft er iets (niets) van* it is somewhat (nothing) like it; *niets van elkaar ~* be as like as chalk and cheese; *hij had weinig van een Puritein* he had little of the Puritan about him; *zie ook boven (ik moet ...);* *ze moeten het van de haringvangst hebben* they depend on the herring trade; *van je familie moet je 't maar ~* it's your relatives who let you down; *dat heb je ervan* now you see what happens; *zie ook boven (ik moet niets ...);* *'t goed (slecht, beter) ~* be well (badly, better) off; *van heb-ik-jou-daar* like anything; *zie* dat, goed 2, enz., **II** *zn. zijn gehele ~ en houden* all his belongings, his all, all his worldly goods

hebberig *zie* hebzuchtig
hebraïcus Hebraist; **hebraïsme** Hebraism
Hebreeër, Hebreeuws Hebrew
Hebriden: *de ~* the Hebrides
hebzucht greed, cupidity, covetousness; **~ig** greedy, grasping, covetous, acquisitive
hecatombe hecatomb
1 hecht *zn. zie* heft
2 hecht *bn.* firm, solid, strong, staunch, well-knit

hechtbolletje (*van vlieg*) suction-pad
hechtdraad (*med.*) suture, ligature thread
hechten (*vastmaken*) attach, fasten, affix [*aan* to]; (*wond*) stitch, suture, sew up; *de dokter hechtte de wond, ook:* put in a stitch (a few stitches); ~ *aan* (*fig.*) be a believer in, believe in [fresh air, early rising]; cherish [accuracy]; a. [no importance] to, a. [different meanings] to [words]; *zie gewicht, waarde, enz.; zeer aan 't decorum* (*de traditie*) ~, *ook:* be strong on the proprieties (be a stickler for tradition); *ik hecht er niet aan* I set no great store by it, attach no great value to it; *zich* ~ *aan* get attached to, attach o.s. to; *de betekenis, die hij aan mijn woorden hechtte, ook:* the meaning he placed on my words; ... *handtekeningen zijn aan 't verzoekschrift gehecht* ... signatures have been appended to the petition
hechtenis custody, detention; *in* ~ *nemen* (place under) arrest, apprehend, take into c.; *in* ~ *houden* detain, keep under restraint; *in* ~ *zijn* be under arrest (in c.); *in* ~ *laten nemen* give into c.; *uit de* ~ *ontslaan* release from c.; *hij werd veroordeeld tot ...* ~ he was ordered 21 days' detention
hechtheid solidity, firmness, strength
hecht: ~**ing** suture, stitch [six ...es were put in(to) the wound]; ~**naald** stitching-needle, surgical needle; ~**pleister** sticking- (adhesive, court) plaster; ~**rank** tendril, clasper; ~**tang** stapler; ~**wortel** clinging-root
hectare hectare
hectograaf hectograph; -**graferen** -graph; -**gram** -gram(me); -**liter** -litre; -**meter** -metre
Hector id.
heden to-day; *tot op* ~ up to the present, up to the time of writing; *onze verliezen tot op* ~ *zijn ..., ook:* our losses to date are ...; ~ *ten dage* nowadays; *zelfs nog* ~ *ten dage, ook:* even at this (time of) day; *van* ~ *aan* from this day forward; *de krant van* ~ to-day's paper; *het* ~ the present; ~*!* good gracious!; *zie* vandaag; ~**avond** this evening, to-night; ~**daags** *bw.* nowadays; *bn.* modern, present, [the English girl] of to-day, present-day [girls, Russia, morals], contemporary [literature]; ~**middag** this afternoon; ~**morgen**, ~**ochtend** this morning; ~**nacht** *zie* vannacht
hederik (*plant*) charlock
hedonisme hedonism
hedonist id.; ~**isch** hedonistic
hedsjra hegira, hejira
hee *zie* he
heel I *bn.* whole, entire [the sheet of paper was ...; bear the ... weight]; complete, unbroken, intact [the egg was ...]; *een* ~ *aantal* (*-e menigte*) quite a number (crowd); *-e dagen* [he spent] w. days [in A.]; *voor -e of halve dagen* full or part time; (*gedurende*) *-e uren* for (w.) hours together; *een* ~ *aantal jaren later* a good many years after; *een -e tijd* quite a time, [be back] well [before tea]; *ik had hem een -e tijd niet gezien* I had not seen him for ever so long; *de -e*

tijd all the time; *de -e zomer lang* throughout the summer; *ik ken de -e man niet* I don't know him from Adam; *een -e dame* (*meid*) quite a lady (woman); *-e noot* semibreve; *dubbele -e noot* breve; *door* ~ *Europa* throughout Europe; *-e koloniën vogels* w. colonies of birds; *de -e beschaafde wereld* the w. (of the) civilized world; *zie* geheel, door & hart; II *bw.* quite, very [old]; ~ *veel* a great many [books], a great deal of [money], [since that time] quite a lot [has happened]; *een* ~ *klein aantal* quite a small number; ~ *wat moeite doen* take a lot of trouble; ~ *wat meer* a good deal (good many) more; *we hadden* ~ *wat gedronken* we had drunk quite a bit; ... *en dat is* ~ *wat* and that is quite something; *'n* ~ *goeie auto* quite a good (a perfectly good) car [despite its age]; *je weet 't* ~ *goed* very (perfectly) well; ~ *anders* quite different; ~ *wat aardiger dan jij*, (*fam.*) a long (precious, jolly) sight nicer than you; ~ *en al* entirely, quite, altogether; ~ *vroeg* very (quite) early; ~ *wel* very (quite) well; *zie* geheel, helemaal, anders, enz.
heelal universe
heelbaar healable, curable
heelhuids [get off, escape] with a whole skin (*mv.:* with whole skins), without injury, without a scratch
heelkracht healing (curative) power
heelkruid medicinal herb
heelkunde surgery, healing art
heelkundig surgical; ~**e** surgeon
heelkunst *zie* heelkunde
heelmeester (*vero*). surgeon; *de grote H*~ the Great Healer; *zachte* ~*s maken stinkende wonden* desperate cases call for desperate remedies
heelster *zie* heler
heelvlees: *goed* ~ *hebben* heal easily
heem yard, farmyard; ~**hond** yard-dog; ~**kunde** regional geography and history, the study (knowledge) of local lore; ~**raad** (*pers.*) dike-reeve; (*'t college*) *ongev.:* conservancy board for canals, dikes, etc.; ~**raadschap** office of a dike-reeve; ~**schut:** *de Bond* –, *ongev.* = *Eng.:* the National Trust (for the Preservation of Historic Sites and the Unspoiled Countryside)
Heemskinderen: *de Vier* ~ the Four Sons of Aymon
heemst marsh-mallow
heen away; *nergens* ~ nowhere; *overal* ~ everywhere; *ik ben door mijn voorraad potloden* ~ I have (am) run out of pencils (*zie ook* doorheen); *waar gaat u* ~*?* where are you going? where are you off to? (*conducteur*) where are you for?; *waar wil je* ~*?* (*fig.*) what are you driving (*of:* getting) at?; ... *waar hij* ~ *wil, ook:* [I see] his drift; *waar moet de tafel* ~*?* where is the table to go?; *waar moet dat* ~*?* (*fig.*) what are we (what's the world) coming to? where is this to end?; *waar moet dat met je* ~*?* what are you coming to?; *hij is ver* ~, (*van zieke, dronkaard*) he is far gone; ~ *en terug* there and back: [take a bus] each way, both ways; ~ *en terug*

naar K. to K. and back; *vracht ~ en terug* fare (*of:* carriage) both ways; *zie ~-en-terugreis; ~ en weer* [walk] to and fro, up and down, backward(s) and forward(s); *~ en weer bewegen* (*trekken*), (*intr.*) move about; *een reis ~ en weer van hier naar Brisbane* a round voyage to B.; *na lang ~ en weer praten* after a good deal of talking; *jij betaalde ~, ik ... you* paid coming, I'll pay going back; *zie* om, over-(heen), zitten, enz.; *~-en-terugreis* double trip (journey, voyage), round trip; *~-en-weer:* − *geloop* (constant) coming and going; − *gepraat* palaver, cross-talk; *~gaan*[1] go a., walk off, leave, take one's departure, take o.s. off, make one's exit; (*stilletjes*) slip off; (*sterven*) pass a.; *in vrede* − depart in peace; *ik ga ~* I'm going, I'm off; *daar gaan twee dagen mee ~* it will take two days; *zijn ~,* (*sterven*) his passing away; (*aftreden*) resignation; *zie ook ~; ~glijden zie* glijden; *~helpen zie* helpen; *~jagen* drive a.; *~komen* I *ww.* get a., escape; − *door* get (make one's way) through; tide over − [the difficulties]; II *zn.: hij zocht een goed* − he sought safety in flight; *~lopen* run a.; *loop ~!* get along with you!; *luchtig over iets* − brush aside [an objection], scamp [one's work]; *hij laat iedereen over zich* − he has no will of his own; *zie ook* glijden (... *over*); *~reis* voyage (journey) out, outward voyage, out-journey; *~reizen* set out, set off, take one's departure; *~rennen* speed a., hurry off; *~rijden* ride (drive) off (a.); *~slaan zie* doorheen; *~sluipen* steal a., sneak off; *~snellen* run a.; *~spoeden* speed a.; *~stappen* stride off; − *over* step across; (*fig.*) pass over, skip over [difficulties]; *z. ook* overheen; *~sukkelen* plod along; *~trekken* set off; *~varen* sail (steam) a.; *~vliegen* fly a.; *~voeren* zie (weg)voeren; (*op*) *de ~weg* (on) the way there; *~zeilen* sail a.; *zich erover ~zetten* make light of it, get over it
1 heer host, army
2 heer gentleman; (*vorst, gebieder*) lord; (*des huizes, baas*) master; (*van heerlijkheid*) seigneur, lord of the manor; (*van dame bij dans, aan tafel*) partner; (*kaart*) king; *een gevaarlijk ~* an ugly customer; *de H~* the Lord; *onze lieve H~* our Lord; (*iron. van pers.*) tin god, tinpot deity, [he thinks he's] God Almighty; *de ~ van 't dorp* the (village) squire; *Ons-H~,* (*r.-k.*) the host; *dames en heren* ladies and gentlemen; *mijne heren* gentlemen; *de -en der schepping* the lords of creation; *deze -en,* (*iron.*) these gentry; *de -en dieven* the light-fingered gentry; *de ~ des huizes* the master of the house; *Neen, ~!* No, my Lord!; *de ~ W.* Mr. W.; *de -en S. en L.* Mr. S. and Mr. L.; (*soms, van firma steeds*) Messrs. S. & L.; *de -en W. & Co.* Messrs. W. & Co.; *de jonge ~ S.* Master S.; *de grote ~* the Grand Seignior; *grote heren* great lords; *de* (*mijn*) *oude ~* the (my) governor, the old man; (*vooral van schooljongen*) the pater; *voornaam*

~, (*fam.*) great swell, nob; *~ en meester* lord and master [*over* of]; *haar ~ en meester* her lord and master; *zijn eigen ~ en meester zijn* be one's own master (man); (*fam.*) be on one's own; *zo ~ zo knecht* like master, like servant; *twee -en dienen* [no one can] serve two masters; *in het jaar onzes Heren* in the year of grace, in the year of our Lord; *och ~!* Oh, Lord! good heavens!; *zie ook* dag, fijn, heremijntijd, heerschaar, huis, kers, straat, uithangen, willen, enz.; *~achtig* genteel(-looking); − *type* gent
heerbaan high-road, military road
heerban ban, summons for arms
heerleger host
heerlijk 1 (*van de heer*) manorial, seigniorial [rights]; *~recht ook* seign(i)ory; 2 delicious [food, smell], choice [the ... st pieces], glorious, lovely [weather, I am having a ... time], beautiful [cakes, smell], (*fam.*) grand [day, drink]; *dat zou ~ zijn!* (*fam.*) that would be wonderful!; *ik zou 't ~ vinden!* I'd love to (go, etc.); *'t is ~ zo'n vriend te hebben* it's splendid ...; *jullie ~ landje,* (*iron.*) your precious country; *~heid* 1 (*landgoed*) manor, seign(i)ory; 2 deliciousness; (*pracht*) magnificence, glory; (*gelukzaligh.*) bliss; *~heden* [eat all kinds of] dainties
heerneef (**-oom, -zoon**) (*r.-k.*) *a*) cousin *or* nephew (uncle, son) in orders; reverend cousin *or* nephew (uncle, son); *b*) His (Your) Reverence
heerschaar host; *de Heer der Heerscharen* the Lord (God) of Hosts
heerschap master, lord; (*iron.*) gent, cove; (*als aanspreking, volkst.*) Mister! Guv'nor!; *deze ~pen, ook:* these gentry; *zie* heer & fijn
heerschappij mastery, dominion, power, rule [come under British ...], empire, lordship, sovereignty; *elkaar de ~ betwisten* fight for the m.; *~ voeren* (*uitoefenen*) rule, bear (hold) sway [*over* over]; *de ~ ter zee voeren* have command of the sea, rule the waves
heersen (*heerschappij voeren*) rule, (*van vorst of vorstin, en fig.*) reign, hold (bear) sway; (*van ziekte, gewoonte, winden, enz.*) prevail, be prevalent; (*woeden, van ziekte*) rage, be about; *~ over* rule [a country], bear sway over; *stilte heerst om ons* silence reigns about us; *er heerst een meer hoopvolle stemming* a more hopeful feeling prevails; *er heerst een lelijke geest onder ...* there is an ugly spirit abroad among the unemployed; *de werkloosheid heerste algemeen* unemployment was rampant (rife, prevalent); *het ~* the prevalence [of winds, fogs, etc.]; *~d* prevailing [opinion, fashion, wind], prevalent [wind, disease], ruling [prices], established [form of government], obtaining [the conditions ... in this institution]
heerser(es) ruler; **heersersblik** lordly glance
heerszucht lust of power, ambition; *~ig* ambitious, imperious; *~igheid zie ~*

heertje young gentleman; (*fatje*) swell, dandy, johnny, (young) blood; *'t ~ zijn, a*) be quite a dandy; *b*) be as pleased as Punch; *nu is hij 't ~, ook:* his fortune is made now

heerweg high-road, military road

1 hees *o.v.t. van* hijsen

2 hees hoarse, husky; *zich ~ schreeuwen* cry oneself h.; **~heid** hoarseness, huskiness

heester shrub; **~aanleg** shrubbery; **~achtig** shrublike, shrubby; **~bosje** thicket; **~gewas** *a*) shrub; *b*) shrubbery

heet hot (*ook van tranen, kruiderijen, gevecht, enz.*); *hete luchtstreek* torrid zone; *hete tranen, ook:* scalding tears; *~ van de rooster* (*van de naald*) piping h.; (*fig.*) straight off, s. away; *~ en koud uit één mond blazen* blow h. and cold; *~ zijn op iets* be keen on a thing; *het zal er ~ toegaan* it will be h. work; *in het ~st van de strijd* in the thick of the fight; *zie ook* warm, betrappen, hangijzer, vuur, enz.; **~bloedig** h.-blooded; **~gebakerd** hot-, quick-tempered, peppery; *een – jong hervormer* a young man in a hurry; **~hoofd** hothead, firebrand, hot-headed person; **~hoofdig(heid)** hot-headed-(ness); **~lopen** get heated (*ook fig.*)

heetwatertoestel (water-)heater

hefbok screw jack

hefboom lever; *~ van de 1ste* (*2de, enz.*) *soort* l. of the first (second, etc.) order (class)

hefboomwerking leverage

hefbrug vertical lift-bridge

hef(fe) dregs, lees; (*uitvaagsel*) scum; *de ~fe des volks, ook:* the dregs of the population

heffen (*optillen*) raise, lift; (*belasting*) levy, impose [taxes, duties]; (*schoolgeld*) charge [a fee of ...]; *belastingen* (*bijdragen*) *~ van* levy taxes (contributions) on; *zie* gewicht, enz.

heffing levying [of taxes], imposition; (*metriek*) arsis, lift; *een ~ van 12 %* a 12 per cent. levy; **~-ineens** capital levy, levy on capital [raise a ...]; **~svers** accentual verse

hefschroefvliegtuig helicopter

heft handle, haft; (*van zwaard*), hilt; *'t ~ in handen hebben* be at the helm (in power, in control), have the whip-hand of a p.; *ik laat mij 't ~ niet uit handen nemen* I am not going to give up control

heftig violent, vehement, heated [debate, words; he went on ...ly], hot [..., he answered hotly]; **~heid** violence, vehemence, heat

heftruck (fork-)lift truck

hefvermogen lifting-power

heg hedge, fence; *zie* haag; *over ~ en steg* up hill and down dale, across country; *wedren over ~ en steg* cross-country race; *~ noch steg, zie* weg

Hegeliaan(s) Hegelian

hegemonie hegemony

heggemus hedge-sparrow

heggerank (white) bryony

heggeschaar hedge-shears

hei 1 hey! hi! hullo! hallo!; *~, jongens, kalmte!* now boys, if you please!; *~ daar* hey there! what ho!; **2** *zie* heide; **3** *zie* heiblok & heitoe-

stel; **~baas** foreman of a pile-driving gang

heibei shrew, termagant, scold

heibel *zie* herrie

heibezem heath-broom

heiblok drop hammer, ram, monkey

heibok floating pile-driver

heibrand heath-fire; **heidamp** peat-smoke

heide heath, moor; (*plant*) heather, heath; **~achtig** heathy, heathery; *–en* ericaceae; **~bloem** h.-bell; **~brand** h.-fire, heathland fire; **~brem** whin, greenweed; **~grond** h.(-land), moor, moorland; **~honing** heather honey; **~kruid** heather; **~land** *zie* ~grond; **~maatschappij** moorland reclamation society

heiden heathen, pagan; *de ~en* the heathen; (*zigeuner*) gipsy; *aan de ~en overgeleverd zijn,* (*Matth. 20:19*) be delivered to the Gentiles; (*fig.*) be abandoned to the tender mercies of somebody; **~dom** heathenism; paganism; (*de heidenen*) heathendom; *'t nieuwe –* neo-paganism; **~s** heathen [gods], pagan [deities]; (*als een ~*) heathenish; *– leven* infernal noise, unholy row; *een – werk* a devil of a job

heide: ~ontginning moorland reclamation; **~plant** heather; **~struik** heather, heath; **~veld** (tract of) heath

heidin heathen (woman), pagan (woman); (*zigeunerin*) gipsy(-woman)

heien ram, drive [piles]; *dat staat als geheid* that is as firm as a rock; **heier** rammer

heiig hazy; **~heid** haziness, haze

heil welfare, good [act for the ... of the country; it is for your ...]; (*der ziel*) salvation; *~ U!* hail to you (to thee)!; *veel ~ en zegen in 't Nieuwe Jaar* a happy New Year!; *hij zag er geen* (*niet veel*) *~ in* he did not see the good of it, he did not see much point in it; *hij zocht zijn ~ bij het spiritisme* he resorted (had recourse) to spiritualism; *zijn ~ in de vlucht zoeken* seek safety in flight; *zijn ~ verwachten van* pin one's faith to

heila hey! hi! hullo! hallo!

Heiland Saviour

heil: ~bede good wishes [for a p.'s welfare], God speed; **~bot** halibut; **~dronk** toast, health; *zie* toost; **~gymnastiek** remedial (gymnastic) exercises

heilig holy [Father, City, Land, ground, joy], sacred [river, writings, duty, promise, rights]; *de H~e Franciscus* St. Francis; *~ getal* sacred number: 7; *het H~e Graf* the H. Sepulchre; *het H~e Hart* the Sacred Heart; *'t is hem ~e ernst* he is dead serious; *~ huisje, a*) wayside shrine; *b*) pub; *c*) sacrosanct belief etc.; taboo, (*sl.*) sacred cow; *als 't ~e moeten er bij komt* when it gets to be a case of must; *~e oorlog* h. war, jihad, jehad; *~e overtuiging* profound (firm) conviction; *ik ben er ~ van overtuigd* I am firmly convinced of it; *de ~e Schrift* H. Writ, H. Scripture, the H. Bible; *'t is de ~e waarheid* it is gospel truth; *'t is ~ waar* it is really true; *niets is hem ~* nothing is sacred to him; *hij is nog ~ bij zijn broer* he is a model compared with his brother; *~ verklaren* canonize; *~ be-*

loven (*verzekeren*) promise (declare) solemnly; *zich ~ voornemen dat ...* make a mental vow that ...; *zie ~e*, boontje, dienst, geest, maagd, olie, stoel, vat, zweren, enz.; ~**been** sacrum, sacred bone; ~**dom** (*plaats*) sanctuary, shrine; (*voorwerp*) relic; *zijn* – his sanctum (= private room); ~**domsvaart** pilgrimage

heilige saint; *hij is geen ~* he is no s.; *het H~e der H~en* the Holy of Holies; *een gezicht als van een ~* a saintly face; ~**dag** saint's day, holy-day

heiligen sanctify, hallow; keep holy [the Sabbath-day]; *Uw naam worde geheiligd* hallowed be thy name; *zie* doel; ~**beeld** image of a saint; (*Gr. kerk*) icon; ~**dag** *zie* heiligedag; ~**verering** worship of saints

heiligheid holiness, sacredness, sanctity; *Zijne H~* His Holiness

heiliging sanctification, hallowing

heilig: ~**makend** (*r.-k.*) sanctifying [grace]; ~**making** sanctification; ~**schender** profaner, desecrator; ~**schennend** sacrilegious; ~**schennis** sacrilege, desecration, profanation; ~**verklaring** canonization

heil: ~**loos** (*noodlottig*) fatal, disastrous; (*slecht*) wicked, impious, ~**rijk** *zie* zegenrijk; ~**sleger** salvation army; ~**soldaat** salvationist; ~**staat** ideal state, Utopia; ~**wens** congratulation, benediction

heilzaam salutary, beneficial, wholesome; ~**heid** beneficial (salutary) influence (effect), salutariness, wholesomeness

heimachine pile-driver, pile frame

heimelijk I *bn.* secret, private; (*ong.*) clandestine, surreptitious; furtive [glance]; hole-and-corner [transactions], underhand [ways], sneaking [sympathy, have a sneaking idea that ...]; *~ gemak* water-closet, w.c., privy; II *bw.* secretly, etc., in secret, in private; *hij keek mij ~ aan, ook:* he looked at me out of the corner of his eye, took a covert look at me; ~**heid** secrecy, secretiveness, stealth

heimwee homesickness, nostalgia; *~ hebben* be homesick [*naar* for]

Hein Harry, Hal; *Vriend ~, Magere ~* Goodman Bones

heinde: *~ en ver(re)* far and near

heining fence, enclosure

Heintje Harry; *~ Pik* Old Nick

heipaal (timber, concrete, steel) pile

heir(baan) enz., *zie* heer(baan), enz.

heirook peat-smoke

heisa *tw.* huzza; *zn.* bother, to-do

heistelling pile-frame

heisteren make a to-do

heitje (*Bargoens*) tanner; *een ~ voor een karweitje* a bob a job

hei: ~**toestel** *zie* ~machine; ~**werk** piling(-work)

hek (*omheining*) fence, paling; (*vooral ijzeren*) railing(s); (*in kerk*) [choir-, etc.] screen; (*voor toegang*) gate, (*~je*) *ook:* wicket; (*van spoorwegovergang*) (level) crossing gate; (*bij rennen*) hurdle, fence, (*mv. sl.*) sticks; (*mar.*) stern-(frame); *het ~ is van de dam* the fences are

down; (*Am.*) the lid is off; *als 't ~ van de dam is*, lopen de schapen de wei uit when the cat is away, the mice will play; *het ~ sluiten*, (*fig.*) bring up the rear; *de ~ken zijn verhangen* the tables are turned

hekel 1 (*werktuig*) hackle, heckle; *over de ~ halen, zie ~*en; 2 dislike; *een ~ hebben aan* hate, dislike; *een ~ krijgen aan* take a dislike to; ~**aar(ster)** hackler; (*fig.*) severe (captious) critic; ~**dicht** satire; ~**dichter** satirist; ~**en** hackle, comb; (*fig.*) criticize, berate, satirize, haul over the coals, flay, slate [an author, a book]; ~**ing** hackling; (*fig.*) satirizing, fault-finding; ~**machine** hackling-machine; ~**schrift** satire, lampoon; ~**vers** satire; ~**zucht** censoriousness

hekgolf (*mar.*) stern-wave

hekkesluiter last comer; *~ zijn* bring up the rear

hekkespringer (*paard*) hurdler; (*pers.*) madcap, whipper-snapper

heklicht (*luchtv. en mar.*) stern-light

heks witch (*ook fig.*: little ...); (*feeks*) vixen; *ouwe ~* hag

heksen practise witchcraft, work a charm; *ik kan niet ~* I am no conjurer

heksen- witch: ~**bezem** w.-, witches' broom; ~**dans** witches' dance; ~**jacht** w.-hunt; ~**ketel** witches' cauldron; (*fig.*) [the European] cauldron; (*hels lawaai*) pandemonium; ~**keuken** witches' kitchen; ~**kring** fairy circle (*of:* ring); ~**meester** wizard, sorcerer, magician; *zie* bolleboos; ~**proces** witch-trial; ~**proef** ordeal by cold water; ~**sabbat** witches' sabbath, (*Sc.*) coven; *een ~toer* a ticklish job; *zie ook ~*werk sorcery, witchcraft; *dat is geen ~* – it's as easy as falling off a log

hekserij sorcery, witchcraft; *daar moet ~ bij in 't spel zijn* there must be black magic in it

hek: ~**werk** railing(s), trellis-work; ~**wiel** stern-wheel; ~**wiel(stom)er** stern-wheeler

1 hel *bn.* bright, vivid [a ... green]; (*schel*) glaring, violent [his hair was a ... red], staring [red, green]; (*sl.*) jazz(y); *~ gekleurd* highly (brightly) coloured

2 hel *zn.: de ~* hell (*ook fig.*); (*mar.*) boatswain's store-room; *een ~ op aarde* a h. upon earth; *loop naar de ~!* zie duivel; *ter ~le varen* go to h.

hela *zie* hei 1

helaas alas; unfortunately [he won't listen to me]; [I often have to go there,] more's the pity! worse luck!

held hero; *de ~ van de dag* the h. of the day (of the hour); *een ~ in ...*, *zie* kraan; *wat 'n ~!* (*iron.*) isn't he brave!

helden- *dikw.* heroic; ~**bloed** h. blood; ~**daad** h. deed, act of heroism, exploit; ~**dicht** h. poem, epic, epopee; ~**dichter** epic poet; ~**dood** h. death, d. of a h.; *de ~ sterven* die a hero; ~**eeuw** h. age; ~**feit** *zie* ~daad; ~**figuur** h. figure; ~**geslacht** h. race, race of heroes; ~**moed** heroism; ~**rol** part of a (the) hero, hero's part; ~**sage** heroic legend; ~**schaar** band of heroes; ~**tenor** id., dramatic tenor; ~**tijd** h. age, h. time(s); ~**tijdvak** h. period; ~**verering** hero-worship; ~

zang epic song; ~zanger epic poet; ~ziel h.
(hero) soul

helder (klankvol) clear, sonorous; (van licht,
enz.) clear, vivid; bright [colours, star]; luminous [star]; (klaar) clear [water, sky], bright
[sky, eyes, day], serene [sky], limpid [water,
air]; (duidelijk) clear, lucid, perspicuous
[style]; (scherpzinnig) bright [boy]; (zindelijk)
clean, cleanly; ~ van hoofd c.-headed; ~ betoog
c. (lucid, perspicuous) argument; 't is ~ dag
it is broad daylight; ~e druk c. print; zijn geest
is ~, (van zieke) his mind is lucid; ~ ogenblik
lucid moment; ~e tussentijden, (van 't weer)
bright intervals; ~e uiteenzetting lucid (perspicuous) exposition; ~ verstand c. brain; ~
wakker, enz., zie klaar; zelfs bij het ~ste weer
even in the clearest of weather; zo ~ als glas,
zie glas~; ~blauw (bruin) bright blue (brown);
~blinkend bright, shining; ~denkend c.-headed,
c.-thinking; ~geel bright yellow; ~heid clearness, sonority, brightness, luminosity, serenity, limpidity, lucidity, perspicuity, cleanness,
cleanliness (vgl. ~); - van gedachte clarity of
thought; met treffende - uitleggen explain
with conspicuous clarity; ~klinkend clair-
audient (-audience); ~klinkend clear, ringing;
~ziend a) c.-sighted, c.-eyed; b) clairvoyant,
second-sighted; - zijn, ook: be gifted with
second sight; een -e a clairvoyant (vrouw. ook:
clairvoyante); ~ziendheid a) c.-sightedness; b)
clairvoyance, second sight

heldhaftig heroic (bw.: -ally); ~heid heroism
heldin heroine (ook fig.: zie held)
heleboel zie boel
helemaal entirely, altogether, all [alone, wrong;
her trunk was all packed; he had all the appearance of ...]; quite, clean [I had ... forgotten it], utterly [I am ... indifferent to it];
after all [what does it boil down to ...]; ~
tot all the way to, right down to [the river]; ~
tot boven right to the (very) top; ~ boven in 't
huis (onder 't dak) right at the top of the house
(under the roof); ~ beneden (in) right at the
bottom; ~ aan 't eind at the extreme end [of
the train]; ik kom ~ van A. I've come all the
way from A.; ~ in Devon way down in D.; ~
in 't noorden right up in the north; ~ in de hoek
in the far corner; dat is het ~ it couldn't be
bettered (is absolutely it); ~ niet not at all,
not a bit [... like this one; he isn't a bit
well; it was not my fault (you don't understand it, you've not changed) a bit], nothing
[loath]; niet ~ verkeerd not all (altogether)
wrong; ~ niet verkeerd not at all wrong; niet ~
zonder gevaar not altogether without danger;
nog niet ~ 14 j. not quite fourteen years
old; ik begrijp hem niet ~ I can't quite make
him out; de slager is ~ niet geweest the
butcher never came; 't kwam ~ niet in hem
op it never entered his head; zij konden
ons wel eens ~ niet willen leveren they
might refuse to supply us at all; ~ niet! [they
are engaged?] Engaged nothing! not a bit!; hij
kan ~ niet zingen, enz., ook: he cannot sing

(ride, etc.) for nuts; zie ook lang (... niet); ~
niets nothing at all; er is ~ niets tegen there is
no earthly reason against it; ~ alleen [the hill
stands] all by itself; hij is ~ een vreemdeling
voor me he is an utter (a perfect) stranger to
me; zie opnieuw, enz.

1 helen receive, fence [stolen goods]
2 helen tr. heal, cure; intr. heal (up), close,
cicatrize; 't heelt gemakk. bij mij I h. well; de
tijd heelt alle wonden time cures all things; ~d,
zie ook: geneeskrachtig

Helena Helen; (heilige) [St.] Helena
heler receiver, fence; de ~ is zo goed als de steler
the r. is as bad as the thief; zonder ~s geen
stelers the r. makes the thief

helft half; wat is de ~ van 4? what is (the) h. of
four (h. four)?; de ~ van 4 is 2 the h. of four
(h. four) is two; de ~ ervan is bedorven h. of it
is (half of them are) bad; ieder de ~ betalen,
ook: go halves (fam.: fifty-fifty) [van ... in the
expenses]; de beste ~ the better h.; zijn betere
~ his better h.; de grootste ~ van ... [it took
up] the best (the greater) part of the time; de
~ meer, zie anderhalf maal zoveel; de ~ te veel
too many (much) by h.; de ~ minder less by h.;
de ~ van de weg h. the way; we zijn op de ~ (van
het boek) we have got h.-way through (the
book); tegen de ~ van de prijs at h. the price,
at h.-price; tot op de ~ terugbrengen cut
down [train services, etc.] by (one) h.;
voor de ~ h. [full of water; that only h.
describes it]

Helgoland Heligoland
helhond hell-hound, Cerberus
Helicon: de ~ Helicon
helihaven heliport; helikopter helicopter
heling receiving, fencing
helio-: ~centrisch heliocentric; ~graafheliograph;
~graferen heliograph; (fam.) helio; ~gram id.;
~gravure id.; ~scoop helioscope; ~staat helio-
stat; ~troop heliotrope

helium id.; Hellas id.
hellebaard halberd; ~ier halberdier
helleborus hellebore
Helleen Hellene; ~s Hellenic, Hellenian
hellen incline, slope, slant, dip, (zacht) shelve;
(luchtv., enz.) zie overhellen; ~d, ook: inclined;
~d vlak inclined plane, (fig. ook) [stand on a]
slippery slope

hellenisme Hellenism; hellenist Hellenist
helle- hell: ~pijn torments of h.; ~poort h.-
gate; ~vaart descent into h.; ~veeg shrew,
scold, virago, vixen, termagant; ~vorst prince
of darkness; ~vuur h.-fire, fires of h.; ~wicht
miscreant, (sl.) son of a gun

helling declivity, slope, incline, dip, descent,
downhill; (van spoorweg, enz.) gradient, grade;
(scheepsb.) slip(way), slips; ~ der trekken var
vuurwapen twist; ~ van de magneetnaald dip o!
the needle; op de ~, (fig., voor herstel) in dock
de hele procedure moet op de ~ will have to
be looked at, must be revised; ~meter (luchtv.
bank-indicator; ~shoek angle of inclinatio
(of: dip), gradient; ~slijn (geol.) line of dip

~wedstrijd hill-climbing competition (for motorists)

helm 1 helmet (*ook van distilleerkolf*), steel cap, (*sl.*) tin hat; (*dicht.*) helm, casque; (*van duiker*) headpiece; (*bij pasgeboren kind*) caul [*met de ~ geboren* born with a ...]; 2 (*plant*) beach-, bent-, lyme-grass, marram; ~draad filament; ~hoed sun-, pith-helmet; (*Br.I.*) topee; ~kam crest; ~knopje anther; ~kruid figwort; ~plant *zie* ~ 2; ~pluim crest, plume; ~stok tiller, helm; ~teken crest; ~vizier visor

heloot helot

help: *lieve ~! zie* genade (*goeie* ...)

helpen (*bijstaan*) help, aid, assist, give a hand, (*lit.*) succour; (*baten*) avail, be of avail, be of use; (*bedienen*) attend to, serve [are you being attended to? served?]; (*dokter bij bevalling*) attend; (*chirurg*) operate; *help!* help!; *dat hielp werkelijk* that really answered (really did the trick); *dat helpt meer dan tien dokters* that is worth more than ten doctors; *hij helpt me goed* he is quite a help; *wat helpt 't?* what's the use? what is the good of it?; *het helpt niets* it's (of) no use, it's no good, it doesn't h. matters; *dat helpt niet veel* that doesn't h. much, that is not (of) much use; *'t had haar totaal niets geholpen* it had not done her the least bit of good; *dat zal veel ~!* that'll h. a lot!; *ik kan het niet ~* I cannot h. it, it is not my fault; *kon hij 't ~ dat zij ('t meisje) hem gekust had?* could he h. her (the girl's) kissing him?; *hij kan 't niet ~, dat hij zo'n gezicht heeft* (*zo denkt, enz.*) he cannot h. his face (his views, etc.); *ik kan het niet ~, maar ik kan zijn houding niet bewonderen* I am sorry, but ...; *kan ik ~?* (*van dienst zijn*) can I h.? can I be of any assistance?; *waarmee kan ik u ~?* what can I do for you?; *wacht, ik zal hem ~,* (*fig.*) wait a moment, I am going to give it him; *ik help het je hopen* I'll hope so for your sake; *iem. ~ ontsnappen* h. a p. (to) escape; *iem. ~ opstaan* assist a p. to get up; *iem. ~ trouwen* assist at a p.'s wedding; *zich ~* help o.s.; *de dokters konden alle gewonden niet ~* could not cope with all the wounded; *hij hielp me mijn jas aandoen* he helped me on with (helped me into) my coat; *hij hielp mij mijn jas uitdoen* (*uittrekken*) he helped me off with (helped me out of) my coat; *ik kan er u aan ~* I can get (procure) it for you; *kunt u mij ~ aan een lucifer?* can you oblige me with a match?; *iem. aan een baantje ~* h. a p. to get a job, get a p. a job; *daar is geen ~ aan* it cannot be helped; *een jongen ~ bij (met) zijn lessen* h. a boy with his lessons; *~ bij* ... assist in an operation; *de dokter hielp mij door de tyfus* (*erdoor*) *heen* saw me through the typhoid, pulled (saw) me through (it); ... *zal ons door* ... *heen ~* this supply will carry us through (h. us over, tide us over) the winter; *in (uit) de tram (een taxi) ~* h. a p. (to get) into (out of) the tram, hand a p. down from a taxi; *erin (eruit) ~* h. a p. (to get) in (out); *iem. uit de verlegenheid ~* h. a p. out (of the difficulty);

hij zal je in 't ongeluk ~ he will be the ruin of you; *heen ~ over* h. [a p.] over [the difficulties]; *hij is niet meer te ~* he is past h.; *zie* been, lijden, onthouden, waarlijk, enz.; *de ~de hand reiken aan* extend the (a) helping hand to

help(st)er assistant, helper, aid

helpzeel strap, shoulder-belt

hels hellish, infernal, devilish; *een ~ lawaai, ook:* a pandemonium, a hell of a noise; *~e machine* infernal machine; *~e steen* lunar caustic, lapis infernalis; *~e pijnen lijden, ook:* suffer hell; *~ zijn* be in a devil of a temper; *iem. ~ maken* infuriate a p.

Helvetië Helvetia

Helvetiër, Helvetisch Helvetian

1 hem *vnw.* him; *Jan is '~', (spel)* is he, is it; *die van ~* his; *dat boek van ~* that book of his; *'t is van ~* it is his

2 hem *tw.* ahem! hem! h'm!

Hema (*ongev.*) Woolworth's, (*fam.*) Woolies; (*Am.*) Five and Ten (cents store)

hemd vest (*van vrouwen ook:* chemise); shirt; *het ~ is nader dan de rok* charity begins at home; *in z'n ~ staan,* (*fig.*) *a)* cut a helpless (foolish) figure; *b)* be cleaned out; *iem. in z'n ~ zetten* (*laten staan*) make a p. look silly (foolish); *tot op het ~ toe nat* soaked to the skin, wet through; *iem. tot het ~ toe uitkleden* strip a p. naked (*of:* to the s.), fleece (*of:* skin) a p., drain a p. dry; *ze vraagt je 't ~ van 't lijf* she turns a man inside out with questions; *zie ook* lijf; ~broek *zie* combination; ~engoed, -katoen, -linnen shirting; ~je (*fam.*) shimmy; *zie* ~

hemds: ~boord shirt-collar, neckband; ~knoopje (*vast*) shirt-button; (*los*) shirt-stud; ~mouw shirt-sleeve; *in zijn –en* in his shirt-sleeves; *zie* draadje

hemel (*plaats der gelukzaligen*) heaven; (*uitspansel*) sky (*ook fig.:* the political ... is clearing), firmament, heavens; (*op schilderij*) sky; (*van ledikant*) tester; (*van troon*) canopy, baldachin, baldaquin; *goeie (lieve) ~!* (good) heavens! (my) goodness! bless my soul! dear me!; *~ en aarde bewegen* move h. and earth, leave no stone unturned; *het scheen alsof ~ en aarde zouden vergaan* doomsday seemed to be at hand; *al kon ik er de ~ mee verdienen* [I couldn't tell you] to save my life; *de ~ weet* ... H. (goodness) knows [what may happen]; *dat verhoede de ~, de ~ beware ons* H. (God) forbid; *de ~ zij dank* H. be praised; *de ~ danken* thank o.'s stars; *als de ~ valt zijn we allemaal dood* if the sky falls we shall catch larks; *aan de ~* in the sky, in the heavens; *de zon stond hoog aan de ~* was high in the sky (in the heavens); *de sterren staan aan de ~* the stars are out; *in de ~* in h.; *in de ~ komen* go to h.; *in 's ~s nagam ga niet* for Heaven's sake (for goodness' sake) do not go; *wat bedoel je in 's ~s naam?* what on earth do you mean?; *ik wou in 's ~s naam* ... I wish to H. (to goodness) ...; *in de zevende ~ zijn* be in the seventh h. (of delight); *zijn handen* (*ogen*) **ten ~ heffen** raise one's hands (eyes) to H.; **ten ~ zenden**, (*gebeden*) *zie* opzenden; **ten ~ varen** ascend to h.; **tussen ~ en aarde** in mid-air; **als uit de** (*zevende*) **~ vallen** be brought down to earth (with a bump); *zie* bloot, geven, schreien, enz.; **~as** axis of the heavens; **~bed** canopied bed, four-poster; **~bestormer** Titan; **~bewoner** celestial, inhabitant of H.; **~bode** messenger from H., heavenly messenger; **~bol** celestial globe; **~boog** *zie* ~gewelf; **~boom** tree of h.; **~burger** *zie* ~bewoner; **~dak** *zie* ~gewelf; **~dauw** dew of h., manna; **~dragonder** sky-pilot; **~en** *ww.* go to h.; **~gewelf** vault (arch, canopy) of h., firmament; **~globe** celestial globe; (H)**~heer** 1 Lord of H.; 2 = **~heir** host of angels, celestial host; **~hoog** sky-high, towering (to the sky, skies); **~hoge bergen** soaring mountains; **~ prijzen** praise (laud) to the skies; (*in ong. zin*) puff (cry up); **– boven zijn collega's staan** stand (*of:* tower) head and shoulders above one's colleagues; **~ing** celestial (*ook =* Chinees*)*, inhabitant of H.; **~kaart** astronomical map; **H~koningin** Queen of H.; **~koor** heavenly choir; **~lichaam** heavenly (celestial) body; **~licht** celestial luminary; **~pool** celestial pole; **~poort** gate of H.; **~rijk** kingdom of H.; **~rond** *zie* ~gewelf; **~ruim** *zie* luchtruim

hemels heavenly [our … Father, … bliss], celestial; **het ~e Rijk**, (*China*) the Celestial Empire

hemels-: **~blauw** sky-blue, azure; **~breed** wide [difference]; *ze verschillen* – they are poles asunder (apart), there is a world of difference between them; *dat maakt een – verschil* that makes all the difference; *ze waren – een uur gaans van mij vandaan* they were three miles away from me as the crow flies; **~breedte** astronomical (celestial) latitude; *volgens* – [the distance is three miles] as the crow flies; **~gezind** heavenly minded

hemel-: **~streek** (*luchtstreek*) zone, climate, (*windstreek*) point of the compass; **~teken** sign of the zodiac; **~tergend** flagrant [offence], crying [scandal], [the injustice cries to H.]; **~tje:** –(*lief*)*!* (good) Heavens! good(ness) gracious! dear me!; **~toorts** lamp of heaven, orb of day; **~trans** vault of h.; **~vaart**, *Maria –* Assumption of the Holy Virgin; **H~vaartsdag** Ascension day; **H~vader** Heavenly Father; **~vreugde** joy(s) of H.; **~vuur** lightning; **~waarts** heavenward, towards H.; **~water** rain(-water)

hemmen hem, clear one's throat

hemofilie haemophilia, (*fam.*) bleeding; **hemoglobine** haemoglobin

1 hen *zn.* hen; *zie* kip & spoor 1

2 hen *vnw.* them; *vgl.* hem 1

Hendrik Henry; (*fam.*) Harry, Hal; *brave ~* paragon of virtue, goody-goody; (*plant*) good King Henry, all-good

Hendrika Henriëtta; (*fam.*) Harriet, Hetty

Henegouwen Hainault

henen *zie* heen; **heng** hinge

hengel *a*) fishing-, angling-rod; *b*) *zie* hengsel; **~aar** angler; **~club** angling-club; **~en** angle; **– naar** fish (angle) for [a compliment, invitations]; *zij hengelt naar hem* she is setting her cap at him, she is leading him on; *'t –* rod-fishing, angling; **~korf**, **~mand** *zie* hengsel-; **goede ~plaats** good (*of:* promising) cast; **~roede** angling-rod; **~snoer** angling-line; **~sport** angling; **~stok** angling-rod

hengsel handle, bail; (*scharnier*) hinge; *uit de ~s* [the door is] off the hinges; **~korf**, **~mand** hand-basket

hengst stallion, (*soms*) horse; (*als schn.*, *ook:* '*boerenhengst*') bumpkin; **~en** (*vossen*) swot; **~veulen** colt(-foal)

henna id.; **met ~ verven** henna

hennegat (*mar.*) helm-port

hennep hemp, cannabis; **~en** hemp(en); **~garen** h.-yarn; **~netel** h.-nettle; **~olie** hempseed oil; **~zaad** hempseed

Hennie Hen (= Henrietta)

Henriette Henrietta

hens: *alle ~ aan dek* all hands on deck

heptarchie heptarchy

1 her- (*voorvoegsel*) re-, again

2 her: **~ en der** here and there; *van eeuwen ~* from times immemorial; *van ouds ~* of old; *dateren van tijden ~* date back a long way; *hun vriendschap dateerde van jaren ~* their friendship was of long standing

3 her (*fam.*) = herexamen

herademen (*ook fig.*) breathe again, breathe more freely; **~ing** (*fig.*) relief

heraldicus armorist, heraldist, blazoner

heraldiek *zn.* heraldry, heraldic art; *bn.* (*ook:* **heraldisch**) heraldic (*bw.:* -ally)

heraut herald

herbarium id., (*boek*) herbal

herbebossen re(af)forest; **-ing** re(af)forestation

herbenoemen re-appoint; **-ing** -ment

herberg inn, public-house (*fam.:* pub), tavern; *de ~ 'de Zon'* the Sun Inn [*zo ook:* the White Horse Inn, etc.]; *logeren in de ~ 'het Schip'*, *ook:* stay at (the sign of) the Ship; **~en** lodge, house, put up, accommodate; harbour [a fugitive]; **~ier** inn-keeper, publican, host landlord; *– met vergunning* licensed victualler; **~ierster** landlady, hostess; **~ing** accommodation, etc.; *vgl.* '*t ww.*; **~klant** pub-loafer **~zaam(heid)** hospitable(ness)

Herbert id., (*fam.*) Herb

herbewapenen rearm; **-ing** rearmament; *morel* – moral r.

herbivoor herbivorous animal, herbivore, *m* *ook:* herbivora

herboren born again, re-born, regenerate

herboriseren herborize, botanize

herborist id., botanist

herbouw rebuilding, reconstruction [of Eu rope]; **~en** rebuild, reconstruct

hercirculatie recycling

Hercules id.; **h~arbeid** labour of H., Herculean task; **h~kever** H. (beetle); **h~knots** Hercules' club; **herculisch** Herculean
Hercynisch: ~ *Woud* Hercynian Forest
herdenken (*vieren*) commemorate; (*zich herinneren*) remember, recall (to mind)
herdenking commemoration, remembrance; *ter* ~ *van* in c. of; **~sdienst** memorial service, s. of commemoration; **~splaat** (*van marmer, enz.*) memorial tablet (*of:* plaque); **~spostzegel** commemorative (postage) stamp, [Byron] centenary stamp, [De Ruyter] tercentenary stamp; **~srede:** *de – uitspreken* deliver the commemorative address (oration)
herder (*schaap~*) shepherd; (*vee~*) herdsman; (*vooral in sam.*) herd [cowherd, swineherd]; (*zielen~*) shepherd; pastor, *ook* = *~shond; de goede* ~ the good S.; **~in** shepherdess; **~lijk** pastoral; – *ambt, zie* ~sambt; – *schrijven* pastoral (letter); **~loos** without a s.
herders: **~ambt** pastorate, pastoral office; **~dicht** pastoral (poem), eclogue; **~fluit** s.'s (*of:* oaten) pipe; **~hond** sheep-dog, s.'s dog; (*Duitse*) – Alsatian (wolf-dog, -hound), (*Am.*) German shepherd (G. police) dog; **~hut** s.'s hut; **~jongen, ~knaap** s.'s boy; **~leven** s.'s life, pastoral life; **~lied** pastoral (song); **~roman** pastoral romance; **~spel** pastoral play; **~staf** sheep-hook, (s.'s) crook; (*van bisschop*) crozier, pastoral staff; **~tas** s.'s pouch (*of:* bag); *ook* = **~tasje** (*plant*) s.'s purse; **~verhaal** pastoral; **~volk** pastoral people, [the Israelites were] pastoralists; **~zang** pastoral (song)
herdisconto re-discount
herdoop rebaptism; **herdopen** rebaptize, rechristen, rename; *vgl.* dopen
herdruk reprint, new impression; *het boek is in* ~ the book is reprinting; **~ken** reprint
herdubbel(en) redouble
hereboer gentleman-farmer
herejee, heremijntijd dear me! good(ness) gracious!
heremiet hermit; **~kreeft** h.-crab
heren-: **~artikelen** (gentle)men's wear, haberdashery; *handelaar in* – (gentle)men's outfitter; **~dienst(en)** statute labour, labourservice, corvée; **~diner** bachelor (*fam.:* stag) dinner; **~dubbelspel** men's doubles; **~fiets** g.'s bicycle; **~fuif** *zie* **~partij;** **~huis** g.'s house, mansion; (*van ambachtsheer*) manor-house, hall
herenigen reunite; **-ing** reunion; *de – van Duitsland* the reunification of Germany
heren-: **~kleding** (gentle)men's clothing; **~knecht** footman, g.'s man, (*scherts.*) g.'s g.; *een* **~leventje** *leiden* live like a prince; **~partij** bachelor (*fam.:* stag) party; **~stoffen** suitings
herenten re-vaccinate
herenting re-vaccination
herenwinkel (gentle)men's outfitter, man's shop
herenzadel cross-saddle; (*van fiets*) (gentle)man's saddle; *op 'n* ~ *rijden* ride c.-s., ride astride
herexamen re-examination

herexport re-export
herfst autumn; (*Am.*) fall; **~achtig** autumnal; **~aster** Michaelmas daisy; **~bladeren** a.-leaves, leaves of a.; **~bloem** autumnal flower; **~dag** a.-day; autumnal day; **~draad** thread of gossamer, air-thread; (*mv.*) (threads of) gossamer, a.-threads; **~ig** autumnal; *het wordt* – autumn is setting in; **~kleuren** autumn(al) colours (hues, tints); **~maand** a.-month, September; **~nachtevening** autumnal equinox; **~sering** phlox; **~tijd** a.(-time); **~tijloos** autumn crocus, meadow saffron; **~tinten** *zie* ~kleuren; **~vakantie** autumn half term; **~we(d)er** autumn(al) weather; **~zon** autumn(al) sun
hergebruik recycling
hergeven *a*) give again; (*kaartspel*) deal again; *b*) give back; **hergroepering** regrouping; (*pol., enz.*) re-alignment
herhaalbaar repeatable
herhaald repeated; *~e malen* = **~elijk** repeatedly, again and again, time and again, over and over again
herhalen repeat; (*telkens weer*) reiterate, say (do) over and over again; *in 't kort* ~ summarize, recapitulate; *zich* ~ repeat o.s.; (*van ziekte, enz.*) recur; *zijn woorden laten zich niet* ~ his words do not bear repeating
herhaling repetition, reiteration, recapitulation, repeat (performance); (*televisie*) action replay; (*mil.*) = **~soefening;** *bij* ~, *zie* herhaaldelijk; *in geval van* ~ in case of a second offence; *in* ~ *en vervallen* repeat o.s.; *al verval ik ook in* ~ [let me say it] even to r.; **~scursus** refresher (revision) course; **~soefening** revision exercise, refresher period; *–en*, (*mil.*) [reservists called up for] retraining; **~steken** (*muz.*) repeat
herijk, herijken regauge
herik (*plant*) charlock
herinneren: *zich* ~ remember, recollect, (re)call to mind, recall; *als ik me goed herinner* if I r. rightly (right, aright); *voor zover ik me herinner* as far as I r., that I can remember, to the best of my recollection; *niet voor zover ik mij herinner* not to my recollection; *ik herinner mij niet, dat hij ..., ook:* I do not r. him visiting her, I have no recollection of his saying so; *ze herinnerde zich* (*totaal*) *niets, ook:* her memory (mind) was a(n utter) blank; *men zal zich* ~ ... it will be remembered ...; *herinner u mijner* r. me; *iem.* (*aan*) *iets* ~ remind a p. (put a p. in mind) of s.t. [I reminded him of where we had met]; ~ *aan*, (*zonder lijd. voorw.*) recall (to mind) [(the fact) that ...]; *dat herinnert aan de tijd, dat ...* that reminds one of ..., recalls (to mind) the time when ...; *herinner mij eraan, dat ik ga* remind me to go; *heel vriendelijk, dat je mij eraan herinnert* thank you for reminding me; *~de aan ...* [a story] reminiscent of ...
herinnering (*'t zich herinneren, ook: een* ~) recollection, remembrance, reminiscence, memory [*aan* of]; (*wat helpt onthouden*) reminder [*aan* of]; (*aandenken*) memento, keepsake,

souvenir; *pijnlijke ~en* painful memories; *bij de ~ eraan* [he smiled] reminiscently; *in ~ brengen* call to mind; *ter ~ aan* in memory (in remembrance) of; *een kleine ~* a gentle reminder; *historische ~en van een plaats* historical associations of ...; ~**smedaille** commemoration medal; ~**svermogen** memory

herkansing (*sp.*) repêchage

herkauwen ruminate, chew the cud; (*fig.*) repeat (keep saying) over and over again; ~**d** ruminant; *– dier =* -**er** ruminant, cudchewer; -**ing** rumination

herkenbaar recognizable; identifiable

herkennen recognize; identify [a dead body]; *iem. aan zijn gang ~* know a p. (r. a p.) by his walk; *ik zou u niet herkend hebben* I should not have known you (again); *niet te ~, zie:* onkenbaar *b*)

herkenning recognition; ~**smelodie** (*radio*) signature tune; ~**splaatje** identity disc; ~**steken** mark (sign, signal) of r., distinctive (identifying) mark; ~**swoord** password, watchword

herkeuren re-examine [the rejects *de afgekeurden*], re-test, test again; -**ing** re-examination

herkiesbaar eligible for re-election, re-eligible; *zich niet ~ stellen* not offer o.s. for (not seek) re-election; ~**heid** re-eligibility

herkiezen re-elect; *niet herkozen worden, ook:* be unseated; -**ing** re-election

herkomst origin, descent, source, extraction, provenance; ~**ig** *zie* afkomstig

herkoop, herkopen re-purchase

herkrijgen recover [one's health, property, one's balance, possession of one's money], regain [one's strength, one's faith], get back [one's health]; *de spraak ~* find (recover) one's voice; -**ing** recovery, recuperation; *vgl. 't ww.*

herladen recharge [a battery]

herleidbaar reducible; ~**heid** reducibility

herleiden reduce (*ook in de rek.*), convert [Dutch money into English, local time into G.M.T. (= Greenwich Mean Time)]; *prijzen tot goud herleid* prices in terms of gold

herleiding reduction, conversion; ~**skoers** conversion rate; ~**stabel** conversion table

herleven revive, return to life, live again; relive, live [life] over again; *doen ~* revive; *het impressionisme is schijnbaar herleefd* has seemingly made a come-back

herleving revival, rebirth, renascence [of the Liberal party]

herlezen re-read, read again

herlezing re-reading; *bij de ~ van Uw brief* on reading your letter over again, on a second reading of ...

hermafrodiet hermaphrodite

Herman id.; (*hist.*) Arminius

Hermandad id.; *de heilige ~* the Santa H.; (*fig.*) the police, the law

herme (*bk.*) herm

hermelijn (*dier & bont*) ermine; (*dier in bruine zomervacht*) stoat; ~**en** ermine

Hermes id.; **h~staf** caduceus; **h~zuil** herm

hermetisch hermetic (*bw.:* -ally), air-tight; *~ gesloten* firmly shut

hermiet enz., *zie* heremiet, enz.

hermitage id.; (*wijn en museum*) Hermitage

hermunten re-coin

hernemen take again; resume [one's seat], re-assume [his face ...d the same expression]; (*vesting, enz.*) retake, recapture; (*hervatten*) resume, reply; -**ing** recapture

hernhutter *zn.* Moravian (brother, *mv.:* brethren); ~(**s**) *bn.* Moravian

hernia *a*) id., rupture; *b*) slipped disc (disk); *een ~ krijgen* slip a disc

hernieuwen renew, renovate; resume [old friendship]; *de aanval ~* return to the charge; -**ing** renewal

Herodes Herod; **Herodias** id.

heroën *mv. van* heros; **heroïek, heroïsch** heroic (*bw.:* -ally); **heroïne** heroin

heropenen re-open; -**ing** re-opening

heropvoeden re-educate

heroriënteren reorient(ate); -**ing** reorientation

heros hero, demigod; **heroveraar** reconqueror

heroveren reconquer, recapture, retake, recover; *op de vijand ~* recover from the enemy; -**ing** reconquest, recapture, recovery

herplaatsen replace, place anew; *een advertentie ~* reinsert an advertisement; -**ing** (*van advertentie*) reinsertion; *– wegens misstelling* amended notice; **herplanten** replant

herrie (*lawaai, opschudding*) noise, din, hubbub, hullabaloo, racket, row, uproar, pother [what is all the ... about?]; (*ruzie*) row, shindy; *~ maken* (*schoppen*), kick up a row, raise a dust; *zie ook* ruzie; ~**maker**, ~**schopper** (*bij opstootje*) rowdy, rioter, hooligan; ~**makerij** n.-making, rowdyism

herrijzen rise again, rise [from the dead]; ~**is**, -**ing** resurrection, resurgence

herroepbaar revocable, repealable; ~**heid** revocability

herroepen revoke [a decree, promise], recall [a decree], repeal [laws], retract [a promise], recant [a statement], countermand [an order], reverse [a decree, decision]; *zijn woorden ~* retract one's words; -**ing** revocation, recall, repeal, retractation, recantation; *vgl. 't ww.*

herschapen *v. dw. van* herscheppen

herschatten revalue; -**ing** revaluation

herscheppen re-create, create again, regenerate, metamorphose, convert, transform [*tot* into]; -**ing** re-creation, regeneration, metamorphosis, transformation

herscholen retrain; -**ing** retraining, occupational resettlement

hersen: ~**aanhangsel** pituitary (gland, body); ~**arbeid** brain-work; ~**bloeding** cerebral h(a)emorrhage; ~**breker** brain-twister (teaser) ~**dood** cerebral death

hersenen, hersens (*orgaan*) brain; (*massa, ver stand*) brains; *grote ~* great b., cerebrum

---

Voor niet opgenomen woorden met her- *zie men de hoofdwoorden*

kleine ~ little (lesser) b., cerebellum; *hij heeft geen* (*heel weinig*) ~ he has no (very little) brains, has the brains of a louse; *vermoei je* ~ *daar niet mee* don't trouble your head about it; *hoe haalde je het in je* ~? how did you get it into your head?; *iem. de* ~ *inslaan* smash (bash) a p.'s brains in, knock a p.'s brains out, brain a p.; *je zult 't wel uit je* ~ *laten* (*om* ...) don't you dare (to ...)!; *hij zal 't wel uit zijn* ~ *laten* he will think twice before doing it

hersen- brain: **~gezwel** brain tumour; **~gymnastiek** mental gymnastics; quiz (programme); **~holte** cerebral cavity; **~kas** *zie* ~pan; **~kwab** lobe of the brain; **~loos** brainless; **~massa** [grey, white] b.-matter; **~ontsteking** inflammation of the brain, encephalitis; **~pan** b.-pan, b.-case, cranium; head [his ... had been battered in]; **~schim** chimera, phantasm, figment of the (*of:* one's) imagination; **~schimmig** chimerical; **~schors** cerebral cortex; **~schudding** concussion of the brain [suffer from concussion]; **~spinsel** *zie* ~schim; **~spoeling** brain-washing; *plotselinge* **~storing** b.-storm; **~vermoeidheid** b.-fag; **~verweking** softening of the brain; **~vlies** cerebral membrane, meninx, *mv.*: meninges; *week* (*hard*) – pia (dura) mater; **~vliesontsteking** meningitis; **~werk(er)** b.-work(er); **~werking** working of the brain, cerebration; **~winding** convolution of the brain

herspellen respell

herstel [trade, economic] recovery, recuperation [of the market], restoration [of law and order, of the monarchy], reinstatement [in one's functions], redress [of grievances]; (*van prijzen, enz.*) rally, recovery; (*van wapen bij 't schermen*) recover; (*genezing*) recovery, recuperation; *men wanhoopte aan zijn* ~ his life was despaired of; *hij is voor* ~ *van gezondheid in Zuid-Afrika* he is recruiting his health in South Africa; ~ *van eer* rehabilitation; ~ *van huwelijksrechten* restitution of conjugal rights; *Commissie van H~* Reparations Commission; **~baar** curable, repairable, reparable, restorable, retrievable; (*vgl. 't ww.*); **~betalingen** reparations (payments)

herstellen I *tr.* (*repareren*) mend, repair [clothes, etc.]; redress [grievances, an injustice], restore [the balance *evenwicht*, the monarchy], remedy [an omission *verzuim*, an evil *kwaad*], correct, rectify [a mistake], right [a wrong], set [a wrong] right, retrieve [a loss, an error, a blunder, one's fortunes], make good [the damage]; re-establish, reinstate [a p. in office, in his old rank]; reaffirm [faith in ...]; *in zijn eer* ~ rehabilitate; *men was bezig de weg te* ~ the road was under repair; ... *werd in ere hersteld* this type of car came into its own again; *zich* ~ (*van schrik, enz.*) recover o.s., pull o.s. together; recover [from ...]; *de handel herstelt zich* trade is recovering (picking up); *de markt* (*de spoorwegaandelen*) *herstelde(n) zich* the market (the railway-shares) rallied; *de chaos herstelde zich spoedig* the chaos soon righted

itself; II *intr.* recover [from an illness]; convalesce [go to the seaside to ...]; *geheel* (*snel*) ~ make a full (a rapid) recovery; *geheel hersteld zijn* be quite recovered, be quite well again; *98 %, herstel, 98¹/₂ %* ..., sorry, ...; *herstelt!* (*mil.*) as you were!; ~*de zijn* be convalescing (convalescent); ~*de* (*zieke*) convalescent; *ziekenhuis voor* ~*den* convalescent home

hersteller repairer, repairman

herstelling repair, correction, recovery, restoration, reestablishment, reinstatement; *vgl.* herstellen; **~soord** sanatorium, health-resort; (*voor herstellenden*) convalescent home; *zie* drankzuchtig; **~steken** (*muz.*) natural (sign); ~**svermogen** recuperative power

herstel(lings)werk repair work, repairs; ~ *uitvoeren* carry out (do) repairs

herstelprogramma rehabilitation (recovery) programme

herstemmen vote again

herstemming second ballot

herstructureren reorganize; **-ing** reorganization

hert deer (*mv.:* deer); (*mannetje*) stag, hart; *vliegend* ~ stag-beetle

hertaxatie, -eren revaluation, -value

herte: **~beest** hart(e)beest; **~bok** stag, buck; **~bout** haunch of venison; **~gewei** *zie* gewei; **~hals** (*van paard*) deer-, ewe-neck; **~jacht** deer-stalking (*door besluiping*); stag-hunting; *op de* – *zijn* stalk deer; hunt stags

hertelling recount [of votes]

hertenkamp deer-park

herte: **~pastei** venison-pie; **~vlees** venison

hertog duke; **~dom** duchy; **~elijk** ducal; *-e waardigheid* dukedom

's-Hertogenbosch Bois-le-Duc

hertogin duchess

hertrouw remarriage [lose one's pension on ...]; **~en** remarry, marry again

herts: **~hooi** St. Johns' wort; (*grootbloemig*) Aaron's beard; **~hoorn** stag-horn; (*geraspt*) hartshorn; *geest van* – (spirit of) hartshorn; – *handvat* stag handle; **~kever** staghorn, stag-beetle, **~le(d)er(en)** deerskin, buckskin

hertz id., cycles per second (cps); **~golven** Hertzian waves

hertzwijn babiroussa, hog-deer, Indian hog

heruitzenden, -ing (*doorgeven*) relay, (*opnieuw uitzenden*) re-broadcast, rediffuse, -ion

hervatten resume [work], restart [work, the train service], repeat [a visit]; **-ing** resumption [of hostilities, etc.]; repetition

herverdeling redistribution [of wealth]

herverkavelen re-allocate [land]; **-ing** re-allocation

herverzekeren, -ing re-insure, -insurance

hervormd reformed; ~*e kerk* R. Church; ~**e** protestant

hervormen reform, reshape, re-model, amend; **-er** reformer

hervorming reform; (*kerk.*) reformation; **H~s-dag** reformation day (*31 okt.*); **~sgezind(e)** reformist; **~spartij** r.-party

herwaarderen revalue; **-ing** revaluation

herwaarts hither; ~ *en derwaarts* h. and thither
herwegen re-weigh; **herweging** re-weighing; *zonder* ~ on landing weight(s)
herwinnen regain, recover, retake; retrieve [one's fortune, reputation]
herwissel re-exchange, redraft
herzeggen repeat, say (over) again
herzien revise [a book, law, sentence *vonnis*], review [a decree], overhaul [the system needs drastic …ing], reconsider [one's views]; *de kaart van Europa* ~ re-map Europe; **~ing** revision, reform [of higher education], reconsideration, review, overhaul(ing)
hes 1 blouse, smock-frock; 2 *H~* Hessian
Hesiodus Hesiod
Hesperiden Hesperides
Hesperië Hesperia
Hessen Hesse; **h~weg** medieval trade route
Hessisch Hessian; *~e mug* H. fly
het I *lw.* the; *dit is hèt weer ervoor* this is the [ŏi:] weather for it; *zie de*; II *vnw.* it; he, she, they [what fools they are!], so [he said so, I think so]; *ben jij ~, Jan?* is it you, John? (is) that you, J.?; *ik ben ~* it is me; *zij zijn ~ die* … it is they who …; *wat is ~ vandaag?* what is to-day?; *vandaag is (gisteren was)* ~ … to-day is (yesterday was) the 8th of May; ~ *begon er slecht voor hem uit te zien* things were beginning to look bad for him; *dit is hèt van jè* this is it
hetaere hetaera, hetaira
hetelucht: ~kanaal flue; **~motor** Stirling motor; **~verwarming** space heating
1 heten heat (up)
2 heten *tr.* name, call; *(bevelen)* order, tell; *intr.* be called (named); *het boek heet* … the book is entitled …; *hoe heet dat?* what is it called?; *hoe heet dat in 't Eng.?* what's that in E.? what is the E. for that?; *hoe heet hij* what is his name?; *hij heet Willem* his name is William; *hoe heet ze van zichzelf?* what is her maiden name?; *zoals het heette om te* … under colour of …ing *(zie* zogenaamd); *je wordt verliefd, zoals dat heet* you fall in love, as the phrase goes; *het heet, dat hij* … *is (lijdt aan …)* he is said (reported) to be … (to suffer from …); *de cheque heette getekend te zijn door* … purported to be signed by …; *ze heette nooit tijd voor bezoeken te hebben* she pretended she never had time for visits; *een jongen, Jan geheten* John by name, of the name of J.; *zo waar als ik K. heet* or my name is not K.; *hij heet naar mij* he is called after me; *dat heet ik nog eens lopen!* that's what I call running! *zie* liegen, welkom
heterogeen heterogeneous
hetgeen what; *(na antecedent)* which
hetman id.
Hettiet, Hettitisch Hittite
hetwelk which
hetze [Jew-]baiting, [newspaper] (smear) campaign

hetzelfde the same; *en hopen van U ~* and hope you are the same; ~ *gebeurde weer* the same thing happened again; *zie* insgelijks
hetzelve (the) same, it
hetzij: ~ … *of,* *(nevenschikkend)* either … or; *(onderschikkend)* whether … or; ~ *'t* … *of* … *is, ook:* be it right or wrong
heug: *tegen ~ en meug* reluctantly, against one's liking *(of:* wish)
heugel *(in schoorsteen)* chimney crook; *(bij rondsel, enz.)* rack
heugen: *de tijd heugt me niet, dat* … I don't remember the time when …; *het heugt me* I remember; *zolang mij heugt* as far as my recollection goes; *dàt zal u ~* you won't forget that in a hurry
heugenis memory, remembrance; *bij (sedert) mensen~* within living m., within the m. of man (of men still living); **heuglijk** *(blijde)* joyful [event, news], glad [tidings], pleasant; *(gedenkwaardig)* memorable [evening]
heul 1 *(plant)* poppy; 2 *(duiker)* culvert; *(brug)* bridge; 3 *(troost, hulp)* comfort, aid; **~bol** *zie* maankop
heulen: ~ *met* be in league with [the enemy]
heulsap opium; **heulzaad** mawseed
heup hip; *(van dier)* haunch; *'t op de ~en hebben* be in a tantrum, be in a devil of a temper; *als hij 't op de ~en kreeg (had), ook:* [he could …] when the fit was on him; **~been** h.-bone; **~doek** loin-cloth; **~gewricht** h.-joint; **~jicht** sciatica; **~wiegen** swing o.'s hips; **~zenuw** sciatic nerve; **~ziekte** h.-disease; **~zwaai** cross-buttock
heur *zie* haar *vnw.*
heureka eureka
heuristiek heuristics
heuristisch heuristic *(bw.:* -ally)
heus I *bn. a)* *(beleefd)* courteous, polite, obliging, kind; *b)* *(werkelijk)* real; *zijn vader is een ~e 'baronet', (fam.)* is a real live baronet; II *bw. a)* …ly; *b)* really, truly, indeed; *het is ~ waar* really true; *ik weet het ~ niet* I am sure I don't know, *(zo ook:* he is sure not to do that); *~?* really?; *~!* (= ~ *waar!)* straight! really (and truly)! honour bright! honest injun!; *ik meen 't ~* I do mean it; *maar niet ~* *(fam.)* says you!; *Jan heeft het geschoten — maar niet ~* John has the right idea — or has he?; **~heid** courteousness, courtesy, kindness
heuvel hill; *(verkeers~)* island; **~achtig, ~ig** hilly; **~kling** *a)* hill; *b)* = *~rij;* **~land** hilly country; **~reeks, ~rij, ~rug** chain *(of:* range) of hills; **~tje** hillock, knoll; **~top** h.-top
hevel siphon; **~barometer** s.-barometer; **~en** siphon, draw out *(of:* off) by means of a s.; **~fles** siphon; **~pomp** s.-pump; **~vormig** siphonal, siphonic
hevig violent [storm, pain], heavy [rains, (thunder)storm], sharp [gale, fight], fierce, intense [heat], vehement [protest]; ~ *verschrikt* terribly frightened; **~heid** violence, intensity, fierceness, vehemence

hexameter id.
HH. KK. HH. T. R. H., Their Royal Highnesses
HH. MM. Their Majesties
hiaat hiatus, gap, break
Hibernië(r) Hibernia(n)
hidalgo id.
hief *o.v.t. van* heffen
hiel heel (*ook van mast, steng, kiel*); *de ~en lichten (laten zien)* show a clean pair of heels, take to one's heels, turn tail; (*heengaan*) go, leave; *hij zat mij op de ~en*, (*ook fig.*) he was at (close upon) my heels, ran me close (*of:* hard); *de politie zat hem op de ~en* the police were hot on his trail (track); *hij zat No. 1 op de ~en* he came off (was) a good (a close) second; *~band (van schaats)* h.-strap; *~been* h.-bone
hield *o.v.t. van* houden
hielen *ww.* heel; **-ing** (*mar.*) heel; **-leer** *zie* hakleer
hielp *o.v.t. van* helpen
hiep, hiep, hoera! hip, hip, hurrah!
hier here; *~! (pak aan)* h.!; *~, jij!* h., you; *~ de A.V.R.O.* this is the A.V.R.O.; *~ P.*, (*telef.*) P. speaking; *hij zal spoedig ~ zijn, ook:* he'll be along soon; *niemand ~ in de buurt* no one round here; *het is ~ (in huis) klein* the place is small; *~ en daar* h. and there, at intervals, in places; *het ~ en daar over hebben* talk about this and that; *van Londen naar ~* [the journey] down from London; *van ~ naar L.* up to L.; *van ~* from h., (*lit.*) hence; *je kunt van ~ om ...* you can leave h. at ...; *de dokter van ~* the local doctor; *~ te lande* in this country; *zie* alhier, hiertoe, enz.; *~aan* to (at, by, on, etc.) this; *~achter* behind (this); (*in boek, enz.*) here(in)after
hiërarch hierarch; **~ie** hierarchy; **~iek, ~isch** hierarchical; **hiëratisch** hieratic [writing]
hier: *~beneden* below, down here; (*op aarde*) here below; *~bij a)* hard (close) by, in the neighbourhood; *b)* herewith [I ... inform you], hereby [I ... promise], enclosed, annexed; *– komt, dat ...* add to this the fact that ...; *zie* daarbij & laten; *~binnen* in here, within (this place); *~boven* up here, overhead; in Heaven; *zoals – gezegd* as aforesaid; *~buiten* outside; *~door a)* by (owing to, in consequence of) this, by so doing; *b)* through here; *~heen* this way, [on my way] here (down, up), [I walked] here [from ...], (*lit.*) hither; *~in* in here, in this; *~langs* past here; this way; *~me(d)e* with this [he left us]; *zie* ~bij *b)*; *~na* after this, hereafter; *~naar* after this, according to this, [judging] from this; *~naast* next door; [the picture] alongside; *~namaals* hereafter; *'t – the* hereafter, the (great) beyond, the world to come; *~nevens* enclosed, annexed
hiëroglief, -glyfe hieroglyphic
hiëroglifisch, -glyfisch hieroglyphic
hierom for this reason; *~ en daarom* for several

reasons; *~heen* round this, hereabout(s); *~streeks* hereabout(s); *~trent a)* = ~streeks; *b)* with regard to this
hieronder below, underneath; (*onder aan bladz.*) at foot; (*te midden van*) among these; *zoals ~ aangegeven* as stated below; *de ~ genoemde* the under-mentioned
Hiëronymus Jerome, Hieronymus
hier: *~op* upon this, hereupon; *~over a)* opposite, over the way; *b)* about this; *~tegen* against this; *~tegenover* opposite, over the way; (*fig.*) against this; *~toe* for this purpose, to this end; *tot – thus far, so far; tot – is het in orde* so far so good; *tot – en niet verder* thus far and no further; *~tussen* between (among) these, (in) between; *~uit* from this, from here, (*lit.*) hence; *zie* volgen; *~van* of this; *~voor a)* (in return) for this; *b)* before (in front of) this; *zie ook* ~toe; *~voren* before (this), in former times
hieuw *o.v.t. van* houwen
hieuwen (*mar.*) heave
hij he; *een ~ en een zij* a he and a she
hijgen (*snel ademen*) pant (*ook fig.:* the ...ing engine); (*snakken*) gasp (for breath); *~ naar*, (*fig.*) pant (*of:* yearn) for (*of:* after)
hijlikmaker wedding-cake
hijs a) hoist(ing); *b)* = ~toestel; *'n hele ~* a tough job; *~arm* jib; *~balk* crane; *~blok* lifting block, pulley-block; *~en* hoist [the sails, etc.], pull up, lift; *zich in zijn jas* – struggle into one's coat; (*stevig drinken*) booze (up), tipple; *de vlag – hoist* (run up) the flag; *in top – run up* [the flag] to the top (of the flagstaff), to the mast-head; *~haak* cask-grip, dog; *~kooi* lift-cage; *~kraan* (hoisting-)crane; *~toestel* hoist, lifting tackle, hoisting-apparatus, -engine; *~touw* hoisting-rope
hik hiccup, hiccough; *de ~ hebben* have the hiccup(s); **hikken** hiccup, hiccough; *tegen iets aan ~* boggle at s.t.
hilariteit hilarity, [cause] merriment, [amid general] amusement; *~, (in verslag van vergadering)* laughter
Hilda id.; **hilletje** valve [of a pump]
Himalaya Himalayas, Himalaya Mountains; *van de ~* Himalayan
hinde hind, doe; *~kalf* fawn
hinder hindrance, impediment, obstacle; *hebt u ~ van mijn hoed?* (*in bioscoop*) is my hat in the way?; *hij heeft ~ van zijn ogen* his eyes trouble him; *zie* last
hinderen[1] (*belemmeren*) hinder, hamper, impede, incommode, inconvenience, bother; obstruct [the police]; (*van lichaamsdeel*) trouble; (*ergernis, verdriet veroorzaken*) annoy [his whistling ...ed me], worry [the remark worried me], trouble; (*zonder voorw.*) hinder [you are only ...ing], be in the (in a p.'s) way, make o.s. a nuisance; *iem. ~ bij zijn werk* h. (hamper) a p. in his work; *is er iets dat je hindert?* is anything troubling

---

[1] *Zie ook* storen

you?; *er is iets dat me hindert* I am worried; *hinder ik?* am I in the way?; *dat hindert niet* that does not matter; *wat hindert 't, al ben ik arm* what though I am poor?

hinder: ~**laag** ambush, ambuscade; *in* – *liggen* lie in ambush; *in* – *leggen* ambuscade; *(iem.) een* – *leggen* lay an ambush (for a p.), lay (in) wait (for a p.); *in een* – *lopen* (*vallen*) walk into an ambush, be ambushed; *uit een* – *aanvallen* ambush [a p.]; ~**lijk** annoying, inconvenient, troublesome; *zie* lastig; – *zijn, zie* hinderen; ~**nis** obstacle, hindrance; [strike, hit a] snag; *wedren met* –*sen* steeple-chase, obstacle (hurdle, point-to-point) race; *wedren zonder* –*sen* flat race; *zie* ~paal & nemen; ~**nislicht** (*luchtv.*) obstacle light; ~**nisren** *zie* ~nis; ~**paal** obstacle, bar, impediment, hindrance, stumbling-block [*voor* ... to education]; ~*palen voor een vruchtbaar gesprek* barriers to a fruitful discussion; *iem.* ~*palen in de weg leggen* put (throw) obstacles in a p.'s way; *alle* ~*palen te boven komen* carry all before one; ~**wet** (public and private) nuisance act

Hindoe(s) *zn. & bn.* Hindu, Hindoo

hindoeïsme Hinduism

Hindostan Hindustan; ~**s** Hindustani

hing *o.v.t. van* hangen

hinkelbaan hop-scotch (figure)

hinkelblok, -steen hopping-stone

hinkelen hop, play (at) hop-scotch

hinken limp, have a limp (in one's gait), walk with a limp, hobble; *op twee gedachten* – halt between two opinions; *hij hinkt met één been* he has a limp in one leg, has a game leg; *het* ~*de paard komt achteraan* the sting is in the tail; *zie ook* hinkelen

hinkepink, -poot hobbler, dot-and-go-one

hink: ~**spel** (game of) hop-scotch; ~~**stap-sprong** hop, skip (*of:* step) and jump, triple jump

hinniken neigh [*ook:* the horse gave a loud neigh]; (*zacht, vrolijk*) whinny

hippelen hop

hippie (*sl.*) *a*) id., hippy; *b*) chit (of a girl), frippet; *winkel*~ shop-girl

hippisch hippic [festival]

hippocras id.

Hippocreen Hippocrene

hippodroom hippodrome

hippopotamus id.

Hiskia Hezekiah

hispanist Hispan(ic)ist

histamine id.

histogram id.

historiciteit historicity

historicus historian, student of history

historie history, story; *zie* geschiedenis

historiëren historiate [...d initials]

historie: ~**schilder** historical painter; ~**schrijver** historian, historiographer; ~**stuk** history-piece, historical picture

historisch historical [novel]; (*van* ~*e betekenis*) historic [the ... meeting at Versailles, a ... right, this ... spot, scene], epochal [events]; (*gramm.*) historic [present]; *'t is* ~*!* it's authen-

tic; *zie* optocht; **-isme** historicism

hit Shetland pony, sheltie; (*zware*) cob; (*dienstmeisje*) slavey, skivvy

hitlijsten [in the] charts

hitsen incite, set on; *zie* aanhitsen

hitsig hot(-blooded); ~**heid** heat, hot-bloodedness

hitte heat; *in de* ~ *van de strijd* in the h. (the thick) of the fight; ~**bestendig** h.-proof, h.-resistant; refractory [materials]; ~**buil** h.-spot; ~**golf** h.-wave

hittepetit chit (of a girl)

hittepuist heat-pimple, -spot; ~**jes** summer-rash

Hittiet, Hittitisch Hittite

H. K. H. H. R. H., Her Royal Highness

H. M. id., Her Majesty

ho ho! stop!; (*tegen paard*) wo! whoa!; *men moet geen* ~ *roepen voor men over de brug is* don't halloo before you are out of the wood; there's many a slip betwixt the cup and the lip; ~ *maar* [beautiful words, but action?] nothing of the sort! (forget it!)

hobbel knob, bump; (*fig.*) obstacle; ~**debobbel** joltingly, bumpity-bump(ity); ~**en** rock (to and fro), toss (up and down); (*in rijtuig*) jolt; (*op hobbelpaard*) ride (on a rocking-horse); *laten* – ride (*of:* jig) [a boy on one's knee]; ~**ig** bumpy [road], uneven, rough, rugged; ~**igheid** bumpiness, etc.; ~**paard** rocking-horse; ~**stoel** rocking-chair

hobbezak ill-fitting dress; (*log pers.*) jumbo; (*slons*) dowdy, frump

hobby id.; ~*'s* leisure interests

hobo oboe; ~**ïst** oboist, o.-player

hockey id.; ~**bal** h.-ball; ~**club** h.-club; ~**stok** h.-stick

hocus-pocus id., hanky-panky, jiggery-pokery, mumbo jumbo; (*als goochelformule*) hey presto!

hoe how [did it happen?]; what [is he called?]; of how [you have no idea ... I suffered; I was reminded ... he had once deceived me; the story ... people came to her for advice]; as to how [I had no idea ... it was done]; *en* ~ [he made them all look silly,] and how; *je weet* ~ *Moeder is* you know what Mother is; *je weet niet half* ~'*n zin ik heb* (~'*n schoft hij is*), (*fam.*) ... how I'd like to (what a cad he is); ~ (*dat*) *zo?* h. (why) so? h. do you mean?; ~ *vraag je dat zo?* why do you ask?; ~ *eer* (~ *meer*) ~ *beter* the sooner (the more) the better; ~ *langer* ~ *beter, a*) [give me a long rope,] the longer the better; *b*) (= *steeds beter*) better and better; ~ *langer* ~ *duurder* (*meer, slechter*) dearer and dearer (more and more, worse and worse); ~ *langer hij blijft,* ~ *beter* the longer he stays the better; ~ *langer 't duurt,* ~ ... the longer it lasts, the worse it will get; ~ *meer men heeft,* ~ *meer men wenst* the more one has the more one wants; ~ *dan ook* anyhow, anyway; ~ *verschrikkelijk 't ook is* however ... it may be, terrible as (*of:* though) it is (may be), be it (n)ever so ...; ~ *hij ook* ... *wreef* rub his eyes as he would; ~ *het ook zij* however that may be, be that as it may; ~*! mijn land verraden?* what! betray my country?; *ik wil weten ~ of wat* I want to know where I am, how (where) I stand, I want a definite answer; *hij weet niet ~ of wat* he does not know what to do (*sterker:* which way to turn); *'t ~ en wat weet ik niet* I do not know the rights of the case; *zie* drommel, gaan, hebben, noemen, toch, uitzien, enz.

hoed (*heren*) hat; (*dames*) hat, (*zonder rand en met keelbanden*) bonnet; (*van paddestoel*) cap, (*wet.*) pileus; *hoge ~* top (tall, high, silk) h.; (*fam.*) topper; ~*en af!* hats off! off with your hats!; ~*en af voor ...!* hats off to ...!; *hij nam zijn ~ voor haar af* he took off (raised) his h. to her; *ik neem mijn ~ voor je af*, (*fig.*) I take off my h. to you; *met de ~ in de hand* h. in hand; (*fig.*) cap (hat) in hand; *iets uit zijn ~ toveren* pull s.t. out of one's h.; *zie* ~je, rondgaan, enz.

hoedanig how, what, what sort (kind) of [people are they?]; ~**heid** quality; *goede en slechte* ~**heden**, *ook:* qualities and faults, good and bad points; *zie* eigenschap; *in de* (*zijn*) – *van* in the capacity of (in his capacity as)

hoede guard, care; *aan mijn ~ toevertrouwd* in my keeping (*of:* charge); *aan iems. ~ toevertr. persoon* (*zaak*) charge [a nurse and her ...]; *iem. onder zijn ~ nemen* take charge of a p., take a p. under one's wing (care, protection); *ge zijt onder mijn ~* under my care; *onder de ~ stellen van* commit to the care of; *op zijn ~ zijn* be on one's g. [*tegen* against], be on the alert, keep one's weather-eye open, (*fam.*) watch out; *wees op uw ~* be on guard; *op zijn ~ zijn voor*, *ook:* be wary of [strangers], guard against [mistakes], look out for [squalls]; *niet op zijn ~ zijn* be off one's g.; *maken dat iem. op zijn ~ is* put a p. on (his) g.

hoede- hat: ~**band** *a*) (*keelband*) bonnet-string; *b*) = ~**lint**; ~**bol** h.-crown, crown of a h.; ~**doos** h.-box; (*dames*-) *ook:* band box; ~**koord** h.-guard, -securer; ~**lint** hatband

hoeden tend, watch, keep, look after [the cattle, sheep, geese], herd [cattle, sheep]; (*be*~) guard, protect; *zich ~ voor* guard against [mistakes]; *hoed u voor leugenaars* (*voor namaak*) beware of liars (of imitations); *men hoede zich ervoor om ...* care should be taken not to ...

hoeden- hat: ~**fabrikant**, ~**maker** h.-maker, hatter; ~**maakster** milliner; ~**winkel** h.-shop, hatter's (shop)

hoedepen hat-pin

hoeder guardian, keeper; (*vee*-) herdsman; (*ganzen*-) gooseherd; *ben ik mijn broeders* ~? am I my brother's keeper?

hoede: ~**schuier** h.-brush; ~**speld** hat-pin; ~**vorm** hat-block

hoedje (little) hat; *onder één ~ spelen* play into each other's hands, be hand and (*of:* in) glove [*met* with]; *onder één ~ spelen met*, *ook:* be in league with; *onder één ~ vangen* reconcile [conflicting opinions]; *hij was onder een ~ te vangen*

he was in a chastened mood

hoef hoof; *zie* splijten; ~**been** (*van paard*) coffinbone; ~**beslag** *a*) horse-shoeing; *b*) horseshoes; ~**blad** (*klein*) coltsfoot; (*groot*) butterbur; ~**dier** hoofed animal; ~**getrappel** h.-beats, tramp of horses' feet; ~**ijzer** horseshoe; *een – verliezen* cast (throw) a shoe; ~**ijzermagneet** horseshoe magnet; ~**ijzerneus** horseshoe bat; ~**ijzervormig** horseshoe [benches, table]; ~**nagel** horseshoe nail; ~**slag** h.-beat, thud of hoofs; ~**smederij** farrier's trade (*of:* shop), farriery, shoeing-forge; ~**smid** shoeing-smith; farrier; ~**spijker** *zie* ~nagel; ~**spoor** h.-print; ~**stal** shoeing-shed; ~**vormig** h.-shaped

hoegenaamd: ~ *niet* not at all; ~ *niets* absolutely nothing, nothing whatever; ~ *geen ... no ...* at all, no ... whatever, no ... of any description; ~ *alles* anything at all; *zie* notie

hoegrootheid quantity, amount

hoek (*wisk.*) angle; (*in kamer, van straat, oog, mond, enz.*) corner; (*scherpe kant of punt*) angle; (*op de beurs*) market [the oil (tobacco) share ...], section [depression in all ...s]; (*Am.*) pit [wheat ...]; (*vishaak*) hook; *de H~ van Holland* the Hook of Holland; ~ *van inval* (*uitval*) a. of incidence (of reflection, of refraction); ~*en en gaten* holes and corners; *in* (*uit*) *alle* ~*en en gaten* in (from) every nook and cranny; *in de ~ zetten* put [a child] in the corner; (*fig.*) take [a p.] down (a peg or two); *iem. in de* (*een*) ~ *drijven* (*dringen*), (*fig.*) drive a p. into a corner, corner a p.; *om de ~* round the corner; *zie ook* ~je; *met* (*onder*) *een ~ van 90°* at an a. of 90 degrees; *de ~, waaronder ...* the a. under which we see objects; *op de ~*, (*van de straat*) at (on) the corner; *uit welke ~* (*van 't land*) *komt hij?* from what part of the country is he?; *flink* (*royaal*) *uit de ~ komen* come down handsomely; *verstandig uit de ~ komen* make a sensible remark (unexpectedly); *hij komt soms aardig* (*met een aardigheid*) *uit de ~* at times he comes out with a witty remark (joke); *fel uit de ~ schieten* flare up, cut up rough; *zie* wind; ~**beslag** (*van koffer of kist*) corner(s), corner piece(s); ~**er** (*vaartuig*) hooker; ~**graad** degree of a.; ~**huis** cornerhouse; end house [of a terrace]; ~**ig** angular (*ook fig.*), jagged [rocks]; ~**igheid** angularity; ~**ijzer** a.-iron; ~**je** (little) corner; (*afgelegen, afgesloten*) nook; ~ *van de haard* chimneycorner, fireside; *'t ~ – omgaan* peg out, pop off, (*sl.*) kick the bucket, snuff it, snuff out; [*ik was*] *bijna 't ~ – om*, (*fam.*) next best thing to a goner; ~**kast** corner-cupboard, -cabinet; ~**lijn** diagonal; ~**man** (stock-)jobber; ~**meter** *a*) goniometer; *b*) = graadboog; *c*) (*bij landmeten*) graphometer; ~**meting** goniometry; ~**perceel** corner-lot; ~**pijler**, -**pilaar** corner-pillar, -column; ~**plaatsje** corner-seat; ~**punt** angular point, vertex; ~**schop** corner (kick); ~**sgewijze** diagonally; ~**slag** (*boksen*) hook; (*hockey*) corner (hit); ~**steen** cornerstone, quoin, (*fig. ook*) key-stone; ~**stoot** (*boksen*) hook; ~**tand** eye-tooth, canine tooth; ~toren turret; ~venster corner-window; ~vulling (bk., boven boog) spandrel; ~zak (bilj.) corner-pocket

hoempa zie straatmuzikant

hoen hen, (barndoor) fowl, (mv. ook) poultry; zie fris

hoender[1]: ~achtig gallinaceous; ~bout(je) wing of a fowl, drumstick; ~ei hen's egg; ~hof poultry-, fowl-yard; ~hok poultry-, hen-, chicken-house, hen-coop; zie knuppel; ~maag gizzard; ~mest poultry-dung, -manure; ~park poultry-farm; ~pastei chicken-pie; ~pest fowl-plague; ~rek hen-roost; ~teelt poultry-, chicken-farming; ~vlerk wing of a fowl

hoentje chicken, pullet; zie fris

hoep = hoepel hoop; met de ~ spelen, zie ~en; met ijzeren ~s iron-hooped; ~benen bandy-legs; met – bandy-legged; ~en trundle (bowl) a h., play with hoops; ~rok h.-skirt, -petti-coat, crinoline; ~stok h.-stick

hoepla (spel) hoopla; ~! (wh)oops-a-daisy!, ups-a-daisy!

hoer whore, harlot, strumpet

hoera hurrah; driemaal ~ voor de bruidegom three cheers for the bridegroom; ~ voor de Valera! up (one up for) de V.!

hoereerder whoremonger

hoerenjong (typ.) widow

hoereren whore; hoererij fornication

hoeri houri

hoes (voor stoel) cover, dust-sheet; (voor boek) slip-cover, slip-case; (van grammofoonplaat) sleeve; ~laken fitted sheet

hoest cough; ~bui coughing-fit, fit (of: spell) of coughing; ~drank c.-mixture; ~en cough; ik moet – (heb last van –) I have a c.; ~middel c.-medicine; ~stillend c.-relieving, pectoral; ~stroop c.-syrup; ~tablet c.-drop, -lozenge

hoeve farm, farmstead, homestead

hoeveel (ev.) how much, (mv.) how many; ~ is 2 en 2? what do two and two make?; ~ is het? how much?; (tram, enz.) what's the fare?; ~ ook however much (many); ~ hij ook van hem hield ..., ook: much as he liked him, ...; zeg maar ~, (bij inschenken) say when; ~heid quantity, amount [do a tremendous ... of work]; in gelijke ~heden, ook: [take them] in equal proportions; in grote ~heden, ook: [used] in quantities; kopers van grote ~heden quantity buyers; ~ste: de – hebben wij? what day of the month is it?; de – keer is dit? how many times does this make?; de – was hij? what was his number? soms: the how-manieth was he?

hoeven need; zie verder behoeven

hoever: in ~(re) how far, to what extent, [express no opinion] as to how far [this is right]

hoewel though, although; [quieter,] if [less amusing]

hoezee hurrah

hoezeer how much; (toegevend = ~ ook) how-ever much, much as [I regret it], much though

[he tries]; ~ hij 't ook probeerde, ook: try as he would

hof court; (tuin) garden [the ... of Eden, of Gethsemane]; het Engelse ~ the C. of St. James's; ~ van appel (arbitrage, cassatie, revisie), c. of appeal (arbitration, cassation, review); aan 't ~ at c.; open ~ houden keep open house; 't ~ maken (aan) pay one's c. (one's addresses, one's attentions) to, court, make love to; ~arts c.-physician, physician in ordinary to the Royal Household; ~bal c.-, state-ball; ~beambte c.-official; ~berichten c.-circular; ~ceremonieel c.-ceremonial; ~dame c.-lady, lady (woman) in waiting; (ongehuwd) maid of honour; ~dichter c. poet; (in Eng.) poet laureate; ~dienst attendance at c.; ~feest c.-fête, festivity at c.

hoffelijk courteous, urbane; ~heid courtesy, courteousness; internationale –, ook: comity of nations

hof: ~gunst c.-favour; ~horig predial; ~horige serf, predial (slave); ~houding royal (imperial) household, court; (fig.) princely suite, large establishment; ~jagermeester Master of the Royal Hunt; ~je (pleintje) court, court-yard; (instelling) almshouse; ~jonker page; ~kabaal c.-intrigue; ~kapel a) c.-chapel; b) royal band (of: orchestra); ~kapelaan zie ~prediker; ~kliek c.-clique; ~kostuum c.-dress; ~kringen c.-circles; ~leverancier Royal Warrant holder; (by appointment) purveyor (tailor, etc.) to H. M. the King (the Queen), c.-tailor, -dress-maker, etc.; ~maarschalk ongev.: Lord Chamberlain; ~meester steward; (in voornaam huis) house-steward, majordomo; (hist. aan 't hof) seneschal; ~meesteres stewardess; (van vliegt.) ook: air-hostess; ~meesterschap stewardship; ~meier mayor of the palace, majordomo; ~nar c.-jester, -fool; ~prediker c.-chaplain, chaplain to the King (Queen); ~rouw c.-mourning; ~stad royal residence; ~stede zie hoeve; ~stoet royal (imperial) train (retinue)

hog (mar.) hog

hogelijk highly, greatly

hogen zie verhogen

hogepriester high priest, pontiff; ~ambt, ~schap high-priesthood, pontificate; ~lijk pontifical

hoger zie hoog; ~eind head [of the table]; ~hand zie hand; ~huis Upper House, House of Lords; ~op higher up; – gaan, zie beroep (in hoger ...); – willen have higher aspirations, be ambitious; ~wal wind-side

hogeschool university; (ruitersp.) high-school; zie technisch, universiteit

hoggen (mar.) hog

hok kennel [for dogs], pen [for sheep, poultry], sty [for pigs], hutch [for rabbits, etc.], cage [for wild animals], [pigeon-, hen-]house; (schuurtje) shed; (kamer) den; (gevangenis) quod; (van schoven) shock [sheaves in ...s]; in ~ken zetten shock [corn]; ~duif domestic pigeon; ~je zie ~; compartment; (getekend) *ook:* space, (*vierkant*) square, (*op formulier*) box; *in –s verdelen,* (*fig.*) compartmentalize; [science]; (*in bureau, enz.*) pigeon-hole; (*kamertje*) cubby-hole; ~**jesgeest** parochialism; ~**keling** yearling (calf)

hokken 1 *bij elkaar* ~ huddle (herd) together; (*in krotten*) pig (together), pig it; *hij hokt altijd thuis* he never stirs out; *bij 't vuur* ~ cover (sit huddled) over the fire; ~ *met* (*sl.*) shack (up) with; 2 (*van machine, enz.*) *zie* haperen; *het gesprek hokte* the conversation flagged (began to flag), halted, hung (fire); *'t hokt ergens* there is a hitch somewhere; *haar stem hokte* a catch came into her voice

hokk(er)ig poky

hokvast stay-at-home; *hij is* (*erg*) ~, *ook:* he is a stay-at-home

1 hol *zn.* cavern, cave; (*holte*) cavity; (*woning*) (dog-)hole; (*van wild dier*) den, lair; (*van vos*) hole, earth; (*van das*) earth; (*van konijn*) burrow; (*van bever*) lodge; (*van dieven, enz.*) den, haunt, resort; (*mar.*) (*romp*) hull, (*ruim*) hold; *in zijn* ~ *kruipen,* (*van das, enz.*) go to earth (to ground); *uit zijn* ~ *komen,* (*van vos*) break cover; *diepe* ~*en beneden de oppervlakte, ook:* deep burrowings beneath the surface

2 hol *zn.: iem. 't hoofd op* ~ *brengen* turn a p.'s head, put notions (fancies, ideas) into a p.'s. head; *ze had hem het hoofd op* ~ *gebracht, ook:* he had lost his head over her; *ze liet zich 't hoofd door hem op* ~ *brengen* she went off her head about him; *zijn hoofd raakte helemaal op* ~ he completely lost his head; *op* ~ *gaan* (*raken, slaan*) bolt, run away; (*fig.*) run wild [the younger generation ...]; (*van troep paarden, vee*) stampede; (*van stier*) run amuck; *zie* hollend; *zijn verbeelding is op* ~ his imagination is running riot

3 hol *bn.* hollow [tree, tooth, cheeks, tones, voice, words], empty [stomach, head, talk, phrases, words, title], gaunt, cavernous [apartment], concave [lens, mirror]; ~*le ogen* h. (sunken) eyes; ~*le stempel* female die; ~*le vaten klinken 't hardst* people who know least talk loudest; the less sense, the more talk; ~*le weg* sunken road; ~*le zee* h. sea; *de zee stond erg* ~ the sea was running very h.; *ik voel me nogal* ~, (*hongerig*) I am feeling pretty h.; *het* ~*le van de hand* the h. of the hand; *in 't* ~*le* (*'t* ~*st*) *van de nacht* at dead (in the dead) of night

hola hullo! stop! hold on!

hol: ~**ader** vena cava; ~**beitel** gouge; ~**bewoner** cave-dweller, -man, troglodyte; ~**bol** concave-convex

holderdebolder head over heels, head over ears, helter-skelter; ~ *door elkaar* pell-mell

hole: ~**beer** cave-bear; ~**broeder** hole-nesting bird; ~**mens** cave-man

hol: ~**heid** hollowness, emptiness; *zie* hol; ~**hoornig** cavicorn

holisme holism

holla *zie* hola

Holland id.; ~**er** Dutchman, Hollander; (*papier-*

bereiding) id., rag-engine; *Vliegende* – Flying D.; (*speelgoed*) racer, pedal-car; *de* –*s* the Dutch; ~**s** Dutch; *'t* – Dutch; ~**se** Dutchwoman

Holle: *Vrouw* ~ *maakt haar bed op* Mother Carey is plucking her geese (her chickens)

hollen run, scamper, career [the bull ...ed through the street]; *zie ook* door- & weg~; *het is met hem* ~ *of stilstaan* he always runs (in)to extremes, it is all or nothing with him; ~*d paard* runaway (horse); ~*de inflatie* galloping inflation

hologig hollow-eyed, (*van zorg, enz. ook*) haggard

holografisch holograph(ic) [will]; holographic [image]; -**gram** id.

hol: ~**passer** spherical compasses; ~**pijp** hollow punch

holrond concave; ~**heid** concavity

holsblok wooden shoe, clog

holspaat macle

holster id., (pistol-)case

holte cavity (*ook in 't lichaam*), hollow [of the hand, etc.], socket [of the eye], crook [of the arm, of the elbow]; (*kuil, kuiltje*) pit; (*diepte*) hollow; (*mar.*) depth; ~**dier** coelenterate

holwangig hollow-cheeked

hom milt, soft roe; (*aan overhemd*) frill; *met* ~ *en kuit, zie* huid (*met ... en haar*); ~**baars** softroed perch (*evenzo van andere vissen*)

homeopaat homoeopath(ist)

homeopathie homoeopathy

homeopathisch homoeopathic (*bw.:* -ally)

homerisch Homeric; ~ *gelach* H. laughter, roar(s) of laughter; **Homerus** Homer [(even) H. sometimes nods]

homileet, -lie homilist, -ly

hommel bumble-, humble-bee; ~**en** buzz, hum

hommeles: *het is* ~ *tussen hen* they are at odds, they've had a tiff; *'t wordt* ~ there'll be ructions, there's going to be a dust-up (a bust-up)

hommer milter

homo homo(sexual), pansy, sissy, queer

homoeopaat enz., *zie* homeo-

homo- id.: ~**fiel** h.phile; ~**filie** h.phily; ~**foon** *zn.* h.phone; *bn.* h.phonous, (*muz. ook*) h.-phonic; ~**geen** h.geneous; ~**geniteit** h.geneity, h.geneousness; ~**logatie, -geren** sanction; (*inz. sp.*) *ook:* h.logation, h.logate; ~**loog** h.-logous; ~**niem** *zn.* h.nym; *bn.* h.nymous; ~**seksualiteit** h.sexuality; ~**seksueel** *zn.* & *bn.* h.sexual; ~**zygoot** h.zygote

homp lump, hunch, hunk, chunk [of cheese]

hompelaar(ster) hobbler

hompelen hobble, limp, walk lame, walk with a limp; **hompelig** hobbling, limping

homvis milter

hond dog, (*jacht-*) hound, (*min.*) cur; *gemene* ~, (*fig.*) dirty dog (hound, cur); *jonge* ~ puppy, pup; *beter een levende* ~ *dan een dode leeuw* discretion is the better part of valour; *zij behandelt hem als een* ~ she leads him a dog's life (of it); *een dode* ~ *bijt niet* dead men tell no tales; *ik ben hier de gebeten* ~ I can do nothing right here; *kwade* ~*en bijten elkaar* *niet* d. will not (does not) eat d.; *veel ~en zijn der hazen dood* there is no fighting against superior numbers; *komt men over de ~ dan komt men over de staart* if the big problem is solved, the small ones will look after themselves; *men moet geen slapende ~en wakker maken* let sleeping dogs lie; *met onwillige ~en is het kwaad hazen vangen* you may lead a horse to water, but you cannot make him drink; *wie een ~ wil slaan, vindt licht een stok* any stick to beat a d.; *twee ~en vechten om een been, de derde loopt er ras mee heen* two dogs fight for a bone, and a third runs away with it; *de ~ in de pot vinden* go without one's dinner, dine with Duke Humphrey; *met de toewijding van een ~* with dog-like devotion; *zie* bekend, kat, moe, rood, enz.

honde- dog; **~baantje** awful (ghastly) job; **~beet** dog-bite; **~brood** d.-biscuit; **~ètensbak** dog's bowl; **~fluitje** d.-whistle; **~geblaf** barking of dogs; **~haar** dog's hair; **~hok** (d.-)kennel; **~kar** cart drawn by dogs, d.-cart; **~ketting** d.-chain; **~kot** (d.-)kennel; *(fig.)* d.-hole; **~leer** d.-skin; **~leven** dog's life; *een – hebben* lead a dog's life; *hij had een – bij haar* she led him a dog's life, he had a dog's life with her; **~maal** wretched meal; **~mand** dog('s) basket

honden- dog; **~asiel** (lost) dogs' home; **~belasting** d.-tax; **hondeneus** dog's nose; *een – hebben* have a keen nose

honden- **~fokker** d.-breeder, d.fancier; **~geslacht** 't – the canine species; **~gevecht** d.-fight; **~jongen** kennel-man; **~kerkhof** dogs' cemetery; **~koopman** d.-fancier; **~liefhebber** d.-lover; **~pension** boarding kennel(s); **~slager** beadle, d.-whipper; **~tehuis** dog's home; **~tentoonstelling** d.-show, bench-show

honde- dog; **~penning** d.-licence badge; **~ras** d.-breed

honderd a (one) hundred; *nummer ~* the w.(c.) (water-closet); *enige ~en* some hundreds (of); *~en en ~en* hundreds upon (and) hundreds; *zowat ~* some h.; *één gulden de ~* one guilder a h.; *vijf ten ~* five per cent.; *'t is ~ tegen één* it's a h. to one; *al word ik ~ jaar* if I live to be a h.; *wel ~ jaar kunnen worden* be booked for a century; *~ uit praten* talk nineteen to the dozen, talk endlessly; *alles ligt in 't ~* things are all at sixes and sevens; *alles (de boel) loopt in 't ~* everything is going awry; *alles in 't ~ jagen* make a mess of the whole affair; *zie ook:* bij 10; **~delig** consisting of a hundred parts; **centigrade** [thermometer]; **~duizend** a (one) h. thousand; *~en* hundreds of thousands (of); *'t verlies bedraagt meer dan – pond* the loss runs into six figures, there is a six-figure loss; **~erlei** a h. and one; **~gradig** centigrade; **~jarig** a h. years old; *– bestaan (feest)* centenary, centennial; *de –e Oorlog* the Hundred Years' War; *een –e* a centenarian; **~koppig** h.-headed; **~maal** a h. times; **~man** centurion; **~ogig** with a h. eyes; **~ste** hundredth; **~tal** a (one) h.; *twee*

~len two hundreds; *zie ~*; **~twintig** a h. and twenty; *(voor sommige artikelen: haring, enz.)* a great (long) h.; **~voud** centuple; **~voudig** a hundredfold, centuple

honde- dog; **~voer** dog-food; **~wacht** mid-(dle) watch, midnight watch; **~weer** beastly weather, weather not fit to turn a d. out; **~werk** miserable work; **~ziekte** (canine, d.-) distemper

hondje (little) dog, doggie; *een ~ van een kind* a perfect little darling; *hij is van het ~ gebeten* he is awfully conceited; *zie* graf

honds currish, churlish; *iem. ~ behandelen* treat a p. like dirt; **~aap** (dog-faced) baboon, cynocephalus; **~brutaal** extremely impudent; **~dagen** dog-days; **~dolheid** rabies, canine hysteria; *(bij mens)* hydrophobia; **~draf** ground-ivy, ale-hoof; **~gras** dog's tooth; **~haai** (small spotted) dog-fish; **~heid** currish-, churlishness; **~honger** *zie* geeuwhonger; **~luis** dog-louse, -tick; **~netel** white nettle; **~peterselie** fool's parsley; **~roos** dog-, canker-, briar-rose; **~ster** dog-star, Sirius; **~tand** dog-, eye-tooth, canine tooth; *(plant)* dog's-tooth (violet); **~tong** *(ook plant)* dog's (hound's) tongue; **~viooltje** dog-violet; **~vot** blackguard

honen scoff (jeer, sneer) at, taunt, flout, deride; *(techn.)* hone; **~d** *ook:* scornful, derisive; *'...', zei ze ~d '...',* she sneered

Hongaar(s) Hungarian; **Hongarije** Hungary

honger hunger; *~ is een scherp zwaard* h. is a powerful weapon; *~ is de beste saus, ~ maakt rauwe bonen zoet* h. is the best sauce; *~ hebben* be hungry; *ik heb geen ~* I am not hungry; *ik heb een ~ als een paard (wolf)* I am as hungry as a hunter; *de ~ buiten de deur houden* keep the wolf from the door; *~ krijgen* get hungry; *~ lijden* starve, go hungry; *van ~ sterven* die of h. (of starvation), starve (to death), be starved to death; *van ~ doen omkomen* starve to death; *door ~ tot overgave (toegeven) dwingen* starve into surrender (submission); *zie* rammelen & stillen; **~dood** death from h. (from starvation); *de ~ sterven, zie:* van ~ sterven

hongeren hunger, be (feel) hungry; *~ naar* h. after [righteousness], h. for [gossip], be hungry for [knowledge]

hongerig hungry *(ook fig.: naar* for); *een beetje ~* peckish; *'n ~e maag (buik)* luistert niet naar rede a h. belly knows no law; **~heid** hungriness

honger- **~kuur** hunger-, fasting-cure; **~lijd(st)er** starveling; **~loon** starvation *(of:* hunger) wages, starvation salary; *laten werken voor een –* exploit, sweat [...ed workers]; **~oedeem** hunger oedema; **~oproer** h.-riot(s); **~optocht** h.-march; *deelnemer aan –* h.-marcher

hongersnood famine; *door ~ getroffen* f.-stricken [provinces]

honger- **~staker** hunger-striker; **~staking** h.-strike; *de – toepassen* (be on) h.-strike; **~winter** famine winter, hunger w.

Hongkong Hong-Kong

honi(n)g honey; *iem. ~ om de mond smeren*

butter a p. up, soft-soap (soft-sawder) a p.;
men vangt meer vliegen met ~ dan met azijn
you'll achieve more by (get further with)
kindness than severity; **~achtig** h.-like,
honied, honeyed; **~bakje** (*plantk.*) nectary;
~beer h.-bear; **~bereiding** production of
h.; **~bij** h.-bee; **~bloem** h.-flower; **~cel** h.-cell,
alveolus (*mv.:* alveoli); **~das** h.-badger,
(h.-)ratel; **~dauw** h.-dew; **~drank** mead,
h.-drink; **~geur** smell of h.; **~kelk** (*plantk.*)
nectary; **~klaver** melilot; **~klier** h.-gland;
~koek *ongev.:* h.-cake; **~koekoek** h.-guide;
~merk (*plantk.*) h.-guide; **~oogst** h.-har-
vest, crop of h.; **~pot** h.-jar; **~raat** h.-comb;
~rijk abounding in h.; **~zakje** (*van bij*) h.-bag;
~zeem virgin h.; **~zoet** as sweet as h., h.-
sweet; *-e woorden* honeyed (honied) words;
op -e toon, ook: in mellifluous accents; **~zuiger**
(*vogel*) h.-sucker
honk home, (*bij spel ook*) goal, base; *~ bereiken*
get h.; *bij ~ blijven* stay at h.; *van ~ gaan* leave
h.; *ver van ~* far from h., [go] far afield; **~bal**
baseball; **~vast** stay-at-home
honneponnig *zie* snoezig
honneur honour; *~s,* (*mil.*) compliments; *~s gelijk* honours divided (*fam.:* easy); *vier ~s hebben,* (*in handen*) hold four honours, (*vier punten daarmee*) have four by honours; *de ~s
waarnemen* (*aan tafel*) do the honours (of the
table); *overlaten pour l'~ du plat.* (*vero.*) leave
for manners
honnig *zie* snoezig
honorabel honourable
honorair honorary; *~ lid* h. member
honorarium [doctor's, lawyer's etc.] fee; (*voor-
uitbetaald aan advocaat*) retainer; (*van schrijver*) (author's) fee, copy-fee, (*per exemplaar*)
royalty, royalties
honoreren 1 (*wissel*) honour, meet, protect, take
up [a draft]; *niet ~* dishonour; 2 pay [an
author]
honoris causa honorary; *iem. ~ promoveren*
confer (bestow) an h. degree upon a p.;
doctor ~ h. doctor
hoofd head; (*persoon*) head [of a family, school,
etc.], chief, leader, principal; (*van brief, enz.*),
[printed] heading; (*haven~*) *zie ald.;* (*stroom-
dam*) groyne; *~ der school* headmaster, -mis-
tress, head teacher; *~ van de huishouding,* (*in
school, enz.*) matron; *~ links* (*rechts*)! left
(right) face!; *een ~ groter* taller by a h., a h.
taller; *gekroonde ~en* crowned heads; *zoveel
~en zoveel zinnen* (so) many men, (so) many
minds (opinions); *het ~ bieden* make h. against,
make a bold stand against [the enemy], stand
up to [a p., severe tests], face, brave, defy
[danger, competition], bear up against [mis-
fortune], cope with [difficulties]; *de vijand
hardnekkig 't ~ bieden, ook:* put up a stubborn
defence; *zijn ~ ~ is ermede gemoeid* it is a
matter of life and death; it is a capital crime,
it's a hanging matter; *'t ~ omhoog houden* hold
up one's h.; (*fig. ook, fam.*) keep one's tail
up; *mijn ~ staat er niet naar* I am not in the
mood (the vein) for it; *zij staken de ~en bij
elkaar* they laid (put) their heads together; *hij
heeft geen ~ voor studie* (*een goed ~ voor ...,
niet veel ~ voor ...*) he has no h. for study (a
good h. for mathematics, not much h. for
dates); *'t ~ kwijtraken* lose one's h.; *hij was 't
~ kwijt* he had lost his h.; *zijn ~ neerleggen* lay
down one's h. (*ook fig.*); *ze hebben geen plaats
om hun ~ neer te leggen* they have nowhere to
lay their heads; *het ~ opsteken* raise one's
head [*ook fig.:* the rebels ...d (*ook:* reared)
their heads again]; *het ~ stoten* knock one's
h. [against a wall]; (*fig.*) meet with a rebuff;
overal 't ~ stoten, ook: be up against a blank
wall; *een ~ tonen* be obstinate; *hij volgt zijn
eigen ~* he goes his own way, takes his own
line; *iem. het ~ warm maken* ruffle a p.'s
temper; (*fam.*) put a p.'s monkey up; *zich het
~ breken over* rack (beat, puzzle, cudgel) one's
brains about, trouble one's h. about; *aan 't ~
staan* (*van*) be at the h. (of), be in charge (of),
head [a delegation]; *de man die aan 't ~ staat*
the man at the top; *te veel aan 't ~ hebben* have
too much to think of; *aan 't ~ van de tafel* at
the h. (the top) of the table; *hij is niet wel bij
het ~* he is off his h., not right in his h.; (*sl.*)
off his chump (nut, rocker); *ben jij niet goed
bij 't ~?* have you taken leave of your senses?;
er hangt u iets boven 't ~ there is s.t. hanging
over your h.; *zie groeien; het is mij door 't ~
gegaan* it has slipped my memory, (*sterker*) it
has clean gone out of my head; *zie malen; al
naar 't mij in 't ~ komt* just as the fancy takes
me; *wie heeft je dat in 't ~ gepraat?* who put
that into your h.?; *zich iets in 't ~ halen, iets in
zijn ~ krijgen* take (get) s.t. into one's h.; *hoe
krijg je 't in je ~?* how did you get it into your
h.?; *hij viel (stootte) zich een gat in het ~* he
broke his h.; *met 't ~ in de nek* [he went down
the road] h. flung back; *hij viel met 't ~ vooruit*
he fell headlong; *de wijn steeg hun naar 't ~*
went to their heads; *iem. een belediging (beschuldiging) naar 't ~ gooien* fling an insult in
a p.'s teeth (level an accusation at a p.); *zie
ook voet (voor de ...en gooien); onder een
ander ~* [you'll find this word] under another
heading; *op zijn ~ staan, zie* kop; *op zijn ~ gevallen,* (*fig.*) crazy, not all there; *onze daden
komen op ons eigen ~ neer* our actions come
home to roost; *wat hij zei ging over hun ~en
heen* what he said passed over (he spoke over,
his talk was above) their heads; *over 't ~ zien*
overlook [mistakes, a fact]; *vijf gulden per ~*
five guilders a h.; *verbruik per ~* consumption
per h., per capita consumption; *per ~ van de
bevolking* per head of population; *uit ~e van*
on account of, owing to, by reason of, in consideration of [his good character]; *uit ~e van
zijn beroep als chirurg* in his quality as surgeon;
uit dien ~e for that reason, on that account;
uit 't ~ aanhalen quote from memory; *uit 't ~
kennen* (*leren, opzeggen, zingen*) know (learn,
say, sing) by heart; *hij kent ..., ook:* he has
the history of the place by heart; *uit 't ~ op-*

zeggen, ook: repeat without book; *uit 't ~ citeren* quote from memory; *ik kan 't uit 't ~ doen* I can do it in my h.; *sommen uit 't ~ maken* do sums in one's h.; *uit 't ~ rekenen* do mental arithmetic; *dat zal hij wel uit zijn ~ laten* he knows better than that; *iem. iets uit 't ~ praten* talk (persuade, argue) a p. out of s.t.; *ik kon hem dat idee niet uit 't ~ praten, ook:* I could not disabuse him of that idea; *zich iets uit 't ~ zetten* put (get) s.t. out of one's h. (*of:* mind), dismiss s.t. from one's mind; *van 't ~ tot de voeten* from h. to foot, from top to toe, [look a p.] up and down, [armed] cap-a-pie; *~ voor ~* (each) separately; *hij stond als voor 't~geslagen* he was staggered; *iem. voor 't ~ stoten* rebuff (repulse) a p.; *zie ook* buigen, hangen, kop, nek, schieten, water, enz.

hoofd-: *dikwijls:* principal, chief, main, leading; ~**aalmoezenier** (*mil.*) Chaplain General to the Forces; ~**aanlegger** prime mover, moving spirit, chief instigator, master mind; ~**aanval** main attack; ~**aanvoerder** commander-in-chief; chief leader; ~**ader** cephalic vein; (*fig.: van verkeer*) main artery; ~**afdeling** principal (main) section; (*van dieren-, plantenrijk*) subkingdom, phylum, *mv.* -la; ~**agent** *a*) general (*of:* distributing) agent; *b*) *ongev.:* police sergeant; ~**agentschap, -uur** general agency; ~**akte** headmaster's certificate; ~**altaar** high altar; ~**ambtenaar** senior official; Senior, Chief, Principal [Executive, Scientific etc.] Officer (*opklimmende rangorde*); ~**amusement** staple amusement; ~**arbeid** brain-work; ~**arbeider** brain-worker; ~**artikel** leading article, leader, editorial; ~**artikelschrijver** leader-writer; ~**as** principal axis; ~**balk** principal beam; ~**band** h.-band, bandeau, fillet; ~**bedekking** covering for the h., h.-gear; ~**beginsel** chief (main, fundamental) principle; ~**begrip** fundamental notion; ~**bestanddeel** chief ingredient, main constituent; ~**bestuur** general (central) committee; national council [of a party], executive (committee) [of a society]; ~**bestuurder** director-in-chief, director-general, member of the general committee; ~**bewerker** principal author; *zie ook* ~aanlegger; ~**bewerking** (*rek.*) elementary (fundamental) operation (*of:* rule); ~**bewoner** main tenant; ~**bezigheid** principal occupation, main pursuit; ~**bezwaar** main objection (difficulty, drawback); ~**boekhouder** chief (head) bookkeeper, accountant; ~**breken** racking of one's brains; *vgl.* hoofd (*zich 't ~ breken*); *'t kostte veel –(s)* it occasioned much brain-racking; ~**brekend** perplexing [subjects]; ~**bron** h.-spring, chief source; ~**buis** [water-]main, main-tube; ~**bureau** h.-office; (*van politie*) police headquarters; ~**commies** principal clerk [in the Home Office]; ~**commissariaat** police headquarters; ~**commissaris** (chief) commissioner (of police); ~**conducteur** head guard; ~**dader** *zie* ~aanlegger & ~schuldige; ~**deel** principal (main) part; ~**dek** main-deck; ~**dekking** (*mil.*) h.-cover; ~-

deksel h.-gear, head-covering; ~**denkbeeld** main (*of:* leading) idea; ~**deugd** cardinal virtue; ~**deur** main door (*of:* entrance); ~**doek** head-shawl, kerchief; ~**doel** main object; ~**eigenschap** chief quality (property); (*wisk.*) fundamental theorem; ~**einde** h. [of the bed, of the table], top [of the table]

hoofdelijk (*per hoofd*) *zie* hoofd; *~e akte* deedpoll; *~e omslag,* (*belasting*) poll-tax; *~ stemmen* vote by call; *~ laten stemmen* take a poll; *er werd ~ gestemd over de vraag of* ... the rollcall was taken on whether the report should be adopted; *~e stemming* voting by call, rollcall vote, poll; (*Parl., enz.*) division; *zonder ~e stemming,* (*Parl., enz.*) [the motion was carried] without a division; *~ aansprakelijk* severally liable; *zie* gezamenlijk; *~ onderwijs* individual teaching

hoofd: ~**eloos** headless, without a h.; ~**factor** main factor; ~**feit** main fact, chief event; ~**figuur** *zie* ~persoon; ~**film** feature film; ~**fout** cardinal flaw; ~**gang** principal passage; ~**gebeurtenis** chief (main) event; ~**gebouw** main (part of a) building; ~**gebrek** principal fault, chief defect; ~**gedachte** *zie* ~denkbeeld; ~**geld** poll-tax, h.-money, capitation(-tax); ~**geleiding** *zie* ~leiding *b*); ~**gerecht** main course, pièce de résistance; ~**geschil** principal difference; ~**gestel** (*bk.*) entablature; ~**getal** cardinal (number); ~**getuige** chief witness; ~**groep** division; ~**grond** main cause, principal argument; ~**haar** hair of the h., (*scherts.*) thatch; ~**ig** obstinate, headstrong; ~**igheid** obstinacy; ~**ingang** main entrance; ~**ingeland** chief landholder (in a polder); ~**ingenieur** chief engineer; ~**inhoud** gist, purport, sum and substance, chief contents; ~**inspecteur** chief inspector; *– van politie* police superintendent; ~**intendant** Quarter-Master General, Q.M.G.; ~**kaas** (pork) brawn, collared head; (*Am.*) h.-cheese; ~**kantoor** *a*) h.-office, head-quarters (building); *b*) *zie* ~postkantoor; ~**kerk** cathedral; ~**klemtoon** principal stress; ~**kleur** principal colour; (*één der drie*) primary colour; ~**knik** nod; ~**kraan** main cock; *de – dichtdraaien* turn off the gas, etc. at the main; ~**kussen** pillow; ~**kussentje** h.-rest; ~**kwartier(en)** head-quarters, H.Q.; *groot – general* ..., G.H.Q.; *een – a* headquarters; *in 't – at* headquarters; ~**leider** principal director; ~**leiding** *a*) supreme (general) direction (management); *b*) [gas, water, electric] main, main supply; *~ en zijleiding* main and service pipe(s); ~**letter** capital (letter); (*aan het begin*) *ook:* capital initial; *– A* capital A; ~**lieden** *mv. van* ~man; ~**lijn** (*van spoor, telef., enz.*) trunk-line, main line; *–en,* (*fig.*) *zie* ~trek; *~ en zijlijnen* main and branch lines; ~**luis** h.-louse; ~**maaltijd** principal meal; ~**maatschappij** parent company; ~**macht** main body [of an army], bulk [of the artillery]; ~**man** chief, leader; (*dorpshoofd*) headman; ~**middel:** *– van bestaan* chief (means of) support, stand-by; ~**motief**

principal motive; ~nerf (van blad) midrib; ~nummer principal item; (artiest) star-turn; ~officier field officer; ~onderscheid main difference; ~onderwijzer(es) h.-teacher; ~oogmerk principal aim, chief object; ~oorzaak principal (main, root) cause; ~opzichter chief inspector; ~persoon principal person, principal (leading, central) figure; (in drama, enz.) principal character, protagonist (ook fig.), hero; de – zijn, zie: de ~rol spelen; ~pijn headache; (fam.) head [have an awful (a bit of a) ...]; – hebben have a headache; iem. – bezorgen give a p. a h.ache; ~plaats a) zie ~stad; b) chief town; ~planeet primary planet; ~poort main gate; ~postdirecteur h. postmaster; ~postkantoor h. post-office; (in Londen) general post-office, G.P.O.; ~prijs first prize; ~punt main (chief, most essential) point; 't – van 't programma, ook: the feature of the programme; de –en van onze overeenkomst the heads of our agreement; ~redacteur editor, editor-in-chief, general editor; ~regel principal (cardinal, general) rule; ~rekenen mental arithmetic; ~rivier principal river; ~rol principal (leading) part; de – spelen play the lead (the leading part), be the leading man (the leading lady); (fig.) play first fiddle, call the tune; ~schakelaar mains switch; ~schotel principal dish, staple dish; pièce de résistance (ook fig.); (fig.) staple (fare); (fig.) main item [on the programme, etc.]; ~schudden shake of the h.; ~schuld a) principal debt; b) chief fault; ~schuldige chief offender (culprit); hij is de – the fault lies chiefly with him; ~sieraad a) ornament for the h.; b) principal ornament; ~slagader aorta; ~som (tegenover interest & opcenten) principal; ~spoorweg zie ~lijn; ~stad capital (town, city), metropolis; (van prov., Eng.) county-town, (Am.) county-seat; ~stel bridle; ~stelling a) (mil.) principal position; b) zie grondstelling; ~stengel main stem; ~steun(tje) h.-rest; (v. auto) h. restraint; ~straat principal street, main street, thoroughfare; ~streken (van kompas) cardinal points; ~studie principal study; ~stuk chapter; ~tak main branch; ~telefoon headphone(s); ~telwoord cardinal (number); ~thema central theme, burden [of speech], (muz.) principal theme; ~tooi(sel) h.-dress; ~toon a) zie grondtoon; b) principal stress; ~treffen principal engagement; ~trek main (outstanding) feature, principal trait (characteristic); ~ken outline(s), main lines; in –ken in outline; ~tribune grandstand; ~tuig h.-harness; ~vak principal subject; ~verband bandage for the h.; ~verdeling principal division; ~verdienste a) chief merit; b) principal income; ~vereiste chief requisite; ~verkeersweg main (trunk, major, arterial) road, main thoroughfare (highway Am.); ~verkenner Chief Scout; ~verkoudheid h.-cold; ~verpleegster (ward-)sister, h.-, charge-nurse, ward-matron, sister in charge (of a ward); ~verpleger wardmaster; ~voedsel principal

food, staple diet; ~vorm principal form; -en van ww. principal parts of a verb; ~wacht main guard(-house); ~wapen (van leger) main arm; ~wassing washing of the h., shampoo(ing); ~water hairwash; ~weg main road, major road, highroad; ~werk principal work; (mil.) main fort; ~windstreken cardinal points (of the compass); ~wond h.-wound, h.-injury, wound in (on) the h.; ~woord headword, entry word; ~wortel main root, tap-root; ~zaak main point, main thing ~zaken essentials; in – in the main, in substance; in – juist substantially correct; dat is bij mij de – that is the first consideration (principal thing) with me; voor hen is de – ... their main concern is with ...; ~zakelijk principally, chiefly, mainly; ~zeer ringworm of the scalp, (fam.) scald-head; ~zetel principal seat, headquarters; ~zin principal sentence, main (head-, principal) clause; ~zonde capital sin; ~zuster zie ~verpleegster; ~zwarigheid main objection, principal difficulty

hoofs courtly; ~heid courtliness

hoog high [mountain, oak, room, note, colour, opinion, temperature, rank, price, words, antiquity, latitude, politics], lofty [mountain, apartment, ideals], deep [snow], high-pitched [voice, roof], high-ceilinged [room], (lang & slank) tall [poplar, chimney]; (verheven) exalted [personage, guest, station]; de hoge c [sing] the upper C, the top C.; ~ wonen live h. up; vier ~ [live] four floors up, four storeys high, up four pair of stairs, four stairs up; voor- (achter)kamer twee ~ two pair front (back); ~ en droog h. and dry; (fig.) safe, out of harm's way; van hoge afkomst of h. descent, of exalted birth; op hoge breedte in a h. latitude; hij kreeg een hoge kleur, ook: his cheeks flushed; een hoge leeftijd bereiken attain (to) a great age; in 't hoge noorden in the extreme North; tegen hoge prijzen at h. (fam.: long, tall, stiff) prices; bespottelijk hoge prijs fancy price; zeer hoge prijs, ook: steep price; de prijzen worden hoger prices are looking up (going up); zie prijs; Hoge Raad Supreme Court; (Eng., ongev.) Court of Appeal; Hoge Raad van Adel College of Heralds; een hoge rekening a big bill; (enigszins) een hoge rug hebben have a (slight) stoop; stoel met hoge rug h.-backed chair; ~ grijpen (fig.) aim (fly) high; we hebben te ~ gegrepen we've bitten off more than we can chew; ~ spelen play (gamble) h., play deep; ~ water, zie ~water; we kregen hoge woorden we had words [over over], we had a (raging) quarrel; 't hoge woord moet (is) er uit the plain truth must be told (the truth is out); ten laatste kwam 't hoge woord eruit at last he made a clean breast of it; een ~ woord hebben brag; ~ zingen sing h.; ~ nodig, zie ~nodig; de sneeuw ligt 3 voet ~ lies three feet deep; ~ op 't water liggen, (mar.) ride h.; de Theems staat ~ the Thames is in (full) flood; de spoorwegaandelen staan heel ~ railway-shares are very high; *hoe ~ staan ze?* what do they stand at? at what figure are they?; *hij staat te ~ om zich die laster aan te trekken* he can afford to pass by that slander; *zie* hemel; *hij achtte zich niet te ~ om* ... he was not above ...ing; *dat is mij te ~* that is beyond (above) me (my comprehension), above my head; *dat zit mij nog ~* it still sticks in my throat; *of je ~ of laag springt* whether you like it or not; *~ en laag*, (*van land*) surface relief; *hoger, ook:* up [sugar is ...; road deaths are ... by 16; the deficit is £200 ...]; *de produktie was 40 ton ~ dan de vorige week* 40 tons up on the previous week; *drie gulden en hoger* [prices] three guilders and upwards; *hogere ambtenaar* higher-grade civil servant; *hoger onderwijs, a*) higher education; *b*) university education; *hogere wiskunde* higher mathematics; *hoger geplaatsten* [our] betters; *een hoge* a bigwig, a big pot (gun), (*mil.*) a brass hat; *ere zij God in den hoge(n)* glory to God in the highest; *zie ook* hoogst, hooggespannen, bevel, hoed, lopen, opgeven, toon, tijd, verwachting, vliegen, zweren, enz.

hoog: ~**aanzienlijk** very distinguished; ~**achten** respect, esteem highly; ~**achtend** *Uw* ... Yours faithfully (truly) ...; ~**achting** esteem, respect, regard; ~**adellijk** most noble; ~**altaar** h. altar; ~**bedaagd,** ~**bejaard** stricken (far gone) in years; ~**blauw** bright blue; ~**blond** reddish, golden [hair]; ~**bouw** high-rise (building); ~**conjunctuur** boom; ~**dag** h.(-)day; ~**dekker** (*vliegt.*) h.-wing monoplane; ~**dravend** (*eig.*) h.-stepping; (*fig.*) stilted, bombastic, h.-sounding, grandiloquent, h.-flown; ~**dravendheid** grandiloquence; ~**draver** h.-stepper; ~**druk** relief printing; **H~duits** H. German; ~**edelachtbaar,** ~**edelgestreng** *ongev.:* (Right) Honourable; ~**eerwaard(e)** Right (Most) Reverend; ~**frequent(ie)** high-frequency [current]; ~**gaand** running h., heavy [sea]; *-e ruzie* flaming row; *zie ook:* hoog (*hoge woorden*); ~**geacht** highly (much) esteemed; *-e Heer* (Dear) Sir; ~**gebergte** h. mountains, upper region of the (the) mountains; ~**geboren** h.-born; (*titel*) *ongev.:* Right Honourable; ~**geëerd** highly honoured; ~**geel** bright yellow; ~**gekleurd** florid [face], h.-coloured; ~**geleerd** very learned (*niet als titel!*); *-e* professor; *de -e heer Prof. Dr. A. B.*, (*op adres*) Professor A. B.; ~**gelegen** high, elevated; ~**geplaatst** highly placed, h.-placed; ~**gerechtshof** High Court (of Justice), Supreme Court (of Judicature); ~**geroemd** boasted [his ... wealth], vaunted [our ... civilization]; ~**geschat** highly esteemed, [our] much-prized [liberty]; ~**gespannen** high [hopes]; *onze verwachtingen waren –* our expectation ran high; *zie* gespannen; ~**gestemd** h.-pitched; (*fig. ook*) high [ideals]; ~**gezeten** h.-seated, -placed; ~**groen** bright green; ~**hartig** proud, haughty, supercilious, (*fam.*) high and mighty; *op zijn –e manier* in his hoity-toity (off-hand, cavalier) manner; ~**hartigheid** hauteur, haughtiness; ~**heid** highness; height;

grandeur; *Zijne –* His Highness; ~**heilig** sacrosanct; ~**houden** uphold [authority, a p.'s honour, a tradition], maintain [a tradition, one's reputation], live up to [one's reputation], keep up [the prestige of ...], hold aloft [the Imperial banner], keep [one's head] high; ~**koor** sanctuary; ~**land** highland; *de H–en* the Highlands; ~**lander** Highlander; ~**lands** Highland; ~**leraar** professor; *zie* universiteit; ~**leraarsambt** professorship; *het* **H~lied** *van Salomo* Solomon's Song, the Canticles, the Song of Songs (of Solomon); ~**lopend** *zie* ~gaand; ~**mis** h. mass; ~**moed** pride, haughtiness; *– komt vóór de val* pride will have a fall, pride goes (comes) before a fall; ~**moedig** proud, haughty; ~**moedswaanzin** *zie* grootheidsw.; ~**mogend** h. and mighty; *Hunne –en* their H. (and) Mightinesses; ~**nodig** highly necessary, much-needed; *– hersteld moeten worden* be sadly in need of repair; *'t –e* what is absolutely necessary, [furnished with] the bare necessities; *hij heeft slechts 't –e* he has barely enough to live on; ~**oven** blast-furnace, melting-furnace; ~**rood** bright red; (*van gezicht, blijvend:*) florid, rubicund; (*tijdelijk:*) flushed, as red as a turkey-cock; *met ~rode kleur* in a (all of a) glow, flushed; ~**schatten** esteem (value) highly; ~**schatting** *zie* ~achting; ~**spanning** h. tension [h.-tension battery, cable]; *gevaarlijk! –!* danger! high voltage! (*fig.*) [work under] h. pressure; –**skabel** (–**slijn**) power line; –**smast** pylon; –**snet** power grid, National grid; ~**springen** the h. jump

hoogst I *bn.* highest, utmost, sovereign [power], supreme [joy], top [branch, prices], [consumption]; *~e klas,* (*school*) top form (*of:* class); *van de twee staat hij 't ~* (*als mens*) he is the better man; *op zijn* (*het*) *~* [the storm, the sport was] at its height; *zie ook* ten *~e b*); *ten ~e, a*) highly, greatly, extremely [pleased]; *b*) [twenty] at (the) most, at best, at the utmost, at the outside; *boete van ten ~e ...* a fine up to (*of:* not exceeding) five pounds; *een bedrag van ten ~e £ 10* a maximum amount of £10; *van het ~e belang, ook:* of the first (last) importance; *zie* woord; II *bw.* highly, extremely [improbable], [simple] to a degree, vitally [important]

hoogstaand high-principled, high-souled, [man] of high moral standing, of a high character; *'t was een ~ debat* the debate was on a high level (of a high order)

hoogstaangeslagenen highest taxpayers

hoogstammig of tall growth, tall; *~ hout* forest timber; *~e roos* standard rose

hoogstand long-arm balance; ~**je** (*fig.*) tour de force

hoogst: ~**biedende** highest bidder; ~**dezelve** His (Her) Majesty; *in ~eigen persoon* in his own proper person

hoogstens *zie* ten hoogste *b*)

hoogstwaarschijnlijk *bn.* highly probable; *bw.* most probably

hoogte height [of a tower, mountain, the tide; *ook fig.*], elevation; (*van hemellichaam,* ~ *in de lucht, boven zeepeil, in meetk.*) altitude; (*van dak, van toon; fig.: grote* ~) pitch [his fury reached such a pitch that ...]; (*van prijs, belasting*) highness; (*concr.*) height [the house stands on a ...], eminence, rise, elevation; *de* ~ *van een boord* the h. (the depth) of a collar; *hij kreeg de* ~ he got tipsy; *wie zal ooit* ~ *krijgen van* ... who will ever fathom ...; *hij heeft de* ~ he is a bit on; *ik heb er geen* ~ *van, kan er geen* ~ *van krijgen* it's beyond me, it beats me; *ik kan geen* ~ *van hem krijgen* I cannot make him out, I find him puzzling; *de zaken hadden zulk een* ~ *bereikt* ... things had come to such a pass (such a pitch) ...; ~ *bereiken* (*verliezen*) (*luchtv.*) gain (lose) h.; ~*n nemen* (*mar.*) take sights; *in de* ~ *bouwen* build upward(s); *in de* ~ *gaan* rise; (*van prijzen, enz.*) rise, advance, go up, look up, (*sterker*) soar [oil shares are ...ing]; *de* ~ *doen ingaan* send up [stocks, prices]; *in de* ~ *steken* cry up [a novel, a person], crack up; *op dezelfde* ~ at the same h.; (*fig.*) on a par; *'t venster was op gelijke* ~ *met* ... was flush (on a level) with the floor; *op de* ~ *van Vijzelstraat 50* outside Number 50; *vlucht op grote* ~ high-altitude flight; *op één* ~ *zijn met* be on a par (a level) with, be up to the level of; *het bleef op dezelfde* ~ it remained stationary; *hij is op de* ~ *van zijn tijd* he is abreast of (*of:* with) the times; *hij is niet op de* ~ *van* ... he is not in (is out of) touch with recent events; *hij is er geheel van op de* ~ he knows the ins and outs of it, knows the ropes, is well up in the matter; *hij is goed op de* ~ *van dit onderwerp* he is well informed about (is well versed, well posted, *of.*: posted up in) this subject; *op de* ~ *van,* (*fam.*) knowledgeable about [horses, music]; *op de* ~ *van de feiten* in possession of the facts; *niet op de* ~ *zijnd* uninformed [the ... reader]; *op de* ~ *blijven van deze wetenschap* keep abreast of (*of:* with, keep pace with) this science; *ik heb hem op de* ~ *gebracht* I have informed him, I have posted him (up), shown him (put him up to) the ropes, filled him in, put him in the picture; (*sl.*) put him wise [*van* to, about]; *'t publiek met alle feiten op de* ~ *br.* place the public in possession of all the facts; *ik zal u op de* ~ *houden* I'll keep you posted (up), [*van* ... in all details; *van de loop van zaken* as to how things go], keep you informed [*wat betreft* of, as to], (*fam.*) keep you in the know, keep o.s. up to date [in nuclear knowledge]; *ergens van op de* ~ *komen* get well posted (up) in s.t.; *om weer met 't nieuws op de* ~ *te komen* [skim the papers] to get abreast of (with) the news again; *op de* ~ *stellen zie* op de ~ brengen; *zich op de* ~ *stellen van* make o.s. acquainted (acquaint o.s.) with, ascertain [the position of affairs], inform o.s. of (about, on) [the facts]; *ter* ~ *van* ... [a cabinet] the h. of [the table]; [five feet] in h.; off [Dover]; *tot op zekere* ~ [you are right] to a certain extent, (up) to a

point, in a way; *uit de* ~ *behandelen,* (*zaken*) act in a high-handed manner; (*iem.*) treat a p. haughtily (superciliously, cavalierly, off-handedly); *uit de* ~ *optreden* take a (the) high line [*tegen* with]; (*Am.*) high-hat [a p.]; *erg uit de* ~ *zijn* be very high and mighty; *hij is een tikje uit de* ~ he is a trifle superior (*of.*: uppish); *uit de* ~ *neerzien op, uit de* ~ *aanzien* look down upon; *de kamers zijn van goede* ~ the rooms are well-pitched, of a good h.; ~**cirkel** *zie* breedtecirkel; ~**grens** (*luchtv.*) ceiling; ~**lijn** (*meetk.*) perpendicular, (*op kaart*) contour (line); ~**meter** altimeter, h.-, altitude-recorder, -gauge; ~**meting** altimetry, hypsometry; ~**punt** height, high point, summit, acme, zenith, culmination, culminating-point, pinnacle, peak [unemployment ...]; the ... of production], highlight [of the season]; high-water mark; *'t* – *bereiken* culminate, reach the pinnacle [of one's fame]; ('*n crisis bereiken*) come to a head; *de opwinding had 't* – *bereikt* excitement had risen to fever-pitch; [prices reached a new] high; ~**record** altitude (*of.*: height) record, peak r.; ~**roer** elevator; (*van duikb.*) diving-rudder; ~**sprong** high jump; ~**verschil** difference in h.; ~**vrees** acrophobia, fear of heights; *kunstmatige* ~**zon** sun(-ray) lamp; *behandeling met* – sunray treatment, ultraviolet ray treatment

hoog: ~**tij:** – *vieren* run riot, be rampant, reign supreme, reign unchallenged; *ook* = ~**tijd** *a*) festival, high-day; *b*) Holy Communion; ~**tijdag** high-day; ~**uit** at most [40 people], [40 p.] at the outside; ~**veen** peat-moor, moor-peat; ~**verheven** lofty, sublime; ~**verraad** h.-treason; ~**vlakte** plateau, upland plain; ~**vliegend** h.-flying, flying h., soaring; (*fam.*) *ook:* ambitious; ~**vlieger** (*duif*) h.-flier; *hij is geen* – he is no genius, (*soms*) not a flier [*in* at]; ~**waardig** venerable, eminent; *het* –*e* the consecrated wafer, the host; ~**waardigheid** (Your, His) Eminence; ~**waardigheidsbekleder** dignitary; ~**water** h. water, h. tide; '*t is* – the tide is in; *bij* – at h. tide; ~**waterlijn** flood-mark, h.-water mark; ~**weleerwaarde** Most Reverend; ~**welgeboren** *ongev.* right honourable

hooi hay; *hij neemt te veel* ~ *op zijn vork* he bites off more than he can chew, has too many irons in the fire; *te* ~ *en te gras* in a haphazard way, at odd moments; snatchy [reading]; *zie* keren; ~**berg** h.-stack, -rick, -mow; ~**bouw** h.-making; ~**broei** heating of h.; ~**en** *ww.* make hay, hay; *zn.* h.-making, haying; ~**er** h.-maker; ~**gaffel** *zie* ~vork; ~**gras** h.-, mowing-grass; ~**hark** h.-rake; ~**kist** h.-box; ~**koorts** h.-fever; ~**land** h.-field; ~**maand** h.-month, July; ~**machine** h.-making machine; ~**mijt** *zie* ~berg; ~**oogst** h.-harvest, -crop; ~**opper** h.-cock; ~**pers** h.-press; ~**rook** h.-cock; ~**schelf** *zie* ~berg; ~**schudder** (*pers. & werkt.*) h.-tedder; ~**schuur** h.-barn, h.-shed; ~**stapel,** ~**tas** *zie* ~berg & ~opper; ~**ster** h.-maker; ~**tijd** h.-time, h.-making season; ~**veld** h.-field; ~**vork**

h.-, pitchfork, prong; ~wagen *a*) h. wagon; *b*) (*spin & mug*) daddy-longlegs; (*spin ook*) harvest-spider; ~wis bundle of h.; ~zolder h.-loft

hoon scorn, scoffing, taunt(s), jeer(s), sneer(s), derision; *zie* smaad; ~gelach scornful laughter, jeering laugh

1 hoop (*stapel*) heap, pile; (*menigte*) heap; crowd [of people]; (*fam.*) lot [a ... of fuss about nothing], stack(s) [of money, work]; *de grote ~* the masses, the common (*of:* vulgar) herd, the (common) ruck, the rank and file, the multitude, the common people; *met de grote ~ meedoen* follow the crowd; *een ~ geld* heaps (a pot, pots) of money, (*sl.*) a packet; *een hele ~ kinderen* lot(s) of children; *een ~ last* [give a p.] a lot (a peck, a world, no end) of trouble; *een verwarde ~* a huddle [of old houses]; *een ~ brieven* a shoal of letters; *een ~ leugens* [tell] a pack of lies; *'n ~ knapper* heaps (a heap) cleverer; *hij dronk een hele ~* he drank quite a lot; *er zijn er hopen* there's lots of them; *bij hopen* [lie] in heaps, [they died] in scores; *geld bij hopen* heaps (*fam.:* bags, oodles, pots) of money; *bij de ~ verkopen* sell in the lump; *alles op een ~* all in a h.; *te ~ lopen* crowd (*of:* flock) together

2 hoop hope [*op herstel* of recovery], hopes; *wel (geen) ~ hebben op* entertain a (no) h. of; *hij had niet veel ~* he was not very hopeful [that ...]; *ik had alle (goede) ~, dat ...* I had every h. (good hopes) that ...; *~ geven* give (hold out) hope(s); *geen (weinig) ~ geven* hold out no h. (but faint hopes); *alle ~ opgeven* give up (abandon) all h.; *~ doet leven* man lives by h.; *zijn ~ vestigen op* place (pin, set) one's hope(s) on; *~ koesteren* entertain a (cherish) hopes; *in de ~ dat ...* in the h. that ...; *in de ~ verkeren, dat ...* live in hopes of ... ing, be in hopes that ...; *op ~ van een schikking* in the h. of (reaching) a settlement; *tussen ~ en vrees slingeren (dobberen)* be poised between hope and fear; *vol ~ zijn op* be hopeful of [success]; *zie* vleien, teleurstellen

hoopgevend hopeful [signs]

hoopsgewijs, -gewijze in heaps

hoopvol hopeful, sanguine; (*veelbelovend*) hopeful, promising; *men is zeer ~ gestemd* hopes are running high

hoor *zie* horen 3 & wederhoor; ~apparaat *zie* gehoor...; ~baar audible; –heid audibility

hoorbuis ear-trumpet

hoorcollege lecture

hoorder(es) hearer, listener, auditor; *geliefde ~s* (my) dear brethren

hoorn (*ook: voelh., blaasinstrument, van maan, van aambeeld; ook stofn.*) horn; (*mil.*) bugle; (*van auto*) horn, hooter; (*van telef.*) receiver, mouthpiece; (*schelp*) shell, conch; *~ des overvloeds* h. of plenty, cornucopia; *de horens opsteken*, (*fig.*) show one's teeth; *een stier nam hem op de horens* he was tossed by a bull; *te veel op zijn horens nemen*, *zie* hooi; *de ~ van de haak nemen*, (*telef.*) lift the receiver

hoornaar hornet

hoorn: ~achtig horny, horn-like; ~beesten horned cattle; ~blazer h.-blower; (*mil.*) bugler, trumpeter; *eerste –*, (*cavalerie*) trumpet-major; ~blende horn-blende; ~bloem mouse-ear (chick-weed); ~cicade tree-hopper; ~dol stark mad; ~dragend horned; ~drager (*fig.*) cuckold; ~en horn; *zie* montuur; ~geschal h.-blowing, flourish (of trumpets), bugle-sound; ~ig horny; ~ist horn(ist), h.-player; ~klaver fenugreek; ~loos hornless; ~schil (*van koffieboon*) parchment; ~schoen (*van paard*) coffin; ~signaal bugle-call; ~slang horned-viper; ~snavel (*vogel*) hornbill; ~steen hornstone, chert; ~tje (little) h.; (*insekt*) *zie* hoornaar; ~uil *zie* ransuil; ~vee horned cattle; ~vis trigger-fish, filefish; ~vlies cornea; ~vliesontsteking inflammation of the cornea, ceratitis; ~vormig h.-shaped; ~weefsel corneous (*of:* horny) tissue; ~werk h.-work (*ook mil.*)

hoorspel radio play

hoorzitting public inquiry [on traffic plans], p. hearing

1 hoos *zie* water- & wind~

2 hoos = ~vat bailer, baler

1 hop (*vogel*) hoopoe, hoopoo

2 hop *tw.* gee up!

3 hop (*de plant*) hop; (*de bellen*) hops; *~ plukken* pick hops; ~akker h.-field; ~bel h.-cone (*mv. gew.* hops); ~bitter lupulin

hopelijk hopefully

hopeloos hopeless, without hope, desperate; *hij is ~* (*slecht, enz.*) he is quite h.; *de zieke is ~* is past hope; *'t staat ~ (met hem)* it is all up (with him); *'t schip is een ~ wrak* a wreck beyond recovery; *~ bedorven* [the dress is] past praying for; *~ verloren* hopelessly (irretrievably) lost; ~heid ...ness

1 hopen heap up, pile up

2 hopen hope (for) [I hope with you that ...]; *het beste ~* h. for the best; *op betere dagen ~* h. for better days; *de gehoopte uitslag* the hoped-for result; *tegen beter weten in ~* h. against hope; *zie* blijven 6 & men

hopje (coffee-flavoured) toffee, (*Am.*) coffee candy

hopklaver nonesuch, hop trefoil

hopman chief, captain; (*padvinder*) scout-master

hoppen hop

hopper id.; (*schuit*) hopper(-barge)

hop(pe)staak hop-pole

hopplukker hop-picker, hopper

hopsa *zie* hoepla

hop: ~stengel hop-bind, -bine, -vine; ~veld hopfield, -yard, -garden; ~ziekte hop-blight

hor 1 *zie* horretje; 2 (*zeef*) riddle

Horatiaans Horatian

Horatius Horace

horde horde, troop, band; (*vlechtwerk*) hurdle, wattle; ~nloop, ~nren hurdle-race, [the 80 metres] hurdles; *deelnemer aan* – hurdler

horecabedrijf hotel and catering industry (trade); *een ~* a catering establishment

1 horen *zie* hoorn

2 horen *zie* behoren

3 horen hear; (*vernemen*) hear, learn; *toevallig ~* overhear; *zie ook* verhoren; *hoor eens* I say; (*als protest*) look here; *hoor hem eens!* hark at him!; *je moet zwijgen, hoor je?* be quiet, do you h.?; *verlies 't niet, hoor!* don 't lose it, mind!; *'t is een knappe vent, hoor!* he is a clever chap, he is (, you know); *hij dacht dat de auto zou stoppen, maar nee, hoor!* but not it (but no such luck); *wat hoor ik,* [*ga je ons verlaten*]? what's this I hear?; *hij hoort zichzelf graag* he likes to h. the sound of his own voice; *hij kon het niet ~* he was out of earshot; *kan de waarheid niet ~* he cannot bear to hear the truth; *te ~ krijgen* hear, learn, be told, be given to understand; *hij kreeg heel wat te ~* he had a rough time; *we kregen een mooi concert te ~* we were given a fine concert; *wie niet ~ wil moet voelen* people who won't listen will have to be taught by rougher methods; *het is hier niet te ~* it cannot be heard here; *ik moet altijd maar ~, dat ...* I am constantly having it drummed into me that ...; *hij heeft het nog jaren moeten ~* it was years before he had heard the last of it; *dat hoor ik nu voor 't eerst* that is news to me; *'t is niet mogelijk alle getuigen te ~, ook:* to take all the evidence; *de Minister heeft 't recht in beide Kamers gehoord te worden* has a right of audience in both Houses; *beide partijen ~* h. both sides; *ik hoor 't lied zingen* I h. the song sung; *ik hoor hem een lied zingen* I h. him sing a song; *men hoorde hem dikwijls beweren ...* he was often heard to assert ...; *ik heb 't ~ zeggen* I've heard it said; *ik heb het van ~ zeggen* I have it on (by, from) hearsay; *hij hoorde lopen* he heard footsteps; *ik hoorde haar nooit noemen* I never heard her mentioned; *zijn stem doen ~* raise one's voice; *een waarschuwing doen ~* sound a warning; *laat nu en dan eens wat van je ~* let us h. from you now and then; *niets van zich laten ~* send no news of o.s.; *laat eens ~, (wat je te zeggen hebt)* let's have it; *dat laat zich ~* there is s.t. in that, that is plausible enough, that sounds all right, (*zo mag ik 't ~*) now you're talking (sense), that's the stuff; *ze lieten zich geducht ~* they were very vocal; *de kanonnen lieten zich ~* the guns spoke; *een gefluit laten ~* give a whistle; *ik kon aan zijn stem ~ I* could tell by his voice; *~ naar* listen to [a p., advice]; *naar alles wat men hoort* by all accounts [they ...]; *zie* luisteren; *ik heb van (over) je gehoord van Mevr. S.* I've heard of you from Mrs. S.; *men hoorde niets van haar* there was no news of her; *van iem. ~, (bericht ontvangen)* have word from a p.; *hij wou er niet van ~* he would not h. of it, would have none of it; *ik wil van geen weigering ~* I will take no denial; *je zult er meer van ~* you shall hear about this; *hij hoort moeilijk* he is hard of hearing; *'t was een leven, dat ~ en zien je verging* the noise was fit to awake the dead (the seven sleepers); *zie ook* aanhoren, einde, geluid, kind, waarschuwing, enz.; *~de doof zijn* pretend not to h., sham deaf(ness)

horig predial; *~e* predial (slave), serf; *~heid* serfdom, vassalage

horizon horizon, sky-line; *aan de ~* on the h.; *dat gaat boven mijn ~* that is beyond me, it passes my comprehension; *zijn ~ verbreden* enlarge one's view; *onder de ~* below the h.; (*van schip*) hull down

horizontaal horizontal [projection, etc.]; (*in kruiswoordraadsel*) across; *het hing ~* it hung level; *~ roer,* (*van onderzeeboot*) diving-rudder; *in -ale stand komen (brengen),* (*vliegt.*) flatten out

horlepijp hornpipe (*instrum. & dans*)

horloge watch; (*sl.*) ticker; *het is drie uur op mijn ~* by my w.; *op zijn ~ kijken* look at (*of:* consult) one's w.; *wedstrijd tegen 't ~* time trial; *~armband* w.-bracelet; *~bandje* w.-string, -ribbon; *~kast* w.-case; *~ketting* w.-chain; (= *châtelaine*) fob(-chain); *'t ~maken* w.-making; *~maker* w.-maker

hormoon hormone

horoscoop horoscope; *iems. ~ trekken* cast a p.'s h. (a p.'s nativity); *~trekker* fortune-teller, horoscoper, horoscopist

horrelvoet club-foot, stump-foot; *met ~(en)* club-, stump-footed

horretje wire-blind, gauze blind; (*tegen muggen, enz.*) wire gauze, screen

horribel horrible

hors(makreel) scad

hors concours id., not competing

hors d'œuvre id.

hort jerk, jolt, push; *met ~en en stoten,* (*eig.*) joltingly, jerkingly; (*fig.*) by fits and starts, fitfully; *de ~ op gaan* go out on a spree; *~!* gee up!

horten *a*) jolt, jerk, shake; *b*) *zie* haperen; *~d* jerky [sentences, speak jerkily], gritty, abrupt [style, sentences]

Hortensia (*pers.*) id.; *h~,* (*bloem*) hydrangea

horticultuur horticulture

hortoloog horticulturist; **hortulanus** conservator [of the botanical gardens]

hortus botanical garden(s)

horzel horse-fly, gad-fly, warble-fly, oestrum

hosanna id.

hospartij *zie* gehos

hospes landlord; **hospik** medical orderly, (*Am.*) medic; **hospita** landlady

hospitaal hospital; (*bij armhuis, enz.*) infirmary; *in 't ~ liggen* be in h., be hospitalized; *naar 't ~ brengen* take to h.; *~doek* waterproof bed sheeting; *~koorts* h. fever; *~linnen zie ~doek; ~ridder* hospital(l)er; *~schip* h.-ship, floating h.; *~soldaat* h.-orderly, ambulance man; *~trein* h.-train, ambulance train

hospitant(e) teacher-trainee

hospiteren attend classes as a t.-t.

hospitium (*voor pelgrims, enz.; liefdadigheidstehuis*) hospice; (*voor studenten, enz.*) hostel

hossebossen jolt, jerk, jostle

hossen go jigging and singing along, jig up and down, jig and jog

hostie host, consecrated wafer; ~**kelk** pyx; ~**schoteltje** paten

hot (*tegen paard*) gee up!; *hij weet van ~ noch haar* he is grossly ignorant; ~ *en haar door elkaar* higgledy-piggledy

hotel id.; ~ *het Anker* the Anchor H.; ~ *garni* apartment hotel, lodging-house; *zie* herberg; ~**bedrijf** h.-industry, h.-business, h.-trade; ~**debotel** *a*) all at sea; *b*) swept off [one's] feet; ~**houder** h.-keeper, landlord; ~**houdster** h.-keeper, landlady

hotelier *zie* hotelhouder

hotel: ~**maatschappij** (multiple) h. company, chain (group) of hotels; ~**rat** h.-rat; ~**schakelaar** two-way switch; ~**schip** floating h., bo(a)tel; ~**school** hotel and catering school; *hogere* – hotel management school; ~**wezen** *zie* ~bedrijf; *ook:* hotels

hotsen shake, jolt, bump

hotten curdle, run

Hottentot(s) Hottentot

1 hou: ~ *en trouw* loyal and true

2 hou stop; (*tegen paard*) wo, whoa

houdbaar tenable [fort, theory, etc.], maintainable; *niet langer* ~ untenable [position]; *niet -re goederen* perishable goods, perishables; *vis is niet lang* ~ fish will not keep; *gegarandeerd een maand* ~ guaranteed to keep fresh for ...; ~**heid** tenableness, tenability; (*van eetwaren*) keeping qualities

houden (*vasth.*) hold [a p.'s hand, a pistol in one's hand]; (*beh.*) keep [the money]; (*inh.*) hold, contain; (*gestand doen*) keep [a promise, one's word]; (*een herberg, kippen, een winkel, school, enz.*) keep [an inn, hens, a shop, a school], run [a shop]; (*er op na ~*) keep [a motorcar, dog, servant]; (*blijven ~*) [I cannot afford to] keep [him] on; (*vieren*) keep, observe [the Sabbath], celebrate; (*uitspreken*) deliver [a speech, lecture], make [a speech], give [an address]; *je mag 't ~*, (= *ik geef 't je*) *ook:* it's yours (you can have it) for keeps; *houd de dief!* *zie* dief; *die naam heeft hij altijd geh.* the name has stuck to him ever since; *een vergadering* (*examen*) ~ h. a meeting (an examination); *zodat hij ... in zijn hand hield* [he banged the door] so that the handle came off in his hand; *rechts* ~ keep to the right; *hij is niet te* ~ there's no holding (no stopping) him; *hij was niet te* ~ *van woede* he was beside himself with rage; *het ijs houdt nog niet* will not bear yet; *de lijm houdt niet* the glue won't stick; *de lijn houdt het* holds firm; *hij kan het op die manier nog lang* ~ in this manner he can h. out a long time yet; *hoe lang houdt deze verf* (*het*)? how long will this paint last?; *vijf 'k houd er één* five carry one; *hij hield z'n woord* he kept (was as good as) his word; *zich goed* ~, (*gedragen*) behave well, behave o.s.; (*zich in bedwang* ~) control o.s.; (*niet lachen*) keep a straight face, keep one's countenance; (*in verdriet, ongeluk, enz.*) bear up (well, bravely), show a brave face, keep a stiff upper lip; (*voor zijn leeftijd*) wear well, bear (carry) one's years well; *zij houdt zich bijzonder goed*, (*in verdriet*) she is simply wonderful, (*voor haar jaren*) she is wonderful for her age; *hij kon zich niet goed* ~ he could not help laughing (crying), (*verried 't*) he gave the game away; *de auto hield zich goed* the car gave a satisfactory account of itself, put up a fine performance; *'t schip hield zich schitterend* (*in de storm*) the vessel behaved splendidly; *de mensen hielden zich prachtig* the people were splendid, [there was no panic]; *ons elftal hield zich goed* (*slecht*) our team did well (badly), (*beter dan verwacht werd*) put up a better fight than was expected; *zie* kranig & kalm; *hou je goed!* keep well! take care of yourself!; (*fam.*) cheerio; *het weer hield zich goed* continued fair, held (out, up); *deze stof houdt zich goed* this material wears well; *die jas heeft zich goed geh.* has worn well; *houd u verzekerd, dat ...* rest assured that I am your friend; *hij houdt zich maar zo* he is only pretending (shamming), is merely putting it on; *zich ziek* (*doof, enz.*) ~ pretend to be ill (deaf, etc.), sham ill (deaf, etc.); *ik wist niet goed hoe ik mij moest* ~ how to conduct myself; *zie* arm 2; *zich ~ alsof zie* doen alsof (doen 9); *zich ~ aan* stick to [a method], adhere to [an agreement (the terms)], abide by [a decision (a ruling)], comply with [the rules], keep (stick to) [a term *termijn*], conform to [the due date *vervaldag*]; *zich stipt aan 't programma* ~ keep strictly to the programme; *zich aan zijn woord* ~ hold (stick) to one's word; *zich aan de voordracht* ~ [the Crown is not bound to] act upon the recommendation; *zich aan de feiten* ~ confine oneself to facts; *ik houd mij aan de whisky* I shall stick to whisky; *nu weet je, waar je je aan te* ~ *hebt* now you know where you are; *dat recht houd ik aan mij* I reserve that right for myself; *ik houd je aan je belofte* (*woord*) I hold (keep) you to your promise, take you at your word; *houd dit pakje bij je* keep this parcel by you; *houd je bij ...* stick to [your work], mind [your work, your book]; *zij kon haar gedachten niet lang bij iets* ~ she could not keep her mind on anything for long; *ik houd het met u* I side (hold) with you, am on your side; *ik houd het met ...* give me Cornwall, C. for me [every time]; *met welke partij houdt ge het?* which side are you on? with which party do you side?; *de politie houdt 't met ...* the police are in with the bookmakers; *'t met andere vrouwen* ~ carry on with other women; *om de zuid* ~ stand to the southward; *het er op* ~ *dat* take it (assume) that; *laten we 't ~ op de 14e* let's make it the 14th, then; *ik kan het niet tegen u* ~ I am no match for you; *ik kan ze niet uit elkaar* ~ I cannot tell them apart, cannot tell which is which; ~ *van* like, be fond of, have a liking for, be partial to [a p., a thing]; *zie* meest; *ik houd heel veel van haar* I love her dearly; *ik houd er niet van laster over te vertellen* I do not h. with repeating scandal; *ik houd er niet van met vrienden zaken te doen* (*houd niet van halve maatregelen*) I do not believe (am no believer) in business relations with friends (in half-measures); *hij hield niet van vertoon, ook:* he wasn't one for show; *zich ver ~ van h.* (keep) aloof from [politics]; *houd 't geheim (je opmerkingen) voor je* keep the secret (your remarks) to yourself; *ik hield mijn commentaar voor mij* I refrained from comment; *houd je medelijden maar vóór je!* spare your pity!; *houd dat 'Jessie' maar vóór je* [oh, Jessie!] don't Jessie me!; *'t ervoor ~, dat ...* be of (the) opinion that ...; *mag ik 't ervoor ~ dat ...?* may I take it that you don't object?; *waar houdt ge me voor?* what do you take me for?; *ik hield hem (verkeerdelijk) voor ...* I mistook him for my nephew; *ik hield hem voor ...* I took him (set him down) for a lawyer's clerk; *als hij de man is, waarvoor ik hem houd* if he is the man I take him to be; *ze ~ hem voor schuldig* they consider him (to be) guilty; *zij ~ hem voor een schurk* they think him a rogue; *wij moeten dat voor de volgende vergadering ~* we must hold it over till the next meeting; *zie* gehouden, nahouden; afspraak, bed, beschikking, dom, enz.

houder keeper [...s of cafés]; (*van effecten, wissel, enz.*) holder; (*van wissel ook: 'nemer'*) payee; (*van brief, enz.*) bearer; (*van record*) holder [the present ...]; (*van café ook*) licensee; (*ding*) [gas-]holder, [oil-]container, (*pen~*) penholder

houdgreep (*sp.*) hold

houding carriage [erect, stiff ...], [military] bearing; deportment, attitude, [sitting, lying] posture, position; [the] set (*of:* poise) [of her head]; (*pose*) pose; (*optreden*) attitude [*jegens* to(wards)], demeanour; *gedwongen ~* constrained demeanour; *~ tegenover de omgeving* social behaviour; *'n goede ~ ('n ~ als ...)* hebben hold o.s. well (like a king); *een sierlijke (een militaire) ~ hebben* carry o.s. gracefully (like a soldier); *in de ~ staan,* (*mil.*) stand at (*ook:* to) attention; *de (militaire) ~ aannemen* come (stand) to attention; *de ~ doen aannemen* stand [one's men] to attention; *een dreigende ~ aannemen* assume a threatening attitude; *een gemaakte (theatrale) ~ aannemen* strike an attitude; *een kloeke ~ aannemen tegen* make a firm stand against; *hij nam de militaire ~ aan, ook:* he drew himself up; *om zich een ~ te geven* to conceal his embarrassment; *zie* bepalen

houdstermaatschappij holding company

houkind foster-child; *een idioot blijft een ~* an idiot will always remain on one's hands

houpaardje: *een duur ~,* (*fig.*) a white elephant

hout wood; (*timmerh.; groot ~gewas*) timber; (*stuk ~*) piece of w.; (*van schaats, schaaf, enz.*) stock; (*kreupelh.*) underwood, brushwood, bushes; *'t ~,* (*houten blaasinstrumenten*) the w., the w.-wind(s); *de Haarlemmer~* the Haarlem W.; *te veel ~ maken,* (*van boom*) run to w., produce too much growth; *alle ~ is geen timmerhout* you cannot make a silk purse out of

a sow's ear; *dat snijdt geen ~* that [theory] won't wash, that cuts no ice, does not hold water; *van 't zelfde ~ gesneden* cast in the same mould; *van dik ~ zaagt men planken* those that have plenty of butter can lay it on thick; *hij kreeg: van dik ~ zaagt men planken* he got a sound thrashing; *zie* mager; **~aankap** timber-felling; **~aanplant** afforestation; **~achtig** woody, wood-like; **~ader** vein in w.; **~arbeid** woodwork; **~as** w.-ashes; **~asbest** rock-w.; **~azijn** w.-vinegar, -acid; **~bestrating** w.-block pavement; **~bewerking** w.-work(ing); **~blazers** woodwinds; **~blok** w.-block, log of w., chump; **~brij** w.-pulp, ground w.; **~cellulose** cellulose, w.-pulp; **~draaier** turner in w.; **~druk** block-printing, xylography; **~duif** w.-pigeon; **~en** wooden, timber [cottage]; *- broek,* (*sl.* = preekstoel*) pulpit; *zie* Klaas; **~erig** wooden (*ook fig.*); *- mens, ook:* stick; **~erigheid** woodenness; **~geest** w.-spirit; w.-alcohol; **~gewas** wood, (*hoog ook*) timber; **~graniet** xylolith, jointless flooring; **~graveerkunst** w.-engraving; **~graveur** w.-engraver; **~gravure** w.-engraving, w.-cut; **~hakker** w.-cutter, woodman, timber-cutter; **~hakkersbijl** felling axe; **~handel** timber-, w.-trade; **~handelaar** timber-merchant; **~haven** timber-port, (*Am.*) lumber-port; **~houwer:** *-s en waterputters,* (*Jozua 9:21*) hewers of w. and drawers of water; **~ig** woody; **~industrie** w.-processing industry

houting (*vis*) id.

hout wood; **~je** bit of w.; *hij deed 't op zijn eigen - he* did it on his own hook (off his own bat); *zie* gelegenheid (*op eigen ...*); *op een - moeten bijten* have little to eat; *van 't - zijn* be a papist; **~-touwtje(-jas)** duffle- (duffel-)coat; **~kever** death-watch (beetle); **~koper** *zie* ~handelaar; **~krullen** w.-shavings; **~lijm** joiner's glue; **~loods** w.-, timber-shed; **~lucht** smell of w., woody smell; **~luis** w.-louse; **~made** *zie* ~worm; **~mijt** w.-stack; (*brandstapel*) (funeral) pile; **~molm** dry rot; **~pap, ~pulp** w.-pulp; **~rijk** woody; **~ring** tree-ring; **~schip** timber-ship; **~schroef** w.-screw; **~schuit** *zie* ~schip; **~schuur** *zie* ~loods; **~skool** charcoal; **~slijp** ground w., w. pulp; **~snee(figuur)** w.-cut; **~snijder** *a*) w.-carver; *b*) w.-cut artist; **~snijkunst** *a*) w.-carving; *b*) (art of the) w.-cut; **~snijwerk** w.-carving; **~snip** w.-cock; white bread, rye bread and cheese sandwich; **~soort** kind of w.; *tropische ~en* tropical woods; **~spaander** chip of w.; *-s (om vuur aan te maken)* w.-kindlings; **~sprokkelaar(ster)** w.-picker, -gatherer; **~sprokkeling** w.-picking, -gathering; **~stapel** w.-stack, pile of w.; **~stapelplaats, ~stek** timber-yard; **~stof** (*voor papier*) w.-pulp; **~teer** w.-tar; **~torretje** death-watch (beetle); **~tuin** timber-yard; **~veiling, ~verkoping** timber-sale; **~vervoer** (*van boomstammen*) timber-hauling; **~vester** forester, forest conservator; **~vesterij** forestry; (*bestuursafdeling*) forestry department; **~vezel** wood-fibre; **-plaat** fibre-board; **~vlot** timber-raft; **~vlotter** raftsman, rafter; **~vrij** w.-free; **~vuur** w.-, log-fire;

~wagen w.-cart, -wag(g)on, timber-truck, -wag(g)on; ~wal w.ed bank; ~waren woodware, w.en ware; ~weefsel w.(y) tissue; ~werf timber-yard; ~werk w.-, timber-work; ~werker worker in w., w.-worker; ~wesp w.-wasp; ~wol w.-wool; ~wolf timber wolf; ~worm w.-worm; ~zaag w.-saw; ~zaagmolen saw-mill, (Am.) lumber-mill; ~zager (w.-) sawyer; ~zagerij saw-mill

houvast handhold, grip [give a firm ...], hold, support, purchase; (klamp) holdfast; (fig. ook) mainstay, anchorage [a religious ...]; geen ~ hebben, (fig.) have nothing to go by (of: on); ~ hebben, (fig. ook) have s.t. to hang on to

houw cut, gash; lash; ~degen broadsword; (pers.) fire-eater

houweel pick-axe, mattock, hack

houw: ~en hew, cut, hack, slash; (steen uit groeve) ook: quarry; zij hieuwen erop in they laid about them; de politie moest op de menigte inhouwen the police had to use their swords on the mob; ~-en-stootwapen cut-and-thrust sword; ~er broadsword; (pers.) hewer

houwitser howitzer

hovaardig proud, haughty; ~heid, hovaardij pride, haughtiness

hoveling courtier

hovenier gardener; ~en garden; ~skunst horticulture

hozen bail, bale, scoop; (fam.) pour with rain

H. S. = Heilige Schrift Holy Scripture

H.T.S. ongev. C.A.T. (College of Advanced Technology)

hu ugh! (tot paard om aan te zetten) gee up! (om stil te houden) wo! whoa!

hufter lout, boor, yokel

hugenoot Huguenot

Hugo Hugh, Hugo; ~ de Groot Grotius

hui whey; ~achtig wheyish

Huib(ert) Hubert, (fam.) Bert, Berty

huichel: ~aar(ster) hypocrite, dissembler, Pecksniff; een – zijn, ook: lead a double life, live a lie; ~achtig hypocritical, sanctimonious, canting, Pecksniffian; ~arij hypocrisy, dissimulation, duplicity, sanctimoniousness; ~en tr. simulate, feign, sham; intr. dissemble, play the hypocrite, sham, pretend; ~taal hypocritical language, cant

huid (van mens of dier) skin; (van dier, scherts. van pers.) hide; (met haar) fell; (van schaap, geit, enz.) pelt; (van paard, enz.) coat; (van schip) sheathing, skin, planking, [iron] plating; een dikke ~ hebben, (ook fig.) be thick-skinned, have a thick s.; hij steekt in een slechte ~ he is always sickening for s.t. or other; met ~ en haar [swallow] whole, (fig.) lock, stock and barrel; iem. de ~ vol schelden heap a p. with abuse; abuse a p. roundly; hij verkocht zijn ~ duur he sold his life dearly; iem. op zijn ~ geven (komen) give a p. a sound hiding (tanning); op de blote ~ dragen wear

next (to) the s.; tot op de ~ to the s.; zie beer; ~ader cutaneous vein; ~arts s. doctor, s. specialist, dermatologist; ~enhandel fell-trade, -mongery; ~enverkoper fell-monger, dealer in hides; ~gang (mar.) strake

huidig present-day, of the present day, modern; ten ~en dage nowadays, in these days; tot op de ~e dag to this day; de ~e prijs the current price

huid: ~je skin, film; ~kanker cancer of the skin; ~kleur colour of the s.; (gelaatskleur) complexion; ~kleuring pigmentation (of the s.); ~klier cutaneous gland; ~mondje stoma, mv.: stomata; ~ontsteking inflammation of the s., dermatitis; ~plooi fold of the s.; ~specialist zie ~arts; ~spier cutaneous muscle; ~stoornissen s. disorders; ~transplantatie skin-grafting; ~uitslag eruption (of the s.), cutaneous eruption; ~verzorging care of the s., s.-care; ~vetten dress leather; ~vetter currier, leather-dresser; ~vetterij curriery, leather-dressing; ~vlek mole; ~watertje s.-lotion; ~worm Guinea worm; ~zenuw cutaneous nerve; ~ziekte s.-disease; leer der ~n dermatology

huif (hoofddeksel) coif; (van kar) tilt, hood, awning; ~kar tilt-cart, hooded cart; ~wagen covered (of: hooded) wag(g)on

huig uvula; iem. (van) de ~ lichten cheat a p. out of his money, trick (diddle) a p.; ~r uvular r

huik long hooded cloak; de ~ naar de wind hangen set one's sail to every wind, trim one's sails to the wind, temporize; iem. die de ~ naar de wind hangt time-server

huil: ~bui crying-fit; ~ebalk cry-baby, blubberer; (bij begrafenis) weeper; (hoofddeksel) broad-brimmed mourning-hat; ~ebalken whimper, whine, blubber; ~en[1] (van hond, wolf, wind, enz.) howl; (meer klagend) whine; (van mens) cry, (verachtelijk) howl; eens goed – have a good cry; ik kon wel – I felt like crying (was close to tears, was on the verge of tears); 't is om te – it's enough to make one cry (weep); 't is – (met de pet op) it's all wrong (a wretched mess); zie wolf; ~erig cryish, whining, whimpering, snivelling, tearful [in ... tones], lachrymose; ~stuk lachrymose play; (sl.) tear-jerker, sob stuff

huis house (ook vorsten-; ook gezin: the whole h. was down with influenza); home; (handels-~) house, firm, concern; (techn.) housing, casing; huizen, (bezit) ook: h.-property; het ~ des Heren the h. of God; ons aardse ~ (= lichaam) our earthly mansion; ~ van bewaring h. of detention; (voor voorlopige hechtenis) remand prison; heer, vrouw, zoon des huizes master, mistress (lady), son of the h.; vier huizen van hier (verder) four doors off; ~ en erf premises; ~ en haard hearth and home; men kan huizen op hem bouwen he is thoroughly dependable; huizen zien, een ~ zoeken be h.-hunting; bij iem. aan ~ komen visit at a p.'s house; we

<hr />

[1] Zie ook schreien

komen niet bij elkaar aan ~ we are not on calling (on visiting) terms; *~ aan ~ bezorgen* distribute h. to h.; *~ aan ~ heeft men tegenwoordig televisie* there is T.V. in every home ...; *behandeling (van patiënten) aan ~* home treatment; *aan ~ gewend*, (*van hond*) h.-trained; *in ~ zijn bij* live (lodge) with; *in ~ nemen* take in [boys], receive [a child] into one's house; *baas in eigen ~* master in one's own house; *in ~ hebben* have [bread] in the house; *langs de huizen verkopen* sell from h. to h. (door to door); *collecte langs de huizen* door-to-door (h.-to-h.) collection; *naar ~* home; *naar ~ brengen, enz.*, *zie* thuis; *naar ~ gaan* go (make for) home; *te mijnen huize* at my h.; *uit ~ en hof verdreven* driven out of h. and home, rendered homeless; *uit 't ~ zetten*, (*gezin*) evict; *hij mag 't ~ nog niet uit* he is still confined to the house; *hij is 't ~ al uit*, (*fig.*) he has gone out into the world; *van ~ gaan* go from home, leave home; *van ~ komen* (*zijn, sturen*) come (be, send) from home; *van ~ tot ~* from h. to h., from door to door; *van ~ uit* originally; at heart, at bottom; *van goeden huize* of a good family; *hij was nog niet verder van ~ geweest dan* ... he had been no farther (further) afield than Epping Forest; *nu zijn we nog verder van ~* now we're even further off than when we began; *en dan zijn we nog verder van ~*, *ook:* and then we shall be even worse off; *zie ook* ~houden & kruis; **~adres** home address; **~akte** certificate for private tuition; **~altaar** household (*of:* domestic) altar; **~apotheek** (domestic) medicine-chest; **~arbeid** home (domestic) industry; **~architectuur** domestic architecture; **~armen** *zie* ~zittend; **~arrest** house arrest; *hij heeft –* he is confined to his h. (*of:* indoors); **~arts** family doctor, G. P. (general practitioner), [my] medical man; **~baas** landlord; **~bakken** home-baked; (*fig.*) trite, hidebound, **~bediende** domestic, domestic servant; **~bel** front-door bell; **~bewaarder, -ster** caretaker; **~bezoek** h.-to-h. call, domiciliary (*of:* h.-to-h.) visit(ing); (*van armen*) district visiting; (*door geestelijke*) parish (pastoral) visit(ing); *– doen* go visiting; **~bezoek(ster)** health-visitor, welfare worker; (*in achterbuurt ook*) district visitor; **~bijbel** family bible; **~braak** burglary, house-breaking; **~brand** household (domestic) fuel, house(-hold) coal; *–olie* fuel oil; **~deur** street-, h.-door; **~dier** domestic animal; *onze* (*beminde*) *–en* our domestic pets; *tot – maken* domesticate; **~dokter** *zie* ~arts; **~duif** domestic pigeon, h.-dove; (*fig.*) *zie* ~mus; **~eigenaar, -ares** h.-owner; (*tegenov.* huurder) landlord, landlady

huiselijk (*van 't huis*, *'t gezin*, *enz.*) domestic; (*aan huis gehecht*, *gezellig*, *enz.*) domesticated, home-loving [a ... couple], wedded to one's home, homelike [make the place more ...], (*fam.*) homy; *de ~e haard* the fireside, the home; *~e kring* d. (*of:* family) circle; *~ leven* home life; *~ man* domesticated (home-loving) man, family man; *~e omgeving* home

surroundings; *~e omstandigheden* family reasons; *~e plichten* household duties; *~e twist* d. quarrel; *~ werk* [train women for] household duties (*of:* work); *zich ~ voelen* feel homy; *zie ook* huishoudelijk; **~heid** domesticity, domesticated spirit (*of:* ways), hominess

huis: **~genoot** inmate; (*mede–*) housemate; *de ~genoten*, *ook:* the family; **~gewaad** housedress, indoor dress; **~gezin** family, household; **~goden** household gods, gods of the hearth, Lares, Penates; **~haan** domestic cock, rooster; **~heer** master of the h.; (*tegenov.* huurder) landlord; **~hen** domestic fowl, hen; (*fig.*) *zie* ~mus; **~hoenders** barn-door fowls; **~hond** h.-dog; **~houdboek** housekeeping book; *'t – bijhouden* keep the accounts

huishoudelijk household [expenses, etc.], domestic; *~e aangelegenheden* domestic affairs; *~e artikelen* household articles, domestic utensils; *~e bezigheden* housework; *voor ~ gebruik* for h. purposes (*of:* use); *~ reglement* by-laws; *~e vergadering* business meeting; *~e zaken*, (*op vergadering*) [the session was devoted to] domestic business

huishouden I *zn.* (*'t besturen*) housekeeping, management [her capable ...]; (*gezin*, *enz.*) household, family; *'t ~ van de staat* the nation's h.; *'t ~ doen*, (*besturen*) keep house, run the household (home), (*voor iem.*) (*fam.*) *ook:* do for a p.; *'t ~ bij elkaar houden* keep the home together; *een ~ van Jan Steen* a perfect shambles; *een ~ opzetten* (*beginnen*) set up house(-keeping), set up for o.s.; *mijn geschenk was iets voor 't ~* something for the home; *zij is handig in 't ~* she is skilled in h., a good manager; *ze heeft geen verstand van ~* she is no manager; II *ww.* keep house [*van* ... on £10 a week]; *er valt met hem geen huis te houden* there is no doing anything with him; *vreselijk ~* play havoc [*in*, *onder* with, among]; **~tje** *spelen* play at keeping house

huishoud: **~geld** housekeeping money (*of:* allowance); *en dat ging allemaal van haar – af* and all that had to come out of the housekeeping; *ze kreeg £ 10 –*, *ook:* she got £10 to keep house; **~ing** *zie* huishouden *zn.*; (*fig.*) [water] economy; **~kunde** domestic economy (*of:* science), housecraft; **~(weeg)schaal** household (*of:* family) scale(s); **~school** domestic science school, school of domestic economy (science), s. of housecraft; **~ster** housekeeper; *zij is geen goed –* she is not a good manager (not a practical woman about the house); **~zeep** household soap

huis: **~huur** house-rent; **~industrie** *zie* ~arbeid; **~jas(je)** h. (*of:* indoor) coat (*of:* jacket); (*met tressen*, *enz.*) smoking-jacket; **~je** little (small) h., cottage; (*privaat*) outdoor privy; (*van bril*) case; (*van slak*) shell; *zie* kruis(je); **~jesmelker** rack-rent landlord; **~jesslak** snail; **~jongen** (house-)boy; **~kamer** sitting-, living-room; *tijdschrift voor de –* family magazine; **~kapel** private chapel; (*orkest*) private band; **~kape-**

laan domestic chaplain [*van* ... to the King]; ~kat domestic cat; ~knecht man-servant; (*in livrei*) footman; (*in hotel*) boots; ~krekel h.-cricket, cricket on the hearth; ~kruis domestic affliction; *ook* = ~plaag; ~leiding (*elektr.*) h.-wiring; ~look houseleek; ~manskiesrecht household(er's) suffrage; ~marter beech-, stone-marten; ~meester steward, majordomo; (*van flatgebouw*) warden; ~middel household (domestic, family) medicine (remedy); –*tje* (*fig.*) palliative, makeshift; ~moeder mistress of the h., matron; *jong* –*tje* young housekeeper; ~moederlijk housewifely, matronly; ~mus h.-sparrow; (*fig.*) homebird, homebody, stay- (*of:* stick-)at-home [*een erge* – a sad ...]; ~naaister visiting seamstress; ~nijverheid home industry; ~nummer h.-number; ~onderwijs private tuition; ~onderwijzer(es) private teacher, tutor; ~orde rules of the h., household regulations; (*ridderorde*) family order; ~orgaan h.-organ; ~orgel h.-organ; ~personeel domestic (*of:* household) staff; ~plaag (*dier*) h.-pest; (*vrouw*) termagant, vixen, virago; ~raad furniture, household effects, chattels; ~schel street-door bell; ~schilder h.-painter; ~sleutel latch- (house-, front-door) key; ~sloof domestic drudge; ~telefoon h.-telephone; ~trap steps, step-ladder; ~, tuin- of keuken... common or garden [cold *verkoudheid*]; ~vader father of a (the) family, family man, pater familias; (*van gesticht*) *zie* vader; ~vesten house, lodge, take in(to the h.), put up; ~vesting lodging, h.-room, housing [of the poor], quarters; *de* – *der werkende klasse, ook:* the housing-conditions of the workers; – *verlenen* give h.-room to, put [a p.] up, take in; ~vlieg h.-fly, domestic fly; ~vlijt home crafts; ~vogel domestic bird; ~vrede(breuk) (disturbance of) domestic peace; ~vriend family friend; ~vrouw housewife, mistress (of the h.); (*echtgenote*) wife; *zie* ~houdster; ~vuil household refuse; ~waarts homeward(s); ~wants bedbug; ~werk h.-work, household work; (*voor school*) homework (lessons, tasks), prep; – *opgeven* set homework (for the h.), text (upon the wall); ~zittend sedentary [life]; ~zoeking h.-search, domiciliary visit; (*van* – *tot* ~) h.-to-h. search; *machtiging tot* – search-warrant; *er werd* – *gedaan* the h. was searched, h.-to-h. searches were made; ~zwaluw martin

huiverachtig *zie* huiverig

huiveren shudder [with fear]; shiver [with cold or fear]; *ik huiver reeds bij de gedachte* I shudder at the very thought, shudder to think of it; *hij huiverde ervoor* he shrank from it, shied at (*of:* from) it; *zie* rillen

huiverig shivery, chilly; *ik ben* ~ '*t te doen* I shrink from doing it; ~heid shiveriness, chilliness; (*fig.*) hesitation, scruple(s)

huivering shiver(s), shudder; *een* ~ *van afschuw* a thrill of horror; *zie* huiveren; *een* ~ *voer mij door de leden* I shuddered, it sent a shudder through me; I went cold all over; ~wekkend horrible

Huize: ~ *Vosbergen* Vosbergen House

huizehoog mountain-high [waves], [the waves ran] mountain(s) high

huizen house, be housed, lodge; ~kant: *aan de – gaan lopen* take the inside of the pavement; *vlak langs de – lopen* hug the houses; *laat een dame altijd aan de – lopen* always give a lady the wall; ~makelaar house-agent; ~nood house famine, housing shortage

huizing house, premises

hulde homage, tribute; ~ *brengen* (*belonen, bewijzen*), (*een vorst*) do (pay) h. (to), (*iem., iets*) pay h. (to), pay (a) tribute (to); *aan de waarheid* ~ *doen* pay h. to truth; *als* ~ *voor* in h. to, as a tribute to; ~! bravo!; ~ *aan* ...! honour to ...!; ~betoon homage; ~blijk tribute, testimonial

huldigen do (pay, render) homage to, do honour (to), honour [the King is to ... the hero]; believe in [a system, method], recognize [a principle]; *de opvatting* ~ hold the view; *iem. geestdriftig* ~ *bij zijn vertrek* give a p. a rousing send-off

huldiging homage, honouring; ~seed oath of allegiance

hulk vessel, ship; ~je *zie* notedop (*fig.*)

hullen wrap (up), envelop, swathe [in flannel]; (*fig.*) wrap [...ped in silence, darkness, mystery], shroud [...ed in fog, mystery], veil [...ed in secrecy]; *gehuld, ook:* blanketed [in fog]

hulp help, aid, assistance; (*in nood ook*) succour, relief; (*redding*) rescue; *medische* ~ medical attendance; ~ *in de huishouding* h. in the house, household (domestic) help; *tijdige* ~ *is dubbele* ~ timely h. is of double value; *hij had niet veel* ~ *aan zijn vrouw* his wife was not a great help to him; ~ *verlenen* render h. (assistance, aid), assist [a p.]; *iem. alle* ~ *verlenen* give a p. every assistance (every ounce of h.); *zich gereed houden om* ~ *te verl.* stand by; *iems.* ~ *inroepen* call in a p.'s aid (assistance), summon a p. to one's aid; *om* ~ *roepen* cry (call) for h.; *te* ~ *komen* (*snellen*) come (run, hasten) to the rescue; *iem. te* ~ *komen* (*snellen*) come (run, hasten) to a p.'s assistance (help, aid, rescue); *te* ~ *schieten* dash to the rescue; *zonder* (*iems.*) ~ [do s.t.] unaided, single-handed (without anybody's assistance); *zie* baten, eerst; ~arbeider relief man, supernumerary; ~bank loan-office

hulpbehoevend requiring help; (*lichamelijk*) helpless, invalid; (*gebrekkig*) crippled; (*door ouderdom*) infirm; (*behoeftig*) indigent, needy, destitute; *de* ~*en, a*) the infirm; *b*) the destitute; ~heid helplessness; infirmity; indigence, neediness, destitution; *vgl.* ~

hulp- *dikw.* auxiliary; ~betoon assistance, succour; *zie* maatschappelijk & onderling; ~boek aux. book; ~bron resource; ~brug temporary bridge; ~bureau *zie* ~kantoor; ~eloos(heid) helpless(ness); *zie ook* ~behoevend(heid); ~

gebouw temporary building; ~**geroep** cry for help; ~**kantoor** sub-, branch-office; ~**kas** relief fund; ~**kerk** chapel of ease; ~**kist** (*voor fietsen*) repair outfit; (*bij ongelukken*) first-aid (*of:* emergency) box (case); ~**lijn** (*meetk.*) aux. (*of:* artificial) line; (*spoorw.*) subsidiary railway; (*muz.*) ledger-line; ~**locomotief** aux. engine; ~**machine** donkey (*of:* aux.) engine; ~**middel** help, expedient, (*tijdelijk*) makeshift; *–en, ook:* aids (and appliances); resources; ~**motor** aux. engine; ~**onderwijzer(es)** assistant teacher; ~**personeel** emergency staff; ~**ploeg** (*bij spoorwegongeluk*) breakdown gang; ~**post** [first, medical] aid-post; ~**postkantoor** sub-post-office; *directeur van* – sub-postmaster; ~**prediker** (*in Anglicaanse Kerk*) curate; (*anders*) assistant minister; ~**rekening** suspense account; ~**spoorweg** *zie* ~lijn; ~**station** sub-station; ~**stukken** [machine and] accessories; ~**trein** relief-, rescue-train; ~**troepen** auxiliaries, aux. troops

hulpvaardig ready (willing) to help (assist), helpful; ~**heid** readiness (willingness) to help (assist), helpfulness

hulpverlening assistance

hulpwerkwoord auxiliary (verb)

hulpwetenschap auxiliary (ancillary) science

huls(*plantk.*) pod, cod, hull, husk; (*van patroon*) (cartridge-)case; (*van gloeilamp*) collar; (*stro, enz.*), straw cover, wrapper, envelope; *lege* (*patroon*)*huls* spent cartridge

hulsel *zie* omhulsel; **hulst** holly

hum 1 hem! humph!; 2 *zie* humeur

humaan humane; **humaniora** humanities

humanisme, -t, -tisch humanism, -t, -tic

humanitair humanitarian; **-teit** humanity

humbug id.

humeraal amice

humeur temper, mood, humour; *zij heeft 't ~tje wel* ('*n verschrikkelijk ~*) she has got a t. (a devil of a t.); *hij heeft een gelijkmatig ~* he is of an even temper; *hij is in zijn ~* in a good t.; *in een bijzonder goed ~* in high good humour, in high spirits, in high feather; *hij is weer in een goed ~* he is restored to good humour; *hij is slecht in zijn ~* in a bad temper, in the sulks, very cross; *in een bijzonder slecht ~* in a vile t.; **uit zijn ~** out of t., put out, in a pet; *ik ben over mezelf uit mijn ~* out of humour with myself; *iem. uit zijn ~ brengen* put a p. out, ruffle a p., rub a p. up the wrong way; ~**ig** moody, sulky, capricious; ~**igheid** moodiness, etc.

humeus humous

hummel(tje) (tiny) tot, mite

humor humour; *grove ~* slapstick

humoreske humorous sketch; (*muz.*) humoresque

humorist id.; ~**isch** humorous, humoristic (*bw.:* -ally), full of humour; comic [paper]

humus vegetable mould, humus, humic compost; ~**zuur** humic acid

1 Hun id.

2 hun I *bez. vnw.* their; *zij en de ~nen* they and

theirs; '*t ~ne* theirs; *zij waren met ~ tienen* there were ten of them, they were ten; *vgl. ook* mijn; II *pers. vnw.* them

hunebed id., (megalithic) chambered tomb, passage-, gallery-grave

hunkeren ~ *naar* hanker after (for), hunger for (after), crave for, pine for [sympathy], long for [freedom], ache for [love], be spoiling for [a fight]; ~ *om uit te gaan* be aching (itching) to go out; *ernaar ~ om te roken* be dying for a smoke; *hij hunkerde naar huis* he was longing for home

hunnent: *te ~* at their house; ~**halve** on their behalf; for their sake(s); ~**wege** on their behalf, in their name; *om ~wil* for their sake(s), in (on) their behalf

huppelen hop, skip, frisk

hups (*voorkomend*) obliging, courteous, kind; (*monter*) lively, brisk; (*flink*) strapping [a ... young man]; ~**heid** courtesy, obligingness, kindness

huren hire [a servant, house, piano, motor-car, etc.], rent [a house], take [a room in a hotel], engage [a servant], charter [a ship]; (*altijd op contract*) lease [a house, an estate]; *ik heb dit huis voor twintig jaar gehuurd* I hold this house on a twenty years' lease

hurk: *op de ~en zitten = ~en gehurkt zitten* squat, cower, sit on one's heels

Huss id.; ~**iet** Hussite

hut (*klein huisje*) cottage, (*dicht.*) cot; (*armoedig*) hut, hovel; (*van leem, enz.*) cabin; (*van hout, Am.*) shack; (*op boot*) cabin, (*privé en Am.*) stateroom; ~**bewoner** hut-dweller, cottager; ~**je** *zie* ~; *met – en mutje* bag and baggage; ~**koffer** cabin-trunk

hutspot hotchpotch, hodge-podge

huttentut (*plant*) gold of pleasure

huup heave ho!; (*tegen paard*) gee up!

huur (house-)rent [he owed me three pounds ...], rental, hire; (*loon*) wages; (*huurtijd*) lease; *huis te ~* house to let; *te ~ of te koop* to be let or sold, for sale or to let; *fietsen te ~* for hire; '*t huis doet 'n hoge ~* the house lets at (commands) a high rent; *schandelijk hoge ~* rack-rent; *mijn ~ is a.s. jaar om* my lease expires (will be out) next year; *de ~ is om* the tenancy is up; *zie* kamer, opzeggen, enz.; ~**auto** hired car; ~**baas** landlord; (*van matrozen*) shipping-master; (*boer* tenant farmer; ~**bordje** 'To Let' board (sign, notice); ~**ceel, ~contract** lease, tenancy agreement; ~**commissie** rent tribunal; ~**der** hirer; renter [of a private safe]; (*van huis*) tenant, lessee; *gemakkelijk –s vinden*, (*voor huizen*) let easily (*of:* well); ~**geld** rent; ~**huis** rented house; ~**kazerne** tenement house; ~**koets** hackney-coach; ~**koetsier** hackney-coachman, cabman; ~**koop** hire-purchase [buy on (the) ... (system)], *afk.* H. P.; ~**leger** mercenary army; ~**ling** hireling, mercenary; ~**opbrengst** rental; ~**opzegging** notice to quit; ~**paard** hack, job-horse; ~**penning** earnest-money, handsel; ~**penningen** rental, house-rent; ~**prijs** rent; ~**rijtuig** hackney-carriage,

cab; ~som rent(al); ~ster *zie* ~der; ~tijd term of lease, tenancy; ~troepen mercenary (*of:* hired) troops, mercenaries; ~vliegtuig charter plane, air taxi; ~voorwaarden terms of lease; ~waarde rat(e)able value; ~wet rent act, landlords and tenants act; ~woning *zie* ~huis
huwbaar marriageable; (*van vrouw ook*) nubile; *huwbare leeftijd* m. age; ~heid puberty; (*van vrouw ook*) nubility
huwelijk I *zn.* ('*t huwen*) marriage, wedding; (*toestand*) marriage, matrimony, wedlock; *het eerste jaar van hun* ~ the first year of their married life; *haar* ~ *met* ... her m. to (with) ... ~ *bij volmacht* (*met de handschoen*) m. by proxy; ~ *uit berekening* m. of convenience; ~ *uit liefde* love match; ~ *tussen verschill. stammen, families, enz.* intermarriage; *een* ~ *sluiten* (*aangaan*) contract a m.; *om een* ~ *aan te gaan with a view to matrimony; ~en worden in de hemel gesloten* marriages (matches) are made in heaven; *een* ~ *tot stand brengen* make a match; *een gelukkig* ~ *doen* make a happy match; *een goed* ~ *doen* marry well, make a good match; *een rijk* ~ *doen* marry money (a fortune); *buiten* ~ *geboren* born out of wedlock; (*fam.*) born on the wrong side of the blanket; *zich in* '*t* ~ *begeven, in* '*t* ~ *treden* enter into matrimony, marry; *haar vader gaf haar ten* ~ gave her in marriage; *een meisje ten* ~ *vragen* ask a girl in m., propose to a girl, (*fam.*) pop the question; *uit een wettig* ~ *geboren* born in (lawful) wedlock; *er zijn ... uit* '*t* ~ there are two children of the m.; *kind uit haar eerste* ~ child by (*of:* of) her first m.; *zie* afkondigen, berekening, burgerlijk, kerkelijk, enz.; II *bn.:* ~*e staat, zie* echtelijk; ~*se voorwaarden, zie* ~svoorwaarden
huwelijks: ~aankondiging notification of marriage, wedding-announcement; *zie* familieberichten; ~aanzoek proposal (of m.), offer (of m.); *een – doen* propose; ~advertentie matrimonial advertisement; ~afkondiging public notice of m., (*kerk.*) banns; *de – voorlezen* proclaim the banns; ~akte m.-certificate; ~band nuptial tie, m.-bond, -tie; ~bed m.-bed, nuptial bed; ~beletsel (*r.-k.*) impediment to marriage; ~belofte(breuk) *zie* trouw...; ~bemiddelaar *zie* ~makelaar; ~bericht *zie* ~aankondiging; ~bijslag m.-allowance; ~bootje: *in* '*t* – *stappen* get married; ~bureau marriage bureau; ~contract m.-settlement, -articles, -contract; ~e *staat, zie* echtelijk; ~e *voorwaarden, zie* ~voorwaarden; ~dicht epithalamium; ~feest wedding(-party, -feast); ~formulier m.-service; ~gelofte m.-vow; ~geluk conjugal (connubial, wedded) bliss (*of:* happiness); ~gemeenschap *a*) consummation of m.; *b*) *zie* gemeenschap (*van goederen*); ~geschenk wedding-gift; ~gift m.-portion, dowry; ~god god of m., Hymen; ~goed dowry, m.-portion; ~inzegening blessing of the Church (after civil m.); ~juk conjugal yoke; ~kandidaat suitor; ~knoop m.-knot; ~leven married life; ~liefde conjugal (*of:* married) love; ~makelaar m.-

broker, matrimonial agent; ~markt m.-market; ~nacht wedding-night; ~onenigheden matrimonial squabbles; ~plechtigheid m.-ceremony; ~plicht conjugal duty; ~rechten conjugal rights; *zie* herstel; ~reis(je) wedding-trip, honeymoon [a young couple on their ...]; *op de – zijn, ook:* be honeymooning; ~schuitje *zie* ~bootje; ~staat *zie* echtelijk; ~trouw conjugal fidelity; ~voltrekking solemnization of m.; ~voorwaarden m.-settlement, -contract; ~zegen nuptial blessing (*of:* benediction); (*kroost*) offspring
huwen *tr.* marry, (*krantetaal*) wed; (*dicht.*) espouse; *intr.* marry, wed; ~ *met* marry, wed; *zie ook* trouwen
huzaar hussar
huzaren: ~mantel dolman; ~sla Russian salad
hyacint (*plant & steen*) hyacinth; *wilde* ~ bluebell
hybride hybrid
hybridisch hybrid; ~ *woord* hybrid
hybridiseren, -ing hybridize, -zation
hydra id.; **hydraat** hydrate
hydrangea id.; **hydrant** id.
hydraulica hydraulics
hydraulisch hydraulic (*bw.:* -ally); ~*e pers* h. (*of:* hydrostatic) press
hydro-: ~fobie hydrophobia; ~foon hydrophone; ~graaf, -grafie, -grafisch hydrographer, -graphy, -graphic(al); ~logie hydrology; ~meter id.; ~statica, -statisch hydrostatics, -static(*bw.:* -ally); ~therapie hydrotherapy, water-cure
hydroxyde hydroxide
hyena id.; ~hond h.-dog
hygiëne hygiene, hygienics
hygiënisch hygienic (*bw.:* -ally), sanitary [conditions]
hygiënist hygienist
hygrometer id.; **hygrometrisch** hygrometric(al)
hygroscoop hygroscope
hygroscopisch hygroscopic(al)
Hymen id.; **hymen** id.
hymne hymn
hyper: ~bolisch *a*) (*meetk.*) hyperbolic; *b*) hyperbolical; ~bool *a*) (*kegelsnede*) hyperbola; *b*) (*troop*) hyperbole; ~gevoelig hypersensitive; ~kritiek hypercriticism; ~kritisch hypercritical; ~modern ultra-modern
hypnose hypnosis; *onder* ~ in h., under hypnotic influence; **hypnotisch** hypnotic (*bw.:* -ally); **hypnotiseren** hypnotize, mesmerize
hypnotiseur, -tisme hypnotist (mesmerist), -ism
hypo (*fot.*) id.
hypochonder hypochondriac
hypochondrie hypochondria
hypochondrisch hypochondriac(al)
hypocriet *zie* huichelaar
hypotenusa hypotenuse
hypothecair mortgage-; ~*e akte* m.-deed; ~*e obligatie* m. debenture; ~*e schuld* m.-debt; ~*e schuldeiser* mortgagee; ~*e schuldenaar* mortgagor
hypotheek mortgage; *eerste* ~ *hebben op* hold first m. on; *op eerste* ~ [lend money] on first m.; *geld op* ~ *nemen* raise money on m.; *met* ~

bezwaard mortgaged; *zijn goederen zijn met zware ~ belast* he has heavily mortgaged his estate, mortgaged it up to the hilt; *ontvanger van hypotheken* registrar of m.-dues; *zie* executeren; ~**akte** m.-deed; ~**bank** m.-bank; ~**bewaarder** recorder of mortgages; ~**gever** mortgagor; ~**houder** mortgagee; ~**kantoor** m.-registry; ~**nemer** *zie* ~houder; ~**wezen** m. concerns, (everything relating to) mortgages
ypothekeren mortgage

hypothermie hypothermia
hypothese hypothesis, *mv.:* hypotheses
hypothetisch hypothetic(al)
hypsometer id.; **-metrie** hypsometry; **-metrisch** hypsometric(al)
hysop (*plant*) hyssop
hysterica, -cus hysteric
hysterie hysteria; *aanval van ~* fit of h., hysterics; **hysterisch** hysterical
hz = *hertz* c.p.s., c/s (= cycles per second)

I

I; (*Rom. cijfer*) I, i; *zie* puntje
a (*van ezel*) heehaw; **iaën** heehaw
berië Iberia; ~**r, Iberisch** Iberian
bis id.
c. *zie* in casu
carus id.; ~**vleugels** Icarian wings
chneumon id.; ~**wespen** i.-flies
chtyo: ~**grafie** ichthyography; ~**l** ichthyol; ~**logie** ichthyology; ~**saurus** ichthyosaurus
co(o)n id.; ~**ograaf** iconographer; ~**ografie** iconography
d. id., do., ditto; **Ida** Ida
deaal I *bn.* ideal [place, etc.]; II *zn.* ideal; [it was his] ambition [to ...]; *een ~ van een vrouw* (*echtgen.*) a pattern (model) wife; *zijn idealen verwezenlijken, ook:* realize one's ambitions
dealiseren idealize; **idealisme** idealism
dealist id.; ~**isch** idealistic (*bw.:* -ally)
dealiter ideally
dee[1] idea, notion, thought; (*mening*) opinion; *het ~! wat een ~!* the i.!; *dat is een ~!* it's (quite) an i.; *dit gedeelte geeft een vrij juist ~ van ... ook:* is a fair sample of the complete work; *'t ~ is om te ...* the i. is to ...; *ik had* (*helemaal*) *geen ~, dat ...* I had no i. (I never dreamt) it was so late; *zij had geen ~ van ...* she had no notion (no conception, no i.) of housekeeping; *ik had er niet 't minste ~ van* I had not the least i. (of it), I had not a notion; *zie* flauw; *zich een ~ vormen van* gauge (form an idea of) [business conditions]; *hij had geen ~, hoe ...* he had no notion of how it was done; *ik heb er niet veel ~ op* I don't much care for it; *ik heb zo'n ~ dat ...* I have a sort of i. that ...; *een hoog ~ hebben van*, zie dunk; *in 't ~, op een ~ komen* hit upon an i.; *hij kwam op 't ~ om ...* the idea (it) occurred to him to ...; *hoe kwam*

je op 't ~? who (what) put the i. into your head?
ideëel ideal, imaginary, imagined; idealistic
ideeënbus suggestion(s) box
idee-fixe fixed idea, monomania; *hij heeft een ~, ook:* he has a bee in his bonnet
ideetje: *een ~*, (*fig.*) a suspicion (a touch) [of salt]
idem idem, the same, ditto, do.; *~ ~, ~ dito* ditto ditto; *~ zoveel* so much (many); *~ voor arbeidsloon ...* item, for man's time ...
iden (*in Romeinse kalender*) ides
identiek identical (*aan* with, to)
identificeren identify; *zich ~* establish one's identity, give evidence of identity
identiteit identity; ~**sbewijzen** i. papers; ~**splaatje** i. disc
ideografie, -grafisch, -logie, -logisch, -loog ideography, -graphic [writing], -logy, -logical, -logist
idiolect id.
idiomatisch idiomatic (*bw.:* -ally)
idioom idiom •
idioot I *bn.* idiotic (*bw.:* -ally); imbecile; (*fig.*) idiotic, silly; *zie* gek; II *zn.* idiot, imbecile; *zich als een ~ gedragen* make a perfect idiot of o.s., behave idiotically; **idioterie** idiocy, idiotism, inanity; **idioterig** idiotic (*bw.:* -ally)
idiotisme idiocy; (*in de taal*) idiom, idiotism
idolaat: *~ zijn van* be infatuated with
idylle idyl(l); **idyllisch** idyllic (*bw.:* -ally)
ieder (*bijvoegl.*) every [get up at six ... morning]; each [reply to ... letter personally]; any [... fool can do that; ... truth is better than this doubt]; (*zelfst.*) everyone, everybody [not ... can do this]; each [... told the story in his own way]; anyone [... can afford that luxury]; [challenge] all comers; *zie* zich; ~**een** *zie* ~ (*zelfst.*); *niet voor –* not everybody's meat
iegelijk: *een ~* everybody; *elk en een ~* one and all

Zie ook mening

iel thin, meagre

iemand somebody, someone, anybody, anyone; one, a man; *zeker ~* somebody; *hij maakte de indruk van ~, die* ... he gave the impression of one (a man) who ...; *iem. die* ... [I'm not] one for wasting words; [she is not] one to give in; *~, die zo jong is* one so young; *is er ~ onder u, die ...?* is there any among you who ...?; *een fatsoenlijk ~* [he is] a decent sort; *~ van de 'Times'* a Times man; *zie ook* mens (*een ...*)

iemker bee-keeper, bee-master, apiarist

iep elm(-tree); ~**en** *bn.* elm; ~**espintkever** elmbark beetle; ~**ziekte** (Dutch) elm disease, dieback of elms

Ier Irishman; (*fam.*) Pat; *de ~en,* (*natie*) the Irish; *enige ~en* some Irishmen; **Ierland** Ireland; (*dicht.*) Hibernia, Erin, the Emerald Isle; (*de Republiek*) Republic of Ireland, Eire

Iers Irish; *typisch ~e uitdrukking* Irishism; ~**e** Irishwoman; *'t is een ~e, ook:* she is Irish

iet *zie* niet

iets I *vnw.* something, anything; *heb je ooit zo ~ gezien?* did you ever see the like of that?; *zie ook* zo; *is er ~?* is anything the matter? (is) anything up?; *kan ik ~ voor u halen?* can I get you something [to eat]?; *ieder* (*niemand*), *die ~ betekent* everybody (no one) who is anybody (anyone); *hij was ~ op* ... he was s.t. in an office; *dat is* (*in ieder geval*) *~* that is s.t.; *~ nieuws* s.t. new; *is er ~ nieuws?* is there a.t. new?; *er is ~ mystieks in* there is a mystic touch (a touch of mysticism) about it; *hij heeft ~ van Nelson* he has the Nelson touch; *hij had ~ in zijn ogen* (*zijn toon*)*, dat* ... there was that in his eyes (his tone) which ...; *net ~ voor 'n man!* how like a man!; *net ~ voor jou!* just like you!; *een dom ~* [then he did] a stupid thing; *vreemd ~, 't geweten* rum thing, conscience; *beter ~ dan niets* something is better than nothing; *als er iets is, dat* ... if there is one thing I hate; *zie* zo; II *bw.* a little, somewhat, rather, slightly; *is hij ook ~ beter?* is he any better?; *hij is ~ beter* he is slightly better; *als hij er ~ om gaf* if he cared at all; *zie ook* ietsje

ietsje: *een ~ beter* (*donkerder*) a shade better (darker); *een ~ te lang* a thought too long; *een ~ verlegen* a trifle shy; *een ~ zout* a pinch of salt; *zie* iets

ietwat *zie* iets(je)

iezegrim grumbler, surly fellow, 'bear'; (*de Wolf*) *zeld.:* Isegrim; ~**mig** surly, bearish

ignoreren ignore, cut [a p.], brush away, brush aside [arguments]

i-grec y

ijbokking estuarine herring

ijdel vain [person, boast, hope, endeavours], idle [words, hope], empty [threats, promises, boast]; illusive [how ... that hope was!]; *~ op* v. of; *~ vertoon* v. show; ~**heid** vanity; (*vergeefsheid*) futility; – *der ijdelheden* vanity of vanities [all is vanity]; *Gods naam ~lijk*

gebruiken take the name of God in vain

ijdeltuit: *een ~* a vain person; ~**erij** frivolousness, vanity; ~**ig** frivolous, vain

ijf yew(-tree); ~**el** *a*) = ~; *b*) hand-bow

ijk gauge, stamping and verifying of weights and measures; ~**en** gauge, stamp and verify (*wet.*) calibrate; *zie* geijkt; ~**er** gauge inspector of weights and measures; ~**gewicht** standard weight; ~**kantoor** weights and measures office; ~**loon** gauger's fee; ~**maat** standard measure; ~**meester** *zie* ijker; ~**merk** seal

1 ijl *bn.* thin [wood *bos;* air], tenuous, rarefied [air, gas]; *~e haring* (*zalm*) spent (*of:* shotten) herring (salmon)

2 ijl *zn.* haste, hurry, speed; *in aller~* in great (in hot) haste, post-haste, at top speed, hot-foot; *hij werd in aller~* ... *vervoerd* he was rushed to hospital

ijlbode courier, express (messenger)

1 ijlen be delirious, rave, wander (in one's mind), be light-headed; *zijn ~* the wandering(s) of his mind; *~de koorts* delirium

2 ijlen hasten, hurry (on), speed

ijlgoed *zie* expresgoed

ijlheid thinness, rarity, tenuity

ijlhoofd rattle-brain, rattle-pate

ijlhoofdig *a*) light-headed, delirious; *b*) (*lett. hoofdig, onnadenkend*) empty-headed, rattle-brained, -pated, thoughtless; ~**heid** *a*) delirium, light-headedness; *b*) ... ness

ijlings in hot haste, hastily; *zie* ijl (*in aller ...*)

ijs ice; (*room-*) ice-cream, ice; *een portie ~* an ice; *door 't ~ ingesloten* i.-bound, -locked; *~ houden* keep in cold storage (on ice); *in zetten* ice [champagne, etc.]; *champagne in* iced champagne; *'t ~ breken* (*ook fig.*) break the i.; *niet over één nacht ~ gaan* take no chances, keep on the safe side [look before you leap]; *goed beslagen* (*geheel onbeslagen*) *ten ~ komen* be well prepared (utterly unprepared) for one's task; *zich op glad ~ wagen* go out of one's depth, skate over (on) thin i., walk on slippery ground (on thin i.); *oud ~ vriest 't licht, ongev.:* old love lies deep; *zie* klomp; ~**afzetting** *zie* ~vorming; ~**baan** (*ook kunstmatig*) skating-, i.-rink; ~**beer** white (*of:* polar) bear; ~**beitel** i.-pick; ~**berg** do sentry-go, walk (*of:* pace) up and down; ~**berg** iceberg; ~**bestrijder** (*luchtv.*) de-icer; ~**bijl** i.-axe; ~**blink** i.-blink; ~**bloemen** frost-flowers, i.-ferns, tracery of frost; ~**blokje** cube; ~**bok** ice-apron; ~**breker** ice-breaker; ~**club** skating-club; ~**coman** *zie* ~venter; **dam** i.-dam, -jam, -block; ~**dek** i.-cap, -plateau; ~**duiker** great northern diver; ~**eend** long-tailed duck

ijselijk horrible, terrible; (*afgrijselijk*) gruesome, ghastly; *~ koud* dreadfully cold; ~**heid** horror [the ...s of war]

ijs: ~**emmer** ice-pail; ~**gang** i.-drift, breaking up of (the) i.; ~**glas** frosted glass; ~**gors** Lapland bunting; ~**heiligen** Ice Saints, blackthorn winter; ~**hockey** ice-hockey, (*Am.*) hockey

~je ice; ~kamer refrigerating-chamber; ~karretje i.-cream barrow; ~kast refrigerator, i.-box, (*fam.*) fridge, frig(e); *in de* -, (*fig.*) in cold storage, on ice; ~kegel icicle; ~kelder i.-house (*ook:* the place is like an ...); ~kompres *zie* ~zak; ~korst crust (coating, skin) of i.; ~koud icy-cold, icy (*ook fig.:* ... indifference), i.-cold; (*fig. ook*) frosty, wintry [a ... smile], frigid [answer ...ly]; – *zijn* (*van pers.*) be frozen stiff; *ik werd er – van* it made me cold all over; (*fam.*) (*flegmatiek*) flegmatic, cool; *hij ging – op de rails liggen* he calmly went and lay down on the rails

IJsland Iceland; ~er Icelander; ~s Icelandic; – *mos* Iceland moss

ijs: ~machine freezing-machine, freezer; ~massa ice-pack; ~muur ice-barrier; ~naald spicule of ice; ~pegel *zie* ~kegel; ~periode *zie* ~tijd; ~plant i.-plant; ~ploeg i.-plough; ~schol, ~schots i.-floe, cake (flake, floe) of i.; ~slede i.-sledge; ~spoor i.-spur, crampon; ~tap icicle; ~tijd ı.-age, glacial period (*of:* age); ~vakantie (half-)holiday for skating; ~veld i.-field; ~venter i.-cream vendor (*of:* man); ~vereniging skating-club; ~vermaak ice sport; ~vlakte, ~vloer sheet of i., i.-sheet; ~vlet ice boat; ~vogel kingfisher; (*dicht.*) halcyon; ~vorming (*luchtv.*) i.-formation, icing (up), i.-accretion; ~vos white fox; ~vrij i.-free [ports]; ~wafel i.-wafer, i.-brick; ~water i.-water, iced water; ~zak i.-bag, -pack; ~zee polar sea, frozen ocean; *de Noordelijke* (*Zuidelijke*) *IJszee* the Arctic (Antarctic)

ijver (*vlijt*) diligence, industry; (*onverdroten* ~) assiduity; (*vurige* ~) zeal [blind ...], ardour, fervour; *met* ~, *zie ook* ~ig; ~aar zealot, fanatic, keen partisan; advocate [of], stickler [for]

ijveren be zealous; ~ *voor* be zealous for, devote o.s. to [a cause]; ~ *tegen* declaim against

ijverig (*vlijtig*) diligent, industrious, assiduous, sedulous, painstaking; (*vurig*) zealous, ardent; *zo* ~ *als een bij* as busy as a bee; ~ *bezig zijn met* be hard at, be intent upon [one's work]; *zij was* ~ *bezig met haar naaiwerk* she was plying her needle, was intent upon her sewing; *de politie doet* ~ *onderzoek* the police are making active inquiries; ~ *werken, ook:* work strenuously

ijverzucht jealousy, envy; ~ig jealous, envious

ijzegrim *zie* iezegrim

ijzel *a*) glazed frost, silver thaw, (*Am.*) glaze; *b*) *zie* rijp

ijzelen: *het ijzelt* there is a glazed frost, (*Am.*) there is an ice-storm

ijzen shudder; ~ *bij de gedachte* s. at the thought; *'t is om van te* ~ it makes you s., makes your flesh creep

ijzer iron; (*van schaats*) blade; (*van slede*) runner; *zie ook* hoef~; ~s, (*boeien*) irons; *iem. in de* ~*s sluiten* put a p. in irons; *met* ~ *beslagen* i.-bound [chest], i.-shod [pole]; (*met spijkerkoppen*) i.-studded [door]; *men kan geen* ~ *met handen breken* you can't make bricks with-

out straw; no one can do impossibilities; *smeed het* ~ *terwijl het heet is* strike the i. while it is hot (strike while the iron is hot), make hay while the sun shines; *hij is van* ~ *en staal* he is made of i.; *zie* gegoten, enz.; ~aarde ferruginous earth; ~achtig i.-like, ferruginous; ~ader i.-vein; ~beslag i.-mounting; ~draad (i.-)wire; *met* – *afsluiten* wire in; ~draadschaar (pair of) wire-cutters; ~draadtouw wire-rope; ~en iron (*ook fig.:* maintain an ... discipline); cast-iron [régime]; – *gordijn* i. curtain; – *long* i. lung, artificial respirator; *met* '*t* – *masker* [man] in the i. mask; *een* ~ *wil* an i. will; *met* – *hand* (– *roede*) *regeren* rule with a rod of i.; *de IJHertog,* (*Wellington*) the I. Duke; *de IJ– Kanselier,* (*Bismarck*) the I. Chancellor; ~erts i.-ore; ~fabriek [an, two] i.-works; ~fabrikant ironmaster; ~gaas wire-netting; (*fijner*) wire gauze [of a safety-lamp]; ~garen (waxed) thread; ~gieter i.-founder; ~gieterij i.-foundry; ~glans i.-glance, specular i.-ore; ~grauw i.-grey; ~groeve i.-mine; ~handel i.-trade, ironmongery; ~handelaar ironmonger; ~hard *bn.* (as) hard as i., i.-hard; *zn. zie* ~kruid; ~houdend ferriferous, ferrous, ferruginous; chalybeate [water, spring]; ~hout i.-wood; ~kleurig i.-coloured, i.-grey; ~koper ironmonger; ~kruid verbena, vervain; ~oer bog-ore; ~oxyde iron oxide; ~plek *zie* ~smet; ~pletterij i.-mill; ~schimmel i.-grey; ~slag *zie* hamerslag *b*); ~slak i.-slag; ~smelterij i.-foundry; ~smet i.-mould, i.-stain; ~smid i.-smith, blacksmith; ~steen i.-stone; ~sterk (as) strong as i., [a constitution] of iron; (*sl.*) A 1, excellent; ~tijd(perk) i. age; ~vijlsel i. filings; ~vitriool ferrous sulphate; ~vlechter barbender; ~vlek *zie* ~smet; ~vreter fire-eater, [an old] war-horse; ~waren hardware, ironware, ironmongery; ~werk(er) i.-work(er); ~winkel ironmongers' (shop); ~zuur ferric acid, acid of i.

ijzig icy, as cold as ice; *zie ook* ijskoud

ijzing horror, shudder(ing); ~wekkend gruesome, appalling, ghastly; *zie* ijselijk

ik I; *het* ~ (a person's) self, the ego; *mijn tweede* (*beter*) ~ my other (better) self; *zijn eigen* ~ his own self; ~ *voor mij* ... I for one do not believe it; *zie* het; ~-figuur [the] 'I' [of the novel]; ~heid one's own self, individuality; ~zelf I myself; *zie* zelf

I. L. = *intelligentie-leeftijd* M.A. (= mental age)

Ilias Iliad

illegaal illegal, underground; **-galiteit** illegality; resistance (movement)

illuminaten illuminati

illuminatie illumination; **illumineerglaasje, -potje** fairy-light; **illumineren** illuminate (*ook van manuscript*)

illusie illusion; *iem. de* ~ *benemen* disabuse a p.'s mind, dispel a p.'s illusion, disillusion a p.; *zich* ~*s maken over* entertain illusions about; *zich geen* ~*s maken omtrent* be under no i. about (*of:* as to), have no illusions about;

zich valse ~s maken live in a fool's paradise
illusoir illusory, illusive
illuster illustrious
illustratie *a*) illustration; *b*) illustrated (pictorial) paper, (*fam.*) illustrated (pictorial) (*mv.:* ...s); *ter ~* in i.; **~druk** glossy paper; **~f** illustrative
illustrator id.
illustreren illustrate; *geïllustreerd blad* picture paper; *geïllustreerde gids* pictorial guide
Illyrië Illyria; **~r, Illyrisch** Illyrian
imaginair imaginary [quantity, profit]
imam, iman imam, imaum
imbeciel *bn. & zn.* imbecile
imitatie imitation; **~leer** i. leather, leatherette
imiteren imitate
imker *zie* iemker
immanent id.
immaterieel intangible [assets]
immens immense (*bw.:* -ly), huge (*bw.:* -ly)
immer ever; *voor ~* for ever
immermeer evermore
immers[1]: *hij was er ~ ?* he was there, wasn't he?; *je hield er ~ niet van?* you did not like it, did you?; *dat kon ik ~ niet weten?* how should I know?; *... ~ hij is mijn beste vriend* for, (as you know,) he is my best friend; *~, hoe 't ook zij, ik ...* for, however it may be, I ...; *ik heb het ~ veel te druk* I'm far too busy, you know that
immigrant immigrant; **immigratie** immigration
immigreren immigrate
immobiel immobile; *~ maken* immobilize
immoraliteit immorality, moral turpitude
immoreel immoral
immortellen immortelles, everlastings
immunisatie, -seren immunization, -nize
immuniteit immunity (*ook van Kamerleden, enz.*) [from]
immuun immune [from, to, against], refractory [to cholera], *~ maken* make (render) i., immunize [against]; **~making** immunization
impasse id., blind alley; (*fig.*) impasse, fix, deadlock, stalemate; *zich in een ~ bevinden* be in an i.; (*van zaken ook*) be at a deadlock
impedantie (*elektr.*) impedance
imperatief *bn.* imperative; *zn.* i. (mood)
imperiaal *bn.* imperial; *zn.* (*van auto, enz.; baardje; munt*) imperial; (*van auto, enz. ook*) roof-rack; *ook = ~papier* imperial (paper)
imperialisme imperialism, (*vooral Am.*) spreadeaglism
imperialist id.; **~isch** imperialistic (*bw.:* -ally), imperialist
imperium empire, id.
impertinent id.; **~ie** impertinence
impliceren (*meebrengen*) imply; (*betrekken in*) implicate; **impliciet** implicit
imponderabilia, -liën imponderables
imponeren impress, awe, overawe; **~d** imposing, impressive
impopulair, -lariteit unpopular, -larity

import id.; *voor sam. zie* invoer; **~eren** import; **~eur** importer
imposant imposing, impressive, commanding
impost duty, excise-duty, impost
impotent id.; **~ie** impotence
impregneren impregnate
impresario id., (publicity) manager; (*van bokser, enz.*) *ook:* advance agent
impressionabel impressionable
impressionisme impressionism
impressionist id.; **~isch** impressionist(ic)
imprimatur id.; *zie* afdrukken!
improduktief unproductive
impromptu id.
improvisatie improvisation, impromptu
improvisator improviser, extemporizer
improviseren improvise, extemporize, speak extempore, speak without notes; (*fam.*) ad lib.; (*muz. ook, tr. & intr.*) vamp; *zie* geïmproviseerd
impuls(ie) impulse, impulsion; (*mech.*) momentum; *zie* opwelling; **impulsief** impulsive; *een ~ man, ook:* a man of impulse; **impulsmoment** (*mech.*) angular momentum
in (*binnen zekere grenzen*) in [the room, France, Dickens], inside [the house]; (*overschrijding van grenzen*) into [go ... the garden], inside [go ... a church]; (*voor namen van grote steden & plaats van inwoning*) in; (*voor andere plaatsnamen*) at; *ben je ooit ~ Parijs geweest?* have you ever been to P.?; *ik ben verleden jaar ~ P. geweest* I was in (went to) P. last year; (*verkeren in een toestand*) in [be ... trouble]; (*komen in een toestand*) into [get ... trouble]; (*tijdruimte*) in [three years, my youth], for [I have not seen him ... three years]; *~ en om Londen* in and around London; *er gaan 16 ons ~ een* (*Eng.*) *pond* there are 16 ounces to a pound; *hij is ~ de zestig* turned sixty, in the (his) sixties; *hij is even ~* (*midden ~*) *de veertig* in the early (the middle) forties; *zij is ~ haar derde maand* she is three months gone; *er waren er ~ de vijftig* there were fifty odd; *~ stukken snijden* cut to (*of:* in) pieces; *~ tweeën springen* burst in two; *zwak ~* (*de*) *algebra* weak in algebra; *dat wil er bij mij niet ~* that won't go down with me; *er~, en gauw wat!* in you get, sharp!; *zie verder* commissie, gaan, raad, voorbereiding, enz.
inachtnemen *zie* acht 1
inachtneming observance; *met ~ van* with due o. of [these rules], with due regard to [your interests]; with due allowance for, in consideration of [his age]; *met ~ van uw wenken, ook:* mindful of your hints
inademen breathe (in), inhale, inspire, draw in; **-ing** breathing (in), inhalation, inspiration, intake of (the) breath
inauguraal *zie* -reel; **-ratie** inauguration; **-reel** inaugural [address, speech *rede*]
inaugureren inaugurate
inbaar collectable

---

[1] *Zie* toch 2

inbakeren (*zuigeling*) swaddle; (*anders*) wrap (muffle) up, tuck in [wrap (muffle) yourself up well]; **inbakken** *a*) lose in weight (by baking); *b*) bake in; *ingebakken* caked [dirt], innate [character], built-in [conflict]

inbalken tail a beam in (into a wall)

inbalsemen embalm

inbedroefd *zie* diepbedroefd

inbeelden: *zich* ~ fancy, imagine; *hij beeldt zich heel wat in* he thinks much of (fancies) himself; **-ing** *a*) fancy, imagination; *b*) (*verwaandh.*) (self-)conceit, presumption

inbegrepen: *kosten* ~ inclusive of charges, charges included; *wijn* ~ including wine, wine included; *alles* ~ all found, no extras, [two guineas a week] inclusive; *waarbij alles* ~ *is* all-in [... tour, ... rate of five dollars a day]; *prijs alles* ~ overhead price; *emballage niet* ~ exclusive of packing, packing not included, packing extra

inbegrip: *met* ~ *van*, *zie* inbegrepen

inbeitelen chisel in (into s.t.), engrave

inbeslagneming seizure, attachment; (*wegens schuld ook*) distraint, distress, execution; (*van schip*) seizure, embargo; (*van tijd*) taking up [a p.'s time]

inbeuren take, receive [money]; lift in [a load]

inbezitneming taking (seizing) possession [*van of*], occupation; **inbezitstelling** putting in possession [*van of*], delivery

inbijten bite into, attack, corrode; **~d** corrosive, mordant

inbinden bind [a book]; *laten* ~ have [a book] bound; *een zeil* ~ take in a sail, shorten sail; (*zich*) *wat* ~ come down a peg or two, climb down, draw in one's horns

inblauw intensely blue, deep blue

inblazen blow into; (*fig.:* *in 't oor blazen*) prompt, suggest [s.t. to a p.]; (*nieuw*) *leven* ~ breathe (put, infuse) (new) life into, give [Fascism] a new lease of life; *de storm blies het dak in* the gale blew down the roof; **-er** prompter, instigator; **-ing** suggestion, prompting, instigation; *op – van* at the instigation of

inblij very glad, overjoyed

inblikken tin, (*eig. Am.*) can [meat]

inboedel furniture, household effects

inboeken book, enter; **inboeten:** *hij heeft er zijn positie bij ingeboet* it has lost him his position

inboezemen inspire [love, terror, etc.], strike [fear] into [a p.], strike [a p.] with [dismay *ontzetting*]; *iem. ... ~ i.* love (confidence, distrust) in a p., inspire a p. with love, etc.; *argwaan* ~ rouse (excite) suspicion [in a p.]; *iem. vrees* ~, *ook:* fill a p. with dread; *zie* belangstelling; **-ing** inspiration

inbonzen smash, shatter

inboorling native, aborigine, aboriginal

inborst character, nature, disposition

inbouwen build in [we are completely built in]; *ingebouwd* built-in [cupboard, bath, safety], [safe] built (*of:* let, recessed) into the wall, in-built [mistrust]; inboard [motor], self-contained [aerial *antenne*]

inbraak burglary, housebreaking, break-in; ~ *en insluiping* breaking and entering; *poging tot* ~ [five years' penal servitude for] attempted b.; **~verzekering** b.-insurance; **~vrij** burglar-proof

inbranden burn in (into s.t.)

inbreken break into a house, commit burglary, break in [through a window], burgle a house; *er is bij A. ingebroken* A. had his house broken into, A. has been burgled

inbreker burglar, housebreaker, (*fam.*) cracksman

inbreng contribution [to the discussion]; (*in huwelijk*) dowry, (marriage-)portion; (*in zaak*) brought-in capital, (capital) contribution; input; **~aandelen** vendors' (vendor's) shares

inbrengen (*eig.*) bring (take) in; (*in spaarbank, enz.*) deposit; *kapitaal* ~ bring in capital, (*door inbrenger in naaml. venn.*) sell to the company; (*buis in longen enz.*) introduce; *klachten enz.* ~, *zie* indienen; *de ingebr. verdediging* the defence put forward; ~ *tegen* object to; bring against [even his enemies can b. nothing against him]; bring up against [it will be brought up against you afterwards]; allege [s.t.] against [a p.], urge [objections] against; '*t getuigenis reeds tegen hem ingebr.* the evidence standing against him; ... *bracht hij ertegen in* 'I do', he countered; 'my name isn't W.', he objected; *hij had* **niets** *tegen de aanklacht in te br.* he had nothing to say to the charge; *daar kan ik niets tegen* ~, *a*) I have nothing to say to that, that argument is unanswerable; *b*) I have no objection to it; *je hebt hier niets in te br.* you cannot give orders here (*zie ook* brokken); *hij heeft* **heel** *wat in te br.* he has great personal influence, he can pull a string or two; **inbrenger** depositor; (*in naaml. vennootsch.*) vendor

inbreuk violation, transgression, infringement, infraction [of the law]; ~ *op ...* encroachment on (infringement of) [rights], invasion [of my privacy]; ~ *maken op* infringe [the law, rights], encroach upon [rights]

inbrokkelen break [bread] into [milk]; *hij heeft er zijn vermogen bij ingebrokkeld* little by little he has lost his fortune over it

inbuigen bend (curve) inward

inburgeren naturalize, acclimatize; *dit woord was oorspronkelijk een germanisme, maar is nu helemaal ingeburgerd* but is now quite current; *hij is daar helemaal ingeburgerd* he feels quite at home there; *zie* burgerrecht

inbussleutel hexagonal wrench, (*fam.*) hex key

incapabel incapable; (*dronken*) drunk and i.

incarnaat, -naten *zie* inkarnaat

incarnatie incarnation

incarneren incarnate; *de geïncarneerde gierigheid* avarice incarnate

incasseerder [debt-]collector; **incasseren** collect; (*verzilveren*) cash [a cheque]; swallow, put up with [insults]; take [a beating]

incassering *a*) collection; *b*) cashing; ~ *bezor-*

gen van undertake the collection of, collect [a bill]; ~**svermogen** (*sp.*) stamina, resilience

incasso collection; *ter ~ zenden* send for c.; *ter ~ geven* bank [a cheque]; *met 't ~ belaste bankier* collecting banker; ~**bank**, ~**bureau** (debt-)collecting agency; ~**kosten**, ~**loon** collecting-charges; ~**wissel** bill for collection

in casu viz., in this case

inchoatief inchoative (verb)

incident incident; *'t ~ is nu gesloten* the i. is now closed; ~**eel** incidental(ly), as occasion arises; *in -ele gevallen, ook:* occasionally

inclinatie inclination, dip [of the magnetic needle]; ~**hoek** angle of i.; ~**kompas** dipping-compass; ~**naald** dipping-needle

incluis included

inclusief inclusive (of); *drie gulden ~* 70p., including tip(s) (service charge(s) included)

incognito id., (*fam.*) incog.

incompatibiliteit: ~ *van humeur* incompatibility of temperament

incompetent id.; ~**ie** incompetence

incompleet incomplete; *een ~ van* ... a shortage of 100 men; **in concreto** in the concrete

inconsequent inconsistent; **inconsequentie** inconsistency

inconstitutioneel unconstitutional

inconveniënt inconvenience; **incorrect** id.

incourant unsalable, unmarketable [article]; ~*e maat* off-size; ~*e fondsen* unlisted securities, non-quoted stocks

incrimineren incriminate

incubatie incubation; ~**periode** i.-period

incunabel incunable; **incunabulum** (*mv.* -la) id.

indachtig mindful of; *iem. iets ~ maken* put a p. in mind of s.t., remind a p. of s.t.; (*vero.*) *wees mijner ~* remember me

indagen summon, cite

indaging summons, citation

indammen dam, embank

indampen *a*) reduce [milk] by evaporation; *b*) damp, moisten [linen]

indecent id.

indelen divide, class(ify), group, arrange; map out [the day as follows]; (*in graden*) graduate; (*inlijven*) incorporate [*bij* in, with]; post [to a battery *bij* ...]; draft [into the Air Force]; assign [to (*bij*) the first or the second group]; *zie* inlijven; **-ing** division, incorporation; geography [of the house]

indemniteit indemnity

indenken: *zich ~ in* (try to) realize [a p.'s position], enter into [a p.'s feelings], visualize; *ik mag er mij niet ~* I dare not think of it; *ik kan er mij niet ~* I cannot grasp it; *ik kan 't mij niet ~, dat* ... I cannot make myself (bring myself to) believe that he is dead; *hij kon zich niet ~ dat er mensen waren* ... he could not conceive the possibility of there being people ...; *daar kan ik me ~* I can understand (imagine) that; *zie ook* inleven

Independenten Independents

inderdaad indeed, really, in (point) of fact, sure enough [, there he was]; *zie* werkelijk

inderhaast in haste, in a hurry, hurriedly

indertijd at the time; at one time; on a previous occasion; *toen wij ~ deze partij van u kochten* ... at the time when we bought ...; *~ woonde hij hier* he used to live here

indeuken dent, indent; *zie* deuken

index *a*) id., table of contents; *b*) (*r.-k.*) id. ~ *van verboden boeken* prohibitory (expurgatory) i.; *op de ~ plaatsen* place on the i. black-list; ~ *van kosten van levensonderhoud* cost of living index; *van een ~ voorzien* index [a book]; ~**cijfer** i.-figure, -number; ~**eren** index(ate) [wages, pensions]; ~**ering** i. linking

India id.

Indiaan(s) (Red) Indian; *zie* spelen

indicateur: ~ *paardekracht* indicated horse power, i.h.p.; **indicatief** indicative (mood)

indiciën (*jur.*) circumstantial evidence

Indië (*hist.*) (*Eng.*) (British) India; (*Ned.*) the (Dutch East) Indies, (*fam.*) Dutch East

indien if, in case; *zie* als

indienen bring in, introduce [a bill *wetsontwerp*], lodge [a complaint *klacht*] [*bij* with] tender, submit (hand in, send in) [one's resignation] [*bij* to], move, table, propose hand in [an amendment, a motion], put forward [proposals]; put in [an affidavit, a reply] (*aanklacht*) prefer a charge, lay an information, level an accusation [*tegen* against]; (*begroting*) present (introduce, bring in) the budget (the estimates); (*vordering*) put in a claim; (*verzoekschrift*) present a petition; (*verzoek tot echtscheiding*) file a petition for divorce; *het thans ingediende ontwerp* the bill now before Parliament; **-ing** presentation, introduction, bringing in; *vgl. 't ww.*

indiensttreding entrance into office (*of:* upon one's duties), assumption of office; ~ *1 januari* duties to commence on ...; *bij ~* on entering upon one's duties, on taking (up one's) office

Indiër Indian

indifferent neutral [equilibrium]

indigestie indigestion

indigo id.; ~**blauw** i.-blue

indijken dike, endike, dike (*of:* dam) in, embank, reclaim [land]; **-ing** (en)diking, damming (diking) in, embankment

indirect id.; ~*e belasting* i. tax(ation); ~*e ver lichting* i. (*of:* concealed) lighting

Indisch Indian; *hij is ~* he has Indonesian blood *de ~e Archipel* the Malay Archipelago; ~ *ambtenaar* I. civil servant; ~**gast**, ~**man** colonial

indiscreet id., indelicate; **indiscretie** indiscretion

individu individual; (*ong.*) specimen [a pretty ...]; *een gemeen ~* a bad lot (*of:* character) (*fam.*) a bad hat; *'n verdacht ~* a shady character; ~**alistisch** individualistic; ~**aliteit** individuality; ~**eel** individual

Indo Eurasian, half-caste; ~**China** id.; ~**chinees** Indo-Chinese

indoen put in

Indo: ~**europeaan**, ~**europees** Indo-European

~germaans Indo-Germanic, -European
indolent id.; ~ie indolence
indologie Indology
indoloog Indologist, Indologian
indommelen doze off, drop off (to sleep)
indompelen plunge (of: dip) in, immerse
indompeling immersion; doop door ~ baptism
by i.
Indonesië Indonesia; ~r, Indonesisch Indonesian
indopen dip in(to); zie dopen
indraaien intr. turn into; tr. screw in(to); hij
heeft er zich lelijk ingedraaid he has put his
foot in it badly
indrijven tr. drive in(to); intr. float in(to)
indringen enter by force, break into, penetrate
(into); (van vloeistof) soak in; zich ~ intrude,
obtrude o.s.; zich bij iem. ~ obtrude (of:
force) o.s. upon a p.; zich in iems. gunst ~ insinuate (op slinkse wijs: worm) o.s. into a p.'s
favour, ingratiate o.s. with a p.; ik wil niet ~
in uw geheimen I do not wish to pry into your
secrets; hij werd het water ingedrongen he was
hustled into the water; -(st)er intruder, inter-
loper; (ongenode gast) (sl.) gate-crasher
indringerig intrusive, obtrusive, importunate;
~heid ...ness, importunity
indringing penetration; intrusion; vgl. 't ww.
indrinken drink in [the cool air], imbibe
indroevig very sad
indrogen dry up, shrivel up; shrink, lose
weight
indroging drying (shrivelling) up
indroog very dry, bone-dry, as dry as dust
indroppelen tr. drip in, pour in drop by drop,
instil; intr. drip in
indruisen: ~ tegen clash with, jar with, contravene [a principle, law], conflict (be in conflict)
with; run counter to [principles, public opinion, tradition]; interfere with [a p.'s inte-
rests]; be at variance with [the facts]; be contrary to [all justice], cut across [a principle,
tradition; their way of life cuts across ours]
indruk impression (ook fig.); (van vinger, voet)
finger-, foot-print, -mark, imprint [of a foot];
ik krijg de ~ dat ..., ook: I gather that ...;
een ~ geven give an idea (an inkling) [of the
difficulties]; de ~ hebben dat have (be under)
an (the) i. that; de ~ (trachten te) vermijden
dat (try to) avoid even the i. of ...; ~ (geen,
weinig ~) maken make an i. (no, little i.);
die opmerking maakte (geen) ~ that remark
went home (fell flat); ~ maken op, ook: impress [a p.]; de brief maakte geen ~ op de ontvanger failed to impress the recipient; een
gunstige ~ op iem. maken make a favourable i.
upon a p., impress (of: strike) a p. favourably;
een goede ~ van iets meenemen be favourably
impressed by s.t.; hij maakt op mij de ~ van ...
he strikes me as extremely young; hij maakte
de ~ van iem., die ... he gave the i. of (being)
one who ...; de ~ wekken create the i., suggest;

Zie ook samen ... & elkaar (in ...)

geheel onder de ~ deeply impressed [van ... by
the music], quite overcome [van with, by]; te
zeer onder de ~ om veel te zeggen, ook: too
much affected to say much; niet onder de ~
unimpressed; onder de ~ verkeren, dat be
under the i. that ...
indrukken push in, stave in; press (push) [a
button]; (plat drukken) crush, squash; (een
merk, enz.) impress, imprint; zie kop
indruksel zie indruk
indrukwekkend impressive, imposing [building,
etc.]; telling, striking [speech]; commanding
[personality]; het ~e van ... the impressiveness
of ...
indruppelen zie indroppelen
induceren induce
inductie induction; inductief inductive
inductie: ~klos induction-coil; ~stroom i.-cur-
rent
inductor id.
industrialisatie industrialization
industrialiseren industrialize
industrie (manufacturing) industry; ~arbeiders
industrial workers
industrieel I bn. industrial; -le fondsen (waarden) i. shares, industrials; II zn. industrialist,
manufacturer; zie groot~
industrie: ~gebied industrial area (district); ~
kern industrial nucleus; ~school technical
school; ~stad industrial (manufacturing)
town; ~tentoonstelling industrial exhibition
indutten doze off, drop off (to sleep), go off
into a doze
induwen push (thrust, shove) in(to), ram [a
cork] home
ineen¹ together; ~draaien twist t.; ~gedr. twisted [paper]; ~flansen zie samenflansen; ~from-
melen crumple (rumple) up; ~gedoken zie duiken; ~gedrongen close t.; (van gestalte) thick-
set; ~grijpen interlock; (van raderen) gear
(work) into (work on, mesh with, engage with)
one another; (fig.) dovetail, interlock, interweave [the two problems are interwoven];
~krimpen wince [under pain, at an allusion],
writhe [under insult, with pain], double up
[with pain], cower [(as) under a blow], shrink
(together); haar hart kromp ~ van angst
tightened with fear; ~lopen (van vertrekken)
communicate; (van kleuren, enz.) pass (melt,
run, merge) into each other; ~rollen roll up,
roll. t.
ineens all at once; (zo maar ~) [I cannot tell
you] off-hand; een som ~ a lump sum; ~ betalen pay in a single (in one, in a lump) sum;
't ~ raden guess it right off (of: away), at one
go
ineen: ~schieten (van planken, enz.) dovetail;
~schrompelen zie verschrompelen; de papieren
schrompelden ineen in het vuur the papers
curled up in the fire; ~schuiven telescope (into
each other) [the railway-carriages were ...d],
shut up [a telescope]; ~slaan strike t.; (in el-

kaar zetten) knock t.; *zie* hand; ~**sluiten** fit into each other, dovetail (into one another) [see how everything fits in]; -d nested [boxes]; ~**smelten** melt t., fuse; *zie ook* ~lopen; ~**storten** collapse (*ook fig.*), crumble (topple) down, fall to the ground; (*met geraas*) (come down with a) crash; ~**storting** collapse, break(-up), break-down, downfall, crash; ~**strengelen** interlace, intertwine, knit [one's fingers]; ~**trappen** tread (kick) to pieces; ~**vlechten** intertwine, interlace; ~**vloeien** *zie* samenvl. & ~lopen; ~**zakken** collapse, crumple up, buckle; (*van grond, enz.*) cave in; ~**zetten** *zie* elkaar; ~**zijgen**, ~**zinken** collapse

inenten vaccinate, inoculate; -**er** vaccinator, inoculator; -**ing** vaccination, inoculation; -**sbewijs** vaccination certificate

inertie inertia

in extenso id., at full length, in full

infaam infamous, shameful; *ong.:* downright [a ... lie]; **infamie** infamy

infant infante; **infante** infanta

infanterie infantry, foot

infanterist infantryman, foot-soldier

infantiel infantile; **infantilisme** infantilism

infarct id.

infecteren infect

infectie infection; ~**haard** focus of i., nidus; ~**ziekte** infective disease

inferieur I *bn.* inferior, low-grade [flour, workers], low-class [methods], poor [quality]; II *zn.* ~(e) inferior, subordinate

inferioriteit inferiority

infiltrant infiltrator, intruder

infiltratie infiltration

infiltreren infiltrate

infirmerie infirmary

inflatie (currency) inflation; *voorstander van* ~ inflationist; ~**politiek** policy of i., inflationary policy

inflatoir inflationary [financing]

influenceren influence, affect, *hij laat zich door niets* ~ he does not allow himself to be influenced by anything

influenza id., (*fam.*) flu

influisteren whisper (in a p.'s ear), prompt, suggest

informatica information theory

informatie (*ook* ~s) information; (*navraag*) inquiry; ~**s inwinnen** make inquiries [of *bij*], ask for i.; *zie* inlichting; ~**bureau** inquiry-office, -agency; (*aan postkantoor, reisbureau, enz.*) i.-bureau, i.-desk; ~**f**, -**atorisch** exploratory [discussions], [visit of] exploration and inquiry; ~**ontsluiting** i. retrieval; ~**toon** (*ongev.*) number unobtainable tone

informeel informal

informeren inquire, make inquiry (inquiries); ~ *naar* i. after (for, about); ~ *bij* i. (make inquiries) of

infrarood infra-red [rays]

infrastructuur infrastructure

infusiediertjes, infusoriën infusoria

ingaan (*binnengaan*) enter, go (walk, step) into

[go in and out of the room]; (*van kracht worden*) take effect, become effective; (*van rente*) accrue [from to-day]; *er* ~, (*van artikel, enz.*) take (catch) on; *'t lied ging er goed in* went down well [*bij* ... with the public]; (*zie ook:* ingang vinden); *mijn betrekking gaat morgen in* I'll enter upon my duties ...; *de huur gaat de eerste mei in* the rent will run (is due) from the first of May; *zijn ontslag gaat ... in* his resignation will take effect (become effective) from February 2nd; *de geschiedenis* ~ go down in history; *zijn 60ste jaar* ~ enter one's 60th year; *'t jaar, dat we nu* ~ the year we are entering upon; *de wereld* (*'t leven*) ~ set out into the world; *zie* rust, enz.; *op een voorstel* (*voorwaarden*) ~ entertain (agree to) a proposal (accept terms); (*verder*) *op de zaak* ~ go (further) into the matter, go (enter) into (the merits of) the case [we need not go (enter) into that now]; pursue the matter (further); (*aandringen op*) press the matter; *op een idee* ~ take up (*gretig:* jump at) an idea; *maar hij ging er niet op in* [I made some suggestion], but he did not fall in with it; *op 'n lokmiddel* ~ rise to the bait; ~ *tegen* run counter to [a p.'s plans, public opinion], go against [the law, a p.'s wishes]; *recht* ~ *tegen* fly in the face of [authority, public opinion]; *zie* indruisen; ~*de rechten* import duties; ~*de 1 mei* dating (with effect, effective) from May 1st, (as) from (*Am.* as of) May 1st.

ingang entrance, doorway, entry; ~, (*als opschrift*) way in; *met* ~ *van heden* (as) from to-day; *zie* ingaande; ~ *van de Sont* e. to the Sound; ~ *vinden* find acceptance [his teaching found general acceptance], (*fam.*) catch on [the fashion caught on]; *deze denkbeelden vinden langzamerhand* ~ these ideas are winning through; *zijn leer zal nooit* ~ *vinden, ook:* his teaching will never find acceptance [*bij* ... with the public]; ~ *doen vinden* introduce [an article]; get [one's ideas] accepted; put over [a film, play]; ~**sdatum** commencing date

ingebeeld (*denkbeeldig*) imaginary [complaint *kwaal;* invalid *zieke*], fancied; (*verwaand*) (self-)conceited; ~**heid** *zie* inbeelding *b*)

ingeboren innate, native, inborn; *dat is hem* ~ innate to (*of:* in) him; ~**e** native

ingehouden restrained [passion], pent-up, bottled-up [anger], subdued force; *met* ~ *adem* with bated breath

ingekankerd inveterate, deep-rooted [hatred]

ingekuild ~ *veevoeder* silage

ingeland landholder [in a polder]

ingelegd inlaid [work, linoleum, floor], tessellated [floor]; *zie 't ww.* & ingemaakt

ingemaakt preserved (bottled) [peaches, vegetables], potted [beans]; (*in azijn, enz.*) pickled

ingemeen utterly base, vile

ingenaaid sewed, stitched, (*met metaaldraad*) wire-stitched [books]; ~ *etiket* sewed-in labe[l]

ingenieur (university trained) engineer [civi[l] electrical ...]

ingenieus ingenious

355

- inhalen

ingenomen: ~ *gewicht* shipped weight; ~ *met* pleased (charmed, taken) with, (*sl.*) bucked with; *zeer* ~ *met* highly pleased with; *dwaas* ~ *met* infatuated with [a girl]; *met zichzelf* ~ *zijn* be (feel) pleased (be on good terms, *sl.*: be bucked) with o.s.; *zie ook* vooringenomen; **~heid** sympathy; (*voldoening*) satisfaction; *dwaze* – infatuation; – *met zichzelf* self-complacency; *zie ook* vooringenomenheid
ingénue id.: artless (ingenuous) girl
ingeschapen innate, inborn, native, inherent
ingeschoven inset [story, episode]
ingeschreven inscribed [circle]; *zie* inschrijven; ~e (*bij wedstrijd, enz.*) entrant, candidate; (*bij wedren*) entrant, runner
ingesloten enclosed; *door land* ~ land-locked; *door ijs* ~ locked in ice; *de* ~ *hoek* the angle contained (included); *zie* inbegrepen
ingespannen I *bn.* strenuous [work]; *3 weken van* ~ *arbeid* three s. weeks; II *bw.* ...ly; ~ *luisteren* listen intently (*of:* hard); ~ *denken* think hard (*of:* intently); *te* ~ *werken* work too strenuously (too closely); *zie ook* inspannen
ingetogen modest, retiring, quiet [live ...ly]; subdued [in a ..., mood; be unusually ...]; *streng* ~ austere; **~heid** modesty, retiring character; *strenge* – austerity
ingeval: ~ *mij iets overkomt* in case anything happens to me, in the event of anything happening to me; ~ *'t onmogelijk is* in the event of it(s) being impossible
ingevallen hollow, sunken [cheeks, eyes], fallen in, sunken [face]; *zie 't ww.*
ingeven administer [medicine to a p.]; (*fig.*) suggest [a plan], prompt [an idea], dictate [measures ...d by fear]; *al naar haar gril haar ingaf* as her caprice dictated, as the whimsy took her; *doe wat je hart je ingeeft* follow your own inclination; *het werd mij ingeg.* it was borne in upon me; **-ing** inspiration, suggestion; (*fam.*) [I suddenly had a] hunch; *plotselinge* – flash of intuition; *naar de – van het ogenblik handelen* act on the spur of the moment
ingevoerd informed, well-up [in]; *goed* ~ *zijn*, (*van firma*) have a good connection, be well connected (established); *zie verder* invoeren
ingevolge in pursuance of, pursuant to, in obedience to, in accordance with [your instructions], in compliance (accordance) with [your request], in response to [an invitation]; ~ *instructies van, ook:* acting under instructions from
ingevroren ice-bound, frozen in
ingewand(en) bowel(s), intestines, entrails; (*fam.*) inside [have pains in one's ...]
ingewands: ~kwaal bowel-complaint, intestinal trouble; **~ontsteking** inflammation of the bowels, enteritis; **~pijn** intestinal pain; **~worm** intestinal worm, helminth; **~ziekte** *zie* ~kwaal
ingewijd initiated, adept; ~ *zijn in 't geheim* be in the secret (*fam.* in the know); **~e** initiate, insider; (*alleen*) *voor –n*, (*ook*) esoteric

ingewikkeld intricate, complicated, complex; *het is een* ~*e geschiedenis* there are wheels within wheels; ~*e zinsbouw* involved construction; ~ *maken* [it would] complicate [the situation]; *de intrige wordt* ~*er* the plot thickens; **~heid** intricacy, complication, complexity
ingewoekerd *vgl.* ingewoerteld
ingeworteld (deep-)rooted [prejudices], deepseated [habits], inveterate [hatred], engrained [sentiments, habit; it is ... in her]
ingezetene inhabitant, resident
ingezonden: ~ *stuk* letter (to the editor) [*ook:* letters from readers, readers' letters]
ingezonken *zie* ingevallen; (*mil.*) sunken [battery]; ~ *geschutopstelling* gun-pit
ingieten pour in(to), (*fig. ook*) infuse [new life into ...]; *men moet 't hem met de trechter* ~ you have to drum it into him
inglijden glide (slide) in(to)
ingoed very good [man]
ingooi throw-in; **~en** *a*) throw (cast) in(to); *b*) smash [windows]; *zie ook* glas
ingraven dig in; *zich* ~ dig (o.s.) in, entrench o.s.; (*van konijn, enz.*) burrow, go to ground
ingrediënt ingredient
ingreep intervention; *medische* ~ surgery
ingriff(el)en engrave, imprint [on the memory]
ingrijpen intervene, interfere, take a hand, take action, step in [the State should ...]; (*nog*) *niet* ~ hold (stay) one's hand; *in iems. gezag* ~ encroach upon a p.'s authority; *internationaal* ~ (*zn.*) international intervention; *operatief* ~ operate, resort to an operation, (*zn.*) operate intervention; ... *waarop twee tandwielen* ~ meshing with two wheels; ~*de beperkingen* severe restrictions; ~*de veranderingen* radical (sweeping, drastic) changes
ingroeien grow in(to); ~*d* ingrowing [nail]
inhaalverbod overtaking prohibition; (*bord*) no overtaking
inhaalwedstrijd *a*) pursuit race; *b*) deferred (postponed) match
inhaken hook in(to), hitch in(to); ~ *op* take up [a p.'s words]
inhakken cut (hew) in; ~ *op* pitch into, hit out at [the enemy], hack (away) at; *dat hakt er nogal in* that makes a hole in my pocket (purse, income, savings), that eats into the money
inhalatie inhalation
inhaleertoestel (nose-, throat-)inhaler, (throat-, sickroom-)spray
inhalen (*naar binnen h.*) fetch in, bring in; get in, gather (in) [the crop(s) *oogst*]; take in [sails], lower [a flag], draw in [nets], (*met inspanning*) haul in [the gangway, nets], haul home [a rope]; wind in [a retractable aerial]; inhale [smoke]; (*intrekken*) draw in; (*feestelijk* ~) receive in state; (*op de weg, enz.*) overtake, come up (draw level) with, catch up, catch up with [a runaway]; overhaul [a ship]; *geleidelijk* ~ gain on [a p.]; (~ *en voorbijgaan*) pass [on the road, at sea, etc.]; (*les, enz.*) make up for [a lesson, lost time], recover [lost

inhaler - 356

time]; *een verzuim* ~ make up for an omission; (*van over tijd zijnde trein*) pick up [3 minutes]; *de kleinste jongens haalden hem in op school* came up with him; *'t achterstallige* ~ work off (clear off, make up, catch up, overtake) arrears; *veel (achterstand) in te halen hebben* have much ground (a great deal of leeway) to make up; *zie* schade & tekort
inhaler (*mar.*) inhaul(er)
inhaleren inhale
inhalig greedy, covetous, grasping, money-grubbing; ~**heid** greed, covetousness
inham creek, bay, inlet; *kleine* ~ cove, recess
inhameren hammer in; (*fig.*) drum (hammer, ram) [s.t.] into a p.'s head, hammer [it] home
inhangen hang in, hang [a door] on its hinges
inhebben contain, hold; *rogge* ~ carry a cargo of rye; *dat zal heel wat* ~ that will be a tough job (a hard nut to crack); *zie* pee, enz.
inhechtenisneming arrest, apprehension; *bevel tot* ~ warrant (of arrest), (warrant of) commitment
inheems native, indigenous [plants, etc.], aboriginal [Indians], home(-grown) [produce], endemic [disease]; *zie* inlands
inheien drive (*of:* ram) in
inherent, -rentie inherent [to *aan*], -rence
inhijsen hoist in
inhollen rush in(to), tear in(to)
inhoud contents [of a cask, a letter]; (*essentiële* ~) content, substance [the ... of the speech can be summed up in two words], terms [of a settlement]; (~*sopgave*) table of contents; (~*sruimte*) capacity, content; (*van schip*) [300 tons] burden; (*strekking*) purport, tenor; *kubieke* ~ cubic capacity (*of:* content), (solid) content; *korte* ~ abstract, summary, précis, epitome; *de rede had weinig* ~ the speech had little substance; *een brief van deze* ~ a letter to this effect; *van dezelfde* ~, (*van brief*) to the same effect, (*van wissel, enz.*) of the same tenor; ~*elijk* as regards content; *-e veranderingen* changes in content
inhouden (*bevatten*) contain, hold; (*tegenh.*) rein in (up, back), pull up, hold in, check [a horse], check, restrain [one's anger, etc.], repress, keep back [one's tears], hold [one's breath, fire (*mil.*)]; (*voedsel*) retain [food], keep [food] down [he could keep nothing down]; (*urine*) retain; (*niet uitbetalen, korten*) stop, dock, deduct; (*verlof*) stop [her holiday was ...ped], cancel; (*paspoort*) impound, withhold; (*op veiling*) withdraw, buy in; (*niet uitreiken*) reserve [the Nobel prize]; *zijn paard* ~, *ook:* draw rein, pull up; *zie* pas; *zich* ~ contain (restrain, check) o.s. [he was going to say something, but he checked himself], hold o.s. in; *ik kon me niet langer* ~, *ook:* I could stop myself no longer; *iem. 'n gulden* ~ *voor zijn verzuim* (*op zijn loon*) stop a guilder from a p.'s wages for his absence, dock a guilder from his wages; *'t zakgeld van 'n jongen* ~ stop a boy's pocket money; *we weten niet, wat de toekomst inh.* what the future holds; *wat houdt*

deze bepaling in? to what effect is this provision?; *besef je wat deze belofte inhoudt?* ... what this promise implies?; *dit houdt niet in, dat* ... this does not mean that ...; *een kennisgeving* ~*de dat* ... a notice to the effect that ...; *zie* ingehouden
inhouding checking, etc. (*vgl. 't ww.*); retention; (*van loon, enz.*) stoppage, deduction
inhouds: ~**maat** cubic measure, measure of capacity; - *voor droge* (*natte*) *waren* dry (liquid) measure; ~**opgave** table of contents; ~**register** index; ~**ruimte** capacity; ~**tafel** table of contents
inhouten (*van schip*) ribs, frame-timber
inhouwen *zie* inhakken
inhuldigen inaugurate, install
inhuldiging inauguration, installation
inhumaan inhumane
inhuppelen: *de kamer* ~ skip (come skipping) into the room, skip in
inhuren hire (engage) again; renew the lease; *weer* ~ rehire, re-engage; *je hebt weer ingehuurd*, (*fig.*) you have taken a new lease of life
initiaal initial
initiatief initiative; *'t particulier* ~, (*bedrijfsleven*) private enterprise; *op* ~ *van* on (at) the i. of; *op eigen* ~ *handelen* act on (of) one's own i.; *geen* ~ *hebben* be lacking in i.; *'t* ~ *nemen* [*tot* ...] take the i. [in doing s.t.]; *'t recht van* ~ *hebben* have the (right of) i.; ~**nemer** originator [of the plan]; ~**wetsvoorstel** private member's bill
initieel initial
injagen *tr.* drive in(to); *intr.* rush in(to)
injectie injection, shot; ~**spuitje** hypodermic syringe; **injector** id., injection-cock
inkalven cave in
inkankeren eat in(to), fester, corrode; become deeply rooted; *zie* ingekankerd
inkapselen enclose, wrap up, encapsulate, isolate; **-ing** (*luchtv.*) fairing
inkarnaat carnation, pink
inkarnaten flesh-coloured, pink
inkeep notch, nick; *zie* inkeping
inkeer introspection, searching(s) of heart; (*berouw*) repentance; *tot* ~ *brengen* bring [a p.] to his senses, make him see the error of his ways; *tot* ~ *komen* repent; *zie ook:* inkeren (*tot zichzelf*)
inkelderen cellar
inkepen notch, nick, indent, score
inkeping notch, nick, indentation; (*van 't vizier* V [*spr.* vi:] (of the back-sight); ~(*en*) *van sleutelbaard* ward
inkeren put up [at an inn]; *tot zichzelf* ~, *o* retire into o.s., search one's own heart; *h* repent; ... *deed hem tot zichzelf* ~ that tragedy turned him in upon himself
inkerkeren incarcerate
inkerven, -ing *zie* inkepen, -ing
inkijk: *horretjes tegen de* ~ to prevent people from looking in; *je hebt* ~ your dress is gaping a bit

inkijken I *intr.* look in; *bij iem.* (*in 't boek*) ~ look on with a p.; *hij liet mij bij zich* ~, (*in gezangboek*) he offered me his hymn-book to look over; II *tr.* glance over [the paper], skim, dip into [a book], (*fam.*) have a squint at [the catalogue]

inklaren clear (inwards) [ships, goods], enter [goods]

inklaring clearance (inwards), clearing (inwards), entry; ~**shaven** port of entry

inklauteren clamber in(to)

inkleden word, put into words, clothe (couch) (in words), express; (*als monnik*) give [a p.] the cowl; (*als non*) (give the) veil; *een punt zorgvuldig* ~ frame a question carefully; *een goed ingekleed verhaal* a well-written story; **-ing** clothing, wording

inklemmen clasp, clench

inklimmen climb in(to); **inklimmer** (*langs waterpijp, enz.*) cat-burglar; **inklimming** entry

inklinken (*van aardwerken, enz.*) set; *doen* ~ compact [soil]

inkloppen drive in [a nail]

inkoken *tr.* boil down, reduce (by boiling); *intr.* boil down, be boiled down; **inkoking** boiling down

inkomen I *ww.* come in (*ook van klachten, gelden, bestellingen, enz.*), enter; *zie ook* binnenkomen; *er zijn nog geen bijzonderheden ingek.* details are not yet to hand; *ik begin er net in te k.*, (*op streek te k.*) I'm just getting my hand in; *deze vormen komen er hoe langer hoe meer in* these forms are gaining favour; *de snor komt er weer in* ... is back again; *daar komt niets van in* that's out of the question; *daar kan ik* ~ I quite appreciate (can quite understand) it; ~*de correspondentie* incoming correspondence; ~*de lading* inward cargo; ~*de rechten* import duties; ~*de schepen* incoming vessels; II *zn.* income; *behoorlijk* ~ competence; *zie ook* inkomsten; ~**groep**, ~**klasse** income group, i. bracket

inkomst entry; ~*en* income, earnings; (*van Staat, Kerk, groot bedrijf*) revenue; ~*en uit beleggingen* unearned income; ~*en en uitgaven* receipts and expenditure, incomings and outgoings; *blijde* ~ state entry [of a sovereign]; ~**enbelasting** income-tax; ~**enobligaties** income bonds

inkoop purchase; *-en doen* make (one's) purchases, go shopping; *wekelijkse -en* [go to town for the] weekly shopping; ~ *per post* shopping by post; *in- en verkoop van oude meubelen*, (*opschrift*) old furniture bought and sold; ~**afdeling** buying-department; ~**agent** buying agent; ~**boek** bought book; ~**sprijs** cost (buying, purchase) price; *tegen* (*beneden*) ~ [sell] at (below) cost price; *10 % beneden* ~ [sell at] 10 per cent. off cost price

inkopen buy, purchase; (*terugkopen op veiling*) buy in; *iem.* (*zichzelf*) ~ buy a p. (o.s) in (into a business, etc.)

inkoper purchaser; (*met inkoop belaste persoon in zaak*) buyer, purchasing agent

inkorten shorten [a dress, a speech], curtail [a p.'s power]; *zie verder* korten

inkorting shortening, curtailment

inkrijgen get in; get down [one's food]; *'t schip kreeg water in* made water; *ik kan er niets bij de zieke* ~ I cannot get the patient to take anything; *een nieuw merk er* ~ establish (*Am.:* plug) a new brand; *zie* duivel

inkrimpen shrink, contract; (*fig. ook*) dwindle [their number ...d to 30]; *zich* (*zijn uitgaven*) ~ retrench (reduce, curtail) one's expenses, draw in; *'t personeel* ~ cut down the staff; **-ing** shrinking, contraction, dwindling (down); curtailment, retrenchment; *vgl. 't ww.*

inkruipen creep in(to); (*van misbruiken, enz.*) creep in

inkt ink; ~ *vermorsen* spill i. [on a subject]; ~ *werpen* throw (sling, squirt, splash) i. [on women's dresses]; ~**achtig** inky; ~**en** ink; ~**fles** i.-bottle; ~**gom** i.-eraser; ~**hoorn** i.-horn; ~**klad** i.-blot; ~**koker** *zie* ~pot; ~**kussen** ink(ing)-pad; ~**lap** pen-wiper; ~**lint** (inked, typewriter) ribbon; ~**pot** i.-pot, -well; ~**potlood** copying (-ink) pencil, indelible pencil; ~**rol** ink(ing)-roller; ~**stel** inkstand; ~**vermorser(ij)** (*veelschrijver, -rij*) i.-spiller, -slinger (-ing); ~**vis** cuttle-fish, squid; ~**vlek** i.-blot; ~**zak** i.-bag; ~**zwam** i.-cap

inkuilen clamp (*of:* pit) [potatoes]; (*veevoeder*) pit, (*en*)silage, ensile, silo; *zie* ingekuild; **-ing** (en)silage, storage in a silo

inkwartieren billet, quarter [*troepen bij* ... troops (up)on the inhabitants]

inkwartiering billeting, quartering; *we hebben* ~ we have soldiers quartered (billeted) on us; ~**sbiljet** billet; ~**sgeld** billeting-, quartering-allowance

inlaag *zie* inleg

inlaat inlet; ~**duiker** i.; ~**klep** i.-, intake-, admission-valve; ~**sluis** i.

inladen load, put on board, ship; (*mil.*) entrain [troops]; (*eten*) shovel [one's food] in; *opnieuw* ~ re-ship; **-er** shipper

inlading loading, shipment; entraining; ~**sbriefje** shipping note

inlage *zie* inleg

inlander native

inlands native [fruit, oysters], indigenous [schools], home [produce], home-made [articles], home-bred [cattle], home-grown [wool, meat,] home-fed [bacon]; *zie ook* binnenlands; ~**e** native woman

inlas (*in krant*) stop-press (news); *zie ook* inlassing

inlassen insert, intercalate, interpolate; sandwich [between], put on, add [a train]; (*techn.*) let in, mortise; **-ing** insertion, intercalation, interpolation, parenthesis

inlaten let in, admit; *een balk* (*in een muur*) ~ tail a beam in (to a wall); *zij wilden ons niet* ~ they refused us admittance; *zich* ~ *met* concern o.s. (deal) with [s.t.]; consort (associate) with [a p.], mix (consort) with [undesirable company]; *ik wil er mij niet mee* (*wil mij niet* *met hem*) ~ I will have nothing to do with it (him); *ze liet zich niet met haar buren in* she had no dealings with her neighbours; *laat u er (helemaal) niet mee in* leave it (severely) alone; *niem. laat zich met hem in* they all fight shy of him (give him a wide berth); *zich met politiek* ~ go in for (engage in) politics; *zich met speculeren* ~ embark on speculation; *laat u niet met mijn zaken in* do not meddle (interfere) with my affairs; *zich met een meisje* ~ take up with a girl

inleg (*van kledingstuk*) tuck, seam; (*van sigaar*) filler; (*~geld*), (*voor lidmaatschap, enz.*) entrance-fee, -money; (*in bank, uitleenbibliotheek, enz.*) deposit; *zie ook* inzet; **~blad** (*van tafel*)extra (*of:* loose) leaf; **~boekje** bank book, deposit book

inlegeren garrison; *zie ook* inkwartieren

inleggeld *zie* inleg

inleggen put in, lay in; (*geld*) deposit [money in a bank]; (*bij spel*) stake [money]; (*inmaken*) preserve [greens, eggs], put down [eggs], (*in azijn, zout, enz.*) pickle; inlay [with gold, etc.], encrust [with diamonds, etc.]; (*japon*) take in [a dress]; (*trein*) put on [a train]; *hij heeft er slechts schande mee ingelegd* it has only brought shame upon him; *zie* eer & behalen

inleg: ~ger depositor; **~kapitaal** invested capital; **~raam** (*fot.*) plate-carrier; **~sel** (*van kledingstuk*) *zie* ~; **~vel** insert, inset, supplementary sheet; **~werk** inlaid work, inlay, marquetry, mosaic

inleiden usher in, introduce; (*fig.*) usher in [a new era], initiate [a p. in a science, into a society, a debate], introduce [a subject for discussion], preface [by (*of:* with) a few remarks], open [a debate]; **~d** introductory, preliminary, opening [remarks], propaedeutic [studies]

inleider initiator [of a new epoch, of a debate]; introducer; (*spreker*) speaker

inleiding introduction [to the study of ...], preface, preamble, exordium [of a speech], introductory remarks; speech, address; ~ *tot de klankleer* primer of phonetics

inlekken leak in

inleven: *zich* ~ project o.s. into [a situation, the past], identify o.s. with [one's role]; *zie ook* indenken

inleveren give (hand) in [work in class, names], send in, hand in [a list, books], turn in [scrap], deliver up [one's arms], surrender [arms, one's motor licence], present [a petition]; *stukken ~ bij* lodge documents (papers) with; **-ing** handing-in, etc., delivery, surrender

inlichten inform [*omtrent* on, about], enlighten [*omtrent* on], give information [*omtrent* on, about]; (*sl.*) put [a p.] wise [*over* to, about]; *verkeerd* ~ misinform [*over* (up)on]; *in goed ingelichte kringen* in well-informed circles

inlichting(en) information; *een* ~ an item (a piece) of i.; *nadere ~en verzocht* further particulars will oblige; *~en geven* give i.; *~en vragen* make inquiries, inquire [*bij* of; *omtrent*

about], ask for i. [*over* about]; *voor vollediger ~en wende men zich tot de uitgever* for further particulars apply to (further particulars may be had from) the publisher; **~en-, ~dienst** intelligence service, i. department; *geheime* ~ secret service; **~sofficier** intelligence officer

inliggend enclosed; *~e schepen* ships meeting end on

inlijsten frame

inlijven incorporate [*bij* in, with], annex(e) [*bij* to]; (*mil.*) enrol(l), enlist, (*Am.*) induct; *ingel. worden bij*, (*van kleine maatschappij bij grote*) *ook:* be absorbed by; **-ing** incorporation, annexation; enrolment, enlistment, (*Am.*) induction; absorption

inloodsen pilot [a ship] into port

inlopen enter [a shop]; turn into [a street]; drop in [*bij iem.* (up)on a p.]; run in [an engine]; *tegen elkaar* ~, (*van boten, enz.*) collide (head on), meet (end on); gain [3 minutes on the schedule]; bring in [mud] on one's shoes; *achterstand* ~ make up arrears; *een deur* ~ force a door; *er* ~ walk (fall) into the trap, rise to (take, swallow) the bait, [you'll] get caught, (*sl.*) cop it; (*beetgenomen w.*), (*sl.*) buy (be sold) a pup; *ik liep er lelijk in* I was badly caught (out); *daar loopt niem. in* that won't fool anybody; *wat ben je er ingel.!* what a sell!; *er al weer ingel.!* sold again!; *hij liep erin* he fell for it, (*geldelijk*) he was (*of:* got) let in, he was had [*voor £ 5* for ...]; *hij loopt er niet gemakkelijk in* he won't easily swallow the bait; *zie* inluizen; *iem.* er *laten* ~ take a p. in, let a p. down, hoax a p.; (*beetnemen, sl.*) sell a p. a pup; *hij is zich aan het* ~ (*sp.*) he is warming up; *zie* uitlopen

inlossen redeem [a pledge, mortgage, one's word], take out of pawn; acquit [a debt]; **-ing** redemption

inloten draw a place by lot

inlui bone-lazy, as lazy as can be

inluiden ring in; *een nieuw tijdperk* ~, *ook:* usher in (herald, inaugurate) a new era

inluizen: *hij luisde erin*, (*fam.*) he fell for it; *iem.* er ~ rat on a p.; play a p. for a sucker

inmaak preservation; bottling; (*in azijn, enz.*) pickling; (*'t ingemaakte*) preserved vegetables; pickles; **~azijn**'aromatic vinegar; **~fabriek** preserving-, tinning-factory, (*vooral Am.*) canning-factory, cannery; **~fles** preserving-bottle, -jar; **~fruit** preserving-fruit; **~toestel** preserving-apparatus; **~uitjes** pickling-onions

inmaken preserve, bottle; (*in blik*) tin, (*vooral Am.*) can; (*in azijn, zout, enz.*) pickle; (*sportsl.*) plaster [22 to 6], make mincemeat of

in memoriam id.

inmengen: *er* ~ mix (up) with it; *zich* ~, *zie* mengen; **-ing** interference, meddling, intervention

inmeten lose in measuring, shrink; *'t* ~ loss in measuring

inmetselen brick (*of:* wall) up, immure; *ingemetselde brandkast* built-in safe, wall-safe

inmiddels meanwhile, in the mean time; [you

will have received the money] by now
innaaien (*kledingstuk*) take in; (*boek*) sew, stitch; (*met metaaldraad*) wire-stitch
inname *zie* inneming
innemen (*naar binnen brengen*) take in, bring in; (*gebruiken*) take [medicine, a powder]; (*van schip*) take in [cargo, etc.,] load [cargo]; (*beslaan*) take up, occupy [room]; (*betrekking*) fill [he found his job filled]; (*veroveren*) take, carry, capture, reduce [a fortress]; (*kaartjes, enz.*) collect [tickets, work in class]; (*innaaien*) take in [a dress]; (*zeilen*) furl [sails]; (*bekoren*) charm, captivate, fascinate, catch a p.'s fancy; (*weer*) *brandstof* ~ (re)fuel, (*benzine, ook:*) tank, fill up; *kolen* ~ (take in) coal, bunker; *water* ~ (take in) water; *de riemen* ~ ship (*of:* boat) the oars; *iem.* **tegen** *zich* (*tegen iets*) ~ prejudice a p. against one (against s.t.), antagonize a p.; *iem.* **voor** *zich* ~ prepossess a p. in one's favour, impress a p. favourably; *zijn vriendelijke gezicht nam haar voor hem in* disposed her in his favour; *hij is goed van* ~, (*fam.*) he is fond of his grub; *vóór 't* ~ *goed schudden* shake (the bottle) well before use; *zie* plaats, standpunt, ingenomen, enz.
innemend taking, winning [look, smile, manner, face], compelling [manner, smile], fetching, pleasing, engaging, ingratiating [smile, manners, frankness], prepossessing [appearance, girl], attractive [girl], endearing [qualities], captivating [personality]; *niet erg* ~ [she is] rather unprepossessing; **~heid** charm, winning ways
innemer captor [of a town]; **inneming** taking, capture, reduction [of a fortress, etc.]
innen collect [debts, taxes, bills], cash [a cheque]; *te* ~ *wissels* bills receivable; *'t* ~, *zie* inning; **inner** collector; casher
innerlijk inner [life], inward [the ... eye], internal [forces], intrinsic [merit, value]; *'t* ~*(e) van een mens* the i. man, one's i. self; *de* ~*e mens versterken* refresh the inner man
innig heartfelt [joy], hearty, earnest [my ... wish], close [attachment, cooperation, the ...st ties of love], fond [love], fervent [prayer]; *~e overtuiging* profound conviction; *ik heb u* ~ *lief* I love you dearly; ~ *blij, dat* ... overjoyed that ...; ~ *gehecht aan* ... devotedly attached to ...; **~heid** earnestness, heartiness, closeness, fondness, fervour
inning collection [*ter* ~ for c.], cashing; (*cricket*) innings; *vgl.* innen; **~skosten** collecting-charges, cost of collection
inoculatie inoculation; **-eren** inoculate
inoogsten reap (*ook fig.:* glory), gather in, get in; *zie* oogsten; **-ing** reaping, harvest
in optima forma in set form, formal [call *bezoek*]; [do a thing] in style; *debat* ~ full-dress debate
inpakken pack [goods, a trunk, a patient], pack up [parcels], wrap up; (*in balen*) bale [goods]; (*in krat*) crate; (*ophoepelen*) pack (up) one's traps; *moeten* ~, (*fig.*) get one's marching-orders; (*warm*) ~ wrap [a p., o.s.] up, muffle

[a p., o.s.] up; *iem.* ~, (*sp.*) put a p. in one's pocket; *zie* inpalmen; *pak in!* clear out!; **-er** packer; **-ing** packing up, etc.
inpalmen haul in [a rope]; *iem.* ~ win over (get round, rope in) a p.; *hij liet zich door haar* ~, (*fam.*) he fell for her; *ze probeerde hem in te p.* she made a dead set at him; *de winst* ~ sweep in (pocket) the winnings; *zij trachten alles in te palmen* they try to get hold of everything
inpalming appropriation
inpandig integral [garage]
inpassen fit in; **inpekelen** salt, pickle
inpennen *zie* inrijgen
inpeperen pepper; *ik zal het hem* ~ I'll pay him out, get even with him, take it out of him
inperken fence in, enclose; (*fig.*) curtail
inperking curtailment
inpersen press (squeeze) in(to)
in petto in reserve, in store; up one's sleeve; (*in 't verschiet*) in the offing; *iets* ~ *hebben, ook:* have s.t. to fall back upon; ~ *houden* keep [the names] for later use
inpikken (*gappen*) nab, pinch; (*op de kop tikken*) pick up; (*inrekenen*) run in, (*sl.*) pinch, cop; *'t* ~ *set* about it; *'t goed* (*verkeerd*) ~ set about it the right (wrong) way; *ik had 't zo ingepikt, dat* ... I had arranged that ...
inplakken paste in [newspaper cuttings], stick in [stamps]
inplanten plant; (*van spier*) implant, insert; (*fig.*) implant; inculcate, imprint; **inplanting** planting, implantation, insertion [of a muscle]; inculcation; *vgl. 't ww.*
in pleno ~ *vergaderen* meet in full (*of:* plenary) session
inpolderen reclaim, impolder; **inpoldering** reclamation
inpompen pump in; (*fig. ook*) cram (in); (*sl.*) swot up, mug up [a subject, facts, etc.]; *dat is zuiver* ~ that is the merest cramming; **-er** crammer; **-erij** cram(ming)
inpraten: *iem. iets* ~ talk a p. into doing (taking, etc.) s.t.; *zich er* ~ put one's foot in it
inpreken *zie* inpraten
inprenten inculcate, impress [s.t. upon a.p.], imprint, stamp [s.t. on the memory], instil [into ...], drum, drill [s.t. into the heads of ...]; (*biol.*) imprint
inprikken (*van werkman, enz.*) clock in
inproppen cram in(to); bolt [food]
inquisiteur inquisitor; **inquisitie** inquisition; **inquisitoriaal** inquisitorial
inramen mount [slides]
inranselen drub, cudgel [s.t.] into [a p.]
inregenen rain in; *het regent in, ook:* the rain is coming in (*of:* through); **inrekenen** *a*) take in [the fire]; *b*) (*van politie*) run (pull) in, take up; (*sl.*) nab, pinch, cop; **inreven** reef
inrichten arrange, organize, manage, adapt; (*huis, enz.*) fit up, furnish, (*fam.*) fix (rig) up; *als badkamer ingericht* fitted up as a bathroom; *zich* ~ set up house, settle in, furnish one's house; (*in zaak*) set up in business, set up for o.s.; (*van dokter*) settle down in prac-

tice; be**nt** *u al ingericht?* are you settled in yet?; *wel* (*goed*) *ingericht* well-appointed [hotel]; *mooi ingericht* handsomely appointed [villa, consulting-room]; *kachel voor ... inger.* stove fitted to burn anthracite; *een behoorlijk inger. donkere kamer,* (*fot.*) a properly appointed dark room; *richt uw rede in naar uw gehoor* suit your speech to your audience; *zijn leven ~* order (frame, manage) o.'s life [in o.'s own way]; *zich* (*zijn leven*) *~ naar* shape (adapt) one's life to [one's work]; *richt uw gedrag daarnaar in* shape your conduct accordingly; *hij richtte zijn onderzoek zodanig in, dat ...* he framed his inquiries so as to ...; *het zo ~ dat ...* manage (things) so that ...; *zich gezellig ~* make o.s. a cosy home

inrichting (*regeling*) arrangement, organization; (*samenstelling*) structure; lay-out [of the shop], (*fam.*) [know the] run [of the house], [be familiar with the] geography [of the house, etc.]; (*meubilering*) furnishing, fitting up, appointments; (*ameublement*) furniture; (*toestel*) apparatus, appliance; (*gesticht, instelling*) *zie ald.; ~ van onderwijs* educational institution; *~en van lager en middelbaar onderwijs* elementary and secondary schools; *de bestaande ~ der maatschappij* the existing fabric of society; *de ~ van de Staat* the polity of the State

inrij *zie* inrit

inrijden drive (ride) in(to); (*paard*) break in; (*nieuwe auto*) run in [see that the car is well ...]; (*nieuwe banden*) break in [new tires]; *~ tegen* crash into [a train]; *tegen elkaar ~* collide (head on); *goed inger.,* (*rijpaard*) well-schooled

inrijgen lace in, lace tight(ly); *zich ~* lace o.s. in, lace tight(ly), pinch one's waist (in); *ingeregen, ook:* nipped-in [waist]

inrijhek (-poort) drive gate

inrijsein home (*of:* incoming) signal

inrijwissel facing-points

inrit way in, entrance; *geen ~* no entry

inroepen call in [a p., a p.'s aid], invoke, enlist [a p.'s help]; *ik roep uw toegevendheid in* I appeal to (throw myself on) your indulgence

inroeping invocation

inroesten rust; *die ondeugd is er ingeroest* that is a deep-rooted vice; *ingeroeste gewoonten* engrained habits

inrollen roll in(to); *hij kwam de kamer ~* he tumbled in(to the room)

inruil exchange, barter(ing); trade-in; *zie ~en* exchange, barter [*tegen* for]; trade in [a used car]; *~ing zie ~*

inruimen: *plaats ~* make room [for a p.]; *zijn* (*Kamer*)*zetel, enz. ~ voor* stand down for

inruiming standing down, etc.

inrukken *tr.* march into [a town]; *intr.* break ranks, dismiss; (*van wacht, enz.*) turn in; (*naar bed gaan*) turn in; *'t signaal tot ~ geven* beat (sound) the dismiss; *ingerukt, mars!* dismiss! break ranks!; *ruk in!* clear out!; *laten ~* dismiss [troops]

inschakelen switch on (in, into circuit); connect [speedometer]; plug in [wireless]; engage [lowest gear]; gear [to espionage]; (*van chauffeur*) slip (*of:* let) in the clutch; (*mach.*) throw into gear; (*inlassen*) insert; call in (the help of) [the police]; retain [an expert]; associate [a p. with]; *zijn relaties ~* mobilize one's connections; *een adviesbureau ~* enlist (the services of) a firm of consultants

inschenken pour out [a cup of tea], pour [she ... ed herself a cup of tea; will you ...?], pour in; *zijn glas ~* fill one's glass; *schenk me nog eens in* pour me out another glass; *zich een slaapmutsje ~* mix o.s. a nightcap

inschepen ship, embark; *zich ~* embark [*naar* for], take ship (boat) [*naar* for, to]

inscheping embarkation; *haven van ~* port of e.; **inscheppen** ladle (shovel) in

inscheren reeve [a rope]

inscherpen: *iem. iets ~* impress (inculcate) s.t. upon a p., rub it into a p.

inscheuren tear, rend

inschieten find the range of [a gun]; *zich ~* find the range, tape [a position], (*mil. ook*) bracket [the target], (*mar. ook*) straddle the target (a ship, the enemy); *de vijand had zich op onze batterij ingesch.* the enemy had got the range of our battery; *hij is er nog niet op ingesch.,* (*fig.*) he has not got the hang of it yet; *de muis schoot 't gat in* the mouse whisked (*of:* shot) into the hole; *er veel geld bij ~* lose a great deal of money over it; *er f 5 bij ~* be five guilders out of pocket by it; *hij schoot er ... bij in* he lost his life in it; *ik schoot er ... bij in* it cost me my dinner; I was done out of my outing; *..., dat 't lezen er bij inschiet* grammar takes so much time that reading gets crowded out (*of:* goes by the board); *zie verder binnen* (*te ... schieten*)

inschietschot sighter, sighting-shot

inschikkelijk accommodating, compliant, obliging, complaisant; *~heid* obligingness, complaisance, compliance

inschikken move up, close up, sit closer

inschoppen (*deur*) kick in (open); *hij werd er ingeschopt* (*in dat baantje*) he was pitchforked (jobbed) into it (into the place)

inschrift inscription; **inschrijfgeld** enrolment fee

inschrijven book, enrol(l), enlist, enter [for a competition, in a register]; register [luggage, names, the birth of a child, etc.]; inscribe [one's name on ...]; (*bij aanbesteding*) tender [*op* for]; (*intekenen*) subscribe; *zich* (*laten*) *~* enter (put down) one's name, register; (*als student*) matriculate, be matriculated [at a college, in(to) London University]; *ook:* there were nearly 1400 students enrolled during that term; (*als lid*) enrol(l) o.s. as a member; *er zijn 300 leden ingeschr. in de boeken van ...* the society has 300 names on its books; *aantal ingeschr. leerlingen* number of scholars on the roll; *op een lening ~* subscribe to a loan; *op aandelen ~* apply (tender) for shares

inschrijver tenderer [the lowest ...], tendering

firm; subscriber [to a loan]; applicant [for shares]

inschrijving (*in register*) registration [of pupils], enrolment; (*van studenten*) matriculation, enrolment; (*in boek, voor wedstrijd, enz.*) entry; (*bij aanbesteding*) tender [*op* for]; (*op lening*) subscription [*op* to]; (*op aandelen*) application [*op* for]; ~(*en*) *op naam* inscribed stock; ~(*en*) *op 't Grootboek* inscribed (government) stock; *verkoop bij* ~ sale by tender (entry); *bij* ~ *te koop aanbieden* put up for tender; *de* ~ *openstellen* invite subscriptions, be prepared to receive tenders; ~*en worden ingewacht op 400 hypothecaire obligaties* subscriptions are invited for 400 mortgage debentures; *de* ~ *wordt 1 febr. gesloten* the subscription-list(s) will close on ...; ~**sbedrag** application money, subscription; ~**sbiljet** (*bij aanbesteding*) tender; (*voor aandelen*) form of application, application-form; *zie* gesloten; ~**sformulier** form of tender, tender-form; *zie ook* ~biljet; ~**skoers** price of issue; ~**skosten** registration-fee

inschroeven screw in

inschrokken bolt, gobble (up, down)

inschuiven push in, shove in, sandwich in [I was ...ed in between two fat ladies], squeeze in [I can ... you in somewhere]; *een beetje* ~ close up a little

inschuld debt due (*of:* payable) to the company (etc.); *zie* uitschuld

inscriptie inscription

insectarium id.; **insekt** insect

insekten- insect: ~**etend** i.-eating, insectivorous; ~**eter** i.-eater, insectivore, *mv. ook:* insectivora; ~**kenner** entomologist; ~**kunde**, ~**leer** entomology; ~**plaag** i.-nuisance; ~**poeder** i.-powder, insecticide; ~**verzameling** collection of insects, entomological collection

inseminatie [artificial] insemination

inseraat insertion; newspaper paragraph

insgelijks likewise, in the same way (manner), similarly; *veel succes!* ~*!* good luck! (the) same to you!

insigne badge; ~**s**, *ook* = **insigniën**: ~ *van een ambt* insignia of office; ~ *van een orde* insignia (*of:* regalia) of an order

insijpelen ooze (filter, soak) in

insinuatie insinuation, innuendo

insinueren insinuate; *zich* ~ insinuate o.s. [into a p.'s favour]

inslaan I *ww.* (*spijker, enz.*) drive in [a nail]; (*stukslaan*) beat (bash, batter, punch) in, smash (in) [windows, a p.'s skull]; (*inkopen*) lay in, stock [goods, provisions]; (*kledingstuk*) take in; (*een weg, enz.*) take, turn (strike) into, turn down [a road]; (*van bliksem*) [the lightning struck (the house)]; (*sp.*) have a knock-up; (*typ.*) impose [a form]; (*fig.*) take, catch on [the book did not ...], go down [the tale went down], make a hit [the song made ...], go home [the remark went home], sink in [the advice, the lesson sank in], (*theat., enz.*) (*sl.*) get across (the

footlights); *het boek sloeg geweldig in*, (*fam.*) was a smash hit; *het nieuws sloeg in als een bom* fell like a thunderbolt; *doen* ~ get (*of:* put) [a play, one's ideas] across; *zij sloegen de wildernis in* they struck off for the wilderness; *de rechte* (*verkeerde*) *weg* ~, (*fig.*) set about it the right (wrong) way; *'n weg* ~, (*fig.*) take a course; *de grap sloeg niet in* the joke fell flat (misfired); *zie binnen* (*naar ... slaan*), bodem, hersens; II *zn.* impact [of a projectile]

inslag (*voorraad*) provisions, supply; (*van weefsel*) woof, weft; (*in kleding*) turning; (*karakter*) tendency, character, streak [of humour], [with a technical] slant (bias); (*van granaat*) (shell-)burst; *vernield door bliksem*~ destroyed by lightning; *hij heeft een praktische* ~ a practical (turn of) mind; (*sp.*) hit-in; ~**garen** weft yarn; ~**spoel** shuttle; ~**zijde** tram (silk)

inslapen fall asleep, drop off (go) to sleep; (*sterven*) pass away, fall asleep

inslepen drag in(to); **inslikken** swallow; clip [one's words, letters]; *zijn woorden* ~, (*fig.*) s. one's words; **inslippen** slip (steal) in(to); **inslokken** swallow, gulp down; **inslorpen** gulp down, swill; **insluimeren** doze off, drop asleep

insluipen steal (sneak, slip) in(to), (*fig.*) creep in [abuses crept in (into the State)]; **-er** sneak-thief; **-ing** stealing (sneaking) in; *zie* inbraak; **-sel** stealthy abuse

insluiten enclose [a letter, etc.], lock [a p., o.s.] in, shut in [mountains ... the horizon], close in [...d in by a wall], surround, hem in [...med in by enemies], invest [a town], seal (bottle) up [the fleet, a submarine base]; (*omvatten*) include [all charges, everybody], comprise; (*meetk.*) contain; *bezig zijn in te sl.* close in on [a town]; *het land was door vijanden ingesloten* was encircled by enemies; *wat sluiten deze woorden in?* what do these words imply?; *de prijs sluit alles in* is all-inclusive; *Uw schrijven,* ~*de ...* your letter covering cheque for £5; *zie* ingesloten; **-ing** locking in, etc.; investment [of a town]; enclosure; encirclement [of Germany by ...]; *onder* – *van* enclosing [our invoice]; **-ingspolitiek** policy of encirclement; **-plaat** (*typ.*) (imposing) stone

inslurpen gulp down

insmelten *tr.* melt in; *intr.* be reduced (*of:* lost) in melting; (*fig.*) shrink, dwindle

insmeren grease, oil, smear; (*met zalf*) embrocate

insmijten fling (throw) in, smash (in)

insneeuwen snow in; *ergens* ~ be (get) snowed up (in); *ingesneeuwd* snowed-in, -up, snowbound; **insnijden** cut in(to), incise; *ingesneden* indented [coast-line]

insnijding incision; (*van kust*) indentation

insnoeren constrict; *zie* inrijgen

insnuiven sniff in (up), inhale

insolide, insolied (*onsterk*) flimsy, frail, un-(in-)substantial; (*van firma, belegging, enz.*) unsound; (*niet oppassend*) unsteady

insolvent insolvent; ~**ie** insolvency

inspannen put to [go to the stable to ...]; *de paarden (de wagen)* ~ put the horses to (*of:* in); (*eig. Z.-Afr.*) inspan; *zijn krachten* ~ exert (put forth) one's strength; *zich* ~ exert o.s., lay oneself out; *zich tot 't uiterste* ~ exert o.s. to the utmost, strain every nerve; *de ogen (te) zeer* ~ strain one's eyes; *dit spande hem te erg in* this put too great a strain upon him; *een mens kan niet altijd ingespannen zijn* a man cannot be always on the grind; all work and no play makes Jack a dull boy; ~**d** exacting, strenuous [work]; *dat werk is ~d* tries a man; *dat is nogal ~d voor u* that is rather a strain on you

inspanning exertion(s), effort(s), strain [listening attentively is a great ...]; *te grote* ~ *van ogen (stem)* eye-, voice-strain; *met* ~ *van alle krachten* with the utmost exertion, using one's utmost endeavours; *zonder* ~ effortless; *het is een* ~ *voor mij* it's an effort for (to) me

in spe *zie* aanstaande

inspecteren inspect; survey [a building]; review [the Guards]

inspecteur inspector, superintendent; ~ *van de arbeid* labour i.; ~ *bij de belastingen* i. (surveyor) of taxes; ~ *van politie* police i.; ~ *van de volksgezondheid* health i.; ~**schap** inspectorship, inspectorate

inspectie inspection; (*gebied & personen*) inspectorate; ~**bezoek** visit of i., inspectional visit; ~**reis** tour (*of:* round) of i.

inspectoraat inspectorate; **inspectrice** woman-inspector

inspelen: *zich* ~ play o.s. in; ~ *op* prepare for [the future], adapt to [circumstances], go along with [new ideas]

inspiciënt (*theat.*) property and lighting manager

inspijkeren nail in (*of:* up)

inspinnen: *zich* ~ (form a) cocoon

inspiratie inspiration; *een* ~ *krijgen* have an i. (a flash of i., *fam.:* a brain-wave)

inspireren inspire; *geïnspireerd (dagblad)artikel* inspired article

inspraak [student] participation, [have a] say (voice) [in]; [follow the] dictate(s) [of one's heart]

inspreken: *iem. moed* ~ put (some) heart into a p., inspire a p. with courage, hearten a p., (*sl.*) buck a p. up

inspringen (*eig.*) leap (jump) in(to); (*inbuigen*) bend in(ward); (*van huis*) stand back from the street; (*van regels*) indent; (*van hoek*) re-enter; *voor iem.* ~ take a p.'s place, deputize (stand in) for a p.; *'t* ~, (*van regels*) indentation; *~de hoek* re-entrant angle; *~de deur* recessed door

inspuiten inject; spray [a p.'s nose with some solution]; **inspuiting** injection

instaan: ~ *voor de echtheid (de kwaliteit) van* ... guarantee (answer for) the genuineness (the quality) of ...; ~ *voor de waarheid (juistheid) van* vouch for the truth (the accuracy) of; *voor iem.* ~ answer for a p., make o.s. an-

swerable for a p.; *daar sta ik voor in* you can take my word for it; *ik sta ervoor in, dat* ... I'll guarantee that ...

installateur electrician, electrical installation engineer, (approved) installer

installatie (*in ambt*) installation, inauguration; (*van geestelijke vooral*) induction, institution; (*van bisschop*) enthronement; ('*t inrichten*) installation; (*concreet*) installation [electric ...], [electric light] fittings; (*bedrijfs-*) plant [electric(al) ...]; *vaste* ~ fixed plant

installeren install, inaugurate, invest; (*geestelijke*) induct [to a living], institute; (*bisschop*) enthrone; (*aanbrengen*) install, (*fam.*) fix up; (*meubileren*) furnish; *zie* inrichten

instampen ram in, stamp in; *iem. iets* ~ hammer (drum, drive, knock) s.t. into a p.'s head

instandhouden *zie* stand; **-ing** maintenance, upkeep, preservation, [forest] conservation

instantelijk urgently

instantie *a*) instance, resort; *b*) (official) body, authority [military -ies]; government department; *in eerste (laatste)* ~ in the first instance (in the last resort, in the final analysis)

instappen step in(to); (*in rijtuig, enz.*) get in; ~*!* take your seats, please! join the train now, please! (*Am.*) all aboard; *vóór (achter)* ~ get in in front (at the back); (*fig.*) join (in)

insteek mezzanine; ~**blad** leaf [of a table]; ~**kamer** mezzanine room

insteken put in; (*fig., Z.-Ned.*) *zie* inblazen; *een draad* ~ thread a needle

instellen establish, set up [a committee], institute [proceedings, a holiday, a new bishopric], focus [a camera], tune in [radio, T.V.], adjust [instruments, the sights of a rifle]; *een vordering* ~ bring (file, put in) a claim; *een Indische marine* ~ create an Indian navy; ~ *op,* (*fot.*) focus [an object]; *zich* ~ *op, zie* zich inrichten naar; *Denemarken is in economisch opzicht op Engeland ingesteld* Denmarks' economy is orientated to England; *de industrie is ingesteld op oorlog* geared for war; *ingesteld op de behoeften van toeristen* attuned (tailored) to the requirements of tourists; *mannen die gelijk zijn ingesteld* like-minded men; *zie* dronk, eis, enquête, onderzoek, enz.

instelling institution, establishment, adjustment; attitude [towards one's work]; *vgl. 't ww.; ~ van liefdadigheid* charitable institution

instemmen: ~ *met* agree with [a p., what he says], chime (fall) in with [an idea], concur [with a view], approve of [a plan], assent to [a bill *wetsontwerp*]; join in [a p.'s praise]; *men stemt algemeen in met het plan* there is general approval of the plan; **-ing** agreement; (*goedkeuring*) approval; *zijn voorstel vond geen* – *bij de andere leden* did not commend itself to the other members; *zie* bijval & adhesie

instigatie, -geren instigation, -gate; *op* ~ *van* at the i. of

instinct id., flair; *bij* ~ by i.

instinctief, -matig *bn.* instinctive; *bw.* ...ly, by instinct

instippen dip in [one's pen]
Instituten [Justinian's] Institutes
instituut *a)* institution, institute; *b)* boarding-school; *het Koninklijk ~ voor de Marine* the Royal Naval College
instoppen tuck [a p.] in (up) [in bed]; wrap [a p., o.s.] up; *(inproppen)* cram in, stuff in
instormen tear (rush) in(to); *op iem. ~* rush upon a p.
instorten I *intr.* fall (tumble) down, fall in, collapse [the house, the wall ...d]; *(van grond, put)* cave in; *(weer ~, van zieke)* (have a) relapse; *(door te hard werken)* crock (crack) up; *de republiek is op 't punt om in te storten* is tottering to its fall; *'t was hem, alsof de hemel instortte* as if the whole world tumbled about his ears; II *tr.* pour in(to)
instorting collapse, falling down, etc.; (down-)fall [of an empire], break-up [of the industrial system, of the coalition], collapse; relapse; set-back [of a patient]; [a nervous] breakdown; *vgl. 't ww.*
instoten push (knock, force, thrust) in(to), smash (stave) in
instouwen stow in
instromen stream (flow, pour, crowd, flock) in(to); -ing influx, inflow
instrooien strew in; -ing strewing in; *dat is een aardige* - that comes in useful *(of:* handy)
instructeur instructor, *(mil. ook)* drill-sergeant
instructie instruction, *(voorschrift ook)* direction, order; *(van vliegers enz.)* briefing; *(jur.)* (judicial) inquiry; *(van rechter aan jury)* charge; *met de ~ belast zijn,(jur.)* be in charge of the case; *te zijner ~* for his guidance; *iem. ~s geven, ook:* instruct (direct) a p. [to ...], brief [air crew]; ~bataljon *ongev.:* infantry training-college
instructief instructive
instrueren instruct; brief [a barrister, air crew]; *(jur.)* prepare [a case]
instrument id. *(ook jur.)*; *(~je, dingsigheidje)* device, gadget; ~aal instrumental; ~alis instrumental (case); ~arium *zie* ~enkast; ~atie instrumentation, orchestration; ~enbord i.-board, -panel; *(van auto & vliegt. ook)* dash-board, *(Am.)* dash; ~enkast cabinet of instruments; ~eren instrument, orchestrate; ~maker i.-maker
instuderen practise [hymns], study [a part *rol*], rehearse [a play, scene, dance]; *ingestudeerd worden* be in rehearsal
instuif (informal) party; *(bij ondertrouw) ongev.* pre-wedding reception; **instuiven:** *a) 't stuift hier in* the dust gets in here; *b) zie* instormen
instulpen introvert, invaginate; -ing introversion, invagination, intussusception; **insturen** 1 steer in(to); 2 send in(to); **instuwen** stow in
insubordinatie (act of) insubordination
insuikeren preserve in sugar, candy
Insulinde the Malay Archipelago
insuline insulin; **insurgent** id.
intact id., unimpaired, entire
inteelt in-breeding, breeding in

integendeel on the contrary
integer incorruptible
integraal integral; complete; ~rekening integral calculus; **integralen** *ongev.:* (Dutch) consols
integratie integration
integreren integrate; ~d integral, integrant; *'n – deel vormen van, ook:* be part and parcel of
integriteit integrity
inteken: ~aar(ster) subscriber; ~biljet subscription-form; ~en subscribe [to, for]; *zie* abonneren & inschrijven; *plaatsen –, (op kaart)* put (plot) in places [in a map]; ~ing subscription; *bij –, (van boek)* (offered) on subscription terms; *zie* inschrijving; ~lijst subscription-list; ~prijs subscription-price; pre-publication price
intellect id.; ~ualisme intellectualism; ~ueel *bn.* & *zn.* intellectual, *(fam.)* highbrow
intelligent id.; *(vooral van kind & ondergeschikte) ook:* bright; ~ie intelligence; –leeftijd mental age, M.A.; –onderzoek intelligence *(of:* mental) test(s)
intendance Army Service Corps (A.S.C.), commissariat, Q.M.G.'s (Quartermaster General's) department
intendant id., house-steward; comptroller [of the King's Household]; manager [of an opera-house] *(mil.)* quartermaster, A.S.C. (Army Service Corps) officer, commissariat officer
intens intense; acute [anxiety]; ~ief intensive; ~iteit intensity; ~iveren intensify; ~ivering intensification
intentie intention
interacademiaal inter-university, *(fam.)* inter-varsity
intercellulair intercellular
intercity inter-city [train]
intercommunaal *zie* interlokaal
interdepartementaal interdepartmental
interdict id. [lay *(of:* place) under an i.]
interdisciplinair interdisciplinary, cross-disciplinary, cross-discipline [research]
interen eat into one's capital (one's stocks)
interessant interesting; *veel ~s* many i. things (features); *~ willen zijn* show off; *het ~e zit voornamelijk in ...* the interest lies largely in ...
interesse *zie* belangstelling
interesseren interest; *zich voor iets ~* be interested (interest o.s.) in s.t.; *zich voor iem. ~* interest o.s. on a p.'s behalf; *iem. voor iets ~* i. a p. in s.t.; *'t zal u misschien ~ te horen ...* you may be interested to hear ...; *geïnteresseerd zijn bij* be interested in, have a (financial) stake in [a business]
interest id.; *3 % ~ geven* bear 3 % i., bear i. at *3 %; tegen 5 % ~* at the rate of five per cent.; *samengestelde (enkelvoudige) ~* compound (simple) i.; *ze konden hun ~ niet goed maken* they lost on i. account; *met ~ terugbetalen* return with i. *(ook fig.:* he returned the blows with i.); *op ~ zetten* put out at i.; *~ op ~* (at) compound i.; *zie* rente; ~rekening i.-account,

(*rek.*) (sums in) interest
interferentie interference
interfereren interfere
interglaciaal interglacial
interieur interior; (*schilderij ook*) i. picture;
~**verlichting** (*van auto*) courtesy light
interim id.; *ad* ~ ad i., pro tem. (= tempore);
~**aandeel** scrip (certificate); ~**air** interim; ~-
dividend i. dividend
interland(wedstrijd) international (match)
interlineair interlinear [translation]
interlinie (*typ.*) lead; *zonder* ~ single-space
[typing]
interliniëren interline; (*typ.*) lead
interlocutoir: ~(*e*) *vonnis* (*beschikking*) interlo-
cutory judg(e)ment (decree)
interlokaal inter-urban; ~ *gesprek*, (*telef.*)
trunk (long-distance) conversation (*of:*
call); (*korte afstand, in Gr.-Br.*) toll call;
een ~ *gesprek voeren* put in a long-distance
call; ~ *aansluiten* (*aangesl. worden*) put
(get) through on a trunk connection (*of:* call);
~*e telefoon* trunk (*of:* long-distance) telephone; ~ *telefoneren* telephone by trunk-call,
(*automatisch*) ring on S.T.D.
interludium interlude
intermediair: *door* ~ *van* through the intermediary (the medium) of
intermezzo id. (*mv.* -zos & -zi), interlude
intermitterend intermittent [fever]
intern (*inwendig*) internal; (*inwonend*) resident;
~*e aangelegenheden* domestic concerns; ~*e geneeskunde* i. medicine; ~*e leerling* resident pupil, boarder, intern(e); ~ *zijn* live in; ~*e onderwijzer* resident teacher; ~*e patiënt* in-patient;
~**aat** boarding-school, -establishment
internationaal international; *de I-ale* the I.;
-**aliseren** internationalize
interneren intern
internering internment; ~**skamp** internment
camp
internist specialist for internal diseases; (*Am.*)
id.
internuntius internuncio, *mv.:* -os
interpellant (*buiten Eng.*) id., interpellator; (*in
Eng.*) questioner; -**pellatie** (*buiten Eng.*) in-
terpellation; (*in Eng.*) (asking a) question;
-**pelleren** (*buiten Eng.*) interpellate; (*in Eng.*)
question [a minister: *over* on]; (*fig.*) take [a
p.] to task [*over* about]
interpolatie, -leren interpolation, -late
interpretatie interpretation, reading, version
interpretatief interpre(ta)tive
interpreteren interpret
interpunctie punctuation; **interpuncteren, -pun-
geren** punctuate
interregnum id.
interrumperen interrupt
interruptie interruption
interval id.
interveniënt intervener; (*handel*) acceptor for
honour, reference in case of need; **interve-
niëren** intervene, (*in handel ook*) accept for
honour; **interventie** intervention; (*in handel

ook) acceptance for honour (supra protest)
interview id.; ~**en** interview; ~**er** id.
intiem intimate; (*interieur, kamer*) cosy; *de* ~*e
geschiedenis van* ... the inner (inside) story of
...; *de* ~*e kring* the inner circle (*of:* set); *zij
zijn erg* ~ they are on i. terms, on terms of intimacy, very close, (*fam.*) very thick, as thick
as thieves; ~ *worden met, ook:* get on familiar
terms with; *zij waren nogal* ~ *met elkaar* they
were on terms of some intimacy; ~*e vriend,
ook:* close friend, intimate
intijds in (good) time, in good season
intimidatie intimidation; *iem. door* ~ *brengen
tot* browbeat a p. into
intimideren intimidate, overawe, browbeat,
bully; *zich niet laten* ~ *door* stand up to
intimiteit intimacy
intimus intimate (friend), chum; (*fam.*) pal
intippelen *zie* invliegen (er ...)
intocht entry; *zijn plechtige* ~ *houden in de stad*
make one's solemn (formal, ceremonial,
state) e. into the city
intomen (*paard*) curb, rein in, pull up; (*fig.*)
curb [one's passions], check, restrain [a p.,
o.s.]; *zijn paard* ~, *ook:* draw rein; *zie ook*
inbinden
intonatie intonation; **intoneren** intone
intramusculair intramuscular
intransigent *bn. & zn.* id.; *ook:* uncompromising
intransitief intransitive
intrappen trample down; kick open; (*voetb.*)
kick a goal; floor [the accelerator pedal]; *zie*
deur, invliegen
intrede entrance [upon one's office], entry
[Germany's ... into the League of Nations],
advent [of spring], (in)coming [of the New
Year]; *zijn* ~ *doen*, (*van winter, enz.*) set in;
de winter heeft voor goed zijn ~ *gedaan* winter
has settled down; *zijn* ~ *doen*, (*van predikant*)
read o.s. in, preach one's first (one's induction) sermon; *ze deed haar* ~ *in een klooster*
she entered a convent
intreden enter; e. upon [one's 70th year, a new
year]; fall (*zie* stilte), spring up [a coolness
sprang up between us]; (*van vorst, dooi, reactie, enz.*) set in; *zijn laatste stadium* ~ enter
upon its last phase; *de dood trad onmiddellijk
in* death was instantaneous
intree *zie* intrede; ~**biljet** ticket; ~**geld,** ~**prijs** ad-
mission(-fee); ~**preek** first (*of:* induction) ser-
mon; *zie* intrede; ~**rede** inaugural lecture
intrek: *zijn* ~ *nemen* put up [at a hotel], take up
one's residence [at the palace], settle in
intrekbaar retractile [claws], retractable [un-
dercarriage *onderstel*]
intrekken (*eig.*) draw in [one's head], retract
[claws, etc.]; (*stad*) march into a town; (*huis*)
move in, move into a house; (*zijn intrek nemen*) put up [with a p.]; *de wereld* ~ go out into the world; (*van vloeistof*) soak in; (*herroepen, terugnemen*) withdraw [a bill *wetsontwerp*, motion, privilege; coins from circula-
tion], recall [a promise, an order, a book]

call in [coins, banknotes], retire [bonds *obligaties*], repeal [an act *wet*], revoke [an edict, a decree], cancel [an order *bestelling*, leave *verlof*], rescind, reverse [a decision, an order *bevel*], countermand [an order *bevel*], retract [a statement], go back on [one's word, a promise, a decision]; *een rijbewijs* ~ withdraw (*tijdelijk:* suspend) a driving-licence; *alle verloven zijn ingetr.* all leave has been stopped; **-ing** withdrawal, recall, repeal, revocation, cancellation, rescission, retractation; *vgl. 't ww.*

intrigant(e) intriguer, schemer, plotter, wire-puller; *vrouw. ook:* designing woman

intrige intrigue, machination, scheming, wire-pulling; (*van drama, enz.*) plot; *zie* ingewikkeld

intrigeren intrigue, (plot and) scheme; *dat intrigeert mij* that intrigues (puzzles) me

intrinsiek intrinsic (*bw.:* -ally)

introducé guest; **introduceren** introduce; (*in sociëteit, enz.*) sign in [*ook:* I'll put your name down at the club]

introductie introduction; **~brief** letter of i.

introïtus introit

intronisatie enthronement, enthronization

introvert id. (*bn. & zn.*)

intuïtie intuition; *bij* ~ by i., intuitively

intuïtief intuitive

intussen meanwhile, in the mean time, in the interim; (= *evenwel*) however, all the same

inundatie inundation, flooding

inunderen inundate, flood

invaart entrance [of a harbour]

inval invasion [*in* of], irruption [*in* into]; (*vooral om te plunderen*) incursion, inroad; (*van politie, enz.*) raid [on a night-club, etc.]; (*idee*) idea, notion, thought, (*fam.*) brain-wave; *een gelukkige* ~ a bright idea; *'n wonderlijke* ~ a strange whim; *een* ~ *doen in* invade [a country]; (*van politie*) raid [a night-club]; *'t is daar de zoete* ~, (*ongev.*) they keep open house there; *'t lijkt hier wel de zoete* ~ they seem to think we're running a hotel here; *zie verder* idee & hoek

invalide I *bn.* disabled [soldiers], (*fam.*) crocked; ~ *worden* become crippled [with rheumatism], (*fam.*) crock up; II *zn.* d. soldier; *als* ~ *naar huis* (*naar 't vaderland*) *gezonden worden* be invalided home; *als* ~ *gepensioneerd* pensioned off, invalided; **~nhuis** home for d. soldiers; **~nwagentje** wheel chair

invaliditeit disablement, disability; **~spensioen**, **-rente** disability pension; **~stoelage** gratuity for d.; **~suitkering** disability (disablement) benefit; **~sverzekering** disablement-insurance; *ziekte- en* – health insurance; **~swet** national insurance act

invallen (*vallen in*) fall (*of:* drop) in(to); (*instorten*) tumble down, fall in, give way, collapse; (*van licht*) enter; (*van vorst, dooi, enz.*) set in; (*van duisternis, nacht*) fall, set in, close in, come on [night came on]; (*land*) invade [a country]; (*haven*) put in(to port); (*mee beginnen te zingen, enz.*) join in; (*in de rede vallen*) cut (strike, chip, *instemmend:* chime) in, interpose, interrupt; (*van gedachten, enz.*) come into (cross) a p.'s mind, occur [the idea suddenly ... red to me]; (*voor iem.*) deputize, substitute (*zie* waarnemen); *zijn gelaat was ingevallen* his face had fallen in; *het viel me in* the idea occurred to me (crossed my mind, struck me); *zijn naam wil me niet* ~ I cannot hit upon his name; ... *zoals 't hem invalt* he writes as the fancy takes him; he says whatever comes into his head; (*bij zang*) fall in, come in [on = *bij*]; *met 't refrein* ~ join in the chorus; **~de gedachte** sudden idea; *vóór 't* ~ *van de nacht* before nightfall; **invaller** substitute, deputy, stand-in; **invalshoek** angle of incidence; (*van projectiel*) angle of descent; (*fig.*) point of view, line of approach; **invalsweg** approach road, point of entry

invaren sail in, sail into [port, the harbour]

invasie invasion

inventaris inventory; (*goederen, enz. ook*) stock-in-trade; *de* ~ *opmaken* take stock, draw up (take, make) an i.; *zie* beneficie; **~atie** stocktaking; **~eren** make (draw up, take) an i. of, take stock of, inventory; **~uitverkoop** stocktaking sale (clearance)

inversie inversion

inverzekeringstelling custody

investeren invest; **-ing** i.ment

investituur investiture

invetten grease, oil

invitatie invitation, (*fam.*) invite; **~kaart** card of i.; (*bij spel*) call

invité (invited) guest

inviteren invite [*op* to]; (*bij spel*) call

invlechten plait (weave, twine, twist) in; (*fig.*) put in, introduce [remarks]; *anekdoten in zijn rede* ~ intersperse one's speech with anecdotes; *ingevlochten verhalen* interwoven stories

invliegen fly in(to); (*nieuw vliegtuig*) fly in, test-fly; ~ *op* fly (rush) at [the enemy]; *er* ~, (*fig.*) be caught, walk into the trap, fall for a trick; *zie* inlopen; **invlieger** (*luchtv.*) test pilot

invloed influence; (*dikw. ong.*) pull [has he any ... here? he has a big ...]; *man van* ~ man of i. (of weight); *zijn* ~ *aanwenden* use one's i., make interest [*bij* with]; *al zijn* ~ *aanw. om* use all one's i. (every ounce of i.) to ...; ~ *hebben bij* have i. with; *ik heb geen* ~ *op hem* I have no i. on (over) him; *dat heeft op hem geen* ~ that does not influence him; *de oorlog had geen* ~ *op de markt* did not affect the market; *de* ~ *van de oorlog op het leven in Engeland* the effect (impact) of the war ...; *particuliere zaken moeten geen* ~ *hebben op* ... private business should not interfere with public affairs; *die advocaat heeft veel* ~ *op de jury* has great power with the jury; ~ *uitoefenen* exert (exercise) an i. [*op* on]; *onder de* ~ *staan* (*komen*) *van* be (come) under the i. of; *geheel onder de* ~ *staan van, ook:* be in a p.'s pocket; *onder de* ~ *van de drank* under the i. of (the worse for, *sterker:* overcome with) drink, intoxicated;

(*fam.*) [be] under the i.; *rijden onder* ~ drive under the influence; *onder de* ~ *van, ook:* [prices declined] in sympathy with the general depression; *zie* gelden & goed 2; **~rijk** influential; *zie bov.* (man van ~); **~ssfeer** sphere of i.

invloeien flow in; **invluchten** fly into [the house]
invochten damp (down) [the washing], moisten
invoegen insert, put in, intercalate; file (cards, slips); (*verkeer*) merge with (join in) [a stream of traffic]; **-ing** insertion, intercalation; **-sel** insertion; **-strook** acceleration lane
invoelen: *zich* ~ *in* feel one's way into
invoer import, importation; (*de goederen*) imports; (*radio*) *zie* ~draad; **~artikel** import article; *mv. ook:* imports; **~der** importer; (*van nieuwe methode, enz.*) introducer; **~draad** (*radio*) lead-in (wire), leading-in wire; **~en** (*uit 't buitenl.*) import; (*nieuw systeem, machines, mode, enz.*) introduce [into *in*]; set up [a custom]; (*nieuw boek op school*) adopt; (*papier de pers*) – feed into; *weer* – re-introduce, re-instate [the £50 holiday allowance is to be ...d]; *de personen worden handelend ingevoerd* the characters are presented dramatically; *zie* ingevoerd; **~haven** port of import-(ation); **~ing** introduction; adoption; **~premie** bounty on import; **~recht** i. duty; **~verbod** i. prohibition, embargo on the importation of ...

invorderaar(ster) collector; **invorderbaar** collectable, (*van schuld*) recoverable; **invorderen** collect; (*schulden*) recover
invordering collection; (*van schuld*) recovery; **~srecht** collecting-fee
invouwen fold in
invreten eat (its way) into [the sea eats its way into the land], corrode, erode; **~d** (*middel*) corrosive; **-ing** corrosion, erosion
invriezen be frozen in, freeze in
invrijheidstelling release, discharge
invulformulier form
invullen (*naam, datum, enz.*) fill in, write in, insert; (*formulier, cheque, stembiljet, enz.*) complete, fill up, fill in; *verzoeke dit formulier ingevuld terug te zenden aan ...* please return this completed form to ..., please complete this form and return to ...; *zijn naam ~ als* put oneself down as ...; **-ing** filling in (up); *vgl. 't ww.;* **-oefening** exercise with blanks (for filling in)
inwaaien (*van sneeuw, enz.*) blow in, be blown in; *de gevel woei in* the façade was blown in
inwaarts *bw.* inward(s); *bn.* inward
inwachten *inschrijvingen* ~ invite tenders; *een antwoord* ~ await a reply
inwateren get soaked (with water); *ingewaterd, ook:* water-bound [road]
inwegen lose in weighing out
inwendig I *bn.* inner, inward, internal, interior; **~e** *dienst* interior economy; *niet voor* ~ *gebruik* (*op etiket*) not to be taken; *de* ~*e mens versterken* fortify (warm, satisfy, recruit, refresh) the i. man; **~e** *zending* home mission,

ongev.: Church Army; II *bw.* inwardly [laugh ...], internally; *ook:* in my secret heart [I was glad]; *'t* ~**e** the interior (part, parts)
inwerken ~ *op* act (operate) upon, affect, influence; *op elkaar* ~ interact; *op zich laten* ~ saturate oneself with; *er* ~, (*eten*) get down [food], (*artikel*) push [an article]; *iem.* ~, (*op een kantoor*) break a p. in; *als hij (in zijn nieuwe baan) is ingew.* when he has settled in(to his new job); *zich er* ~ get thoroughly acquainted with it, master the details of it; *zich in een onderwerp* ~ work up a subject; *ze heeft zich handig (bij die familie) ingewerkt* she wormed her way in very cleverly; **-ing** action, influence *onder de* – *van economische krachten* under the impact of economic forces; – *van het weer* weather action
inwerkingtreding coming into force (*of:* operation), taking effect
inwerpen throw in(to); smash [windows]; insert [coins in a slot-machine]
inweven weave in(to), interweave
inwijden consecrate [a church, a bishop], ordain [a priest], inaugurate [a new building]; *een nieuw huis* ~ give a house-warming; *iem.* ~ *in* initiate a p. in [a plan, a science, an art], initiate a p. into [a secret, mysteries], let a p. into [a secret]; *iem. in alles* ~, (*fam.*) put a p. up to all the tricks; *zij werd ingewijd als lid van* ... she was initiated a member of ...; *zie* ingewijd
inwijding consecration, ordination; inauguration; initiation; *vgl. 't ww.;* **~sfeest** inaugural feast; **~sfeestje** (*van huis*) house-warming (party); **~srede** inaugural address (*of:* speech)
inwikkelen wrap (up), cover up
inwilligen comply with, grant, satisfy, agree (accede, assent) to [a request]; *een eis* ~ admit (concede) a claim (demand); **-ing** compliance [*van* with]
inwinden wind in
inwinnen: *inlichtingen* ~ gather (collect, take) information, make enquiries; *i.* ~ *bij* apply for information to; *iems. raad* ~ take a p.'s advice; *rechtskundig advies* ~ take legal advice, take counsel's opinion, seek advice from a solicitor; *verloren tijd* ~ make up for lost time
inwippen whip in(to), whisk in(to) [the rat whisked into its hole], (*fam.*) nip in
inwisselbaar convertible [paper money]
inwisselen change [banknotes]; cash, redeem [coupons]; ~ *voor* (*tegen*) exchange for
inwonen (*van dienstbode, enz.*) live in; ~ *bij* live (lodge) with; (*met kost*) board with; *gaan (komen)* ~ *bij* make one's home with; (*t. g. v. woningnood*) move in with; **~d** *assistent* intern, (*Am.*) interne; **~d** *geneesheer* house physician, resident physician (surgeon); **~d** *personeel* indoor servants (a living-in maid); *zie verder* intern; **~de** subtenant; **-er** inhabitant, resident; (*op kamer*) lodger; *zie* bewoner; **-ing** lodging; *ze hebben* – they have people living with them; *plaats van* – place of residence; *zie* kost

inworp money inserted; ~ *twee kwartjes* insert ...; (*sp.*) throw-in
inwortelen take (strike) root, become deeply rooted; *zie* ingeworteld
inwrijven rub in(to), rub; ~ *met* rub with; **-ing** rubbing (in)
inwringen: *zich* ~ *in* worm o.s. into
inzaaien seed [a lawn]
inzage inspection, examination, perusal [of a book]; ~ *nemen van* peruse, inspect; *ter* ~ for inspection, on approval, (*van catalogus, enz.*) for your (kind) perusal; *ter* ~ *leggen* deposit for (public) i.; *'t ligt ter* ~ *op ons kantoor* it is open to (public) i. (may be seen, may be inspected) at our office; *exemplaar van boek ter* ~ inspection copy, examination copy; *'t voorstel ligt ter* ~ *voor de leden* is on the table for the i. (perusal) of members
inzake *zie* zaak
inzakken collapse, sink down, give way; (*van weg, enz.*) cave in; (*van huis, ook van prijzen*) sag; *sterk* ~, (*van prijzen*) slump; *zie* inzinken; **-ing** collapse; slump; *vgl. 't ww.*
inzamelaar collector; **inzamelen** collect, gather (in); *het* ~ *van gelden* fund-raising
inzameling collection; *een* ~ *houden* make a c., send (pass) the hat round
inzegenen consecrate, bless; (*van predikant*) ordain; *'t huwelijk kerkelijk* ~ give the marriage a religious blessing; **-ing** consecration, blessing; (*van predikant*) ordination; *zie* huwelijks ...
inzeilen sail into, enter [the harbour]
inzenden send in (*ook op tentoonst.*), enter [three paintings], hand in; (*in krant*) contribute; *zijn stukken* ~ send in one's papers; *sollicitatiestukken in te zenden bij* ... applications should be addressed to ...; *zie* ingezonden & wereld
inzender correspondent, contributor; sender [a pound is paid to the ... of every item published]; (*op tentoonst.*) exhibitor
inzending sending in; contribution; entry [in competition]; (*op tentoonst.*) exhibit; *dag van* ~ sending-in day [at the R. A.]
inzepen soap; (*voor 't scheren, ook:*) lather
inzeping soaping; lathering; *vgl. 't ww.*
inzet 1 (*bij spel, enz*) stake(s); (*bij poker*) ante; (*bij verkiezing, enz.*) main issue; *gehele* ~ pool; *de hele* ~ *winnen* sweep the stakes, win the pool; 2 (*bij veiling*) upset-price; 3 (*bijkaartje, enz.*) inset(-map); 4 (*bij muziekstuk*) start; 5 (*overgave*) devotion, dedication, application; ~*geld zie* ~ 1; ~*prijs zie* ~ 2; ~*sel* insertion; ~*stuk* (*techn.*) insert
inzetten I *tr.* (*ruiten, valse tanden, enz.*) put in, set in; (*inlassen*) insert, let in; (*diamant*) set; (*op verkoping*) start [a house at £...]; (*bij spel*) stake; (*lied, enz.*) strike up [a song, a march], start [a hymn, a psalm]; launch [an attack, an offensive]; commit [troops to battle];

deploy [2800 troops to the task of earthquake relief]; (*materieel*) put on, bring into action; *de achtervolging* ~ go in pursuit; *zich* ~ *voor* devote (dedicate) o.s. to; *zie* inpompen; II *intr.* (*spel*) stake; (*muz.*) strike up; (*beginnen*) set in [spring sets in well], make a [good, bad] start; *-ter* first bidder; **-ting** decree [of God, of Heaven]
inzicht insight [into a question], discernment; (*mening*) view, opinion; *naar mijn* ~ in my opinion, to my mind; *goed* ~ sound judgment; *een dieper* ~ a deeper understanding; *zakelijk* ~ business acumen; *zedelijk* ~ moral sense; ~ *krijgen in* gain an i. into
inzien [1] I *ww.* glance over [a letter], skim [a report], look into; (*begrijpen*) see, realize, recognize, be alive to [the danger of doing nothing]; (*gaan*) ~ wake up to [the fact that ..., the truth of ...]; (*fam.*) tumble to [an error]; *dat zie ik niet in* I do not see that; *dat zie je verkeerd in* that's a wrong view to take; *'t ernstig* (*donker, somber*) ~ take a grave (dark, gloomy) view of it [of things, of a p.'s condition]; *zie* aardigheid; II *zn.: mijns* ~*s* in my opinion (view), to my thinking; *bij nader* ~ on second thoughts, on reflection
inzinken sink in (down), subside, give way, (*van oever, enz.*) cave in; (*fig.*) decline, fall off; (*hand.*) sag; (*plotseling & sterk*) slump [the franc is ... ing]; (*weer* ~, *van zieke*) (have a) relapse
inzinking subsidence [of the ground], relapse [of a patient], decline [of morality], falling off; sagging, slump; *vgl. 't ww.; gehele* ~ collapse, break-down
inzitten [2]: *wij zitten er lelijk in* we are in a hole (in a fix, in a tight place, [*Am.*] in a spot); *hij zit er warm*(*pjes*) *in* he has feathered his nest; *ik zit ermee in* I am at a loss what to do (at my wit's [wits'] end, in an awful hole); *erover* ~ be worried (embarrassed) about it; ~*den* occupants, inmates, passengers and crew
inzoet intensely sweet
inzonderheid especially
inzouten salt (down)
inzuigen suck in (up), absorb, imbibe; **-ing** sucking-in (-up), absorption, imbibition
inzulten pickle
inzwachtelen swaddle, swathe, bandage
inzwelgen swallow (up), gulp down
inzwenken (*mil.*) wheel into line
ion (*elektr.*) id.
Ionië Ionia; ~**r, Ionisch** Ionian
ionisatie ionization; **ioniseren** ionize
i.p(l).v. = *in plaats van* instead of
ipso facto id., by that very fact
I. Q. id.
Ir. (*titel van ingenieur*) *ongev.:* C. E. (*na naam*)
Irak Iraq, Irak; ~**ees** Iraqi
Iran Iran; ~**iër, ~isch** Iranian
Irene id.; **irenisch** irenic(al)

---

[1] *Zie ook* inkijken
[2] *Zie ook* zitten

iris (*plant, regenboogvlies*) id.; *I~* id.; *zie* lis; ~**eren** iridize; –**d** iridescent
Irokees, -ezen Iroquois
ironie irony; *de ~ van 't noodlot* the i. of fate
ironisch ironical; *~ persoon* ironist; *'t ~e ervan* the irony of it; *~e zet* stroke of irony; *'t artikel was ~ bedoeld* he wrote the article with his tongue in his cheek
ironiseren ironize; ridicule
irrationeel irrational
irredentisme irredentism
irredentist id.; ~**isch** irredentist
irreëel unreal, imaginary
irrigatie irrigation; **irrigator** (hydrostatic) douche; **irrigeren** irrigate
irriteren irritate; (*van huid, ook:*) chafe; *iem. ~, ook:* rub (stroke) a p. (up) the wrong way, ruffle a p.; (*onopzettelijk*) get on a p.'s nerves; *'t irriteert mij,* (*fam.*) it is getting under my skin, it gets my goat; *vgl.* geraakt
Isabella id.; *zie* Izabel
ischias sciatica
islam: *de ~* Islam; ~**iet** Islamite; ~**isme** Islamism; ~**itisch** Islam(it)ic
Ismaël Ishmael; ~**iet** Ishmaelite
isobaar isobar; **isochimeen** isocheim
isolatie isolation; (*nat.*) insulation; ~**band** insulating tape; ~**buis** insulating conduit; ~**lint** *zie* ~band
isolator insulator
isoleer: ~**band** enz., *zie* isolatie...; ~**bankje** in-

sulating-stool; ~**hospitaal,** ~**zaal** isolation-hospital, -ward
isolement isolation; ~**spolitiek** isolationism
isoleren isolate; (*door overstroming*) maroon [the ...ed towns]; (*nat.*) insulate; *met rubber geïsoleerd* rubber-insulated [cable]; -**ing** isolation; (*nat.*) insulation
isomeer isomer
isotheer isothere; **isotherm** id.
isotoop isotope
Israël Israel; ~**i(ër)** Israeli; ~**iet** Israelite; ~**isch** Israeli; ~**itisch** Israelite
Istamboel Istanbul, Istambul
istmisch Isthmian [games]; **istmus** isthmus
Istrië Istria; *van ~* Istrian
Italiaan Italian; ~**s** Italian; Italo-[Greek, British, etc.]; ~**se** Italian woman (lady); *ook:* Italian; **Italië** Italy; **Italisch** Italic
item *zn.* item; *bw.* item, the same, ditto, id.; *~ zoveel* umpteen [pairs of stockings]; *'n ~pje* a trifle
itinerarium itinerary
i. v. m. = *in verband met* in connection with
ivoor ivory; ~**achtig** i.-like; ~**draaier** i.-turner; **I~kust** I. Coast; ~**noot** i.-nut; ~**snijder** i.-cutter; ~**zwart** bone-black, i.-black; **ivoren** ivory
Ivriet (modern) Hebrew
Izaäk Isaac
Izabel Isabella; **i~kleur(ig)** Isabel(la)
Izébel Jezebel

J

J J
ja yes; (*vero., dial. & zeemanstaal*) ay, aye; (*wat meer is, ja zelfs*) yes [trade, commerce, yes, national honour, all are ...], indeed; nay; *uw ~ zij ~ en uw neen, neen* let your yea be yea, and your nay, nay; *zijn ~ is mijn neen* it is my word against his; *is hij uitgegaan? ik geloof* (*van*) *~* has he gone out? I think he has, I think so; *mag ik binnenkomen? ~!* may I come in? (yes) you may; *hebt u het telegram aangenomen? ~* that's right; *er was weinig ruimte tussen ...,* *~ zo weinig, dat ...* there was little space between ..., so little indeed that ...; *~, ik was zo verbaasd, dat ...* indeed, I was so surprised that ...; *ik ben voorzichtig, ~* (*zelfs*) *angstvallig* I am a cautious man, indeed a timid one; *op alles ~ en amen zeggen* say y. and amen to everything; *een vraag met ~ beantwoorden* answer a question in the affirmative; *'t is moeilijk de vraag met ~ of neen te beantwoorden* it is difficult to answer the question either way; *~?* [there was a knock at the door;] 'yes?'; *kelner! ~, meneer* waiter! yes, sir; *já*

..., (*aarzelend*) h'm — yes; *~?* ['Dad —'] 'Yes?' [said his father]; (*ongelovig*), [he'll come today;] Oh?; *maar ~,* ... but well, ..., but then, ...; *wel ~* that's right [, blame it on us]; *zie* jawel
jaag: ~**geld** towage(-money); ~**lijn** tow-line, -rope; ~**loon** *zie* ~geld; ~**paard** towing-horse; ~**pad** tow(ing)-path; ~**schuit** towing-barge; ~**stuk** (bow-, stern-)chaser, chase gun
Jaantje Jane, Jenny; **Jaap** Jim, Jemmy
jaap cut, slash, gash
jaar year; *'s ~s,* [£100] a y., per annum; *het ene ~ door het andere* one y. with another; *'t hele ~ door* all the y. round, throughout the y.; *~ in ~ uit* y. in and y. out; *ze is 10 ~* she is ten (years old); *ze is verleden maandag 10 ~ geworden* she was ten last Monday; *'t is jaren geleden, dat ik ...* it's years since I ...; *de laatste 25 ~* (for) the last 25 years; *de jaren dertig, de dertiger jaren* the thirties; *daar kunnen nog jaren over verlopen* it may be years before that happens; *nog geen vijf ~ na zijn dood* within five years of his death; *eens*

in 't ~ once a y.; *hij is in z'n 15de* ~ he is in his 15th y., going fifteen; *ik had hem in geen tien* ~ *gezien* I had not seen him for the last ten years; ~ *en dag* a y. and a day; *met de jaren* [that will come] with the years; *na* ~ *en dag* after many years; *na lange jaren* after many *(deftig:* long) years; *om de twee (drie)* ~ every other (third) y.; ~ *op* ~ y. by y.; *op jaren komen* be getting on in years; *vandaag over een* ~ this day twelvemonth; *tot voor korte jaren* within a few years; *van* ~ *tot* ~ from year's end to year's end; y. by y. [he became richer]; *van mijn jaren* [he is] my age; *een meisje van 10* ~ a girl of ten (years, years old), a ten-year old girl; *vanaf zijn zesde* ~ from the age of six; *kinderen van tien* ~ ten-year-olds; *van 20 jaren (her)* [a friend] of 20 years' standing; *van 't goede* ~ [wine] of the right vintage; *vandaag voor een* ~ a y. ago to-day; *jong voor haar jaren* young for her years; *zie* jarenlang, heer, laatst, nul, enz.

jaar- *dikw.* annual; ~**abonnement** a. *(of:* year's) subscription; ~**bericht** a. report; ~**beurs** industries fair; ~**boek(je)** y.-book, annual; ~**boeken** annals; ~**boekschrijver** annalist; ~**cijfers** a. returns; ~**dag** *zie* verjaardag; ~**dicht** *zie* ~vers; ~**dienst** a. mass; ~**feest** anniversary, a. feast; ~**gang** volume [of a magazine]; [second] year of publication (of issue); *(van wijn)* vintage; *oude* – back volume; *reeks oude –en* back file(s); ~**geld** a. allowance, annuity; *(pensioen)* pension; ~**geldtrekker** *a)* annuitant; *b)* pensioner; ~**genoot** class-mate, contemporary; ~**getij(de)** *a)* season; *b) zie* ~dienst; ~**huur** yearly rent; ~**klasse** *(mil.)* class; ~**kring** a. cycle; *(in boom)* a. ring; ~**letter** date-letter; ~**lijks** *bw.* every y., yearly, annually; *bn.* yearly, annual; ~**ling** yearling; ~**loon** annual pay; ~**markt** (a.) fair; ~**mis** a. mass; ~**premie** a. premium; ~**rekening** a. account; ~**ring** a. ring; ~**staat** a. returns; ~**tal** (year) date, year; ~**telling** era; ~**vergadering** a. meeting; ~**vers** chronogram; ~**verslag** a. report; ~**wedde** (a.) salary; *(van geestelijke)* stipend; ~**wisseling**: *bij de* – at the turn(ing) of the y.

jabot id., frill

jabroer yes-man

jacht 1 *(vaartuig)* yacht; 2 *(op groot wild, ook vossen)* hunt(ing); *(met geweer op patrijzen, enz.)* shooting; *(algem.)* chase *[de* ~ the chase], blood sport(s) *(fig.)* pursuit *[naar rijkdom* of wealth], hunt, chase; *ook* = ~veld; ~ *naar vermaak, ook:* pleasure-seeking; ~ *op anarchisten* hunt for (round-up of) anarchists; *korte* ~ shooting; *lange* ~ coursing; ~ *op grof wild* big game hunting; ~ *op een man, (echtgenoot)* husband-hunting; *de wilde* ~ the wild hunt; *op de* ~ *gaan* go out shooting (hunting), *(vooral op vossen)* ride to hounds, *(op de lange* ~*)* go coursing; *mee op* ~ *gaan, ook:* follow the guns; *op* ~ *zijn* be hunting (shooting), be out with the hounds (with the guns); *op* ~ *naar* on the hunt for *(ook fig.)*; ~ **maken** *op* hunt [tigers, etc.], give chase to [a hostile ship], pursue; *(fig.)* strain after [effect], pursue [pleasure]; ~ *maken op leeuwen, ook:* be *(of:* go) lion-hunting; *de* ~ *is open* the shooting-season has opened; ~**akte** shooting-, game-licence; *'t* ~**bedrijf** the chase, hunting; ~**bommenwerper** fighter-bomber; ~**club** yacht-club; ~**delict** offence against the game-laws

jachten *tr.* hurry, drive, hustle, rush; *intr.* hurry, hustle; *ik wil me niet laten* ~ I won't be rushed; *'t* ~, *zie* gejaag *(fig.)*; *de* ~*de menigte* the madding crowd

jacht: ~**gebied** *zie* ~veld; ~**geweer** sporting-, shot-gun; ~**gezelschap** *zie* ~stoet; ~**godin** goddess of the chase (Diana); ~**grond** hunting-ground; ~**haven** marina; ~**hond** sporting-, gun-dog, hound; ~**hoorn,** ~**horen** hunting-horn; ~**huis** hunting-, shooting-box, -lodge, -seat; ~**ig** hurried; *mijn werk is nu minder* – is less of a drive now; ~**kleed** hunting-habit; ~**kostuum** hunting-costume; ~**liefhebber** lover of the chase, sportsman; ~**luipaard** hunting-leopard, cheetah; ~**makerij** straining *[op ... after effect]*; ~**mes** hunting knife; ~**opziener** game-keeper; ~**paard** hunter; ~**partij** hunting-, shooting-party, hunt, shoot; *vgl.* ~; ~**patroon** sporting-, shot-cartridge; ~**recht** shooting-, hunting-right(s); ~**rit** hunt; point-to-point (race); ~**roer** fowling-piece; ~**schipper** helmsman; ~**schotel** hotpot; ~**slot** *zie* ~huis; ~**sneeuw** driving (drifting) snow, snowdrift; ~**spin** hunting-spider, hunter; ~**spriet** hunting-spear; ~**stoet** hunt(ing-party), shooting-party, [the] field; ~**term** sporting-term; ~**terrein** *zie* ~veld; ~**tijd** shooting-season, open season; *zie* gesloten; ~**tijger** *zie* ~luipaard; ~**veld** hunting-field, -ground; *particulier* – preserve, (private) shoot(ing); *de eeuwige –en* the happy hunting grounds; ~**vereniging** hunt, hunting-association; ~**vermaak** pleasures of the chase, field sports; ~**vest** shooting-jacket; ~**vliegtuig** fighter, *(Am.)* pursuit-plane; ~**wagen** dog-cart, drag; ~**wet** game-act; *–ten* game-laws; ~**wezen** *zie* ~bedrijf; ~**zweep** hunting-crop

Jacob enz., *zie* Jakob, enz.

Jacobus James, Jacob; ~ *de kleine* J. the less; *van* ~ *I & van* ~ *de kleine* Jacobean

jaconnet jaconet

jacquet morning-coat, cutaway, *(fam.)* tails; *in* ~ in morning dress

jaeger id.

Jafet Japheth

jagen I *ww. (ook:* ~ *op)* hunt [lions, foxes, etc.], shoot [hares, duck, etc.], course [hares], *(besluipen)* stalk [deer], *(nazitten)* chase [one's prey, enemy, ship] *(vgl.* jacht); *(fig.)* drive, hurry (on), urge on, rush, hustle [don't ... me!]; *(snellen)* race, rush, tear, fly; *(van pols, enz.)* race [his pulse, his heart, ...d; it set the blood racing in her veins]; *met honden* ~ shoot over dogs, *(vooral op vossen)* ride to hounds; *uit* ~ *gaan (zijn)* go (be) out shooting (hunting); *voor zich uit* ~ drive before one; *de Engelsen uit Afrika* ~ drive (turn) the E. out of Africa; *er is niets dat ons jaagt* there's nothing to hurry us; *'n wetsontwerp door 't Parlement* ~ rush a bill through Parliament, guillotine a bill; *iem. een kogel door 't lijf* ~ put a bullet through a p., (*sl.*) plug a p.; *zich 'n kogel door 't hoofd* ~ put a bullet through one's head, blow one's brains out; *heen en weer* ~ chi(v)vy (chevy) a cat up a tree; *de straat op* ~, *zie* straat (*op ... zetten*); *naar vermaak* ~ pursue pleasure; ~*d naar vermaak* pleasure-seeking; *naar rijkdom* ~ hunt after riches; *zie* keel, kosten, vlucht, enz.; II *zn.: 't* ~, *zie* gejaag & jacht

jager sportsman, hunter [Nimrod was a mighty h. before the Lord], gun [a party of five g.s]; (*vero.*) huntsman; (*vossen-*) *ook:* [a keen] rider to hounds; (*mil.*) rifleman; *de* ~s, (*mil.*) the Rifles [*te paard* mounted ...]; (*van schuit*) driver of a towing-horse; (*zeil*) flying-jib; (*vliegtuig*) *zie* jachtvliegtuig; (*haring-*) carrier; *grote* (*kleine, kleinste*) ~, (*vogel*) great (arctic, long-tailed) skua; ~ *op leeuwen, enz.* big game hunter; ~**es** huntress; ~**meester** master of (fox-)hounds (*afk.*: M.F.H.); (*pikeur*) huntsman

jagers: ~**buis** enz., *zie* jacht ...; ~**latijn** tall story; ~**taal** sportsman's slang, sporting-terms; ~**tas** game-bag; ~**term** sporting-term

Jaggernaut Juggernaut

jaguar id.

Jahveh, Jahweh Jehovah, Jah, Jahveh

jajem gin

1 jak jacket; *iemand op zijn* ~ *komen, iem. het* ~ *uitvegen* dust a p.'s jacket

2 jak (*dier*) yak

jakhals jackal; *kale* ~ beggarly fellow

jakkeren *tr.* ride [a horse] to death; overdrive [a p., an animal]; *intr.* pelt (rush, tear) along; scramble [through a programme]; *zie* jachten

jakkes bah! pah! yah!

ja-knikker *a*) yes-man; *b*) pumping unit

Jakob James; (*de aartsvader*) Jacob; *de ware – Mr. Right

Jakoba Jemina; ~ *van Beieren* Jacqueline of Hainault; **j~kannetje** glazed brown jug

jakobi(e)t(isch) Jacobite

jakobitisme Jacobitism

jakobijn Jacobin; ~**enklooster** J. convent; ~**enmuts** red cap (of the Jacobins), Phrygian cap; ~**s** Jacobinic(al), Jacobin

jakobinisme Jacobinism

jakobsladder Jacob's ladder (*ook plant*)

jakobsmantel, ~schelp Jacob's shell

jalappe jalap

jaloers jealous [*op* of], envious [*op* of]; ~**heid** *zie* jaloezie 1

jaloezie 1 jealousy [his ... of you], envy; *uit* ~ out of j., in envy; ... *wekt de* ~ *op van* ... she (her car, etc.) is the envy of all other motorists; 2 Venetian blind, slatted blind; ~**band** ladder tape; ~**kast** roller front cabinet; ~**lat** slat

jalon levelling-staff; ~**neren** stake out

jalousie: ~ *de métier* professional jealousy

jam 1 id.; ~ *maken van* make [cherries] into j., jam [strawberries]; 2 potato (grown in clay); 3 yam

Jamaica id.; **j~peper** *zie* piment

jambe iambus, iamb; *vijfvoetige rijmloze* ~**n** blank verse; **jambisch** iambic

jamfabrikant jam-maker

jammer misery, distress; *de* ~*en van de oorlog* the evils of war; *'t is* (*meer dan*) ~ it is (more than) a pity; *'t is erg* ~ it is a great (a mighty) pity (a thousand pities); (*maar er is niets aan te doen*) it's too bad; *hoe* (*wat*) ~! what a pity! what a shame!; ... *hoe* ~ *'t is* you cannot understand the pity of it; *'t is* (*zo*) ~ *dat* ... the pity (of it) is ...; *'t is* ~ *van hem* (*van 't mooie boek*) I am sorry, he was such a nice fellow (it ... nice book); *'t is* ~ *van 't geld* it is a pity that the money should be thus wasted; ~ *van, ook:* (it's a) pity about [her gown, the fellow]; *'t is* ~ *voor hem* I feel sorry for him; it's rather hard on him; ~ *genoeg!* [they are not all like you,] (the) more's the pity!: [business is pretty slow,] worse luck!; ~ *genoeg werd zijn hoop niet vervuld* sad to relate (say) his hopes were not fulfilled; ~ *dat hij er niet eerder om gedacht heeft* it's unfortunate that ...; ~**en** lament, wail, moan, (*fam.*) yammer; (*janken*) whine; ~**geschrei** cries of distress, lamentations; ~**hout** (*fam.*) fiddle; ~**klacht** lamentation; ~**lijk** miserable, woeful, wretched, pitiable, pitiful, piteous, dismal; *hij heeft – gefaald* he has failed signally; ~**poel** pool of misery; ~**toon** tone of lamentation

jampot jam-jar

Jan John; (*fam.*) Jack; *de jannen* the giants [of the racing-track, of golf]; ~ *en alleman* all the world and his wife; Tom, Dick and Harry; Brown, Jones and Robinson; ~ *Rap en z'n maat* ragtag and bobtail, the great unwashed; ~, *Piet en Klaas* Tom, Dick and Harry; ~ *Compagnie* John Company; *redenering van* ~ *Kalebas* silly reasoning; ~ *Klaassen, a*) (*hansworst*) merry andrew, Jack Pudding; *b*) Punch; ~ *Klaassen en Trijn* Punch and Judy; ~ *Publiek* John Citizen, the man in the street; ~ *de wasser, zie* janhen; ~ *zonderland* John Lackland; *ik ben boven jan* I've turned the corner, I'm out of the wood; *zie* boezeroen, oom, enz.

janboel muddle, mess, (*fam.*) shambles; *een grote* ~ a regular mess; *op z'n* **janboere(n)fluitjes** in a happy-go-lucky way; **jandoedel** gin; **jandorie, -doppie** by gum! (by) gosh! my hat! lumme!

jangat stick, duffer, mug

janhagel 1 mob, rabble, riffraff, ragtag and bobtail; 2 kind of biscuit

janhen busybody in the kitchen

jan-in-de-zak duff: flour-pudding boiled in a bag; (*met krenten of rozijnen*) plum-duff, spotted dog

janitsaar janizary, janissary

janken yelp, whine, squeal, whimper

janker yelper, whiner, squealer, whimperer

jan: ~**klaassen** (*fam.*) silly fuss; –**kast** Punch and Judy show; *zie ook* Jan; ~**maat** (jack-)tar, Jack, blue-jacket
Janna Jane, Jenny, Joan
janplezier charabanc
Jans Jane, Joan
jansalie stick-in-the-mud, spineless fellow
jansalieachtig spiritless, spineless, stick-in-the-mud; ~**heid** spinelessness
jansenisme Jansenism; **jansenist** Jansenist
Jansje Janet
jansul noodle, booby, mug
Jantje Johnnie; *j~*, (*matroos*) Jack, blue-jacket, (jack-)tar; ~ *Contrarie* perverse (contradictious) person; *hij is altijd ~ Contrarie* he is always contrary; ~ *Secuur* man of precision; *wat ~ niet leert, zal Jan nooit kennen* you can't teach an old dog new tricks; *zich met een* **jantje-van-leiden** *van iets afmaken* skimp [an essay], shirk [the difficulty], brush aside [a question, etc.], dismiss [the matter] lightly
januari January
Janus id.; **j~aangezicht** J. face; *een – hebben* be J.-faced, face both ways, be a Mr. Facing-both-ways
jan-van-gent gannet
Japan id.; **j~lak** Japanese lacquer; ~**nees** *zn. & bn.* Japanese (*mv.:* id.), (*fam.*) Jap; ~**ner**, ~**s** Japanese, (*fam.*) Jap
japen gash, slash
japon dress, gown, frock; ~**rok** dress-skirt; ~**stoffen** dress-materials
jardinière id., flower-stand
jarenlang *bn.* of years, year-long, [an acquaintance] of many years' standing; *bw.* for years (together), for years on end
jargon id.
jarig (*één jaar oud*) a year old, of a year; *drie~* [child] three years old, [child] of three (years), three-year-(years-)old [child]; three-years' [war]; *drie~ bestaan* third anniversary; *een drie~ kind* (*paard*), *een drie~e, ook:* a three-year-old; *ik ben vandaag ~* to-day is my birthday; *over zes dagen ben ik ~* I shall have (I'm having) my birthday in six days(' time); *de ~e* the person whose birthday it is, the hero of the feast
jarretel(le) [sock-, stocking-]suspender
jas coat; (*kort*) jacket; *met ~ en vest uit* [work] in one's shirt-sleeves; ~**beschermer** overcoat guard; ~**je** jacket; *zijn – omkeren*, (*fig.*) turn one's c., turn cat in the pan
jasmijn: (*echte ~*) jasmin(e), jessamine; (*boeren~*) mock-orange, syringa, seringa; *zie* Kaaps
jaspand coat-tail
jaspis jasper
jassen 1 peel [potatoes], (*sl.*) bash [spuds]; 2 play 'jas' (a card-game)
jassenhanger coat-hanger
jasses bah! pah! yah! faugh!
jasstof coating; **jaszak** coat-pocket
jat (*sl.*) paw

jatagan yatag(h)an
jatten *zie* gappen
Java id.
Javaan(s, Javaas) Javanese (*mv.:* id.); ~**se** Javanese woman
javelijn javelin
jawel yes, indeed; (*iron.*) indeed! not a bit (of it)!; *hem zijn zin geven? ~!* let him have his way? indeed!
jawoord yes, consent; *om het ~ vragen* ask in marriage, (*fam.*) pop the question; *'t ~ geven* say yes; *hij gaf haar 't ~ terug* he set her free
jazzband jazz-band
J. C. = *Jezus Christus* Jesus Christ
je I *pers. vnw.* you; *elkaar met ~ en jou aanspreken, zie* tutoyeren; *zo iets geeft ~ moed* that's what cheers one (a man) up; II *bez. vnw.* your; *dat is jè tabak* that's the [ŏi:] tobacco; *jè van hèt*, (*fam.*) the [ŏi:] thing, (*Am.*) the cat's pyjamas
jee oh dear! dear me! Good Lord!
jegens towards, to, by [I have always done right by you]; with [be frank … a p.]
Jehova Jehovah
jekker(tje) (pea-, pilot-) jacket, car-coat, monkey-jacket, reefer
jelui *zie* jullie
Jemen (the) Yemen
jemenie by gum! lumme! my hat!
jenever gin, Hollands, geneva; ~**achtig** gin-like; ~**bes** *a*) juniper-berry; *b*) *zie* ~struik; ~**boom** juniper-tree; ~**brander(ij)** g.-distiller(y); ~**fles** g.-bottle; ~**gezicht** (gin-)sodden face; ~**grog** g.-grog, g. and water; ~**moed** pot-valour, Dutch courage; (*met*) ~**neus** bottle-, copper-nose(d); ~**paleis** g.-palace; ~**stoker(ij)** g.-distiller(y); ~**struik** juniper; ~**vat** g.-barrel, -cask; (*pers.*) swab
jengelen whine, whimper, pule; (*van bel*) jingle
jennen (*fam.*) badger
Jeremia Jeremiah; **jeremiade** jeremiad
Jeremias Jeremiah
jeremiëren moan, lament
Jeroen Jerome
Jeronimus Jerome, Hieronymus
Jeruzalem Jerusalem; ~**mer** native (*of:* inhabitant) of J.; *zie* vreemdeling
Jet(je) Harriet, Hetty, Hen; *iem. van jetje geven*, (*fam.*) give a p. what-for
jeu: *met veel ~*, (*fig.*) with a lot of fuss, [tell a story] with much gusto
jeugd youth; *de ~*, (*personen*) (the) y. [protect (the) y.; modern y.; our y.; y. is cruel]; *boeken voor de ~* juvenile books, books for young people; *de lieve ~*, (*ongev.*) young hopefuls; *hier onderwijst men de ~* teach your grandmother to suck eggs; *de ~ moet uitrazen* y. (young blood) will have its fling (its way), you cannot put old heads upon young shoulders; *hij was niet meer in zijn eerste ~* he was past his first y.; ~**beweging** y.-movement; ~**dienst** y. (*of:* young people's) service; ~**herberg** y.-hostel; –**centrale** y.-hostels association
jeugdig youthful, youngish; *op ~e leeftijd* at an

early age; ~heid youthfulness, youth

jeugd: ~kerk *zie* ~dienst; ~leider youth leader; ~liefde youthful passion; ~vereniging youth-club; ~werk *a)* juvenile work; *b)* y. work (= *voor de j.*)

jeuïg merry; ~heid: *voor de* – for the fun of it

jeuk itch, itching; ~ *hebben* itch

jeuken itch; *mijn vingers* ~ *me om ...* my fingers i. to box his ears; *de vingers* ~ *hem om te vechten* he is itching (spoiling) for a fight; *mijn maag jeukt* I feel a bit peckish; *het jeukt mij op de rug* my back itches; *zich* ~ scratch o.s.

jeukerig itchy, itching [elbow]; scratchy [blanket]; ~heid itchiness; **jeuking** itching

jeukmug sand-fly; **jeukpoeder** itch(ing)-powder

jeukziekte prurigo

jeune premier juvenile lead, leading juvenile, principal boy

jeunesse dorée id., gilded youth

jeuzelen whine, whimper, pule

Jezaja Isaiah; *van* ~ Isaianic

jezuïet Jesuit

jezuïeten: ~college J. college; ~klooster J. convent; ~orde Society of Jesus, order of Jesuits

jezuïtisch Jesuitical; **jezuïtisme** Jesuitism

Jezus Jesus; ~kindje Christ-child

jicht gout; ~aanval attack of (the) g.

jicht(acht)ig gouty; ~heid goutiness

jicht: ~knobbel chalk-, gout-stone; ~lijder(es) sufferer from gout, gouty patient; ~pijnen gouty pains, twitches of g.

Jiddisch Yiddish

jij you; **jijen** *zie* tutoyeren

jioe-jitsoe jiu jitsu

jl. *zie* jongstleden

Joachim id.

Job id.; *zie* arm

jobs: ~bode Job's post, bringer of bad news; ~geduld patience of J.; ~tijding bad news; ~trooster J.'s comforter

Jochem Joachim

jochie boy, lad(die); *nee, ~!* no, sonny! no, my son!; *'t is nog maar 'n* ~ he is only a kid

jockey id.; *(fam.)* jock; ~club j.-club; ~pet j.-cap

jodelen yodel

joden: ~buurt Jews' (Jewish) quarter, ghetto, *(hist.)* Jewry; ~dom *(de leer)* Judaism, *(joden)* Jewry, Jews; J~duits Yiddish; ~hars *zie* ~lijm *a)*; ~hater J.-hater; ~kerk synagogue; *'t lijkt wel een* – it's bedlam broke loose, it's a regular bear-garden; ~kerkhof Jewish cemetery; ~kers, ~kriek winter-cherry; ~lijm *a)* Jews' pitch, bitumen, asphalt; *b) (scherts.)* spittle; ~taal Jewish jargon; *(Jodenduits)* Yiddish; ~toer tough job; ~vervolger Jew-baiter; ~vervolging persecution of the Jews, Jew-baiting; *(Rusland)* pogrom; ~wijk *zie* ~buurt

joderen *(med., fot.)* iodize; *(chem.)* iod(in)ate

jodin Jewess

jodium iodine; ~tinctuur tincture of i.

jodoform iodoform; ~gaas i. gauze; ~watten i. cotton wool

joeg *o.v.t. van* jagen

Joegoslaaf, -slavisch Yugoslav, Jugoslav

Joego-Slavië Yugoslavia, Jugoslavia

joekel *(fam.)* whopper

joelen shout, bawl, howl

joepen jump

joetje ten guilders

jofel pleasant, splendid

joghurt yog(h)urt (= *Bulgaarse* ~)

Johan John; **Johanna** Jo(h)anna, Jane, Joan, Jean

Johannes John; ~ *de Doper* J. the Baptist; *het Evangelie naar* ~ the Gospel according to (St.) John, the Johannine Gospel

johannesbloed German cochineal; -brood carob, St. John's bread, locust-bean, -pod; -kever garden-chafer; -ridder knight of St. John

johannieterorde order of the knights of St. John *(of:* of Malta)

jojo yo-yo

jok *(vero.)* joke, jest, fun; *uit* ~ in (for) fun

joker id. *(ook sl.)*; *voor* ~ *staan* look a fool

jokken fib, tell fibs, tell stories; *(schertsen)* joke

jokkebrok, jokkenaar(ster), jokker fibber, fibster, story-teller, romancer

jokkentje fib; **jokkernij** *zie* jok

jol yawl, jolly-boat; *(klein)* dinghy

jolen make merry; **jolig** jolly, merry

joligheid jolliness

jolijt joy, mirth, merry-making, jollification

jolleman boatman, waterman

Jonas Jonah; *hij is een echte* ~ he was born for failure; *hij zit te kijken als* ~ *in de walvis* he looks like a drowned rat (like a dying duck in a thunderstorm)

jonashaai man-eating white shark

jonassen toss [a p.] in a blanket

Jonathan id.; *broeder* ~ brother J., Uncle Sam

jong I *bn.* young [*van ...* in years, in mind; *ook:* that dress is too y. for me]; *~e boom, ook:* sapling *(~e eik, iep, enz.* oak, elm, etc. sapling); *~e kaas (wijn)* new cheese (wine); *een ~e formatie* a recent formation; *de wereld behoort aan 't ~e geslacht* the world is to the y.; *in mijn ~e jaren* in my y. days; *hij is ~ van hart gebleven* his heart is still young; *hij wordt weer* ~ he is growing y. again; ~ *trouwen* marry y.; *wij zijn maar eens* ~ we are only y. once; ~ *en oud* y. and old; ~ *gewend (geleerd) oud gedaan,* zie gewend; *zie ook* ~er, ~st & datum, kleden, leeftijd, meer; II *zn.* y. one [three y. ones] *(van vos, beer, enz.)* cub; *~en ook:* young [a bird and its y.; produce several y. at a birth]; *~en werpen* litter; ~achtig youngish

jonge: ~dochter *(ongehuwde vrouw)* spinster; *chr.* ~dochtersvereniging Young Women's Christian Association, Y.W.C.A.; ~heer y. gentleman, *(met naam)* Master [William]; '~janner' *(fam.)* quick-change artiste; ~juffrouw y. lady; *(met naam)* Miss [Jane]; *oude* – old maid

jongeling young man, youth, lad; ~schap youth, (years, age of) adolescence; *(jongelingen)* young men; ~sjaren years of adolescence (of early manhood); **chr.** ~svereniging Young Men's Christian Association, Y.M.C.A.

jongelui young people (*ook als aanspr.*), youths, youngsters

jongen I *zn.* boy (*ook: bediende*), lad; *haar ~, zie* vrijer; *neen, mijn ~! ook:* (*fam.*) no, my son! no, sonny!; *ouwe ~!* old boy! old fellow! old man! old cock!; *ze is net een ~* she is a regular hoyden (*of:* tomboy); *~s van Jan de Witt* hearts of oak, true Dutch hearts; *een ~ van Jan de Witt* a heart of oak, a splendid fellow; *~s zijn ~s* boys will be (*ook:* are) boys; *~, ~!* dear, dear! my word!; *gladde ~,* (*fam.*) smart alec, wise guy; II *ww.* bring forth young (ones), litter, breed; (*in bijz. geval*) calve, lamb, pig, whelp, foal; (*van kat*) kitten; (*van hond*) pup; (*van geit*) kid

jongens-: *dikw.* boyish; **~achtig** boyish [smile ... ly], boy-like [girl]; **~boek** boys' book; **~gek** boy-mad girl, regular flirt; **~jaren** boyhood; **~kop** (*van meisje*) Eton crop; *een – hebben, ook:* be Eton-cropped; **~pak** boy's suit; **~school** boys' school; **~streek** boyish prank

jonger younger; *hij is 3 j. ~ dan zij* he is three years y. than she, y. than she by three years, three years her junior, her junior by three years; *een ~e zoon* (*van een adellijke familie*) a y. son, a cadet; *wij ~en* we of the new generation; *Jezus en Zijn ~en* Jesus and His disciples; *Scipio de ~e* Scipio the y.; **~enverbond** league of youth

jongetje little (small) boy, [a two-year-old] baby boy; *verwend ~, zie* moederskindje

jonggeborene new-born child, baby

jonggehuwden, -getrouwden newly-married couple, newly-weds

jonggezel bachelor, single man

jongleren juggle; **jongleur** juggler; (*hist.*) id.

jong: ~maatje apprentice; *ook =* **~mens** young man, youngster

jongs: *van ~ af* from childhood, from my (his, etc.) youth up; *alsof ze er van ~ af aan gewoon was* [she went through the ceremony] as to the manner born

jongst youngest; *~e bediende* (*firmant, vennoot*) junior clerk (partner); *de ~e berichten* the latest news; *de ~e dag* the day of the Lord, the day of judg(e)ment; [until] the crack of doom; *de ~e gebeurtenissen* recent events; *hij is niet meer de ~e* ... not as y. as he was; **~leden** last; *– maandag* last Monday, Monday last; *de 2e april –* on April 2nd last

jonk junk

jonker (young) nobleman; [German] junker; (*land-*) (country-)squire; *zie* kaal; **~vis** rainbow wrasse

jonkheer Jonkheer; **jonkheid** youth

jonkman *zie* jongmens

jonkvrouw *zie* freule; (*meer algem.*) maid, damsel; **~elijk** maidenly

1 jood *zie* jodium

2 jood Jew, Hebrew; *twee joden weten, wat een bril kost,* (*ongev.*) it is diamond cut diamond

joods Jewish, Judaic; *op zijn ~* in Jewish fashion

jool fun, [drunken] frolic, jollity, jollification; (*sl.*) binge; (*studenten-*) rag; *grote ~* high jinks;

~ maken make whoopee

joon fishing-buoy, dan

Joop Joe

joosjesthee gunpowder (tea), pearl tea

Joost Just(us); *dat mag ~ weten* goodness knows; (I'm) hanged (blowed) if I know

jopenbier (Danzig) spruce beer

Jopie Joe; **jopper** *zie* jekker

Jordaan: *de ~* Jordan, the (river) Jordan

Jordanië (the kingdom of) Jordan

Joris George, Georgie; *zie* goedbloed

Josephine id.; **Josephus** id.

Josua Joshua

jota iota; *geen ~* not an iota, not a jot

jou *zie* je; *die vriend van ~* that friend of yours; *~en = met je en ~ aanspreken, zie* tutoyeren

joule id.

jour at-home (day); *~ houden* receive, be at home; *zie* ajour

journaal (*mar.*) log-book; (*hand.*) journal; (*bioscoop*) news-reel; *in 't ~ boeken,* **journaliseren** journalize, enter in the journal

journalist id., newspaper man, pressman; **~iek** journalism; **~isch** journalistic (*bw.:* -ally)

jouw your

jouwen hoot, boo; *zie* uitjouwen

joviaal jovial, genial, sporting; breezy [laugh, remark]; *een joviale kerel, ook:* a jolly good fellow, a sport

jovialiteit joviality, geniality

Jozef Joseph (*ook fig.*); *als de ware ~ maar komt* if Mr. Right comes along; *zie* kuis

Jozua Joshua; **Jr.** *zie* junior

jubel shout(s) of joy, jubilation; **~en** jubilate, exult, rejoice, be jubilant, be exultant, shout for joy; *– over* exult (rejoice) at (in); **-d** *ook:* jubilant, exultant; **~feest** jubilee; **~jaar** jubilee year; (*joden*) (year of) Jubilee; (*r.-k.*) Holy Year, Jubilee; **~kreet, ~toon** shout of joy (of rejoicing), cheer; **~lied** song of rejoicing

jubilaris celebrator of a jubilee; **jubileren** *a*) *zie* jubelen; *b*) celebrate one's jubilee

jubileum jubilee; *25-jarig ~* silver j.; *zijn 25-jarig ~, ook:* the 25th anniversary of his accession to office; **~postzegel** j.-stamp; **~uitgave** j.-edition

juchtleer, -eren Russia leather, russia

Juda Judah; **Judaïsme** Judaism

Judas id. (*ook fig.*)

judas judas(-hole); **~boom** J.-tree; **~kus** J. kiss; **~oor** (*mar.*) knight-head; **~penning** (*plant*) honesty, satin-flower; **~sen** nag, tease; **~streek** act of betrayal; **~venster** judas(-hole)

Judea id.

judo id.

juf miss; *de ~,* (*kinderjuffr.*) nurse, Nannie (*ook als aanspreekvorm*); *ja ~,* (*op school*) yes, teacher; yes, Miss

juffer 1 young lady, miss; 2 [scaffolding-, fir-] pole, pile; 3 (*mar.*) *a*) beam, pole; *b*) = **~blok**; 4 (*straatstamper*) rammer; **~achtig** missish, prim, finical, squeamish; **~blok** (*fam.*) deadeye; **~en:** (*fam.*) *dat ~t wel* that will be all right; **~shondje** toy dog, lap-dog; *beven als een*

– tremble like a jelly
juffertje (my fine) missie; *een vlinderachtig* ~ a bit of fluff; **~-in-'t-groen** love-in-a-mist, love-in-a-puzzle, fennel-flower
juffie (my fine) missie
juffrouw lady; *met naam, (ongetrouwd)* Miss [Brown], *(getrouwd)* Mrs. [Brown]; *bij aanspreking zonder naam* Madam; *(P & tegen buffetjuffr., enz.)* Miss; *zie ook* juf, jonge~ & winkel~; ~ *van gezelschap* lady-companion; **~-huishoudster** lady-housekeeper
juichen *zie* jubelen
juichkreet, -toon *zie* jubel ...
juist I *bn.* right [your conjecture is ...]; the ... time, quantity, etc.], correct [definition], proper [dosage, food], precise [the ... reasons], exact [value, an ... balance], accurate [thermometer]; *de ~e datum, (precies aangegeven)* the exact date, *(de rechte)* the r. (correct) date; *'t ~e woord* the r. (exact, proper) word; *'t heeft de ~e lengte* it is the r. (correct) length; *te ~er tijd* at the proper time; just in time, in the nick of time; ~ *!* quite (so)! exactly! precisely! that's it! quite r.!; *zeer ~!* (*in vergadering*) hear! hear!; **II** *bw.*[1] just [I have j. arrived], just now; especially [in this case]; exactly, correctly [translate, describe, etc. correctly], rightly, [guess, judge] right; *zo* ~ just now; *teleurgesteld? ik ben* ~ *blij* disappointed? I am only too glad; ... *of* ~ *niet?* or just the reverse?; ~ *de man, die ik hebben moet* the one (the very) man I want; *dat is* ~ *wat ik zoek* that's the very thing I'm looking for; ~ *wat ik zei* just (exactly) what I said; *ik heb 't* ~ *gisteren verkocht* I sold it only yesterday; *weggaan? wel nee, ik blijf* ~ on the contrary, ...; *dat is 't* ~ that's just it, that's just the point; ~ *zijn deugden* his very virtues [are responsible for his failure]; ~ *daarom* for that very reason; *waarom* ~ *hij?* why he rather than another?; *waarom nu* ~ *vandaag* (~ *in deze kamer*)? why to-day of all days (in this room of all places)?; *of ~er gezegd* ... or more correctly ...
juistheid correctness, rightness, exactness, exactitude, precision; *vgl.* juist; *de* ~ *van de opmerking* the justness (justice) of the remark
jujube id.
juk yoke, cross-beam; *(van balans)* beam; *een* ~ *ossen* a y. of oxen; *het* ~ *afwerpen* throw (shake) off the y.; *in 't* ~ *spannen* put to the y., yoke; *onder het* ~ *brengen* bring under the y., subjugate; *onder 't* ~ *doorgaan* pass under the y.; *zie* krommen; **~been** cheek-bone, *(wet.)* zygoma; **~boog** zygomatic arch; **~gordel** y.-band, -strap; **~os** yoked ox; **~riem** *zie* ~gordel; **~spier** zygomatic muscle
Jules Julian, Julius
juli July; *de maand* ~ the month of J.
Julia id., Juliet
Juliaan Julian; **~s** Julian; **~e tijdrekening** Julian calendar, Old Style; **Juliana** id.; **julienne** id.; **Julische Alpen** Julian Alps; **Julius** id.
jullie you, you fellows (people, chaps)

jumelage twinning [of towns, etc.]; **-eren** twin
juni June; *de maand* ~ the month of J.
junior id.; *(van broers op school)* [Smith] minor
Juno id.; **junta** id.
Jupijn = **Jupiter** id., Jove; *van* ~ Jovian
Jupiterlamp klieg light
Jura: *de* ~ the Jura (Mountains)
juridisch juridical; **~e afdeling** legal department; **~e commissie** judicial (jurists') committee; *de* **~e** *studie* the study of law; **jurisdictie** jurisdiction; **jurisprudentie** jurisprudence; *(ongev.)* case law
jurist id. *(ook =* law-student), lawyer; **~erij** legal quibbling(s) (sophistry)
jurk dress, frock, gown; **~je** frock
jury id.; *(bij wedstrijd ook)* judging-committee, judges, adjudicators; *lid van de* ~ *zijn* be on the j.; **~lid** member of the j., juror, juryman, jurywoman; *(bij wedstr.)* judge, member of the j.; *lijst van* **~leden** panel
1 jus law; ~ *docendi* right to teach; ~ *promovendi* right of conferring or taking a doctor's degree
2 jus gravy; **~kom, ~lepel** g.-boat, -spoon
justeer: ~balans adjusting-balance; **~schaal** *zie* ~balans; **justeren** adjust
justificatie justification
Justiniaans Justinian; **Justinianus** Justinian
Justinus Justin
Justitia Justice
justitiabelen justiciables
justitie *(rechterl. macht)* judicature; *(rechtsbedeling)* administration of justice, judicature; *hof van* ~ court of justice; *de* ~, *dikw.:* the law [escape from ...; ... believed he was in London]; *de zaak aan de* ~ *in handen geven* go to law, take the matter before the court; *aan de* ~ *overleveren* hand [a p.] over to the law (to the police, to justice); *met de* ~ *in aanraking komen* come into contact *(of:* conflict) with (find o.s. up against) the law, run *(of:* fall) foul of the police; *uit de handen der* ~ *blijven* keep clear of the law; *zie* officier
justitieel judicial [*inquiry* onderzoek]
Jut 1 Jocelin; **2** *zie* Jutlander; *kop van* ~ try-your-strength machine
jut 1 *zie* juttepeer; **2** *dove* ~, *(mar.)* davit
jute jute; **~weverij** j.-mill; **~zak** gunny (jute, burlap) sack *(of:* bag)
Jutland id.; **~er** Jutlander, Jute; **~s** Jutish, Jutland(ish)
jut(te)mis *zie* sint-~; **jutten** loot
juttepeer kind of small, juicy pear
Juul Jill; **Juvenalis** Juvenal
juweel jewel, gem; *(sl.)* sparkler; *(fig. ook)* [our cook is a] treasure; *een* ~ *van een* ... a j. of a woman (of a servant); *een* ~ *van een kerel* a sport, a brick; *met -en behangen* (be)jewelled [lady]
juwelen *bn.* jewelled, set with jewels
juwelenkistje jewel-case, -box
juwelier jeweller; **~swerk** jewel(le)ry; **~swinkel** jeweller's (shop)

---

[1] *Zie ook* net *bw.*

K

K K
Ka Kate, Kit
ka *zie* kaai
Kaäba Caaba, Kaaba
kaag ketch, flat-bottomed boat
kaai (*open*) quay, (*afgesloten*) wharf; (*dijk*) embankment, dyke; ~*en, ook:* quayage; ~**draaien** enz., *zie* kadraaien, enz.
kaaien (*gappen*) pinch; (*gooien*) chuck; *de ra's* ~ trip the yards
kaai: ~**geld** wharfage, quayage, quay-dues; ~**loper** *zie* ~**werker** & baliekluiver
kaaiman cayman, caiman, alligator
kaai: ~**meester** wharfinger; ~**muur** quay-wall, riverside wall; ~**werker** wharf-, quay-labourer, -porter, lumper
kaak jaw (*ook van bankschroef, enz.; ook:* snatch a p. from the jaws of death); (*van vis*) gill; (*schandpaal*) pillory; (*scheepsbeschuit*) hard tack; *aan de* ~ *stellen* (put into the) pillory, show up, expose (to ridicule), denounce [dishonest practices], gibbet [a p., an imposture]; *met magere kaken* lantern-jawed; *zie* beschaamd; ~**been** j.-bone
kaakje biscuit
kaak: ~**kramp** lock-jaw; ~**mes** gutting-knife; ~**slag** punch on the jaw; slap in the face (*ook fig.*); ~**ster** gutting-woman, gutter
kaal (*hoofd*) bald; (*boom, muur, kamer, banken, planken, veld*) bare; (*heuvels enz., ook:*) stark; (*muur, ook:*) unadorned; (*vloer, ook:*) uncarpeted; (*vogel*) callow, unfledged; (*kleren, karpet, enz.*) threadbare, shabby; (*onvruchtbaar*) barren [rock]; (*fig.*) shabby [people, present]; ~ *chic* shabby-genteel [people]; *hij heeft een* ~ *hoofd, ook:* he is b.-headed; ~ *middagmaal* scanty dinner; *kale uitvlucht* poor (paltry) excuse; *zo* ~ *als een knikker* (*biljartbal*) as b. as a coot; *zo* ~ *als een rat* as poor as a church-mouse; *er* ~ *afkomen* come away empty-handed; *zie* bekaaid; *ik heb mij* ~ *laten knippen* I've had my hair cut short; *iem. geheel* ~ *plukken* pluck (fleece) a p., drain a p. dry; ~ *vreten* eat bare, crop short [short-cropped fields]; (*van rupsen*) strip [trees]; ~**achtig** *a*) baldish; *b*) a bit shabby; ~**geknipt** close-cropped; ~**geschoren** (*van schapen, enz.*) shorn; ~**heid** baldness; callowness; threadbareness, shabbiness; barrenness; *vgl.* ~; ~**hoofdig(heid)** baldness, b.-headed(ness); ~**kop** baldhead, baldpate; ~**slaan** clear fell; ~**slag** clear felling, clearing, clear-felled area; (*fig. ook*) demolition (site)
kaam(sel) mould [forming on beer, etc.]

Niet opgenomen woorden zoeke men onder C

kaan 1 (*vaartuig*) barge, lighter; 2 (*van vet; Eng. mv.*) greaves, cracklings
kaap 1 cape [C~ Horn], promontory, headland; *de K~* the C.; ~ *de Goede Hoop* the C. of Good Hope; ~ *Hoorn, ook:* The Horn; ~ *Lizard* Lizard Head (*of:* Point); 2 *ter* ~ *varen* go (out) privateering; **Kaapkolonie:** *de* ~ Cape Colony
Kaaps Cape [wool, etc.]; ~*e Hollander* Cape Dutchman; ~*e duif* C. pigeon; ~*e jasmijn* C. jasmine; ~ *viooltje* african violet
Kaapstad Cape Town
kaapstander capstan
kaapvaarder (*man & schip*) privateer; *K~* trader to the Cape; **kaapvaart** privateering; *zie* kaap 2; *K~* trade to the Cape (of Good Hope)
Kaapverdische Eilanden Cape Verde Islands
Kaapwolken Magellanic clouds
kaar (fish-)well, corf, tank, live box; (*in molen*) hopper
kaarde (*plant*) teasel; (*werkt.*) card, wool-comb; ~**bol** teasel(-head); ~**distel** (fuller's) teasel
kaarden card (tease) [wool]; ~**maker** card-maker
kaard: ~(**st)er** carder, card, room operative; ~**machine** carding-machine; ~**sel** cardings; ~**wol** carding-wool
kaars candle (*ook lichteenh.*), (*was-*) wax-c., (*dun*) taper; (*vet-*) tallow-c., dip; (*van paardebloem*) blow-, puff-ball, dandelion head (*of:* puff), (*fam.*) (white) clock, (*wet.*) pappus; *zie* ~**je**; (*van kastanje*) (chestnut-)c.; *eindje* ~ c.-end; *zo recht als een* ~, *zie* ~**recht**; *bij de* ~ by c.-light; *in de* ~**vliegen** burn one's wings, come to grief; *de* ~ *brandt in de pijp* the c. is burning (down) in(to) the socket; (*fig.*) the sands (of life) are running low (*of:* out); *met het uitbranden der* ~ *verkopen* sell by the c. (by inch of c., by c. auction); ~**drager** c.-bearer; ~**edief** thief (in a c.), (*dial.*) c.-waster
kaarsen- candle; ~**domper** (taper) extinguisher; ~**katoen** cotton for wicks
kaarse- candle; ~**pit** c.-wick; ~**snuiter** (pair of) snuffers
kaars: ~**houder** (*aan piano*) candle-bracket; ~**je** *zie* ~; – *blazen* blow dandelion clocks; (*bij*) ~**licht** (by) c.-light; ~**recht** dead straight [road], [he stood] erect, bolt upright; ~**sterkte** c.-power; ~**vet** c.-grease, tallow; ~**vlam** c.-flame
kaart (*speel-, visite-*) card; (*land-, plattegrond*) map; (*weer-, zee-*) chart; (*toegangs-, spoor-*) ticket; (~*en van één speler*) hand [he picked up his ...]; *in* ~ *brengen* map (out); (*van klippen, enz.*) chart; *niet in* ~ *gebracht* unmapped [country], uncharted [rocks]; *die stad staat*

niet op de ~ is not in (on) the map; *toegang* (*was*) *alleen op vertoon van* ~*en* admission (was) by ticket only; *van de* ~ off the map; (*fig.*) *a*) finished; *b*) all at sea; *biefstuk is van de* ~... is off; *een goede* (*sterke, slechte*) ~ *hebben* have a good (strong, poor) hand; *de* ~ *van 't land kennen* (*fig.*) know how the land lies; *iem. in de* ~ *kijken* look at a p.'s cards; (*fig.*) see through a p.'s plans, spy out a p.'s secrets; *zich in de* ~ *laten kijken* show one's hand, give o.s. away; *de* ~ *leggen* tell (lay, read) the cards; *iem. de* ~ *leggen* tell the cards for a p., tell a p.'s fortune by the cards; ~ *spelen* play (at) cards; *open* ~ *spelen* put (lay) (all) one's cards upon the table, put down one's cards; *in iems.* ~ *spelen* play into a p.'s hands, play a p.'s game (*of:* hand); *alles op één* ~ *zetten* stake everything on one throw, put all one's eggs in one basket; *zie* doorsteken; **~catalogus**, c.-catalogue; **~club** c.-club

kaarten play at cards; **~bak(je)** card-tray, card-index (box), [2 or 4 drawer] card cabinet; **~doos** c.-box; **~etui** c.-case; **~huis** house of cards; *de Coalitie viel als een – ineen* collapsed like a house of cards; **~hut**, **~kamer** (*mar.*) chart-room, -house; **~kast** map cabinet; **~maker** *a*) c.-maker; *b*) map-maker, cartographer

kaartje (*visite-, enz.*) card; (*spoor-, enz.*) ticket; **~s, alstublieft!** tickets, please!, (*in autobus, enz.*) fares, please!; *zijn* ~ *afgeven* leave one's c. [*bij iem.* on a p.]; *een* ~ *nemen naar L.* book for L., take (buy) a ticket to L.; *waar moet ik mijn* ~ *nemen?* where do I book?; *hij zond mij zijn* ~ he sent me his c.; *een* ~ *leggen* have a game of cards; **~sknipper** (*instrument*) ticket-punch, (*persoon*) ticket collector

kaart: **~kast** filing (*of:* card-index) cabinet; **~leggen** card-reading, fortune-telling; *zie* kaart; **~legster** c.-reader, fortune-teller; **~lezen** map-reading; **~passen** (*mar.*) chart work, chart reading; **~register** card index; **~spel** card-playing; (*spelletje*) game at (of) cards; (*spel* **~en**) pack of cards; **~speler** card-player; *hij is een goede* ~ he is a good hand at cards; **~systeem** card-index (system); **~tekens** conventional signs (on maps); **~verkoop** sale of tickets, booking

kaas cheese; *hij heeft er geen* ~ *van gegeten* it is beyond him; *van eten koken had ik geen* ~ *gegeten* I was not much of a cook; *hij laat zich de* ~ *niet van het brood eten* he can stand up (stick up) for himself, he knows how to keep his end up; **~achtig** cheesy, c.-like; **~bereiding** c.-making; **~boer** c.-maker, c.-making farmer; *zie ook* ~koper; **~bolletje** cannon-ball c.; (*hoed*) bowler (hat); **~boor** c.-scoop, -taster; **~doek** c.-cloth; **~drager** c.-carrier; **~handelaar** *zie* ~koper; **~jeskruid** mallow; **~koekje** c.-biscuit; **~kop** (*als scheldwoord*) Dutch cheese; **~koper** cheese-monger; **~korst** rind of c., c.-

rind; **~je** c. paring; **~leb** (c.)-rennet; **~lucht** cheesy smell, smell of c.; **~made** c.-maggot, c.-hopper; **~markt** c.-market; **~mes** c.-cutter; **~mesje** c.-knife; **~mijt** c.-mite; **~pers** c.-press; **~plank** c.board; **~schaaf** c.-plane, c.-slicer; **~schaal** c.-dish; **~soort** (kind of) cheese; **~stengels** c.-straws, (*dikker*) c.-fingers; **~stof** casein(e); **~stolp** c.-cover; (*met de schaal*) c.-dish and cover, c.-stand; **~stremsel** rennet; **~vat** *zie* ~vorm; **~vorm** chessel, c.-mould, c.-vat; **~wei** whey; **~wrongel** curd

Kaatje Kitty, Kate, Kit

kaats: **~baan** (*hist.*) tennis court; *ongev.:* fives-court; **~bal** hand-ball; *ongev.:* fives-ball; (*van kind*) ball, bouncer; **~en** play at ball (*ongev.:* at fives); *wie kaatst moet de bal verwachten* those who play at bowls must look (out) for rubs (*soms:* rubbers); *zie* stuiten; **~er** hand-ball player; *ongev.:* fives-player; **~spel** kind of hand-ball, palm-play

kabaai cabaya, kabaya

kabaal 1 hubbub, racket, row, hullabaloo, rumpus; ~ *maken* (*schoppen*) kick up a row (a shindy); *er was een hels* ~ pandemonium was loose; 2 cabal

kabaja cabaya, kabaya

kabaleren cabal, intrigue

kabas (hand-)basket; **~sen** prig, pilfer, pinch

kabbala cabbala; **-isme** cabbalism; **-ist** cabbalist; **-istisch** cabbalistic

kabbelen ripple, babble, lap, murmur, purl

kabbeling rippling, etc.; ripple, babble, murmur, purl

kabel cable; (*mar. ook*) hawser

kabelaring (*mar.*) messenger

kabel: **~baan** *zie* ~spoorweg; **~ballon** captive (kite, observation) balloon; (*als versperring*) barrage b.; **~bericht** c.-message, cable(gram); **~en** cable; **~fabriek** c.-works; **~garen** (*mar.*) rope-yarn; **~gat** (*mar.*) c.-tier, boatswain's locker

kabeljauw cod(-fish); **~vangst** c.-fishing; **~visser(ij)** c.-fisher(y, c.-fishing)

kabel: **~ketting** chain-cable; **~lengte** cable('s) length; (*lengtemaat*) c. length (*Ned.* 225 m, *Eng.* 185 m); **~net** electric mains; **~schip** c.-(laying) ship; **~slag** – *touw*(*werk*) c.-laid rope(s); **~spoorweg** c.-(rail)way, funicular railway, rope-railway; (*meest voor goederen*) telpher(-rail)way; **~televisie** c.-television; **~touw** cable; **~tram** c.-tram(way), c.-car; (*Am.*) grip-car

kabinet (*meubel, vertrek, ministerie*) cabinet; (*kamertje*) (*vero.*) closet; (*kunst-*) (picture-) gallery, museum; (*W.C.*) lavatory; *zie ook* ministerie; **~formaat** c. size; **~je** closet, cabinet; **~portret** c. portrait, c. photograph

kabinets: **~crisis** c. crisis; **~formateur** *ongev.:* premier-designate; *... is tot – benoemd* has been asked to form a government; **~formatie** formation of a government; **~geheim** c. secret; **~kwestie** c. question; *de – stellen* ask for a

vote of confidence; ~order order in council; ~raad c. council, c. meeting
kabinetstuk cabinet picture; **kabinetsvergadering** cabinet meeting, meeting of the c.
kabinetwerker cabinet-maker, joiner
Kaboel Kabul
kabouter(mannetje) (hob)goblin, elf, imp, gnome, pixie; (*goedaardige, padvinderij*) brownie
kabuiskool headed cabbage
Kabylen Kabyles
kachel I *zn.* stove; [electric] heater, fire; *zie* aanhebben; *wat in de* ~ *doen* put in (on) some more coal (*of:* wood), fill up the stove; II *bn.* (*sl.*) tight, soaked; ~borstel s.-brush; ~glans s.-polish; ~hout *a*) s.-, firewood; *b*) *zie* aanmaakhout; ~kolen s.-coal, house(hold) coal; ~nootjes s.-nuts; ~pijp s.-pipe; (*hoed*) s.-pipe (hat), topper; ~poets s.-polish; ~rooster (s.-) grate; ~smid s.-maker; ~tje [electric] fire, room heater
kadaster land registry (register), register of real property; (*kantoor*) land registry office; **kadastraal** cadastral; *-ale kaart* c. map; *-ale opmeting* c. survey; **kadastreren** (*opmeten*) survey; (*inschrijven*) register
kadaver dead body, carrion; (*voor dissectie*) subject; ~ *zijn* be dead drunk; ~discipline blind (unthinking) obedience to orders
kade *zie* kaai & *sam.; ~huur zie* kaaigeld; ~lengte quayage
kader (*mil.*) cadre; (*fig.*) framework [it comes within the ... of the treaty], plan, scheme, scope; *alle in het ~ van dit krediet getrokken wissels* all drafts drawn in accordance with the terms of this credit; *van ~ voorzien* officer [an army]; *een tekort aan ~,* (*in handel en industrie*) a shortage of trained executives (of senior staff); *in 't ~ passen* fit in with the whole (the rest, etc.); ~leger skeleton army; ~oefeningen skeleton drill; ~opleiding (*handel*) management training
kaderuimte quay (*of:* wharfage) space (*of:* accommodation); *vgl.* kaai
kadet *zie* cadet; ~je (bread) roll
kadi cadi, kadi
kadraai bum-boat; (*persoon*) bum-boat man (woman); ~en bum; ~er *zie* ~
kaduuk crazy, rickety; broken; (*van pers*). knocked up
kaf (*van graan*) chaff; (*van andere zaden en vruchten*) husks; ~ *dorsen* flog a dead horse; *het ~ van het koren scheiden* separate c. from wheat (the corn from the c.), sift grain from c.; *verstuiven als ~ voor de wind* be scattered like c. before the wind
Kaffer Kaffir; (*fig.*) boor; k~koren Kaffir-corn; k~pokken alastrim, Kaffir-pox
kafir kaf(f)ir, giaour; **kafje** (*plantk.*) glume
kaft (paper) cover, wrapper, (book-)jacket
kaftan caftan
kaften cover [a book]
kaftpapier wrapping-paper, brown-paper
kaïk caique

Kaïn Cain; ~iaan, ~iet Cainite; ~smerk, ~steken mark (*of:* brand) of C.
kajak kayak
kajuit (ship's) cabin; (*van vliegt.*) cabin; (*officiers-, op oorlogsschip*) ward-room; (*voor luitenants*) gun-room; *eerste* ~ saloon; ~sjongen c.-boy; ~spassagier c.-passenger; ~strap companion-ladder, -stairs, -way; ~venster bull's eye
kak (*volkst.*) shit; (*fig.*) *zie* drukte & lak
kakatoe cockatoo; **kakebeen** jaw-bone
kakelaar chatterer, babbler, cackler; ~ster *ook:* chatter-box, gossip
kakelbont gaudy, flashy, flamboyant, (*sl.*) jazzy
kakelen cackle; (*fig. ook*) chatter, gabble, rattle; *zij bleef maar* ~ her tongue kept chattering
kakelvers farm-fresh [eggs]
kakement jaws, chaps, masticators
kaken gut (and cure) [herrings]; -er gutter
kaketoe cockatoo
kaki khaki; ~ *aantrekken* go into k.; ~kleurig k.(-coloured)
kakkerlak cockroach, black-beetle
kakofonie cacophony; **kakografie** cacography
kalamink(en) calamanco
kalander calender; (*insekt*) corn-weevil; ~aar calenderer; ~en calender; ~ij c.-house, -mill
kalebas 1 gourd, calabash; 2 hand-basket; ~achtig g.-like; ~boom g.-, calabash-tree
kalefaten *zie* kalfaten
kaleidoscoop kaleidoscope
kalender calendar; ~jaar c. year; ~maand c. month
kales calash
kalf calf (*ook van hert, enz.*); (*bovendrempel*) lintel; (*dwarshout*) cross-beam; ~ *van een jongen* calf, booby, ninny; *'t is een goed* ~ he is as meek as a lamb; *het gemeste* ~ *slachten* kill the fatted c.; *met eens anders* ~ *ploegen* plough with another man's heifer; *als het* ~ *verdronken is, dempt men de put, ongev.:* lock the stable door after the horse is stolen; *zie* gouden & sint-juttemis
kalfaat: ~hamer caulking-mallet; ~ijzer caulking-iron; ~werk caulking; **kalfateraar** caulker
kalfat(er)en caulk; (*fig.*) patch up
kalfkoe cow in calf
kalfs- *dikw.* veal; ~borst breast of v.; ~bouillon v.-tea; ~bout leg of v.; ~gebraad roast v.; ~gehakt minced v.; ~gelei v.-jelly; ~karbonade v.-cutlet; ~kop calf's head; (*fig.*) blockhead; ~kotelet v.-cutlet; ~lapje v.-steak; ~le(d)er calf(skin) calf-leather; *in -en band* bound in calf, calf-bound; ~nat v.-broth; ~oester v.-collop; ~oog calf's eye; ~ogen, (*fig.*) goggle-, saucer-eyes; ~perkament vellum; ~rollade round of v., rolled v.; ~schenkel, ~schinkel knuckle of v.; ~schijf fillet of v.; ~soep v.-soup; ~tand calf's tooth; (*bk.*) dentil; ~vel calf's skin, calfskin; *'t* ~ *volgen* follow the drum; ~svlees veal; ~zwezerik sweetbread
kali 1 (*Ind.*) river; 2 potassium
kaliber calibre [*ook fig.:* a musician (a rogue)

of his c.], bore; *geweer van klein* ~ small-bore rifle; *zij zijn van 't zelfde* ~ they are of the same c., they are of a kidney; *een man van een heel ander* ~ a man of very different mould (stature)

kalibreren calibrate; **-ing** calibration
kalief caliph, calif; **kalifaat** caliphate
kalium potassium
kalk lime; (*geblust*) slaked 1.; (*ongeblust*) quick 1.; (*metsel-*) mortar; (*pleister-*) plaster; (*koolzure*) chalk; (*als component van de voeding*) calcium; *met* ~ *bemesten* lime; **~aarde** calcareous earth; **~achtig** limy, calcareous; **~bak** hod; **~brander** 1.-burner; **~branderij** *a*) 1.-burning; *b*) *zie* **~oven**; **~ei** egg preserved in 1.(-water); **~en** (*bepleisteren*) plaster, roughcast [a wall]; (*witten*) 1.-wash, whitewash; (*bemesten*) lime; (*eieren*) preserve in 1.(-water); (*huiden*) lime; (*schrijven*) chalk, pencil; **~gebergte** limestone mountains; **~groeve** limestone quarry; **~grond** limy (calcareous) soil; **~houdend** calcareous, calciferous; **~laag** (*geol.*) limestone layer; **~licht** 1.-light; **~meel** 1.-powder; **~melk** 1.-milk, milk of 1.; **~mergel** 1.-marl
kalkoen turkey; (*fam.*) gobbler; (*spijker*) stud, frost-nail; **~evlees** turkey; **~se haan** (*hen*), t.-cock (-hen); **~tje** (*fles*) quarter-bottle (0.2 litres)
kalk: ~oven lime-kiln; **~put** 1.-pit; **~rots** limestone rock; **~sinter** calcareous sinter; **~spaat** calcite, calcareous spar; **~steen** limestone; **~tuf** calcareous tufa; **~water** 1.-water; **~zandsteen** sand-lime brick(s)
kalligraaf calligrapher; **kalligrafie** calligraphy; **kalligrafisch** calligraphic
kalm calm, quiet, cool, collected, composed, sedate, self-possessed, serene [sky, temper]; (*van markt*) quiet, easy; *een* ~ *e overtocht, ook:* a smooth passage; ~ *blijven, zich* ~ *houden* keep c. (cool); (*niet driftig worden, ook:*) keep one's temper; *hou je* ~*!* (*praat niet tegen*) be quiet!; *'t* ~ *aanleggen* go easy, go steady; ~ *worden, zie* **~eren** *intr.*; *zie ook* **~pjes** & **opnemen**
kalmeren I *tr.* calm, soothe [soothing to the nerves, a soothing influence], quiet, appease, allay [fears], pacify, tranquillize, steady [the nerves]; II *intr.* calm down, regain one's composure, compose (calm, collect) o.s., recover one's calm; **~d middel** sedative, calmative, tranquillizer; **~d drankje** quieting draught; **~d**, *ook:* steadying [effect]
kalmink calamanco
kalmoes sweet flag (*of:* sedge)
kalmpjes quietly, calmly; ~ *aan!* steady! steady on! (go) easy! easy does it!; *zie* **kalm**
kalmte calm(ness), composure, self-possession; *zijn* ~ *bewaren, zie* **kalm** *blijven*; *zijn* ~ *herkrijgen, zie* **kalmeren** *intr.*; **~gordel** (*weerk.*) doldrums
kalomel calomel; **kalong** kalong, flying-fox
kalot(je) skull-cap, smoking-cap; (*van geestelijken*) calotte

kalven calve; (*van grond*) cave in; (*van gletsjer, enz.*) calve
kalver: ~achtig calf-like; **~en** *zie* kalven; **~liefde** calf-love
kalvijn(appel) calville
kam comb; (*van haan*) comb, crest; (*van vogel, hagedis, helm, enz.*) crest; (*van heuvel, enz.*) crest, ridge; (*van rad*) cam, cog; (*van viool*) bridge; *zie* fijn; *de* ~ *opsteken* erect (elevate) one's crest; (*fig. ook*) bristle up; *alles over één* ~ *scheren* lump things together, ignore all distinctions; *allen over één* ~ *scheren* treat all alike, judge everybody alike, lump all together; *iem. in de* ~ *pikken* peck at a p.; **~borstel** c.-brush; **~dragend** crested
kameel camel (*ook 't toestel*); **~drijver** c.-driver; **~haar, -haren** camel('s) hair; **~korps** Camel Corps
kameleon chameleon; **~tisch** chameleonic
kamelot(ten) camlet
kamen grow (turn, go) mouldy
kamenier lady's maid; (*vero.*) waiting-woman; *haar* ~ her maid; **~en** be a (play the) lady's maid; **~ster** = ~
kamer room, chamber; (*van vuurwapen, torpedo, sluis, enz.*) chamber; (*van hart*) ventricle; (*college*) chamber; *attr. ook:* indoor [game], armchair [strategist]; *de Eerste* ~ the First Chamber (*Eng.:* the Lords, the Upper House, the Second Chamber; *Am.:* the Senate); *de Tweede* ~ the Second Chamber (*Eng.:* the Commons, the Lower House, *Am.:* the House of Representatives); *was hij* (*aanwezig*) *in de K~?* was he in the House?; *huis met zes* ~*s* six-roomed house; ~ *van Koophandel* Chamber of Commerce; ~ *voor vakantie* vacation court; *gemeubileerde* ~*s te huur* furnished apartments to let; ~*s te huur hebben,* (*ook fig.*) have apartments to let; ~*s verhuren, ook:* take in lodgers; *de* ~ *bijeenroepen* (*ontbinden, openen, sluiten*) convoke (dissolve, open, prorogue) the (First, Second) Chamber; *de* ~*s ontbinden, ook:* go (*of:* appeal) to the country; *zijn* ~ *houden* keep (be confined to) one's r.; *op* ~*s wonen* live in lodgings (in rooms; *fam.:* in digs), (*fam.*) dig [with a p.]; *op* ~*s gaan wonen* go into lodgings (into rooms); *ook:* take up one's quarters [in a quiet street]; *op mijn* ~ in my r.; *zie* beste-, bed, doen, donker, mooi, nemen, enz.
kameraad comrade, mate, fellow, companion; (*fam.*) chum, pal; **~schap** companionship, (good-)fellowship, (good-)comradeship, camaraderie; **~schappelijk** companionable, comradely; (*fam.*) chummy, matey, pally
kamer: ~arrest confinement to one's r.; (*me. acces*) open arrest; (*zonder acces*) close arrest *hij heeft* –, (*fig.*) he is confined to his r.; **~be hangsel** (wall-)paper, (paper) hangings; **~be waarder** usher; **~bewoner, ~bewoonster** lodger **~breed** wall-to-wall [carpeting]; **~buks** sa loon-rifle; **~concert** chamber-concert; **~da**

(weekly) cleaning-day; ~**debatten** Parliamentary debates; ~**deur** r.-door; ~**dienaar** valet, man; (*scherts.*) gentleman's gentleman; (*van vorst*) groom of the chamber, chamberlain; ~**doek(s)** cambric; ~**fractie** Parliamentary party, [Liberal, Labour] party in the House; ~**geleerde** scholarly recluse; ~**genoot** r.-companion, -fellow, -mate; ~**gymnastiek** indoor gymnastics; ~**heer** chamberlain (*ook van de paus*); – *van dienst* lord (*of:* gentleman) in waiting; ~**huur** r.-rent

Kamerijk Cambray; ~s Cambric

kamer: ~**jas** dressing-gown; ~**juffer** *zie* kamenier; ~**lid** member of the (Second) Chamber; (*in Eng.*) Member of Parliament, M.P.; (*in V.S.*) Representative, Senator; – *worden* go into (enter) Parliament (the Second Chamber); – *voor de V.V.D.* parliamentary representative of the V.V.D., V.V.D. member; ~**meisje** parlour-maid;(*in hotel*)chambermaid; ~**muziek** chamber-music

Kameroen (*Br.*) Cameroons; (*Fr.*) Cameroon

kamer: ~**ontbinding** dissolution of the First (Second) Chamber (*in Eng.:* of Parliament); ~**orgel** chamber (*of:* parlour) organ; ~**orkest** chamber orchestra; ~**overzicht** parliamentary report; ~**overzichtschrijver** parliamentary correspondent; ~**plant** indoor plant; ~**pot** chamber(-pot); ~**president** President of the First (Second) Chamber; (*in Eng.*) Speaker of the House of Commons; ~**scherm,** ~**schut** draught-screen; ~**stoel** night-, close-stool; ~**strateeg** armchair strategist; ~**temperatuur** r.-temperature; ~**tje** little room; (*gezellig*) cubby-hole; (*in slaapzaal, enz.*) cubicle; ~**toon** chamber-pitch; ~**verhuurder,** -**ster** lodging-house keeper; ~**verslag** report of the parliamentary debates, (*Eng. Parl.*) Hansard; ~**verslaggever** parliamentary correspondent; ~**vogel** cage-bird; ~**wacht** (*mil.*) orderly man; ~**warmte** r.-heat; *benauwde* – frowst; ~**zitting** session (sitting) of Parliament (of the 1st or 2nd Chamber)

kamfer camphor; ~**achtig** camphoric; ~**balletje** c.-ball; ~**boom** c.-tree; ~**en** camphorate; ~**olie** c.-oil; ~**spiritus** camphorated spirits, s. of c.

kam: ~**garen** worsted; *een* – *kostuum* a worsted suit; ~**gras** dog's-tail grass; ~**hagedis** iguana

kamig mouldy

kamille camomile; (*stinkende*) stinking c., may-weed; ~**thee** c.-tea

kamizool camisole

kam: ~**meling** noil(s); ~**men** comb; *vgl.* kaarden; ~**mossel** pecten, scallop; ~**neus** horseshoe bat

kamp 1 camp (*ook fig.:* the Liberal ...), encampment; *'t Chinese* ~, (*Ind.*) the Chinese quarter, (*Am.*) Chinatown; *in 't* ~, *ook:* under canvas; *de strijd in 't vijandelijk* ~ *overbrengen* carry the war into the enemy's country (*of:* territory); *'t* ~ *opslaan* pitch (the) c. (the tents); *'t* ~ *betrekken* go to c.; *'t* ~ *opbreken* break (strike) c.; 2 (*afgepaald stuk grond*) enclosed field, lot, parcel; *bij* ~*en veilen* sell in lots; 3 (*strijd*) fight, combat, struggle; 4 *bn.* & *bw.: de wedstrijd was* ~ the match was drawn, ended (resulted) in a tie (a draw); ~ *óp spelen* draw level, tie; ~ *geven* give in, throw up the sponge; *hij gaf geen* ~ he fought (was game) to the last

kampanje (*mar.*) poop; *zie ook* campagne

kamp: ~**bewoner** inmate of a camp; ~**eerauto** camper, motor home, mobile home; ~**eerbusje** motor caravan; ~**eerder** camper(-out); ~**eerterrein** camping-site (-ground), caravan park; ~**eerwagen** (touring) caravan; (*Am.*) house-trailer; ~**ement** encampment, camp; (*Ind.*) cantonment

kampen fight, struggle, combat; *te* ~ *hebben met* have to contend with, be up against, labour under [difficulties]; ~ *om* contend for [the mastery, the prize]

Kamperduin Camperdown

kamperen (en)camp, camp out, go to camp, be under canvas

kamperfoelie honeysuckle; *wilde* ~ woodbine, woodbina; **kampernoelie** mushroom

kamper: ~**steur** hard-boiled eggs with mustard sauce; ~**ui** *ongev.:* Irish bull

kampioen champion (*ook attr.:* c.-boxer, -skater, etc.); (*fam.*) champ; (*fig. ook*) advocate; *de* ~ *der vrijheid zijn* be the c. of liberty, champion liberty; ~**schap** championship [*om 't* – *spelen* compete for the ...]; ~**schapswedstrijd,** -**wedloop** championship match, -race

kampketel camp-kettle, (*fam.*) billy (= -*tje*)

kampong id.

kamp: ~~**op** *zie* ~ 4; ~**plaats** lists, arena (*ook fig.*), battle-field, field of battle; ~**rechter** umpire; ~**spel** tournament, match; ~**strijd** combat; (*sp.*) match; ~**vechter** fighter, wrestler; *zie ook* kampioen; ~**vuur** camp-fire; ~**wacht** quarter-guard

kam: ~**rad** cog-wheel, gear-wheel; ~**schelp** scallop; ~**sel** combings; ~**vormig** comb-shaped; ~**wol** combing-wool

1 **kan** jug, jar, can, mug; (*maat*) litre; *wie het onderste uit de* ~ *wil hebben, krijgt het lid op de neus* grasp all, lose all; *je moet niet 't onderste uit de* ~ *verlangen* you cannot have everything; *hij wil altijd...* he drives a hard bargain; *in* ~*nen en kruiken* [that is all] cut and dried, [the agreement is] in the bag

2 **kan** (*vorst & herberg*) khan

kanaal (*gegraven*) canal; (*door de natuur gevormd*) channel; (*buis*) channel; (*in lichaam*) canal, channel; (*fig.*) channel [through the usual ... s]; *kanalen van Mars* canals of Mars, Martian canals; *uit welk* ~*?*(*fig.*) through what channel?; *het K*~ the (English) Channel; **K**~-**boot** cross-Channel boat; **K**~(**boten**)**dienst** cross-Channel service; ~**gelden,** ~**rechten** canal-dues, c. tolls; ~**sluis** canal-lock; ~**tol** canal-toll

Kanaän(iet, -itisch) Canaan(ite, -itish)

kanalisatie canalization; -**eren** canalize

kanarie 1 canary; *Middeneuropese* ~ serin; 2 = ~**boom** kanari(-tree); ~**geel** c.-yellow; ~**gras** c.-

grass; ~suiker c.-sugar; ~vogel c.(-bird); ~wijn c.(-wine); ~zaad c.-seed

Kanarische eilanden: *de* ~ the Canaries, the Canary Islands

kanaster canaster

kandeel caudle; ~wijn negus

kandelaar candlestick, candle-holder

kandelaber candelabrum *(mv.:* -bra)

kandidaat candidate, *ook:* [the Liberal] nominee; *(sollicitant)* applicant; *(acad. graad)* bachelor; ~ *in de rechten (letteren, medicijnen, godgeleerdheid)* Bachelor of Law (B. L.), of Arts (B. A.), of Medicine (B.M.), of Divinity (B.D.); ~ *tot de H. dienst* c. for holy orders, ordinand; *een* ~ *stellen* nominate (put forward, *fam.:* run) a c.; *iem.* ~ *stellen* nominate a p., put a p. up, enter a p. as a c.; *zich* ~ *stellen* stand [for Liverpool, a post, etc.; the present member will not ... again], put up; ~ *zijn voor, ook:* (*fam.*) run for [the Presidency, etc.]; ~notaris notary awaiting appointment, *ongev.:* notary's managing clerk; ~sexamen B.A. examination, etc. *(zie* ~); *(voor B.A., Oxf.)* responsions, *(fam.)* smalls, *(Cambr.)* little-go; ~stelling nomination, adoption; *bij enkele* – *gekozen w.* be returned unopposed, *(fam.)* have a walk-over

kandidatenlijst list of candidates

kandidatuur candidature, candidacy, candidateship, nomination; **kandideren** *zie* kandidaat stellen

kandij candy; ~suiker sugar-candy

kaneel cinnamon; ~bast c.(-bark); ~boom c.-(tree); ~kleurig c.(-coloured); ~pijp, ~stokje stick of c.

kangoeroe kangaroo

kanis 1 fish-basket, creel; 2 *(volkst. = hoofd)* nut, pate; *hou je* ~*!* shut your trap! put a sock in it!

kanjer whopper, bouncer, spanker

kanker cancer; *(van planten)* canker; *(fig.)* cancer [cure the ... of unemployment], canker [you are a ... on the community], gangrene, [social] sore, pest [such men are social ...s], blight; *zie* keel~, enz.; ~ *hebben* have (a) c.; ~aar grouser, grumbler, grievance-monger; ~achtig cancerous, cancroid, cancriform; ~bestrijding fight against c., c.-control, anticancer campaign; ~bloem *zie* klaproos, akkerwinde, gele plomp; ~en cancer; *(fig.)* canker; *(mopperen, fam.)* grouse, *(sl.)* chew the rag; ~gezwel cancerous tumour *(of:* growth); ~lijder c.-patient; ~onderzoek c.-research; '~pit' *zie* ~aar

kannegieter *zie* tinnegieter

kannekenskruid *a)* (*Ind.*) pitcher-plant, monkey-cup; *b)* (*inlands*) boor's mustard

kannetje cannikin

kannibaal cannibal; ~s cannibalistic

kannibalisme cannibalism

kano canoe; *in een* ~ *varen* canoe

kanoetstrandloper *(vogel)* knot

kanon *zn.* gun, *(minder gewoon)* cannon *(mv. id.)*; *bn.*, *zie* stomdronken; ~gebulder roar (boom, booming) of (the) guns; ~gieterij g.-foundry; ~nade cannonade; ~neerboot gunboat; ~nekoorts fear of powder and shot; ~neren cannonade, bombard; ~nevlees cannonfodder; ~nier gunner; ~schot g.-shot; *op* ~schotsafstand within g.-range; ~skogel cannon-ball; ~vuur g.-fire, cannonade

kanoroeier canoeist

kans chance [*op* of rain, etc.], opportunity [of (for) promotion]; *een honderdste part* ~ one c. in a hundred; *de* ~ *is tien tegen een dat hij niet komt* the odds are ten to one against his coming; *er is geen* ~ *op, dat hij komt* there is no c. of his coming; *er is niet veel* ~ *op, dat er iets gebeurt (dat hij je ziet)* there is not much c. of anything happening (of his seeing you); *iem. de* ~ *geven iets te doen* give a p. a ~ of doing s.t.; *geef hem een (eerlijke)* ~ give him a (fair) c.; *iem. een eerlijke* ~ *geven, ook:* give a p. a run for his money; *meer* ~ a better chance; *de* ~*en staan gelijk* the chances are equal; it is a toss-up; *gelijkheid van* ~ equality of opportunity; *er is grote* ~ *dat* there is a great c. that ..., the chances (the odds) are that ...; ~ *hebben* have (stand) a c., *(fam.)* have a look-in; *(bij sollicitatie, ook:)* be in the running; *hij heeft alle* ~ *er veel bij te winnen* he stands to win a lot by it; *je hebt geen schijn van* ~ you have not the ghost of a c. (not a dog's c.; *fam.:* not an earthly), you are not in (you are out of) the running; ~ *(een goede, aardige, weinig, geen* ~*) hebben om ... te krijgen* stand a c. (a good, a fair, a poor, no c.) of getting the place; *hij zou niet veel* ~ *hebben* he wouldn't have *(of:* stand) much of a c.; *een kwade* ~ *maken* ... run a serious risk ...; *een prachtige* ~, *ook:* a hundred to one c.; *allen hebben dezelfde* ~ everyone stands an equal c.; *meer* ~ a better chance; *waar heb ik de meeste* ~ *om te ...?* where am I most likely to find a taxi?; *wisselende* ~*en* swaying fortunes [of war]; *de* ~ *kan keren* things may take a turn, (the) luck may turn; *de (krijgs)*~ *doen keren* turn the tide (of battle); *daardoor keerde de* ~ *van de oorlog* that turned the fortune of the war; *een* ~ *zoals men nooit weer krijgt* the c. of a lifetime (of his, etc. life); *de* ~ *lopen om te* ~, ~ run the risk of ...ing; *de* ~ *schoon zien* see one's c. (of opportunity), see one's way clear; *de* ~ *waarnemen* seize the opportunity; *een* ~ *ten volle waarnemen* make much (the most) of a c.; *een* ~ *wagen* take one's (a) c.; *ik zie (geen)* ~ *het te doen* I see my (see no) way to do (to doing) it [*zo:* I don't see my way to comply (ing) with your request]; *ik zie er geen* ~ *toe* it is beyond my power, it is more than I can do; *hij zag* ~ *te ontsnappen* he managed (contrived) to escape; *zie* ~je & verkijken

kansel pulpit; *van de* ~ *aflezen* announce from the p.; *hij wordt voor de* ~ *(zal ... worden) op* *geleid* he is intended for the Church; *zie* be-klimmen

kanselarij chancery, chancellery; ~**schrift** chancery script (*of:* hand); ~**stijl** official style; (*scherts.*) officialese

kansel pulpit: ~**ier** chancellor; ~**rede** p. oration, sermon; ~**redenaar** p. orator; ~**stijl** p. style; ~**taal** *zie* ~stijl; (*hist.*) chancery language; ~**welsprekendheid** p. eloquence, p. oratory, homiletics

kans chance: ~**hebber** likely candidate (winner, etc.); *hij is de grootste* – he has the best c. (of succeeding), is the favourite; ~**je** half a c., off(-)c.; (*buiten*-) godsend, windfall; *zie* kans; *een klein* – *op ontsnapping* a loophole, a slender c. of escape; ~**rekening** theory of chances, calculus (calculation) of probabilities; ~**spel** game of c. (of hazard)

1 kant (*weefsel*) lace; *onechte* ~ imitation l.; *zijden* ~ silk l., blonde (lace)

2 kant[1] (*zijde*) side; (*rand, zoom*) border, (*van water*) edge; (*oever*) bank, border; margin; (*van afgrond*) brink; (*van trottoir, enz., scherpe* ~) edge; (*onbeschreven rand*) margin; *die* ~ *van de zaak ...* that aspect of the matter is quite new to me; *de mooie* (*lelijke*) ~ the sunny (seamy) s. [of life]; *de goede* ~ *boven* right s. up; *het heeft zijn goede* ~ it has its good s.; *elke zaak heeft twee* ~*en* there are two sides to every question; *de zaak heeft een andere* (*haar grappige*) ~ there is another (a humorous) s. (aspect) to the matter; *'t gesprek ging een andere* ~ *op* took another (a new) turn; *de andere* ~ *uitkijken* look the other way, look away; *dat raakt* ~ *noch wal* that's preposterous; *die* ~ *moet het onderwijs uit* that's the way in which education ought to develop; *mijn neigingen gaan die* ~ *niet uit* my inclinations do not lie in that direction (that way); *die* (*deze*) ~ *uit* that way, [come] this way; *de* ~ *van Londen uit* [a village] out L. way, [he walked] L. way; *de frank ging dezelfde* ~ *uit* followed a similar course, was going the same way; *hij kan nog alle* ~*en uit* he is still a free agent (still free to do as he pleases); *daar kun je alle* ~*en mee uit* it will serve all sorts of purposes; *vgl. ben.* (*naar alle* ~*en*); **aan** *deze* ~ *van ...* at (on) this s. of the table; [I met him] (on) this side of the Strand; *aan alle* ~*en* on every s., on all sides; [lose money] on all hands; *aan de* ~ *van de weg* at (by) the side of the road, by the wayside (roadside); *aan de ene* ~ *geloof ik ... aan de andere ...* on the one hand ..., on the other ...; *maar aan de andere kant ...* but on the other hand ...; *hij is erg zuinig en ik ben een beetje te veel aan de andere* ~ he is very tight about money, and I am a bit too much the other way; *aan de kleine, enz.* ~ my hat is on the small (large) s., the water was on the cold s., the room was, like himself, on the shabby s.; *'t karpet kan aan beide* ~*en gebruikt worden* the carpet is reversible; *aan* ~ tidy; *dat is weer*

aan ~, (*fam.*) that job is jobbed; *aan* ~ *doen* tidy up [a room], scrap [an old engine]; *zijn zaken aan* ~ *doen* retire from business; (*fam.*) put up the shutters; *iets aan* ~ *gooien* cast (throw) a thing by; *iets aan* ~ *leggen* put a thing by (*of:* aside); *laat haar aan de hoge* ~ *lopen* give her the wall; *aan* ~ *zetten* swallow [one's pride], put [one's pride] in one's pocket; scrap [old ideas, prejudices]; *langs de* ~ *van 't water lopen* walk by the waterside; *naar de* ~ *zwemmen* swim ashore; *naar de* ~ *uithalen* (*roeien*) pull in; *naar de* ~ *van 't trottoir ...* draw into the kerb; *'t bloed spoot naar alle* ~*en* squirted this way and that; *naar alle* ~*en rondzien* look in all directions; *naar alle* ~*en uitglijden*, (*fam.*) slide all over the place; *ik ben naar alle* ~*en bezet* I am so busy I don't know which way to turn; *'t mes snijdt aan* (*van*) *beide* ~*en* the knife cuts both ways; *op zijn* ~ *zetten* cant, up-end [a cask]; put [boards, etc.] edgeways; *iets op de* ~ *aantekenen* make a marginal note; *'t is een dubbeltje* (*stuivertje*) *op zijn* ~ it's a (mere) toss-up, it's touch and go (a gamble, [*fam.*] a close call); *iets over z'n* ~ *laten gaan* put up with s.t.; *hij kan 't niet over z'n* ~ *laten gaan* he can't let it pass, pass it over; *van alle* ~*en* [hear s.t.] on all sides, [come] from all quarters, from every quarter, [he robbed us] right and left, [discuss the situation] in all its bearings; *de zaak van alle* ~*en bezien* discuss (consider, study) the matter from all angles (in all its aspects); *men kan de zaak van twee* ~*en bekijken* there are two sides to the question; *van welke* ~ *men de zaak ook bekijkt* whatever view we take of the matter; *iets van de beste* (*van de praktische*) ~ *beschouwen* put a good face on a thing (consider a thing from a practical point of view); *de dingen van de mooie* (*lelijke*) ~ *zien* see the bright (dark) s. of things; *... kwam niet van één* ~ the antagonism between them was not one-sided; *van alle* ~*en geeft men dat toe* it is admitted on all hands; *hij ziet het leven van veel* ~*en* he sees life from many angles; *ik, van mijn* ~ I, on (for) my part; I, for one; I, on my s.; *van moeders* (*vaders*) ~ [grandfather, relations] on the (my, etc.) mother's (father's) s., maternal (paternal) [grandfather]; *mishandeling van de* ~ *der politie* ill-treatment at the hands of the police; *achterdocht van de* ~ *van zijn vrouw* suspicion on the part (*of:* side) of his wife; *zich* (*iem.*) *van* ~ *maken* make (do) away with o.s. (a p.), (*sl.*) do (a p.) in

3 kant *bn.* neat; ~ *en klaar* [find things] ready to hand; (*keurig in orde*) in apple-pie order

kant: ~**beschikking** apostil; ~**boordsel** lacing

kanteel battlement, crenel, crenelle

kantekleer chanticleer

kantel: ~**bed** wall-bed; ~**deur** up-and-over door

kantelen I *tr.* cant, tilt; (*omkantelen*) turn bottom up, turn over, overturn; II *intr.* topple

Zie ook zijde 1

(turn) over, overturn; (*van schip*) capsize, turn turtle; *niet ~!* this side up! don't tip!

kantélen *ww.:* crenel(l)ate, embattle, battlement

kanteloep cantaloup (melon)

1 kanten *bn.* (of) lace

2 kanten *ww.:* square, cant; (*schip*) career; *zich ~ tegen* oppose, turn against, set one's face against, resist

kant-en-klaar *zie* gebruiksklaar

kant: ~haak cant-hook; **~half** (*sp.*) wing half-(back); **~hout** squared timber; **~houwen** square, cant

kantig angular, sharp-edged

kantine canteen, cafeteria; *rijdende ~* mobile c.

kantje (*van brief*) page, side; (*haring*) cran; *'t was op 't ~ af* (*kantje-boord*) it was a close shave, a narrow escape (*of:* squeak), a near thing, touch and go, (*fam.*) a close call; (*op 't ~ van fatsoen, eerlijkheid, enz.*) it was sailing very near (close to) the wind [his transactions were pretty close to the wind], near the knuckle; *ze was op 't ~ van onbeleefd* she was barely civil; *op 't ~ af ontsnappen* escape (get off) by (with) the skin of one's teeth; *op 't ~ af slagen* scrape through (an examination), get through by (with) the skin of one's teeth (by a narrow margin); *schetsen die op 't ~ af zijn* daring sketches

kant: ~klopper, -ster, ~klosser, -ster lace-worker; **~kussen** lace-pillow; **~lijn** marginal line; *een – trekken* rule a margin

kanton canton; **~gerecht** cantonal court; **~naal** cantonal; **~nement** cantonment; **~neren** canton; **~nier** lengthsman, surfaceman; **~rechter** cantonal judge

kantoor office; *~ van afzending* (*van oorsprong*) o. of origin; *~ van bestelling* (*van ontvangst*) delivery-o., o. of delivery; *nu ben je aan 't rechte ~* now you have come to the right shop; *je bent aan 't verkeerde ~* you have come to the wrong shop, have taken the wrong sow by the ears, have mistaken your man, are barking up the wrong tree; *naar 't hoogste ~ gaan*, (*fig.*) go to the fountain-head; *op een ~ zijn* be in an o.; *ten kantore van* at the o. of; **~bediende** (o.-)clerk, clerical employee; **~behoeften** *a)* (*schrijfbehoeften*) stationery; *b)* o.-equipment; **~boek** o.-book; **~boekhandel** stationer's (shop); **~boekhandelaar** stationer; **~knecht(je)** o.-boy; **~vrouw** o.-stool; **~meubelen** o. furniture; **~opleiding** business training; **~personeel** o. staff, o. employees; **~stoel** o.-, desk-chair; **~tijd, ~uren** (*van personeel*) o.-hours; (*voor publiek*) business-hours, hours of attendance; *na –* after business-hours; **~vlag** house-flag; **~werk(zaamheden)** o. work, o. duties, clerical work

kant: ~rechten square; (*sloot, ongev.*) ditch-(ing); **~steek** lace-stitch; **~tekening** marginal note; **~werk** lace(-work); **~werk(st)er** lace-worker, -maker; **~wever** lace-weaver; **~winkel**

Niet opgenomen woorden zoeke men onder **C**

lace-shop

kanunnik canon; **kaolien** kaolin

kap (*algem., hoofddeksel, enz.*) cap; (*van mantel, voor hoofd & hals, van rijtuig, auto, huifkar, valk*) hood; (*van auto ook*) top, head (fixed h., *vast*; drop h., *niet vast*); (*van handschoen*) gauntlet; (*monniks-*) cowl, hood; (*nonnen-*) wimple; (*over motor van auto*) bonnet, (*van vliegt.*) cowling; (*schoorsteen-*) cowl, cap, top; (*van lamp*) shade; (*van huis*) roof; (*van molen*) cap, dome; (*van laars*) top; (*van muur*) coping; *zie* luifel, monnik; *onder de ~*, (*van huis*) covered in; *het huis was er een van twee onder één ~* was semi-detached; *Friese ~* gold (or silver) casque; *de ~ aannemen* take the cowl; *alles komt op zijn ~ neer* everything is laid at his door; *de ~ op de tuin hangen, a)* throw off the cowl; *b)* give up one's job, retire; **~blok** chopping-block; **~doos** toilet-case, dressing-case; **~duif** jacobin

kapel (*bedehuis*) chapel; (*insekt*) butterfly; (*muziekkorps*) band; **~aan** curate, chaplain; **~letje** 1 little chapel; 2 butterfly; 3 (*kroeg*) pub(lic-house); **~meester** (town, military) bandmaster

kapen *tr.* hijack (a plane), take over [a train]; (*ter zee*) capture; (*stelen*) purloin, pinch, pilfer, filch; *intr.: a)* privateer; *b)* pilfer

Kapenaar inhabitant of Cape Town

kaper hijacker; (*ter zee*) privateer, raider (*beide ook 't schip*); pilferer (*vgl.* kapen); (*muts*) hood; *er zijn ~s op de kust* the coast is not clear; there are competitors in the field; **~brief** letter of marque (and reprisal); **~kapitein** p. captain; **~schip** privateer, raider; **~tje** hood

kap: ~gebint truss; **~gewelf** Welsh vault; **~handschoen** gauntlet glove

kaphout copse(-wood)

kaping hijack; [train] siege

kapitaal I *zn.* capital; (*tegenov. rente*) principal; *van ~ voorzien* finance; *man van ~* man of c.; II *bn.* capital; *~! c.!; -ale letter* c. (letter); *-ale beginletter* c. initial; *-ale fout* c. error; *~ huis* substantial house; *'n -ale kerel* a c. fellow, a man's man, a trump, a brick; *~ schip* c. ship; III *bw.* [he is doing] capitally, [lie] shamelessly; **~afvloeiing** *zie* ~vlucht; **~band** (*boven*) headband, (*onder*) tailband; **~belegging** investment (of c.); **~goederen** c. goods; **~heffing** c. levy, levy on c.; **~krachtig** financially strong, well provided with c.; **~rekening** c. account; **~uitgave** c. expenditure; **~uitgifte** c. issue; **~vlucht** flight of c.

kapitalisatie *zie* kapitalisering

kapitaliseren capitalize; (*te gelde maken*) realize; **-ing** *a)* capitalization; *b)* realization

kapitalisme capitalism

kapitalist capitalist; **~isch** *bn.* capitalist(ic); *bw.* capitalistically

kapiteel capital, head (of a column)

kapitein captain; (*van schip*) captain, master; (*van kleine koopvaarder*) skipper; *~ der infan-*

terie infantry c.; ~-*ter-zee* (naval) c.; *zijn laatste reis als* ~ his last voyage in command; ~-**generaal** (*hist.*) c.-general; ~**intendant** Army Service Corps (A.S.C.) c.; ~-**kwartiermeester** paymaster; ~-**luitenant** commander; ~**schap** captainship, captaincy; ~**skopie** (*van connossement*) c.'s copy; ~**srang** rank of c.; ~-**vlieger** flight lieutenant

Kapitool Capitol

Kapitolijns Capitolian, Capitoline

kapittel chapter (*in alle bet.*); *stem in 't* ~ *hebben* have a voice in the c.; ~**dag** meeting of the c.; *iem.* ~**en** read a p. a lecture, lecture a p.; ~**heer** *zie* kanunnik; ~**huis** c.-house; ~**kamer** c.-room; ~**kerk** minster; ~**sgewijs** in (by) chapters; ~**stok(je)** (*eig.*) bible-marker; (*fig.*) sugar stick, peppermint rock

kap: ~**je** *zie* kap & kalotje; (^) circumflex; (*van brood*) heel; ~**laars** top-boot, jackboot; ~**luik** companion-hatch; ~**mantel** hooded cloak, capuchin; (*bij 't kappen*) dressing-jacket; ~**meeuw** black-headed gull; ~**mes** chopper, chopping-knife

kapoen capon; ~**en** caponize; **kapoeres** done for; *zie ook* kapot; **kapoets(muts)** fur cap

kapok id., capok; ~**boom** k.-tree

1 kapot broken [boots, etc.], cracked [cup], torn [coat], defective [lock], punctured [tube], [it has] gone to pieces, [it is] all to pieces, [my socks are] in holes, [the lock is] out of order, [one elbow of the jacket was] out; (*dood*) gone west; (*doodop*) knocked up; (*van verdriet*) broken-hearted, crushed, cut up; (*van zenuwen*) frayed, [my nerves are] in rags, all to pieces; (*op de fles*) gone to smash; *helemaal* ~ [his clothes were] in tatters, [the umbrella was] ruined; ~ *aan de tenen* [slippers] gaping at the toes; *hij is geestelijk* ~ he is to pieces mentally; ~ *gaan* break, go [her blouse was beginning to go in one place], go to pieces (*ook fig.*), smash; (*bankroet*) go to pot, come to grief; (*doodgaan*) pop off, go west; 't *ging in mijn handen* ~ it came to pieces in my hands; ~ *gooien* dash to pieces, smash; ~ *maken* break [coal]; smash; ~ *slaan* smash (up); *zie* kort en klein; run through [one's money]; 't *kopje viel* ~ the cup smashed; *zich* ~ *werken* work o.s. to death; *ik ben* ~ *van vermoeienis* I am done (knocked up, worn out) with fatigue; *hij was er* ~ *van* he was dreadfully cut up by it; *ik ben er niet* ~ *van* I am unimpressed

2 kapot = ~**hoed** bonnet; = ~**jas** capote, greatcoat; = ~**je** *a*) bonnet; *b*) condom

kappen fell, cut down [trees], chop [wood], cut [the cable], cut away [the mast]; (*fijn*~) chop (up), mince [meat]; *met z'n werk* ~ chuck one's job, quit; (*haar*) dress [the hair]; *zich laten* ~ have one's hair dressed; *de pas gekapte dames* the newly coiffured ladies

1 kapper *a*) feller, etc.; *b*) hairdresser

2 kapper (*plant*) caper; ~**boom** c.-tree

kappers: ~**salon** hairdresser's saloon; ~**school** hair-dressing school; ~**winkel** hairdresser's (shop)

kappertjeskool drumhead (cabbage)

kappertjessaus caper-sauce

kapriool *zie* capriool

kaproen hood, cap

kapsalon hairdresser's (shop)

kapseizen capsize, turn turtle

kapsel head-dress, (*fam.*) hair-do, coiffure, style of hairdressing

kap: ~**sjees** hooded gig; ~**sones** (*sl.*): – *hebben* make a fuss; *vgl.* captie; ~**spiegel** dressing-table mirror; ~**stok** hat-rack, hall-stand, hat(-and-coat) stand; row of pegs; (*knop, haak*) peg, coat-hook; (*fig.*) peg [to hang s.t. on]; *aan de* – *hangen*, (*fig.*) shelve [a question], hang up [a plan]; –*artikel* blanket clause

kaptafel dressing-table, toilet-table

kapucijn(er) Capuchin; ~**er** (*erwt*) marrowfat (pea); – *aap* capuchin monkey; – *monnik* Capuchin (monk), grey (*of:* Franciscan) friar; – *non* grey (*of:* Franciscan) nun; – *orde* Franciscan order

kap: ~**verbod** timber-felling prohibition; *een* – *leggen op een laan, enz.* prohibit the cutting down of timber; ~**wagen** hooded carriage; ~**wieg** bassinet; ~**zaag** tenon-saw

kar cart; (*hand-*) hand-cart, barrow, (*fiets*) machine

karaat carat; *goud van 18* ~ eighteen c. gold, gold of 18 carats

karabijn carbine; **karabinier** carabineer

karaf water-bottle, carafe; (*voor wijn*) decanter

karakter character (*ook: letterteken & in nat. hist.*); (*teken*) character, mark, sign; *man van* ~ man of c.; *in zijn* ~ *van bisschop* in his c. of bishop; *het heeft het* ~ *van ...* it is in the nature of ...; *de rede was opruiend van* ~ the speech was inflammatory in temper; *zedelijk* ~, *ook:* moral fibre; ~**eigenschappen** qualities of c.; ~**fout** defect of c.; ~**iseren** characterize; be characteristic of; ~**istiek I** *bn.* characteristic (*bw.:* -ally), distinguishing [mark]; 't –*e van* the characteristic feature(s) of; **II** *zn.* delineation, description; (*rek.*) characteristic; ~**komiek** c.-actor; ~**loos** characterless, of no c.; (*gewetenloos*) unprincipled; ~**loosheid** characterlessness, lack of c.; ~**rol** c.-part; ~**schets** c.-sketch, profile; ~**schildering** c.-drawing, c.-painting, delineation of c., characterization; ~**speler** c.-actor; ~**studie** c.-study; ~**tekening** *zie* ~schildering; ~**trek** trait of c.; ~**vastheid** strength of c.; ~**vormend** c.-building, c.-forming; ~**vorming** c.-building, c.-formation, f. of c.

karamel caramel

karate id., ~**slag** k. chop

karavaan caravan; ~**weg** c.-route, -track

karavansera, -rai carvanserai

karbeel corbel

karbies (plaited two-handled) shopping-basket

karbonade chop, cutlet

karbonkel carbuncle (*ook puist*); ~**meloen** cantaloup; ~**neus** brandy (ruby, copper) nose

karbouw buffalo, kerbau

kardeel (*mar.*) strand

kardinaal I *bn.* cardinal; 't -*ale punt, ook:* the

vital point, the root question, the crux of the question; II *zn.* cardinal (*ook de vogel*); *tot ~ verheffen* raise to the purple; ~**sbloem** c.-flower; ~**schap** cardinalship; ~**shoed** c.'s hat; *de – ontvangen* be raised to the purple; ~**smuts** (*plant*) spindle-tree; ~**vogel** c.-bird
kardinalaat cardinalate
kardoen (*plant*) cardoon
kardoes 1 poodle; 2 cartridge; ~**papier** cartridge-paper
kareel brick
karekiet *zie* karkiet
Karel Charles, (*fam.*) Charley, Charlie; *~ de Dikke* (*de Kale, de Stoute*) C. the Fat (the Bald, the Bold); *~ de Grote* Charlemagne; *de tijd van ~ I en II*, (*Eng.*) the Caroline age; ~**romans** Charlemagne romances
karet(schildpad) hawk's-bill (turtle); (*stof*) tortoise-shell
kariatide caryatid; **kariboe** caribou, cariboo
karig (*schriel*) parsimonious; (*schraal*) scanty [meal], meagre [wages], slender [means]; *zie* schraal; *~ met lof* chary of praise; *ze was niet ~ met haar lof, ook:* she did not stint her praise; *~ met woorden* sparing of (one's) words; *~ ge-meubileerd* scantily furnished; ~**heid** parsimony; scantiness, etc.
karikatuur caricature, take-off; *een ~ maken van* = -**turiseren** caricature, take off; ~**teke-naar** caricaturist
Karinthië Carinthia; ~**r, Karinthisch** Carinthian
karkas carcass, carcase; (*geraamte van gebouw, enz.*) *ook:* skeleton
karkiet (*kleine*) reed-warbler; (*grote*) great r.-w.; **karma** id.
karmeliet, ~er (*monnik*) Carmelite (friar); ~**es, ~ernon** Carmelite (nun)
karmijn carmine; ~**rood** carmine, crimson; ~**zuur** carminic acid
karmozijn(en, -rood) crimson
karn churn; ~**emelk** buttermilk; ~**en** churn; ~**er** churner; ~**pols, ~stok** c.-plunger, -dash(er), -staff; ~**ton** churn
Karolinger, Karolingisch, Karolings Carolingian, Carlovingian
karonje shrew, vixen, virago, scold
karos state-carriage, coach
Karpaten: *de ~* the Carpathians, the Carpathian Mountains
karper carp; ~**vijver** carp-pond
karpet (square of) carpet; ~**schuier** c.-brush, (*met lange steel*) c.-sweeper; **karpoets** fur cap
karreman (*vuilnisman*) dustman
karren cart; (*fietsen*) bike, pedal
karre: ~**paard** cart-horse; ~**rad** cart-wheel; ~**spoor** cart-rut, c.-track; ~**tje** little cart, etc.; *zie* kar; (*rijtuigje*) trap; (*fiets*) bike; *iem. voor zijn – spannen* get a p. to do one's work for one; *z. voor iems. – laten go.* become someone's tool; *zijn – rijdt op een zandweg* he is sailing before the wind; ~**voerder** cart-, van-driver; ~**vracht** cart-load; ~**weg** cart-track

karsaai kersey
1 **kartel** (*vereniging, enz.*) cartel
2 **kartel** notch; ~**en** notch; (*munten*) mill; (*van melk*) curdle, run; ~**ig** notched; (*van munt*) milled; (*van blad, schelp, enz.*) crenate(d); ~**ing** milling; ~**mes** serrated knife; ~**rand** (*van munt*) milled edge; (*van flessendop e.d.*) knurled edge; ~**schaar** pinking scissors
karteren map (out), survey; **-ing** mapping out, survey [*uit de lucht* aerial ...]
kartets round of grape-shot, canister-, case-shot; ~**en** grape-shot; ~**vuur** grape-shot fire
karthuizer *zie* kartuizer
karton cardboard, pasteboard; (*doos*) cardboard box, carton [a ... of 20 cigarettes], board container; (*tekening*) cartoon; (*bijkaart-je*) inset(-map); ~**nage** *zie* ~; ~(**nage**)**fabriek** cardboard (pasteboard) factory; ~**neren** board, put in boards; *gekartonneerd* (bound) in boards; ~**nering** boarding; ~**nen** cardboard, pasteboard; *– doos, zie ~* (doos); ~**werk(er)** c. work(er)
kartouw (*hist.*) cannon-royal; *zo dronken als een ~* as drunk as a lord (a fiddler)
kartuizer Carthusian [monk, nun, convent]
karveel carvel, caravel; ~**hout** (*mar.*) carling
karwats 1 riding-whip, hunting-crop; *met de ~ slaan* horsewhip; 2 cat (o' nine tails)
karwei job, piece of work, (*Am.*) chore; *naar* (*de, 't*) *~ gaan* go to (one's) work; *op 't ~* on the j.; *bezig met 't ~* [there are twenty men] on the j.; *een hele ~* a tough job, a tough problem; *dat is me ook een ~* (it is) a nice j. indeed!; *al-lerlei ~tjes doen* (*opknappen*) do odd jobs, make o.s. generally useful
karwij caraway; ~**selie** milk-parsley; ~**zaad** c.-seed
kas (*van horloge*) (watch-)case; (*van oog, tand*) socket; (*in ring*) bezel; (*voor planten*) green-house, glass-house; (*broeikas*) hothouse; (*geld*) cash; (*kantoor*) cash-, pay-office; (*kassa*) cash-, pay-desk, paying-counter, cashier's desk; *'s lands ~* the exchequer, the coffers of the State; *de openbare ~* the public purse, [the money is to come from] public funds; *beschik-king over de* (*'s lands*) *~* power(s) of the purse; *goed bij ~ zijn* be in cash (flush, flush of money, in funds); *ik ben niet* (*of: slecht*) *bij ~* I am out of cash (short of money), my funds are (my exchequer is) low, I am hard up (for money); *geld in ~* cash in hand; *de ~ houden* (*opmaken*) keep (make up) the cash; *aan de ~ betalen* pay at the counter (the desk); *uit de ~, ook:* forced [grapes]; *zie* klein & puilen; ~**boek** cash-book; (*van huishoudboek*) ~**cheque** giro-cheque for cash withdrawal; ~**druiven** hot-house grapes; ~**geld** till-money, cash (in hand); ~**groenten** glass-house vegetables, vegetables grown under glass; ~**houder** cashier; ~**houdster** cashier, cash girl
Kasjmier Cashmere; *k~* cashmere, kerseymere; ~**sjaal** c. shawl

kasloper collecting-clerk
kasmiddelen cash (resources), cash-in-hand
Kasper Jasper
Kaspische Zee: *de* ~ the Caspian (Sea)
kas: ~**plant** hothouse plant; ~**register** cash-register; ~**rekening** cash-account; ~**rozen** hothouse roses; ~**sa** 1 cash; *per* – net c.; 2 pay-, cash-desk, cash point; (*cinema, enz.*) box-office; (*opschrift*) pay here; ~**sabon** cash slip; ~**saldo** cash balance; ~**sarekening** c. account
kassen set [in gold, etc.]
kassian pity; ~*!* poor fellow! poor thing!
kassie cassia; ~**boom** c.-tree
kassier *a*) (*kashouder*) cashier; (*van bank, ook:*) teller; *b*) banker
kassieren keep a banking-business
kassiers: ~**boekje** pass-, bank-book; ~**briefje** cheque; ~**firma**, ~**kantoor**, ~**rekening** banking-firm, -office, -account
kasstuk *a*) voucher; *b*) box-office draw (success)
kast (*algem.*) cupboard, press, (*Am.*) closet; (*kleer-*) wardrobe; (*linnen-*) linen-cupboard; (*boeken-*) book-case; (*porselein-, instrumenten-, enz.*) (china-)cabinet, cabinet [of instruments]; (*van piano, klok, enz.*) case; (*in museum, enz.*) [glass] case; (*horloge-*) watch-case; (*van viool*) body; (*kamer*) digs, den; (*gevangenis*) quod; (*bordeel*) bawdy-house; *oude* ~, (*rijtuig*) rattle-trap; *een* ~ *van een huis* a barrack of a house; *in de* ~ *zetten* run in [a drunken man]; *hij zit in de* ~ he is in quod, is doing time; *piano in* ~ *van notehout* piano in walnut case, walnut-cased piano; *op de* ~ *jagen* take the mickey out of [a p.], get (take) a rise out of a p.
kastanje chestnut(-tree); *tamme* ~ sweet (Spanish) c.; *wilde* ~ horse-c., (*fam.*) conker; *ik wil voor u de* ~*s niet uit het vuur halen* I am not going to pull the c…s out of the fire for you, I won't be made a cat's paw of by you, I won't be your cat's paw; *hij wordt alleen gebruikt om* … he is a mere cat's paw; ~**bloesems** c.-bloom, c.-candles; ~**boom** c.(-tree); ~**bruin** c., auburn, bay; ~**kleur** c.(-colour); ~**kleurig** c.(-coloured)
kaste caste
kasteel (*middeleeuws*) castle; (*in Eng. ook*) country-house; (*in Frankrijk*) chateau; (*burcht ook*) citadel; (*schaakspel*) rook; *zie* lucht~; ~**plein** c.-yard
kastegeest spirit of caste, caste-feeling
kastekort deficit, deficiency
kastelein innkeeper, publican, landlord, licensee [of the Bull Hotel]; (*hist.*) castellan; ~**es** landlady
kastenmaker cabinet-maker
kastenwezen caste-system
kastijden chastise, castigate, punish; (*met de roede ook*) (apply the) birch (to); (*bijb.*) chasten [whom the Lord loveth, he chasteneth]; *zijn vlees* ~ mortify one's flesh; ~**er** chastiser, castigator; ~**ing** chastisement, castigation

kastje *zie* kast; (*radio-, muziek-, enz.*) cabinet; (*t.v.*) box; ~ *kijken* view; (*vooral voor persoonlijk gebruik*) locker; *zij stuurden mij van 't* ~ *naar de muur* I was sent (driven) from pillar to post
kastlijntje (*typ.*) metal-rule; (*kort*) em-rule, dash
kastoor beaver, castor
kastoren beaver; ~ *hoed* beaver (hat)
kastpapier shelf-paper
kastrand lace(d) paper edging
kastrol casserole, saucepan, stewpan
kasuaris cassowary
kasvoorraad cash in hand
kasvruchten hothouse fruit
kat cat; (*wijfje; ook: gestreepte* ~) tabby-cat; (*standje*) reprimand; (*versterkingskunst*) cavalier; (*oud krijgswerk*) cat; (~ *met negen staarten*) cat(-o'-nine-tails); (*mar.*) cat; *zij is een echte* ~ she is a regular c. (tiger-cat); *zo'n kleine* ~*!* the little tiger-cat!; *een* ~ *in 't nauw*, (*fig.*) a cornered rat; *als de* ~ *in 't nauw zit, doet ze rare sprongen*, (*ongev.*) desperate needs lead to desperate deeds; ~ *en muis spelen* play c. and mouse; *met iem. spelen* (*omspringen*) *als de* ~ *met de muis* play with a p. as a c. with a mouse, play (a) cat-and-mouse (game) with a p.; *als de* ~ *weg is, dansen de muizen* when the cat's away the mice will play; *de* ~ *in de gordijnen jagen* put the c. among the pigeons; *toen was de* ~ *in de gordijnen* then there was hell to pay; *leven als* ~ *en hond* lead a cat-and-dog life, live like cat and dog; *of je van de* ~ *of van de kater gebeten wordt, is 't zelfde* it is six of one and half a dozen of the other; *als een* ~ *in een vreemd pakhuis* [feel] out of one's element, like a fish out of water; *bij nacht zijn alle* ~*ten grauw* in the dark (*of:* when candles are away) all cats are grey, Joan is as good as my lady in the dark; *de* ~ *de bel aanbinden* bell the c.; *een* ~ *in de zak kopen* buy a pig in a poke; *een* ~ *in de zak, ook:* a blind bargain; *hij knijpt de* ~ *in 't donker* he is a sneak, does things on the sly; *de* ~ *bij het spek zetten* trust the c. to keep the cream, set the fox to watch the geese; *de* ~ *uit de boom kijken* wait to see which way the c. is going to jump, wait for the c. to jump, sit upon the fence, straddle an issue, play a waiting game, play for safety; *zijn* ~ *sturen* fail to come; *zo gelaarsd, muizen, smeer, enz.*; ~**aas** (little) rascal, scamp; ~**achtig** cat-like, feline; *zie* kattig
katafalk catafalque
katalysator, -lyse, -lytisch catalyst (*ook fig.*), -lysis, -lytic
katapult catapult (*ook van jongens*); *met een* ~ (*af-, be*)*schieten* catapult [the plane is …ed from the ship]
kater tom-cat, tom; *morele* ~ moral hangover; *zie ook* haarpijn
katern(tje) quire; (*boekb.*) section, gathering
katheder lectern; (*van bisschop*) cathedra; *zie* spreekgestoelte

kathedraal cathedral (church)
kathode cathode; ~**straalbuis** c. ray tube
katholicisme (Roman) Catholicism
katholiciteit catholicity
katholiek *bn. & zn.* (Roman) Catholic
katjang peanut(s), monkey-nut(s)
katje kitten; (*van plant*) catkin; (*meisje*) *zie* kat; **hij is 't ~ van de baan** he is (the) cock of the walk; **zij is geen ~ om zonder handschoenen aan te pakken** she has a tongue (and a spirit) of her own; ~**sdragend** amentiferous [tree]; *dat wordt nog* ~**sspel** it is sure to end in ructions
katoen cotton; (*van lamp*) (cotton-)wick; *iem. van* ~ *geven* give a p. socks, pitch into a p.; *hem van* ~ *geven, zie* raken ('m ...); ~**achtig** cottony; ~**batist** c. cambric; ~**boom** c.-tree; ~**drukker** calico-printer; ~**drukkerij** calico-printing works; (*abstr.*) calico-printing; ~**en** cotton; – *stoffen* cottons, c. fabrics; ~**fabriek** c.-mill; ~**flanel** c. flannel, flannelette; ~**fluweel** c. velvet, velveteen; ~**garen** c. yarn; ~**knopkever** boll weevil; ~**olie** c.-seed oil; ~**pit** c.-seed; ~**planter** c.-grower, -planter; ~**spinner, -ster** c.-spinner; ~**spinnerij** c.-mill; ~**tje** (cotton) print; (*japon ook*) print dress; ~**verver** c.-dyer; ~**ververij** *a*) c.-dyeing; *b*) c.-dyery, c. dyeing-works; ~**waren** cottons, c. fabrics; ~**weverij** c.-mill; ~**wol(len)** wincey
katoog cat's-eye (*ook steen en reflector*)
Katrien Kate, Catherine, Cathy
katrol pulley; *vaste (losse)* ~ fixed (loose) p.; *zie* dronken; ~**blok** p.-block; ~**schijf** (p.-) sheave; ~**touw** p.-rope
katsjoe (*pil*) cachou; (*handelsartikel*) catechu
katte: ~**bak** cat's box; (*van rijtuig*) dickey (seat); ~**belletje** scrawl; ~**darm** catgut; ~**doorn** (*plant*) rest-harrow; *het* K~**gat** the Cattegat; ~**gekrol** caterwauling; ~**gemauw** mewing; ~**gespin** *zie* gewin; ~**goud** cat-, cat's-gold; ~**haar** cat's hair; ~**kop** cat's head; (*fig., van vrouw*) cat; ~**kruid** cat-mint; ~**kwaad** mischief; *hij voert (haalt) altijd – uit* he is never out of (always in, always up to) mischief; ~**muziek** caterwauling; (*fig.*) rough music
katten refuse [goods not up to sample, to see a p.]; break an agreement; slate [a p.]; (*mar.*) cat [the anchor]
katten: ~**asiel** cats' home; ~**geslacht** feline race, cat tribe
katte: ~**oog** *zie* katoog; ~**pi(e)s:** *geen* – not to be sneezed at; –**lucht** smell of cats; ~**poot** cat's paw; ~**pul(t)** *zie* katapult
katterig chippy; ~ *zijn, ook:* have a head; ~**heid** chippiness, hang-over
katte: ~**rug** cat's back; (*mar.*) camber(ing); ~**spoor** (*mar.*) rider; ~**sprong** caper; (*fig.*) stone's throw; ~**staart** cat's tail; (*plant*) purple loosestrife; ~**staartamarant** love-lies-(a-)bleeding; ~**vel** cat-skin
kattig cattish, catty; ~**heid** cattishness
kat: ~**uil** *zie* kerkuil; ~**vis** small fry; ~**wilg** osier, withy; ~**zwijm** (brief) swoon; *het schip*

lag in – was becalmed; lay idle
Kaukasiër, Kaukasisch(e) Caucasian
Kaukasus: *de* ~ the Caucasus
kauri cowrie; **kauw** jackdaw, daw
kauwen chew, masticate, munch; *op zijn potlood* ~ chew (on) one's pencil; *zijn woorden* ~ drawl out one's words, mumble; *daar heeft hij wat aan te* ~ that's a hard nut to crack (a tough job) for him; **kauwgom** chewing-gum
kauwoerde gourd
kauwspier masticatory muscle
kava id., kawa
kavalje (*paard*) jade, screw; (*huis*) tumbledown house, old barrack; (*schip*) old tub
kavel parcel, lot; ~**en** lot (out), parcel out, set out; (*berekenen*) compute; *tijd en tij* – trim one's sails to the wind; *zie* kiezen; ~**ing** *a*) lotting (out), etc.; *b*) lot, parcel
kaviaar caviar, caviare; **kawa** id., kava
kazak greatcoat, travelling-cloak
kazemat casemate; *in de* ~ *zijn* be on the sick-list
kazen curdle, turn to curds, coagulate
kazerne barracks; *een* ~ a barrack(s); *een oude* ~, (*fig.*) an old barrack; ~**leven** barrack-life; ~**plein** barrack-square; **kazerneren** barrack, put into (house in) barracks
kazernewoning tenement-house, (*fam.*) barrack
kazimir *zie* kasjmier
kazuifel chasuble; **kedive** khedive
keek *o.v.t. van* kijken
1 keel (*her.*) gules
2 keel throat, gullet; (*mil.*) gorge; *droge* ~ dry t.; *een droge* ~ *hebben, ook:* have a thirst, have a cobweb in one's t.; *iem. de* ~ *afsnijden* cut a p.'s t.; *iem. de* ~ *dicht-, toeknijpen* strangle a p.; *'t kneep mij de* ~ *dicht* it caught me by the t., I felt a tightening of my t., my throat contracted; *een (harde)* ~ *opzetten* set up a cry, cry (scream) at the top of one's voice; yell one's head off; squeal (*ook fig.:* against taxation); *zich de* ~ *smeren* wet one's whistle, moisten one's t.; *het hangt me de* ~ *uit* I'm sick and tired of it, I am fed up with it, I am fed up to the back teeth; *achter in de keel spreken* talk from the back of one's throat; *iem. bij de* ~ *pakken* (*grijpen*) seize (grip) a p. by the t.; *bij de* ~ *hebben,* (*ook fig.*) have by the t., have a stranglehold on; *elkaar bij de* ~ *hebben* be at each other's throats; *alles door de* ~ *jagen* pour (send) everything down the t., eat and drink o.s. out of hearth and home; *ik kon het eten niet door de* ~ *krijgen* I could not get it past my gorge; *ik kreeg het in de verkeerde* ~ it went (down) the wrong way (*ook fig.*); *de appel bleef hem in de* ~ *steken* lodged in his t.; *'t woord bleef mij in de* ~ *steken* stuck in my t.; *iem. naar de* ~ *vliegen* fly at a p.'s t.; *zie* brok, hart, schrapen; ~**aandoening** affection of the t., t.-trouble, t.-affection; ~**ader** jugular (vein); ~**arts** throat specialist laryngologist; ~**band** string [of a bonnet]

(*van sjako*) chin-strap; ~**gat** gullet; *zie* ~; ~**geluid** guttural (sound); ~**gezwel** abscess in the t.; ~**holte** pharynx; ~**kanker** cancer of the t.; ~**klank** guttural (sound); ~**klep** epiglottis; t.-flap; ~**klier** jugular gland; ~**letter** guttural (letter); ~**microfoon** laryngophone; ~**ontsteking** inflammation of the t., laryngitis, quinsy; ~**penseel** t.-brush; ~**pijn** [have] a sore t.; ~**riem** (*van paard*) t.-latch, -band, -strap; ~**snijding** pharyngotomy; ~**spiegel** laryngoscope; ~**stem** guttural (throaty) voice; ~**tering** laryngophthisis; ~**ziekte** t.-disease

keen (*kloof*) chap, crack; (*kiem*) germ

1 keep notch, nick, score, snick; *de ~ van 't vizier* the V (vee) of the back-sight

2 keep (*vogel*) brambling, bramble-finch

keepen keep goal, goalkeep; **keeper** (*doelverdediger*) goalie

keer[1] turn, change; (*maal*) time; *negen van de tien ~* nine times out of ten; *dat was de laatste ~ dat ik hem zag, ook:* that was the last I saw of him; *wanneer wij een volgende ~ ... when next we ...; een paar ~* once or twice, two or three times; *in* (*binnen, met*) *de kortste keren* in no time (at all), in the shortest possible time; *geen enkele ~* never once [he ... alluded to it]; *een enkele ~* once or twice, once in a way (a while), occasionally; *een heel enkel ~-tje, een doodenkele ~* once in a blue moon; *één enkele ~* only once; *de éne ~ ..., de andere ... (*at) one time ..., (at) another ...; *ik raadde 't de eerste ~* at the first go; *één ~ moet de eerste zijn* everything must have a beginning; *men hoefde hem nooit iets twee ~ te zeggen* he never had to be told a thing twice; *voor mijn part is hij 20 ~ ...* I don't care if he is a baronet twenty times over; *de zaken namen een gunstige ~* things took a favourable turn; *in één ~* at one go, [swallow it] at a draught; *op een ~* one day (morning, etc.); *~ op ~* time after time; *per ~* [a penny] a time; *te ~ gaan* take on, carry on [don't ... so, *of:* like that], go on [*tegen iem.* at a p.], storm [*tegen* at], cut up rough; *verschrikkelijk te ~ gaan* raise the devil (Cain, hell); *tegen de ~* (*in*) contrary; *voor een ~* (just) for once, once in a way; (*voor*) *deze ~* this time, [that's all] for now; *voor de laatste ~* for the last time; *voor deze* (*die*) *éne ~* for this (that) once, for once [he had spoken the truth]; *zie* gedaan; ~**dam** weir, barrage; ~**dicht** rondeau

~**eerkoppel(ing)** reversing-clutch, reversing gear coupling

~**eerkring** tropic

~**eerkrings-** tropical: ~**gewas** t. plant; ~**gewest** t. region; ~**hitte** t. heat; ~**land** t. country; ~**vogel** tropic-bird; ~**zon** t. sun

~**eer:** ~**punt** turning-point, crisis; ~**sluis** sluice; ~**tje** *zie* keer; ~**vers** burden [of a song]; ~**weer** blind alley; ~**zijde** reverse [of a medal, etc.; *ook fig.*: show the ... (*ook:* reverse side) of

the medal]; (*van stoffen*) wrong side; (*fig. ook*) seamy (dark) side; *alles heeft zijn ~* there is a reverse to every medal, every light has its shadow; *de medaille heeft haar ~* there's the other side of (another side to) the picture, there's another side to the coin; *aan de ~, (van blad*) on the back

Kees 1 Cornelius; **2** (*hist.*) 'Patriot', Dutch anti-Orangeman; *zie* klaar; **k~(hond)** keeshond

keest (*inz. Z.-Ned.*) kernel, pith; (*fig.*) pith

keet *a*) salt-works; *b*) shed, shanty; *'n oude ~* an old barrack(s) (barn); *~ hebben* have a lark (a rag); *~ schoppen* kick up a row (a shindy)

keffen yelp, yap (*ook fig.*); (*kijven*) squabble, wrangle; **keffer** yapper (*ook fig.*); wrangler

keg wedge

kegel cone; (*voor spel*) skittle, ninepin; *zie ook* ijs~; ~**aar** skittle-player; ~**as** axis of a c.; ~**baan** skittle-, bowling-alley; ~**bal** skittle-ball; ~**club** skittle club, bowls club; ~**en** play at skittles (ninepins); play bowls; *een partij ~* have a game of skittles; ~**jongen** marker (at skittles); ~**mantel** conical surface; ~**snede** conic section; *de leer der –n* conics; ~**spel** (game of) skittles, ninepins; ~**vlak** *zie* ~mantel; ~**vormig** conical, cone-shaped

kegge wedge; **keggen** wedge (in)

kei boulder; (*straat-*) paving-stone, roadway stone, (*rond*) cobble(-stone), (*vierkant*) [granite] set(t); (*fig.*) crack (player), (*Am.*) crackerjack; *zie ook* kraan; *iem. op de ~en zetten a*) give a p. the key of the street; *b*) (*aan de dijk*) give a p. his marching orders; *op de ~en staan a*) be out of a job; *b*) be on the rocks; *met ronde ~en bestraat* cobbled [street]; *zie* ~hard; ~**bestrating** stone pavement; ~**hard** as hard as a stone (as nails), stone-hard; hard-boiled; [shout] at the top of one's voice; *vgl.* hard; *de radio stond – aan* was blaring; *– onderhandelen, ww.* drive a hard bargain; *zn.* hard bargaining

keil wedge

keilen fling, pitch, shy [*naar* at]; (*kiskassen*) make (play at) ducks and drakes

keilsteen(tje) drake(-stone)

keisteen *zie* kei; **keiweg** cobble(d) road

keizer *a*) emperor; *b*) pass-key, master-key; *de Duitse ~, ook:* the Kaiser; *geef de ~ wat des ~s is* render unto Caesar the things which are Caesar's; *waar niets is heeft de ~ zijn recht verloren* you cannot get blood out of a stone; *zie* baard; ~**in** empress; ~**in-weduwe** empress dowager, dowager empress; ~**lijk** imperial; ~**rijk** empire; ~**schap** emperorship

keizers: ~**hof** imperial court; ~**kroon** imperial crown; (*plant*) fritillary; ~**mantel** imperial cloak; **keizersnede** caesarian section (operation); **keizerstitel** imperial title; **keizerthee** imperial tea

keker chick-pea

Zie ook maal

kelder cellar; (*van bank, enz.*) vault; *naar de ~ gaan*, (*op zee*) go to the bottom, go to Davy Jones's locker; (*fig.*) go to pot (to the dogs); **~deur** c.-door; **~en** *tr.* lay up, store (in a c.), cellar; *intr.* (*van effecten, enz.*) slump, tumble, topple, take a downward plunge, go down with a bump, fall with a bang; **~fles** square bottle; **~gat** air-, vent-hole; (*van kolenkelder vóór huis*) man-hole; **~gewelf** c.-vault; **~hals** entrance of a c.; **~huur** cellarage, c.-rent; **~ing** slump; *vgl.* **~en**; **~kamer** *a*) room over a c.; *b*) basement-room; **~keuken** c.-, basement-kitchen; **~knecht** drawer; **~lucht** damp air (fusty smell) of a c.; **~luik** c.-flap, trapdoor; **~meester** cellarman; (*in klooster*) cellarer; **~mot** *zie* pissebed; **~rat** c.-rat; **~ruimte** cellarage; **~tje** bottle-stand, cellaret; **~trap** c.-stairs; **~verdieping** basement; **~winde** jackscrew; **~woning** cellar-dwelling

1 kelen *ww.* cut the throat of, kill (off); stick [pigs]

2 kelen *bn.* (*her.*) gules

kelk cup, chalice; (*van bloem*) calyx, (*mv. ook*) calyces; (*van aronskelk*) sheath; (*van trompet*) bell; **~blad** sepal; **~vormig** cup-shaped, calyx-like; **~wijding** consecration of the chalice

kelner waiter; (*mar.*) steward; **~in** waitress

Kelt Celt; *Schotse ~* Gael; **~isch** Celtic; (*Schots –*) Gaelic

kemel camel; **~sgaren** mohair; **~shaar** camel's hair; **~sharen** *bn.* camel's hair

Kempen: *de ~* the Campine

kemphaan fighting-, game-cock (*ook fig.*); (*mannetje*) ruff; (*wijfje*) reeve; (*fig. ook:*) bantam cock, (little) bantam

kenari(boom) *zie* kanarie(boom)

Kenau: *een ~* a strapper, a 'she-man'

kenbaar recognizable, knowable, distinguishable; *~ maken* make known; **~heid** recognizability, etc.

kengetal *zie* netnummer

kenleer epistemology, theory of cognition

kenmerk distinguishing mark; index [a reliable ... of relationship]; (*fig.*) characteristic, feature; **~en** characterize, mark; *zich – door* be characterized (marked) by; **–d** characteristic [*voor* of]; distinctive, outstanding, salient

kennel id., kennels

kennelijk *bn.* recognizable, (*zichtbaar*) visible, (*blijkbaar*) apparent, obvious; *bw.* clearly, evidently; *in ~e staat* drunk and incapable, under the influence; *'t kindje begint ~ te worden* baby begins to take notice

kennen know, understand, be acquainted (familiar) with; *ik ken zijn naam* (*goed*) his name is familiar to me; *ze kende geen* (*alleen maar*) *Spaans, ook:* she had no (nothing but) Spanish; *geen wiskunde ~, ook:* have no mathematics; *kent u elkaar?* are you acquainted?; *mensen die ik ken* people of my acquaintance; *dat ken ik!* (*iron.*) I know a trick worth two of that; *ken u zelven* k. thyself; *geen vrees ~ k.* no fear; *voor zover ik haar ken, ook:* so far as my knowledge of her goes; *ik ken hem niet al*

val ik over hem I don't k. him from Adam; *i ken je wel* I know all about you; *hij wo me niet ~* he cut me; *men moet hem ~* (*o hem te appreciëren, enz.*) he takes som knowing; *zijn lui* (*mensen*) *~* k. whor (who) one has to deal with, k. how t deal with people; *de wereld ~* k. the world; *h deed zich ~ als ...* he proved himself to b (showed himself) a good business-man; *laa je niet ~ aan een kwartje* don't let yourse down for the sake of sixpence; *hij laat zic niet aan enkele guldens ~* he is not particula to a few guilders; *hij gaf het mij te ~* he intima ed (signified, hinted) as much to me; *ze gave als hun mening te ~ ...* they gave it as the view ...; *hij gaf zijn toestemming te ~* he sign fied his consent; *de wens te ~ geven om te* . express a wish to ...; *zij gaf me te ~ dat ...* sh gave me to understand that ...; *ik ken he aan zijn stem* (*gang, schoenen, enz.*) I k. him b his voice (gait, shoes, etc.); *men kent de ma aan zijn gezelschap* a man is known by the con pany he keeps; *iem. ~ als* k. a p. for [a grea leader]; *hij heeft er mij niet in gekend* he ha not consulted me about it; *hij wordt overal i gekend* everything is referred to him; *iem. va gezicht ~* k. a p. by sight; *zij kende geen harte van klaveren* she did not k. (could not tel hearts from clubs; *zie binnen, dag, door, le ren, enz.*

kenner connoisseur [*van* of, in], judge [*van* of authority [on Greek lit.], scholar [a goo Goethe ...]; *met ~sblik* with the eye of a c.

kennis knowledge [*van* of], acquaintance [*va with*]; *technische ~*, (*Am.*) know-how; (*beke de*) acquaintance, friend; *goede ~* intima friend; *zie boom; familie en ~sen* kith and ki *man van grote ~* man of solid learning (pr found erudition); *~ is macht* k. is power; *de weer aanknopen* renew acquaintance; *~ drage van* be aware of, know, have k. (cognizanc of; *~ geven* (*van*) announce [s.t.], give noti [of s.t.], notify [a p. of s.t.]; *ik heb de eer ~ te geven, dat ...* I beg to inform you that . *zonder vooraf ~ te geven* [visit schools] witho notice; *veel ~sen hebben* have many acquain ances; *ik heb geen ~ aan hem* I have no a quaintance with him; *ik heb daar geen ~ aa a*) I am no party to that; *b*) it isn't mine; *g makkelijk ~sen krijgen* pick up acquaintanc easily; *~ krijgen aan* get to know; *~ maken m iem.* make a p.'s acquaintance, make a quaintance with a p.; *~ met elkaar* m. ma acquaintance; *persoonlijk ~ m. met* make th personal acquaintance of; *zie aangenaam; n der ~ m. met iem.* cultivate (improve) a p acquaintance; (*terloops*) *~ met iem. m.* pi up (strike up) an acquaintance with a p *met de politie ~ m.* run foul of the polic *een leerling laten ~ maken met literatuur* i troduce a pupil to literature; *~ nemen v take cognizance (of:* note) of, note [the co tents of a letter]; *hij was tot 't laatst bij ~ was conscious to the last; *weer bij ~ kom* recover one's senses, regain consciousness; *het duurde lang voor hij bij ~ kwam* he took a long time to come round; *buiten ~ zijn* be unconscious; *buiten ~ raken* lose consciousness; *zie medeweten; ik zal je met hem in ~ brengen* I'll introduce you to him; *met iem. in ~ komen* make a p.'s acquaintance, get acquainted with a p.; *met iem. alle geweld met iem. in ~ trachten te komen* scrape acquaintance with a p.; *in ~ stellen met* acquaint with, inform (apprise) of; *met ~ van zaken* [speak] with (full) k. (of the facts, etc.), with authority; *met ~ van zaken spreken, ook:* know what one is talking about; *~ van zaken, ook:* special knowledge; *wij zijn onder ~sen* we are among acquaintances (friends); *een dichter onder mijn ~sen* a poet of my acquaintance; *ter ~ brengen van* bring to the notice of; *ter algemene ~ brengen* give public notice of; *ter ~ komen van* come to the k. of [it came to my k.]

kennis: ~geving notice, intimation [of death], [official] notification; *(van engagement, enz.)* announcement; *enige – aan vrienden en bekenden* friends will please accept this, [the only intimation; *voor – aannemen* note [the communication was ...d]; *(van notulen, enz.)* take as read; *(fig.)* lay on one side; *voor – aangenomen* duly noted; *hij nam de waarschuwing voor kennisgeving aan* he did not attach too much value to the warning; ~je female acquaintance; ~leer *zie* kenleer; ~making (making a p.'s) acquaintance; *zijn eerste – met het studentenleven* his first introduction to student life; *'n toevallige –* a chance acquaintanceship; *bij eerste (nadere) –* on first (further, closer) acquaintance; *hun eerste –* their first meeting; *(vlug of vluchtig) –* aanknopen strike up an acquaintance; *ter –* for your kind attention; *exemplaar ter –* inspection copy; *zie* meevallen; ~neming (taking) cognizance, inspection, examination; *ter –* for information; ~senkring acquaintance [the women of his ...], circle of a.s.; ~theorie *zie* kenleer

kenschets *(ongev.)* profile; ~en characterize, mark; -d characteristic [*voor* of]; *zie* kenmerken(d)

kenspreuk motto

kenteken distinctive (distinguishing) mark, token, badge, distinctive; *(van auto)* registration number; ~bewijs registration certificate; ~plaat registration plate; ~en characterize

kenteren turn; *'t tij kentert* the tide is on the turn; *zie ook* kantelen & krengen

kentering turn, turning, turn of the tide *(ook fig.)*; *(van de moesson)* change, transition; *'t was in de –* the monsoon had not broken yet; *er komt een ~ in de publieke opinie* public opinion is swinging back

kentheoretisch epistemological

kenvermogen (faculty of) cognition, cognitive power *(of:* faculty)

kepen notch, nick, score, snick

keper twill; *(her.)* chevron; *iets op de ~ beschouwen* examine (look at) a thing closely, look

beneath the surface; *op de ~ beschouwd* on close inspection, when all is said and done, in the final analysis; ~en twill; ~verband *(bk.)* herring-bone bond

kepie képi, cap

keramiek ceramics, ceramic art; *(ook* kera-)

keratine keratin

kerel fellow, chap; man [hold your tongue, man!]; *een ferme ~* a capital (fine) f., a sport; *als je een ~ was* if you were half a man; *zie* vent & niks; *(klein)* ~tje little f., little chap, *(sl.)* young shaver; *wel –!* well, my little man!

1 keren sweep, clean

2 keren I *tr. (draaien, om~)* turn; *(tegenhouden)* stem, stop, check; *hooi ~* make (toss, ted) hay; *een jas ~* t. a coat; *een kaart ~* t. up a card; *een wapen tegen zichzelf ~* t. a weapon upon o.s.; *'t water ~ (bij overstroming)* stem the flood; *een kwaad ~* stem (put down) an evil; *iets 't onderste boven ('t binnenste buiten) ~* t. a thing upside down (inside out); *God zal alles ten goede (ten beste) ~* God will order everything for the best; *zich ~* turn (round); *zich naar rechts ~* t. to the right; *zich ~ tegen* t. against *(of:* on) [a p.], round on [a p.]; *zich ten goede (kwade) ~* take a t. for the better (the worse); *'t zal zich ten goede ~, ook:* it will work out for the best; *in zichzelf ~, zie* teruggetrokken; *zich niet ~ aan, zie* storen; II *intr.* turn *(zie* kans); *(terug~)* turn back, return; *(van wind), zie* draaien; *beter ten halve gekeerd dan ten hele gedwaald* it is better to stop half way than to persevere in an error; *per ~de post* by return (of post); *zie ook* gekeerd, rug, wenden, enz.

kerf notch, nick; ~bank cutting-frame; ~mes cutting-, notching-knife; ~snede chip-carving; ~stok tally(-stick); *op de ~ halen* buy on tick; *hij heeft veel op zijn –* he has a good deal on his slate (much to answer for), *(een aantal misdaden)* he has a number of crimes to his record; *ik wil dat niet op mijn – hebben* I won't have it laid at my door

kering *(med., van de vrucht)* version

kerk church; *(van niet-anglicaanse protestanten)* chapel; *(van methodisten, ook)* tabernacle; *(mar.)* long room; *de strijdende (zegepralende)* ~ the C. militant (triumphant); *de (on)zichtbare* ~ the (In)visible C.; ~ en staat c. and state; *zie* scheiding; *geen ~ vanmorgen* no divine service this morning; *de ~ gaat om 10 uur aan (uit)* church (divine service) begins (is over) at ten; *de ~ was uit* c. was over; *in de ~ zijn, (voor de dienst)* be at (in) c.; *ben je in de ~ geboren? (bij openlaten van deur)* where were you born? in a barn?; *na de ~* after c.; *naar de ~ gaan* go to c.; *hij was naar de ~ geweest* he had been to c.; *geregeld ter ~ gaan* be a regular worshipper; *de ~ waar ik altijd naar toe ga* the c. where I worship; *(geregeld) bij een predikant ter ~ gaan* sit under a clergyman; *de ~ in 't midden laten* give and take, steer a middle course, be reasonable; ~appèl *(mil.)* c.-parade; ~ban excommunication [*gro-*

te greater; *kleine* lesser]; ~**bank** pew; ~**bestuur** (*algem.*) c.-government; (*van plaatselijke* ~) *zie* ~eraad; ~**bewaarder** verger, sexton; ~**bezoek** c.-attendance, c. going; ~**blad** religious paper; ~**boek** *a*) c.-, prayer-, service-book; *b*) c.-book, c.-register; ~**briefje** c.-notice (announcing the services of the week); ~**dief** c.-robber; ~**dienaar** verger, sexton, beadle; ~**dienst** divine service; ~**ekamer** vestry; ~**ekas** c.-funds; ~**elijk** ecclesiastical [office *ambt*]; church [affairs]; *-e ban* (*provincie, recht, enz.*) *zie* kerk-; *-(e) feest(dag)* c. festival; *-(e) goed(eren)* c. property; *- huwelijk* c. (*of:* religious) marriage (*of:* wedding); *-e inkomsten* c. revenues; *- jaar* Church (Ecclesiastical) year; *-e landerijen* c.-lands; *-e overheid* Church authorities; *-e partijen* clerical parties; *-e plechtigheid* c. ceremony; *K-e Staat* Ecclesiastical (Papal) State(s), States of the Church; *-e tucht* c. discipline; ~**en** *ww.* go to c., worship, attend divine service

kerker jail, gaol; (*onderaards*) dungeon

kerkeraad (*Nederl.*) elders and deacons; (*Eng. Staatsk.*) church council; (*afgescheiden*) consistory; ~**skamer** vestry; ~**svergadering** meeting of the ... (*zie* ~)

kerkerechten (*r.-k.*) last sacraments; *hij ligt onder volle* ~ he has had the last sacraments administered to him

kerker: ~**en** imprison, incarcerate; ~**hol**, ~**kot** dungeon; ~**ing** imprisonment, incarceration; ~**lucht** dungeon air

kerk: ~**ezakje** collecting-bag; *met 't – rondgaan* take up the collection; *ongev.:* pass the plate; ~**fabriek** (church-)fabric; ~**feest** c.-festival; ~**gang** c.-going, going to c.; (*na bevalling*) churching; *haar – doen* be churched; ~**gang(st)er** c.-goer, chapel-goer (*vgl.* ~), worshipper; *trouw* – regular attendant at c.; ~**gebied** ecclesiastical jurisdiction; ~**gebouw** church-(building); chapel; *vgl.* ~; ~**gebruik** ecclesiastical rite; *voor* – for c. use; ~**genootschap** communion [Anglican and other ...s], religious community; (*sekte*) denomination, sect; ~**geschiedenis** c.- (*of:* ecclesiastical) history; ~**gewaad** vestment; ~**gezag** ecclesiastical authority; ~**gezang** c.-singing; (*lied*) (c.-)hymn; ~**goed** *zie* kerkelijk; ~**hervormer** (c.-)reformer; ~**hervorming** Reformation; ~**hof** churchyard [*op 't* – in the ...], cemetery, graveyard; *de dader ligt op 't* – the cat (Mr. Nobody) has done it; ~**hofhoest** churchyard cough; ~**kauw** *zie* kauw; ~**klok** *a*) c.-bell; *b*) c.-clock; ~**knecht** beadle; ~**koor** c.-choir; ~**leer** c.-doctrine; ~**leraar** clergyman, ecclesiastic, minister (of religion); (*r.-k.*) Doctor of the Church; ~**licht** c.-candle; (*fig.*) luminary (shining light) of the c.; ~**lid** c.-member; ~**lied** (c.-)hymn; ~**meester** churchwarden; ~**parade** (*mil.*) c.-parade; ~**patroon, -patrones** patron saint; ~**plein** parvis; ~**portaal** c.-porch; ~**provincie** ecclesiastical province; archdiocese; ~**raam** c.-window; *-pjes,* (*van glas*) pretty [fill a glass up to the ...]; *zo arm als een*

~**rat** as poor as a c.-mouse; ~**recht** ecclesiastical law, canon law; ~**rechtelijk** canonistic; ~**s** church-going; ~**schender** sacrilegious person, desecrator of the (a) c.; ~**schennis** sacrilege; ~**scheuring** schism; ~**schip** *a*) nave; *b*) *ongev.* = hospitaalschip; ~**sgezind** church-minded; ~**sgezindheid** church-mindedness; ~**slavisch** Church Slavonic; ~**stoel** *zie* bidstoel; ~**tijd** c.-time, -hours; *voor* (*na, onder*) – before (after, during) c.(-hours); ~**toon** c.-mode; ~**toren** c.-steeple; (*zonder spits*) c.-tower; ~**torenspits** c.-spire; ~**uil** (dark-breasted) barnowl; ~**vader** father (of the c.), c.-father; ~**vergadering** c.-meeting, synod, convocation; ~**verordening** c.-ordinance; ~**visitatie** (c.-)visitation; ~**volk** c.-goers, -people; ~**voogd** (*r.-k.*) prelate; (*prot.*) churchwarden; ~**voogdij** churchwardens; ~**vorst** prince of the c., prelate; ~**waarts** churchward(s); ~**wet** c.-law; ~**wijding** consecration (dedication) of a (the) c.; ~**zakje** *zie* kerke...; ~**zang** *zie* ~gezang

kermen moan, groan, whine

kermes id.

kermis (fun, pleasure) fair; *het was ~ te Goes* a fair was on at G.; (*Hollandse* ~, *ook*) kermis; *met ~* at f. time; *het is niet alle dagen ~* life is not all beer and skittles; Christmas comes but once a year; *het is ~ in de hel* it is raining and the sun is shining at the same time; *naar de ~ gaan* go to the f.; *hij kwam van een koude ~ thuis* he came away with a flea in his ear, he had a rude awakening; ~**bed** shakedown, makeshift bed; ~**deun** street-ballad, -song; ~**gast** *a*) f.-goer; *b*) showman; *-en, zie* ~volk; ~**klant** *zie* ~gast *b*); ~**kraam** (f.-)booth; ~**spel** showbooth, travelling show; ~**tent** (f.-)booth; ~**terrein** f.-ground; ~**volk** show-people; ~**wagen** caravan; ~**week** week of the f.; ~**zanger** ballad-singer

kern kernel [of a nut], stone [of a peach], pith [of wood], heart [of a tree], nucleus [of a comet, of an atom, *mv.* nuclei]; (*fig.*) kernel [of truth], heart [of the matter], pith, gist [the ... of his speech], essence [of his statement], nucleus [of a library, a navy]; *de ~ van 't leger* the core of the army; *dat is de ~ van de hele zaak* that is the k. (the crux) of the whole matter, here lies the whole gist of the matter; *tot de ~ der zaak doordringen* get to the (very) root (heart, core, pith) of the matter; *regelrecht op de ~ van de zaak ingaan* plunge straight into the heart of the matter; *een ~ van waarheid* a germ (a grain) of truth; ~**achtig** pithy, terse; ~**achtigheid** pithiness, terseness; ~**bedrijf** pivotal trade, key industry; ~**centrale** nuclear power-station; ~**energie** nuclear power; ~**fysica** nuclear physics; ~**gedachte** central idea; ~**gezond** perfectly healthy, (as) hard as nails; (*inz. van oud pers.*) hale and hearty; ~**hout** heart-wood; ~**kabinet** inner cabinet; ~**kop** nuclear warhead; ~**lis** chromosome; ~**onderzoek** nuclear research; ~**ploeg** (*sp.*) national selection; ~**probleem** central problem; ~**reactor** nuclear reactor, atomic pile; ~schaduw inner shadow, umbra; ~-splitsing nuclear fission; ~spreuk aphorism, apophthegm; ~stop test ban [treaty]; ~vakken key subjects; ~vrucht pome; ~wapen nuclear weapon

kerrie curry

kers cherry; (*plant*) cress; *met grote heren is het slecht ~en eten* he needs a long spoon who sups with the devil; the weakest goes to the wall; ~appel Siberian crab

kerse: ~bloesem cherry-blossom; ~bonbon c.-liqueur chocolate; ~boom c.-tree; ~boomgaard c.-orchard; ~hout c.-wood

kersen: ~brandewijn cherry-brandy; ~pluk c.-picking; ~tijd c.-season; ~wijn c.-wine

kersepit cherry-stone; (*sl.* = *hoofd*) nob, chump, cokernut

kerspel parish; ~kerk p.-church

kersrood *bn.* & *zn.* cherry-red, cerise

kerst- Christmas-; ~avond (*24 dec.*) C. Eve; (*25 dec.*) C. evening; ~blok Yule-log; ~boodschap C. message; ~boom C.-tree; ~dag (*eerste*) C. Day, (*tweede*) Boxing Day, (*als 1e op zaterdag valt:*) C. Sunday; *in de ~en* at Christmas

kerstenen christianize; -ing christianization

kerst- Christmas: ~feest Christmas (feast); ~geschenk C. present; (*ongev. nieuwsjaarsfooi*) C. box; ~groet C. greeting(s), greetings of the season; *het* K~kindje the Christ-child, the Infant Jesus; ~klokken C. bells; ~lied C. carol; ~man(netje) Father Christmas, Santa Claus; K~mis Christmas, Xmas; Nativity; (*vooral Sc.*) Yule(-tide); *een witte – a white C.; – en nieuwjaarswensen* compliments of the season; ~morgen C. morning; ~nacht C. night; ~roos C. rose; ~stemming C. (*fam.: Christmassy*) mood; ~ster poinsettia; ~tijd Christmas (time, season); (*vooral Sc.*) Yule(-tide); ~vakantie C. holidays; ~week C. week; ~zang C. carol

kersvers quite fresh, quite new, [get the news] red-hot; (*boek*) hot from the press; ~ *van de academie* fresh from the university

kervel chervil; *dolle* ~ hemlock; *fijne* ~ bur c.; *wilde* ~ wild (*of:* mock) c., sheep's (cow's) parsley

kerven notch, carve, slash; (*tabak*) cut

kerver carver; [tobacco-]cutter

ketel kettle; (*was-, brouw-, enz.*) copper, cauldron; (*was- ook.*) boiler; (*heksen-*) cauldron; (*stoom-*) boiler; *ook* = ~dal; ~aanslag *zie* ~steen; ~bekleding boiler lagging; ~bikker boiler scaler; ~boeter tinker; ~dal basin(-shaped valley), bowl, circus, cirque; ~haak k.-hook; ~huis boiler-house; ~lapper tinker; ~maker boilermaker; ~muziek rough music, tin-kettling; *op – onthalen* tin-kettle, rough-music [a p.]; ~ruim (*mar.*) boiler-room; ~steen scale, fur; (*van stoomketel ook*) boiler-scale; ~trom(slager) k.-drum(mer); ~vormig (*van dal*) basin-, bowl-shaped; ~wand boiler-shell

keten chain (*ook berg., enz.*); ~en (*fig.*) chains, bonds [of slavery], fetters; *in ~en slaan* put

into chains; *zijn ~en verbreken* break (shake off) one's chains; *een ~ vormen*, (*van personen*) form a human c.; *zie* ketting; ~en *ww.* chain, shackle, enchain; ~gebergte mountain range; ~gerammel clank(ing) of chains

ketjap ketchup

ketsen *intr.* (*van geweer*) miss fire, misfire; (*biljart*) miscue; *tr.* defeat [a proposal], turn down [a plan], blackball [a person]

ketsschot miss-fire, misfire, flash in the pan

ketsstoot (*biljart*) miscue

ketter heretic; *zie* vloeken; ~dom heretics; ~en rage, storm, swear; ~gericht (court of) inquisition; ~ij heresy (*ook fig.*); *naar – rieken* smell of the faggot; ~jacht heretic-, heresy-hunt(ing), witch-hunt; ~jager heretic-, heresy-hunter, witch-hunter; ~meester inquisitor; ~s heretical; ~verbranding(-vervolging, -vervolger) burning (persecution, persecutor) of heretics

ketting chain; (*weverij*) warp, chain; ~ *van kralen, ook:* rope (*of:* string) of beads; *de – losmaken* undo the c., (*van hond*) unchain the dog; *aan de ~* chained up, on the c.; *aan de ~ leggen* chain up, put on the c.; (*schip*) arrest (*of:* embargo) a ship; *op de ~* [have (keep) the door] on the c.; *de ~ op de deur doen* chain the door; ~aandrijving c. drive; ~bak c.-locker; ~boek chained book; ~botsing chain collision, pile-up, concertina crash; ~bout coupling-pin; ~breuk continued fraction; ~brief c.-letter; ~brug c.-, suspension-bridge; ~draad warp-thread; ~ganger chained convict; ~gangers(troep) c.-gang; ~garen warp-thread; ~handel intermediary trade; ~handelaar intermediary, speculative (profiteering) middleman; ~hond bandog, watch-dog; ~kast gear-case; ~kogel c.-, angel-shot; ~lijn catenary (curve); ~loos chainless; ~molen c.-pump; ~rad c.-wheel; ~reactie c. reaction; ~regel compound rule of three; ~roker c.-smoker; ~steek c.-, lock-stitch, figure of eight (knot); ~straf penal servitude in chains; ~wiel c.-wheel; (*klein, inz. van fiets*) sprocket-wheel; ~zaag c. saw; ~zijde organzine

kettinkje (little) chain, chainlet

keu 1 (*biljart*) cue; 2 hog; 3 *zie* queue

keuken *a*) kitchen; *b*) cooking [good ...]; the ... is excellent], [excellent] cuisine; *een koude* ~ a cold meal; *de vrolijke* ~, (*spel*) breaking-up-the-happy-home booth; *er een goede* ~ *op na houden* keep a good table; ~doek k.-cloth, k.-towel; ~fornuis k.-range; ~gereedschap, ~gerei k.-utensils; ~jongen *zie* ~knecht; ~kast k.-cupboard; k.-cabinet; ~knecht k.-boy, cook's boy; (*vero.*) scullion; ~latijn k.-, dog-Latin; ~lift rising cupboard; ~meester head-cook, chef; ~meid cook; *tweede* – k.-maid; *gillende* – whistling fire-cracker; ~meidenpootje scrawl; ~meidenroman (shilling) shocker, penny dreadful, (*Am.*) dime novel; ~piet *zie* janhen; ~prinses queen of the k., lady of the frying-pan; ~tje (*inz. in flat*) kitchenette; ~trapje (folding) step-stool; ~uitrusting k.-equipment; ~wagen (*mil.*) k.-wag(g)on, travelling k., cooker, mobile canteen; ~zout k.-, cooking-salt, household salt

Keulen Cologne; ~ *en Aken zijn niet op één dag gebouwd* Rome was not built in a day; *waarop men naar ~ kan rijden* blunt [knife]; *zie* donderen; ~aar *a*) inhabitant of C.; *b*) Rhine barge (*of:* craft)

Keuls Cologne; ~*e pot* stone jar, Cologne pot

keur (*keuze*) choice, selection; (*puikje*) pick [of our forces], flower [of the nation]; (*op goud en zilver*) hall-mark; (*gemeenteverordening*) by(e)-law; (*handvest*) charter; *'n ~ van spijzen* a c. (*of:* variety) of foods; *'n ruime ~ van artikelen* a varied selection of …; *op ~* on approval; *zie* kust 1; ~bat**a**ljon picked batalion; ~bende picked men (troops); ~collectie choice collection; ~der *zie* ~meester

keuren (*algem.*) examine, judge, try, test; (*eetwaren*) inspect; (*metalen*) assay; (*medisch*) examine; (*proeven*) taste, sample [food, wine, cigars]; *van rijkswege gekeurd* government-inspected; *iem. geen blik waardig ~* not deign to look at a p.

keurig exquisite [the room was furnished … ly], trim, dainty, natty; *er ~ netjes uitzien* look very spruce (trim and neat, spick and span); *~ geïllustreerd* choicely illustrated; *~ getrouwd* decently married; *een ~ gestrikte sjerp* a meticulously tied sash; *~ afgewerkt* of e. workmanship; *zij zag er ~ uit* (*als bruid*) she made a beautiful bride; *het past u ~* it fits you beautifully, perfectly (to a T); ~heid trimness, etc.

keuring [medical] examination; inspection [of meat, etc.]; assay [of metals]; test(ing), tasting, etc.; *vgl. 't ww.;* ~scommissie committee of inspection; board of (film-)censors; (*med.*) medical board; ~sdienst food-inspection department

keur: ~kamer assay-hall; ~korps picked body (of men), crack regiment; *zie ook* ~bende; ~meester [food-]inspector; assayer [of gold and silver]; [film-]censor; (*bij tentoonstelling, enz.*) judge; (*van bier*) ale-, beer-taster; ~prins electoral prince; ~regiment crack regiment

keurs(lijf) bodice, stays, corset; (*fig.*) shackles, trammels [the … of convention]; *een ~ aanleggen* shackle, trammel, strait-jacket

keur: ~steen touchstone; ~teken hallmark, stamp; ~troepen picked troops; ~verwantschap elective affinity

keurvorst elector; ~elijk electoral; ~endom electorate; ~in electress

keurvrij [offer] on approval

keus choice, selection; (*recht van ~*) option; *een ruime ~* a large assortment, a wide c.; *de ~ is aan u* the c. rests (rests) with you (is yours); *er blijft mij* (*ons, enz.*) *geen andere ~ over* there is no alternative, it's Hobson's c., I have no other c., (*dan te …*) I have no c. (no option) but to …; *dit feit liet mij geen ~* left me no c. (no alternative); *iem. de ~ laten* let a p. take his c., give a p. the option [between …], leave

a thing to a p.'s c.; *een ~ doen* make a c. (one's selection), take one's c.; *de ~ vestigen op* fix (*of:* pitch) upon [such a house]; *ik heb de ~ van wapens* I have the c. of weapons, the c. of weapons is mine; *bevordering bij keuze* promotion by selection (by c.); *naar ~* at c., as desired; *vakken naar keuze* optional subjects; *naar* (*ter*) *keuze van* at (in) the option of; *dit geeft u de ~ tussen drie mogelijkheden* a choice of three possibilities; *uit vrije ~* of one's own free will, [he does not wear these clothes] by c.; *van zijn ~* [the woman] of his c.; *iem. voor de ~ stellen* put a p. to the c., fasten the alternative upon a p.; *~ uit 19 gerechten* a choice of 19 items

keutel (lump of) turd; ~*s* (*van dieren*) droppings; ~aar trifler, dawdler; ~(acht)ig niggling, overpunctilious; ~en potter, trifle

keuter(boer) small farmer, crofter, cottager

keuvel cowl [of a monk], hood

keuvelaar(ster) talker; (*vooral kind*) prattler; (*vrouw*) gossip; **keuvelarij** chat, chit-chat; (*van klein kind*) prattle

keuvelen chat, have a chat; (*van klein kind*) prattle, babble; ~*de stijl* chatty style

keuze *zie* keus & plaatselijk; ~commissie selection committee (*ook:* the selectors); ~schakelaar selector switch; ~vak optional subject

kever beetle; (*Am.*) bug

K.I. artificial insemination

kibbel: ~aar(ster) bickerer, squabbler, wrangler; ~achtig *zie* ~ig; ~arij bickering(s), wrangling, wrangle, squabble, tiff; ~en bicker, wrangle, haggle, squabble, have a tiff; ~ig quarrelsome; ~partij *zie* ~arij

kibboets kibbutz (*mv.* -im)

kiek snap(shot), shot, view; (*van dichtbij*) close-up; (*van veraf*) long-shot; *'n ~ nemen van, zie* ~en 1; ~eboe bo-peep; (*uitroep*) peep-bo! *~ spelen* play (at) bo-peep

1 kieken snap(shot), take, take a snap of; (*voor film*) shoot [a scene]

2 kieken *zn.* chicken; (*bruine, grauwe, blauwe*) ~dief (marsh-, Montagu's, hen-)harrier

kiekje *zie* kiek

kiektoestel camera

1 kiel blouse, smock(-frock)

2 kiel keel (*ook plantk. & dicht. voor schip*); *de ~ leggen van een schip* lay down a ship, l. d. the keel

3 kiel (*muz.*) plectrum

kielekiele ketcher, kee!; *'t is ~* it's touch and go

kiel: ~en keel, careen, heave down; ~gang garboard strake; ~halen keel-haul; ~ing …ing; *zie* ~en; ~linie (*mar.*) line ahead; ~vlak (*van vliegt.*) vertical stabilizer, (*fam.*) fin; ~vleugel harpsichord; ~water, ~zog wake, dead water; *zie* zog; ~zwaard centre-board

kiem germ; (*fig. ook*) seed; *in de ~ doden* (*smoren*) nip in the bud, stifle in its birth (in embryo); ~blad seed-leaf, cotyledon; ~cel g.-cell; ~dodend germicidal; ~en germinate (*ook fig.*), sprout, shoot; ~huid blastoderm; ~ing germination; ~kracht germinal force; ~krachtig germinative; ~pje germule; ~vrij g.-free, sterile; ~wit albumen, endosperm

kien keen; ~hout fossil wood; ~spel lotto (game)

kiep: ~en tip (up); ~eren a) tip (up); b) tumble (down); ~auto dump truck; ~kar tip-, tilt-, dumping cart

kier chink; op een ~ ajar; op een ~ staan (zetten) be (set) ajar; op een ~tje openen open [the door] a crack; 'm ~en (sl.) have the wind up

kierewiet (fam.) round the bend, crackers

1 kies 1 molar(-tooth), back-tooth, (fam.) grinder; een ~ laten trekken have a tooth (pulled) out; iem. een ~ trekken, (fig.) bleed a p.; de kiezen op elkaar houden say nothing, keep mum; 2 (mineraal) pyrites

2 kies delicate, considerate; (teer) delicate, tender, nice

kiesbaar eligible; ~heid ...ness, eligibility

kiesbevoegd entitled to (the, a) vote, enfranchised, eligible for the franchise; ~heid right to vote, franchise

kies: ~college electoral college; ~deler quota; ~district (voor 2de Kamer) constituency; (stedelijk – voor 2de K. ook) borough; (voor gemeenteraad) ward; ~dwang zie ~plicht; ~gerechtigden electorate; persons entitled to vote; zie ~bevoegd

kiesheid delicacy, considerateness; ~shalve from feelings of delicacy

kieskauw: ~(er) person who trifles with his food; ~en trifle (toy, play) with (dawdle over, nibble at) one's food

kieskeurig dainty, (over-)nice [be nice (choos-(e)y) in the selection of one's guests], [clients have become more] discriminating; fastidious, squeamish, particular [about the company one keeps], finical; ~ op het eten dainty, overparticular (over-nice) in the choice of one's food; ~heid daintiness, etc.

kieskring polling-district, -area

kieslichaam constituent body

kiesman elector

kiespijn toothache; ~ hebben have (a) t.; ik kan hem missen als ~ I prefer his room to his company; zie lachen

kiesplicht compulsory suffrage

kiesrecht suffrage, franchise; 't ~, ook: votes [for women], the [municipal, Parliamentary] vote; algemeen ~ universal s.; van 't ~ beroven disfranchise (beroving ..., ...ment); 't ~ schenken enfranchise; 't ~ krijgen be enfranchised; (fam.) get the vote; ~hervorming electoral (of: franchise) reform; ~ontwerp electoral bill

kies- dikw. electoral: ~schijf dial; ~stelsel e. (election) system; ~toon (telef.) dialling tone; ~vereniging e. association, political club; ~wet e. law, ballot act

kiet zie quitte; kietel... zie kittel...

kieuw gill; ~boog g.-arch; ~deksel g.-cover; (wet). operculum, mv. -la; ~holte g.-opening; ~potigen branchiopoda, branchiopods; ~spleet g.-slit, -cleft

kievi(e)t pe(e)wit, lapwing, green plover; lopen als een ~ run like a deer

kievi(e)ts: ~bloem snake's head, fritillary; ~ei plover's egg

kiezel gravel; (inz. langs kust) shingle; (chem.) silicon; ~aarde silica, silicious earth; ~achtig silicious; (grindachtig) gravelly; ~grond gravelly soil; ~pad pebbled walk; ~steen pebble; ~weg zie grindweg; ~wier diatom; ~zand gravel; ~zuur silicic acid

kiezen choose, select; single out [two poems for discussion]; (tot voorzitter, afgevaardigde, enz.) elect; (stemmen) vote; opt [for union with England]; iem. tot vriend ~ c. a p. for (as) a friend; iem. tot voorzitter ~ elect a p. chairman (president, to the chair); hij werd gekozen voor de gemeenteraad he was elected to (of: (as) a member of) the town-council; kiest B! vote for B.!; ge moet ~ of delen (kavelen) you will have to come to a decision; you may take it or leave it; it is one thing or the other; zijn woorden ~ c. (met zorg: pick) one's words; kies welke je wilt take your pick; u kan ~ tussen deze kamer en die you have the option of ...; ~ uit c. from; zie zee

kiezentrekker tooth-drawer

kiezer constituent, voter, elector; de (gezamenlijke) ~s the electorate; het ministerie zal de ~s laten beslissen will go (appeal) to the country; ~es electress, woman voter; ~skorps electorate; ~slijst (electoral) register, electoral roll, list of voters; van de – schrappen remove from the register; ~svolk electorate

kif(t) (fam.) jealousy; wrangling; dat is de ~! sour grapes!; kiften wrangle

kijf: buiten ~ beyond dispute {controversy, question, cavil), beyond all argument, without (the possibility of) dispute

kijfachtig quarrelsome; ~heid ...ness

kijfster scold, quarrelsome woman

kijfziek, kijfzuchtig quarrelsome

kijk look, aspect; zijn ~ op de zaak his view of the matter; zijn ~ op 't leven his outlook upon life; iem. een bredere ~ op 't leven geven, ook: give a p. a broader understanding of life; 't geeft een eigenaardige ~ op ... it sheds a peculiar light on English conservatism; hij heeft een sombere (bekrompen, brede, verkeerde) ~ op de dingen (de zaak) he takes a dark (narrow, broad, wrong) view of things; ik begin er ~ op te krijgen I am getting my eye in, I begin to see it more clearly; daar is geen ~ op that is out of the question, that is not to be expected; te ~ lopen met make a show of, show off; te ~ staan (zijn) be on view; te ~ zetten place on view, exhibit; tot ~ see(ing) you; ~dag show-, view-day; (voor genodigden) private viewday; (voor de pers) press-day; ~dichtheid viewership figures; uren met de grootste – peak viewing times

kijken[1] look, have a look; (fam.) peep; (televisie) see in, view; iets laten ~ show s.t.; laat me *eens goed* ~ let me have a good look at it; *ga eens* ~ go and have a look (*fam.*: a peep); *niet ~!* you're not to look; *hij komt pas* ~ he has just come out of the shell, he is a mere youth; *ik kom morgen eens* ~ I will call (drop) in (step round) to-morrow; *daar komt heel wat bij* ~ that's quite a job; *kijk eens!* l. here!; *kijk nu eens aan!* (*verwijt, enz.*) l. at that now! there now! (*verrassing*) fancy that now!; ~ *staat vrij* a cat may l. at a king; *in de kast* (*de spiegel*) ~ l. in the cupboard (the glass); *kijk me in de ogen* l. me in the eyes; ~ *naar* l. at, have a l. (*vluchtig:* a glance, *fam.:* a squint, *sl.:* a dekko) at; (*gadeslaan*) watch, eye; ~ *naar televisie* watch TV; (*passen op, enz.*) l. after [the children], attend (look, see) to; *naar rechts noch links* ~ l. neither right nor left; *ik zal er eens naar* ~ I'll give it a look; *er moet naar 't slot gekeken w.* the lock should be looked (seen) to; *je deed beter eens naar een kamer te gaan* ~ (*om te zien*) you'd better see about a room; *kijk naar jezelf!* look at home!; *laat naar je* ~*!* don't be silly; ~ *op* look at [one's watch]; *ik hoef niet op een paar shilling te* ~ I need not look twice at every shilling; *ik kijk niet op geld* money is no object with me; *iem. de woorden uit de mond* ~ hang on a p.'s lips; *de gulzigheid kijkt hem de ogen uit* his greed looks through his eyes; *hij stond ervan te* ~ it made him stare (sit up); *daar sta ik van te* ~*!* well, I am dashed!; *zie ook* glaasje, klok, kwaad II, neus, raam, enz.

kijk: ~er spectator, looker-on, onlooker; (*televisie*) viewer; (*instrument*) (field-)glasses, binoculars; telescope; (*toneel*) opera-glass(es); ~(*tje*)s peepers; *jij loopt in de* ~ you will be found out; ~**gat** peep-, loop-hole; (*in deur van cel*) spy-, observation-hole, judas (-hole); ~**geld** T.V.-licence fee; ~**graag** *zie* ~lustig; ~**in-de-pot** inquisitive person; ~**je** look; (*fam.*) peep [*ook fig.:* a ... into a p.'s mind], squint; (*fig.*) sidelight [on a p.'s life]; *een – nemen* have (take) a look; ~**kast** raree-, peep-show; –**je** (*t.v.*) goggle-box; ~**lustig** eager to see, inquisitive; ~*en* gapers, sightseers, (*Am. sl.*) rubbernecks; ~**spel** a) *zie* ~kast; b) (*theat.*) = ~stuk; ~**spleet** aperture; ~**stuk** spectacular play, show-piece; ~**uit** *zie* ~gat; ~**venster** peep(ing)-window

kijven quarrel, wrangle, brawl, altercate; *op iem.* ~ scold a p.; *zie* twee

kijver wrangler, quarrelsome person; ~**ij** *zie* gekijf

kik: *hij gaf geen* ~ he didn't utter a sound

kikeriki cock-a-doodle-doo

kikken: *je hoeft maar te* ~ you have only to say the word; *je moet er niet van* ~ don't breathe a word of it, keep it close

kikker frog; (*mar.*) cleat; *een* ~ *in de keel h.* have a f. in one's throat; ~**billetje** frog's leg; ~**concert** f.-concert; (*fig.*) Dutch concert; ~**dril** *zie* ~rit; ~**eieren** *zie* ~rit; ~**gekwaak** croak(ing) of frogs; ~**kruid** f.-bit; ~**poel** froggery; ~**rit, ~schot** f.-spawn; (*fam.*) f.-jelly;

~**spog** *zie* koekoeksspog; ~**visje** tadpole

kikvors frog; *zie* kikker; ~**man** frogman; ~**pak** frogman suit

1 kil *zn.* channel

2 kil *bn.* chilly, shivery; **kilheid** chilliness

killen 1 (*van vingers, enz.*) tingle; 2 (*van zeil*) flap

killig chilly, shivery

kilo: ~**hertz** (*nat.*) kilocycle(s) per second, kilohertz, kcs.; ~(**gram**) kilogram(me); ~**liter** kilolitre

kilometer kilometre; ~**teller** (h)odometer, *ongev.* milometer; ~**vreter** road-hog, roadmaniac, speed-fiend, -merchant, speeder; ~**vreterij** speeding, scorching; ~**ohm** id.

kilo: ~**periode** (*nat.*) kilocycle, kc.; ~**volt** id.; ~**watt** id.; –**uur** k.-hour, (B.O.T.) unit

kilte *zie* kilheid

kim (*van vat*) chimb, rim; (*van schip*) bilge; (*gezichtseinder*) horizon; (*schimmel*) mould; *verrijzen aan* (*duiken onder*) *de* ~ appear on (sink below) the horizon; (*van schip ook in beide gevallen*) be hull down; *het schip is lek in de* ~ is bilged

Kimbren Cimbri; **Kimbrisch** Cimbric

kimduiking dip (of the horizon)

kimkiel bilge-keel

Kimmerisch Cimmerian [darkness]

kimono id. (*mv.* -s), house-coat

kin chin; *met de hand om de* ~ with c. cupped in hand; *zie* aai(en)

kina quinine; ~**bast** cinchona, (Peruvian, Jesuits') bark; ~**boom** cinchona(-tree)

kinband (*mil.*) chin-strap

kind child (*ook fig.:* a c. of his time; he is a child at business *in* ...); (*fam.*) kid(dy); (~*je*) baby (*ook fig.:* he is a big ...; what a ... you are!], babe, infant; *een aardig* ~, *ook:* a nice girl; *zij heeft drie* ~*eren, ook:* she has a family of three (*evenzo:* a married man with no family); *met zijn vrouw en* ~*eren, ook:* with his wife and family; *u hebt vrouw en* ~*eren, niet waar?* you are a family man, aren't you?; *als een klein* ~ *behandelen, ook:* baby [a p.]; ~*eren moet men niet merken* children should be seen and not heard; *ze moet 'n* ~(*je*) *krijgen* she is to have a c.; *zo* ~ *zo man* the c. is father of (*ook:* to) the man; ~*eren zijn kinderen* children will be children; *ze hebben geen* ~*eren tot hun last* they have no encumbrance(s) [married couple without encumbrance(s)]; *wie zijn* ~ *liefheeft, kastijdt het* spare the rod and spoil the child; *zij is geen* ~ *meer* she is no longer a c., she is no chicken; *'t zijn geen kinderen* (*meer*) they are not children; *je hebt er geen* ~ *aan* it's no trouble at all; *je bent een* ~ *des doods* you are a dead man; ~*eren Israëls* children of Israel; ~*eren en dronken mensen zeggen de waarheid, ongev.:* children and fools speak the truth; *hij is daar als* ~ *in huis* he is quite one of the family; *daar ben jij een* ~ *bij* you are not in it with him, you are not a patch upon him; *hij heeft* ~ *noch kraai* he has neither chick nor child; ~*eren zijn een zegen des Heren*

children are a heritage of the Lord; *het ~ bij zijn naam noemen* call a spade a spade; *je wordt het ~ van de rekening* you will have to pay the piper (to foot the bill, to carry the can); *'t ~ met 't badwater weggooien* throw out the baby with the bath-water, reject the good with the bad; *zie* bij 17, dood, met
kindeke: *het ~ Jezus* the Infant Jesus, the Christ-Child
kinder- *dikw.:* toy [drum, pistol, etc.]: **~aard** child nature; **~achtig** childish, infantile, silly; *wees niet zo –!* be your age!; *wat ben je toch –!* what a baby you are!; **~achtigheid** childishness, silliness; **~aftrek** rebate (*of:* tax relief) for children; **~arbeid** child labour; **~arts** children's doctor (*of:* specialist); **~bad** (*in zwembad*) paddling-pool; **~bal** children's ball (dance); **~bed** child's bed, cot; (*kraambed*) childbed; **~bescherming** child protection, c. welfare; *bureau voor –* infant welfare centre; *vereniging voor –* National Society for the Prevention of Cruelty to Children; N. S. P. C. C.; **~beul** bully (to children); **~bewaarplaats** crèche, day nursery; **~bijbel** children's (child's) bible; **~bijslag** children's (*of:* family) allowance; **~boek** children's book; **~boerderij** (*ongev.*) children's zoo; **~courant** children's paper; **~dief** childstealer, kidnapper; **~dienst** children's service (*of:* church); **~dokter** *zie* **~arts**; **~doop** infant baptism, paedobaptism; **~dracht** children's wear; **~feest** children's party; **~fiets** child's bicycle; **~gebabbel** child's (children's) prattle; **~geest** child mind; **~gek** person doting on children; **~geneeskunde** paediatrics; **~goed** baby-clothes, -linen; *magazijn voor –* baby-store; **~gril** child's whim; **~hand** child's hand; childish handwriting; *een – is gauw gevuld* a child's heart is easily made happy; (*iron.*) little things please little minds; **~hart** heart of a child; **~hoofdje** *a*) baby's head; *b*) cobble-stone; **~horloge** toy-watch; **~huwelijk** child-marriage; **~jaren** (years of) childhood, infancy; **~juffrouw** nursery-governess, nurse; (*fam.*) Nannie; **~jurk** child's frock; **~jurkje** baby's frock; **~kaart** child's ticket, half t.; **~kamer** nursery; playroom; *laat de ~kens tot mij komen* suffer the little children to come unto me; **~kerk** *zie* **~dienst**; **~kleertjes** baby-clothes; **~kleren** children's clothes; **~kliniek** infant clinic; **~kolonie** children's holiday-camp; **~kost** children's food, food for infants; *dat is geen –* that is not milk for babes (not for children); *over 't ~krijgen heen zijn* be past child-bearing; **~kruistocht** children's crusade; **~kuur** child's whim; **~kwaal** children's complaint; **~lectuur** juvenile literature; **~ledikantje** cot; **~leed** childish grief; **~lepel** child's spoon; **~leven** child life; **~liefde** (*voor ~en*) love of (one's) children, (*van ~en*) filial love; **~lijk** childish (*als van 'n kind:* childlike) [simplicity]; (*van zoon of dochter, ook fig.*) filial [piety]; *een – geloof, ook:* a child's faith; **~lijkheid** childlike nature, naivety; **~loos(heid)** childless(ness); **~luier** baby's napkin; **~meel** infants' (farinaceous) food; **~**meid, **~meisje** nurse-maid; **~moord** infanticide, child-murder; (*te Bethlehem*) massacre of the Innocents; **~moordenaar** child-murderer, infanticide; **~naam** child's name; **~operette** (*inz. met Kerstmis*) pantomime; **~oppas** babysitter; **~oren:** *niet voor – bestemd* not meant for children to hear; **~partij** children's party; **~pek** meconium; **~pistooltje** toy (*of:* dummy) pistol; **~plicht** filial duty; **~pokken** smallpox; **~postzegel** child welfare stamp; **~praat** childish prattle (*of:* talk); (*fig.*) childish talk; **~psychologie** child psychology; **~rechtbank** children's court, juvenile court; **~rechter** children's court magistrate; **~rijmpje** nursery-rhyme; **~rol** child's part, *mv.:* children's parts; **~roof** kidnapping, child-stealing; **~schoen** child's shoe; *nog in de –en staand* [industry] still in its infancy; *de –en uittrekken* put off childish ways, leave off child's play; *de –en ontwassen zijn* be past the age of childhood; *zij is de –en ontw., ook:* she is no chicken; *pas de –en ontw.* just out of swaddling-clothes; **~schooltje** infant school; **~serviesje** toy service; **~slot** childproof lock; **~speelgoed** children's toys; **~spel** child's play [*ook fig.:* it is mere ... (to him)]; *een –* a children's game; **~stem** child's (childish) voice, *mv.:* children's voices; **~sterfte** infant(ile) mortality; **~stoel** baby-chair, high chair; **~taal** child's (children's) language, infant speech; *zie ook ~praat*; **~tehuis** children's home; **~toeslag** *zie ~bijslag*; **~treintje** toy train; **~tuin(tje)** child's (children's) garden; *zie ook* speeltuin; **~uurtje** children's hour; **~verhaal** children's story, story for children; **~verlamming** infantile paralysis, poliomyelitis, (*fam.*) polio; **~versje** nursery rhyme; **~verwaarlozing** child neglect; **~verzorging** *zie ~zorg*; **~visite** children's party; **~voedsel** infants' food; **~vraag** childish question; **~vriend(in)** friend of children, child-lover, children's friend; **~wagen** perambulator (*fam.:* pram), baby-carriage; **~wagenkleedje** pram cover; **~weegschaal** baby balance (*of:* weighing-machine); **~wereld** children's world; **~werk** child's (children's) work; **~wet** Children Act; **~zegel** *zie* ~postzegel; **~zegen:** *een rijke –* a quiver full of children, a quiverful; **~ziekenhuis** children's hospital; **~ziekte** children's (*of:* infantile) complaint, childhood disease; (*fig.*) growing pains, teething trouble(s); **~zorg** child (infant, baby) welfare (*of:* care), infant welfare work
kindje baby, babe; *zie* kind
kindlief dear child, darling (child), deary
kinds doting, childish, senile; [be] in one's dotage, in one's second childhood; (*volkst.*) gaga; *hij is ~, ook:* he is a dotard; *~ worden* grow childish, lapse into second childhood, (*volkst.*) go gaga; *in mijn ~e dagen* in my childhood; **~been:** *van – af* from a child, from childhood (*of:* infancy), from the (his, her) cradle; **~deel** child's portion; **~heid** 1 childhood, infancy; *eerste –* early childhood; *allereerste –* baby-

hood; 2 second childhood; dotage; ~**kind** grandchild; *–eren, ook:* children's children

kindvrouwtje child-wife

kinematica kinematics; **kinematisch** kinematic; **kinetisch** kinetic

kinhouder (*van viool*) chin-rest

kinine quinine; *zie* kina

kink kink, hitch, twist; *er is een ~ in de kabel* there is a hitch somewhere, there is something wrong; *er kwam een ~ in de kabel* a hitch (setback) arose (occurred)

kinkel boor, lout, clodhopper, bumpkin

kinkelachtig boorish, loutish; ~**heid** ... ness

kinken clink, clank, clang

kinketting curb(-chain)

kinkhoest (w)hooping-cough

kinkhoorn whelk-shell

kinnebak jaw-bone, mandible

kinriem chin-strap; **-steun** (*van viool*) chin-rest

kiosk id.; [railway-]bookstall, newspaper stall; (*muziek-*) bandstand

kip hen, fowl, chicken; (*sl.*) bird, chick; (*als gerecht*) chicken; *jonge ~* pullet; *~! ~!* chick! chick!, chuck! chuck!; *~pen houden* keep fowls; *~, ik heb je* I have you there! I've caught you!; *de ~ slachten, die de gouden eieren legt* kill the goose that lays the golden eggs; *redeneren als een ~ zonder kop* talk through one's hat; *met de ~pen op stok gaan* go to bed with the chickens; *als de ~pen bij zijn* be down on it in a flash, be quick to seize one's opportunity; *rondlopen als 'n kip die haar ei niet kwijt kan* walk restlessly up and down; *je ziet er geen ~* you don't see a (living) soul there; *zie* ei & lekker

kipauto, -kar *zie* kiep...

kiplekker as right as rain; *zie* lekker; **kippeborst** pigeon-~breast; *'n ~ hebben* be pigeon-breasted

kippe-[1]: ~**boutje** drumstick; ~**cholera** chicken cholera; ~**ëi** hen's (chicken's) egg; ~**gaas** wire-netting; *door – ingesloten* wire-netted; ~**kuur** whim, freak

kippen *zie* kiepen

kippen: ~**boer** chicken-, poultry-farmer; ~**dief** poultry-thief, -stealer; ~**fokkerij** *a)* poultry-farming; *b)* poultry-farm; ~**hok** hen-, chicken-, fowl-, poultry-house, hen-coop; ~**ladder** chicken-ladder; ~**loop** fowl-, chicken-, poultry-run; ~**rek** hen-roost; ~**ren** *zie* ~loop

kippe: ~**pastei** chicken-pie; ~**soep** chicken-broth

kippetjesgort, -grutten grits, groats

kippe: ~**vel** hen-skin; (*fig.*) goose-flesh; *ik heb helemaal –* I am goose-flesh all over; *ik krijg er – van* it makes my flesh creep; (*fam.*) it gives me the creeps; ~**voer** chicken-food, c.-feed; ~**ziekte** chicken-disease

kippig near-sighted, short-sighted

kipwagen tipping-wag(g)on; *zie* kipkar

kirren coo; (*van klein kind*) coo, gurgle

kirsch(wasser) id.

kiskassen make (play at) ducks and drakes

[1] *Zie ook* hoender...

Niet opgenomen woorden zoeke men onder C

kissen *intr.* hiss; *tr., zie* aanhitsen

kist [packing-]case; chest (bin) [of tea, rubber, etc.], box [of cigars]; (*dood-*) coffin, (*Am.*) casket; (*luchtv., sl.*) kite, bus, (*Am.*) ship; ~**beslag** box strapping; ~**dam** coffer-dam; ~**en** (*lijk*) (place in a) coffin, (*dijk*) strengthen by means of a coffer-dam; *laat je niet –,* (*fam.*) don't let yourself be sat upon; ~**enmaker** packing-case (box-, coffin-)maker; ~**ing** *zie* bekisting; ~**je** box [of cigars]

kit (*kan*) jug; (*kolen-*) (stove-)filler, coal-hod; (*kroeg*) pub; (*opium-*) (opium-)den; (*bindmiddel*) lute; *in ~ten en kroegen lopen* frequent pubs; ~**lijm** lute

kitsch id.

kittelaar tickler; (*anat.*) clitoris

kittel(achtig) ticklish; ~**heid** ... ness

kittelen tickle, titillate; **-ing** tickling

kittelorig touchy, short-tempered, thin-skinned; ~**heid** touchiness

kitten *ww.* lute

kittig smart, spruce; *een ~ paard* spirited horse; ~**heid** ... ness

kiwi id.

klaag: ~**geschrei** lamentation(s); ~**grond** grievance, cause of complaint; ~**huis** house of mourning; ~**lied** (song of) lamentation, dirge, threnody; (*fig.*) jeremiad; *de K–eren* the Lamentations [of Jeremiah]; ~**lijk** plaintive, doleful; ~**muur** Wailing-Wall (at Jerusalem); ~ **muziek** wailing music; ~**psalm** *zie* boetpsalm; ~**schrift** plaint; ~**stem** plaintive voice; ~**toon** plaintive tone [*op een –* in a ...]; ~**vrouw** wailing-woman; ~**zang** *zie* ~lied

klaar (*helder*) clear, limpid; (*duidelijk*) clear, evident; (*om te beginnen*) ready; (*af*) completed, finished; (*na opleiding*) qualified [positions will be found for them when ...]; *klare cognac* brandy neat, neat brandy; *klare jenever* raw gin; *klare onzin, zie* klink~; *dat is ~, ~ is Kees* that job is jobbed, that is that; *en ~ is Kees!* and there you are! and Bob's your uncle!; *alles ~ vinden* find everything ready (to one's hand); *ik ben ~ a)* I am ready; *b)* I have (am) finished (done); *ben je ~?* (*met werken, spreken, enz.*) have you done? *are you through?; ik ben ~ met eten* (*schrijven*) I've finished dinner (writing); *als je ~ bent* (*met de lucifer*) after you (with the match); *we zijn er-mee ~* we are done with it; *ze is* (*half*) *~ met* ... she is (half-way) through (with) her task; *een vrouw is nooit ~ met haar werk* a woman's work is never done; *ik ben nog niet ~ met hem* I have not done with him yet; *gauw ~ met een antwoord* prompt at an answer; *zo ~ als de dag* (*een klontje*) as clear (as plain) as day-light, as plain as a pike-staff (as the nose in (*of:* on) your face); *~ wakker* broad (wide) awake; *ik werd ~ wakker* I came fully awake; *ouwe klare* Hollands (gin); *'n klare* a glass of Hollands (of Schiedam); *zie* gereed, wijn, enz.

klaarblijkelijk *bn.* evident, obvious, clear, manifest; *bw.* ...ly; [the evidence is false] on the face of it; ~**heid** obviousness, clearness
klaar: ~**hebben** *a*) have ready; *b*) have finished; *zie* ~; ~**heid** clearness, clarity, limpidity; *tot* – *brengen* clear up, talk [the matter] out; think [things] out; thrash out [a problem]; ~**houden** keep [it] ready (handy); ~**komen** get ready; get (be) done [she would never be done in time]; *zorg dat je* ~ *komt met 't pakken* get your packing over; ~**krijgen** *a*) get [it] ready; *b*) get [it] done; *vgl.* ~; ~**leggen** put [a towel] ready; lay [the fire]; (*kleren, enz.*) lay out, lay ready; *alles* –, *ook:* put everything ready to hand; ~**licht**: *het is* –*e dag* it is broad daylight; *op* –*e dag* in broad daylight; ~**liggen** lie ready; ~**maken** get ready, prepare; dress [the salad]; cook [dinner]; mix [a salad, a grog, a brandy and soda]; make up [a bed for a p. on the floor]; coach [a p. for an examination]; *geneesmiddelen* (*een recept*) – make up (dispense) medicines (a prescription); *zich* – get ready; prepare [for departure]; ~**overs** school (crossing) patrol (*in Eng. volwassenen*); ~**schrift** clear [in ...]; ~**spelen**: *'t* – manage (it), work it, pull (bring) it off, fix it up, do the trick; *ook:* he performed the remarkable feat of -ing...; *zie* lappen; *'t met iem.* – manage a p.; *'t zelf* – shift for o. s.; ~**staan** be ready; (*om hulp te verlenen, eig. mar.*) *ook:* stand by; *de tafel* (*'t ontbijt, enz.*) *staat* ~ the table, (breakfast etc.) is laid; *voor ieder* – be always ready to oblige everybody; *voor ieder moeten* – be at everybody's beck and call; *altijd* – *met zijn mening* always be prompt with one's opinion; ~**stomen** (*leerlingen*) cram, force
Klaartje Clara, Clare
klaar: ~**zetten** place (set, put) ready, set out [cups, plates, supper, the tea-things]; lay (out) [breakfast, supper]; set [the card-table]; *de tafel* – set (lay) the table [for lunch]; lay the cloth; ~**ziend** clear-sighted, shrewd
Klaas Nicholas; *een houten* (*stijve*) ~ a stick; ~ *Vaak* Wee Willie Winkie
Klaasje Nicola
klabak bobby, copper, cop
klacht complaint (*over* about); (*wee*~) lamentation; (*aan*~) charge, accusation, complaint; *alom gingen* ~*en op* complaints were heard on all sides; *een* ~ *indienen tegen iem.* lodge (make) a c. against a p.; *een* ~ *uiten* raise a complaint; *zie* aanklacht
klachtenboek complaint-book
klad [ink-]blot, stain, blotch, splodge, splotch, smudge; (*ruwe schets*) rough draught (*of:* copy); *een* ~ *op iems. naam werpen* cast a slur on a p.'s name; *de* ~ *erin brengen* spoil the trade; *de* ~ *is erin* (*in zijn zaak*) the bottom has fallen (*of:* gone) out of his business, his business is falling off; *zie ook* diskrediet; *schrijf 't in 't* ~ make a rough copy (*of:* draft), write it out rough; *iem. bij de* ~*den pakken* catch hold of a p., collar a p.; *hij had hem dadelijk bij de* ~*den* he was down on him in a moment; ~**blok**

scribbling-block; ~**boek** waste-book, memorandum book; *ik heb er nog wel een paar in mijn* –*je staan* I could easily mention some (more) [names, etc.]; ~**den** blot, stain; (*van papier*) blot; (*met verf, enz.*) daub; (*krabbelen*) scrawl, scribble; (*hand.*) undersell, undercut; ~**der** dauber; (*hand.*) underseller; ~**derig** blotchy, splotchy, splodgy; ~**je** rough draught; ~**papier** scribbling-paper; (*vloei*-) blotting-paper; ~**schilder** dauber; ~**schilderen** daub; ~**schilderij** daub; ~**schrift** *a*) bad (*of:* messy) handwriting; *b*) rough-copy book, scribbling-book; ~**schrijver, -ster** scribbler; ~**schuld** trifling debt; ~**werk** rough copy; (*schilderij*) daub
klagen complain [*over* of; *bij* to; *wegens* for], make complaint; (*weeklagen*) lament, wail; *ik klaag niet gauw* I'm not one to c.; *men klaagt* (*er wordt geklaagd*), *dat* ... complain is made (it is complained) that ...; *ik mag niet* ~ I mustn't grumble (complain); *het is godgeklaagd* it cries to Heaven; *hij klaagde mij zijn nood* (*leed*) he poured out his troubles to me; *ik heb geen* (*reden tot*) ~ I have no cause to c. (for complaint); *ik heb niet over hem te* ~ I have no complaints to make of (about) him; *sterven zonder te* ~ die uncomplainingly; *zie* steen; ~**d** plaintive
klager complainer, complainant; (*jur.*) plaintiff; ~*s hebben geen nood, ongev.:* those who complain are not always worst off; ~**ig** complaining, querulous
klak 1 (*slag*) thud, crack, slap; 2 (*vlak*) [ink-] blot, splotch, smudge; 3 *zie* claque; ~**kelings** suddenly, unexpectedly; ~**keloos** I *bw.* suddenly, off-hand, without more ado; gratuitously, unthinkingly, rashly; *maar zo* – *aannemen* accept uncritically, swallow [an idea]; II *bn.* groundless (wild) [accusation], gratuitous [lie]
klakken clack [one's tongue *met de tong*]
klakson(hoorn) klaxon (horn)
klam damp, moist, clammy; *zie* zweet
klamaai (*mar.*) caulking-iron; ~**en** caulk
klamboe mosquito-curtain, -net
klamheid dampness, moistness, clamminess
klamp *a*) clamp, cleat, brace, chock, lock; *b*) stack, rick [of hay], clamp [of potatoes]
klampen clamp, cleat; *aan boord* ~ board [a ship]; (*fig.*) accost, buttonhole [a p.]
klamplaag (*bk.*) bond course, header course
klander(en) *zie* kalander(en)
klandizie (*abstr.*) custom, connection, patronage; (*coll.*) clientele, customers; (*als deel der activa*) goodwill; ~ *vormen* work up (build up) a connection (a clientele); ~ *krijgen* get customers (business); *om de* ~ *vragen* solicit c.; *iem. de* ~ *gunnen* place one's c. with a p.; *iem. de* ~ *ontnemen* transfer (remove, take away) one's c.; ~ *verliezen* lose c., lose trade
klank sound [a dull ...], ring [there was a peculiar ... in his voice, the phrase has a familiar ...]; *ijdele* ~*en* empty sounds, idle (empty) words; *zijn naam heeft een goede* ~ he is held

in high repute, he enjoys a good reputation, he is a [writer] of distinction; ~**beeld** sound-picture; ~**bodem** s.-board; ~**bord** sound(ing)-board; ~**camera** s.-camera; ~~ **en lichtspel** son et lumière; ~**figuren:** – (*van Chladni*) Chladni's (*of:* sonorous) figures; ~**film** s.-film; ~**gat** (*van viool*) s.-hole, f-hole; (*in toren*) s.-hole; ~**kast** resonance-box; ~**kleur** timbre; ~**leer** phonetics; (*historische*) – (historical) phonology; ~**loos** toneless [voice]; *met* ~**loze stem**, *ook:* [speak] tonelessly; ~**maat** prosody; ~**meter** sonometer; ~**methode** phon(et)ic method; ~~**nabootsend** sound-imitating, onomatopoeic, -poetic; ~**nabootsing** s.-imitation, onomato-poeia; ~**rijk** sonorous, full-sounding, rich [voice]; ~**rijkheid** sonority, sonorousness, richness; ~**schrift** *a*) phonography, -ic writing; *b*) phonetic script; ~**stelsel** s. (phonetic) system; ~**teken** phonetic symbol; ~**verandering** s.-change, s.-shift(ing); ~**verdover** sordine, damper, mute; ~**verschuiving** s.-shift(ing); *wet der eerste Germaanse* – Grimm's law; ~**vol** *zie* ~rijk; ~**wet** s. (phonetic) law; ~~**wijziging** s.-change

klant customer, client; *rare* (*ruwe*) ~ queer (rough) c.; *zie* afhalen; ~**enbinding** *a*) registration of customers; *b*) customer relations; ~~**enlokker** tout, [circus] barker

klap slap, blow, smack; (*met zweep*) lash, stroke; (*knal van zweep*) crack; (*gesnap*) tittle-tattle, gossip; (*van de klepperman*) rattle; *ijdele* ~ idle talk; *de eerste* ~ *is een daalder waard* the first blow is half the battle; *in één* ~ at (with) a (one) blow; *iem. een* ~ *geven* strike a p. a blow; (*om de oren*) give a p. a box on the ears, box a p.'s ears; slap (smack) [a child]; *een* ~ *in 't gezicht, zie* gezicht; *de eerste* ~ *geven* get one's blow in first; *je hebt er geen* ~ *aan,* (*fam.*) it isn't any darn use; *een lelijke* ~ *krijgen* receive a staggering blow; (*fig.*) be hard hit, get a hard knock; ~**pen krijgen** be slapped; *de* (*meeste*) ~**pen krijgen**, (*fig.*) come off worst; *op de* ~ **lopen** *zie* ~lopen; *hij voert geen* ~ **uit**, (*fam.*) he doesn't do a darn(ed) thing (a stroke of work); *zie* molen, uitdelen, vuurpijl, vallen; ~**achtig** gossiping, gossipy; ~**band** blow-out, tyre-burst; ~**bankje** tip-up seat; ~**beentjes** *zie* ~houtjes; ~**bes(sestruik)** gooseberry (bush); ~**brug** *zie* ophaalbrug; ~~**bus** pop-gun; ~**camera** folding-camera; ~**caravan** trailer-tent; ~**deur** swing-door; ~~**ekster** great grey shrike; (*fig.*) gossip; ~**hek** swing-gate; ~**hoed** crush-, opera-hat; ~**hout** stave-wood; ~**houtjes** (rattle-)bones, casta-nets, clacks; ~**karretje** (folding) push chair; ~**lopen** sponge [*bij iem.* on a p.], cadge [*bij* from]; ~**loper** sponger, cadger; ~**loperij** sponging, cadging; ~**muts** cap with flaps; (*zeil*) sky-scraper; *ook =* klappei & ~**mutsrob** hooded seal, hood-cap

klappei gossip; ~**en** gossip

klappen smack, clap; (*met de tong*) click one's tongue; (*met de zweep*) crack a whip; (*met vleugels*) *zie* klapwieken; (*van band*) burst; (*klikken*) tell tales, blab; *in elkaar* ~ collapse, give up; *in de* **handen** ~ clap one's hands; *krachtig in de handen* ~*d* ['come on', he cried,] with a sharp clap of his hands; *een zoen dat 't klapt, zie* klapzoen; *hij kent 't* ~ *van de zweep* he knows the ropes, he has been through the mill, is an old hand; *'t* ~ *van de zweep leren* learn the ropes; *zie* school

klapper 1 (*babbelaar*) tattler; (*klikker*) tell-tale; (*ratel*) rattle; (*register*) (subject) index, register; (*van molen*) clap(per), clacker; (*vuurwerk*) squib, cracker; ~**s**, *ook =* klaphoutjes; 2 coco-nut; *ook =* ~**boom** coconut tree (*of:* palm); ~**dop** coconut shell; ~**en** rattle; (*van deur, zeil, enz.*) flap; (*van ooievaar*) clatter; (*van tanden*) chatter; (*met* ~**s**) play (the) castanets (the bones); ~**melk** coconut milk; ~**molen** (*als vogelverschrikker*) clack(-mill); *haar tong lijkt wel een* – her clack goes sixteen to the dozen; ~~**noot** coconut; ~**olie** coconut oil; ~**pistool** toy pistol; ~**suiker** coco-palm sugar; ~**tanden:** *hij* ~**tandt** his teeth chatter [*van* ... with the cold]; ~**tje** (*van pistooltje*) cap; ~**tuin** coconut plantation; ~**vet** (hard) coco-oil; ~**vezel** coco(nut) fibre; ~*s, ook:* coir

klap: ~**roos** (corn-)poppy; ~**scheet** (*fig.*) trifle; moment; ~**sigaar** explosive cigar; ~~**spaan** clack; ~**stoel** folding-chair; (*in theat., enz.*) tip-up seat, flap-, theatre-seat; ~**stuk** (*vlees*) thin flank; ~**tafel** flap-table; drop-leaf table; ~*tje* folding-table; ~**vlies** valve; ~~**wieken** clap (flap) the wings; ~**zitting** *zie* ~stoel; ~**zoen** smack(ing kiss), smacker

Klara Clara, Clare; **klare** *zie* klaar

klaren (*zuiveren*) clear, clarify, purify, decant, fine (down); (*goederen, schip*) clear; (*anker, touw, enz.*) clear; *ik zal het wel* – I'll manage (it); *zie* opklaren

klarinet clarinet; ~**tist** clarinettist

klaring (*zuivering*) clearing, clarification, purification; (*door douanen*) clearance

klaroen clarion; ~**geschal** c.(-call)

klas *zie* klasse; ~**genoot** class-fellow, -mate, form-fellow, -mate

klasse (*algem.*) class; (*van school*) class, form, (*Am.*) grade; (*inkomen*) bracket [the higher income b.s]; (*lokaal*) class-, form-room; (*van loterij*) section; (*van begraafplaats*) class, grade; (*van schip*) class; (*mar., van manschappen*) rating, class; *alle* ~*n doorlopen* go through all the classes; *in de* ~ *in* c.; *in de* ~ *zitten bij* be under [a master]; *de* ~ *uitgestuurd worden* be sent out of c.; *eerste* ~ *reizen* travel first c.; *zie* eerste klas ...; ~**bewust(zijn)** c.-conscious-(ness); ~**boek** form (black) book; ~**geest** class (caste) feeling (spirit); ~**genoot** *zie* klas-; ~**justitie** c.-justice; ~**leraar** form-master; ~**lokaal** c.-, form-room; ~**ment** classification; ~**nhaat** c.-hatred; ~**nideling** classification; ~**nstrijd** c.-war(fare), c.-struggle; ~**onderwijzer** c.-teacher,

assistant t.; **~regering** c.-rule; **~vertegenwoor-
diger** (*ongev.*) form captain
klasseren class; **-ring** placing
klassiek classic(al); *~e muziek* classical music;
~e talen classical languages; *een ~ werk* (*schrijver*) a classic; *de ~en* the classics; *~ opgevoed*
classically educated (nurtured); *zie* leraar;
~er classic
klassikaal class [teaching, etc.]
klater rattle; **~abeel** trembling poplar; **~en** (*van
water*) splash, plash; (*van de donder*) rattle; *'t
– der fontein* the splash-splash of the fountain; **~goud** tinsel (*ook fig.*), Dutch metal;
~peppel *zie* ~abeel
klats bang! smack!
klauter: **~aar(ster)** clamberer; **~en** clamber,
scramble; – *in* clamber (scramble, swarm,
shin) up [a pole]; **~mast, ~paal** climbing-pole
greasy pole; **~vis** climbing-perch, anabas
klauw (*van roofdier, roofvogel*) claw; (*van ander
dier*) paw; (*van roofvogel ook*) talon; (*tuinge-
reedschap*) rake; (*van anker*) fluke; (*van auto*)
clutch; (*fig.*) clutch; ('*poot' van mens*) paw; *in
de ~en van een geldschieter vallen* fall into the
clutches (the grips) of a money-lender; *neem
je vuile ~en van mij af!* take your dirty paws
off me!; **~en** scratch, claw; **~hamer** claw-
hammer; (*mar.*) fid-hammer
klauwier shrike; *grauwe ~* red-backed s.
klauwzeer foot-rot; *zie* mond- en ~
klavecimbel harpsichord; **-cinist** h.ist
klaver clover, shamrock, trefoil; *rode ~* red c.,
purple-wort; *witte ~* Dutch (white) c., honey-
stalk; *zie ook* ~en; ~**aas** enz., *zie* ~en; *een-twee-
drie –* three-card trick; **~akker** c.-field; **~blad**
c.-, trefoil-leaf; (*fig.*) trio; (*verkeer*) c.-leaf; *--
vormig* trefoil(ed); **~bouw** cultivation of c.;
~en clubs; **~enaas, -boer, -heer, -vrouw, -zeven**
ace (knave [*of* jack], king, queen, seven) of
clubs; **~veld** c.-field; **~vier** four-leaved (four-
leaf) c.; (*kaart*) four of clubs; **~zaad** c.-seed;
~zuring wood-sorrel
klavichord clavichord
klavier *a*) (*toetsenbord*) keyboard; *b*) piano-
(forte); *c*) (*volkst.: hand*) paw; *zie verder* piano;
~instrument keyboard instrument
Klazina Nicola
kledder slush; **~en** *zie* kliederen
kleden (*op bepaalde wijze, naar zekere mode, de
kleren aantrekken*) dress, (*lit.*) attire; ('*t lichaam bedekken*) clothe [the money may do
to clothe me, but I cannot d. on it = *ervan*];
iem. voeden en ~ feed and clothe a p.; *zich ~*
dress (*ook: zich extra ~, voor diner, enz.*); *zichzelf ~* dress o.s.; *zich te dik ~* overclothe the
body [the dangers of overclothing]; *zich goed
~ d.* well; *zich te mooi ~* overdress (o.s.); *zich
jong* (*oud*) *~ d.* young (old); *dat kleedt u goed*
that suits you, becomes you; *en moet zichzelf
~* [she earns £500 a year] and must find her
own clothes; *in schone taal ~* clothe (*of:
couch*) in beautiful language; *zie* gekleed
kleder: **~dracht** costume, dress, attire; **~pracht,
~tooi** gorgeous attire; **kledij** *zie* kleding

kleding clothes, dress, attire; (*soms*) clothing;
(*inz. van bepaalde stand*) garb [clerical ...];
(*dicht.*) raiment, apparel; **~magazijn** clothes
shop, [a] clothing-stores, outfitter's (shop);
(*voor dames*) dress-shop; (*mil.*) clothing-
store; **~stoffen** dress materials; **~stuk** article
of dress (clothing, attire), garment
kleed garment, garb, dress; (*japon*) dress, gown;
(*vloer-*) carpet; (*tafel-*) table-cloth, table-
cover; (*over bok van rijtuig*) hammer-cloth;
klederen, kleren clothes; *er lag geen ~ op de
vloer* the floor was uncarpeted; *het geestelijke
~* the cloth; *de kleren maken de man* the fine
coat makes the fine gentleman, fine feathers
make fine birds; *de kleren maken de man niet*
it is not the gay coat makes the gentleman;
ongev.: handsome is that handsome does; *dat
raakt mijn koude kl. niet, dat laat ik langs ...
glijden* it leaves me stone cold; *mooie kleren*
fine clothes, finery; *in de korte kl.* in short
clothes; *iem. in de kl. steken* clothe a p.; *zo iets
gaat je niet in je koude kl. zitten* a thing like
that gets you; *zie ook* aanpakken (*pakken ...
aan*); *hij verstopte 't in z'n kl.* he concealed it
about him (about his person); *met de kl. aan
naar bed gaan* go to bed with one's clothes on
(*of:* in one's clothes), (*fam.*) turn in all standing; *voor iems. kl. zorgen* do a p.'s mending,
valet a p.
kleedgeld dress-money, -allowance; (*mil.*) cloth-
ing-allowance; **kleedhokje** cubicle
kleedje (*vloer-, haard-*) rug; (*tafel-*) table-centre;
(*jurkje*) frock
kleedkamer dressing-room (*ook van acteurs*);
(*van rechters, enz.*) robing-room; (*voor gymn.,
mijnwerkers, enz.*) changing-room; (*in kantoor,
voor publiek in theat., enz.*) cloakroom
Kleef Cleves; *hij is van ~,* (*fig.*) he is tight-fisted
kleef: **~achtig** sticky, viscous, gluey; **~garen**
bird-net; **~kracht** adhesive power; **~kruid**
cleavers, goose-grass; **~middel** adhesive; **~-
mijn** limpet mine; **~pleister** sticking- (*of:*
adhesive) plaster; **~rijst** glutinous rice; **~stof**
adhesive
kleems *zie* klef
kleer- clothes: **~borstel** c.-brush; **~hanger** *a*) *zie*
kapstok; *b*) (*voor jas*) coat-hanger; **~kast** wardrobe, c.-press; c.-cupboard; **~kist** c.-chest; **~-
koffer** c.-trunk; **~koop, -koper** old-clothes
man; **~luis** clothes-, body-louse; **~maakster**
tailoress
kleermaker tailor; **~sambacht** tailoring (trade);
~sbaas master t.; **~sfirma** tailoring-firm; **~s-
fournituren** tailor's requisites; **~sgezel** journeyman t.; **~skrijt** French chalk; **~skunst** sartorial
art; **~stafel** t.'s board; **~svak** *zie* ~sambacht;
~swerk tailoring; **~swerkplaats** t.'s shop
kleer: **~mand** clothes-basket; **~markt** old-
clothes market, rag-fair; **~mot** clothes-moth;
~scheuren: *er zonder – afkomen* get off with a
whole skin (without a scratch, scot-free); **~-
schuier** clothes-brush; **~tjes** (children's)
clothes
klef doughy, sodden [bread], clammy, sticky

klei clay; *uit de ~ getrokken* boorish [person]; *op de ~ wonen* live in a (the) c.-district; **~aardappelen** dark-soil potatoes; **~aarde** *zie ~*-grond; **~achtig** clayish, clayey; **~bedding** *zie ~*- laag; **~duif** c. pigeon; **~duivenschieten** c. pigeon shooting, skeet; **~en** (do) c. modelling; **~grond** c.-soil, c.-ground; **~laag** c.-bed, c.-layer; **~masker** mud-pack; **~molen** c.-mill

klein little (*zeld. pred., behalve in de bet. van jong:* since she was quite l.; *in dit geval ook:* small); small (*in relatieve zin:* this little boy is small for his age; *ook: op ~e schaal:* a ... farmer, tradesman); *heel ~, ook:* tiny, diminutive, exiguous; (*van gestalte ook*) short, undersized [boy]; (*gering*) slight [mistake, misunderstanding]; (*~zielig*) small, little-minded, petty; *nogal ~* (*van gestalte*) shortish; *~er, ook:* less [the upper figure is ... than the under one]; *~(er), ook:* minor [injuries, operation]; *~ beetje* l. bit; *~e druk* small print; *~e eter* small (poor) eater; *~ geld* (small) change, small coin; *dat kost een ~e gulden* a little under a guilder, nearly a guilder; *de ~e kas* the petty cash; *~e letter* small letter, small type; (*typ., tegenover hoofdletters*) lower case; *de ~e luiden, de ~e man* the small (little) people (*of:* man), (*fam.*) the small folk; *~e onkosten* petty expenses; *~e stappen* short (*gemaakt:* mincing) steps; *een ~ uur* a little under an hour; *een ~e drie weken, ook:* a short three weeks; *over een ~e week* inside a week; *~ maar dapper* small but tough, small but game; *~ maar rein* small but select; *~ en groot* great and small; *~ doen lijken* dwarf; *iem. ~ houden* keep s.o. in his place; *zich ~ voelen* feel small; *maken, dat iem. zich ~ voelt* make a p. feel small; *de voorraad wordt ~* the stock is getting low; *een steeds ~er wordende lezerskring* an ever narrowing circle of readers; *van ~ af aan* from a little boy (girl); *in 't ~* [it is a masterpiece] in l.; *de wereld in 't ~* the world in a nutshell; *in 't ~ verkopen* retail, sell (by) retail; *zuinig in 't ~e en royaal in 't grote* penny-wise and pound-foolish; *in 't ~ beginnen* begin (start) in a small way; *er is niets ~s* (*~zieligs*) *aan hem* there is nothing small about him; *de ~e* the l. one, the baby; *zie* ~tje, burgerij, eren, kop & ben.

klein-: ~achten, -ing *zie* geringschatten, -ing; **K~-Azië** Asia Minor, Lesser Asia; **~bedrijf** small business; *zie ook* ~industrie; **~beeldcamera** 35 mm camera; **~burgerlijk** lower-middle-class, petty-bourgeois; *zie ook* ~steeds; **~dochter** granddaughter; **~drukkerij** job-office; **K~duimpje** Tom Thumb; *een k~* a hop-o'-my-thumb; **~eren** belittle, disparage; *iem. –, ook:* make s.o. feel (look) small; **~ering** belittlement, disparagement; **~geestig** petty, narrow-minded; **~heid** ...ness

kleingeld (small) change, small coin

kleingelovig of little faith, lacking in faith; **~heid** lack of faith

kleingoed (*koekjes*) all sorts; (*kinderen*) small

fry, youngsters; (*appels, enz.*) runts

kleinhandel retail trade; **~aar** retail dealer, retailer; **~sprijs** retail price

kleinhartig pusillanimous, faint-hearted; **~heid** pusillanimity, faint-heartedness

kleinheid smallness, littleness

kleinigheid trifle, small thing (matter, affair); (*onbeduidend iets*) *ook:* flea-bite; *zo'n ~ van 100 pond* a mere t. of £100; *dat is me een ~* that is nothing to me; *30 mijlen per dag is voor hem een ~* he thinks nothing of 30 miles a day; *hij stuift op bij iedere ~* he explodes at any little thing; *technische -heden* technical minutiae; *'t komt op de -heden aan* it's the little things that matter; *dankbaar voor -heden* grateful for small mercies

kleinindustrie light industry

kleinkind grandchild

klein: ~krijgen bring [a p.] to his knees (to heel), break [a p.'s] spirit; **~kunst** (art of the) cabaret; **~maken** cut up, cut small; (*geldstuk*) change; (*er doorbrengen*) run through [one's money]; *iem. –* make a p. feel small (*zie* ~krijgen); *zich – (fig.*) humble o.s.; **~moedig** *zie* ~hartig

kleinoog small-eyed

kleinood jewel, gem (*beide ook fig.*), trinket

kleinschrift small hand

kleins(doek) strainer

klein-seminarie preparatory seminary

kleinsteeds provincial, parochial, suburban, small-town [habits]; **~heid** parochialism, provincial manners, provinciality

kleinte *zie* kleinheid

kleintje little one, baby; *de ~s, ook:* (*fam.*) the small fry; *een ~ cognac* a small brandy; *twee ~s ...* two small brandies; *veel ~s maken een grote* many a little makes a mickle; *alle ~s helpen* every little (*of:* bit) helps; *pas op de ~s* take care of the pence (and the pounds will take care of themselves); *ik moest op de ~s letten* I had to count my pennies; *hij is voor geen ~ vervaard* he is not easily frightened (*of:* shocked)

kleinzen strain

kleinzerig frightened of pain, crying out before one is hurt; (*fig.*) touchy, over sensitive; *ik ben erg ~, ook:* I'm a coward about pain; *niet ~ zijn* be brave, be a brave little fellow; *wees niet zo ~!* don't be a mollycoddle!; **~heid** touchiness, oversensitiveness

kleinzielig little-, small-, petty-minded, petty [spite, quarrels, excuse], small [that is ... of him]; **~heid** little-mindedness, pettiness, smallness

kleinzoon grandson

klei clay: **~tablet, ~tafel(tje)** c. tablet; **~weg** mud track, mud road; **~werken:** *'t ~* c.-modelling

klem I *zn.* (*om te vangen*) catch, (man-)trap; (*tegen konijnen, enz.*) gin-trap; (*instrument*) clip, holdfast; (*elektr.*) terminal; (*moeilijkh.*) scrape; (*nadruk*) stress, accent, emphasis;

(*mond-*) lockjaw; (*van paarden*) stag-evil; **met ~ van redenen** with forceful arguments, forcibly; **met veel ~ spreken** speak with great emphasis, speak emphatically; **met ~ betogen** urge; (*geducht*) **in de ~ zitten** (*raken*) be in (get into) a tight place, a hole, a (devil of a) fix, a scrape, a cleft stick; **uit de ~ raken** get out of a tight corner, get out of a hole; *zie* nadruk; II *bn.*: **~ raken** jam; **~band** spring-back binder; **~blokje** (*elektr.*) terminal block; **~bord** clipboard; **~haak** holdfast, benchhook; (*met*) **~hoef** (*behept*) hoof-bound; **~map** clip binder
klemmen I *tr.* pinch, jam [one's finger in the door], pin [...ned beneath a car]; **op elkaar ~** clench, set [one's teeth], tighten [one's lips]; *hij had de tanden op elkaar geklemd, ook:* his teeth were shut tight; **aan zijn hart ~** clasp (press) to one's heart; II *intr.* (*van deur*) stick, jam; (*van betoog*) be conclusive; **~d** (*fig.*) forcible, convincing, conclusive, cogent [argument]; **klemrijden** force into the kerb; **klemschroef** clamping-screw; (*elektr.*) terminal (screw); **klemspanning** (*elektr.*) terminal voltage
klemtoon stress, accent; *zie* nadruk; **~teken** stress-mark, accent
klemvoetig hoof-bound
klens strainer; **klenzen** strain
klep (*in machine, van schelp, vrucht, hart, enz.*) valve; (*van hoorn, enz.*) key; (*van zak, tafel, tas, enveloppe, val, brievenbus, enz.*) flap; (*van molen*) clapper, clack; (*van vliegt.*) flap; (*van pet*) peak; (*van kachel*) damper; (*van vizier*) leaf
klepel (*van bel*) clapper, tongue; (*van ooievaar*) bill; *zie* klok
klephoorn key-bugle, key-trumpet
kleppel (*van molen*) clapper, clack
kleppen clatter (*ook van ooievaar*), clapper; (*van klok*) toll; (*van brandklok ook*) clang
klepper watchman; (*ratel*) rattle; (*paard*) steed; **~s** (rattle-)bones, castanets, clacks; **~en** clapper, rattle; (*van ooievaar*) clatter; **~man** watchman; **~tje** (*insekt*) death-watch (beetle)
klepstoter (*van motor*) push-rod
kleptomaan kleptomaniac; **-manie** kleptomania
klepvizier leaf-sight
kleren *zie* kleed
klerikaal *bn. & zn.* clerical; **-kalisme** clericalism
klerk clerk; **eerste ~** chief (*of:* head) c.
klets (*slag*) smack, crack [on the head], slap [in the face]; (**~koek**) waffle, twaddle, talkee-talkee, (tommy-)rot, bunkum, piffle, tosh, slush, slosh, balderdash; **~!** smack! bang!; **~en** (*met de zweep*) crack [the whip]; (*van regen*) splash, swish (down); (*smijten*) pitch, dash, heave; (*praten*) chatter, gossip; (*onzin praten*) talk rot, talk rubbish, talk through one's hat, jaw; **~er** twaddler; (*babbelaar*) chatterer; **~erij** twaddle, talkee-talkee, hot air; **~ica, ~koek** *zie* ~; **~kop** scald-head; (*koekje*) *ongev.:* gingersnap; **~kous** chatter-box, rattle; **~majoor, ~meier** *zie* ... er; *ook:* chattering fool; **~nat** wet through, soaking (wet), soaked to the skin,

sopping; **~praat(je)** small talk, (idle) gossip; (**~koek**) *zie* ~; **~tafel** club table
kletteren (*van wapens, enz.*) clang, clash; (*van regen, enz.*) patter, pelt, clatter
kleumen feel chilled, shiver; **kleum(ster)** chilly person; **kleums** chilly
kleunen hit out hard, fight; **ernaast ~** be well wide of the mark
kleur colour (*ook van pers.:* healthy c., he never had any c.); (*tint*) hue; (*her.*) tincture; (*gelaats~*) complexion (*zie* gelaats~); (*kaartspel*) suit; (*fig.*) colour, complexion [the political colour (*of:* complexion) of a newspaper]; (*muz.*) colour, timbre; **~en**, (*als symbool, van ridder, enz.*) colours; (*uit verfdoos*) paints; *nieuwe dessins en ~en* new designs and colour(ing)s; *alle ~en van de regenboog* all the colours of the rainbow; **~ bekennen** (*kaartspel*) follow suit; (*fig.*) show one's colours (hand); *welke ~ heeft haar haar?* what c. is her hair?; *'t papier had de ~ van ...* was the c. of azaleas; *ze had een ~ van opwinding* she was flushed with excitement; **~ houden** be fast-dyed; **een ~ krijgen** colour (up), flush, go red in the face [he went all red]; *hij kreeg een ~, ook:* the c. rose to his cheeks; *zij voelde, dat ze een ~ kreeg* she felt herself flushing; (*weer*) **~ krijgen** (re)gain c.; *zijn ~ verliezen* lose c.; **~ verzaken** revoke; **in heldere (donkere, levendige) ~en schilderen** paint in bright (dark, vivid) colours; *in welke ~ ...?* what c. do you want it to be painted?; **van ~ veranderen**, (*politieke*) change sides; **~ verschieten** change c.; **~aanpassing** protective colouring; **~bad** (*fot.*) toning-bath; **~boek** painting-book, colouring-book; **~doos** paint-box, box of paints, c.-box; **~echt** fast-dyed; **–heid** colour fastness
kleuren I *ww. tr.* colour; (*fot.*) tone; (*microscopisch preparaat*) stain; *te sterk ~* overcolour, overdraw, overpaint [the picture]; *zie* gekleurd; *intr., zie:* een kleur krijgen; **~ bij**, [the shoes] tone with [the dress]; *met daarbij ~de ...* with flowers to match, with matching flowers; II *zn.* (*kaartsp.*) commerce; **~blind** colour-blind; **~blinde** c.-blind person; **~blindheid** c.-blindness; **~dia** c. transparency, c. slide; **~druk** c.-print(ing); *prent in –* chromo-(lithograph), c.-print; **~film** c.-film; **~foto** c. photograph; **~fotografie** c. photography; **~gamma** c. range; **~gloed** blaze of c.; **~harmonie** c.-harmony; **~kaart** c.-, tint-card; **~leer** chromatics; **~litho(grafie)** chromo-lithograph(y), chromo; **~mengeling** *a)* blending of colours; *b) zie* ~pracht; (*bonte*) **~pracht** riot (orgy, feast, blaze) of colour(s); **~rijkdom** wealth of colour(s); **~schema** c.-scheme; **~spectrum** chromatic spectrum; **~spel** play of colours, iridescence; **~televisie** c. television
kleur: **~filter** colour-filter; **~fixeerbad** toning and fixing bath; **~gevoelig** c.-sensitive, orthochromatic [plates]; **~houdend** fast-dyed; **~ig** many-coloured, colourful [garments], gay; **~ing** colouring, coloration; **~krijt** coloured chalk; **~ling** coloured person; **~linge** coloured

woman; ~loos colourless (ook fig.), achromatic; (fig.) ook: drab [life]; ~loosheid ...ness, achromatism; drabness; vgl. 't vor.; ~middel zie ~stof; ~potlood colour-pencil; ~rijk richly coloured, colourful [scene]; ~schakering shade (of c.), nuance, hue, tinge; ~schifting (chromatic) dispersion; ~sel colouring; ~stof colouring-matter, pigment; ~tje colour, tint; ze had een – she looked slightly flushed; ~vast fast-dyed; ~verandering change of c.; ~wisseling c. rotation; ~zin chromatic sense

kleuter tot, toddler, kid(dy), nipper; ~afdeling (van school) infants' department; ~klas, ~school kindergarten, nursery class (school); ~leidster (ongev.) infant (school) teacher; ~zorg baby-care; zie kinderzorg

kleven cling, stick, adhere [aan to], cleave [my tongue ...s to my palate]; er kleeft bloed aan dat geld it is blood-money; er kleeft een smet aan 't geld the money is tainted; zie aankleven

kleverig sticky [fingers, ook fig.], viscous, gluey, glutinous, gummy, tacky; ~heid stickiness, viscosity

klewang klewang

kliederen make a mess; kliederig messy

kliek (bent) clique, junta, coterie; (van eten: ~en) leavings, left-overs, scraps, odds and ends; ~enmaal meal of left-overs; ~geest cliquism; ~jes zie ~en; ~jesdag: het is vandaag – we have yesterday's left-overs to-day

klier gland; (~gezwel) scrofulous tumour; ~ van een vent twerp, rotter; aan ~en lijden be scrofulous; ~achtig a) glandular; b) scrofulous; ~achtigheid scrofulousness; ~afscheiding g.-secretion; ~en pester; make a nuisance of o.s.; ~gezwel scrofulous tumour; ~lijd(st)er scrofulous patient; ~ziekte scrofula

klieven cleave [the waves, the air]; de golven ~, ook: breast, plough the waves; de lucht ~, (van vogel) ook: breast the air

klif cliff, bluff

klik (mar.) backpiece(s) of the rudder; (van uurwerk) warning; (met tong) click

klikken tell tales; (sl.) let on, peach, split, sneak, squeal; (anglicisme) click; van iem. ~ tell upon a p., (sl.) peach (split) upon a p.; 't ~, ook: [cure a p. of] tale-bearing; klikker zie klikspaan & beursklikker

klikklak click-clack; ~ken go click-clack

klikspaan tell-tale, tale-bearer, (sl.) sneak

klim I climb; een ~ van een uur an hour's c.; dat is een hele ~ it's a stiff c., a bit of a c.; 2 zie klimop

klimaat climate; ~gordel climatic zone; ~kaart climate map

klimatiseren air-condition; klimatologie climatology; klimatologisch climatic (bw.: -ally)

klim: ~baars zie klautervis; ~boon runner (bean); ~ijzer climbing-iron; ~mast zie ~paal

klimmen I ww. climb, mount, ascend, go up; wie hoog klimt, valt laag the highest tree has the greatest fall; the higher up the greater the fall; zijn jaren ~ he is advancing in years; de nood klimt the distress is increasing; de zon klimt aan de hemel the sun rises in the sky; ~ in c. (up) [a tree], swarm (of: shin) up [the mast]; in de pen ~ take up one's pen, write to the papers (etc.); ergens in ~ take a matter up; over een muur ~ get over (scale) a wall; gebeden ~ ten hemel prayers rise to heaven; uit een rijtuig ~ descend from a carriage; II zn.: een uur ~ an hour's climb; bij het ~ der jaren as we advance in years, with advancing years

klim: ~mend climbing; -e belangstelling growing (increasing) interest; -e leeuw, (her.) lion rampant; ~mer climber; zie ook ~plant; ~ming climbing, ascension; rechte -, (astron.) right ascension; ~op ivy; met – begroeid ivy-grown, -mantled, ivied; -staf (van Bacchus) thyrsus

klim: ~paal climbing-pole, greasy pole; ~partij zie klim; ~pijp (in gasfabriek) ascension pipe; ~plant climbing-plant, climber; ~rek climbing rails; ~roos climbing rose, rambler (rose); ~snelheid (van vliegt.) rate of climb; ~spoor zie ~ijzer; ~stag (mar.) manropes of the bowsprit; ~touw climbing-rope; ~vis zie klautervis; ~voeten climbing (scansorial) feet; ~vogel scansorial bird, climber; mv. ook: scansores

kling 1 blade, sword; over de ~ jagen put to the sword; 2 sandhill, dune

klingelen tinkle, jingle; klingeling! ting-a-ling! ting-ting!

kliniek clinic; klinisch clinical

klink (van deur) latch, catch; (van kous) clock; sokken met ~en clocked socks; op de ~ doen latch; van de ~ doen unlatch; de deur is op de ~ is on the latch; ~bout clinch-bolt, rivet; ~dicht sonnet

klinken I intr. sound, ring; (hard metaalachtig) clang; (met glazen) clink (touch, click) glasses [op to; ook: they clinked their glasses to the bride and bridegroom; he clinked his glass with ...]; dat klinkt goed (vreemd, heel anders) that sounds well (strange, quite different); vals (echt) ~, (van munt, ook van woorden, enz.) ring false (true); zijn stem klinkt oprecht, ook: there is a ring of sincerity in his voice; de uitdrukking klinkt bekend (ouderwets) the phrase has a familiar ring (there is an old-world ring about the phrase); 't klinkt als een onmogelijk verhaal it sounds a fishy story; 't zal u vreemd in de oren ~ it will s. strange to you; er klonk een schot a shot rang out; zie inklinken, klok; II tr. rivet, clinch; nail [Christ was ...ed to the Cross], chain [Prometheus was ...ed to a rock]; ~d resounding [slap, speech], resonant [voice], ringing [laugh], (high-, fine-)sounding [titles, words], sonorous [phrases], sound [arguments]; -e munt hard cash, specie

klinker 1 vowel; 2 (pers.) riveter [the Eiffel tower is the work of the ...]; 3 (steen) clinker, brick; ~bestrating brick-pavement; ~weg brick-paved road

klinket wicket

klink: ~**gat** rivet hole; ~**hamer** riveting-hammer; ~**klaar** pure [butter, gold]; ~*klare onzin* sheer (downright, rank, arrant) nonsense, pure rubbish, absolute bosh (*of:* rot), stuff and nonsense; ~**klank** jingle(-jangle); 'words, words, words!'; ~**letter** vowel; ~**machine** riveting-machine; ~**nagel** rivet; ~**werk** clinch(er)-work
klip rock, crag, reef; (*fig.*) rock, snag, shoal; *blinde* ~ sunken r.; *de* ~, *waarop hij zal stranden* (*schipbreuk lijden*) the r. on which he will split; *tussen de* ~*pen door zeilen* steer clear of the rocks; *tegen de* ~*pen aan* (*op*), (*liegen*) lie shamelessly (prodigiously); (*drinken*) drink like a fish (immoderately); (*werken*) work for all you are worth; ~**achtig** rocky, iron-bound [coast]; ~**das** r.-badger, -rabbit; ~**geit** chamois
klipklap clitter-clatter, flip-flap
klipper (*schip*) clipper
klip: ~**pig** *zie* ~achtig; ~**recht** *zie* strandrecht; ~**vis** dried cod; ~**zout** rock-salt; ~**zwaluw** edible nest swift
klis bur; (~*kruid*) burdock; (*haar, enz.*) tangle; *aan iem. hangen als een* ~ stick to a p. like a bur (a leech, a limpet), (*sl.*) freeze on to a p.; ~*kruid* burdock; ~**sen** *ww.* be (*of:* get) tangled
klisteer enema; *een* ~ *toedienen* = -**eren** administer an e.; ~**spuit** e.-syringe, squirt
klit *zie* klis; **klitsklats** flip-flap! slish and slash!
klitten: *aan elkaar* ~ stick (hang) together
K.L.M. id.: Royal Dutch Air Lines
klodder clot, blob, daub
klodderen clot; (*met verf*) daub
1 kloek *zn. zie* klokhen
2 kloek *bn.* brave, stout, manly, bold; substantial [volume *boekdeel*]; *een* ~*e kerel* a fine upstanding (stalwart) fellow; ~*e houding* smart bearing; *zie* flink
kloekhartig stout-hearted, brave, valiant, bold; ~**heid** bravery, valour, boldness, fortitude
kloekheid bravery, courage, boldness; **-moedig** *zie* kloekhartig; **-zinnig** sensible, wise
kloen *zie* kluwen
kloet (punt-)pole; ~**en** punt
klof(fie) (*volkst.*) togs
1 klok *tw.* cluck!; ~, ~! (*van water, enz.*) gurgle, gurgle!; *zn. zie* klokhen
2 klok (*uurwerk*) clock; (*bel*) bell; (*stolp*) bellglass; (*chem., enz.*) bell-jar; (*van luchtpomp*) receiver; *de* ~ *staat op tien uur* the clock is pointing to ten; *de* ~ *rond slapen* sleep the c. round; *hij heeft de* ~ *horen luiden, maar hij weet niet waar de klepel hangt* he has heard something about it, but has no real knowledge of the matter; '*t is werken, wat de* ~ *slaat* work is the order of the day; '*t aan de grote* ~ *hangen* noise(blaze, spread) it abroad; wash dirty linen in public; *een stem als een* ~ a voice as clear as a bell; *die* (*dat*) *klinkt als 'n* ~ a resounding [slap], a slap-up [dinner, wedding], [a business] as sound as a bell; *dat klinkt als een* ~ that is splendid (capital, first rate, A 1); *met de* ~ *mee* clockwise; *tegen de* ~ *in* anti-clockwise; *op de* ~ *af* to the minute, [in six minutes] by the c.; *hij kan nog niet op de* ~ *zien* he can't

tell the time (read the c.) yet; *hij is een man van de* ~ he is as regular as clockwork; *alles ging volgens de* ~ everything was done by the c.; *zie* zomertijd; ~**beker** bell beaker; ~**bloem** *zie* akelei; ~**geb(r)om** booming of (the) bells; ~**gelui** bell-ringing, chiming, (*voor dode*) tolling
klokhen clucking-, mother-hen
klok: ~**huis** core; '*t – uit een appel halen* core an apple; ~**je** little clock; (*bloem*) Canterbury bell, harebell, bell-flower; – *van gehoorzaamheid* bed-time, time to start, etc.; *zie* klok
klokke: ~**boei** bell-buoy; ~**galg** bell-cage, belfry; ~**kast** clock-case
klokken cluck, chuck; (*van kalkoen*) gobble
klokkengieter(ij) bell-founder(-dry)
klokkenhuis bell-chamber, belfry
klokkenist *zie* klokkenspeler
klokken: ~**kamer** *zie* klokkenhuis; ~**maker** clockmaker; ~**spel** chimes, peal (of bells), carillon; ~**speler** carillonneur
klokke: ~**stoel** *zie* ~galg; ~**toren** bell-tower, steeple, belfry; ~**reep, ~touw** bell-rope
klok: ~**luider** bell-ringer; ~**metaal** bell-metal; ~**reep** bell-rope; ~**rok** flared skirt; ~**signaal** bell-signal; ~**slag** stroke of the clock; *met – van twaalf* on the stroke of twelve, at twelve sharp; *hij was er op* – he was there on the stroke of (the hour); '*t eten werd op – opgediend* meals were served on the tick; ~**slot** dial lock; ~**spijs** bell-metal; *dat gaat erin als* – they simply lap it up; ~**vormig** bell-shaped; ~**winde** bindweed
klom *o.v.t. van* klimmen
klomp (*klont*) lump; (*schoeisel*) clog, wooden shoe; ~ *goud* nugget of gold; ~ *ruw ijzer* (*lood*) pig of iron (lead); *met de* ~*en op het ijs komen* rush headlong into a business, butt in; *blijf met de* ~*en van 't ijs* keep out of it, don't meddle with it; *nou breekt mijn* ~! Good Lord! what next, I wonder!; *zie* vlees~; ~**enbal, -dans** clog-dance; ~**endanser** clog-dancer; ~**enmaker** clog-maker; ~**je** *boter* pat of butter; ~**vis** sunfish; ~**voet** club-foot
klonen clone
klonk *o.v.t. van* klinken
klont lump [of sugar, etc.], clod [of earth], daub [of paint], dollop [of butter]
klonter clot [of blood], dab [of mud, etc.], lump [in porridge, etc.]; ~**en** clot, curdle, become lumpy; ~(**acht**)**ig** clotted, clotty, lumpy [sauce]
klontje lump [of sugar]; *zie* klont & klaar; ~**s-suiker** lump-, cube-sugar
1 kloof *o.v.t. van* kluiven
2 kloof cleft, chasm, fissure, gap, rift; (*in de huid*) chap; (*fig.*) cleft, rift, gap, cleavage [between two countries], split [in the Cabinet], gulf; *met kloven in de handen* with chapped hands; *er ligt een* ~ *tussen hen* there is a gulf fixed between them; *de* ~ *overbruggen* (*verbreden*), (*fig.*) bridge (widen) the gulf; ~**baar** cleavable; ~**hout** split-wood; ~**mes** splitting-knife
klooi duffer; ~**en** fiddle, mess about, idle

kloon clone
klooster religious house; (*mannen*) monastery; (*vrouwen*) nunnery; (*gew. vrouwen*) convent; *in een ~ gaan* go into a monastery, etc., enter into religion; ~**achtig** cloistral, monastic, conventual; ~**balsem** friar's balsam; ~**broeder** friar; (*lekebroeder*) lay brother; ~**cel** monastery (convent) cell; ~**gang** cloister; ~**gebouwen** conventual buildings; ~**gelofte** monastic vow; *de –n afleggen* take the vows; ~**gewaad** monastic dress; ~**goed** property of a monastery; ~**kapel** c.-chapel; ~**kerk** conventual (monastic) church; ~**latijn** monks' Latin; ~**leven** monastic (convent) life; ~**lijk** *zie* ~achtig; ~**ling** religious (*mv.*: id.), monk; nun; ~**mop** large medieval brick; ~**orde** monastic (religious) order; ~**overste** superior; ~**regel** monastic rule; ~**school** convent-school; ~**tucht** monastic discipline; ~**wet** *zie* ~regel; ~**wezen** monasticism; ~**zuster** nun
kloot ball, sphere, globe; (*aan mast*) truck; (*ook* =) ~**zak** (*plat*) rotter; ~**jesvolk** rabble, populace
klop knock, tap, rap; throb [of the heart]; *iem. ~ geven* whack (whop, lick) a p., give a p. a good drubbing (licking); (*lelijk*) ~ *krijgen* be (soundly) beaten, get the worst of it, be worsted; ~, ~! rat(-a)-tat!; ~**boor** hammer drill; ~**geest** rapping spirit; poltergeist; ~**geesterij** spirit-rapping; ~**jacht** battue, beat (-up), drive; (*fig.*) round-up; *'n – houden* beat a wood, beat up game; ~**je** (*hist.*) beguine; ~**kever** death-watch (beetle); ~**klop** [the] clip-clop [of horses' feet]; ~**partij** scuffle, tussle, scrap, affray, rough-and-tumble, bout of fisticuffs
kloppen (*op deur, enz.*) knock, tap, rap [at the door]; pat [a child on the head]; tap [a p. on the shoulder]; break [stones, coke]; beat [carpets]; beat up, whip [eggs]; (*van hart, normaal*) beat, (*bonzen*) throb, palpitate, thump [*van aandoening* with emotion]; (*van motor*) knock; (*klop geven*) beat; *zie ook* klop; (*wekken*) knock [a p.] up; (*overeenstemmen*) tally, square, fit (in), be on all fours [*met* with]; *dit klopt met de feiten, ook*: this lines up with the facts; [the only supposition which] covers the facts; *zie ben.; 't deed ... sneller ~* it set his heart beating faster (*zie* warm); *zijn pols begon sneller te ~* his pulse quickened; *hij klopte met 't potlood op ...* he tapped his pencil on the table; *de as uit de pijp ~* k. the ashes from (out of) one's pipe; *iem. geld uit de zak ~* pick a p.'s purse, put a p. to great expense; *er geld uit ~* make money out of it; *er wordt geklopt* there's a knock (at the door); *er werd geklopt* there was (came) a knock (a rap) at the door; *binnen zonder ~!* please walk in!; *dat klopt* that tallies (fits); *... klopt niet met ...* that does not square (tally, fit in) with what I say; your explanation does not fit the facts; *de verklaringen ~ niet, ook*: the statements do not

fit together; *dat klopt met zijn gedrag* it is of a piece with his conduct; *zijn kas klopt altijd* he is never a penny out
klopper (*van deur*) knocker; (*bij jacht*) beater; (*porder*) knocker-up, window-tapper; (*telegr.*) sounder
klopping (*van 't hart*) beat(ing), pulsation; (*sterker*) throb(bing), palpitation
klop: ~**steen** (*van schoenmaker*) lap-stone; ~**tor** death-watch [beetle]; ~**vast** anti-knock [petrol]
kloris dolt, blockhead
klos bobbin, reel, spool; (*blok*) chock; (*elektr.*) coil; *hij is de ~*, (*sl.*) he's for it; ~**baan** *ongev.*: mall; ~**je** bobbin, reel [of cotton]; ~**kant** b.-lace; ~**klos** clippety-cloppety, [the clogs went] clipper-clapper; ~**sen** *ww.* bobbin [yarn]; (*lomp stappen*) stump, clump [... down the stairs]; ~**rek** creel-frame; ~**spel** *ongev.*: pall-mall
klote... (*attr., plat*) fucking; ~**n** (*plat*) fuck, mess about
klots (*biljart*) kiss, click
klotsen (*van golven*) dash, splash; (*biljart*) kiss, click; *'t ~, ook*: the lap-lap [of the waves]
kloven (*algem.*) cleave, split; (*hout ook*) chop; (*diamant*) cleave, divide, split; *gekloofde handen* chapped hands
klovenier (*hist.*) arquebusier
klover cleaver, chopper, splitter
klucht farce (*ook: grap*); (*patrijzen*) bevy
kluchtig farcical, funny, droll, comical; ~**heid** farcicalness, drollery, fun
kluchtspel farce, low comedy; ~**schrijver** writer of farces; ~**speler** low comedian
kluif knuckle of pork (of beef), bone (to pick); *dat is een hele ~* that's a tough job, quite a grind; *lekker ~je* (*fig.*) titbit
kluifhout jib-boom
kluis hermitage, cell; (*van bank*) strong-room, vault, safe-deposit; (*mar.*) = ~**gat** hawse-hole
kluister fetter, shackle; ~s, (*fig.*) *ook*: trammels; *zie* boei; ~**en** fetter, shackle; hobble [a horse, an elephant]; (*fig.*) *ook*: trammel; *aan zijn bed gekluisterd* chained to one's bed, bed-ridden
kluit 1 (*vogel*) avocet; 2 clod, lump; pat [of butter]; *uit de ~en schieten* shoot up; *hij (zij) is flink uit de ~en gewassen* he (she) is a strapping (a fine upstanding) fellow (girl); 3 (*fam.*) caboodle; ~**enbreker** clod-crusher; ~**(er)ig** cloddy; *iem. met een ~je in het riet sturen* put (*of:* fob) a p. off with fair promises (fair words, *fam.*: soft sawder); *op een – in a heap*; ~**vogel** *zie* ~ 1
kluiven pick [a bone]; gnaw, nibble [*aan* at] *daar valt wat aan te ~*, *zie* kluif (*dat is ...*)
kluiver (*zeil*) jib; ~**boom** jib-boom
kluizenaar hermit, recluse, anchorite; ~**shut** h.'s cell, hermitage; ~**skreeft** h.-crab; ~**sleven** h.'s life, solitary life
klungel rag, trash; (*pers.*) bungler; ~**aar(ster)** bungler; ~**en** bungle (one's work), tinker
kluns oaf, blockhead; **klunzen** fumble

kluppel enz., *zie* knuppel, enz.
klusje (*fam.*) party, group; (small) job; **~s** odd jobs; **~sman** odd-job man
kluts: *de ~ kwijt raken* lose one's head (one's bearings), get rattled (flurried); *iem. de ~ doen kwijt raken* put a p. out (out of countenance); *de ~ kwijt zijn* be at sea (all abroad, at a loss, out of one's depth)
klutsei beaten-up (whisked, whipped) egg
klutsen beat up, whisk, whip [eggs]
kluut avocet
kluwen ball [of wool], clew; *hoe zal zich dat ~ afwikkelen?* what will be the end of it?; **~en** wind (make up) into a ball
knaagdier rodent
knaap lad, boy, fellow; (*edelkn.*) page; (*klerenhanger* = **~je**) coat-hanger; (*dommekracht*) jack; *dat is een ~, (van vis bijv.*) a big fellow, a whopper
knabbelaar(ster) nibbler, gnawer
knabbelen nibble, gnaw, peck [*aan* at]; *~ aan, ook:* nibble [the grass, some chocolate], (*van water*) eat away [the land]
knagen gnaw (*ook fig.*); *~ aan* g. (at); (*fig.*) g. at, prey (up)on [a p.'s mind, rest]; (*van geweten*) prick [his conscience began to ...; is your conscience ...ing you?]; **~d** *verdriet* gnawing grief; **~***de zorg* carking care
knaging gnawing; **~en** *des gewetens* pangs (twinges, pricks) of conscience
knak crack, snap; *~!* crack! snap!; *zijn gezondheid (de handel) kreeg een ~* his health (trade) received a set-back; *een ~ geven* deal a blow to
knakken crack, snap, break; (*de gezondh.*) injure, impair, (*sterker*) break [his health is broken], shatter; *de mast knakte (af)* the mast snapped (off); *zijn vingers laten ~* crack one's fingers; *de stengel is geknakt* the stalk is broken; *de stok is gekn.* has a crack; *een gekn. bestaan* a blighted life
knakworst frankfurter
knal report, crack [of a gun], peal [of thunder], pop [of a cork], bang [of a tyre], [sonic] boom, detonation, explosion; (*sl.*) smashing; **~bonbon** cracker; **~demper** silencer; **~effect** claptrap, stage-effect; **~gas** detonating gas, oxyhydrogen; **~geel** screaming yellow; **~goud** fulminating gold; **~kwik** fulminate of mercury; **~len** (*van geweer, enz.*) crack, bark [the barking of machine-guns]; (*van schot*) ring out; (*van kanon*) bang; (*van kurk*) pop; (*van zweep*) crack; *de auto ~de tegen een boom* smashed bang into ...; **~patroon** detonator; **~poeder** detonating (fulminating) powder; **~pot** silencer; **~sein**, **~signaal** detonating signal, detonator; **~succes** smashing success; **~zilver** fulminating silver; **~zuur** fulminic acid
1 knap *zn.* crack, snap; *~!* crack! snap!
2 knap I *bn.* (*lichamelijk*) handsome, good-looking, personable, comely; (*bekwaam*) clever, able, capable, smart; (*met hersens*) brainy; (*in de kleren*) neat, spruce, smart; (*krap*) tight; *~ artikel* capable (clever, able) article; *~ werk* smart work; *'n ~pe man (vrouw), ook:* a fine

figure of a man (woman); *een ~pere (de ~ste) vrouw* a better- (the best-)looking woman; *zij wordt er niet ~per op* she is losing her (is going off in) looks; *een ~ uitziende man* a man of handsome presence; *~pe burgermensen* respectable middle-class people; *daar is hij ~ (helemaal niet ~) in* he is a clever hand (no hand, a poor hand) at it, he is pretty good at it; *hij is ~ in 't Grieks* he is well up in Greek, a good Greek scholar; **II** *bw.* cleverly, etc.; *dat heb je ~(jes) gedaan* you've managed it cleverly, you've made a nice job of it; *hij was ~ vervelend* he was pretty tiresome; *hij kan ~jes leven* he lives in comfort; *~jes voor de dag komen* be respectably dressed; **~handig** deft, skilful; **~heid** *a*) good looks; *b*) cleverness, skill; **~jes** *zie ~*
knap: **~kers** white-heart (cherry), bigaroon, bigarreau; **~pen I** *intr.* crack; (*van touw, veer, enz.*) snap; (*van vuur*) crackle; (*van ijs*) – crack [one's fingers, one's joints]; **II** *tr.* crack; *een fles –* crack (put away) a bottle; *een uiltje –* take a nap (*of:* forty winks); **–d** crackling [fire], crisp [biscuit, toast]; **~per** *zie* ~kers
knapperd clever fellow
knapperen crackle
knapzak knapsack, haversack
knar (*vrek*) miser, hunks, curmudgeon; *ouwe ~* old fog(e)y, old geezer, old crock
knarsbeen *zie* kraakbeen
knarsen creak, grate [a grating voice]; (*~d over iets gaan*) grind [...ing wheels], crunch [the wheels ...ed the gravel]; (*van groente, enz.*) be gritty; *op de tanden ~ =* **knarsetanden** gnash (grind, grit) one's teeth
knaster canaster (tobacco)
knauw (gnawing) bite; *een lelijke ~ krijgen* (*beschadigd worden*) get badly damaged; (*geestelijk*) be hit pretty hard; *zie verder* knak & knauwen; **~en** *intr.* gnaw [*aan* at], munch, mumble; *tr.* (*beschadigen*) injure, damage; (*mishandelen*) maul, knock about; (*fig.*) get one's knife into a p.; (*afmatten*) knock up
knecht (man-)servant, [baker's] man, [plumber's] mate; (*huis-*) footman; (*heren-*) valet, man; (*op boerderij*) farm-hand; (*sp.*) domestique; **~en** enslave; **~je** page-boy, buttons; (*inz. Am.*) bell-hop, -boy; **~s** servile; **~schap** servitude
kneden knead, (*fig. ook*) mould, fashion
kneedbaar kneadable; (*fig.*) plastic [mind], mouldable, pliable, malleable
kneed: **~bom** plastic bomb; **~machine** kneading-machine, dough-mixer; **~trog** kneading-trough
1 kneep *o.v.t. van* knijpen
2 kneep pinch; mark of a pinch; (*fig.*) dodge, trick, catch [there's a ... in it], wrinkle; *de knepen kennen* know the knack of it, know the ropes, know the tricks [of the trade *van het vak*]; *iem. de knepen (de fijne ~jes) leren* put a p. up to the wrinkles; *daar zit 'm de ~* there's the rub, that's where the shoe pinches, there's the catch

knekel bone; ~**huis** charnel-house, ossuary; ~**man** skeleton; Death

knel: *in de* ~ *zitten* be in a hole (in a tight place, a scrape, the mire); *zie* klem

knellen *tr.* pinch, squeeze; *zie ook* klemmen; (*fig.*) oppress; *intr.* pinch; (*fig.: van banden*) gall [the bonds began to ...], chafe; *zie* schoen; ~**d** (*fig.*) oppressive, irksome; galling [bonds]

knelpunt bottleneck; main problem

knerpen (s)crunch; **knersen** *zie* knarsen

knetteren crackle (*ook van radio*), crepitate, sputter; (*van de donder*) crash; '*t* ~, *zie* ge...

knettergek (*fam.*) crackers

kneu (*vogel*) linnet; *ouwe* ~ old fog(e)y

kneukel knuckle

kneusje (*persoon*) misfit; (*artikel*) reject; (*auto*) wreck

kneuswond contusion, bruise

kneuteren (*van vogel*) warble, carol; (*mopperen*) grumble; -**rig** snug [we sat ...ly together]

kneutje (*vogel*) linnet

kneuzen bruise (*ook van fruit:* ... easily), squash; (*med.*) contuse; *zaad* ~ crush seed; *zich* ~ get bruised; *gekneusd ei* cracked egg; -**ing** bruise; (*med.*) contusion; *inwendige –en* internal injuries; *ernstige –en krijgen* be severely (badly) bruised

knevel[1] moustache; (*van kat, enz.*) whiskers; (*mondprop*) gag; (*handboei*) handcuff; (*mar.*) toggle; (*mach.*) dog; ~**aar** (*afzetter*) extortioner; ~**arij** extortion; ~**bout** swing-bolt; ~**en** (*met prop*) gag; (*binden*) pinion, truss up, truss [a p. hand and foot]; (*fig.*) oppress; extort money from; *de pers* ~ muzzle (gag) the press

knibbel: ~**aar(ster)** higgler, haggler; (*vrek*) pincher; ~**achtig** cheese-paring, stingy; ~**arij** higgling, haggling, cheese-paring; ~**en** *a*) haggle, higgle; *b*) play at spillikins; ~**spel** spillikins; ~**ziek** higgling, haggling

knie knee (*ook van broek; ook: gebogen ijzer, enz.*); *er zitten* (*komen*) ~*ën in je broek* your trousers are bagging (baggy) at the knees; *de* ~ *buigen voor* bow (bend) the k. to; *door de* ~*ën gaan* knuckle under; *met* ~*ën* baggy-kneed [trousers]; *hij had zijn hand om zijn ~ën geslagen* he sat with his knees clasped, was nursing his knees; *iets onder de* ~ *hebben* have a perfect command of (be proficient in) s.t.; *onder de* ~ *krijgen, zie* meester worden; *op de* ~ *hebben, ook:* nurse [a child]; *zie* rijden; *voor iem. op de* ~*ën vallen* go down (fall) on one's knees before (*of:* to) a p.; *op je* ~*ën! down* on your knees!; *iets over de* ~ *breken* break s.t. across one's k.; *over de* ~ *leggen* take across one's k.; *tot aan de* ~*ën* up to one's knees; *zie* zakken; ~**band** (*van kniebroek*) k.-string; (*van vee*) k.-halter; ~**beschermer** k.-pad, -guard; ~**boog** hollow (*of:* bend) of the k.; ~**boogband** hamstring; ~**broek** knickerbockers (*fam.:* knickers), k.-breeches; ~**buiging** (*voor altaar*) genuflexion; (*van vrouw*) curts(e)y; (*gymn.*) k.-

bending; *een – maken*, (*ter verering*) *ook:* genuflect; ~**dicht** impromptu poem; ~**gesp** kneebuckle; ~**gewricht** k.-joint; ~**halsteren** *zie* ~poten; ~**holte** *zie* ~boog; ~**jicht** gout in the k.; (*wet.*) gonagra; ~**kous** knee-stocking; ~**lap** (*van werkman*) k.-pad

kniel: ~**bank** *zie* bidbankje; ~**en** kneel [*voor* to, before]; *zie* knie (*op ... vallen*); *geknield* kneeling, on one's knees; ~**kussen** hassock, kneeler, kneeling-pad

kniepees hamstring

kniepoten knee-halter (a horse)

knier hinge [of a door]

knieschijf knee-cap, knee-pan, (*wet.*) patella

kniesoor mope, curmudgeon, [a] chronic grumbler

knie: ~**stuk** knee-piece;(*portret*) three-quarter(s length); ~**val** prostration; *een – voor iem. doen* throw o.s. at a p.'s feet, go down on one's knees before a p.; ~**verband** (*bk.*) toggle-joint; ~**vers** impromptu poem

kniezen mope, fret (o.s.) [*over* about], brood [*over* on], sulk; *zich dood* ~ fret (mope) o.s. to death, m. one's heart out

kniezer *zie* kniesoor; **kniez(er)ig** fretful

knijp 1 (*kroeg*) pub; 2 *zie* knel; ~**briefje** cocked hat, three-cornered note; ~**bril** pince-nez

knijpen pinch, nip; (*afzetten*) pinch (squeeze) money from (out of); (*mar.*) hug (keep close to) the wind; *iem. in de arm* (*de wang*) ~ pinch a p.'s arm (cheek); *iem. in de neus* ~ tweak a p.'s nose; *als 't knijpt* (*en weer knijpt*) at a pinch; *zie verder* kat, nijpen, spannen & rats (*in de ... zitten*)

knijp: ~**er** pincher (*ook: vrek*); (*ding*) (clothes)-peg, clip, fastener; (*van kreeft*) pincer; *ook =* ~**bril**; ~**erig** (*gierig*) stingy, mean; (*kleinzielig*) hide-bound, narrow-minded; ~**fles** squeeze bottle; ~**tang** (*groot*) pincers, (*klein*) nippers

knik (*hoofd-*) nod; (*knak*) crack; (*in staaldraad, enz.*) bend, kink, twist; (*klei*) ferruginous clay

knikkebenen give at the knees; (*van paard*) be over at the knee; -**bollen** nid(dle)-nod(dle)

knikken nod; *ja* ~ nod yes; *neen* ~ shake one's head; *toestemmend* (*goedkeurend*) ~ nod assent (approbation); *mijn knieën knikten* my knees gave way (began to fail, shook); *zijn knieën knikten tegen elkaar* his knees knocked together; *met* ~**de knieën lopen** shamble; *zie* knakken

knikker marble; (*grote*) taw; (*albasten*) ally; *kale* ~ bald pate; '*t is niet om de* ~*s, maar om 't recht van 't spel* is not a matter of pence, but of principle; *er is iets aan de* ~ s.t. is the matter; ~**en** play (at) m...s; *eruit* – chuck out [a p.]; *zie* baan; ~**spel** game at (of) m...s

knip (*met schaar*) cut, snip; (*gaatje*) punch-hole [in a ticket]; (*met vinger en duim*) fillip, snap; (*om te vangen*) trap, snare, spring; (*bordeel*) bawdy-house; (*van deur, paraplu, enz.*) catch; (*van deur ook*) spring-bolt; (*van raam ook*)

[1] *Zie* snor(re)...

Niet opgenomen woorden zoeke men onder C

sash-fastener; (*van armband*) snap, spring-catch; (*van boek*) clasp; (*van beurs*) snap [silver ...]; ~, *zei de schaar* snip went the scissors; ~, ~! snip, snip!; *het (hij) is geen ~ voor de neus waard* it (he) is not worth a button (straw); ~**beugel** clasp, snap-frame [of a purse]; ~**beurs** snap-purse; ~**je** *zie* ~; ~**kooi** trap-cage; ~**mes** clasp-knife; (*groot*) jack-knife; *buigen als een* – bow (low) from the waist, make a deep bow, bow and scrape; ~**muts** mob-cap; ~**ogen** blink (one's eyes), wink; – *tegen* wink at [a p.]; ~**oogje** wink, twinkle; *iem. een* – *geven* give a p. a (the) wink, wink at a p.; (*verliefd*) make eyes at a p., (*sl. van meisje*) give a p. the glad eye; ~**patroon** paper pattern

knippen I *tr.* cut [the hair], (*wat bijknippen*) trim [the hair, beard, a hedge]; cut, pare, trim [one's nails]; cut out [a dress]; clip, punch [tickets]; clip [coupons]; (*vangen*) trap, (*sl.*) nab, pinch [a thief]; (*kieken*) snap; *kaartjes* ~, (*een gat maken*) punch tickets, (*aan de zijde*) clip tickets; ~ *en scheren*, (*fig.*) maintenance, service, -ing; *zich laten scheren en* ~ have a shave and a hair-cut; *ik wil mijn haar laten* ~ I want (to have) my hair cut (a hair-cut); *zie* haarknippen; *kort geknipt haar* close-cropped hair; *zie ook* kort; *een vogel* ~ trap (snare) a bird; *zie* geknipt; II *intr.* (*van oogleden*) flicker; (*van ogen*) blink [her eyes ...ed against the light]; *met de ogen* ~ blink (one's eyes), wink; *met de vingers* ~ snap one's fingers

knipper cutter(-out); [cigar-]cutter; ~**bol** Belisha beacon; ~**en** *zie* knippen II; *hij stond met de ogen te* –, (*fig.*) he couldn't believe his eyes; *zonder met de ogen te* – unblinking; (*met de koplampen*) flicker (flash) [the headlights]; ~**flits** strobe (light); (*rood*) ~**licht** flashing (red) light (beacon), (red) flasher

knip: ~**plaat** cut-out; ~**sel** cuttings, clippings; ~**tang** *a*) wire-cutter(s); *b*) (ticket-)punch; ~**tor** snap-, click-beetle, skipjack; ~**vlies** nictitating membrane, third eyelid

knisteren (*ongev.*) rustle, crackle, swish

K.N.M.I. = *Koninklijk Nederlands Meteorologisch Instituut* Royal Dutch Meteorological Institute

knobbel bump (*ook: schedel- & buil*) knob, knot; (*plantk. & med.*) tubercle; (*aanleg*) aptitude, talent; *zijn oriëntatie~ is zeer ontwikkeld* his b. of locality is highly developed; ~**ig** knotty [fingers], gnarled, gnarly [hand], knotted, knobb(l)y; ~**igheid** knottiness, etc.; ~**jicht** chronic gout; ~**uitwas** knotty excrescence; ~**ziekte** *zie* Engelse ziekte; ~**zwaan** mute swan

knobelen *ongev.* toss up

knock-out id.; ~ *slaan* knock out

knoedel *a*) dumpling; *b*) knot of hair; ~**tje** (*haar*) bun

knoei *zie* klem (*in de* ...) & knauw; ~**boel** mess, muddle, hash; (*bedriegerij*) swindle; *zie ook* ~erij & ~werk

knoeien (*morsen*) make a mess, mess (about);

(*broddelen*) bungle, muddle, scamp one's work; (*bedrieglijk*) swindle, cheat; ~ *aan* mess (fool, muck, monkey) about with [a wireless set]; tinker at; (*bedrieglijk*) ~ *met* tamper with [food, a contract, accounts, etc.]; ~ *met rekeningen, enz., ook:* manipulate (*sl.:* fake, cook) accounts, etc.; *iem.* ~ injure (*of:* harm) a p.; *zulk werk knoeit je* such work takes it out of you; **knoei(st)er** bungler, muddler, botcher; (*bedrieger*) cheat

knoei: ~**erig** bungling, messy; ~**erij** mess, bungle, bungling, etc.; *vgl.* ~en; [political] jobbery, corruption, machinations, intrigues, corrupt practices; (*geldelijk*) malversation(s); (*Am. pol.*) graft; ~**pot** messy child; ~**werk** bungling (scamped, shoddy) work, (piece of) bungling, bungle, botch

knoert whopper

knoest knot

knoestig knotty, gnarled, gnarly; ~**heid** knottiness, etc.

Knoet Canute

knoet *a*) knout; *met de* ~ *geven* give the k. (to); *met de* ~ *krijgen* be knouted; *b*) (*haar*) bun

knoflook garlic

knok bone, knuckle; *hij heeft sterke knoken* he has strong bones, he is strong-boned; **knokig** knuckly, bony

knokkel knuckle; ~**koorts** dengue, dandy (fever), breakbone fever

knokken fight; *iem.* ~ lick [a p.]

knokploeg strong-arm boys

knol (*plantk., aardappel, enz.*) tuber, (*van krokus*) corm; (*raap*) turnip (*ook horloge*); (*paard*) jade, screw, (old) crock; ~ *in je kous,* (*sl.*) potato in your stocking; *iem.* ~**len voor citroenen verkopen** make a p. believe that the moon is made of green cheese, (*sl.*) sell a p. a pup; *zich geen* ~**len voor citroenen laten verkopen** know chalk from cheese; ~**achtig** tuberous; ~**begonia** tuberous begonia; ~**boterbloem** king-cup; ~**gewas** tuberous plant

knolleloof turnip-leaves

knollen: ~**akker,** ~**land** turnip-field; *hij is in zijn* ~**tuin** he is in high feather, as pleased as Punch; *zie* nopje

knol: ~**neus** bulbous nose; ~**raap** *zie* koolraap; ~**radijs** turnip-radish; ~**selderij** celeriac, turnip-rooted celery; ~**vormig** tuberiform; ~**zaad** turnip-seed

knook *zie* knok

knoop (*in touw & zeevaart*) knot (*zie* lopen); (*aan kledingstuk, enz.*) button; (*boord-, enz.*) stud; (*plantk.*) node, joint; (*astron., geluidsleer*) node; (*vloek*) expletive, oath; *de* ~ *des huwelijks* the marriage-tie; *de* ~ *doorhakken* cut the (Gordian) k.; *-en draaien* make buttons; *een* ~ *leggen* tie a k.; *een* ~ *in zijn zakdoek leggen* tie a k. in one's handkerchief; *er een* ~ *op leggen* rap out an oath (an expletive); *een* ~ *losmaken* undo a k.; *daar zit 'm de* ~ there's the rub, that's the difficulty; *achter de -en hebben* have [a good meal] under one's belt; *hij heeft heel wat* (*drank, bier*) *achter de -en* he

has got his skinful [of gin, etc.], has got outside a good many glasses of beer; *in de ~
maken (raken)* knot; *(met zichzelf) in de ~
zitten* be all mixed up; *met één (twee) rij(en)*
-en single- (double-)breasted [coat]; *uit de ~
halen* unravel [one's boot-laces]; *vol -en*
knotted [cord]
knoop: ~**gras** knot-grass; ~**kruid** knapweed; ~**
laars** button-boot; ~**lijn** *(astron.)* nodal line;
~**naald** netting-needle; ~**punt** *(van spoorwegen)*
junction, (railway-)centre; *(astron. en fig.)*
nodal point
knoopschoen button-boot
knoopsgat button-hole; *(van boord, enz.)* stud-
hole; ~*en maken* do ...s; ~**egaren** b.-h. twist;
~**eschaartje** b.-h. scissors
knoopwerk *(dameshandwerk)* tatting
knop knob; *(van deur)* knob, handle; *(van radiotoestel)* (dialling-)knob; *(kapstok)* peg; *(van
stok)* knob, head, top; *(van zadel, degen)* pommel; *(aan punt van schermdegen, van tafelbel)*
button; *(van elektr. bel)* button, push; *(van
elektr. licht)* switch; *(van geweergrendel)* bolt-
head; *(van plant)* bud; *(fig.)* bud; *stok met
gouden ~* gold-headed stick; *in ~* in bud; *in ~
komen* (come into) bud; *een schoonheid in
de ~* a budding beauty; *naar de ~pen*, *(fam.)*
wrecked, lost, down the drain; ~**bies** bog-
rush; ~**pen** *ww.* bud
knopehaak(je) b.-hook
knopen tie, knot, button *(vgl. knoop)*; net [a
purse], make [fishing-nets]; *iets in zijn oor ~*
get s.t. into o.'s head
knor 1 *zie* ~**been**; 2 *(ge-)* grunt; ~*ren krijgen* get
a scolding; 3 *(studententaal)* non-member of
students' corps; ~**been** gristle, cartilage; ~**haan**
gurnard, gurnet; ~**ren** *(van varken)* grunt;
(van maag) rumble; *(brommen)* grumble,
growl; *– op* scold; ~**repot** grumbler, growler,
grouser; ~**rig** grumpy, peevish, testy, crusty,
grumbling, growling; ~**righeid** peevishness,
testiness, etc.
knot 1 knot, skein [of yarn], tuft [of hair]; 2
(vogel) knot
knots *zn.* club, bludgeon; *(gymnastiek)* Indian
club; *(sl.)* whopper; *bn.* *(sl.)* crazy, crackers;
~**drager** c.-man; *(her.)* wild man; ~**slag**
blow with a c.; ~**sprietig** clavicorn; *– insekt*
clavicorn; *mv. ook:* clavicornia; ~**vormig**
(inz. nat. hist.) c.-shaped, claviform, clavate
knotten *(boom)* head, top; *(wilg)* pollard, poll;
(kegel, enz.) truncate; *(vleugel)* clip *(ook fig.:*
clip a p.'s wings); *geknotte boom* pollard;
geknot vogeltje, *(her.)* martlet; *zie verder*
fnuiken
knotwilg pollard-willow
knudde *(fam.)* a flop, a wash-out
knuffeldier cuddly toy (animal)
knuffelen cuddle, hug; *elkaar ~*, *ook:* bill and
coo
knuist fist; *hij heeft ~en aan zijn lijf* he has an

iron grasp; *als ik hem ooit in mijn ~en krijg* if
ever I get hold of him (get him into my
clutches)
knul *(sul)* booby, dolt, duffer, mug; *(lomperd)*
lout; *(vent)* fellow, chap, cove; *'n ~ van 'n vent*
an awkward fellow, a lout, a gawk, a silly
mug; ~**lig** doltish, awkward, gawky
knuppel cudgel; *(van vliegt.)* (joy-)stick; *een ~
in 't hoenderhok gooien* flutter the dovecote(s),
put the cat among the pigeons; *zo'n ~!* what a
lout!; ~**en** cudgel; ~**rijm**, ~**vers** doggerel
(rhyme); ~**weg** corduroy road
knus *bn.* snug, cosy, *(fam.)* comfy; *bw.* = ~**jes**
snugly
knutsel: ~**aar** amateur carpenter, etc., handy-
man; ~**en** potter, do some carpentering, etc.;
– aan tinker (away) at [the wireless set],
fiddle with [a bicycle]; *in elkaar –* rig up; *die
jongen knutselt graag* that boy likes doing
things with his hands
knuttel knittle; **koala** id.
Koba Jemima
kobalt cobalt; ~**blauw** c. blue
kobold id., (hob)goblin, brownie
Kobus Jim(my), Jem(my)
kocht *o.v.t. van* kopen
koddebeier gamekeeper, park-keeper
koddig droll, comical, Gilbertian [a ... situa-
tion]; ~**heid** drollery, comicality
koe cow; *koeien van letters* huge letters;
haal geen oude koeien uit de sloot do not
rip up old sores, don't bring *(of:* rake)
up old stories, don't dig up the past, let bygones be bygones; *dat zijn oude koeien* that's
ancient history; *men noemt geen ~ bont, of er
is een vlekje aan* (there is) no smoke without
fire; *men kan nooit weten hoe een ~ een haas
vangt* you never know your luck, you never
can tell; *de ~ bij de horens pakken* take the
bull by the horns, grasp the nettle; *zie* waarheid; ~**beest** cow, beast; ~**boom** c.-, milk-tree;
~**brug(sdek)** *(mar.)* orlop
koedoe koodoo
koe[1]: ~**drek** cow-dung; ~**drijver** (cattle-)drover,
cow-driver; ~**haar** cow-hair; ~**handel** wheeling
and dealing; *–aar* wheeler-dealer; ~**herder**
cowherd; ~**huid** cow-hide, -skin
koeie: ~**kop** cow's head; ~**nkoper** cattle-dealer;
~**oog** cow's eye; *(plant)* ox-eye; ~**staart** cow's
tail; ~**tong** cow's tongue
koeioneren bully, dragoon, badger
koek gingerbread; *(gebak)* cake; *(fig.)* cake [of
blood, etc.]; *(onzin)* twaddle; *ze gaan als ~*
they sell like hot cakes; *~ en ei* [they are] as
thick as thieves, hand and *(of:* in) glove
[*met:* with]; *alles voor zoete ~ opeten* swallow
everything; *dat is andere ~* that is a different
kettle of fish (another matter); *dat is gesneden
~* that is as easy as falling off a log, as easy as
pie, mere child's play [*voor* to]; *oude ~* [that
is] ancient history

---

[1] *Zie ook* vee

Niet opgenomen woorden zoeke men onder **C**

koe: ~kalf cow-calf; ~kamp cow-pasture
koek: ~bakker confectioner, pastry-cook; –ij confectioner's (shop); ~ebakker bungler
koekeloeren look absently, sit and stare
koeken cake, coagulate
koek: ~epan frying-pan; ~hakker bungler; ~je (sweet) biscuit; (*Am.*) cookie; *een – van eigen deeg* payment in kind; ~jestrommel biscuittin, -box; ~kraam gingerbread stall
koekoek cuckoo; (*venster*) skylight, dormer (window); *het is met hem altijd ~ één zang* he is always harping on the same string; *dat haal (dank) je de ~!* I daresay! you bet!; *zie verder* duivel; ~sbloem *a*) ragged robin, c. gillyflower; *b*) bachelor's buttons; ~sjong (*fig.*) cuckoo in the nest; ~sklok c.-clock; ~sspog c.-spit(tle), frog-spit; ~szang c.'s note, c.'s call
koel cool (*ook fig.*); ~ *onthaal* c. (cold, chilly, frosty) reception; ~ *staan tegenover* be c. to [the idea]; ~e *wind* fresh wind; *in ~en bloede* in cold blood; *het hoofd ~ houden,* (*fig.*) keep (one's head) c., keep a level head; *het wordt ~er* it is getting cooler (fresher, chilly); ~apparaat *zie* ~inrichting; ~bak cooler
koelbloedig *bn.* cold-blooded, cool(-headed); *bw.* ...ly, in cold blood; ~heid ...ness, sangfroid
koel: ~cel refrigerator, cold storage container; ~drank cooling-draught; ~emmer cooling-pail; ice-pail
koelen I *tr.* cool; (*sterk*) chill; (*in ijs ook*) ice [wine]; *zijn lusten ~* give a loose to one's passions; *zijn woede* (*toorn, wrok, enz.*) ~ vent one's rage (wrath, resentment, etc.) [*aan* (up)on]; *zijn wraak* (*gemoed*) ~ *aan* wreak vengeance (up)on; II *intr.* cool (down) (*ook van vriendschap, enz.*); (*van de wind*) freshen up; *zijn ijver begon te ~* began to slacken (to flag)
koelheid coolness; (*fig. ook*) coldness
koelhuis cold store, cold-storage building; ~boter storage (cold-stored) butter; ~eieren chilled (cold-stored) eggs
koelie coolie; *werken als een ~* work like a black; ~werk (*fig.*) drudgery, donkey-work
koel: ~inrichting refrigerator, refrigeratingplant; *met* – refrigerated [vessel]; ~kamer coldstorage chamber; (*in brouwerij*) chilling-room; ~kast refrigerator, ice-box, (*fam.*) fridge; *zie* ijskast; ~ketel, ~kuip cooling-vat, cooler, refrigerator; ~mantel water-jacket; ~middel refrigerant, coolant; ~oven annealing-furnace, ~pakhuis cold-storage warehouse; *in – opslaan* cold-store; ~ruimte chilling-space; ~tas picnic cooler, cool box; ~te coolness, cool [of the evening]; *flauwe* (*lichte, matige*) ~ slight (gentle, moderate) breeze; ~tje gentle breeze; ~tjes coolly, coldly; ~vat cooler; ~water cooling-water; ~weg *zie* ~tjes; ~zeil wind-sail
koemelk cow's (cows') milk
koemest cow-dung, cow-manure
koemis koumiss
koen bold, daring; ~heid ...ness, daring

Koen(raad) Conrad
koepaard piebald (horse)
koepel *a*) dome, cupola; *b*) (*prieel*) summerhouse; ~dak dome(-shaped roof); ~gewelf dome(-shaped vault); ~kerk d.-church; ~oven cupola furnace; ~venster bow-window; ~vormig d.-shaped
koepok cow-pock, *mv.:* cow-pox; ~inenting vaccination; ~stof vaccine (lymph)
Koerd Kurd; ~istan Kurdistan
koereiger cattle egret
koeren coo
koerier courier; *koninklijke ~,* (*hist.*) King's Messenger
Koerland Courland; ~s Courlandish
koers (*van schip*) course, direction; (*bij laveren*) tack; (*van effecten*) price, quotation; (*van geld*) rate (of exchange); (*fig.*) course [the new ... in politics], policy; ~ *afzetten* (*bepalen*), (*mar.*) plot (lay out) a c.; *een nieuwe ~ inslaan,* (*ook fig.*) embark on a new course; *een geheel nieuwe ~, ook:* quite a new departure; ~ *van uitgifte* rate of issue; *tegen de ~ van* at the rate (*of:* price) of; *die munt heeft geen ~ meer* is no longer current; *buiten ~ stellen* demonetize; ~ *houden naar de kust* (*naar 't zuiden*) head (stand) for (towards) the coast, stand (head) south; *de ~ kwijt zijn* (*raken*) be (get) off one's c.; ~ *zetten naar* steer (shape) a (one's) c. for, set c. for, make (head) for; *uit de ~ raken* be driven out of one's c.; *van ~ veranderen* (*ook fig.*) change tack; ~aangever (*mar.*) c.-recorder; ~berekening calculation of exchange; ~bericht market-report; ~blad list of quotations, stock-exchange list; ~bord destination board; ~daling fall in prices; depreciation of currency values; ~en *zie* ~ houden & ~ zetten; *'t schip ~te naar de kust, naar zee* stood in (from the sea), stood out (to sea); *ik zal dat wel –* I'll manage that; ~houdend standing-on [vessel]; (*hand.*) steady, firm; ~index (stock exchange) index; ~lijn rhumb-line; ~lijst stock-list; *zie ook* beursnotering; ~notering (market-) quotation; ~roer (*van vliegt.*) vertical rudder; ~schommeling fluctuation; ~verandering change of c. (*ook fig.*); *plotselinge* – rightabout turn, change of front, volte-face; ~verbetering, ~verhoging advance, improvement (in prices), rise in the exchange; ~verlaging fall in exchange; ~verlies loss on (*of:* by) exchange; ~verloop movement of prices; ~verschil difference in price; ~waarde exchange-value; market price [of shares]
koeskoes 1 (*gerecht*) couscous; 2 (*dier*) couscous, spotted phalanger
koeskoezen mash
koes(t): ~! quiet! down! hush!; *zich ~ houden* keep quiet (close, mum), lie low, (*sl.*) lie doggo
koestaart cow's tail
koestal cow-house, ~shed, byre
koesteren cherish [children, young creatures, plants, a design, grudge, hope], entertain [admiration, a hope, desire, suspicion], foster

[feelings], nurse [an idea, feelings, hopes, a grievance], nourish [evil designs], harbour [evil thoughts, a grievance], hug [a prejudice], coddle [a person]; *vrees ~ voor iems. veiligheid* fear (entertain fears) for a p.'s safety; *boze plannen ~* harbour evil intentions; *ik koester twijfel daaromtrent* I have my doubts about it; *ik koester het voornemen* I intend, it is my intention; *ik koester hoge verwachtingen* I pitch my expectations high; *zie* wrok; *zich ~* bask; (*in de zon*) *ook*: sun o.s.; (*fig.*) bask (sun o.s.) [in the admiration of ...]; *een ~d vuurtje* a cosy fire; *-ing* cherishing, etc.

koet coot

koeter: ~aar jabberer; ~en jabber, talk gibberish; ~waal *zie* ~aar; ~waals gibberish, double Dutch; ~walen *zie* ~en

koetje (little) cow; *over ~s en kalfjes praten* talk (chat) about one thing and another (about nothing in particular), talk generalities, t. upon trivial subjects; *gesnap over ~s en kalfjes* small-talk

koets coach, carriage; ~bok c.-box, coachman's seat

koetsen couch; **koetser** coucher

koets: ~huis coach-house; ~ier driver; (*van eigen rijtuig of diligence*) coachman; (*van vigilante*) cabman; (*fam.*) cabby; ~lantaarn coach-lamp; ~paard coach-horse; ~poort carriage-entrance; ~werk (*van auto*) coach-work

koevoet crowbar; **-wachter** cowherd

Koeweit Kuwait, **-weit**

kof (*mar.*) koff

koffer trunk, box; (*hand-*) handbag, bag, portmanteau, case; (*platte*) suitcase; ~dam cofferdam; ~en pack, do one's packing; ~grammofoon portable gramophone, (*Am.*) p. phonograph; ~maker t.-maker; ~ruimte (*auto*) boot, luggage locker; (*Am.*) baggage compartment, trunk; ~schrijfmachine portable (typewriter); ~tje small box; (*hand-*) *zie* ~; (*plat*) attaché (case); ~vis coffer-, t.-fish

koffie *a*) coffee; *b*) *ongev.*: lunch [after ...]; ~ *verkeerd* white c.; *een ~* a c.; *twee ~* two coffees; *~ zonder melk* c. without milk, black c.; *~ drinken* take c., (*lunchen*) lunch; *~ zetten* make c.; *op de ~ komen*, (*fig.*) come away with a flea in one's ear, catch it; ~baal c.-bag; ~bes c.-berry; ~blad *a*) c.-leaf; *b*) c.-tray; ~boom c.-tree; ~boon c.-bean, -nib; ~brander c.-roaster; ~branderij c.-roasting factory; ~broodje glazed currant roll; ~cultuur cultivation of c., c.-growing; ~dik c.-grounds; *zo helder als* – as clear as mud; *je hoeft niet in 't – te kijken om ...* no clairvoyance is needed to ...; ~drinken (cold) lunch; ~extract c.-essence, extract (*of:* essence) of c.; ~filter c.-percolator, c.-filter; ~goed c.-things; ~huis café, c.-house; *zie* café; – *voor geheelonthouders* temperance bar; ~kamer refreshment-room; c.-room; ~kan c.-pot; ~kleur(ig) c.-colour(ed); ~kopje c.-cup; ~kraampje c.-stall,

pull-up; ~krans c.-circle; ~land c.-plantation; ~maaltijd (cold) lunch; ~melk evaporated milk; ~molen c.-mill, -grinder; ~onderneming, ~plantage c.-plantation; ~planter c.-planter; ~pluk c.-harvest, -crop; ~pot c.-pot; ~praatjes *ongev.*: tea-table gossip; ~room single cream; ~servies c.-set, -service; ~stalletje c.-stall, pull-up; ~stroop *ongev.* caramel; ~surrogaat substitute for c., ersatz c.; ~tafel c. and sandwiches; *aan de –* at lunch; ~tent c.-stall; ~tuin c.-plantation; ~uur lunch(eon) hour; ~veiling c.-auction; ~zetapparaat c. maker; ~zetmachine c. machine

kofschip koff; **kog** (*mar., hist.*) cog

kogel (*van geweer*) bullet; (*van kanon & fiets*) ball; (*van slachtdier*) thigh; *de ~ geven* (*krijgen*) shoot (be shot); *tot de ~ veroordelen* sentence to death by shooting; *de ~ is door de kerk* the die is cast; *iedere ~ heeft zijn bestemming* every b. has its billet; *zie* jagen; ~afsluiter ball valve; ~amarant globe amaranth; ~as ball-bearing; ~baan trajectory, path of projectile; ~bloem globe-flower; ~diertje globe animalcule; ~distel ball-, globe-thistle; ~en throw, pelt; (*sp.*) slam [the ball into the net]; ~flesje marble (*of:* round) stopper bottle; ~gat b.-, shot-hole; ~gewricht (*ook techn.*) ball(-and-socket) joint; ~hoofd (*van fiets*) ball-head; ~lager ball-bearing; ~regen shower (storm, hail) of bullets; ~ring ballrace; ~rond spherical, globular; ~slingeren (throwing the) hammer; ~stoten (*sp.*) *ww.* put the shot; *zn.* putting the shot, shotput(ting); ~tang (*van geweer*) b.-extractor; (*med.*) b.-drawer; ~tje pellet; *zie* ~; ~ton spherical buoy; ~trekker b.-drawer; ~vanger stop-practice-butt; ~vis sunfish; ~vorm *a*) b.-mould *b*) globular form, sphericalness; ~vormig *zie* ~rond; ~vrij b.-, shotproof; ~wond b.-wound shot-wound

kogge *zie* kog

kohier valuation (*of:* assessment) list

kohl id., eyeblack; **kohort(e)** cohort

1 kok (man-)cook; (*hoofd van kokszaak*) cater er; *eerste ~* chef; *wij eten van de ~* we have ou meals sent in; *'t zijn niet allen ~s, die lang messen dragen* the cowl does not make th monk; *te veel ~s bederven* (*verzouten*) *de br* too many cooks spoil the broth

2 kok (*med.*) coccus

Kokanje: *land van ~* land of Cockaigne (Co kayne); **k~mast** greasy pole

kokarde cockade

koken boil [water, eggs], cook [food]; (*mar* caulk [seams]; (*voor de keuken zorgen*) do th cooking; (*fig., ook van de zee*) seethe, bo; (*van woede*) *ook*: fume, chafe; *water ~, g woonlijk:* b. the kettle; *'t water kookt* t kettle is boiling; *~ op* cook by (with) [gas, o etc.]; *~ van verontwaardiging* b. (seethe) wi indignation; *zij kookt voor mij* she does n cooking; *mijn bloed kookte* my blood boil (was up); *'t deed mijn bloed* ~ it made my blood b.; *inwendig* ~, *ook:* smoulder; ... ~ *gemakkelijk (laten zich* ... ~) these potatoes cook well (are good cookers); ~*d heet* boiling (scalding, piping) hot

koker 1 (*vooral in sam.*) boiler, cooker; 2 case, sheath, socket; [cardboard] container, cylinder; (*van tunnel*) tube; (*pijl-*) quiver; (*zweep-*) socket; (*stort-, voor graan, enz.*) chute; *zie* sigaren-, *enz.*; *dat komt niet uit zijn eigen* ~ \ that has not come out of his own head; ~**brug** tubular bridge; ~**en** encase, sheathe; (*fig.*) cheat; ~**gat** (*van raam*) sash-pocket, runway **kokerij** cooking; catering(-business); *zie* kok; ~**schip** (*walvisvangst*) factory-ship **koker:** ~**juffer** caddis; ~**vrucht** follicle; ~**worm** *a*) tube-, pipe-worm, *b*) (*zelden*) = sprokkelworm

koket coquettish; ~**te** coquette, flirt; ~**teren** coquet, flirt, philander; (*fig.*) coquet, toy [with an idea, etc.]; ~**terie** coquetry, flirtation **kokhalzen** retch, heave, keck, (*Am.*) gag [*tegen* at]; *het deed me* ~ it made my gorge rise **kokinje** (*ongev.*) bull's eye **kokkel** cockle; ~**korrels** Indian berries **kokker(d)** whopper, spanker; (*neus*) conk **kokkerellen** cook; **kokkie** cook, cooky **kokmeeuw** black-headed gull **kokos** *a*) grated coconut; *b*) coconut fibre; (*in samenst.*) coco-: ~**boom** c.(nut) tree; ~**boter** c.nut butter; ~**mat** c.(nut) mat(ting); ~**melk** c.nut milk; ~**noot** c.nut; ~**olie** c.nut oil; ~**palm** c.(nut) palm; ~**suiker** c.-palm sugar; ~**vet** (hard) c.-oil; ~**vezel** c.(nut) fibre; *mv. ook:* coir; ~**vlees** c.nut lining; ~**zeep** c.-soap **koks:** ~**jongen** cook's (*mar.:* galley) boy; ~**maat** cook's mate; ~**mes** cook's knife; ~**muts** chef's cap; ~**zaak** catering-business **kol** 1 star (on a horse's forehead); 2 (*heks*) witch, sorceress **kola** cola-, kola-tree; ~**noot** cola-, kola-nut **kolbak** busby, bearskin; **kolbijl** pole-axe **kolchoz** kolkhoz **kolder** 1 (*hist.*) (leather) jerkin; 2 (*ziekte*) (blind) staggers; 3 (*oorspr. studentendwaasheid*) (giddy) nonsense; *hij heeft de* ~ *in de kop* he is in a mad fit; ~**en** be seized with the staggers; *hij* ~*t, zie* ~ 3 (*hij heeft* ...); ~**iek** nonsensical; ~**ig** afflicted with the staggers; (*fig.*) mad; ~**verhaal** nonsense story **kolen** coal, coals; *op hete* ~ *zitten* be on pins and needles (on thorns, tenterhooks); *vurige* ~ *op iems. hoofd stapelen* heap coals of fire upon a p.'s head; *K*~~ *en Staalgemeenschap* Coal and Steel Community; *zie* innemen; ~**ader** c.-vein; ~**bak** c.-box, c.-scuttle; ~**bedding** c.-bed, -seam; ~**bekken** c.-field, -basin; ~**bergplaats** c.-house, -cellar, -shed; ~**brander** charcoal-burner; ~**branderij** charcoal-furnace; ~**damp** carbon monoxide (fumes), c.-fume(s); ~**dampvergiftiging** coal-gas poisoning, carbon monoxide poisoning; ~**drager** c.-heaver; ~**emmer** c.-scuttle; ~**gruis** c.-dust; ~**handel** c.-trade; ~**handelaar** c.-dealer; ~**haven** coaling-port; ~

hok c.-house, c.-shed, -hole; ~**kelder** c.-cellar, -hole; ~**kit** c.-hod, c.-bucket; ~**laag** c.-seam, -stratum; *blootgelegde* – coal-face; ~**loods** c.-shed; ~**maat** c.-measure; ~**man** coalman; ~**mijn** c.-mine, colliery, c.-pit; ~**mijnwerker** collier; ~**nood** c. famine; ~**pad** cinder path (*of:* track); ~**pakhuis** c.-depot; ~**ruim** c.-hold, bunker; ~**ruimte** *zie* ~hok; (*abstr.*) coaling-capacity; ~**schip** collier; ~**schop** c.-shovel, c.-scoop; ~**schuit** c.-barge; ~**schuur** c.-shed; ~**station** coaling-station; ~**stof** c.-dust; ~**stook** coal-burning C.H. system; ~**tip** c.-tip, c.-hoist; ~**trein** c.-train; ~**tremmer** c.-trimmer; ~**vervoer** c.-traffic; ~**voorraad** c.-supply; ~**wagen** c.-truck; (*van locomotief*) tender; ~**wipper** c.-whipper; ~**zak** c.-bag; ~**zeef** c.-screen; ~**zwart** bone-black, charcoal-black

kolf bat, club; (*van kolfspel*) 'kolf'-stick; (*van geweer*) butt(-end); (*distilleer-*) receiver; (*bloei-*) spadix; *de* ~ *naar de bal werpen* throw the helve after the hatchet; ~**baan** mall; ~**bal** 'kolf'-ball; ~**je:** *dat is een – naar mijn hand* that is meat and drink to me, just the thing (the very thing, real jam) for me; ~**plaat** butt-, heel-plate; ~**spel** game of 'kolf' **kolgans** white-fronted goose **kolhamer** pole-axe **kolibrie** humming-bird **koliek** colic; ~**pijn(en)** gripes **kolk** (*gat*) pot-hole, pool; (*afgrond*) abyss, gulf; (*van sluis*) chamber; (*draai-*) eddy, whirlpool; (*lucht-*) (air-)pocket; ~**en** whirl, eddy, churn; ~**gat** pot-hole **kollebloem** (*Z.-Ned.*) poppy **kollen** pole-axe [cattle] **kologen** goggle eyes **kolokwint** colocynth, bitter-apple, -gourd **kolom** column; *zie* zuil; ~**boormachine** drill press; ~**hoofd** column heading; ~**kachel** cannon-stove; ~**nist,** ~**schrijver** columnist; ~**titel** *zie* kolomhoofd **kolonel** colonel; ~**se** colonel's wife; ~**splaats,** ~**srang** colonelcy; ~**vlieger** group captain **koloniaal** I *bn.* colonial; *koloniale waren* groceries; *zaak daarin* grocery business; II *zn.* colonial soldier; **kolonialisme** colonialism **kolonie** colony (*ook:* the Dutch ... in London), settlement; *zie* minister(ie) & straf~ **kolonisatie** colonization; ~**sator** colonizer; ~**seren** colonize, settle; **kolonist** colonist, settler; (*op onontgonnen terrein in Am., of Austr. schapenweider*) squatter **koloriet** colo(u)ration, colouring **kolorist** colo(u)rist **kolos** colossus; ~**saal** colossal, gigantic, huge; ~**sale leugen,** (*sl.*) whopping (whacking, thumping) lie; ~**sale onwetendheid** monumental ignorance; ~**sale oogst** bumper crop; ~**sale** (*prijs*)*vermindering* sweeping (drastic) reduction, slashing cut(s); *een* ~**sale taak** a stupendous task; *zie* reusachtig **kolsem** (*mar.*) keelson **kolven** play (at) 'kolf'; **kolver** 'kolf'-player **kom** basin, bowl; (*was-*) wash-basin; (~*vormige* *diepte, bassin*) basin; (*in terrein*) *zie* laagte; (*van gewricht*) socket; *de ~ der gemeente* the central part of the town (village); *zie* bebouwen

komaan (*aanmoediging*) come! come along! cheer up!; (*kom, kom!*) come, come! come now! there, there!; *maar ~!* but there!; ~, *laten we* ... come on, let's ...

komaf (*fam.*) descent, origin; *van goede ~ of* good family; *van hoge ~* high-born; *van hoger ~ dan wij* a cut above us; *van lage ~* low-born; *zie* afkomst

kombaars sailor's blanket; (*voor kamp & mil.*) ground sheet

kombuis caboose, (cook's) galley

komediant play-actor, *vrouw.:* play-actress; (*fig. ook*) comedian, pretender; (*hist.*) strolling player

komedie (*stuk*) comedy, play; (*gebouw*) theatre, (*vero.*) playhouse; (*fig.*) comedy, play-acting; '*t is alles* (*louter*) ~ it is all sham (pure comedy, make-believe); *wat een ~!* what a game (a farce)!; ~ *spelen* act; *ze speelt maar ~* she is only (play-)acting (acting a part, pretending); *naar de ~ gaan* go to the theatre (the play); ~**spel** theatrical performance; (*blijspel*) comedy; (*fig.*) *zie* ~; ~**stuk** (stage-)play

komeet comet

komen I *ww.* come; *ook:* call [... to-morrow; he ...ed at my office]; *de tijd is gek., dat* ..., *ook:* the time has arrived that action must be taken; *kom, bèn je daar?* ah! here you are!; *kom, dat is gedaan!* there now! that's done; *kom, kom!* (*sussend, enz.*) come, come! now, now! there, there!; *kom, kom!* (= *ach wat!*) c. now!; *och kom! zie* och; *ik kom niet weer*, (*van dokter bijv.*) I shan't call again; *de dokter kon niet ~, ook:* was unable to attend; *ik kom al* (I am) coming!; *haar kindje moest in mei ~* her baby was due in May; *als deze wet er komt* if this bill goes through; *hij komt er*, (*komt rond*) he is making both ends meet; *hij komt er nooit* he'll never get there; *hij zal er wel* he will make good (succeed); *ze kwam nooit buiten* she never went outside (out of doors); *er komt iem.* someone is coming, there is someone coming; ~ (*komt*) *er nog meer?* are (is) there any more to c.?; *er kome wat wil!* c. what may!; *er komt regen* we are going to have rain; *zij was er of zij kwam er* she was always to be found there; *laten* ~ send for [the doctor, goods], call in [the doctor], order [goods; mayn't I ... you a cup of tea?]; summon [a p.]; *hij liet haar* (*de dienstbode*) ~, (*voor een standje, enz.*) he had her up; *laat hem beneden* ~ have him down; *thuis laten* ~ have [her] home [from hospital]; *laten ~*, (*van buiten*) have [one's meals] sent in, [the prisoner can] have [food] in; *laat hem maar ~!* let him c.!; *ik had 't niet zover moeten laten ~* I ought not to have let things go so far; ~ *en gaan* c. and go; *er was een druk ~ en gaan* there was

much coming and going; *kom jij eens hier* you step (come) this way; *dat komt wel goed* it will be all right; *dat komt nogal duur* that comes rather expensive; *is 't zo ver gekomen?* has it c. to this?; '*t is ver gek.* things have c. to a pretty pass (*zie ook* ver); *dat komt geleidelijk* (*door oefening*) that comes gradually (with practice); *het einde* (*de tijd*) *is nog niet gekomen*, ... is not yet; *Kerstmis is weer gekomen* Christmas has c. round (is here, is with us) again; *hij komt nog maar niet* he is still not coming; *kom je nu haast* (*kom je nou nooit*)? aren't you ever (are you never) coming?; *hoe kwam dat?* how did it c. about?; *hoe kwam hij hier?* how did he c. to be here?; *hoe kom jij hier?* how do you come to be here?; *hoe kwam 't dat* ... how did he c. to be injured?; *maar hoe er te ~?* but how to get there?; *hoe kom ik daar* (*aan 't station, enz.*)? how do I get there (to the station, etc.)?; *hoe komt het dat* ...? how is it that ...?; *hoe komt 't dat* ... *ook:* what is making the car jerk so?; *hoe ben je 't te weten gekomen?* how did you c. (get) to know it?; *hoe kwam dat kapot?* how did it come to be broken?; *zo komt 't dat* ... so it comes (about) that ...; that is how [I came to know him]; *dat komt zó* it happens this way; *toen hij kwam te sterven* when he came to die; *hij kwam te vallen* he happened to fall, he fell; (*fig.*) he died; *ik kwam naast hem te zitten* I happened to sit next to him; '*t portret kwam weer* ... *te hangen* came to hang once more in the dining-room; *we kwamen te spreken over* ... we came to speak of ...; ~ *bezoeken* c. and see, c. to visit; ~ *logeren* c. and stay; ~ *feliciteren* c. to congratulate; *kom hier zitten* c. and sit here; *hij kwam mij verwelkomen* he came to welcome me; ~ *aanrijden* c. riding (driving) along; (*zo ook:* c. panting, limping, etc. along *aan*, k. hijgen, hinken, enz.); ~ *halen* c. for; *hoe kwam hij aan 't geld?* how did he c. by (how did he get) the money?; *er eerlijk aan ~* c. by it honestly; *hij kan niet aan 't geld komen voordat* ... he cannot touch (get at) the money before he is of age; *na zijn dood kom het landgoed aan zijn neef*, ... passes to his nephew; *hoe is zij aan haar maniere (dat boek, enz.) gekomen?* where did she pick up her manners (that book, etc.)?; *hoe ben j er aan* (*aan 't bericht, enz.*) *gekomen?* how di you c. (get) to know it?; *hoe ben je aan dit be drag gekomen? a*) how did you come by thi amount?; *b*) (*door berekening*) how did yo arrive at this amount?; *aan een baantje ~ ge (*find, fam.:* land) a job; *hij was aan een ban gekomen* he had got a job in a bank; *een m nier om aan goedkope arbeidskrachten te ~* means of obtaining cheap labour; *daar ko ik zo aan toe* I'm coming (getting aroun to that; *zie ook* kost, enz.; *ik kom acht zijn streken* I am getting to know his trick *achter de waarheid* (*de feiten*) ~ get at (fin

Niet opgenomen woorden zoeke men onder C

out) the truth (the facts); *erachter* ~ get at the rights (get to the bottom) of it; ~ *bij* c. to, arrive at [an inn, etc.]; *ik kon niet bij hem* ~ I could not get near him; *ik kon niet bij die plank* ~ I could not get at (reach) that shelf; *hoe kwam je erbij?* how did you c. to think of it (to do that), what put that (idea) into your head?; *hij kwam bij zijn vader in de zaak* he joined his father in the business; *je moet dadelijk bij moeder* ~ mother wants you right away; *kom in de salon bij me* join me in the drawing-room; *kom vanavond bij mij* c. round to my place (rooms), c. to me this evening; *ik zal morgenochtend dadelijk* ~ I'll be round (the) first thing to-morrow morning; *de kat probeerde bij de kanarie te* ~ ... to get at the canary; *de kleuren* ~ *niet bij elkaar* the colours don't match; *het tapijt kwam goed bij de meubelen* went well with the furniture; *zie verder* bijkomen; *door een examen* ~ get through (an examination); *zijn tenen* ~ *door zijn sokken* his toes are showing (sticking) through his socks; *we kwamen door Dover* we passed through D.; *het komt alles door u* it is all owing (due) to you, it's all your doing (*fam.:* all along of you); *het komt alles door uw weigering om ons te helpen* it is all through (owing to) your refusal to help us; *het komt allemaal doordat ik lui ben* it all comes of being lazy; *zie ook* doorkomen; *in 't huis* ~ c. into (enter) the house; *hij kon niet in het huis* ~ he could not get into the house; *je kunt nu niet in H.* ~ there is no getting to H. now; *hoe ver ben je in dat boek gekomen?* how far have you got in that book?; *kom in mijn armen* c. to my arms; *in de hemel* ~ go to heaven; *hij komt in de beste kringen* he moves in the best circles; *zie* inkomen; *met twee pond kom je een heel eind* two pounds will go a long way; *met ... kom je er niet* that kind of talk won't get you anywhere; *hij kwam onmiddellijk na u, ook:* he followed in your wake; *hij kwam naar mij toe* he came up to me; ~ *om* c. for; *kom daar nu eens om,* where do you find that (can you get it at that price, etc.) now?; *daar hoef je bij mij niet om te* ~ you needn't come to me for that; *zie ook* leven; *bij A.* op de hoofdweg ~ join the main road at A.; *ik kan niet op zijn naam (de uitdrukking)* ~ I cannot think of (hit upon) his name (the expression) just now; *ik kwam op het denkbeeld* ... the idea struck me ...; *'t komt op* 25p. *per persoon* it comes to (works out at) 25p. a head; *om op ons onderwerp (de man zelf) te* ~ to c. to our subject (the man himself); *op een onderwerp (de politiek, enz.)* ~ get on a subject (politics, etc.); *van 't ene onderwerp kwam men op 't andere* the conversation drifted from topic to topic; *hun gesprek kwam op de politiek* their conversation turned to (*kwam geleidelijk op* drifted to) politics; *hoe kwamen jullie daarop?* how did that question arise between you?, how did you get around to that question?; *hij komt op mijn*

terrein, (*fig.*) he trespasses upon my province; *er kwam een vreemde uitdrukking op zijn gezicht* a strange look crept into his face; *de geest kwam over mij* the spirit moved me; *er kwam een gevoel van rust over mij* there came a sense of peace upon me; *zie* lip; *zij kon er niet toe* ~ she could not bring herself to (do) it; *ik kom er niet toe om een boek te lezen* I cannot find time to ...; *'t zal daar niet toe* ~ it won't c. to that; *hoe kwam u ertoe ...?* how did you come to (what made you) call yourself Mrs. R.?; *ze kwam ertoe hem te verachten* she came to despise him; *kom tot mij* c. to me; *ik kwam weer tot mijzelf* I came to myself (my senses) again; ... *tot C. gek.,* (*in onze besprekingen*) we've only got as far as Cromwell; *'t kwam tot vechten* it came to fighting; *'t water kwam tot mijn mond* reached my mouth; *het haar komt niet tot de schouders* hangs short of the shoulders; *tot een ...* ~ c. to (arrive at) an agreement (a conclusion); ~ *tussen* c. (in) between [husband and wife]; *komt de zieke wel uit zijn bed?* does the patient leave his bed?; *kom daaruit!* come out of that!; *twee mannen kwamen uit de lift* emerged from the lift; *die wens komt mij uit 't hart* comes from my heart; *uit* (*van*) *L. komen* c. (hail) from L.; *dat woord komt uit* (*van*) *'t Latijn* is derived from Latin; *van een goede familie* ~ c. of a good family; *daar komt niets van* nothing will c. of it, (*sl.*) that's a wash-out; (*geen sprake van*) it is out of the question; *er kwam nooit iets van* ... the marriage never came off; the plan never materialized; *van werken komt nu niets* it is impossible to do any work now; *daar komt voorlopig niets van* that's off for the present; *van haar lessen was niets gek.* her lessons had gone by default; *als er iets van komt,* (*als 't gevolgen heeft*) if anything results; *als er ooit iets van komt,* (*als 't gebeurt*) if ever it comes to anything; *er kwam nooit iets van* it never came to anything; *'t leek dat er iets van zou* ~, (*van voorstel, enz.*) *ook:* it looked like business; *wat er ook van komt* (*kwam*) come what may (might); *dat komt ervan, baas!* you may thank yourself for it, my boy!; *dat komt van je mopperen* that's what comes of your grumbling; *er zou niets dan last van* ~ nothing but trouble would c. of it; *van die reis is nooit iets gek.* that trip has never materialized; *om vijf uur van zijn werk* ~ get off work at five; *zie* daar, eerst, Jozef, ver, enz.; II *zn.: een voortdurend* ~ *en gaan* a perpetual coming and going; *mijn* ~ *en gaan* my comings and goings [*zo ook:* there were many comings and goings of visitors]; *de* ~*de week* next week; *het* ~*de jaar* next year, the coming year; *de* ~*de en gaande man* comers and goers; *zie ook* toekomend

komfoor gas-ring, spirit stove, chafing-dish, brazier

komiek *bn.* comical, droll; *zie ook* komisch; *zn.* (low) comedian; *ook* = ~**eling** clown, funnyman

komijn cum(m)in; ~**ekaas** c. cheese

Kominform, -intern (*hist.*) Cominform, -intern
komisch *a*) comic [songs, etc.]; *b*) *zie* komiek; *ik zie 't ~e ervan niet in* I don't see where the joke comes in
komkommer cucumber; **~broeibak, ~raam** c.-frame; **~salade** c.-salad; **~schaaf** c.-slicer; **~tijd** dull (silly, slack, dead) season, gooseberry season
komma comma; (*in breuk: in Eng. punt*) decimal point; *drie ~ twee (3,2)* three point two (3·2, 3.2); *nul ~ twee* (nought) point two; *nul ~ nul* absolutely nothing; *drijvende ~* floating-point; *Duitse ~* virgule; **~bacil** c.-bacillus
kommaliewant (*mar.*) (mess-room) crockery, mess-kit, -traps, -utensils
kommandant enz., *zie* commandant
kommapunt semicolon
kommavlinder comma butterfly
kommensaal *zie* commensaal
kommer distress, trouble, cares, affliction, sorrow, grief, misery; **~lijk** needy, indigent, scanty; **~loos** carefree, free from care; **~vol** distressful, distressed [in ... circumstances], wretched
kommetje (little) cup, bowl
kommies *zie* commies
kompas compass; *op ~ varen* (*vliegen*) steer by c.; **~beugel** gimbals; **~doos** c.-box; **~huisje** binnacle; **~naald** c.-needle; **~roos** c.-card, thumbcard; **~streek** point of the c.
komplot plot, intrigue, conspiracy; (*sl.*) plant; **~teren** (lay a) plot, conspire
kompres I *bn.* compact, close; *~se druk* close (compressed, huddled, crowded) type, solid printing; *~ gedr.* closely printed, printed solid, closely packed [pages]; *~ zetten* set solid; II *zn.* compress, pledget; *warm ~* fomentation
komst coming, arrival; advent [the ... of the Normans, of spring]; *~ op de troon* accession (to the throne); *op ~ zijn* be coming, be at hand [great changes are ...]; be on the way [another child is ...]; *er is regen op ~* it is going to rain; *'t voorjaar is op ~, ook:* spring is stirring
komvormig bowl-, basin-shaped
kon *o.v.t. van* kunnen
kond: *~ doen* notify; *~ maken* (*vero.*) make known
kondschap information, intelligence, notice; *op ~ uitgaan* make a reconnaissance, reconnoitre; **~pen** notify, inform; **~per** messenger
konfijt preserves; **konfijten** preserve, candy; *gekonfijt in,* (*fig.*) versed (proficient) in
kongeraal conger-eel
Kongo Congo; **~lees** C.lese
kongsi(e) *a*) combine, ring, trust; *b*) clique
konijn rabbit; (*vero.*) cony; (*fam.*) bunny; *op ~en jagen* shoot rabbits, rabbit, go rabbiting; *'t is bij de ~en af,* (*fam.*) it's properly aggravating
konijne- rabbit: **~hok** r.-hutch; **~hol** r.-burrow; **~jacht** r.-shooting; (*met fret*) ferreting; **~nberg**

(r.-)warren; **~npark** (r.-)warren; **~pastei** r.-pie; **~pluim** rabbit's tail; **~strik** r.-snare; **~vel** r.-skin; (*bont*) cony
koning king (*ook in kaart-, schaak-, kegelspel*); *de K~ der Koningen* the K. of Kings; *de ~ der dieren* the k. of beasts; *K~ Winter* Jack Frost; *de drie ~en* the three Kings, the three Magi; *~ van de poon,* (*vis*) red mullet; *K~en,* (*bijb.*) [the First (Second) Book of] Kings; *hij was de ~ te rijk* he was as happy as a king; *de klant is ~* the customer is always right; *zie* haan
koningin queen (*ook in kaart- & schaakspel & bij de bijen*); *regerende ~* q. regnant; *als een ~ heersen,* (*fam.*) queen it; *een ~ halen,* (*schaaksp.*) queen a pawn; **~moeder** q.-mother; **~nenbrood** royal jelly; **~nepage** swallow-tail(ed butterfly); **~regentes** q.-regent; **~weduwe** q.-dowager, dowager q.
konings: **~adelaar, ~arend** royal eagle; **~appel** pomeroy; **K~bergen** Konigsberg; **~blauw** royal blue; **koningschap** kingship, royalty
koningsdochter king's daughter
koningsgezind royalist; **~e** royalist; **~heid** royalism
konings: **~gier** king-vulture; **~hof** royal court; **~huis** royal house; **~kaars** (*plant*) hedge-taper, great mullein; **~kind** royal child; **~kroon** royal crown; **~macht** regal (kingly) power; **~mantel** royal mantle; **~moord(enaar)** regicide; **~papier** royal paper; **~scepter** royal sceptre; **~slang** boa (constrictor); **~tijger** royal tiger; **~titel** title of king, regal title; **~troon** royal throne; **~varen** royal fern; **~vis** sun-fish; **~vleugel** (*schaaksp.*) king's side; **~vogel** king-bird; **~water** aqua regia; **~zeer** king's evil, scrofula
koninkje kingling, kinglet, petty king
koninklijk royal, regal, kingly, kinglike; *~ besluit* Order in Council, Royal Warrant, Royal Decree [by ...]; *~e houding* kinglike (kingly) bearing; *het ~e Huis* the R. House(hold); *de ~e weg bewandelen* steer a straight course; *van ~en bloede* of r. blood, of the blood r.; *hij leeft ~* he lives like a king (a lord); *een ~e maaltijd* a regal repast; *iem. ~ onthalen* entertain a p. royally; *de K~e* (*Ned. Petr. Mij.*) the R. Dutch
koninkrijk kingdom; *het ~ der hemelen* the K. of Heaven
konkel: **~aar(ster)** intriguer, schemer, plotter; **~arij** plotting, intriguing, scheming, machination(s), hugger-mugger; **~en** plot (and scheme), intrigue
konserf preserve(s)
konstabel gunner; **~skamer** gun-room; **~smaa** quarter-square
Konstantinopel Constantinople; **Konstantinopolitaan(s)** Constantinopolitan
Konstanz Constance
kont (*plat*) arse, bum, ass; *ergens zijn ~ in* (*uit*) *draaien* wriggle into (out of) s.t.; *iem. in d~ kruipen* toady to a p.; *zijn ~ niet k. kere* have no room to swing a cat in; *de zaak lig op zijn ~* is on its beam ends

konterfeiten portray, picture
konterfeitsel portrait, likeness
konvooi convoy; ~**eren** convoy; ~**loper** customs broker; ~**schip** c.(-ship)
kooi (*vogels, leeuwen, enz.*) cage; (*schapen*) pen, fold; (*eenden*) (duck-)decoy; (*mar.*) berth, bunk; (*sp.*) goal; (*cricket*) nets; (*typ.*) quoin; *naar ~ gaan* turn in, (*sl.*) go to kip; *in een ~ opsluiten* cage [birds, etc.], pen [sheep]; ~**eend** decoy-duck; ~**en** (en)cage [a bird]; fold (in) [sheep]; decoy [wildfowl]; ~**hondje** decoy-dog; ~**ker** decoy-man; ~**vogel** c.-bird
kook: *aan de ~ brengen* (*komen*) bring (come) to the boil; *water aan de ~ brengen, ook:* boil the kettle; *aan* (*van*) *de ~ zijn* be on (off) the boil; *bijna aan de ~* near the boil; *van de ~ zijn*, (*fig.*) be indisposed, feel unwell; (*in de war*) be all abroad (at sea, all over the place); ~**boek** cookery-book, (*Am.*) cookbook; ~**cursus** course of cookery, cookery-class; *zie* cursus; ~**fornuis** cooking-range, cooker; ~**gas** cooking gas; ~**gereedschap** cooking-utensils; ~**hitte** boiling-heat; ~**hok**, ~**huis** cook-house; ~**kachel** cooking-stove; ~**ketel** boiler, cauldron; ~**kunst** culinary art, cookery, art of cooking; ~**pan** sauce-pan; (*van steen*) casserole; ~**plaat** boiling ring, hot plate; ~**punt** boiling-point; ~**sel** boiling; ~**ster** cook, (*fam.*) cooky; ~**toestel** cooking-apparatus, cooker
kool 1 coal [*doof* dead; *gloeiend* live]; (*houts*-)charcoal; (*chem.*) carbon; *met een zwarte ~ aantekenen* note with a black mark; *met een zwarte ~ aanget. staan* be in bad repute; (*bij iem.*) be in a p.'s black books; *zie ook* kolen; 2 (*plant*) cabbage; *de ~ en de geit sparen* sit on the fence, straddle, run with the hare and hunt with the hounds; *'t is allemaal ~* it's all gammon, all spoof; *wat een ~!* what a game!; *groeien als ~* grow very fast; *iem. een ~ stoven* play a p. a trick; ~ *verkopen* talk rot (*of:* rubbish); ~**achtig** 1 carbonaceous; 2 cabbage-like, cabbagy; ~**akker** cabbage-field, -patch; ~**blad** cabbage-leaf; ~**booglamp** arc lamp; ~**borstel** (carbon) brush; ~**dioxyde** carbon dioxide; ~**draad** (carbon) filament; ~**druk** *a*) carbon printing; *b*) [a] carbon print; ~**drukpapier** pigment-paper; ~**gas** coal-gas; ~**gewassen** brassicaceous plants; ~**hydraat** carbohydrate; ~**land** cabbage-field; ~**mees** great tit(mouse); ~**monoxyde** carbon monoxide; ~**oxide** carbonic oxide; ~**palm** cabbage-tree, -palm; ~**plant** cabbage-plant; ~**raap** Swedish turnip, swede, tankard turnip; – *boven de grond*, ~**rabi** kohlrabi, turnip-cabbage; ~**rups** cabbage-caterpillar, -worm; ~**schaaf** vegetable-shredder; ~**sla** (salad of) sliced cabbage; (*Am.*) (cole-)slaw; ~**soep** cabbage-soup; ~**spits** carbon(-point), crayon; ~**stof** carbon; ~**stofhoudend** carbonaceous, carboniferous; ~**stofverbinding** carbon compound; ~**stronk** cabbage-stalk, -stump; ~**teer(zeep)** coal-tar (soap); ~**tje-vuur** (*plant*) pheasant's eye; ~**veld** cabbage-field; ~**vis** coal-fish, green cod; ~**waterstof** hydrocarbon; ~**witje** cabbage-

butterfly; cabbage-white; ~**zaad** cole-, rapeseed, colza; ~**zuur** carbon dioxide, carbonic acid; (*in mijn*) choke-damp; –**houdend** aerated [bread, waters]; –**zout** carbonate; ~**zwart** coal-black, raven-black
koon cheek
koop bargain, purchase; *een goede ~ doen* make a good b.; *een ~ sluiten* strike (close) a b.; *de ~ is gesloten* it is a b.; *te ~* [house] for sale, [meat] on sale; *'t huis is te ~, ook:* is in the market; *zie* huur; *te ~ aanbieden* (*hebben*) offer (keep) for sale; *te ~ lopen met* cry [oranges, fish]; (*fig.*) show off (parade, air) [one's learning]; (*met zijn rijkdom, ook:*) flaunt (make a display of) one's wealth; (*met zijn gevoelens*), *ook:* wear one's heart upon one's sleeve; *zij loopt met haar grieven te koop* she hawks her grievances about; *te ~ staan* be (up) for sale; *te ~ zetten* put up for sale; *we zitten te ~* we have not drawn the curtains; *ik wens niet te ~ te zitten* I do not want to sit and be stared at; *te ~ gevraagd* wanted to purchase [a house and garden]; *'t is te ~ tegen geschatte waarde* it will be disposed of at valuation; *uit de hand te ~* for sale by private contract, to be sold privately; *weten wat er in de wereld te ~ is* know what is what; *ik wil weten wat er ... I* want to see life; *op de ~ toe* into the bargain, to boot, [with a cigar-case] thrown in, for good measure; ~**akte** title-, purchase-deed, deed of purchase; ~**avond** shopping night, late-night shopping [on Friday]; ~**beweging** buying movement; ~**brief** *zie* ~akte; ~**briefje** (*van makelaar: voor koper*) bought note; (*voor verkoper*) sold note; (*voor beiden*) contract note; ~**ceel** *zie* ~akte; ~**contract** contract of sale (of purchase); ~**flat** (*Am.*) condominium (*zowel gebouw als afz. flat*); ~**graag(te)** eager(ness) to buy (to spend money); ~**handel** commerce, trade; *zie* handel
koopje bargain, dead (great) b., [a] good (great) pennyworth, (*fam.*) [make a] good buy; (*duur ~*) bad b., [a] bad (poor) pennyworth; *op een ~ on the cheap; 't zou me een* (*lelijk*) ~ *wezen* it would be a regular sell, a bad bargain; *daar heb je een ~ aan* that's a (great) b.; *iem. een ~ leveren* (*bezorgen*) sell a p. a pup; *wel, jij hebt me 'n ~ geleverd!* you've let me in for something!; *waarom heb je ... why did you let me in for such a thing?; ook 'n ~!* (*iron.*) what a sell!; *op ~s uit zijn* be (out) b.-hunting; ~**sjager, ~jaagster** b.-hunter, -seeker
koop: ~**kracht** (*van pers. & geld*) purchasing-, buying-power; (*van pers. ook*) spending-power, sp.-capacity; ~**krachtig** with great purchasing-power; ~**lieden** *mv. van* ~man; ~**lust** inclination to buy; *er was weinig* – there was little animation among buyers; *de – houdt aan* the demand continues; ~**lustig** eager (willing) to buy; ~**lustige** intending purchaser
koopman merchant, dealer; (*in garen, band, enz.*) haberdasher; (*op straat*) street-seller, hawker; ~ *worden* go into business, become a m.

koopmans: ~beurs produce exchange; ~boek account-book; **koopmanschap** trade, business; ~ *drijven* carry on trade; *dat getuigt van weinig* ~ that does not show much business acumen
koopmansfamilie [a wealthy] merchant family; -goederen merchandise; *voor verdere woorden met koopmans- zie* handels-
koop: ~monster buying-, purchase-sample; ~order buying-order; ~penningen purchase-money; ~prijs purchase price, buying price; ~som purchase-money; ~stad commercial town; ~vaarder *zie* koopvaardijschip & -kapitein
koopvaardij merchant service, mercantile marine; *bij de* ~, *ter* ~ [officers] in the m. s., etc.; *wet op de* ~ Merchant Shipping Act; ~kapitein captain of a merchantman, merchant captain; ~schip merchantman, merchant-, trading-vessel; ~vlag merchant flag; *de Britse* – the red ensign; ~vloot mercantile (merchant) marine, merchant fleet (navy)
koop: ~vrouw tradeswoman; (*op straat*) streetseller; ~waar merchandise, commodity; ~ziek, (~zucht) *zie* ~graag(te)
koor (*zangers, ook vogels*) choir, (*in 't oude drama*) chorus; (*tegenover solo*) chorus; (*plaats in de kerk*) chancel, choir; *in* ~ [sing] in chorus; [cry out] in (a) chorus; **koorbank** choir-stall
koord cord, (thick) string, (thin) rope; (*koordfluweel*) corduroy; *de* ~*en van de beurs in handen hebben* hold the purse-strings; *op 't slappe* (*strakke*) ~ *dansen,* (*lett.*) dance (walk, perform) on the slack-rope (the tightrope); *hij moest op 't slappe* ~ *komen* he had to show his paces; *iem. op 't slappe* ~ *laten komen* put a p. through his paces; ~dansen rope-dancing, -walking; ~danser(es) rope-dancer, -walker; **koorde** (*meetk.*) chord
koordirigent choral conductor
koordje bit (piece, length) of string
koor: ~gestoelte choir stalls; ~gezang choral song, choral singing; (*in school, enz.*) combined singing; ~hek choir-screen, rood-screen; ~hemd surplice; ~kap cope; ~kleed surplice-~knaap chorister, choir-boy; ~mantel cope; ~) leider, ~meester *a*) leader of the chorus; *b*) choirmaster; *vgl.* ~; ~repetitie choir practice
koorstoel choir-stall
koorts fever; (*vooral malaria~, koude ~*) ague; *ik heb* (*de*) ~ I have (a, the, a touch of) f., am in a f.; *je jaagt me de* ~ *op het lijf* you give me the shivers; *zie* anderdaags, geel, enz.; ~aanval attack of f., f.-fit; ~achtig feverish; (*fig. ook*) hectic, frenzied [haste], [his] fevered [fancy]; *met –e haast, ook:* [work] at f.-speed; ~achtigheid feverishness; ~hitte f.-heat (*ook fig.*); ~hol *zie* ~nest; ~ig feverish, in a f.; ~igheid feverishness; ~middel febrifuge; ~rilling feverish shiver(ing); ~stillend febrifugal; – *middel* febrifuge; ~thermometer clinical thermometer; ~verdrijvend, ~werend *zie* ~stillend; ~vrij free from f.

Niet opgenomen woorden zoeke men onder C

koorzang *zie* koorgezang
koorzanger choralist; (*in kerk*) chorister
koos *o.v.t. van* kiezen; **Koos** Jim(my), Jem(my), James; *ook* = **Koosje** Jemima
koosjer *zie* kousjer
koot knuckle-bone; (*van paard*) pastern; *vast op zijn koten staan* stand four-square; ~been knuckle-bone; (*wet.*) astragalus; ~gewricht pastern-joint; ~je (*van vinger*) phalanx, *mv.:* phalanges
kop head (*ook van speld, spijker, zweer, schip, granaat, torpedo, op bier, enz.*); (*fam.*) pate, headpiece; (*van boek ook*) top edge; (*van vos ook*) mask; (*fig.*) head, headpiece [he uses his ... for thinking]; (*boven kranteartikel*) headline; (*kom*) cup, bowl; (*maat*) litre; (*van pijp*) bowl; (*van vliegt.*) head, nose; (*med.*) cupping-glass; (*van golf*) crest; (*wolk*) thunder-cloud; ~pen (*personen*) [manned with fifty] hands, [with twenty] souls [on board]; ~pie, ~pie clever chap (remark, etc.); *een verbazende* ~ *met haar* an enormous h. of hair; *er kwam een* ~ *op de puist* the boil came to a h., gathered h.; *vlugge* ~ clever (smart) fellow; *ik kan er* ~ *noch staart aan vinden* I can make neither h. nor tail of it; *met* ~ *en staart, zie* huid en haar; *verhaal zonder* ~ *of staart* without either h. or tail; ~ *dicht!* (*volkst.*) shut your trap!; *mijn* ~ *eraf!* I'll eat my hat (first); ~ *op!* keep your chin (your pecker) up!; *hij heeft een goede* ~, *er zit een goede* ~ *op* he has a good headpiece, has a good h. on his shoulders, has his h. screwed on right; *hij heeft een stijve* ~ he is stubborn; *de* ~ *indrukken* put down, suppress [a rebellion], squash [a scandal, report], quash [an idea, attempt], squelch [animosity, a movement], knock [a rumour, an opinion] on the head, dispose (knock the bottom out) of [an argument, a rumour], crush [an idea], scotch [a rumour, a lie], stamp out [a revolt]; *iets dadelijk de* ~ *indrukken* nip a thing in the bud; *'t zal hem zijn* ~ *kosten* it will cost him his h.; *dat kan je de* ~ *niet kosten* it won't break you; *het anarchisme stak de kop op* a. raised its (ugly) head; *hij kreeg een* ~ *als vuur* he got as red in the face as a turkey-cock; *een* ~(*je*) *kleiner maken* behead; *een* ~ *tonen* be obstinate; *van een* ~ *voorzien,* (*in krant*) head; *zijn* ~ *ervoor houden, de* ~ *ertegenin zetten* brave it out, face things bravely; *de* ~*pen bij elkaar steken* lay (our, their) heads together; ~pen zetten cup [a patient]; *elkaar bij de* ~ *hebben* (*krijgen*) be at (fall to) loggerheads; *wat heeft hij in vredesnaam nu weer bij de* ~? what on earth has he got hold of this time?; *een probleem bij de* ~ *nemen* tackle a problem; *hij kreeg een gat in z'n* ~ he broke his pate; *met de* ~ *tegen de muur lopen* run one's h. against a stone wall; *met de* ~ *in de wind,* (*van vliegt.*) with her head on to the wind; *met 'n* ~ *erop* heaped [measure, spoonful]; *iem. op zijn* ~ *geven* punch a p.'s h.

zie verder langs (ervan ... geven, krijgen); *we zullen ze op de ~ geven*, (*bij 't spel*) we'll lick them; *iem. op zijn ~ slaan* hit a p. over the h.; *al gaat hij op zijn ~ staan* [I won't do it] whatever he may do; *de wereld staat* (*helemaal*) *op de ~* the world has turned topsy-turvy, is (clean) upside down; *iets op de ~ tikken*, (*kopen*) pick up, snap up [an old edition]; (*gappen*) nab, pinch, collar; *iem. op de ~ zitten* sit upon a p., squash (boss) a p., *zich op de ~ laten zitten* suffer o.s. to be sat upon [*door* by], take things lying down; *laat je niet op de ~ zitten* don't be bullied; *op de ~ af* exactly, precisely, flat; *over de ~ gaan* go smash, crash [the company ...ed], go pop; *ook = over de ~ slaan* topple over, overturn, turn a somersault; *ook:* somersault [the car ...ed]; *over de ~ schieten* come a cropper; *ik had me voor de ~ kunnen slaan* I could have kicked myself; *zie ook* hoofd, klein, schieten, enz.

kopal copal
kopbal (*voetbal*) header
kopborststuk cephalo-thorax
kopek(e) copeck
kopen buy (*ook in spel*) [*van* of, from], purchase; *ik koop altijd bij hem* (*in die winkel*) I always deal with him (at that shop); *boeken voor z'n geld* ~ b. books out of (with) one's money; *iem. een cadeau ~* buy a p. a present; *~ met geleend geld* buy on borrowed money; *iem.* (*zich*) *eruit ~* buy a p. (o.s.) out; *voor 2 gulden koopt men nu minder dan vroeger voor één* two guilders will b. less now than one guilder bought formerly
Kopenhagen Copenhagen
1 koper buyer, purchaser
2 koper copper (*rood, element*), brass (*geel*); *zie ook* ~blazers; ~**achtig** coppery, cupreous; brassy; ~**ader** c.-vein, -lode; ~**blad** c.-plate; ~**blazers** brass; ~**draad** c.-, brass-wire; ~**druk** *a*) c.-plate printing; *b*) c.-plate; ~**en I** *bn.* copper; brass; *geen – cent* not a brass farthing; *een – hemel* a c. sky; *– bruiloft* 'c. wedding' (*lett. vert.:* in Eng. niet gevierd*); *zie* ploert; II *ww.* copper; ~**erts** c.-ore; ~**geld** coppers, c. coin; ~**gieter** c.-, brass-founder; ~**gieterij** c.-foundry; brass-works; ~**goud** similor; ~**gravure** c.-plate; (*afdruk, procédé*) c.-engraving; ~**groen** verdigris; ~**houdend** (*chem.*) cupric, cuprous; (*van bodem*) c.-bearing, cupriferous; ~**kies** c.-pyrites; ~**kleur(ig)** c.-, brass-colour(ed); ~**kleurig**, *ook:* brazen [sky]; ~**legering** c.-alloy; ~**mijn** c.-mine; ~**munt** *zie* ~geld; ~**nikkel** cupro-nickel; ~**oplossing** solution of c.; ~**pletterij** c.-mill; ~**roest** verdigris; ~**rood** *bn.* c.-red, -coloured; *zn.* copperas; ~**slager** c.-smith, brazier; ~**slagerij** brass shop; ~**sne(d)e** c.-plate; ~**snijder**, ~**steker** c.-plate engraver
opersstaking shoppers' strike
oper: ~**stuk** copper (coin); ~**vergiftiging** c.-poisoning; ~**vijlsel** c.-, brass-filings; ~**vitriool** c.-vitriol, blue vitriol; ~**waren**, ~**werk** c.-, brass-ware; ~**wiek** (*vogel*) redwing; ~**zuur** cupric acid

kopglas cupping-glass
kopie copy (*ook* = manuscript), duplicate; (*getrouwe ~ inz. door de kunstenaar zelf*) replica; *zie* conform; ~**boek** letter-book
kopieer: ~**inkt**, ~**machine**, ~**papier**, ~**pers** copying-ink, -machine, -paper, -press; ~**potlood** copying(-ink) pencil
kopiëren copy; (*akte*) engross [a deed]
kopiist copyist, copying-clerk, transcriber
kopij copy; ~**recht** copyright; *'t – verzekeren* c. [a book]; *het – van dit boek is verzekerd* this book has been duly copyrighted, c. (reserved), ©; *'t – van ... is verstreken* the book is out of c. (*nog niet verstreken* in copyright)
kopje 1 head; 2 cup; 3 (*Z.-Afr.*) kopje; *lief ~* pretty face; *~ krauw!* scratch a poll! scratch my head!; ~**duikelen**, ~**over doen** turn h. over heels, turn somersaults (a somersault); *iem. doen ~duikelen* send a p. head over heels; *hij ging ~onder* he took a header, got a ducking; *hij is ~onder geweest* he has had a ducking; *een ~ vol thee* a cupful of tea; *zie ook* kop
kop: ~**klep** overhead-valve [engine]; ~**laag** *a*) top course; *b*) header course; ~**lamp** headlight; ~**lastig** (*mar.*) down by the head; (*van vliegt.*) nose-heavy; *'t paard won met een ~lengte* won by a head; ~**letter** (*typ.*) ascender; ~**licht** headlight; ~**loos** acephalous; (*fig.*) brainless; ~**loper** front runner; *– zijn* be in the lead; ~**lozen** acephala; ~**man** leader
koppel *a*) (*riem*) [sword-]belt, (*van officier ook*) Sam Browne (belt); leash [for hounds]; *b*) (*paar*) couple [of hounds, of eggs], brace [of pistols, of partridges], yoke [of oxen]; (*troep*) covey [of partridges], herd [of cattle], bevy [of larks *leeuweriken*, of quails *kwartels*]; (*techn.*) torque; ~**aar(ster)** match-maker, match-making woman; (*strafbaar*) procurer (*vrouw:* procuress, bawd), pimp, pander; ~**arij** match-making; (*strafbaar*) procuration, pimping; ~**baas** labour-only sub-contractor, labour broker; ~**band** coupling-strap; ~**bout** coupling-pin; ~**en** *tr.* couple [dogs, railway-carriages, people]; dock [space-craft]; *gekoppelde zuil*, (*bk.*) clustered pillar; join [words]; *intr.* couple [the instinct to ... was always at work in her], make a match [she was match-making again]; (*strafbaar*) procure, pimp, pander; ~**gesp** belt-clasp; ~**ing** coupling, joining (*zie* ~en); (*concr.*) coupling, (*van auto ook*) clutch; *de – verbreken* throw a machine etc. out of gear; ~**ingspedaal** clutch-pedal; ~**ketting** coupling-chain; ~**koers** (*mar.*) compound course; ~**letter** ligature; ~**net** (*elektr.*) (National) Grid; ~**plaat** (*mil.*) belt-plate; ~**riem** (*mil.*) *zie* ~; *ook* = ~band; ~**stang** coupling-rod; (*tussen spoorwagens*) draw-bar; ~**teken** hyphen; ~**verkoop** tie-in sale; package deal; ~**wedstrijd** Madison race; ~**werkwoord** copula, link-verb; ~**woord** copulative, link-word
koppen poll, decapitate; (*koppen zetten*) cup [a patient]; (*voetbal*) head [the ball]; ~**snellen** *zn.*, ~**sneller** head-hunting, -hunter; ~**zetter** cupper

koppermaandag printers' Monday; *ongev.:* wayzgoose
koppig obstinate, headstrong, dogged; (*van dranken*) heady; ~**heid** *a*) obstinacy, doggedness; *b*) headiness
koppotig: ~ *dier* cephalopod; **kopra** copra(h)
koprol somersault, [do a] head-over-heels
kops: ~ *hout* end grain; ~ *gezaagd* cut across the grain
kop: *iem.* ~**schuw** *maken* head a p. off, frighten off; – *worden* jib; ~**spijker** hobnail, (tin-)tack; ~**station** terminus, terminal station; ~**steen** header, bonder, bond-, through-stone; ~**stem** head-voice, falsetto; *iem. een* ~**stoot** *g.* butt one's head into a p.; ~**stuk** headpiece (*ook fig.:* have a good ...); (*pers.*) big man, boss [the ...es of the medical profession], captain [of business, finance], giant [the ...s of the golf-clubs], [a Liberal] standard-bearer; *alle –ken, ook:* all the big noises (shots); *zie ook* stijfkop
Kopt Copt; ~**isch** Coptic
kop: ~**telefoon** headphone(s), ear-phone(s), head-set; ~**voorn** chub; ~**zak** (*van paard*) nose-bag; ~**zee** head-sea; ~**ziekte** (*van vee*) grass-tetanus; ~**zorg** worry; **kor** dredge-net
koraal 1 (*stof*) coral; (*kraal*) bead; 2 (*zang*) chorale, choral; (*pers.*) chorister; ~**achtig** coralline, coralloid; ~**bank** c.-reef; ~**boek** choral(e)-, hymn-book; ~**boom** c.-tree; ~**dier** c.-polyp, c.-zoophyte; ~**eiland** c.-island; ~**gezang** choral-song, -singing, plainsong; ~**mos** c.-moss, coralline; ~**muziek** choral music; ~**poliep** *zie* ~dier; ~**rif** c.-reef, atoll; ~**rots** c.-rock; ~**steen** corallite; ~**tak** c.-branch; ~**vereniging** choral-club; ~**visser** c.-fisher, -diver; ~**visserij** c.-fishing, -fishery; ~**zee** C. Sea; **koralen** *bn.* coral(line); **koraliet** corallite; **koralijn** *zie* koraalmos
koran Koran, Alcoran, Alkoran; *van de* ~ Koranic [law]
korbeel corbel
kordaat bold, resolute, firm, plucky; ~ *optreden tegen* deal firmly with; ~**heid** boldness, etc.
kordelier cordelier
kordon cordon, chain, line [of police]; *een* ~ *trekken om* post (draw, throw) a c. round [troops cordoned off the district]
Korea id.; **Koreaan(s)** Korean
koren[1] corn; (*inz. Am.*) grain; *dat is* ~ *op mijn molen* it is grist to my mill; ~**aar** ear of c.; ~**akker** c.-field; ~**beurs** c.-exchange; ~**blauw** cornflower blue, azure; ~**bloem** cornflower, bluebottle; ~**bouw** c.-growing; ~**brander** distiller; ~**brandewijn** c.-brandy, -spirit; ~**factor** c.-factor; ~**garf** sheaf of c.; ~**halm** c.-stalk; ~**kalander** c.-weevil; ~**koper** c.-dealer, c.-merchant, c.-chandler; ~**land** c.-field; ~**maat** c.-measure; *zie* licht 2; ~**meter** c.-measurer; ~**mijt** c.-stack; ~**molen** c.-flour-mill; ~**roos** poppy; ~**schoof** sheaf of c.; ~**schuur** granary

(*ook fig.*); ~**stoppel** c.-stubble; ~**veld** c.-field; ~**wan(ner)** *zie* wan(ner); ~**wet** c.-law; ~**worm** c.-weevil; ~**zolder** c.-loft, granary
1 korf *o.v.t. van* kerven
2 korf basket, hamper; (*bijen*~) hive; (*bij exam.*) plough; *een* ~ *krijgen* get the mitten, be turned down; (*bij exam.*) be ploughed; ~**bal** korfball; ~**fles** wicker bottle; (*grote*) carboy, demijohn; ~**gevest** basket-hilt
Korfoe Corfu
korhoen black grouse (*mv. id.*), black game (*mv. id.*), (*mann.*) black-cock, (*wijfje*) grey-hen
koriander coriander
korist chorus-singer; ~**e** chorus-girl
kornak mahout; **kornalijn** cornelian
kornet cornet (*in alle bet.*); ~**muts** cornet
kornis cornice
kornoelje cornel(-berry); *gele* ~ cornelian cherry; ~**boom** cornel(-tree)
kornuit comrade, crony, companion; (*bij drinkpartij ook*) boon (*of:* pot) companion; (*van dief, enz.*) confederate
koroester North-Sea oyster
korporaal corporal; ~**schap** c.'s rank; ~**sstrepen** c.'s stripes
korps corps [kɔːʔ], *mv.:* corps [kɔːz]; (*typ.*) body; ~**geest** esprit de corps, corporate spirit
korpus corpus; (*menselijk lich.*) body, anatomy, [he has no fear in his] composition
korre dredge-net
korrel grain; pellet; *zie* hagel~; (*op geweer*) bead, foresight; *op de* ~ *nemen* draw a bead on; (*fig.*) make a butt of [a p.]; *geen* ~(*tje*) not a g.; ~**en** granulate, grain; (*kruit*) corn; ~**huis** corning-house; ~**ig** granular; gritty [substance]; ~**igheid** granularity; ~**ing** granulation, graining; (*kruit*) corning; ~**suiker** granulated sugar; ~**tje** grain, granule; *met een* – *zout* with a grain (*of:* a pinch) of salt; *zie* ~; -**vormig** graniform, granular
korren trawl, dredge
korset corset, (pair of) corsets, (*vero.*) (pair of) stays; ~**balein** busk; ~**lijfje** camisole; (*Am.*) c.-cover; ~**tenmaker, -maakster** c.-maker
korst (*algem.*) crust; (*brood*) crust; (*kaas*) rind (*op wond*) scab; *zachte* ~ (*van brood*) kissing-c. *met een dikke* ~, *ook:* thickly incrusted; *zie* pastei; ~**deeg** puff-paste, short paste; ~**en** crust ~**gebak** pastry; ~**ig** crusty; ~**igheid** crustiness ~**je** *zie* ~; ~**mos** (crustaceous) lichen
kort short, brief; ~ *op de poten* low-set; ~ *en bondig* s. but to the point, concise, succinct terse; [write, speak] briefly and to the point (*kortaf*) curt [reply]; ~ *en bondig, jij gaat!* short, you go!; ~ *en dik* thick-set, squat, dumpy; ~ *en goed, zie* kortom; ~ *maar krachtig* and snappy; s. and sweet; *zijn vreugde was van duur* was short-lived; *het is* ~ *dag* time getting short; ~ *geheugen* [have a] s. memory ~*e golfslag* choppy sea; ~ *papier* s. bills; ~ *rokken* s. skirts; ~ *spel*, (*sp.*) s. passing

[1] *Zie ook* graan

Niet opgenomen woorden zoeke men onder **C**

~e(re) weg s. cut (ook fig.: believe in ...s); ~er maken (worden) shorten; de dagen worden ~er the days are drawing in; iem. ~ houden a) (geldelijk) keep a p. s. (of money), keep him on s. allowance, stint him; b) tether a p. by a s. rope, keep a tight hand over him; [een hond] ~ aan de riem houden keep [a dog] on a short lead; maak 't ~ make (cut) it s., let it be s.; alles (de boel) ~ en klein slaan smash everything to atoms (to smithereens), smash things up; ~ van stof brief; ~ aangebonden s.-tempered; zie aanbinden; om ~ te gaan in short; to make a long story short, to put it shortly (briefly), the long and the s. of it is ...; ~ daarna shortly after; ~ na mijn aankomst shortly after my arrival; ~ geleden a s. time ago, lately, the other day; ~ geknipt close(ly) cropped, -clipped [hair, moustache], closely cut [nails], close-clipped [hedge]; zie knippen; binnen~ shortly, before long; in 't ~ in brief, briefly, in s.; [put it] in a nutshell; na ~er of langer tijd sooner or later; twee keer ~ na elkaar twice within a s. time; sedert ~(e tijd) recently, lately; verscheiden voeten te ~ [the ladder was] s. by several feet; er is een gulden te ~ there is a guilder s.; iem. te ~ doen wrong (rob) a p.; hij heeft me nooit een cent te ~ gedaan he never wronged me of a farthing; de waarheid te ~ doen strain the truth; iems. verdiensten te ~ doen detract (derogate) from a p.'s merits; zie ook verkorten; zich te ~ doen lay violent hands on o.s.; zich te ~ gedaan voelen ook: feel frustrated; we komen 4 gulden (een werkman, enz.) te ~ we are four guilders (a hand, etc.) s.; we komen handen te ~ we are short of staff; slaap te ~ komen be s. of sleep; tijd te ~ komen be pressed for time; ik zou tijd te ~ komen, als ... time would fail me if ...; ik kom woorden te ~ I lack words [to express my thanks]; ik kom er geld bij te ~ I have lost money (am out of pocket) over it; je zult er niet bij te ~ komen you'll be no loser by it; hij is in zijn leven veel te ~ gekomen he has suffered much deprivation; de bocht te ~ nemen take the corner too close; te ~ schieten in be lacking (deficient) in [courtesy, energy, one's duty], fail (be remiss) in [one's duty], fall short in; daarin schiet zij te ~ that is where she fails; mijn krachten schoten (mijn geheugen schoot) te ~ my strength (memory) failed (me); tot voor ~ until recently, u. lately; zie broek, geding, inhoud

kortademig short of breath, short-winded, -breathed; (van paard) broken-winded; ~heid shortness of breath, short-windedness

kort: ~af short [tegen iem. with a p.], curt [to a p.; answer ...ly], [his manner was] abrupt, blunt; ~armig s.-armed; ~benig s.-legged

kortebaanrijderij short-distance skating match

kortegolfzender short-wave transmitter (zie ook golf)

kortelas cutlass; **kortelijk** briefly, shortly

kortelings recently, lately, the other day

korten shorten [a rope, a p.'s life, the way];

(zeil) take in, shorten; (haar, enz.) trim, (heel kort) crop [the hair]; clip [the wings]; (loon, enz.) deduct from, cut down, dock [a p.'s wages; he ...ed us a shilling from our wages]; de tijd ~ beguile (while away, shorten) the time, make the time pass; de dagen (nachten) ~ are closing (drawing) in (getting shorter); **korthalzig** short-necked; **kortharig** short-haired [terrier]

kortheid shortness [of memory, etc.], conciseness, brevity, briefness, succinctness; ~shalve for briefness' sake, for the sake of brevity, [Benjamin, called Ben] for short

korthoornvee short-horned cattle

korting reduction, deduction; (overeengekomen) discount; (voor beschadiging, te late levering, enz.) allowance; (op grote partij, aftrek van belasting, enz.) rebate; ~ voor contant cash discount; ~ aan wederverkopers trade discount; betaling op 1 mnd. zonder ~ one month net; betaling op 1 mnd. met 2 % ~ 2 per cent. for one month; met een ~ van 25 % op de uitgevers-prijs at a discount of 25p. in the pound off publisher's price; terms: ¼ off (published prices); zie contant; ~zaak discount shop

kortjan jack-knife; **-lopend** short-term [credit]

kortom in short, in brief, in fine, in a word

kortoren crop the ears (of)

kortparkeerder short-term parker

Kortrijk Courtrai

kort: ~schedelig short-headed; (wet.) brachy-cephalic; ~schrift s.hand; ~sluiten s.-circuit; ~sluiting s.-circuit(ing) [due to a s.-circuit]; (fam.) short [have a ...]; (fig.) misunder-standing, communication breakdown; ~ veroorzaken create (cause) a s.-circuit; ~ maken in s.-circuit

kortstaart bobtail; ~en dock (the tail of)

kortstondig of short duration, short, short-lived; ~heid shortness, brevity

kortswijl fun, sport, banter; ~en jest, joke, banter; ~ig jesting, bantering

kortvleugelig short-winged

kortweg in short, shortly, briefly, summarily [dismissed afgewezen]; **kortwieken** clip the wings (of); iem. ~ clip a p.'s wings; zie fnuiken

kortzichtig short-sighted; (fig., ook) purblind; ~heid ...ness

kortzichtwissel short(-dated) bill, bill at short sight

korund corundum; **korven** put into a basket; hive [bees]; **korvet** corvette

korvijnagel (mar.) belaying-pin

korzelig crabbed, cross-grained, cantankerous, crusty, grumpy; ~heid crabbedness, etc.

kosmetiek cosmetic, make-up; **-ika** c.s

kosmisch cosmic; ~ stof c. (of: star) dust; ~e stralen c. rays

kosmo: ~grafie cosmography; ~poliet, ~politisch cosmopolitan; **kosmos** cosmos

kossem dewlap

kost food, fare, victuals, board; living, liveli-hood; halve (volle) ~ partial (full) board; ~ en inwoning board and lodging (of: residence), bed and board (of: keep); **goede degelijke** ~ good, substantial f.; **zware** ~ heavy food; (fig.) strong meat [the Premier's words were rather ... for the French]; dat is oude ~ that is an old story (ancient history); de ~ **verdienen** earn one's bread and butter (one's keep, one's board), earn a livelihood, make (earn) a living; de ~ verdienen door kamers te verhuren maintain o.s. by letting rooms; hij is zijn ~ **waard** he is worth his salt; de ~ **geven** feed [a p.]; (zijn ogen) keep one's eyes open, look (of: have all one's eyes) about one; ~ **voor kinderen,** (fig.) zie kinderkost; de ~ **voor 't eten hebben** have one's meals free; iem. **aan de** ~ **helpen** put a p; in the way of making a living; aan de ~ **komen,** zie: de ~ **verdienen; ook:** [how does he] live?. (op de een of andere manier) pick up a living (a livelihood); (eerlijk) earn an honest living; hij is bij W. **in de** ~ he boards at W.'s (with W.) [I board here]; hij werd bij mijn buurman in de ~ gedaan he was put out to board (boarded out) at my neighbour's (with my neighbour); in de ~ **nemen** take in as a boarder; werken **voor de** ~ work for a living; zie ook baat, koste(n)

kostbaar (veel kostend) expensive [war; dress, journey]; costly (= very expensive); (waardevol) valuable [time, life, books], precious [stones, possession]; (rijk, weelderig) sumptuous [dinner]; de tijd is ~ time is precious; ~**heid** expensiveness, etc.; ~**heden** valuables

kostbaas landlord

koste: te mijnen ~ [he amused himself] at my expense; [I learned it] to my cost; ten ~ van uw leven at the cost of your life; ten ~ van alles at all costs; ten ~ **gaan van** be at the expense of; ten ~ **leggen aan** spend [money, time, care] on, lay out [money] on

kostelijk exquisite [food, wine], splendid [weather], magnificent [view], glorious [a ... time], delightful [caricature]; (sl.) top-hole [a ... idea]; een ~ **staaltje van ...** a priceless illustration of ...; hij is ~! isn't he priceless!; (ook =) die is ~! that's a good one! that's rich!; wij amuseerden ons ~ we enjoyed ourselves enormously, (fam.) we had a high old time of it; ~**heid** exquisiteness, magnificence

kosteloos I bn. free [school, places in schools, seats, days at a museum], gratis; rent-free [house]; II bw. gratis, free of charge; ik nam hem ~ in huis I gave him free board and lodging; zie ook gratis & pro Deo

kosten I zn. (wat iets kost) cost; (van aantekening, enz.) fee; (gerechts-) costs; (uitgaven) expense(s), expenditure, outlay; (in rekening gebrachte uitgaven) charges; ~ van vervoer c. of carriage; de ~ **bedragen ...** the c. amounts (runs) to £2; ~ **maken** incur expenses; grote ~ m. go to great expense; grote ~ **meebrengen** entail a great deal of expense; op eigen ~ at one's own expense; op uw ~ at your expense; 't gaat op mijn ~ I bear the cost (the expense);

(bij trakteren) I'm paying, (fam.) it's on me; op ~ van de Staat, zie rijks ...; iem. op (hoge) ~ (zozeer op ~) **jagen** put a p. to (great, such) expense; op zijn ~ **komen** make good one's expenses, recoup (o.s.); ~ **noch moeite sparen** spare no pain nor expense; op ~ van **ongelijk** on condition that the loser shall pay; we spelen op ~ van ongelijk the losing party pays the game; in de ~ **veroordelen** (verwijzen) condemn in costs; in de ~ veroordeeld (verwezen) worden, ook: be cast in (be ordered to pay) costs, have costs given against one; zonder (protest)~, (hand.) without charge(s), W.C.; II ww. cost; wat kost dit? how much is this? what price is this? what do you charge for this?; 't kostte hem ... it cost him his life (his head, the sight of his eyes); 't kon me mijn **betrekking** (leven) ~ als ik nu ging it's as much as my place (life) is worth to go now; 't koste wat het wil [the fort must be held,] cost what it may, at any price, at any cost, at all costs, whatever the cost; 't kost een bom geld it runs into (runs away with) a lot of money; dat kost veel geld it comes expensive; het kostte mensenlevens it caused (heavy) loss of life; de koe kost meer aan voedsel dan ze zal opbrengen costs more for food than she will sell for, is eating her head off; 't kostte me veel moeite it gave (cost) me a great deal of trouble; 't kostte hem moeite te ... he found it hard (it was a wrench to him) to leave the place; it cost him an effort to be silent; he was hard put to it to pay the rent; it was all he could do to keep his eyes open; 't kost tijd it takes time [it took us two days; the story took some time in the telling]; vliegen kost geld flying takes money; beleefd zijn kost niets it costs nothing to be polite; 't kost niets om 't eens te proberen it's no cost (it costs nothing) to try; de verpakking kost niets there is no charge for packing; ~**berekening** calculation of expenses; (van de kostprijs) costing; ~**besparing** economy; ~**de prijs,** zie kostprijs; ~**peil** level of costs; ~**raming** estimate of the cost

koster sexton, verger, sacristan; ~**es** ...ess; ~**ij** s.'s (v.'s) house; ~**schap** ...ship

kost: ~**gang(st)er** boarder; -s houden take in boarders; een dure – a large feeder; onze lieve Heer heeft rare –s, ongev.: what queer people one meets in the world!; ~**geld** board; (aan bediende) board-wages, -money [the servant was sent home on ... met ...]; ~**huis** boardinghouse; ~**je:** zijn – is gekocht he is a made man; ~**juffrouw** landlady; ~**kind** boarder; ~**leerling** boarder; halve – day-boarder; [tegen] ~**prijs** [at] cost price, [at] (prime) cost; –**berekening** costing; ~**scholier** zie ~leerling; ~**school(hou der, -es)** boarding-school (proprietor, pro prietress); grote – public school

kostumeren: (zich) – dress up; zie gekostumeere

kostuum (van vrouw) costume, suit; (van man suit (of clothes); (voor gekostumeerd ba

fancy-dress; *in* ~, (*bal, enz.*) in character; ~
naaister dress-maker; ~**pop** dress-stand,
dummy; ~**stof** suiting
kost: ~**winner** breadwinner, wage-earner; *–s-
vergoeding* separation allowance; ~**winning**
livelihood
kot cot, pen [for sheep], sty [for pigs], kennel
[for dogs]; *zie ook* krot; *in 't* ~ *zitten* be in quod
kotelet cutlet, chop; ~*ten*, (*bakkebaarden*) mut-
ton-chop whiskers
kots(*plat*) sick; ~**en** spew, cat, puke; *ik* ~ *ervan,
ik ben er* ~**misselijk** *van*, (*fig.*) I am sick to
death of it
kotter cutter; *als* ~ *opgetuigd* cutter-rigged
kou cold; *korte strenge* ~ cold snap; ~ *in de
handen* (*voeten*) chilblained hands (feet); ~ *in 't
hoofd* c. in the head, head-cold; ~ *op de borst*
c. on the chest; ~ *op de maag* stomach chill;
~ *vatten* catch (a) cold (a chill); ~ *doen vatten*
give (a) cold; *geen* ~ *aan de lucht, vgl.* vuiltje
& wolkje; *wat doe je* **in** *de* ~? (*ongev.:*)
well, you let yourself in for it; why stick
your neck out?; *in de* ~ *laten staan*, (*fig.*)
leave out in the cold; *tegen de* ~ against the c.,
[a drop of whisky] to keep the c. out
koubeitel cold chisel
koud cold (*ook fig.*); ~*e luchtstreek* frigid zone;
niet te ~ *water* water with the chill off; *zie*
emmer; *ik ben* ~ *een uur thuis* ... hardly an
hour; *ik heb 't* ~ I am c.; *dat laat* (*schilderij-
en laten*) *mij* ~ it leaves (pictures leave) me c.;
't zou me gewoon ~ *laten, ook:* I should not
turn a hair; *'t viel me* ~ *op 't lijf* it gave me a
shock, it made me go c. all over; *hij is er om* ~
he is done for, he is a goner, (*Am.*) he is a
gone coon; *ik was er bijna om* ~ it almost
knocked me out; *iem.* ~ **maken**, (*fig.*)
do a p. in; *hij werd* ~ he grew (went) cold;
ik word er ~ *van* it makes me go c. all over;
hij liet ... ~ *worden* he let his tea go (get)
c.; *zie ook* drukte, grond, heet, kleed, enz.; ~
achtig coldish, somewhat c.; ~**bloedig** c.-
blooded (*ook fig.*); ~**bloedpaard** underbred
horse; ~**breukig**, ~**bros** c.-short; ~**e** *zie* kou; ~**e-
front** c.-front; ~**egolf** c.-wave; ~**getrokken**
(*techn.*) c.-drawn, -worked; ~**heid** coldness;
~**jes** *bn.* coldish; *bw.* coldly; ~**kleum** chilly
person, c. subject; (*ongev.:*) frowster; ~**makend**
cooling; – *mengsel* freezing mixture; ~**slachter**
zie vilder; ~**vuur** gangrene, mortification; *door
– aangetast worden* gangrene, mortify; *door –
aangetast* gangrenous, gangrened; ~**waterbe-
handeling** hydropathy; ~**waterinrichting** hydropathic (establishment), (*fam.*) hydro; ~
waterkuur c.-water cure
koukleum *zie* koudkleum
kous stocking; (*mar.*) thimble; ~*en*, (*hand.*) hose;
en daarmee was de ~ *af* and that was that; and
that was the end of the matter; *hij kwam met
de* ~ *op de kop thuis* he came away with a flea
in his ear (with empty hands); *op zijn* ~*en* in
one's stockings [he stands six feet in his stock-
ings], in one's stocking(ed) feet
kouseband garter; *Orde* (*Ridder*) *van de K*~

Order (Knight) of the G.
kousen- stocking: ~**breimachine** s.-frame,
-loom; ~**koper** hosier; ~**stoppen** s.-darning; ~
winkel hosier's (shop)
kousevoet stockinged foot; *vgl.* kous
kousje (lamp-)wick; (*gloei-*) mantle
kousjer kosher [restaurant, etc.], [the meat was
not] ritually prepared; *dat is niet* ~ there is s.t.
wrong, it is not as it should be; ~ *snijden* porge;
~**snijder** porger
kout chat, (small-)talk; ~**en** talk, chat; *hij kan
gezellig* –, *ook:* he is good company
kouter 1 talker; 2 (*van ploeg*) coulter
kouvatten *zn.* [owing to a] cold, chill
kouwelijk chilly
kozak Cossack; ~**kenlaarzen** Russian boots
kozen caress, fondle; talk sweet nothings
kozijn window-frame; (*vensterbank*) window-
sill, w.-ledge; **k.p.** = *kiloperiode* kc., kilocycle
kraag collar, (*van bont, enz.*) tippet, (*hist.: geplooide* ~) ruff; (*van vogels, enz.*) ruff; (*van
buis, enz.*) flange, shoulder; *iem. bij de* ~ *pakken* collar a p., seize a p. by the c.; *hij heeft een
stuk in zijn* ~ he is tipsy (oiled); *een stuk in zijn*
~ *krijgen* get boozed (fuddled); ~**eend** rock-,
harlequin-duck; ~**je** collar(et, -ette); ~**merel**
ring-ouzel; ~**steen** corbel, truss
kraai crow; (*aanspreker*) undertaker's man;
zwarte ~ carrion-c.; *de ene* ~ *pikt de andere de
ogen niet uit* dog does not eat dog; there is
honour among thieves; *zie* bont, kind; ~
achtig(e) corvine
kraaien crow (*ook van kind*); *zie* haan, enz.
kraaienest crow's nest (*ook mar.*)
kraaienmars: *de* ~ *blazen* pop off, peg out, go
west, snuff it; **kraaiepoot** (*nagel*) caltrop,
crow's foot; ~**jes** (*bij ooghoek*) crow's-feet
kraaiheide crowberry
kraak 1 (*vaartuig*) carack; 2 crack, cracking;
(*luchtv.*) crash; *een* ~ *zetten*, (*sl.*) crack a crib;
er is geen ~ *of smaak aan* it just has no taste at
all; ~**amandel** soft-shelled almond; ~**been** cartilage, gristle; ~**be(e)n(acht)ig** cartilaginous,
gristly; ~**net** *zie* ~zindelijk; ~**pand** squat; ~
porselein egg-shell china; *zo teer als* – as
brittle as glass; ~**proces** (*olie-industrie*)
cracking process; ~**stem** grating (rasping)
voice; ~**veilig** (*luchtv.*) crash-proof; ~**zindelijk**
scrupulously (spotlessly, studiously) clean,
spotless, speckless; ~**zindelijkheid** scrupulous
(spotless) cleanliness
kraal 1 *zie* koraal; (*bk.*) bead(ing); 2 (*kaffer-
dorp, ruimte voor vee, enz.*) kraal; (*Am.*) corral;
~**ijzer** bulb iron; ~**lijst** beading, bead moulding; ~**oog(je)** beady eye; ~**tjes** (*van suiker*)
hundreds and thousands; *met* – comfit-
coated [cakes]
kraam booth, stall, stand; *de kramen opbouwen*
(*afbreken*) set up (take down) the fair; *in de* ~
komen (*zijn*), *zie* bevallen 2; *in de* ~ *brengen*
get [a girl] with child (in the family way); *dat
komt niet in zijn* ~ *te pas* that does not suit
him (his purpose, convenience, book, card);
't kwam in haar ~ *te pas dat te zeggen* it suited

her interests to say so; ~bed childbed; *in het - sterven, ook:* die in childbirth; ~been white leg, milk-leg; ~bezoek visit to the mother of a newly-born child; ~heer father of the child; ~inrichting maternity home (hospital); ~kamer delivery room; ~kind new-born child; ~kliniek maternity hospital; ~pje stall; ~verpleegster maternity (*of:* obstetric) nurse

kraamvrouw woman in childbed, mother of newly-born child; ~enafdeling lying-in (*of:* maternity) ward (*of:* department); ~enkliniek maternity hospital; ~enkoorts puerperal fever; ~ensterfte(cijfer) maternity mortality (rate); ~enuitkering maternity benefit

kraan 1 (*van buis enz.*) tap, cock, (*Am.*) faucet; (*hijstoestel*) crane, derrick; *drijvende ~* floating crane; (*vogel*) crane; 2 (*persoon*) dab; (*Am.*) crackerjack; *een ~ in 't rekenen, enz.* a dab hand (expert) at sums, a demon at tennis; ~arm (crane-)jib; ~balk cat-head; ~boom crane-post; ~drijver crane-driver; ~geld cranage; ~huis crane-house; ~kind crane-driver; ~ladder peg-ladder; ~oog *zie* braaknoot; ~schip crane-barge; ~vogel (common) crane; ~wagen breakdown lorry; ~zaag pit-saw

krab 1 crab(-fish); 2 scratch; ~bedieven nab, pinch; ~bekat scratch-cat

krabbel (*schram*) scratch; (*schrift, enz.*) scrawl, scribble; (*tekening*) thumb-nail (sketch, caricature); (*willekeurig*) doodle; ~aar(ster) *a*) scratcher; *b*) scrawler; ~arij *zie* ~schrift; ~briefje scribble, scrawl; ~en *a*) *tr. & intr.* scrawl, scribble; (*willekeurig*) doodle; *b*) *zie* krabben; *weer overeind –* scramble up; *zie* achteruit; ~ig scrawled, scrawly, scribbling, crabbed [writing]; ~pootje [write a] niggling hand; ~schrift scrawl(s), scribble(-scrabble), cramped (niggling) writing

krabben scratch; (*met klauw ook*) claw; (*van paard*) paw; (*van anker*) drag; *zich achter de oren –* s. one's head; krabber scratcher; (*voet-*) (door-)scraper; (*mil.*) wad-hook

krabbetje *zie* krab & krap 3; krabijzer scraping-iron, scraper; krabsel scrapings

krabvormig crab-like, cancriform

krach crash, smash, collapse, bust-up

kracht strength (*gew. pass.*), force (*act.:* collect one's strength to strike with force; a most potent f. in history), vigour (*lichamelijke of geestelijke ~*), power [*bijv.:* of lightning]; (*van wind, enz.*) force, intensity; (*van geneesmiddel, enz.*) virtue, potency, efficacy, strength [the strength is out of it]; goodness (all the g. of the meat is lost); *... verliest in hem een goede ~ ...* a good man (worker); *volle ~!* (*mar.*) let her go!; *met volle ~ doorstomen* steam on at full speed; *met volle ~ vooruit* full speed ahead; *halve ~!* (*mar.*) ease her!; *halve ~ vooruit* (*achteruit*)! (*mar.*) half speed ahead (astern)!; *de wind kreeg de ~ van een storm* the wind reached gale force; *de poeder heeft z'n ~ verloren, ook:* the powder is exhausted; *'t*

vonnis heeft geen ~ the sentence cannot stand; *~ van wet krijgen* acquire the force of law; *hij gaf er al z'n ~en* (*zijn beste ~en*) *aan* he gave all his energies (gave of his best) to it; *God geeft ~ naar kruis* God tempers the wind to the shorn lamb; *zijn ~en herkrijgen* recover one's s.; *zijn ~en bijeenrapen* (*verzamelen*) summon up all one's s., brace o.s. (up) [for a new beginning]; *zijn ~en beproeven aan* try one's hand at; *zijn ~en wijden aan* devote one's energies to; *ik kon geen ~ zetten* I could not get a purchase; *zie* bijzetten, inspannen, enz.; *dat is boven mijn ~en* beyond my strength, too much for me; *boven zijn (financiële) ~en leven* live beyond one's means, overspend (o.s.); *in de ~ van zijn leven* in his prime, in the prime of life; *zie* toenemen; *met alle ~* [work] with might and main, with a will; *met volle ~* [the radio was going] at full blast; *zie ook bov. & ben.* (*op ...*); *met ~ aanpakken* set about [a problem] with gusto, get down to [it]; *hij ontkende met ~ de beschuldiging* he stoutly (emphatically) denied the charge, denied it vigorously; *met ~ weerstand bieden* resist strenuously; *op ~en komen* regain one's s., recuperate, get fit; *op ~ zijn,* (*sp.*) be in good shape; *op eigen ~* [the vessel is going on to R.] under her own power; (*ook fig.*) under one's own steam; *op volle ~ werken* work at (*of:* to) full capacity (at full pressure, at full strength), go all out; *op halve ~ werken* work at half pressure; *uit ~ van, zie* krachtens; *uit ~ der gewoonte* by (from, through) force of habit; *uit zijn ~ groeien* grow too fast for one's s.; *zij is uit haar ~ gegroeid* she has overgrown herself (outgrown her strength); *van ~ zijn,* (*van wet, prijzen, enz.*) be operative, be in force; *de vóór ... van ~ zijnde voorwaarden* the terms obtaining before the strike; *de benoeming is van ~ voor de tijd van 5 j.* the appointment will run for five years; *zijn veto is niet van ~* his veto is inoperative; *van ~ blijven* remain in force (in operation); *de offerte blijft van ~ tot ...* the offer holds (good) till ...; *de uitnodiging blijft van ~* the invitation stands; *van ~ worden* come into force, take effect, become operative, (*van verzekering*) attach; *van ~ doen* (*laten*) *worden* bring into effect (operation); *van die ~ ben ik niet* I am not that sort; *hij is zelf ook een beetje van die ~* he is a little in that line himself; *van dezelfde ~ als ...* of a piece with the other arguments; krachtbron source of power, s. of energy; power unit

krachtdadig energetic (*bw.:* -ally), vigorous; effectual, efficacious; ~heid energy, vigour; efficacy

krachteenheid unit of force, dynamic unit

krachteloos powerless, impotent, effete; (*van wet, enz.*) invalid; (*van handtekening*) inoperative; ~ maken, (*wet, besluit, enz.*) invalidate, make null and void, annul, nullify, stultify; ~heid powerlessness, impotence; invalidity

krachtens in (of: by) virtue of [my office ambt], (up)on the strength of, under [this act wet, his will testament]; zie volgens
krachtig strong [man, protest, wind], powerful [language, battery, magnet, grasp, poison], robust [health], forceful [personality, style], potent [drug], high [wind], strengthening, nourishing [food], rich [broth, soup], full-bodied [wine], vigorous [effort, attack, language, ring the bell ... ly], all-out [effort, offensive], cogent [arguments], strenuous [effort], stout [resistance], energetic [protest], lusty [stroke], forcible [language]; ~e trekken s. features; ~ gebouwd strongly(-)built; zich ~ uitdrukken express o.s. forcibly; zie ook: met kracht
kracht: ~installatie (electric) power plant, power unit; ~kabel (high-)power cable; ~lijn (magneet) line of force; ~meter dynamometer; ~meting (fig.) trial of strength, tug-of-war [between ...]; ~overbrenging power transmission, t. of power (of energy); ~patser bruiser; ~prestatie (van motor, enz.) power-output; ~proef trial of s.; aan een – onderwerpen submit to a severe trial; ~sbesparing conservation (saving) of s. (of energy); ~seenheid zie ~eenheid; ~s-inspanning effort, exertion; ~sport sport demanding great physical strength; ~station power-station; (radio) high-power station; ~stroom strong current; ~term strong phrase, expletive; (scherts.) high explosive; –en, ook: strong language; ~toer feat of s., tour de force; (sl.) stunt; ~veld field of force; ~ver-spilling waste (dissipation) of energy; ~ver-toon display of s.; ~voedsel body-building food; ~voe(de)r concentrate(s); ~werktuig prime mover
krak 1 crack; ~! crack!; 2 oude ~, (knol) crock, screw; (keet) old barrack; (schip) old tub
Krakatau Krakatoa
Krakau Cracow; (inwoner) van ~ Cracovian
krake(e)l(en) quarrel, wrangle, squabble; -(st)er quarreller, wrangler, squabbler
krakeend gadwall
krakeling cracknel; (zoute) pretzel
kraken I intr. crack; (van trap, schoenen, enz.) creak; (van zand, grind, enz.) s)crunch; (van sneeuw) crackle, (s)crunch; het vriest dat het kraakt there is a sharp (ringing, stiff) frost; ~de stem grating voice; een ~de stoel a creaky chair; ~de wagens lopen 't langst the cracked pitcher goes longest to the well; II tr. crack [nuts; ook techn.: petroleum]; (vernielen) wreck; (afmaken) slash [a book, an author]; een flesje ~ c. a bottle; een huis ~ squat a house; zie noot; -er cracker; (van huis) squatter; (sl.) smasher; slashing review; -ing squat
krakkemikkig ramshackle
kralen ww. bead, sparkle, pearl; bn. of beads, beaded, bead [fringe franje]; ~rand (bk.) bead(ing)
kram staple, cramp(-iron); (van boek) clasp
kramer pedlar, hawker, cheapjack; ~ij(en)

cheapjack goods; ~slatijn dog Latin
krammat(ten) mat(s) of brushwood, etc., fascine work
krammen cramp, clamp; (porselein) rivet, wire
kramp cramp, spasm; hij kreeg ~ he was seized with c.; (in zijn been) he got (a) c. in his leg; ~aanval fit (of: attack) of c.; ~achtig spasmodic (ook fig.: efforts; bw.: -ally), convulsive (ook fig.: laughter), cramping [pains]; zich ~ vasthouden hold on like grim death, cling convulsively; (fig.) cling [to an idea] with desperate tenacity; ~hoest convulsive cough; ~lach convulsive laugh; ~stillend (middel) antispasmodic; ~rog, ~vis zie sidderrog
kramsvogel fieldfare
kramwerk zie krammat(ten)
kranig clever, smart, dashing, spirited; (dapper) plucky, bold, game; ~ schutter (speler, enz.) crack shot (player, etc.); ~ spreker crack (powerful) speaker; een ~e vent a first-rate fellow, a fine fellow; zich ~ houden put up a brave fight, behave splendidly, give a good account of o.s., keep one's end up; bear up bravely (against fate); (in 't vuur) stand fire admirably; hij weert zich nog ~ there is still fight in the old dog; ~ voor de dag komen make an excellent show (a fine appearance), come out well; zie ook kras; ~heid cleverness, etc.
krank sick (meest attributief), ill (predikatief); zie ziek; (vero.) ~bed sick-bed; (vero.) ~e patient, sick person; (vero.) ~heid illness, sickness; ~jorum (sl.) crazy, crackers
krankzinnig insane, mad, crazy, lunatic (meestal zn.: a lunatic); ~ worden, ook: go out of one's mind, go mad; iem. ~ verklaren certify a p. (insane); 't is (in één woord) ~ it is (sheer) madness; tot in 't ~e [love a p.] to distraction; ~e lunatic. madman, madwoman; zie bezetene; ~enafdeling i. ward; ~enarts alienist; (fam.) mad-doctor; ~engesticht mental hospital (of: home); ~enverple(e)g(st)er mental nurse; ~-heid insanity, lunacy, madness, craziness
krans wreath, garland, crown [of flowers], chaplet; (plantk.) whorl; (fig.) ~je; ~ van forten (voorsteden) ring of forts (suburbs); een ~ vlechten wind a w.; ~en wreathe, garland; ~je (van personen) circle, club; ~lijst cornice; ~slagader coronary artery; ~standig (plantk.) verticillate(d); ~vormig w.-shaped
krant (news)paper; (min.) rag; (film) newsreel; wandelende ~ newsmonger; hij is aan 'n ~ on a newspaper, on the press; in de ~ staan (komen) be in (get into) the paper(s)
krante- newspaper: ~artikel n.-article; ~bericht n.-report, (n.-) paragraph, (fam.) par; ~bureau n.-office; ~eigenaar n.-proprietor; ~knipsel press-cutting; ~lezer n.-reader; ~nbezorger, ~n-brenger n.-man, news-man, news-boy; ~n-hanger n.-rack; ~nieuws zie ~bericht(en); ~n-jongen news-boy, paper-boy; ~nkiosk n.-kiosk, news-stand; ~nloper, ~nman zie ~nbe-zorger; ~npapier newsprint, [wrapped in] newspaper; ~nrek n.-rack; ~nrondbrenger zie ~nbezorger; ~nverkoper news-vendor; ~schrij-

ver journalist; **~taal** n.-language, (*fam.*) journalese; **~uitknipsel** press-cutting

krap I *zn.* 1 (*meekrap*) madder; 2 (*van boek*) clasp; 3 (*varkensrib*) spare rib; II *bn.* (& *bw.*) narrow(ly), tight(ly) [the coat is tight under the arms, money is, times are, tight], sparing-(ly), scanty (scantily); *'t kan er maar ~(jes) in* it is a tight fit; *zij hebben 't ~(jes)* they are in straitened circumstances, they just manage to rub along; *iem. ~ houden, zie* kort; *erg ~ berekenen* cut [the price] very fine; *~ meten (wegen)* give barely enough; *we zitten~* we are cramped (pinched) for room, have no elbow-room; (*in 't geld*) we are short of cash; *dat is ~ aan* barely enough; (*van tijd*) that is cutting (running) it fine; *de breedte (de tijd) te ~ nemen* cut the width too narrow (the time too sharp, too fine); **~jes** *zie* ~; **~te** (*schaarste*) scarcity; (*van geldmarkt*) stringency, tightness

1 kras *zn.* 1 scratch; *er komen gauw ~sen op* it soon scratches; 2 (*onderbaas*) foreman

2 kras I *bn.* (*van pers.*) strong, vigorous, robust, (*vooral van oud pers.*) hale and hearty; (*van maatregel*) strong, drastic; *~se brief* s. (strongly worded) letter; *~se uitdrukking* s. expression; *een ~se zeventiger* a well-preserved man of seventy; *een ~se oude dag* a green old age; *hij is nog ~ voor zijn leeftijd* he has worn well; *een ~ staaltje* a glaring example; *~ verhaal* tall story; *dat is ~* that beats everything, that's the limit; *dat is al te (nogal) ~* that is a bit thick (a bit steep, pretty stiff); II *bw.* ...ly; *~ optreden* take a strong (stiff) line; *'t ~ zeggen,* (*fam.*) pitch it strong; *dat is ~ gesproken (gezegd)* that's a bold world, that's coming it strong

krasborstel scratch-brush

krassen scratch, scrape; (*van stem*) grate; (*van uil*) hoot; tu-whit, tu-whoo; (w)hoop, screech; (*van papegaai*) screech; (*van raaf*) croak; (*van kraai, roek*) caw; *onze pennen ~ en spatten niet* neither s. nor spurt; *op de viool ~* scrape the violin (the fiddle); *het krast mij in de oren* it grates (jars) upon my ears

krasser (*op viool*) (gut-)scraper; (*voorwerp*) scraper, scratcher; (*mil.*) wad-hook

krat crate, skeleton case; (*van wagen*) tail-board

krater crater; **~meer** c.-lake; **~vormig** c.-shaped, c.-like, crateriform

Krates Crates; **krates** (*fig.*) hunchback

kraton id., fortified palace

krats (*fam.*) mere trifle, [bought it for a] song

krauw(en) scratch; *zie* kop(je); **krauwel** garden fork, weed(ing)-fork; claw, paw

krediet credit [blank, limited, unlimited ...]; (*sl.*) tick; **~en** credits; *~ geven* give (allow) c. (*sl.*: tick); *~ hebben* have c.; *een ~ openen* open a c.; *op ~ kopen* buy on c. (*sl.*: on tick); **~bank** c.-bank; **~beperking** c. squeeze; **~bewaking** c. control; **~brief** letter of c., L/C; **~gever** lender; **~instelling** c.-bank; **~nemer** borrower; **~papier** c. instrument; **~stelsel** c.-system; **~uitbreiding** expansion of credit; **~waardig** solvent, (finan-

cially) sound, credit-worthy; **~waardigheid** solvency, soundness, credit-worthiness

kreeft (*rivier~*) crawfish, crayfish; (*zee~*) lobster; *de K~,* (*in de zodiak*) Cancer; **~dicht,** **~vers** palindrome; *de ~egang gaan* go backward, go downhill; **~enfuik** lobster-pot; **~enpark** lobster-ground; **~eschaar** claw of lobster; **~esla** lobster salad; **~skeerkring** tropic of Cancer

kreeg *o.v.t. van* krijgen

kreek creek

kreet cry, scream, shriek, shout, whoop [of triumph]; (*loze ~*) slogan, catchword

kregel peevish, petulant (*pittig*) spirited, game; [..., she said] with spirit; *maakt me ~,* (*sl.*) such a fellow gets my goat; *zie* nijdig; **~heid** *a*) peevishness, petulance; *b*) spiritedness, gameness; **~ig** *zie* ~

kreits (*van 't oude Duitse Rijk*) district

krek (*fam.*) exactly, precisely, just

krekel (house-)cricket

Krelis Cornelius; *Boer ~* Farmer Hodge

Kremlin: *'t ~* the Kremlin

kreng carrion; (*fig., fam.*) rotter, nasty piece of work; (*vrouw.*) bitch; *dat kleine ~!* the little beast! the little perisher!; *dat gierige ~!* the stingy brute!; *dat ~ loopt weer niet,* (*van horloge bijv.*) the blooming thing won't go

krengen careen [a ship]

krenken offend, injure [a p.'s health, reputation], hurt, wound [a p.'s pride]; *geen haar op uw hoofd zal gekrenkt worden* not a hair of your head shall be touched (harmed); *zich gekrenkt voelen* feel hurt (offended, aggrieved); *diep gekrenkt, ook:* outraged, cut (touched, stung to the quick); *hij voelt zich erdoor gekr.* he feels sore (hurt) about it; *zijn hersenen zijn gekr.* he is touched (not right) in his mind, of unsound mind, mentally afflicted, his mind is unhinged; *de schok had zijn verstand gekr.* the shock had unseated (unhinged) his reason; *gekr. trots* wounded pride; **~d** injurious [words], offending, insulting; **-ing** injury, hurt, offence; (*van verstand*) derangement

krent (dried) currant; *zonder ~en* plain [cake]; *hij zat op zijn ~,* (*fam.*) he was just sitting on his bum; **~en** thin [grapes]; *'t ~* [grape-]thinning; **~enbaard** herpes; **~enbol** currant bun; **~enbrood** *a*) c.-bread; *b*) c.-loaf, loaf of c. bread; *–je* c.-bun; **~enkoek** c.-cake; **~enweger** cheese-paring person

krenterig mean (about, *of:* with, money), niggardly, shabby, stingy, near; *~e beperkingen* niggling restrictions; **~heid** meanness, niggardliness, stinginess, etc.

krep *zie* krip

krepijzer crisping-iron; **kreppen** crisp

Kreta Crete; **Kretenzer, -zisch** Cretan

kretologie slogan-mongering

kreuk, ~el crease, wrinkle, pucker, ruck; **-aar** wrecked car; **~(el)en** crease, rumple, crumple, wrinkle, pucker (up), ruck up, get crumpled;

get wrecked; ~**elig** (c)rumpled, creased, wrinkled, puckery; ~**herstellend** crease-resistant; ~**vrij** crease-resisting

kreunen groan, moan

kreupel lame [*aan* ... of (*of:* in) one leg]; *hij is* (*loopt*) ~ he is l., limps [with the left leg], walks with a limp, has a limp (in his walk); (*enigszins, erg*) has a slight, a bad limp; ~ *maken* lame; ~ *worden* go l.; ~*e verzen* doggerel; *een* ~*e a* l. person, a cripple; ~**bos** thicket, underwood, underbrush, coppice, brush-wood, spinney; ~**heid** lameness; ~**hout** *zie* ~bos; ~**rijm** doggerel (rhyme)

krevel enz., *zie* krieuwel enz.

krib, ~**be** (*voederbak*) manger, crib; (*slaapplaats*) crib, cot; (*dam*) jetty, groyne; *zie* achterste; ~**bebijter** crib-biter; (*fig. ook*) crosspatch; ~**bebijtster,** ~**bekat** scratch-cat; ~**big** peevish, testy, fretful, querulous, petulant; ~**werk** fascine work

kriebel itch(ing); *ik kreeg er de* ~ *van* it got under my skin; ~**en** 1 *intr.* tickle, itch; *tr.* tickle; 2 *zie* krabbelen *a*); ~**hoest** tickling cough; ~**ig** 1 tickling, itching; (*fig.*) nettled [*over* at]; *je wordt er* – *van* it gets under your skin, it gets your dander up; 2 *zie* krabbelig; ~**ing** tickling, itching; ~**mugje** sand-fly; ~**pootje,** ~**schrift** crabbed hand(writing); ~**ziekte** ergotism

kriek black cherry; *zie* lachen; ~**eboom** blackcherry tree

krieken chirp; *bij het* ~ *van de dag* at peep of day, at the crack (the first streak) of dawn

kriel 1 small potatoes, etc.; (*kinderen, enz.*) small fry; *ook* = ~hen; *een* (*kleine*) ~ a pigmy, a whipper-snapper; 2 (*viskorf*) creel; ~**en** *zie* krioelen; ~**haan** bantam cock, dwarf cock; ~**hen,** ~**kip,** ~**tje** bantam (fowl), dwarf hen

krieuwel(en) *zie* krioelen & kriebel(en)

kriezel(tje) crumb, bit; *zie ook* greintje

krijg war; *zie* oorlog & strijd

1 krijgen make (*of:* wage) war

2 krijgen get [money, nothing, a reward, the thief, etc.], receive [an answer, a letter, a reward, a good education], be given [a certificate, a reward], catch [a cold, disease, thief], have [can I ... my dinner now? she was going to ... a baby], come in for [one's share, blows, a scolding]; (*verkrijgen*) acquire [riches, a knowledge of painting], obtain [dyes from the barks of trees]; *hij krijgt zijn inkomen uit* ... he derives his income from ...; *ik heb 't gekregen* I had it given me; *je kunt het wel van me* (*cadeau*) ~ I can give it to you; I can let you have it; *je krijgt 't morgen* you shall have it tomorrow; *hij kreeg een strontje op zijn oog* he had a sty coming; *zijn ogen kregen een glazige uitdrukking* took on a glazed expression; *longontsteking* ~ fall ill with (develop) pneumonia; *een ongeluk* ~ meet with an accident; *we* ~ *sneeuw* we shall have (we are in for, it looks like) snow; *u kan deze appels* ~ *tegen* ... you

can have these apples at 18p. a pound; *wat* ~ *we nu?* what are we going to have now? (*fig.*) what next?; *wat* (*hoeveel*) *krijgt u van me?* what (how much) do I owe you? what's to pay? how much is it?; *ik krijg wat van die vent,* (*fam.*) that fellow gets my goat; *je krijgt er wat van, zoals* ..., (*fam.*) it (proper) gets you, the way ...; *hij kreeg er mij toe 't te doen* he got me to do it, (*door vleierij*) he coaxed me into doing it; *ik kreeg 't gedaan* I got it done; *ik krijg 't koud* I am getting cold; *te* ~ [it is not] to be had, [there are hardly any houses] going; *tarwe was voor geen geld te* ~ wheat was not in the market at any quotation; *het boek is niet meer te* ~ is out of print; *ik zal hem wel* ~*!* I'll have him yet! I'll teach him!; *wacht maar, ik zal je wel* ~*!* you wait, I'll have you yet!; *ik kon hem niet te spreken* ~ he was not get-at-able, I could not get hold of him; *ik kreeg mijn beurs uit de zak* I took my purse out of my pocket; *ik kon niets uit hem* ~ I could get nothing out of him; *ik kreeg 't met moeite uit hem* I wormed it out of him; *ik krijg er hoofdpijn van* it gives me a headache; *hij kreeg 't zijne* he came by his own; *ze* ~ *elkaar* they get married (in the end); *hij kreeg 3 maanden* (*gevangenisstraf*) he got three months; (*bij examen*) he was referred for three months; *zie* blad, dorst, genoeg, goed, langs, door-, medekrijgen enz.

krijger warrior

krijgertje (game of) tag, tig; ~ *spelen* play tag (touch, tig)

krijgs[1]: ~**artikelen** articles of war; ~**banier** banner of war; ~**bazuin** war-trumpet; ~**bedrijf** military exploit; ~**behoeften** ammunition(s), military stores; ~**bende** band of soldiers; ~**bevelhebber** military commander; ~**daad** warlike deed (exploit, achievement); ~**deugd** military virtue; ~**dienst** military service; *voor de* – *aanwijzen* conscript; ~**eed** military oath; ~**eer** military honours, [march out with] the honours of war; ~**gedruis** *zie* ~rumoer; ~**geluk** fortune of war; ~**geschiedenis** military history; ~**geschreeuw** war-cry, -whoop(s); ~**gevangene** prisoner of war, P.O.W.; ~**gevangenschap** captivity; ~**geweld** force of arms; ~**god(in)** god(dess) of war; ~**haftig** warlike, martial, soldierly; ~**haftigheid** valour, prowess, soldierly spirit, warlike appearance; ~**heer** war lord; ~**held(in)** military hero (heroine); ~**kans** chance(s) of war; *de* – *doen keren* turn the fortunes of war (the tide of battle); ~**kas** war-chest, military chest; ~**klaroen** war-trumpet, -clarion; ~**knecht** soldier; ~**kunde,** ~**kunst** military science, art of war; ~**kundig** military; ~**kundige** military expert; ~**leus** battle-cry, slogan (*ook fig.*); ~**lied** war-song; ~**lieden** warriors, soldiers; ~**list** stratagem; ~**macht** (military) force; ~**makker** fellow-soldier, brother-officer; ~**man** warrior; ~**manseer** military honour; ~**muziek** military music; ~**overste** general; [mighty] captain,

---

[1] *Zie ook* oorlogs-

[Chinese] War Lord; ~plan plan of campaign; ~plicht military duty; (*dienstplicht*) compulsory (military) service; ~raad (*mil. rechtb.*) court-martial, *mv.* courts-martial, (*fam.*) court-martials; (*door bevelhebber belegde vergadering*) council of war; *in de – zitten* sit on the c.-m; *voor de – roepen* court-martial; *– te velde* drumhead c.-m.; ~recht military law; ~roem military glory (fame); ~rumoer tumult (noise) of war; ~school military school (college); *hogere –, ongev.:* staff-college; ~spel wargame, mimic warfare; ~tocht (military) expedition, campaign; ~toneel theatre (*of:* seat) of war; ~trompet war-trumpet; ~tucht military discipline; ~verrichtingen military operations; (*roemrijke daden*) warlike deeds; ~vertoon sabre-rattling; ~volk soldiers, [the] military, soldiery; ~werktuig implement of war; ~wet martial law; *de – afkondigen* proclaim m. l.; *de – is afgek. in W.* W. is under m. l.; ~wetenschap military science, science (theory) of war; ~wezen military system; ~zang war-song; ~zuchtig bellicose

krijgvoerend *zie* oorlog

krijs(en) scream, shriek, screech, cry; (*van meeuw, papegaai, enz.*) *ook:* squawk

krijt (*om te schrijven*) chalk; (*om te tekenen*) crayon, chalk; (*geol.*) cretaceous (period, system); *je* (*jas*) *zit vol ~* you(r coat) are (is) chalky (all over c.); *in het ~ staan* be in the red; *ik sta bij hem in het ~* I am in his debt; *in het ~ treden* enter the lists; *met ~ schrijven* chalk; *met dubbel ~ schrijven* charge double; *met ~ tekenen* crayon, draw in chalks (in (crayons); ~aarde cretaceous earth; ~achtig chalky; ~berg c.-hill, c.-cliff

krijten 1 cry, weep; 2 chalk [a (billiard-)cue]

krijt(st)er crier, cry-baby

krijt: ~gebergte chalk-hill(s), -cliff(s); ~groeve c.-pit, c.-working; ~grond chalky soil; ~heuvel c. down; ~je piece of c.; *zie* balk; ~laag layer of c., c.-bed; ~mergel c.-marl; ~poeder powdered c.; ~rots c.-cliff; ~streep c.-line; ~tekening chalk (crayon)-drawing; ~wit *zn.* c.-dust; *bn.* as white as c., c.-white

krik 1 *~!* crack!; 2 (*vijzel*) (screw-)jack

krikkemik (*hijswerktuig*) jack, hoist; (*beuzelarij*) trifle; ~kig rickety

krikkrak! crick-crack!; ~ken (go) crick-crack

Krim: *de ~* The Crimea; *de ~oorlog* the Crimean War

krimp I *bn.* crimp; *~ snijden* crimp [fish]; II *zn.* (*krimping*) shrinkage; (*gebrek*) want; *er is geen ~* there is no stint; (*geen*) *~ geven* (not) give (*of:* cave) in, yield, climb down; *ze hebben geen ~* they are well off

krimpen I *intr.* (*van stof*) shrink; (*van wind*) back; (*van pijn*) writhe [with pain]; *dit linnen krimpt in de behandeling* shrinks (drops) in process of treatment; II *tr.* shrink; -ing shrinkage; **krimpkabeljauw** (-schelvis, -vis, -zalm) crimped cod (haddock, fish, salmon)

krimpvrij unshrinkable, non-shrink(able), shrinkproof

kring circle (*ook fig.:* financial ...s, etc.), ring [around the moon]; (*van ster*) orbit; (*om zon of maan*) halo; (*wijk, enz.*) district, area; (*van invloed*) sphere, orbit; *de hoogste ~en* the highest circles, the upper walks of life, (*fam.*) the upper ten (thousand); *het boek werd in ruime ~ gelezen* the book was widely read; *de ~ waarin zij verkeert* the set (*of:* c.) in which she moves; *meisjes in (uit) haar ~* girls in her set, (*fam.*) of her crowd; *'t gerucht loopt in zekere ~en, dat ...* it is rumoured in some quarters that ...; *in alle ~en* in all walks (every walk) of life, at all levels of society; *in een ~ gaan staan* form a c.; (*blauwe*) *~en onder (om) de ogen* (dark) rings (shadows) under (round) one's eyes; *de vogels beschreven ~en ...* the birds circled (wheeled) over the water; ~elen curl, coil, wreathe; ~etje circlet, ring; *–s blazen* blow (send out, puff) smoke-rings (rings of smoke); *in een – ronddraaien* (*redeneren*) argue (reason) in a c.; ~grep ring-ditch; ~loop circular course; (*fig.*) circle, cycle [things move in ...s]; –glas recycled glass; –proces cycle, cyclical process; ~storm cyclone; ~s(ge)wijze circularly; ~vormig circular

krinkel(en) crinkle

krioelen swarm; *het krioelt hier van muizen* the place swarms (teems, is alive [swarming, infested, overrun, crawling]) with mice

krip crape; ~pen *bn.* (of) c.; *ww.* crape

Kris Chris, Kit

1 kris (*wapen*) creese, crease, kris

2 kris: *bij ~ en kras zweren* swear by all that is holy; *hij ontkende bij ~ en kras ...* he stoutly denied ...; ~kras criss-cross; ~krassen crisscross, scratch

krissen (stab with a) creese (crease, kris)

kristal crystal (*ook ~werk*); ~achtig crystalline; ~helder c.-clear, (as clear as) c.; ~kijker(ij) c.-gazer (-gazing); ~len crystal(line); ~lens crystalline lens; ~lijn(en) crystal(line); ~lisatie crystallization; ~liseerbaar crystallizable; ~liseren crystallize; *gekr. vruchten* crystallized fruits; ~lografie crystallography; ~ontvanger c. receiver, c. set; ~stelsel crystalline system; ~suiker granulated sugar; ~vormig crystalloid; ~vorming crystallization; ~water water of crystallization; ~werk c.(-ware)

kritiek I *zn.* criticism [*op* of]; (*literatuur ook*) critique, review, notice; (*kunst ook*) critique; *ze is altijd vol ~* she is always finding fault; *beneden alle ~* below c., beneath contempt; *~ (uit)oefenen (op)* criticize, pass (a) c. on, level (a) c. against (at); *de ~*, (*coll.*) the critics; II *bn.* critical, crucial; *'t ~e van ...* the c. character of his position; *de toestand komt in een ~ stadium* is coming to a head; ~loos uncritical [admiration]

kritisch critical [*gestemd tegenover ...* of a proposal]; *zeer ~*, (*ook*) censorious; *~e snelheid*

Niet opgenomen woorden zoeke men onder **C**

(*luchtv.*) stalling speed; ~*e temperatuur* c. temperature; **kritiseren** criticize; (*afkeurend ook*) censure; (*scherp*) slate; (*boek*) review

Kroaat Croat(ian); **Kroatië** Croatia

Kroatisch Croatian

krocht crypt, cavern

krodde (*plant*) charlock; *witte ~* boor's mustard

kroeg public-house, pub; (*stud.*) (students') union; *de ~en aflopen* pub-crawl; **~houd(st)er** p.-h. keeper; (*-er*) *ook:* publican; **~jool** students' drinking-bout; *'t ~lopen* pub-crawling; **~loper** pub-loafer, -crawler

kroep croup; *valse ~* spurious c.

kroepoek prawn crackers

1 kroes (*drink-*) mug, cup; (*smelt-*) crucible

2 kroes *bn.* crisp(ed), frizzy, frizzled, frizzly, woolly; **~harig** crisp-, woolly-haired; **~karper** crucian carp; **~kop** curly-pate, -head; **~tang** crucible tongs; **~ziekte** (*plantk.*) curl

kroezen friz(z), crisp, curl, crimp

kroezenstaal crucible steel

kroez(el)ig *zie* kroes

kroket(je) croquette

krokodil crocodile; (*fam.*) croc; **~letranen** [shed] c. tears

krokus crocus; **krollen** (cater)waul

krols in (on, at) heat

krom crooked [back, fingers, street], bent [back], curved [line], hooked [nose]; (*krom getrokken*) warped; ~ *van 't lachen* doubled up with laughing; **~me benen**, *zie* o- & x-benen; *met ~me benen, zie* ~benig; *een ~ en verdraaid geslacht* a crooked generation; **~me sabel** curved sword, scimitar; **~me taal** bad English (Dutch, etc.), gibberish; (*of:* underhand) ways; ~*me wegen inslaan* go c. ways (paths); *zich ~ werken* work one's fingers (slave o.s.) to the bone; *zie* lachen, sprong, enz.; **~baangeschut** high trajectory (curved fire, high-angle) ordnance; **~baan-vuur** curved (*of:* high-angle) fire; **~bek** kidney-bean; **~bekstrandloper** curlew-sandpiper; **~benig** c.-legged; (*met o-benen*) bandy-, bow-legged; (*met x-benen*) knock-kneed; **~groeien** grow c.; **~hals** wry-neck; (*plant*) bugloss; (*retort*) retort; **~heid** crookedness; **~hoorn** Krummhorn, cromorne; **~hout** knee, knuckle-timber; **~liggen** pinch (o.s.), pinch and scrape, go short [to buy shoes]; **~lijnig** curvilineal; **~lopen** (*van pers.*) (walk with a) stoop; (*van weg, enz.*) be c., curve; **~me** (*pers.*) c. person, crookback; (*lijn*) curve; graph; **~men** *tr. & intr.* curve, bow, crook, bend; *zich onder een juk ~* bend under a yoke; **~mes** hollowing-knife; **~ming** bend, curve, winding, turn; curvature [of the earth]; **~neus** hook-nose(d person)

kromp *o.v.t. van* krimpen

krom: ~passer calliper compasses, callipers; **~praten** talk double Dutch, murder the King's English; (*van kind*) lisp, babble; **~sluiten** tie [a p.] hand and foot; **~spreken** *zie* ~praten; **~staf** crosier, crozier; crook; **~te** *zie* ~heid & ~ming; **~trekken** warp, become warped; **~zwaard** scimitar, falchion

kronen crown; *zie* eind; **~goud** 18-carat gold

kroniek chronicle; *de K~en*, (*bijb.*) the Chronicles; **~schrijver** chronicler

kroning coronation, crowning

kronings: ~dag coronation-day; **~eed** c.-oath; **~feest** c.-feast; **~mantel** c.-robe; **~plechtigheid** c.-ceremony

kronkel twist(ing), coil; (*wet.*) torsion; (*in touw, geest, redenering*) kink; ~ *in de darm, zie* darm~; **~darm** ileum; **~en** (*ook: zich ~*) wind, twist, meander; (*van slang*) squirm, wriggle; turn in and out, twist and turn; *een beekje ~de door 't dal* a brook wound its way through the valley; **~end, ~ig** winding, twisting, twirly-(whirly), tortuous, meandering, sinuous; **~ing** *zie* ~; *~en der darmen* (*hersenen*) convolutions of the intestines (brain); **~loop** meandering course [of a river]; **~pad, ~weg** winding path (road); crooked (tortuous) path (*ook fig.*); *langs ~en gaan*, (*fig.*) go crooked ways (paths)

kroon crown (*ook munt; ook van kies, diamant*); (*adellijke ~*) coronet [ducal ...]; (*van boom*) top; (*licht-*) chandelier, lustre; (*bloem-*) corolla; (*van hoef*) coronet; *de K~* the C.; *de ~ van zijn levenswerk* the c. of his life's work; *iem. de ~ van 't hoofd nemen*, (*fig.*) strip a p. of his c. (his glory); *zij is de ~ der vrouwen* she is the pearl of her sex; *de ~ neerleggen* resign the c., abdicate (the throne); *iem. de ~ opzetten* put the c. on a p.'s head; *dat zette de ~ op alles* that crowned all (was the c.ing touch); *dat zet zijn verdiensten de ~ op* that is his crowning merit; *dat spant de ~* that caps (tops) everything; (*sl.*) that takes the cake (the biscuit); *hij spande de ~* he bore (carried off) the palm; *naar de ~ steken* rival, vie with, run [a p., etc.] hard; **~domein** c. (*of:* royal) demesne, c.-land, estate of the C.; **~drager** wearer of a c., crowned head; **~duif** crowned (*of:* c.-)pigeon; **~eend** red-crested pochard; **~getuige** chief witness for the C. (the prosecution); **~glas** c.-glass; **~goed** *zie* ~domein; **~insignes** regalia; **~jaar** jubilee year; **~juwelen** c.-jewels; **~kandelaar** *zie* ~ (*licht-*); **~kolonie** c.-colony; **~kurk** c.-cap; **~land** c.-land; **~lijst** cornice; **~luchter** *zie* ~ (*licht-*); **~moer** castle-nut; **~prins(es)** c.-prince (-princess), prince (princess) royal; **~raad** C. Council; *ongev.:* Privy Council; **~rad** c.-wheel; **~rand** (*van paardehoef*) coronet; **~sieraden** regalia; **~tje** (*adellijk*) coronet; (*van vrucht*) eye, nose; **~tjeskruid** milkweed; **~tjespen** crown pen; **~vormig** c.-shaped

kroop *o.v.t. van* kruipen

kroos (*eende-*) duck-weed; **kroosje** bullace

kroost issue, offspring, progeny; *zonder ~ na te laten* [die] without issue, issueless

kroot beet(root)

krop (*van vogel*) crop, gizzard, maw; (*~gezwel*) goitre; (*van sla, kool, enz.*) head; *dat steekt hem in de ~* that sticks in his gizzard; *de ~ vooruitsteken* square one's shoulders, puff o.s. up; **~aar** (*plant*) cock's foot; **~achtig** goitrous [swelling]; **~ader** jugular (vein)

krop: ~duif pouter(-pigeon), cropper(-pigeon);

~gans a) crammed goose; b) pelican; ~gezwel goitre, bronchocele; ~pen cram [geese, etc.]; (van sla, enz.) heart (up), head, loaf, turn in; ik kan 't niet –, a) it sticks in my throat; b) I cannot manage (it); ~per zie ~duif; ~salade, ~sla cabbage-lettuce; een – a (head of) lettuce

krot hovel, den, kennel, dog-hole; ~tenbuurt slum; ~(ten)opruiming slum clearance; ~woning slum dwelling

kruid herb; (genees-) herb(al) medicine, medicinal herb, simple; er is geen ~ voor gewassen there is no cure for it; er is geen ~ voor hem gewassen he is past (of: beyond) recovery; zie dood 2; ~achtig herbaceous; ~boek herbal

kruiden season, spice (ook fig.); sterk gekruid highly seasoned (flavoured, spiced); (fig.) spicy [stories]

kruiden: ~aftreksel decoction of herbs; ~azijn spiced (of: medicated) vinegar; ~dokter herb-doctor

kruidenier grocer

kruideniers: ~bediende grocer's man (of: boy); (bezorger) g.'s roundsman; ~boekje grocery order-book; ~politiek narrow-minded policy; ~vak g.'s trade; ~waren groceries; ~winkel, ~zaak grocer's (shop), grocery shop; hij heeft een –, ook: he is in the grocery way (of: line)

kruiden: ~kast spice cabinet; ~lezer, ~zoeker herbalist; ~thee herb-tea; ~tuin (medicinal) herb garden; (voor keuken) kitchen-garden; ~wijn spiced wine

kruid: ~erij spice(s), condiment(s), flavouring(s), seasoning(s); ~ig spicy, spiced; ~je-roer-mij-niet sensitive plant; (fig.) touch-me-not; ~kaas spiced cheese; ~kenner zie ~kundige; ~kers cress; ~koek spiced gingerbread; ~kunde botany; ~kundige (medical) botanist, herbalist; ~nagel(boom) clove(-tree); ~nagelolie oil of cloves; ~noot nutmeg; ~tuin botanical garden; ~vlier dwarf elder

kruien a) wheel; trundle (push) a wheel-barrow; b) (van ijs) drift, break up; (van rivier) be full of drift-ice; 't ~ ice-drift, -shove, break-up

kruier (eig.) barrow-man; (voor bagage) (luggage) porter; ~sloon porterage

kruik stone bottle, jar, pitcher; warme ~ hot-water bottle; de ~ gaat zo lang te water tot ze breekt the pitcher goes so often to the well that it comes home broken at last; zie kan

kruikeblad (plant) yellow water-lily

kruiloon porterage

kruim crumb

kruimel crumb; geen ~, (fig.) not a c.; ~aar(ster) (fig.) zie pietlut; ~arij cheese-paring; ~dief petty thief; –stal petty thieving, p. theft; ~en crumble

kruim(el)ig crumbly; (van aardapp.) mealy, floury; kruimeltje zie kruimel

kruimelvegertje crumb-brush

kruin (van berg, dijk, hoofd) crown, top; (van weg) crown [drive on the ... of the road]; (van boom) top; (schedel) skull; (van golf) crest ook = ~schering; zie ook hoofd & schelen; ~schering tonsure

kruip: ~broekje rompers; ~-door-de-tuin ground-ivy; ~-door-sluip-door thread-(the-needle; ~elings creeping, crawling

kruipen creep (ook van plant), crawl; (van tijd drag, crawl; (kruiperig zijn) cringe [voor to before], truckle [voor to], crawl, grovel, bow and scrape; (fam.) kotow [voor to]; op handen en voeten ~ go on all fours; ~d ...ing; – die reptile; ~e plant creeper

kruiper toady, cringer, lickspittle; ~ig cringing fawning, servile, abject, obsequious; ~ij toad-eating, toadyism, cringing

kruip: ~erwt dwarf-pea; ~haantje enz., zie kriel-; ~knie housemaid's knee; ~olie (met gra-fiet) (graphited) penetrating oil; ~spoor crawler lane; ~wilg creeping willow

kruis cross; (muz.) sharp; (van dier) croup (van paard ook) crupper; (van mens) crotch (van broek) seat, slack; (van anker) crown (fig.) cross [bear one's ...], burden [every man thinks his own ... heaviest]; affliction, trial nuisance [spring-cleaning is a ...]; aan het K~ [die] on the C.; ~en en mollen sharps and flats; ~ of munt heads or tails; het Rode K~ the Red Cross (Society); iem. 't heilige ~ nagever be glad to be rid of a p.; er moet een nieuw ~ in zijn broek his trousers want reseating; elk huis heeft zijn ~ there is a skeleton in every cupboard; het ~ prediken preach the C.; 'n ~ slaan cross o.s., make the sign of the c.; aan het ~ slaan nail to the c., crucify; over ~, zie ~elings; zie kracht; ~afneming descent from the C.; ~arceren c.-hatch; ~arcering c.-hatch(ing); ~band (postal) wrapper; onder ~ under wrapper, by book-post; ~beeld crucifix, rood; ~bek (vogel) c.-bill; ~berg (Mount) Calvary; ~bes(seboom, -struik) gooseberry (bush); ~bes-sevla gooseberry fool; ~bestuiving c.-pollination; ~bevruchting c.-fertilization, allogamy; ~bladig walstro c.-wort; ~bloem milkwort; (bk.) finial; ~bloemig cruciferous; –e plant, ook: crucifer; –en ook: cruciferae; ~boog c.-bow, arbalest; (bk.) groined arch; ~boogschutter arbalester; ~dagen Rogation-days; ~distel eryngo, sea-holly; ~dood death on the c.; ~doorn zie ~bes(sestruik); ~draad (van kijker) reticle, spider('s) line; ~drager crucifer, c.-bearer; ~e-lings crosswise, crossways

kruisen I tr. cross [one's arms, animals, plants, breeds]; (dieren, enz. ook) interbreed; (planten ook) c.-fertilize; (kruisigen) crucify; zich ~ make the sign of the cross, cross o.s.; de brieven kruisten elkaar the letters crossed (each other); het vlees ~ mortify the flesh; II intr. cruise [in the Channel]; zie degen, pad & gekruist

kruis: ~er cruiser; ~gang cloister; (r.-k.) zie ~weg; ~gewelf cross-vault, groined roof; ~ge-wijs zie ~wijs; ~grafiek (luchtv.) cruising-chart;

~heer Crutched Friar; ~hout c.-beam; *het* –, (*van Christus*) the C.; (*vero.*) the tree, the rood; ~igen crucify; *zie ook* ~en; ~iging crucifixion; ~ing (*van dieren en planten: abstr.*) c.-breeding, hybridization; (*concr.*) cross, hybrid: (*van wegen*) crossing, cross roads; ~je crosslet; (*in broekje*) gusset; *hij kan niet schrijven en dit is zijn* – this is his mark; '*n – maken* cross o.s.; '*n – zetten* make one's mark; *ook:* put a c. to anything one has to sign; *zie* rug; ~kerk cruciform church; ~koppeling u(niversal) joint; ~kopschroef, -schroevedraaier Phillips screw, -driver; ~kozijn c.-bar window(-frame); ~kruid groundsel; ~mast mizzen-mast; ~net square net; ~paal turnstile; ~pand (*bk.*) crossing; ~peiling c.-bearing; ~pen (*mar.*) gudgeon; ~punt (point of) intersection, crossing, cross-over; (*knooppunt*) [railway-]junction; ~raam c.-bar window; ~rad turnstile; ~rak (*zeilsp.*) windward leg; ~ridder knight of the C.; ~riem crupper; ~sleutel four-way wrench; ~snarig overstrung; ~snede crucial incision; ~snelheid cruising speed; ~spin c., diadem-, gardenspider; ~standig decussate; ~steek c.-stitch; ~straat c.-street; ~straf crucifixion; ~teken sign of the c.; ~tocht (*hist.*) crusade; (*van schip & vliegt.*) cruise; ~toren crossing tower; ~vaan banner of the c.; ~vaarder crusader; ~vaart crusade (*ook fig.*); ~verband (*metselw.*) c.-bond; (*med.*) c.-bandage; K~verheffing Exaltation of the C., Holy C. day (*14 sept.*); ~verhoor c.-examination; *een – afnemen* c.-examine, c.-question; K~vinding Invention of the C. (*3 mei*); ~vormig cruciform, c.-shaped; ~vuur c.-fire (*ook fig.*); ~weg [a] c.-road(s) (*zie* tweesprong); (*r.-k.*) Way (*of:* Stations) of the C.; *de – bidden* make (do) the Stations (of the C.); ~wijs, ~wijze crosswise, crossways; ~wissel c. points, scissors (diamond) overcrossings; ~woorden words from the C.; ~woordraadsel c.-word (puzzle)

kruit powder, gunpowder; ~ *en lood* p. and shot; *zijn – drooghouden* keep one's p. dry; *geen schot* ~ *waard* not worth p. and shot; *een gek heeft zijn* ~ *gauw verschoten* a fool's bolt is soon shot; *verschiet al je* ~ *niet dadelijk* always keep a last shot in the locker; *hij heeft al zijn* ~ *verschoten* he has shot his bolt, is at the end of his tether (of his resources); *zijn* ~ *verspillen* waste p. and shot; *zie* buskruit *& los;* ~damp (gun)powder-smoke; (*fig.*) [when the] smoke (of battle) [had cleared *was opgetrokken*]; ~fabriek p.-mill; ~hoorn p.-horn, -flask; ~magazijn p.-magazine; ~molen p.-mill; ~schip gunpowder-ship; ~ton, ~vat p.-barrel

kruiwagen (wheel)barrow; *achter een* ~ *lopen* trundle (push) a w.; ~s, (*fig.*) [have] powerful patrons, friends at court, influence [obtain a post through . . .], interest [he got the job by . . .], patronage, influential backing; *hij kreeg 't baantje door* ~s, *ook:* he was pitchforked into the place; ~vol w. load

kruizemunt water mint

kruk (*van kreupelen*) crutch; (*van deur*) handle;

(*van vogel*) perch; (*van machine*) crank; (*zit-*) stool; (*knoeier*) bungler; (*fysiek*) crock; ~as crankshaft; ~boor auger, wimble; ~je stool; ~ken go on crutches; (*sukkelen*) be ailing; *wat zit-ie weer te* – how clumsily he's doing it; ~kig ailing

krul (*algem.*) curl; (*hout-*) shaving (*gew. mv.*), chip; (*met pen*) flourish, quirk, twirl; (*versiering*)scroll;(*planteziekte*)curl;(*urinoir, ongev.*) urinal;*lange* ~*len* corkscrew curls; *uit de* ~*raken* come (go) out of c. [*ook:* my hair is beginning to uncurl]; *de* ~ *was uit 't haar* the hair was out of c., the c. had gone out of it; ~andijvie curled endive; ~haar curly (*met fijne* ~*letjes:* crinkly) hair; ~haarpen waver; ~ijzer curling-, crimping-iron, (hair-)curler; ~lebol, -kop curlyhead, -pate; ~len *tr.* curl; (*haar ook*) crimp, crisp, friz(z); *intr.* curl; *een kind met* ~*d haar* a curly-haired child; ~lenjongen carpenter's apprentice; *zie ook* duivelstoejager; ~letje (little) c., ringlet; ~letter flourished letter; ~lig curly; ~pruik curled wig; ~tabak shredded tobacco; ~tang curling-tongs, -irons; ~versiering scrollwork; ~ziekte curl

kubiek I *bn.* cubic [foot, etc.]; ~*e maat* c. measure; *zie* inhoud; II *zn.* cube; *in 't* ~ *verheffen* cube [a number]; *2 voet in 't* ~ 2 feet cube; ~wortel cube root

kubisme cubism; **kubist(isch)** cubist

kubus cube; ~vormig cubical, c.-shaped

kuch 1 (dry) cough; 2 *zie* commiesbrood; ~en *a*) cough; *b*) give a c., hem; ~er cougher; *droge* ~hoest hacking c.

kudde herd [of cattle, swine, elephants, buffaloes], flock [of sheep, goats, geese]; (*voortgedreven*) drove [of cattle]; (*fig.*) common herd; *de geestelijke en zijn* ~ the pastor and his flock; ~dier (*fig.*) h.-animal; ~geest h.-spirit, -feeling, -instinct

kuier stroll; ~en stroll, saunter

kuif (*van mens*) forelock; (*van vogel*) tuft, crest; *in de* ~ *pikken,* (*sl.*) nab, cop; ~bal shuttlecock; ~duiker Slavonian grebe; ~eend tufted duck; ~leeuwerik crested lark; ~mees crested tit-(mouse)

kuiken chick(en); (*fig.*) simpleton, dolt

kuikendief *zie* kiekendief

kuil pit (*ook voor aardappelen*), hole; (*in bed*) hollow; (*in wegdek*) pothole; (*mar.*) waist; (*van net*) cod-end; *wie een* ~ *graaft voor een ander valt er zelf in* he who digs a pit for others may fall into it himself; *hij viel in de* ~, *die hij voor een ander gegraven had, ook:* he was caught in his own trap (hoist with his own petard); ~dek(schip) well-deck (vessel); ~en put [potatoes] in pits, ensile, ensilage, silo; ~gast (*mar.*) waister; ~tje hole; (*in kin, enz.*) dimple; ~*s in de wangen hebben* have dimpled cheeks; ~touw cod-line; ~voer (en)silage

kuip tub, barrel;(*voor gisten, verven, enz.*) vat; *ik weet welk vlees ik in de* ~ *heb* I know who(m) I am dealing with, I have his (your) number; ~bad tub-bath; **kuipen** tub [butter], barrel; (*kuiperswerk doen*) cooper; (*fig.*) intrigue

kuiper cooper; (*fig.*) intriguer; ~**ij** cooperage, coopery; (*fig.*) intrigue, machination(s); ~**sloon** cooperage; ~**swerk** cooper's work, cooperage; **kuiphout** staves; **kuipsteken** *zn.* tilting (*ww.* tilt) at the bucket; **kuipstoel** bucket seat **kuis** chaste, pure; ~*e Jozef* Joseph, (*sl.*) holy Joe; ~**boom** c. tree, agnus castus; ~**en** chasten, purify; (*van boek, enz.*) expurgate, (*overmatig*) bowdlerize; ~**heid** chastity, purity; *gelofte van* – vow of chastity

kuit (*van been*) calf; (*van vis*) spawn, roe; *vrouwelijk* ~ (hard) roe; *mannelijk* ~ soft roe, milt; ~ *schieten* spawn; ~**been** splint-bone, (*wet.*) fibula; ~**broek** knee-breeches; ~**endekker** longtailed coat; ~**enflikker** (cross-)caper; *een* – *slaan* cut a caper; ~**enparade** legs on parade, display of legs, leg-show, -business; ~**er** spawner; ~**spier** sural muscle

kukeleku cock-a-doodle-doo; *dat is maar* ~, (*fam.*) only so much eyewash; **kukelen** tumble

kul: *da's flauwe* ~ nonsense; *'t is geen flauwe* ~ there's no humbug

kulas (*van kanon*) breech; **kummel** kummel

kunde knowledge, learning

kundig clever, able, capable, skilful; (*fam.*) knowledgeable; ~ *in* versed (well up) in; *hij is ter zake* ~ he is an expert; ~**heid** skill, knowledge, learning; ~**heden** acquirements, attainments, accomplishments

kunne sex; *zie* sekse

kunnen be able to; (*slechts in o.t.t. & o.v.t.*) can, may; *je kunt nu gaan* you can go now; *hij kan heel aardig* (*koppig, enz.*) *zijn* he can be very nice (obstinate, etc.); *hij was er bij, dus hij kan het weten* he ought to know; *ik kan niet verder* I cannot go on; *ik kan niet meer* I am done (knocked) up, I am all in, I cannot carry on; *dat kan niet* that is impossible, that cannot be; *dat kan zo niet langer* this can't go on, things cannot go on like that; *hij kan niets* he can do nothing, does not know anything; *dàt kan ik ook* two can play at this game; *dat kan later wel* that'll do later; *dat kan een andere keer even goed* another time will do as well; *hij kan goed brieven schrijven* he is good at writing letters; *ze kan goed koken* she is a good cook; *ik kan verklaren ...* I am in a position to state; ...; *ik kan wel wachten* I can afford to wait; *hij kon soms dagen achtereen verdwijnen* he would disappear for days together; *hoe kon je dat toch doen!* how on earth could you do it! how could you possibly do it!; *hoe kon je dat toch zeggen* (*doen, enz.*) how could you!; *hoe kon ik weten ...?* how was I to know ...?; *de vertaling kon beter* (*had beter gekund*) the translation is not as good as it could be (might have been better); *ik kan niet inzien ...* I fail to see ...; *we* ~ *niet begrijpen ...* we are at a loss to understand; *ik kan wel laat thuiskomen* I may come home late; *de boeken* ~ *wel in de tas* will go in the bag; *dat had je mij wel* ~ *zeggen* you might have told me; *hij*

kan ... wel houden he can keep his money; *ze kon wel, en ze kon ook wel niet ...* she might, or might not, be back before lunch; *ik had hem wel* ~ *vermoorden* I could have wrung his neck; *'t zou* ~, *dat ik ...* I might want some more; *'t kan zijn, dat ... niet de uwe is* my taste may not be yours; *ik kan er niet bij* I cannot reach it (get at it); (*fig.*) it is beyond me, it beats (defeats) me; *dat kan ermee door* that may pass; *dat kan er niet mee door* that cannot pass (pass muster), that's no go; *zo ... als 't maar kan* your nose is as red as red, he was as pleased as pleased; *ik troostte hem zo goed ik kon* as best I could; *... zoveel ik kan* I'll help you all I can; *... wat hij kon* he was running (listening, etc.) for all he was worth; *zie ook* aan-, opkunnen, anders, doen 9, in, tegen, weten, enz.

kunst art; (*kunstje*) trick, knack; (*toer*) trick, feat; ~*en* (*fratsen*) whims, tricks; ~*en en wetenschappen* arts and sciences; *meer geld voor de* ~ for the (performing and fine) arts; *dat is geen* ~, *daar is geen* ~ *aan* it's no great feat, there's nothing clever in that; *zie* doodgemakkelijk; *dat is juist de* ~ that's the big point, that's the whole secret; *hou je* ~*en maar thuis!* don't come your tricks here!; *hij verstaat de* ~ *om* he knows how to ..., has a knack of ...ing; ~ *en vliegwerk*, (*hist.*) stage machinery; *iets met* ~ *en vliegwerk doen* do a thing somehow (*of:* by hook or by crook); *zie ook* kunstje, beeldend, enz.

kunst- (*tegenov. natuur-*) artificial, synthetic, man-made; ~**aardewerk** art pottery; ~**aas** artificial bait; ~**academie** academy of arts; ~**arm**, ~**been** artificial arm, leg; ~**beoordeling** art criticism; ~**beschermer** patron of art; ~**beschouwing** *a*) view on art; *b*) article on art; (*rubriek in krant*) art and literature; ~**bewerking** operation; ~**bloem** artificial flower; ~**broeder** brother-, fellow-artist; ~**criticus** art critic; ~**draaier** (ivory-)turner; ~**druk** art paper; ~**eloos** artless, naïve, unsophisticated; ~**eloosheid** artlessness, naïveté; ~**enaar** artist(e); –**schap** *a*) artistry; *b*) artistic calling; –**stalent** artistic talent(s), artistry; ~**enares** artist(e); ~**enmaker** acrobat; (*goochelaar*) juggler; ~**epos** literary epic; ~**fotograaf** art photographer; ~**galerij** art gallery; ~**gebit** denture, (dental) plate; ~**genootschap** art society; ~**genot** artistic enjoyment (*of:* joy); ~**geschiedenis** art-history, history of art; ~**gevoel** artistic feeling; ~**gewrocht** product of art; ~**greep** trick, knack, artifice, sleight; *de* ~*grepen van zijn vak kennen* know the tricks of the trade; ~**hand** artificial hand; ~**handel** *a*) art trade, dealing in works of art; *b*) picture-, print-shop; ~**handelaar** artdealer; ~**handwerken** art needlework; ~**hars** plastic; (synthetic) resin; ~**historicus** art historian, h. of art; ~**historisch** art-historical; ~**honi(n)g** synthetic honey; ~**ig** ingenious, clever; ~**ijs** artificial ice; ~**je** trick [with cards, etc.;

does your dog know any ...s?], [magical] feat; (~*greep*) trick, knack; ~*s doen* (*vertonen*) do (perform) tricks; (*van hond, enz.*) *ook:* go through its tricks; ~*s laten doen* put [a dog] through its tricks (performance); *dat – ken ik* I know a trick worth two of that; '*t is een klein* (*koud*) – *om* ... it's an easy job to ...; ~**kabinet** art gallery, collection of works of art; ~**kenner** art connoisseur, c. of art, art expert; ~**koper** art-dealer; ~**kring** art-club, -union; *–en* [in] art circles; ~**kritiek** art criticism; ~**le(d)er** leatherette, imitation leather; ~**licht** artificial light; ~**liefde** love of art; ~**liefhebber** art-lover; ~**lievend** art-loving; *– lid* non-acting member; ~**long** iron (plastic) lung; ~**maan** (earth) satellite; ~**marmer** imitation marble; ~**matig** artificial [insemination], synthetic [diamond, ruby]; *–e ademhaling toepassen* apply artificial respiration; *– opgezet* trumped-up [charge, plot]; ~**matigheid** artificiality; ~**mest** artificial (chemical) manure, (artificial) fertilizer(s); ~**middel** artificial means, expedient; (*trucje*) art (*gew. mv.:* all the arts of which she was mistress); ~**minnaar,** ~**minnend** *zie* ~liefhebber, ~lievend; ~**moeder** fostermother, artificial mother; ~**naaldwerk** art needle-work; ~**nier** artificial kidney, kidney machine; ~**nijverheid** applied art, industrial art, arts and crafts; ~**nijverheidsschool** applied art school; ~**onderwijs** art teaching; ~**oog** artificial eye; ~**opvatting** conception (theory) of art, [Poussin's] artistic creed; ~**produkt** art-product, work of art; ~**rechter** art-critic; ~**regel** rule (canon) of art; ~**rijden** circus-, trick-riding; (*op schaatsen*) figure-skating; ~**rijder(ster)** circus-, horse-, trick-rider, equestrian (*vrouw* equestrienne); (*op schaatsen*) figure-skater; ~**rijk** artistic; ~**schatten** art-treasures; ~**schilder** painter, artist; ~**school** art school, school of art; ~**smaak** artistic taste; ~**steen** artificial stone; ~**stof** synthetic material; ~**stuk** masterpiece; (*kranig stukje*) (clever) feat; (*sl.*) stunt; ~**taal** *a*) artificial language; *b*) technical language; ~**talent** artistic talent; ~**tand** artificial tooth; ~**tempel** temple of art; ~**tentoonstelling** art exhibition; ~**term** technical term; ~**vaardig** skilful, clever; ~**vaardigheid** (artistic) skill, craft, cleverness; ~**veiling** art sale; ~**verzameling** art collection; ~**vezel** synthetic fibre; ~**vlieg** fishing-fly; ~**vliegen** *zn.* stunt-flying, aerobatics; *ww.* stunt; ~**vlijt** *zie* ~nijverheid; ~**voortbrengsel** *zie* ~produkt; ~**voorwerp** art-object, object of art, objet d'art; ~**vorm** artistic form; ~**vriend** *zie* ~liefhebber & ~broeder; ~~**waarde** artistic value; ~**weg** (metalled) road, highway; ~**wereld** world of art; ~**werk** work of art; artefact; (*bk.*) (engineering) construction; ~**wol** artificial (*of:* synthetic) wool; (*uit lompen*) shoddy; ~**zaal** art gallery; ~**zijde** rayon, artificial silk; ~**zin** artistic sense (*of:* judgment); ~**zinnig** artistically(-)minded, artistic; *would-be – *arty(-tarty)

kuras cuirass; ~**sier** cuirassier

kurk cork; *iets onder de* ~ *hebben* have drinks

(spirits) going; *zie* droog & smaken; ~**achtig** corky; ~**boom,** ~**eik** c.-tree, c.-oak; ~**droog** bone-dry; *zie* droog; ~**ebreien** French knitting; ~**en** *ww. & bn.* cork; ~**engeld** corkage; ~**etrekker** corkscrew; (*krul*) corkscrew curl; ~**machine** corking-machine

kus kiss; ~**handje** hand(-blown) k.; '*n – geven* blow (send, waft, throw) a k. (to) [she blew him a k.], kiss one's hand to

1 **kussen** *ww.* kiss; *iem. ... ~* k. a p. good-bye (good night); *elkaar ~ ook:* kiss, *zie* roede & zoenen

2 **kussen** *zn.* cushion; (*bed-*) pillow; *op het ~ komen* come (get) into office; *op het ~ zitten* be in office; ~**blok** bearing(s); ~**overtrek** c.-cover; ~**sloop** pillow-case, -slip; ~**tje** (little) c.; (*om stoten op te vangen*) pad; (*lekkernij*) bull's eye

1 **kust:** *te ~ en te keur* in plenty, galore; *ze zijn er te ~ en te keur* there are plenty (there is a wide choice) of them; *je kunt te ~ en te keur gaan* you can pick and choose

2 **kust** coast, shore; *attr. dikw.:* coastal; *aan de ~* on the c.; *havens langs de ~* coastwise ports; *naar de ~* [row] in to shore; *onder de ~* [lie] inshore; *onder de ~ blijven, onder de ~ varen* skirt (*dicht onder:* hug) the c.; *op de ~ zetten* beach [a vessel]; *van de ~* [a few miles, the wind blew] off shore; *eilanden voor de ~* off-shore islands; *de ~ is veilig* (*schoon, vrij*) the c. is clear; ~**aanwas** increase of the c.; ~**afslag** *zie* ~erosie; ~**batterij** c. (*of:* shore) battery; ~**bewoner** inhabitant of the c.; ~**erosie** coast(al) erosion; ~**gebied** littoral, coastal area; ~**handel** *zie* ~vaart; ~**land** c.-land; ~**licht** c.-light; ~**lijn** c.-line; ~**plaats** coastal place; ~**stad** c.-town; ~**station** (*radio*) shore station; ~**streek** coastal district (*of:* region); ~**strook** coastal strip (belt); ~**vaarder** (master of a) coasting-vessel, coaster; ~**vaart** coastal navigation, coasting (*of:* coastwise) trade; ~**verdediging** c.-defence; ~**verkeer** coastwise traffic; ~**verlichting** c.-lighting; ~**visser** inshore fisherman; ~**visserij** inshore fishery, c.-fishing; ~**vlakte** coastal plain; ~**vuur** c.-light; ~**wacht** coastguard (service); ~**wachter** coastguard; ~**wateren** coastal waters; ~**zoom** seaboard

kut (*plat*) cunt; ~ *met een rietje* bugger-all; a wash-out

kuur 1 whim, caprice, freak; *boze kuren* tantrums; (*van paard*) vice; *geen kuren, alsjeblieft* none of your little tempers, please; *vol kuren,* (*van paard*) vicious, tricky; 2 (*genees-*) cure; *een ~ doen* take a cure; take a course of waters

kwaad I *bn.* (*slecht*) bad [not a ... idea], ill, evil, wicked; (*boos*) angry; (*kwaadaardig*) malignant [disease], vicious, nasty [dog]; *kwade betaler* b. payer, defaulter; ~ *geweten* guilty conscience; '*t kwade oog* the evil eye; *door 't kwade oog beheksen* overlook [a p.]; *kwade praktijken* malpractices; *kwade schulden* b. debts; *te kwader ure* in an evil hour; *iem. ~ maken* make a p. angry, put a p. in a passion; *zich ~ maken, ~ worden* get angry, get one's back up, fly into a passion; ~ *zijn* be angry [*op* with]; *dat is lang niet* ~ that is not bad at all, (*sl.*) not so dusty; *hij is niet zo* ~ *als hij afgeschilderd wordt* (*zich voordoet*) he is not so black as he is painted (his bark is worse than his bite); *zie* bloed, bui, pier, tong, trouw, wijf, enz.; II *bw.* badly; *hij heeft het niet* ~ he is not badly off; ~ *kijken naar* scowl at; *het te* ~ *krijgen* break down, be overpowered by one's emotions; *dan krijg je 't met mij te* ~ then you'll have to deal with me; *hij kreeg 't te* ~ *met de politie, ook:* he fell (ran) foul of the police; *zie* menen; III *zn.* (*'t slechte*) evil, wrong; (*nadeel, letsel*) harm, injury, wrong; *het kleinste* ~ the lesser evil; *een maatschappelijk* ~ a social evil; *onderscheid tussen goed en* ~ difference between good and evil; *geen* ~ *zonder baat* it is an ill wind that blows nobody (any) good; *'t kan geen* ~ it can do no harm, there's no harm in it; *ik bedoel geen* ~ (*niets* ~*s*) I mean no harm; ~ *broeden* brew mischief; *iets* ~*s in de zin hebben* be up to no good, mean mischief; *hij denkt geen* ~ he thinks no evil; ~ *denken van* think evil (ill, badly) of; *zonder dat iem. er* ~ *van denkt* (*er* ~ *in ziet*) without anybody thinking anything of it; *ge hebt* ~ *gedaan* you've done wrong; *dat* (*hij*) *zal je geen* ~ *doen* that (he) will do you no harm; *hij kon geen* ~ *doen* (*bij haar, enz.*) he could do nothing wrong; *wie* ~ *doet,* ~ *vermoedt* evil to him who evil thinks; *zijn zaak* ~ *doen door ...* injure one's cause by ...; *'t* ~, *dat hij gedaan heeft* the mischief he has done; *kies van twee kwaden altijd 't minste* of two evils always choose the least (less, lesser); *ik weet geen* ~ *van hem* I don't know anything against him; *'t* ~ *loont zijn meester* evil doings will come home to roost; *invloed* (*macht*) *ten goede of ten kwade* influence (power) for good or evil; *invloed ten kwade, ook:* malign influence; *ik duid het u niet ten kwade* I don't take it ill of you, I don't blame you; *ten kwade veranderen* change for the worse; *van* ~ *tot erger vervallen* go from bad to worse; *zie* steken, stoken, vergelden, enz.

kwaadaardig ill-natured, malicious, fierce, mischievous, spiteful [remarks], vicious [dog]; (*van ziekte, gezwel*) malignant, virulent; ~**heid** malice, malignity, ill-nature, spite, viciousness; (*van ziekte*) malignancy, virulence

kwaad: ~**denkend** suspicious; ~**doen(st)er** evildoer, malefactor; ~**gezind** evil-minded, malevolent, ill-disposed [*jegens* towards]; *zie* gezind; ~**heid** anger; ~**sappig** cachectic; (*fig.*) *zie* kwaadaardig; ~**schiks** unwillingly, with a bad grace; *zie* goedschiks; ~**spreken** talk scandal, backbite, throw (sling) mud; – *van* slander, malign, speak ill of; ~**sprekend** slanderous, backbiting, scandalous [a ... tongue]; ~**sprekendheid** backbiting; ~**spreker,** ~**spreekster** backbiter, detractor, slanderer, scandalmonger, mud-slinger; ~**sprekerij** backbiting, scandal(-mongering), mud-slinging; ~**stoken** *zie* stoken; ~**stoker,** ~**stookster** mischief-maker; ~**willig** malevolent, ill-disposed, malignant; –*e verlating* desertion; –*en* rebels; –**heid** malevolence, ill will; foul play

kwaal complaint, disease, ailment, trouble, disorder; *kwalen, ook:* infirmities [of old age], [social] evils; *'t* (*genees*)*middel is erger dan de* ~ the remedy is worse than the disease; ~**tje** minor ailment

kwab(be) lobe; (*van koe*) dewlap; *zie* hals~

kwabaal burbot, eel-pout

kwabbig flabby (pendulous) [cheeks]

kwadraat *bn. & zn.* square; x ~ x square(d); *in 't* ~ *verheffen* (raise to a) s.; *een ezel in 't* ~ a consummate ass, a prize idiot, a double-dyed fool; *zie* vierkant; ~**getal** s. number; ~**wortel** s. root; **kwadrant** quadrant

kwadratisch quadratic [equation]

kwadratuur quadrature; ~ *van de cirkel* q. (squaring) of the circle; *de* ~ *van de cirkel zoeken* try to square the circle

kwajongen mischievous (naughty) boy, urchin; ~**sachtig** boyish, mischievous; ~**sstreek** boyish prank (trick), monkey trick, practical joke

1 kwak (*vogel*) night-heron

2 kwak (*slag*) thud, thump, bump, flop; (*klodder*) blob, clot, dab; ~*!* flop! smack! (*van eend*) quack! (*van kikvors*) croak!

kwaken (*kikkers*) croak; (*eenden*) quack; (*fig.*) quack

kwaker quaker, member of the Society of Friends, Friend

kwakkel (*vogel*) quail

kwakkel: ~**aar(ster)** ailing person; (*inz. met ingebeelde kwaal*) valetudinarian; ~**en** be ailing; *een –de gezondh. hebben* be in indifferent (delicate) health; ~**winter** fitful (uncertain, sluggish) winter; ~**ziekte** lingering illness

kwakken I *tr.* pitch, hurl, dash, dump, slap, flop (down); *hij kwakte ...* he flung me with a smack on the floor; II *intr.* bump, come down with a thud

kwakzalven, -eren (play the) quack

kwakzalver quack; (*fig.*) quack, charlatan, mountebank; ~**ij** quackery; ~**smiddel** quack medicine (remedy)

kwal jelly-fish; *'t is een* ~ *van een vent* he's a rotter

kwalificatie qualification; **-ficeren** qualify; – *als* call [a p. a fool]; style, term, describe (qualify) as

kwalijk 1 ill; ~*e zaak* objectionable matter, disgraceful affair; ~ *nemen* take ill (amiss, in bad part), resent [an intrusion]; *hij nam 't mij* ~ he took it ill of me; *hij nam 't zeer* ~ he took it very much amiss; *ik neem 't u niet* ~ I don't blame you (for it) (*zo ook:* can you blame her?); *'t is hem niet* ~ *te nemen* you can't blame him; *neem me niet* ~ I beg your pardon; excuse me; (I am) sorry; so sorry; *neem me niet* ~, *dat ik je stoor, maar ...* sorry to trouble you, but ...; *neem me niet* ~ *dat ik te laat kom* excuse

my being late; *neem me niet ~, maar* ... forgive me (forgive me for saying so, forgive my saying so), but ...; ~ *worden* feel sick, feel queer; ~ *verholen* ill-concealed [vexation]; *zie* gang, gedijen, varen; 2 (*nauwelijks*) hardly, scarcely; *zie* bezwaarlijk; ~**gezind** *zie* kwaadgezind; ~**nemend** quick to take offence, thin-skinned, resentful, touchy; ~**riekend** evil-smelling, malodorous; *zie* stinkend
kwalitatief qualitative
kwaliteit quality, character, capacity; (*hand.*) quality, grade [medium ... s]; *in zijn ~ van* ... in his capacity of (as) ...; ~**sartikel** quality article; ~**sbeheersing** q. control
kwalm dense smoke; ~**en** smoke
kwam *o.v.t. van* komen
kwansel: ~**aar** barterer; ~**arij** bartering, truck; ~**en** truck, barter, haggle
kwansuis, -wijs for form's sake; ostensibly; *ik schreide* ~ I pretended to cry
kwant chap, fellow; *zie* klant
kwantificeren quantify; **-tatief** quantitative
kwantiteit quantity; **kwantum** *zie* quantum
kwark curd(s)
kwart quarter, fourth part; (*noot*) crotchet; (*interval*) fourth; ~ *over (voor) drie* a q. past (to) three; *een ~ mijl (miljoen, enz.)* a q. of a mile (million, etc.), *ook:* a q. mile (million, etc.); *één en een ~* ... a minute (a mile) and a q.; *twee en een ~* ... two and a q. inches; *ze is voor een ~* ... she is a q. French; *de fles is voor een ~ vol* is quarter full; *zie* driekwart
kwartaal quarter (of a year), three months; *per ~, ~sgewijs* quarterly, every three months; ~**rekening** quarterly account
kwartair *zie* quartair
kwarteeuw quarter of a century, q.-c.
kwarteindstrijd (*sp.*) quarter-final
kwartel quail; ~**beentje, ~fluitje** q.-call, -pipe; ~**koning** corncrake, landrail; ~**slag** call of the q.
kwartet quartet(te)
kwartier quarter of an hour (*zie ook* kwart); (*stadswijk, her., van maan*) quarter; (*mil.*) quarters, billet(s); *de klok slaat de ~en* strikes the quarters; *vijf (zeven)* ~ an hour and a q. (three quarters), one and a q. hour(s) (three-quarter hours); *drie* ~ three quarters of an hour; *een half uur of drie* ~ [she spoke for] half an hour or three quarters; *ieder* ~ *slaan* strike (chime) the quarter-hours (the quarters); *eerste (laatste)* ~, (*van maan*) first (last) q.; *de maan is in haar eerste* ~ in (*of:* at) its (the) first q.; *vrij* ~, (*school*) recess, break; *zij hebben (krijgen) soldaten in* ~ they have (will have) soldiers quartered (billeted) upon them; *geen ~ geven (vragen)* give (ask for) no q.; ~ *maken* prepare quarters; ~**arrest** confinement to barracks (C. B.); – *hebben* be confined to barracks; ~**maker** quartermaster, billet-master; ~**meester** paymaster; (*mar.*) quarter-master; (*mar.*) leading seaman; ~**muts** forage-, fatigue-cap; ~**slag** q. chime
kwartijn quarto

kwartje 25 cent piece, 25 cents; ~**sbazaar** six-penny store, (*Am.*) dime store; ~**svinder** confidence (con) man, (confidence) crook, sharper
kwartnoot crotchet
kwarto quarto; *in ~* in q., (in) 4to
kwarts quartz; ~**achtig** quartzy; ~**iet** quartzite; ~**klok** q. clock; ~**lamp** q. lamp
kwassiehout quassia, bitterwood
kwast (*van schilder, enz.*) brush; (*sieraad*) tassel; (*in hout*) knot; (*pers.*) coxcomb, fop, pup(py), squirt; (*citroen-*) lemon-squash; *een ~je geven* give [a house] a lick (a coat) of paint; *nodig een ~je moeten hebben* need a fresh coat of paint; *zie* bijl; ~**elorum** *zie* ~ (*pers.*); ~**erig** foppish, dandified; ~**erigheid** foppishness; ~**ig** knotty, gnarled; ~**je** *zie* ~
kwatrijn quatrain
kwebbel rattle, chatterbox
kwebbelen rattle, chatter, cackle
kwee quince; ~**appel** q.(-apple); ~**boom** q.(-tree); ~**doorn** barberry-bush
kweek couch(-grass), twitch
kweekbed seed-plot, -bed
kweekboom sapling; **kweekgras** *zie* kweek
kweek: ~**materiaal** (*tuinbouw*) nursery-stock; ~**plaats** nursery (*ook fig.*); *zie ook* broeinest; ~**reactor** breeder reactor; ~**school** (teacher) training-college, College of Education; (*fig.*) nursery; ~**tuin** nursery(-garden)
kween barren cow; hermaphrodite
kweepeer quince(-pear)
kweet *o.v.t. van* kwijten
kwekeling (*algem.*) pupil; (*onderw.*) teacher-trainee, trainee-teacher
kweken grow [plants], cultivate [plants, feelings], breed [animals, hatred, suspicion, distrust], foster [goodwill], work up [hatred, a custom *clientèle*], beget [a sense of beauty], accumulate [a supply]; *gekweekt* cultivated [plant]; *gekw. parel* culture(d) pearl; *gekw. rente* accrued interest
kweker grower [of roses], nursery-man, n.-gardener; ~**ij** nursery(-garden); (*van vis*) hatchery
kwekken *zie* kwaken; **kwel** well
kwelder salting(s), mud-flat, marsh
kwel: ~**duivel**, ~**geest** tormentor (*vrouw:* tormentress), teaser
kwellen harass, torment, torture, vex, tease, annoy, worry [that thought worries me]; *zijn hersens* ~ cudgel (rack) o.'s brains; *die gedachte kwelt me, ook:* exercises my mind, is (preys) on my mind; *er is iets dat hem kwelt* he has s.t. on his mind; *kwel er u niet mee* don't worry yourself (your head) about it; *door reumatiek gekweld* troubled (afflicted) with rheumatism; *door vrees (zorgen) gekweld* haunted with fear (care-ridden); *een ~d probleem* an agonizing problem; *een ~de ziekte* a distressing disease; *~de zorgen* pressing cares; **-ler** *zie* kwelduivel; **-ling** vexation, trouble, torment
kwelwater percolating water, seepage (water)
kwelziek, -zucht *zie* plaag ...

kwestie question, matter; issue [fresh ...s are demanding a solution]; (*twist*) quarrel; *er is ~* (= *sprake*) *van dat* ... there is talk (some idea) of ...; *de ~ van vertrouwen stellen* ask for a vote of confidence; *geen ~ van* that's out of the q., not a bit of it; *een ~ van tijd* a q. of time; *'t is een ~ van smaak* (*geld, enz.*) it's a matter of taste (money, etc.); *de* (*zaak in*) *~* the point in q. (at issue); *dat is de ~ niet, is buiten de ~* that is not the q. (is outside the q.); *dat is eigenlijk de ~ niet* that is a little off the point; *de ~ is* ... the point (fact) is ...; *als er ~ is van geld* when it comes to money; *buiten ~* beyond (all) q., without q.; *buiten ~ stellen* rule out; **kwestieus** questionable, doubtful
kwets (dark purple) plum
kwets: ~**baar** vulnerable; ~**baarheid** vulnerability; ~**en** injure, wound, hurt; (*vruchten*) bruise; (*fig.*) wound [a p.'s pride], hurt [a p.'s feelings], offend; *gekwetste majesteit* offended majesty; ~**ing** *zie* ~uur; (*fig.*) offence, hurt; ~**uur** injury, wound, hurt; *zie* wond
kwetteren (*van vogels*) twitter, chirp, chatter; (*van pers.*) rattle, chatter
kwezel bigot, pietist; *zie* sul; ~**aar** *zie* ~; ~**achtig** bigoted, sanctimonious; ~**arij** bigotry, sanctimoniousness, pietism; ~**en** cant, talk goody-goody
kwibus coxcomb, jackanapes, fop, prig; *zie* kwast en raar; **kwidam** *zie* quidam
kwiek spry, nimble, dapper, bright, sprightly, alert; *een ~ hoedje* a smart little hat
kwijl slaver, slobber; ~**baard** *zie* ~er; ~**en** slaver, slobber, dribble, run at the mouth; (*zeld.*) drivel; ~**er** slaverer, slobberer
kwijnen (*van pers.*) languish, pine (away), droop, linger (on); (*van plant*) droop, wither, wilt; (*van gesprek*) drag, flag, languish; (*van handel, gesprek, enz.*) flag, languish; *beginnen te ~*, (*van pers.*) *ook:* fall into a decline, sicken; ~**d** languishing, etc.; *~e gezondheid* failing health
kwijt: *ik ben mijn geld* (*goede naam, enz.*) ~ I have lost my money (good name, etc.); *hij is zijn verstand ~* he is off his head; *ik ben zijn naam ~* I forget his name, I cannot think of his name now; *ik was blij, hem ~ te zijn* I was glad to be rid of him; *hem* (*dat*) *zijn we gelukkig ~* good riddance to him (it); *hij zei niet meer dan hij ~ wou wezen* he kept his own counsel; ~**brief** receipt; ~**en:** *zich – van* acquit o.s. of [a task, duty], discharge [a duty, one's obligations]; *een schuld –* pay (discharge) a debt; ~**ing** discharge; (*van schuld ook*) payment; *ter algehele – van* in full settlement of; *– verlenen* discharge; ~**raken** (*verliezen*) lose;

(*in ontlasting*) pass out [a worm]; (*afkomen van*) get rid of [a p., goods, one's cold]; [I could not] shake (throw) off [my cold, that feeling, my pursuers]; *door een wandeling –* walk off [one's headache]; *hij was haar geheel ~geraakt* he had lost all trace of (all touch with) her; *ik wist hem ~ te raken* I shook him off; *de radio raken we niet weer ~* radio has come to stay; ... *raakt men moeilijk ~, ook:* bad habits will cling; *zie* kluts; ~**schelden** remit [taxes, a debt, punishment], forgive [sins, a debt]; *iem. zijn schuld* (*straf*) – let a p. off his debt (punishment); *hem werd* ... ~*gescholden* he had the rent (a term of imprisonment) remitted; ~**schelding** remission [of sins, of a debt], amnesty, (free) pardon; (*van zonden*) *ook:* absolution
kwik I *zn.* mercury, (*vero.*) quicksilver; *hij heeft ~ in zijn lijf, is als ~* he is like quicksilver, is quite mercurial; *zie ook* ~je; II *bn. zie* kwiek; ~**achtig** mercurial (*ook fig.*); ~**bad** mercurial bath; ~**bak** m.-cup, -trough; ~**barometer** m. barometer; ~**chloride** m.-chloride; ~**damp-(lamp)** m.-vapour (lamp); ~**jes** *en strikjes* fallals, finery, fineries; ~**ken** *zie* foeliën; ~**kolom** m. column, column of m.; ~**ontladingslamp** m. discharge tube; ~**oxyde** oxide of m.; ~**pil** blue pill; ~**staart** wagtail; ~**sublimaat** corrosive sublimate; ~**thermometer** m. thermometer; ~**vergiftiging** m. poisoning; ~**water** quicksilver water; ~**zalf** mercurial (*of:* blue) ointment; ~**zilver** *zie* ~; ~**zuil** column of m.
kwinkeleren warble, carol
kwinkslag witticism, jest, joke, quip; *hij probeerde er zich met een ~ af te maken* he tried to laugh it off
kwint fifth; **kwintaal** quintal (*100 kg*); *soms:* hundredweight (= 112 pounds)
kwintappel bitter-apple, -gourd, colocynth
kwintessens quintessence, pith (*of:* gist) of the matter; **kwintet** quintet(te)
kwis quiz
kwispedoor spittoon, (*Am. ook*) cuspidor(e)
kwispel brush, tuft; (*wijwaterkwast*) sprinkler; *met de staart* ~**en, ~staarten** wag the tail
kwistig lavish, liberal, unsparing [*met* of], (*sterker, vaak ong.*) prodigal [*met* of]; *~ in 't geven van* ... lavish in giving ...; *met ~e hand schenken* give with a l. hand, lavish [bounties, etc.] on [a p.]; *in ~e overvloed* in profusion; ~**heid** lavishness, liberality, prodigality
kwitantie receipt; ~**loper** bank-messenger, [rent, etc.] collector; ~**zegel** r.-stamp
kwiteren receipt
kyaniseren kyanize
kynoloog dog-fancier; **-logenclub** kennel-club

L

L L; (*Rom. cijfer*) L.; l *afk.:* litre(s)
la 1 (*lade*) drawer; 2 (*muz.*) la
laad: ~bak *a*) hopper barge; *b*) (loading) platform (body); **~boom** derrick; **~bord** pallet; **~briefje** loading receipt; **~brug** loading-bridge; **~ en losdagen** lay-days; **~gat** (*van vuurwapen*) vent, touch-hole; (*van granaat*) fuse-hole; **~haven** port of loading, loading port; **~hoofd** hatch; **~kist** container; **~klaar** ready to load; **~klep** (*mar.*) (loading) ramp; (*auto*) tail-board; **~lijn** load-line; **~loon** loading-charges; **~pan** priming-pan; **~perron** loading-platform; **~plaats** loading-berth; **~plankier** pallet; **~priem** priming-iron; **~reep** cargo-chain; **~ruim** cargo-hold; **~ruimte** cargo-space, tonnage; *zie ook* **~vermogen;** – *bespreken* reserve (*of:* book) tonnage (*of:* space); **~schop** mechanical shovel; **~station** *zie* benzine...; **~steiger** landing-stage; **~stok** ramrod, rammer; **~vermogen** carrying (cargo, loading) capacity; (*mar. ook*) dead-weight capacity, burthen; **~vloer** load-bed
1 laag *zn.* layer, stratum (*mv.:* strata: the lowest ... of society), bed; (*dun, van steenkool*) seam; (*stenen in muur*) course; (*van weefsel*) ply; (*van verf, enz.*) coat, coating; (*van ijs*) sheet; (*hinderlaag*) ambush, snare, trap; *met een ~ stof* [bottles] encrusted with dust; *in lagen* in layers, layered, stratified [rocks]; *in alle lagen der maatschappij* at all levels of society; *iem. lagen leggen* lay snares for a p.; *de vijand de volle ~ geven* give the enemy a broadside; *hij gaf mij de volle ~,* (*fig.*) he gave me a terrific broadside
2 laag *bw.* low; (*~ van verdieping*) low-pitched [room]; (*fig.*) low, base, mean, vile; foul [murder]; *~ uitsnijden* cut l.; *lage japon* l. (-cut, -necked) dress; *~ sujet* vile creature; *~ zingen* sing l.; *de lage a* [sing] the lower A, the bottom A; *lager* lower, inferior; *lagere beambten* (*ambtenaren*) lower-grade (civil) servants, minor officials; *zie* lagereind, enz.; *lager onderwijs* (*lagere school*) primary (elementary) education (school); junior school; *maatschappelijk lager* lower in the social scale (on the social ladder); *~ van prijs* l.-priced; *de prijzen zijn lager, ook:* prices are down; *zie* noteren; *lager stellen* reduce [the price]; (*een weinig*) shade [the price] somewhat; *buitengewoon ~ stellen* cut [the price] extremely fine; *zijn eisen lager stellen* lower one's demands; *~ houden* keep down [expenses]; *~ neerzien op* look down upon; *een lage opinie hebben van* have a poor opinion of; **~st,** *zie ook:* onderst; *'t ~ste punt bereiken,* (*van prijzen, enz.*) touch bottom; *op zijn ~st* at (its)

lowest; *zie* vliegen, enz.; **~-bij-de-grond(s)** pedestrian [joke]; **~bouw** low-rise (building); **~frequentversterker** low- (*of:* audio-)frequency amplifier; **~hangend** low [clouds]; **~hartig** base, vile, mean; **~(hartig)heid** baseness, meanness; **~je** film [of dust, ice, etc.], thin layer; **~land** lowland
laags(ge)wijs, -wijze in layers, in strata; (*geol., anat.*) stratoform; *-wijze indeling* stratification
laag: ~spanning l. tension; **~staand** inferior, low; **~stammig** dwarf; **~te** lowness [of prices, etc.], low level; (*lage plaats*) depression [in the ground], dip, hollow; *naar de – gaan* go down; (*van prijs ook*) fall; **~terecord** low record; [an all-time] low; **~tij** *zie* **~water; ~veen** peat-bog, bog-peat; **~vlakte** low-lying (lowland) plain; **~vliegend** (*luchtv.*) low flying; (*fam.*) hedge-hopping
laagvormig stratiform, stratified, in layers
laagwater low water, low tide [*bij* ~ at l. t.]; *'t is* ~ the tide is out; **~lijn** l.-w. mark
laagwolk stratus, *mv.:* strati
laai: *in lichter ~e* in a blaze, ablaze
laaien blaze, flare, flame; *~ van verontwaardiging* burn (blaze) with indignation
laakbaar reprehensible, blamable, blameworthy, deserving of blame, objectionable; **~heid** reprehensibleness, etc.
laan avenue; *ik heb hem de ~ uitgestuurd* I've sent him packing, packed him off, sent him about his business, fired him; *hij moest de ~ uit* he got the boot (the sack); **~tje** alley
laars boot; *hoge ~* jack-b.; *hij heeft een stuk in zijn ~* he is tight (tipsy, fuddled); *aan zijn ~ lappen* ignore [a warning], flout [Japan ...s the League of Nations]; *hij lapt 't aan zijn ~* he does not care a bit, he snaps his fingers at it; *dat lap ik aan mijn ~, (sl.)* (a) fat lot I care!; *je weet er geen ~ van, (fam.)* you don't know a thing (the first thing) about it; *'t kan hem geen ~ schelen, (fam.)* he doesn't care a rap (a damn); **~je** lady's b.; (*halve ~*) half-boot
laarze- boot-: **~knecht** b.-jack; **~nmaker** b.-maker; **~rekker** b.-stretcher; **~strop, ~trekker** boot-pull
laat late; *nogal ~* rather l., latish; *steeds ~ opstaan en ~ naar bed gaan* keep l. hours; *beter ~ dan nooit* better l. than never; *wegens het late uur* owing to the lateness of the hour; *hoe ~ is het?* what's the time? what time (what o'clock) is it?; *hoe ~ heb jij 't?* what time do you make it?; *ik wil weten hoe ~ 't is* I want to know the time; *ik weet al hoe ~ 't is,* (*fig.*) I know how matters stand (the land lies); *o, is het zo ~?* (*fig.*) so that's how things are?; *kijken hoe ~ het is* look at the time; *kijk eens hoe ~ 't al is!*

look at the time!; *ik kon niet zien, hoe ~ 't was* I could not see the time; *kunt u me zeggen hoe ~ het is?* can you tell me the time?; *ze vroeg me, hoe ~ 't was* she asked me what time it was, asked me the time (of day); *ik vroeg een werkman, hoe ~ 't was, ook:* I asked the time of a workman; *hoe ~ eten we?* what time do we dine (is dinner)?; *wat is 't al ~!* how l. it is!; *op de late avond* l. in the evening; *tot ~ in de nacht* (until) l. into (far into) the night; *~ op een avond* l. one night; *tot ~ in de avond* till late at night; *~ op de dag* l. in the day; *~ in 't voorjaar (de 14de eeuw, op de middag)* in the l. spring (14th century, afternoon); *een late Pasen* a l. Easter; *een late lente* a backward spring; *daar kom je wel wat ~ mee aan* it is rather l. in the day to say so; *je verontschuldiging komt wel wat ~* your apology is rather l. in the day (rather tardy); *boete voor te ~ komen* fine for l. attendance; *door te ~ komen* [time lost] through l. arrival; *te ~ zijn (komen)* (over tijd) be l.; (*bijv. om iem. nog levend te zien*) be too l.; *ik kwam te ~* (= *over tijd*), *ook:* I was belated; *te ~ zijn voor 't eten* (*voor school*) be l. for dinner (for school); *vóór 't te ~ is* before it is too l.; *ze was een minuut te ~ voor de trein* she missed the train by a minute; *ze kwamen uren te ~ thuis* they were hours l. in getting home; *de trein is 5 min. te ~* is five minutes l. (*of:* overdue), behind schedule; *de trein vertrok een uur te ~* was an hour late in starting; *zie* laatst & later

laatbekken bleeding-basin
laatbeurs towards the close
laatbloeiend late-flowering; **-er** late developer
laatdunkend conceited, overweening; **~heid** ...ness, self-conceit, arrogance
laatijzer lancet, fleam
laatje (little) drawer; *aan 't ~ zitten* keep the cash, manage the pay-department; *geld in 't ~ brengen* bring grist to the mill
laatkoers selling rate
laatkomer late comer
laat: **~kop** cupping-glass; **~mes** fleam
laatst (*volgorde*) last, (*tijd*) latest, last; (*onlangs*) lately, the other day; *zie* onlangs; *'t ~e huis in* ..., *ook:* the end house in the street; *'t ~e stadium, ook:* the final stage [of a disease]; *een ~e sigaar* [have] a final cigar; *~e laag verf* finishing coat of paint; *zijn ~e werk, (vóór zijn dood)* his last work, (*jongste*) his latest (his last) work; *hoe laat gaat de ~e trein naar L.?* what time is the last train to L.?; *de ~e berichten* the latest reports; *'t ~e nummer* the current issue [of a periodical]; *in een der ~e nummers* in a recent issue; *in de ~e oorlog* in the late war; *de ~e dagen* (*weken, jaren*) *van zijn leven* the last (the closing) days etc. of his life; *ik ben er de ~e dagen* (*weken, jaren*) *niet geweest* the last few days, etc.; *in de ~e jaren* in the l. few years, of late (of recent) years; *in de ~e jaren van zijn leven, ook:* in his declining years; *ik heb hem in de ~e tijd niet gezien* I have not seen him of late (lately, recently, latterly); *ik*

had hem in de ~e tijd niet gezien I had not seen him latterly; *van de ~e tijd* recent [his ... successes]; *de ~e spreker in 't debat zijn* wind up the debate; *zijn ~e examen* his final(s); *de ~ aangekomene* the latest comer; *de ~e uitvindingen* ... the latest discoveries have proved it; *de ~e stuiver afpersen* extort the uttermost penny; *hij is de ~e om 't te zeggen* he is the last man (person) to say so; *de ~en zullen de eersten zijn* the last shall be first; *de ~e(n)* = **~genoemde(n)**, (*van zelve*) the latter; (*van meer*) the last-(named, mentioned); *'t is 't ~e wat ik zou doen* it's the l. thing I should do; *de (het) ~e, maar niet de (het) minste* l. but not least; *in het ~ van november* late in N., at the end of N., [it was] late N.; *in 't ~ kwam hij toch nog* in the end he did come; *morgen op zijn ~* tomorrow at (the) latest (at the outside); *'t loopt met hem op het ~* his end is drawing near; *op het ~, ten ~e* at l.; *ze loopt op 't ~* she is getting near her time; *ten ~e*, (*in de ~e plaats*) lastly, last, in the l. place; *ten langen ~e* at long l.; *tot 't ~ to* (till) the l.; *voor 't ~* for the l. time; [he kept the peach] to the l.; *zie ook* eer, woord, enz.; **~elijk** last, finally, lastly; **~geboren** last-born, last (*ook zelfst.:* her last was a boy); **~genoemd** *zie onder* laatst; **~leden** *zie* jongstleden
laatvlijm fleam, lancet
lab = *laboratorium* id.
Laban: *vee van ~* scum (of the earth)
labbekak coward, milksop
labberdaan salt cod
labberdoedas: *iem. een ~ geven* give a p. a crack on the head (in the face, etc.), sock a p. in the eye, sock him one
labberen (*van zeilen*) flap
labberkoelte breath of air, slight air
label (tie-on) label
labiaal labial; **~pijp** (*orgel*) l. pipe, flue-pipe
labiaat *zie* lipbloem(ig)
labiel labile, unstable [equilibrium]
labium (*muz.*) lip
laborant laboratory worker (*of:* chemist)
laboratorium laboratory; (*fam.*) lab
laboreren labour; *~ aan* l. under [a disease, delusion, mistake]
Labrador Labrador
labyrint labyrinth; **~isch** labyrinthine
Lacedaemonië Lacedaemon; **~r, Lacedaemonisch** Lacedaemonian
lach laugh, laughter; (*glim~*) smile; (*inwendige ~*) chuckle; *in een ~ schieten* burst into a l., give a (sudden) l.; *zie* slap; **~bui** fit of laughter; **~duif** laughing-dove; **~ebek** giggly girl
lachen laugh; (*glim-*) smile; *inwendig ~* chuckle; *luid ~* l. aloud; *hij lachte eventjes* he gave a little l.; *~ is gezond* l. and grow fat (care killed the cat); *laat me niet ~, (fam.)* you're making me l., how absolutely ridiculous; *zich dood (kapot, rot, krom, slap, ziek, een aap, ongeluk, kriek, tranen, enz.) ~, barsten van 't ~* split one's sides with (die of) laughing, double up with laughter, l. fit to kill o.s., l. till one cries, l. till the tears come; *ik lach me dood om je*

you'll be the death of me; *hij lacht als een boer die kiespijn heeft* he laughs on the wrong side of his face (mouth); *hij kon niet meer ~* had forgotten how to l.; *wie het laatst lacht, lacht het best* he laughs best who laughs last; *nu was het hun beurt om (om mij) te ~* now they had the l. of me; *ik kon mijn ~ niet houden* I could not help laughing; *wie lacht daar?* who is that laughing?; *hij maakte ons aan 't ~* he set us off laughing, he raised a l.; *iem. doen ~* make a p. laugh; *hij deed ons voortdurend ~* he kept us laughing; *in zichzelf ~* l. to o.s., l. inwardly; *ik lach ermee* I don't care a bit, (*fam.*) (a) fat lot I care!; *~ om* l. at, l. over; *we lachten erom, ook:* we had our l. over it; *'t is niet om te ~* it's no laughing matter; *'t is om te ~* it's ridiculous; *er is niets om te ~* there is nothing to l. at; *~ tegen iem.* smile at a p.; *zie* dood, schudden, uitbarsten, vuistje

lachend smiling, laughing [*beide ook fig.:* landscape, etc.]

lacher laugher; *hij had de ~s op zijn hand* he had the laugh on his side; *~tje,* (*fam.*) ridiculous suggestion (etc.)

lach: ~gas laughing-gas; ~je little laugh, half(-)laugh; half(-)smile; ~kramp convulsions (spasms) of laughter; ~lust inclination to laugh, risibility; *de – opwekken* raise a l., provoke (move) to laughter; *ik kon mijn ~ niet bedwingen* I was unable to restrain my amusement; ~lustig ~ziek; ~meeuw *zie* kapmeeuw; ~spiegel distorting mirror; ~spier laughing-muscle, risible muscle; *op de –en werken* raise a l., tickle a p.'s fancy; ~stern gull-billed tern; ~stuip convulsion of laughter; ~succes comic success (hit); ~(ver)wekkend laughter-moving, -stirring, -making, laughable; (*belachelijk*) ridiculous, ludicrous, laughable; ~zenuw risible nerve; ~ziek given to laughing, giggly

laconiek laconic (*bw.:* -ally); easy-going

laconisme laconism, laconicism

lacune gap, lacuna (*mv.:* -ae), vacancy, void; *zie* leemte

ladder id. (*ook fig.: in kous* & get one's foot on the l., the social l.); (*in kous, ook:*) run; (*van wagen*) rack; *bovenaan op de maatschappelijke ~ staan* (*de top van de ... bereiken*) be at (reach) the top of the tree (*of:* l.); *lager op ...,* *ook:* lower in the social scale; ~auto motor fire-escape; ~en (*van kous*) ladder; ~wagen (*van brandweer*) l.-truck; *zie* ~auto; (*boerenwagen*) rack-wag(g)on; ~wedstrijd l. tournament; ~zat soaked, blind drunk

lade drawer; (*geld-, winkel-*) till; (*van geweer*) stock; ~lichten *zn.* till-robbing

laden I *tr.* (*schip*) load, lade; (*wagen*) load; (*accu, enz.*) charge (*ook: fig.:* the ... d atmosphere); *opnieuw ~* recharge [a battery]; *een grote verantwoordelijkheid op zich ~* shoulder a heavy responsibility; *zie* zwaar; II *intr.* load, take in cargo

ladenkast chest of drawers; (*hoog*) tallboy

ladenlichter till-robber

lader loader, charger

lading (*van schip*) cargo; (*van wagon, enz.*) load [visitors came in bus...s]; (*elektr. & vuurwapen*) charge; *inkomende* (*uitgaande*) ~ inward (outward) c.; *pas aangekomen ~en* recent arrivals; *~ innemen* take in c., load; *de ~ aanbreken* break bulk; *in ~ liggen* be (in) loading; *zonder ~ terugkomen* return empty (light, in ballast); ~meester loading-clerk, tally-clerk; ~shaven port of loading; ~skosten shipping-charges; ~splaats loading-berth

Ladinisch Ladin

Ladronen: *de ~* the Ladrones

laesie lesion

laf (*flauw*) insipid (*ook fig.*); (*van weer*) muggy; (*lafhartig*) cowardly, mean-spirited, faint-hearted, craven [fears], abject [surrender]; *~ en gemeen* dastardly [the ... attack on Pearl Harbour]; (*sl.*) funky; *~fe praat* empty talk; *zich ~ gedragen, ook:* show the white feather

lafaard coward, poltroon; *geniepige ~* dastard

lafbek *zie* lafaard

lafenis refreshment, comfort, relief

lafhartig *zie* laf; ~heid *zie* lafheid

lafheid insipidness, insipidity; (*lafhartigh.*) cowardice, cowardliness, pusillanimity

lag *o.v.t. van* liggen

1 lager *zie* laag 2

2 lager (*mach.*) bearing(s)

lager(bier) lager (beer)

lager: ~eind lower end, bottom; *aan de ~hand van* on the left of [the host]; L~huis House of Commons; *in het –* in the Commons; ~wal (*mar.*) lee-shore; *zie ook* wal

lagune lagoon

laisser-aller (*in pol., enz.*) (policy of) drift; *ongev.:* laisser-faire

lak 1 (*zegel-*) sealing-wax; (*op brief, wijnfles*) seal; (*vernis-*) lacquer, lac; (*~verf*) enamel; 2 (*smet*) slur, stain; *zie* smet; *allemaal ~* all humbug, all eye-wash; *ik heb ~ aan hem* I don't care a rap for him; *ik heb er ~ aan,* (*fam.*) (a) fat lot I care

Lakadiven: *de ~* the Laccadives

lakei footman, lackey; (*smalend*) flunkey

1 laken *ww.* blame, censure, find fault with; *te ~, zie* laakbaar

2 laken *zn.* (*stof*) cloth; (*bedde-*) sheet; (*tafel-*) cloth; (*fig.*) sheet [of snow, etc.]; *stof voor* (*bedde-*)*s* sheeting; *een met groen ~ bedekte deur* a baize-covered door; *hij kreeg van 't zelfde ~ een pak* he was served with the same sauce; *de ~s uitdelen* rule the roost (roast), boss the show; *in de ~s kruipen* go between the sheets; ~bereider c.-dresser; ~fabrikant clothier, c.-manufacturer; ~gilde Drapers' Company; ~hal c.-hall; ~handel *a)* c.-trade; *b)* clothier's business (*of:* shop); ~handelaar, ~koper clothier, c.-merchant, woollen draper; ~pers c.-press; ~s cloth; *er de –e bril bij opzetten* look closely (at ...); ~scheerder c.-shearer

lakenswaard(ig) reprehensible, blameworthy

laken: ~velder, ~veldse *koe* sheeted (*of:* belted) cow; ~winkel draper's (shop); ~zak sheet sleeping-bag

Lakkadiven: *de* ~ the Laccadives
lakken (*verlakken*) lacquer, japan, varnish; *wit gelakte tuinmeubelen* white enamelled garden furniture; (*brief, wijnfles, enz.*) seal
lakker japanner, varnisher
lakleer patent leather
lakmoes litmus; ~**papier** l.-paper
lakooi stock-gillyflower
laks lax, slack, indolent, flabby, supine
lakschoenen patent leather shoes, dress shoes; (*fam.*) patent leathers
laksheid laxity, laxness, slackness, indolence, supineness
lak: ~**spuit** spray gun; ~**stempel** wax stamp; ~**verf** enamel (paint); ~**vernis** lacquer
lakvogel waxwing
lakwerk japanned goods, lacquered ware, lacquer(s); (*'t lakken*) japanning
lakzegel wax seal
lala: *'t is maar* ~ it's but so so
lallen speak thickly
1 lam *zn.* lamb; *het L~ Gods* the Lamb of God; ~*meren krijgen* lamb; *de tijd van* ~*meren krijgen* the lambing-season
2 lam *bn.* paralysed, paralytic, palsied; (*van toets*) dumb; (*van schroef*) *zie* dol; (*lamlendig, vervelend*) tiresome, awkward; (*zie ook* beroerd); *zijn beide benen zijn* ~, *ook:* he is paralysed in both legs; *mijn arm is* ~ *van het pakjesdragen* … numb from …; *de veer is* ~ the spring won't work; ~ *slaan* beat [a p.] to a jelly, knock the stuffing out of a p.; paralyse, cripple [trade, industry]; *hij stond als* ~ *geslagen* he stood like a man stricken helpless; *zich* ~ *werken* work one's fingers to the bone; *dat* ~*me geld!* this wretched money!; *dat is een* ~*me geschiedenis* here's a pretty (an awkward) business; ~*me kerel*, *zie* lammeling; *'t* ~*me* (~*ste*) is … the worst of it is …; *een* ~*me* a paralytic, a palsied person
1 lama (*dier, stof*) llama, lama
2 lama (*priester*) id.; ~*ïsme* lamaism; ~**klooster** lamasery
Lambert(us) Lambert
lambertsnoot filbert
lambrekijn lambrequin; (*her. ook*) mantling; (*van ledikant ook*) valance
lambrizeren wainscot, panel; **lambrizering** wainscot, panelling, dado; *met een eikehouten* ~, *ook:* panelled in oak
lamel(le) lamella, *mv.:* lamellae; ~**leren** laminate
lamentatie lamentation; -**eren** lament
lamfer streamer, crape
lamheid paralysis, palsy; *met* ~ *slaan*, *zie* lam 2
lamineren laminate
lam: ~**lendig** (*akelig*) wretched [feel …]; *zie ook* lam 2, ~**menadig** & **laks**; ~**lendigheid** *zie* laksheid; ~**meling** wretched (rotten) fellow, rotter; ~**menadig** *zie* lamlendig; (*futloos*) spiritless
lammeren lamb
lammergier lammergeyer, bearded vulture
Lammert Lambert
lammertjesnoot filbert

lammetje (little) lamb, lambkin, baa-lamb
lamoen (pair of) shafts, thills
lamoenpaard shaft-horse, thill-horse
lamp id.; (*elektr.* ~*je*) bulb; (*radio*) valve, (*Am.*) tube; *naar de* ~ *rieken* smell (*of:* reek) of the l. (the midnight oil); *hij liep tegen de* ~ he got into the wrong box (into trouble), caught it, came to grief, landed in the soup; *er is geen olie meer in de* ~, (*fig.*) we are at the end of our tether
lampe- lamp- ~**glas** l.-chimney; ~**kap** l.-shade; ~**katoen** l.-cotton; ~**kousje** l.-wick; (*gloei-*) mantle; ~**nist** l.-man, -boy, 'lamps'; ~**nkoorts** stage-fright; ~**pit** l.-wick
lampetkan (water-)jug, ewer
lampetkom wash-basin, wash-hand basin
lampion Chinese lantern (*ook* = ~**plant**)
lampionvrucht winter-cherry
lamp: ~**isterij** lamp-room, -house; ~**je** *zie* lamp; ~**licht** l.-light; ~**olie** kerosene
lamprei lamprey
lampzwart lamp-black
lams: ~**bout** leg of lamb; ~**gebraad** roast lamb; ~**kotelet** lamb chop
lamslaan *zie* lam 2
lamsoor (*plantk.*) sea lavender
lamstraal *zie* lammeling
lams: ~**vacht** lamb's fleece; ~**vel** lambskin; ~**vlees** lamb; ~**wol** l.'s wool
lamzak (*plat*) *zie* lammeling
lamzalig miserable, wretched
lancaster (*stof*) Lancaster cloth; ~**gordijn** Lancaster blind
lanceer: ~**apparaat** launcher; ~**buis** (*van torpedo*) launching-tube; ~**inrichting** launching-gear; ~**plaats**, ~**platform** launching site, l. pad
lanceren launch [a torpedo, rocket, plan, new fashion, an enterprise, offensive]; start [a rumour]; put forward [an idea]; -**ing** launching, lift-off, blast-off
lancet lancet; ~**visje** lancelet; ~**vormig** l.-shaped, lanceolate(d)
lancier lancer; *de* ~*s*, (*vero.*) (*dans*) the lancers
land (*tegenov. water*) land; (*staat*) country, (*deftiger*) land; (*platte-*) country; (*stuk* ~) field; (*grond, grondbezit*) land [own a great deal of …], estate(s); (*landstreek*) country; (*fig.*) land [he is still in the … of the living]; *het* ~ *der verbeelding* the realm of fancy; *'t* ~ *der dromen* dream-land; *'t* ~ *van belofte* the l. of promise, the promised l.; *'s* ~*s wijs*, *'s* ~*s eer* do in Rome as the Romans do; *er is geen* ~ *meer achter* it is at the back of beyond (at the end of nowhere), it's miles away from anywhere; *hij heeft het* ~ he is annoyed, is in the dumps (the blues), (*sl.*) has the hump; *hij had 't* ~ *als een stier* he was thoroughly disgruntled; *ik heb er 't* ~ *aan* I hate it, it is hateful to me, (*'t stuit me tegen de borst*) it goes against the grain with me; *aan alles 't* ~ *hebben* be fed up with everything; *ik heb er gloeiend 't* ~ *aan* I detest it, I hate it like poison, it is my pet aversion; *ik heb er 't* ~ *aan hem te vragen* I hate asking him (to ask him); *ik heb 't* ~ *aan*

mezelf I am annoyed with myself; *ik heb 't ~ aan de vent* I hate (dislike) the fellow, I cannot stand (*of:* stick) him; *'t ~ hebben over* be (feel) vexed (annoyed) at (about); *'t ~ krijgen* get annoyed (vexed) [*over* at]; *ik kreeg er 't ~ aan* I took a dislike to it; (*sl.*) it gave me the hump; *iem. 't ~ doen krijgen* put a p. out of heart [*aan* with]; (*sl.*) give a p. the hump; *iem. 't ~ opjagen* rub a p. up the wrong way, spite a p.; (*fam.*) rile a p.; *aan ~* ashore [go …]; *aan ~ komen* land, reach the shore; *aan ~ zetten* put on shore (ashore); *door ~ ingesloten* l.-locked; *zijn naam is door 't hele ~ bekend* his name is a household word, is known throughout the length and breadth of the country; *de winter (de haring) is in 't ~* winter has come in, is here (herrings have come in); *in 't ~ met verlof* [be] home on leave; *ver het ~ in* far up-country; *naar ~* to the shore; *op 't ~* [live] in the country, [work] on the l., in the fields; *over ~ reizen* travel by l., overland; *te ~ en te water (ter zee)* by l. and sea, afloat and ashore; *strijdkrachten te ~* land forces; *bij ons te ~e* in our country, with us; *te ~ komen, zie* belanden; *uit welk ~ komt u?* what country are you from? what nationality are you?; *zie* zetten; *een meisje van 't ~* a country-girl; *van ~ steken, zie* wal; *voor rekening van den L~e* Government paid, at G. expense; *zie ook* bezeilen, stad, enz.

land: ~**aanwinning** land reclamation; ~**aard** national character; (*nationaliteit*) nationality; ~**adel** landed nobility; ~**arbeider** agricultural labourer

landauer landau; **landaulet** landaulet(te)

land: ~**basis** (*luchtv.*) shore-base; *met – shore*-based [aircraft]; ~**bewoner** countryman, *mv.:* countryfolk, -people; ~**bezit** landed property; (*wijze van bezit*) land tenure [in Java]; ~**bezitter, -ster** landowner, landed proprietor (*vrouw.:* proprietress); ~**bouw** arable farming; (*en veeteelt*) agriculture, husbandry; *Maatschappij van –* Agricultural Society; *zie* minister(ie)

landbouw- (*in sam. gew.*) agricultural; ~**akte** a. certificate; ~**bank** agrarian bank; ~**bedrijf** a. industry, agriculture, ploughland farming; ~**consulent** advisory a. expert; ~**cursus** a. course, a. class(es); ~**dierkunde** a. zoology; ~**dorp** a. village; ~**en** a. [population]; ~**er** farmer, agricultur(al)ist; ~**gereedschappen** a. implements; ~**grond** farming-land; ~**hogeschool** agricultural college; ~**huishoudkunde** a. economy; ~**krediet(bank)** a. credit (bank); ~**kunde** agriculture, a. science, agronomy; ~**kundig** agricultural, skilled in agriculture; ~**kundige** agriculturist, agronomist; ~**machines** farm machinery; ~**onderwijs** a. instruction; ~**produkten** a. produce, farm p.; ~**proefstation** a. experiment (*of:* research) station; ~**proefveld** experimental field; ~**schap** Agricultural Board; ~**school** a. school; ~**staat** a. country; ~**streek** a. district; ~**tentoonstelling** a. show; ~**tractor, -trekker** agromotor; ~**werktuig** a. implement; *–en* a. equipment; ~**werkzaamheden** work in the

fields, a. activities

land: ~**dag** diet; (*van pol. partij, enz.*) field-day; *zie* Pools; ~**dienst** (*tegenover* zeedienst), land service; ~**dier** land animal; ~**drost** bailiff, sheriff; (*Z.-Afr.*) landdrost; ~**edelman** country nobleman; ~**eigenaar** landed proprietor, landowner; ~**eigendom** landed property, real estate; ~**elijk** *a)* rural; (*dikw. boers*) rustic; pastoral [countryside]; *b)* national [daily *dagblad*]; ~**elijkheid** rurality; rusticity; ~**en** *intr.* land, disembark, go ashore; (*van vliegt.*) land, descend, come to earth, touch down; (*van watervliegt.*) alight, land; II *tr.* land, disembark; ~**engte** isthmus, neck of l.; ~**enploeg** national team; ~**enwedstrijd** international match; ~**- en volkenkunde** geography and ethnography; ~**- en zeemacht** Army and Navy

landerig bored, in the dumps, disgruntled; *het maakt je ~* it gives you the hump; ~**heid** the blues (dumps)

land: ~**erijen** landed property (*of:* estates); farm-lands; ~**genoot** (fellow-)countryman, compatriot; ~**genoten,** (*in den vreemde*) [British] nationals [in China, etc.]; ~**genote** (fellow-)countrywoman; ~**goed** country-seat, (landed) estate, property; ~**graaf** landgrave; ~**graafschap** landgraviate; ~**gravin** landgravine; ~**grens** land-frontier; ~**haai** (*uitzuiger van zeelui aan wal*) l.-shark; ~**heer** landowner, landed proprietor; (*in betrekk. tot pachter*) landlord; ~**hoeve** farm; ~**hoofd** l.-abutment; ~**huis** country-house, villa; *~je* cottage; ~**huishoudkunde** rural economy; ~**huishoudkundige** rural economist; ~**huisjesstof** casement cloth; ~**huur** l.-rent; ~**ijs** ice sheet, ice cap

landing landing, disembarkation; (*van vliegt.*) descent, landing, touch-down; ~**sbaan** (*van vliegt.*) runway; ~**sbaken** l.-beacon; ~**sboot** l. craft; ~**sbrug** gangway; ~**sdivisie** l. force; ~**sgestel** (*van vliegt.*) undercarriage, landing-gear; ~**sklep** (*van vliegt.*) (trailing edge) flap; ~**slicht** l.-light; ~**smast** (*van luchtschip*) mooring-mast; ~**spersoneel** ground-staff(s); ~**ssnelheid** (*van vliegt.*) l.-speed; ~**sstrook** airstrip; ~**sterrein** l.-ground, -area; ~**stouw** mooring-rope; ~**stroepen** l.-forces; ~**svaartuig** l.-craft; ~**swiel** (*van vliegt.*) l.-wheel

landinwaarts inland, up-country

land: ~**jeugd** country youth; ~**jonker** (country-)squire; ~**juweel** (*hist.*) dramatic contest; ~**kaart** map; *–formaat* double spread; ~**klimaat** continental climate; ~**kolonisatie** land-settlement; ~**krab** l.-crab; (*fig.*) l.-lubber; ~**leger** l.-forces; ~**leven** country-life, rural life; ~**lieden** country-people, -folk; ~**lo(o)p(st)er** vagabond, vagrant, tramp; (*Am.*) hobo; ~**loperij** vagrancy, vagabondage, wandering; ~**macht** l.-forces; ~**mail** overland mail; ~**man** *zie* buitenman & ~bouwer; ~**meetkunde** geodesy; ~**meisje** country-girl; (*als oorlogsvrijwilliger*) landgirl; ~**merk** landmark; ~**meten, ~meting** surveying; ~**meter** surveyor; (*rups*) looper, geometer; ~**metersketting** surveying-chain, Gunter's chain; ~**mijn** (*mil.*) l.-mine; ~~

ontginner reclaimer (of l.); ~ontginning l. reclamation; ~ouw field, pasture, region; ~paal boundary-post, -mark, frontier; ~pacht l.-rent; ~plaag public calamity, national scourge; ~post overland mail; ~punt zie ~tong; (hoog) headland; ~rat l.-rat; (fig.) l.-lubber, landsman; ~reis journey by l., overland journey (trip); ~rente l.-tax, l. revenue; ~rit crosscountry ride; ~rot zie ~rat; ~route overland route; ~sadvocaat a) (hist.) zie raadpensionaris; b) government attorney; ~sbelang national interest

landschap landscape (ook schilderij); scenery [imposing ... 'n indrukwekkend landschap]; region, district; ~pelijk of the l.; ~sarchitect l. gardener; ~schilder l. painter, landscapist; ~schilderen l. painting; ~spark (ongev.) national park; ~sschoon scenic beauty

landscheiding boundary

landschildpad land-tortoise

lands: ~dienaar public servant; ~gebouw State (of: government) building; ~grens national frontier, border; ~heer sovereign lord, ruler of the country; ~heerlijk sovereign; ~kas public treasury; ~kind native, child (son) of the soil; ~knecht lansquenet; ~lieden (fellow-)countrymen; ~man (fellow-)countryman; wat is hij voor een –? what country does he come from?; ~recht law of the land; ~regering government of the country; ~taal vernacular (language), mother tongue; national language

land: ~stad inland (provincial, country) town; ~storm (hist.) last reserves of the army; ~stormer, ~stormsoldaat (hist.) soldier of the l.; ~streek part of the country, region, district, quarter; ~strijdkrachten land-forces

lands: ~vader father of the people; ~verdediging defence of the realm; ~vrouw [our] sovereign lady; ~zaak national cause

land: ~tong spit (tongue, neck) of land; ~vast (mar., ook van luchtschip) zn. mooring-rope, m.-warp; ~verhuizer emigrant; ~verhuizing emigration; ~verkenning landfall [make a good ...]; ~verraad [high-]treason; ~verrader traitor to one's country; ~verschuiving landslip; ~volk country-people; peasantry; ~voogd governor (of a country), viceroy; (Ind.) governor-general; ~voogdes governess (of a country); (vrouw van de ~voogd) vicereine; ~voogdij governorship; ~waarts landward(s); – in inland; ~wacht (hist.) (Eng.) Home Guard; (bezette gebieden) Quisling militia; ~weer (hist.) militia; ongev.: territorial army; ~weerman (hist.) militiaman, ongev.: territorial; ~weg a) country-road, lane; b) overland route; ~werk field-labour; ~wijn wine of the country; ~wind landwind, -breeze, off-shore wind; ~winning l. reclamation; ~zaat native; ~ziek homesick; ~ziekig zie gemelijk & landerig; ~ziekte a) epidemic; b) homesickness; ~zijde landside

lang long; (van gestalte, enz.) tall [person, grass]; bw. ook: a l. time, [it won't satisfy him] for l.; nogal (vrij) ~ longish [a ... ride]; ~e broek l. trousers; een ~ gezicht, (fig.) a l. face [I hate l. faces], a face as l. as a fiddle; een ~ gezicht zetten pull a l. face; ~e hond greyhound; ~ papier l. bills, l. paper; hij is 6 voet ~ six feet high (tall), (met zijn schoenen aan) he stands six feet in his shoes; ~ zal hij leven! l. life to him; 3 mijlen ~, ook: three miles in length; een tijd (een jaar) ~ for a time (a year); 10 jaren ~ for a period of 10 years; zijn leven ~ all his life; men praatte er uren ~ over they talked about it by the hour (for hours together); ~e uren werken work l. hours; hoe ~ zal je 't nog verdragen? how much longer are you going to stand it?; ik kan geen uur ~er wachten I cannot wait another hour; dat doe je niet ~ achter elkaar you can't do that for any length of time; ~ van stof l.-winded; hij blijft ~ uit he is l. in coming; wat ben je ~ uitgebleven! what a time you have been!; hij bleef ~er dan ons lief was he outstayed his welcome; ~ bezig zijn over iets be l. over s.t.; hij is al ~ dood (weg) he has been dead (gone) a l. time; je had al ~ in bed moeten liggen you should have been in bed l. ago; ben je hier al ~? have you been here l.?; die hervorming had al ~ moeten plaatshebben the reform is l. overdue; daarmee is men al ~ opgehouden that has been l. discontinued; iem. die al ~ klant is a customer of long standing; al probeerde ik 't ook nog zo ~ if I tried ever so l., if I tried for a month of Sundays; hij viel zo ~ hij was he measured his length on the ground; iets ~ en breed bespreken discuss a thing at great length; 't is zo ~ als 't breed is it is as broad as it is l., it is six of one and half a dozen of the other; ik heb u in ~ niet gezien I have not seen you for a l. time, you are quite a stranger; ik heb hem in ~e jaren niet gezien I have not seen him for years; ~ geen honderd far short of a hundred; hij is ~ geen slechte vent (geen gek) he is not a bad fellow at all (far from being a fool); ~ niet, bij ~e (na) niet not nearly [so old as you], not by a long way (fam.: a long chalk, they are not the worst by ...); ~ niet allen not nearly all, by no means all; 't is ~ niet kwaad not at all bad; ~ niet groot genoeg far from big enough; ~ niet de eerste keer not the first time by many; hij is ~ niet zo rijk not nearly (nothing like, not anything like) so rich; ~ niet zoveel als ... nothing like what I needed; ~ niet zo goed als ... ook: far from being so good as ...; ze was ~ niet meer wat ze geweest was she was not a patch on what she had been; je hebt het bij ~e na niet geraden your guess is wide of the mark (is altogether wrong); we zijn er nog ~ niet, (ook fig.) we have a long way to go; de avonden vallen mij ~ the evenings drag with me; is de tijd je ~ gevallen? have you found the time l.?; de tijd viel hun ~ time hung heavy on their hands; ~er worden, zie lengen; op zijn ~st kan het tot morgen duren at the furthest (utmost, outside) it can only last till to-morrow; zie ook doen, hoe, jaar,

maken, meer, tand, vinger, enz.
lang: ~**aanhoudend** long-continued [unrest]; ~ **armig** l.-armed; ~**been** l.- shanks; (*spin*) daddy-long-legs; (*ooievaar*) stork; *ook* = ~**poot**(mug); ~**bek** (*vogel*) l.-bill; ~**benig** l.-legged, l. in the leg; ~**dradig** l.-winded, tedious, prolix; ~**dradigheid** l.-windedness, prolixity; ~**durig** l. [war], lasting [friendship], l.-established [relations], lengthened, prolonged [stay, absence], protracted [it is going to be a ... affair], lengthy [business], l.-term [sentence *vonnis*]; ~**durigheid** length, l. duration; ~**e-afstand**(s)-l.-distance [bomber, flight, match, runner]; ~**ebaan**- l.-distance [match]; ~**gehoopt** l. hoped-for; ~**gerekt** l.-drawn (out) [tone, negotiations], protracted [hearing *verhoor*]; *zie ook* ~**durig**; ~**gevreesd** l.-dreaded; ~**gewenst** l. wished-for; ~**hals** l.-necked person (*of:* bottle); ~**halzig** l.-necked; ~**harig** l.-haired; ~**hoofdig** *zie* ~schedelig; ~**jarig** of l. standing, of many years' duration; ~**levend** l.-lived; ~**levendheid** longevity; ~**lopend** l.-term [credits]; ~**neus** (*fam.*) nosy
langoest spiny lobster
lang: ~**oor** long-ear(s); donkey, hare, rabbit; ~**orig** l.-eared; ~**parkeerder** long-term parker; ~**poot**(**mug**) daddy-long-legs, crane-fly; *zie* ~**been**
langs along [houses ... the road]; *hier* ~, *alstublieft* this way, please; *planken* ~ *de muren* round the walls; ~ *mijn huis* [he came] past my house; *achter* (*voor*) ... ~ *gaan* pass behind (in front of) the horse; *bij iem.* ~ *gaan, zie* aangaan; *onder* ... ~ [go] under a ladder; ~ *een andere weg* [return] by another route; ~ *de hele weg* all along the road, the whole (entire) length of the road; *er staan bomen* ~ *de weg* the road is bordered by trees; *hij komt hier dikwijls* ~ he often passes (comes) this way; *hij praatte* ~ *mij heen tegen haar* he talked across me to her; ~ *elkaar heen praten* talk (be) at cross-purposes; *lopen* (*varen, enz.*) ~ skirt [the wood, the coast], pass along; *even* ~ *lopen bij iem.* drop in on s.o.; *dicht* ~ *de kust varen* (~ *de huizen lopen*) hug the coast (the houses); *ik gaf hem er van* ~ I gave him what for, let him have it, gave it him, laid into him [with a whip, etc.], gave him a sound thrashing; *geef ze er ongenadig van* ~! give them hell!; *hij kreeg er van* ~ he got it hot, got what for, caught it properly; (*van alle kanten*) he got it every way; ~**boord** alongside
lang: ~**schedelig** long-headed; (*wet.*) dolichocephalic; ~**slaper** late riser, lie-abed, (*vero.*) slug-abed
langsligger (*van vliegt.*) longeron
ang: ~**snavel**(**ig**) long-bill(ed); ~**speelplaat** long-play(ing) (L.P.) record; *op de* - *opgenomen* recorded on L.P.; ~**sscheeps** fore and aft; ~**staart**(**ig**) l.-tail(ed); ~**staartje** l.-tailed tit-(mouse); ~**stelig** l.-stalked [flower]
angstlevend longest-lived; ~**e** longest liver, survivor
angs: ~**verband** (*mar.*) stringer; ~**zaling** (*mar.*)

trestle-tree(s); ~**zij** alongside
lang: ~**tand** *zie* kieskauwer; ~**tong** l.-tongue, backbiter; ~**tongig** l.-tongued, backbiting; ~**uit** (at) full length; *hij viel* – *op 't ijs* he measured (stretched) his length on the ice; ~**verbeid**, ~**verwacht** l.-expected, l. looked-for; ~**vezelig** l.-staple [cotton]; ~**vingerig** l.-fingered; (*fig.*) light-, sticky-fingered; ~**vleugelig** l.-winged; (*wet.*) longipennate; ~**voetig** l.-footed; (*wet.*) longiped
langwerpig oblong; ~ *rond* oval; ~**heid** oblong form
langwijlig(heid) *zie* langdradig(heid)
langzaam slow (*ook fig.*), tardy, lingering; -*zame betaler* s. payer; *een* -*zame dood sterven* die by inches; -*zame verlamming* creeping paralysis; ~ *maar zeker* s. but (and) sure; *zeer* ~ dead s.; ~ *voor*-, (*achter*)*uit*, (*mar.*) easy ahead (astern); ~ *aan!* easy! steady!; ~-*aan-actie* go-slow strike; *zo* ~ *aan* gradually, by and by, by now; ~ *aan, dan breekt 't lijntje niet* easy does it; *langzamer gaan rijden* (*werken, enz.*), slow down, slack off, slacken speed, ease up; *langzamer laten gaan* slow down [the car]; ~ (*rijden*)! drive (go) slowly!; ~ *te werk gaan* go slow; ~ *spreken* speak slow(ly), (*gewoonte*) be s. of speech; *zie ook* haasten; ~**heid** slowness, tardiness
langzamerhand little by little, by degrees, gradually; *het water zal nu wel* ~ *koken* will be boiling by now; *ik word het* ~ *beu* I'm getting (beginning to get) tired of it; *hij zal het nu* ~ *wel weten* he will know it (must have got the point) by now
langzichtwissel long(-dated) bill
lankmoedig(heid) long-suffering
lanoline lanolin(e)
lans lance; *een* ~ *breken met* break a l. with; *een* ~ *breken voor* break a l. for, stand up for; *zie* vellen; ~**ier** lancer
lans: ~**knecht** *zie* landsknecht; ~**punt** l.-head; ~**schacht** l.-shaft; ~**spits** l.-head; ~**steek**, ~**stoot** l.-thrust; ~**vaantje** pennon; ~**vormig** l.-shaped
lantaarn lantern; (*van dak ook*) skylight; (*fiets*-, *straat*-) lamp; *grote* ~ *en weinig licht* big in body, but weak in brain; *die moet je met een* ~(*tje*) *zoeken* they don't grow on the bushes (on the hedgerows); ~ *van Aristoteles* Aristotle's lantern; ~**aansteker** lamp-lighter; ~**drager** l.-bearer; (*insekt*) l.-fly; ~**haak** (*van fiets*) lamp-bracket; ~**opsteker** lamp-lighter; ~**paal** lamppost; electric (electric light) standard; ~**plaatje** (l.-)slide; *lezing met* –*s* lantern-lecture; ~**tje** *zie* ~
lanterfant loiterer, idler, loafer; ~**en** loiter, idle, loaf, lounge (about); ~**er** *zie* ~
lanterlu (*kaartspel*) loo; ~**ën** play at loo
Laocoön Laocoon; *de* ~**groep** the L. group
Laodicea id.; -**ceeër** Laodicean
Laos id.; **Laotiaans, -tisch** Laotian
lap piece [of cloth, of skin], length [of cloth]; (*afgeknipt*) cutting; (*afgescheurd*) rag, tatter; (*overgebleven*) remnant; (*op kledingstuk*) patch; (*om te wrijven, enz.*) cloth; (*zeem*)

shammy; (*grond*) patch; (*vlees*) slice; (*bak-*) steak; (*klap*) slap [in the face], box [on the ears]; (*vent*) rotter; (*baanronde*) lap; ~*pen*, (*bij opruiming*) remnants, odd lengths; (*knipsels*) clippings; *gezicht van ouwe ~pen* sour face; *een ~ zetten op* put a patch on, *een nieuwe ~ op een oud kleed zetten* put a piece of new cloth upon an old garment; *'t werkt op hem als een rode ~ op een stier* it is a red rag to him, it's like a red rag to a bull; *alle ~pen* (= *zeilen*) *uithangen* spread every bit (crowd every stitch) of canvas; *de ~pen hangen erbij* it is in rags (in tatters); *de jas zat vol ~pen* was full of patches; *ik ben weer op de ~pen* I am on my legs again; *zie* ~je & *afvliegen*

Lap Lapp, Laplander

lapel id.

lapidair lapidary [style, etc.]

lapje *zie* lap; (*runder-, enz.*) steak; (*om vinger, enz.*) rag [on one's finger], bandage; ~ *grond* patch of ground, (*met aardappelen, enz.*), potato patch, etc.; *een ~ van 25* a twenty-five guilder note; *'t gaat hem voor het ~* he is sailing before the wind; *iem. voor het ~ houden* make fun of a p., pull a p.'s leg; ~**skat** tortoise-shell (cat)

Lapland id.; ~**er** id., Lapp; ~**s** Lappish

lapmiddel makeshift, palliative; ~**politiek** tinkering policy, policy of tinkering

lappen patch, piece, mend; cobble, patch (up) [shoes]; (*met zeem*) shammy [windows]; (*fig.*) manage (it); (*sp.*) lap; (*volkst.*) collect (money), have a whip-round; *aan iets* (*om*)~ tinker at s.t.; *hij lapt het hem wel* he'll manage it, he'll do the trick, he is sure to bring (pull) it off, he'll get there; *'t 'm prachtig ~* get there with both feet; *wie heeft me dat gelapt?* who let me in for this? who played me that trick?; *dat heb je 'em vlug gel.* that's pretty quick work; *dat heb ik 'em goed gel., hè?* not a bad job, eh?, (*Am.*) how's that for high?; *dat zal hij me niet zo gauw weer ~* he won't do that again in a hurry; *iem. erbij ~* cop a p.; *erdoor ~, zie* doorjagen *tr.; zie ook* laars

lappen: ~**boek** rag-book; ~**dag** remnant-day; ~**deken** patchwork quilt; (*fig.*) patchwork; ~**mand:** *in de – zijn* be on the sick-list, be under the weather, be crocked up; ~**pop** ragdoll

lapper patcher; (*schoen-*) cobbler

Laps Lapp

lapsus lapse, slip; ~ *calami* (*linguae, memoriae*), id.; slip of the pen (the tongue, the memory)

lapswans (*fam.*) rotter

lap: ~**werk** patchwork (*ook fig.*); *zie ook* ~middel; ~**zalf** quack remedy; ~**zalven** (*mar.*) tar down

lardeer: ~**priem** larding-pin, -needle; ~**sel**, ~**spek** lard; **larderen** lard

larie(koek) stuff and nonsense, flummery, flapdoodle, humbug, [it's all] moonshine, [a load of] codswallop; ~ *!* fiddlesticks! fiddle-faddle!

lariks(boom) larch

larve larva (*mv.:* larvae), grub; ~*n voortbrengend* larviparous; ~**cel** (*in bijenkorf*) cradle-

cell; ~**toestand** larval state, grub stage

1 las *o.v.t. van* lezen

2 las joint, weld, seam, scarf; *ook* = ~plaat; ~**baar** weldable; ~**doos** (*elektr.*) junction-box; ~**draad** electrode

laser id.

las: ~**ijzer** welding-iron; ~**kaar** Lascar; ~**plaat** (*van rails*) fish-plate; ~**sen** (*ijzer*) weld; (*hout*) joint, scarf; (*met zwaluwstaart*) dovetail; (*met tap en gat*) tenon, mortise; ~**ser** welder

lasso id.; lariat; *met een ~ vangen* lasso, rope

lasstaaf welding-rod

1 last (*vracht*) load, burden; (*lading*) load, (*van schip*) cargo; (*wat drukt*) burden, weight, load; (*hinder*) trouble, nuisance [the noise ...], bother, bore; (*opdracht*) instruction(s), order, command, (*jur.*) injunction; ~*en* rates and taxes, charges; *de ~ breken*, (*mar.*) break bulk; ~ (*instructies*) *geven* give instructions, instruct; (*in*) ~ *hebben te ...* be charged (instructed) to ...; *ik heb ~ van mijn rug* my back is troublesome (is troubling me); *heb je hier ~ van muizen?* are you bothered with mice here?; *zie ook* hinder; *ik heb geen ~ van hen* they don't give me any trouble; *zorg dat men geen ~ van je heeft* don't be a nuisance (make a nuisance of yourself); *hij heeft ~ van duizelingen* he is liable (subject) to fits of dizziness; *heb je ~ van mijn sigaar?* does my cigar trouble you?; *ze had ~ van verkoudheid* she was troubled with a cold; *hij had er een hoop ~ mee* he had a lot of trouble with it; *ieder kent zijn eigen ~ het best* everyone feels his own burden most; ~ (*opdracht*) *krijgen* receive instructions, be instructed; *je krijgt ~ met de jongen* that boy will give you trouble; *daar krijg je ~ van* it will get you into trouble; ~ *veroorzaken* cause (give, make) trouble, make o.s. a nuisance [to everybody]; *iem.* (*veel*) ~ *bezorgen* (*aandoen*) give a p. (a great deal of) trouble, put a p. to (great) inconvenience; *hij is een ~ voor zichzelf en zijn ouders* he is a burden to himself and his parents; *Holland in ~* Holland in distress; *toen was Holland* (*Leiden*) *in ~*, (*fig.*) *a*) there was the devil to pay; *b*) now we (they) were in a fix; *in ~ hebben te ...*, *zie bov.; de boedel aanvaarden met alle ~en* accept the estate with all its encumbrances; *gebogen onder de ~ der jaren* bowed down under the burden of years; *op ~ van* by order (the orders) of; *hij zit op zware ~en* his expenses are very high, he has to spend heavily; *ten ~e komen van* be chargeable to; *ten ~e van 't Rijk* (*de gemeente*) *komen, ook:* become a public charge; *de belasting komt ten ~e van de verhuurder* is borne by the landlord; *ten ~e van de gemeente komen, ook:* be chargeable to the rates, come upon the parish; *onkosten* (*komen*) *te uwen ~e*, (*hand.*) charges are for (will be debited to) your account; *hij legde 't mij ten ~e* he charged me with it, laid it to my charge (at my door); *zie* kind; *hij was zijn moeder tot ~* he was a burden on his mother; *hij maakte haar 't leven tot een ~* he made her life a burden; *ik ben t* *toch niet tot ~?* I am not in the way, I hope?; *meer tot ~ dan tot hulp* more hindrance than help; *iedereen tot ~ zijn* be a public nuisance; *zich kwijten van zijn ~* acquit o.s. of one's obligations

2 last (*maat*) 30 hectolitres; (*haring*) 14 barrels; (*scheeps~*) 2 tons; *een schip van 200 ~* of 400 tons' burden

last: ~**arm** (*van weegschaal*) weight arm; ~**beest** beast of burden, pack-animal; ~**brief** mandate; ~**dier** *zie* ~beest; ~**drager** porter

laster calumny, slander, backbiting; *een aanklacht indienen wegens ~* bring an action for defamation of character; *van de ~ blijft altijd wat hangen* if you throw enough dirt (mud) some of it will stick; ~**aar(ster)** slanderer, calumniator, defamer, backbiter, mud-slinger; ~**campagne** smear-campaign; ~**en** slander, calumniate, defame, vilify, backbite, cast aspersions on; *God –* blaspheme (God); ~**ing** slander, calumny, vilification; (*gods-*) blasphemy; ~**lijk** slanderous; defamatory [statement]; (*gods-*) blasphemous; ~**praatje** (piece of) scandal; –*s* scandal, malicious gossip; ~**proces** slander suit; ~**schrift** (defamatory) libel; ~**taal** slanderous (defamatory) language; ~**tong** slanderous tongue; (*pers.*) scandal-monger; –*en beweren ...* scandal has it ...; ~**woorden** slanderous words; ~**ziek** fond of scandal, slanderous; ~**zucht** love of scandal

last: ~**ezel** pack-donkey; ~**geld** tonnage, duty per ton; ~**gever**, ~**geefster** principal; ~**geving** instruction(s), commission, mandate; ~**hebber** mandatary, agent

astig[1] (*moeilijk*) difficult, hard; embarrassing [position]; (*netelig*) ticklish, delicate [question, position], trying [position], knotty [point]; (*moeilijk te regeren*) difficult, troublesome [child], problem [child]; (*ongelegen*) inconvenient, awkward [such a call is ... in the middle of your work]; (*vervelend*) annoying; (*veeleisend*) exacting, hard to please; ~*e leeftijd* awkward age; *haar vriendelijkheid was werkelijk ~* was really embarrassing; *de kleine is nogal ~ vandaag* baby is rather fractious today; ~ *als je wat krijgt* [alone in the house?] awkward if you get an illness; *wat ben je ~!* what a bother (*of:* nuisance) you are!; *ze is ~, ook:* she is bothersome; *een ~ geval* a d. (*of:* hard) case; *een ~e kerel* a troublesome fellow; *een ~e vraag a*) a d. question, poser, teaser; *b*) an awkward (embarrassing, a delicate) question; *ze zullen 't haar niet ~ maken* they won't make it difficult for her; *... maakten 't hem ~* his creditors pressed him hard; ~ *worden* become troublesome, make a nuisance of o.s.; ~ *vallen* trouble (*met* about), importune, worry, badger [*om* for], annoy, molest [don't m. the animals]; pester [he was always ...ing her to marry him], press [his creditors are ...ing him]; (*van vrouw op straat*) solicit [a man]; *ik zal u daarmee niet ~ vallen* I'll not bother you

about that; *dat is 't ~e van 't geval* that's the awkward part of it; ~**heid** troublesomeness, etc.

last: ~**lijn** load-line, Plimsoll('s) line (*of:* mark)
last: ~**paard** pack-horse; ~**pak** handful; ~**post** nuisance, bore; (*van pers., inz. jongen*) *ook:* [he, she, is a bit of a] handful; ~**punt** (*van hefboom*) weight

lat lath; (*doellat*) cross-bar; (*van jaloezie*) slat, lath; (*sabel*) (*sl.*) skewer; *aan de ~ten hangen*, (*fig.*) be on the rocks; *op de ~ kopen* buy on tick; *zie* mager

latafel table with drawer; *zie ook* ladenkast

laten (*toelaten*) let, permit, allow [she ...ed him to lead her from the room; have you ...ed the stove to go out?]; (*vero.*) suffer; (*ter opwekking*) let [... us go on]; (*onderstellen*) let [... ABC be any triangle]; (*in een toestand ~, ergens ~*) leave [... things as they are; ... it here]; (*nalaten, ophouden met*) stop, leave off; (*nalaten, verzuimen*) omit, help, forbear; (*zorgen, dat iets gebeurt*) have, make, cause, get; *men zal hem ~ betalen* he will be made to pay; (*gelasten*) order, command, tell, (*vero.*) bid; (*ader~*) bleed; (*vero.*) let blood; *iem. tijd ~* give (allow) a p. time; *een zucht ~* heave a sigh; *het drinken (roken) ~* leave off (give up) drinking (smoking), cut out the drink (smoking); *het roken ~, ook:* [he cannot] keep from smoking; *ik kan het niet ~* I cannot help it; I cannot break myself of the habit; *je kunt het net zo goed ~* (*ze waardeert het toch niet*) you might just as well not, ...; *we zullen 't hierbij ~* we'll leave it (let it go) at that; that will be the end [of our lesson], so far; *ze zullen 't daarbij wel ~* the matter will be left there; *we kunnen 't hierbij niet ~* the matter cannot rest here; *hij liet 't daarbij niet* he did not stop at that; *doe wat je niet ~ kunt* do your worst; *ik kan 't u ~ voor ...* I can let you have it for £5; *het ~ voor 't geen 't is* leave the matter there, let it rest; *dat laat zich niet ontkennen* there's no denying that; *zich ~ leiden* let o.s. be guided; *hij laat zich niet overtuigen* there is no convincing him; *'t laat zich gemakkelijk verklaren* it is very easily explained; *'t laat zich goed lezen* it reads well; *hij liet zich niet troosten* he would not be comforted; *'t laat zich niet vertalen* it cannot be translated; *'t laat zich niet beschrijven* it is indescribable, it beggars (defies) description; *zijn gedrag laat zich niet verontschuldigen* admits of no excuse; *men liet hem zonder hulp* he was left to his own resources; *laat dat!* stop it! don't!; *laat maar* (= *'t hoeft niet*) don't trouble; *dat zal je wel* – you'll do nothing of the kind; *laat dat praten* stop talking; *waar zal ik het ~?* where shall I put it?; *waar heeft hij 't geld gelaten?* what has he done with the money?; *waar hij dat alles* (*nl. zijn eten*) *laat is ...* where he puts it all is a mystery; *laat meneer in mijn kamer* (*boven*) show the gentleman into my room (up); *iem.*

Zie ook hinderlijk, moeilijk en vervelend

ver achter zich ~ leave a p. far behind, out-distance (outstrip) a p.; ~ *gaan (halen, komen, staan), zie* gaan, enz.; *men liet hem in de tuin werken* he was made to work in the garden; *laat ons bidden* let us pray; ~ *we niet vergeten* ... don't let us forget ...; *laat hij maar oppassen* he'd better look out; *laat 't dadelijk doen* get it done at once; *een huis ~ bouwen* have a house built; *we zullen A. ons huis ~ bouwen* we'll have A. build our house; *de lamp ~ branden* leave the lamp burning; ~ *maken* have ... made [where do you have your clothes made?]; *(repareren)* have ... repaired; *ik heb mijn paraplu bij u ~ staan* I left my umbrella at your house; *hij liet 't vallen* he dropped it, let it fall; *ik heb me ~ vertellen* I am told; ~ *vragen* send to inquire (to ask); *ik zal 't je ~ weten* I'll let you know, send (write) you word; *Sh. laat Hamlet zeggen* ... Sh. makes (has) H. say ...; ~ *zien* show; produce [one's ticket]; *ik liet hem 't museum zien* I showed him over the museum; *laat eens zien, wat* ... let me see, what was I going to say?; *laat hij nu ook P. heten!* (what) if he was not called ...; *zie ook* begaan, hoofd, horen, leven, wel *bn.,* werken, zitten, enz.

latent latent, dormant [abilities], potential [energy]

later I *bn.* later; *in ~e jaren* in after years, in after-life; *op ~e leeftijd* at an (a more) advanced age; *maar 't wordt ~, ook:* but time is getting on; II *bw.* later; *(naderhand)* afterwards, later on, subsequently; *even ~* by and by, presently; *maar daarvan ~* but of that l.; *ik kom hier ~ nog op terug* I shall come back to this point; *zie ook* laat

lateraal lateral

Lateraan Lateran; ~**kerk** L. (basilica); ~**paleis** L. (palace); ~**s:** *-e Concilies* L. Councils; ~**verdrag** L. Treaty *(of:* Pact)

latertje: *dat wordt een ~* it will be late before we are finished; **latex** id.

lathyrus vetchling, chickling (vetch); *(pronkerwt)* sweet pea

latierboom stable-bar

latifundiën latifundia

Latijn Latin; *dat is ~ voor me* that is Greek to me; ~**en** Latins; ~**s** Latin; *-e school,* (*hist.*) grammar-school

latijnzeil lateen

lating (*vero.*) bleeding, blood-letting

latinisme Latinism; **-niteit** Latinity

latinist Latinist, [a good] Latin scholar

latoen latten; **latrine** id.

latten *ww.* en *bn.* lath

latuw lettuce

latwerk lath-work, lathing; *(inz. voor leibomen)* trellis

laudanum id.; **lauden** lauds

Laura id.; **laureaat** (poet) laureate

Laurens Law(Lau)rence; **Laurentia** id.

laurier laurel, bay; ~**bes** l.-berry; ~**blad** l.-, bay-leaf; ~**boom** l.(-tree), bay(-tree); ~**kers** cherry-l., l.-, bay-cherry; ~**krans** l.-wreath; ~**kroon** l.-crown; ~**roos** oleander

lauw tepid, lukewarm; *(fig. meest)* lukewarm, half-hearted; ~**en** become lukewarm

lauwer laurel, bay *(gew. mv.);* ~**en behalen** reap laurels; *op zijn ~en rusten* rest on one's laurels (one's oars); ~**en** crown with laurels, laurel; *(hist.)* laureate; ~**krans** l.-wreath; ~**kroon** l.-crown

lauwhartig lukewarm

lauwheid tepidness, tepidity, lukewarmness, half-heartedness (*vgl.* lauw)

lava id.; ~**dek** l.-sheet, overlay of l.; ~**glas** obsidian, vitreous l.; ~**stroom** l.-stream, -flow, -torrent

laveloos (*fam.*) soaked, sodden (with drink), blotto

lavement enema; *een ~ zetten* administer an e. [to a p.]; ~**spuit** enema(-syringe)

laven refresh; *(fig.)* comfort, assuage; *zich ~* refresh o.s., slake *(of:* quench) one's thirst

lavendel lavender; ~**bloesem** l.-blossom; ~**olie** l.-oil; ~**water** l.-water

laveren tack (about), beat (up) against the wind; *(fig.)* tack, shift, steer a middle course

laving refreshment

lawaai noise, din, tumult, uproar, hubbub, hullabaloo, racket; *(kouwe drukte)* swank; *hels ~* pandemonium; *zie* herrie; ~**(er)ig** uproarious, tumultuous, noisy; knockabout [performance, play, comedian], rough-and-tumble [farce] – *heer* bounder; ~**maker** noise-maker, *(opschepper)* swanker, swankpot

lawine avalanche, snow-slip, snow-slide

laxans, laxatief *zie* laxeermiddel

laxeer: ~**drank,** ~**middel** laxative, opening medicine, aperient; ~**pil** purgative pill

laxeren purge, open the bowels; ~**d** laxative, aperient

lazaret lazaret(to)

lazarist Lazarist

Lazarus id.; *l~* leper; *ben je l~?* are you mad? *l~ zijn,* (*sl.*) be stinking drunk, be blotto; *zich het l~ schrikken,* (*plat*) be frightened to death **l~klep** (*hist.*) leper's clapper

lazer (*plat*) body; *op z'n ~ geven (krijgen)* give (get) a hiding; ~**en** *a)* *tr.* chuck, hurl; *intr.* drop, topple; *b)* make a fuss

lazerij leprosy; lazar house

lazuren azure

lazuur lazulite; ~**blauw** azure; ~**gewelf** azure vault (of heaven); ~**steen** azure-stone, azurit

leb(be) rennet

lebberen lap, sip, lick (up)

lebmaag rennet-stomach, -sack; (*wet.*) abomasum; **lecithine** lecithin

lector (*univ.*) reader [in biochemistry]; (*r.-k.*) id.; ~**aat** readership

lectrice (woman) reader [to the Queen]

lectuur reading; reading-matter; *prettige* agreeable r.; *'t rapport is prettige, enz.* ~ make pleasant (cheerful, dismal) r.; *ik zoek wat ~* am looking for something to read

ledematen limbs, members (of the body); *achterste (voorste) ~* hind- (fore-)limbs; *z ook* lid

leden: ~**lijst** list of members, membership roll; ~**pop** lay figure, dummy (figure), manikin; (*fig.*) puppet, figure-head; ~**tal** membership (figures) [the membership is 800]

leder leather; *zie ook* leer; ~**achtig** leathery; ~**bereider** l.-dresser, currier; ~**en** leather; ~**goed** *zie* ~waren; ~**huid** *zie* onderhuid; ~**karper** l.-carp; ~**schildpad** l.-turtle, l.-back; ~**waren** l. goods, l. articles, l. ware; ~**werk** l.-work

ledig empty; (*mar.*) *ook* light [return ...]; (*leeggelopen*) flat [battery, tyre]; (*leegstaand*) *ook:* unoccupied, vacant [house]; (*fig.*) empty [head, life, words], vacant [place]; (*nietsdoend*) idle; ~*e band,* (*ook*) flat; ~ *fust* empties, e. barrels (cases); *een* ~*e plaats achterlaten, zie* leegte; ~*e tijd* spare (leisure) hours (time); *mijn vulpen is* ~ my fountain pen is dry; *met* ~*e handen* [return] e.-handed; *de armen gingen met* ~*e handen van zijn deur* went e. from his door; *met een* ~*e maag* [go to school] on an e. stomach; *zie* huls; ~**en** empty; ~**gang** idleness; ~**gang(st)er** idler; ~**heid** emptiness; idleness (*zie* ~); – *is des duivels oorkussen* idleness is the parent of vice, the devil always finds work for idle hands; – *is de wortel van alle kwaad* idleness is the root of all evil

ledikant bed(stead); ~**gordijn** bed-curtain; ~**hemel** canopy, tester; ~**je** (*voor kind*) cot

1 leed *o.v.t. van* lijden

2 leed I *zn.* (*smart*) grief, affliction, sorrow, distress; (*letsel*) harm, injury, hurt; *'t doet mij* ~ it grieves (pains) me; *'t doet me* ~ *om u* I am sorry for you; *'t doet me* ~ *dat* ... I am sorry (I regret) that ...; *hem zal geen* ~ *geschieden* he shall suffer no harm; *zie* buurman & klagen; II *bn.: met lede ogen* with regret, with envious eyes; ~**vermaak** malicious pleasure (at the misfortune(s) of others), unholy glee

leedwezen regret; *met* ~ with r.; *tot mijn* ~ to my r.; *tot mijn* ~ *moet ik zeggen* ... I regret (am sorry) to say ...

leefbaar *a*) viable [child]; *b*) liv(e)able [surroundings]; ~**heid** liv(e)ability, amenity

leefgemeenschap *a*) commune; *b*) community; **leefklimaat** social climate; **leefmilieu** environment

leefregel regimen, diet, rule of life; *de dokter heeft mij een* ~ *voorgeschreven* I am under a r., I live under doctor's orders; *zie* dieet

leeftijd (*ouderdom*) age; (*levensduur*) lifetime; *boven de* ~, (*bijv. om half geld te betalen*) over a.; *op de* ~ *van* at the a. of; *op jonge* ~ at an early age; *op latere* ~ in later life; *op* ~ *komen* get on (advance) in years (life); *op mijn* ~ at my a., at my time of life; *een man op* ~ an elderly man; *van dezelfde* ~ [they are] of an a., (of) the same a.; *personen van dezelfde* ~ contemporaries; *toen ik van jouw* ~ *was* when I was your age; *klein* (*jong, oud*) *voor zijn* ~ small (young, old) for one's a. (*of:* years); *voor elke* ~, (*film*) U. = for universal exhibition; *zie* hoog, houden, mannelijk, uitzien; ~**sgrens** a.-limit; *heengaan wegens 't bereiken van de* – be superannuated; ~**sgroep, -klasse** age-group; ~**sopbouw** age structure, a. distribution; ~**sverschil** disparity in age

leeftocht provisions, victuals

leefwijze manner (way, mode, style) of life

leeg *zie* ledig; ~**branden** be burnt out (gutted); ~**drinken** empty, drain; *ik zou de zee wel kunnen* – I could drink the sea dry; ~**eten** clear [one's plate]; ~**gewicht** (*van vliegt.*) empty weight; ~**gieten** empty; ~**halen** clear out; (*plunderen*) loot, rifle [a safe]; ~**hoofd** feather-head, rattle-brain, -pate; ~**hoofdig** empty-headed, -pated, rattle-brained; ~**loop** idling [of a machine]; ~**lopen** empty [the room begins to ...], empty itself [the bottle (the cask) emptied itself], become empty; (*van fietsband*) go flat, go down; (*nietsdoen*) idle (about), loaf; *laten* –, (*fietsband, ballon, enz.*) deflate, let the wind out of [a tyre]; (*bad*) drain; ~*gel. band* flat (deflated) tyre, [I had a] flat; ~**loper** idler, loafer; ~**maken** empty; clear [a dish]; ~**plunderen** loot, rifle; ~**pompen** pump dry, drain (dry); (*klok van luchtpomp*) exhaust; ~**staan** stand (be) empty, be unoccupied (uninhabited); ~**stelen** rifle, loot; ~**te** emptiness; (*fig. ook*) blank, void; *zijn dood liet een* – *achter* left a blank (a gap); ~**zitten** be idle, sit with folded arms

leek layman (*ook fig.*); *de leken* the laity; *in rechtskwesties ben ik een* ~ where the law is concerned, I am only a layman; *een boek voor de beschaafde* ~ a book for the educated layman

leem loam, clay, mud; ~**achtig** loamy, clayey; ~**groeve** l.-pit; ~**grond** loam(y soil); ~**kuil, ~put** l.-pit

leemte gap, flaw [in the law], hiatus, void, blank, lacuna (*mv.:* lacunae); *een* ~ *aanvullen* fill up a gap (a void, a hiatus), supply a want; *er is maar één* ~ *in zijn betoog* there is only one flaw in his argument

Leen(tje) 1 Nell(y), Helen, Maud; 2 Len(nie)

leen (*hist.*) fief, feudal tenure; *in* ~ *hebben,* a) (*hist.*) hold in fee; *b*) have borrowed [s.t.], have the loan of [s.t.]; *ik bood hem deze boeken te* ~ *aan* I offered him the loan of these books; *te* ~ *geven, in* ~ *afstaan* lend, grant the loan of; *in* ~ *afgestane collectie* loan collection; *te* ~ *krijgen* get (obtain) the loan of, get [s.t.] on loan; *te* ~ *vragen* ask for the loan of; ~**bank** loan-office; ~**bezitter** feudal tenant; ~**brief** bill of enfeoffment

Leendert Leonard, (*fam.*) Len(nie)

leendienst feudal service

leeneed oath of allegiance (of fealty)

Leen- en Pachtwet Lend-Lease Act

leen: ~**goed** feudal estate (*of:* holding), fief; ~**heer** feudal lord, liege lord; ~**hof** court-leet, court-baron; ~**houder** *zie* ~man; ~**man** vassal, (feudal) tenant; ~**manschap** vassalage; ~**manstrouw** allegiance, fealty; ~**plicht** feudal duty; ~**plichtig** liege; ~**recht** *a*) feudal law; *b*) right of investiture; *c*) (public) lending right; *d*) lending fee; ~**roerig** feudal; ~**roerigheid** feudality; ~**spreuk** *a*) metaphor; *b*) motto, device; ~~

stelsel feudal system; ~**tjebuur** *spelen* borrow (right and left); ~**vertaling** loan translation, calque; ~**vorst** feudal prince; ~**vrouw** liege lady; ~**wezen** feudalism; ~**woord** loanword

leep cunning, sly, shrewd, deep; ~**heid** slyness, cunning; ~**ogig** blear-eyed; ~**oog** bleared eye; (*pers.*) blear-eye

leer 1 leather; *van een andermans ~ is 't goed riemen snijden* it is easy to cut (large) thongs out of another man's l.; *van ~ trekken* draw the sword; go at it, let fly, hit out, wade in, pitch into a p.; *~ om ~* tit for tat, blow for blow; *voor samenstell. zie ook* leder; 2 ladder; 3 (*les*) lesson; (*~stelsel*) doctrine; (*theorie*) theory; ('*t leerling zijn*) apprenticeship; *laat dit je een ~ zijn* let this be a l. to you; *in de ~ doen bij* (bind) apprentice to; *in de ~ zijn* serve one's apprenticeship [*bij* with]; *in de ~ gaan* (*zijn*) *bij* be apprenticed (articled) to; *wat kokkunst betreft zou je bij haar in de ~ kunnen gaan* in the matter of cooking you could learn a thing or two from her; *zuiver in de ~* sound in the faith

leerachtig leathery

leer: ~**begrip** principle, element, dogma; ~**boek** text-book, lesson-book, manual; *eerste ~boekje* primer; ~**contract** indentures, articles (of apprenticeship); ~**dicht** didactic poem

leerdoek leather-cloth, imitation leather

leer: ~**film** educational film; ~**gang** course (of instruction); (educational) method; *zie ook* ~plan; ~**geld** *a*) (*van leerjongen*) apprentice-fee; *b*) *zie* schoolgeld; *ik heb ~ betaald,* (*fig.*) I've learned by (bitter) experience

leergierig studious, eager to learn; ~**heid** ... ness; **leergraag** *zie* leergierig

leer: ~**jaar** year's course, [1st etc.] form, class; [he was the first of his] year; ~**jaren** *zie* ~tijd; ~**jongen** apprentice; ~**kracht** teacher, master, instructor

leerling pupil; (*leerjongen*) apprentice [to a grocer, *bij* ...]; (*in opleiding*) trainee; (*algem.*) disciple, pupil; ~**contract** *zie* leercontract; ~**stelsel** apprentice system; ~~**verpleegster** student nurse; ~~**vlieger** aircraft apprentice

leerlooien tan; ~**er** tanner; ~**erij** tannery

leer: ~**lust** studiousness; ~**meester** teacher, master, tutor, preceptor; ~**meesteres** teacher, mistress; *zie* ondervinding; ~**meisje** (female) apprentice; ~**middelen** educational appliances (media); ~**overeenkomst** indentures; ~**plan** curriculum (*mv.*: curricula), syllabus (*mv.*: -bi & -buses); ~**plicht** compulsory education; ~~**plichtig** schoolable; *-e leeftijd* s. age, school-age; ~**proces** learning process; ~**rede** sermon; ~**rijk** instructive, informative, informing, improving [book]; ~**school** (*algem.*) school [of discipline, of adversity]; *inz.*: demonstration (*of:* practice) school (attached to a training-college); *een harde ~ doorlopen* learn in a hard school; ~**stellig** dogmatic (*bw.*: -ally), doctrinal; ~**stelling** tenet; (*kerkelijk ook*) dogma; ~**stelsel** system; ~**stoel** (professorial) chair [*voor 't Duits* of German]; ~**stof** subject-

matter of teaching, subject(s) for tuition; ~**stuk** dogma, doctrine, tenet; ~**tijd** time to learn, pupil(l)age; (*van leerjongen*) (term of, years of) apprenticeship, period of training; *zijn - uitdienen* serve one's apprenticeship (one's articles) [*bij* with]; *zijn - achter de rug hebben* be out of one's articles (time, indentures)

leertje thong, strap; (*van schoen*) tongue; (*van kraan, enz.*) washer

leertouwen curry (*of:* dress) leather

leertouwer currier, leather-dresser

leervak subject (of instruction)

leerwerk enz., *zie* leder-

leerwijze method of teaching

leerzaam *a*) teachable, docile, studious; *b*) *zie* leerrijk; ~**heid** *a*) docility, teachableness, studiousness; *b*) instructiveness

leesapparaat (*voor microfilms e.d.*) reader

leesbaar (*naar inhoud*) readable, worth reading; (*van schrift*) legible, readable; ~**heid** readableness; legibility; [machine] readability

lees: ~**beurt** turn to read; (*van spreker*) lecturing-engagement, lecture; *zie* spreekbeurt; ~~**bibliotheek** circulating-, lending-library; ~~**boek** reading-book, reader; ~**bril** reading-glasses; ~**drama** closet-play (*tegenov.* acting-play); ~**gezelschap** *zie* ~kring; ~**glas** reading-glass; ~**inrichting** *zie* ~bibliotheek & ~zaal; ~**kabinet,** ~**kamer** reading-room, library; ~~**kring** reading circle; ~**kunst** art of reading; ~**lamp** reading-lamp; ~**lessenaar** reading-desk; ~**lust** love of reading; ~**mis** low mass; ~**museum** public reading-room; ~**oefening** reading-exercise; ~**onderwijs** instruction in reading, reading-lessons; ~**portefeuille** selection of magazines (and books) read in turn by members of '~kring'; ~**stof** reading-matter; ~**stuk** *a*) fragment (passage, piece) for reading; *b*) *zie* ~drama

leest last; (*om de vorm te bewaren*) (boot-)tree, (*van pers.*) figure, waist; *slanke ~* slender waist; *schoenmaker, blijf bij uw ~* cobbler, stick to your l.; every man to his trade; *schoeien op de ~ van* model upon (after); *op een andere ~ schoeien* cast in a different mould; *op goede ~ geschoeid* laid on the right lines; *op dezelfde (op conservatieve) ~ geschoeid* organized on the same (on conservative) lines; *op de ~ slaan* (*zetten*) (put on the) last, tree [shoes]

lees: ~**tafel** reading-table; ~**teken** punctuation-mark, stop; ~**toon** tone, intonation (in reading); ~**trant** manner of reading; ~**trommel** box? dispatch-box; ~**uur** reading-hour, hour set apart for reading; ~**vaardigheid** reading ability; ~**voer** reading matter; ~**wijze** *zie* ~trant; ~**wijzer** book-mark(er); ~**woede** mania (passion, craze) for reading; ~**zaal** reading-room; *openbare -* public library

leeuw lion; *iem. voor de ~en gooien* throw a p. to the lions; ~**aapje** l.-monkey, silky marmoset; ~**achtig** l.-like, leonine

leeuwe- lion: ~**aandeel** *zie* ~deel; ~**bek** l. mouth; (*plant*) snapdragon; ~**deel** l.'s shar 't – in 't gesprek hebben do most of the talking; *Richard* L~hart Richard the L.-hearted, Richard L.-heart, R. Coeur de Lion; ~hok l.'s cage; ~huid l.'s skin; ~jacht l.-hunt(ing); ~jong *zie* ~welp; ~klauw l.'s paw; (*plant*) lady's mantle, l.'s foot; ~kooi l.'s cage, ~kuil l.'s den; ~manen l.'s mane; ~moed a lion's courage; *vol* – l.-hearted; ~muil l.'s mouth; ~ntemmer l.-tamer

leeuwerik (sky)lark
leeuwe- lion: ~staart l.'s tail; ~tand l.'s tooth (*ook plant*); ~welp l.'s cub (*of:* whelp)
leeuwin lioness
leeuwtje little lion; (*hond*) lion-dog
leewater synovia, synovial fluid; (*als ziekte*) synovitis; (*fam.*) [have] water on the knee
lef pluck, grit, nerve; (*airs*) swank; *als je ~ hebt!* if you dare!; ~doekje breast-pocket handkerchief
leg lay; *aan de ~* in lay; *goed aan de ~ zijn* be in good laying-condition; *de kip is van de ~* the hen has stopped laying
legaat 1 legacy, bequest; *een ~ krijgen* come in for a legacy; 2 (*pauselijk ~*) legate
legalisatie legalization; -seren legalize, make valid; legalisme legalism
legataris legatee; -teren *zie* vermaken 3
legatie legation, embassy
legboor ovipositor; legbord shelf; legbuis oviduct; legdoos *zie* legkaart
legen *zie* ledigen
legendarisch legendary
legende legend (*ook van munt, van kaart, enz.*); (*van kaart ook:*) key, reference; (*fig.*) myth; *volgens de ~ is ... l. has it that ... is ...*
leger 1 army; (*vero.*) host; (*fig.*) host, army [of photographers]; ~ *des heils* Salvation Army; 2 bed; (*van haas*) form; (*van wild dier*) lair; (*van wolf*) haunt; ~aanvoerder *zie* ~commandant; ~afdeling body of troops; ~bed camp-, field-bed; ~begroting a.-estimates; ~bende band of soldiers; ~bericht a.-bulletin; ~bestuur a.-administration, *ongev.:* Army-Council; ~commandant commander-in-chief; ~dag field-day; ~district command; ~en *a*) encamp [troops]; *b*) (*van koren, enz.*) lay, lodge, flatten; *zich –* encamp; *de vijand ~de zich om de stad* the enemy sat down before the town
legéren alloy
leger: ~hoofd commander-in-chief; ~ing encampment
legéring alloy
leger: ~kamp army camp; ~korps a.-corps; *de* ~leiding a. command; ~macht armed forces; ~onderdeel a.-unit; ~order a.-order; ~plaats camp, encampment; *heidense –* Celtic field; ~predikant a.-chaplain; ~schaar host; ~stede couch, bed; ~tent a.-tent; ~trein military train; ~tros baggage (of an a.), impedimenta; ~verpleging supply; (*concr.*) supply-department
leges legal charges (*of:* dues), fee
leggen lay (*ook van kippen:* laying hens), put, place; (*sp.*) throw, knock out, lay out, stretch

out; ~ *bij* put [these papers] with [the others]; ~ *in* read [a certain meaning] into [words], throw [a note of agony] into [the music], infuse [one's life] into [one's poetry]; *een pleister* (*zalfje*) ~ *op* apply a plaster (an ointment) to; *ze legden een stuiver op de prijs* they put a penny on the price; *zie* beslag, kaart, kiel, nadruk, enz.
legger (*pers.*) layer; (*balk*) ledger; (*van spoorw.*) sleeper; (*in molen*) bed-stone; (*register*) register; (*van krant, enz.*) file; (*voorbeeld*) exemplar; (*standaardmaat*) standard; (*maat voor arak, enz.*) leaguer; *ook =* leghen layer, laying-hen
leghok laying-house
leghorn (*kip*) id.
legio legion; *hun aantal is ~* their number (name) is l.; ~ ... a host of [subjects], no end of [people, books]
legioen legion [the L. of Honour]
legislatief, -tuur legislative, legislature
legitiem legitimate
legitimatie legitimation; ~bewijs identification (identity) paper (*of:* card)
legitimeren legitimate; *zich ~* prove one's identity; legitimist id.
legitimiteit legitimacy
leg: ~kaart *zie* ~puzzel; ~kast (linen-)cupboard; ~kip *zie* ~hen; ~order (*hand.*) standing order; ~penning medal; ~puzzel jig-saw (puzzle); ~tijd laying-season
leguaan iguana; (*mar.*) pudd(en)ing
leguminoos leguminous plant
1 lei *o.v.t. van* leggen
2 lei slate; *vgl.* ~steen; *een schone ~ hebben* (*met ... beginnen*) have (start with) a clean s. (*of:* sheet); ~achtig slaty
leiband leading-string(s); *aan de ~* in leading-strings; *hij loopt aan de ~ van zijn vrouw* is tied to his wife's apron-strings
leibedekking slate roofing, slating
leiboom espalier (tree), wall-tree, fan-trained tree
leidak slate(d) roof; leidekker slater
Leiden id.; *zie* Jantje, last
leiden lead [a p., a party, a bad life, the conversation], conduct [a campaign, business, an investigation, the service], manage [a business], guide [a p.'s steps, a boy's natural instincts, a missile], usher [a p. upstairs], direct [a work, etc.], train [plants]; (*sp.*) lead, be in the lead; *'t onderzoek ~, ook:* be in charge of the investigation(s); *een ellendig (eenvoudig) bestaan ~* l. a miserable (simple) existence; *een bijeenkomst ~* conduct a meeting; *zie ook* presideren; ~ *tot* l. to [a discovery, a good result, high words], induce [a critical habit of mind]; *wat tot dit toneel leidde* what led up to this scene; *tot niets ~* l. nowhere, [arguments that] serve no purpose; *onze weg leidde door ... our* way led through ...; *iem. door de menigte ~* shepherd a p. through the crowd; *iets ~ via ... channel s.t. through ...; zich laten ~ door* be guided by, go by [one's feelings, judg(e)-

ment]; *hij liet zich door vooroordeel* ~ he was swayed by prejudice; *verkeerd geleid* misdirected [genius]; *zie* baan, tuin, verzoeking, enz.; ~**d** *beginsel* guiding (ruling) principle; ~*de positie, ook:* executive position (post) [in a business]

leider leader [of a party, etc.], conductor, guide; *(van reisgezelschap ook)* courier; *(van cabaret, enz.)* compère; *vgl.* leiden

leiding conduct [of the war], guidance [under my ...], lead [follow a p.'s ...], leadership [aspire to the ...], direction [under the ... of], management (*vgl.* leiden), control; *(van waterleiding, enz.)* conduit-pipe(s), service-pipe(s), *(hoofd-)* main(s); *opgaande* ~ up service; *zie* licht~; *elektr.* ~ *aanbrengen in* wire [a house]; ~ *der zaken* c. of affairs; *iem. van de* ~ someone in authority; *de* ~ *ontbrak,* (*in de oorlog*) generalship was lacking; ~ *geven aan* give guidance to, lead [the conversation]; *P. gaf zijn ploeg de* ~ put his team into the lead; *de* ~ *hebben* have (be in) control, (*bij rennen*) be in the lead, (*ook fig.*) make the running; *de* ~ (*op zich*) *nemen* take the lead, take charge (command, control), (*bij rennen, ook fig.*) take up the running, (*van onderzoek*) take charge of the investigation(s); *onder* ~ conducted [tour], guided [visit]; *onder* ~ *van* under the leadership (management, guidance, etc.) of; (*kerk-*) *dienst onder* ~ *van* service conducted by; ~**gevend** executive [staff *personeel*], managerial [position]; ~**water** tap-water

leidmotief leitmotif, -tiv

leidraad guide, key, guiding principle; guideline

Leids (of) Leiden; ~*e fles* L. jar; ~*e kaas* cummin cheese

leid: ~**sel** rein; *mv. ook:* ribbons; ~**sman** guide, monitor, mentor, leader; ~**star** guiding-star, lodestar; ~**ster** guide; ~**svrouw** guide, monitress

leien slate; *het gaat van een* ~ *dakje* it is plain sailing; *alles ging van een* ~ *dakje* everything went smoothly, swimmingly, on (oiled) wheels, like clockwork

leigrauw, -grijs slate-grey

leigroeve slate-quarry

leihond leash-hound

leikabel guide-rope

leikleur(ig) slate-colour(ed)

leiplaat (*luchtv.*) baffle-plate

Leipzig id.

leisponning guideway

leistang guide(-rod)

leisteen slate; shale; ~**achtig** slaty; shaly; ~**bedding** slate-bed; ~**olie** shale oil; **leitje** *zie* lei

lek I *bn.* leaky; *(van fietsband)* punctured; *zo* ~ *als een zeef* as l. as a sieve (as a basket); *de kan is* ~, *ook:* the jug will not hold water, leaks; ~ *zijn (van schip)* make water; *(van dak, schoenen)* be l., let in the water; **II** *zn.* leak, leakage; (*in fietsband*)[have a] puncture; (*gas-*) leak(age), escape (of gas), fault [in a geyser]; *een* ~ *stoppen* stop a leak (*ook fig.*); *'t schip*

kreeg een ~ sprang a leak, was holed [by a rock]; ~**bakje** drip-cup; ~**bier** drip-beer, trickle-ale; ~**doek** filtering-cloth

leke: ~**broeder** lay brother; ~**rechter** lay judge; ~**zuster** lay sister

lek: ~**honi(n)g** virgin honey; ~**kage** leakage, leak; (*vergoeding voor* –) leakage, allowance for drainage

lekken leak [... like a sieve, like a basket], have a leak, be leaky, drip; *(van schip)* make water; *de dijk lekt* water is filtering through the dike; *(likken)* lick (*ook van vlammen*); ~*de vlammen* licking (lambent, lapping) flames

lekker *(van eten, enz.)* nice, delicious, good, toothsome, palatable, tasty; *(van weer)* nice; *(van geur)* nice [smell ...], sweet; *(kieskeurig)* dainty, nice, fastidious, lickerish; ~ *hapje* titbit; *een* ~*e jas* a comfortable *(fam.:* comfy) coat; *'n* ~*e jongen,* (*iron.*) [you're] a nice one!; *'n* ~*e meid* (*griet*) a cuddlesome baby; *ik ben niet* ~ I am out of sorts (not) myself), don't feel quite the thing (quite fit, up to the mark), feel a bit below par, am a bit under the weather; *je bent niet* ~*!,* (*sl.*) (you're) nuts! you're crazy!; *ik ben zo* ~ *als kip* I am as right as rain (as a trivet), I feel top-hole; *ben je daar niet* ~ *mee?* aren't you pleased with it? (*fam.*) aren't you bucked?; ~ *eten,* *a)* enjoy one's meal; *b)* have an excellent dinner; *geld uitgeven aan* ~ *eten* spend money on good eating; *veel van* ~ *eten en drinken houden* be fond of good living; *iem.* ~ *maken* rouse expectations in a p., make a p.'s mouth water [for a thing]; *(vleien)* (*sl.*) butter a p. up, soft-sawder (soft-soap) a p.; *ik heb* ~ *geslapen* I've slept well, I've had a n. sleep; *'t smaakt* ~ it tastes n.; ~ *vinden* enjoy; *'t is hier* ~ *warm* it is n. and warm here; ~ *zoet* n. and sweet; ~ *zwart* good and black; ~ *is een vinger lang* 'short and sweet'; *'t* ~*ste voor het laatst bewaren* keep the best till the last; *ik doe 't* ~ *niet,* **dank** *je* ~*!* nothing doing! thank you for nothing! not me, thank you!; ~*!* serve you (him, her) right!; *'t is wat* ~*s!* a nice job! a fine to-do!

lekker: ~**beetje** titbit; ~**bek** gourmet; epicure; –**je** fried fish fillet; ~**bekken** feast, have a tuck-in; ~**bekkig** dainty, nice; ~**heid** daintiness, deliciousness, niceness; ~**maker(ij)** *zie* likker(ij); ~**nij** dainty, titbit, delicacy

lekkers sweets, sweetmeats, goodies, tuck; *zie ook* lekker; ~**kraampje** sweet-stall; ~**winkel** sweet-, tuck-shop

lekkertje sweet; ~**s** *zie* lekker

lek: ~**steen** filtering-, drip-stone; ~**stroom** leakage current; ~**weerstand** (*radio*) grid-leak; ~**wijn** wine-drippings

lel *(van oor)* lobe; *(huig)* uvula; *(van pluimvee)* wattle, gill; *(vod)* rag, tatter; *(slet)* slut; *(klap)* clout

lelie lily [consider the lilies of the field, *bijb.*] (*her.*) flower-de-luce; *witte* ~ white l., Madonna l.; ~**achtig** l.-like, liliaceous; ~**blad** l.-leaf; ~**blank** l.-white; ~**tje(-van-dalen)** l. of the valley

lelijk ugly [monster, building; *van pers.* = *foei~*], plain [women], (*Am.*) homely [features]; (*fig.*) ugly [rumour, omen, practice, sea], nasty [taste, habit, blow, cut, accident, fellow], bad [I've got a ... cold, be ... ly burnt, burn one's fingers ...ly, smell ..., a ... habit]; *hij was ~ geschrokken* he had a nasty fright; *een ~ gezicht trekken* make a wry face (a grimace); *dat is ~, nu kan ik ...* that's awkward, I cannot find my key; *dat treft ~* that's awkward; *zo ~ als de nacht* (as) u. as sin; *~ worden* (*van pers.*) go off in one's looks; *ze was ~ gew.*, *ook:* her looks had passed; *dat ziet er ~ uit*, (*fig.*) that looks u. (*zie ook* uitzien); *hij zei een ~ woord* a bad word; *zie* inzitten, steek, enz.; *~erd* u. fellow; (*fig.*) nasty fellow; scamp; **~heid** ugliness, plainness; **~ruikend** evil-smelling
lellebel slut
lellen (*fam.*) jabber; *iem. over iets aan de oren ~ din* s.t. into a p.'s ears
lemen *bn.* loam, mud [wall, floor, hut]; *~ voeten* feet of clay; *ww.* loam
lemma id., headword, entry (word)
lemmer, lemmet blade; *met één (twee) ~s, ~en* single- (double-) bladed [knife]
lemming id.
Lemnos id.; *van ~* Lemnian
lemoen enz., *zie* lamoen, enz.
lemur id., maki
Lena id., Helen, Nell(y)
lende loin; **~ader** lumbar vein; **~jicht** sciatica, hip-gout; **~lam** hip-shot; **~ndoek** loin-, waist-, breech-cloth; **~nkussen** small cushion, support (for the back); **~pijn** lumbar pain, lumbago; **~slagader** lumbar artery; **~spier** lumbar muscle; **~streek** lumbar region, small of the back; **~stuk** saddle [of mutton], sirloin [of beef]; **~wervel** lumbar vertebra (*mv.:* -brae)
lenen (*geven*) lend [to]; (*Am.*) loan; (*ontvangen*) borrow [of, from], have the loan of [one's neighbour's lawn-mower]; (*rek.*) borrow; *links en rechts ~* borrow right and left; *geld ~ op* l. (borrow) money on [securities]; *'t oor ~ aan* l. (an) ear (one's ears) to, give ear to, incline one's ear to; *gewillig 't oor ~ aan* l. a willing ear to; *ik wil er mij niet toe ~* I will not l. myself to it; *zich uitstekend voor 't doel (tot baden) ~* l. itself admirably to the purpose (to bathing)
~ener *a*) lender; *b*) borrower; *vgl. 't ww.*
~eng 1 ling; 2 (*mar.*) sling; 3 rope (*in bier*)
~engen lengthen (*tr. & intr.*); *zie ook* aanlengen; *de avonden ~, ook:* the evenings are drawing in; *de dagen ~, ook:* the days are drawing out
enging lengthening
~engte length; (*van pers.*) height, size, stature, [a man of your] inches; (*geogr.* ~) longitude; *'t heeft dezelfde ~ als ...* it is the same l. as ...; *de kamer besloeg de hele ~ van 't huis* went the l. of the house; *door (in) ~ van tijd* in course of time; *in de ~* [three metres] in l.; [place, saw] lengthwise, lengthways; *in zijn volle ~* (at) full l.; *zie ook* languit; *hij richtte zich op in zijn volle ~* he drew himself up to his full height;

over de ~ van ... [the wire runs] the l. of the room; *ter ~ van* the l. of [my thumb], [five feet] in l.; *tot in ~ van dagen* for many years to come; *het moet uit de ~ of uit de breedte* it must be found (*of:* managed) somehow; **~as** longitudinal axis, lengthwise a.; **~cirkel** meridian, circle of longitude; **~dal** longitudinal valley; **~doorsnee** longitudinal section; **~draad** longitudinal thread; **~ëenheid** unit of l.; **~graad** degree of longitude; **~maat** linear (*of:* long) measure; **~meting** taking the longitude; **~richting:** *in de ~* lengthways, -wise, longitudinally
lenig supple, lithe, pliant, limber; *~ maken* limber (up); **~en** relieve, alleviate, assuage, mitigate, ease; **~heid** ... ness (*zie ~*), pliancy; **~ing** relief, alleviation, mitigation, assuagement
lening loan; *een ~ sluiten* contract (negotiate) a l.; *een ~ tot stand brengen* float a l.; *een ~ uitgeven (plaatsen)* issue (place) a l.; **~sfonds** l.-fund; **~slimiet:** *hun – bedraagt ...* their borrowing powers extend to ...; *de – verhogen* raise the b. p.
leninisme, -ist(isch) Leninism, -ist
1 lens *zn.* id.; *zie ook* loep & luns
2 lens *bn.* empty, dry; *de pomp is ~* the pump sucks; *'t schip ~ pompen* free the ship from water, empty the bilges; *'t schip ~ houden* keep the ship free from water; *ik ben ~* I am cleared out; *iem. ~ slaan*, (*plat*) knock a p. senseless (*of:* silly)
lensopening diaphragm, aperture
lenspomp bilge-pump
lensvormig lens-shaped, lenticular
lente spring (*ook fig.:* the s. of life); **~achtig** s.-like; **~bloem** s.-flower; **~bode** harbinger of s.; **~bui** s. (*dicht.* vernal) shower; **~dag** s.-day, day in s.; **~feest** *ongev.:* Mayday festivities; **~klokje** harebell; **~maand** March; **~nachtevening** vernal equinox; **~punt** vernal equinoctial point; **~teken** vernal sign [of the zodiac]; **~tijd** s.time; (*dicht.*) s.tide; **~weder** *a*) s.-weather; *b*) s.-like weather
lento (*muz.*) id.
lenzen 1 (*ledigmaken*) empty; 2 (*voor top en takel*) scud (under bare poles)
lenzenstelsel lens system
Leonard(a) id.; **Leonora** id.
Leopold id.; **~sorde** Order of L.
lepel (*eet-, thee-, enz.*) spoon; (*om te scheppen*) ladle [soup-, sauce-l.; *maar:* mosterd-, zout-, jus-, ~ in theebusje* spoon]; **~(vol)** spoonful; (*oor*) ear [of a hare]; *met de ~ voeren* s.-feed; *ieder uur een ~*, (*fig.*) [administered] in small doses; **~aar** spoonbill; **~bek(eend)** shoveller; **~blad** bowl of a s.; (*plant*) scurvy-grass; **~boor** s.-auger; **~boorijzer** s.-bit; **~diefje** (*plant*) shepherd's pouch; **~doosje** s.-box; **~en** spoon (up) [one's soup]; ladle (*vgl. ~*); **~kistje** s.-box; **~kost** s.-meat, -food; **~steel** handle of a s.; **~tje** spoon; **~vaasje** s.-vase; **~vol** spoonful; **~vormig** s.-shaped
leperd slyboots, shrewd fellow; *hij is een ~, ook:* he is a deep one
leppen, lepperen sip, lap, lick (up)

lepra leprosy; **~lijder, leproos** leper
leproosheid leprosy
leprozenhuis leper-house (asylum, hospital)
leraar (assistant) master, (school)teacher; *hij is een goed ~* he is a good teacher; (*predikant*) minister; *~ in de klassieke talen* classics m.; **~s-ambt, -schap** *a*) mastership; *b*) teaching profession; *c*) ministry; **~scorps** teaching staff; **~s-kamer** masters' room, common room, staff-room; **~spersoneel** (teaching) staff
leraren *ww. a*) teach; *b*) sermonize
lerares (secondary) schoolmistress, mistress, (woman-)teacher; *vgl.* leraar
1 leren *bn.* leather; *~ broek* leathers; *zie* zak; *~ lap* wash-leather; (*fig.*) [as tough as] leather
2 leren *ww.* (*onderwijzen*) teach; (*kennis opdoen*) learn; *hij heeft weinig geleerd*, (*onderwijs gehad*) he has had but little schooling; *de ervaring leert ...* experience shows ...; *uit dit voorbeeld kunnen we veel ~* this example holds many lessons for us; *ik zal je wel ~!* I'll t. you!; *ik zal je ~ me voor de gek te houden* I'll t. you to make a fool of me!; *~ lezen* learn to read; *iem. ~ lezen* teach a p. (how) to read; *iets van iem. ~* learn s.t. from (of) a p.; *om 't op te ~* [a piano] to learn on; *~ kennen* get acquainted with, get (come, learn) to know; *naarmate ik hem beter leerde kennen* as I came to know him better; *leer mij ze kennen!* (*iron.*) don't I know them!; *dat zal de tijd ~* time will show (*of:* tell); *niet te ~* unteachable [boy]; *zie* doende, enz.
lering instruction; *zie ook* catechisatie; *veel ~ trekken uit* learn many lessons from; *~en wekken, voorbeelden trekken* example is better than precept
les lesson; *gedurende* (*in, onder*) *de ~* in class, during lessons (the lesson); *~ geven* give lessons [in French, on the flute]; *goed* (*uitstekend*) *~ geven* be an efficient (an excellent) teacher; *~ geven buitenshuis* (*bij leraar aan huis*) visit (receive) pupils; *iem. een ~je geven* teach a p. a l.; *~ krijgen* have lessons; *iem. de ~ lezen* read a p. a lecture, lecture a p., rate a p. [soundly *duchtig*], haul (call) a p. over the coals; *~ nemen* take lessons [*bij* from, with; *in* in]; *zijn ~ opzeggen* say one's l.; *laat dit u een ~ zijn* let this be a l. to you
lesauto learner car
lesbak, -trog quenching-tub
lesbienne lesbian
Lesbiër, Lesbisch Lesbian; **Lesbos** id.
lèse-majesté id., lese-majesty
les: ~geld tuition (fee); **~geven & ~je** *zie* les; **~rooster** time-table
lessen quench, slake, allay, assuage
lessenaar desk, reading-, writing-desk; **~sdak** lean-to roof
lessing quenching, etc.; *zie* lessen
lest *zie* laatst; *ten langen ~e* at long last; *~ best* the last is the best; [and] l. best: ...
lesuur lesson, period [of 40 minutes]
lesvliegtuig training-plane, trainer
lesvlucht instruction-flight

leswagen learner car
Let *a*) Lett; *b*) *zie* Letje
letaal lethal
lethargie lethargy; **lethargisch** lethargic (*bw.:* -ally); **Lethe** id.
Letje Letty
Letland Latvia; **~s, Lets** Lettic, Lettish, Latvian
letsel injury, hurt [receive no ...], harm, damage; *ernstig ~ bekomen* sustain (suffer) severe i. (injuries); *geen ~ bekomen, ook:* take no harm; *iem. ~ toebrengen* do a p. (an) i.; *ernstig ~ toebrengen* inflict grievous bodily harm [on a p.]; *zonder ~, ook:* with a whole skin, unharmed
letten *let wel!* mark (you)! mind (you)! now observe ...; *~ op* pay attention to [a p.'s words]; mind, attend to [one's business]; observe [what is going on]; watch [the clock]; look after [the children]; *meer op kwaliteit dan op kwantiteit ~* look more to quality than to quantity; *~ op z'n woorden* be wary in one's speech; *ze ~ meer op hun zak dan op ...* they study their pockets more than the interests of ...; *er werd niet op zijn smeekbede gelet* his prayer went unheeded; *let op hetgeen ik zeg* mind what I say; mark my words; *let op het handelsmerk* look out for the trade-mark; *op stiptheid zal vooral gelet worden* punctuality is the first consideration; *niet ~ op, ook:* disregard, neglect; *gelet op* considering; *zie* salaris; *zonder op de tijd* (*de kosten*) *te ~* heedless of time, regardless of expense; *zonder te ~ op de wensen van ...* without regard to the wishes of ...; *wat let me, of ...* what prevents (is to prevent) me from ...ing; *wat let me, of ik doe 't, ook:* I'll do it for two pins; *niet ~de op* unmindful (heedless) of
letter id., character; (*in drukkerij, ~type*) type, fount; *~en* literature, letters; *faculteit der ~en* Faculty of Arts; *de fraaie ~en* belles lettres; *grote* (*kleine*) *~* big (small) l.; *de ~ van de wet* the l. of the law; *zie* hangen; *zich aan de ~ houden* stick to the l.; *de ~ doodt maar de geest maakt levend,* (*bijb.*) the l. killeth, but the spirit giveth life; *in de ~en studeren* study literature (arts); *met duidelijke* (*kleine, vette*) *~ge drukt* printed in clear (small, bold) type; *met grote ~s* [written] in big letters; *naar de ~* [obey, enforce the law] to the l.; *naar de ~ en naar de geest* in l. and spirit; *zie* dood; **~arbeid** literary work; **~dief** plagiarist; **~dieverij** plagiarism; – *plegen* plagiarize; **~en** *ww.* mark, letter; **~gieter(ij)** type-founder (-foundry); **~greep** syllable; **~grootte** type size; **~hoogte** type height; **~kaart** (*van oogarts*) l.-chart; **~kas** type-case; **~keer** anagram; **~knecht** literalist, verbalist; **~knechterij** literalism, verbalism, l worship; **~korps** type body; **~kunde** literature; **~kundig** literary; *zie* diefstal; **~kundige** literary man (woman), man of letters; **~lievend** literary [society]; **~lijk** *bn.* literal; *bw.* literall [carry out instructions] to the l.; *hij kwam om van honger* he was literally starving; *iedere nacht* every single night; **~omzetti**

metathesis; ~**proef** type specimen, test types; ~**raadsel** word-puzzle; ~**roof** *zie* ~**dieverij**; ~**schrift** alphabetic(al) writing; ~**slot** l.-lock; ~**snijder** l.-cutter, typecutter; ~**soort** type(face); ~**specie**, ~**spijs** type-metal; ~**teken** character; ~**tje**: *schrijf hem even een* – just drop him a line; ~**vers** acrostic; ~**verspringing**, ~**wisseling** metathesis; ~**wijs** *in iets zijn* be versed in s.t.; *iem. – maken* post a p. up; (*eig. Am., fam.*) put a p. wise; ~**woord** acronym; ~**zetsel** letterpress; ~**zetten** compose, set up type; *'t –, ook:* type-setting; ~**zetter** compositor, typesetter; ~**zetterij** composing-, case-room; ~**zifter(ij)** hair-splitter (-splitting), quibbler (quibbling)

Lettisch *zie* Lets
leucaemie leukaemia
leucocyt leucocyte
leugen lie, falsehood; *grote* (*grove*) ~ big (black) l., gross falsehood; *onschuldig ~tje*, ~(*tje*) *om bestwil* white l.; *een kolossale ~*, (*sl.*) a whopping (thumping, whacking) l., a whopper; *'t zijn allemaal ~s* it's all lies; ~*s verkopen* tell lies; *al is de ~ nog zo snel, de waarheid achterhaalt haar wel* truth will out; *van ~ en bedrog leven* live by one's wits; *zie* aaneenhangen & omgaan; ~**aar(ster)** liar; *een – wordt licht een dief* show me a liar, and I'll show you a thief; *iem.* (*vierkant*) *voor – uitmaken* give a p. the lie (direct); ~**achtig** lying [rumour], mendacious, untruthful; (*van zaken ook*) false, untrue; ~**achtigheid** mendacity, untruthfulness, falseness; ~**beest** habitual (consummate) liar; *jij –!* you story!; ~**campagne** lying campaign; ~**detector** lie detector; ~**profeet** false prophet; ~**taal** lies; ~**tje** fib; *zie ook* ~; ~**zak** *zie* ~**beest**
leuk (*bedaard*) cool, dry; (*grappig*) amusing, funny, jolly, droll; (*prettig*) nice, pleasant; (*typisch*) quaint [china tea-cups]; (*kalmpjes*) calmly, (quite) coolly, without more ado; *ik vond 't verbazend* ~ I thought it fine (good) fun; *dat zou niet erg ~ zijn* that would not be much fun; *dat was een ~e tijd* life was good fun then; *hij is werkelijk* ~ he is quite amusing; *die is ~!* that's a good one!; *een ~e broeder, zie* ~erd; *hij nam 't heel* ~ *als vanzelfsprekend aan* he coolly took it for granted; *hij hield zich* ~ he did not let on, seemed to know nothing; *'t ~ste is dat ...* the best thing of all is that ...; *zie* doodleuk
leuk(a)emie leukaemia
leuk: *een* ~**erd** a droll fellow; ~**heid** coolness, dryness; fun; ~**jes** coolly, drily
leukocyt leucocyte
leukweg coolly, drily
leunen lean (*ook fig.*: l. heavily on Dante), recline [*op on; tegen* against]; *met de ellebogen op de tafel* ~ l. (*of:* prop) one's elbows on the table; *met de rug tegen de muur* ~ l. one's back against the wall; *leun niet tegen het hek* keep clear of the gate
leuning rail, guard-rail; (*trap-*) banisters, handrail; *vgl.* trap~; (*van stoel, enz.*) back, arm, (elbow) rest; (*van brug*) parapet; ~**stoel** arm-, elbow-chair, easy chair

leunstokje (*van schilder*) maulstick
leur: *te ~ stellen, zie* teleurstellen
leurder hawker
leuren hawk; ~ *met* hawk (about)
leus watch-word, device, (rallying-)cry, slogan, catch-word, -phrase; *afgezaagde ~* tag, parrot-cry; *schone leuzen* fine cries; *geld is de ~ van onze tijd* money is the catch-word of our age; *voor de ~* for show, for form's sake, as a make-believe, as a blind; *voor de ~ dineren* go through the form of dining
leut *a*) fun; *voor de ~* for fun; *b*) (*volkst.*) coffee
leuter: ~**aar** (*kletser*) twaddler, driveller; (*talmer*) dawdler, slow-coach, ~**en** (*kletsen*) twaddle, drivel; (*talmen*) dawdle, loiter; *zie* treuzelen; ~**kous** chatterbox, twaddler; ~**praat** piffle, drivel
Leuven(s) Louvain
leuver (*mar.*) cringle, hank
leuze *zie* leus
Levant id.; ~**ijn** Levantine; *l~*, (*wind & schip*) Levanter; ~(**ijn**)**s** Levantin
1 leven *zn.* life; (*lawaai*) noise, bustle, tumult, hubbub, racket; (*'t levende vlees*) the quick; *'t ~ is goedkoop in Z.* living is cheap in Z.; *'t is geen ~* it's no l.; *dan heb je geen ~* then l. is not worth living; *zolang er ~ is, is er hoop* while there is l., there is hope; *daar heeft hij zijn ~ lang genoeg aan* it will last him a lifetime; *'t ~ weer van voren af aan beginnen* begin l. over again; *een nieuw ~ beginnen* begin a new l., make a new start in l., start l. afresh, turn over a new leaf; *nieuw ~ brengen in* put new life into; *het is al ~ wat aan hem is* he is all l.; *er zit geen ~ in hem* there is no l. (go) in him; *er zit nog ~ in hem* there's l. in the old dog yet!; *er is geen ~ in de zaken* business is dull; *er komt meer ~ in de zaken* business is becoming brisker (more animated); *ik zou er mijn ~ voor willen geven* I would give my l. for it; *zijn ~ geven* (*laten*) lay down one's life [for one's country]; *'t ~ laten* lose one's l.; *laat hem 't ~* spare his l., let him live; *'n druk ~ hebben* lead a busy l.; *hij heeft geen ~* he leads a dog's l.; *wat 'n ~ heeft hij bij haar!* what a l. she leads him!; *de woorden begonnen ~* (*voor hem*) *te krijgen* the words began to come alive; *een zwervend* (*los, slecht*) ~ *leiden* lead a roving (loose, bad) l.; *een los*(*bandig*) (*al te vrolijk*) ~ *leiden* go the pace; ~ *maken* make a noise; *het ~ schenken* (*aan*), *a*) give birth to; *b*) grant [a p.] his l.; ~ *voelen* (*van zwangere vrouw*) quicken, feel quickening; *bij zijn* ~ during his l., in his lifetime, in l.; *bij ~ en welzijn* if I am spared, God willing, D.V. (*spr.:* 'di:'vi:); *lachend door 't ~ gaan* laugh one's way through l.; *in ~ ...* [Mr. S.] late [rector of A.]; *zal hij in 't ~ blijven?* will he live? [he is not expected to live]; *om in 't ~ te blijven* [hardly enough] to keep body and soul together, to support life (existence); *in 't ~ houden* keep in l. (alive); *nog in ~ zijn* be still alive; *in 't ~ roepen* call into existence (into being), call forth, create; *in 't ~ snijden* cut to the quick; *zie ook:* van zijn ~ (*ben.*);

naar het ~ getekend drawn from (the) l.; *getrouw naar 't ~ tekenen (schilderen, beschrijven)* draw (portray, describe) to the l.; *iem. naar 't ~ staan* seek, be out for a p.'s l.; *om 't ~ brengen* make away with, kill, do to death; *om 't ~ komen* perish; *de bemanning van 5 koppen kwam om 't ~* the crew of 5 were killed; *zie ook* gaan; *strijd op ~ en dood* war to the death (*of:* knife), l.-and-death struggle; *een strijd op ~ en dood voeren met* be at death-grips with; *tijdens zijn ~, zie* bij zijn ~; *tot in 't ~* [cut one's nails] to the quick; *hij zweeft tussen ~ en dood* he is at death's door, his l. hangs in the balance; *uit 't ~ gegrepen* taken from l.; *hij was nooit van zijn ~ ~ meer verbaasd geweest (geschrokken)* he had (it gave him) the surprise (the shock) of his l.; *…, zoals je nooit van je ~ gehad hebt* I'll give you the thrashing of your l.; *nooit van mijn ~* never in all my l.; *dat heb ik nooit van mijn ~ gezien, ook:* I have never seen it in all my born days; *ik zal het nooit van mijn ~ meer doen* I shall never do it again so long as I live; *heb je (ik) ooit van je (m'n) ~!* well, I never! did you ever! well, I declare!; *hij houdt van een goed ~* he is fond of good living; *hij had (kreeg) een les voor zijn ~* he had a lesson for l.; *voor zijn ~ benoemd worden* be appointed for l. [he holds his office for l.]; *voor het ~, (fam.)* for dear l., like one o'clock; *zie* afbrengen, beroven, blootstellen, brouwerij, gemoeid, inblazen, leventje, lief, waagschaal, enz.

2 leven *ww.* live; *al wat leeft* all living things; *hij zal niet lang (geen jaar) meer ~* he has not long (hasn't a year) to l.; *hij heeft te weinig om te ~ en te veel om te sterven* he can hardly keep body and soul together; *hij weet te ~* he knows how to l.; *hij doet … (voor ons) ~* he makes astronomy come alive; *~ en laten ~* l. and let l.; *wel, inbrekers moeten ook ~* well, burglars must l.; *als eerlijk man ~* l. the life of an honest man; *hij kan goed ~* he is comfortably off; *die dan leeft, die dan zorgt* care killed the cat; sufficient unto the day is the evil thereof; *zij ~ matig* they lead sober lives; *hij heeft sterk geleefd* he has burnt the candle at both ends; *leve de koning!* long live the King!; *lang zal hij ~!* long life to him! long may he l.!; *leve de vriendschap!* friendship for ever!; *leve de vrijheid!* three cheers for liberty!; *leve de republiek! leve De Valera!* up the republic! up De Valera!; *ze zongen: lang zal hij ~! ongev.:* they sang, 'For he's a jolly good fellow'; *een portret dat leeft* a life-like portrait; *zo waar als ik leef!* as I live!; *alles leeft aan hem* he is full of life; *deze wens leeft bij ons allen* we all cherish this desire; *hij leeft in zijn werken* he lives in his works; *op zichzelf ~* l. by o.s.; *van zijn rente (inkomen, kapitaal) ~* l. on one's means (income, capital); *hij leeft (van 't geld) van zijn vrouw* he lives on his wife('s money); *van zijn vak (zijn werk, van diefstal) ~* l. by one's trade (one's work, by theft); *de advocaten ~ van onze standjes* lawyers live by our quarrels; *hij leeft er*

goed van he lives well; (*fam.*) he does himself well; *daar kan ik niet van ~* I cannot l. on that, it won't keep me; *ze leeft van £ 100 per jaar, ook:* she exists on £100 a year; *van liefdadigheid ~* subsist on charity; *de kaas leeft van de maden* swarms (is alive, crawling) with maggots; *'t leeft hier van de muizen* the place is alive (overrun) with mice; *volgens zijn beginselen ~* l. up to one's principles; *hij leeft voor zijn werk* he lives for his work; *zie* aalmoes, brood, hoop

levend (*attr. & pred.*) living [animal, language, water, not a … soul]; (*van vee) ook:* [cattle] on the hoof; (*alleen attr. van dier, scherts. van pers.*) live [lion; a real … queen]; (*alleen pred.*) alive; *iems. nagedachtenis ~ houden* keep a p.'s memory alive (green); *~ dood* dead alive; *~ begraven* bury alive; *~e beelden* l. pictures, tableaux vivants; *~e haag* quickset (hedge); *de ~e natuur* the living (biological) world; *~e talen* modern languages; *de ~en en de doden* the quick and the dead; *~ worden* come to life; (*plotseling*) spring to life; *zie* afbrengen, have, lijf

levendbarend viviparous

levendig lively [person, description, scene, colour], sprightly [conversation, nature], vivacious [person], vivid [colour, light, imagination], bright [eyes], brisk [conversation, trade], animated [discussion], keen [take a keen interest in …]; *hij was zeer ~, ook:* he was very much alive; *z'n herinneringen ~ houden* keep one's memories green; *hij gevoelt dat ~* he is keenly alive to it; *~heid* liveliness, etc., vivacity, animation

levendmakend vivifying, quickening

levengevend life-giving [sleep]

levenloos lifeless [body], inanimate [nature]; *~heid* lifelessness

levenmaker noisy fellow

levens- life: *~adem* breath of l., l.-breath; *~ader* fount(ain) of l., (*fig. ook*) l.-string(s); *~avond* evening of l. [the evening of his l.]; *~baan* career, course of l.; *~beginsel* principle of life; *~behoefte* (*fig. ook*) necessary (necessity) of life; *ze schijnen geen hogere – te hebben dan …* they seem to have no higher aspiration than …; *~behoud* preservation of (one's) l.; *~belang* vital interest; *~benodigdheden* necessaries (necessities) (of life); *~bericht* biographical notice; (*van pas gestorvene*) obituary (notice); *~beschouwelijk* ideological [conflicts]; *~beschouwing* theology; *zie ook ~*opvatting; *~beschrijver* biographer; *~beschrijving* biography [candidates send in a] curriculum vitae; *eigen – autobiography; *~boek* book of l.; *~boom* arbor vitae; (*in Eden*) tree of l.; *~bron* source of l., l.-spring; *~dagen* days of (one's) l., life time; [for the rest of my] natural l.; *al mijn – * [I never saw such things in] all my born days *wel, heb ik van mijn –! zie* leven 1; *~delen* vital parts; *~doel* aim of l., [our] aim in l., l. purpose, -aim; *~draad* thread of l.; *zijn – werd afgesneden* his life was cut short; *~drang, ~*

drift l.-impulse, vital urge (force); **~duur** duration (*of:* term) of l.; life [of a vacuum-cleaner]; *vermoedelijke –*, (*volgens statistiek*) expectation of l.; *korte –* [our] span of l.; *lange –* longevity; *'n korte (lange) – hebben* be short-(long-)lived; *met lange –* long-l. [battery]; **~echt** lifelike, true to l.; **~elixer** elixir of l.; **~ervaring** knowledge of l.; **~geesten** vital spirits; *de – weer bij iem. opwekken* resuscitate a p.; *zie* wijken; **~gemeenschap** (*biol.*) biotic community; **~genot** enjoyment of l.; **~geschiedenis** *a*) l.-history, l.-story; *b*) *zie* ~beschrijving; **~gevaar** peril (danger) of l.; *er is – aan verbonden* it involves risk of l.; *met –* at the peril (risk, hazard) of one's l.; **~gevaarlijk** perilous, [be in a] critical [condition]; *–e plaats* death-trap; *met een –e snelheid* at breakneck speed; **~gewoonten** way of life; **~gezel(lin)** companion of one's l., partner in l., (help)mate; **~groot** life-size(d), as large as l.; *meer dan –* larger (bigger) than l.; **~grootte** l.-size; **~houding** attitude to l.; **~jaar** year of one's l.; **~kiem** germ of l.; **~kracht** vital strength (energy, power, force), vitality; life force; **~krachtig** full of l., vigorous; *zie ook* ~vatbaar; **~kunst** art of living; **~kwestie** question (matter) of l. and death, vital question; **~lang** [imprisonment] for l., lifelong, l.-[imprisonment]; *met –e premiebetaling* whole-life [assurance]; *vonnis van –e gevangenschap* l. sentence; *tot – veroordeelde* person under a l.-sentence; (*sl.*) lifer; *– krijgen*, (*sl.*) get a lifer; **~last** burden of l.; **~leer** *a*) biology; *b*) philosophy of l.; **~lente** spring of l.; **~licht** light (of day); *'t – aanschouwen* see the light (of day); *iem. 't – uitblazen, zie* licht; **~lijn** line of l.; **~loop** course of l. [the course of his l.], career; **~lot** fate; **~lust** animal spirits, zest for living (for l.); *vol – zijn, ook:* bubble over with l.; **~lustig** enjoying l., full of l. (of animal spirits), sprightly; **~middelen** provisions, victuals, foodstuffs, food(s); **~moe** *zie* ~moede; **~moed** courage to face l., [it gave him a new] zest for existence; *zijn – was hem ontzonken* he had lost heart in l.; *nu had hij –* he now felt that l. was worth living; **~moede** weary of l., l.-, world-weary; **~moeheid** weariness of l.; **~omstandigheden** circumstances in l., conditions of l.; **~onderhoud** subsistence, livelihood; *kosten van –* cost of living; **~opvatting** view of l., outlook (up)on l., philosophy (of life); **~overtuiging** philosophy of life; **~pad** *zie* ~weg; **~peil** *zie* ~standaard; **~plan** design for living; **~proces** l.-process; **~reis** l.-journey; **~ruimte** (*van een volk*) living space; **~sap** sap (of l.); (*fig. ook*) l.-blood; **~schets** biographical sketch; **~sfeer** walk of l.; **~staat** state in life; **~standaard** standard of l. (living), living-standard; **~stijl** style of living; **~strijd** battle (struggle) of l. (*vgl.:* struggle for l. *strijd om 't bestaan*); **~taak** l.-work, -task; **~teken** [give a] sign of l.; **~vatbaar** viable, capable of living; **~vatbaarheid** viability, vitality; **~verrichtingen** vital functions; *leer der –* physiology; **~verzekering** l.-

assurance, -insurance; *een – sluiten* take out a l.-policy, insure one's l.; **~verzekeringsagent** collector to a life insurance firm; **~verzekeringskantoor** l.-office; **~verzekeringsmaatschappij** l.-assurance (*of:* l.-) company; **~verzekeringspolis** l.-policy; **~voorraad** provisions; **~voorwaarde** condition of l.; (*fig.*) vital condition; **~vraag** vital question, question of l. and death; **~vreugde** joy of living, enjoyment of life; **~wandel** life, conduct; **~weg** path of l.; *op uw –* [I wish you much success] in your career; **~werk** l.-work; **~wijs, ~wijze** manner of l., way of living; **~wijsheid** worldly wisdom; **~zat** *zie* ~moede; **~zee** ocean of l.
leventje life; *een – hebben als een prins* live in clover, live like a prince; *zie ook* leven 1
levenwekkend life-giving, vivifying
lever liver; *'t aan de ~ hebben* have a (touch of) l., be liverish; *hij heeft een droge ~* he has a dry throat, is a thirsty soul; *hij liet ons de ~ schudden* he made us split with laughter; *lachen, dat de ~ schudt* shake with laughter; *fris van de ~* frankly, straight from the shoulder; **~aandoening** l.-trouble; **~abces** l.-abscess
leverancier supplier, furnisher, purveyor, [ask your] dealer; (*voor leger & vloot*) [army-, navy-]contractor; (*van eetwaren*) caterer; (*neringdoende*) tradesman, *mv. ook* tradespeople; *ingang voor ~s* tradesmen's (*van zaak:* delivery) entrance; *van ~ veranderen* remove (transfer) one's custom, take (transfer) one's custom elsewhere; **leverantie** supply, delivery; [Lyons had all the] catering; *zie* klandizie
leverbaar deliverable; *beperkt ~ zijn* be in short supply; *dooreen ~ zijn*, (*van effecten*) rank pari passu; *goed -are kwaliteit* fair merchantable quality
leverbot liver-fluke; **~ziekte** liver-rot
leverbreuk hepatocele
leveren supply, furnish, provide; (*afleveren*) deliver; *... wilden (aan) hem niet ~* wholesale dealers would not s. him; *op ceel gel.* stored terms; *in entrepot gel.* bonded terms; *hij zal 't 'em wel ~, enz., zie* lappen; *kunt u mij dat artikel ~?* can you supply me with that article?; *bewijsmateriaal ~* produce evidence; *stof ~ tot* give rise to [all kinds of rumours]; *goed werk ~* turn out (t. in) good work; *hij levert slecht werk* he is a bungler; *hij is geleverd* he is lost (done for); *zie* bewijs, verkopen, enz.
levergezwel tumour on the liver
levering (*af~*) delivery; (*algem.*) supply; *op ~* [sell] for future (*of:* forward) d., [sell] forward; (*Effectenbeurs*) for the account; *prijs op ~*, *voor ~ op termijn* forward price; **~scondities** terms of d.; **~scontract** d.-contract, supply-c.; **~shaven** port of d.; **~smoeilijkheden** supply difficulties; **~stermijn** term (*of:* time) of d.; **~stijd** time of d.; **~svoorwaarden** terms of d.
lever: **~kleur(ig)** liver-colour(ed); **~kruid** *a*) hemp-weed, hemp-agrimony; *b*) liverwort; **~mos** scale-moss; **~ontsteking** inflammation of the l., hepatitis; **~pastei** l.-pie; **~steen** hepatite; **~traan** cod-liver oil; **~vlek** l.-spot; **~worst** l.-sausage

Levi id.
leviet Levite; *iem. de l~en lezen* lecture a p.
leviraat levirate
Leviticus id.; **levitisch** Levitical
lewisiet lewisite
lexicograaf lexicographer; **-grafie** lexicography; **-grafisch** lexicographical; **-logie** lexicology
lexicon id.
lezen read [*ook:* music, the future]; glean [ears], pick [hops], gather [grapes, flowers, simples]; (*geregeld*) ~ take in [a newspaper]; *vijgen van distelen* ~, (*bijb.*) gather figs of thistles; (*niet*) *te* ~, *zie* (on)leesbaar; '*t stond duidelijk op ieder gelaat te* ~ it was written large on every face [guilt was written on his face; horror was depicted on every countenance]; *ik kan 't niet* ~, *ook:* I cannot make it out; *verklaren, niet te kunnen* ~ *of schrijven* declare one's illiteracy; '*t kunnen~en schrijven* literacy; *een jas, die* ~ *en schrijven kan* a coat that has done sterling service; *hij leest alles* he is an omnivorous reader; '*t laat zich goed* ~ it reads very well, is (makes) good reading (*evenzo:* the report makes pleasant, unpleasant, dismal, etc. reading); *de druk laat zich goed* (*aangenaam*) ~ the print is easy to the eye; '*t laat zich* ~ *als een roman* it reads like a novel; '*t stuk laat zich beter* ~ *dan spelen* reads better than it acts; *zich in slaap* ~ read o.s. to sleep; *in de bijbel* ~ *wij* it says in the Bible; *er iets in* ~ (*dat er niet in ligt*) r. s.t. into it; *ik lees hieruit dat* ... I read this to mean ...; *je leest over zo iets heen* these things escape you (in reading); *hij houdt niet van* ~ he is not a reading man; *hij zat rustig te* ~, (*fam.*) he had a quiet r.; *in iems. hart* ~ r. a p.'s heart; *zie* mis, regel, enz.; **~aar** reading-desk; (*op tafel, bijv.*) bookrest; (*in de kerk*) lectern, (*in adelaarsvorm*) *ook:* eagle; **~swaard(ig)** *zie* leesbaar
lezer reader; gleaner, gatherer (*zie* lezen); **~es** (*vero.:* fair) r.; **~spubliek** reading public
lezing ('*t lezen*) reading (*ook van wetsvoorstel*); (*voor~*) lecture, (*van gedicht bijv.*) reading; (*wijze van voorstellen*) version [he gave an entirely different version of it]; *een* ~ *houden* read a paper, deliver (give) a lecture, lecture [*over* on; *voor* to]; give a reading [from one's own works]; *~en houden, ook:* give a course of lectures; **~entournee** lecture tour
liaison id.; **lianen** lianas, lianes
Lias (*gesteente*) lias; **lias** (*voor papieren*) file
Liasformatie lias(sic) formation
liasseren file
Libanees Lebanese
Libanon: *de* ~ (Mount) Lebanon; (*staat*) (the) Lebanon
libel id., lampoon; (*insekt*) dragon-fly; (*waterpas*) spirit-level; **~list, ~schrijver** libeller, lampooner
liberaal liberal; **-alisatie, -alisering** liberalization [of trade]; **-alisme** liberalism; **-alist(isch)** liberalist(ic); **-aliteit** liberality
Liberië Liberia; **~r, Liberisch** Liberian
libertijn libertine

Libië Libya; **Libiër, Libisch** Libyan
librettist id.
libretto id. (*mv.:* libretti), book (of words)
licentiaat licentiate
licentie licence; *in* ~ *gebouwd* built under l.; **~houder** licensee
lichaam body (*ook fig.:* legislative ..., etc.), frame; *naar* ~ *en geest* (*ziel*) [weak] in b. and mind; *over zijn hele* ~ all over
lichaams: **~arbeid** bodily labour; **~beweging** (bodily) exercise; **~bouw** build, stature, physique [a fine ..., of poor ...]; **~deel** part of the b., limb, member; **~functies** bodily functions; **~gebrek** physical defect; **~gestalte** stature; **~gestel** constitution, frame, system; **~hoek** solid angle; **~houding** bearing, carriage; **~kracht** bodily (physical) strength; **~lengte** height; **~luis** b.-louse; **~oefening** physical exercise, physical education; **~ontwikkeling** physical development; **~sappen** *zie* ~vochten; **~toestand** condition of the b., physique; **~vochten** b.-, tissue-fluids; **~warmte** animal heat, body-heat, heat of the b.; **~zwakte** bodily weakness, debility
lichamelijk bodily [pain, defect], corporal [punishment]; (*stoffelijk*) corporeal, material; *~e opvoeding* physical education; *~e oefening,* ('*t oefenen*) physical education (training); (*één ...*) physical exercise; *~e genietingen* material (*of:* creature) comforts; *~ letsel* bodily harm; *hij was* ~ *even sterk als ik* he was as strong in body as myself
1 licht I *bn.* (*niet donker*) light, light-coloured, bright; (*niet zwaar*) light [diet, task, step, blow, infantry, music, sleep(er); as ... as a feather]; mild [beer, cigar, tobacco]; (*gering*) slight [wound, headache, frost, drizzle, shock]; *~e kant, zie* ~zijde; *~e lectuur* l. reading; *~e maaltijd* l. meal, snack; *hij heeft een ~e slaap* he is a l. sleeper; *~e vrouw* l. (wanton) woman; ~ *van gewicht* l. in weight; ~ *worden* get l.; ~ *in 't hoofd* giddy, l.-headed; *zie* hand, hart, maan, wegen, enz.; II *bw.* lightly, slightly; (*gemakkelijk*) easily; ~ *opvatten* make l. of, pass lightly over [one's work]; *hij vatte 't leven nogal* ~ *op* he took life rather casually (light-heartedly), was easy-going; *zulke mensen denken* ~ *over een mensenleven* human life means little to such people; (*ook:*) s. p. make light of h. l.; *zij wordt* ~ *boos* she is apt to get angry; '*t wordt* ~ ... it tends to become monotonous; *zulke dingen vergeet men* ~ (*gebeuren* ~) such things are apt to be forgotten (are apt [*of:* liable] to occur; ~ *te begrijpen* easy to understand; *zie ook* allicht, lichtelijk & misschien
2 licht *zn.* light (*ook boven deur, enz.*); ~ *op,* 7.53 *n.m.* lighting-up time 7.53 p.m.; *groot* ~ (*pers.*) shining l., luminary, [he is no] great l.; (*auto*) full headlights; ~ *en schaduw,* ~ *bruin* (*van schilderij*) l. and shade (*ook fig.*); *er brandde geen* ~ the place (the house) was in darkness; ~ *brengen in* lighten [the darkness, the gloom]; ~ *geven* give l.; ~ *geven in een zaak*

let in l. upon a business; *zijn antwoord gaf niet veel* ~ his answer was not very illuminating; *'t volle* ~ *laten schijnen op* let full daylight in on [the whole matter]; ~ *maken* strike a l., light up, turn (*of:* switch) on the (electric) l. [let's have the light(s) on]; *er komt een beetje* ~ (*in de duisternis*), (*fig.*) we (I) can see daylight (the end of the tunnel); *toen ging mij een* ~ *op* a l. dawned (broke in, burst) upon me; (*fam.*) that rang the (*of:* a) bell; *zijn* ~ *bij iem. opsteken* go to a p. for information; *er zij* ~ let there be l.; ~ (*meer, 'n nieuw, 'n schel* ~) *werpen op* throw (shed) l. (more, a new, a vivid l.) on; *wat een eigenaardig* ~ *werpt dit op sport!* what a sidelight on sport!; *zijn* ~ *onder een korenmaat zetten* hide one's l. under a bushel; *iem. 't* ~ *uitblazen* put a p.'s light(s) out, stop a p.'s wind; *het* ~ *verdragen* stand the l.; *iem.* ~ *verschaffen*, (*fig.*) enlighten a p.; *het* ~ *zien* (*ook van boek*) see the l.; *ik zie* ~, (*fig.*) I see (day)light; *er helemaal geen* ~ *in zien* be up against a blank (brick, stone) wall; *aan 't* ~ *brengen* bring to l., reveal, make known, unearth; *aan 't* ~ *komen* come to l.; *als men 't bij 't* ~ *beziet* if you look at it in the l.; *in 't* ~ [put it here] in the l.; *in 't* ~ *geven* give to the world, publish, bring out [a book]; *ge staat uzelf* (*mij*) *in 't* ~ you are standing in your own (my) l.; *in 't* ~ *stellen* throw l. upon, elucidate; *iets in 't juiste* ~ *stellen* put s.t. in the proper light; *in een ander enz.* ~ *stellen, zie* daglicht; *in dat* ~ *gezien* viewed (looked at) in that l.; *in 't* ~ *van deze feiten* in the l. of (*Am.:* in l. of) these facts; *tegen het* ~ *houden* hold against (up to, to) the l.; *tussen* ~ *en donker* in the twilight, between two lights; *ga mij uit 't* ~ stand out of my l.; *zonder* ~ [cycle] without a l.; *zie bij* 8, gunnen, enz.
licht: ~**baak** beacon(-light); ~**bak** *a*) dazzle-light; *b*) illuminated sign; ~**beeld** lantern-view; *lezing met* ~*en* lantern-lecture; ~**behandeling** l.-treatment; ~**beuk** clerestory; ~**blauw** l. (*of:* pale) blue; ~**blond** light(-coloured); ~**boei** l.-buoy; ~**boog** electric arc, voltaic arc; ~**brekend** refractive; ~**breking** refraction of l.; ~**bron** source of l.; ~**bruin** l.-brown; *met* ~*e ogen* hazel-eyed, with hazel (-brown) eyes; ~**brulboei** l.-and-whistle buoy; ~**bundel** pencil (shaft, beam) of l.; ~**claxon** headlamp flasher; ~**dicht** l.-tight, l.-proof; ~**druk** phototype; ~**echt** fast(-dyed); ~**eenheid** l.-unit, lumen; ~**effect** effect(s) of l.; ~**kooi** light-o'-love, prostitute, wanton, woman of easy virtue; ~**elaaie** *zie* lichterlaaie; ~**elijk** faintly [amused], mildly [surprised], slightly [embarrassed]; *zie* ~ *bw.*
lichten 1 (*op*~) lift, raise [one's hat]; (*op de been brengen*) raise [an army]; (*bestelen*) rifle [a slot gasmeter]; *'t anker* ~ weigh anchor; *een schip* ~, (*omhoogbrengen*) raise a ship, (*gedeeltelijk lossen*) lighten a ship; *de bus* ~ collect the letters, clear the (pillar-)box; *de hand* ~ *met* scamp [one's work, lessons], give [a thing] a

lick and a promise, palter with [the truth]; *iem. van 't bed* ~ lift a p. from his bed; *zie* voet; 2 (*dagen*) dawn; (*van zee*) phosphoresce; (*weerlichten*) lighten; (*bij*~) light [a p.]; *'t* ~ phosphorescence [of the sea]; ~**d** shining [a ... example]; (*van de zee*) phosphorescent; – *punt* (*voorwerp*) luminosity; *een* ~*de ster*, (*fig.*) a shining (*of:* bright) light
lichter (*vaartuig*) lighter; *vervoeren* (*vervoer*) *per* ~ lighter (lighterage); ~**geld(en)** lighterage
lichterlaaie: (*in*) ~ in a blaze, ablaze
lichter: ~**loon** lighterage; ~**man** lighterman; ~**schip** lighter
lichtgas coal-gas
lichtgeel light (*of:* pale) yellow
lichtgebouwd lightly built
lichtgelovig credulous, gullible; ~**heid** credulity, gullibility
lichtgeraakt touchy, thin-skinned, quick to take offence, huffy, huffish; ~**heid** touchiness
licht: ~**gestalte** luminous (radiant) form; (*van de maan*) phase; ~**gevend** luminous [paint]; ~**gevendheid** luminosity; ~**gevoelig** l.-, photo-sensitive; ~**gewapend** light-armed; ~**gewicht** l.-weight; ~**glans** lustre; ~**granaat** l.-, star-shell; ~**grijs** l.-grey; ~**groen** light (*of:* pale) green; ~**hart** happy-go-lucky (easy-going) fellow; ~**hartig** *zie* luchthartig; ~**heid** lightness, easiness; ~**hoofd** l.-head, feather-head; *zie ook* ~**hart**; ~**hoofdig** l.-, feather-headed; ~**ing** 1 levy, draft [of an army]; *de* – *1923* the 1923 class; 2 collection [of letters]; 3 (*van schip*) raising; lightening; *vgl.* lichten; ~**installatie** lighting equipment; ~**jaar** l.-year; ~**kabel** electric-light cable, mains; ~**kegel** cone of l.; ~**kever** fire-fly, glowworm; ~**kogel** Ver(e)y light; ~**koker** lighting-shaft; ~**krans** luminous circle; (*om zon*) corona; (*om hoofd*) halo, glory; ~**kroon** *zie* luchter; ~**leiding** (*buitenshuis*) lighting-main(s); (*in huis*) electric-light (electrical) wiring; ~**mast** lamp standard; ~**matroos** ordinary seaman, O.S.; ~**meter** photometer, exposure meter
Lichtmis Candlemas; *l*~, (*pers.*) libertine, rake, debauchee; ~**serij** debauchery
licht: ~**mot** pyralid; ~**net** electric(-light) mains, lighting-system; ~**opstand** light-structure; ~**paal** electric standard; ~**pistool** Ver(e)y pistol; ~**plek** patch of light; (*in foto*) flare spot; ~**punt** luminous point, point of light; (*elektr.*) connection; (*fig.*) ray of hope, bright spot [the one ..., *'t enige* –]; ~**reclame** illuminated advertising (advertisement, -ments), electric light sign; (*op dak ook*) sky-sign; ~**rood** l.-red, pink; ~**scherm** shade, screen; ~**schip** lightship; ~**schuw** photophobic, shunning (afraid of) the l.; shady [elements]; ~**schuwheid** photophobia; ~**sein** l.-signal; ~**spoorgranaat**, ~**kogel** tracer (shell, bullet); ~**stad** City of L., Paris; ~**stang** pushrod; ~**steen** lithophosphor; ~**sterkte** intensity of l.; (*in kaarssterkte uitgedr.*) candlepower; *een* – *van 100 kaarsen* 100 candlepower; ~**stip** dot of l.; ~**stof** luminous matter; ~**storing** electric-light failure; ~**straal** ray (*of:*

beam) of l.; (*fig.*) ray of hope; ~**streep** streak of l.; ~**stroom** stream of l.; (*nat.*) luminous flux; ~**therapie** phototherapy, l.-cure, -treatment

lichtvaardig rash, inconsiderate, thoughtless; *zo iets moest men niet ~ beweren* such allegations should not be made lightly; ~**heid** ...-ness, levity

lichtvoetig light-footed, nimble

licht: ~**wachter** lighthouse keeper; ~**werper** *zie* schijnwerper; ~**zijde** [look on the] bright side; ~**zinnig** frivolous, reckless, flighty, light [conduct], flippant [girls]; (*ongunstiger*) wanton [woman]; ~**zinnigheid** frivolity, levity, flippancy, flightiness; wantonness

lictor id.

lid (*van lichaam*) limb; (*van vinger, teen*) phalanx, *mv.:* phalanges; (*vingergewricht*) fingerjoint; (*van insekt, voelhoorn, enz.*) articulation; (*van stengel*) internode; (*persoon & roede*) member; (*van wetsartikel*) paragraph, subsection; (*van vergelijking*) term; (*gewricht*) joint; (*deksel*) lid [of the eye]; (*graad van verwantschap*) degree, generation; ~ *worden van* join [a club, society]; *zie* kamerlid; ~ *zijn van, ook:* serve (be) on [a committee]; *de vereniging heeft 200 leden, ook:* has a membership of 200, has 200 names on its books; *zijn arm is uit 't ~* is out of joint, is dislocated; *uit 't ~ vallen* dislocate [one's arm] by a fall; *weer in 't ~ zetten* reduce; *iets (de mazelen) onder de leden hebben* be sickening for s.t. (the measles); *over al zijn leden beven* tremble in every l.; *tot in 't vierde ~* to the fourth generation; *zie* fijn; ~**gras** couch-grass

Lidia Lydia

lid: ~**maat** (church-)member; ~**maatschap** membership; *'t – kost £ 10* the membership-fee (the subscription) is £10; ~**maatschapskaart** member's ticket, membership card; ~**steng** (*plant*) mare's tail; ~**woord** article

liebaard (*her.*) lion

lied song; (*kerk~*) hymn; (*van minstreel*) lay; *hij zong zijn hoogste ~* he sang away to (his) heart's content; *zie* liedje

lieden people, folk; *zie* mens(en)

liederboek book of songs, song-book

liederdichter song-writer

liederlijk *a*) dissolute, debauched, raffish, abandoned; *b*) miserable, wretched; *een ~e vent* a debauchee, a rotter; *~e taal* low talk, obscene language; *zie* vervelen; ~**heid** dissoluteness, debauchery

liedertafel glee-, singing-club, choral union

liedje ditty, [street-]ballad; *'t is het oude ~* it's the old (the same) song (over again); *'t ~ van verlangen zingen* look for excuses for staying up a bit longer; *dat was 't eind van 't ~* the end of the matter; *'t eind van 't ~ was, dat ... the* upshot was that ...; *een ander ~ zingen,* (*fig.*) change one's tune, sing another song (tune); *een ander ~ doen zingen* make [a p.] change his tune; ~**szang(st)er** ballad-singer

lief I *bn. & bw.* (*bemind*) dear, beloved; (*bemin-*

nelijk, innemend) dear [she is a ... thing *schepseltje*], sweet [girl, voice], amiable; (*aardig*) nice [people]; (*vriendelijk*) kind; *lieve Nora!* dear N.! N. darling!; *mijn lieve kind!* my dearest (darling) child!; *haar liefste bezit* her most treasured possession; *mijn ~ste hoop* (*wens*) my fondest hope (wish); *zijn ~ste werk* his favourite work; *lieve God!* dear God!; *zie* hemel; *een ~ huisje* a charming little house; *een ~ hoedje* a sweet hat; *de lieve lange dag* the livelong day; *een lieve tijd geleden* a good(ish) while ago; *lieve naampjes* endearing names; *Onze Lieve Vrouwe* Our Lady, the Virgin Mary; *hun lieve landje,* (*iron*). their precious country; *je bent me een lieve jongen!* (*iron.*) you're a fine (a nice) fellow (a nice one)!; *om 't lieve geld werken* work for the sake of the money; *toen had je het lieve leven gaande* then the fat was in the fire; *om de lieve vrede* for the sake of peace; anything for a quiet life; *lieve woorden* soft words; *meer dan me ~ is* more than I care for; *meer malen dan me ~ is* more times than I care to count (to remember); *als je leven je ~ is* if you value your life; *~ willen zijn, ~ doen* set out (go out of one's way) to be agreeable; *'t is verbazend ~ van je* it is awfully sweet (nice) of you; *ze was erg ~ tegen hem* she was very sweet to him; *'t voor ~ nemen* make shift with it, put up with it; ... *net zo ~ ...* he'd just as soon be dead (be in prison as out); II *zn. ~ en leed* joys and sorrows, the bitter and the sweet; *in ~ en leed* (in) rain or shine, for better for worse; *zijn ~* his sweetheart, his best girl; *haar ~* her best boy; *zie* ding, heer, leventje, liever, liefst, enz.

liefdadig charitable, beneficent; *'t geld is bestemd voor een ~ doel* goes to charity

liefdadigheid charity, beneficence; *van ~ leven* live on c.; ~**sbazaar** *zie* bazaar; ~**sconcert** c. concert; ~**sgenootschap** charitable (benevolent) society; ~**sinstelling** charitable institution, charity; ~**spostzegel** c. (postage) stamp (*niet in Eng. en Am.*); ~**svoorstelling** c. performance

liefde love [*voor* of, for, to, towards]; (*naasten-~*) ook*: charity [c. covers a multitude of sins]; *zijn eerste ~* his first l.; *de ~ tot God, voor de kunst* the l. of God, of art; *oude ~ roest niet* old l. lies deep; *zij had een ongelukkige ~ gehad* had been crossed in l., had had an unlucky love-affair; *~ zoekt list* l. will find a way; *met ~* with (the greatest) pleasure; *uit ~ for* (out of, from) l.; *huwelijk uit ~* l.-match; *uit ~ trouwen* marry for l.; *zie* geloof; ~**blijk** proof of l., l.-token; ~**dienst** act of l., kind service, kindly office; *'t is de laatste ~, die ik haar kan bewijzen* it is the last act of l. I can do for her; ~**drank** l.-potion, philtre, philter; ~**drift** passion of l.; ~**gave,** ~**gift** charity, alms, charitable gift; ~**godje** love, cupid; ~**knoop** l.-knot; ~**leven** love-life; ~**loos** loveless, uncharitable, unfeeling, hard-hearted; ~**loosheid** ...ness (*zie ~loos*); ~**maal(tijd)** l.-feast, agape; ~**pand** pledge of l., l.-token; ~**pijl** l.- (*of:* Cupid's)

shaft; ~rijk loving, affectionate
liefdes- love: ~avontuur l.-adventure, amorous
a.; ~betrekking l.-intrigue, amour, l.-affair;
~betuiging profession (protestation) of l.; ~
geschiedenis a) l.-story; b) l.-affair, affair of
the heart, romance; ~intrige zie ~betrekking;
ook: [an amusing] l.-tangle
liefdessmart pangs of love; disappointed love
liefdesverklaring declaration (of love), proposal; hij deed haar een ~ he proposed to her
liefde: ~vol loving, full of love; ~werk work of
charity, charitable deed; ~zuster sister of
charity, (of mercy)
liefelijk lovely, charming, sweet; ~heid love-
liness, etc.; charm; ~heden (iron.) zie hatelijkheid
liefhebben love; ~d loving, affectionate; de ~e
moeder, ook: the fond mother; uw ~e ...,
yours affectionately ..., your loving ...
liefhebber lover [of books], devotee, votary [of
golf, motoring, etc.], amateur, aficionado; (bij
verkoping) (intending) buyer; geen ~s, ook: no
takers; ~en do amateur work; – in dabble in,
amuse o.s. with [politics, etc.], play at [paint-
ing, diplomacy], potter [(away) at botany]
liefhebberij favourite pursuit, fad, hobby; er bestaat grote ~ voor it is greatly sought after;
uit – [paint, etc.] as a hobby, for the love of the
thing; het is een ~ te zien ... it is a (real) treat
to see ...; dure ~ expensive hobby (luxury); ~
toneel amateur (of: private) theatricals; (vereniging) amateur dramatic club
liefheid sweetness, amiability; liefje darling,
pet, dearest; (beminde) sweetheart, [his] best
girl; (bijzit) kept woman (girl), mistress; liefjes
sweetly
liefkozen fondle, caress, stroke; -ing caress,
endearment, blandishment
liefst bn. zie lief; bw. rather; for (by) preference
(choice), preferably; ik zou ~ blijven I should
prefer to stay; ik zou hem het ~ zien vertrekken I'd like to see the back of him; welke heb
je 't ~? which do you like best (do you prefer)?;
~ niet rather not; schadeloosstelling van maar
~ ... damages to the tune of £200; en maar ~
te middernacht and that at midnight; maar ~
tachtig no fewer than eighty
liefste lover, [her] best boy; sweetheart, [his]
best girl; mijn ~ my love, my dearest
lieftallig sweet, winsome, attractive; ~heid ...-
ness, amiability
liegbeest zie leugenbeest
liegen lie, tell lies; hij liegt (het) he lies, is a liar;
't is (alles) gelogen it's a lie (all lies); hij liegt
alsof 't gedrukt is (dat hij zwart ziet) he is a
terrible liar, he lies till he is black in the face;
wie liegt steelt ook show me a liar and I'll
show you a thief; met een effen gezicht ~ l.
with a straight face; hij heette 't mij ~ he gave
me the l.; als ik lieg, lieg ik in commissie I've
told you the story just as it was told to me;
maar nou lieg ik [a nice young man,] I don't
think; hij trachtte zich eruit te ~ he tried to l.
himself (his way) out of it (out of the difficul-

ty); ik wil er niet om ~ I won't tell a lie; dat
liegt er niet om that's quite something (is
telling him all right, etc.); de voorbeelden die
hij aanhaalt ~ er niet om are anything but
negligible; zie bloed
lieg(st)er zie leugenaar(ster)
Lien Lina, Carrie
lier lyre; (soort draaiorgel) hurdy-gurdy; (werktuig) winch; de L~, (astron.) Lyra; het ging
als een ~ it went like a house on fire (like one
o'clock); branden als een ~ burn like matchwood; de ~ aan de wilgen hangen hang one's
harp on the willows; ~dicht lyric (poem); ~
dichter lyric poet; ~draaier, ~eman organ-
grinder, hurdy-gurdy player; ~gast winch-
driver; ~staart, ~vogel l.-bird; ~vormig l.-
shaped, lyrate; ~zang lyric (poem)
lies l groin; 2 (plant) float-grass; ~breuk in-
guinal rupture (of: hernia)
Liesje Lizzie, Lizzy; vlijtig ~ Busy L.
lieslaars wader
lieveheersbeestje lady-bird
lieveling darling, dear, pet, favourite; (fam.)
duck, duckie, honey; [teacher's] blue-eyed
boy; jij bent een ~, (iron.) you are a nice one;
~s... favourite [pursuit, occupation, book,
poet, dish; study, work]; pet [animals, lamb];
~sdier, ~kind enz., ook: pet
lievemoederen: daar helpt geen ~ aan there is no
help for it, that cannot be helped
liever l bw. rather, sooner [I'd ... die]; ik heb
dit ~ I like this better [dan than], prefer this
[dan to]; ik heb de mijne ~ warm I prefer mine
warm; ik wil (verlang, wens) niets ~ I ask for
(I'd like) nothing better; ik ga ~ niet, ik ~ niet
gaan I had r. not (don't care to) go; daar wil ik
~ niet van horen I (should) prefer not to hear
anything about it, I don't care to hear about
it; zou je nu niet ~ gaan? ik wou ~ niet hadn't
you better go now? I'd r. not; zal ik het raam
opendoen? ~ niet better not; ik wil nu ~ niemand
zien, ook: I don't feel like seeing anyone just
now; ik wou ~ blijven dan heengaan, ook: I
would rather stay than otherwise; ik zou veel
~ willen, dat je ... I'd much rather you refused;
... ~ dan ..., ook: go to the cinema in preference to the theatre; hij wilde ~ sterven dan
... he preferred to die r. than [pay; than that
any harm should befall her]; ik slaap nog ~ op
straat (dan zo iets te doen) I'll sleep in the
street first; ik zou in Utrecht willen wonen, of,
nog ~, in Zeist or, even better, at Z.; II bn.
zie lief
lieverd darling, etc.; zie lieveling
liever: ~koekjes: – worden niet gebakken, ongev.: if you do not like it, you may lump it;
~le(d)e: van – gradually, by degrees, little by
little
lievevrouwebedstro woodruff
lievigheid amenity, endearment; lievigheden,
(iron.) (gentle) amenities
liflafjes kickshaws, frills
lift id.; (inz. Am.) elevator; (voor goederen)
ook: hoist [luggage ...]; in de ~ zitten be im-

proving (making progress, on the way up); **~bediende** l.-attendant, liftman; **~en** hitchhike, thumb rides; *hij staat te –* he is thumbing for a ride; **~er** hitch-hiker; **~koker** l.-shaft, -well; **~kooi** l.-cage

liga league

lig: **~dagen** lay-days; **~geld** harbour-, dockdues (*of:* -charges), port-charges, anchorage (dues); (*overliggeld*) demurrage

liggen lie; (*van stad, enz.*) be situated, lie, stand; *lekker ~* nestle [in a chair, among leaves]; *lig je goed?* are you comfortable?; *beter worden van 't ~* improve by keeping; *zoals 't (wetsontwerp) daar ligt ...* as it stands the bill suffers from ...; *die rol ligt hem niet* that part does not suit him (is not in his line); *laten ~* [you may] leave [the fat]; *laat dat ~* leave it; *hij heeft 't lelijk laten ~* he has made a bad job of it; *blijven ~* remain; remain in bed; (*tot later*) *bl. ~* stand over, [many advertisements must] be held over [till to-morrow]; *'t artikel was blijven ~* the article was crowded out; *blijf ~* don't get up; *de sneeuw zal niet bl. ~* the snow won't lie; *gaan ~* lie down; (*wegens ziekte naar bed gaan*) take to one's bed; *even gaan ~,* (*fam.*) have a lie-down; *ik zou maar wat gaan ~* you'd better go and lie down; *de wind ging ~* dropped, died (went) down, fell, (*voor een ogenblik*) lulled; *het stof ging ~* the dust settled; *achterover gaan ~* lie back; *ik heb het geld ~* I have the money ready; *de tuin ligt noord-zuid* bears north and south; *de stad ligt aan een rivier* is situated (lies) on a river; *waar ligt het aan?* what's the cause of it?; *aan wie ligt 't?* who is to blame?; *'t ligt aan hem* it is his fault, (*fam.*) it is all along of him; *'t zal aan mij niet ~* it won't be my fault (if we don't succeed, etc.); it won't be for want of trying; *niet als het aan mij ligt* not if I can help it; *voor zover het aan hem ligt* as far as he is concerned; *dat ligt geheel aan u,* (*hangt van u af*) that depends entirely on you (on you only); *als 't alleen daaraan ligt* if that is all; *~ in* lie in [the difference lies in this; the reason lies in his character]; *in bed (in 't ziekenhuis) ~* be in bed (in hospital); *zie bedoeling; hij ligt met influenza* he is laid up with influenza; *ze kwam te ~ met mazelen* she went down with (the) measles; *hij lag met de ellebogen op de tafel* he leant his elbows on the table; *'t kasteel ligt op een hoogte* stands on a height; *dit vertrek ligt op het zuiden* has a southern (south, southerly) aspect, faces south, looks to(wards) the south; *de klemtoon ligt op de laatste lettergreep* is on the final syllable; *~ te luisteren* lie listening, lie and listen; *wel, 't geval lag ertoe* well, there it was! the milk was spilt; *hij lag uit 't raam* he leant out of the window; *je ligt eruit bij hen,* (*fam.*) you have forfeited their good opinion; *er ~ angstige tijden voor ons* there are anxious times ahead (of us); *de vijand lag voor de stad* the enemy lay (had sat down) before the town; *zie ook* aard, vol, weg, zaniken, enz.

liggend lying; recumbent [posture]; *~e boord* turn-down collar; *~ geld* ready money; *~e leeuw,* (*her.*) lion couchant

ligger (*van brug*) girder; *zie verder* legger

ligging situation [of a country, etc.], position, (*Am.*) location; lie [of the land, of the chalkbeds]; (*fig.*) position, view(s), outlook; (*van auto*) road holding; *~ en voedsel* bedding and food

lighal: [*draaiende*] *~* [revolving] (garden-)shelter; **ligkuur** rest-cure

ligniet lignite

ligplaats (*van schip*) berth, mooring; *een ~ geven* berth [a ship]; *een ~ innemen* take up a b., berth; *van ~ veranderen* shift one's b.; **ligrijtuig** couchette carriage; **ligstoel** reclining-, lounge-chair; **ligstro** bedding litter

Ligurië Liguria; **~r, Ligurisch** Ligurian

liguster privet; **~bes** p.-berry; **~pijlstaart** p. hawk-moth

lij lee; *aan ~* on the lee-side, alee [put the helm ...], to leeward; *aan ~ je roer!* up (with the) helm!; *zij liggen in ~* they have seen better days; **lijboord** lee-side

lijdbaar bearable

lijdelijk passive; *~(e) gehoorzaamheid (verzet)* p. obedience (resistance); *iets ~ aanzien* stand by (with folded arms); **~heid** ...ness, passivity

lijden I *ww.* suffer [pain, cold, hunger, thirst]; (*doorstaan*) endure, bear, stand; *hevige pijn ~, ook:* be in an agony of pain; *een verlies ~* sustain (suffer) a loss; *'t ergst van allen ~* be the worst sufferer of all; *mogen ~* like; *ik mag ~, dat hij een blauwtje loopt* I'd like to see him come a cropper; *zij mogen elkaar niet ~* there is no love lost between them; *dat kan niet ~* I cannot afford it; *zijn fiets had erg geleden* had suffered severely; *hij had (zijn kleren hadden) niet geleden door 't ongeluk* he was (his clothes were) none the worse for the accident; *het meubilair heeft veel te ~* takes a lot of punishment; *~ aan* s. from [a disease, one's heart], be ill with [typhoid fever], be down with [flu]; *aan een waanvoorstelling ~* labour under a delusion; *erg ~ aan, ook:* be a martyr to; (*schade*) *~ door* s. by; *~ door (onder) de oorlog* s. from the war; *~ naar lichaam en geest* s. in body and mind; *~ onder* s. under [a blow]; (*nadeel ondervinden*) s. by, be a sufferer by; *zijn gezondheid leed er onder* it seriously affected his health; *nog ~de onder de oorlog* still smarting from the war; *te ~ hebben van* s. from; *zie* schipbreuk, uitstel, enz.; II *zn.* suffering(s); *het ~ van Christus* the Passion (of Christ); *iem. uit zijn ~ helpen (verlossen),* (*door te doden*) put a p. out of his misery (his pain); *na ~ komt verblijden* after rain comes sunshine

lijdend suffering; (*gramm.*) passive; *~e partij* losing party; *~ voorwerp* direct object; *~e vorm* passive voice

lijdens: **~beker** cup of bitterness (sorrow); *de ~ tot de bodem ledigen* drink the cup of bitterness (the bitter cup) to the dregs; **~geschiede-**

nis (*van Christus*) Passion; (*fig.*) tale of woe; *zie* ~weg; ~**kelk** *zie* ~beker; ~**week** Passion week, Holy week; ~**weg** way of the Cross; (*fig.*) [his life was one long] martyrdom; [the journey became a] road to Calvary

lijder(es) sufferer, patient

lijdzaam patient, meek, submissive; ~**heid** patience, meekness; *zijn ziel in – bezitten* possess one's soul in patience

lijf body; (*van japon*) bodice; ~ *en rok*, (*van japon*) b. (*of*: bodice) and skirt; ~ *en goed* [security of] person (*of*: life) and property; *zijn* ~ *wagen* risk one's life; *kom me niet aan mijn* ~*! zie* blijf me van 't ~; *hij had geen hemd* (*geen kleren*) *aan* 't ~ he had not a shirt (no clothes) to his back; *ik bezit niets dan wat ik aan* 't ~ *heb* I own nothing but what I stand up in; *hij ondervond* 't *aan den lijve* he found it to his cost; *ze voelden … aan den lijve* the war was brought home to them; *aan den lijve onderzoeken* search [a p.]; *diefstal aan den lijve* robbery from the person; ~ *aan* ~ *boksen* infighting; *hij heeft geen vrees in z'n* ~ he has no fear in his composition; *ze hebben de duivel in het* ~ they have got the devil in them; *in levenden lijve in* the flesh, as large as life; *pijn in* 't ~ *hebben*, (*fig.*) be worried; *zie* buikpijn; *met* ~ *en ziel* b. and soul; *niet veel om* 't ~ *hebben* be of little importance; 't *heeft niet veel om* 't ~, *ook:* there is not much in it, it isn't anything (it doesn't amount to) much, it comes to very little; *zie* hangen; *iem. op* 't ~ *vallen* fall (drop in) upon a p., land on a p., take a p. unawares; *iem. met iets op* 't ~ *vallen* spring s.t. (a surprise, etc.) on a p.; *iem. een schrik* (*de stuipen*) *op* 't ~ *jagen* give a p. a fright, send a p. into fits; *zich de dood op* 't ~ *halen* (*van de kou*) catch one's death (of cold); *zie* drukte; *de rol is hem op* 't ~ *geschreven* fits him like a glove, was simply made for him; *beven over zijn gehele* ~ tremble in every limb (all over); *iem. te* ~ *gaan* go at (*of:* for) a p., pitch (wade) into a p.; *iem. tegen* 't ~ *lopen* run across (*lett. & fig.*), run up against (run into, bump into, barge into) a p.; *ik liep hem vlak tegen* 't ~ I bumped right into him; *blijf me van* 't ~ don't touch me! keep off! hands off!; *zich iem. van* 't ~ *houden* keep a p. at arm's length; *zich de griep van* 't ~ *houden* keep the flu at bay; *zie* bergen, draad, gezond, enz.; ~**arts** personal physician, physician in ordinary, court-physician; ~**blad** favourite paper; ~**deun(tje)** favourite song (ditty, tune), (*Am.*) theme-song; ~**eigene** serf; ~**eigenschap** bondage, serfdom; ~**elijk** bodily; *zijn* ~*e broeder* his own brother; ~**garde** life-, body-guard; ~**goed** b.-linen, wearing-apparel; ~**je** bodice; ~**jonker** page; ~**knecht** valet, b.-servant, [his] man

lijf: ~**linnen** body-linen; ~**luis** body-louse; ~**rente** (life-)annuity; *zie* uitgesteld; ~**rentetrekker** annuitant

lijfs: ~**behoud** preservation of life; *op – bedacht* anxious to save one's life; ~**dwang** imprisonment for debt; ~**gevaar** danger of life; *zie* levensgevaar

lijf: ~**sieraad** personal ornament; ~**spreuk** device, motto, (favourite) maxim; ~**straf** corporal punishment; ~**stukje** *zie* ~deun; ~**wacht** life-, body-guard

lijgierig (*mar.*) leewardly

lijk corpse, dead body; (*voor dissectie*) subject; (*van zeil*) leech; (*lege fles*) dead man; ~ (*d.i. stomdronken*) *zijn* be dead drunk; *zo wit als een* ~ as white as a sheet; *over mijn* ~ over my (dead) body; *hij was geheel uit de* ~*en geslagen* he was quite dumbfounded, flabbergasted, staggered; ~**achtig** cadaverous; ~**auto** motorhearse; ~**baar** bier; ~**bezorger** undertaker, (*Am.*) mortician; ~**bezorging** *a*) undertaking; *b*) disposal of the dead; ~**bidder** undertaker's man; ~**bleek** pale as death, deadly (deathly) pale; ~**bus** funeral (*of:* cinerary) urn; ~**dicht** funeral poem; ~**dienst** burial (funeral) service, office for the dead; ~**drager** bearer

lijkegif(t) ptomaine, dissection-poison

lijken (*gelijken*) resemble, look (be) like; (*schijnen*) seem, appear, look; (*aanstaan*) suit, please; *dit portret lijkt helemaal niet* (*lijkt heel goed*) this photo is not a bit like [you, etc.] (is very like); 't *lijkt maar zo* it only seems so; 't *lijkt wel port* it looks like port; 't *lijkt wel, dat hij …* it would appear that he …; 't *lijkt wel alsof ik niets anders te doen heb dan …* one would think I had nothing to do but …; *dat lijkt hem niet, a*) he does not like it, it does not suit him; *b*) it is not like him; *dat lijkt nergens naar* (*naar niets*) that is altogether wrong; ~ *op* look (be) like, resemble; *waar lijkt* 't *op?* what is it like?; *dat lijkt er helemaal niet op* that is not a bit like it; 't (*hij*) *lijkt enigszins* (*vrij veel*) *op …* it (he) is not unlike (rather like) …; *u lijkt veel op uw vader* you are very like (much resemble) your father; *je enen* ~ *te veel op zevens* your ones are too like sevens; 't *lijkt precies* (*te veel*) *op een gevangenis* it looks for all the world like (is too like) a prison; *dat begint erop te* ~ that's better; that's something like it at last; *ze* ~ *niets op elkaar* they are as much (a)like as chalk and cheese; *niets dat op … leek* [there was] no semblance of a wrinkle in her face; [*hij slagen?*] 't *lijkt er niet op! …* not a bit of it!; 't *lijkt, of* 't *gaat vriezen* it looks like freezing; *zie ook* alsof, sprekend, enz.

lijken: ~**berover** tomb-robber, -thief; ~**beroving** tomb-robbing; ~**dief** body-snatcher; ~**huis(je)** mortuary; ~**roof** *a*) body-snatching; *b*) *zie* ~beroving

lijketouw (*mar.*) bolt-rope

lijk: ~**kist** coffin; ~**klacht** wailing for the dead; ~**kleed** *a*) (*over de kist*) pall; *b*) *zie* ~laken; ~**kleur** livid (cadaverous) colour; ~**kleurig** livid, cadaverous; ~**koets** hearse, funeral car; ~**krans** funeral wreath; ~**laken** shroud, winding-sheet; ~**maal** funeral meal; ~**mis** Requiem Mass, Black Mass; ~**offer** funeral sacrifice; ~**opening** autopsy, post-mortem (examination);

~oven crematorium; ~plechtigheid funeral ceremony; *mv. ook:* exequies, funeral rites; ~predikatie funeral sermon; ~rede funeral oration; ~schennis violation of the dead (of a dead body); ~schouwer coroner; ~schouwing post-mortem (examination), autopsy; (*gerechtelijke*) (coroner's) inquest [on a p., into a p.'s death]; – *houden over* sit on [the body]; ~staatsie, ~stoet funeral procession (cortège); ~urn *zie* ~bus; ~verassing, ~verbranding cremation; ~verstijving rigor mortis; ~wa(de) *zie* ~laken & ~kleed *a*); ~wagen *zie* ~koets; ~wake lyke-wake; ~wit white as death (as a sheet); ~zang dirge, funeral song

lijm gum; (*houtlijm*) glue; (*vogel-*) bird-lime; ~achtig gluey, glutinous

lijmen glue; (*papier gladmaken*) size; (*bij 't spreken*) (speak with a) drawl; (*fig.*) patch (up) [a split in the Cabinet]; *iem.* ~ rope a p. in, talk a p. over; *ik heb me laten* ~ I've allowed myself to be talked over, etc.

lijm: ~(er)ig sticky; (*bij 't spreken*) drawling; – *spreken, zie* lijmen; ~pot glue-pot; ~roede, ~stang, ~stok lime-twig; ~tang cramp; ~verf distemper; ~vlakken mating surfaces; ~water size, g.-water

lijn (*streep, spoor-, tram-, afstamming*) line; (*koord*) line, string, cord, rope; *zie ook* linie; *een hond aan de* ~ *houden* keep a dog on the lead (leash); ~ *3,* (*van tram, bus, enz.*) route three, number three tram (bus); *die* ~ *is opgeheven* (*vervallen*) that service has been taken off; *blijft u aan de* ~? (*telef.*) hold on, please! hold the line, please!; *de grote* (*algemene*) ~*en* the main (general) lines [of a policy]; *opgaande* (*neergaande*) ~, (*fig.*) upward (downward) tendency (trend); *de* ~ *van de geringste weerstand* [*volgen* take] the l. of least resistance; *ze doet aan de slanke* ~ she is watching her figure (she is slimming); *dat mag ik niet eten vanwege de* ~ I can't eat that: I have to watch my figure (my calories); ~*en trekken op* rule [paper]; *één* ~ *trekken* pull together, present one common front; *één* ~ *trekken met, ook:* stand in with, line up with [the railwaymen lined up with the miners]; *geen vaste* ~ *volgen* follow no definite policy; *dat ligt niet in mijn* ~ that is not in my l.; *afstammelingen in de rechte* ~ lineal descendants; *in de eerste* ~ first-l. [bombers, etc.]; *in grote* ~*en* in broad outline; *op één* ~ [the houses were all] in (a) l.; *op één* ~ *met* in l. with; *op één* ~ *staan met,* (*fig.*) be on a par (a level) with, be on all fours with; *op één* ~ *stellen* put on a level, bracket together [with]; *op één* ~ *stellen met, ook:* bracket [women] with [fools], rank [a p.'s works] with ...; *op één* ~ *opstellen* align [soldiers, etc.]; *de trein werd op een andere* ~ *gebracht* was switched off (shunted); *over de hele* ~ [score] all along the l., all-round [improvement]; *de toestand over de hele* ~ the overall situation; *de bal ging over de* ~ the ball went out, (*zijlijn*) into touch, (*doellijn*) behind; ~baan rope-walk, ropery; ~boot liner;

~cliché line-block; ~dienst regular (scheduled) service; ~draaier rope-maker; ~en *a*) rule, line; *b*) slim, watch one's weight; ~exercitie rope-, string-, skeleton-drill; ~inspecteur inspector (overseer) of telegraph lines

lijn: ~koek linseed-, oil-cake; ~meel linseed meal; ~meelpap linseed poultice; ~olie linseed oil

lijn: ~opzichter (*spoorw.*) track-watchman, -walker; ~perspectief linear perspective; ~recht (dead) straight, perpendicular, diametrical; – *staan tegenover* be diametrically opposed to; – *in strijd met* in flat contradiction with, in flat opposition to [the law]; – *ingaan tegen* cut right across [a p.'s preconceptions]; ~slager rope-maker; ~stuk (*wisk.*) line segment; ~tekenen linear (*of:* geometrical) drawing; ~tekening line-drawing; ~tje line; *iem. aan 't* – *hebben* have a p. on a string; *iem. aan 't* – *houden* keep a p. on a string; *met een zacht* – with kind words, by gentle measures; *ik kreeg hem ertoe met een zacht* (*zoet*) – I coaxed him into doing it; *zie ook* langzaam; ~toestel *zie* ~vliegtuig; ~trekken slack, go slow; (*sl.*) swing the lead, scrimshank; ~trekker slacker, shirk(er), skulk(er), (*sl.*) lead-swinger, scrimshanker; ~trekkerij slacking, shirking, ca'canny (policy), go-slow policy; ~verbinding (*radio*) landline (connection); ~vliegtuig (air-)liner; scheduled plane; ~vlucht scheduled flight

lijnwaad linen

lijn: ~werker (*telef.*) line(s)man, wireman; ~werpkanon, (-toestel) line-throwing gun (appliance)

lijnzaad linseed; (*zaai~*) flax-seed; ~pap l.-poultice

lijs slowcoach; *lange* ~ long china vase; (*pers.*) maypole

Lijs(bet) Lisbeth, Lizzie

lijst list, register, roll; (*van doktoren, sprekers*) panel; (*om schilderij, enz.*) frame; (*rand*) edge, border; (*kroon~*) cornice, moulding; ~ *van werkzaamheden* time-table; *in een* ~ *zetten* frame [a picture]; *passen in de* ~ *van,* (*fig.*) fit in with; *op de* ~ *plaatsen* place on the list; list; schedule; (*voor eventuele vacature*) place on the waiting-list; *no. 3 op de* ~ third down on the list; ... *staat op de* ~ *van Monumentenzorg* ... is scheduled as a building etc. of historic interest; *zie* schrappen; ~aanvoerder person heading party's list of election candidates; ~en frame [a picture]; ~enmaker frame-maker, picture-framer

lijster thrush; *grote* ~ missel-thrush; *zwarte* ~ blackbird; *als een* ~ [sing] like a lark; ~bes mountain-ash berry; (*Sc.*) rowan(-berry); (*de boom*) mountain-ash; (*Sc.*) rowan(-tree)

lijsttoneel proscenium arch (theatre)

lijstwerk frame-work; (*bk.*) moulding(s)

lijvig corpulent; voluminous [document]; bulky, fat, substantial, paunchy [volume]; viscous [paint], thick [syrup]; ~heid corpulency, voluminousness, bulk(iness)

lijwaarts leeward
lijzeil studding-sail, stunsail
lijzig drawling
lijzijde lee-side; *aan ~* alee; *zie* lij
lik lick; *iem. een ~ geven* give a p. a blow; *~ op stuk geven* give tit for tat; *~ uit de pan, zie* veeg
likdoorn corn; **~mes** c.-knife, -razor; **~pleister** c.-plaster; **~snijder** c.-cutter, chiropodist
likeur liqueur; **~boon, ~bonbon** l. chocolate, l. dragée; **~glaasje** l.-glass, (*fam.*) l.-tot; **~keldertje** cellaret; **~stel** l.-stand, -frame; **~stoker-(ij)** l.-distiller(y); **~tje** liqueur (*ook* = glass of l.)
likhout polishing-, sleeking-stick
likke: ~baard gourmet, gourmand, epicure, gastronome; **~baarden** lick one's lips (*of:* chops) [lick (*of:* smack) one's lips over a scandal]; **~broer** *zie* **~baard** & pimpelaar
likken lick (*ook van vlammen*); (*op~*) lap; (*glad maken*) sleek, polish; *iem. ~* lickspittle (be-slaver, soft-soap) a p., lick a p.'s shoes (boots), toady to, soft-sawder a p.; *zijn baard ~, zie* likkebaarden; *hij likt er de vingers al naar* he licks his fingers (*of:* lips) for it; **likkepot** electuary; (*het potje zelf*) gallipot
likker licker; (*fig.*) lickspittle, toady; **~ij** toady-ism, soft soap, soft sawder, blarney
likmevestje (*fam.*) *zie* niks
liksteen *a*) sleeking-stone; *b*) mineral (*of:* salt) lick, m. block
likwidatie enz., *zie* liquidatie, enz.
lil (meat-)jelly, gelatine
lila *zn.* & *bn.* lilac; *zacht ~* lavender
lillen quiver, shake, palpitate, dither
Lilliput id.; **l~achtig, l~s, l~ter** Lilliputian
Lilly id., Lilian
Limburg id.; **~er** id.; **~s** Limburg(er) [cheese]; -*e klei* loess
limiet limit; (*op veiling*) reserve (price, figure); *aan een ~ binden* bind (*of:* tie) to a l.; *een ~ stellen* fix a l.; **limitatie:** *opdracht met ~,* (*hand.*) stop(-loss) order
limitatief limitative; **limiteren** limit
limmetje sweet lime
limonade lemonade; *~ gazeuse* aerated (*fam.:* fizzy) l.; *zie* frambozen~, enz.; **~essence** lemon essence; **~stroop** lemon syrup
limousine id.
Lina id., Carrie
linde lime(-tree), linden(-tree); **~bast** linden-bast, bass; **~bloesem** l.-tree blossom; **~boom** *zie ~;* **~hout** lime-wood; **~nbos** lime-, linden-wood; **~nlaan** lime(-tree) avenue
lineair linear [expansion]
linea recta straight, as the crow flies; *~ gaan naar, ook:* make a bee-line for
lingerie id., linen articles; (women's) under-wear, (*fam.*) undies
linguïst linguist; **~iek** linguistics; **~isch** linguis-tic (*bw.:* -ally)
liniaal ruler; *met de ~ trekken* rule [lines]
linie line; *mannelijke ~* male l., spear side; *vrouwelijke ~* female l., distaff side; *de ~ passeren* cross the l.; *zie verder* lijn; **linieermachine**

ruling-machine, machine-ruler; **linieregiment** line regiment; **liniëren** rule
linieschip ship of the line, line-of-battle ship
linietroepen troops of the line
link (*fam.*) sly, cunning; risky; **~en** cheat
linker left (*ook in pol.*); *ook:* left-hand [side, road, etc.]; (*van paard, rijtuig, enz.*) near [... hind leg, ... front wheel, ... side]; **~ beneden-(boven)hoek** bottom (top) left-hand corner; **~arm** l. arm; (*van ruiter ook*) bridle-arm; **~been** l. leg; *met 't ~ uit bed stappen,* (*fig.*) get out of bed the wrong foot foremost (on the wrong side); **~hand** l. hand; *laat uw - niet weten wat uw rechter doet,* (*bijb.*) let not thy left hand know what thy right hand doeth; *huwen* (*huwelijk*) *met de -* marry with the l. hand (left-handed marriage); **~kant** l.(-hand) side; (*van auto, enz.*) near side [the car was dam-aged on the ...]; *aan de - van de weg* on the l.-hand side (on the l.) of the road; **~vleugel** l. wing (*ook in pol.*); *lid van de -* l.-winger; **~zij-de** *zie* ~kant; (*pol.*) the Left
links I *bn.* left-handed; (*fig. ook*) gauche, mala-droit, awkward; (*fam.*) cack-handed; (*pol.*) left, leftist; *de ~en,* (*pol.*) the Left (wing, wingers); **II** *bw.* to (on, at) the left; (*fig.*) in a left-handed way, clumsily, awkwardly; *naar ~* [turn] left; *iem. ~ laten liggen* ignore a p., give a p. the cold shoulder (the go-by); *~ binnen* (*buiten*), (*voetb.*) inside (outside) left; *vgl. verder* rechts; **~af** to the left; **~heid** left-handedness; (*fig. ook*) gaucherie, awkward-ness
linksom to the left; (*mil.*) left turn!
Linnaeus id.; *van ~* Linnaean
linnen linen (*ook: ~goed*); *in ~,* (*van boek*) in cloth; *~ band* cloth binding; *~ stoffen* linens; *op ~* l.-mounted; **~goed** linen; **~juffrouw** l.-maid; (*kostschool, enz.*) wardrobe mistress; (*mar.*) l.-keeper; **~kast** l.-cupboard; **~koper** l.-draper; **~mand** (soiled) l.-basket; **~naaien** plain sewing; **~naaister** seamstress; **~pers** l.-press; **~wever** l.-weaver; **~weverij** l.-factory; **~winkel** l.-draper's (shop)
linoleum id.; (*fam.*) lino; **~snede, -snijden** lino-cut, -cutting
linotype id.; (*fam.*) lino
lint ribbon; tape; **~bebouwing** r.-building, -de-velopment; **~fabrikant** r.-maker, -manufac-turer; **~gras** *zie* Engels gras & rietgras; **~je** ribbon, (*ook van orde*); (*fam.*) order (of knighthood); **~jesregen** (*fam.*) Birthday Hon-ours List; **~vormig** (*plantk.*) ligulate; **~wever** r.-weaver; **~worm** tape-worm; **~zaag** band-, belt-, r.-saw
linze lentil
linzen: ~kooksel (*bijb.*) mess of pottage; **~meel** lentil-flour
lip id. (*ook van wond, orgelpijp, enz. & plantk.*); (*van anker*) bill; **~pen en kelen,** (*van kabeljauw*) sounds and tongues; *de ~ laten hangen* pout, hang one's l. [*ook:* her l. drooped]; *aan de ~pen brengen* place (raise) [the glass] to one's lips; *aan iems. ~pen hangen* hang (up)on a p.'s

lips (*of*: words); *zich* **op** *de* ~*pen bijten* bite one's lips; '*t lag haar op de* ~*pen* she had it on (at) the tip of her tongue, she had it on her lips [to say …]; *zijn naam is op aller* ~*pen* his name is on all (everyone's, all men's) lips, in everybody's mouth; *geen woord* (*geen druppel*) *kwam* **over** *zijn* ~*pen* not a word (not a drop) passed his lips; *een* ~*je trekken* make a l.

Liparisch: *de* ~*e Eil.* the Lipari Islands

lip: ~**bloem(ig)** labiate; ~**je** *zie* ~; ~**lap** half-caste, half-breed; ~**klank** labial (sound); ~**letter** labial (letter); ~**lezen** *ww.* lip-read; *zn.* lip-, speech-reading; ~**penbeer** sloth-bear; ~**pendienst** [do, give, pay] lip-service [to …]; ~**penstift** lipstick; ~**penzalf** lip-salve; ~**pijp** (*van orgel*) flue-, lip-pipe

lipssleutel yale key; -**slot** yale lock, cylinder lock

lipvis wrasse; -**vormig** lip-shaped, labial

liquida liquid

liquidateur liquidator

liquidatie winding-up, liquidation; (*effectenbeurs*) settlement; *in* ~ *zijn* (*gaan*) be in (go into) liquidation; *bevel tot* ~ winding-up order; ~**dag** settling-day; ~**kas** clearing-bank, -house; ~**koers** settling-price; ~**uitverkoop** winding-up sale; **liquide** liquid

liquideren *tr.* wind up [a business], liquidate; *intr.* go into (be in) liquidation

liquiditeit solvency, liquidity

lira, lire (*Ital. munt*) lira; *mv.*: lire, liras

lis *zie* lus

lis(bloem) flag, iris; *gele* ~ yellow f.; ~**dodde** reed-mace, cat's-tail; ~**gras** ribbon-grass

lispelen lisp, speak with a lisp

lispen lisp; **lisper** lisper

Lissabon Lisbon; (*inwoner*) *van* ~ Lisbonian

list ruse, trick, wile, guile, artifice, stratagem; ~*en en lagen* devices, designs

listig sly, cunning, crafty, wily, subtle; '*n* ~ *ding* [she is] a sly puss; *een* ~ *komplot* a deep-laid plot; *op een* ~*e manier*, *ook*: in an artful manner; ~**heid** slyness, cunning, subtlety; ~**lijk** slyly, etc.

litanie litany (*ook fig.*: a … of woes)

liter litre; *ongev.* quart

literair, -arisch literary; -**ator** literary man, man of letters

literatuur literature [read up the … of (*over*) a subject]; ~**geschiedenis** history of literature; ~**lijst** reading list, list for further reading; ~**studie** study of literature; ~**wetenschap** theory of literature, literary theory; *algemene* – general literature

litho id.; ~**graaf** lithographer; ~**graferen** lithograph; ~**grafie** lithography; [a] lithograph; ~**grafisch** lithographic (*bw.*: -ally); ~**poon** lithopone; ~**sfeer** lithosphere

litoraal littoral [zone]

litotes id., meiosis

Litouwen Lithuania

Litouwer, Litouws Lithuanian

lits-jumeaux twin-bed(s)

litteken scar, cicatrice

litterair enz., *zie* literair, enz.

liturgie liturgy; **liturgisch** liturgical

Liverpool id.; *inwoner van* ~ Liverpudlian

Livius Livy

Livorno id., Leghorn

livrei livery; ~**bediende**, ~**knecht** l.-servant, footman (in l.); ~**rok** l.-coat; ~**rups** *zie* ring(el)rups

Lize Lizzie, Lizzy, Liza

llano id.; **lob** lobe

lobberig (*van pap, enz.*) (rather) thick

lobbes big stupid fellow; *een goeie* ~ a big good-natured chap (dog); ~**achtig** good-natured but rather stupid

lobbig loose, floppy; **lobelia** id.

loboor *a*) lop-ear; *b*) lop-eared dog (*of*: hog)

loborig lop-eared

lobvormig lobate

loc loco(motive)

locatie location

locatief locative

loco spot, on spot; ~ *station* free station; ~ *Liverpool* ex warehouse L.; *in* ~ [investigations] on the spot; ~ *verkopen* sell for immediate delivery; ~**burgemeester** acting-, deputy-mayor, -burgomaster; ~**goederen** s. goods; ~**markt** s. market

locomobiel traction-engine

locomotief (locomotive) engine, locomotive; ~ *en tender* (*in één*) tank engine; ~**loods** e.-shed

loco: ~**prijs** spot price; ~**voorraad** s. supply; ~**zaken** s. transactions

lodderig drowsy; ~**heid** drowsiness

1 loden (*stof*) id.

2 loden I *bn.* lead, leaden; (*fig.*) leaden; ~ *dak*, *ook*: leads; *met* ~ *schoenen*, *zie* lood; **II** *ww.* (*met schietlood*) plumb; (*mar.*) sound, plumb, heave the lead, take soundings; (*plomberen*) lead [goods]; (*in lood zetten*) lead [windows]

loder (*mar.*) leadsman

lodereindoosje (*hist.*) scent-box

Lodewijk Lewis; Louis [XIV etc.]

loding (*mar.*) sounding, cast of the lead

loeder (mean) skunk, beast, bastard

loef luff; *de* ~ *afsteken* get to windward of (*ook fig.*); *iem. de* ~ *afsteken*, *ook*: take the wind out of a p.'s sails, score off (go one better than) a p.; ~**gierig** (*mar.*) weatherly; ~**waarts** *zie* te loevert; ~**zijde** weather-side

loei: *een* ~ *van een* … a whopping (big, great, etc.) …

loeien (*van koe*) low, moo; (*van stier*) bellow; (*van wind, vlammen, enz.*) roar, (*van sirene*) shriek, wail; (*van misthoorn*) boom

loeier = loei

loempia (Chinese) egg-roll

loens having a cast in the eye; ~ *zien*, ~**en** have a cast in one's eye

loep magnifying-glass, magnifier, hand-lens, pocket-lens; *onder de* ~ *nemen*, (*fig.*) scrutinize, put [a p.'s faults] under the microscope (a m.-g.); ~**zuiver** (internally) flawless

loer (*valkerij*) lure; *op de* ~ *liggen* lie in wait, lie (be) on the look-out; *iem. een* ~ *draaien* play a p. a nasty trick, do (*of:* play) the dirty on a p., do a p. in the eye; ~**en** peer, leer, spy, pry; – *op* lie in wait for, be on the lurk for; *op een gunstige gelegenheid* – be on the watch for one's opportunity

loeres, loeris noodle, booby

loerogen peer, leer, spy, pry, watch

loeven luff; **loever(t):** *te* ~ to windward, on the weather-beam

lof 1 praise, commendation, eulogy, laudation; *eigen* ~ self-praise, self-advertising; *eigen* ~ *stinkt* self-praise is no recommendation; *ik heb niets dan* ~ *voor* ... I have nothing but p. for ...; *zijn eigen* ~ (*de* ~ *van zijn vriend*) *verkondigen* (*uitbazuinen*) blow one's own trumpet, sound (sing) one's friend's praises; *boven mijn* (*boven alle*) ~ *verheven* above my p., above (beyond) all p.; *met* ~ *slagen* pass with credit, graduate with distinction; *hij spreekt van hen met grote* ~ he speaks highly of them, speaks of them with high praise (in high [the highest] terms); *tot haar* ~ in her p.; *zie* toezwaaien; 2 (*r.-k.*) benediction; 3 *zie* loof & Brussels; ~**bazuin** *zie* ~trompet; ~**dicht** laudatory poem, panegyric; – *op, ook:* poem in p. of; ~**dichter** panegyrist

loffelijk laudable, commendable, praiseworthy; ~ *spreken over* speak in terms of praise (in flattering terms) of; *zie ook* lof (*met* ...); ~**heid** praiseworthiness, etc.

lofgezang, -lied hymn (*of:* song) of praise, paean; (*r.-k.*) canticle

Lofodden: *de* ~ the Lofoten (Islands)

lof: ~**psalm** psalm (*of:* hymn) of praise; ~**rede** laudatory oration, panegyric, eulogy; ~**redenaar** eulogist, panegyrist; ~**spraak** praise, eulogy, encomium; *de* ~**trompet** *steken* blow the trumpet; *de* – *steken over* sound (sing) the praises of; *zijn eigen* – *steken, ook:* blow one's own trumpet, be one's own trumpeter; ~**tuiting** *zie* ~spraak; ~**waardig(heid)** *zie* loffelijk(heid)

lofwerk (*bk.*) leaf-work, (ornamental) foliage

lofzang *zie* loflied; (*ter ere van God*) *ook:* doxology

1 **log** *bn.* unwieldy, unmanageable, heavy, lumbering, ponderous, cumbersome; *met* ~*ge tred binnen* (*boven*) *komen* lumber (come lumbering) in (up)

2 **log** *zn.* log (*snelheidsmeter en logaritme*)

logaritme logarithm; ~**ntafel** logarithmic table(s)

logboek log-book

loge [freemasons'] lodge; (*in schouwburg*) box; *de* ~ *is gedekt* the lodge is tiled

logé(e) guest; *betalend* ~ paying g.

logeer: ~**bed** spare bed; ~**gast** guest, visitor; ~**kamer** spare (bed)room, guest-room, visitor's room

logement inn, (cheap) hotel; *zie ook* herberg; ~**houder** innkeeper

1 **logen** soak (*of:* steep) in lye, lye, lixiviate

2 **logen** *zie* leugen; **logenstraffen** give the lie (to), belie [hopes, etc.; your actions ... your

words], falsify [a prediction, expectations], live down [one's past; the false notion that ...]; *hij logenstraft zijn uiterlijk niet* he does not belie his looks, he looks the part

logeplaats box-seat

logeren stay, (*fam.*) stop; *iem.* ~ put a p. up, accommodate a p., give a p. house-room; ~ *bij iem.* stay with a p. (at a p.'s house); *blijven* ~ stay the night; *uit* ~ *zijn bij* be on a visit to; *wij* ~ *bij tante* (*in De Zwaan*) we are staying at our aunt's (at the Swan hotel); *ik heb* ... *te* ~ I have a friend staying (with me)

loggen heave the log, pay out the log-line

logger lugger, drifter; ~**zeil** lug(-sail)

loggia id.; **logglas** log-glass

logheid unwieldiness, etc.; *zie* log 1

logica logic

logies accommodation, lodging(s), [seek new] quarters; (*mar.*) living quarters; ~ *met ontbijt* bed and breakfast

logisch logical, rational [think ... ly]; *dat is nogal* ~ that is only l., that is (just plain) logic, that goes without saying; *scherp* ~*e redenering* close reasoning; *'t* ~*e* [I felt] the logic [of it]

logistiek logistics

loglijn log-line; **logogrief** logogriph

logopedie, -ist speech therapy, -pist

log: ~**rol** log-reel; ~**tafel** log-board

lok lock, curl; (*op voorhoofd*) quiff

lokaal *zn.* room, hall; (*school*) class-room; *bn.* local

lokaalspoorweg district railway, light railway; -**trein** local (train)

lokaas bait, allurement, lure, decoy, bribe

lokaliseren localize; (*plaats bepalen van*) locate

lokaliteit (*plaats, omgeving*) locality; (*vertrek, enz.*) room, hall, premises

lokartikel loss-leader

lokduif decoy-, stool-pigeon

lokeend decoy(-duck) (*ook fig.*)

loket (*in loketkast*) pigeon-hole; (*in kluis*) (safe-deposit) box, safe, locker; (*in station*) ticket-window, -hole, (*kaartenbureau*) booking-, ticket-office; (*van schouwb.*) (box-office) window, (*kaartenbureau*) box-office; (*van hotelbureau*) office-window; (*van postkantoor*) (stamp-)window, counter, desk; *aan 't* ~, (*van kantoor*) at the counter, [pay, etc.] across (*of:* over) the counter; *de bank sloot haar* ~*ten*, (*fig.*) closed its doors; ~**ambtenaar** ticket-, counter-clerk; ~**dienst** (*op postkantoor bijv.*) counter-duty; ~**kast** set of pigeon-holes; ~**kluis** safe-deposit; ~**tist** ticket- (booking-, counter-)clerk

lokfluitje bird-call, -whistle

lokken (al)lure, entice, decoy, tempt; *iem. naar een plaats* (*van huis*) ~ lure a p. to a place (from home); *de zonneschijn lokt hen naar buiten* lures them forth

lokker tempter, allurer; ~**tje** carrot; (*sl.*) come-on

lokkig curled, curly

lok: ~**middel** lure, bait, catch, enticement, temptation, inducement; ~**roep** call-note; ~**spijs** *zie*

~aas; ~stem tempting (of: siren) voice, lure; ~ster temptress; ~toon call-note; ~vink, ~vogel decoy-, call-bird, decoy; (fig.) decoy (-duck)

lol (fam.) (fine) fun, lark(s); verbazend veel ~ hebben have a wonderful (smashing) time; wat hadden we een ~! what fun we had!; ze zijn aan het ~ maken (trappen) geweest they have been on the spree, they have made whoopee; voor de ~ for fun, in fun, for a lark; zie ook jool & pret

lollarden Lollards

lollen (schreeuwen) bawl; (van kat) caterwaul; (gekheid uithalen) lark; lolletje lark, spree; zo'n leven is geen ~ such a life is no joke (no picnic, isn't all jam)

lollig jolly, funny; zie ook grappig

lolly (snoep) lollipop, lolly

Lombard id.; ~ije Lombardy; ~isch Lombard-(ic)

Lombok id.; l~ cayenne, capsicum

lommer a) shade; b) foliage; ~achtig shady, shaded

lommerd pawnbroker's (shop), pawnshop; (sl.) pop-shop; in de ~ at the pawnbroker's, in pawn; (sl.) in pop, at my (his, etc.) uncle's, at the three (gilt) balls; in de ~ zetten (put in) pawn, (sl.) pop; uit de ~ halen get [one's jewels] out of pawn; ~briefje pawn-ticket; ~houder pawnbroker

lommerig, lommerrijk shady, shaded, leafy

1 lomp bn. (plomp) ponderous, unwieldy; (onbehouwen) ungainly; (vlegelachtig) rude, churlish; (onhandig) clumsy, awkward, lumpish

2 lomp zn. rag, tatter; in ~en (gekleed) in rags, in tatters, tattered [man, coat]

lompen ww.: ik laat me niet ~ I am not to be fooled

lompenkoper ragman, dealer in rags

lompenproletariaat lumpen proletariat

lomperd boor, lout, churl

lompheid rudeness, etc.; zie lomp

Londen London; ~aar Londoner, London man; ~s London

lonen pay, repay [it will ... study, the trouble]; 't loont de moeite niet it is not worth while (worth the trouble); 't zal de moeite ~ te ..., ook: it will pay you (us, etc.) to ...; God lone het u! God reward you for it!; zie kwaad; ~d paying, remunerative, rewarding; niet ~d unremunerative; ~d zijn, (van werk) pay; ~de winst working-profit

long lung; ~en, (van dier als voedsel) lights; goede ~en good lungs (ook = goede stem); ~aandoening pulmonary affection, affection of the lungs; ~ader pulmonary vein; ~arts l. specialist; ~bloeding hemorrhage of the lungs

longe lunge, id.; longeren lunge

longitude, -tudinaal longitude, -tudinal

long- lung; ~kanker l. cancer; ~kruid lungwort, pulmonaria; ~kwaal l.-disease; ~lijder consumptive (patient); ~lijdersinrichting l.-hospital

Longobard id.; ~isch Longobardic

long-: ~ontsteking pneumonia, inflammation of the lungs; dubbele ~ double pneumonia; ~pijp a) bronchus, mv.: bronchi; b) zie luchtpijp; ~room (mar.) ward-room; ~slagader pulmonary artery; ~tering consumption of the lungs, phthisis, pulmonary consumption; ~vis l.-fish; ~ziek l.-sick; ~ziekte zie ~kwaal & -pest

lonk ogle, (amorous) glance; iem. een ~ toewerpen ogle a p., make eyes at a p.; ~en ogle; zie ook loensen; – naar, zie: een ~ toewerpen; ~(st)er ogler

lont fuse, (slow) match, touch paper; (van granaat) fuse; de ~ in 't kruit steken (werpen), (fig.) put the spark to the tinder; ~ ruiken smell a rat, scent danger; zie gezwind; ~stok linstock; (voor vuurwerk, enz.) portfire

loochen: ~aar(ster) denier; ~baar deniable; ~en deny, disavow; ~ing denial, disavowal

lood lead; (diep-) (sounding-)lead, plummet, plumb; (schiet-) plumb-line; (gewicht) decagram(me); (plombeer~je) lead seal; ~ in blokken pig-lead; het lijkt wel of ik ~ in mijn benen heb my limbs are like lead; zie kruit; 't ~ uitwerpen, (mar.) heave the l.; 't is ~ om oud ijzer it is six of one and half a dozen of the other, there is not a pin to choose between them; in ~ gevatte ruitjes lead(ed) lights; ramen met glas in ~ leaded windows (lights); in 't ~, (typ.) in type; uit 't ~ [one inch] out of plumb, out of the perpendicular, out of the straight; uit 't ~ geslagen, a) bewildered, perplexed; b) unbalanced; met ~ in de schoenen with leaden feet, leaden-footed; op 't ~ varen run by the l., keep the l. going; ~achtig l.-like; ~ader l.-vein; ~as l.-ash(es); ~blauw l.-blue; ~erts l.-ore; ~foelie l.-foil; ~gieter plumber; ~gieterij plumber's shop; l.-works; ~gieterswerk plumber's work, plumbing; ~glans l.-glance, galena; ~glas l.-, flintglass; ~glazuur l.-glaze; ~glit litharge, protoxide of l.; ~grijs l.-grey; ~houdend plumbiferous, plumbic; ~je zie ~; -s, (aan hengelsnoer) split shot; 't – aanleggen affix a l. to, lead [goods]; 't – leggen get the worst of it, come off second best, suffer; de zwakste legt 't – the weakest goes to the wall; onder 't – leggen pigeon-hole [a document, plan, etc.], hang [the matter] up, shelve [a request]; de laatste -s wegen 't zwaarst it is the last straw that breaks the camel's back; ~kleur l.-colour, leaden hue; ~kleurig l.-coloured, leaden. livid; ~koliek l.-colic, painter's colic; ~kruid plumbago, leadwort; ~lijn perpendicular (line); (mar.) sounding-line; een – oprichten, neerlaten erect (raise), drop (let fall) a perpendicular; ~menie zie menie; ~metaal solder; ~mijn l.-mine; ~nagel l.-nail, fusible plug; ~recht perpendicular; vertical [ascent]; sheer [cliffs rise ... from the water]; – op de weg at right angles to the road

1 loods shed, shanty; (van vliegt.) hangar; (open, tegen huis enz. aangebouwd) lean-to

2 loods pilot; ~**ballon** p.-balloon; ~**boot** p.-boat; ~**dienst** p.-service, pilotage; ~**en** pilot [a ship into port; *ook fig.*: p. a bill through Parliament]; (*fig. ook*) steer [a p. (in)to ...]; shepherd [all passengers into ...]; ~**geld** pilotage (dues); ~**kantoor** pilotage office; ~**kotter** p.-cutter, -boat; ~**leerling** apprentice-pilot; ~**mannetje** p.-fish; ~**schipper** senior p.; ~**station** p.-station

loodsuiker sugar of lead, plumbic acetate

loods: ~**vlag** pilot-flag, -jack; ~**wezen** pilotage

lood: ~**verf** lead-paint; ~**vergiftiging** l.-poisoning; ~**wit** white-lead [paint, works]; ~**zwaar** (as) heavy as l., leaden [feet, sky]

loof foliage, leaves; ~**boom** deciduous tree; ~**dak** (roof of) f.; (*in tuin*) garden-arch; ~**hout** *a*) = ~**bomen**; *b*) hard wood; ~**hut** tabernacle; **L-huttenfeest** Feast of Tabernacles; ~**rijk** leafy; ~**werk** *zie* lofwerk

1 loog *o.v.t. van* liegen

2 loog lye, lixivium; ~**achtig** alkaline, lixivial; ~**as** l.-ashes; ~**bak** l.-trough; ~**borstel** l.-brush; ~**kruid** (prickly) glasswort, saltwort; ~**kuip** l.tub; ~**water** lye; ~**zout** alkali(ne salt)

looi (tanner's) oak-bark; **looien** tan

looier tanner; ~**ij** *a*) tannery, tan-yard; *b*) tanner's trade; ~**sboom** sumach; ~**smes** fleshing-knife

looi: ~**kuil** bark-pit, tan-pit; ~**kuip** tan-vat; ~**stof** tannin; ~**zuur** tannic acid

1 look *o.v.t. van* luiken

2 look leek; ~**achtig** l.-like; ~**-zonder-**~ jack-by-the-hedge, garlic mustard, hedge garlic, sauce-alone

loom slow, heavy [feel ...]; (*mat*) languid; (*van weer*) muggy, close, oppressive; (*van markt*) inactive, dull, featureless; *met lome schreden* with dragging steps, leaden-heeled; ~**heid** slowness, etc.; (*matheid*) languor, lassitude, lethargy

loon wages, pay; (*beloning*) reward; (*verdiende* ~) deserts; *het* ~ *der zonde is de dood* the wages of sin is death; *ge hebt uw verdiende* ~ it serves you (*fam.*: serve you) right; *hij kreeg zijn verdiende* ~ (~ *naar werken*) he got what he deserved (his deserts, his due), he deserved all he got; ~ *trekken* draw wages; *concurrentie door lage lonen* low-wage competition; *zie* arbeider & menswaardig; ~**actie** campaign (agitation) for higher wages; ~**arbeid** wage-work, hired labour; ~**arbeider** wage-earner; ~**bederver** blackleg, scab, rat; ~**belasting** wage tax, P.A.Y.E. (= pay as you earn); ~**beslag** attachment of (distraint on) wages; ~**dienst** wage-earning, paid employment; *in* – *zijn* be on the pay-roll; ~**dorser** threshing contractor; ~**drukker** jobbing printer; ~**eis** wages demand, pay claim; ~**fonds** wage(s)-fund; ~**geschil** wage(s)-dispute, -conflict; ~**lijst** wage(s)-sheet; ~**normen** basic wage-rates; ~**overeenkomst** wage(s)-agreement; ~**plafond** wage-ceiling; ~**politiek** wages policy; ~**raad** wage(s)-board; ~**regeling** wage scheme, regulation of wages; ~**ronde** round of wage increases; ~**schaal** scale of wages; *zie* glijdend; ~**slaaf** wage-slave; ~**staat** wage(s)-sheet; ~**staking** wages-strike; ~**standaard** wage-level, wage-rate, rate of pay; ~**stop** wage-freeze, pay-pause; ~**strijd** wage-war; ~**sverhoging** rise (advance) in wages, wage-(pay-)increase; ~**svermindering** reduction of (fall in) wages, wage(s)-cut; ~**trekkend** wage-earning, -paid; ~**trekker** wage-earner; ~**verschil** (wage) differential; ~**werk** job-work, contract work, custom work; –**er** jobber, contract (custom) worker; ~**zakje** pay envelope, pay (wage) packet (*ook fig.*)

loop (*gang van pers. & dier*) walk, gait; (*van dingen*) course [of nature, events, river]; drift (trend) [of events]; (*'t lopen, aanloop, muz.*) run; (*buik-*) diarrhoea; (*van vuurwapen*) barrel; *de* ~ *der gebeurtenissen, ook:* the march of events; *de* ~ *der gebeurtenissen afwachten* await events (developments); *de* ~ *der prijzen* the trend of prices; ~ *der treinen* train service; *de* ~ *hebben* (*van winkel*) have the run, (*van lezing, enz.*) be well attended; *'t recht moet zijn* ~ *hebben* the law must take its course; *de ziekte neemt z'n* ~ the disease is running its course; *zie ook* recht; *hij liet zijn gedachten de vrije* ~ he gave his thoughts free play, let his thoughts range at will; *de zaken de vrije* ~ *laten* let things (events) take their course; *ze liet haar tranen de vrije* ~ she gave free course to her tears; *in de* ~ *der week* (*der jaren, der tijden, van 't gesprek*) in the course of the week (of years, of time, of the conversation); *in de* ~ *der jaren, ook:* over the years, as the years pass by; *met dubbele* ~ double-barrelled [pistol]; *op de* ~ *gaan,* (*van paard*) bolt, (*van pers.*) take to one's heels, cut and run, bolt; *op de* ~ *gaan voor* run away from; *op de* ~ *zijn* be on the run; *mijn hoed is op de* ~ my hat is gone; *hij heeft er een paar op de* ~ he has a screw loose; ~**baan** career; (*van hemellichaam*) orbit; *een letterkundige* – *beginnen* start (embark) upon a literary career; *zijn* – *beginnen, ook:* start life [in the Royal Engineers]; *het begin van zijn* – his start in life; –**beleid** career planning; ~**been** (*van vogelpoot*) shank, tarsus; ~**borstel** (*mil.*) pull-through; ~**brug** foot-bridge; (*bij schepen*) gangway; ~**eend** runner duck

loopgraaf trench; *de loopgraven verlaten* (*voor de aanval*) go over the top; ~**mortier** t.-mortar

loopgravenoorlog trench-war(fare)

loopje (short) run; (*muz.*) run, roulade; (*foefje*) dodge, trick; *'t is maar een kort* ~ it is but a short distance; *een* ~ *met iem. nemen* make fun of a p., pull a p.'s leg; *de* ~*s kennen* know the tricks (of the trade); *hij weet er wel een* ~ *op* he knows a trick how to do it (how to remember it, etc.)

loop: ~**jongen** errand-, messenger-boy; ~**kat** (travelling) crab; ~**kever** ground-beetle; ~**knecht** (*van bakker, enz.*) roundsman; ~**kraan** travelling (overhead) crane; ~**lamp** inspection lamp; ~**mare** news, tidings; ~**meisje** errand-girl; ~**paal** (*bij volksfeest*) greasy pole; ~**pas**

double-quick (time); *in de – marcheren* march at the double, at double-quick time; *– !* double-march!; ~**plaats** drill-ground; ~**plank** (*mar.*) gang-board, -plank, gangway; (*van auto, enz.*) foot-, running-board; ~s in (on, at) heat, rutting; ~**sheid** heat; ~**tijd** (*van wissel, contract, enz.*) currency, term, tenor; *lening met lange* – long-term loan; ~**vlak** (*van autoband, enz.*) tread; (*van kogellager*) race; ~**vogel** courser, walker, cursorial bird; *mv. ook:* cursores; ~**vuur** train of gun-powder; ~**wiel** (*van voertuig, vóór*) leading wheel, (*achter*) trailing wheel; (*van vliegt.*) landing-wheels

loor: *te ~ gaan* be (*of:* get) lost

loos (*van noten, enz.*) deaf; (*niet echt*) blind, blank, dummy [door, wall]; false [alarm, bottom, keel]; (*listig*) sly, cunning, crafty; *zie* slim; *loze knop* blind bud; ~**heid** slyness, craftiness, cunning

loospijp waste-pipe

loot shoot, cutting; (*fig.*) scion, offspring

lopen I *ww.* walk, go; (*hard ~*) run; (*van trein, schip, rivier, weg, bergketen, hek om huis, contract, wissel, vers, tranen, bloed, kraantje, bad, neus, ogen, wond, zin, enz.*) run; (*van ogen ook*) water; (*van machine, enz.*) run, go; (*van trein ook*) travel [75 miles]; *op en neer ~ in ...* pace [the room]; *de patiënt is te zwak om te ~* too weak to get about; *we moesten ~, ook:* we had to foot it; *al naar de zaken ~* [we have several schemes] according as things shape; *maar het is anders ge~* but things worked (panned) out differently; *och loop! loop heen!* go (get) along with you! go on! come now!; [Father Christmas?] nothing!; you're telling me!; *~ en draven* run about; *lope wie ~ kan* (the) devil take the hindmost; *'t moet al gek ~, of ...* it would be surprising if [you didn't pass your exam]; *harder ~ dan* outrun; *de klok loopt goed* (*slecht*) goes well, keeps good (bad) time, is a good time-keeper; *de klok loopt 10 dagen* (*loopt niet*) goes for ten days (is not going); *de fiets* (*'t mechaniek*) *loopt lekker* the bicycle runs (the mechanism works) smoothly; *'t schip loopt 10 knopen* runs (goes, logs) 10 knots; *de auto liep 70 mijlen per uur* the car did 70 miles an hour; *'t boek loopt goed* is doing very nicely; *we zullen (het) maar ~* we'll w. (it), (*fam.*) tramp it; *je kunt het ~* it is within walking distance; *zien hoe 't loopt* await events (developments); *de ruzie liep hoog* the quarrel ran high; *laat hem ~* let him go, (*begaan*) let (leave) him alone; *laat hem maar ~,* (*hij is een knappe vent*) no need to worry about him, ...; *laat hem maar ~, hij levert 't hem wel* leave it to him to manage it; *de zaken maar laten ~* let things slide; *een pleziertrein* (*een renpaard*) *laten ~* run an excursion train (a race-horse); *laat haar* (*nl. auto*) *~ zo hard ze kan,* (*fam.*) let her rip; *de twee treinen liepen in dezelfde richting* were travelling in the same direction; *'t loopt in de duizenden* it runs into thousands (into four figures); *zie* inlopen; *de straat loopt langs de bank* passes the bank; *de weg loopt langs het bos* the road skirts the wood; *hij loopt met ons dienstmeisje* he keeps company (walks out, goes) with our servant; *met groenten ~* hawk vegetables; *zie* venten; *de wind liep naar 't oosten* shifted to the east; *waar loopt dit pad naar toe?* where does this path lead to?; *de kust loopt naar 't noorden* the coast trends (towards the) north; *het loopt naar* (*tegen*) *vieren* it is getting (going) on for four o'clock; *hij loopt naar de dertig* he is getting (going) on for thirty, is rising thirty; *hij loopt hard naar de dertig* he is well on the way to thirty; *'t loopt hard naar de winter* winter is closing in upon us; *~ om* go (walk, run) round [the house]; *de planeten ~ om de zon* revolve round the sun; *hij liep om de hele tuin heen, ook:* he made a complete circuit of the garden; *de kelner liep de hele tijd om ons heen* hovered round us all the time; *het schip liep op een klip* ran on (struck) a rock; *'t gesprek liep over allerlei onderwerpen* the conversation ran on all kinds of subjects, ranged over a variety of topics; *de brief liep over ...* dealt with important matters; *waarover loopt 't?* what is it about?; *het verhaal loopt over die tijd* concerns that period; *de perioden, waarover de betalingen ~* the periods over which the payments extend; *de collectie liep over ...* covered a long period; *de trein loopt over Utrecht* runs via Utrecht; *de zolder loopt over de hele lengte van het huis* the attic runs the length of the house; *over iem. heen ~* walk over a p.; *hij liep over zich heen ~* he is a doormat; *hij liep* (*met zijn hoofd*) *tegen de deur* he knocked up (ran his head) against the door; *~ tegen, zie ook ~ naar; de boeten ~ van ... tot ...* the fines range from £10 to £40; *zie ook* aanlopen, in-, heenlopen, scheef, vanzelf, wandelen, enz.; II *zn.:* *'t is een uur ~* it is an hour's walk; *'t op een ~ zetten* take to one's heels; (*op de loop gaan*) *zie* loop

lopend running [expenses, contract, etc.]; current [week, year, month, expenses, etc.]; ongoing [research]; ambulant [patient]; ~*e band* conveyor(-belt), belt- (*of:* assembly-)conveyor; assembly-belt, assembly-line, production-line; *produktie aan de ~e band* flow production; *detectiveverhalen worden tegenwoordig aan de ~e band gemaakt* are turned out on the assembly line; ~*e dagen,* (*hand.*) r. days; ~*e golf,* (*elektronica*) travelling wave; *de 5e van de ~e maand* the fifth inst. (= instant); ~*e meter, enz., zie* strekkend; ~*e ogen* (*oren*), r. (discharging) eyes (ears); ~*e orders* outstanding orders; *~ patiënt,* (*ook:*) out-patient; ~*e rekening* current account, r. account; *~ schrift* r. hand, current handwriting; ~*e schulden* r. (current) debts; *~ souper* stand-up supper; ~*e titel* open entry; *~ tijdschrift* current(ly received) periodical; *zich als een ~ vuurtje verbreiden* spread like wild-fire; ~*e waarde* current value; *~ want* r. rigging; *~ water* r. water; *~ werk,* (*van klok*) wheel-work; ~*e wissel* r. bill; ~*e wond* r. sore; ~*e zaken afdoen* settle current affairs (business); (*van aftredend kabinet*) carry on for the time being

loper runner (*ook hard~, koerier, renpaard, bovenste molensteen; ook van slede*); (*van kantoor, bank, enz.*) messenger, collecting clerk; (*van bakker, enz.*) roundsman; (*kranten-*) newsboy; (*postbode*) letter-carrier; (*sleutel*) master-, pass-, skeleton-key; (*schaaksp.*) bishop; (*trap, enz.*) [stair-]carpet (*zie gang~*); (*tafel-*) table-centre, -runner; (*poot*) pad [of a hare]; *zonder* ~ uncarpeted [stairs]; *zie* loopjongen

lor rag; *'t is een* ~ it is trash (rubbishy stuff); *een* ~ (*van een vent*) a dud, a good-for-nothing fellow; *'t kan me geen* ~ *schelen* I do not care a straw, a rap, a hang, a (tinker's) cuss; *geen* ~ *waard* not worth a (single) rap (pin, straw); *hij weet er geen* ~ *van* he doesn't know a thing about it

lording (*mar.*) spun twine, spun yarn

lorgnet (pair of) pince-nez, (pair of) eye-glasses, double eye-glass, folders

lorgnon (*face-à-main*) lorgnette

lori 1 (*vogel*) lory; 2 (*aap*) loris

lork(eboom) larch; **lorkehars** larch-resin; **lorkehout** larch(-wood)

lorre(tje) Polly

lorre: ~**boel,** ~**goed** trash, rubbish(y stuff); ~**nkoop** rag-and-bone man; *zie* vodden-

lorrie 1 trolley, truck, lorry; 2 *zie* lori 1 & lorre

lorrig trashy, rubbishy, paltry

lorum: *in de* ~, (*in de war*) at sea; (*dronken*) tight, tipsy, mellow

1 los (*dier*) lynx

2 los (*niet vast*) loose [tooth, stone, board, page, horse, material, knot, earth, milk (*tegenov.* bottled milk), cocoa (not in tins), tea], loose, unset [diamond], undone [his tie, the parcel, the door, the catch of the window was ...], unbuttoned [your collar is ...], unfastened [his shoelace was ...], detachable [cover, roof, collar, cuffs], false [lining], movable [pulley]; (*van wild dier*) at large; (*afzonderlijk*) loose [matches, papers, they are sold l.], single [copies *afleveringen*], (*losstaand*) detached [house]; (*van gebak, brood*) light, spongy; (*onsamenhangend*) detached [sentences], stray [notes, remarks], disconnected [remarks]; (*slap*) loose [with ... reins], slack; (*uitverkocht*) sold out; (*van zeden*) loose [morals, life (*zie leven* 1), conduct, man], fast [man, girl, life]; ~*!* go! play! let go! [one, two, three and] away! (*boksen, enz.*) break!; *ze zijn* ~, (*wedstrijd, enz.*) they are off; ~ *rijden,* (*op fiets*) with both hands off the handle-bar; *erop* ~*!* at them (him, it)!; *erop* ~ *beuken* pound (hammer) away [at the door]; *'t geschut beukte erop* ~ the guns were hard at it; *erop* ~ *blazen,* (*van orkest*) be at full blast; *erop* ~ *dampen* puff away; *er maar op* ~ *kopen* buy things recklessly; *erop* ~ *leven* live from hand to mouth, be a happy-go-lucky fellow, (*boemelen*) go the pace, racket about, live it up; ~*ser maken* loosen [a knot, girth, the soil]; *zie ook*

~*maken; erop* ~ *praten* talk away (sixteen to the dozen); *erop* ~ *schieten* blaze (fire) away; *erop* ~ *slaan* hit out freely; *erop* ~ *werken* study (peg, work, *sl.:* slog) away; *erop* ~ *zingen* sing lustily; *er was een knoop* (*van zijn jas, enz.*) ~ he had a button undone; ~*se arbeider, zie* ~ werkman (*ben.*); ~*se beweringen* l. allegations; ~*se bloemen* cut flowers; ~*se boord* separate collar; *in* ~*se dienst* in casual service; ~*se feiten* isolated facts; ~ *geld* l. cash (money, change); ~*se gerucht* floating rumour; ~*se grond* l. soil; made earth, m. ground; *op* ~*se gronden* [maintain] on flimsy grounds, [assume] gratuitously; *'t gerucht rust op* ~*se gronden* is ill-founded; ~ *heer* l. liver, rip; ~(*se*) *karwei* casual work; *met* ~ *kruit schieten* fire with blank cartridges, fire a blank shot; ~*se lading* bulk cargo; *drukken met* ~*se letters* printing with movable types; ~*se locomotief* light engine; ~*se patroon* blank cartridge; ~*se plank,* (*in kast, enz.*) movable shelf; ~*se praatjes* l. talk, [this is not] hearsay; ~*se rib* floating rib; ~*se stijl* easy (fluent) style (*vgl.* loose style = *slordige stijl*); *met* ~*se teugel* [ride] with a l. rein; ~*se tuinman* jobbing gardener; ~ *weer* unsettled weather; ~*se wenken* stray hints; ~ *werk* casual work; ~ *werkman* casual labourer, odd hand; ~*se zitting,* (*van stoel*) l. (drop-in) seat; ~ *zweefrek* flying trapeze; ~ *in de mond zijn* have a l. tongue, be indiscreet; *hij steelt alles wat* ~ *en vast is* whatever he can lay hands on; ~ *van* apart from [these considerations]; ~ *van vooroordelen* free from prejudice; ~ *van de wereld* dead to the world; ~ *van elkaar* [*kwamen zij tot dezelfde conclusie*] independently; *het probleem staat* ~ *van* lies outside [the present conflict]; *zie* ~laten, ~raken, schroef enz.

losbaar redeemable; *losbare obligaties* stock drawn for redemption

losbandig dissolute, dissipated, licentious, fast, loose, profligate, riotous [living]; ~**heid** debauchery, dissoluteness, dissipation, licentiousness, etc., licence [increase of ...]

los: ~**barsten** break [the storm broke], break out, burst (forth), explode; *er barstte een applaus los* there came a burst of applause; ~**barsting** outbreak, explosion; ~**binden** unbind, untie, undo [a knot, etc.]; ~**bladig** l.-leaf [pocket-book, album]; (*plantk.: van kelk*) polysepalous; (*van kroon*) polypetalous; ~**bol** rake, l. liver, debauchee, libertine, rip, roué; ~**branden** *a*) blaze away; *b*) burn loose; (*fig.*) tear apart, separate; ~**breken** break l., break (the airship broke from its mooring-mast], break away, break prison; *zie ook* ~barsten; ~**ceel** customs bond note; ~**dagen** discharging-days; ~**draaien** untwist, unscrew [an electric bulb], twist off; ~**drukken** (*vuurwapen*) fire, discharge; ~**en-laadsteiger** landing-stage; ~**gaan** get (come, work) l. (unstuck); (*van plank, enz.*) start; (*van strik, enz.*) come undone (untied, unfastened); – *op* go (rush) at, make a dash at; *de armband ging* ~

came unclasped; ~geld *zie* ~prijs & ~loon; ~-
gespen unbuckle; ~gooien *a*) throw l.; *b*) cast
off [a rope, boat], slip [a cable]; *de kabels* –,
ook. cast off; ~grendelen unbolt; ~haken unhook, unhitch; ~hangen hang l.; *-d haar* hang-
ing-down (unloosened) hair; *met –de* (*verwarde*) *haren* (with) dishevelled (hair); *zie ook* ~;
–de monocle dangling eye-glass; ~haven port
of discharge, unloading port; ~heid looseness;
ease, fluency (*vgl.* ~); (*van zeden ook*) laxity;
~hoofdig *zie* lichtzinnig; ~jes loosely; (*luchtig*)
lightly; (*lichtzinnig*) flippantly; ~knopen *a*)
untie; *b*) unbutton; ~komen get l., be released,
be set free; (*fig.*) let o.s. go, get going [he's an
amusing chap when he gets going], unbend,
expand, (begin to) lose one's reserve (shyness); *de tongen kwamen los* tongues became
loosened; (*van vliegt.*) get off the ground, (*sl.*)
unstick; *de regen komt niet ~* is holding off; ~-
kopen ransom, buy off (out), redeem; ~koppe-
len *a*) uncouple, throw out of gear, disconnect; (*onder 't rijden*) slip [a railway-carriage];
b) slip, unleash [hounds]; *c*) (*fig.*) isolate,
dissociate, tackle [a problem] in isolation
[from ...]; ~krijgen get l.; undo [the door,
a knot, shoe]; (*verkrijgen, sl.*) wangle [a
few days' leave, a cigar]; *ik kon de schroef
niet* – I could not get the screw undone;
geld van iem. – get (squeeze) money out of
a p., (*sl.*) touch a p. for money; *geld zien ~
te krijgen* try to raise money (*fam.:* to raise
the wind); ~laten (turn) l., unchain, unleash [the dog], set free, release; (*van verf,
adres, enz.*) come off, (*van postzegel, enz. ook*)
become unstuck; (*iets, iem.*) – let go (of a
thing, a p.), abandon, relinquish [the key],
loose hold of [the bridle], let go one's hold;
zie gouden; laat ~! let go!; *laat me –!* let go of
me!; *hij liet haar hand~* he let go (of) her hand;
niet –, (*ook fig.*) hang on; *hij liet niets ~*, (*zei
niets*) he did not let out anything, did not give
anything away, was very reticent [*tegenover
mij* to me], he kept his (own) counsel; *de gedachte liet me niet ~* the thought haunted (obsessed) me, I could not get away from the
idea; *de hond – op* set the dog at; ~lating release; ~lijvig loose (in the bowels); ~lijvigheid
looseness of the bowels, l. bowels, l. motions;
~lippig l.-tongued, indiscreet, blabbing, (*fam.*)
leaky; ~lippigheid indiscretion; ~loon landing-
charges; ~lopen be at liberty (at large), (*van
honden*) run free; *dat zal wel* – that is sure to
come right; *zie* gek; *–d*, (*niet gehuwd of verloofd*) unattached; (*van hond*) stray; ~maken
loose [a dog]; undo [the bolt, one's coat]; undo, untie [a knot]; unbutton [a coat, one's
boots]; unfasten [one's coat, collar], unhook
[a dress]; unlace [one's boots]; take (let) down
[one's hair]; disengage [one's arm]; loosen,
break up [phlegm]; dislodge [a stone]; unlock
[one's capital]; *zie* ketting, tong & ~weken; –
van detach from; unlink (*of.:* divorce) [the
pound] from [gold]; *zich* – disengage (free,
release, extricate) o.s., shake o.s. free; *zich –*

van dissociate o.s. from [a policy], break away
from [a federation, the Church], disengage o.
s. from [the poet could not ... himself from
the statesman], cut o.s. adrift from; *zie* zich
afscheiden; *ik kan me niet – van dat idee* I cannot get away from that idea; *zich van zulke
denkbeelden* – disabuse o.s. (one's mind) of
such ideas; *ik kon me dagen lang niet – van die
melodie* I could not get the tune out of my
head for days on end; ~making loosening, dis-
sociation, etc.; ~perron unloading-platform;
~plaats discharging-berth; ~prijs ransom; *er
wordt een – van £ 5000 voor hem geëist* he is
being held to ransom for £5000; ~raken get l.
(detached), loosen, come l. (undone, untied,
unfastened, unsoldered, unscrewed, unstuck,
etc.), work l.; (*van schip*) *zie* ~slaan; (*van ijs*)
break up; *stukken cement raakten los* pieces
of cement dislodged; *de tongen raakten ~* the
tongues were loosened (unloosed); *zie ook* ~-
gaan; ~rijgen unlace [stays], untack [pieces of
cloth]; ~rukken *zie* ~scheuren; *zich* – tear o.s.
away, wrench o.s. (break) free [from a p.'s
grasp]; *zie verder* ~scheuren

löss loess

losscheuren tear (pull) loose (free), sever; *zich* –
tear o.s. away (free), break away (free),
wrench o.s. free [from one's friends], shake
(fling) o.s. free

losschroeven unscrew, loosen

lossen (*schip*) unload, discharge; (*lading*) unload, land; (*wapen*) discharge, fire; (*schot*)
fire; (*pand*) redeem; (*sp.*) break away from
[an opponent]; (*gevangene*) ransom; *beginnen
te* – break bulk; **-er** unloader, etc.

lossing discharge, unloading, landing; redemption; *vgl. 't ww.;* ~sgewicht landed weight; ~s-
haven port of discharge; ~skosten landing-
charges

los: ~slaan *tr.* knock loose (open); *intr.* (*van
schip*) break adrift, drag her anchor(s); *zie
ook* los; ~snijden cut l.; (*gehangene*) cut down;
zie opensn.; ~spelden unpin; ~springen spring
open (loose); ~staand detached [house]; ~-
stevenen *op* bear down upon; ~stormen (~-
stuiven) *op* rush upon, charge [the enemy]; ~-
tijd time for unloading; ~tornen unsew, rip
(open), unrip, unpick; ~trekken tear (pull) l.;
– op go at, go for [a p.], march upon [a town];
~trillen vibrate loose; ~weg loosely, lightly;
~weken soak off, unglue; (*door stoom*) steam
open [a letter]; ~werken *tr.* work l., disengage;
intr. work l. [the ring worked l.]; *zich* –
disengage o.s., release o.s., work l.; ~werpen
zie ~gooien; ~wikkelen unwrap; ~winden unwind, untwist, untwine; ~zinnig frivolous,
light-minded; ~zinnigheid frivolity, levity; ~-
zitten be l.; *de knoop zit ~* the button is
coming off

lot (*nood-*) fate, fortune, destiny; (*levens-*) lot;
(*loterijbriefje*) (lottery-)ticket;(*prijs*) prize; *zijn
~ is niet te benijden* his lot is not an enviable
one; ..., *waarin 't ~ ons geplaatst heeft* the
world in which our lot is cast; *men liet hem*

aan zijn ~ over he was left to his fate, he was left to sink or swim; *op dit ~ viel de hoofdprijs* this ticket was drawn for the first prize; *'t ~ viel op hem* the lot fell on him; *~, waarop een prijs valt* winning number; *volgens 't ~ aanwijzen, zie* loting; *een ~ uit de loterij trekken (fig.)* draw a lucky number, back a winner; *zie* gunstig; **loteling** conscript

loten draw (cast) lots; draw (for the army); *~ om* draw (cast) lots for, draw for; raffle for [a goose]; ballot for [seats]; *erin ~* draw a bad number

loterij lottery, [our Christmas] draw; *(om gans, enz.)* raffle; *(fig.)* gamble [life is a ...]; **~briefje** l.-ticket; **~lening** l.-loan; **~wet** lotteries act

lot: **~genoot** partner (companion) in misfortune (adversity), fellow-sufferer; **~gevallen** adventures, fortunes, vicissitudes, ups and downs

Lotharingen Lorraine; **Lotharinger, -rings** Lotharingian

Lotharius Lothair

loting drawing of lots, ballot, draw; *(mil.)* drawing (of lots) for conscription; *bij ~ aanwijzen* assign by lot; *(mil.)* conscript; *bij ~ toewijzen* allot [shares] by ballot

Lotje Charlotte, Lotty, Lottie; *hij is van l~ getikt, (fam.)* he has bats in the belfry, he is barmy (nuts, cracked)

lots: **~bedeling** lot; **~bestemming** destiny; **~verbetering** improvement in one's lot; betterment [of the working-classes]; **~verbondenheid** solidarity [with working-class ideals]; **~wisseling** vicissitude, turn of fate

lotto id.

lotus id., lotos; **~bloem** l.-flower; **~boom** l.-tree

louche sinister, nasty, shady; **loupe** *zie* loep

louter mere, pure, sheer [it is ... negligence]; *'t was ~ een ongeluk* a m. (pure) accident, just an accident; *uit ~ medelijden* [weep] for very pity; *~ uit gewoonte* from sheer force of habit; *~ verbazing* blank astonishment; *de ~e waarheid* the bare (the naked) truth; *zie* toeval; **~en** purify, refine; *(fig. ook)* chasten; **~ing** purification, refining, chastening

louwmaand January

loven praise, commend, extol, eulogize, glorify; *~ en bieden* higgle, haggle, bargain, chaffer

lover foliage; *zie* loof; **~tje** spangle, paillette, sequin

loxodroom rhumb-line, loxodromic line (curve, spiral)

loyaal loyal

loyaliteit loyalty; **~sverklaring** l. pledge

lozen drain off (away) [water]; void, evacuate [excrements], pass [urine]; discharge [oil from a ship]; *(van rivier, polder, enz.)* empty, drain [into the sea]; *iem. ~* get rid of a p.; **-ing** draining, drainage; passing, voidance, evacuation, emptying; *vgl. 't ww.*

lub(be) *(hist.)* ruffle, frill

lubben castrate, geld

Lucanië Lucania; **Lucanus** Lucan

Lucas Luke; *vgl.* evangelie

lucerne *(plant)* id.

lucht air [want a change of ...]; *(uitspansel)* sky [clouded ...]; *(reuk)* smell, scent; *hij is ~ voor me* I ignore him; *zijn hart ~ geven* give vent to (relieve, vent) one's feelings, unbosom o.s.; *een speurhond ~ geven* give scent to a sleuthhound; *ik kreeg er de ~ van* I got wind of it; *aan de ~, zie* hemel, onweer, vuiltje, *zie* open; *in de ~ zijn, (van vliegt.)* be up [for two hours]; *de ~ ingaan, (van vliegt.)* take (to) the a., go up (into the air); *(radio)* go on the a.; *in de ~ blijven, (van vliegt.) ook:* stay up *(of:* aloft); *'t hangt nog in de ~* it is still in the a.; *in de ~ vliegen* blow up, be blown up, explode; *in de ~ laten vliegen* blow up, blow sky-high; *verandering zit tegenwoordig in de ~* change is in the a. nowadays; *de feeststemming zit in de ~* the holiday spirit is abroad; *de politie schoot in de ~* fired in(to) the a.; *botsing in de ~* mid-air collision; *zie* gat; *dat is uit de ~ gegrepen* that is without any foundation, utterly unfounded, a mere fabrication; *uit de ~ komen vallen* drop (fall) from the skies, appear out of the blue *(of:* from nowhere); *hoe kom jij zo uit de ~ vallen?* where do you spring (have you sprung) from?; *men kan van de ~ niet leven* a man (one) cannot live on a.; *bomaanslagen zijn niet van de ~* are rife; **~aanval** a.-attack, a.-raid; **~acrobatiek** stunt (trick) flying, aerobatics; **~afweer** anti-aircraft defence; *zie ook* afweer...; **~alarm** air-raid alarm, a.-r. warning, alert; **~ballon** (a.-)balloon; **~band** pneumatic tyre; **~basis** a.-base; **~bed** a.-bed, inflatable bed; **~bel** a.-bubble; **~belwaterpas** spirit-level; **~bescherming(sdienst)** a.-raid precautions (department), A.R.P.; **~beschrijving** aerography; **~bevochtiger** humidifier; **~blaas-(je)** *a)* a.-bladder; *b)* a. bubble; **~bol** balloon; **~bombardement** aerial bombardment; **~brug** high-level *(of:* elevated) bridge; *(met vliegtuigen)* airlift; **~buis** a.-pipe, a.-tube; *(van insekt)* trachea *(mv.:* tracheae); **~bus** airbus; **~defilé** fly-past; **~dicht** a.-tight, hermetic *(bw.:* -ally); *[per]* **~dienst** [by] a.-service; **~doelkanon (-geschut)** anti-aircraft gun (guns); **~druk** *a)* atmospheric pressure; *b)* a.-pressure; *(bij ontploffing)* blast; **~drukboor** pneumatic drill; **~drukgeweer** airgun; **~drukmachine** a.-compressor, pneumatic engine; **~drukrem** air brake

luchten air, ventilate; *(fig. ook)* vent, give vent to; *ik kan hem niet ~ (of zien)* I hate the sight of him, I can't stand him at any price; *zijn geleerdheid (kennis) ~* air (show off, parade) one's learning (knowledge); *zijn gevoel (gemoed, hart) ~* give vent to (relieve) one's feelings, unburden one's soul (mind); *zijn grieven ~* ventilate (air) one's grievances; *een kamer ~* air a room

luchter candelabrum *(mv.:* -bra); *(lichtkroon)* chandelier, lustre

lucht: **~eskader** air *(of:* aerial) squadron; **~filter** air-filter; **~foto** aerial photograph, air photo;

~gang a.-passage; ~gat a.-hole, vent(-hole), ventilator; (*luchtv.*) a.-hole, a.-pocket; (*van insekt*) stigma (*mv. ook:* stigmata); ~geest sylph; ~gekoeld a.-cooled [motor, engine]; ~geleiding a.-piping; (*elektr.*) overhead wires; ~gesteldheid *a*) condition of the a., atmosphere; *b*) climate; ~gevaar danger from the a.; ~gevecht a.-fight, (*van jagers*) dog-fight; ~gezicht *a*) skyscape; *b*) aerial view [of the castle]; ~golf a.-wave
luchthartig light-hearted, light-spirited; *zie ook* luchtig; ~heid ...ness
luchthaven airport
luchtig airy [room, dress, tread, mood, contempt]; light [cake]; jaunty [walk, manners]; ~ *opvatten* make light of, treat [the matter] light-heartedly; *zich ~ van de zaak afmaken* dismiss the matter lightly; ..., *zei hij ~(jes)* ..., he said airily; *zie ook* licht & luchthartig; ~heid airiness, lightness
luchtje *zie* lucht; *geen ~ bewoog zich* there was not a breath of air; *een ~ scheppen* take the air (an airing), get a breath of (fresh) air, air o.s.; *er is een ~ aan* it smells; (*fig.*) there is s.t. fishy about it, there is an unpleasant flavour about it
lucht: ~kabel aerial cable; ~kamer air-chamber; (*in ei*) a.-cell; ~kanaal a.-channel, -duct, -passage; ~kartering aerial survey; ~kast (*mar.*) a.-case; ~kasteel castle in the a. [build castles in the a.], pie in the sky; ~klep a.-valve; *met* ~koeling a.-cooled; ~koker a.-, ventilating-shaft, funnel; ~kolk a.-pocket, -hole; ~kolom a.-column, column of a.; ~kussen a.-cushion, -pillow; ~voertuig hovercraft; ~kuur a.-cure; ~laag layer of a.; ~landingstroepen airborne troops; ~ledig I *bn.* void of a., exhausted (of a.); – *maken* exhaust, evacuate; -*e buis* vacuum tube; -*e ruimte* = II *zn.* vacuum; ~leiding *zie* ~geleiding; ~lijn a.-line; ~macht a.-force; ~matras a.-mattress; ~meter aerometer; ~net aerial(s); (*net van luchtlijnen*) air network; ~oorlog air war(fare), aerial warfare; ~penseel a. brush; ~perspectief aerial perspective; ~perspomp a.-condenser; ~pijp windpipe, trachea; ~pijpaandoening tracheal affection; ~pijpontsteking tracheal inflammation, trachitis; ~pijpsnede tracheotomy; ~pijpvertakkingen bronchial tubes; ~pomp a.-pump; ~port(o) a.-mail rate; [*per*] ~post [by] a.-mail, a.-post; ~postblad a. letter (form); ~postdienst (-vliegtuig, -zegel) a.-mail service (plane, stamp); ~recht *zie* ~porto; ~reclame sky-sign; ~reis aerial voyage, a.-voyage; ~reiziger *a*) aeronaut, balloonist; *b*) a.-traveller, -passenger; ~rem vacuum-, a.-brake; ~reus jumbo; ~rooster ventilator; ~ruim atmosphere, air; [French] airspace; *gebruik van het* – overflight (air transit) facilities; ~scheepvaart *zie* ~vaart; ~schip a.ship, dirigible; (*klein, niet stijf*) blimp; ~schipper aeronaut, airman, aviator, balloonist; ~schommel aerial swing; ~schrift sky writing; ~schroef a. screw; ~schutter a.-gunner; ~spiegeling mirage, fata mor-

gana; ~spoorweg elevated (overhead, aerial) railway; ~sprong caper, gambol; hop in the air; ~storingen (*radio*) atmospherics, statics, strays, x's; ~streek climate, zone; ~strijdkrachten a.-forces; *'t wapen der* – the air-arm; ~stroom a.-current, blast (rush) of air; ~toevoer supply (*of:* access) of a.; ~torpedo aerial (air-) torpedo; ~vaart aviation, aeronautics, air navigation; *Ministerie van* –, (*mil.*) Air Ministry; (*burger*) Ministry of Aviation; ~vaartgezind a.-minded; ~vaartkundig aeronautic(al); ~vaartmaatschappij airline(s company) (*zie ook* K.L.M.); ~vaartschool aviation-school; ~vaartstation a.-station; ~vaarttentoonstelling aircraft exhibition; (*met demonstraties*) airshow; ~vaartuig(en) aircraft; ~verbinding a.link; (*geregeld*) a.-route; ~verdediging a.-defence; ~verheveling atmospheric phenomenon; ~verkeer a.-traffic, -navigation; ~verkenning a.-reconnaissance; ~verontreiniging a.-pollution; ~verschijnsel *zie* ~verheveling; ~versing ventilation; *met* – ventilated; ~vervoer a.-(aerial) transport; ~vloot a.-fleet; ~vormig aeriform; ~vrachtbrief a. way-bill; ~vrachtgoed a. freight; ~waardig(heid) airworthy(-iness); ~wapen: *'t* – the a.-arm; ~weerstand resistance of the a.; ~weg (*door de ~*) a.-route, -way; (*voor de ~*) a.-passage; (*in mijn*) airway; -*en* (*anat.*) bronchial tubes; ~weger aerometer; ~wortel aerial root; ~zak (*luchtv.*) a.-pocket, -hole; (*van luchtschip*) ballon(n)et; ~ziek(te) airsick(ness); ~zuiger (*paard*) wind-sucker; ~zuiging (*luchtv.*) backwash
Lucianus Lucian; **luciditeit** lucidity; **Lucie** Lucia, Lucy
lucifer match; *L~* id.; ~sdoosje m.-box; ~shoutje m.-stick; ~skop m.-head; ~sstandaard m.-stand; ~stokje m.-stick
lucratief lucrative
Lucretia id., Lucrece
lucullisch Lucullian
Lucullus id.; l~maal Lucullian banquet (*of:* feast)
lues id.
luffa loofah-tree; ~spons loofah
luguber sinister
1 lui *zn.* people, folk; *zeg, ~ !*(I) say, folks!; *zie* mens(en)
2 lui *bn.* lazy, idle; *een ~ leventje leiden* lead an easy life; -*e stoel* easy chair; ~ *liggen (hangen, enz.)* lounge [against the mantelpiece], laze (loll) [in a chair]; *hij is liever* – *dan moe* he was born tired; ~aard lazy-bones, sluggard; (*dier*) sloth, ai; ~bak(ken) *zie* ~lak(ken)
luid I *bn.* loud; II *bw.* loud(ly); *spreek* ~er speak louder, speak up; -*(e) klagen* complain loudly; *met* ~*er stem* in a l. voice; III *zn.: naar* ~ *van* according to [a telegram from ...], as per [telegram from ...]; -*e zie* ~
1 luiden I *intr.* (*van klok*) ring, peal, sound; (*kleppen*) toll; (*van brief, enz.*) read [a telegram ...ing:], run [the letter ...s as follows]; *zijn antwoord luidt gunstig* is favourable; *de*

passage luidt aldus the passage reads like this (runs as follows); *de geschiedenis luidt als volgt* the story is as follows; *'t telegram luidde, ook:* the telegram said; *zoals de wet nu luidt* as the law now stands; *zoals de uitdrukking luidt* as the saying is; *een wissel ~d in ponden* a draft expressed in sterling; II *tr.* ring, peal; *(kleppen)* toll; *iem. ten grave ~* toll a p.'s knell

2 luiden people, folk; *zie* klein, mens(en)
luidens according to; **luider** ringer
luidkeels at the top of one's voice, [laugh] loudly
luidruchtig clamorous, tumultuous, noisy, boisterous, loud(-spoken); *~e vrolijkheid* noisy hilarity; **~heid** clamorousness, etc.
luidspreker (loud)speaker
luier nappy, napkin, *(Am.)* diaper; **~broekje** pilch(kin)
luieren be idle, idle, loaf, laze (about)
luiermand baby-linen basket; *(kleertjes)* (outfit of) baby-clothes, layette, baby-linen
luierstoel lounge-chair, easy chair
luifel penthouse; *(boven ingang van hotel, enz.)* [glass] awning, [glass] porch
luiheid laziness, idleness, sloth; *zie* ledigheid
Luik Liege, Liège
luik *(mar.)* hatch; *(valluik)* trap-door; *(van triptiek, enz.)* panel; *(van raam)* shutter; *de ~en sluiten, (mar.)* batten down the hatches; *de ~en waren ervoor (afgenomen)* the shutters were up (down); *met de ~en ervoor* shuttered [windows]; **luiken** close; shut
Luikerwaal(s) Walloon
luikgat *(mar.)* hatchway
luikhoofd *(mar.)* (hatch-)coaming
luilak lazy-bones, -boots, sluggard; *(techn.)* idle wheel; *jij ~!* you lazy thing!; **~ken** *zie* luieren
luilekkerland (land of) Cockaigne
luim *(stemming)* humour, temper, mood; *(gril)* caprice, whim, freak, crotchet; *(tegenov. ernst)* humour, fun; *in een goede ~ zijn* be in a good temper (humour); *in een slechte ~ zijn* be in a bad temper (humour), be out of h.
luimig facetious; *(nukkig)* capricious; **~heid** ...ness, humour
luipaard leopard
luis louse *(mv.:* lice), *(sl.)* crawler; *zie* teerton
luister lustre, splendour; *~ bijzetten aan* add l. to, shed l. on
luisteraar(ster) listener; *(luistervink ook)* eavesdropper; *(radio)* listener(-in)
luisterapparaat listening-apparatus
luisteren listen *[naar* to]; *(radio)* listen (in); *luister! ook:* hark!; *staan ~* eavesdrop; *dat luistert nauw* it requires the greatest care, it's tricky work; *~ naar de naam van Boy* answer to the name of Boy; *hij luisterde niet naar mijn raad, ook:* he turned a deaf ear to my advice; *naar 't roer ~* respond to (answer) the helm; *de vergadering luisterde gretig naar hem, ook:* he had the ear of the meeting; *ingespannen naar elk woord ~* hang on every word; *men wilde niet naar hem ~* he could not

obtain a hearing; *er werd niet gel. naar ...,* *ook:* her explanation went unheard; *~ of men ook ... hoort* l. for footsteps; *zie* oor
luister: **~gang, ~galerij** *(mil.)* listening-gallery; **~geld** radio licence fee; **~post** *(mil.)* listening-post
luisterrijk brilliant, glorious, splendid
luisterspel radio *(of:* wireless) play
luistervergunning wireless *(of:* radio) licence
luistervink eavesdropper; *(radio)* listener; **~en** *ww.:* eavesdrop, play the listener
luit 1 lute; 2 *(luitenant)* lieutenant; *ja, ~* yes, Sir
luitenant lieutenant; *eerste ~* lieutenant; *tweede ~* second l.; **~admiraal** admiral; **~generaal** l.-general; **~kolonel** l.-colonel; *(vliegdienst)* wing-commander; **~splaats** lieutenancy, l.'s commission; **~ter-zee** *(1ste kl. o. c.)* l.-commander, *(j.c.)* lieutenant; *(2de kl.)* sub-l.; **~vlieger** flying-officer
luitjes people, folk; *de oude ~* the old folks; *zie* mens(en)
luit: **~spel** lute-playing; **~speler, ~speelster** lute-player, lutenist
luiwagen (long-handled) scrubbing-brush
luiwammes(en) *zie* luilak(ken)
luizen *ww.* louse; *zie* aap & inluizen; **~baan** cushy job; **~bos** *(plat)* lousy fellow; **~kam** fine-tooth (small-tooth) comb; **~kruid** lousewort; **~markt** rag *(of:* old clothes) market; flea market; **~ziekte** louse-disease, phthiriasis
luizig lousy, *(fig. ook)* scabby [a ... sixpence]
luk: *~ of raak* hit or miss, at random, at haphazard, at a venture
Lukas Luke; *vgl.* evangelie
lukken succeed; *zie* gelukken
lukraak *bw. zie* luk *(... of raak)*; *bn.* haphazard [remark], random [example], wild (guess)
lul *(plat)* prick; *(fig., plat)* sod
lullen *(plat)* gas, talk nonsense
lullig *(plat)* stupid [it looks so ...], footling [excuse]; *doe niet zo ~* don't be such a wet
lumen *(nat.)* id.
luminaal luminal
lumineus luminous, bright [idea]; *hij had (kreeg) een ~ idee, ook:* he had a brain-wave
lummel lout, booby, lubber, gawk(y); *(ijzeren pen)* swivel-bolt; **~achtig** loutish, lubberly, gawky; **~en** laze (about), hang [about street-corners], loll, lounge; **~ig** *zie* ~achtig
Luna id.; **lunair** lunary
lunapark amusement park
lunch id., luncheon; **~pakket** packed l.; **~pauze** l.-break; **~room** snackbar, café, tea-room, tea-shop; *(Am.)* id., **~tijd** l.-time, the luncheon hour
lunet lunette
luns linch-pin, axle-pin
lupine lupin(e)
lupus id.; **~lijder** l. patient
lurk *zie* zuigdot & slungel; **~en** suck audibly
lurven: *bij de ~ pakken* collar [a p.]
lus *(voor knoop, enz.)* loop; *(van touw)* noose; *(van jas, kussensloop, enz.)* tag; *(van laars, jas, in tram, enz.)* strap; *(mar.)* slip-knot, running

noose; *zich aan de ~ vasthouden*, (*fam.*) straphang; *de ~ vliegen* loop the loop; ~**film** (film-) loop; ~**hanger** (*in tram*) strap-hanger

Lusiaden: *de ~* the Lusiads

Lusitanië(r) Lusitania(n)

lust (*genot*) delight; (*verlangen*) desire, mind; (*eet~*) appetite; (*zinnelijke*) lust, appetite, desire; '*t is een ~ hem te zien werken* it's a treat (a pleasure) to see him work; '*t is een ~ om te zien, een ~ voor de ogen* it is a feast for the eyes, a sight to see, a treat to look at it; *dat* '*t een ~ is* [work, etc.] with a will, [sing] lustily, [talk French] like one o'clock; '*t is mijn ~ en mijn leven* it is meat and drink to me; *werken is haar ~ en haar leven* working is the breath of life to her; *wel, een mens zijn ~, een mens zijn leven* everyone to his liking; *de ~en wensen, maar niet de lasten* want the pleasures without the problems (the profits without the expense); *de ~ ervoor is mij vergaan* I have lost all liking for it; *my fancy for it is gone; ~ hebben (voelen)* have a mind; *ik heb grote* (*half, geen*) ~ *om te* ... I have a great (good) mind (half a mind, no mind) to ...; *ik heb geen ~ om te schrijven* (*om naar bed te gaan*) I don't feel like writing (like bed); *als je ~ hebt te gaan* if you care to go; *ik heb er weinig* (*geen*) ~ *in* I have little stomach (no heart, no appetite) for it; *ik heb er wel ~ in* I feel like doing it; *ik had wel ~ hem ... te geven* I felt like giving him a good hiding; *ik heb er bijzonder veel ~ in* I have a particular (*fam.*: an extra special) liking for it; ~ *hebben in wiskunde* like (have a liking for) mathematics; ~ *krijgen in* take a fancy (a liking) to; *hij kreeg plotseling ~ te* ... he was seized with a desire to ...; *zie bekruipen; ~ tot werken* zest for work; *hij deed zijn werk met ~ en ijver* he did his work with a will, put his whole heart into it

lusteloos listless, languid, apathetic, (& *sentimenteel*) lackadaisical; (*van de markt*) dull, flat, listless; ~**heid** listlessness, apathy, languor, dullness

lusten like, fancy; *ik lust geen eten* I have no appetite, do not fancy my food; *ik lust niet meer* I can't eat any more; *als je* '*t niet lust, dan laat je* '*t maar staan* if you don't like it you can leave (*fam.*: lump) it; *de patiënt mag eten al wat hij lust* anything he fancies; *hij lust* '*m* he is fond of a drop; *ik lust er wel tien zoals hij,* (*fam.*) let them all come!; *ik zou wel een glas bier ~* I could do with a glass of beer; *dat je* '*em nog lang mag ~! ongev.:* here's long life to you!; *het lust mij niet te* ... I do not l. (do not feel inclined) to ...; *hij zal ervan ~* I'll give it him, he'll catch it; *iem. ervan laten ~* give a p. a bad time, lead a p. (no end of) a dance

luster *zie* lustre 1

lust: ~**hof** pleasure-garden, -ground; ~**huis** pleasure-house; ~**ig** merry, cheerful; – *zingen* (*schreeuwen*) sing (cry) lustily; *de vogels zongen –, ook:* were in full song; *hij ging – aan* '*t werk* he set to work with a will; '*t ging maar – voort,* (*iron.*) it went on merrily; ~**igheid** cheerfulness, merriment, gaiety; ~**moord** sexmurder; ~**moordenaar** sex-murderer; ~**oord** pleasure-ground, delightful spot; ~**prieel** bower

lustre 1 lustre, chandelier; (*van piano*) sconce; 2 (*stof*) lustre

lustrine id.

lustrum id.; *mv.* -a, -ums; (*univ.*) fifth (10th, 15th, etc.) anniversary; ~**feest** lustral feast; (*univ.*) anniversary celebration

lust: ~**slot** pleasure-house; ~**warande** pleasuregarden, -ground, (*vero.*) pleasance

lusvlucht (*luchtv.*) looping the loop

luther: ~**aan** Lutheran; ~**anisme** Lutheranism; ~**s** Lutheran

luttel little; (*mv.*) few; *zie* weinig

luur *zie* luier; *iem. in de luren leggen* take a p. in, have a p. on toast, bamboozle a p.; *hij laat zich niet in de luren leggen* he is too old a bird to be caught with chaff

luva WRAF

luw sheltered; (*zacht*) mild; ~**en** (*van wind*) abate, fall, die down; (*van opwinding, enz.*) die down, subside; (*van ijver*) flag; (*van vriendschap, enz.*) cool down; *de toestand is aan* '*t* – things are quiet(en)ing down (getting quieter); '*t zal wel –,* (*fig.*) it is sure to blow over, things are sure to straighten out; ~**te** lee, shelter; *in de – van* under the lee of [the wood, etc.]

luxatie luxation, dislocation

luxe luxury; *geen* (*overbodige*) ~ no l., not uncalled for; *een nieuwe auto zou* ... we could do with a new car; ~**artikel** (article of) l.; *–en* fancy articles, l. goods; ~**auto** private car, limousine, (*ongev.*) de luxe model; ~**brood** fancy bread; ~**broodje** fancy roll; ~**buurt** select quarter; ~**doos** fancy box; ~**hut** state cabin (*of:* room), de luxe cabin; ~**leven(tje)** life of luxury

Luxemburg(s) Luxemburg; ~**er** inhabitant of L.

luxe: ~**paard** fancy horse; ~**postpapier** fancy note-paper; ~**trein** luxury-train; ~**uitgaaf** édition de luxe, de luxe edition; ~**wet** sumptuary law; ~**zaak** fancy-goods business (*of:* shop)

luxueus, luxurieus luxurious, sumptuous

luzerne (*plant*) lucerne

Lybië Libya; ~**r, Lybisch** Libyan

lyceum id.; (*ongev.*) grammar school, (*Am.*) high school

lyddiet lyddite

Lydië Lydia; ~**r, Lydisch** Lydian

lymf(e) lymph; **lymfatisch** lymphatic; **lymf(e)-klier** lymph(atic) gland; **lymf(e)vat** lymph-(atic) vessel

lynchen lynch; **lynchwet** lynch-law

lynx id.

Lyon Lyons; ~**ees** *zn.* & *bn.* Lyonnese

lyriek lyric poetry; **lyrisch** lyric(al)

lysol lysol

M

M M (*ook Rom. cijfer*); m, *afk.*: metre(s)
ma mamma
1 maag stomach; (*fam.*) tummy; (*van dier ook*) maw; *zes hongerige magen* six hungry mouths; *een goede ~ hebben* have a good digestion; *zich de ~ volstoppen* gorge; *in de ~ brengen* ingest [food]; *iem. iets in zijn ~ stoppen* (*splitsen*), (*fig.*) palm s.t. off on a p.; *daar zit ik mee in m'n ~* it worries me; *werken met een lege ~* work on an empty stomach; *zie* ledig, overladen, enz.
2 maag kinsman, kinswoman; *vrienden en magen* kith and kin
maag: *~bitter* (stomach) bitters; *~bloeding* gastric h(a)emorrhage, h(a)emorrhage of (from) the stomach; *~brij* chyme; *~catarre* gastritis, gastric catarrh
maagd maid(en), virgin; (*dierenriem*) Virgo; *de Heilige M~* the (Holy) Virgin; *de ~ van Orleans* the Maid of Orleans
maagdarmcatarre gastro-enteritis
maagdarmspecialist gastro-enterologist
maagdelijk virginal, maidenly, virgin [forest, snow, birth]; *~heid* virginity
Maagdenburg Magdeburg; *~er halve bollen* M. hemispheres
maagden: *~goud* virgin gold; *~honig* virgin honey; *~melk* virgin's milk; *~palm* periwinkle; *~peer* virgin; *~rei* chorus of virgins; *~roof* rape, ravishment; *~vlies* hymen; *~was* virgin wax, bee-glue, propolis
maag: *~elixer* stomach elixir; *~hoest* stomach-cough; *~holte* zie *~kuil*; *~kanker* s. cancer, cancer of the s.; *~klacht* zie *~kwaal*; *~koorts* gastric fever; *~kramp* s.-cramp, spasm of the s.; *~kuil* pit of the s.; *~kwaal* s.-complaint; *~lijder* s.-sufferer, gastric patient; *~middel* stomachic; *~mond* cardia, upper orifice of the s.; *~onderzoek* s. analysis; *~ontsteking* inflammation of the s., gastritis; *~operatie* s. operation, operation on the s.; *~pijn* s.-ache; (*fam.*) tummy-ache; *~pomp* s.-pump; *~sap* gastric juice; *~sapklier* peptic gland
maagschap kindred, kinship, consanguinity; (*concr.*) kinsfolk
maag: *~sonde* stomach-tube; *~sterkend* (*middel*) stomachic; *~stoornis* stomach disorder, gastric disturbance; *~streek* (epi)gastric region; *~vlies* s.-lining, coat of the s.; *~vliesontsteking* gastritis; *~zenuw* stomachic nerve; *~ziekte* s. disorder; *~zuur* gastric acid; (*maagklacht*) heartburn, acidity of the s.; *~zweer* stomach ulcer
maai zie made

maaidorser combine (harvester)
maaien mow [grass], cut (down) [grass, corn], reap [corn]; *pas gemaaid gras* fresh-cut grass; zie zaaien
maaier mower, reaper
maaigras mowing-grass
Maaike May, Polly, Molly
maai: *~land* mowing-field; *~machine* mowing-machine; (*voor koren*) reaping-machine, reaper, harvester; (*voor grasperk*) lawn-mower; *~tijd* mowing-time; *~veld* surface (level), ground level
maak: *in de ~ zijn* be in the making [another system is in the ...], (*reparatie*) be under repair; *ik heb een jas in de ~* I am having a coat made; *hij heeft een nieuw boek in de ~ ...* on the stocks; *~loon* charge for (cost of) making; *~sel* make, manufacture; *~ster* maker; *~werk* work made (turned out) to order (*ook fig.*); (*min. van boek, enz.*) journey-work
maal[1] 1 mail, post-bag; 2 spot; (*moeder-*) mole; 3 time; *een~, twee~, drie~, vier~, enz.* once, twice, three times (*vero.*: thrice), four times, etc.; *twee of drie ~* two or three times; *twee en een half ~ zo groot* two and a half times as large; (*zo ook*: force is mass times acceleration); *zie* anderhalf; *een ~ is geen ~* once doesn't count; *2 ~ 6 is 12* twice 6 is 12; *doe 't voor de 2de ~* do it a second t.; *nog vele malen na deze!* many happy returns (of the day)!; *ten enen male onmogelijk* (*uitgesloten*) utterly impossible (altogether out of the question); *zie* herhaald; 4 meal; (*haastig*) snack; (*van dier, fam. van mens*) feed; *een stevig ~* a square m.; *zijn ~ ermee doen* make a meal of it; *zijn ~ doen met* dine (lunch) off [a steak]
maalbaar millable [wheat]
maalderij milling-business, mill
maalstokje maulstick
maalstroom whirlpool, eddy, maelstrom, swirl, vortex [*ook fig.*: vortex of dissipation]; (*fig. ook*) whirligig [the ... of time], whirl [of gaiety]
maaltand grinder, molar (tooth)
maalteken multiplication sign
maaltijd meal, repast; (*feestelijk*) banquet; *aan de ~ zijn* be at table; *onder de ~* during the meal; *zie* maal 4
maan moon [new, half, full ...]; *de halve ~*, (*van Turkije*) the Crescent; *zie ook* halvemaan; *het is volle ~* it is full m., the m. is at the full; *'t was bijna volle ~* (*juist ... geweest*) the m. was approaching (was just past) its full; *'t is donkere* (*lichte*) ~ there is no (a) m.; *de ~ breekt*

bij hem door his thatch is thinning; *bij lichte ~* with the moon shining; *door de ~ verlicht* moonlit; *naar de ~ gaan* go to the dogs, go to pot; *de zaak gaat naar de ~, ook:* the business is sure to go smash; *laat hem naar de ~ lopen!* let him go hang!; *die vent kan naar de ~ lopen!* confound the fellow!; *de zaak kan naar de ~ lopen!* the business can go hang!; *loop naar de ~!* go to the devil!; *daar ging weer 100 pond naar de ~* another hundred pounds gone west, (gone) up the spout; *naar de ~ reiken* cry for the m., attempt impossibilities; *iem. naar de ~ wensen* wish a p. at Jericho (over the m.); *op de ~* [live] in the m.; *tegen de ~ blaffen* bay at the m.; *zie* wassen, enz.; ~**baan** m.'s orbit; ~**beschrijving** selenography; ~**bewoner** inhabitant of the m., lunarian; ~**blind** m.-blind

maanbrief dunning-letter

maancirkel lunar cycle

maand month; *de 15e dezer (der vorige, volgende)* ~ the 15th inst. (= instant), ult. (= ultimo), prox. (= proximo); *de ~ juli* the m. of July; *ze is in haar zesde ~ (van zwangerschap)* she is five months gone; *zie* krijgen

maandabonnement monthly season (ticket)

maandag *a)* Monday; ~ *houden* take M. off; *zie* blauw; *b)* lunar day; *('s)* ~**s** Monday(s); ~**sgevoel** M. morning feeling; *een - hebben* feel Mondayish

maand: ~**bericht** monthly report; ~**blad** monthly (review, magazine, publication); ~**bloeier** *a)* wild strawberry; *b)* monthly rose; ~**elijks** *bw.* monthly, every month, once a m.; *bn.* monthly; ~**geld** monthly pay (salary, allowance); ~**kaart** monthly ticket; ~**rekening** monthly account; ~**retour** monthly ticket; ~**roos** monthly rose; ~**schrift** *zie* ~blad; ~**staat** monthly return; ~**verband** sanitary towel

maan: ~**eclips** eclipse of the moon; ~**gestalte** phase (of the m.); ~**godin** m.-goddess; ~**jaar** lunar year; ~**kop** *(plant)* poppy; *(vrucht)* poppy-head; *(sap)* opium; ~**krans** halo round the m.; ~**kring** *zie* ~cirkel & ~krans; ~**lander** lunar (excursion) module, LEM; ~**licht** moonlight; ~**maand** lunar month; ~**regenboog** lunar rainbow; ~**schijf** lunar disk; ~**sloep** *zie* ~lander; ~**somloop** lunar revolution; *(omloopstijd)* lunation; ~**steen** *a)* moonstone; *b)* lunar rock; ~**sverandering** change of the m.; ~**sverduistering** *zie* ~eclips; ~**vis** m.-fish; ~**vlek** m.-spot; ~**vormig** m.-shaped; ~**zaad** maw-seed; ~**ziek** m.-struck, lunatic; ~**ziekte** lunacy

1 maar *vw.* but; yet; *bw.* but, only, merely; *ik hoop ~ ...* I only hope ...; *hij doet ~* he does just as he pleases; *zo vlug je ~ kunt* as quickly as (ever) you can; *zoveel hij ~ wilde* as much as (ever) he wanted; *zodra 't huis ~ af is* as soon as (ever) the house is finished; *we kunnen ~ eenmaal sterven* we can only die once; *~ al te spoedig* all too soon; *we zullen ~ al te blij zijn* we shall be only too glad; *~ net* only just; *het kan er ~ net in* there's just room for it; *als hij ... ~ ophief* if he so much as raised his finger; *als ik ~ ... te laat ben* if I am even a minute late; *als ik ~ kon!* if only I could!; *als zij ~ ... had* [she would not mind who it was] as (so) long as she had a companion; *... als men ~ kon zijn* as big a blackguard as any; *er is een (grote) ~ bij* there is a (big) but (in the question), there is a catch in it; *geen 'maren'!* (but me) no buts!; *niemand, ~ dan ook niemand* nobody, but nobody; *zonder ook ~ op te kijken* without even looking up; *dat kan zo ~ niet beantwoord worden* such a question can't be answered off-hand; *tussen ... was ~ weinig ruimte; zo weinig ~ dat ...* between ... was but little space; so little indeed that ...; *zeg 't mij ~* you might tell me; *ga nu ~, a)* you may go now; *b)* you had better go now; *kom ~ binnen* come right in; *blijf ~ bij ons* (you'd) better keep with us; *stuur ~ niet terug wat je overhoudt* don't bother to return what is left; *geeft u ~ ham* ham will be all right; *ik vind het ~ een pover resultaat ...* a poor result when all is said and done; *hij huilde ~ en hij huilde ~* he cried and he cried; *hij kwam ~ (steeds) niet* he didn't come, and didn't come; *was ik ~ in E.* I wish I were in E.; *wacht ~!* (just) you wait!; *~ misschien heb je wel gelijk* perhaps you are right, though; *~ ik slaap nu eenmaal licht* but then, I am a light sleeper; *zie* even, goed, neen, nog, toch, enz.

2 maar *zn.* news, tidings, report

maarschalk marshal; ~**staf** m.'s baton

maart March; *~ roert zijn staart* late M. can be showery (and April may still bring snow)

Maarten Martin; *zie* Sint-~

maarts (of) March; ~ *viooltje* sweet violet, M. violet; *zie* bui

Maas: *de ~* the (river) Maas, the Meuse

maas mesh; *(van breiwerk)* stitch; *(van wet, enz.) ook:* loophole; *door de mazen kruipen, (fig.)* slip through (the meshes of) the net, find a hole to creep out of; *door de mazen der wet kruipen, ook:* circumvent the law; ~**bal** darning-ball; ~**naald** darning-needle

maaswerk *(bk.)* tracery

1 maat *(om te meten)* measure; *(afmetingen)* measure, size [of hats, gloves]; *(verskunst)* metre, measure; *(muz. abstr.)* measure, time; *(muz. concr.)* bar; *de eerste maten* the opening bars; *de fluit was twee maten achter de flute* was two bars behind; *hij heeft een kleine ~ vaste schoenen (~ 7 van handschoenen)* he takes a small size in shoes (size 7 in gloves); *abnormaal grote ~* outsize; *(pas)maten* measurements; *(inz. van vrouw, fam.)* vital statistics; *maten en gewichten* weights and measures; *maten voor droge (natte) waren* dry (liquid) measures; *goede ~* good (full) m.; *niet de volle ~ geven* give short m.; *(goed, uitstekend) houden (muz.)* keep (good, excellent) time; *(fig.)* keep within bounds; *zij weten geen ~ te houden* they don't know when to stop; *where to draw the line; *wilt u mij de ~ nemen voor een jas?* will you take my m. (measure me) for a coat?; *de ~ nemen voor een doodkist* take the measurements for a coffin

zie aanmeten; *de ~ liep bijna over*, (*fig.*) the cup nearly overflowed; *dat deed de ~ overlopen* that was the last straw; (*sl.*) that put the (tin) lid on; *de ~ is vol* the cup is full; *de ~ vol maken* fill the cup to the brim; *de ~ slaan* beat time; *bij de ~ verkopen* sell by m.; *in de ~* in time; *in hoge mate* in a great (large) m., to a high degree, greatly, highly, (*fam.*) to a degree; *in de hoogste mate* to the last degree, in the extreme; passing [strange]; supremely [confident]; *in zulk een mate, dat ... to such an extent that ...; in geen geringe mate* in no small m.; *in meerdere of mindere mate* to a greater or less extent, in a greater or less degree, more or less; *in zekere mate* in a (some) m.; *zie gelijk; met mate* [drink] in moderation, moderately; *alles met mate* everything in moderation (in reason); *met de ~, waarmede gij meet, zal u toegemeten worden*, (*Matth. 7:2*) with what m. ye mete, it shall be measured to you again; *met twee maten meten* measure by two standards; *naar ~* [suit] made to m. (to order), tailor-made [suit]; *naar de mate van mijn krachten* up to the m. of my capacities; *op ~* [made] to m.; *op ~ gemaakt pak, ook:* bespoke suit, tailored suit; *op de ~ der muziek* in time to (to the time of) the music; *volmaakt op de ~ dansen* dance in perfect time; *uit de ~* out of time
2 maat mate, comrade, companion, partner, (*fam.*) chum, pal; (*bij spel*) partner; *tot ~ hebben*, (*spel*) be partnered by; *ze zijn dikke ~(je)s* they are the best of friends (as thick as thieves); *goede ~jes zijn (blijven) met* be well in (keep in) with; *hij is goede ~jes met iedereen* he is hail-fellow-well-met with everybody; *goede ~jes worden* chum up, pal up [*met* with]
maat: ~afdeling bespoke department; ~confectie ready-made, factory-tailored (clothing); ~eenheid unit of measure; ~gevend leading; representative [of the average]; ~gevoel sense of rhythm; *geen – hebben, ook:* have no ear for time; ~glas measuring-glass, graduated glass; ~goederen goods made to measure
maatje 1 matey; *zie* maat 2; 2 decilitre; 3 *zie* meetband
maatjesharing matie, mattie, maty
maatjespeer bergamot
maat: ~kleermaker bespoke tailor; ~lint *zie* meetband; ~regel measure; *Algemene – van Bestuur, ongev.* Order in Council, decree [salary cuts by ...]; *–en nemen (treffen)* take measures (steps), take action, deal with the matter; *–en nemen voor (tegen), ook:* provide for (against); *halve –en* half measures
maatschap partnership; ~pelijk social; societal; *– hulpbetoon* public assistance (committee, department); *– kapitaal* nominal (authorized, registered, share) capital; *–e vraag* societal demand; *– werk* social work (*zo ook: ... workers*); ~pij (*samenleving*) society (*= de –*); (*genootschap*) society; (*hand.*) company; *– op aandelen* joint-stock company; *de – tot redding van drenkelingen* the Royal Humane

Society; *– met beperkte aansprakelijkheid* limited liability company; ~pijleer *a*) sociology; *b*) social science; ~pijvlag house-flag; ~pijvorm societal form; ~pijwinkel social information centre
maat: ~slag beat; ~staf measuring-staff, -rule, -rod; (*fig.*) standard, gauge, measure, yardstick [money is not the ... of success]; *dat is geen –, ook:* that is no criterion; *naar die –* by that standard, at that rate; *een – aanleggen* apply a standard (to s.t.); ~stok (*van timmerman*) rule; (*van schoenmaker*) sizestick; (*dirigeerstok*) baton; ~streep (*muz.*) bar(line); ~vast (steady in) keeping time; ~vastheid steadiness (in keeping time); ~werk (goods) made to measure; (*van kleren*) bespoke tailoring; (*Am.*) custom-made (clothes)
macaber macabre
macadam id.; ~iseren, -ering macadamize, -mization; ~weg m.-road
macaroni id.; ~sch macaronic
Macassaar enz., *zie* Makassaar, enz.
Maccabeeër Maccabee
Macedonië Macedonia (*ook:* [Philip of] Macedon); ~r, **Macedonisch** Macedonian
Machgetal Mach number
Machiavelli id.; **machiavellisme** Machiavellism; **machiavellistisch** Machiavellian
machinaal mechanical, automatic (*bw.:* -ally), [smoke rubber] by machinery; *~ van buiten leren* learn by rote; *~ bewerken* machine; *~ vervaardigd* machine-made; *~ gebreid* machine-knitted [garments]; *~ gedreven gereedschappen* machine tools
machinatie machination
machine (*als beweegkracht*) engine; (*anders*) machine [sewing-, reaping-machine; the engine of an aeroplane]; (*fig.*) machine; *de ~s, ook:* the machinery; *met de~gemaakt* machine-made; ~bankwerker engineer fitter; ~bedrijf engineering(-trade); ~bouw e.-building; ~constructeur constructional (mechanical) engineer; ~drijver machinist; ~fabriek engineering-works; ~garen mill-spun yarn; (*voor naai~*) machine-cotton; ~geweer machine-gun; *met ~geweren (be)schieten* machine-gun; ~kamer e.-room; ~loods e.-house, -shed; ~naai(st)er machinist; ~olie e.-, machine-, lubricating oil; ~pistool sub-machine gun, tommy-gun
machinerie(ën) machinery
machine: ~schrijven type-writing, typing; ~taal machine (*of:* computer) language; ~tekenaar engineering-draughtsman; ~tekenen, -ing engineering-drawing; ~werkplaats machine-shop; ~zetsel linotype *of* monotype; ~zetten machine composition; ~zetter linotypist *of* monotypist
machinist (*op schip*) engineer (*eerste ~* chief e.); (*spoor*) (engine-)driver, motorman, (*Am.*) engineer; (*theat.*) (scene-)shifter; ~enschool school for mechanical (practical) engineers; ~-leerling assistant e.
macht power (*ook in wisk.*), might, [paternal] authority; (*heerschappij*) dominion; (*staat*)

power [the great ...s]; *wereldlijke (geestelijke, wetgevende)* ~ temporal (spiritual, legislative) p.; *de ~en der duisternis* the powers of darkness; *de ~ der gewoonte* the force of habit; *ik heb geen ~ over hem* I have no p. (authority, control, hold) over him; *hij heeft geen ~ over zichzelf* he has no control of (over) himself; *de ~ in handen hebben* be in p. (in control); *een ~ van geld, (fam.)* a p. (heaps) of money; *'t heeft een ~ goeds gedaan* it has done a p. of good; *aan de ~ komen (zijn, brengen)* come into (be in, lead [a party] to) power; *ik ben niet bij ~e u bij te staan* I am not able (unable, powerless, not in a position) to assist you; *dat gaat boven mijn ~* it is above my strength, is not in my p.; *~ gaat boven recht* might is (above) right; *oorzaken buiten mijn ~, die ik niet in mijn ~ heb* causes beyond my control, over which I have no control; *hij had mij in zijn ~* he had (held) me in his p., had me at his mercy; *ze heeft hem geheel in haar ~, ook:* (fam.) she has him in her pocket; *ik heb het niet (het staat niet) in mijn ~* it is not in my p.; *een machine in de ~ hebben* have control over (of) a machine; *in zijn ~ krijgen* get into one's p., get a hold on; *voor zover 't in mijn ~ ligt* so far as lies in my p.; *met (uit) alle ~* with might and main, with all one's might, [shout] at the top of one's voice, [they are at it] hammer and tongs, [he ran] for all he was worth; *de ~ verliezen over* lose control of [one's car] (the car went out of control); *tot de nde ~ verheffen* raise (involve, carry) to the nth p.; *x tot de 5de ~* x to the fifth (power); x^2 x square(d); x^3 x cube(d); *uit alle ~, zie bov.; zie ook* gesteld

machteloos powerless, impotent, helpless, nerveless [fingers]; ~ *staan tegenover* be p. against; ~**heid** powerlessness, impotence, helplessness

macht: ~**gever** principal; ~**hebbende** authority, ruler, man (person) in power; *de ~n, ook:* those in authority; ~**hebber** *zie* ~hebbende

machtig I *bn.* powerful, mighty; *(overweldigend)* stupendous, tremendous; *(van voedsel)* rich; *een ~ onderscheid* [that makes] an enormous difference; *dat is mij te ~, (van verhaal, prijs, enz.)* that is a bit (too) steep; *(ik kan het niet langer aanzien)* that's more than I can bear; *de omstandigheden zijn mij te ~* circumstances are too many (too much) for me; *'t wordt me te ~* it's getting too much for me; *hij is zijn onderwerp volkomen ~* he has a thorough grasp of his subject; *hij is die taal ~* he has thorough command of that language; *hij is het Duits niet ~* he has no German; *een ding ~ worden* get hold (possession) of a thing; *een baantje ~ worden* land a job; *bestellingen ~ worden* secure orders; *zijn gevoel werd hem te ~* his feelings overcame him; **II** *bw.* powerfully; ~ *mooi (in z'n schik, enz.), (fam.)* mighty fine (pleased, etc.); ~**en** authorize, empower; *gemachtigd zijn te ..., ook:* have power to ...; ~**ing** authorization; *(vooral van geestelijkh.)* faculty; –

verlenen authorize [a p. to do s.t.]; – *verlenen tot* authorize [payment]; ~**ingsformulier** form of proxy; ~**ingswet(sontwerp)** enabling act (bill)

machtpunt *(van hefboom)* power

machts: ~**aanwijzer** exponent, index; ~**betoon** *zie* ~vertoon; ~**evenwicht** balance of power; ~**middel** means of power, powerful weapon; ~**misbruik,** ~**overschrijding** abuse of p.; ~**ontwikkeling** *zie* ~vertoon; ~**overdracht** delegation of p.; ~**overneming** transfer of power; ~**politiek** p.-politics; ~**positie** position of authority (of p.)

machtspreuk dogmatic statement, knock-down argument

machts: ~**sfeer** sphere of influence; *Polen ligt in de – van Rusland* is controlled by Russia; ~**strijd** struggle for power; ~**verheffing** involution, raising to a (higher) power; ~**verhouding(en)** relative power; *de nieuwe –en in Azië* the new balance of power in Asia; ~**vertoon** display of p.; ~**wellust** craving for p., lust of p.; ~**wellusteling** person luxuriating in his p.; ~**willekeur** arbitrary power

machtwoord authoritative utterance

maçon freemason; ~**nerie** freemasonry; ~**niek** masonic

macrobiotisch macrobiotic

maculatuur mackle, printer's waste

Madagascar id.; *(staat)* Malagasy

madam *(in N.-Ned. min.)* married middle-class woman

madapolam madapollam

made maggot, grub, cheese-mite; *(visaas)* gentle; *(aars-)* seat-worm, thread-worm

madeliefje daisy

madera Madeira (wine)

madig maggoty, grubby

Madoera Madura

Madoerees, -ezen *zn. & bn.* Madurese

madonna Madonna

Madras id.; **madras** id.

Madrid id.

madrigaal madrigal

Madrileen(s) Madrilenian

Maecenas id.; **m~** Maecenas

maenade maenad, bacchante

maëstro maestro

maf *bn.* slow, heavy; *(van weer)* muggy, sultry; *zn.: ik heb ~, (fam.)* I am sleepy; ~**fen** snooze; *gaan –, (sl.)* go off to kip

mafje *(sl.)* tanner

magazijn warehouse, storehouse; *(mil., ook gevoer, tijdschrift)* magazine; *(bibliotheek)* stacks, (book)stack; *(winkel)* store(s); *in ~ hebben* have [an article] in stock; *in ~ nemen* stock [an article]; ~**bediende** w.-clerk, w.-man; ~**boek** w.-, w.-book; ~**bon** requisition note; ~**geweer** magazine-rifle; ~**huur** w.-rent; ~**meester** w.-, store-keeper; ~**sper** *(van geweer)* cut-off

Magdalena Magdalen(e), *(fam.)* Maud; ~**stichting** Magdalen asylum

Magellaan: *Straat van ~* Straits of Magellan;

~se wolken Magellanic clouds
mager (van pers.) thin, lean; hollow, sunken [cheeks]; (van vlees) lean; (fig.) meagre [soil, meal]; lean [years]; poor [soil]; zie ook schraal; ~e kaas skim-milk cheese; ~e kolen lean coal(s); het ~e zowel als het vette the l. as well as the fat; ~ worden zie vermageren; zo ~ als een lat (brand-, ta!hout, houtje) as thin as a lath, as lean as a rake; ~ en gespierd wiry; ~heid ...ness; ~tjes poorly
magie magic (art)
magiër magician, magus (mv.: magi)
magirusladder extending ladder, ladder-tower
magisch magic(al)
magister id., master
magistraal magisterial, authoritative, masterly
magistraat(spersoon) magistrate
magistratuur magistracy
magma id.
magnaat magnate [oil ..., tobacco ..., etc.]; (Am.) tycoon
Magna Charta: de ~ Magna C(h)arta, the Great Charter
magneet magnet; (in motor) magneto; ~band magnetic tape; ~ijzer magnetic iron; ~ijzererts loadstone, lodestone; ~kracht magnetic force; ~naald magnetic needle; ~ontsteking magneto-ignition; ~steen magnetite, lodestone; ~veld magnetic field
magnesia id.
magnesiet magnesite
magnesium id.; ~lamp, ~licht m. (of: flash-light) lamp (light)
magnetiet magnetite
magnetisch magnetic (bw.: -ally); ~e mijn m. mine
magnetiseren magnetize (ook fig.); ('n zieke) mesmerize; -iseur mesmerist, mesmerizer, natural (of: magnetic) healer
magnetisme magnetism
magnetofoon tape-recorder
magnificat id.
magnifiek magnificent, splendid
magnolia id.
magot id. (ook poppetje), Barbary ape
magus id.; zie magiër
Magyaar(s) Magyar
maharadja Maharaja(h)
Mahdi id.; mahdist Mahdi(i)st
Mahomed enz., zie Mohammed, enz.
mahoniehout(en) mahogany
mail id.; ~berichten m.-advices; ~boot m.-steamer; ~editie overseas edition
maillot body stocking
mail id.: ~papier air-mail notepaper; ~trein m.-train; ~verzendhuis mail-order house; ~zak m.-bag
maintenee kept woman, mistress
mainteneren keep [a woman]
Mainz id.
maïs maize, Indian corn; (Am.) corn; (Z.-Afr.) mealies; ~aar m.-ear; ~koek corn-cake; ~kolf m.-ear; (zonder de korrels) corn-cob; ~korrel m.-grain; ~meel maize flour, (Am.) corn-meal;

~vlokken cornflakes
maîtresse mistress
maïzena corn-flour, maizena
majem water
majesteit majesty; Uwe M~ Your M.; ~sschennis lese-majesty
majestueus majestic (bw.: -ally)
majeur major; a ~ A major; ~ toonladder m. scale
majolica id.
majoor major; (vliegdienst) squadron-leader; ~splaats, -rang majority
major major (premise); ~aat (right of) primogeniture; ('t erfgoed) entailed estate; ~domus major-domo, mv.: -s
majoreren (bij inschrijving, enz.) majorate
majuskel majuscule
mak tame, docile, meek, gentle, tractable, manageable; (van paard) quiet [as ... as a lamb]; een van die ~ke mannen one of those 'do-as-you're-told' husbands (men); hij is lang niet ~ he has a decided will of his own; he is difficult to get on with
makaron macaroon
Makassaar native of Macassar
Makassar Macassar; m~olie Macassar oil
makelaar broker, house-agent; (van dak) king-post; ~ in assuranties insurance-b.; ~ in effecten stock-b.; ~ in huizen house-agent; ~ in vaste goederen (real) estate agent; ~dij a) b.'s business, broking; b) = ~sloon; ~sfirma firm of brokers, brokerage firm; ~sloon, ~provisie brokerage
makelarij zie makelaardij
makelij make, making, workmanship
maken make [a coat, verses, laws, a fortune, a name, a noise, plan, journey, distinction, friends, enemies]; take [a photograph]; do [a sum, an exercise, a translation, one's task]; form [I can ... no idea of his character]; mix [a grog, a lemon squash]; (verdienen) make [£500 a year]; (repareren) repair, mend, (fam.) fix; (met bn.) make, render [happy, etc.]; een slag (kaart, bal, 12 punten) ~ m. a trick (card, ball, 12 points); iem. aan 't lachen (schreien) ~ m. a p. laugh (cry); ik zal ~, dat hij 't doet I'll m. him do it; ... maakte dat hij ... the letter made him hurry home (lit.: caused him to ...); ~ dat iets niet gebeurt keep s.t. from happening; zijn houding maakte dat ik mijn zenuwachtigheid verloor his attitude had the effect of ridding me of my nervousness; hoe maak je het? how are you (getting on)?; ik maak 't (vrij) goed I am (pretty) well; ik hoop dat je 't goed maakt I hope all goes well with you; ze maakt 't heel goed (in haar nieuwe betrekking, enz.) she is doing very well; hoe heb je 't (bij 't examen) gemaakt? how have you done; how did you get on?; 't heel goed ~ op school do very well at school; ik zal 't wel goed met hem ~ I'll m. it all right with him; hij zal 't niet lang meer ~ he won't last much longer, has not much longer to live; ..., maar hij maakt het er ook naar [people don't like him,] but

he has only himself to blame; *hij heeft het ernaar gemaakt* he deserves all he gets; *maak het een beetje!* (*fam.*) come off it!; *dat kun je niet ~* you can't (possibly) do that; *hij kan je ~ en breken* he is more than a match for you; *zij maakte staatslieden en ze brak ze* she made and unmade statesmen; *hij heeft zichzelf niet gemaakt* he can't help his face (his birth, etc.); *100 pennies ~ een pond* a hundred pence m. (go to) a pound; *dat maakt 17* that makes seventeen; *dat maakt verschil* that makes a difference; *iem. tot koning ~* m. a p. (a) king; *dit maakt het schrijven tot een genoegen* this makes writing a pleasure; *maak dat je weg komt!* m. yourself scarce! get out!; *maak me niet erger dan ik ben* don't paint me blacker than I am; *dat maakt niets uit* that does not matter, that makes no difference; *hij kan me niets ~* he cannot touch me; *men kan hem niets ~* he goes scot-free; *wat heeft hij ermee te ~?* where (*of:* how) does he come in? what has that to do with him?; *je hebt hier niets te ~* you have no business here; *ik heb niets met hem te ~* I have nothing to do with him, I have no truck with him; *ik wil niets meer met hem te ~ hebben* I have done (I am through) with him; *ik heb er niets mee te ~* it is none of my business; *ik wil er niets meer mee* (*niets meer met je*) *te ~ hebben* I wash my hands of it (of the whole affair; of you); *'t heeft* (*iets*) *te ~ met J.* it has to do with J.; *dat heeft er niets mee te ~* that has nothing to do with it, is neither here nor there, is beside the point; *daarmee heb ik hier niet te ~* I am not here concerned with that; *ik heb slechts te ~ met* ... my sole concern is with its value as a work of art; *we hebben hier te ~ met* ... we are here dealing with ..., we have here [a simple case of ...]; *ik heb meer rechtstreeks met die zaak te ~* I am more immediately concerned with that matter; *dat is niet meer te ~* beyond repair; *ik weet niet, wat ik ervan ~ moet* I don't know what to m. of it; *wat moest je daar nu van ~?* (*van zo'n antwoord*) what was one to m. of that?; *ik kon er niets van ~* I could m. nothing (couldn't m. any sense) of it; *we hebben ervan gemaakt wat we konden* we have done the best we could; *in Duitsland* (*Gr.-Brittanje, enz.*) *gemaakt* German- (British-, etc.) made [articles]; *zie ook* gemaakt, boos, laten, gewoonte, enz.

maker maker, author, architect [of the Universe]
makheid tameness, quietness, etc.; *zie* mak
maki lemur; **Makkabeeër** Maccabee
makkelijk *zie* gemakkelijk
makker comrade, mate, companion; *zie* maat 2
makkie (*fam.*) easy job
makreel mackerel; **~geep** skipper
makro(o)n macaroon
1 mal mould, shape, model, gauge; (*sjabloon*) stencil(-plate); (*boormal e.d.*) jig; (*techn., ook*) pattern

Zie ook gek & dwaas

2 mal¹ foolish, mad; silly [you ... boy!]; (*met iem. of iets*) fond [of ...]; *~ moertje, ~ kindje* a fond mother, a spoilt child; *oud ~ gaat bovenal* there is no fool like an old fool; *de ~le leeftijd* the awkward (silly) age; *dat is 'n ~le geschiedenis* an awkward affair; *zij is ~ met de kleine* she dotes on the baby; *het moet al heel ~ lopen, of ...* it shall go hard but; ... *voor ~ spelen* play the giddy goat; *we hielden hem voor de ~* we made a fool of him, pulled his leg; *zij hield hem voor de ~,* (*in de liefde*) she played fast and loose with him; *je bent ~! ook:* are you mad?; *ben je ~?* (*Am.*) are you kidding?
Malabaars, Malabar Malabar
malachiet malachite
Maladiven Maldives
malaga Malaga (wine); *~ amandelen* Jordan almonds
Malagasi(ë) Malagasy
malaise (trade, industrial, mental) depression, stagnancy (slackness) in trade, slump
Malakka (*kolonie & stad*) Malacca; (*schiereil.*) the Malay Peninsula
mal-à-propos *bw.* malapropos; *zn.* misunderstanding
malaria id., malarial fever; **~bacil** malaria(l) germ; **~lijder** malarial patient; **~mug** malarial mosquito
Malawi id.
malcontenten malcontents
Maleachi Malachi; **Maleier** Malay
Maleis Malay(an); **~e** M. woman; **~ië** Malaysia
malen 1 grind [corn, coffee], mill [corn, flour *meel*]; *zie* eerst; 2 (*schilderen, vero.*) paint, picture; 3 *wat maal ik erom?* what do I care?; *ik maal er geen steek om!* (a) fat lot I care!; *dat maalt mij steeds door het hoofd* it keeps running in my head; *aan 't ~* (*~de*) *zijn* be off one's head; *aan 't ~ raken* go crazy; *zie verder* zaniken
malenger malingerer, scrimshanker
malengeren malinger, scrimshank
malerij mill(ing business)
malheid foolishness, folly
malheur mishap, accident
Mali id.
malie (*van pantser*) ring [of a coat of mail] (*mv. ook:* ring-mail); (*van veter*) tag; (*kolf*) mall, mallet; **~baan** mall; **maliënhemd, -kolder** coat of mail, hauberk; **malieveld** mall
maling: *er ~ aan hebben* not care a rap (a fig) for it, snap one's fingers at it; *zie* lak; *~ hebben aan fatsoen* throw decency overboard (to the winds, aside); *ik heb ~ aan de grammatica!* hang grammar! grammar be hanged!; *iem. in de ~ nemen* make a fool (make game) of a p., pull a p.'s leg; *in de ~ zijn* be at sea, be all abroad
mallejan timber-wagon, truck
mallemolen merry-go-round, roundabout, (*ook fig.*) whirligig
mallen romp, lark, play pranks, fool

mallepraat nonsense, stuff; **malligheid** foolishness, nonsense, fiddle-de-dee
malloot fool, rattle-brain; **mallotig** silly
malrove (*plant*) horehound
mals tender [meat], lush [grass, meadows], mellow [fruit], soft [rain]; *dat was lang niet ~* that was one in the eye for you (him, etc.); *zie ook* ongezouten; *~heid ...* ness
Malta id.; **m~koorts** Malta fever, mediterranean fever
Maltezer *zn. & bn.* Maltese; *~ kruis* M. cross; *~ leeuwtje* Maltese (dog); *~ ridder* Knight of Malta, M. Knight
malthusianisme Malthusianism
maluwe, malve (*plant*) mallow
malversatie malversation
malvezij malmsey (wine), malvoisie
mam mum; **mam(m)a** mamma
mammeluk Mameluke
mammoet mammoth; *~boom* m.-tree, sequoia; *~pomp* air-lift pump; *~wet* Education Act (of 1963)
mammon: *de ~* Mammon, mammon; *de ~ dienen* serve (worship) M.; *~verering* M. worship, mammonism
mamzel ma'amselle, ma'am, marm
man man; (*echtgenoot*) husband; *~ van aanzien* m. of note (of consequence); *~ van betekenis* m. of importance; *~ van de daad* m. of action; *~ van eer* m. of honour; *~ van stand* m. of rank (of fashion); *~ van de wereld* m. of the world; *'t leger had een ~ van hem gemaakt* the Army had made a m. of him; *daar is hij de ~ niet voor* he is not the man to do it; *1000 ~ voetvolk* a thousand foot; *mijn goeie ~!* my good m.!; *onzin, ~!* nonsense, m.!; *een ~ een ~, een woord een woord* an honest m.'s word is as good as his bond; a bargain is a bargain; *hij is een ~ van zijn woord* he is as good as his word, he is a m. of his word; *een ~ van weinig woorden* a m. of few words; *hij is er de ~ niet naar om ...* he is not one to ...; *de derde* (*vierde*) *~ zijn,* (*spel*) make a third (fourth); *als één ~ to a m.,* (*rise*) as one m., [vote] solid(ly) [for peace], [the nation is] solidly [behind him], with one accord; *draag 't als een ~* bear it (*straf, enz.: fam.,* take your medicine) like a m.; *hij stierf als een ~, ook:* he died game; *als ~nen onder elkaar* [discuss things] as between one m. and another, as m. to m.; *~nen broeders* men and brethren (brothers); *~ en vrouw* husband (man) and wife (*zie* een); *~ en paard noemen* give chapter and verse (*eisen dat ... genoemd worden* demand ch. and v.); name one's informant; *hij staat zijn ~* he is able to hold his own (his ground); *wees een ~!* be a m.!; *in die tijd was hij dè ~* he was the [ŏi:] m.; *dat is mijn ~* he is my m., he's the m. for me (*fam.* for my money); *ik had mijn ~ gevonden* I had found (met) my match; *ze hadden beiden hun ~ gev.* Greek had met (found) Greek; *'t zal zijn ~ wel vinden* it is sure to find a buyer; *aan de ~ brengen* dispose of, sell [an article], market [one's wares; *ook*

fig.]; peddle out [shares *aandelen*], marry off, find a husband for [one's daughter], get [one's daughter] off one's hands; *het schip verging met ~ en muis* was lost with all hands (on board); *met ~ en macht* with might and main; *onder ~nen* among men; *op de ~ af* [ask] point-blank, [talk] straight from the shoulder, direct [the sermon was simple and ...; she is a very ... woman], pointed [speech, remark], straight, home [question]; *zoveel per ~* so much a head; *tot de laatste ~* to a m., to the last m.,* (*fam.*) every m. Jack of them; *gevecht van ~ tegen ~* hand-to-hand fight; *~ voor ~* m. by (for) m.
Man: *'t eil. ~* the Isle of Man; *van 't eil. ~* Manx; *bewoner* (*bewoonster*) *van 't eil. ~* Manxman (Manxwoman)
manachtig mannish, masculine [woman]
managerziekte manager's disease
Manasse Manasseh
manbaar marriageable, nubile; *~heid* marriageableness, puberty, nubility
manche (*sp.*) heat; (*whist en bridge*) game
Manchester id.; *m~,* (*stof*) corduroy; *~ school* M. school
manchet (*los of vast*) cuff, (*vast ook*) wristband; (*van ham*) frill; (*van glas bier*) head; *~ten,* (*handboeien*) handcuffs, (*sl.*) darbies; *~beschermer* [paper] c.-protector, -shield; *~knoop* (cuff-, sleeve-)link
manco shortage; short weight (measure, delivery); *zonder ~ ontvangen* receive full delivery of [a parcel]; *reclame wegens ~* claim for short delivery; *~lijst* wants list
mand basket, hamper; (*van lastdier, of op schouder gedragen*) pannier; *door de ~ vallen, a*) (have to) own up, make a clean breast of it; *b*) show up for what one is; *naar zijn ~je gaan* turn in
mandaat (*van de Volkenb., kiezers, enz.*) mandate [British ... over (in, for) Iraq]; (*dividend-*) dividend-warrant; (*betalings-*) pay-warrant; (*volmacht*) proxy, power of attorney; *zijn ~ neerleggen* (*ter beschikking stellen*), (*2de Kam., enz.*) vacate one's seat, resign (one's seat); *~gebied* mandated territory; *~houder zie* mandataris,
mandarijn mandarin; *~(tje)* tangerine (orange), mandarin(e), mandarin orange
mandataris mandatary, mandatory
mandator id., principal
mandefles wicker-, osier-bottle; (*groot*) demijohn; (*van gekleurd glas*) carboy
mandekking (*sp.*) marking
mandement mandate; (*van bisschop*) charge
manden- basket: *~maken* b.-making; *~maker* b.-maker, -weaver; *~makerij* b.-making (business); *~winkel* b.-shop
mande: *~wagen* wicker-, basket-carriage; *~werk* basket-work, -ware, basketry; *~wieg* wicker-cradle
mandje basket; (*voor aardbeien, enz.*) *ook:* pottle, (*spanen ~*) punnet; *zie* mand
mandoer (*Ind.*) mandoor, headman

mandoline mandolin; ~club m. club
mandragora (*plant*) id., mandrake
mandril mandrill
Mandsjoe enz., *zie* Mantsjoe, enz.
mandvol basketful, hamperful
manege riding-school, -academy, manège; ~-
paard riding-school horse
1 manen *ww*. dun, press for payment; *zie ook*
aanmanen
2 manen *zn*. mane (*steeds ev*.)
maner dun
maneschijn moonlight; (*zeld*.) moonshine; ~tje
(*fig*.) bald patch
maneuver enz., *zie* manoeuvre, enz.
manga mango
mangaan manganese; ~brons m. bronze; ~erts
m. ore; ~staal m. steel
mangat man-hole; ~deksel m.-h. cover
mangel 1 (*gebrek*) lack; 2 *zie* amandel; 3 mang-
ling-machine, mangle; ~en 1 mangle [linen];
– *en strijken* get up linen; (*sp*.) sandwich; 2 *zie*
ontbreken
mangelwortel mangle(wurzel), mangold
mangis(tan) (*boom & vrucht*) mangosteen
mango id.; mangoest mongoose; mangrove id.
manhaft(ig) manly, manful, brave; ~heid manliness, manfulness, bravery
maniak maniac, crank; fiend [bridge ..., fresh-
air ...]; (*sl*.) [football] fan
manicheeër Manichee, Manich(a)ean
manicure id., manicurist, chiropodist; (*stel
voorwerpen*) m.-set; ~n *ww*. manicure
manie mania, rage, craze, fad; *door de jazz-
(dans-, enz*.) ~ *aangegrepen zijn* have jazz
(dancing, etc.) on the brain, be jazz-(dancing-,
etc.) mad
manier[1] manner [good ...s, teach a p. ...s];
fashion, way; *denk om je ~en* mind your m...s;
dat is zo z'n ~ it's (only) his little way, it's a
way he has; ~ *van doen* manner; *dat is geen* ~
van doen that is not the way to treat anybody;
dat is dè (*jè*) ~! (*fam*.) that's the style!; *hij
heeft* zo zijn eigen *~en* his m...s are his own;
hij kent geen ~en he has no m...s; *ken je geen
~en?* where are your m...s?; *met eenvoudige*
(*prettige, enz*.) *~en* simple- (pleasant-, etc.)
mannered [man]; *op die* ~ in that m. (way),
that way; *op die ~ zou ik ... ook:* at that rate I
should never get ready; *op zijn ~, ook:* [he
loved her] after his fashion; *op de ~ van Rembrandt* after the manner of R.; *op alle mogelijke ~en* in every possible way, [rob a p.] right
and left; *op de een of andere* ~ in one way or
(an)other, somehow (or other); *hij nam het op
de juiste ~ op* he took it in the proper spirit;
o, op zo'n ~ now I see what you mean; *knap,
maar op een andere* ~ but with a difference; *op
zijn eigenaardige* ~ [he scowled] in a way he
had; ~lijk well-mannered
maniërisme (*kunsthist*.) mannerism
maniertje *zie* ~; (*kunstje*) trick [I know a ... to
do it]

<hr>

¹ *Zie ook* wijs 1
² *Zie* ontbreken & schelen

manifest manifesto; (*scheeps-*) manifest; ~ant
demonstrator; ~atie demonstration, manifestation; ~eren demonstrate, manifest, hold
a demonstration; *zich* ~, (*van geest*) manifest,
come (get) through
Manilla id.; m~hennep M. hemp, manilla; m~-
sigaar M. cigar (*of:* cheroot), manilla
manille (*in kaartspel*) id.
maniok manioc; ~meel m. (meal, flour)
manipel maniple
manipulatie manipulation (*ook fig*.); -eren manipulate (*ook fig.:* accounts); *gemanipuleerde
balans* cooked balance-sheet
manisch manic; ~depressief manic-depressive
mank lame, crippled; game [a ... leg]; *hij gaat* ~
he is l., limps, has a limp (in his gait); *die logica
gaat* ~ that logic halts (breaks down); *de vergelijking gaat* ~ the comparison will not hold
water; *alle vergelijkingen gaan* ~ no comparison goes on all fours; it is difficult to draw an
exact parallel; *zie* kreupel & euvel
mankement defect, trouble, s.t. wrong, s.t. the
matter [*aan zijn voet* with ...]
mankeren² fail, be absent; *hij mankeerde nooit*
he never failed to come, was never absent;
wat mankeert je? what is the matter with you?
(*wat bezielt je?*) what has come over you? what
possesses (has got) you?; *ik mankeer niets* I
am all right; *al wat eraan mankeerde* all that
was amiss [was set right]; *er mankeert een
gulden aan* there is a guilder short; *daar mankeert wat aan* there is something wrong; *dat
mankeerde er nog maar aan* that would have
been the last straw (the crowning idiocy, etc.);
zonder ~ without f.; *ik zal u zonder ~ een boodschap zenden* I shall not f. to send you word
mankheid lameness
mankpoot (*fam*.) dot-and-go-one
mankracht (*inz. mil*.) man-power
manlief hubby; ~! hubby dear!
manmoedig manful, manly, bold
manna id.
mannelijk (*natuurl. geslacht*) male (*ook van
bloem*); (*een man eigen*) masculine [pride,
nature]; (*flink*) manly; (*krachtig*) virile;
(*gramm., rijm*) masculine; (*ong*.) mannish
[woman]; *de ~e leeftijd bereiken, op ~e leeftijd
komen* arrive at (come to) manhood (man's
estate); ~heid masculinity, manliness, manhood; maleness; male member
mannen: ~gek man-mad, man-crazy [girl,
woman]; *een* ~hand a man's hand; ~hater man-
hater; ~huis *zie* oude ...; ~kiesrecht manhood
suffrage; ~klooster monastery; ~koor male
(male voice) choir, men's choral society; ~kost
(*fig*.) strong meat; ~kracht manly strength;
daar is – voor nodig it takes a man's strength
to do that; ~moed manly courage; ~stem man's
voice; ~taal manly language; *dat is –!* that's
the stuff (the talk)! that's talking!; ~werk
man's (men's) work, [a] man's job; ~zadel
zie herenzadel; ~zangvereniging *zie* ~koor

mannequin id., (dress) model
mannetje little man, manikin; (*van dier*) male bull, he; (*van vogel ook*) cock(-bird); (*theat.*) type; ~ *en wijfje* male and female, he and she; ~ *aan* ~ shoulder to shoulder; *wel*, ~! well, my (little) man!; *daar heb ik mijn* ~*s voor, zie* mens; *het* ~ *in de maan* the man in the moon; *zie* man
mannetjes: ~**bij** drone; ~**eend** drake; ~**ezel** jackass, he-ass; ~**gans** gander; ~**kerel, -man, -putter** (*fig.*) man's man, he-man; (*van vrouw*) sheman; ~**olifant** bull-elephant; ~**varen** male fern; ~**vos** dog-fox
mannie hubby; ~! hubby dear!
manniet mannite, manna sugar
mannin (*bijb.*) woman; (*feeks*) virago
manoeuvre id. (*ook fig.*), evolution; *op* ~ on m...s; ~**dag** field-day; ~**eerbaar** manoeuvrable; **-heid** manoeuvrability; **-eerruimte** room to m., manoeuvring room
manoeuvreren manoeuvre (*ook fig.*); *schip, waarmee* (*niet*) *te* ~ *is* ship (not) under command
manometer id., steam-, pressure-gauge
mans: *hij is* ~ *genoeg om* ... he is man enough to ...; *hij is wat* ~ he is a man's man; *hij is niet veel* ~ he is not very strong; *hij is mij te* ~ I am no match for him
mansarde attic, garret; ~**dak** mansard-, curbroof
mansbeeld image of a man
manschap (*mar.*) crew, ratings [officers and ...]; ~*pen, zie* ~; (*mil.*) men, manpower
mans: ~**gewaad** *zie* ~kleding; ~**hand** man's hand(writing); ~**hemd, -hoed, -hoogte** man's shirt (hat, height); ~**hoog** man-size(d) [ferns]; ~**kerel** man; (*Am.*) he-man; ~**kleding** man's (men's) clothes (dress), male attire
manslag *zie* doodslag
mans: ~**lengte** man's height; ~**moeder** mother-in-law; ~**oor** (*plant*) hazelwort, asarabacca; ~**persoon** male (person), man
mantel (lady's) coat, jacket; (*gew. zonder mouwen*) cloak, mantle; (*van wandelkostuum*) costume coat; (*van vogel*) mantle; (*van effecten*) mantle, warrant; (*techn.*) jacket, casing; (*van kogel*) jacket; (*om kachel*) fire-screen; *de* ~ *van Nelson is gevallen op* ... N.'s mantle has fallen on Lord Beatty; *iem. de* ~ *uitvegen* haul a p. over the coals; *iets met de* ~ *der liefde bedekken* cover s.t. with the cloak of charity, draw a veil over s.t.; *onder de* ~ *van* under the cloak of [religion, etc.]; ~**aap,** ~**baviaan** Arabian baboon, hamadryad; ~**jas** cape-coat; ~**kostuum** *zie* ~pak; ~**kraag** jacket- (etc.) collar; ~**meeuw** great black-backed gull, saddle-back; ~**organisatie** under-cover (front) organization; ~**overeenkomst** blanket agreement; ~**pak** costume; ~**zak** coat-pocket
~antille mantilla; **mantisse** mantissa
~antsjoe Manchu; ~**kwo** Manchukuo; ~**rije** Manchuria; ~**rijs** Manchurian [beans], Manchu
~anuaal (*klavier*) manual, key-, finger-board; *gebaar*) gesture

manufacturen piece-goods, drapery, draper's goods, mercery, soft goods; (*eig. Am.*) dry goods; ~**winkel, -zaak** drapery-shop, -business
manufacturier draper
Manus Herman
manuscript id.; (*theat.*) script
manusje: ~*-van-alles* odd-job man, jack-of-all-trades
man: ~**uur** man-hour; ~**volk** menfolk; ~**wijf** virago; ~**ziek** man-mad, mad after men; ~**ziekte** nymphomania
Maoist id.
map stationery-case; portfolio, file
maquette id., model; **maquis** (*fig.*) id.
maraboe marabou
maraboet, -bout marabout
maraskijn, -kino, -quin(o) maraschino
Marathon id.; **m~loop** m. (race)
marchanderen bargain, higgle, haggle; *er viel niet met hem te* ~ he was adamant
marchand-tailleur clothier, cloth-merchant and tailor
marcheren march; *hij deed* ... ~ he made a success of the enterprise, made a go of it; *de zaak marcheert* things are moving; everything is going well; *de zaak marcheerde niet* the business was a failure; things didn't work out quite right; (*in optocht*) *door de straten* ~, *ook:* parade the streets; *met enen* ~ file
marconist wireless operator; *de* ~, (*fam.*) Sparks
Marcus Mark; *vgl.* evangelie
mare news, tidings, report; *de* ~ *gaat* the report goes
marechaussee *ongev.: a*) military police, (royal) constabulary; *b*) member of the ...
maretak mistletoe; *een* ~ a m. bough
Margaretha Margaret; (*fam.*) Margery, Marjory, Mag(gy, -gie), Madge, Peg(gy)
margarine id.; (*fam.*) marge
marge margin; (= *verschil*) difference; (*effectenbeurs*) jobber's turn, turn of the market
marginaal marginal; **-naliën** marginalia, marginal notes, side-notes
margine: *in* ~ in the margin
Margriet *zie* Margaretha; *m~* ox-eye(d) daisy, marguerite
Maria Mary, Maria; (*koekje*) Marie biscuit; ~**altaar** Lady-altar; ~**beeld** image of the Virgin Mary; ~**Boodschap** Lady Day, Annunciation Day, Feast of the Annunciation
mariage (*kaartspel*) matrimony; (*in kaartspel*) marriage; ~ *de convenance* id., marriage of convenience
Maria-Geboorte the Nativity of the Virgin Mary; **Maria-Hemelvaart** the Assumption of the V. M.
Mariakapel Lady Chapel
Maria-Lichtmis Candlemas
Marianne id., Marian
Maria: ~**ontvangenis** Conception of the Blessed Virgin; ~**verering** worship of the Blessed Virgin; (*afgodisch*) Mariolatry
Marie(tje) Mary, May, Moll, Molly, Poll(y)
marihuana id., marijuana; (*sl.*) grass

marine navy; *attr. ook:* naval [stores]; *hij is bij de* ~ he is in the n.; ~**begroting** naval estimates; ~**blauw** navy blue; ~**etablissement** *zie* ~werf; ~**haven** naval harbour; ~**instituut** naval college; ~**krijgsraad** naval court-martial; ~**luchtmacht** naval air-force, fleet air-arm; ~**officier** naval officer, officer in the navy

marineren souse, pickle, marinate, -ade

marine: ~**staf** navy staff; ~**station** naval station; *officier* (*overste, kolonel*) *van de* ~**stoomvaartdienst** engineer officer (commander, captain); ~**vlieger** naval (Navy) pilot; ~**vliegtuig** naval plane; ~**werf** government dockyard, naval (navy) yard; ~**wezen** navy, naval affairs

marinier marine; *'t korps* ~s the m. corps, the marines

marinisme (*lit.*) Marinism

marionet puppet (*ook fig.*), marionette; ~**tenregering** p. government; ~**tenspel, -theater** p.-show

marjolein (*plant*) marjoram, origan(um)

mark 1 (*grensgebied*) march, borderland; (*onverdeelde grond*) common (land); 2 (*teken*) mark, sign; 3 (*munt*) mark; *zie* **markje**

markant conspicuous, salient [points], outstanding [features *kenmerken*], striking [face, features *trekken*]

markatiepunt landmark

mark(e)gronden marches; common

markeren mark; signpost [a route]; (*van jachthond*) feather, mark; *de pas* ~ m. time; *gemarkeerde vijand* marked enemy; *gemarkeerd handgeklap* slow hand(clap)

marketent(st)er (*hist.*) sutler

markeur (billiard-)marker

markgraaf margrave; ~**schap** margraviate; **markgravin** margravine

markies 1 (*pers.*) marquis, marquess; 2 (*zonnescherm*) awning, (awning-)blind; (*boven hotelingang, enz.*) *zie* luifel; **markiezin** marchioness; (*buitenl.*) marquise; **markizaat** marquisate

markje marker, fish, counter

markt market; (~*plaats*) market(-place); *de* ~ *is afgelopen* m. is over; *de* ~ *bederven* undersell, undercut, spoil the m.; *een* ~ *vinden voor* find a m. (an outlet) for; *aan de* ~ *brengen* put on the m., market [goods]; *aan de* ~ *komen* come into the m.; *aan de* ~ *zijn* be on (in) the m.; *naar de* ~ *gaan* go to m.; *onder de* ~ *verkopen* sell below market-price(s); *op de* ~, (*eig.*) in the m.-place; *op de* ~ *gooien* throw [goods] on the m., dump [one's stocks] (on the m.); *enige inkopen doen op de* ~ do some marketing; *ter* ~, *zie* aan (& naar) de ~; *van de* ~ *verdringen* push off (oust from) the m.; *van de* ~ *houden* keep [an article] off the m.; *hij is van alle* ~*en thuis* he is an all-round man, an all-rounder, a Jack of all trades; ~**bederver** spoil-trade; ~**bericht** m.-report; ~**bezoek** attendance at the m.; ~**dag** m.-day; ~**en** go to m., go marketing; ~**geld** m.-dues, stallage, tolls; ~**geschreeuw** m.-cries; (*fig.*) quackery, charlatanry; ~**hal** m.-hall, covered m.; ~**kraam** m.-stall, booth; ~

kramer m.-vendor, m.-man, stall-holder; ~**meester** m. superintendent, inspector (*of:* clerk) of the m.; ~**onderzoek** market research; ~**plaats** *a*) *zie* ~plein; *b*) m.-town; ~**plein** m.-place, -square; ~**prijs** m.-price; ~**recht** m. privilege, right of holding a m.; ~**schip** m.-boat; ~**schreeuwer** cheap-jack; ~**schuit** m.-boat; ~**sjouwer** m.-porter; ~**stad** m.-town; ~**verordening** m. regulations; ~**waarde** m.-value

marlen (*mar.*) marl; **marlijn, -ling** (*mar.*) marline; **marlpriem** (*mar.*) marline-spike

marmelade marmalade

marmer marble; ~**achtig** marbly, m.-like, like m.; ~**ader** vein in m.; ~**beeld** m. statue; ~**blok** m. block; ~**en** *ww.* marble, grain; *bn.* marble; *tafel met – blad* m.-top(ped) table; *– plaat* m. slab; ~**groeve** m.-quarry; ~**imitatie** imitation m.; ~**ing** marbling, graining; ~**papier** marbled paper; ~**slijp(er)** m.-polish(er); ~**soort** species of m.; ~**steen** m.; ~**werker** m.-worker, -cutter; ~**zaag** m.-saw

Marmora: *Zee van* ~ Sea of Marmora

marmot 1 marmot; (*Am.*) woodchuck, groundhog; 2 (~*je*) guinea-pig

marokijn(en) morocco(-leather); **Marokkaan(s)** Moroccan; **Marokko** Morocco

maroniet Maronite

marot (fool's) bauble; *zie* zot

marqué (*theat.*) heavy villain

marron maroon

Mars id.; (*bewoner*) *van* ~ Martian

1 mars (pedlar's) pack; (*mar.*) top; (*van oorlogsschip*) fighting-top; *grote* ~ main-top; *hij heeft heel wat in zijn* ~ he knows a lot

2 mars march; ~ *! weg !* away with you! begone!; *op* ~ *zijn* be on the the m.; *op* ~ *gaan* set out; *zie* voorwaarts; ~**bevel** *zie* ~order; ~**colonne** column of route; (*cavalerie*) column of march; **Marseille** Marseilles

marsepein(en) marzipan

marskramer pedlar, (travelling) hawker

marslantaarn top-lantern

mars: ~**lied** marching-song; ~**oefening** route march(ing); ~**orde** order of march, marching order; ~**order** marching-orders; ~s *ontvangen hebben* be under marching-orders; ~**route** line of m.

marssteng top-mast

mars: ~**tempo** rate of march; ~**tenue** light marching-kit, -order; ~**vaardig** ready to m. in marching-trim

marszeil top-sail

martelaar martyr [*van ... to* science]; ~**sboek** ~**sgeschiedenis** martyrology; ~**schap** martyrdom; ~**sgezicht** air of a martyr; ~**skroon** m. crown; *iem. de – op 't hoofd zetten* confer the crown of martyrdom on a p.

martelares martyr

martelarij torture, torment

marteldood martyrdom, [die a] martyr's death; *de* ~ *sterven, ook* suffer m., suffer death by torture

martelen torture, torment, put to the rack, rack [one's brains]; *een* ~*de gedachte* an agonizing

thought; **marteling** torture, torment
martelkamer torture chamber
marteltuig instrument(s) of torture
marter marten; ~**achtigen** mustelidae
Martha id.
martiaal martial; **Martialis** Martial
Martina id.; **Martinus** Martin
Marva Wren, WRNS
Marx id.; **marxisme** Marxism
marxist(isch) marxist, marxian
mascotte mascot
masker mask, (*fig. ook*) disguise; (*bij schermen*) face-guard; (*van insekt*) larva (*mv.: larvae*), grub; *iem. 't ~ afrukken* unmask a p.; *'t ~ afwerpen* (*afdoen*) throw off (drop) the m.; *onder 't ~ van vriendschap* under the show (mask, cloak) of friendship; ~**ade** masquerade, [historical] pageant; ~**bloem** monkey-flower, mimulus; ~**en** mask
maskéren mask, cover, disguise, camouflage
masochist id.; **-isme** -ism
massa mass [the great ... of the people], crowd; body [one ... of fire; a large ... of information]; *een ~ dingen* a lot (a multitude) of things; *failliete ~* bankrupt's estate; *de* (*grote*) ~ the masses, the mass of mankind; *zie ook* vulgus; *bij ~'s* [sell] in large quantities; *bij ~'s doden* kill wholesale; *bij* (*in*) *de ~ verkopen* sell by the lump; *in ~ geproduceerd* mass-produced; ~**aanval** mass(ed) attack
massaal wholesale [destruction]; massive [building, on a m. scale]; mass [unemployment]
massabeïnvloeding mass persuasion
massafabricatie mass manufacture
massage id.
massa: ~**goederen** bulk goods; ~**graf** mass grave; ~**lading** bulk cargo; ~**media** mass media; ~**moord** wholesale murder; ~**moordenaar** mass murderer; ~**ontslag** wholesale dismissal; ~**produktie** mass production; ~**psychologie** crowd (*of:* mass) psychology; ~**scène** (*film*) mob scene; ~**zang** community singing
masseren massage, knead
masseur id., massagist; **masseuse** id.
massief I *bn.* solid [gold, silver, oak table], massive [building]; *massieve band*, (*van fiets, enz.*) s. (*of:* cushion) tyre; II *zn.* massif, chain, group (of mountains)
mast id. (*paal & varkensvoer*); (*voor elektr., telegraafdraden*) pylon; (*gymn.*) (climbing-) pole; (*bij volksfeest, enz.*) greasy pole; *de ~*(*en*) *verliezen* be dismasted; *de ~ insturen* send [a p.] up the m.; *voor de ~* [be a sailor, serve] afore (before) the m.; *hij zit voor de ~*, (*fig.*) he cannot eat any more; *alleen de ~en zijn nog boven de horizon* the ship is hull down; ~**bok** sheers (*mv.*); ~**boom** (Weymouth) pine; ~**bos** fir-wood; (*fig.*) forest of masts (and spars), thicket of masts
mast: ~**en** *ww.* mast; ~**enmaker** mastmaker; ~**hout** fir-, pine-wood
mastiek mastic (asphalt); (*Z.-Ned.*) putty; ~**boom** m.(-tree)

mast: ~**klimmen** climbing the (greasy) pole; ~**koker** mast-hole; ~**korf** crow's-nest
mastodont mastodon
mastpruim damson
masturbatie, -beren masturbation, -bate
mastworp clove hitch
1 mat *o.v.t. van* meten
2 mat piastre (Spanish coin)
3 mat [door-]mat; (*van stoel*) (rush-)bottom; (*vijgen-*) frail, tap; ~**ten oprollen** pack up (one's traps); (*de zaak sluiten*) shut up shop; *op de ~ laten staan* not ask [a p.] to come in
4 mat (*moe*) tired, weary, languid; (*dof*) mat(t) [gold, photographic paper], dull, dead, frosted [gold]; (*van verf, ook*) egg-shell [finish]; (*van stijl, stem, enz.*) flat; (*van oog*) dull, lustreless, lacklustre; (*van klank*) dull; (*van licht*) dim; (*van markt*) dull, flat, weak; (*schaaksp.*) checkmate; ~**te kogel** spent bullet; *wit geeft ~ in vier zetten* white mates in four moves; *zie ook* schaakmat
matador id. (*ook in kaart- & dominospel*); (*fig.*) past master [in ...]; *zie* kraan
mataglap: ~ *zijn*, (*Ind.*) see red, go berserk
mate: *de hoogste ~ van zelfbestuur genieten* enjoy the fullest measure of self-government; *een zekere ~ van risico* a certain amount of risk; *zie verder* maat 1 & naarmate
mateloos immoderate, unlimited
matelot sailor hat, boater
materiaal material(s); ~**moeheid** fatigue; **materialisme** materialism
materialist id.; ~**isch** materialistic (*bw.:* -ally); **materie** (subject-)matter
materieel *bn.* material [damage]; *zn.* materials; [railway-]plant, working-stock; (*tegenov. personeel, in leger, vloot, bedrijf*) matériel; *rollend ~* rolling-stock; *met groot* (*zwaar*) ~ with heavy equipment
mat: ~**glas** ground (frosted) glass; (*fot.*) focus(s)ing-screen; ~**heid** weariness, lassitude, languor; dullness, dimness, deadness; *vgl.* mat 3
mathematica mathematics; **-ticus** mathematician; **-tisch** mathematical
mathesis mathematics
Mathilde Matilda
matig moderate [eater, drinker, production, price]; (*met betrekk. tot eten*) frugal [meal, person], (*in drinken*) moderate, temperate, (*in eten, ook:*) abstemious; ~ *succes* m. (*of:* indifferent) success; ~ *succes hebben* be moderately successful; ~ *bezocht* slenderly (thinly) attended; *er maar ~ mee ingenomen* not overpleased with it; *ik vind het maar ~* I think it a poor show; *zie ook* maat (*met mate*) & schatting
matigen moderate [one's desires, one's tone], mitigate [heat, cold, grief], modify [one's pleasure]; *zijn toorn* (*zich*) ~ restrain one's anger (o.s.); *zie* gematigd
matigheid moderation, frugality, soberness, temperance, abstemiousness; *vgl.* matig; ~**s-genootschap** temperance society

matiging moderation, mitigation, modification; ~ *betrachten* use restraint
matinee matinée, afternoon performance
matineus: ~ *zijn* be an early riser
matje (*op tafel, enz.*) dinner-mat; *op het* ~ *roepen* carpet
matjesvlechten mat-plaiting
matkopmees willow-titmouse
matras mattress
matriarchaat matriarchy, mother-right
matrijs matrix (*mv.:* matrices & matrixes), mould
matrone matron; (*als*) *van een* ~, ~**achtig** matronly [figure]
matroos sailor; *licht* ~ ordinary seaman, O.S.; *vol* ~ able-bodied seaman, A.B.; ~-*lste klas*, (*mar.*) leading seaman
matrozen: ~**hoed** sailor hat; ~**kist** sea-chest; ~**kleding** sailor's clothes; ~**kraag** sailor collar (*of:* top); ~**kroeg** sailor's tavern; ~**liedje** chanty, shanty, sea-song; ~**logies** crew's quarters (*of:* space); ~**muts** sailor cap, tam; ~**pak** sailor suit
matse (*jodenpaasbrood*) matzo
matsen (*Bargoens*) nobble, wangle, fix
mattekeesje wicker bottle
matteklopper carpet-beater
matten I *ww.* mat, rush; *stoelen te* ~! chairs to mend!; II *bn.* rush-bottomed, -seated [chair]; ~**bies** bulrush, m.-rush; ~**kloppen** *zn.* m.-shaking; ~**maker** m.-maker; ~**vlechten** m.-plaiting
matteren frost [glass]
Mattheus Matthew; *vgl.* evangelie; ~**passion** [Bach's] St. Matthew Passion
Matthias, Matthijs Mathias, Matthew
matwerk matting
Mauretanië Mauretania; **Mauritius** id.
Maurits Maurice; **mauser** Mauser [rifle]
mausoleum id.; **mauve** id.
mauwen mew
Mavo advanced elementary education
m.a.w. = *met andere woorden* in other words
Max id.
maxi id.
maximaal I *bn.* maximum, maximal, top [speed]; *maximale hoogte 4 meter* clearance 13 feet; II *bw.* at most
maxime maxim
maximgeweer Maxim (machine-gun)
Maximiliaan Maximilian
maximum id., *mv.* -ma; *hij staat op zijn* ~ he is at his m.; *tot een* ~ *van* to a m. of; ~**aantal** m. number; ~**en-minimumthermometer** m.-and-minimum (self-registering) thermometer; ~**prijs** m. price; ~**snelheid** *a*) (*bijv. in kom der gemeente*) speed limit, [drive at, slow down to] regulation speed; *b*) m. speed; *waarvoor geen – bestaat* de-restricted [road]
mayonaise mayonnaise; ~**saus** m. sauce
mazelen measles; *de* ~ *hebben* have (the) m.; *de* ~ *krijgen* get (develop) m.

mazen *ongev.* do invisible mending, darn
mazurka id.
mazzel (*Bargoens*) lucky strike, bonanza; ~**en** have luck
M.D. M.D. (Medicinae Doctor, Doctor of Medicine)
me me; (*fam.*) *ook:* us [give ... a kiss]; '*t is* ~ *te zuur* it is too sour for my liking (for me); *wat zal* ~ *dat een boek zijn!* what a book it will be!; *de kleine heeft* ~ *daar ... doorgeslikt* Baby has been and swallowed a sixpence; *daar heeft hij* ~ ...! if he hasn't smashed the window!
mecanicien, meccano mechanic [air ...]
mec(c)ano(doos) meccano (set)
mecenas Maecenas
mechanica mechanics
mechanicus mechanician
mechaniek mechanism, action, works, [clock-(work)] movement; *met* ~ clockwork [toys, doll]; '*t loopt met* ~ it goes by clockwork; **mechanisatie** mechanization
mechanisch mechanical; ~ *voortbewogen* mechanically propelled [vehicles]; **mechaniseren, -ering** mechanize, -ation; **mechanisme** *zie* mechaniek; (*fig., ook*) machinery
Mechelen Mechlin, Malines
Mechels: ~*e kant* Mechlin (lace)
medaille medal; *grote* ~ medallion; *met* ~*s behangen* bemedalled; *dit is één zijde van de* ~ this is one side of the picture; *winnaar van gouden* ~ Gold Medallist; *zie* keerzijde; **medailleur** medallist; **medaillist** medallist; **medaillon** (*in lijst, enz.*) medallion; (*doosje*) locket; (*illustratie*) inset
1 mede (*meekrap*) madder; (*drank*) mead
2 mede[1] also, too; with me (him, etc.); *in sam. dikw.* fellow-, co-; ~**aangeklaagde** *zie* ~beklaagde; ~**aansprakelijk** jointly responsible (liable); ~**aanwezigheid** co-presence; ~**aanzittenden** fellow-guests; ~**arbeiden** co-operate; ~**arbeider** fellow-worker; ~**assuradeur** co-insurer; ~**auteur** joint (*of:* part) author; ~**bediende** fellow-servant; ~**beklaagde** co-accused, co-defendant; ~**belanghebbende** person (*of:* party) also interested [in ...], sharer; ~**beslissingsrecht** participation, co-determination; ~**bestuurder** co-director; ~**bezitter** *zie* ~eigenaar; ~**borg** joint security; ~**broeder** *a*) colleague; *b*) fellow-man; ~**burger** fellow citizen; ~**christen** fellow-Christian; ~**commissaris** co- (fellow-)director; ~**deelbaar** communicable; ~**deelhebber, -ster** co-partner; ~**deelzaam** communicative, expansive; (*vrijgevig*) liberal, open-handed; – *worden, ook* expand; ~**deelzaamheid** *a*) communicativeness; *b*) liberality, open-handedness; ~**dele** communicate [name, address, diseases, light heat, etc. to ...]; impart [happiness, knowledge, one's feelings to ...]; (*berichten*) inform [a p. of s.t., a p. that ...], intimate [that ...]; *deel het hem voorzichtig* ~ break it gently to him; *ik zal hem mijn beslissin*

---

¹ *Zie voor de samenstellingen met mede- ook* mee-

– I will let him know my decision; ~**deler** informant; ~**deling** communication, information (*geen mv.*), announcement; *een – doen* make a communication; ~**dingen** compete [*naar* for]; ~**ding(st)er** rival, competitor, contestant; ~**dinging** competition, rivalry; *vrije* – open competition; *buiten* – not competing, not for competition, hors concours; ~**directeur** co-manager, joint manager; ~**eigenaar** joint proprietor (owner), part-owner; ~**ëigendom** co-ownership; ~**ërfgenaam** joint heir(ess), co-heir(ess); ~**firmant** co-partner; ~**gast** fellow-guest; ~**gebruik**, ~**genot** joint use; (*van spoorweg door maatschappij*) running powers [*van een lijn* over a line]; ~**gerechtigd** co-entitled; *–e* co-sharer; participant; ~**gevangene** fellow-prisoner; ~**hulp** assistance; ~**huurder** co-tenant; ~**ingezetene** fellow-citizen, -townsman; ~**kamerbewoner** fellow-lodger; ~**kiezer** fellow-elector; ~**klinker** consonant; ~**leerling** fellow-pupil; ~**leven**: I *ww. – met* enter into the life (the spirit, etc.) of, sympathize with; II *zn.* sympathy; ~**lid** fellow-member

medelijden I *zn.* pity, compassion, commiseration; ~ *met zichzelf* self-pity; ~ *hebben met* have (take) p. on, feel p. for, feel (sorry) for, pity [a p.]; *hij had diep ~ met haar* his heart went out to her; *hij had ~ met zichzelf* he felt sorry for himself; *dat wekte mijn~ op* that roused my p. (compassion), moved me to p.; *uit ~* out of p. [*met* for]; *uit ~ met uw lot* in p. for your fate; *om ~ mee te hebben* [his plight was] pitiable, [he is] to be pitied; II *ww.* share a p.'s sufferings, suffer with others, be a fellow-sufferer; ~**d** compassionate; *–e blik* look of p.; ~**dheid** compassionateness; ~**swaardig**, ~**wekkend** piteous, pitiable, pitiful, pathetic

nede: ~**mens** fellow-man; *–elijkheid* common humanity; ~**minnaar**, *-ares* rival

Meden Medes; *zie* wet

nede: ~**officier** brother officer; ~**ondergetekende** co-undersigned; ~**ondertekenaar** co-signatory; ~**ondertekenen** add one's signature; (*van meerdere*) countersign; ~**ondertekening** co-signature; ~**oorzaak** secondary (contributory) cause

nedeplichtig accessory [*aan* to]; *eraan* (*aan de moord*) ~ *zijn, ook:* be a party to it (to the murder); ~**e** accomplice, associate, accessary (accessory) [to a crime], confederate; (*bij echtscheidingsproces*) co-respondent; ~**heid** complicity [*aan* in]

nede: ~**redacteur** joint editor, co-editor; ~**reder** joint owner, part-owner; ~**regent(es)** co-regent; ~**regentschap** co-regency; ~**reiziger** fellow-traveller; ~**schepsel** fellow-creature, *-being*; ~**schuldeiser** fellow-creditor; ~**schuldig(e)** *zie* ~**plicntig(e)**; ~**speler** playfellow, player, partner; ~**stander** supporter, partisan, partner; ~**strijder** fellow-combatant, brother-n-arms; ~**student** fellow-student; ~**vennoot** co-partner; ~**verantwoordelijk** jointly respon-

sible; *–heid* joint responsibility; ~**voogd(es)** co-guardian; ~**werker** co-operator, co-worker, fellow-worker; (*aan krant, enz.*) contributor [to a paper]; (*bij lit. werk, enz.*) collaborator [*aan* in]; (*bij voorstelling*) performer; *wetenschappelijk* – lecturer, staff member [*aan ...* of laboratory, etc.]; ~**werking** co-operation, assistance, collaboration (*vgl. 't* ww.) (*zijn*) *tot –* (be) co-operative; *met – van* assisted by, with the co-operation of; ~**weten** knowledge; *met – van* with the knowledge of; *zonder* (*buiten*) *mijn ~* without my knowledge, unknown to me; ~**zeggenschap** say (in the matter); (*in bedrijf*) (labour) co-partnership, (employees') participation; – *hebben* (*eisen*) have (demand) a say (a voice) in the matter

media (*pers, radio, televisie*) id.

mediaan: *a*) = ~**papier** medium paper; *b*) = ~**letter** pica; ~**lijn** median line

mediaevist medievalist; ~**iek** medieval studies

mediamiek mediumistic, psychic

mediatisatie, **-seren** mediatization, **-tize**

medicament id., medicine

medicijn medicine; (*fam.*) physic; *de ~en* [study] medicine; *hoogleraar in de ~en* professor of medicine; *student in de ~en* medical student; *~en innemen* take m.; ~**fles(je)** m.-bottle; ~**kastje** m.-cupboard; ~**kist** m.-chest, medical chest; ~**man** m.-man, witch-doctor; ~**meester** (*vero.*) physician

medicinaal medicinal [*water*]; ~ *gewicht* apothecaries' weight

Medicis Medici; *van de* ~ Medicean

medicus medical man (adviser, attendant), doctor, physician; (*scherts.*) medico; (*student*) medical student, (*fam.*) medical

Medië Media; ~**r** Mede

medinaworm Guinea worm

medio: ~ *april* mid-April, in (by, about) the middle of April

medisch medical [assistance, etc.]

meditatie, **-teren** meditation, **-tate**

medium id.; (*spiritisme*) *ook:* psychic; *vgl.* media

Medusa id.; *m~*, (*kwal*) id., jelly-fish; **m~hoofd** M. head; (*zeester*) Medusa's head

mee *zie* mede 1 & 2; *mag ik ook ~?* may I come too (join you, be of the party)?; *met de wind ~* with the wind behind us; *hij had alles mee* he had every advantage

mee-:[1] ~**brengen** bring [a present, a friend], bring [a friend] along, bring [a warm coat] with one; (*in huwelijk*) bring (in); (*fig.*) involve [danger, delay, a general election], entail [delay, labour], carry [such a position carries heavy responsibilities], bring with it [a constant strain], carry with it [a danger]; *je brengt mooi weer ~* you bring fine weather with you; *zijn eigen papier –* find (bring) one's own paper; *dat brengt onze stand ~* that is required by our social position; *grote onkosten –* entail great expense [*voor mij* upon me]; *de aanvraag* *brengt geen verplichting voor u* ~ involves you in no obligation; ~**denken** help to think; *als jullie* ~ *kunnen denken* ... could help to find a solution; ~**doen** join [in a game, etc.; who'll ... (in)?], take part [in a performance], take a hand [in an election, etc.], compete [in a match, race]; (*aan 't maatschappelijk leven, enz.*) be in the swim, 'play up'; (*aan verzekering*) take a line; (*gaan*) –, (*zingen, enz.*) join in; (*aan examen voor een beurs*) go in (enter) for a scholarship (exam); *niet* –, (*aan oorlog, enz.*), keep out of the war, of the job]; *ben je van plan* ~ *te doen?* (*solliciteren*) do you mean to stand?; *zonder geld kun je niet* – without money you're out of it; *hij kan* –, *als 't erop aankomt* he can keep his end up, if it comes to that; *hij kon niet meer* – he was out of the running; *ik doe* (*graag*) ~ I will join, I'm game, I'm on, I'm one; *ons land zal* –, (*aan de oorlog*) will come in; *hij heeft ook* ~*gedaan* he has done it as well; *doe* ~ take a hand, join us [in the game]; *ik doe graag* ~ *aan* ... I like to have a turn at any game; *daar doe ik niet aan* ~ I won't be a party to it; ~**dogen** compassion; ~**dogend** compassionate; ~**dogendheid** compassion; ~~**dogenloos** pitiless, merciless, relentless, ruthless; –**heid** ...ness; ~**drinken** drink with others; *drink je* ~? will you join me [in a drink]?; ~**ërven** be joint heir(ess), come in for a share; ~**ëten** stay (for) dinner; ~**ëter** fellow-diner; (*in huid*) blackhead, whitehead, comedo; ~**gaan** accompany a p., go (come) with a p., come along [with a p.]; (*van kledingstuk of persoon*) last [another year]; *lang* – wear well; *ga je* ~? will you come (c. too)? (are you) coming?; *iem., die* ~*gaat?* [I'm going to ...] anyone coming?; *zij zou niet* ~*gegaan zijn als ik niet* ~*gegaan was* she would not have come if I had not joined them; *met zijn tijd* – keep pace (keep up, march, move, go) with the times, keep abreast (of) the times; *hij gaat* (*geheel*) *met zijn partij* ~ he goes (all the way) with his party; *met een voorstel* – fall in with a proposal; *met dat voorstel kan ik niet* – I cannot agree (subscribe) to that proposal; *ik ga met u* ~, *a*) I'll accompany you; *b*) I agree (I am) with you; *c*) (*spel*) I am your partner; *laat mij* – let me come (with you); *– tot* ... see [a visitor] as far as the door; *–d* accommodating, yielding, pliable, pliant, complaisant; *–dheid* complaisance, pliability, pliancy; ~**geven** I *tr.* give, send along with; (*in huwelijk*) give as a dowry; II *intr.* yield, give (way) [the bar gave, gave way a little]; *een stenen vloer geeft niet* ~ there is no give in a stone floor; *zij gaf niets* ~, (*bij 't optillen*) she was a dead lift; ~**gevoel** fellow-feeling, sympathy; *met* – sympathetic(ally); *zonder* – unsympathetic(ally); ~**hebben: we hadden de wind** (*de stroom*) ~ we had the wind (the stream) with us; *je hebt je jeugd* ~ you've got youth on your side; ~**helpen** assist [*met iets* in s.t.], help [a p. with the luggage], lend a hand, make o.s. useful, [I had to] help out [at

home]; ~**help(st)er** assistant; ~**komen** come along [with a p.]; *kom* ~ *naar binnen!* come along in!; *kom* ~ *!* (*daar vandaan*) come away!; *hij kan* (*wat mij betreft*) – I don't object to his coming; *zie ook* ~kunnen; ~**krijgen** get along with one; (*ten huwelijk*) receive for one's portion, [what will she] get [?]; *ik kon hem niet* – I could not persuade him to come; *hij kreeg* ... ~ he carried the meeting (his colleagues, the Chamber) with him

meekrap madder; ~**wortel** m.-root

meekunnen be able to follow (to keep up with one's class, keep abreast of one's studies); (*van kledingstuk*) last [another year]; *lang* ~ wear well

meel (*ongebuild*) meal; (*gebuild*) flour

meelachen join in the laugh(ter), laugh too

meel: ~**achtig** mealy, floury, farinaceous; ~**baal** flour-sack; ~**bes** whitebeam; ~**bloem** flour; ~~**buil** bolter, sifter; ~**dauw** mildew, blight; ~~**draad** stamen; ~**fabriek** flour-mill

meeligger (*mar.*) vessel on the same course, companion vessel, consort

meel: ~**kever** meal-beetle; ~**kist** m.-, flour-chest; ~**kost** *zie* ~spijs

mee: ~**lokken** *zie* ~tronen; ~**lopen** accompany (follow) a p.; *het loopt hem altijd* ~, *alles loopt hem* ~ his luck is never out, he is always in luck; *als 't hem* ~*loopt* if he has luck, with luck (on his side) [he can do it]; *het is mij* ~*gel.* I have had a run of (good) luck, (*fam.*) I've struck lucky; *ik heb al 30 jaar* ~*gel.* I have been in harness for thirty years; *zie* gelukkig; ~**loper** hanger-on, (*pol.*) fellow-traveller; –(*tje*), *zie* ~valler(tje); ~**maken:** *veel* – go through a great deal [he has been through so many things]; *hij heeft de oorlog meegemaakt* he has been in the war; *hij heeft veel veldtochten* ~*gemaakt* he has been through many campaigns; *men moet* '*t – om 't te geloven* it has to be experienced to be believed; *ik heb nooit meegemaakt dat de bus zo langzaam ging* I've never known the bus (to) go so slowly

meel: ~**pap** meal-pap, gruel; ~**spijs** farinaceous food; *ongev.:* spoon-meat; ~**strooier** flour dredger; ~**ton** m.-tub; ~**tor** flour-beetle; ~**trog** kneading-trough; ~**worm** m.-worm; ~**zak** m.-flour-sack

meenemen take along with one; take [one' umbrella, etc.; I cannot ... you]; (*laten mee rijden*) give a lift; *neem mij mee* take me with you, let me come; ... *om mee te nemen* [hamburgers] to take away, [meals] to take out, take-away [meals]; *hij werd meegenome in een politieauto* he was taken away in police van; *een goede opinie van iets* (*iem.*) carry away a good opinion of s.t. (a p.); *dat* (*alvast, mooi*) *meegenomen* it is so muc gained (so much to the good); *iets* (*gelij even*) ~ take s.t. in one's stride, do a thin while one is about it; *een artikel* ~, (*kran* print an article; *van die lessen zullen zij ni veel* ~ they will not profit much by tho lessons

meenemer (*techn.*) carrier

meent(e) common

mee: ~**praten** join (take part) in the conversation; (*mogen* –) have a say in the matter; (*ook wat zeggen*) put in a word, (*fam.*) put (shove, stick) in one's oar; *daar kan ik van* – I know something (a thing or two) about that; *met iemand* – play up to a person; ~**profiteren** profit too, get one's share

1 meer lake; (*Sc.*) loch; (*Ir.*) lough; *'t* ~ *van Genève* the L. of Geneva, (*dicht.*) L. Leman

2 meer more; ~ *loon* higher pay; *steeds* ~ m. and m.; *wie nog* ~? who else?; £ *3 of meer* £3 or over; *hiervan later* ~ of this m. later on; *wel* ~ [such criticisms have been heard] before now; *roeien, zwemmen, en zo* ~ and the like, and all that, and things; *zonder* ~ simply [he ... turned away]; (*zo maar*) *zonder* ~ without m. ado; without further preface; [this statement cannot be allowed to pass] without comment; without due consideration; *feiten zonder* ~ plain facts; *te* ~ *daar* the m. so as; *een gevaar te* ~ [every hour he stays here is] an added danger; *een aanwijzing te* ~ another indication; *hij is geen kind* ~ he is no longer a child; *geen woord* ~! not another word!; *hij heeft geen geld* ~ he has no (not any) money left; *er is geen inkt* ~ *in mijn inktpot* there is no more ink in my inkstand; *we hebben geen aardappelen* ~, *ook:* we're out of potatoes; *wat wil je* ~? what m. do you want?; *dat doet hij* ~ he does so frequently; *ik heb het* ~ *gedaan* I've done it before; ~ *dan, ook:* over [for ... 300 years], upward(s) of [half an hour]; *niemand* ~ *dan 5 gulden*? (*op veiling*) any advance on five guilders?; *niet* ~ *dan 10* no m. than ten; *40 ton* ~ *dan de vorige week* 40 tons up on (more than) the previous week; *dat is niet* ~ *dan billijk* (*dan mijn plicht*) that is no m. than (is only) fair (my duty); ~ *dan erg* too bad for words; *hij is niet* ~ he is no m.; *hij zal niet lang* ~ *blijven* he won't stay much longer; *ik dans niet* ~ I am off dancing; *de guinea bestaat niet* ~ ... no longer exists; *niet jong* ~ [she is] not young any m. (any longer), not so young as she used to be; *het is er nu niet* ~ it is not there now; *er is niets* ~ there is nothing left; *niets* ~ *of minder dan* nothing (*of:* neither) m. nor less than; *niets* ~ *en niets minder* neither m. nor less; *6 stuiver per pond* ~ *of minder* ..., *ook:* 7p. per pound one way or another [makes little difference]; ~ *of minder* vaag vague in varying degrees (in a greater or less degree); *hij heeft* ~ *van* ... *dan* ... he is m. like (is m. of) a shopkeeper than a lord; *'t had* ~ *van een bevel* it was m. in the nature of a command; ~ *gierig dan zuinig* stingy rather than economical; *ik hoop u* ~ *te zien* I hope to see m. of you; *wat er* ~ *wordt voortgebracht* ... what is produced over and above this (in excess of this) ...; *zie* des, hoe, bieden, maken, nog, smaken, wat, enz.

meerboei mooring-buoy

meerder greater, superior, more; *de* ~*e of minde-*

re geschiktheid the greater or less suitability; ~**e** superior; (*mil.*) [his] superior officer; *mijn* –**n** my superiors, my betters; *hij moest zijn* – *erkennen in* ... he had to acknowledge ...'s superiority; *wat zal ik met 't* – *doen?* what shall I do with the surplus?; – *voorbeelden*, (*germ.*) several examples; ~**en** *ww.* increase, multiply; (*bij 't breien*) increase; *twee steken* – make two (stitches)

meerderheid (*merendeel*) majority [elected by a m. of 40 votes], plurality; (*in bekwaamh.*, *enz.*) superiority; *een* ~ *behalen* secure a m.; *een* ~ *van 2 tegen 1* a 2 to 1 m.; *in de* ~ *zijn* be in the (a) m.; *de motie werd met grote* (*geringe*) ~ (*een* ~ *van 22*) *aangenomen* was carried by a large (narrow) m. (a m. of 22); *zie* volstrekt, enz.

meerderjarig of age [be ...]; ~ *worden* come of age, attain one's majority; *bij zijn* ~ *worden* on his coming of age; ~**heid** majority; ~**verklaring** (letter of) emancipation

meerekenen include (in the reckoning), count (in) [counting R. there were six in all], reckon in; *reken mij maar niet mee* count me out; *we hebben vijf vingers als we de duim* ~ if we count the thumb in; *emballage meegerekend* packing included; *niet meegerekend* exclusive of [packing]

meer: *de* ~**gegoeden** the well-to-do (classes); ~**gemeld**, ~**genoemd** above-named, before-mentioned, mentioned higher up; ~**gevorderd** more advanced

meerijden drive (ride) along with a p.; (*ongevraagd*, *achterop*, *enz.*) steal a ride, joy-ride; *iem. laten* ~ give a p. a lift [they got lifts on lorries]; *vragen te mogen* ~ ask for a lift

meerjarig: ~ *contract* contract for more than one year

meerkabel mooring-cable

meerkat long-tailed monkey

meerketting mooring-chain

meerkeuzetoets multiple choice test

meerkoet coot; **meerkol** *a*) jay; *b*) coot

meerltje (*her.*) martlet

meermalen more than once, frequently

meerman merman

meer: ~**mast** (*voor luchtschepen*), -**paal**, -**ring** mooring-mast, -post, -ring

meermin mermaid

meeropbrengst: *de wet der verminderende* ~**en** the law of diminishing returns

meerschuim(en) meerschaum

meerslachtig (*gramm.*) having more than one gender

meerstemmig (*muz.*) arranged for several voices (*of:* parts); polyphony; ~ *gezang a*) part-singing; *b*) = ~ *lied* part-song; ~ *zingen* sing in parts; **meertalig** polyglot

meertouw mooring-rope; ~**en** moorings

meertrapsraket multi-stage rocket

meerval sheat-fish, sheath-fish

meervoud plural; *in 't* ~ *zetten* pluralize; ~**ig** plural; – *kiesrecht* p. vote (voting); – *onverzadigd* poly-unsaturated [fatty acid]; ~**suitgang** p. ending; ~**svorm** p. (form); ~**svorming** formation of the p.

meerwaarde surplus value, margin; **-digheid** superiority [a sense of ...]

mees tit, titmouse (*mv.*: -mice); *zwarte* ~ coaltit(mouse)

mee: ~**schreeuwen** join in the outcry; ~**schreien** cry too (*of:* as well), weep for company

meeslepen drag along (with one); carry along [the story carries the reader along; he carried his audience with him]; (*van water, enz.*) carry (sweep) [everything] before it [he was carried (swept) out to sea by the tide]; *zijn onderwerp begon hem mee te sl.* he warmed to his subject; *meegesl. door* ... carried away (swept off one's feet) by the general enthusiasm, carried away by my rage; *zij werden in zijn ondergang meegesl.* they were involved in his ruin, dragged down in his fall; *zie* beheersen (zich laten ...); ~**d** gripping [story]

meesmuilen laugh scornfully; ~**d** with a wry smile

mee: ~**spelen** take part (join) in a game, join in; (*van acteur*) play; ~**spreken** *zie* ~praten; *mag ik ook een woordje –?* may I put in a word?; *ik wil hierin ook een woordje –* I want to have my say in this matter

meest most; (*meestal*) mostly; *op zijn* ~ at (the) m., at the outside; *de* ~ *zuidelijke haven* the southernmost port; *het* ~ *gelezen dagblad* the most widely read newspaper; *de* ~*e mannen* m. men; *bij de* ~ *kranten* in the majority of papers; *'t* ~*e lawaai maken* make m. noise; *wat ik 't* ~ *nodig heb* what I want m.; *de* ~*en van ons* m. of us; *de* ~*e van onze landbouwers zijn pachters* most of our farmers are tenants; *'t* ~ *ervan* m. of it; *ik houd van deze 't* ~ I like this one best; *de* ~ *gehate* (*gehekelde*) *man*, (*fam.*) *ook:* the best hated (abused) man; ~**al** mostly, usually, more often than not; ~**begunstigd** m.-favoured; ~**begunstiging** m.-favoured-nation treatment; ~**begunstigingsclausule** m.-favoured-nation clause; ~**biedende** highest bidder

meestemmen vote (with others)

meest: ~**endeels** *zie* merendeels; ~**entijds** most times, mostly

meester master (*ook van gilde:* m. craftsman); (*fig. ook:*) adept [in an art]; (*spoorw.*) (engine-) driver; (*mar.*) first engineer; ~*kleermaker, enz.* m. tailor, etc.; *de M~*, (*bijb.*) the M.; *hij is* ~ *in de rechten* he has a degree in Law; *oude* ~*s* old masters; *zijn eigen* ~ *zijn* be one's own m.; *Engels zonder* ~ teach yourself English; ~ *op de degen* proficient swordsman; ~ *op alle wapens* m. of all weapons; *vele talen, enz.* ~ *zijn* be m. (*vrouw. ook:* mistress) of many languages (of English); *hij is 't Frans volkomen* ~ he has a thorough command of French; *hij was de machine niet meer* ~ the engine had got out of hand (out of control), he had lost control of the engine; *de stad* ~ *zijn* be in possession of the town [*ook:* they are masters of ...]; *de toestand* ~ *zijn* be m. (mistress) of the situation; *men is de toestand (de brand)* ~ the situation is well in hand (the fire is under control); *hij was de toestand niet meer* ~, *ook:*

things had gone beyond him; *ze was haar ontroering* ~ she had got the better of her emotion; (*volkomen*) ~ *zijn in de lucht* have (complete) control (mastery) of the air; *hij is een* ~ *in zijn vak* (*in die kunst*) he is a m. of his trade (of that art); ~ *worden* master [a subject, one's temper], get [a fire] under (control); *zichzelf weer* (*volkomen*) ~ *worden* get (full) control of o.s. again; *hij is zichzelf geen* ~ he cannot control (restrain) himself, is not m. of himself [she is not mistress of herself]; *zichzelf volkomen* ~ *zijn* be quite m. (mistress) of o.s., have a firm grip of o.s.; *zich* ~ **maken** *van* seize [power, the King's person, control], take possession of, possess o.s. of, secure, get hold of; *neerslachtigheid maakte zich van haar* ~ despondency came (settled) over her; *hij heeft in u zijn* ~ *gevonden* he has met his master in you; ~**achtig** magisterial, pedantic; (*bazig*) masterful, imperious; ~**es** mistress; ~**hand** master('s) hand; ~**knecht** foreman, working overseer; (*fam.*) gaffer; ~**lijk** I *bn.* masterly; ~*e zet* m.-stroke; II *bw.* with consummate skill; ~**schap** mastership; mastery [his ... of the language]; (*kampioenschap*) *zie ald.*; *'t – ter zee* the command (mastery, control) of the sea; *zijn – over zijn kunst, ook:* his grasp of his art; ~**stuk**, ~**werk** masterpiece; ~**teken** maker's mark; ~**zanger** m.-singer

meestmogelijk as much (as many) as possible, the greatest possible

meestrijden join in the fight

meesttijds most times, mostly

meet starting-line, starting-point; *van* ~ *af (aan)* from the beginning (the outset); *weer van* ~ *af beginnen* start afresh

meetbaar measurable; (*wisk.*) rational [number]; ~**heid** ... ness

meet: ~**band** measuring-tape, tape measure; ~**bereik** measuring range; ~**brief** (*mar.*) certificate of registry

meetellen *zie* ~rekenen; *dat (hij) telt niet mee* that (he does) not count, counts (*of:* goes) for nothing; *niet meer* ~, *ook:* drop out of things, be off the map (out of the picture)

meet: ~~ **en regeltechniek** cybernetics; ~**fout** measuring fault; ~**geld** metage

meeting (mass) meeting

meet: ~**instrument** measuring-instrument; ~**kast** (*telec.*) fault-finding apparatus, lineman's fault-finder; ~**ketting** surveyor's (*of:* measuring-)chain; ~**kunde** geometry; ~**kundig** geometrical [*reeks* progression]; *-e plaats* locus; ~**kundige** geometrician; ~**lat** measuring-staff; ~**lijn** measuring-cord, -line; ~**lint** *zie* ~band; ~**lood** plummet; ~**loon** metage

meetrekken *a*) pull too; *b*) drag along

meetroede measuring-rod

meetronen coax along, entice away, cajole [into accompanying him]

meet: ~**snoer** *zie* ~lijn; ~**stok** measuring-staff; ~**tafeltje** plane (*of:* surveyor's) table; ~**waarde** measured value

meeuw (sea-)gull, sea-mew; ~**tje** (*duif*) turbit; (*visdiefje*) tern

mee: ~**vallen** exceed one's expectations; *dat zal je* – you'll be agreeably surprised; *'t valt nog* ~ it might have been worse; *dat valt niet* ~ that takes some doing; *'t viel niet* ~ *hem te vangen* he took some catching; *'t zal u niet* – ('*t te doen*) it is more difficult than you suppose, you'll have your work cut out, you won't find it easy going; *het valt niet* ~ *om 12 uur per dag te werken* it's no picnic ...; *hij valt* ~ *bij kennismaking* he improves upon acquaintance; ~**valler(tje)** piece (bit) of good luck, stroke of unexpected luck, godsend, windfall, pleasant surprise; ~**vechten** join in the fight; ~**vieren** join in the celebration of; *met iem.* ~**voelen** feel (sympathize) with a p.; *we voelen met hem* ~, *ook:* our sympathies go out to him [in his loss]; *zij voelde zo met iem.* ~ she was so sympathetic; *ik kan met je* – I can feel for you; ~**voeren** carry (sweep) away [the flood carried (swept) away trees, etc.], carry along (off), bring away (off); *zie* ~**slepen**

meewarig compassionate; ~**heid** compassion

mee: ~**werken** co-operate [in a scheme], assist [in a settlement], contribute [*tot* to(wards)]; (*in letterk. werk, enz.*) collaborate [in ...]; *de tijd werkt* ~ (*voor ons*) time is on our side; *'t weer werkte* ~ co-operated, was kind; *alles werkte mee om het feest te doen slagen* all things combined (conspired) to make the party a success; ~**werkend** co-operating; – *voorwerp* indirect object

meewind (*luchtv.*) tail (*of:* following) wind

mee: ~**zenden** send along with a p. (*of:* s.t.); ~**zingen** sing [in the choir]; (*beginnen*) ~ *te zingen* join in (the singing); *de menigte begon 't lied* ~ *te zingen* the crowd took up the song, joined in (the song); ~**zitten** be favourable; *als alles* ~**zit** if all goes well; ~**zoeken** join in the search

mefisto(feles) Mephisto(pheles)

mefistofelisch Mephistophelian

mega- mega: ~**foon** m.phone, loud-hailer; ~**hertz** m.cycles (per second), mc/s, M.C.P.S.; ~**ton** id.

mei May; *de* ~ *van het leven* the springtime of life; ~**betoging** May-day (first of M.) demonstration; ~**boom** may-pole; ~**boter** spring-butter

meid (maid-)servant, maid, girl; (*meisje*) girl, lass; ~ *alleen* maid-of-all-work, general servant, cook general; (*fam.*) general; *tweede* ~ parlour-maid; *wilde* ~ tomboy; *een aardige* ~ a jolly nice girl; *nee,* ~*!* no, old girl! no, (old) dear!; *doe 't, dan ben je een beste* – do it, there's a good girl; *een hele* ~ [you are] quite a woman

meidag May-Day (= *1 mei*); day in May

meidemonstratie *zie* **meibetoging**

meiden: ~**kamer** maid's bedroom; ~**praat** servant's gossip (*of:* tittle-tattle); **meid-huishoudster** cook- (*of:* working-)housekeeper

meidoorn hawthorn, may-tree

meier *a*) farmer; *b*) sheriff, bailiff; ~**en** twaddle; ~**ij** jurisdiction of a sheriff, shrievalty, bailiwick

mei: ~**feest** May-feast, maying; ~**kers** May-cherry, early cherry; ~**kever** cockchafer, maybug; ~**koningin** May-queen; ~**maand** month of May

meinedig perjured, forsworn; ~**e** perjurer; ~**heid** perjury

meineed perjury; *een* ~ *doen* forswear (perjure) o.s., commit p.

meisje girl (*ook: dienst*~), lass; (*verloofde*) fiancée; (*fam.*) sweetheart; (*fam.*) [my, his] young lady (woman); (*sl.*) [my, his] best girl; ~ *van plezier* lady of pleasure; *zie ook* **meid**

meisjes-: ~**achtig** girl-like, girlish; *erg* –, *ook:* girly-girly; ~**boek** g.'s book; ~**dracht** g.'s dress; ~**gek** boy (man) who is mad about girls; ~**gezel** g.-guide; (*Am.*) g.-scout; ~**gilde** g.-guides; ~**hand** g.'s hand(writing); ~**hogereburgerschool** (*hist.*) high school for girls, girls' high school; ~**jaren** girlhood; ~**kleren** girl's (girls') clothes; ~**naam** g.'s name; (*van getrouwde vrouw*) maiden name; *haar* – *weer aannemen* change back to one's m. n.; ~**school** girls' school; *middelb.* –, (*hist.*) girls' high school; ~**stem** g.'s voice; ~**student** g.- (woman-)student, (*Am., ook*) co-ed

Meissen id.; ~**er** *porselein* Dresden china

meiviering May-day celebration(s)

meizoentje daisy

mejuffrouw (*zonder naam*) Madam; (*met naam, ongetrouwd*) Miss; (*met naam, getrouwd*) Mrs.

mekaar *zie* **elkaar**

mekaniek *zie* **mechaniek**

Mekka Mecca; ~**ganger** Mecca pilgrim

mekkeren (*van geiten en schapen*) bleat

melaats leprous; ~**e** leper; ~**enhuis** leper hospital (*of:* asylum); ~**heid** leprosy

melancholicus melancholiac, melancholic, hypochondriac

melancholie melancholy, depression of (spirits); ~**k** melancholy

Melanesië Melanesia; **-sisch,** ~**r** Melanesian

melange blend, mixture, mélange

melaniet melanite; **melasse** molasses

melat(t)i (*plant*) zambak

melde (*plant*) orach

melden[1] mention, state, report [ten deaths are ...ed], announce; *iem. iets* ~ inform a p. of s.t.; *hij meldde mij, dat* ... he informed me that ...; *zich* ~ report (o.s.); *zich* ~ *bij* report to [the police, etc.]; *zich* ~ (*op zijn werk*) report for duty; *zich ziek* ~, (*mil., enz.*) report sick; *ik zal 't u* ~ I'll send (write) you word, I'll let you know; *vele gevallen worden gemeld* many cases [of smallpox, etc.] are reported; ~**swaardig** worth mentioning; **melder** *zie* **brandmelder**

melding mention; ~ *maken van* mention, make m. of, make reference to; *er werd* ~ *gemaakt van* ..., *ook:* there was m. of ...

mêlee mêlée

mêleren blend [tobaccos], mix [a ...ed company], shuffle [cards]
melig mealy; (*van aardappel ook*) floury; (*van peer ook*) woolly; (*fam.*) corny, dull, feeble; ~**heid** mealiness, etc.
melis(suiker) loaf-sugar
melis(se) (*plant*) balm, balm-mint
melisme melisma
melk milk; *zij ziet eruit als ~ en bloed* she has a complexion of milk (of lilies) and roses; *een meisje met een kleur van ...* a strawberries and cream girl; *de koe gaf goed ~* milked well; *zie* brokken & overvloeien; ~**achtig** milky; ~**ader** lacteal vein; ~**auto** m.-van; ~**beker** m.-mug; ~**bezorger** m.-roundsman; ~**blok** milking-stool; ~**bocht** milking-yard; ~**boer** *a*) milkman; *b*) dairy-farmer; ~**brood** m.-bread; ~**buizen** *zie* ~**vaten**; ~**bus** m.-can, -churn; ~**centrale** m. marketing-board; ~**chocolade** m.-chocolate; ~**distel** sow-thistle, milkweed; ~**emmer** milk(ing-)pail; ~**en** milk (*ook fig.*: a p.); (*bilj.*) nurse (the balls); (*sl.*) whine; ~**er** milker; ~**erij** *a*) dairy-farm; *b*) (~*huis*) dairy; *c*) dairy-farming; ~**fabriek** dairy factory; ~**fles** m.-bottle; ~**gebruik** m.-consumption; *goede* ~**geefster** good milker; ~**geit** milch-goat; ~**gevend** m.-yielding, -giving, [she-ass] in milk; ~*e koe, zie* ~**koe**; ~**glas** m.-glass; ~**inrichting** dairy(-shop); ~**kalf** sucking-calf; ~**kan(netje)** m.-jug; *zie ook* ~**bus**; ~**kar** m.-cart; ~**karn** churn; ~**kies** m.-molar; ~**klier** lacteal gland; ~**koe** milch-cow (*ook fig.* = ~*tje*: treat a p. as a ...), milking-, dairy-cow, [good, bad] milker; ~**koker** m.-boiler; ~**kom** m.-bowl, -basin; ~**koorts** m.-fever, lacteal fever; ~**kost** *zie* ~**spijs**; ~**kroes** m.-mug; ~**kuur** m.-cure; ~**leider** m.-duct; ~**lijst** m.-record; ~**loop** m.-round; ~**maat** m.-measure; ~**machine** milking-machine; ~**meid**, ~**meisje** milkmaid, dairy-maid; ~**meter** lactometer; ~**muil** greenhorn, raw youth; ~**nap** m.-bowl; ~**onderzoek** (laboratory) test(ing) of m.; ~**ooi** milch-ewe; ~**opbrengst** m.-yield; ~**pap** m.-porridge; ~**plas** total m. production; ~**poeder** m.-powder; ~**prijs** m.-price; ~**produkt** m.-product; ~**salon** milk bar, creamery; ~**sap** milky juice; (*wet.*, *plantk.*) latex; (*in maag*) chyle; ~**schaap** milch-sheep; ~**schuit** m.-boat; ~**schurft** m.-scab; ~**slijter** m.-retailer; ~**soep** m.-soup; ~**spijs** m.-food, spoon-meat; ~**ster** milker; ~**stoeltje** milking-stool; ~**suiker** m.-sugar, lactose; ~**tand** m.-tooth; ~**tijd** milking-time; ~**vat** m.-tub; ~**vaten** lacteals, lacteal vessels; ~**vee** milch-, dairy-cattle; ~**voorziening** m.-supply; ~**wagen** m.-cart, -float; ~**weg** Milky Way, galaxy; ~**weger** lactometer; ~**wei** whey; ~**winkel** dairy(-shop); ~**wit** milky white; ~**wol** m.-wool; ~**zeefje** m.-strainer; ~**zuur** lactic acid; ~**zwavel** milk of sulphur
melodie melody, tune, air; *op de ~ van* to the tune of
melodieus, melodisch melodious, tuneful
melodrama id.; ~**tisch** melodramatic (*bw.*: -ally); *-e kost*, (*sl.*) sob-stuff
meloen melon; ~**cactus** melon-cactus; (*fam.*) m.-thistle

melomaan, -manie melomaniac, -mania
membraan membrane; (*van grammofoon, enz.*) diaphragm
memento id.; ~ *mori* id.
memoires memoirs
memorandum id., *mv.*: -da, -dums
memoreren recall to memory; mention
memoriaal memorandum-book; diary
memorie (*geheugen*) memory; *hij is kort van* ~ he has a short memory; (*geschrift*) memorial; *pro* ~ pro memoria; ~ *van antwoord* memorandum in reply; ~ *van toelichting* explanatory memorandum (*of:* statement); ~**post** token vote; ~**werk** (mere) matter of memory
memoriseren commit to memory, learn (off) by heart, memorize
men *dikwijls vertaald door middel van de lijdende vorm; verder:* people, they, we, you, one, a man; ~ *zou 't haast geloven* one would almost believe it; ~ *zegt* it is said, they say; ~ *zegt, dat hij ...* he is said (reported) to ...; ~ *heeft mij gezegd* I have been told; *zo iets zegt* ~ *niet* such things are not said; *zie* doen 1; ~ *is van plan te ...*, it is intended to ...; ~ *kan niet iedereen voldoen* you (one) cannot please everybody; ~ *gaf me ...* I had a fine book given me; ~ *kan hen niet laten verhongeren* they cannot be allowed to starve; ~ *hoopt (vreest) dat ...* it is hoped (feared) that ...; *wat zal* ~ *ervan zeggen?* what will people say?; *ik doe 't wat* ~ *er ook van zegge* in spite of anything people may say; ~ *wordt verzocht ...* visitors (the public) are requested not to touch the exhibits; ~ *vroeg zich af wat ...* people wondered what ...
menade *zie* maenade
menage (*mil.*) mess, messing
menage: ~**geld** messing-allowance; ~**ketel** camp-kettle; (*fam.*) dixie; ~**meester** mess-sergeant
menageren spare, be lenient to; *zich* ~ take care of o.s.; *zie* sparen
menagerie id.
menagetent mess-tent
mendelen mendelize
mendelisme Mendelism
meneer *zie* mijnheer
menen (*bedoelen*) mean; (*van plan zijn*) mean, intend; (*denken*) think, fancy, suppose; *ik meen 't* I am in earnest, I m. it (*zo ook:* every word he said was meant), I am quite serious; *dat meen je niet!* you're not serious!; *meen nu niet, dat ...* don't run away with the idea that ...; *dat zou ik ~!* I should think so!; *hoe meent u dat?* what do you m.?; *wat meent u daarmee?* what do you m. by it?; *hij meent het goed* he means well [*met ons* by us]; *'t was goed gemeend* it was meant for the best; *zij ~ het goed met ons, ook:* they have our welfare at heart; *een dame, die 't goed meende* a well-intentioned (well-meaning) lady; *iem., die 't goed met u meent* a well-wisher [every well-wisher of the country]; *'t was niet kwaad gemeend* no offence was meant, I (he) meant no harm; *hij meent*

't niet kwaad (met u) he means (you) no harm; *ik meende 't u gezegd te hebben* I thought I had told you; *hij meent te zien* ... he thinks he sees ...; *soms meen ik zijn stem te horen* at times I seem to hear ...

menens: *'t is ~* it is serious; *(bij gevecht, woordenstrijd, enz.) ook:* the gloves are off; *'t wordt ~* it is getting serious; *'t is me ~, zie ik meen 't*

mengbaar mixable; **~heid** mixability

mengel *ongev.:* litre

mengel: **~dichten** miscellaneous poems; **~en** *(vero.)* mingle, mix; **~ing** mingling, mixture; **~moes** medley, jumble, mishmash, hodgepodge, hotch-potch; **~werk** miscellany

mengen mix, mingle; blend [tea, coffee]; alloy [metals]; *(aanlengen)* dilute, qualify; *olie en water laten zich niet ~* oil and water do not m. (together); *zich ~ in* meddle with [other people's affairs], mix in [politics], interfere in [a quarrel, a p.'s affairs], join in [the conversation]; *zich ongevraagd (brutaal, enz.) in iets ~* butt in; barge in [upon the discussions]; *zich in alles ~* poke one's nose into everything; *zich onder de menigte ~* mingle with (mix among) the crowd; *zijn naam is erin gemengd* he is mixed up in it

menger mixer, blender

menging mixing, mixture, blending; *zie ook* mengsel; **~rekening** (rule of) alligation; **~ssom** alligation sum

meng: **~koren** mixed grain, blend corn, *(dial.)* maslin; **~mest** compost; **~sel** mixture; blend [of teas]; compound; **~taal** mixed language; **~voer** mash; **~vorm** hybrid

menie red(-)lead, minium

meniën (paint with) red-lead

menig many (a); *~ ander* many another; *~ jaar* many a year; *in ~ opzicht* in many ways; *hij heeft ~ glaasje van mij gehad* m. is the glass he had from me; **~een** m. a man, m. a one; **~erhande, ~erlei** manifold, of m. kinds, various; **~maal** m. a time, often, frequently; **~te** crowd, multitude, host, throng, great number; *de dwaze –* the giddy crowd; *in –* in abundance, plentifully; *zie* hoop 1; *psychologie van de –* crowd *(of* mass) psychology; **~vuldig** *bn.* manifold, frequent, abundant; *bw.* abundantly, frequently, often; **~vuldigheid** multiplicity, abundance, frequency; **~werf** *zie* ~maal

mening opinion *[de* ... opinions differ], view, idea; *(voornemen)* intention; *de openbare ~* public o.; *ik geef mijn ~ voor beter* I speak under correction; *zijn ~ zeggen* say (give, offer) one's o. *[over* of, on]; *(uitkomen voor zijn ~)* speak one's mind (freely); *hij hield er een eigen ~ op na* he held views of his own; *bij zijn ~ blijven* hold (stick) to one's o.; *handelen in de ~ dat* act in the belief that ...; *in de ~ verkeren, dat* be under the impression that; *naar (volgens) mijn ~* in my o. *[zo ook:* in the general o. of the House], to my mind, to my (way of) thinking; *zie* bescheiden; *wij verschillen van ~* we differ in o., hold different views; *van een*

andere ~ zijn dan differ (in o.) from, be of a different o. from; *van ~ zijn dat* be of (the) o. that, hold the view that; *men is van ~ dat* it is held that; *zij waren van ~ dat* ... they felt that ...; *zie ook* in de ~ verkeren, dat; *ik ben van uw ~* I agree with you, I am with you; *van dezelfde ~ zijn* be of the same o. (mind, way of thinking), hold the same view; *verschil van ~, zie* ~sverschil; *zie ook* veranderen, uitkomen, enz.

meningitis (cerebro-spinal) meningitis

menings: **~uiting** expression of opinion; *vrije* ~ freedom of speech (and press); **~verschil** difference (divergence) of o., disagreement; *daaromtrent kan geen – bestaan* there can be no two opinions about it

meniscus id. *(mv.:* -ci)

menist Mennonite

menisten: **~blauw** azure; **~jokkentje** white lie; **~kerk** Mennonite church; **~streek** sly trick; **~zusje** prude

mennen *tr.* drive; *intr.* drive, *(fam.)* handle the ribbons; *kunt u ~?* can you d.?

menner driver, [he is a good] whip

mennoniet *zie* menist

menopauze menopause

mens man, human being, human; **~en** men, people; *(bezoek)* people, company, visitors *(zie* eten); *het ~!* the creature!!; *ga weg, ~!* get out, woman!; *'t oude ~* the old woman *(fam.:* body, party); *de oude ~ afleggen* put off the old m., put on the new m.; *'t is een goed ~* she is a good soul; *'t arme ~* the poor soul; *arm ~!* poor thing!; *zij begrijpt een ~* she understands a man *(fam.:* a fellow); *'t doet een ~ goed te* ... it does one good to ...; *een mooie tijd om een ~ uit zijn bed te halen, (fam.)* a nice time to drag a body out of bed; *ik ben (ook) maar een ~* I'm only human; *... zijn ook ~en* prisoners are humans the same as anyone else; *'t is meer dan een ~ kan verdragen* it is more than flesh and blood can bear; *wie is dat ~?* who is that person?; *dat ~ van 't toneel* that actress person; *geen ~* nobody, no one, [I did] not [see] a soul; *hij is geen ~* he is not human, he has no feeling; *ik ben geen half ~ meer* I am knocked up (fagged out); *zo is de ~* such is man; *de ~ is (alle ~en zijn) sterfelijk* man is (all men are) mortal; *de ~en* people; *veel ~en* many (a lot of) people; *bij ons ~en is dat geen gewoonte* it is not the custom with our kind of people; *als ~ gesproken* humanly speaking; *~ worden* become human; *(bijb.)* take flesh; *de ~ geworden ZoonGods* the Incarnate Son of God; *een ~ maken van* make a m. of; *(fam.)* lick into shape; *we hebben ~en te eten* we're having some people to dinner; *daar heb ik mijn ~en voor* I've got my men *(iron.:* menials, underlings) for that; *ik krijg ~en* there are visitors coming; *zeer weinig ~en (= bezoek)* we see few people; *door ~en gemaakt* man-made [laws]; *ik kom weinig onder de ~en* I do not mix in society [she ought to go out and about more]; *het geld onder de ~en brengen* spend money freely; *zie* beschikken, inwendig, stuk, enz.

mensa student restaurant (cafeteria), refectory

mensaap man-ape, anthropoid (ape)

mensbeeld [the] concept of man [in Elizabethan tragedy]

mensdom: *het* ~ (hu)mankind, humanity

menselijk human; *de ~e natuur* h. nature; *~er maken* humanize; *~erwijze* humanly [it is ... impossible]; – *gesproken* humanly speaking; *~heid* humanity

mensen- *dikw.* human: ~**arbeid** work of man; ~**beeld** image of man; ~**bloed** h. blood; ~**eter** man-eater, cannibal; (*in sprookje*) ogre; ~**gedaante** h. shape; ~**geslacht** h. race; ~**gunst** favour of men, popular favour; ~**haai** man-eating shark; ~**haat** misanthropy, hatred of mankind; ~**hand:** *niet door – gebouwd* not built by the hand of man; *door –en bewegen, enz.* man-handle; ~**handel** slave-trade; ~**hart** h. heart; ~**hater** misanthrope; hater of mankind; ~**heugenis** *zie* heugenis; ~**jacht** man-hunt; ~**kenner** [he was no] judge of people (h. nature, h. character); *hij is een* – he knows h. nature; ~**kennis** knowledge of men, k. of (insight into) h. character (nature); ~**kind** h. being, [every] son of man, *mv.:* sons of men; ~**leeftijd** life-time; ~**leven** h. life, life of man, [heavy loss of] life; ~**liefde** philanthropy, love of mankind, humanity; ~**lijk** h. body, corpse; ~**massa** crowd, multitude, mass of people; ~**offer** h. sacrifice; *het eerste ~paar* the first h. couple; ~**plicht** duty of man; ~**ras** h. race; *een ander* – a different breed of men; ~**rechten** human rights; ~**redder** life-saver; ~**roof** kidnapping; ~**rover** kidnapper; ~**schuw** (very) shy, unsociable; ~**schuwheid** shyness, fear of company; ~**stem** h. voice; ~**verstand** h. understanding; *gezond* – sound common sense; ~**vlees** h. flesh; ~**vrees** fear of men, anthropophobia; ~**vriend** philanthropist; ~**wereld** h. world; ~**werk** work of man; ~**wijsheid** h. wisdom; M~**zoon** Son of Man

mens: ~**heid** *a)* human nature, humanity; *b)* mankind (= *de* –), human race; ~**je** diminutive person; (*scherts.*) little bit (small piece) of humanity; ~**kunde** *a)* human biology; *b)* zie ~**enkennis;** ~**kundig** knowing human nature; ~**lievend** humane, philanthropic (*bw.:* -ally), charitable; ~**lievendheid** humanity, philanthropy, charity; ~**onterend** unworthy of man, degrading

menstruatie menstruation

mens: ~**waardig** worthy of a human being; – *loon* living wage; ~**wetenschap** social science; ~**wording** incarnation

mentaliteit mentality, mental outlook, state of mind

menthol id.; **mentor** id.

menu id., menu card, bill of fare

menuet minuet

mep slap, crack, smack, wallop, sock [on the jaw], bang, clout [on the head]; *iem. een ~ geven* = *iem.* ~**pen** catch a p. a crack, slap

(smack, sock) a p., lam into a p.

Mephisto(pheles) id.; *zie ook* mefis...

mercantiel mercantile [system]

mercantilisme Mercantilism

Mercator id.; **m~kaart** M.'s chart; **m~projectie** M.'s projection

merceriseren mercerize

merci! thank you! thanks! (*fam.*) ta!

Mercurius Mercury; ~**staf** caduceus

merel blackbird; **meren** moor [*aan* to]

Merenberg: *hij is rijp voor* ~ he is ready for the lunatic asylum

merendeel: *'t* ~ the greater part (number), the bulk, the majority [of people]

merendeels for the greater (the most) part; in the majority of cases

merengebied lake district

merg (*in been*) marrow; (*wet.*) medulla: (*plantk.*) pith, medulla; (*fig.*) pith; *verlengde* ~ medulla oblongata; *'t dringt door* ~ *en been* it goes to the bone, [the wind] cuts one to the marrow; *een door* ~ *en been gaand geluid* a strident noise; *een conservatief in* ~ *en been* a conservative to the m. (to the backbone), an out-and-out conservative; *Engels in* ~ *en been* E. to the core (to the backbone); ~ *in de pijpen hebben* be composed of m. and nerve; ~**achtig** marrowy, m.-like

mergel marl; ~**achtig** marly; ~**en** marl; ~**groeve,** ~**kuil** m.-pit

merg: ~**lepel** marrow-spoon; ~**pijp** m.-bone; ~**pompoen** vegetable marrow; ~**straal** (*plantk.*) medullary ray

meridiaan meridian; ~**cirkel** m. circle; ~**shoogte** m. altitude

merinos merino, *mv.:* -os; ~**schaap** merino; ~**sen** *bn.* merino; ~**wol** m. wool

merite merit; **meritocratie** meritocracy

merk (*merkteken*) mark; (*soort*) brand [of cigars, spirits, perfume, chocolate, etc.], sort, quality; (*fabrikaat*) make [of bicycle, motor-car, etc.]; (*handels~*) trade-mark; (*keur*) hall-mark; *fijne ~en* choice brands; *op* ~ *laden* load by marks; ~**artikel** name brand, proprietary brand, branded article; ~**baar** perceptible, noticeable, appreciable, marked [improvement]; *dit heeft de kans op oorlog – verminderd* this has sensibly diminished the risk of war; ~**cijfer** mark, figure, number

merkel (*langsscheeps*) fore-and-after; (*dwarsscheeps*) gutter-ledge

merkelijk considerable, marked

merk: ~**en** (*van 'n merk voorzien*) mark [goods, linen, etc.]; (*bemerken*) perceive, notice; *ik merk beslist vooruitgang* I see (feel) decided progress; *ik heb nooit gemerkt dat hij ...* I never knew him do it (blab, go there, etc.); ~ *aan* [I could] tell by [the way you ...]; *hij liet – dat het hem niet beviel* he intimated that he did not like it; *u moet niets laten* ~ don't appear to know anything, don't give yourself away, don't let on; *hij liet niets* – he made no sign; *hij liet haar niets – van zijn hachelijke positie* he gave her no inkling of his precari-

ous position; *zonder 't te –* [you could let me have £30] and never notice it; ~**enlijst** list of marks; ~**enwet** Trade Descriptions Act (1968); (*hist.*) Merchandise Marks Act; ~**ijzer** marking-, branding-iron; ~**inkt** marking-ink; ~**lap** sampler; ~**letter** marking letter; ~**naam** brand name; trade-mark; ~**teken** mark, sign, token; ~**waardig** remarkable, noteworthy, curious; ~**waardigheid** remarkableness, curiosity; (*concr.*) curiosity; *de -heden van een plaats* the sights of a place; ~**zijde** marking-silk
merlet (*her.*) *zie* meerltje
Merlijn Merlin; *m~* merlin
Merovinger, Merovingisch Merovingian
merrie mare; ~**veulen** filly (foal)
mes knife; (*van balans*) knife-edge; ~**sen, vorken, enz.**, cutlery; *'t ~ snijdt aan* (*van*) *twee kanten* it cuts both ways; *'t ~ erin zetten* take drastic measures; (*ter bezuiniging*) apply the axe (the pruning-knife); *'t ~ werd hem op de keel gezet* the k. was put to his throat, a pistol was put to his head; *onder 't ~* [the patient died] under the k.; *hij zit onder 't ~* (*fig.*) he is under examination (being examined); *je hebt nog heel wat voor 't ~* there is plenty of work in store for you
mesalliance id., misalliance
mesalliëren: *zich ~* marry below one
mescaline mescalin(e)
mesheft knife-handle, -haft; (*dier*) razor-fish, -shell
mesigit (*Ind.*) masjid, mosque
mesje knife: (*gillette bijv.*) blade
mesjokke (*fam.*) crazy, cracked, crackpot [schemes]
mesmerisme mesmerism
Mesopotamië Mesopotamia; ~**r, Mesopotamisch** Mesopotamian
mespunt knife-point; (*in recept*) point
messe- knife: ~**heft** *zie* mes-; ~**koker** k.-case, -sheath; ~**legger** k.-rest; ~**lemmer, ~lemmet** k.-blade
messen: ~**aanzetter** knife-sharpener, table-steel; ~**bak** k.-box, -tray; ~**maker** cutler; ~**makerij** cutlery, cutler's work-shop; ~**slijper** k.-grinder, -sharpener; **messeschede** *zie* messekoker
Messiaans Messianic
Messiade [Klopstock's] Messias
Messias Messiah
messing 1 brass; (*van plank*) tongue [and groove]
mes: ~**snede** *a*) knife-cut; *b*) knife-edge; ~**steek** knife-thrust, -stab, -cut
mest dung, muck, manure; (*kunst~*) fertilizer; ~**beest, ~dier** fatting-animal; *–en, ook:* fatting-stock; ~**belt** d.-hill; ~**en** (*grond*) dung, dress, manure; (*dier*) fatten, fat, feed up; (*gevogelte ook*) cram; *zie* gemest; ~**er** fattener; ~**gaffel** d.-fork; ~**hok** fatting-pen; ~**hoop** d.-hill, midden, muck-heap
mesties mestizo, mestee
mest: ~**kalf** *a*) fatting-calf; *b*) fattened calf; ~**kar** dung-cart; ~**kever** d.-beetle; ~**koe** fatting-cow; ~**kuil, ~put** d.-pit; ~**kuur** fattening-cure; ~**os** *a*)

fatting-ox; *b*) fattened ox; ~**stof** manure, fertilizer; ~**strooier, ~strooimachine** manure-distributor, -spreader; ~**tor** d.-beetle; ~**vaalt** d.-hill; ~**varken** porker; ~**vee** fatting-cattle, -stock, store-cattle; ~**vork** d.-fork, manure fork; ~**wagen** d.-cart
met I *vz.* with; *zak ~ geld* bag of money; *~ de dag* every day; *~ elke dag, die ... [*our strength is increasing] with every day that goes by; *~ handen vol* by handfuls; *~ hoevelen ben jullie? ~ z'n zessen* how many are you? we are six, there are six of us; *we zijn thuis ~ ons zessen* we are six in family; *~ zijn drieën als kinderen* [we were] three children; *~ z'n twintigen in 't geheel* twenty all told; *~ zijn ... sleep five in a room, sit thirteen at table; ~ zijn tweeën of drieën gaan* go two or three together; *~ zijn drieën gingen we naar ...* (together) we three went to ...; *~ een glas ...* [celebrate the event] in a glass of sherry (*zie* drinken); *jij ~ je Hovis!* you and your H.!; *de man ~ de kaplaarzen* (*aan*) the man in the top-boots (*zo ook:* in spectacles, in a silk hat, in a blue tie; a maid in a white cap); *~ ... op* speak with one's hat on; *~ Kerstmis* at Christmas; *~ 't aanbreken van de dag* at day-break; *~ inkt* (*potlood*) *geschreven* in ink, in pencil; *~ kleren en al* clothes and all; *~ dat al* yet, for all that, in spite of this; *al ~ al* altogether; *~ de boot* by steamer; *~ 't spoor* by rail; *~ de trein van 5 uur* by the five o'clock train; *~ dezelfde trein reizen ook:* travel on the same train; *~ een rijtuig* [come] in a carriage; *~ de post* by post; *~ de morgenpost* by the morning-post; *~ de hoed* (*een kopje, enz.*) *in de hand* hat (cup, etc.) in hand; *~ de palm naar boven* [his hand rested] palm upward [on ...]; *~ Pasen 20 jaar geleden* twenty years ago come Easter; *prijs ... ~ 5 % voor contant* less 5 per cent. for cash; *~ 5 % toe-, afnemen* increase (decrease) by 5 per cent.; *hij is ~ vakantie* he is on holiday; II *bw.* at the same time (moment)
metaal metal; *de ~* the m. industry; *oud ~* scrap-metal; *geheel van ~* all-metal; ~**achtig** metallic; ~**ader** metallic vein, lode; ~**arbeider** m.-worker; ~**barometer** aneroid (barometer); ~**bewerker** m.-worker; ~**bewerking** m.-work(ing); ~**dekking** (*van bank*) bullion; ~**draad** metallic wire; (*van elektr. lamp*) m. filament; ~**draadlamp** m. filament lamp; ~**gaas** wire-gauze, -netting; ~**gieter(ij)** (m.-)founder (-foundry); ~**glans** metallic lustre; ~**houdend** metalliferous; ~**industrie** m. (*of:* metallurgical) industry; ~**klank** metallic ring; ~**kunde, -ige** metallurgy, -ist; ~**moeheid** m. fatigue; ~**schuim** dross; ~**slak** slag, scoria (*mv.:* scoriae); ~**voorraad** (*van bank*) bullion; ~**waren** m.-ware; (*ijzer*) hardware; ~**werk(er)** m.-work(er); ~**zaag** hacksaw
metafoor metaphor
metaforisch metaphorical
metafysica metaphysics
metafysisch metaphysical
metalen *bn.* metal; **metalliek** metallic

metallisatie metallization
metalliseren metallize; **metalloïde** metalloid; **metallurgie** metallurgy
metamorfose metamorphosis
metamorfoseren metamorphose
metanalyse metanalysis; **metastase** metastasis; **metataal** metalanguage; **methathese, -is** metathesis
meteen *a*) at the same time; *b*) immediately, presently; *tot ~!* see you later!; *ik kom ~* I shan't be long; *zo ~* by and by; *zo ~ raakt hij ons nog* he'll be hitting us next; next thing he'll be hitting us; *koop ook ~ wat postzegels voor mij* ... while you're about it; *hij was ~ dood* he died (was killed) instantly
meten measure (*ook met de ogen:* m. a p. with one's eyes), gauge; *van binnen (buiten) gemeten* inside (outside) measurement; *gemeten aan* ... measured by [eternity]; *hij meet zes voet* he stands six feet [*met* ... *aan* in his boots; *met zijn schoenen uit* in his stockings]; *zich met iem. ~* measure o.s. (one's strength) with (*of:* against) a p., pit o.s. (one's strength) against a p., try conclusions with a p.; (*in worstelwedstrijd*) try a fall with a p. (*ook fig.*); *ge kunt u niet met hem ~* you are no match for him; *op de gemeten mijl* [speed trials] on the measured mile; *zie* maat
meteo (*fam.*) met [flight]
meteoor meteor; **~steen, meteoriet** meteorite, meteoric stone, aerolite
meteorisch meteoric
meteorologie, -loog meteorology, -logist
meteorologisch meteorological; *~ Instituut* M. Office, weather-bureau, weather-centre
1 meter (*peet*) godmother
2 meter (*pers.*) measurer, gauger; (*maat*) metre; (*druk-*) gauge; (*gas-, enz.*) meter; **~huisje** meter-house; **~huur** meter-rent; **~opnemer** meter-reader, -inspector; **~tje** (inch-)rule; **~ton** metre-ton
metgezel(lin) companion, mate
methaan methane
methode method, plan; *een ~ volgen, ook:* follow a procedure; **~nleer** methodology; **methodiek** methodology, (science of) method; **methodisch** methodical
methodisme Methodism
methodist Methodist; **~isch** Methodist [the Methodist Church, revival]
methodologie methodology
Methusalem Methuselah
methyl id.; **~alcohol** m. alcohol; **~eren** methylate
métier id., profession, trade
meting measuring, measurement
metonymia, -mie metonymy
metope id.
metrage yardage, footage
metriek I *bn.* metric (*bw.:* -ally); *~ stelsel* m. system; *overgang op 't ~ stelsel* metrication; II *zn.* metrics, prosody
metrisch metrical
metro underground (railway); (*Am.*) subway
metronomisch metronomic

metronoom metronome
metropolis id.; **metropoliet, metropolitaan(s)** metropolitan
metropool metropolis; **metrum** metre
metselaar bricklayer; **~sbaas** master b.; **~sbak** hod; **~sknecht** journeyman b.
metsel: **~arij** *zie* **~werk**; **~bij** mason-bee; **~en** set (lay) bricks; build [a wall]; (*fig.*) swill down one's food; *ge~de haard* brick fireplace; **~kalk, ~specie** mortar; **~steen** brick; **~werk** brickwork, masonry
metten matins; *donkere ~* tenebrae; *iem. de ~ lezen* read a p. a lesson, lecture a p.; *korte ~ maken met* make short work of, give short shrift to; *er werden ... met hem gemaakt, ook:* he had (*of:* received) short shrift
metter: **~daad** indeed, in fact, really; **~tijd** in course of time, in due course, as time goes (went) on, with (in) time; **~woon:** *zich – vestigen* establish o.s., settle, come to reside, fix one's abode, take up one's residence
metworst (kind of) German sausage
Metz id.
meubel piece (*of:* article) of furniture; **~en** furniture; *hij is een lastig ~* a cantankerous fellow, a handful; *een raar ~,* (*fig.*) a queer body, a rum customer; *er was geen ~ in 't huis* there was not a stick of furniture in the house; *haar* (*paar*) **~tjes** her (few) sticks (*of:* bits) of furniture
meubel- furniture: **~en** furnish, fit up; **~magazijn** f.-store; **~maker** cabinet-maker, joiner; **~opslagplaats, -pakhuis** f.-repository, pantechnicon; **~plaat** blockboard; **~politoer** f.-(*of:* French) polish; **~rolletje** castor; **~sits** f.-chintz, -print; **~stuk** piece (*of:* article) of f.; **~tje** *zie* **~**; **~wagen** f.-van, pantechnicon (-van); **~was** f.-polish
meubilair furniture
meubileren furnish, fit up; *zie* gemeubileerd; **-ing** *a*) furnishing; *b*) furniture
meug: *elk zijn ~* every man to his taste (to his choice); everyone as they like best; *zie* heug
meuk: *in de ~ staan* be soaking; **~en** soak
meun (*vis*) chub
meute pack (of hounds)
mevrouw (*met naam*) Mrs.; (*zonder naam*) lady [a, the ...]; (*door, en tot bediende*) mistress [the ... is here, Sir], (*volkst.*) missis [my, your, the ...]; (*als aanspreking zonder naam*) Madam, (*fam.*) mum, mam, 'm [Yes 'm]; (*fam.*) lady; (*tot leden der Kon. familie*) Ma'am; *hoe gaat het met ~* (= *uw vrouw*)? how is Mrs. B.?; *is ~ thuis?* is your mistress (Mrs. X) in?
Mexicaan(s) Mexican; *~se hond,* (*radio*) howl, squeak(er); **Mexico** id.
mezzosopraan mezzo-soprano, *mv.:* -os
mezzotint(o) mezzotint
Mgr. Mgr., Monseigneur, Monsignor
m. i. = *mijns inziens* in my opinion
miasma id., miasm; *mv. gew.:* miasmata
miauw miaow! mew! miau!
miauwen miaow, mew, mewl, miaul

mica id.; ~achtig micaceous
Michaël, Mich(i)el Michael; (fam.) Mike
Michielsdag, St.-Michiel Michaelmas
microbe id.
microbiologie microbiology
microbisch microbial, microbic [diseases]
micro: ~cosmos microcosm; ~fiche id. (mv. id.);
~film id.; ~foon microphone; (fam.) mike; voor
de – spreken speak into (of: before) the m.,
broadcast, go on the air; vrees om voor de – te
spreken m.-, mike-fright; ~fotografie a) photo-
micrography; b) microphotography; ~golf
(radio) microwave; (sp.) mini-golf; ~grafie
micrography; micrographics; ~kaart (film)
microfiche, (papier) microcard; ~kopie micro-
copy; ~lith id.; ~meter id.; micron id.
micro: ~organisme micro-organism; ~scoop microscope; ~scopisch microscopic(al), bw.:
-ally; – klein microscopic; ~scopist id.; ~stip
microdot; ~toom microtome; ~vorm micro-
form
middag¹ midday, noon; (na~) afternoon; na de
~ in the afternoon; tussen de ~ at lunchtime;
voor de ~ before noon, in the morning; heden-
~, van~ this afternoon; 's ~s, a) at (twelve)
noon; b) in the afternoon; om 3 uur 's ~s, ook:
at three p.m.; ~breedte latitude at noon; ~cir-
kel meridian; ~eten zie ~maal; ~hoogte meridian altitude; ~lijn meridian; ~maal midday-
meal, dinner; zijn – doen met dine on (of: off)
[bread and cheese]; ~malen dine, have dinner;
~pauze midday interval (break), lunch break
(hour); ~rust afternoon (midday) rest; ~uur
noon(tide); ~zon midday (noonday) sun
middel² means (mv.: id.), expedient, device;
(tegen ziekte, enz.) remedy [against tooth-
ache]; (van lichaam) waist, middle; 't is
slechts een ~, geen doel it is only a m. to an
end; ~ van bestaan m. of subsistence (support,
livelihood); hij heeft geen ~ van bestaan, ook:
he has not the wherewithal to live; ~en ter verdediging means of defence; ~ van vervoer m. of
conveyance; ~en, (ter bestrijding van uitgaven,
enz.) [discuss] ways and means; [subsidie] uit
de algemene ~en from public funds; geen eigen
~en hebben have no private m.; man van ~en
man of m.; mijn ~en veroorloven het me I can
afford it; al mijn ~en waren (raakten) uitgeput
I was at (came to) the end of my tether (rope,
resources); alle mogelijke ~en in het werk stellen try all possible m.; door ~ van by m. of;
through the medium of [the press]; through
[may be obtained ... any bookseller]; met alle
~en by all means; zie kwaal; ~aar(schap) me-
diator(ship); ~ares mediatrix; ~baar middle,
medium, intermediate, mean, average; secondary [school, education]; ~bare akte secondary school teaching certificate; ~bare opleiding (secondary) teacher training course;
~bare tijd mean time; op ~bare leeftijd at (in)

middle age, in middle life; van ~bare leeftijd
middle-aged; van ~bare grootte of medium
size (van pers. gew.: height), medium-sized;
~eeuwen middle ages; ~eeuws medi(a)eval;
zijn denkbeelden zijn – his ideas throw
back to the middle ages; ~en ww. average
[percentages]; M~engels Middle English; ~en-
wet Finance Act, Money Act; ~erwijl zie
onderwijl; ~evenredig(e) mean proportional;
~gebergte secondary mountain-chain; ~ge-
wicht middleweight; ~groot medium(-sized);
~grootte medium size; ~hand metacarpus;
M~hoogduits Middle High German; ~klasse
middle (intermediate) class; ~kleur intermediate colour; ~kwaliteit: behoorlijke – fair average quality, f.a.q.; ~laan central avenue; M~
lands(e Zee) Mediterranean; ~lang: (op) –(e
termijn) medium-term; ~lijf waist; ~lijk indirect [help a p. directly and ...ly]; ~lijn
diameter [3 ft. in ...; ook: 3 ft. across]; (middelste lijn) middle line; ~maat medium size;
gulden – golden mean; ~man zie middenman;
~matig middling, moderate; (tamelijk slecht)
mediocre, indifferent, so-so; (gemiddeld) average, medium [he was under medium height];
een huis van ~e grootte a medium-sized house;
~matigheid mediocrity; ~moot middle slice;
(van vliegt.) centre section; ~muur party-wall;
M~nederlands Middle Dutch; ~punt centre,
central point; (fig. ook) hub, pivot, central
figure; in 't – der belangstelling staan be the
centre of interest, be in the limelight; (in kranten) be in the news; ~puntvliedend centrifugal;
~puntzoekend centripetal; ~s zie (door ...
van); ~schot partition; ~slag zie ~soort a); ~
soort a) medium (sort); b) (schrift) half-text;
~ste middle [the ... one of five sons], middle-
most; – kolom centre column; ~stuk middle
(of: centre) piece; (op tafel) epergne; ~tje zie ~;
(kunstje) trick, device; ~vinger middle finger;
~voet metatarsus; ~voetsbeentje metatarsal
midden³ I zn. middle [of the room, road, month,
century], centre [of a town, country, table],
midst; 't juiste – the happy mean; 't ~ houden
tussen stand midway between; de maaltijd
hield 't ~ tussen ... was a cross between a
breakfast and a lunch; in 't ~ van de kamer (de
week, juli, de winter) in the m. of the room
(the week, July, winter; ook: in mid-week,
-July, -winter); 't was in 't ~ van de zomer, ook:
it was high summer, the summer was at its
height; in 't ~ van de Atlant. Oceaan in mid-
Atlantic; in ons ~ in our midst; in 't ~ brengen
put forward, advance [an opinion], put in [a
word], interpose; in 't ~ laten leave undecided,
pass over (in silence); dat laat ik in 't ~ I offer
no opinion on the subject; de waarheid ligt in
't ~ the truth lies midway (of: between the
two), is somewhere in between; hij liep in 't ~,
(tussen twee) he walked between them; op 't ~

¹ Zie ook namiddag...
² Zie ook midden... & tussen...
³ Zie ook middel...

van de dag in the m. of the day; *te ~ van* in the midst of [the waves, dangers, the enemy; poverty in the midst of plenty; in the midst of life we are in death]; amidst [enemies]; *te ~ van vrienden* among friends; *één uit ons ~* one from among us (from our midst); II *bw. ~ in de kamer (op de canapé, de brug)* in the m. of the floor (the sofa, the bridge); *~ in zijn werk* in the m. (in the thick) of his work; *~ in zijn werk sterven, ook:* die in harness; *~ in de twintig* in the (in his) middle twenties; *zie verder boven:* in (op) 't *~* van; **M~-Afrika, -Amerika, -Azië** Central Africa, America, Asia; **~berm** central reserve (reservation) [in dual carriage-way]; (*Am.*) center median strip; **~ding** *zie* tussending; **~door** in two, in half, [tear it] across; *– delen* bisect [an angle]; *– gaan* go down the middle; **M~-Europa** Central Europe; **M~-europees** Central European; mid-European [time]; **~in** in the middle (midst); **M~-Java** Central Java; **~koers** middle price; **~loop** middle course, middle reaches [of a river]; **~man** middleman; **~oor(ontsteking)** (inflammation of the) middle ear; **M~-Oosten** Middle East; **~pad** central path; (*in trein, enz.*) aisle; (*in kerk*) central aisle; **~plan** (*kunsthist.*) middle distance; **~prijs** average price; **~rif** diaphragm, midriff; **~school** school for pupils aged 12 to 16; **~stand** (*soms*) middle classes; (*meestal*)shopkeepers, tradespeople; *–er* shopkeeper, tradesman, retailer; **–sdiploma** retailer's (shopkeeper's) diploma; **–sbond** retail(ers') association; **~steentijd** middle stone age, mesolithic; **~stem** intermediate (*of:* mezzo) voice; **~stijl** kingpost; (*in raam*) mullion; **~stof** medium; **~strook** *zie* ~berm; **~term** mean; **~veld** centre-field; **~vlak** middle level; **~voet(sbeentje)** metatarsus (metatarsal); **~voor** (*sp.*) centre forward; **~weg** middle course (path, way: the ... is the way of safety); *de gulden –* the golden mean; *– tussen twee uitersten* mean between two extremes; *de – bewandelen* adopt (steer, pursue) a middle course; *een – vinden* hit upon a compromise (a middle course), strike the happy mean

middernacht midnight; *te ~* at m.; *tot na ~* [the House sat] into the small hours; **~elijk** *uur* m.-hour; **~zending** *ongev.:* City Mission; **~zon** m.-sun

midhalf (*sp.*) centre-half

midscheeps amidship(s); *het roer ~ leggen* right the helm

midvoor (*sp.*) centre forward

midwinter, -zomer midwinter, -summer

midzwaard (*mar.*) centreboard

Mie Moll(y), Poll(y); **mie** Chinese noodles

mielie (*Z.-Afr.*) mealies, mealie

Mien(tje) Minnie

mier ant; (*gevleugelde*) ant-fly; *de (het) ~ hebben, (sl.)* be vexed (annoyed); *zie* arm 2

miere: **~ëi** ant's egg; **~honig** honeydew

mieren *ww., zie* peuteren & zaniken

mieren: **~beer** ant-bear; **~egel** echidna, porcupine ant-eater; **~eter** ant-eater; **~gekrieuwel,**

~gekruip (*ziekte*) formication; **~hoop** ant-hill; **~leeuw** ant-lion; **~nest** ants' nest, ant-hill

mierezuur formic acid

mierik(s)wortel horse-radish

Mies Poll(y), Moll(y)

mieter (*plat*) body; *hoge ~* V.I.P. (= Very Important Person); *geen ~* not a damn; *als de ~* like blazes; **mieteren** *zie* donderen & zaniken

mieters (*sl.*) super, wizard

Mietje *zie* Mies; *elkaar geen ~ noemen* speak one's mind, be honest; **m~** (*fam.*) sissy, homo(sexual), queer, pansy

miezelen, miezeren drizzle, mizzle

miezerig *a*) (*van weer*) drizzly, dull; *b*) measly, scrubby, puny, [look] off colour; *een ~ ventje, ook:* a little scrub of a fellow

migraine id.; **~stift** headache pencil

mij (to) me; *vgl.* me & hem

Mij. = *Maatschappij* Co.

mijden avoid, shun, fight shy of; *'t ~ van* the avoidance of

mijl (*Eng. ~*) mile (*ongev.* 1609 metres); league (*geen vaste lengte, dikw. dicht., ongev.* 3 miles); (*Ned. ~*) kilometre; *zie* zeemijl; *afstand in ~en* mileage; *dat is de ~ op zeven* it is a roundabout way; **~enlang** m.-long [streets], [a beach] miles long; **~enver** for miles (and miles); **~paal** m.-stone; (*fig. ook*) landmark; **~schaal** scale; **~steen** m.-, kilometre-stone

mijmer: **~aar(ster)** (day-)dreamer, muser, brooder; **~en** muse, brood, be lost in a reverie; **~ij, ~ing** musing, day-dreaming, reverie

1 mijn *vnw.* my; *~!* (*bij het vinden van iets*) bags I (that)! (*veiling*) me!; *het ~ en dijn* mine and thine, meum & tuum; *de ~en* my family (= *vrouw en kinderen*), my people; *ik en de ~en* I and mine; *ik deed het ~e* I did my part (my bit), pulled my weight; *daar wil ik 't ~e van hebben* I want to know what is what (how matters stand); *ik denk er 't ~e van* I have my own opinion about it, I know what to think of it; *ik zei er 't ~e van* I had my say about it; *ik zal hem 't ~e ervan zeggen* I'll tell him a thing or two; *gedenk ~er* remember me

2 mijn *zn.* mine, pit; (*mil., enz.*) mine; *op 'n ~ lopen* strike a m., be mined; *de baai lag vol ~en* the bay was heavily mined; *de ~ sprong verkeerd* he was hoist with his own petard, the plan etc. went wrong; **~aandeel** mining-share; **~ader** mineral vein; **~arbeid** mining; **~bedrijf** mining-industry

mijnbouw mining (industry); **~kunde** mining; m. engineering; **~kundig** *ingenieur* mining-expert

mijnconcessie mining-concession

mijneigenaar mine-owner

mijnen buy at a public auction

mijnenlegger mine-layer

mijnent: *te ~* [be, stay] at my house; [come] to my house; **~halve, ~wege** *a*) so far as I am concerned, as for me; *b*) in my name; *om ~wille* for my sake

mijnenveger mine-sweeper

mijnenveld mine-field, mined area

mijnenwerper mine-thrower, trench-mortar
mijner (*bij verkoping*) buyer
mijnerzijds on my part
mijn: ~**gang** mine gallery; ~**gas** fire-, choke-damp; ~**groeve** mine-pit
mijnheer (*heer*) gentleman; (*sl.*) toff (= *fijne* ~); (*des huizes*) master; (*met naam*) Mr.; (*aanspreking zonder naam*) Sir; ~ *Dinges* Mr. So and So; ~ *de Voorzitter* Mr. Chairman; *mijn* (*uw*) ~, (*van bediende*) my (your) master; *is* ~ *thuis?* is your master (is Mr. X.) in?; *ik zal* ~ *zoeken*, (*van bediende*) I'll find the master; ~ *is uit* Master is out; *had* ~ *nog koffie gewenst?* should you want more coffee, Sir?; ~, *mag ik nu gaan?* please, Sir, may I go now?; *en wat doet* ~?, (*iron.*) and what does his lordship do?; *iem. met* ~ *aanspreken*, iem. **mijnheren** address a p. as sir, sir (*of:* mister) a p.
mijn: ~**hout** pit-timber, -props; ~**ingang** pithead; ~**ingenieur** mining-engineer; ~**kooi** pit-cage; ~**lamp** safety-, mine-, miner's-lamp, Davy (lamp); ~**lift** cage; ~**onderzoeker** prospector; ~**opruiming** mine (bomb) disposal [squad]; ~**opzichter** mine-, mining-surveyor; ~**paard** pit-pony; ~**ramp** mining-, mine-, pit-disaster; ~**rechten** *a*) mining-rights; *b*) mining-royalties
mijn: ~**schacht** mine-shaft; ~**streek** mining-district, -area; ~**stut** pit-prop; ~**waarden** mining-stock, -shares; ~**werker** miner; ~**wet** mines act; mining law; ~**wezen** mining; ~**worm** hookworm; ~**wormziekte** hookworm disease, ankylostomiasis, miners' anaemia
mijt 1 (*insekt*) mite; *rode* ~, (*op theeplant*) red spider; 2 (*stapel*) stack, pile
mijten *ww.* stack (up) [hay]
mijter mitre; ~**dragend** mitred
mijterig mity, full of mites
mijtervormig: ~ *klapvlies* mitral (valve)
mijzelf myself; *vgl.* zichzelf
mik 1 forked post, clothes-prop; 2 loaf
mikado id., *mv.*: -os
mikken (take) aim [*op* at]; *hoger* ~ raise one's sights (*ook fig.*); (*fam.*) chuck [a p. out; one's cycle in the ditch]
mikmak caboodle [the whole ...]
mikpunt aim; (*fig.*) butt, target [for ridicule, etc.]; ~ *van grappen* laughing-stock, joke [he was their common ...]; *zij maakte hem tot* ~ (*van haar spot*) she made a butt of him
milaan (*vogel*) kite
Milaan Milan; ~**s, Milanees** *bn. & zn.* Milanese; *Milanees staal* Milan steel
mild (*vrijgevig*) liberal, generous, free-handed; (*zacht*) gentle [rain]; (*overvloedig*) plentiful, generous, rich [harvest]; *een* ~ *oordeel* a lenient view; ~ *met* liberal (free, *sterker:* lavish) of; *met* ~*e hand* lavishly; ~**dadig** liberal, generous, free-handed; charitable; ~**dadigheid** generosity, liberality; charity; ~**heid** liberality, generosity
Milete Miletus; (*inwoner*) *van* ~ Milesian

milicien recruit, conscript
milieu id., environment, surroundings, setting [the social ...]; class [people of all classes]; ~**bederf** (environmental) pollution; ~**beheer** (e.) conservation (control); ~**bescherming** (e.) protection; ~**kundige** (*wet.*) ecologist; (*vaag*) environmentalist; ~**vervuiling** (environmental) pollution
militair I *bn.* military [service, force, police, academy]; ~*e dokter* army doctor; ~*e eer bewijzen* render m. honours; ~ *tehuis* soldiers' home; *uit een* ~ *oogpunt* [be in a good position] militarily; *op* ~*e voet inrichten* militarize [the police]; *zie* houding; II *zn.* soldier, serviceman, m. man; *de* ~*en* the m.; ~*en gratis toegang* admission free for members of H.M. Forces; ~**ement** in m. fashion
militant *bn. & zn.* id.
militarisatie militarization; **-iseren** militarize; **-isme** militarism; **-ist** militarist; **-istisch** militarist(ic)
military (*paardensp.*) three-day event
militie militia, conscript(ed) army; ~**leger** *zie* ~; ~**plichtig** liable to military service; ~**raad** recruiting-board; ~**wet** *ongev.*: Army Act
miljard milliard; (*Am.*) billion; ~**air** milliardaire; (*Am.*) billionaire
miljoen (a, one) million; *twee* ~ two million(s); ~**ennota** budget; ~**enrede** budget-speech; *de* ~ *houden* open the budget
miljonair millionaire; *2 maal* ~ [be] a m. twice over; *enige malen* ~, *zie:* multi~
mille *a*) (one) thousand; *b*) one thousand guilders; *per* ~ per thousand
millennium id.
milli: ~**baar**, ~**gram**, ~**liter**, ~**meter** millibar, -gramme, -litre, -metre; ~**meteren** ('*t haar*) crop (close); ~**meterschaar** clippers; (*sl.*) lawn-mower
milt id., spleen; *de* ~ *steekt mij* I have a stitch in my side; ~**ader** splenic vein
milter id.
milt: ~**ontsteking** splenitis; ~**vuur** anthrax, splenic fever; ~**ziek**, ~**zuchtig** splenetic; ~**ziekte**, ~**zucht** spleen
Milva WRAC
mime, mimicus mime; **mimicry** id., mimesis; **mimiek** mimic art, mimicry
mimisch mimic
mimitafeltjes nest of tables, nesting tables
mimosa id.; (*Austr.*) wattle; ~**bast** wattle bark
1 min (*voedster*) (wet-)nurse
2 min love; *zie* minne
3 min[1] (*weinig*) little; (*minnetjes*) [the patient is very] poorly; (*slecht*) poor, bad; (*gemeen*) mean, base, low; ~ *twee* minus two; *drie* ~ *twee* three less (*of:* minus) two; ~ *of meer* more or less; ~*ne streek* dirty trick; ~*ne vent* low-down skunk; *dat is mij te* ~ that's beneath me; ~ *denken van* have a poor opinion of; *daar moet je niet* ~ *over denken* that's not to be sneezed (sniffed) at; *dat is* ~ *van hem* that is mean

---

⁴ *Zie ook* gemeen

(shabby) of him; *dat is nog zo* ~ *niet* it's not so bad

Mina id., Minnie; *Dolle* ~(*'s*) Women's Lib (-eration Movement)

minachten disdain, slight, disregard, be disdainful of, hold in contempt; ~**d** disdainful, contemptuous, scornful; **-ing** contempt [*voor* of, for], disdain [*voor* for, of, to], disrespect; *uit* – *voor* in contempt of; *ze behandelde hem met de grootste* – she treated him like dirt (with sovereign contempt)

minaret id.

minder less [money], fewer [coins]; inferior [quality]; [the patient is] worse [to-day]; *een paar dagen* ~ a few days less; *de* ~*e goden* the lesser gods; (*fig. ook*) the small fry; *de* ~*e stand* (*of: man*) the lower classes; ~ *worden* fall off [the patient, his health, the demand, the hotel has fallen off], decline [his strength is declining], decrease, lessen, diminish; *hij wordt* ~, *ook:* he is on the decline; *mijn gezicht wordt* ~ my eyesight is failing; *de sneeuw wordt* ~ the snow is growing less; *ik heb niet gegeten, maar dat* **is** ~ but that does not (is no, is a small) matter; *dat is* ~ *aardig van je* that is not very nice of you; *zie* belang; ~ *dan* l. (fewer) than; (*in kwaliteit, enz.*) inferior to; *'t woog iets* ~ *dan* ... it weighed just under one pound; ' ~ *dan 3 weken na zijn dood* within three weeks of his death; *ze stierven* ~ *dan 3 dagen na elkaar* within three days of each other; ~ *dan* **geen** ... [there is] l. than no progress, [in] l. than no time; *niem.* ~ *dan* ... no l. a person than the manager; *niets* ~ *dan* ... nothing l. than a mockery, nothing short of a scandal; *niet* ~ *dan*, (*maar eventjes*) no less than, (*beslist niet* ~) not less than; *de* **winst** *was* £ ... ~ (*dan 't vorige jaar*) the profits were less (were down) by £... (on the year before); *kunt u 't niet een dubbeltje* ~ *doen?* cannot you knock off a penny?; [*hij kan 't niet horen*], **nog** ~ *zien* let alone see it; *hoe* ~ *ervan gezegd hoe beter* the l. said about it the better; least said soonest mended; ~**broeder** Franciscan, Minorite, Friar Minor; ~**e** inferior; *in dit opzicht is hij uw* – in this respect he is inferior to you; *de –n*, (*mil.*) the rank and file; (*mar.*) the ratings, the lower deck; *en –n* [200 officers] and men; *200 –n*, (*mar.*) 200 ratings; *één* – one rating

minderen *ww.* diminish, lessen, decrease; (*bij breien*) decrease; *zeil* ~ shorten (take in) sail; *zie ook* minder worden & vaart

minderheid (*in aantal*) minority; (*in kracht, enz.*) inferiority; *in de* ~ *zijn* be in the (a) m.; *in de* ~ *blijven* remain in the m., be outvoted, be outnumbered [by 30 to 1]; *ver in de* ~ *blijven* be beaten hollow; ~**snota, -rapport** m. report

mindering (*bij 't breien*) decrease; *in* ~ *betalen* pay on account; *in* ~ *ontvangen* receive on account (*of:* in part payment); *in* ~ *brengen* deduct

minderjarig [be] under age; ~**e** minor, person under age; (*jur.*) infant; ~**heid** minority, nonage; (*jur.*) infancy

minderwaardig inferior; poor [quality], low-grade [ore, oil]; *moreel* (*geestelijk*) ~ morally (mentally) deficient; *fysiek* ~ physically unfit; ~**e** unfit [a nation of ...s]; *een moreel* ~*e* a moral deficient; ~**heid** inferiority; ~**heidscomplex** inferiority complex; ~**heidsgevoel** sense of inferiority

mine: ~(*s*) *maken om te* ... make a show of ...ing, offer to ...; *faire bonne* ~ *à mauvais jeu* put a good face on it, make the best of a bad job

mineraal mineral; *onze rijkdom aan -alen* our mineral wealth; ~**water** m. water

mineralenrijk mineral kingdom

mineralogie, -loog mineralogy, -logist

Minerva id.

minerval *zie* schoolgeld & collegegeld

mineur 1 (*mil.*) miner; 2 (*muz.*) minor; *in* ~ in a minor key; (*fig.*) depressed; *a* ~ A minor

mini id.

miniatuur miniature; thumb-nail sketch; *als bn.* = *in* ~ in m., miniature, diminutive, pocket [a little ... woman, their ... garden]; ~**schilder** m.-painter

minibus id.

miniem small, slight; nominal, marginal [benefits]; (*gemeen*) mean

minimaal *a*) minimum, minimal; *b*) infinitesimal(ly small)

minimum id. (*mv.:* minima) [*ook attr.:* m. number, etc.]; *met een* ~ *risico* with a m. of risk; *in een* ~ *van tijd* in less than no time; *tot een* ~ *terugbrengen* reduce to a m., minimize; ~**lijder** (*iron.*) m. wage-earner; ~**prijs** (*verkoping*) reserve-price

minister minister, secretary (of State); *Eerste* ~ Prime M., Premier; ~ *van Arbeid* M. of Labour; ~ *van Binnenlandse Zaken* M. of the Interior, M. for the Home Department; (*in Eng.*) Secretary of State for Home Affairs, Home Secretary; ~ *van Buitenlandse Zaken* M. for Foreign Affairs; (*in Eng.*) Secretary of State for Foreign Affairs, Foreign Secretary; (*Am.*) Secretary of State; ~ *van Cultuur, Recreatie en Maatschappelijk Werk* M. of Culture, Recreation and Social Work; ~ *van Defensie* M. of Defence; ~ *van Economische Zaken* M. of Economic Affairs; ~ *van Energievoorziening* Secretary of State for Energy; ~ *van Eredienst* M. of Public Worship; ~ *van Financiën* M. of Finance, Finance M.; (*in Eng.*) Chancellor of the Exchequer; (*in Am.*) Secretary of the Treasury; ~ *van Handel en Nijverheid* M. of Commerce and Industries; (*in Eng.*) Secretary of State for Trade and Industry; ~ *van Justitie* M. of Justice; (*in Eng., ongev.:*) Lord (High) Chancellor; ~ *van Koloniën* M. of the Colonies; (*in Eng.*) Secretary of State for the Colonies, Colonial Secretary; ~ *van Landbouw* M. of Agriculture; ~ *van Luchtvaart*, (*mil.*) Secretary of State for Air, (*burg.*) Minister of (Civil) Aviation; ~ *van Maatschappelijk Werk* M. of Social Work; ~ *van Marine* M. of Marine (of the Navy); (*in*

Eng.) First Lord of the Admiralty; ~ *van Onderwijs* M. of Education (of Public Instruction); ~ *van Oorlog* M. of War, War M.; (*in Eng.*) M. of Defence; ~ *van Sociale Zaken* M. for (of) Social Affairs; ~ *van Staat* M. of State; ~ *van Verkeer* M. of Transport; ~ *van Volksgezondheid* M. of Health; ~ *van Volkshuisvesting* M. of Housing; ~ *van Voorlichting* M. of Information; ~ *van Waterstaat* M. of Public Works; (*in Eng.*) M. of Works; ~ *van Wederopbouw* M. of Reconstruction

ministerie[1] ministry, department, Office; *het M~* (= *de regering*) the Cabinet; *een ~ vormen* form a government; ~ *van Binnenl. Zaken* M. (Department) of Home Affairs (of the Interior); (*in Eng.*) Home Office; ~ *van Buitenl. Zaken* M. of Foreign Affairs; (*in Eng.*) Foreign Office; (*Am.*) State Department; ~ *van Financiën* Finance Department; (*in Eng.*) the Treasury; ~ *van Handel en Nijverheid* Department of Trade and Industry; ~ *van Justitie* Department of Justice; ~ *van Koloniën* Department of the Colonies; (*in Eng.*) Colonial Office; ~ *van Landbouw* M. of Agriculture; ~ *van Marine* M. of the Navy, Navy Office; (*in Eng.*) (the Lords Commissioners of) the Admiralty; ~ *van Onderwijs* M. of Education; ~ *van Oorlog* M. of War; (*in Eng.*) M. of Defence; *'t Openbaar ~* the Public Prosecutor, Counsel for the Prosecution, Prosecution Counsel; *'t Openb.* ~ *werd waargenomen door* ... Mr. ... represented the Director of Public Prosecutions; ~ *van Waterstaat* M. of Public Works; (*in Eng.*) M. of Works; *zie* luchtvaart

ministerieel ministerial; *een -ële commissie* a departmental committee; *-ële crisis* cabinet crisis

minister: ~**president** Premier, Prime Minister; ~**raad** cabinet council, council of ministers; *vergadering van de* – [to-day's] Cabinet; ~**resident** M. Resident; ~**sbank** Government bench, Treasury bench; ~**schap** ministry; ~**s-post** ministerial post; ~**wisseling(en)** Cabinet reshuffle

minnaar lover; *zie* liefhebber

minnares love, mistress

minnarij(tje) love-affair, -passage, amour

minne love; *in der ~ schikken* settle amicably, settle by mutual agreement; ~**brief** l.-letter; ~**dicht** l.-poem; ~**dichter** l.-poet; ~**drank** l.-potion, (l.-)philtre; ~**god(in)** god(dess) of l.; ~**go(o)dje** cupid, love; ~**klacht** amorous complaint; ~**kozen** make love, bill and coo, dally; ~**kozerij** billing and cooing, dalliance, l.-making; ~**lied** l.-song; ~**lijk** amicable, friendly; *-e schikking* amicable settlement, settlement by agreement; *zie* in der ~

minnen love; *zie* paar

minnenijd jealousy

minnenswaardig worthy to be loved

minne: ~**pand** pledge of love, l.-token; ~**pijl,** ~**schicht** l.-shaft, Cupid's shaft; ~**taal** language of l.

minnetjes poorly (*ook van zieke, eetlust, enz.*); *de patiënt voelt zich erg* ~ feels very low; [the work is] not up to much, poor stuff, rather thin; poorly, shabbily [dressed]

minne: ~**zang** love-song; (*lit.*) poetry of courtly love; [the German] Minnesang; ~**zanger** minnesinger

minor id.

minoraat ultimogeniture, borough English

minoriet Minorite

Minotaurus Minotaur

minst I *bn.* least [money], fewest [books]; (*geringst*) least [he had ... reason to complain], slightest [not the ... chance]; (*slechtst*) worst; *wie heeft de ~e fouten gemaakt?* who has made (the) fewest mistakes?; *als hij maar 't ~e bezwaar maakt* if he should object at all; *niet 't (de) ~e* not the l. [reason], [there can be] no manner of [doubt], not one jot or tittle of [evidence], not the ghost of [a chance]; II *zn. ik zal de ~e zijn* I will yield (give way); *hij kon de ~e zijn* he could (afford to) make the first move; *bij 't ~e of geringste* at the least little thing, on the least provocation; *in 't ~ ~ niet, niet in 't ~e of geringste* not in the l., not at all, by no means; *als je maar in 't ~ ~ moe bent* if you are (in) the least (*of:* at all) tired; *op z'n ~* [twenty] at the l.; *op zijn ~ genomen* [it is] to say the l. (of it) [improbable]; *men mag op zijn ~ verwachten, dat je* ... the l. you can do is to apologize; *zie ook* minstens; *ten ~e* at l.; III *bw.* least [happy, etc.]; *wat hij 't ~ verwacht had* what he had l. expected, the last thing he had expected

minstens at least, at the least; at the lowest computation; *hij is ~ 50,* ~ *6 voet, ook:* he is fifty if he is a day, six feet if he is an inch; *zie ook:* op zijn minst

minstreel minstrel, gleeman

minteken minus (*of:* negative) sign

minus id., less; *zie* min(teken)

minuscuul tiny, pocket-handkerchief, minuscule

minuskel minuscule

minutieus (*van pers.*) scrupulously careful; (*van onderzoek, enz.*) minute, close; *iets ~ beschrijven* give a minute description of s.t.

minuut minute (*ook van document*); *het wordt met de ~ donkerder* it is getting darker every moment; *op de ~ af* [at 2.47] to the m., to the tick; [I'll be there] on the tick, on the dot; *5 min. voor (over) half zeven* (at) 25 m ... s past six (to seven); ~**schoten** m.-guns; ~**wijzer** m.-hand

minvermogend poor, indigent; (*ondersteund*) pauper [patients]

minzaam affable, suave, bland, gracious; ~**heid** affability, suavity, blandness, etc.

minziek amorous, love-sick

Mioceen (*geol.*) miocene

mirabel (*pruim*) mirabelle

miraculeus miraculous

mirakel miracle; *voor* ~ *liggen a*) lie in a swoon; *b*) be dead drunk; ~**spel** miracle play, mystery

mirliton id., reed-pipe

mirre myrrh; *tinctuur van* ~ tincture of m.

mirt myrtle

mirte: ~**bes** m.-berry; ~**blad** m.-leaf; ~**boom** m. (-tree); ~**krans** m.-wreath

1 mis *zn*. mass; (*jaarmarkt*) fair; *stille* ~ low m.; *zingende* ~ choral (*of:* high) m.; *de* ~ *bijwonen* attend m.; *de* ~ *lezen* (*doen, opdragen*) read (celebrate, say) m.; *de* ~ *horen* hear m.; *naar de* ~ *gaan* go to m.

2 mis wrong, amiss; ~ *of raak* hit or miss; *je hebt het* ~ you are mistaken, you are w.; *daarin heb je 't* ~, *dat heb je* ~ that's where you're w.; *je hebt 't glad* ~ you are wide of the mark (quite w., a long way out), you've got it all w.; you're barking up the wrong tree; *je hebt 't niet zo ver* ~ you are not so far out (not far w.); ~ *is* ~ a miss is as good as a mile; *'t schot* (*de worp*) *was* ~ the shot went wide (of the mark); ~! bad shot!; ~ *poes!* wrong guess!; *'t is weer* ~ there is something w. again, things are w. again [*met hem* with him]; *zie ook* hommeles; *ik hoopte ...*, *maar* ~ but no such luck; *hij is lang niet* ~ he is no fool, a clever chap; *dat is lang niet* ~ that is not at all bad, not bad at all, that's a bit of all right, that's not to be sneezed at; *die is lang niet* ~ that's not at all bad; *hij was* ~ *in zijn berekening* he was out in his reckoning

misantroop misanthrope

misantropie misanthropy

misantropisch misanthropic (*bw.:* -ally)

1 misbaar *zn*. clamour, hubbub, uproar, hullabaloo; *groot* ~ *maken* raise an outcry; take on terribly

2 misbaar *bn*. dispensable

misbak(sel) (*eig., van aardewerk*) misfire; (*fig.*) monstrosity, monster, abortion

misbillijken disapprove of

misboek missal, mass-book

misbruik abuse [of power, etc.], misuse; improper use [of safety-brake]; ~ *van vertrouwen* breach of trust; ~ *maken van* take advantage of [the opportunity], abuse [one's power, liberty], trespass (impose, presume, practise, trade) upon [a p.'s good nature]; ~ *maken van sterke drank* drink to excess; ~**en** *ww*. abuse [one's talents, position, a privilege], misuse [one's abilities, time]; *zie ook:* ~ *maken van*

misdaad crime; *zware* ~, *ook:* felony; *zie* spel

misdadig criminal [his ... past], [career] of crime, guilty [passion, pleasures], culpable [negligence], felonious; ~**er** criminal, evil-doer, malefactor; ~**heid** delinquency; criminal character [of this plan]; *toenemende* – rising crime

misdeeld poor, destitute; handicapped (in life), (*soms*) disinherited, dispossessed; (*geestelijk*) mentally deficient (defective), deficient in intellect; (*lichamelijk*) physically deficient (defective); ~ *van* deficient (lacking) in; *hij is in 't*

geheel niet ~ *van vermogens* he has excellent capacities; *de* ~*en* the p., the destitute, the underdog

misdienaar server, acolyte, altar-boy

misdienst (celebration of) mass

1 misdoen do [s.t.] wrong(ly)

2 misdoén offend, do wrong, sin; *ik heb niets misdaan* I've done no wrong

mis: ~**dragen:** *zich* – misbehave; ~**draging** misdemeanour; ~**drijf** (criminal) offence, misdemeanour; *zie* spel; ~**drijven** *zie* ~doén; ~**druk** mackle, macule, spoilt sheet, spoilage; ~**duiden** misinterpret, misconstrue, misread; *ik* ~*duid het u niet* I don't take it ill of you

mise (*bij spel*) stake

mise-en-scène id., stage-setting, staging

miserabel miserable, wretched, rotten

misère misery, misfortune; (*bij kaartspel*) misère; *'t is weer* ~ everything is going wrong again; *wat een* ~ what a sad (terrible) state of affairs, what a wretched business; *in de* ~ *zitten* be in (great) misery

miserere id.; **misericordia** misericord; **miserie** misery

misgaan *zie* mislopen I

misgeboorte abortion

misgewaad mass vestments

mis: ~**gewas** bad harvest, crop failure; ~**gissen** guess wrong; ~**gooien** miss; ~**greep** mistake, blunder, slip; ~**grijpen** miss one's hold; ~**gunnen** (be)grudge, envy [a p. s.t.]; *zie* gunnen (*niet ...*); ~**hagen** *ww*. displease [it ...s me]; *zn*. displeasure; ~**handelen** ill-treat, ill-use, maltreat, mishandle, manhandle; *hij werd* ~*handeld ...*, *ook:* he was severely handled by the crowd; ~**handeling** ill-treatment, maltreatment, ill-usage; ~**hebben** *zie* mis 2

mis: ~**hemd** alb; ~**kelk** chalice

mis: ~**kennen** misjudge, undervalue, fail to appreciate; *niet te* –, *zie* onmiskenbaar; ~**kend genie** misunderstood (neglected) genius; ~**kend kunstenaar** unappreciated (neglected) artist; *een zeer* ~**kende vrouw** a much injured woman; ~**kende onschuld** [an air of] misunderstood (injured) innocence; ~**kenning** want of appreciation, misjudgment; ~**kijken** look (see) wrong; ~**kleun(en)** blunder

misklokje mass-bell, sacring-bell

mis: ~**kocht** *zie* bekocht; ~**koop** bad bargain; ~**kraam** miscarriage, abortion; (*fam.*) miss [have a ...]; ~**leiden** deceive, circumvent, impose on, mislead, hoodwink; play [a p.] false; *zichzelf* – deceive o.s.; –**d** deceptive; ~**leider** impostor, deceiver; ~**leiding** imposture, deception, deceit; ~**lopen** I *intr*. go wrong; (*fig.*) go wrong (*of:* awry) [everything went ...], miscarry, fall through; II *tr*. miss [a p., s.t., each other]; *ik had 't niet graag willen* – I would not have missed it for anything; *zie* carrière; ~**lukkeling** failure, misfit, wash-out, drop-out; ~**lukken** miscarry, fail; (*van plan ook*) fall through (flat), fall to the ground; (*van onderhandelingen*) break down; *'t is hem* ~*lukt* he has not succeeded in it; *'t plan* ~*lukte totaal* was a complete failure; *de streek ~lukte* the trick did not come off, failed to come off; *alles ~lukte* went wrong (*of:* awry); *~lukt* unsuccessful [politician], abortive [attempt, conference]; *als onderwijzer was hij ~lukt* he was a failure as a teacher; *doen* – wreck [the conference]; **~lukking** failure, miscarriage; breakdown [of negotiations]; *totale* – complete failure; (*fiasco*) flop, frost; **~maakt** deformed, misshapen; **~maaktheid** deformity; **~maken** disfigure, deform; **~making** disfigurement; **~moedig** discouraged, disheartened, dejected; **~moedigheid** discouragement, dejection; **~noegd** displeased [*over* at, with], ill-pleased, disgruntled, dissatisfied, discontented; *–en* (*in de Staat*) malcontents; **~noegdheid**, **~noegen** displeasure, dissatisfaction, discontent(edness)

misoffer sacrifice of the mass
misoogst bad harvest, crop failure
mispel medlar; **~(boom)** m.(-tree)
mis: ~plaatst misplaced [faith], mistaken [pity], misdirected [sympathy], [be] out of place; **~prijzen** disapprove of, condemn; *een –de blik* a disapproving look, a look of disapproval; *–d* disparaging(ly); **~punt** (*bilj.*) miss; (*pers.*) rotter, stinker; *een – maken*, (*bilj.*) miss the ball; *zo'n –!* the beast!; '**~raden** guess wrong; '**~rekenen** *zie* verrekenen (zich); *zich* **~rékenen** be out in one's reckoning (one's calculations); (*fam.*) slip up [that's where he slipped up *daarin ...*]; **~rekening** miscalculation
missaal missal, mass-book
misschapen misshapen, deformed
misschien perhaps; maybe; *zoals u ~ (niet) weet* as you may (not) know; *'t zal ~ nooit bekend worden* it may never be known; *ken je hem ~?* do you happen to know him?; *is u ~ meneer B.?* are you by any chance Mr. B.?
misschieten miss, miss the mark (one's aim); *hij schiet nooit mis* he is a dead shot
misschot miss
misselijk sick, queasy; (*fig.*) sickening, disgusting, beastly, horrid, nasty [stuff *goedje*], rotten [jokes, a ... place]; *zo ~ als een kat* as s. as a cat (as a dog); *wat ~!* how rotten! how perfectly horrid!; *je wordt er ~ van* it makes you s. (*ook fig.*), it is nauseating; **~heid** nausea, sickness
missen I *tr.* (*niet treffen, enz.*) miss [the mark, a p., the train, boat, one's way, an opportunity *kans*, one's vocation *roeping*], lose [the train, boat]; (*'t stellen zonder*) spare [money, a p.], dispense with, do without; (*kwijt zijn*) miss [one's keys, money from one's purse]; (*niet hebben*) lack [wisdom, courage], be without [his father's sense of humour]; (*'t gemis voelen van*) miss [an old friend; he won't be ...ed]; *zijn uitwerking ~* fail of its effect, be ineffective; (*van toneelstuk, enz.*) fall flat; *de rede miste haar* (*zijn woorden misten hun*) *uitw. niet* the speech had a marked effect (his words went home); *goede woorden ~ hun uitw. op hem* good words are lost upon him; *kunt u dit boek een uurtje ~?* can you spare (me) this book for an hour?; *ik kan*

't niet ~ I cannot spare it (do without it); *hij kan slecht gemist worden* he can ill be spared, we can ill spare him; *hij kon 't geld slecht ~* he could ill afford the money; *zonder 't geld te ~* [she could have helped him] and never missed the money; *geen woord ~ van een rede* not m. a word of a speech; *een les* (*een dag school*) ~, (*verzuimen*) lose a day's school; *je hebt niet veel gemist*, (*'t was niet veel bijzonders*) you haven't missed much; *men waardeert iets pas, wanneer men 't mist* the worth of a thing is best known by the want of it; *nogal hard haar vakantie te moeten ~* jolly hard on her to m. her holiday; *ze moest haar ouders erg vroeg ~* she lost her parents very young; *zie* doel; II *intr.* miss; fail [of one's purpose]; (*sp.*) give a miss; *'t schot miste* the shot went wide; *dat kan niet ~* it is bound to happen; *je kunt niet ~* you cannot lose your way, you cannot go wrong; *'t kan niet ~, of hij komt* he is sure to come; *er ~ er 30* thirty are missing; *er mist 'n knoop van ...* your coat has a button missing
misser miss; mistake, failure, blunder
missie mission; **~huis** m.-house; **~werk** m.-work
missionaris missionary
missive id., official letter
mis: ~slaan miss; (*bij golf, enz.*) give a miss; *zie* bal; **~slag** miss; (*fig.*) error, fault; **~staan** (*van kleding*) not become, not suit [a p.]; (*fig. ook*) be unbecoming [a p., of a p.], misbecome [a p.]; **~stand** abuse, evil; **~stap** false (wrong) step, misstep; (*fig. ook*) [moral] lapse, slip, faux pas; *een – doen* miss one's footing; (*eig. & fig.*) make a false step; **~stappen** make a false step, miss (lose) one's footing; **~steken** miss; **~stelling** (typographical) error, misprint; *herplaatsing wegens* – amended advertisement
mist 1 fog; (*nevel*) mist; *'n dikke gele ~* a peasouper, a f. as thick as peasoup; *door ~ opgehouden* (*ingesloten*) f.-bound, befogged; *de ~ ingaan*, (*fig.*) come to nothing, fail, flop; *zie* hullen; 2 *zie* mest
mistasten fail to seize (clutch, grasp) a p. or thing; (*fig.*) make a mistake, blunder
mistbank fog-bank, patch of fog
mistekenen draw badly
mistel mistletoe; **~lijster** missel-thrush
mistellen miscount, count wrong
misteltak mistletoe (branch, bough)
mist: ~en be foggy, be misty; *'t ~ erg* there is a thick (dense) fog, it is very foggy; **~gordijn** blanket of fog; **~hoorn** fog-horn, siren; **~ig** foggy, misty; **~igheid** fogginess, mistiness; **~lamp** fog-lamp, -light
mistroostig disconsolate, dejected, despondent, sick at heart; *..., zei hij ~ ...*, he said sadly; **~heid** disconsolateness, dejection, despondency
mistrouwen *ww. & zn.* distrust, mistrust; **~d**, **mistrouwig** distrustful
mist: ~scherm fog-disc; **~sein**, **-signaal** fog-signal
mis: ~vatting misunderstanding, misconception; **~verstaan** misunderstand, misappre-

hend, misconstrue; *elkaar –, ook:* be at cross-purposes; ~**verstand** misunderstanding, misapprehension [act under a ...]; ~**vormd** misshapen, deformed, disfigured; ~**vormdheid** deformity; ~**vormen** deform, disfigure; ~**vormig** *zie* ~vormd; ~**vorming** malformation, deformation,disfigurement; ~**wijzing** (*van 't kompas*) compass error, deviation of the compass; ~**worp** miss; ~**zeggen** *daaraan heb ik toch niets* ~*zegd?* there's nothing wrong in what I said, is there?; ~**zet** wrong (false) move; ~**zien** see wrong; *zich –, zie* verzien

mitaine mitten

mitella sling

mitrailleur *a)* machine-gunner; *b)* machine-gun; ~**pistool** machine-pistol; ~**snest** machine-gun nest

mits provided (that), on the understanding that; ~ *onverkocht* subject to being unsold; ~ *dezen* (*vero.*) by the presents, hereby; *er is een ~ bij* there is a condition attached; ~**dien** consequently, therefore; ~**gaders** (*vero.*) together with

mixtuur (*muz.*) mixture

mln. = *millioen* m.

M.M.S. (*hist.*) = *Middelbare Meisjesschool* girls' high school

mnemoniek, -techniek mnemonics, mnemotechnics

Moab id.; ~**iet, -itisch** Moabite

mobiel mobile; ~*e belasting* live load; ~ *verklaren* mobilize

mobilisatie mobilization; ~**plan** plan of m.; **mobiliseren** mobilize

mobilofoon walkie-talkie; ~**taxi** radio-controlled taxi

mocassin mocassin, mocassin

mocht *o.v.t. van* mogen

modaal modal (*alle bet.*); **modaliteit** modality

modder mud, mire, ooze, sludge; (*sneeuw~*) slush; *zo vet als ~, zie* ~vet; *met ~ gooien*, (*ook fig.*) fling (sling, throw) m. [*naar* at]; *door de ~ halen* drag (*of:* trail) [a p.'s name] in the m.; *zie* zitten; ~**aar(ster)** time-server, hedger; (*knoeier*) bungler; ~**achtig** *zie* ~ig; ~**bad** m.-bath; ~**bank** m.-bank, -flat; ~**en** *zie* baggeren, schipperen & knoeien; ~**ig** muddy, miry, oozy, sludgy (*vgl.* ~); ~**kruiper** loach; ~**kuil** m.-hole; ~**laars** m.-boot; ~**molen** dredging-machine; ~**plas** puddle; ~**poel** (*ook fig.*) slough, quagmire; ~**praam, ~schuit** mud-scow, -boat; (*bij baggermachine*) hopper(-barge); ~**sloot** muddy ditch; ~**vet** as fat as a pig, as plump as a partridge; ~**vulkaan** m.-volcano

mode fashion, mode, style; *de ~ aangeven* set the f.; ~ *worden* become the f.; (*muz.*) mode; *dat is nu de ~* that is the f. (the vogue, *fam.:* all the rage) now; *bij de ~ ten achter* behind the f.; *die hoeden zijn in de ~* are the f., are in f.; *wij zijn in de ~* (*naar de ~ gekleed*) we are in the f.; *in de ~ komen* come into f., come in, become the f. (the vogue), become fashionable; *in de ~ brengen* bring into f. (*of:* vogue); *met de ~ meedoen* follow the f.; *naar de ~*

[dress] after (in) the f.; *naar de nieuwste ~* after (in) the latest f., in the height of f.; *uit de ~ raken* go (fall) out of f., go out, become old-fashioned; '*bridge' raakt uit de ~* bridge is going out; *uit de ~ zijn* be out of f.; ~**artikel** fancy-article, novelty; ~**badplaats** fashionable watering-place; ~**blad** f. magazine; ~**boek** book of fashions; ~**fat, ~gek** dandy, fop; ~**gril** freak of f.; ~**huis** *zie* ~zaak; ~**journaal** f.-paper; ~**kleur** fashionable colour

model model (*ook van kunstenaar*), (*van kunstenaar ook*) sitter; pattern, cut [a hat of quakerish cut]; *attr.* (*voorbeeldig*) pattern, model [mother, landlord]; *uit z'n ~ raken* lose its shape; ~ *van beleefdheid* pattern (model) of politeness; *o, jij bent 'n ~!* (*iron.*) oh, you're a fine one!; *alle naar één ~ gemaakt* all cut on (turned out to) a pattern; *naar ... model, ook:* on [foreign] lines; *... nemen ... tot ~* American universities model themselves (are modelled) on ours; ~ *staan voor* serve as a m. for; ~**actie** work-to-rule; go-slow strike; ~**boerderij** m. farm; ~**echtgeno(o)t(e)** pattern (model, ideal) husband (wife); ~**geweer** regulation rifle; ~**hoeve** m. farm; ~**japon** [Paris] m. frock; ~**jas** (*mil.*) regulation coat; ~**kamer** showroom; (*voor meubilering*) specimen apartment; ~**kleding** (~**sabel**) (*mil.*) regulation dress (sword); ~**leren** model, mould; ~**leur** modeller; ~**schoen** (*mil.*) regulation (*of:* ammunition) boot; ~**tekenen** m. drawing; ~**uniform** regulation uniform; ~**woning** show-house; ~**zaal** show-room

mode: ~**maakster** milliner; ~**magazijn** *zie* ~zaak; ~**naaister** dress-maker; ~**plaat** fashion-sheet, -plate; ~**pop** doll, fine lady; *zie ook* ~gek; *'t was een echte* – she seemed to have walked off a fashion-plate

moderamen synodal (*of:* classical) board

moderatie moderation; **moderato** (*muz.*) id. **moderator** id.

modern modern; modernistic [theology, doctrine], modernist [movement]; ~**e** modern [the ...s], modernist; ~**iseren** modernize, bring up to date; ~**isering** modernization; ~**isme** modernism; ~**iteit** modernity

mode: ~**show** dress (fashion, mannequin) parade, dress show; ~**snufje** *zie* snufje ('*t nieuwste* ...); ~**vak** millinery; ~**winkel** *zie* ~zaak; ~**woord** vogue word; ~**zaak** fashion-house (*dames*) dress-shop; (*heren*) gentlemen's outfitter's (shop); ~**ziekte** fashionable complaint

modieus fashionable, stylish, modish

modificeren modify

modiste milliner, modiste; *soms* = modenaaister

modulair modular

modulatie modulation

modulatorbuis modulator valve

module id.

moduleren modulate

modus: ~ *operandi* (*vivendi*) id.; *we moeten een vinden* we'll have to come to some arrangement [about ...]

1 moe *zie* moeder
2 moe tired, fatigued, weary; *je ziet er ~ uit, ook:* you look fagged; *ik ben het ('t lezen)* ~ I am t. of it (of reading); *ik ben ~ van 't lezen* I am t. with reading; *'t leven* ~ weary of life; ~ *in de benen* leg-weary; *iem.* ~ *lopen* walk a p. off his legs; *zich* ~ *lopen* tire o.s. (out) with walking, *(sterker)* walk one's legs off; *zo* ~ *als een hond* dog-tired; ~ *maken* tire (out), fatigue; *hij wordt het nooit* ~ *ernaar te kijken* he never tires of looking at it

moed courage, heart, spirit, nerve; *met nieuwe* ~ with fresh c.; *met nieuwe* ~ *bezielen* put new heart into [a p.]; *al zijn* ~ *bijeenrapen* muster (up) c., summon up (one's) c., screw up (one's) c., pull o.s. together, take one's c. in both hands; ~ *houden* keep (a good, a stout) heart; *houd* ~! *ook:* (*fam.*) never say die! keep your heart (your tail) up! keep smiling!; *de* ~ *erin houden* keep one's (a p.'s) c. (*of:* spirits) up, keep a p. in heart; ... *om de* ~ *erin te houden* [I'll have a whisky and soda] to buck me up; ~ *scheppen (vatten)* take c., take heart, pluck (muster) up c.; *de* ~ *verliezen (opgéven, laten zinken)* lose c., lose heart [*ook:* his heart failed him]; *hij heeft de* ~ *niet om ... he cannot nerve himself to ...*, has not got the nerve to ...; *ik heb de* ~ *niet om ...* I don't feel up to seeing anyone; *ik dacht dat je meer* ~ *had* I thought you had more pluck; *hij heeft de* ~ *van zijn overtuiging* he has the c. of his convictions; ~ *geven (inspreken)* encourage, buoy up; (*sl.*) buck up; *zie* burger; *blij te* ~*e* in high spirits, (*fam.*) in high feather; *ge kunt denken hoe ik te* ~*e was* you may imagine how I felt; *zie* begeven & nodig

moede *zie* moe 2 & moed

moedeloos dejected, crestfallen, despondent, out of heart, disheartened; *hij werd* ~, (*ook*) his heart sank; ~**heid** dejection, dejectedness, despondency

moeder mother; (*aanspreekvorm*) mother, mummy (-my); (*van dier, inz. paard, ook:*) dam; (*van gesticht*) matron; (*baar-*) womb; ~ *de vrouw*, (*fam.*) the wife, the missis (missus); *M~ Gods* M. of God; *zie* gans, kant 2; ~**aarde** m. earth; ~**bij** queen-bee; ~**binding** m.-fixation; ~**borst** m.('s) breast; ~**cursus** maternity class; ~**dag** *a)* Mothering Sunday (4th Sunday in Lent); *b)* (*Am.*) M.'s Day; ~**dier** m.-animal; ~**gek** *bn.* mammy-sick; *zn.* = ~**gekje** mammy-sick child; ~**gesteente** matrix, gangue; ~**hart** m.('s) heart; ~**huis** m.-house, m.-convent; ~**kerk** m.-church; ~**klok** master-clock; ~**klooster** *zie* ~-huis; ~**koek** placenta; ~**koren** ergot; ~**kruid** (common) feverfew, pyrethrum; ~**land** m. (*of:* home) country, homeland, motherland [of all the arts]; *in 't* ~ at home; ~**lief** dear m.; m., darling; *daar helpt geen – aan* there is no help for it, that cannot be helped; ~**liefde** maternal love, m. love; ~**lijk** motherly, maternal; *zie* erfdeel; ~**loge** m. lodge; ~**loog** m.-lye; ~**loos**

motherless; **M~maagd** Virgin Mother, Holy Virgin; ~**maatschappij** parent company; ~**melk** m.'s (*of:* breast) milk; *met de – gevoed* breast-fed; *hij heeft 't met de – ingezogen* he sucked it in (imbibed it) with his m.'s milk; ~**moord(er)** matricide; ~**naakt** stark-naked, m.-naked; ~**overste** m. superior; ~**plaats** m.'s place; *de – vervullen jegens* be a m. to; ~**plant** *a)* m.-plant; *b)* m. of thousands, Aaron's beard; ~**recht** *zie* matriarchaat

moederschap motherhood, maternity; *opleiden voor 't* ~ train [girls] in mothercraft; ~**suitkering** maternity benefit; ~**szorg** maternity welfare

moeder: ~**schip** mother (parent, depot) ship; (*van duikboten*) submarine tender; ~**schoot** m.'s lap; (*baar~*) womb; ~**sgoed** maternal portion; ~**skindje** m.'s darling, mammy's boy, molly-coddle; ~**smoeder** (maternal) grandmother; ~**stad** (*geboortestad*) native town (city); ~**szijde** *zie* kant 2; ~**szoontje** *zie* ~skindje; ~**taal** m. (*of:* native) tongue, native language, vernacular; ~**tje** little m. (*ook fig.:* the girl was the ... of the household); (*bestje*) old woman; (*aanspreekvorm*) my good woman; – *spelen* play at mothers; – *spelen over iem.* mother a p.; ~**vlek** birthmark, mole, (*wet.*) naevus; ~**vogel** m.-bird; ~**vorm** matrix; ~**vos** m.-fox, vixen; ~**ziel** *alleen* quite alone, [I am] on my lone(some); ~**zorg** m.'s (maternal) care; (*zorg voor ~s*) m.-care

moedig courageous, valiant, plucky; *hij bleef* ~ *op zijn post* he stuck gamely to his post; *vgl.* dapper

moedwil wantonness; (*opzet*) wilfulness; *met* ~ on purpose; *uit* ~ from love of mischief, wantonly; ~**lig** wanton; (*opzettelijk*) wilful [commit ... damage]; *zie ook* met (uit) ~; ~**ligheid** *zie* ~

moeflon moufflon

moefti mufti

moeheid fatigue (*ook van metalen, enz.*), weariness; **moei** (*vero.*) aunt

moeial busybody

moeien trouble, annoy; *iem.* ~ *in* mix a p. up in, involve a p. in; *zie* be~ & gemoeid

moeilijk[1] I *bn.* difficult [task, child, language], hard [task, lot, times], arduous [task], stiff [task, problem], trying [situation]; (~ *begaanbaar*) heavy [road]; *'t ~e kind, ook:* the problem child; *hij had 't* ~ he had a rough time; *wij hebben 't* ~ *gehad* we've been hard put to it; ~ *werk(je)* uphill work, tough job; *hij moest een* ~*e taak alleen klaarspelen* he had to play an uphill game alone; *'t ~ste van mijn werk is af* I have broken the back of my work, I have turned the sharpest corner; ~ *doen* make difficulties (*over* about); *'t* ~ *vinden te ...* find it d. to [sell the goods], find difficulty in ...ing; ~ *te voldoen* hard to please; *ze is heel* ~ *te voldoen, ook:* she is a very d. person; ~ *te genaken* (*te verteren*) d. of access (of diges-

---

[1] *Zie* benard & netelig

tion); *zie* geloven; II *bw.* with difficulty; (*bezwaarlijk*) hardly; *zie* bezwaarlijk
moeilijkheid difficulty, trouble, (*fam.*) headache; (*verlegenh.*) *ook:* scrape; *dat is juist de ~* that's the snag;*plotselinge ~* facer; *in ~ verkeren* (*zitten*) be in trouble (a scrape, a tight corner, a fix, a hole), be in hot water; *in geldelijke -heden* in financial difficulties (straits); *in ~ brengen* get [a p., o.s.] into trouble, land [a p.] in difficulties; *hij bracht zichzelf in -heden* he got himself into a mess; *in ~ geraken* get into trouble (into hot water); *over een ~ heenkomen* tide over a d.; *iem. uit een ~ helpen* help a p. out (of a scrape); *hoe kom ik uit de ~?* how shall I get out of that fix, etc.; *we zijn uit de ~* we are out of the wood
moeite[1] (*last*) trouble, difficulty; (*inspanning*) trouble, pains, labour; '*t is de ~ waard* it is worth while; *de ~ waard om te zien (naar te luisteren)* worth seeing (listening to) [if a thing is worth doing it is worth doing well]; *dat (die) de ~ waard is, ook:* worthwhile [present, experiment]; *dank u voor de ~* thank you very much! sorry to have troubled you; '*t is de ~ niet* (*waard*) don't mention it! no t. (at all)! (*Am.* you're welcome!; '*t is de ~* (*waard*)! (*iron.*) don't make such a song about it!; *als 't niet te veel ~ is* if it is not too much t.; *~ doen* take pains (trouble), try, exert o.s.; *veel ~ doen om te ...* take (be at) great pains to ..., lay o.s. out to ..., go out of one's way to ...; *doe geen ~!* don't bother (trouble)!; *je hoeft geen ~ te doen om ...* you need not trouble to fetch me; *vergeefse ~ doen* lose one's labour; *~ doen op* take t. with [one's lessons]; *zich de ~ geven om te ...* take the t. (pains) to ..., trouble [he did not ... to lower his voice; he scarcely ...d to conceal his surprise]; *zich een hoop ~ geven om ...* go to a lot of t. to ...; *hij gaf zich (veel) ~ om de man tot bedaren te brengen* he was at (great) pains to pacify the man; *iem. heel wat ~ geven* put a p. to (give a p.) great t.; *geef u om mij al die ~ niet* don't put yourself out on my account; *geef er u niet te veel ~ voor* don't take too much t. over it; *~ hebben te ...* have difficulty in ...ing, find it difficult to ...; *hij had er verbazend veel ~ mee* he had a lot of t. with it; *~ hebben met de uitspraken van ...* find it hard to stomach ...; *geen ~ hebben met* have no problem(s) with; *ik had grote ~ hem te sussen (niet te schreien)* I had great difficulty in soothing him, it was all (as much as) I could do to soothe him (not to cry, to keep from crying); *de grootste ~ hebben, (ook)* be hard-set [to find the money]; *de ~ nemen, zie* zich de ~ geven; *geen ~ ontzien* spare no pains; *~ veroorzaken (berokkenen)* give [a p.] t.; *veel ~ veroorzaken* put to great pains (trouble); *dat gaat in één ~ door* [let's fix the aerial] while we're here (while we're about it); *met ~* with difficulty; *ze kregen met ~ hun overjassen aan* they struggled into their greatcoats; *met de grootste ~ ademhalen* have great difficulty in breathing; *ik kon haar slechts met de grootste ~ bijhouden* it was all I could do to keep up with her; *zonder ~* without difficulty; *zie* kosten & lonen; *~vol* toilsome, difficult, hard; laboured [breathing]
moeizaam laborious, tiring, fatiguing; with great difficulty; *zich ~ voortslepen* plod along heavily
moejik mujik; **Moekden** Mukden
moeke mummy
moer mother; (*van dier, vooral paard, ook:*) dam; (*bezinksel*) sediment, dregs, lees; (*van schroef*) nut, female screw; *naar z'n ouwe ~*, (*sl.*) to blazes; *geen ~* not a damn
moeras marsh, swamp, morass, bog; (*fig.*) morass [the financial ... into which we are drifting]; *~achtig* *zie* ~sig; *~erts* bog-ore, -iron; *~gas* m.-gas, methane; *~koorts* malaria, paludal fever; *~land* marshland; *~palm* nipah; *~schildpad* terrapin, m.-tortoise; *~sig* marshy, boggy, swampy; *~sigheid* marshiness, etc.; *~spirea* meadow-sweet, goat's-beard; *~vogel* m.-bird
moerbei, -bes, -bezie mulberry; *~boom* m.-tree; *~kleurig* mulberry [coat]
moerbout bolt
moeren wreck, spoil
moer: *~konijn* doe-rabbit; *~schroef* nut, female screw; *~sleutel* spanner; *~tje* little mother; *zie* mal; *~vos* vixen, bitch-fox
moes pulp, mash, jelly; stewed fruit or vegetables; *zie ook* appelmoes & boerenkool; *tot ~ koken* boil to mash; *iem. tot ~ slaan* beat a p. to a jelly, knock the stuffing out of a p.; *~appel* cooking apple
moesgroente *zie* bladgroente
moesje 1 (*moeder*) mummy, mammy; (2 *op stof*) spot; (*pronkpleistertje*) beauty-spot, *das met ~s* bird's-eye cravat
moeskruid pot-herb
moesson monsoon
moest *o.v.t. van* moeten
moestuin kitchen-garden, vegetable garden
moet spot, stain; (*indruksel*) dent, mark
moeten be obliged (forced, compelled) to, have to; (*soms*) do [where do I sit? what do I wear? do I give her a present? how do I use it?]; (*afspraak, schikking*) be to [I am to meet him to-night]; (*in niet-samengestelde tijden*) must, should, ought to; *moet je je moeder voor de gek houden a*) are you trying to ...; *b*) ought you to ...; *wat moet dat?* what's all this (about)?; *wat moet jij (hier)?* what are you after?; *wat moet je (van mij)?* what do you want (with me)?; *wat moet dat boek hier?* what is that book doing here?; *wat hij moest* [the servant asked] his business; [I wondered] what he was after; *wat moet dit voorstellen?* what is this supposed to represent?; *wat moet zijn, moet zijn* what must be, must be; *wel, als ik moet,*

---

[1] *Zie ook* last

dan moet ik well, if I must, I must; *als je* ...
moèt gappen ... if you must pinch the books,
kindly return them when read; *als 't moe(s)t* if
it has (had) to be done, [there is room for 20
people] at a pinch; *ik moet* ... *hebben* I want a
pound of sugar; *ik moèt* ... *hebben*, (*heb beslist
nodig*) I've got to have £50; *moet je mij hebben?* (*fam.*) here, who are you getting at?;
waar moet 't geld vandaan komen? where is
the money to come from?; *hoe lang moet dit
nog duren?* how long is this to last?; *het moet*
there is no help for it, it cannot be helped, it
has got to be done; *hoe moet het nu met* ...
now what('s to be done) about ...; *het huis
moet nodig geverfd worden* the house badly
needs a coat of paint; *hij moe(s)t 't weten*, (*behoort, behoorde*) he should (ought to) know;
je moet weten, dat ... you must know that he
is ill; *hij wil niet? hij moet!* he won't? he's got
to!; *ik moe(s)t* ... *wel bewonderen* I cannot
(could not) but admire his courage; *ik moest*
(*wel*) *lachen* I couldn't help laughing, I had to
laugh; *zulke kwesties ~ zich wel voordoen* such
questions are bound to arise; *'t moest wel* ...
it was bound to come out; *zo'n rede moet de
menigte wel aangrijpen* cannot fail to stir the
crowd; *mijn fiets moet gesmeerd* (*schoongemaakt*) *w.* wants (needs, is due for) oiling
(cleaning); *hij moet in 't oog gehouden w.* he
wants watching; *je moet eens naar mij luisteren* just listen to me, will you?; *je moest nu
maar gaan* you had better go now; *hij moest
eens een standje hebben* he ought to be talked
to; *het moest niet mogen* it ought not to be
allowed; *hij moet een knappe vent zijn* he is
said to be a clever fellow; *de stad moet in
brand staan* is reported to be on fire; *hij moet
dominee worden* he is intended for the Church;
de lijst moet herzien worden is due for revision;
je moet timmerman zijn om ... it takes a carpenter to ...; *de trein moet* ... is due to leave
at five; *ik moet morgen* (*weer*) *in A. zijn* I am
due (back) in A. to-morrow; *hier ~en we zijn*
(= *hier zijn we er*) here we are; *het moest
grappig klinken* it was meant to be funny; *ik
moet naar de keuken* I must be off to the
kitchen; *ik moet de man nog zien die* ... I have
yet to see the man who ...; *ik moet hem niet* I
don't like him; *ik moet niets van die nieuwigheden hebben* I don't hold with those innovations; *'t is geen ~* it's not a case of must
moetje (*fam.*) shotgun marriage
Moezel Moselle; **m~(wijn)** Moselle (wine)
moezen *tr.* mash, pulp; *intr.* (*van aardappelen*)
boil to mash, get mushy
moezjiek mujik
mof muff; (*aan machine*) sleeve, socket; (*schn.
voor Duitser*) Boche, (*Am.*) Kraut; (*sl.*) Jerry;
zwijgen als een ~ be silent as the grave
moffel muffle; **~en** (*techn.*) enamel; (*weg-*)
spirit away, secrete; **~oven** enamelling-oven,
muffle-furnace
mogelijk *bn.* possible; feasible; potential [customers]; *bw.* possibly; (*wellicht*) possibly,

perhaps; *~ voor hem* [the sort of life] p. to
him; *~ heeft hij me gezien* he may have seen
me; *al het ~e doen* do all that is p., do everything p., do any mortal thing one can; *alle ~e*
... all p. excuses, all excuses p., every p. excuse; *alle ~ geluk* all p. (all sorts of) happiness; *op alle ~e manieren* in every p. way; *op
alle ~e en onmogelijke plaatsen* in all likely
and unlikely places; *bij ~e moeilijkheden* in
case of difficulties; *het énig ~e* the only p.
thing, the only thing p.; *'t is best ~* it is quite
p., it's quite on the cards; *'t is best ~, dat hij
... is, ook:* it is quite p. for him to be the
culprit; *hoe is 't ~!* well, I never! you don't
say so!; *om het ~ te maken dat de goederen
Londen op tijd bereikten* to allow for the
goods to reach L. in time; *'t is me niet ~* it is
impossible to (for) me, I cannot possibly do
it; *'t is niet ~, dat hij 't gedaan heeft* he cannot
possibly have done it; *zo ~* if p.; *zo eenvoudig ~*
as simple as p., [the furniture was] of the
simplest; *'t grootst ~e aantal* the greatest p.
number; *een zo nauw ~ contact* as close a contact as possible; *met de kleinst ~e kosten* at the
smallest cost possible; *zoveel ~* as much
(many) as p.; *ik sukkelde zo goed ~ voort* I
jogged on as best I could; **~erwijs** possibly
mogelijkheid possibility; (*mogelijke gebeurtenis*) *ook:* eventuality; *-heden om een vak te
leren* facilities ...; *-heden die in iets besloten
liggen* potentialities; *het plan biedt zeker
-heden* offers prospects (of success); *de ~ om
te emigreren* the p. of emigrating (to emigrate); *ik kan met geen ~ zeggen* I cannot for
the life of me say, cannot possibly say; *er is
een kleine ~ dat* ... it's just possible that ...
mogen be allowed (permitted); (*o.t.t.*) may;
(*houden van*) like, be fond of; *wat er ook moge
gebeuren* happen what may; *hoe dat ook moge
zijn* be that as it may; however that may be;
*voor verdere gegevens moge worden verwezen
naar* ... for further information the reader is
referred to ...; *ik mag hem graag* I am very
fond of him, I quite like him; *zij ~ elkaar niet*
there is no love lost between them ...; *maar
dat mag ik wel* [he is a tough customer], but I
like them tough; *ik mocht hem wel* I rather
liked him; ... *dat mag ook wel* ['That's a
beautiful bronze'.] 'It ought to be, [I gave 90
pounds for it']; *je mag wel voortmaken* you
had better hurry; *het huis mag wel eens geverfd
worden* ... could do with a coat of paint; *zeg
eens, dat mocht je wel weten* I say, you ought
to know that; *ik mocht wel eens weten* ... I
should like to know ...; *wie is hij? dat mag je
wel vragen* who is he? — who is he indeed!; *in
de liefde mag alles* all is fair in love and war;
je mag hier niet roken you may not (*sterker:*
must not) smoke here; *ik mag niet van Moeder*
Mother won't let me; *dat mag niet* you cannot do that; *ik rook niet meer, mag niet van de
dokter* I never smoke now, doctor's orders;
mag ik mij even verkleden? do you mind if I
change?; *ik mocht een gesprek met hem hebben*

I was privileged to have a talk with him; *hij mocht 't geheim niet openbaar maken* he was not at liberty to divulge the secret; *hij mocht niet gaan* he was not allowed to go; *maar dat mocht je niet* but then you shouldn't have; *'t mocht niet (heeft niet ~) zijn* it was not to be; *er ~ zijn* show up well, make a good appearance (impression, show); *die snoek mag er zijn* that pike is a beauty (a whopper); some pike, that!; *wat geven? 't mocht wat!* out of the question!; *(een vriendelijk man?) 't mocht wat!* kind indeed! the devil he is!; *eerlijk? 't mocht wat* honest? not on your life; *mochten er brieven voor me komen, ...* should any letters come for me, please send them on; *mocht dat 't geval zijn, ook:* if so; *als je 't niet mocht weten* in case you don't know; *zie* geluk, horen, enz.

mogendheid power [the Great Powers]

mogol Mogul [the Great (Grand) ...]

mohair id.

Mohammed id.; **m~aan(s)** Mohammedan; **m~a-nisme** Mohammedanism

Mohikanen Mohicans

moiré *bn.* moiré; *zn.* moiré, watered silk, tabby

moireren water

1 mok (*paardeziekte*) grapes

2 mok(je) *zie* stormvogeltje

3 mok (*beker*) mug

moker (*gew. van hout*) maul; (*smids-*) sledge (-hammer); **~en** hammer, strike (with a m.)

Mokerhei: *loop naar de ~*, (*fam.*) go to blazes; *ik wou dat hij op de ~ zat* I wish he were at Jericho

mokka mocha (coffee)

mokkel chubby woman (child); (*sl.*) bint; **~en** cuddle, hug, fondle

mokken sulk, pout, nurse a grievance

1 mol (*muz.*) *a*) flat; *b*) (= *kleine terts*) minor

2 mol (*dier*) mole; *zie* blind

molboon horse-bean

Moldavië Moldavia

Moldaviër, Moldavisch Moldavian

moleculair molecular; **molecule** id.

molen mill; *de ~ is door de vang* the m. runs away; (*fig.*) the whole thing is a muddle; (*van pers.*) *ook: hij heeft een klap (slag, tik) van de ~ gehad* (*beet*) he has a tile off, has a screw loose; *de ambtelijke ~s malen langzaam* the mills of government grind slowly; *zie* koren

molenaar miller (*ook* = cockchafer *meikever*), (*vis*) *zie* post & wijting; (*vlinder*) white; **~s-knecht** m.'s man; **~svrouw** m.'s wife

molen- mill: **~beek** m.-race, -leat; **~dam** m.-dam; **~kap** m.-cap; **~klapper** m.-clapper, -clack; **~kolk** m.-pond; **~legger, ~ligger** bedstone; **~paard** m.-horse; (*vrouw*) cart-horse; **~rad** m.-wheel; **~roede** sail-arm; **~steen** m.-stone; **~tje** little m.; (*speelgoed*) paper windmill; *hij loopt met ~s* he has bats in the belfry; **~tocht** m.-race; **~trechter, ~tremel** m.-hopper; **~vang** *zie* vang; **~vijver** m.-pond, -pool; **~vliegtuig** autogiro; **~vliet** *zie* ~beek; **~water** *zie* ~beek; **~wiek** wing (sail, sweep) of a m.; **~wieker** *zie* ~vliegtuig

molest id.; *vrij van ~* free from capture (detention); **~atie** molestation, annoyance; **~eren** importune, annoy [women], molest; **~risico** warrisk; **~verzekering** war-damage (*binnenlands: riot*) insurance

molik scarecrow

molk *o.v.t. van* melken

molkever carrion-beetle, -chafer

molkrekel mole-cricket

molle: **~boon** *zie* molboon; **~gat** mole-hole; **~klem, ~knip, ~val** mole-trap; **~kruid** castor oil plant

mollen kill, dispatch; (*sl.*) do [a p.] in, spoil, bust [a p.]

mollenvanger mole-catcher

mollevel moleskin

mollig plump, chubby, soft; (*& stevig*) buxom; *met een ~ gezicht* (*~e wangen*), chubby-faced, -cheeked; **~heid** plumpness, chubbiness, softness

molm mould; (*turf-*) peat-dust; **~(acht)ig** worm-eaten; **~en** moulder (away); (*wormstekig worden*) get worm-eaten; **~worm** wood-fretter

Moloch id.

molploeg mole plough

mols: **~gang** mole-track; **~gat** mole-hole; **~hoop** mole-hill, mole-heap

molsla dandelion (salad)

molteken (*muz.*) flat

molton(nen): **~ deken** thick flannel undersheet

Molukken: *de ~* the Moluccas, the Spice Islands; **Moluks** Molucca [Islands]

mom 1 mask; *onder 't ~ van* under the cloak (mask, show, guise) of, under (the) cover of [humility]; 2 (*soort bier*) mum

mombakkes mask, false face

moment id. (*ook nat.*); **~aan, ~eel** *bn.* momentary; *bw.* at the m., for the time being, at present; **~opname** (instantaneous photo-(graph), snapshot; **~sleutel** torque wrench; **~sluiter** instantaneous (*of:* drop-)shutter

mompel: **~aar(ster)** mutterer, mumbler; **~en** mutter [*in zichzelf* to o.s.], mumble, murmur

Momus id.; **monade** monad

monarch id.; **~aal** monarchical

monarchie monarchy

monarchist id.; **~isch** monarchical, monarchist [propaganda]

monauraal monaural

mond mouth (*ook van rivier, haven, oven, zak, put, vulkaan, enz.*); (*van maag, buis, enz.*) orifice; (*van vuurwapen*) muzzle; *één ~ meer hindert weinig* one m. more matters little; *haar ~ stond niet stil* her tongue was going all the time; *ik zet er mijn ~ niet aan* I won't touch it; *de ~ van een dronken mens spreekt de waarheid* what soberness conceals drunkenness reveals; *heb je geen ~?* have you lost your tongue? you've got a tongue, haven't you?; *ik heb een droge mond* I have a dry roof to my m.; *een grote ~ hebben*, (*fig.*) have plenty of jaw (of sauce); *geen grote ~!* (*sl.*) none of your lip! none of your cheek! keep a civil tongue in your head; *een grote ~ tegen iem. opzetten* cheek a p.; *z'n* ~ *houden* hold one's tongue; (*niet over iets spreken*, ~*je dicht*) keep one's m. shut; *hou je* ~*! ook:* shut up! dry up!; *de* ~ *vol hebben van* [*ouderparticipatie, maar* ...] pay lip-service to, make a great song about; *ieder heeft er de* ~ *vol van* it is in everybody's m.; *hij neemt de* ~ *wat vol* he talks rather big; *geen* ~ *opendoen* not open one's lips, be tongue-tied; *ze deed verder geen* ~ *open* she shut up tight (like a clam); *ik heb tien* ~*en open te houden* I have ten mouths to feed (to fill); *de* ~*en openhouden* keep the pot boiling; keep the wolf from the door; *zijn* ~ *voorbij praten* blab; let one's tongue run away with one; (*zich vergalopperen*) commit o.s. (in speaking), put one's foot in it; (*iets verklappen*) give the game away; *dat gaat je* ~ *voorbij* that is meat for your master; *iem de* ~ *snoeren* (*stoppen*) stop a p.'s m., shut a p. up; *dat snoerde hem de* ~, *ook:* that finished him; *bij* ~*e van* by the m. of; *bij* ~*e beloven* promise by word of m.; *leg me zulke woorden niet in de* ~ don't put such words into my m.; *hij gaf 't mij in de* ~ he put it into my m., he gave me my cue; *met een pijp in zijn* ~ pipe in m., with a pipe in his m.; *hij is ruw in de* ~ he is coarse of speech; *zie* bestorven; *een held met de* ~ in words; *met open* ~ [listen] open-mouthed; *met open* ~ *staan kijken* stare like a stuck pig; *hij stond met de* ~ *vol tanden* he had not a word to say (for himself), was tongue-tied; *met twee* ~*en spreken* blow hot and cold; *prijzen* (*huldigen*) *met de* ~ *alleen* do (pay) lip service to [a p., truth]; *iem. naar de* ~ *praten* play up to a p.; *hij legde de vinger op de* ~ he put his finger to his lips; ~ *op* ~ *beademing* mouth-to-mouth resuscitation, kiss of life; *ik heb 't uit zijn eigen* ~ I have it from his own m., heard it from his own lips; *ge neemt me de woorden uit de* ~ you take the words out of my m.; *'t viel mij uit de* ~ it escaped me; *iets uit zijn* ~ *sparen* stint o.s. in s.t.; *'t klinkt vreemd uit uw* ~ it sounds strange in your m.; *'t nieuwtje ging van* ~ *tot* ~ the news spread (passed) from m. to m.; *hij zegt maar wat hem voor de* ~ *komt* whatever comes into his head; *zie ook* ~je blad, brood, los, enz.

mondain mundane, worldly-minded; fashionable [watering-place]

mond: ~**arts** dental surgeon; ~**behoeften** provisions, victuals; ~**delen** (*van insekt*) mouth parts; ~**dood** gagged; - *maken* gag; ~**eling I** *bn.* oral, verbal [message]; *-e afspraak* verbal agreement; - *examen* oral (viva voce) examination, viva (voce); *-e overlevering* oral tradition; **II** *zn.* (*fam.*) [my] oral, viva; **III** *bw.* ...ly, by word of mouth; ~**en** please; *dat* ~*t mij wel* that is something to my taste; ~**en klauwzeer** foot-and-mouth (disease); ~**harmonika** m.-organ; ~**heelkunde** dental surgery; ~**hoek** corner of the m.; ~**holte** oral cavity, cavity of the m.; ~**hygiëne** oral hygiene

mondiaal world-wide, global, mondial

mondig(heid) emancipated (-pation); *zie* meerderjarig(heid)

monding mouth; (*van vuurwapen*) muzzle

mondje (little) mouth; ~ *dicht!* mum is the word! keep mum (about it)!; *zie ook* mond; *zij is niet op haar* ~ *gevallen* she has a ready tongue, has a tongue in her head; *zie* roeren; ~**smaat** scanty measure; - *krijgen* be on short commons; *melk krijgen we nog maar* - the milk ration is still very small; - *toedienen* administer by drib(b)lets; *een* ~**vol** *Engels kennen* have a smattering of English

mond: ~**klem** lock-jaw; ~**kost** provisions; ~**op**-~ *zie* ~ (~ *op* ~); ~**orgel** m. organ; ~**prop** gag; ~**spiegel** m.-glass; ~**spoeling** m.-wash; ~**stopper** gag; (*fig.*) bribe; ~**stuk** m.-piece; (*van muziekinstrument ook*) embouchure; (*van fontein ook*) adjutage; (*van kanon*) chase; (*van sigaret*) tip [gold-tipped cigarette; *zonder* - plain cigarette]; ~**trom(mel)** jew's harp; ~**vol** mouthful (*ook fig.:* what a ...!); ~**voorraad** provisions; ~**water(tje)** m.-wash; ~**zeer** *zie* ~ en klauwzeer

monetair monetary [policy]

Mongolië Mongolia

mongolie, -golisme (*med.*) mongolism

Mongool Mongol, Mongolian; ~**s** Mongolian

mongooltje mongol

monisme monism

monist id.; ~**isch** monistic (*bw.:* -ally)

monitor (*in school, pantserschip, hagedis, telec.*) id.; (*in school ook*) prefect; ~**stelsel** (*in school*) monitorial (prefectorial) system

monkelen laugh slily

monnik monk; *gelijke* ~*en, gelijke kappen* (what is) sauce for the goose is sauce for the gander

monnikachtig monkish, monastic

monniken: ~**geleerdheid** monkish learning, monastic erudition; ~**klooster** monastery; ~**latijn** monk (*of:* monkish) Latin; ~**leven** monastic life; ~**orde** monastic order; ~**werk** tedious drudgery; - *doen* flog a dead horse, plough the sands; ~**wezen** monasticism

monniks: ~**kap** cowl; (*plant*) monk's hood, aconite, wolfsbane; ~**kleed, ~pij** monk's habit (*of:* frock)

mono id.

monochord(ion) monochord

monochroom monochrome, -chromous

monocle id., (single) eye-glass

mono: ~**gamie** monogamy; ~**gamist** id.; ~**grafie** monograph; ~**gram** id., cipher; ~**liet** monolith; ~**loog** monologue, soliloquy; *een – houden* soliloquize; ~**maan** *zn.* monomaniac, crank; *bn.* monomaniac(al), cranky; ~**manie** monomania; ~**metallisme** monometallism; ~**plaan** monoplane; ~**polie** monopoly; *een – hebben* have (hold) the m. of s.t. (a m. in s.t.); ~**poliseren** monopolize; ~**polistisch** monopolistic; ~**theïsme** monotheism; ~**theïst(isch)** monotheist(ic; *bw.:* -ically); ~**tonie** monotony; ~**toon** monotonous; ~**type** id.

Monroeleer Monroe doctrine, Monroeism

monseigneur id., monsignor

monster 1 monster; freak (of nature); *'n* ~ *van een vrouw* a fright; *attr.:* monster, mammoth [hotel]; **2** (*hand.*) sample, specimen; (*staal*) pattern; *als ~ verzenden* send by s. post; *~ zonder waarde* s. without value; *aan het ~ be-antwoorden* come up to s.; *~s trekken* draw (take) samples; *~s trekken uit* draw samples from, sample; *op ~ kopen* buy from s.; *op ~ ver-kopen* sell on *(of:* by) s.; *verkoop op ~* sale by s.; *volgens ~ zijn* be up to s.; **~achtig** mon-strous; **~achtigheid** monstrousness, monstros-ity; **~boek** pattern-book, book of samples; **~briefje** sampling-order; **~en** muster, (pass in) review, inspect; *ook =* aanmonsteren; **~ing** muster, review; **~kaart** pattern-card; **~petitie** monster petition; **~plaats** muster-place; **~rol** muster-roll; ship's articles; **~verbond** mon-strous alliance

monstrans monstrance, ostensorium

monstrueus monstrous

monstrum, monstruositeit monstrosity

montage assembling, assembly, mounting, erecting, fitting; *(film)* id.; *zie ook:* montering; **~bouw** prefabrication; **~dok** fitting-dock; **~hal, ~loods, ~werkplaats** assembly hall (shop); **~wagen** *(van tram)* tower wag(g)on; **~woning** prefabricated house, prefab

montagne russe switchback (railway)

montant amount

monteerbenodigdheden fittings

Montenegrijn(s) Montenegrin(e)

Montenegro id.

monter brisk, lively, sprightly; *ik ben niet ~* I feel rather low (out of sorts)

monteren *(machine, enz.)* assemble [a motor-car], mount, set (put) up, erect, fit up, adjust; *(schilderij, edelsteen, juweel)* mount; *(steen ook)* set [in gold]; *(toneelstuk)* stage, get up, mount; *'t stuk was goed gemonteerd* was well staged; **-ing** mounting, fitting-up, erection; staging, etc.; *zie 't ww.;* get-up [of a play]; *zie ook* montage & uitrusting

montessori-onderwijs Montessori system of education

monteur mechanic, fitter, assembler

montuur frame, mount; *(van steen)* setting; *met gouden (hoornen) ~* gold-, horn-rimmed [spec-tacles]; *zonder ~* rimless [eye-glasses]

monument id. *[voor ... to Lord K.]*

monumentaal monumental; *zie* lijst

monument: ~enjaar European Architectural Heritage Year; **~enlijst:** *op de - plaatsen* schedule [a building for preservation]; *het huis staat op de - ...* has a preservation order on it; **~enzorg** *(ongev.)* conservation; *Rijks-dienst voor de M-, (ongev.)* Ancient Monu-ments Department of the Ministry of Works

mooi handsome, fine, pretty, beautiful, lovely; *~ zo!* good! (all) right!; *m'n ~e kleren* my Sun-day best; *een ~ meisje* a pretty girl; *~ aanbod (cadeau)* h. offer (present); *~ weer* fair (fine) weather; *~ weer spelen van andermans geld* do oneself well at somebody else's expense; *~e woorden* fine (fair) words; *... dat het niet ~ meer was, (fam.)* that it was not even funny; *wat ben je ~!* you do look smart! how smart you look!; *ze was erg ~* as smart as a new pin;

dat is allemaal heel ~, maar ... that is all very fine (very well), but ...; *wie ~ wil wezen, moet pijn lijden* we must suffer to be beautiful; *~ met iets zijn, (fig.)* be saddled (landed) with s.t.; *daar kunnen we lang ~ mee zijn* that may be a long story *(of:* affair); *ik ben al drie weken ~ met die kwaal* I have been troubled with that complaint for the past three weeks; *~ doen* be all airs and graces; *dat heb je hem ~ gelapt* you've managed it cleverly; *je hebt de boel ~ in de war gestuurd* you've made a precious mess of it; *~ maken* beautify; *zie* opdirken & opsieren; *'t is te ~ om waar te zijn* it is too good to be true; *~ stil zitten* sit nice and still; *ga ~ rechtop zitten* sit up nice and straight; *~ zitten, (van hond)* beg; *wat een ~e!* what a beauty!; *hij is een ~e (vent)!* he is a nice one! a precious fellow!; *wel jij bent een ~e!* well, you're a beauty!; *dat is het ~e ervan* that is the beauty of it; *daarmee zou het ~e eraf gaan* that would spoil it, would take the gilt off the gingerbread; *dat is wat ~s!* that's a pretty business! fine doings these!; *je zult wat ~s van mij denken* you'll have a nice opinion of me; *nu nog ~er!* well I never! did you ever! indeed! I like that!; *kan het ~er?* can you beat that?; *zij wordt er niet ~er op* she is losing her looks, is going off (in her looks); *maar het ~ste komt nog* but the best (the funniest) part is yet to come; and here is the beauty of it; *'t ~st van alles was dat ...* the best of it all (the cream of the story) was that ...; to crown all [, she did not apologize]; *op zijn ~st krijgen ze tien gulden* they'll get ten guilders at best; *zij stelden het haar op het ~st voor* they made the best of things to her; *er op zijn ~st uitzien* look one's best; *zie ook* uitzien, ding, praatje, pra-ten, enz.

mooi: ~doenerij airs and graces; *zie ook* ~pra-terij; **~heid** beauty, fineness, handsomeness, prettiness; **~igheid** *a) zie* ~heid; *b)* fine thing(s); **~pratend** *zie* vleierig; **~prater, ~praatster** flat-terer, fawner; **~praterij** flattery, blarney, *(sl.)* soft sawder, soap; **~s** fine things; *(opschik)* finery; *zie ook* mooi; **~schrijverij** fine writing; **~tjes** finely, prettily

mookhamer *zie* moker

Moor id., blackamoor

moord murder; *(sluip~)* assassination; *de ~ op ... the* m. of ...; *~ en brand schreeuwen* cry blue m.; raise a hue and cry [against ...]; *hij weet van de ~ (af)* he knows all about it, is in the secret (the plot); **~aanslag** [charged with] attempted m., murderous assault, attempt upon a p.'s life; *een - doen op iem.* attempt a p.'s life; **~dadig** I *bn.* murderous [weapon, etc.]; *(fig.)* cut-throat [competition]; throt-tling [its ... effect on industry]; *een ~ vuur openen (onderhouden)* open (keep up) a mur-derous fire; *(sl.)* terrific!; II *bw.* terribly, aw-fully; **~dadigheid** murderousness; **~en** commit m., kill; *een -d klimaat* a murderous climate; **~enaar** murderer, killer; **-sbende** murder gang; **~enares** murderess; **~erij** massacre, slaughter;

~geschreeuw cry (cries) of m.; ~gierig bent on m., bloodthirsty; ~gierigheid *zie* ~lust; ~hol cut-throat den, den of cut-throats; ~kreten cries of m.; ~kuil *zie* ~hol; *hij maakt van zijn hart geen* – he wears his heart upon his sleeve, says whatever comes first to mind; ~lust blood lust; *door* – *aangegrepen worden*, (*sl.*) see red, run amuck; ~partij massacre, slaughter; ~toneel scene of (a, the) m. (of massacre); ~tuig instrument(s of m.); ~zuchtig murderous, homicidal

moorkop black-headed horse; chocolate éclair

Moors Moorish, Moresque; ~e Mooress, Moorish woman

moos: ~ *hebben* (*Bargoens*) have tin (the rhino)

moot fillet [of salmon, etc.], slice, cut; *aan moten snijden en braden* spitchcock [eels]

mop (*grap*) joke; (*mystificatie*) hoax; (*steen*) brick; (*koekje*) (kind of) biscuit; (*inktvlek*) blot; (*hond*) pug(-dog); *ouwe* ~ stale (well-worn) joke, chestnut; *vaste* ~ regulation joke; *een goede* ~ a capital joke; *'t was een* ~ (*geen ernst*) it was a lark; *voor de* ~ for a lark; ~pen tappen crack jokes; *dat is juist de* ~ that's where the fun comes in; ~pen hebben have tin (brass, etc.), *zie* cent; *zie ook* grap

mopje (*muz.*) (popular) tune

mopneus pug-nose, snub nose

moppentapper wag, (regular) joker

mopperaar grumbler, grouser; -en grumble [*over* about, at, over], grouse; -ig grumbling, grumbly, disgruntled

moppig funny

mops: ~(hond) pug(-dog); ~neus *zie* mopneus

moquette id.

moraal moral [of a fable]; *deze fabel bevat een* ~ carries a moral; *de christelijke* ~ Christian ethics; *tweeërlei* ~ double standard of morals; ~theologie moral theology

moraliseren moralize, point a moral

moralist id.

moraliteit morality; (*spel ook*) moral play

moratorium id.; *een* ~ *instellen* declare a m.

Moravië Moravia; ~r, Moravisch Moravian; ~e broeders Moravian (*of:* United) Brethren

Morea the Morea

moreel I *bn.* moral; *de -ele kant van ...*, *ook:* the morality of the question; II *zn.* (*mil.*) morale

moreen (*stof*) id.

morel morello; ~leboom m.-tree

morene moraine

Moren: ~kop Moor's head; ~land Mauritania, Ethiopia, country of the Moors

mores: *iem.* ~ *leren* teach a p. manners, bring a p. to heel

morfeem morpheme

morfine morphia, morphine; ~inspuiting m. injection; ~spuitje m. syringe

morfinisme morphinism

morfinist morphinist, morphi(n)omaniac

morfologie morphology

morfologisch morphological

morganatisch morganatic (*bw.:* -ally), left-handed

morgen I *zn.* morning; (*maat*) approx. 2 acres; II *bw.* to-morrow; ~ *komt er weer een dag* to-morrow is another day; ~ *over acht dagen* to-morrow week; *'s* ~*s* in the m., *om 10 uur 's* ~*s* at 10 a.m.; *'s* ~*s en 's avonds* morning and evening, (*Am.*) mornings and evenings; *op een* ~ one m.; *tot* ~! till to-morrow!; *van* ~ this m.; *van*~ *vroeg* early this m.; *van de* ~ *tot de avond* from m. till night; *ik zal 't* ~ *dadelijk* (~ *aan de dag*) *doen* I'll do it first thing in the m.; *hem helpen? ~ brengen!* help him? not I! catch me!; *zie* goed, halen, zorg; ~appèl m.-parade; ~avond to-morrow evening; ~bezoek m.-call; ~dauw m.-dew; ~dienst m.-service; (*Eng. kerk*) m.-prayer; ~gave m.-gift; ~gebed m.-prayer; ~gewaad m.-dress; ~groet m.-salute; ~koelte m.-breeze; ~land: *'t* – the East, the Orient, the Levant; ~lander Oriental; ~lands Oriental, eastern; ~licht m.-light; ~lucht m.-air; ~nevel m.-haze, m.-mist; ~ochtend to-morrow m., [you'll be all right] in the m.; ~post m.-post, early mail; ~rood red m.-sky, aurora; ~schemering m.-twilight, dawn; ~schot m.-gun; ~ster m.-star, Lucifer; (*wapen*) *zie* goedendag; ~stond early m.; *de* – *heeft goud in de mond* the early bird catches the worm; early to bed and early to rise makes a man healthy, wealthy and wise; ~uur m.-hour; ~voorstelling m.-performance; ~wacht m.-watch; ~wijding (*radio*) early m. service; ~zang m.-song; ~zon m.-sun

morgue id., mortuary

Moriaan blackamoor; *'t is de* ~ *gewassen* (*geschuurd*) it is lost labour

morielje, morille morel

morinelpluvier (*vogel*) dotterel

morion (*gesteente*) id.

morisk Morisco

mormel monster, freak; (*hond*) mutt

mormonisme Mormonism

mormoon Mormon; (*mv. ook*) Latter-Day Saints; ~s Mormon

Morpheus id.; *in* ~' *armen* in the arms of M.

morrelen fumble [*aan de deur, slot, enz.* at ...; *met de sleutel* with ...]; *wat lig je toch te* ~? what are you messing about with?

morren grumble, murmur, fret [*over* at]

morsdood stone-dead, as dead as a door-nail (as mutton)

morsealfabet Morse alphabet

morsebel slut, slattern

morselamp flaring-, flashing-lamp

morsen *intr.* mess (about), make a mess; *tr.* spill [milk, wine, salt], slop [water, tea]; -erij messing (about)

morse: ~schrift Morse code; ~sleutel M. key; ~toestel M. apparatus

mors: ~ig dirty, grimy, grubby; ~igheid dirtiness, griminess, grubbiness; ~jurk, ~kiel overall(s); ~kleed crumb-cloth; ~mouw oversleeve; ~pot messy person (child)

mortel 1 mortar; 2 *te* ~ *slaan* smash to bits (pieces, atoms), knock into smithereens; ~bak hod; ~molen mortar-mill

mortier mortar (*in beide bet.*)
mortierstamper pestle
morzel *zie* mortel 2
1 mos moss; *met ~ begroeid* m.-grown
2 mos *zie* mus
mosachtig mossy; **mosgroen** moss-green
moskee mosque
moskiet mosquito; *zie* muskiet
Moskou Moscow; **Moskovië** Muscovy
Moskoviet Muscovite
Moskovisch Muscovite; ~ *gebak*, (*ongev.*) madeira cake with currants; ~ *gebakje* queen cake
moslem, -lim Moslem, Muslim
moslemitisch Moslem, Muslim
Mosoel Mosul; **mosroos** moss-rose
mossel mussel; **~bank** m.-bank, -bed; **~schelp** m.-shell; **~vanger** m.-fisher; **~vangst** m.-fishing; **~vrouw** m.-woman
mossig mossy; **~heid** mossiness
most must, new wine
mosterd mustard; *zijn komst was ~ na de maaltijd* he came too late to be of use; *kerstkaarten na Kerstmis komen als ~ na de maaltijd* Christmas cards after Christmas fall rather flat; *'t ruikt naar de ~* it costs a pretty penny; *tot ~ slaan* smash to pulp, beat to a jelly, knock into a cocked hat; **~gas** m.-gas; **~jongen** (*iron.*) puppy; **~lepeltje** m.-spoon; **~molen** m.-mill; **~olie** m.-oil; **~pap, ~pleister** m.-poultice, -plaster; **~pot** m.-pot; **~saus** m.-sauce; **~zaad** m.-seed; **~zuur** piccalilli
mot (clothes-)moth; (*turfmolm*) peat-dust; *de ~ zit erin* it is m.-eaten, it's got the m. in it, there is m. in it; (*fig.*) *zie* klad; *de ~ zou erin komen* it would get m.-eaten; *tegen de ~* [prepared] against m.; *tegen. de ~ bestand* m.-proof; *~ hebben*, (*sl.*) have a tiff [with a p.]; *~ krijgen* fall out [with a p.]; **~balletje** m.-ball; **~echt** m.-proof (*ook = - maken*)
motel id.
motet (*muz.*) id.
motgaatje moth-hole
motie motion, vote; ~ *van afkeuring* vote of censure, censure vote; ~ *van dankbetuiging* (*vertrouwen*) vote of thanks (confidence); ~ *van wantrouwen* m. of no-confidence, want-of-confidence vote; *een ~ voorstellen, ondersteunen, intrekken, aannemen, verwerpen* introduce, second, withdraw, pass, reject (defeat) a m.
motief (*beweegreden*) motive; (*muz.,enz.*) motif, motive; (*beeldende kunst*) design, pattern
motiveren state one's reasons for, defend [one's attitude], account for [one's vote], motive, motivate; *gemotiveerd* reasoned [conclusion]; *-ing* motivation
motor id.; (= *m.fiets*) motor-cycle; (*van vliegtuig, auto*) engine; *met 1, 2, 3 ~(en)* single-, twin-, three-, (triple-)engine(d); **~agent** police motor-cyclist; **~barkas** m.-launch; **~benzine** m.-spirit; **~boot** m.-boat, -launch; **~defect** m.-trouble; **~engel** pillion-girl; **~fiets** m.-(bi)cycle, (*fam.*) m.-bike; *zie* zijspan; *per - gaan* m.-c.;

~gondel (*van vliegtuig*) engine-nacelle; **~handschoen** motoring-gauntlet; **~hoorn** m.-horn, -hooter; **~isch** motorial; *-e zenuw* motor(y) nerve; **~iseren** motorize [the army]; **~jacht** m.-, power-yacht; **~kap** bonnet; (*van vliegt.*) cowling; **~kast** m.-casing; **~loos** *vliegtuig* glider; **~monteur** m.-fitter; **~ongeluk** motoring accident; **~ordonnans** despatch rider; **~pech** engine trouble; **~politie** m.-(*of:* mobile) police; **~rijder** m.-cyclist; **~rijtuig** m.-vehicle; **~rijwiel** *zie* ~fiets; **~spiritus** m.-spirit; **~vaartuig** m.-vessel; **~vliegtuig** (*tegenov.* zweefvliegt.) power-plane; **~voertuig** m.-vehicle; **~wagen** (*van tram*) m.-car
motregen drizzling (mizzling) rain, drizzle, mizzle, Scotch mist; **~en** drizzle, mizzle
motteballen moth-balls
motten drizzle, mizzle
mottenzak moth-proof bag
mottig 1 (*van gelaat*) pock-marked; 2 (*van weer*) thick; 3 moth-eaten
motto id., device; *brieven onder 't ~:* ... letters marked: ...
motvlinder clothes-moth
motvrij moth-proof (*ook = ~ maken*)
mouche *zie* moesje 2
mouilleren palatalize
mousseline muslin; **~n** muslin
mousseren effervesce, sparkle, fizz; **~d** effervescent, sparkling [wine], fizzy; *niet ~d* still, non-sparkling
mout malt; **~azijn** m.-vinegar; **~eest** m.-kiln; **~en** malt; **~er** maltster; **~erij** m.-house; **~extract** extract of m., m.-extract; **~kuip** m.-steep; **~oven** m.-kiln; **~wijn** m.-wine
mouw sleeve; *een gemaakte ~*, (*fig.*) a (mere) pretext; *ik kan er geen ~ aan passen* it's beyond me, I don't know a way out; *we zullen er wel een ~ aan passen* we'll manage somehow, find a way out; *hij (zij) heeft ze achter de ~* he (she) is a sly-boots, (*van meisje*) *ook:* a sly puss; *iem. wat op de ~ spelden* gull (*sl.:* kid) a p.; *hij laat zich alles op de ~ spelden* anything will go down with him; *hij schudt ze (verzen, enz.) maar zo uit de ~* he just knocks (throws, dashes) them off (like anything), turns them out by the dozen; *zie* hand; **~ophouder** s.-holder, armlet; **~strepen** (*mil.*) stripes; **~vest** sleeved (*of:* s.-)waistcoat; (*mil.*) undress jacket
moveren broach [a subject], raise [a question]; *om hem ~de redenen* for reasons of his own
mozaïek mosaic (work); **~schilderij** m. picture; **~vloer** m. floor, tessellated pavement; **~werk** m. (work); **~ziekte** (*van aardappelen, tabak, enz.*) m. disease
Mozaïsch Mosaic; *~e leer* Mosaism; *~e wet* M. law; **Mozes** Moses; ~ *en de profeten hebben,* (*sl.*) have tin (the rhino)
Mr. (*vóór naam van Meester in de Rechten*) LL.M. (*achter de naam*); *Mr. Schoenmaker* Master Shoemaker
M.S.(S), ms(s) MS(S), manuscript(s)
M.T.S. Polytechnic (School)

mud hectolitre; ~**vol** crammed, chock-a-block (with)

muf musty, fusty; stuffy, fuggy [room, atmosphere]; stale [tobacco-smoke]; nosy [hay]; *een* ~*fe boel* a slow affair; ~**achtig** somewhat musty, etc.

muffeldier moufflon

muffen smell musty, have a musty smell; **muffig** *zie* muf; **muf(fig)heid** mustiness, fustiness, fug; *vgl.* muf

mug mosquito, gnat, midge; *de* ~ *uitzijgen en de kameel doorzwelgen* strain at (*eig.:* strain out) a g. and swallow a camel (*Matth. 23 : 24*); *van een* ~ *een olifant maken* make a mountain of a mole-hill; ~**gebeet** m.-bite

muggen: ~**doek** mosquito-netting; ~**gordijn** mosquito-net, -curtain

mugge: ~**ziften** split hairs (*of:* straws); ~**zifter** hair-splitter; ~**zifterij** hair-splitting

mui(de) gully

muil 1 (*pantoffel*) slipper; (*zonder hiel, ook:*) mule; 2 (*bek*) mouth, muzzle; 3 *zie* ~**dier**, -**ezel**; ~**band** muzzle; ~**banden** muzzle (*ook fig.*), gag [the press]; *iem.* –, *ook:* (*fam.*) stop a p.'s mouth; ~**dier** mule; ~**ezel** hinny (*minder juist:* mule); *zo koppig als een* – as stubborn as a mule; ~**ezeldrijver** muleteer; ~**korf** muzzle; ~**paard** mule; ~**peer** box on the ear, slap in the face; ~**tje** slipper [the glass ...], mule

muis mew: cage for moulting birds

muit: ~**eling** mutineer, rebel; ~**en** mutiny, rebel; *aan 't* – *slaan* (rise in) mutiny; *'t regiment was aan 't* – was in mutiny; –**d** mutinous; ~**er** *zie* ~**eling**; ~**erij** mutiny, sedition; ~**ziek** mutinous, seditious; ~**zucht** seditiousness, rebellious spirit

muize- mouse: ~**drek** m.-dung; m.-droppings; ~**gat** m.-hole; ~**gerst** m.-barley; ~**hol** m.-hole; ~**keutels** *zie* ~**drek**; ~**koorn** rye-grass; ~**maal-(tijd)** dry meal

muizen mouse; (*eten*) tuck in; *die kat kan goed* ~ is a good mouser; *'t muist al wat van katten komt* all cats love fish; *katjes die* ~, *mauwen niet* when the children are busy eating they don't chatter; the silent pig is the best feeder

muize- mouse: ~**nest** m.-nest (*mv. ook =* muizenissen); ~**ngif** *zie* ~**nvergif**

muizenissen: ~ *in 't hoofd hebben* have cobwebs in one's brain; *haal je geen* ~ *in 't hoofd* don't worry

muizen- mouse: ~**tarwe** *a*) rat-poison; *b*) =

muizegerst; ~**valk** buzzard; ~**vanger** mouser; ~**vergif** rat-poison, m.-poison

muizeoor (*plant*) mouse-ear (hawkweed), m.-ear chickweed, m.-ear scorpion-grass

muizerd (*vogel*) buzzard

muizestaart (*plant*) mouse-tail

muizeval mouse-trap

mul 1 *bn.* loose [sand]; 2 *zn.* mould

mulat(tin) mulatto, *mv.:* -os

mulder miller; (*meikever*) cockchafer

mulheid looseness, sandiness

mullah id.

mulo (*hist.*) advanced elementary education; ~**school** higher-grade school

multilateraal multilateral

multimiljonair multimillionaire

multinationaal multinational

multiplex plywood, laminated wood

multiplicator multiplier

mum: *in een* ~ *van tijd* in no time

mummelen mumble

mummie mummy

mummificatie mummification; -**ficeren** mummify

München Munich; ~**er bier** M. beer

municipaal, -paliteit municipal, -pality

munitie munitions; ammunition; *van* ~ *voorzien* munition; *zie* minister; ~**depot** m.-dump; ~**fabriek** m.-works; ~**kist** a.-chest, caisson; ~**schip** m.-ship; ~**trein** m.-train; ~**wagen** a.-wagon, caisson

munster(kerk) minster

munt 1 (*geldstuk*) coin; 2 (*geld*) coin(s), coinage [bronze ...], money; (*valuta*) currency [in English ...]; 3 *de M~* the (Royal) Mint; 4 head, *zie* kruis; 5 (*plant*) mint; ~ *slaan* coin (mint) money, strike coins; ~ *slaan uit* make capital out of, cash in on; *iem. met gelijke* ~ *betalen* pay a p. (back) in his own coin, pay him off (out), (re)pay him in kind, turn the tables on a p., give him tit for tat; *voor goede* ~ *aannemen* swallow, believe (implicitly); *zie* vals, enz.; ~**biljet** currency-note, treasury note; ~**conventie** *zie* ~**unie**; ~**correctie** currency correction; ~**eenheid** monetary unit; ~**en** coin, mint; *zie* gemunt; ~**enkabinet, -kamer** numismatic cabinet, coin and medal room; ~- **en penningkunde** numismatics, study of coins and medals; ~**er** minter; coiner (*gew. = valse* –); ~**gas** slot-meter gas; ~**gasmeter** slot-gasmeter, prepayment meter; ~**gehalte** alloy (*of:* fineness) of coins; ~**hamer** flattening-hammer

muntjak id., barking-deer

munt: ~**kenner** numismatist; ~**kunde** numismatics; ~**loon** mintage, seigniorage; ~**materiaal** bullion; ~**meester** mint-master; (*hist. ook:* money-er); ~**meter** *zie* ~**gasmeter**; ~**parı, ~**pariteit** mint par (of exchange); ~**pers** coining-press; ~**plaatje** blank, planchet; ~**politiek** monetary policy; ~**rand** rim (*of:* edge) of a c.; ~**recht** *a*) right of coinage; *b*) = ~**loon**; ~**slag** mintage, coinage; ~**snoeier** clipper of coins, money-clipper; ~**soort** species of coin; ~**specie** specie; ~**stelsel** monetary system, coinage (system);

~stempel (*voorw.*) (coin-)die (*mv.*: dies), coin-stamp; (*afbeeldsel*) stamp; ~stuk coin; ~teken mint-mark; (*Latijnse*) ~unie (Latin) monetary union; ~vervalser(-ing) debaser (debasing) of coins; ~verzamelaar coin collector; ~verzameling collection of coins; ~voet standard (of coinage); ~vorm coin-mould; ~wasserij coin laundry; ~wet coinage act; ~wezen coinage, monetary system; ~zilver standard silver

murik (*plant*) chickweed

murmelen murmur; (*van beekje ook*) babble, gurgle, purl

murmureren murmur, grumble

murw soft, tender, mellow; (*fig.*) all in; ~ *maken* soften up; break one's spirit; *iem.* ~ *slaan* beat a p. to a jelly

mus sparrow; *zich blij maken met een dode* ~ rejoice for reasons which prove to be unfounded

muselaar virginal(s)

museum (*in Eng. niet van schilderijen*) museum; [art-, picture-] gallery; ~stuk museum piece

musiceren make music; *er werd wat gem.* we (they) had (there was) a little music

musicienne, musicus musician

musicologie musicology

musicoloog musicologist

muskaat 1 nutmeg; 2 *zie* ~wijn; ~bloem mace; ~boom n.-tree; ~noot n.; ~olie n.-oil, oil of mace; ~peer musk-pear; ~roos musk-rose; ~wijn muscadel, muscatel, muscat

muskadel (*druif*) muscadine, muscat, muscatel, -del; (*wijn*) *zie* muskaatwijn

musket matchlock, musket; ~ier musketeer; ~on(haak) (*van horlogeketting*) snap(-hook)

muskiet mosquito; ~ebeet m.-bite, -sting; ~engaas m.-netting; ~engordijn, -net m.-curtain, -net

muskus musk; ~achtig m.-like, musky; ~dier m.-deer; ~eend m.-duck, Muscovy duck; ~hert m.-deer; ~kat civet(-cat); ~kruid moschatel; ~os m.-ox; ~peer m.-pear; ~plant m.-plant; ~rat(bont) m.-rat; musquash; ~zwijn peccary

musse: ~ëi sparrow's egg; ~nest sparrow's nest; ~nhagel small shot

mutatie mutation; (*in personeel, enz.*) change [army ... s], transfer; (*van stem*) breaking of the voice; ~leer, ~theorie m.-theory; mutje *zie* hutje

muts cap; (*baret van kind*) tam (o' shanter); (*Schotse* ~) (*plat*) bonnet, (*smal, ingedeukt*) glengarry; (*thee*~) tea-cosy; (*netmaag*) bonnet; *de* ~ *staat hem verkeerd* he is in the sulks; *daar staat hem de* ~ *niet naar* he is not in the mood (the vein) for it; *dat is er met de* ~ *naar gooien* that's mere guesswork; *zie* pluim

mutsaard (*takkenbos*) fag(g)ot; *zie ook* brand-stapel; *dat riekt naar de* ~ that smells of the f.

mutse: ~band cap-ribbon; ~nmaakster milliner; ~nwinkel milliner's (shop)

muur[1] wall; (*plant*) chickweed; *zo vast als een* ~ as firm as a rock; *de muren hebben oren* walls have ears; *met 't hoofd tegen de* ~ *lopen*, (*fig.*) run (beat) one's head against a (stone, brick) w.; *ik stuitte op een* ~ *van wantrouwen* I was met by a wall of suspicion; *hij zit tussen vier muren* he is in jail; ~afdekking (w.-)coping; ~anker cramp-iron, brace, w.-clamp; ~bloem wallflower (*ook fig.* = –*pje*); *voor – spelen* be a wallflower; ~kap (w.-)coping; ~kast w.- (*of:* built-in) cupboard; ~krant wall poster; ~kroon mural crown; ~kruid chickweed; ~kruiper w.-creeper; ~leeuwebek mother-of-millions, ivy-leaved toad flax; ~nachtegaal redstart; ~peper w.-pepper; ~pijler pilaster; ~plaat (*bk.*) w.-plate; ~schildering mural (*of:* w.-)painting; ~spin w.-spider; ~tegel w.-tile; ~vak panel of a w., bay; ~varen w.-rue, stone-fern; ~vast as firm as a rock, deep-rooted [conviction]; – *bekneld raken* be wedged tightly; ~versiering mural decoration; ~vlakte w.-space; ~werk brickwork, masonry

muze muse

muzelman(s) Mussulman

muzen: ~almanak Muses Almanac, poetical annual; ~berg Parnassus, Helicon; ~tempel temple of the Muses; ~zoon *a*) son of the Muses, poet; *b*) student

muziek music (*ook*: *geschreven, gedrukte* ~); (*melodie*) tune [the tune is by ...; words by Pope, music by Handel]; (*muzikanten*) band (of musicians); ~*!* band, please!; *als* ~ *in de oren klinken* be m. to [one's] ears; *met* ~ with the band playing; *ook*: [be received] with musical honours; *ze brachten ons met* ~ *naar het station* they played us to the station; *op de* ~ [dance, etc.] to the m.; *op* ~ *zetten* set to m.; ~ *maken, zie* musiceren; *er is* ~ *in de parken* bands play in the parks; *er zit* ~ *in* there is plenty of go in it; there is money in it; *er zit geen* ~ *in* (*ook*) it offers no prospects; ~automaat jukebox, (*Am. ook*) nickelodeon; ~avondje musical evening; (*fam.*) musical; ~beoordelaar, -ing music critic (criticism); ~blad sheet of m.; ~boek m.-book; ~concours *zie* wedstrijd; ~directeur (musical) conductor; ~doos music(al) box; ~feest music(al) festival, festival of music; ~gezelschap music(al) society (*of:* club); ~handel m.-shop; ~handelaar m.-seller; ~houder m.-rest; ~instrument musical instrument; ~kamer m.-room; ~kastje m.-cabinet; ~kenner connoisseur of m.; ~korps (brass) band; ~leer theory of m.; ~leraar m.-master, -teacher; ~lerares m.-mistress; ~les m.-lesson; ~lessenaar m.-desk; ~liefhebber m.-lover, lover of m.; ~lievend m.-loving; ~noot musical note; ~onderwijs m. teaching; ~onderwijzer(es) *zie* ~leraar, -ares; ~papier m.-paper; ~portefeuille m.-case, m.-(port)folio; ~recensent *zie* ~beoordelaar; ~school school of m.; ~schrift musical notation; ~sleutel clef; ~stander m.-stand; ~stuk piece of m.; ~tas m.-case; ~tent band-stand; ~uitvoering musical (*of:*

---

[1] *Zie ook* wand...

band) performance; ~**vereniging** music(al) society (of: club); ~**wedstrijd** band contest; ~ **wereld** world of m.; ~**winkel** m.-shop; ~**zaal** concert-room

muzikaal musical; ~ zijn be m., have m. tastes, be fond of music; een (geen) ~ gehoor hebben have an (no) ear for music; ~ doof zijn be tonedeaf; -**aliteit** m.ity, m.ness

muzikant musician, bandsman; troep (straat-) muzikanten German band

muzisch artistic; ~e vorming art education

mv. = meervoud pl. (plural)

Mw = mevrouw of mejuffrouw Ms

mycologie, -logisch, -loog mycology, -logical, -logist

myriade myriad; zijn ~en ... its myriads of (its

m.) lights; **myriagram, -liter, -meter** myriagram(me), -litre, -metre

mysterie mystery; ~**spel** mystery

mysterieus mysterious; de zaak werd nog -zer the mystery deepened

mysticisme mysticism; **mysticus** mystic

mystiek bn. mystic(al); zn. mysticism; mistique

mystificatie mystification, hoax

mystificeren mystify, hoax

mystisch mystic(al)

mythe myth; **mythisch** mythical

mythologie mythology; **mythologisch** mythological; **mytholoog** mythologist

mytylschool school for handicapped children

myxomatose myxomatosis

N

N N; als afk. N. = North

na I vz. after [he came ... me, ... dinner, ... eight o'clock]; on [... receipt, ... arrival]; het was ~ 12 uur it was past midday; 3 min. ~ zes, zie over; ~ u! a. you!; ~ dezen a. this (time, date); de grootste stad ~ Londen next to L., after L., except L.; ~ Shakespeare ... next to Sh. (after Sh.) he likes Byron best; onmiddellijk ~ de verkiezingen (ook) on the morrow of the elections; zie binnen & elkaar; II. bw. near, (dicht.) nigh; de kinderen zijn mij allemaal even ~ are all equally dear to me; ~ aan de wal close to the quay; ~ verwant zijn, elkaar ~ bestaan be closely related; dat betreft mij even ~ als iem. anders that touches me as nearly as anybody; allen op één ~ all except one; de grootste stad op L. ~, zie ~ vz.: een jaar op een week ~ a year less a week; op 3 maanden ~ is hij 70 he is three months short of seventy; de kamer was leeg op M. ~ the room was empty but for M.; op dat ~ that excepted; op één ~ de jongste the second youngest (evenzo: the second strongest party; the third richest; the fourth largest); op één ~ de laatste (volgende) the last (next) but one; op twee ~ de eerste the first but two; op één ~ de eerste, (bij wedstrijd, sollicitatie, enz.) the runner-up; op één stem ~ had hij zijn zetel verloren he was within a vote of losing his seat; op een enkele uitzondering ~ with a single exception; hij weet op geen miljoen ~ hoe rijk hij is he does not know to a million what he is worth; kom hem vooral niet te ~, (fig.) be careful not to offend him; dat is (was) mijn eer te ~ I have my pride; ... niet te ~ gesproken with all due deference to ...; krijgen we nog iets ~? is there anything to follow?; vgl. toe; wat room ~ [have] some cream to finish (to top) up with; zie hart, voor, enz.

naad seam (ook van timmerwerk, enz.); (wel-) weld; (anat. & van wond) suture; uit de naden barsten burst at the seams; zich uit de ~ lopen, (fam.) run (walk) o.s. off one's legs; 't ~je van de kous weten know the ins and outs (the rights) of the matter; zijn ~je naaien, a) do a good stroke of business, seize one's opportunity; b) jog along quietly

naadloos seamless, weldless; vgl. naad

naaf nave, hub; (van schroef) (propeller) boss; ~**band** n.-band; ~**bus** (n.-)box, bush; ~**dop** hub-, axle-cap; ~**rem** hub-brake

naai-: ~**bank** sewing-press; ~**cursus** sewing-class; ~**doos** work-, sewing-box; ~**en** sew [... a letter in the lining of a coat], (wond) sew up, stitch, suture; (plat) screw; voor anderen – take in sewing; ze zat te – aan een japon she was sewing at a dress; (als zn.) sewing, needlecraft; ~**garen** sewing-cotton, -thread; ~**gerei** sewing-things; ~**katoen** sewing-cotton; ~**kistje** zie ~doos; ~**klasje** sewing-class; ~**krans** sewing-circle; ~**machine** sewing-machine; ~**mand** work-basket; ~**naald** sewing-needle; ~**necessaire** housewife ['hʌzif], lady's companion; ~**ring** tailor's thimble; ~**sel** sewing; (steken) stitching; ~**ster** needle-, sewing-woman, seamstress, dressmaker; ~**tafel** (tailor's) worktable; ~**werk** sewing(-work), needlework; ~**zakje** housewife ['hʌzif]; ~**zijde** sewing-silk

naakt naked (ook fig.: rocks, etc.), bare, nude; [bathe, be taken] in the nude; ~e feiten n. (bare)facts; naar 't ~(model)tekenen draw from the nude (zo ook: studies from the nude); ~e slak slug; de ~e waarheid the bare (naked, plain, stark) truth; (zich) ~ uitkleden, (ook: uitschudden) strip to the skin, strip n.; ~**bloeier** naked boys (lady, ladies); zie herfsttijloos; ~**cultuur** naturism; ~**figuur** nude, nudity; ~**heid**

...ness, nudity; ~holler streaker; ~loper nudist, naturist; exhibitionist; ~loperij nudism, naturism; nudity; exhibitionism; ~zadig gymnospermous; ~e plant gymnosperm

naald needle (ook magneet-, graveer-, denne-, kristal-, obelisk); (van grammofoon) stylus; zij kan goed met de ~ omgaan she is a good needlewoman, is good with the n.; door 't oog van een ~ kruipen have a narrow (a hair's breadth) escape, get off by the skin of one's teeth, (van zieke) make a miraculous recovery; ~boom n.-leaved tree; ~bos pine-forest; ~bosje pine-grove; ~enboekje n.-book; ~enkoker n.-case; ~hak stiletto heel; ~hout n.-leaved trees (of: timber); ~kantwerk n.-lace, n.-point (lace); ~klep n. valve; ~kussenblok (techn.) needle-bearing; ~scherp as sharp as a n. (ook fig.); ~vis n.-, pipe-fish; ~vormig n.-shaped, aciform; ~werk n.-work

naam name (ook reputatie); de ~ Smith the name of S.; haar eigen ~ her maiden n.; de ~ van haar man, ook: her married n.; (v. boek) title; hoe is uw ~? what is your n.?; een goede ~ gaat boven alles a good n. is better than riches; zijn ~ geven give one's n.; (veel) ~ hebben have a great reputation; een goede (slechte) ~ hebben have a good (bad) n., stand in good (bad) repute [bij with]; de ~ hebben van ... have the n. (reputation) of being ..., have a name for being ...; hij heeft de ~ van (een) eerlijk man, ook: he has a name for honesty; ik wil er de ~ niet van hebben I won't have it said of me; 't mag geen ~ hebben it isn't worth mentioning; ~ krijgen (maken) make a n. (for o.s.), make o.s. a n., make one's n. (one's mark), win distinction; je ~ is gemaakt your n. is made; zijn ~ zetten onder put (set, sign) one's n. to; zijn ~ zetten in ... sign one's n. in the (visitors') book; bij zijn ~, zie noemen & kind; in ~ in n., nominal(ly); in ~ van in the n. of [the King, the law]; zie God; met ~ en toenaam noemen mention by n.; met name particularly, notably; hij heeft je niet met name genoemd he did not mention your name; bekend staan onder die ~ go (pass) by (under) that n.; ze trouwde onder een valse ~ she was married under a false n.; schrijven onder de ~ van write in (under) the n. of; 't artikel verscheen onder mijn ~ appeared under (over) my n.; 't gaat onder uw ~ is done in (under) your n.; onder de ~ van vriendschap under a show of friendship; op mijn ~ gekocht bought in my n.; op zijn ~ [have 30 novels] to one's n.; op eigen ~ in one's own n.; de rekening staat op haar ~ stands in her n.; boeken op ~ van enter to (against); overbrengen op de ~ van transfer to the n. of; vrij op ~ no law costs, no legal charges; te goeder ~ (en faam) bekend staan have (enjoy) a good reputation, be in good repute, be well-reputed; te goeder ~ bekend staand, ook: (highly) reputable [firm]; te slechter ~ bekend staand disreputable [person], ill-reputed [neighbour-

hood]; 't huis staat ten name van ... stands in the n. of; zeg hem dat uit mijn ~ from me, in my n.; uit ~ van in the n. of, on behalf of [Mr. N.]; iem. van ~ kennen know a p. by n.; van ~ distinguished, noted [persons], [papers] of standing, [men of] repute; zonder ~ without a n., nameless; anonymous; ~bord (van schip, station, enz.) n.-board; (langs winkelfront) fa(s)cia -(je) n.-, door-plate; (bij plant) plant-marker; ~christen nominal Christian, Christian in n. only; ~cijfer monogram, cipher, initials; ~dag n.-day, fête-day; saint's day; ~dicht acrostic; ~feest zie ~dag; ~genoot namesake; n.-child; ~gever n.-giver; ~geving n.-giving; ~heilige n.-saint; ~kaartje (visiting-)card; ~kunde study of names, onomastics; ~lijst list of names, register; (van juryleden, verzekeringsdoktoren, enz.) panel; ~loos nameless, anonymous; ~loze vennootschap limited liability company (minder juist: limited company); omzetten in een ... go public; zie N.V., nameloos & wel; ~plaat(je) n.-, door-plate; ~rol zie ~lijst; ~stempel a) stamp; b) stamped signature; ~sverandering change of n.; ~sverwarring confusion of names; ~sverwisseling change of n., confusion of names; ~val case [nominative, genitive, dative, accusative]; ~valsuitgang case ending; ~vers acrostic; ~wisseling metonymy; ~woord noun; ~woordelijk (deel van 't) gezegde nominal (part of the predicate)

naäpen ape, mimic, imitate
naäper aper, mimic, imitator
naäperij aping, imitation, mimicry

1 naar[1] bn. unpleasant, disagreeable; (sterker) hateful [people], horrible, horrid, odious [woman], abominable [habit, etc.]; dismal [sound]; nasty [smell, taste, fellow], nasty, wretched [weather]; (triest) dreary; (bedroefd) sad; (onlekker) unwell, queer, bad; je wordt er ~ van it makes (turns) you sick; hij is er ~ aan toe he is very poorly, is in a bad way

2 naar I vz. to [go ... London]; towards (in de richting van); for [leave ... Paris; thirst ... gold]; at [fly ... a p.'s throat; throw a stone ... a p.]; of [smell ... tobacco]; after [... Byron; named ... (Am. for) his father]; from [called Pegleg Pete ... his wooden limb]; (volgens) according to; in [... my opinion, ... all probability]; by (zie volgens); ~ boven upstairs, up(wards); ~ huis home; ... ~ Cl. the Clapham(-bound) bus; schilderen ~ paint from [nature, living models]; ~ al wat ik hoor, is het ..., ook: from all accounts it is ...; naar ik meen as I believe; dat is er ~ that depends; maar het is er dan ook ~ [he can do it in one hour], but don't ask how; daar is hij niet de man ~ he is not that sort (of man); he is not one to ...; zie oordelen, waarheid, enz.; II vw. as; ~ men zegt it is said, as they say; ~ wij vernemen as we learn, it is reported that ...; ~ men hoopt [information which,] it is hoped [will ...]; al ~, zie gelang (naar ...)

---

[1] Zie akelig

naardien whereas, since
naargeestig gloomy, melancholy, dreary, dismal [place]; ~heid melancholy, gloom, dreariness
naargelang zie gelang
naarheid unpleasantness, etc.; zie naar 1
naarling odious fellow
naarmate according as, (in proportion) as [you earn more as you learn more]
naarstig industrious, diligent, assiduous, sedulous; ~heid diligence, industry, assiduity, sedulity
naast I vz. next (to) [the room next to mine], beside, by the side of; ~ mij, ook: at my side, by my side; next-door to [live ... a chapel]; alongside (of) [... a ship; ook fig.: work ... a p.]; het wordt gebruikt ~ along with, alongside (of); hij kwam ~ mij (lopen) he came alongside; ... staan ~ je the cigars are at your elbow; ~ God next to God, under God; ~ zijn betrekking werkt hij nog mee aan een krant besides (in addition to) his regular work he contributes to a newspaper; ~ dit voordeel ... beside this advantage ...; die opmerking is er (vierkant) ~ is (quite) beside (is wildly off) the mark; er volkomen ~ (zitten) (be) right off the beam; er ~ grijpen miss the bus (boat); er ~ staan (zitten) be left out in the cold; zie elkaar; II bw. nearest; hij (be)staat mij 't ~ he is nearest to me; zijn schot ging ~ his shot went wide, he shot wide; zie hart; III bn. next, next-door, nearest; hij is er tien jaar ~ ten years out; ~e bloedverwant nearest relation, next of kin; ~e buurman next-door neighbour; ~e medewerker immediate colleague; de ~e prijs the lowest price; de ~e toekomst the near future; de ~e weg the shortest (nearest) way; ieder is zichzelf het ~ near is my shirt, but nearer is my skin; charity begins at home; hij is er de ~e toe he has the first claim to it, it concerns him most of all; ik denk voor het ~ ... I am inclined to think ...; ten ~e bij approximately, about, something like; ten ~e bij tussen 500 en 550 pond, ook: roughly between ...; ~bestaande next of kin (ook = –n), nearest relation; ~bijgelegen nearest
naaste fellow-man, -creature, neighbour; zie naast; naast-elkaar-plaatsing [form words by] juxtaposition; naasten nationalize, take over [...n over bij the County Council], transfer to the State, expropriate; (door gemeente) municipalize; (verbeurdverklaren) seize, confiscate; naastenliefde love of one's neighbour (of one's fellow men), neighbourly love
naastgelegen nearest; (aangrenzend) adjacent
naasting nationalization, expropriation, seizure, confiscation; vgl. naasten
naastkomend, -volgend next, subsequent, following
na-avond latter part of the evening
nababbelen zie napraten
nabauwen repeat like a parrot, parrot; iem. ~, ook: imitate (mimic) a p.'s way of talking; nabauwer (Poll-)parrot

nabeeld after-image, incidental image
nabehandeling after- (follow-up, following-up) treatment; nabericht epilogue, postscript
nabeschouwing zie nabetrachting
nabestaande relation, relative
nabestellen give a repeat order (for), order a fresh supply (of), repeat an order; nabestelling repeat order, repeat; de platen blijven voor ~ bewaard negatives kept, copies can be had
nabetalen pay afterwards; nabetaling subsequent payment
nabetrachting retrospect, review, summing up; ~en houden is gemakkelijk it is easy to be wise after the event
nabeurs the Street, Street dealing, Street market; (Am.) Curb (Kerb) market; ~koersen street prices
nabij near [... the town, be quite ...], [be] near at hand, close by (to) [... the river], close by [he is ...]; 't ~e Oosten the Near East; van ~ from close by, from quite near, [watch a p.] at close range (of: quarters), [look at it] closely; van ~ kennen know intimately; van ~ onderzoeken inspect at close quarters; 't raakt mij van ~ it concerns me nearly (closely); de dood ~ at death's door; de hongerdood ~ next door to (on the verge of) starvation; hij was 't schreien ~ near crying; de tijd is ~ dat ... the time is (near) at hand when ...; ~ komen approach; (fig.) approach, approximate to, run [a p.] hard (of: close); niem. kwam hem ~, ook: no one touched him; dat komt de betekenis ~ that approaches the sense; 't Italiaans komt 't Latijn 't meest ~ is the nearest approach to Latin; ~gelegen neighbouring, adjacent, nearby; ~heid nearness [of death], neighbourhood, vicinity, proximity; in de ~ nearby; in de – van near [London]; zie buurt; ~komen zie bov.; ~komend approaching, similar (zie bijkomend); de meest –e stof the material that comes nearest (to it); ~opname close-up; ~zijnd nearby [street-lamp]; forthcoming [festival]
nablaffen bark after; nablijven stay (remain) behind; (school) stay in (after school), be kept in; nog wat ~ stay a little longer; nablijver pupil kept in (after school-hours)
nabloeden continue bleeding
nabloeding secondary hemorrhage
nabloei second bloom(ing), s. blossom(ing); ~en bloom later (a second time); –d(e roos) remontant
nabloeier late flowerer; (fig.) epigone
nablussen damp down [after a fire]
nabob id.
nabootsen imitate, copy [a p.'s voice]; (uit spotternij) mimic, take off; nabootser imitator, mimic
nabootsing imitation, mimicry, take-off; zie kopie; ~skunst imitative art
nabranden continue burning; (van schot) hang fire; nabrander hang-fire; (techn.) after-burner
nabrengen bring (carry, take) after [a p.]
nabroodje small supper (usually after meeting)

naburig neighbouring, nearby
nabuur neighbour
nabuurschap neighbourhood, vicinity; *goede ~* good neighbourliness
nacht night; *~ en dag* n. and day, day and n.; *de gehele ~* all n. (long), the whole n.; *de geh. ~ durend* all-night [session]; *de ~ van zaterdag op zondag* Saturday night; *'t wordt ~* n. is setting in (coming on), it is getting on towards n.; *de ~ brengt raad* n. brings counsel, good counsel comes overnight; *de ~ der tijden* the dim ages of antiquity; *in de ~ der tijden*, *ook:* before the dawn of history; *goede ~!* good n.!; *een goede (slechte) ~ doorbrengen* pass a good (bad) n.; *bij ~* by n., in the night(-time); *bij~ en ontijd(en)* at unseasonable times; *gedurende (in) de ~* during (in) the n., overnight; *'s ~s* at (by) n.; *van~*, *(verleden)* last n.; *(toekomstig)* to-night; *van de ~ een dag maken* turn n. into day; *zie* diep, enz.; ~**arbeid** n.-work; *(in bakkerijen)* n.-baking; ~**asiel** n.-shelter; ~**bel** n.-bell; ~**blaker** bedroom candlestick; ~**blind** n.-blind; ~**blindheid** n.-blindness, nyctalopia; ~**boot** n.-boat; ~**braken** turn n. into day, burn the midnight oil; *(met pretmaken)* make a n. of it; ~**braker** one who ...; *(pretmaker)* n.-reveller, fly-by-n.; ~**club** n.-club; ~**dienst** *a) (van boot, enz.)* n.-service; *b)* n.-duty [– *hebben* be on ...]
nachtegaal nightingale; *Hollandse ~* Dutch n., frog; ~**sslag** jug (*of:* note) of the n.
nacht-: ~**elijk** *a) (elke ~ plaats hebbend)* nightly; *b)* nocturnal [visit], night [attack, sky, singers]; – *duister* darkness of night; *–e stilte* silence of the n.; – *uur* hour of n.; ~**evening** equinox; ~**eveningspunt** equinoctial point; ~**gewaad** n.-attire; ~**gezang** *(r.-k.)* nocturn; ~**gezicht** nocturnal vision; *(schilderij) zie* ~stuk; ~**goed** n.-things, -clothes; ~**hemd** n.-shirt; ~**hok** *(van kippen)* (hen-)roost; *(in dierentuin)* night-house; ~**huis** *(mar.)* binnacle; ~**jager** night-fighter; ~**japon** n.-gown, -dress; *(fam.)* nightie; ~**kaars** n.-candle, bedroom candle; *als een – uitgaan* fizzle out (like a damp squib); ~**kastje** pedestal (cupboard), bedside cabinet; ~**kluis** n.-deposit; ~**kus** goodnight kiss; ~**kwartier** n.-quarters; ~**lamp(je)** n.-lamp, n.-light; ~**leger** lodging-place, bed; *(mil.)* bivouac; ~**leven** n.-life; ~**licht(je)** n.-light; ~**lijst** (hotel) register; ~**logies** (night's) lodging; ~**lucht** n.-air; ~**maal** *zie* Avondmaal; ~**merrie** *(ook fig.)* nightmare, incubus; ~**mis** midnight mass; ~**muts** n.-cap; ~**pauwoog** emperor moth; ~**permissie:** *– hebben* have an extension of licence for the n.; ~**pitje** floating wick, float; *(fig.)* n.-bird; ~**ploeg** n.-shift [*bij de –* on the ...]; ~**pon** *zie* ~japon; ~**portier** n.-porter; ~**post** n. mail; ~**raaf** *zie* ~reiger; *(fig.)* n.-bird; ~**redacteur** n. editor, n. sub-editor; ~**reiger** n.-heron; ~**reis** night-journey, overnight j.; ~**rust** n.'s rest; *'t zal hem niet veel – kosten* it

won't keep him awake at nights; ~**schade** nightshade; ~**schel** n.-bell; ~**schone** *(plant)* four o'clock flower, marvel of Peru; ~**schot** evening-gun; ~**schuit** n.-boat; *met de – komen* be late; bring stale news; ~**slot** double lock; *op 't – doen* double-lock; ~**sok** bed-sock; ~**spiegel** looking-glass (= chamber-pot, chamber), jerry; ~**stuk** *(schilderij)* n.-piece, nocturne; *(muz.)* nocturne; ~**tafeltje** *zie* ~kastje; ~**tarief** n. tariff; ~**tijd** n.-time; ~**trein** n.-train; ~**uil** screech-owl; ~**uiltje** n.-moth; ~**veiligheidsdienst** n. security service; ~**verblijf** accommodation for the n., lodging-place, [the price of a] night's lodging; ~**verpleegster** n.-nurse; ~**viool(tje)** dame's violet; ~**vliegen** n.-flying; ~**vlieger** n.-flier; ~**vlinder** n.-moth; *(fig.)* n.-bird, fly-by-night; ~**vogel** n.-bird *(ook fig.)*; ~**vorst** n.-frost, groundfrost (at n.); ~**waak** n.-watch *(in alle bet.)*; ~**wacht** n.-watchman; *(van Rembrandt)* the Nightwatch; *zie* hondewacht; ~**wake** *zie* ~waak; ~**waker** n.-watchman; ~**wandelaar** *zie* slaapw.; ~**werk** *zie* ~arbeid; ~**zak** n.-dress case; ~**zoen** good-night kiss; ~**zuster** n.-nurse; ~**zwaluw** n.jar
nacijferen check, verify [an account]; **nadagen** evening of one's life, declining years; *de romantiek was in haar ~ ...* past its prime
nadat after
nadeel[1] disadvantage, handicap; *(schaduwzijde)* drawback, demerit; *(schade)* injury, hurt, harm *(geldelijk)* loss; *~ toebrengen*, *zie* benadelen; *ik weet niets in zijn ~* to his discredit, against him; *zijn leeftijd was in zijn ~* counted against him; *in 't ~ zijn* be at a d.; *ten -ele van* at the expense (cost) of, to the prejudice (detriment) of [nothing was known to his detriment]; *niem. kon iets te zijnen -ele zeggen* nobody could say anything against him; *tot uw eigen ~* to your d. (detriment, cost)
nadelig injurious [to health], prejudicial, hurtful, harmful, ill [effects], disadvantageous, detrimental [*voor* to]; *~ gevolg* adverse effect; *een ~e vrede* a disadvantageous peace; *~ werken op* be detrimental (prejudicial) to, affect adversely (unfavourably); *zie* saldo
nademaal whereas, since
nadenken[2] I *ww.* think [*over* about], reflect [*over* upon], consider, take thought; *erover ~* t. about it, t. it over; *als je er goed over nadenkt* when you come to think of it; *ik heb behoorlijk over de zaak nagedacht*, *ook:* I've given the matter due consideration; *laat me even ~* let me t. a moment; *als de mensen maar wilden ~* if people would only stop to t.; II *zn.* reflection, thought [to accept without much ...]; *bij ~* on consideration (reflection); *tot ~ brengen* set a p. thinking; *tot ~ stemmen* give food for thought, make one pause, set [a p.] thinking; *tot ~ stemmend* thought-compelling, -provoking [speech]; *na een ongeblik van ~* after a moment's r.; *zonder ~* without think-

---

[1] *Zie ook* schade
[2] *Zie ook* denken

ing, unthinkingly; ~d thinking, thoughtful
nader I *bn.* nearer, shorter; (*uitvoeriger*) further; ~e *bijzonderheden* (*inlichtingen*), *iets* ~s further particulars (information, news); *bij* ~ *inzien* on reflection, upon further consideration; on second thoughts; *bij* ~ *onderzoek* on closer investigation; *tot* ~ *aankondiging* (*order*) until further notice (orders); II *bw.* nearer; afterwards, later on; ~ *aanduiden* (*aangeven*) specify; *een* ~ *te bepalen datum* a date to be fixed (announced); ~ *bezien* consider in more detail; ~ *op iets ingaan* enter into detail(s); *zie* ingaan; ~ *leren kennen* get better acquainted with; *iets* ~ *onderzoeken* make further inquiries; ~ *schrijven* write further particulars, write again; *daarover spreken we* ~ we'll talk about that later on; ~ *uiteenzetten* explain more fully; ~**bij** nearer, closer; *'t van* – *bezien* look at it more closely
naderen *intr.* approach, draw near, come on; *tr.* approach, draw near to, near, come up to; *niet te* ~ unapproachable; *bij 't* ~ *van, zie* nadering; ~**d** *ook:* oncoming [motor-car]
naderhand afterwards, later on
nadering approach; *bij de* ~ *van* at the a. of; ~**s werken** approaches
nadezen *zie* na; **nadien** since
nadienen: *zes jaar blijven* ~ sign on for another six years
nadir id.
nadoen: *doe hem na* do as he does; *doe me dat eens na* match that if you can! (*Am.*) how's that for high?; *zie verder* nabootsen
nadorst after-thirst
nadruk (*klem*) emphasis, accent, stress; (*van boek*) reprint; (*ongeoorloofd*) pirated (spurious, surreptitious) edition; (*'t nadrukken*) (literary) piracy; *de* ~ *leggen op,* (*eig.*) accent, stress; (*fig.*) stress, lay (put the) stress (emphasis) on, emphasize, accentuate, underline, highlight; (*te veel*) overstress, over-emphasize [a point]; *met* ~ emphatically; ~ *verboden* copyright, all rights reserved; ~, *in welke vorm ook,* verboden no part of this work may be reproduced in any form; ~**kelijk** *bn.* emphatic, express, pointed, positive; *bw.* emphatically, expressly, pointedly, positively; ~**ken** reprint; (*ongeoorloofd*) pirate; *vgl.* ~; ~**ker** piratical printer (publisher), (literary) pirate; (*geoorloofd*) reprint publisher
nafta naphtha; **naftaline** naphthaline
nagaan 1 (*volgen*) follow; (*in 't oog houden*) keep track of [a p., of what is going on]; (*nasporen*) trace [a fugitive, the beginnings of the drama]; take stock of [the past, the situation]; (*van politie*) dog, shadow, watch; *iem. laten* ~ have a p. watched; *'t is onmogelijk na te gaan wie … is* it is impossible to trace the writer of the letter; *voor zover ik kan* ~ as (so) far as I can ascertain (determine, gather, make out); *zie* gang; 2 (*toezien op*) keep an eye on, look after; 3 (*onderzoeken*) check, examine, verify [an account], go through, go over, run over [accounts, a list of names; he ran over in his

mind every possible explanation]; (*nauwkeurig*) peruse [a paper]; *de gebeurtenissen van zijn leven nog eens* ~ ret.'ace the events of one's life; 4 (*bedenken*): *als ik dat alles naga* if (when) I consider all that; 5 (*zich voorstellen*) imagine, fancy; *dat kan je* ~*!* (*iron.*) catch me at that! not likely! not I!; (*dat spreekt vanzelf*) obviously!; 6 (*van uurwerk*) *zie* nalopen
nagalm reverberation, resonance, echo
nagalmen reverberate, resound, echo
nagapen gape (*of:* stare) after
nageboorte afterbirth, placenta
nageboren posthumous
nagedachtenis memory, remembrance, commemoration; *gewijd aan de* ~ *van* sacred to the m. of; *ter* ~ *van* in m. of; *zie* gedachtenis
nagekomen (*van connossement, enz.*) accomplished; ~ *berichten* stop-press (news)
nagel nail (*ook spijker*); (*klink-*) rivet; (*kruid-*) clove; (*van bloemblad*) claw; *iems.* ~s *korten* clip a p.'s wings; *de* ~s *zitten er nog in* the marks of the nails are still visible; *een* ~ *aan zijn doodkist* [it is] a n. in his coffin; *zie* bijten, bloed, enz.; ~**bank** (*mar.*) fife-rail; ~**bed** n.-bed, -matrix; ~**bijten** *zn.* n.-biting; ~**bijter** n.-biter; ~**bloem** gillyflower; ~**bol(len)** allspice, pimento; ~**boom** clove-tree; ~**borstel** n.-brush; ~**en** nail [Jesus was … ed to the Cross]; *aan de grond genageld* rooted to the ground (the spot), [stand] transfixed; ~**garnituur** manicure set; ~**gat** n.-, rivet-hole; ~**hout** 1 clove(-tree) wood; 2 loin of smoked beef; ~**kaas** clove cheese; ~**knipper** (pair of) n.-nippers; ~**kruid** avens; ~**lak** n. polish; ~**nieuw** brand-new, spick-and-span new; ~**olie** oil of cloves; ~**riem** n.-rim, cuticle (of the n.); ~**schaartje** (pair of) n.- (*of:* manicure) scissors; ~**schuier** n.-brush; ~**vast** fastened with nails; (*aard-en—*) clinched and riveted; *wat* – *is* fixtures; ~**vijl** n.-file; (*van karton*) emery-board; ~**vlek** n.-speck; (*aan de* ~*wortel*) lunula; ~**vlies** nictitating membrane; (*ziekte*) pterygium; ~**wortel** root of a (the) n.
nagemaakt imitation, counterfeit, spurious; forged [cheque, etc.], (*fam.*) faked [bank-notes, diamonds]; artificial [flowers]; sham [jewels]; ~e *schildpadsoep* mock turtle soup; ~e *juwelen, ook:* paste
nagenoeg almost, nearly, all but, next to
nagenoemd undermentioned
nagerecht dessert
nageslacht: *'t* ~ posterity; *zijn* ~ his descendants (posterity, progeny, issue, offspring)
nageven: *iets* ~ finish up (wind up, conclude) with s.t.; *iem. iets* ~, (*ong.*) tax a p. with s.t., impute s.t. to a p.; (*tot zijn eer*) give a p. credit for s.t.; *dat moet ik hem* (*tot zijn eer*) ~ I'll say that (that much) for him, (*fam.*) I must hand that to him
nagewas after-growth; **nagezang** *zie* nazang; **nagisting** after- (*of:* second) fermentation; **naglans** afterglow, reflected glory; **nagloeien:** *deze lucifers gloeien niet na* do not glow when extinguished
nagras aftergrass, aftermath

naheffing balance [of tax] payable
naherfst latter part of (the) autumn, late autumn
nahooi aftermath, aftercrop (of hay)
nahouden (*school*) keep in (after hours); *er op* ~ have [ideas of one's own], hold [a view, peculiar ideas]; keep [articles for sale, bad company, horses, servants]; *er een vaste reiziger op* ~ employ a regular traveller; *wij houden er geen auto op na* we don't run (keep) a car; *iem. iets* ~, *zie* nageven
naïef naïve, naive, artless, ingenuous
naijlen hurry (hasten) after
naijling (*techn.*) lag
naijver emulation, jealousy, envy
naijverig emulous, jealous, envious [*op* of]
naïveteit naïveté, naïvety, naivety, artlessness, ingenuousness
najaar autumn; (*Am.*) fall; ~**sopruiming** a. sale(s); ~**sveiling** a. sale; ~**sweer** autumnal weather
najade naiad, water-nymph
najagen I *ww.* chase, pursue [an animal, a criminal]; (*fig.*) chase [shadows], pursue [pleasure]; *de hond joeg een haas na* was coursing a hare; *een kogel* ~ send a bullet after; *zie* effect; II *zn.* pursuit; **-er** pursuer; **-ing** pursuit
najouwen hoot after
nakaarten hold a post-mortem, discuss might-have-beens, be wise after the event
naken approach, draw near
nakie (*fam.*) *zie* blootje
nakijken 1 look after; *hij keek mij na tot de deur* he watched me out to ...; 2 look (go) over [one's lessons]; (*aandachtig*) peruse [a document]; 3 correct [exercises], mark [papers], revise (read) [a proof]; look (see) to [the lock should be looked (seen) to]; overhaul, go over [a motor-car]; *zich laten* ~ have a medical examination (check-up, *fam.* have a medical); *je moet je hoofd eens laten* ~ you need your head examined; 4 (*opzoeken*) look up; *zie* nazien, onderzoeken
naklank echo (*ook fig.*), resonance
naklinken echo, resound, continue to sound
nakomeling descendant; ~**schap** posterity, progeny, offspring, [she died without] issue
nakomen *intr.* follow, come later on; join s.b. later; *tr.* 1 follow, come after [a p.]; 2 keep, fulfil, perform, redeem, make good [a promise]; observe [rules]; live up to, fulfil [one's pledges]; meet, discharge, honour [one's obligations]; obey [orders]; fulfil, perform [a contract]; comply with, fulfil [conditions]; *het* ~ *van een verplichting* the fulfilment of an obligation; *bij het niet* ~ *waarvan* ... failing which ...; *zie* naleven & nagekomen
nakomer successor, descendant; late comer (*of:* arrival); (*achterblijver*) straggler; ~(*tje*), (*kind*) afterthought
nakoming fulfilment, performance, observance; compliance [with the provisions of an act]; *vgl. 't ww.; zie* niet-~
nakroost progeny, offspring, issue

nakuur after-cure
nalaten 1 (*bij overlijden*) leave (behind) [he left his money to the poor]; *heel wat* (*veel geld*) ~, (*fam.*) cut up well (*of:* fat); 2 (*sporen, enz.*) leave (behind); 3 (*in gebreke blijven*) omit [doing, to do], fail [he never ...ed to come]; 4 (*verzuimen*) neglect [one's duties]; *wij zullen niets* ~ *om* ... we shall leave nothing undone to ...; 5 (*ophouden met*) leave off, desist from; 6 *ik kon niet* ~ *te zeggen* I could not help (forbear, refrain from, omit) saying; *nagelaten werken* posthumous works, literary remains; *nagel. betrekkingen* survivors; ~**schap** estate; (*erfenis*) inheritance
nalatig neglectful, negligent, careless, remiss; ~ *in het vervullen van zijn plicht* n. of one's duty; ~*e betaler* bad (slow) payer; ~**heid** negligence, carelessness, remissness; (*jur.*) laches, non-feasance; (*plichtverzuim*) dereliction of duty; **-ing** omission
naleven live up to [a principle], fulfil, perform [a contract], observe [the regulations], comply with [certain conditions]; *zie* nakomen
naleveren deliver subsequently, repeat; **-ing** subsequent delivery
naleving performance, fulfilment, observance
nalezen 1 read over, peruse; (*herlezen*) read again; 2 glean [ears, a field]; **-ing** ... ing, perusal; (*concr.*) gleanings; addenda
nalichten: *het* ~ *van de zee* afterglow
naloop 1 concourse, following; *die predikant heeft veel* ~ is very popular; 2 (*branderij*) faints
nalopen I *tr.* (*ook fig.*) run after, follow [a preacher]; *een meisje* ~ run (dangle) after (hang round, hang about, philander after) a girl; *de vrouwen* ~ run (loaf about) after women, womanize (*iem. die* ... runner after women, womanizer); *ik kan niet alles* ~ I cannot attend to everything; *ze moet hem de hele dag* ~ (*om hem te bedienen*) she must fetch and carry for him; II *intr.* (*van uurw.*) lose [two minutes a day]; (*achter zijn*) be [two minutes] slow; **naloper** follower; *zie* nalopen
nam *o.v.t. van* nemen
namaak imitation, counterfeit, forgery; *wacht u voor* ~ beware of imitations; *'t is* ~, *ook:* (*fam.*) it's a fake; *attr.:* bogus [bishop]; *zie verder* nagemaakt; ~**sel** *zie* ~
namaken imitate, copy; counterfeit [coins], forge, (*fam.*) fake [banknotes, a signature]; *zie* nagemaakt; **-er** imitator, forger, counterfeiter
name *zie* naam
namelijk (*voor opsomming*) namely, to wit, viz. (= videlicet; *uitspr. gew.* 'neimli), that is; (*redengevend*) for, because; *ik had hem* ~ *gezegd* ... for I had told him ...; *we dachten* ~ ... the fact (point) is that we thought ...; **nameloos** nameless, unutterable, unspeakable, ineffable, untold [misery]; *zie ook* naamloos
Namen Namur
namens in the name of, on behalf of; *ik spreek* ~ *allen*, (*ook:*) I speak for all; *zeg hem* ~ *mij* tell him from me

nameten measure (again), check the measurements

Namibië Namibia

namiddag afternoon; *des ~s* in the a.; *om 4 uur des ~s, ook:* at four p.m.; **~beurt, ~dienst** a. service; **~dutje** *zie* ~slaapje; **~kerk** *zie* ~dienst; **~slaapje** after-dinner nap, siesta; **~voorstelling** *zie* matinee

nanacht latter part of the night

nandoe nandu, rhea

naneef descendant

Nanking id., Nankin; **nanking** nankeen

nansoek nainsook; **Nantes** id.

naogen eye, watch, follow with one's eyes

naoogst after-crop, -harvest, gleaning

naoogsten glean

naoorlogs post-war [prices], after-war [period]

nap (drinking-)cup, bowl, basin, porringer; *zie* zuignap(je)

N.A.P. = *Normaal Amsterdams Peil* Normal Amsterdam Level, Ordnance Datum

napalm id.

Napels *zn.* Naples; *bn.* Neapolitan

napje (*plantk.*) cupule; *ook:* cup [of an acorn]

napjesdragend cupuliferous

napleiten keep on arguing (after a thing has been decided), discuss might-have-beens, go over the old ground again

napluizen investigate, sift, thresh out

napluk after-crop; **naplukken** glean

Napoleon id.; *n~,* (*baard*) imperial; (*munt*) napoleon; **~tisch** Napoleonic

Napolitaan(s) Neapolitan

nappa(leer) nap(p)a

napraat: *ik wil er geen ~ van hebben* I don't want it talked about

napraten: *iem. ~* parrot a p., repeat a p.'s words; *nog een beetje ~* have a talk (a chat) after the others have gone

naprater parrot; **~ij** parroting

napret amusement after party (after practical joke, etc.)

nar fool, jester

narcis (*wit*) narcissus (*mv. ook:* narcissi), (*geel*) daffodil

narcisme narcissism

narcose narcosis, anaesthesia; *zie* verdoving; *onder ~* under an anaesthetic; *onder ~ brengen,* *zie* narcotiseren

narcoticum narcotic, anaesthetic; **-ine** id.; **-tisch** narcotic; *– middel* narcotic, drug, (*fam.*) dope; *handel(aar)* in *–e middelen* drug (*fam.:* dope) traffic (dealer, peddler); **-tiseren** narcotize, anaesthetize; **-tiseur** anaesthetist

nardus (spike)nard

narede epilogue; **nareizen** travel after, follow (round); **narekenen** check, verify; (*uitrekenen*) reckon up, calculate; *zie* vinger

nargileh narghile(h), nargile(h), hookah

narigheid misery; *zie* akeligheid

narijden ride (drive) after; *iem. ~,* (*fig.*) keep a p. (hard) at it, keep a p. up to his work; *je moet ze altijd ~* you must always be after them

naroepen call after; (*uitjouwen*) hoot (at)

narren: **~bel** fool's bell; **~kap** fool's cap, cap and bells; **~pak** fool's dress, motley

narreslee *zie* ar 1

narrig peevish, cross; **~heid** ...ness

narwal narwhal, sea unicorn

nasaal *bn. & zn.* nasal

nasaleren nasalize

naschieten fire after, send a bullet after

naschilderen copy

nascholing refresher course

naschreeuwen cry (shout) after; (*uitjouwen*) hoot (at)

naschrift postscript

naschrijven copy; (*spieken*) crib; (*plagiaat plegen*) plagiarize [an author, a work]

naschrijver copier, plagiarist

naseinen re-direct [a telegram]

naslaan look up, look out [a word, a train]; read (turn) up [a subject]; consult, refer to, turn up [a dictionary]; verify [a quotation]; counterfeit [coins]; *om na te slaan* for reference; *ter vergemakkelijking van het ~* to facilitate reference

nasla(g)werk book of reference, r. book

nasleep train; aftermath [the ... of a neglected cold, of the war]; *dat heeft een lange ~* a long t. of (serious) consequences; *de oorlog heeft een ~ van ellende* brings a great deal of misery in its t.; *de ziekten die een ~ zijn van de winter* the ailments that follow in the wake of winter; **naslepen** *tr.* drag along, drag after one; (*schip*) tow; *intr.* drag (*of:* trail) behind

nasmaak after-taste, taste, tang; *deze cognac laat geen ~ achter* leaves no tongue (in the morning); *'t heeft een bittere (lelijke) ~,* (*ook fig.*) it leaves a bitter (nasty, bad) taste (in the mouth)

nasnede aftergrass, aftermath

nasnorren, -snuffelen pry into [secrets, etc.]; search [a place]; rummage [a p.'s pockets]; fumble among [papers]

naspel (*theat.*) afterpiece; (*muz.*) postlude, (concluding) voluntary; (*fig.*) aftermath, sequel

naspelen play [a piece of music] after a p.; (*op 't gehoor*) repeat by ear; *een kleur ~* return one's partner's lead; *ruiten ~* return diamonds; *in een andere kleur ~* lead another suit; *welk stuk wordt nagespeeld?* what is the afterpiece?

naspellen spell after [a p.]; spell again

naspeuren track, trace, investigate; **-ing** tracking, etc., investigation

nasporen *zie* naspeuren; **-ing** investigation, inquiry; *– naar* search for [the missing airman]; (*wetenschappelijke*) *–en doen* make researches

naspreken: *iem. ~* repeat a p.'s words; (*gedachteloos*) parrot a p.; (*nabouwen*) mimic a p.('s voice); **naspringen** jump (spring, leap) after; (*in water*) jump in after

nasprokkelen glean; **-ing** ...ing; (*concr.*) gleanings, aftermath

nastreven pursue [an object *doel*]; strive after, aspire to [power, etc.]; emulate [a p.]; *zie* najagen; **nastuk(je)** afterpiece

nasturen *zie* nazenden

nasynchroniseren (*film*) dub
nat I *bn.* wet (*ook* = *met vrije drankverkoop*); (*vochtig*) damp, moist; ~*!* w. paint!; *zo* ~ *als een poedel* like a drowned rat; *'t was* ~ (*weer*) it was w. (a w. day); ~ *van de regen* w. with the rain; ~ *maken* wet; *een broeder van de* ~*te gemeente* a tippler; *het* ~*te strand* the foreshore; ~*te waren* liquids; *langs de* ~*te weg* by w. process; *zie* maat, vinger, enz.; II *zn.* wet, liquid; (*waarin iets gekookt is, van oesters, enz.*) liquor; (*vlees-*) gravy; (*kooknat van beenderen, groenten, enz., voor soep*) stock; *er valt* ~ it is spitting; *voor* ~ *te bewaren!* keep dry!; *ik heb nog geen* ~ *of droog gehad* I've not yet taken anything; *zie* natje, potnat, enz.; *de Natten,* (*Z.-Afr.*) the Nationalist party; ~**achtig** wettish, damp
natafelen linger at the dinner-table
natekenen copy
natellen count over (again), check; *zie* vinger
nathals toper, tippler, soaker; *'t zijn nathalzen* they are a thirsty lot
natheid wetness, dampness, moistness
natie nation; *de gehele* ~ *omvattend* n.-wide; *de* ~, (*joden*) the Race; *een van de* ~, (*fam.*) a Jew; ~**vlag** ensign
nationaal national; ~*ale feestdag* n. (*of:* public) holiday; ~ *bestaan* nationhood; ~**socialisme** n.-socialism, Nazi(i)sm
nationalisatie nationalization; ~**liseren** nationalize, bring under public ownership; -**lisme** nationalism; -**listisch** nationalist(ic)
nationaliteit nationality; *personen van Britse* ~ (*in den vreemde*) British nationals; ~**sbeginsel** right of self-determination; ~**sbewijs** national registration certificate; ~**sgevoel** national feeling
natje: *hij lust zijn* ~ *en zijn droogje* he is fond of his food and his drink
natrekken travel (march) after, follow; (*overtrekken*) trace, copy; (*verifiëren*) check, verify
natrillen continue to vibrate
natrium sodium
natron caustic soda, sodium hydroxide
natten wet, moisten
nattig damp, wettish; ~**heid** wet (*ook* = *regen*) damp, wetness; – *voelen* smell a rat, sense danger
natura: *in* ~, (*niet in geld*) in kind; (*naakt*) in nature's garb; ~**liën** (*vero.*) natural products; (*zeldzaamheden*) natural curiosities; ~**lisatie** naturalization; ~**liseren** naturalize; grant certificates of naturalization; *zich laten* – take out letters of naturalization (naturalization papers); ~**lisme** naturalism; ~**list** id.; ~**listisch** *bn.* naturalist(ic); *bw.* naturalistically
naturel *zn.* (*van kolonie*) native, (*mv. ook*) aborigines; *bn.* natural [leather]
naturen peer after
naturisme naturism
natuur nature; (*landschap*) (natural) scenery [the s. is wonderful here], [the] countryside; *dergelijke naturen* such natures; *hij was geen heldhaftige* ~ his was no heroic nature, he was

no hero; *de gehele* ~ all n.; *de* ~ *volgen* follow n.; *'t is bij hem een tweede* ~ *geworden* it has become second n. with (to) him; *de* ~ *gaat boven de leer* n. is stronger than nurture; *in de vrije* ~ in the country; *zie ook* ~staat; *naar de* ~ *getekend* drawn from n.; *tegen de* ~ against n., contrary to n.; *van nature* naturally, by n.; ~**aanbidder** n.-worshipper; ~**aanbidding** n.-worship; ~**bad** sun-beach, lido; ~**beheer, -behoud** conservation, n. conservancy; ~**bescherming** protection of n., n.-protection, n.-conservation; ~**beschouwing** study of n.; ~**beschrijving** description of n.; ~**boter** dairy butter, natural b.; ~**dienst** n.-worship; ~**drift** instinct; ~**filosofie** natural philosophy; ~**gas** natural gas; ~**geneeswijze** naturopathy, n.-cure; *inrichting voor* – naturopathic (n.-c.) establishment; ~**genoot** fellow-being, -creature; ~**genot** enjoyment of n.; ~**getrouw** true to n.; – *weergeven* reproduce faithfully; ~**godsdienst** natural religion; ~**historisch** natural-historical, natural history ...; ~**kenner** naturalist, natural philosopher; ~**kennis** natural science (*of:* philosophy); ~**keus** natural selection; ~**kind** child of n.; ~**kracht** force of n., natural force; ~**kunde** physics, (natural) science; ~**kundeleraar, -ares** science (physics) master (mistress); ~**kundig** physical; ~**kundige** physicist, natural philosopher; ~**liefhebber** n.-lover
natuurlijk I *bn.* natural [behaviour, child, history, logarithm, number, person, size, etc.]; *het* ~ *verstand* common sense, mother-wit; *het is een* ~*e zaak* a matter of course, it is quite n.; *een* ~*e dood sterven, ook:* die from n. causes; *'t is* (*heel*) ~ *dat hij* ... he (quite) naturally wants to go; *'t is helemaal niet* ~ ['of course you will keep it.'] 'there's no of course about it'; *op de* ~*e grootte geschilderd, ook:* painted life-size; *'t* ~*e, zie* ~heid; II *bw.* of course; (*op* ~*e wijze, overeenkomstig de natuur*) naturally; ~ *spreken* speak unaffectedly; *'t gaat hem* ~ *af,* (*fam.*) it comes natural to him; ~**erwijze** naturally, of course; ~**heid** naturalness, simplicity, artlessness
natuur-: ~**mens** natural man; *zie ook* ~vriend; ~**monument** nature reserve; (*Vereniging tot Behoud van*) *Natuurmonumenten* Society for the Promotion of Nature Reserves; (*ongev.*) Nature Conservancy (Board); ~**onderzoek** natural science, investigation of n.; ~**onderzoeker** naturalist; ~**pad** n. trail; ~**produkt** *zie* ~voortbrengsel; ~**ramp** catastrophe; ~**recht** *a*) natural right; *b*) natural law; ~**reservaat** [forest, game, nature] reserve, [bird] sanctuary; ~**rijk** kingdom (*of:* realm) of n.; ~**schoon** (scenic) beauty, beautiful scenery; *plekje* – beauty spot; ~**schoonwet** *ongev.:* N. Protection Act; ~**speling** freak of n.; ~**staat** state of n., natural state; ~**studie** n.-study; ~**tafereel** natural scene; ~**verschijnsel** natural phenomenon (*mv.:* -mena); ~**volk** primitive nation (*of:* race); ~**voortbrengsel** natural product (*mv. ook*) natural produce; ~**vorser** naturalist; ~**vriend** n.-lover; ~**wet** law of n., natural law

~wetenschap(pen) natural science, science; ~
wol native wool; ~wonder prodigy (of n.); ~
woud primeval (virgin, native) forest; ~zijde
natural (of: real) silk
nautiek nautical science, science of navigation;
nautilus id.; nautisch nautical
nauw I bn. (smal) narrow; (-sluitend) tight
[boots]; (fig.) close [ties, acquaintanceship,
co-operation, contact, touch aanraking]; (-let-
tend) strict; ~ van geweten scrupulous, conscientious; ~e ingang, (van straat, enz., ook:)
bottle-neck (entrance); ~e ruimte, ook: confined space; II bw. ...ly; (nauwelijks) scarcely;
~ zitten sit close; ~ verwant closely related; ~
voeling houden met be closely in touch with;
't ~ nemen, ~ kijken be very particular; 't niet
~ nemen met play fast and loose with [public
opinion], trifle (of: palter) with [the truth],
be lax in [matters of faith]; hij neemt 't zo
~ niet, (met zijn werk, enz.) he is very easy-
going; hij neemt 't niet zo ~ (met zijn geweten
he has no (conscientious) scruples; men neemt
't in haar kring zo ~ niet her circle is very free
and easy; 't komt er zo ~ niet op aan you need
not be so very particular; III zn. narrows;
(zeeëngte ook) strait(s); 't ~ van Calais the
Straits of Dover; in 't ~ zijn (zitten) be in a
scrape, in a fix, in a (tight) corner, be hard
pressed; iem. in 't ~ brengen (drijven) press a
p. hard, drive a p. into a corner, corner a p.,
drive a p. to the wall; (in gevecht, ook:) bring
a p. to bay; in 't ~ gedreven, maar pal staande
[stand] with one's back to the wall; zie kat
nauwelijks scarcely, hardly [ook: a bare fifty
yards away]; ~ had hij ... of scarcely (hardly)
... when, no sooner ... than; hardly [a day
passes] but [we receive inquiries]
nauwgezet scrupulous [care], conscientious,
painstaking; (stipt op tijd) punctual; pijnlijk ~
meticulous; hij voerde zijn opdracht~ uit he carried out his instructions religiously; ~heid ...-
ness, painstaking, punctuality
nauwheid ...ness (zie nauw)
nauwkeurig accurate, exact, correct, precise;
close [watch, follow, question, read a paper
...ly], narrow [watch a p. ...ly]; ~omschrijven,
ook: detail; ~ onderzoek close examination,
searching inquiry; ~ toezicht houden keep
strict watch; ~ tot op ... correct to a millimetre; zie decimaal; tot een stuiver ~ to the nearest penny; ~heid accuracy, exactness, exactitude, precision
nauw: ~lettend(heid) zie ~keurig(heid) & ~ge-
zet(heid); -e aandacht close (minute) attention; -e zorg conscientious care; ~nemend particular; zie nauw; ~sluitend close-, tight-fitting,
clinging [dress]; ~te defile, narrow pass; (op
zee) strait(s), narrows; zie ook nauw zn.
nauwziend particular; zie nauw
n.a.v. = naar aanleiding van in connection
with, with reference to, referring to
navaren sail after
Navarra Navarre; -ees bn. & zn. Navarrese
navegen sweep over (again)

navel id., (van zaad) hilum; op zijn ~ staren
contemplate one's n.; ~ader umbilical vein;
~band umbilical bandage; ~breuk n. rupture,
umbilical hernia; ~kruid n.wort; ~sinaasappel
n. orange; ~streek region of the n., umbilical
region; ~streng n.-string, umbilical cord; ~
zwijn peccary
navenant in proportion, in keeping
navertellen retell, repeat; hij zal 't niet ~, (fig.)
he won't live to tell the tale
naverwant closely related; ~e relation; ~schap
relationship
navigatie navigation; Akte van ~ N. Act.; ~
lichten n.-lights, running lights; navigator id.
navijlen file over (again) (ook fig.)
navlooien check meticulously
navolgbaar imitable
NAVO NATO
navolgen (eig.) follow; (vervolgen) pursue; (nadoen) follow, imitate; iem. ~, ook: take a leaf
out of a p.'s book; ~d following, undermentioned; ~swaardig worth imitating (following)
navolger follower, imitator
navolging imitation; in ~ van in i. of, after
[Rembrandt]; ter ~ dienen serve for a model
navordering additional claim; (belasting) additional assessment
navorsen investigate, inquire into, search (into), explore; sift [a story]; -er investigator;
-ing investigation, exploration, (wetenschappelijke) –en researches
navraag inquiry; bij ~ on i.; ~ doen naar inquire
(make inquiries) about (after); dat kan geen
~ lijden that will not stand (of: bear) a close
inquiry
navragen inquire, make inquiries
navrant distressing, heart-rending, harrowing
navullen, navulling refill
naweeën after-pains; (fig.) evil consequences
(effects), after-effects [the ... of the party], aftermath; ~ van de oorlog post-war ills, aftermath of the war
nawegen weigh again, re-weigh
nawerken a) work after (school-)hours, work
overtime; b) lang ~ make itself felt long after;
zijn invloed werkt nog na his influence still
lingers; -ing (after-)effect(s)
nawijzen point at (after); zie vinger; nawinter
latter part of (the) winter; nawoord afterword
nazaat descendant
nazang (in kerk) closing (of: last) hymn; (van
gedicht) final canto
Nazarener Nazarene, Nazarite; Nazareth
Nazareth; kan uit ~ iets goeds komen? can
there any good thing come out of N.?
nazeggen repeat, say after [a p.]; dat kan je
mij niet ~, (fig.) that is more than you can
say; zie ook nageven; nazeilen sail after
nazenden send (on) after [a p.], [I'll send on
[your washing], forward (on); re-direct [let-
ters]; ~ s.v.p. please forward; zich de brieven
laten ~ have one's letters forwarded
nazetten pursue, chase; iem. ~, ook: give chase
nazi Nazi; ~systeem Nazi(i)sm

nazien 1 look after, follow with one's eyes; (*bij verlaten van kamer, ook:*) watch [a p.] out; 2 (*nagaan*) examine, go through, look over (through); check [an account], (*van accountant*) audit [accounts]; (*voor reparaties*) overhaul [a ship, motor-car]; *bij 't ~ onzer boeken* on looking through our books; 3 (*corrigeren*) correct; *zie* nakijken

nazingen sing after [a p.], echo [a song]

nazisme Nazi(i)sm

nazitten pursue, chase, chivy; *een gevoel alsof men nagezeten wordt* a hunted feeling; *zie* narijden

nazoek *zie* navorsing & onderzoek

nazoeken look (read) up, examine

nazomer latter part of (the) summer, late summer; *mooie ~* St. Martin's (*of:* St. Luke's) (little) summer, (*oorspr. Am.*) Indian summer

nazorg (*van zieke, enz.*) after-care, follow-up care

N.B. *a*) N.B. (nota bene); *b*) N(orth) lat(itude); *zie* breedte

Neanderdal Neanderthal [man]

neb *zie* sneb

Nebucadnezar Nebuchadnezzar

necessaire toilet-, dressing-, travelling-case, holdall; (*naai~*) housewife ['hʌzif]

necro-: ~**filie** necrophilia; ~**logie** necrology; obituary (notice); ~**loog** necrologist; ~**mantie** necromancy; ~**polis** id.; ~**se** necrosis; ~**tisch** necrotic; ~**tiseren** necrotize

nectar id.; ~**ijn** nectarine

Ned. Ct. Dutch Currency

ne(d)er[1] down; ~**biggelen** trickle d.; ~**blikken** look d.; ~**bonzen** bump (bang) d.; ~**buigen** *tr.* bend d.; *intr.* (*ook: zich* ~) bend (bow) d.; ~**buigend** condescending; ~**buigendheid** condescension; ~**buitelen** tumble d.; ~**bukken** stoop d.; ~**dalen** descend, come d.; (*van vliegt. ook*) land (*ook op water*); (*doen*) – op, (*van kogelregen, scheldwoorden, enz.*) shower d. upon; ~**daling** descent; ~**doen** let (put) d.; *een paraplu* – put d. (shut up) an umbrella; ~**draaien** turn d. [a lamp]; wind d. [the window of a motor-car]; ~**druipen** drip (trickle) d.; ~**drukken** press (weigh) d.; (*fig. ook*) depress; ~**duiken** plunge (dive) d.; N~**duits** Low German; – *Hervormd, zie* Ned. Herv.; ~**duwen** push (press, thrust) d.; ~**gaan** go d.; *–de beweging* downward movement; ~**glijden** slide (glide) d.; ~**gooien** throw (fling, *fam.* chuck) d.; throw [an opponent]; shoot [refuse *afval*], throw (*fam.* chuck) up [one's post], throw up [one's cards]; *de boel* (*het bijltje*) *erbij* –, (*fam.*) chuck it; (*bij staking*) down tools [*zo ook:* the mutineers downed arms]; ~**hagelen** hail d.; ~**hakken** cut d.; ~**halen** fetch d.; let (draw) d. [a blind]; haul d. [a flag]; strike [a sail]; pull d. [a wall]; bring d. [an aeroplane]; ~**hangen** *intr.* hang d., droop [a ...ing moustache, ...ing branches]; *tr.* (*ophangen*) hang (up);

[1] *Zie voor samenstellingen met* neder- *ook* neer-

~**houden** keep d.; ~**houwen** cut d.; ~**hurken** squat (d.)

nederig humble, modest, lowly; ~*e hoogmoed* mock modesty, pride that apes humility; ~**heid** humbleness, humility, modesty, lowliness

ne(d)er- down: ~**kappen** cut (chop) d.; ~**kijken** *zie* ~zien; ~**kladden** scribble d.; ~**klappen** fold downwards; ~**knielen** kneel d.; ~**komen** come d., descend; (*met geweld*) come crashing d. [the chimney crashed into the road]; alight [the bird ...ed on the roof]; (*van vliegt. ook*) land (*ook op zee*); doen – bring down [a bag on a p.'s head]; *al deze zaken komen op de regering ~* all this business devolves on the government; *alles komt op hem ~* he has to do (look after) everything, everything falls on his shoulders; *'t komt alles op mijn zere been neer* I shall be the one to pay for it all; *de gevolgen van zijn misdaden kwamen op hemzelf neer* his crimes came home to roost (recoiled upon himself); *dat komt op 't zelfde ~* it comes (amounts) to the same thing; *daar komt 't op ~* that is what it comes to, it boils d. to that, that's the question in a nutshell, that's the long and the short of it; (*fam.*) that's about the size of it; *'t betoog komt hierop neer ...* the gist of the argument is ...; *'t vraagstuk komt hierop ~* resolves itself into this, narrows d. to this; *de hele geschiedenis komt* (*ten slotte*) *hierop ~* the whole thing boils d. to this; *hierop ~komend, dat ...* [a letter] to the effect that ...; ~**krabbelen** scribble d.; ~**kwakken** *zie* ~smakken

nederlaag defeat, overthrow; *de ~ lijden* be defeated (worsted), lose the day; *een verpletterende ~ lijden* (*toebrengen*) suffer a crushing defeat (inflict a ... upon)

Nederland The Netherlands, Holland; *de ~en, ook:* the Low Countries; ~**er** Dutchman, Netherlander; (*officieel*) Netherland(s) subject; ~**erschap** Dutch nationality; ~**s** I *bn.* Dutch, Netherlands [the ... Indies]; *de –e Bank* the Bank of the Netherlands; *de –e Handelmaatschappij* the Netherlands Trading Company; II *zn.* Dutch, Netherlandish

ne(d)er- down; ~**laten** let d. [gangway], lower [window]; *zie* loodlijn; *zich* – let o.s. down [by a rope]; *de gordijnen zijn ~gel.* the blinds are d. (are drawn); ~**leggen** lay (put) d., put [where am I to put those books?]; *in een contract* – embody in a contract; *zijn ambt* – resign (lay d.) one's office, resign (office); *zijn beginselen – in ...* embody one's principles in a work; *de resultaten zijn neergelegd in een rapport* are set down in a report; *'t commando* – resign command; *iem. –,* (*boksen, enz.*) stretch (*of:* floor) a p., knock a p. out, (*sl.*) lay a p. out, grass a p.; *een hert* – shoot (kill, bring d.) a deer; *de kroon* (*regering*) – abdicate (the crown), vacate the throne; *de praktijk* – retire from practice; *een som geld* – deposit (*sl.*: plank d.) a sum of money; *de* (*voorzitters*)**hamer** – vacate the chair; *de wapens* – lay d. (*fam.* down) arms (*of:* one's arms); '*t werk* – stop work, (*fam.*) knock off; (*staken*) strike, (*fam.*) down tools; **naast zich** – put [advice, etc.] on one side, ignore, disregard; *zich* – lie d.; *zich erbij* – put up with it, resign o.s. to it, acquiesce in it [in a decision]; *zie* hoofd; ~**liggen** lie d.; ~**maaien** mow d.; ~**Oostenrijk** Lower Austria; ~**persen** press d.; ~**ploffen** *tr.* dump d.; *intr.* plump d., flop d. [into a chair]; ~**plompen** plump d.; ~**plonzen** plunge d.; ~~**poten** (*fam.*) set (put) d.; *vgl.* ~**zetten**; ~**regenen** (*van oogst*) be laid (beaten d.) by the rain; N~**Rijn** Lower Rhine; ~**rollen** roll d.; ~**rukken** tear (pull, jerk) d.; ~**sabelen** cut d., sabre, put to the sword; ~**schieten** *tr.* shoot (d.), bring d. [an aeroplane, a bird], knock over [rabbits]; (*fam.*) down [an aeroplane]; II *intr.* dash d., dart d., (*van roofvogel, enz. ook*) pounce, swoop down [*op* upon]; ~**schijnen** shine d.; ~**schrijven** write (take) d.; ~**sijpelen** ooze (trickle) d.; ~**slaan** I *tr.* strike d., knock d., fell [a p.]; beat down, crush, quell [an insurrection, a coup]; (*van oogst door regen, enz.*) lay, flatten, beat d.; cast d., lower [one's eyes]; turn d. [the collar of one's coat]; let d. [the hood of a carriage]; slam d. [the lid of a box]; (*chem.*) precipitate; (*ontmoedigen*) dishearten; *ze sloeg de ogen* ~, *ook:* her eyes fell; ~*gesl.* downcast [eyes]; *iem. de ogen doen* – stare a p. down (*of:* out of countenance), face, outface a p.; *de regen heeft 't stof* ~*gesl.* has laid the dust; II *intr.* fall d., be struck d.; (*chem.*) be precipitated, precipitate; –*de kap*, (*van auto*) drop head; ~**smakken** *tr.* plump d. (pitch, dash, bang) d., dump (d.); *intr.* fall flop [on the floor]; ~**smijten** fling down; ~**stampen** ram d.; ~**steken** stab; ~**stormen** tear (rush) d.; ~**storten** *tr.* fling d.; *intr.* fall d.; topple d. [the chimney toppled d.]; plunge down, crash [the aeroplane ...ed]; *zie* storten; ~**stoten** thrust d.; ~**strijken** *tr.* smooth (d.) [one's hair]; *intr.* settle (perch, alight) [on a branch]; ~**stromen** stream d.; ~~**strooien** strew d.; ~**tellen** pay; ~**transformeren** (*elektr.*) step d.; ~**trappen** kick d.; tread (trample) d.; ~**trekken** pull (draw) d., draw [a veil]; ~**tuimelen** tumble d.; ~**vallen** fall d., drop; (*van vliegt. ook*) crash; *zich laten* – plump o.s. [on the divan]; *ik val er bijna bij* ~ I am ready to drop; *hij viel er bijna bij neer, ook:* he nearly dropped in his tracks; *iem. laten lopen* (*werken*), *tot hij er bij* ~*valt* walk (run, work) a p. off his legs (*of:* feet); work a p. to death; *dood* – drop d. dead; ~**vellen** fell, strike d., (*fam.*) down [a p.]; ~**vliegen** fly d. [*op* on]; ~**vlijen** lay d.; *zich* – lie d., nestle (down) [in an armchair]; ~**vloeien** flow d.; ~**waaien** be blown d.

nederwaarts *bw.* downward(s); *bn.* downward; ~*e slag*, (*van zuiger*) down-stroke

ne(d)er- down: ~**werpen** throw d.; *zich* – throw

---

o.s. down; ~**zakken** sink (drop) d.; ~**zetten** set (put) d.; plant [one's feet firmly]; (*kalmeren*) soothe; (*op zijn plaats zetten*) put d.; *zich* – sit d., (*op zijn gemak*) settle d., ensconce o.s. [in a big armchair]; (*zich vestigen*) settle; (*theat.*) create [a part]; ~**zetting** settlement, (*handels-*) trading-post, -station; ~**zien** look d. [at the plain]; (*laag*) – *op*, (*fig.*) look d. upon, look d. one's nose at; ~**zijgen**, ~**zinken** sink d. ~**zitten** sit d.

Ned. (= *Nederlands of Nederduits*) **Herv(ormd)** Dutch Reformed

nee *zie* neen

neef cousin; (*oom-, tantezegger*) nephew; *ze zijn* ~ *en nicht* they are cousins; *een* ~, *die schilder is* an artist c.; *zie* vol; ~**je** (*mug*) gnat; ~**schap** cousinship

neeg *o.v.t. van* nijgen

neen no; ~ *maar!* oh, I say! [look at that now!]; the idea! now really! you don't say so!; ['poor C. is dead'] 'no!'; why[, it's John!]; *maar* ~*!* but no!; *wel* – oh no! certainly not! not I (he, etc.)!; ~ *zeggen* say no, say nay, refuse, (*met*) ~ (*be*)*antwoorden* answer in the negative; *wij hebben* ~ *moeten verkopen* we have been unable to suit our customer

neep pinch; *in de* ~ *zitten* be in a fix

neepjesmuts goffred cap

neer [1] down; **neerhaal** downstroke

neerlandicus student (teacher) of Dutch

neerlandistiek (scholarly) study of Dutch; Netherlandic studies

neerslachtig dejected, down-hearted, depressed, despondent, low(-spirited), in low spirits; ~**heid** dejection, low spirits, depression of spirits

neerslag (*muz.*) down-beat; (*bezinksel*) sediment, deposit; (*van roet, enz.*) deposit; (*chem.* [*het neerslaan*] & *atmosferisch*) precipitation; (*chem., stof*) precipitate; [radioactive] fall-out; *een ervaring die haar* ~ *vond in* ... which found concrete shape in ...; *voor zover die hun* ~ *vinden in* ... as far as they are reflected in ...; ~**gebied** drainage (*of:* catchment) area (*of:* basin)

neet [1] *zie* niet [1]; [2] nit; ~**oor** cross-patch

nefriet nephrite; **nefritis** nephritis

negatie negation

negatief negative (*in alle bet., ook zn.*); *-ieve pool* n. pole, cathode; ~ *beantwoorden* answer in the n.; ~ *beoordelen* judge unfavourably; *de rekening staat* ~ is overdrawn (in the red)

negativisme, -ist negativism, -ist

negen nine; *alle* ~ *gooien* throw all n.; *vgl.* bij 7, met & keer; ~**daags** of n. days; ~**de** ninth (*ook zn.*); *ten* – in the ninth place, ninthly; ~**delig** of n. parts; ~**derlei** of n. kinds (sorts); ~**doder** (*vogel*), *a*) = *klapekster*; *b*) = *grauwe klauwier*; ~**hoek** nonagon; ~**hoekig** nonagonal; ~**jarig** vgl. jarig; ~**maal** n. times; ~**maands** n.-months [child]; ~**oog** (*vis*) lamprey; (*bloedvin*) furuncle, carbuncle; ~**ponder** n.-pounder; ~**proef**

---

[1] *Zie voor samenstellingen met* neer- *ook* neder-

casting out the nines; ~tal nine, nonary; ~tallig nonary; *vgl.* tientallig; ~tien(de) nineteen(th)

negentig ninety; ~er nonagenarian; ~jarig *vgl.* jarig; *-e, zie* ~er; ~ste ninetieth (*ook zn.*)

negen: ~voud multiple of nine; ~voudig ninefold; ~werf nine times

neger Negro; (*fam.*) darky; (*min.*) nigger; ~achtig negroid, negro-like; ~bloed n.-blood; *hij heeft wat – in zich,* (*fam.*) he has a touch of the tar-brush about him

1 négeren bully, hector, dragoon

2 negéren (*persoon*) cut, ignore, give the cold shoulder; (*zaak*) ignore, disregard [advice, opinions], brush aside [a question, protest], take no notice of; *totaal ~* cut [a p.] dead

neger: ~haat negrophobia; ~haler enz., *zie* slaven...; ~ij *zie* negorij; ~in Negress

negéring ignoring, cutting, etc.

neger: ~koren negro-corn, millet; ~lied(je) n.-, coon-song; (*godsdienstig*) (n.-)spiritual; ~meisje n.-girl; ~ras Negro (Negroid) race; ~schip slaver; ~slaaf, ~slavin n.-slave; ~staat n.-state; ~stam N.-tribe; ~vriend negrophil; ~zanger n.-minstrel; ~zoen (*fam.*) chocolate éclair

negligé morning-dress, undress, négligé

negorij (*fig.*) (dog-)hole, (*Am.*) one-horse town (burg)

negotiant trader; negotie trade; (*waren*) (pedlar's) wares; negotiepenning trade-coin

negotiëren negotiate

negrito Negrito

negus 1 (*vorst*) id.; 2 (*drank*) id.

Nehemia Nehemiah

neigen I *tr.* bend, bow, incline [one's head]; *zijn oor ~ naar* incline one's ear to, give ear to; II *intr. de dag neigt ten einde* is declining (drawing to a close); *de zon neigt ter kimme* is declining; *naar links ~,* (*pol.*) lean to the left; *zie* geneigd, nijgen & overhellen

neiging inclination, leaning [*tot* towards; musical, socialist, conservative leanings], proclivity [vicious, miserly proclivities], propensity [to extravagance, for gambling], predisposition, bent, tendency [*van prijzen:* upward, downward ...]; democratic tendencies], disposition [*tot* to], trend [the ... on the Stock Exchange]; *het menselijk lichaam heeft de ~ nu en dan niet goed te fungeren* the human body has a way of occasionally getting out of order; *~ gevoelen om* feel inclined to; *een ~ vertonen, ook:* be apt (liable) [to be quarrelsome], tend [his shoulders ... to droop]; *een dalende ~ vertonen,* (*van prijzen*) tend downward

nek nape (*of:* back) of the neck; *stijve ~* stiff neck; *een stijve ~ krijgen van 't kijken, ook:* get a crick in one's neck (crick one's neck) with staring; *iem. de ~ breken* break a p.'s neck; *dat breekt hem de ~* that will be the ruin of him, he will come to grief over it; *elkaar de ~ breken,* (*fig.*) cut one another's throats; *iem. de ~ omdraaien* wring a p.'s neck; *een plan de*

~ *omdraaien* kill a plan; ~ *aan ~ race* neck and neck race; *iem. in de ~ zien* diddle (do) a p., do a p. in the eye; *'t hoofd in de ~ werpen* toss (fling back) one's head, bridle up; *zie* hoofd (*met ...*); *iem. met de ~ aanzien* give a p. the cold shoulder, cold-shoulder a p.; *uit zijn ~ kletsen* (*plat: lullen*) talk rot; *zie* voet

nekhaar hair at the nape of the neck

nekken kill, break the neck of, (*sl.*) do [a p.] in; smash [a glass]; *dat heeft hem genekt* that has broken him; *dat zou de autoindustrie ~* that would give the knock-out blow to the motor-industry; *de doktersrekeningen nekten ons* it was the doctor's bills that floored us; *zie verder:* de nek breken

nek: ~kramp cerebro-spinal meningitis (*of:* fever), (*fam.*) spotted fever; ~lap havelock; ~schot shot in the back of the neck; ~slag deathblow, knock-out blow; *de – geven, ook:* finish [a p.], torpedo [an argument], give the final blow [to the old system], blow [the old system] sky-high; ~spier neck (*of:* cervical) muscle; ~vel [seize by the] scruff of the neck; ~veren neck-feathers

Nel Nell; *n~* nine of trumps

nemen take (*ook: kieken*), help o.s. to [a sandwich]; take in [the milk, bread]; take out [a patent, policy, season-ticket]; (*dam, schaakspel*) take, capture; (*voor film*) shoot [a scene]; *hij nam als model ...* he took for his model ...; *een hoek* (*hek, alle hindernissen*) ~ t. (negotiate) a corner (fence, all the obstacles); *een vesting* (*loopgraaf*) ~ t. (carry) a fortress (a trench); *plaatsen* (*kamers*) ~ t. (book, engage) seats (rooms); *een slag ~ t.* a trick; *nog een glas ~* have another glass; *neem 't geval ... t.* the case ...; *de dingen ~ zoals ze zijn t.* things as they are (as one finds them) [you must t. me as I am]; *je moet het ~ zoals het valt* you must take the rough with the smooth; *iem. ~,* (*fam.*) have a p. on, take the mickey out of a p., diddle a p.; *zich genomen voelen* feel one has been taken in; *met die auto word je genomen* you're being had over that car; *dat neem ik niet,* (*fam.*) I won't stand for it (have it), I'm not having that; *iem. bij de arm ~* t. a p. by the arm; *iets op zich ~* take s.t. (up)on o.s. (*of:* one), undertake to do s.t., shoulder [a difficult task], take on [a stiff job]; *zie* verantwoordelijkh.; *tot zich ~* take [food, nourishment], adopt [a child]; *'t er goed van ~* do o.s. well (proud), live well; *'t er wat beter van ~ do o.s. a little better; *we ~ 't er eens van* we are doing ourselves well, are launching out a bit, are going it, are having a good time; *zie* advocaat, dienst, tijd, enz.

nemer taker; (*koper*) buyer; (*van wissel*) payee

Nemesis id.; neofiet neophyte

neogotiek Gothic Revival

neoklassiek neo-classical

neolithisch neolithic

neologisme neologism

neon id.; ~lamp, -licht n.-lamp, -light

nep (*sl.*) [it's] a swindle; *allemaal ~* [it's] bogus

(a sham, not genuine)

nepotisme nepotism

neppe (*plant*) cat's mint

neppen (*sl.*) sting; **neptent** (*sl.*) clip joint

Neptunisme, -ist Neptunianism, Neptun(ian)ist

Neptunus Neptune; **~feest** crossing-the-line ceremony

nepzaak (*Bargoens*) shady (dishonest) firm (business), (*Am.*) gyp-joint

Nereïde Nereid

nerf rib, vein, nerve; (*van leer, hout*) grain

nergens nowhere; *hij geeft ~ om* he cares for nothing; *dat dient ~ toe, zie* dienen; *~ goed voor* good for nothing; *hij kon ~ naar toe gaan* he had nowhere to go; *hij was* (*bleef*) *~* he was nowhere

Nergenshuizen Nowhere

nering trade, retail trade; (*klandizie*) custom; *~ doen* keep a shop; *iem. de ~ geven* patronize a p.; *zie verder* klandizie, tering

neringdoende tradesman, shopkeeper; *~n, ook:* tradespeople

Nero id. (*ook fig.*); (*als*) *van ~* Neronian

nerts (*ongev.*) mink

nervatuur nervation, venation (*vgl.* nervure *hoofdnerf*); **nerven** grain [leather]

nerveus nervous; (*fam.*) nervy

nerveusheid, nervositeit nervousness

nest nest (*ook van rovers, broeinest, stel pannen, enz.*); (*roofvogel-, ook:*) aerie, eyrie; (*jongen*) nest [of kittens], litter [of pups]; (*stadje*) (dog-)hole; (*vod*) rag; (*mv.: prullen*) trash, rubbish; (*meisje*) minx, chit (of a girl), (insolent) baggage; *~ kook- en tafelgereedschap* canteen; *~-en uithalen* go (bird's-)nesting; *een ~ vol kinderen* a litter (a brood, a quiverful) of children; *zijn eigen ~ bevuilen* (be)foul one's own n.; *in de ~en zitten* be in a fix (a cleft stick); *naar zijn ~ gaan,* (*sl.*) go to kip; *zie ook* bed; *uit een goed ~ komen* come of a good stock; **~blijver** nidicolous bird; **~ei** nest-egg

nestel lace, aiguillette, (tagged) shoulder-knot; (*veter*) lace; (*metalen punt*) tag

nestelbeslag tag

nestelen 1 nest, build, build (make) a nest; *zich ~,* (*fig.*) ensconce o.s., settle down [in an armchair]; *zich ~ tegen* nestle up to (close to), snuggle against; *'t ~, ook:* nest-making; 2 lace up [one's boots]

nestelgat lace-hole, eyelet

nesteling nestling

nest: **~erig** minxish [girl]; **~erij** trifle, triviality; **~haar** first hair, down; **~ig** (*nietig*) paltry, insignificant; (*bits*) snappy, snappish; *ook = ~erig;* **~je** (little) nest; *~s uithalen, zie* nest; **~kastje** nest(ing)-box; **~kuiken** chick, nestling; (*fig.: jongste kind*) nestling

Nestor id. (*ook fig.*), Father [of the House of Commons, etc.], doyen

nest: **~veren** nest feathers; **~vliedend** nidifugous [birds]; **~vogel** nestling; **~vol** nestful; **~zittend** nidicolous [bird]

Zie ook precies

1 net zn. net (*ook voor haar, fruit, tennis, van spin, enz.*); (*om luchtballon*) rope netting; (*voor boodschappen*) net bag, string bag; (*van spoorw., kanalen, enz.*) network, [the first accident on this] system; (*van wagon*) rack; [electric] main(s); [telephone] system; *een ~ spannen* spread a n.; *een ~ uitwerpen* cast a n.; *zijn ~ten ver uitwerpen,* (*fig.*) throw a wide n.; *zij heeft hem in haar ~ten gevangen* she has netted him, has (en)trapped him, has got him into her toils; *achter 't ~ vissen* miss the bus

2 net[1] I bn. (*proper*) tidy [keep your clothes ...], clean; (*van aard*) cleanly; (*er aardig uitziend*) neat, smart, spruce, trim; (*fatsoenlijk*) decent, respectable [neighbourhood, people], nice [girl, people]; **~te manieren** refined manners; *zie* ~jes; II zn. fair copy; *in 't ~ schrijven* copy fair, make a fair copy of; III bw. *a*) neatly, decently, etc., *zie 't bn.; b*) just, exactly, precisely; *~ als jij* just like you, (the) same as you [I work with my hands ...]; *~ als gewoonlijk* just as usual; *~ een vogelverschrikker* [you are] for all the world like a scarecrow; *~ zo goed als ...* every bit as good as ...; *~ goed!* serve [him, etc.] right; *kun je ~ denken* not a bit of it, you've got another think coming; *~ iets goedkoper* marginally cheaper; *~ iets meer verdraagzaam* just that bit more tolerant; *~ even slecht* [mine is] just as bad; *ik weet het nog zo ~ niet* I'm not so sure; *~ toen hij kwam* just when he came; *hij kwam ~ te laat voor de trein* he just missed his train; *ik heb hem ~ gezien* I saw him just now; *'t is ~ vanmorgen aangekomen* it arrived only this morning; *zie* zoëven; *ik heb 't ~ zo gedaan* exactly (precisely) like that; *men zou ~ zo goed kunnen zeggen ...* one might just as well say ...; *~ zo een* just such another; *dat is ~ wat ik nodig heb* the very thing I want; *dat is ~ wat voor hem, a*) that is the very thing for him; *b*) that is just like him; *dat is ~ gepast* it's the exact amount; *ik kwam ~ op tijd* in the nick of time; *hij ontsnapte nog ~* (*aan het gevaar*) he got off by the skin of his teeth; *~ geraden!* right first time! you've hit it!; *zie* lief, maar ...

Net Netty

netaansluiting mains connection; *hij heeft geen ~* he is not on the main, he has no m. electricity

netel nettle; **~achtig** urticaceous; *~e* urticacea; **~cel** nematocyst; **~dieren** coelenterata; **~doek(s)** muslin; **~garen** n.-yarn; **~ig** thorny, knotty, ticklish, tricky [affair]; vexed [question]; (*hachelijk*) critical, invidious [position]; **~igheid** thorniness, etc.; **~orgaan** n.-cell, nematocyst; **~koorts, ~roos** n.-rash

netheid neatness, tidiness, spruceness, cleanness; cleanliness; respectability; *vgl.* net bn.

nethemd string vest

Netje Netty

netje (hair-)net; *zie* net 1; (*ondergoed*) zie nethemd

netjes I *bw.* neatly [write, dress ...], (*zindelijk*) cleanly, trimly [... kept lawns]; (*fatsoenlijk*) properly [behave ...], nicely; ~ *eten* eat nicely; ~ *bedacht* n. (cleverly) contrived; ~ *gezegd* n. put; ~ *handelen* do the proper thing; II *bn. dat is niet ~* , (*niet betamelijk*) that is bad form, not becoming, not nice, (*onfatsoenlijk*) improper; (*niet eerlijk*) not fair, (*sl.*) not cricket; *niet ~ van je* not nice of you; *hij is erg ~ op zijn boeken* (*kleren*) very careful with ...; *zie* net & gedragen

netjesgoed cellular cloth

netmaag reticulum, honeycomb bag

netmeloen cantaloup(e), musk melon

netnummer area code prefix

netschakelaar mains switch

netschrift *a*) fair copy; *b*) fair-copy book

netspanning (-stroom) mains voltage (current)

netten (*bevochtigen*) damp [linen], moisten, wet; (*schoonmaken*) clean

nettenboet(st)er net-mender, -repairer

nettenbreier, -knoper net-maker

nettenknopen net

netto net(t) [amount, price, etc.]; ~ *binnen 3 maanden* three months n.; ~ *contant* n. cash

nettoestel mains set

netto net(t): ~*gewicht* n. weight; ~*loon* (*ook:*) take-home pay; ~*opbrengst* n. proceeds; ~*resultaat* n. result; ~*winst* n. (clear) profit; *zie* tarra

net: ~*versperring* (*mar.*) boom defences; ~*vleugelig* net-, lace-winged, neuropterous; *-en* neuroptera; ~*vlies* retina; ~*vliesontsteking* retinitis; ~*voeding* mains supply; ~*vormig* retiform, reticulate(d); ~*werk* network, netting

neuken: ~ (*met*), (*plat*) fuck

neuralgie neuralgia

neurasthenicus neurasthenic; **-nie,** neurasthenia; **-nisch** neurasthenic

Neurenberg Nuremberg; ~**er** *zn.* ... er; *bn.* = ~**s** N.; ~*er schaar* lazy-tongs

neuriën hum; (*als tegen klein kind*) croon

neuritis id.; **neurologie, -loog** neurology, -logist; **neuropaat, -pathie, -pathisch** neuropath, -pathy, -pathic

neurose neurosis

neus nose (*ook van schip, enz.*); (*van schoen*) toe-cap; (*van buis, blaasbalg*) nozzle, nose; (*van dakpan*) hook, knob, nib; (*van geweerkolf*) heel; (*van schaaf*) handle; *schoen met 'n brede ~* broad-toed shoe; *een wassen ~* an empty (a mere) formality; *iem. een* (*wassen*) ~ *aandraaien* make a p. believe that the moon is made of green cheese; *hij doet alsof zijn ~ bloedt* he acts dumb; *iem. een lange ~ geven* snub a p.; *een goede* (*fijne*) ~ *hebben* have a good (fine) n.; *hij heeft een fijne ~ voor zo iets* he has a n. (a flair) for that sort of thing; *een lange ~ krijgen* get snubbed, be sent away with a flea in one's ear; *een lange ~ maken tegen* make (pull) a long n. at, cock a snook at; (*eig. Am.*) thumb one's n. at; *de ~ ophalen* sniff; *de ~ ophalen* (*optrekken*) *voor* turn up one's n. at, sniff at; *zij haalt voor alles de ~ op,* (*fam.*) she is a bit

sniffy; *wie zijn ~ schendt, schendt zijn aangezicht* it's an ill bird that fouls its own nest; *zijn ~ in alles steken* put (poke, thrust, stick) one's n. into everything, pry into e., (*fam.*) be a Nos(e)y Parker; *de ~ in de wind steken* fancy one's chances, give o.s. airs; *de neuzen tellen* count noses; *zijn ~ volgen* follow one's n., go where one's n. leads one; *dat gaat je ~ voorbij* that (she, etc.) is not for (such as) you, you've had it, you may whistle for it; *hij ziet niet verder dan zijn ~ lang is* he can't see past the end of his nose; *dat zal ik jou niet aan de ~ hangen* that would be telling; *dat heb ik hem niet aan zijn ~ gehangen* I haven't let him in on (put him wise to) that; *iem. bij de ~ hebben* (*nemen*) pull a p.'s leg; *iem. bij de ~ leiden* lead a p. by the n.; *iem. iets door de ~ boren* do (*of:* diddle) a p. out of s.t., let a p. in for s.t. [I got let in for £5], do a p. in the eye [for £10]; *door de ~ spreken* speak through the (*of:* one's) n.; *door de ~ uitblazen* blow [the smoke] down one's n.; *iets in de ~ krijgen* get wind of s.t.; *dat zei hij zo langs zijn ~ weg* in a casual (in the most casual sort of) way, apropos of nothing; *hij moet overal met de ~ bij zijn* he wants to see everything that is going on; *met de ~ in de boeken zitten* be with one's nose in the books; *met zijn ~ in de boter vallen* be in luck, come at the right moment, find one's bread buttered on both sides; (*vlak*) *onder zijn ~* right under his n.; *'t iem. onder de ~ wrijven* throw it in a p.'s teeth, rub it in (into a p.); *hij keek op zijn ~* he looked blank (foolish); *de deur voor iems. ~ dichtdoen* shut the door in a p.'s face; *iem. iets voor de ~ wegnemen* take s.t. from under a p.'s n.; *'t staat* (*vlak*) *voor je ~* it's right in front of your n., right under your n.; *tussen ~ en lippen* (*door*) in odd moments; *zonder ~* plain-fronted [shoes]; ~*aap* n.-ape, -monkey, nasalis, proboscis monkey; ~*arts* n. (and throat) specialist; ~*bad* nasal douche; ~*been* nasal bone; ~*bloeding* n.-bleed(ing); *een ~ hebben* bleed from (at) the n.; ~*catarre* nasal catarrh; ~*gat* nostril; ~*geluid* nasal sound (*of:* twang); ~*gezwel* n.-ulcer, -tumour; ~*haar* hair in the nostrils; ~*holte* nasal cavity; ~*hoorn* rhinoceros; ~*hoornvogel* hornbill; ~*je* little n.; (*van vrucht*) eye, nose; *'t ~ van zalm* the pick of the bunch; ~*keelholte* nasopharynx; ~*keel-oorarts* ear-nose-throat specialist, oto-rhino-laryngologist; ~*kegel* n. cone; ~*klank* nasal (sound); ~*knijper a*) pince-nez; *b*) *zie* ~*nijper*; ~*letter* nasal letter; ~*nijper* (*van dier*) barnacles; ~*poliep* nasal polypus; ~*prang(er)* barnacles; ~*riem* n.-band; ~*ring* n.-ring; (*van varken ook*) snout-ring; ~*schot* internasal septum, partition of the n.; ~*slijm* nasal mucus; ~*spiegel* rhinoscope, rhinal mirror; ~*spuitje* nasal syringe (*of:* spray); ~*stem* nasal voice, twang; ~*toon* nasal tone; ~*verkoudheid*, ~*verstopping* cold in the n., nasal catarrh; ~*vleugel* side (*of:* wing) of the n.; *zijn ~s trilder* his nostrils twitched (quivered); ~*warmer* n.-

warmer, cutty(-pipe); (*Ir.*) dudeen; ~wiel (*van vliegt.*) n.-wheel; ~wijs conceited, pert, (*fam.*) cocky; ~wijsheid conceitedness, self-conceit, priggism, priggishness, (*fam.*) cockiness; ~wortel root of the n.

neut corbel, tenon, nut; ~je small drink, noggin, quickie

neutraal I *bn.* neutral; (*onderwijs, school*) undenominational, secular; ~ *blijven* remain n., take no sides, sit on the fence; II *zn.: 'n -ale* a n.; *-alen* neutrals

neutralisatie neutralization

neutraliseren neutralize

neutraliteit neutrality; ~sverklaring declaration of n.; ~swet n. act

neutron id.; neutrum neuter

neuzen nose; ~ *in* pry (*of:* ferret) into

nevel haze, (*zware*) mist (*beide ook fig.*); (*astron.*) nebula, *mv.:* nebulae; (*med., onkruidbestrijding, enz.*) spray; ~achtig (*ook fig.*) hazy, misty, nebulous; ~achtigheid haziness, etc., nebulosity; ~bank mistbank; ~beeld mirage, looming; ~en: *'t nevelt* it is hazy (misty); ~hypothese nebular theory; ~ig *zie* ~achtig; ~kamer (Wilson) cloud chamber; ~kraai hooded crow; ~spuit spray gun; ~ster nebulous star; ~vlek nebula (*mv.:* nebulae); ~wolk fog-cloud

neven[1]: ~bedrijf branch (*of:* subsidiary) business; *fruitteelt als een – van de tuinbouw* fruitgrowing as an adjunct to horticulture; ~branche (*in zaak*) side-line; ~doel secondary object; ~functie additional job, (*fam.*) job on the side; ~geschikt coordinate; ~hoek adjacent angle; ~kwestie side-issue; ~man right- (left-) hand man; ~s *zie* naast & benevens; ~schikkend co-ordinative; ~schikking co-ordination, parataxis; ~sgaand enclosed, annexed; ~staand adjacent [figure]

Newfoundlander id.; (*hond*) Newfoundland (dog)

Niagara: *de* ~ Niagara (Falls)

Nicea Nicaea; Nicees Nicene; *-ese Confessie* N. Creed

nicht (girl, female) cousin; (*oomzegster*) niece; (*homofiel*) homo

Nico Nick; Nicolaas *zie* Nikolaas

nicotine id.; ~vergiftiging n. poisoning, nicotinism, tobacco poisoning; ~vrij non-nicotine [cigarettes]

niëlleren niello; niëllo(werk) niello

niemand nobody, no one, none; ~ *anders dan* none other than; ~ *minder dan* no less a person than; *zie* anders

niemandsland no man's land

niemendal nothing at all; *zie* niets; *een* ~letje a mere nothing

nier kidney; *zie* hart & proeven; ~bed k.-suet; ~bekken k.-pelvis; ~harst loin of veal with the k.; ~koliek renal colic; ~kwaal, -lijden k.-complaint, -trouble; ~lijder nephritic patient; ~middel antinephritic (medicine); ~ontsteking

nephritis; ~pijn nephritic pain; ~steen l renal calculus (*mv.* calculi), stone in the k.; 2 (*delfstof*) nephrite, jade; ~stuk loin-end with k.; ~vet suet; ~vormig k.-shaped, reniform; ~ziekte renal (nephritic, kidney) disease

nies: ~gas sneeze gas; ~kruid hellebore; ~middel sternutatory; ~poeder sneezing-powder; ~wortel hellebore

1 niet (*klinknagel*) rivet; *zie ook* ~je

2 niet I *bw.* not; *ik zie ~ in dat ... ook:* I fail to see that ...; *hij kwam ~ terug, ook:* he failed to return; ~ *beter* no better, not any better; ~ *beter, maar slechter* not better, but worse; ~ *wijzer dan vroeger* no wiser than before; ~ *dan met de grootste moeite kon hij ...* it was only with the greatest difficulty that he managed to ...; *hij bedankte ons ~ eens* he did not even (did not so much as) thank us, he never thanked us; *ik denk van* ~ I think not; ~ *dat ik 't nodig had* n. (it wasn't) that I needed it; ~ *dat hij geen fouten heeft, ook:* n. but what he has his faults; *hoe men 't moet doen, en hoe ~* how to do it and how n. to; *wat zou dat ~ prachtig zijn!* how marvellous it would be! wouldn't it be marvellous!; *zijn ~-betalen* his failure to pay; *zie* al, liever, meer, of l, om, ook, enz.; II *zn.* nothing, nought; (*vero.*) naught; (*in loterij*) blank; *als ~ komt tot iet, kent iet zichzelf ~, ongev.:* set a beggar on horseback and he'll ride to the devil; *een ~ trekken, met een ~ uitkomen* draw a blank; *in 't ~ vallen bij ...* pale into insignificance beside; *in 't ~ verdwijnen* vanish (*geleidelijk:* fade) into nothingness; *in 't ~ verzinken bij* sink (pale, shrink) into insignificance beside, pale before; *om* (*voor*) ~ for nothing, gratis; [play] for love; *te ~ doen* nullify, annul, make null and void, override, set aside [a law, decree], dispose of [a theory, arguments], undo [the good results], bring to nought [an opponent's efforts], dash [a p.'s hopes]; *te ~ gaan* come to nothing (nought), perish; (*van een recht*) lapse; *uit 't ~ te voorschijn roepen* call up from nothingness; ~aangesloten *arbeider* non-union workman; ~aanvalsverdrag non-aggression pact; ~abonnee non-subscriber; ~alcoholisch non-alcoholic; *-e drank, ook:* soft drink; ~bestaand non-existent; ~betaling non-payment; ~bezitter *zie* bezitter

nieten wire-stitch [books, etc.]; staple [papers, etc.]

niet-geleider (*elektr.*) non-conductor

nietig *a)* (*ongeldig*) (null and) void [the marriage is ...]; *b)* (*van pers.*) puny, diminutive; *c)* (*gering, onbetekenend*) paltry [the ... sum of £5], miserable, insignificant; *een ~ tuintje* a scrap of a garden; *een ~ vrouwtje* a wisp of a woman; ~ *verklaren* declare (null and) void, annul; ~heid *a)* nullity [... of marriage]; *b)* insignificance, littleness [man's ...]; *c)* *een – a* futility, a mere nothing, a trifle; ~verklaring nullification, annulment; *besluit tot –*, (*vooral*

van huwelijk) decree of nullity
niet-ijzermetalen non-ferrous metals
niet-inmenging non-intervention
nietje (*in boek*) wire stitch (*of:* fastener); (*voor papieren*) staple
niet-jood(s) non-Jew(ish), gentile
niet-lid non-member
nietmachine wire stitch machine; (*voor papieren*) stapler
niet: ~-**metaal** metalloid, non-metal; ~-**nakoming** non-fulfilment, non-observance [of the regulations], failure to comply [with the r.], disobedience [of orders]; ~-**onthouder** non-abstainer; ~-**ontvankelijk:** – *verklaren* nonsuit; ~-**roker** non-smoker; ~-**rookcoupé** non-smoking compartment, non-smoker
niets nothing; (*totaal*) ~ [I could] not [see] a thing; *hij is* ~, (*in godsdienst, enz.*) he is n.; ~ *dan klachten* nothing but complaints; ~ *wijzer dan tevoren* no wiser than before; ~ *beters* [I had] n. better [to do]; ~ *nieuws* n. new; ~ *van belang* n. of importance; *'t* (*dat*) *is* ~! it (that) is n.! don't mention it! never mind!; *dat is* ~ *voor mij* that is not in my line; ... *was* ~ *voor haar* £5 a week was (as) n. to her; *'t is* ~ *voor jou om* ... it's not like you to forget a friend; ~ *daarvan!* (you'll do) n. of the sort (kind)! no such thing! that is out of the question; *'t lijkt er* ~ *op* it is n. (not anything) like it; *of 't zo* ~ *is* without more ado; ~ *hebben aan* (*van*), *zie* hebben; *ik heb* ~ *geen lust om* ... I have no mind at all to ...; *waar men* ~ *voor heeft* [spend millions of pounds] with n. to show for it; *'t is* ~ *gedaan* it's no good; *er kwam* ~ *van* n. came of it, the plan etc. came to n.; *'t was* ~ *vergeleken bij* ... it was (as) n. to ... (compared with ...), [the outside of the house] was (had) nothing to (on) [the interior]; *om* ~ for n.; [play] for love; *uit* ~ *komt* ~ n. can be made out of n.; *van* ~ *opkomen* rise from n.; *voor* ~ for n. [all her lying had been ...], [I would not have it] at (*of:* as) a gift; *voor* ~ *en niemendal* free, gratis and for n.; *niet voor* ~ *was zij* ... not for n. was she ..., it was not for n. that she was her father's child; *iem. voor* ~ *laten lopen* send a p. on a fool's errand; *voor* ~ *gaat de zon op* you can't expect s.t. for nothing; ~ *te vroeg, te hoog, te veel* none too early (soon), too high, too much (many); *zie* aan, anders, doen, keizer, maken, meer, minder, niks, staan, enz.; ~**beduidend**, ~**betekenend** insignificant; ~**doen** *zn.* idleness, inaction; *ww.* idle, do nothing; ~**doend** idle, do-nothing; ~**doener**, **-ster** idler, do-nothing; ~**doenerij** idleness
niet-sluitend unbalanced [budget]
niets: ~**nut** good-for-nothing; *de rijke –ten* the idle rich; ~**ontziend** *zie* ontzien; ~**waardig** worthless, good-for-nothing; ~**zeggend** meaningless, unmeaning, idle [compliment]; lame [excuse]; (*wezenloos*) vacant, blank [look]; *een –e titel* an empty title
niettegenstaande I *vz.* in spite of, notwithstanding; [he trusts me] for all [his jealousy];

II *vw.* although, though
niettemin nevertheless, none the less, even so, [he is a good fellow] for all that
niet: ~-**vast** non-permanent [workers]; ~-**verschijning** non-attendance; (*vooral jur.*) non-appearance; (*jur.*) default
nieuw new [house, life, potatoes, cheese, idea, the New World], fresh [vegetables, herring, supply, start a ... bottle, receive ... instructions, give ... food for thought]; recent (*van de laatste tijd*); novel (= *ongewoon:* a...idea); modern [history, language, writers]; *de* ~*e* ..., *ook:* the incoming president; ~ *aangekomene* n.comer, n. arrival; *een* ~ *begin* a fresh start; ~*e bewijzen* fresh evidence; *'t is mij nog* ~ it is still n. to me; *de* ~*ste mode* (*modellen, berichten*) the latest fashion (models, news); *de* ~*ste geschiedenis* late modern history; *van de* ~*ste constructie* of the latest construction; *'t* ~*ste op 't gebied van* the last word in [railway travel], the latest thing in [hats]; *'t* ~*e a*) [love] the n., what is n.; *b*) the novelty (*zie* ~tje); *de* ~*eren* the moderns; *zie ook* nieuws; ~**aangestelden** newcomers, new entrants; ~**achtig** newish; ~**bakken** new, newly-baked; (*fig.*) new, n.-fangled [ideas]; – *adel* mushroom nobility; ~**bekeerde** neophyte, n. convert; ~**bouw** new building; newly built houses; **N**~**Brunswijk** N. Brunswick; ~**eling** novice, beginner, n. hand, tiro, tyro, n.comer, (raw) recruit; (*univ.*) freshman; *hij is een – in 't vak, ook:* he is n. to the business; ~**emaan** n. moon; **N**~**Engeland(er)** N. England(er); ~**erwets** n.-fashioned; (*ong.*) n.-fangled; ~**geboren** n.-born; ~**gemunt** n.-coined; **N**~**grieks** Modern Greek; **N**~**Guinea** N. Guinea; ~**heid** newness; **N**~**hoogduits** Modern High German; ~**igheid** novelty, n. departure, innovation
nieuwjaar New Year; *ik wens u een gelukkig* ~ I wish you a happy N.Y.; ~**sdag** N.-Y.'s day; ~**sfooi** *ongev.:* Christmas-box; ~**sgeschenk** N.-Y.('s) gift; ~**swens** N.-Y.'s greeting
nieuw: ~**komer** newcomer; ~**lichter** modernist, innovator; ~**lichterij** modernism; ~**modisch** *zie* nieuwerwets
Nieuwpoort Nieuport
nieuws (*berichten*) news, tidings, intelligence, information; *het* ~ *in een krant* the news matter in a paper; (*nieuwtje*) piece of news, p. of information; (*nieuw artikel*) novelty; *iets* ~ s.t. new, (*nieuwe methode, inrichting, enz.*) a new departure; *iets geheel* ~, (*artikel*) the latest novelty; *er is niets* ~ *onder de zon* there is nothing new under the sun; *er valt niets* ~ *te melden* there is nothing fresh to report; *wat is er voor* ~? what('s the) n.?; *dat is wat* ~ *voor me* that is n. to me; *dat is oud* ~ that is ancient history (stale n.); *geen* ~ *is goed* ~ no n. is good n.; *er is geen* ~ *sinds gisteren* there is nothing new since yesterday; *'t* ~ *van de dag* the day's n., the topic(s) of the day; *van* ~ (*af aan*) anew, afresh; ~**agentschap** n. agency; ~**bericht** n. item, n. report; *de* –*en* the news (bulletin); ~**blad** newspaper; ~**bode** messenger

ieuw-Schotland(s) Nova Scotia
euwsdienst news agency; (radio) newsreel; *itzending van de* ~ newscast
euwsgierig inquisitive, curious [*wat betreft 'bout*]; (*sl.*) nos(e)y; ~ *te weten* curious (anxous, eager) to know; *ik ben* ~ *wat hij zal zeg-en* I wonder what he will say; *zie* Aagje; **~en op straat, enz.**) *zie* kijklustigen; **~heid** inquisitiveness, curiosity; *uit* – out of (from) uriosity
euwslezer newsreader
euwtestamenticus New Testament scholar
euwtestamentisch New-Testamentary
euwtje (*bericht*) (piece of) news; *het laatste* ~ have you heard) the latest; *het is nog een* ~ *voor hem* it (still) has all the attractions of novelty for him; *als het* ~ *eraf gaat* (*is*) when the novelty wears off (has worn off, when the first flush is over)
euwtjesjager newsmonger
euwvorming (*tlk.*) neologism
ieuw-Zeeland New Zealand; **~er** ... er
ieuwzilver German silver, nickel silver
iezen sneeze; **niezerig** sneezy
ligerië Nigeria
hil nil, nought, nothing at all
hilisme nihilism; **nihilist** id.
hilistisch nihilist(ic)
ijd envy
ijdas cross-patch; **~sig** cantankerous
ijdig angry, cross, huffed; [go away] in a huff; (*sl.*) shirty; *ze was verschrikkelijk* ~ in a dreadful temper; ..., *zei hij* ~ he said waspishly; *iem.* ~ *maken, ook:* put a p.'s back up; (*sl.*) rile a p., get a p.'s dander up; ~ *worden* get a., lose one's temper, bristle, (*fam.*) cut up rough; (*sl.*) lose one's hair, get shirty (riled); *zie* boos; **~aard** cross-patch; **~heid** anger, (*sl.*) shirtiness
ijdnagel agnail, hangnail, ragged cuticle
ijgen (make a) bow, (drop a) curts(e)y [*voor* to]; **nijging** bow, curts(e)y
ijl: *de* ~ the Nile; **~dal** N. valley; **~dam** N. dam, barrage in the river N.
ijlgau nylghau, nilgai
ijl: **~krokodil** Nilotic crocodile; **~meter** Nilometer; **~paard** hippopotamus, (*fam.*) hippo; **~reiger** sacred ibis
Nijmeegs, Nijmegen Nijmegen, Nimeg(u)en
ijnagel *zie* nijdnagel
ijpen pinch, nip; *de koude nijpt* it is bitterly (intensely, piercingly) cold; *'t begint te* ~ the pinch has come, they etc. are feeling the pinch, the situation is getting serious; *als 't nijpt* at a pinch, when it comes to the pinch; *'t* ~ *van de honger* (*armoede*) the pinch of hunger (poverty); **~d** (*van wind, enz.*) nipping, biting, pinching; (*van honger*) pinching; (*van gebrek*) grinding [poverty]; **~d gebrek hebben** be in great straits [*aan* ... for money]; *het -e gebrek aan arbeiders* the acute shortage of labour
ijper (pair of) pincers (nippers)
ijptang (pair of) pincers
ijver industrious, diligent, hard-working

nijverheid industry (*in beide bet.*); **~sonderwijs** (**-school**) technical education (school); **~stentoonstelling** (**-voortbrengsel**) industrial exhibition (product)
nikkel nickel; **~en** *ww. & bn.* nickel; **~munt, ~stuk** n. (coin); **~staal** n. steel
nikken nod; *zie* knikken
nikker (*watergeest*) nix (*vrouw.:* nixie); (*duivel*) fiend; (*neger*) nigger; (*plant*) black poppy
Nikolaas Nicholas; *St.-~*, (*ongev.*) Santa Claus
niks (*fam.*) nothing; (*sl.*) nix [for ...; what's up? ...]; *zie* niets; *'n vent van* ~ a wash-out, a dead loss, a dud; *een onderwijzer van* ~ an absolutely rotten teacher; *'n ding van* ~ a wash-out, a miserable affair, a twopenny-halfpenny affair; ~ *hoor!* (*fam.*) nothing doing!; **~en** (*fam.*) do nothing, laze
nimbus nimbus (*mv.* -i, -uses), halo, glory
nimf nymph; **~achtig** nymph-like; **~omaan** nymphomaniac
nimmer never; **~meer** nevermore
nimmerzat (*vogel*) tantalus
Nimrod id. (*ook fig.*); *zie* jager
Ninevé Nineveh
nipa nipa(h); **~palm** n. palm
nippel nipple; **nippen** sip, nip
nippertje: *op 't* ~ in the (very) nick of time; by the narrowest margin; *dat was net op 't* ~ it was a narrow squeak (a close shave); *je was net op 't* ~ you were in the nick of time, cut (ran) it very fine; *je laat 't op 't* ~ *aankomen* you're cutting it fine
nipt only just; *zie* nippertje (op 't ...)
nirvana, -wana nirvana
nis niche, recess, alcove
nitraat nitrate; **nitreren** nitrate
nitro (*in sam.*) nitro [nitroglycerine, etc.]
niveau level; *gesprekken op hoog* ~ high-level talks; *bijeenkomst op 't hoogste* ~ summit meeting; *zie* peil; *de universiteiten zijn belast met* ~*bewaking* ... have a watchdog role (function); **~kanaal** water-plane, l.-canal; **~verschil** difference of l.
nivelleerwerktuig levelling-instrument
nivelleren level, (*naar boven*) l. up, (*naar ben.*) l. down; equalize [incomes]; **-ing** levelling
nixe nixie
Nizam id.; **Nizza** Nice
njonja (*Ind.*) Madam; Mrs.
n.l. *zie* namelijk; **n.m.** p. m.; **N.N.:** *de Hr.* ~ Mr. X, Mr. — (*lees:* Blank, Dash)
N.N.O. N.N.E.; north-north-east; **N.N.W.** N.N.W., north-north-west; **No.** No., number; **N.O.** N.E., north-east
Noach Noah
nobel *bn.* noble(-minded), high-minded; *zn.* (*munt*) noble
Nobelprijs Nobel prize [... winner]
noblesse oblige id.
noch: (~) ..., ~ ... neither ... nor ...
nochtans nevertheless, yet, still
nocturne id.
node *a*) reluctantly, unwillingly; ~ *gaan, ook:* be lo(a)th to go; *b*) *van* ~, *zie* nodig

53

nodeloos needless, gratuitous; ~heid ...ness
noden ww. zie nodigen
nodig I bn. necessary [voor ... to (for) a p., to
happiness], needful; de ~e ... the n. ...; ("n
hoop') heaps of ..., a lot of ...; na de ~e bitter-
tjes after a good many drinks; hij achtte het ~,
haar een standje te geven he thought fit to give
her a reprimand; hij zal wel (weer) de ~e bezwaren maken as is his wont, he ...; toen de ~e
klachten waren binnengekomen when the inevitable ..., when people had duly ...; zeer ~(e)
much-needed [reforms]; ~ hebben want, need,
be in want (in need) of, stand in (have) need
of, require; (hand.) ook: be in the market for;
we hebben 500 ton ~ we require 500 tons;
vakantie ~ hebben need a holiday; veel ~ hebben, (aankunnen) be very extravagant; je hebt
meer tijd ~ gehad dan hij you have taken longer
than he, it has taken you longer than him; hij
had niet lang ~ om ... it did not take long for
him to ...; ik heb je diensten niet meer ~ I can
dispense with your services; als ik je ~ heb, zal
ik je roepen, (iron.) when I want your advice
I'll ask for it; ik heb je ~, (fam., iron.) no thank
you, what do you think?; ik heb al mijn tijd
~ I have no time to waste; je hebt hier niets
~ you have no business (to be) here; je hebt
er niets mee ~ it's no business of yours; ~
maken necessitate; dit maakte het ~, dat
fabrieken gebouwd werden this made it
necessary for mills to be built; ~ zijn be n.,
be needed; ~ zijn voor, ook: go to [two
things go to this; all the things that go to the
making of a perfect holiday]; er waren 10
jaar ~ om ... the building took ten years to
complete; er was een Nelson ~ om ... it took
(needed, required) a N. to ...; er is heel wat ~
om ... it takes a lot to teach some people;
er is heel wat ~ om hem bang te maken he takes
a bit of scaring; er is moed ~ om te ... it wants
(needs, requires, takes) courage to ..., it takes
a bold man to ...; er is maar weinig ~ om ... it
takes but little to make a servant say such a
thing; blijf niet langer weg dan ~ is don't be
longer than you can help; ik blijf nooit thuis
als het niet ~ is I never stay at home if I can
help it; kerken die niet meer ~ zijn unwanted
churches; 't is ~ 't te zeggen it needs saying;
't is niet ~ dat wij ... there is no need for us to
tell him; vandaag niet ~, (aan de deur) not to-
day, thank you; zo ~ if need be, if n.; II bw.
necessarily; je moet ~ beter toezien you need
to look more closely; ... moet ~ geperst worden his trousers badly need pressing; je moet ~
nog zeggen dat ..., (iron.) you had better not
repeat (say again) that ...; hij moet (ik hoef
niet) zo ~, (fam.) he is in a (I am in no) hurry;
hij moest zo ~ z'n vader vragen, a) he had to
spoil things by asking...;b) he claimed he must
ask ...; en dan moest hij zo ~ and then he had
to (go and) put his oar in; III zn.: 't ~e what
is n. (of: required), the necessaries of life; 't
~e verrichten, (hand.) do the needful; 't éne ~e
the one thing needful; 't in de eerste plaats ~e

the first essential [for success]; hij heeft 't ~
op he has had a drop too much
nodigen invite [op to]; zichzelf ~ invite o.s.; *l*
liet zich niet lang ~ he did not require to *b*
asked twice, didn't want pressing; laat u ni
~ don't wait to be asked, help yourself; -in
invitation
noembaar mentionable, nam(e)able
noemen (een naam geven) name, call, terr
style, denominate; (vermelden, opnoeme
name, mention; noem maar een dag n. a day;
wil niet, dat mijn naam genoemd wordt I don
want my name mentioned; ik noem geen name
I mention no names; hoe noemt ge dat (hem
what do you call that (him)?; zo zou ik h
(hem) niet ~ I should not call it (him) tha
noem 't zoals je wilt call it what you will; ee
vriend van mij, die ik niet zal ~ who shall t
nameless; niet te ~ nameless [vices]; dat noe.
ik dankbaarheid that's what I call gratitud
there's gratitude!; het diner was wat je noem
(fam.) was excellent; iem. bij zijn naam ~ call
p. by his name; de dingen bij hun naam ~, z
kind; een kind naar zijn vader ~ n. a child aft
(Am. for) its father; zich ~de ... self-style
[prophet, etc.]; zie genoemd; ~swaard(is
worth mentioning, [no] appreciable [change
geen — verschil, ook: no difference to speak o
(worth speaking of, worth the name); niet ~
ook: [it does not hurt,] not anything to ma
ter, [what he knew about it was] negligibl
not [damaged] to any extent
noemer denominator; gemeenschappelijke
common d.; onder dezelfde ~ brengen reduc
to the same d.
noen noon
noenmaal lunch(eon), midday meal
noest 1 zn. zie knoest; 2 bn. diligent, indus
trious; met ~e vlijt with unwearying industry
~heid diligence, industry
nog yet [there is life in him yet; yet a fev
months, and ...; you'll pay for it yet]; still [*i*
is ... a fortnight to Christmas]; further [som
... examples]; (zelfs) even; ~ altijd still; zelf
nu ~ even yet; ~ heden this very day; tot ~ to
up to now; ~ niet not yet, not just yet; ~ steea
niet [he has] still not [come]; ken je mij ~ niet
don't you know me by now?; daarom is h
~ niet mijn vriend it does not follow that he r
..., that does not make him ...; ze was ~ gee
30 not (yet) thirty; ~ geen pond (twintig) no
quite a pound (twenty); ~ geen jaar geleden les
than a year ago; ~ een glas (ei, 5 min.) anothe
glass (egg, five minutes); met ~ 5 % verlage
reduce by a further 5 %; ~ een (andere) schri
ver another (sterker: yet, of: still, another
author; (wil je) ~ thee more tea?; is er ~ the
is there any tea left?; ~ slechts 10 min., en .
only ten minutes to go, and ...; ~ en ~ vee
meer and much else besides; ~ vele maler
many more times; (gelukwens) many happy
returns; zend me ~ drie kisten three more cases
ik heb er ~ vijf I have five left; is er ~ koffie
is there any coffee left?; hoe lang ~? how muct

longer?; *hoe velen ~?* how many more?; ~ *eens* once more; *ik heb het ~ eens gehad* I've had it happen to me before; *bomen en ~ eens bomen* trees and more trees; ~ *eens zoveel* as much (many) again; *dat is ~ eens een boek!* that is something like a book! there's a book for you! (*sl.*) some book!; *dat waren ~ eens ...* those were the days!; ~ *iemand* somebody else; ~ *iets* s.t. else, s.t. more, one thing more, another thing; (*anders*) ~ *iets?* anything else?; *iem.* ~ *iets?* anybody anything more to say?; *en dan is er ~ iets* and there's another thing; ~ *iets* (= ~ *één woord*) *en ...* any more of it, and ...; *ik heb tenminste ~ iets gedaan* I've done something at least; *als je ~ enig verstand hebt* if you have any sense left (at all); ~ *onlangs* (*gisteren, enz.*) only the other day (yesterday, etc.); ~ *diezelfde avond* that very evening; ~ *in de 12de eeuw* as late as the 12th century; ~ *in 1918* as late (so recently) as 1918; *wat nu ~?* what else?; *geef me ~ wat* give me some more; *wacht ~ wat* (*enkele minuten*) wait a little (a few minutes) longer; *heb jij ~ wat gezegd?* did you speak at all?; *heb je nòg wat gezegd?* did you say anything else?; *en wat dan ~* so what?; ~ *maar* [we are] only [at the beginning]; [you're] only [a youngster] yet; [she is a] mere [child], quite (a child]; *een vrouw, ~ wel een volmaakt vreemde* a woman, a complete stranger, too; and that (and she) a ...; *en ~ wel ...* and [on my birthday,] too; and [a big one] at that; *en dat ~ wel zijn vriend* and that his friend of all people; *en ~ wel vanavond* to-night of all nights (*evenzo:* at W. of all places); *en dan noemden ze haar ~ wel Emmeline!* they called her E., of all names!; *en ~ wel op jouw leeftijd!* at your age, too!; *en ~ wel nu ik ...* just as I was going to pick you some flowers, too; *en ik was ~ wel bang dat we te laat zouden komen* and I was afraid ...; *het smaakt ~ wel zo goed* even better; *zeg ~ één woord en ...* say another word and ...; ~ *één woord(je)* (yet) one word more; ~ *zo'n heethoofd* another of those hotheads; *dat is ~ zo'n slecht baantje niet* it isn't a bad job at all; ~ *rijker* still (yet, even) richer; ~ *beter* better still, s. b.; ~ *erger* worse still, s. w.; *al had ik ~ zoveel geld* even if I had ever so much money; *al is 't ook ~ zo weinig* however little it (may) be, be it ever so little; *ik zal mijn eigen naam ~ vergeten* I'll forget my own name next [*zo ook:* he'll be asking for my coat next; they'll be stopping football next]; *ik moet er ~ om lachen* I must laugh now when I think of it; *vóórdat hij ~ goed en wel de kamer uit was* (even) before he was well out of the room; *dit heeft ~ meer betrekking op ...* this applies even more to ...; *hij keek me ~* (= *zelfs*) *niet eens aan* he never so (as) much as looked at me

noga nougat
nogal rather, fairly, pretty, (*fam.*) jolly; ~ *wat ouder dan ...* rather older than ...; *hij dronk ~ he* drank pretty freely; ~ *warm* a bit warm;

zie enkel, gaan & tamelijk
nogmaals once more, once again; ~**brief** bread-and-butter letter
nok ridge [of a roof]; (*van ra*) yard-arm; (*van projectiel, enz.*) stud; (*techn.*) cam; *tot de ~ gevuld* packed to the very roof, filled to capacity; ~**balk** ridge-pole, -piece, roof-tree; ~**kenas** camshaft; ~**pan** ridge-tile; ~**takel** yard-tackle
nolens volens id., willy-nilly, perforce
nomade nomad; *nomadisch* nomad(ic); *een ~ leven leiden, ook:* nomadize
nomenclatuur nomenclature
nominaal nominal; *-nale waarde* face value, n. value; *aandelen zonder -nale waarde* no par shares, shares of no par value
nominatie nomination; *hij staat no. 3 op de ~* he is third on the list; *op de ~ staan voor 't gekkenhuis* (*om weggestuurd te worden*) be a candidate for the lunatic asylum (stand a chance of being dismissed)
nominatief nominative; *nominatieve lijst* (*staat*) list of names
nommer enz., *zie* nummer, enz.
non 1 nun (*ook* = ~*vlinder*); 2 *zie* nonnie
non-acceptatie non-acceptance
non-actief on half-pay, not serving with the colours; *zie* non-activiteit
non-activiteit: *op ~, zie* non-actief; *op ~ stellen* place on half-pay, retire [an officer]; ~**straktement** half-pay
non-alcoholisch non-alcoholic; *~e drank, ook:* temperance beverage, soft drink; **non-betaling** non-payment; **nonchalance** id., casualness
nonchalant id., careless, off-hand, casual [she resented this ... treatment]
non-combattant non-combatant
none *a*) (*r.-k.*) nones; *b*) (*muz.*) ninth
non-ferro non-ferrous [metals]
non-interventie non-intervention
nonius id., vernier
nonnen: ~**kap** wimple, nun's coif; ~**kleed** nun's dress; ~**klooster** nunnery, convent; ~**orde** order of nuns, sisterhood; ~**sluier** nun's veil
nonnetje (*eend*) smew
nonnie (*Ind.*) young lady
nonpareille, nonparel (*lettertype*) nonpareil
non plus ultra tiptop, ne plus ultra
nonsens nonsense, bosh, (*sl.*) (tommy-)rot; ~*!* *ook:* rubbish! fiddlesticks! skittles!; ~**icaal** nonsensical, absurd
non-valeur bad debt; worthless stuff; (*pers.*) good-for-nothing, dud, (*Am. sl.*) dead pigeon
nonvlinder nun
nood necessity, need, distress, want; ~ *breekt wet* n. has (knows) no law; *de ~ dringt* (*dwingt*) *mij* it is a matter of n.; *geen ~!* no fear!; *het* (*dat*) *heeft geen ~, a*) there is no hurry about it; *b*) there is no fear of that; *hij heeft geen ~* he has everything he wants; ~ *leert bidden* (*maakt vindingrijk*) n. is the mother of invention; *de ~ der* (*tijden*) *gevoelen* feel the pinch; *als de ~ aan de man komt, zie* ben. (in geval van ~); *als de ~ op 't hoogst is, is de redding nabij* the darkest hour is before the dawn; *toen de*

~ *op 't hoogst was* when things were at their blackest; *door de* ~ *gedrongen* from sheer n.; *door de* ~ *der tijden* under the stress of the bad times; *in* ~ *verkeren* be in distress; *in* ~ [ship] in distress, [musicians] in need; *in* ~ *verkerend, ook:* distressed [ship, ex-service men]; *in geval van* ~ at need, in case of need, at a pinch, at a push, in an emergency, if the worst comes to the worst; *om in geval van* ~ *te gebruiken* [keep a second car] as a stand-by; *in de* ~ *leert men zijn vrienden kennen* a friend in need is a friend indeed; *uit* ~ from n.; *iem. uit de* ~ *helpen* set a p. on his feet, help a p. out; *van de* ~ *een deugd maken* make a virtue of n.; *van -de hebben, zie* nodig; *zie* klagen; ~**adres** emergency address; ~**anker** sheet-anchor; ~**brug** temporary bridge; ~**dam**, ~**dijk** temporary dam; ~**deur** emergency-door, escape; ~**doop** lay baptism; *de* – *toedienen* half-baptize; ~**druft** want, destitution, indigence; (*voedsel*) food, provisions; ~**druftig** destitute, indigent; ~**fonds** distress fund; *met 'n* ~**gang** like a scalded cat; ~**gebied** distressed (depressed) area; disaster area; ~**gedwongen** by force, perforce, from sheer necessity; *dat men* – *moet overgaan tot* ... that one is compelled to turn to ...; ~**geld** *zie* ~**munt**; ~**geval** emergency; ~**haven** port of distress; ~**hulp** temporary (occasional) help, extra help, emergency man; (*fam.*) temporary; (*zaak*) makeshift, stopgap; *bij wijze van* – as a makeshift; ~**jaar** year of distress; ~**kijk** (*sl.*) sight; ~**klok** alarm-bell, tocsin; ~**kreet** cry of distress, S O S; ~**landen** forceland; ~**landing** [make a] forced (*of:* emergency) landing; *een* – *maken, ook:* be forced down (forced to land); ~**leugen** white lie; ~**lijdend** necessitous, distressed [the ... countries, area *streek*], derelict [area]; –*e fondsen* defaulted bonds, securities in abeyance, shares out of the dividend list; –*e gemeente* necessitous municipality; –*e wissel* dishonoured bill; ~**lot** fate, destiny; ~**lottig** fatal [*voor* to]; ill-fated [an ... day]; *een* –*e afloop hebben* end fatally; ~**lottigheid** fatality; ~**luik** (*van vliegtuig*) ripping-panel, -strip; ~**maatregel** emergency measure; ~**mast** jury-mast; ~**munt** emergency coin (*of:* money); ~**oplossing** (*concr. ook*) makeshift contrivance; ~**peil** danger mark; ~**rantsoen** emergency (*of:* iron) ration; ~**rem** safety-, emergency-brake; *aan de* – *trekken* pull the communication cord; ~**roer** jury-rudder; ~**schot** distress-gun; (*fig.*) last resource; ~**sein** distress-signal, -call, S O S (message); ~**slachting** emergency slaughter; ~**sprong** last resource; ~**stal** *a*) (*hoefstal*) shoeing-shed; *b*) temporary stable; ~**toestand** state of (national) emergency [proclaim, declare, a ...]; untenable (intolerable) situation; ~**trap** fire-escape; ~**uitgang** emergency exit; *zie ook* ~**luik**; ~**uitrusting** emergency kit; ~**verband** emergency dressing; (*fam.*) emergency measure (solution, etc.); ~**verlichting** emergency lighting; ~**verordening** emergency decree; ~**vlag** flag of distress; ~**vulling** (*in*

kies) temporary filling; ~**weer** 1 heavy weather stress of weather; *bij* – in (a) stress o weather; 2 self-defence; *uit* – in s.-d.; ~ **wendig(heid)** *zie* ~zakelijk(heid); ~**wet** emergency act; *door middel van een* –, *ook:* by spe cial legislation; ~**winkel** temporary shop; ~ **woning** temporary house, emergency dwelling; ~**zaak** necessity [*uit* – from ..., out of ...]; – *tot handhaving* n. for maintaining; ~ **zakelijk** *bn.* necessary [a ... evil]; –*e dingen* necessities, essentials; *het noodzakelijke* –*e* the bares necessities; *zie* nodig & gebiedend; *bw.* necessarily, needs, of necessity; *daaruit volgt* – ... it follows as a matter of course ...; ~**zakelij kerwijs** *zie* noodzakelijk *bw.*; ~**zakelijkheid** necessity; *zie* voordoen; ~**zaken** compel oblige, force, constrain, coerce; *zich genood zaakt zien te* ... be (feel) obliged to ...

nooit never; – *ofte nimmer* at no time; *zal 't dar* ~ *ophouden? ook:* won't it ever, ever end?; *nog* ~ *gezien* never seen before; *aan mijn (je)* ~ *niet*, (*fam.*) not a bit of it, never ever; ~**falend** n.-failing

Noor Norwegian

noord north [the wind is ...]; ~ *ten oosten* n. by east; ~ *houden* steer n.; *om de* ~ *varen* go n. about; **N**~**-Amerika(ans)** N. America(n) [zo *ook:* N. Atlantic, N. Brabant, N. German(y) etc.]; ~**einde** north(ern) end; ~**elijk** I *bn.* northern; northerly [wind]; –*ste*, *vgl.* ooste lijkste; II *bw.* northward(s); – *van* north of ~**eling** northerner

noorden north; *naar 't* ~ to(wards) the n.; *ten* ~ *van* (to the) n. of; *bewoner van 't* ~ *van 't land* northerner

noordenwind north wind

noorder northern; ~**breedte** north latitude; ~**keerkring** tropic of Cancer; ~**licht** northern lights, aurora boralis; ~**ling** northerner; ~**zon**: *met de* – *vertrekken* abscond, take French leave

noord: N~**-Holland** North Holland; **N**~**-kaap** North Cape; ~**kant** north side; ~**kaper** grampus, orc; ~**kust** north coast; ~~**Nederland** the Northern Netherlands; ~~**oost(-west)** north- north-east(-west)

noordoost north-east; ~ *ten oosten* north-east by east; ~**elijk** *bn.* north-east(erly), north-eastern; *bw.* north-east(ward); ~**en** north-east; ~**enwind**, ~**er** north-east(erly) wind, north-easter

noordpool north pole; ~**cirkel** arctic circle; ~**expeditie** arctic expedition; ~**gebied**, ~**landen** arctic regions; ~**reiziger** arctic explorer; ~**ster** *zie* noordster; ~**vaarder** arctic navigator

Noordpoolzee Arctic Ocean

noords northern; –*e stern* arctic tern; –*e stormvogel* fulmar (petrel)

noordster North (*of:* polar) star

noordwaarts *bw.* northward(s); *bn.* northward

noordwest(en) north-west; ~ *ten noorden* north-west by north; ~**elijk** *bn.* north-west(erly); *bw.* north-west(ward)

Noordzee North Sea; (*vero.*) German Ocean

oordzijde north side

oorman Northman, Norseman, Dane, Viking

oors Norwegian [fishing vessel], Norse [sagas]

oorwegen Norway

oot 1 (*muz.*) note; *hele, halve, kwart, achtste,* ... *vierenzestigste* ~ semibreve, minim, crotchet, quaver, semiquaver, demisemiquaver, hemidemisemiquaver (*Am.* whole-n., half-n., quarter-n., eighth-n., ... sixty-fourth-n.); *veel noten op zijn zang hebben* be hard to please, be very exacting; *op noten zetten* set to music; 2 (*aantekening*) note; 3 (*vrucht*) nut; (*wal~*) walnut; *dat is een harde* ~ a hard n. to crack; *er zullen harde noten over worden gekraakt op het partijcongres* there will be a dust-up (shindy, an awful row) over this ...; ~**jeskolen** nuts; ~**muskaat** nutmeg; ~**muskaatrasp** nutmeg-grater; ~**olie** nut-oil

op burl; ~(**pen**) nap, pile; (*op jurk*) polka dot; (*onder schoen*) stud; *met zware* ~ deep-pile(d) [carpets]; *hij zit goed in de* ~**pen** he is well provided with clothes

open induce, urge, compel; *zich genoopt voelen te* ... feel obliged (compelled) to ...

opens concerning, as to, with regard to

op: ~**ijzer** burling-iron; ~**je:** (*erg*) *in zijn* ~*s zijn* be in high feather, be in high good humour, be as pleased as Punch; (*sl.*) be (enormously) bucked [*over* about, with, by]; ~**pen** *ww.* burl; ~**per** burler; ~**pes** (*sl.*) nix; ~**pig** napped

or (*Bargoens*) clink, quod [be in ...], choky [go to ...], (*Am.*) cooler; *in de* ~ *stoppen* shove in quod

Nora Nora(h); **norbertijn** Norbertine

Nordisch Nordic

noria id., chain-pump

Norisch: ~*e Alpen* Noric Alps

norit id., activated carbon

norm 1 (*eis*) requirement, standard; *aan de* ~*en voldoen* meet requirements; *de* ~ *halen* meet (come up to) the norm; 2 (*gemiddelde*) norm, rule

normaal I *bn.* normal; *hij is niet helemaal* ~, *a*) he has got a kink; *b*) (*op dit ogenblik*) he is not quite himself; *c*) he has had a drop too much; *boven 't normale* above the n.; *beneden 't normale* below the n.; (*vooral med.*) subnormal; *boven* ~ [30 per cent] up on n.; *weer* ~ *worden* return to normal; II *zn.* (*meetk.*) normal; *ook* = ~**school**; ~**kaars** standard candle; ~**school** n. school; ~**spoor** standard gauge

normaliseren normalize; (*rivier*) regulate; **-satie, -sering** normalization, regulation

normaliter normally

Normandië Normandy

Normandiër, Normandisch Norman

norm: ~**besef** (*ongev.*) moral code, ethic, ethos; ~**blad** standard specification; ~**overschrijdend** deviant [behaviour]

Norne Norn

nors gruff, surly, grumpy, crusty; ~**heid** gruffness, surliness, etc.

nortonput Norton tube well

nota note (*ook in diplomatie*); (*rekening*) account, bill; (*uittreksel rek. cour.*) statement (of account); ~ *van onkosten* note of charges; (*goede*) ~ *nemen van* take (due) n. of, note; *vrijgezellen gelieven daarvan* ~ *te nemen* bachelors, please note; *van zijn protest werd geen* ~ *genomen* his protest went unheard

notabel notable; ~**e** notable (man, citizen), leading resident, notability, man of standing

nota bene id., mark you; *mijn brief,* ~*!* my letter, if you please!; *ze noemden haar* ~ *Perdita* they called her P., of all names

notabiliteit *zie* notabele

notariaat office of notary

notarieel notarial; -*ële akte* n. act; -*ële volmacht* power (*of:* warrant) of attorney

notaris notary (public), public notary; ~**ambt** office of n.; ~**kantoor** n.'s office; ~**klerk** n.'s clerk; *ongev.:* conveyancing clerk

note: ~**bolster** walnut-husk; ~**bomehout** walnut; ~**bomen** *bn.* (of) walnut; ~**boom** walnut tree; ~**dop** nutshell; (*bootje*) cockle-shell, -boat; ~**hout(en)** walnut; ~**kraker** (pair of) nutcrackers; (*vogel*) nutcracker

notemuskaat *zie* nootmuskaat

noten: ~**balk** staff (*mv.* staves), stave; ~**boek** music-book; ~**lezen** *zn.* music-reading; ~**olie** nut-oil; ~**papier** music-paper; ~**plukken** *zn.* nutting; ~**schrift** staff-notation; ~**voorbeeld** music example

noteren (*aantekenen*) note down, note, jot down, make a note of, record, register; (*prijzen*) quote [*op* at], (*in prijslijst ook*) list; (*bestellingen*) book [orders]; *punten* ~, (*spel*) score; *lager* (*hoger*) ~ mark down (up) [shares, goods]; *officieel genoteerd* listed; **notering** (*van prijs*) quotation; (*van effecten*) price; *zie* beursnotering

notie notion; *ik heb er hoegenaamd geen* ~ *van* I have not got the slightest (faintest) n. of it, (*fam.*) I haven't the foggiest

notificatie notification; *zie* kennisgeving

notitie notice; (*aantekening*) note, jotting; *notitiën,* (*bij veiling*) particulars (of sale); *neem er geen* ~ *van* take no notice (of it), ignore it; *hij wil, dat er* ~ *van hem genomen wordt* he wants to be noticed; *overdreven veel* ~ *van iem. nemen* make a fuss of a p.; ~**boek(je)** note-book, memorandum book; jotter

notoir notorious

notulen minutes, notes [of meeting]; *de* ~ *lezen* read the m.; *de* ~ *goedkeuren* adopt the m.; *de* ~ *zonder voorlezing goedkeuren* take the m. as read; *de* ~ *arresteren* (*vaststellen*) confirm the m.; *de* ~ *houden* keep the m.; *de* ~ *maken* take the m.; *in de* ~ *opnemen* enter in (on) the m.; *het staat in de* ~ it is on (in) the m.; *opmerkingen n.a.v. de* ~ [minutes of previous meeting and] matters arising therefrom [not covered by any other item on this agenda]; ~**boek** minute-book

notuleren note down, minute

notulist(e) secretary (to a committee)

nou now; (*hij was goed!*) *nou!* wasn't he!: ~ ~*!* now now! hoity-toity!; ~ *dan!* n. then!; ~ *ja!*

oh well!; ~, *wat wou je zeggen?* well, what were you going to say?; *nou, eh,* ... well, eh, ...; *zie verder* nu & of (... *ik!*)
nouveauté novelty; *~s, ook:* fancy articles (*of:* goods)
nouveaux riches: *de ~* the new(ly) rich
nova (*astron.*) id., *mv.* novae
Nova Zembla Novaya Zemlya, id.
novelle *a*) tale, short story, novella, novelette; *b*) (*jur.*) amending (amendment) bill (*of:* act); **novellist** short-story writer
november November
novene (*r.-k.*) novena
novice id.; **noviciaat** novitiate, noviciate; **noviet, novitius** freshman, (*sl.*) fresher; **noviteit** novelty, new departure
novum novelty, new fact (circumstance); innovation
nozem (*sl., ong.:*) Teddy boy, (*oorspr. Am.*) beat(nik)
Nr. N°, No., number; **N.S.** N.S., New Style; **Ns.** Nos, numbers; **N.S.B.'er** Dutch Nazi; **N.T.** id., New Testament
nu I *bw.* now, at present; *~ wel* [he might have been a colonel] by n., by this time; *je moest ~ eindelijk ook eens weten* ... you should know by n. ...; *~ niet* not (just) n.; *~ nog niet* not (just) yet; *wat ~?* what next?; *ik vroeg me af, wat er ~ komen zou* what was coming next; *~ en dan* n. and then, n. and again, occasionally, at times; *~ en dan* ... an occasional shower (visitor, smoke an ... cigar); *~ dadelijk* right now; *~ eerst* only n., not until (before) n.; *~ of nooit* n. or never; *tot ~ toe* up to n., (up) till n., so far, hitherto; *van ~ af* from this moment, from n. (on), henceforth, *drie jaar van ~ af* three years hence; *~* (*eens*) ..., *dán* (*weer*) ... n. [here], n. [there]; n. [kind] then again [cross]; at one time ..., at another time ...; *dat heb je ~ eens mis* (*bij 't rechte eind*) wrong (right) for once!; *ik voel 't ~ nog* I feel it (even) n.; *~ is 't geschikte ogenblik* n. is the moment; *de koning ~ had drie dochters* n. the king ...; *eens op een nacht ~* n., one night ...; *~, zoals je wilt* well, please yourself; *en ~ 't verhaal* (and) n. for the story; *zie* nou; **II** *vw.* n. that, n. [now I come to think of it, ...]; *~ die twee dood zijn, ook:* with those two dead; **III** *zn. het ~* the n.
nuance id., shade, gradation
nuanceren shade; *een meer genuanceerde benadering* a more differentiated (complicated) approach; *een genuanceerde beoordeling* a carefully balanced appraisal; **-ing** shade, nuance
Nubië Nubia; **~r, Nubisch** Nubian
nuchter 1 *ik ben nog ~* I have not yet breakfasted, have not had my breakfast yet; *op de ~e maag* on an empty stomach; **2** *~ kalf* new(ly)-born calf; (*fig.*) greenhorn, callow youth; **3** (*niet dronken*) sober; *~ worden* sober (off, up); **4** (*fig.*) sober [people, intellect, truth], level-headed, hard-headed [the ... Englishman], matter-of-fact [person], down-to-earth [common sense], (*zonder fantasie*) unimagina-

tive; (*onnozel*) green; *de ~e feiten* the co[(hard) facts; *met 't ~e verstand* [judge of thing] in sober reason; *iets ~ bekijken* take realistic view of s.t.; **~heid** (*eig. & fig.*) sobe[ness, sobriety; (*fig. ook*) hard-headedness
nucleair nuclear
nuf(je) prude
nuffig prudish, prim, pert; **~heid** prudery, prim[ness, pertness
nuk freak, whim, caprice, vagary
nukkig whimsical, capricious, freakish, way[ward; **~heid** ...ness
nul cipher, nought; (*vero.*) naught; (*nulpunt* zero; (*telef., koersberichten, enz.*) o [*spr.* [ou] double three o five, 3305]; (*teken 0*) nulla[cipher; *~ komma zes* 0.6, nought point six *~ tegen dertig,* (*tennis*) love-thirty; *met 5 tege[~ verslaan,* (*voetb.*) beat by five goals to n[(nothing, none, nought); *ze werden met 5-[verslagen* they were beaten five-nil; *zijn in[vloed is gelijk ~* his influence is nil; *in 't jaar[in the year one (*of:* dot); *hij is een ~* (*in 't cij[fer*) a mere cipher, a nonentity, a nobody, nullity; *hij kreeg ~ op 't rekest* he met with [refusal, came away empty-handed (with [flea in his ear); *van ~ en gener waarde zij[(maken)* be (render) null and void; *de thermo[meter staat op ~, twaalf graden onder* (*boven[~ stands at zero, at twelve degrees below[(above) zero; **~lijn** zero-, datum-line; **~liteit[een –** a nullity (nothing, nobody); **~meridiaa[zero** (first, prime) meridian; **~punt** zero
Numeri Numbers
numeriek *bn.* numerical; *bw.* ...ly; *~e meerder[heid* superior numbers; **numero** number
numeroteur numbering machine
Numidië Numidia; **~r** ...n; **Numidisch** Numi[dian; *~juffertje,* (*vogel*) N. crane
numismaticus numismat(olog)ist; **-tiek** numis[matics; **-tisch** numismatic
nummer number; (*op verkoping*) lot; (*van hand[schoen, enz.*) size; (*op programma*) item, num[ber; (*in variété, enz.*) act, turn; (*sp.*) event; (*van krant, enz.*) issue [in to-day's ...], number; (*van auto*) registration (licence, index) num[ber; *kamp* (*perron, enz.*) *~ drie* n. three camp[(platform, etc.); *een dood ~* a dud; *'n fijn ~,[(iron.*) a nice sort (specimen, lot); *oud ~,* (*van[tijdschr.*) back number; *mijn ~ van laarzen* my[size in boots; *ze heeft ~ 9 van handschoenen[she takes nines in gloves; *twee ~s te klein* two[sizes too small; *welk ~ hebt u?* (*van hoed, enz.[what size do you take?; *~ één* n. one; (*school[be (at the) top of one's class (form) [*zo ook:* he[is always on top; comes out on top]; (*op de[lijst*) head the list; (*bij wedstr.*) be first; *~ één in[... first in history; *we kunnen niet allen ~ één[zijn* we cannot all be top-dogs; *~ twee* (*drie[zijn,* (*bij wedstr.*) be second (third); *~ twee, ook:[runner-up; *iem. op zijn ~ zetten* put a p. in his[place, give a p. a set-down, tell a p. off, snub[a p.; **~bewijs** registration certificate; **~bord[(*elektr.*) annunciator, indicator; *zie ook ~[plaat;* **~briefje** numbered ticket

nummeren number; *zich* ~ number (off) [from the right, n.!]; *opnieuw* ~ renumber

nummer: ~**ing** numbering; ~**plaat** (*van auto*) number-, identification-, registration-plate; (*Am.*) license plate; ~**schijf** (*autom. telef.*) dial; ~**tje:** *een* – *weggeven* put on an act; put on a fine display; *een* – *maken*, (*plat*) coit; *zie verder* ~; ~**vlinder** red admiral

nuntiatuur nunciature; **nuntius** nuncio

nurk, nurks grouser, grumbler

nurks gruff, peevish, cross-grained; ~**heid** ...-ness

nut use, utility, benefit, profit; *musea hebben hun* ~ *bewezen* museums have proved their usefulness; '*t kan zijn* ~ **hebben te** ... it may be of some use to ...; '*t heeft geen* ~ *om te wachten* no purpose is served by waiting, it's no good (use) waiting; *heeft* '*t enig* ~ *te* ...? is it any good to tell (telling) him?; *ik zie het* ~ *er niet van in om dat te doen* I see no point in doing that; ~ *trekken uit* derive profit from; (*zoveel mogelijk*) *put to the best possible use; ten* ~*te* (*tot* ~) *van* for the good (the benefit) of; *zich ten* ~*te maken* avail o.s. of; turn to good account, follow up [an advantage]; *ten algemenen* ~*te, tot* ~ *van* '*t algemeen* for the general benefit; *de Maatschappij tot N*~ *van* '*t Algemeen* (*het N*~) the Society for Public Welfare; *van* ~ *zijn voor* be of help to; *van geen* ~ of no use [*voor mij* to me]; **voor** (*tot*) *niets* ~ good for nothing, no good; ~**sbedrijf** [public] utility

nutteloos useless, in vain, unavailing; ~ *werk doen* plough the sands, flog a dead horse; ~**heid** uselessness

nutten be of use, avail; *zie ook* nuttigen

nuttig useful (*voor* to a p., for a purpose), of use, profitable; ~*e belasting*, (*van vliegt., enz.*) payload, u. load; ~ *effect* u. effect; ~ *gebruiken* put [one's time] to good use; '*t* ~*e voor* '*t aangename* business before pleasure; '*t* ~*e met* '*t aangename verenigen* combine business with pleasure; ~ *zijn voor, ook:* be helpful to; *het is* ~ *voor mij geweest, ook:* it has benefited me

nuttigen take, partake of [a meal]; *iets* ~, (*van zieke*) take nourishment; *na het* ~ *van* '*t avondeten* after taking supper

nuttigheid utility, profitableness; ~**sleer, (~s-stelsel)** utilitarian doctrine (system, utilitarianism); **nuttiging** consumption; (*deel der mis*) Communion

N.V. *Nieuw Verbond* N. T. = New Testament; *naaml. vennootschap* Ltd. (= Limited *achter naam van firma*), (*Am.*) Inc. (= Incorporated); *zie* naamloos

N.W. id., North-West

nylon id.

nymfomaan nymphomaniac

O

O O; *als afk.:* E. (= East); ~*!* oh! o! ah!; ~, *Clara! Clara!* Oh, please, please, C.!; ~ *jee!* o dear! dear me!; ~ *wee!* oh!; ~ *hemel!* o heavens!; ~ *foei!* (*iron., of tegen kinderen*) fie (upon you)! for shame!; ~ *zo!* ah! aha!; *zie* zo

o.a. = *onder andere(n)* among other things, [Carter,] among others[, decided to ...]

oase oasis, *mv.:* oases

Obadja Obadiah

obat (*Ind.*) medicine

obductie post-mortem, autopsy

obelisk id.

o-benen bandy legs, bow legs

ober (head-)waiter; *ober!* waiter!

Oberon id.

object id., thing; (*doel*) objective; (*handel, ook*) proposition, project; ~**glaasje** slide

objectief I *bn.* objective [judge ...ly]; detached [opinions]; *hij is niet* ~ he is biased; II *zn.* objective, object-glass, -lens, front lens

objectiveren objectify, objectivate

objectiviteit objectivity, objectiveness, detachment

objecttafel (*van microscoop*) stage

oblaat (*persoon*) oblate; (*hostie*) host

oblie rolled wafer; (*Am.*) cruller

obligaat *bn. & zn.* obligato; *bn. ook* prescribed, requisite, obligatory; (*iron.*) *vgl.* nodig

obligatie debenture, bond, fixed interest security; ~ *op naam* registered d.; ~**houder** d.-, bondholder; ~**kapitaal** d.-stock; ~**lening** d.-loan; ~**schuld** bonded debt; ~**uitgifte** bond-issue

obligatoir obligatory

obligo: *zonder ons* ~ without our prejudice, without any responsibility on our part

obolus, obool obol

obsceen obscene; **obsceniteit** obscenity

obscurant id.; ~**isme** obscurantism

obscuur obscure; *een* ~ *zaakje* a doubtful business

obsederen obsess; ~**d** obsessive, compulsive

observatie observation [keep under ...]; ~**ballon** o.- (*of:* kite-)balloon; ~**huis** remand home; ~**post** o.-post; ~**vliegtuig** spotter; ~**zaal** o.-ward

observator observer; **observatorium** observatory; **observeren** observe

obsessie obsession; **obsidiaan** obsidian

obstakel obstacle

obstetrie obstetrics; **-trisch** obstetric(al)

obstinaat obstinate
obstipatie constipation
obstructie obstruction; ~ *voeren* practise o., (*Am.*) filibuster; ~ *voeren tegen* obstruct [a bill]; ~**voerder** obstructor [*tegen* of], obstructionist, (*Am.*) filibuster; ~**voerend** obstructive, (*Am.*) filibustering [members]
obstructionisme obstructionism; -**ist** id.
ocarina id.
occasie occasion; *zie* gelegenheid
occasion (*gelegenheidskoop*) bargain
occasioneel occasional, casual
occult id.; ~**isme** occultism
occuperen occupy; *geoccupeerd* occupied, busy
oceaan ocean; ~**boot**, ~**stomer** o. liner, steamer; ~**vlucht** transoceanic flight
oceanide Oceanid
Oceanië Oceania; **oceanisch** oceanic
oceanografie oceanography
och oh!; ~ *kom!* (*verbazing*) you don't (mean to) say so! not really!; ['H. is dead, Sir.'] 'Is he now?'; (~ *wat*) oh, come! oh, come now! go along with you; ~, *mijnheer, mag ik ...?* please, Sir, may I ...?; ~ *arme!* poor fellow! poor thing!
ochlocratie ochlocracy
ochtend morning; *des* ~*s* in the m.; *van de* ~ *tot de avond* from dawn to dusk; ~**blad** morning paper; ~**editie** morning issue; ~**gloren** daybreak, peep of day; ~**gymnastiek** morning exercises; (*fam.*) daily dozen; ~**nevel** morning mist; ~**trein** early train, m.-train; *zie verder* morgen
octaaf octave (*ook r.-k. en van sonnet*); ~**fluit** o.-flute, piccolo
octaan octane; ~*getal* o. number (rating)
octaëder octahedron; **octant** id.; **octavo** id., 8vo; **octet** id.
octrooi *a*) patent; *zie* patent, *zn.*; *b*) (*handelsmachtiging*) charter; *c*) (*plaatsel. accijns*) octroi; ~**bezorger** p.-agent; ~**brief** *a*) letters patent; *b*) charter; ~**bureau** p. office (agency); ~**eren** *a*) patent [an invention], grant a patent; *b*) charter; *geoctrooieerde maatschappij* chartered company; ~**gemachtigde** patent agent; ~**houder** patentee; ~**raad** p.-office; ~**schrift** p. specification; ~**wet** patents (and designs) act
ocular *bn.* ocular; *zn.* ocular, eye-piece
oculatie inoculation, grafting
oculeren inoculate, graft; **oculist** id.
odalisk(e) odalisque
ode id.; ~**ndichter** writer of odes
odeon odeum, *mv.:* -eums, -ea
odeur scent, perfume
Odin id.; **Odoacer** id.
odium id.
Odyssea, odyssee Odyssey
Odysseus id., Ulysses
oecologie ecology, oecology
oecumenisch ecumenical, oecumenical
oedeem oedema
Oedipus id.; ~**complex** O. complex
oef! ouf!
oefen: ~**aar** *a*) trainer, etc., *zie* oefenen; *b*) lay

reader (preacher, pastor); ~**bal** practice-ball; (*boksen, enz.*) punch(ing)-ball; (*gymn.*) medicine-ball
oefenen I *tr.* train [a p., the eye, the memory, etc.], practise, exercise; (*sp.*) coach; *iem.* ~ *in* t. a p. in (for, to), practise a p. in; *zich* ~ train, be in training, practise; *zich in 't zingen* (*op de piano*) ~ practise singing (the piano); *in lange tijd niet geoefend hebben* be out of practice; *zie* geduld, enz.; II *intr.* practise, train
oefening practice, exercise; (*godsd.*) prayer-meeting, lay preaching; *een* ~ an exercise; ~ *op de kaart*, (*mil.*) war-game, map manoeuvres, kriegsspiel; ~ *baart kunst* p. makes perfect; *zie* vrij; ~**houder** *zie* oefenaar *b*); ~**skamp** training-camp
oefenmeester trainer
oefen- *dikw.* practice: ~**perk** p.-ring; ~**plaats** p.-ground; (*mil.*) drill-ground; ~**schip** training-ship; ~**school** training-school; ~**spel** p.-game; ~**tijd** time for practising, period of instruction; *eerste* -, (*mil.*) first training-period; ~**vliegtuig** training-machine, trainer; ~**wedstrijd** p.match, p. game
oeh! bah! yah! pah!
oehoe eagle-owl; **oei!** whew!
oekaze ukase
oekelele *zie* ukelele
Oekraine: *de* ~ the Ukraine; ~**r** Ukrainian; **Oekrainisch** Ukrainian
oelema Ulema
oempa member of German band
oenologie oenology, enology
oepas(boom) upas(-tree)
oer bog-ore
Oeral: *de* ~ the Urals, the Ural Mountains
oeraliet uralite
oer: ~**conservatief** ultra conservative; ~**dier** protozoon, *mv.:* protozoa; **O~germaans** Primitive Germanic; ~**komisch** wildly funny; ~**mens** prehistoric (*of:* primitive) man; ~**nevel** primordial nebula; ~**os** aurochs; ~**oud** ancient [civilization]; ~**taal** primitive language; ~**tekst** original text; ~**tijd** prehistoric times; ~**vervelend** *zie* stomvervelend; ~**volk** primitive nation; ~**vorm** archetype, prototype; ~**woud** primeval (virgin, native) forest, jungle
oester oyster; ~**baard** o.-beard; ~**bank** o.-bank; ~**bed** o.-bed; ~**broed** o.-brood, -spat; ~**cultuur** *zie* ~teelt; ~**kweker** o.-culturist, o.-farmer; ~**kwekerij** *a*) o.-farm; *b*) = ~teelt; ~**pan** collector; ~**plaat** o.-bank; ~**put** o.-pond; ~**schelp** o.-shell; ~**teelt** o.-culture, o.-farming, ostreiculture; ~**vangst** o.-fishery, o.-dredging; ~**visser(ij)** o.-fisher(y); ~**zaad** o.-brood, -spat
oever (*van rivier, kanaal*) bank, (*van zee, meer*) shore, (*van meer ook*) margin; *de rivier is buiten haar* ~*s getreden* has flooded, has overflowed its banks; *binnen haar* ~*s terugtreden* fall back (retreat) within its banks; '*t water staat gelijk met de* ~ the river is bank-high; ~**aas** day-fly; ~**bewoner** riverain, riverside resident, riparian dweller (owner, proprietor); ~**kruid** shore-weed; ~**loos** unlimited, intermi-

nable [discussions]; ~loper (common) sandpiper; ~pieper rock-pipit; ~staat riparian state; ~zoom border; ~zwaluw sand-martin

of 1 (*nevenschikk.*) or [good or bad]; ~ *A.* ~ *B.* either A. or B.; ~ *je 't prettig vindt* ~ *niet* (whether you) like it or not; *een jaar* ~ *40* some (*of:* about) forty years; *een dag* ~ *twee* one or two days, a day or two; *zie* al; 2 (*in voorwerpszin*): whether, if; *ik vroeg hem* ~ ... I asked him if (whether) ...; *ik weet niet,* ~ ... ~ *niet* I don't know whether it is true or not, whether the shot was accidental or otherwise; *wie weet,* ~ *hij niet ziek is* who knows but (but that, but what) he may be ill; *en ik betwijfel 't zeer, òf hij wel zal gaan* [he'll not go now] and I very much doubt whether he'll go at all; ~ *hij ooit terug zal komen* will he ever come back (I wonder)?; (*je vraagt*) ~ *ik 't hem gezegd heb* (~ *ik getrouwd ben*)? have I told him (am I married)?; *de vraag,* ~ *de gebreken* ... the question as to whether the defects ...; ~ *ik wàt deed* ['did you ...?'] 'did I what?'; ..., *en* ~ *hij terug wou komen* [she said ...] and would he call again?; *zie ook* twijfelen, enz.; 3 (*in onderwerpszin*): *'t duurde niet lang* ~ ... it was not long before ...; 4 (*in bijvoegl. zin*): *er was niemand,* ~ *hij juichte de daad toe* there was nobody but applauded the deed; 5 (*in bijwoord. zin*): *ik zie hem nooit,* ~ *hij heeft een bril op* I never see him without spectacles (but he wears spectacles); *kom niet,* ~ *ik moet je roepen* don't come unless I call you; *zie ook* nauwelijks, enz.; *hij is niet zo dwaas,* ~ *hij weet wat hij doet* he is not such a fool but (but that, but what) he knows what he is about; *die tak is niet zo hoog* ~ *ik kan erbij* that branch is not too high for me to reach it; (*toegevend*): ~ *je 't prettig vindt,* ~ *niet, zie bov.* 1; 6 *hou je ervan?* nou, *en* ~ *!* ~ *ik!* do you like it? rather! don't I? don't I just! (*volkst.*) not half!; ~ *ik blij was!* was I glad!; ~ *hij ook liep* (*ook rijk is*)*!* oh, he did run (is rich)!

offensief *bn. & zn.* offensive; *het grote* ~, *ook:* (*fam.*) the big push; ~ *en defensief verbond* o. and defensive alliance; ~ *optreden* take (assume) the o., open the attack

offer sacrifice, offering; (*slachtoffer*) victim; *een* ~ *brengen* make a s.; *'t hoogste* ~ *brengen* (*aan zijn land*) make the supreme s.; *iets ten* ~ *brengen* sacrifice s.t.; *als* ~ *vallen van* fall a victim (*mv.:* victims) to; ~aar sacrificer, offerer; ~altaar sacrificial altar; ~ande offering, sacrifice, oblation (*deel der mis*) offertory; ~beeld votive offering, ex-voto; ~beest *zie* ~dier; ~blok, ~bus poor-, offertory-box; ~dienst sacrificial service; ~dier sacrificial animal, victim; ~dood sacrificial death

offeren sacrifice (*ook intr.: aan* to), offer as a sacrifice, immolate, offer (up); (*bijdragen*) make an offering [for a fund]; *aan Bacchus* ~ worship at the shrine of B.; *hij moest heel wat geld* ~ he had to pay a heavy toll

offer: ~feest sacrificial feast; ~gave offering; ~gebed offertory; ~gebruiken sacrificial rites; ~-

kaars church candle; ~kelk communion (*of:* sacramental) cup; ~kist *zie* ~blok; ~kleed sacrificial vestment; ~lam sacrificial lamb, Lamb of God; ~maal sacrificial repast; ~mes sacrificial knife; ~penning (money-)offering, mite; ~plaats place of sacrifice; ~plechtigheid sacrificial ceremony; ~priester sacrificer, sacrificial priest; ~schaal *a*) sacrificing dish; *b*) (*in kerk*) offertory-plate; *c*) (*Rom.*) patera; ~steen sacrificial stone

offerte offer, quotation; *een* ~ *doen* make an o., quote, submit a quotation

offertorium offertory

offer: ~vaardig liberal; willing to make sacrifices; ~vaardigheid liberality; readiness to make sacrifices; ~vat sacrificial vessel; ~wijn libatory wine

officiant (*ambtenaar*) official; (*priester*) id.

officie office

officieel official, formal, state [... entry]; *het -ële bezoekuur* the regular visiting hour; *-ële notering, zie* beursnotering; *zij zijn* ~ *verloofd* they are formally engaged

officier (military, army, etc.) officer; *1e, 2e* ~, (*schip*) first (chief) o., second o.; ~ *van administratie* paymaster; ~ *der artillerie, enz.* artillery o., etc.; ~ *van de dag* orderly o.; ~ *van dienst* duty officer; ~ *van gezondheid* army (military) surgeon, medical o.; (*mar.*) naval surgeon; ~ *van Justitie* public prosecutor, counsel (*zonder lw.*) for the prosecution; ~ *van de wacht,* (*mar.*) o. of the watch; ~en *en minderen,* (*mar.*) ranks and ratings

officiers: ~aanstelling commission; ~boekje Army List; ~kajuit (*mar.*) ward-room; ~kantine officers' mess; ~rang o.'s rank; ~sociëteit officers' club; ~tafel officers' mess

officier-vlieger flying-o.; (*één rang hoger*) flight-lieutenant; (*één rang lager*) pilot-officer

officieus unofficial, semi-official, *bw.:* -ly

officinaal officinal, medicinal

offreren offer

offsetdruk offset printing

O.F.M. id.; *ofschoon* (al)though

ofte or; *zie* nooit & wel 7

ogen: ~ *naar* look at; *dat oogt niet* that doesn't look good

ogenblik moment, instant, twinkling of an eye, point in time; *een* ~ *s.v.p.* a m., please; (*telec.*) hold on, (*fam.*) hang on a m., please!; *een* ~*je!* just a minute, please!; *'t éne* ~ ..., *'t andere* ... one m. ..., the next ...; *een* ~ *daarna* a m. after; *hij kan elk* ~ *komen* he may come at any m.; *hij aarzelde een* ~, *ook:* he hesitated momentarily; *in een* ~ in a m., in a flash, in the twinkling (wink) of an eye, in a twinkling, before you can say Jack Robinson, in a trice; *na een moment van aarzeling* after a moment's (a momentary) hesitation; *op 't* (*dit*) ~ at present, at the m., [I have no time] just now, (*inz. Am., Sc., enz.*) presently; *op dit* ~ *niet* [do you wish to ...?] not just now; *op 't juiste* ~ at the right m., in the very nick of time; *op dit* (*kritieke*) ~ at this juncture;

op 't ~, dat ik dit schrijf at the m. of writing; *een beslissing op 't laatste ~* a last-minute decision; *hij ('t) is ... van 't ~ ...* the man (the sensation) of the m. (the hour); *de behoefte van 't ~* of the present m.; *van 't laatste ~* last-minute [changes]; *voor 't ~* [stop] for the m., for the present, for the time being; *zie* helder; **~kelijk** *bn.* momentary [impression]; immediate [danger]; *bw.* immediately, directly, instantly, on the instant, this instant, at a moment's notice

ogen: ~dienaar truckler; **~dienst** truckling, subservience; **~lust** *zie* lust; **~schijnlijk** *bn.* apparent, ostensible, seeming; *bw.* apparently, etc.; **~schouw:** *in – nemen* inspect, take stock of, review [the situation], have a look at; **~taal** language of the eyes; **~troost** (*plant*) eyebright, euphrasy

ogief ogive; **ogivaal** ogival

o.g.v. = *onder gewoon voorbehoud* under usual reserve

ohm id.; **~meter** id.; **oho!** aha!

o.i. = *onzes inziens* in our opinion; **O.-I.** = *Oost-Indië* the East Indies; **o.i.d.** = *of iets dergelijks* or the like

oir issue; *mannelijk ~* male issue

oirbaar *zie* oorbaar

ojief ogee; **~schaaf** ogee-plane

oker ochre; **~achtig** ochr(e)ous; **~geel** *bn.* ochr(e)ous; *zn.* yellow ochre

okkernoot walnut; (*boom*) w.(-tree)

oksaal rood-loft

oksel *a*) arm-pit; *b*) (*plantk.*) axil, axilla; **~blad** axillary leaf; **~holte** arm-pit; **~stuk** gusset

okshoofd hogshead

oktober October

O. L. E. long. = East longitude

oleander id.; **oleaster** id.

oleïne olein

oleografie oleograph; (*kunst*) oleography

olie[1] oil; *heilige ~* holy oil, chrism; *~ innemen,* (*van schip*) (take in) oil; *dat is ~ in 't vuur* that is pouring o. on the flames (into the fire), is adding fuel to the fire; *~ op de golven* (*in de branding*) *gieten* pour o. on the waters (on troubled waters); *er is geen ~ meer in zijn lamp, a*) the o. is very low in his lamp, his candle is burning itself out; *b*) he is cleaned out, in low financial water; *hij is in de ~* he is well-oiled (half-seas-over); **~achtig(heid)** oily (-iness); **~bad** o.-bath; **~bak** o.-tank; **~bol** (*ongev.*) fritter; **~boot** oiler; **~brander** oil-burner; **~bron** oil well; **~doek** tarpaulin; **~dom** as stupid as an owl; **~drukmeter** oil pressure gauge; **~-en-azijnstel** o.-and-vinegar frame, cruet-stand; **~gat** o.-hole; **~goed** oilskins; **~hoed** glazed hat; **~hoek** *vgl.* hoek; **~houdend** o.-bearing [seeds, sediment, district], oleiferous, oleaginous; **~jas** oil-skin (coat); **~kan** o.-can; **~kleren** oil-skins; **~koek** *a*) (*voor vee*) oilcake; *b*) *zie* ~bol; **~kop** oiled meerschaum (pipe), oil-cup; **~kruik** o.-jar; **~lamp** o.-lamp; **~leiding**

o. pipe(line), (*van vliegt.*) o.-pipes; **~man** (*o, boot*) greaser, oiler; (*verkoper*) oilman; ~ markt o.-share market; **~molen** o.-mill

oliën oil, lubricate; *'t ~* oiling, lubrication

olie: ~noot(je) peanut, ground-nut; **~pak** oil skins; **~palm** o.-palm; **~papier** oiled paper; **~pi** floating wick; **~pot** lubricator, o.-box, o.-cup **~raffinaderij** oil refinery; **~reservoir** o.-tank; ~ **schakelaar** oil switch; **~schokbreker** oleo shock absorber; **~sel** extreme (*of* holy) unc tion; *iem. het laatste – toedienen* administe extreme unction to a p.; **~slager** o.-crusher -presser, -miller, seed-crusher; **~slagerij** o. mill; **~spuitje** o.-syringe; **~steen** o.-stone, hone **~stook** o. heating (firing), oil-fired [stove] **~stoker** (*boot*) o.-burner; **~suiker** oleosaccha rum; **~tank** o. (storage) tank; **~ton,** **~vat** o. cask, o.-barrel, (*van ijzer*) o.-drum; **~veld** o. field; **~verf** o.-colours, o.-paint; *in* (*met*) - [portrait, paint] in oils; **~verfschilderij** o. painting, painting in oils; **~verkoper** oilman **~vlek** o.-stain; (*op zee*) oil-slick; **~vormen** olefiant [... gas]; **~zaad** o.-seed; **~zoet** glycer ine; **~zuur** oleic acid

olifant elephant; *zie* mug; **~achtig** elephantine **~ejacht, -jager** e.-hunt, -hunter

olifants- elephant: **~been** (*fig.*) *zie* ~ziekte; ~ **drijver, ~leider** mahout, e.-driver; **~huid:** *een ~ hebben* have a skin like a rhinoceros, be thick skinned; **~luisboom** cashew; **~papier** e.-paper **~snuit, ~tromp** e.'s-trunk; **~tand** e.'s tusk; **~voe** (*plant*) e.'s-foot; **~ziekte** elephantiasis

oligarchie oligarchy; **-isch** oligarchic(al)

olijf olive; **~achtig** oleaceous; (*van kleur*) oliva ceous; **O~berg:** *de –* the Mount of Olives, Mount Olivet; **~boom** o.-tree; **~gaard, ~hof** o. yard; **~groen** o.-green; **~kleur(ig)** o.-colour (ed); **~krans** o.-wreath; -crown; **~olie** o.-oil, oil of olives; **~tak** o.-branch [hold out the .. to a p.]; **~vormig** o.-shaped, olivary

olijk sly, roguish, arch; *..., zei hij ~ ...* he said, with a twinkle in his eye; **~erd** rogue, slyboots; **~heid** roguishness

olijvehout olive-wood

olim: *in de dagen van ~* in the days of yore; *een hoed enz. uit de dagen van ~* from the hoary past (the year dot)

Olivia id.; **Olivier** Oliver, (*fam.*) Noll

olla podrida id., olio, hotchpotch

olm (*boom*) elm; (*salamander*) id.

O.L.V. B.V.M.; o.l.v., *zie* leiding

olympiade olympiad

Olympisch Olympian [gods, Zeus, indifference; the Duke of Marlborough, an ... figure]; (*sp.*) Olympic [games, victors]

Olympus: *de ~* Olympus

o.m. = *onder meer* among other things, inter alia

O.M. *zie* ministerie (*openbaar ...*)

om I *vz.* 1 (*~heen*) round [the corner, sit ... the table], about [the fragments flew ... my ears], round about (around) [the town]; *zie ~ u* (*heen*) look about you; *de streken ~ de noord* the northern regions; *ik kan ze niet ~ mij (heen) hebben* I cannot have them about me, want to have them out of the way; 2 *~ een uur of negen* about nine o'clock; *~ en bij* in the neighbourhood of, round about, somewhere near (*of:* about) [three pounds], (round) about [fifty], [he came] at roughly (approximately) [5.45]; 3 *(tijdstip)* at [nine o'clock]; 4 *(telkens na)* every [month, etc.]; *~ de 3 dagen* every three days (third day); *~ de twee jaar* every two years (other, *of:* alternate year); *~ de hoeveel minuten gaat er een bus?* how frequent are the buses?; *zie* ander, beurt, enz.; 5 *(tegen, voor)*: *vier ~ een dubbeltje* four for threepence; *zie* niet; 6 *(voor, wegens)* for, on account of, because of; *vragen (schrijven, enz.)* ~ ask (write, etc.) for; *de meid is ~ suiker* has gone for sugar; *daar is B. ~ jou* B.'s come for you; *beroemd (bemind)* ~ famous (loved) for; *iem. prijzen* ~ praise a p. for; *niet ~ mijzelf* not on my own account; *de kunst ~ de kunst* art for art's sake; *zie* reden, enz.; 7 *(wat betreft)*: *~ mij kun je gaan* so far as I am concerned; 8 *~ te* to, in order to, so as to [raise the level of prosperity]; *aardig ~ te zien* nice to look at; *goed ~ te eten* [they are] good eating; *niet ~ te eten* not fit to eat, uneatable; II *bw.: de hoek ~* round the corner; *een straatje ~* round the block; *... gaan, ook* take a roundabout way; *(fig.)* avoid trouble; *deze weg is~* this is a roundabout way; *de wind is ~* has turned; *voordat de dag (week, 't jaar) ~ is* is out; *zie ook* omgaan 4; *de tijd (mijn verlof) is ~* time (my leave) is up; *de kermis is ~* the fair is over; *wij doen 't ~ en ~* turn and turn about *(zie* beurt); *de Kamer is ~* the Opposition is in; *[vgl.:* the Liberals are out; the Conservatives are in; London went Tory (radical), etc.]; *hij heeft hem ~* he is tight (drunk, sozzled)

oma grandmother, grandma, granny
omarmen embrace; **omarming** embrace, hug
ombazuinen trumpet about, blazon abroad
omber 1 *(aardsoort)* umber; 2 *(spel)* ombre; *~en* play at o.; *~spel* (game of) o.
ombervis maigre, bar
ombervogel umber, umbrette
ombeuzelen potter about, dawdle
ombinden bind (tie) round; tie [a bow] on [a cat]; **omblad** *(van sigaar)* binder
ombladeren turn over the leaves; *in een boek ~, ook:* leaf through (over) a book, skim through a book
omboorden border, edge, hem
omboordsel border, edging, trimming
ombouwen rebuild, reconstruct, convert
ombóuwen surround with buildings
ombrassen *(mar.)* brace about
ombrengen *(doden)* dispatch, make away with, kill; *de tijd ~ met* kill (the) time with; *zie* rondbrengen
ombudsman id.; Parliamentary Commissioner
ombuigen *tr.* bend, turn back *(of:* down); change (adjust) [a policy]; *intr.* bend, double up

ombuitelen tumble down, topple over
omcirkelen encircle [a river ... d the town], circle (round) [the plane ... d (...) the airfield; complete by c... ing the appropriate answer]
omdat because
omdijken embank, (en)dike; **omdobberen** drift about; **omdoen** put on [a shawl]; *er iets ~* put *(of:* wrap) s.t. round it
omdolen wander (rove, ramble, roam) about; **-ing** wandering, ramble
omdopen rechristen *(ook van schip, enz.)*, rename
omdraai *(van wiel, enz.)* turn; *(bocht)* turn, bend
omdraaien I *tr.* turn [one's head, a wheel, key], turn round; twist [a p.'s arm]; *de hoek ~* turn (round) the corner; *'t om en om dr. t.* it this way and that; *zich ~* turn round; turn on one's heel; *(in bed, enz.)* turn over [on one's face, etc.]; *zie* nek; II *intr. (van wind)* shift, turn, go round; *(van mening veranderen)* change one's mind, veer round; *zie ook:* zijn draai nemen; *de publieke opinie is geheel omgedr.* public opinion has swung round completely; *zie* (om)keren, hand, hart, enz.; **-ing** turning, (circum)rotation
omdragen carry about; *met zich ~* harbour [a thought], entertain [an idea], go about with [a plan]
omdrogen dry, wipe dry
omduikelen turn head over heels
omduwen push over, upset, knock over
omega id.; **omeggen** harrow
omelet omelet(te); **omen** id., augury
omfloersen muffle [a drum]; *(fig.)* shroud [...ed in mist], veil [her ....ed eyes]; *omfloerst vaandel* draped colours
omgaan 1 *(rondgaan)* go round, go about; *een hoek ~* turn a corner; *een mijl ~* go a mile round; *zie* omlopen; 2 *(van 2de Kamer, enz.)* *zie* om; 3 *(gebeuren)* happen, take place; *er gaat veel om in die zaak* they do a good deal of *(sterker:* a roaring) business; *er gaat weinig (niets) om* there is little (nothing) doing [on 'Change, in coffee]; *dat gaat buiten mij om* I have nothing to do with it; *buiten haar om schreef ik aan haar zuster* without her knowledge; *wat er toen in mij omging* what I felt then, what was then passing in my mind; *weten wat er in de wereld omgaat* what goes on in the world, the world's doings; *wat er in de geest omgaat* the workings of the mind; 4 *(voorbijgaan)* pass; *de dag wou maar niet ~* it seemed that the day would never have an end; *er gaat geen dag om, of ...* not a day passes without my seeing him; 5 *(omvallen, omslaan)* topple over, capsize; 6 *~ met* associate with, go about with [a p.], mix with [people], rub shoulders with [all sorts of people], *(vertrouwelijk)* be on familiar terms with, hobnob with; *(met gereedschap)* handle; *zie* naald; *met niemand ~* keep o.s. to o.s.; *met slecht gezelschap ~, ook:* keep bad company; *met mensen weten om te g.* know how to deal with (how to handle) people; *hij weet met jongens (een groot personeel, paarden,*

auto's, enz.) *om te g.* he knows how to manage (*of:* handle) boys (a large staff, horses, motor-cars), he has a way (*ontkenn.:* no way) with children (natives, animals); *ze gaan druk met elkaar om* they see a great deal of each other; *met een meisje* ~ be friends with a girl, keep company with a g., take a g. out; *hij is moeilijk om mee te g.* difficult to live (get on) with; *zeg mij met wie ge omgaat, en ...* tell me the company you keep, and I will tell you who you are; a man is known by the company he keeps; *met bedrog* ~ practise deceit; *met een plan* ~ go about (around) with a plan; *verzoeke* ~d *bericht* kindly reply by return (of post) (= *per* ~de)

omgang 1 (*verkeer*) (social, sexual) intercourse, association, companionship; *veel* ~ *hebben* see a great many people (much company); ~ *hebben met, zie* omgaan met; *de* ~ *afbreken met* break with, discontinue one's acquaintanceship with; *lastig (gemakk.) in de* ~ difficult (easy) to live (get on) with; *'n prettig mens in de* ~ a pleasant companion; 2 (*rondgang*) round, procession; (*van rad*) rotation; 3 gallery

omgangstaal colloquial language (*of:* speech); *in de* ~, *ook:* in everyday speech; *de beschaafde* ~ educated speech; *vertrouwdheid met de* ~ colloquial command of the language; **omgangsvormen** manners

omgekeerd I *bn. & bw.* (turned) upside down, turned-down, upturned [bucket, etc.], face down [the book was ... on his knee], inside out, [put on one's socks] wrong side out; reversed [the positions are ...], reverse [in a ... order, the ... side of a coin], inverted [letter, commas, order, relations; *ook van interval*]; (*van verhouding*) inverse; *in* ~*e verhouding tot* in inverse ratio (*of:* proportion) to; *de* ~*e wereld* topsyturvydom, the world turned upside down (topsyturvy), the world in reverse; *juist* ~ [it is] the other way round, just (quite) the reverse; ~ *evenredig zijn met* be inversely proportional to, [the intensity of sound is (varies) inversely as the square of the distance]; *en* ~ and conversely, and vice versa; *maar* ~ but on the other hand; *eerder blij dan* ~ I was rather glad of it than otherwise; II *zn.* *'t* ~*e* the reverse, the contrary; the converse [of a proposition *stelling*]; (*van getal*) the reciprocal; ..., *en dan 't* ~*e doen* and then reverse the process

omgelanden (*om water*) riparians

omgelegen surrounding, neighbouring

omgespen buckle on

omgéven surround, encircle; (*omhullen*) envelop, enwrap, enfold; beset [the dangers which ... us; ... with dangers, difficulties, uncertainty]; ~ *door, ook:* ringed in by [walls, silence, etc.]

omgeving neighbourhood, surroundings, environs, environment, setting; (*van pers.*) surroundings, entourage, environment; *een ande-*

re ~ a change of scenery

omgieten recast, refound [guns, bells]; *zie ook* overgieten

omgooien overturn [a chair], upset [an inkpot], knock over [a glass, furniture], bowl over [that wave nearly bowled me over], spill [the salt], swing round [a boat], reverse [the engine], shift [the helm], throw on [a cloak, etc.]; recast [a story]; *gooi hem eens om* toss off your glass; *zie* roer

omgorden gird (up) [one's loins, etc.]; gird on [a sword, etc.]; (*fig.*) gird [with strength, etc.]; *zich* ~ gird o.s. [for a task]

omgraven dig up, break up

omgroeien grow round; *met klimop omgroeid* ivy-grown, -clad

omhaal 1 ceremony, fuss; (*van woorden*) verbiage, verbosity, circumlocution; (*mooie* ~) (wordy) frippery; *met veel* ~ *van woorden, ook:* in a roundabout way; *zonder veel* ~, *a*) straight away, right out, [tell him] to his face; *b*) without much ado, without preamble; 2 (*krul*) flourish

omhaken hook (buckle) on; (*anders h.*) hook (buckle) differently; (*verwisselen*) (ex)change

omhakken cut (hew) down, fell

omhalen pull down [a wall], break up [the ground], put about [a ship], shift [a sail]

omhangen *tr.* put on [a shawl]; *intr.* hang (loll, mooch, mouch) about, loiter; *in cafés* ~ sit around in cafés; *op straathoeken* ~ hang about street corners; *thuis* ~ hang about the house

omhángen hang [with tapestry], cover [a p.'s chest with medals]

omhebben have on [a shawl]; *zie* om

omheen (round) about; *er*~ about (*of:* round) it; *zie* praten & om

omheinen fence (*of:* hedge) in (*of:* round), enclose; **omheining** fence, enclosure, paling(s)

omhelzen embrace (*ook:* elkaar ~), hug; (*fig.*) embrace, espouse [a cause]; **-ing** embrace (*van leer, enz.*) embracement, espousal

omhoog[1] on high, aloft; up [the window is ...] upwards; *handen* ~*!* hands up!; *met 't hoofd* ~ head erect; *'t hoofd* ~*!* hold up your head! *naar* ~ up(wards); *van* ~ from above, from on high; *'t raam wil niet* ~ will not go up; ~**bren gen** raise [the birth-rate]; build up [a business] ~**gaan** (*ook van prijs, enz.*) rise, go up; *dez omstandigheid deed de prijzen* – this circum stance sent prices upwards; *zie* stijgen; ~ **gooien** throw up [a window]; ~**heffen** raise, lif (up); ~**houden** hold up, hold [the candle] o high; ~**komen** rise, raise o.s. [in bed]; ~**kronke len** coil up; ~**schieten** shoot up (*ook van prij zen*), rocket; ~**schuiven** push up; ~**slaan** tur up [one's eyes]; ~**staan** (*van haar*) bristle stand on end; ~**vallen** (*iron.*) rise through lac of weight; (*ongev.*) be kicked upstairs; ~**vare** (*mar.*) ground; ~**vliegen** (*fig.*) [prices] go u at a bound; ~**zitten** be grounded; (*fig.*) be i a fix

[1] *Zie ook* op...

omhouwen cut (*of:* hew) down, fell
omhullen envelop, wrap round, enwrap; (en-) shroud [in mystery]; **omhulsel** envelope [of a balloon], wrapping, wrapper, cover, casing; *'t stoffelijk* ~ the mortal remains
omineus ominous; **omissie** omission
omkaden embank; **omkaderen** box; **omkantelen** turn (*of:* topple) over; *zie* kantelen
omkappen cut (*of:* hew) down, fell
omkeer (complete) change, change-over [in political thought], about-face(-turn), turnabout; swing(-over) [of opinion]; turn [in a p.'s fate], reversal [of fortune], revolution; (*omverwerping*) subversion; (*reactie*) revulsion [of feeling]; *een hele* ~ *brengen in* revolutionize, change the face of [the world, etc.]
omkeerbaar reversible [coat, process, reaction]; (*van stelling*) convertible; ~**heid** reversibility; convertibility
omkeerfilm reversal film
omkegelen bowl over, bowl down
omkenteren, -ing capsize
omkeren I *tr.* turn [one's head, a coat, pillow], turn up [a card], turn over [a page, papers, hay, a patient in bed], turn [a glass, etc.] upside down, turn [one's purse] inside out; turn [a picture] to the wall; invert [a glass, the order of words, a process, a fraction, an interval], turn out [one's pockets], reverse [a motion, order, policy, the positions], convert [a proposition *stelling*]; (*omverwerpen*) subvert [the present order]; *ieder dubbeltje* ~ look twice at every penny, count the pennies (every penny); *zijn rokje* ~ turn one's coat, become a turncoat; *zich* ~ turn (round), turn on one's heel; (*snel*) wheel (spin, whip) round; (*heftig*) fling round; (*in bed*) turn over, turn round; *zich* ~ *en ervandoor gaan* turn tail; *zodra hij zich had omgek.* as soon as his back was turned; II *intr.* turn back; (*veranderen*) change; *zie* blad, graf, hart, omgekeerd, enz.; **-ing** ...ing; inversion, reversal, conversion, subversion; *vgl. 't ww.*
omkieperen (*fam.*) *a*) upset, tip over; *b*) fall over
omkijken look back [*naar* at], look round, look behind one; *niet* ~ *naar*, (*fig.*) take no notice of, (*niet geven om*) not care for; *ik hoef niet naar hem om te k.* I can trust him to do his work; *je hebt er geen* ~ *naar* it needs no looking after; *zie* omzien; **omkippen** tip over
omklappen turn over, flip (over)
omkléden clothe [*ook fig.:* with glory; *c.* ideas with words], drape, invest (*ook fig.*); *met redenen* ~ motivate, motive
ómkleden *zie* verkleden
omkleedsel clothing, casing, envelope
omklemmen clasp, grasp [the sword], grip; (*omhelzen*) clasp in one's arms, hug
omklinken (*bout*) clinch, rivet down; **omklínken** clinch, rivet; **omklótsen** dash against, lap round; **omknéllen** *zie* omklemmen
omknikkeren bowl over; **omknopen** tie round

one, tie [a bow] on [the cat]; (*anders kn.*) tie (*of:* button) differently
omkomen 1 (*sterven*) perish [*van* ... with, from, of cold; by one's own hand]; *ik kom om van armoede* I am dying of poverty; *op zijn reizen omgek.* lost on his travels; *'t aantal omgekomenen* the death-roll [is given as 150]; 2 *de hoek* ~ come (get) round the corner; 3 (*van tijd*) (come to an) end; 4 *zie* rondkomen
omkoopbaar bribable, corruptible, venal; *hij is* ~, *ook:* he is open to bribery (bribes), has his price; ~**heid** corruptibility, venality
omkoopsom bribe (money)
omkopen bribe, buy over, corrupt; suborn [a witness]; (*fam.*) square, get at [the jockey had been got at], (*sl.*) nobble; *iem.* ~, *ook:* grease a p.'s palm; *hij kocht mij daartoe om* he bribed me into doing it; **-erij, -ing** bribery, corruption [of witnesses]; subornation
omkorsten encrust; **-ing** encrustment
omkransen wreathe
omkrijgen get on [one's collar], get down [a wall]; *er* ~ get [a cord, etc.] round it; *hoe zal ik die tijd* ~*!* how shall I get through that time!; *om de tijd om te krijgen* [it serves] to pass the time; *'m* ~ get drunk
omkrónkelen wind round; **omkruipen** creep about; (*van tijd*) drag (by), creep [how the days ...!]; **omkruisen** cruise about
omkrullen curl (up); (*van golven*) curl over
omkuieren walk round (*of:* about)
omlaag[1] below, down, down below; *naar* ~ down; *van* ~ from below; ~**drukken** press down; ~**gaan** go down; (*van prijs ook*) fall; *zie* dalen; ~**houden** keep down
omladen trans-ship, tranship; **-ing** t.ment
omleggen 1 (*verband*) apply; 2 (*andersom leggen*) turn [mattress], overturn [boat]; deflect [road], divert [traffic]; (*roer*) put over, shift; (*spoorwegwissel*) shift; *zich* ~ turn over
omléggen border, edge
omlegsel border, edging
omleiden divert [traffic]; **omleiding** diversion
omliggen be upset, be overturned; **~d** surrounding, neighbouring
omlijnen outline; box [a name]; *scherp* -*d* clean-cut, clear-cut, clearly defined [notion]; **omlijning** outline
omlijsten frame; **-ing** frame; (*'t omlijsten*) framing; (*fig.*) setting [the ... of the little cottage]
omloop 1 circulation [of the blood, of money]; *buiten* ~ *stellen* withdraw from c., demonetize [coins]; *in* ~ *brengen*, (*geld*) put into c., circulate; utter [counterfeit banknotes]; (*gerucht*) circulate, spread; *wie bracht* ... *in* ~*?* who started the story?; *in* ~ *zijn* be in c., be current; (*van gerucht, enz.*) be abroad, be in c., be going the rounds; *er is minder geld in* ~ less money is about; 2 revolution [of heavenly bodies], orbit [of a satellite], rotation [of a wheel]; 3 (*van toren*) gallery; (*van molen*) platform; 4 (*van dier*) pluck; 5 (*fijt*) whitlow

omloopsnelheid (*van geld*) velocity of circulation; (*van hemellichaam*) orbital velocity

omloopstijd time (period) of (a) revolution; (*van planeet*) period of orbit, sidereal period; (*van wissel*) currency

omlopen 1 (*lopen om*) walk (go, run) round [the house]; turn [a corner]; 2 (*rondlopen*) walk about; 3 *een heel eind* (*een mijl*) ~ go a long way (a mile) round; *een eindje* (*straatje*) ~ go for a turn (a stroll), walk round the block; 4 (*ronddraaien*) revolve, rotate; (*van wind*) shift (round); (*met de zon*) veer; (*tegen de zon in*) back; 5 (*van gerucht*) be abroad, be current; 6 (*van tijd*) pass; 7 *'t hoofd loopt mij om* my head reels, my head (my brain) is in a whirl; 8 (*zonder werk*) be out of work (out of a job); 9 (*omverl.*) run down [a p.], knock down, upset [a chair]; **omloper** loafer

omluieren, omlummelen idle (loiter) away one's time, loll (loiter) about

ommantelen wall (in) [a town]; **-ing** ...ing; (*concr.*) walls, ramparts; (*van vliegtuigwielen*) spats

omme: ~**gang,** ~**keer** *zie* omgang, -keer; ~**komst** expiration, expiry; ~**land(en)** surrounding country; ~**landse** *reis* (long and) troublesome journey; ~**staand:** *het* ~*e* what is written (printed) overleaf; ~**tje** turn; *ze maakten een – door het plantsoen* they went for a turn in the park; ~**zien:** *in een* – in the twinkling of an eye; *zie verder* ogenblik; ~**zijde** back; *aan* – overleaf; *zie* – please turn over, P. T. O., see overleaf; ~**zwaai** *zie* omzwaai

ommuren wall in; *ommuurd* walled(-in) [garden, fortress]; **omnevelen** wrap (*of:* shroud) in mist; (*fig.*) cloud, befog

omnibus id., bus; ~**dienst** o. service; (*van heen en weer gaande treinen*) shuttle service

omnivoor omnivore; *mv. ook:* omnivora

ompalen fence in with a paling (with stakes), palisade; **-ing** paling, palisade

ompantseren armour, sheathe, iron-plate [a ship]; **ompassen** try on; **omperken** fence in (*of:* round), enclose; **omplaatsen:** *ze* ~ have them change places; **omplanten** transplant, replant; **omplánten** plant all round [*met* with]; **omplassen** paddle about; **omploegen** plough (up); (*door granaat, enz.*) plough (*of:* churn) up

omploffen topple over with a thud

omplooien fold down; **ompraten** talk round, talk over; *zie ook* ombabbelen

omrammeien batter down [a wall]

omranden border, edge, rim

omranken entwine, enlace

omrasteren rail (fence, *met ijzerdraad:* wire) in; **-ing** railing, wire-netting

omreis roundabout journey; **omreizen** travel about; (*langs omweg*) go by a roundabout way

omrekenen convert, reduce, turn [*in* into]; **omrekening** conversion

omrijden [vehicles must] go round, make a detour; (*iem.*) run (knock) down; *een eindje gaan* ~ go for a drive (ride); *op fiets, in auto:* a spin; *in auto ook:* a run); *'t rijdt een heel eind*

om it is a long way round

omringen surround, enclose, encircle, encompass, hem in [with buildings]; (*van gevaren, vijanden, enz.*) *ook:* beset; *zie* omgeven

omroeien row about; (*omver*) row down

omroep (*radio*) broadcasting (organization); ~**en** cry [a lost article]; (*radio*) broadcast; *iems. naam* – page a p.; ~**er** (town-)crier, public crier, bellman; (*radio & t.v.*) announcer; ~**installatie** loudspeaker (public address) system; ~**orkest** radio orchestra; ~**station** broadcasting (*of:* radio) station; ~**ster** (*radio*) (woman) announcer; ~**vereniging** broadcasting organization; ~**zender** (broadcasting) transmitter

omroeren stir [the pudding, tea, etc.]

omrollen *tr.* roll (bowl) over; *zich* ~ turn over; *intr.* (*in gras, enz.*) roll (about); (*omver*) topple over; **omruilen** exchange; *zie ook* ruilen

omrukken pull (tear) down; **omsammelen** dawdle; **omschaduwen** shade

omschakelaar change-over (throw-over) switch; commutator; **omschakelen** change over, convert [from wartime to peacetime economy]; **-ing** change-over [to 220 volts, to colour TV]

omschansen en-, intrench, circumvallate; **-ing** en-, intrenchment, circumvallation

omscharrelen potter (mess, nose) about; (*tastende*) fumble about; ~ *in* rummage (poke about) in

omschenken pour into another pot (etc.)

omscheppen remodel, transform, transfigure

omschieten shoot down; hurry round; shift

omschikken move up, make room

omscholen retrain; **-ing** *zie* herscholing

omschommelen *zie* omscharrelen

omschoppen kick down, kick over [a pail]

omschrift legend, circumscription

omschrijfbaar definable

omschrijven define [a word, the position, a p.'s duties, etc.]; paraphrase [a passage]; (*meetk.*) circumscribe; (*beschrijven*) describe; **-ing** definition, paraphrase; circumscription; description; *vgl. 't ww.; (omslachtige manier van zeggen*) circumlocution, periphrasis

omschudden shake (up, about), agitate

omschuiven move up, make room

omschutten, -ing *zie* omheinen, -ing

omsingelen surround, hem in, encircle; invest, beleaguer [a fortress]; (*bijeendrijven*) round up [cattle, criminals]; *omsingeld door vijanden, ook:* ringed round by enemies; **-ing** hemming in, encirclement [of an army]; round-up; (*van vesting*) investment; **-ingspolitiek** policy of encirclement

omslaan I *tr.* 1 (*omver*) knock (beat) down; *sla 'm eens om,* (*fam.*) toss off your glass; 2 throw (put) on [a cloak]; wrap [a shawl] round one, wrap o.s. up in [a shawl]; 3 turn over [a leaf] [*ook:* shall I turn over for you?]; 4 (*omvouwen, enz.*) turn (double) down, turn back [the page was ...ed back at the top], turn down [the bed(-clothes)], turn up [trousers, sleeves] tuck up [sleeves]; *'n spijker* ~ clench a nail *omgeslagen boord* turn-down collar, (*met omgesl. punten*) butterfly (wing, winged) collar; *omgesl. manchet* turn-back cuff; 5 *de hoek* ~ turn the corner, round the c.; 6 (*onkosten, enz.*) apportion [*over* among]; (*hoofdelijk, Am.*) pro-rate; II *intr.* 1 (*met iets*) lay about one, brandish a stick, etc.; *hij slaat er maar raar in om* he makes rather a hash of it; 2 *van paraplu*) blow (be blown, turn) inside out; 3 *rechts* (*links*) ~ turn (to the) right (left); 4 (*van wind*) turn, shift; (*van weer*) break; (*van stemming*) turn; *vgl.* omslag 8; 5 (*omkantelen*) capsize, (be) upset, turn turtle, overturn; *doen* ~ upset

mslachtig (*langdradig*) long-winded, prolix, digressive, wordy; cumbrous (roundabout, circuitous) [system]; (*omstandig*) *zie ald.*; ~*e manier* roundabout way; ~**heid** prolixity; cumbrousness; circumstantiality

mslag 1 (*omhaal*) ceremony, fuss, ado; (*moeite*) trouble, bother; *al die* ~ all the fuss and bother; *maak geen* ~ don't stand on (use no) ceremony; *zonder veel* ~ without much ado (*of:* ceremony); 2 (*van kosten*) apportionment; (*belasting*) tax; *zie* hoofdelijk; 3 (*van mouw*) cuff, turn-back; (*van kous*) turn-over; 4 (*van boek*) cover; (*los*) wrapper, (book)-jacket, dust-jacket; (*van brief*) envelope; 5 *natte* ~ compress, (wet) pack; *warme* ~ (hot) fomentation, (hot) application; 6 (*van boor*) brace; 7 (*van het weer*) break [in the weather]; 8 (*van persoon*) about-face [in attitude, policy]; ~**boor** brace and bit; ~**doek** shawl, wrap

mslenteren loiter (saunter, lounge) about

mslepen, -sleuren drag about

mslingeren *tr.* 1 (*kleed*) throw on; 2 (*omver*) upset, knock over; *intr.* 1 be upset; 2 (*slenteren*) saunter about; 3 (*van boeken, enz.*) lie about; *laten* ~ leave [one's things] about

mslingeren twine (*of:* wind) about

msluieren veil (*ook fig. van wolken, enz.*)

msluipen sneak (*of:* steal) about

msluiten enclose, encircle, surround; invest, beleaguer [a fortress]; (*omklemmen*) clasp; *door land omsloten* land-locked [port, roadstead]

msmelten melt down, re-melt, re-fuse

msmijten knock down; *zie* omgooien

msnellen run round [the corner]; (*van tijd*) fly

msnuffelen pry about

mspannen change [horses]; ** omspánnen** span [distance, waist, etc.]; (*met touwen*) rope off

mspelden pin about (*of:* round)

mspinnen spin round; **omsponnen kabel** covered cable; **omspitten** dig (up), break up; **omspoelen** *a*) rinse (out), swill (out), wash out, give [the bottle] a rinse; *b*) rewind [a film, tape]; **omspóelen** wash, bathe [islands ...d by the sea]

mspoken walk; ~ *in* haunt [a place]

mspringen jump (hop, skip) about; (*omver*) upset; *met iem.* (*iets*) *weten om te spr.* know how to manage a p. (a thing); *zijn prettige manier om met ... om te spr.* his happy way

with boys; *vrijelijk met iems. geld* ~ make free with a p.'s money; *ruw* ~ *met* be rough on; *laat hem er maar mee* ~ leave it to him, let him do as he likes; *zie* kat

omstaan (*gaan* ~) turn round; *zullen we er om* ~*? ongev.:* shall we toss up for it?; ~**d** overleaf; (*omringend*) surrounding

omstander bystander

omstandig *bn.* detailed, circumstantial [account]; *bw.* in detail, circumstantially; ~ *vertellen* retail [news]

omstandigheid 1 (*uitvoerigh.*) circumstantiality, ful(l)ness of detail; 2 circumstance [in poor ...s]; *zijn geldelijke -heden* his financial position; *in de gegeven* (*tegenwoordige*) *-heden* in (under) the circumstances, as things are; *in mijn -heden, ook:* situated (circumstanced) as I am; *in gelijke* (*gunstige, gelukkige*) *-heden verkerend, ook:* similarly (favourably, happily) circumstanced (*of:* placed); *naar -heden* all things considered, comparatively speaking, [everything went off well] considering, [he is as well] as can be expected; *naar* (*bevind van*) *-heden handelen* act according to the exigencies of the case; *onder zekere* (*normale*) *-heden* under certain circumstances (normal conditions); *onder geen* ~ on no account; *zie* bekrompen, gezegend, verzachtend, enz.

omstappen *zie* rondwandelen

omstevenen circumnavigate [the world], double [a cape]; **omstorten** *tr.* upset, overturn; *intr.* (be) upset, fall (topple) over; **omstoten** overthrow, upset, push down, push over; *in 't wilde* ~ thrust at random [*naar* at]

omstralen shine about, irradiate

omstreden disputed, contested [area *gebied*], controversial [topic]; *veel* ~ vexed [question]

omstreek surrounding country, neighbourhood, vicinity; *Londen en omstreken* L. and its environs

omstreeks about, in the neighbourhood of [fifty pence, five feet], around [£5 a ton]; *zo* ~ *Kerstmis* round about Christmas; *daar* ~ thereabouts; *zie* ongeveer & om (... *en bij*)

omstrengelen twine (*of:* wind) about, enlace, entwine, embrace; **omstrikken** ensnare, entangle, enmesh, draw into one's net

omstulpen turn inside out

omstuwen crowd (flock, press, swarm) round; (*met vijandige bedoelingen*) mob

omsukkelen jog round (*of:* about); (*ziek zijn*) be ailing; *ik heb er heel wat mee omgesukkeld* it has given me a good deal of trouble

omtasten grope about; **omtobben:** ~ *met, zie* omsukkelen; **omtogen:** ~ *met* enwrapped (shrouded) in; **omtoveren** change (transform) by magic (as if by magic)

omtrappen kick down, kick over [a pail]

omtrek (*algem.*) outline, contour [of a face, etc.]; (*schets*) outline; (*van cirkel*) circumference, periphery; (*van vlakke figuur*) perimeter; (*buurt*) environs, neighbourhood, vicinity; *binnen een* ~ *van 20 mijl* within a circuit of 20 miles, (~ *met straal van ...*) within a radius of

20 miles (a 20-mile radius); *in* ~ in circumference [*ook:* the crater was two miles round]; *in de* ~ in the neighbourhood, round here; *mijlen in de* ~ for miles around; *in ~ken* in outline; *in ~ken aangeven* outline; *zie ook* buurt

omtrekken 1 (*omver*) pull down; 2 (*trekken om*) march round (about), (*mil.*) turn, outflank, envelop [the enemy's position]; draw round [a penny to obtain a circle]; *~de beweging* enveloping (flanking) movement

omtrekking (*mil.*) envelopment

omtrent I *bw.* (*ongeveer*) about; *of daar* ~ or thereabouts; II *vz.* 1 (*ongeveer, in de buurt van*) about; 2 (*aangaande*) [information, etc.] about, as to, concerning, with regard to

omtreuzelen dawdle, loiter, idle

omtrommelen announce by beat of drum

omtuimelen tumble down, topple over; (*ook:* he went toppling over, over he went)

omtuinen enclose, fence in

omturnen convert, win over, bring (cause to turn) round

omvademen encircle; (*fig.*) grasp

omvallen fall (*of:* topple) over, (be) upset, overturn; ~ *van 't lachen* split one's sides with laughter; ~ *van verbazing* be struck all of a heap, be bowled over; ~ *van vermoeienis* (*slaap*) be ready to drop with fatigue (sleep); ~ *van slaap, ook:* be dead sleepy; *je valt om van de prijzen* the prices are simply staggering; *val om!* drop dead!

omvang (*omtrek*) circumference; bulk [goods of small ...]; I was able to shelter behind her ...]; extent [of the damage, the disaster]; girth [of a tree]; compass, range [of a voice, of a musical instrument]; width [of the chest], dimension; size [of a book]; volume [the movement (his business) is growing in ...]; the ... of unemployment]; scope [of a work, an inquiry]; ambit [of an inquiry]; magnitude [realize the ... of a task]; gamut [the ... of human feeling]; *een grote* ~ *aannemen* assume large proportions; **~en** encircle, encompass; **~rijk** extensive [knowledge, etc.], voluminous [writings]; (*lijvig*) bulky, extended [a more ... work]; [a voice] of great compass; *zie ook* veelomvattend; **~rijkheid** extensiveness, etc., great extent, etc. (*zie* ~)

omvaren circumnavigate, sail round [the world], double, round [a cape]; (*omver*) sail (run) down; (*langs omweg*) sail [a long way] about (round); (*heen en weer*) sail about

omvaring circumnavigation, doubling

omvatten close round, enclose, embrace; cup [one's chin in one's hand]; (*omspannen*) span; (*mil.*) envelop, turn; (*fig.*) include, embrace, cover, comprise [the whole subject], involve [the strike also ...]d the Transport workers], take in [Transport now ...s in Civil Aviation]; grasp [an idea]; *de hele wereld* ~, *ook:* be world-wide in its scope; *zie* al-, veelomv...d;

[1] *Zie ook* om...

-**ing** (*mil.*) envelopment

omventen hawk (about)

omver[1] down, over; *~gooien zie* omgooien; (*fig.* overthrow [the monarchy], subvert [a system principles, etc.], be subversive of [discipline etc.], refute [arguments], upset [a theory plan]; *~halen* pull down [a wall]; (*fig.*) *zie* ~ gooien; *~lopen zie* omlopen 9; *elkaar* ~, (*fig.* fall (tumble) over each other [to get a job] *iem.* ~**praten** talk a p. down, talk a p.'s head off; *~redeneren* argue [a p.] down; *~rijden* ru (knock) down; *~werpen zie* ~gooien; *~werpin* (*fig.*) overthrow, subversion

omvlechten entwine, twine (wind) about; braid [a cable]; (*fles*) cover with wickerwork; om**vliegen** *intr.* fly about, fly round; (*van tijd*) fly (by, past); *tr.* fly (dash, tear) round [a corner] (*omver*) knock down, upset

omvloeien flow about, flow round

omvormen remodel, transform, convert; **-e** converter; **-ing** remodelling, transformation, conversion

omvouwen fold (turn) down (back); double [a page]

omwaaien *tr.* blow down; *intr.* blow down, be blown down (*of:* over), be blown off one's feet; *hij kan voor mijn part* ~ he can go hang

omwallen wall (in, round), circumvallate

omwalling rampart(s), circumvallation

omwandelen *zie* rondwandelen

omwaren walk, haunt a place

omwassen wash (out); (*schotels, enz.*) wash up (*gew. zonder voorw.*)

omweg roundabout (*of:* circuitous) way (*of:* route) detour, circuit; *een lange* ~ a long way about (*of:* round); *langs een* ~ [go, attain one's end] by a roundabout way, [hear s.t.] in a roundabout way, [arrange things] deviously, circuitously; *zonder ~en* [ask, etc.] point-blank, off-hand, straight out; *een* ~ *maken* go (come) out of one's way, go [far, three miles] about (round), make a detour (a circuit); *iem. een* ~ *laten maken* take a p. out of his way

omwenden turn (round); (*schip*) put about; *zich* ~ turn (round)

omwentelen turn (round); (*om as, ook zich* ~) revolve, rotate; *zie* wentelen, -**ing** revolution, rotation, turn; (*revolutie*) revolution; *een* – *te-weegbrengen in* revolutionize [trade, etc.]

omwentelings: *~as* axis of rotation; *~geest* revolutionary spirit; *~gezind* revolutionary; *–e* revolutionary, revolutionist; *~lichaam* solid of revolution; *~snelheid* velocity of rotation; ~**tijd** (period, time of) revolution (rotation); ~ **vlak** surface of revolution

omwerken remodel, refashion, reconstruct; (*boek*) rewrite, recast; (*grond*) dig up, plough; **omwerking** remodelling, etc.; (*concr.*) recast

omwerpen *zie* omgooien

omwikkelen wrap round; **omwíkkelen** wrap round, wrap up [*met* in]

omwinden wind (twine, twist) round

omwinden entwine, wrap up (round); **-sel** bandage, wrapper; (*plantk*.) involucre
omwippen pop round [the corner]
omwisselen *tr*. change [banknotes], exchange; *intr*. alternate, change; (*van plaatsen*) change places; **omwoelen** (*grond*) root up; (*door granaat bijv*.) churn up, plough up; (*door elkaar halen*) rummage (in, among), make hay of [papers, etc.]
omwóelen muffle [a bell, oars], serve [a rope]
omwonend surrounding, neighbouring
omwoners 1 neighbours; 2 (*aardr*.) periœci
omwroeten root up; *zie* omwoelen
omzagen saw down; **omzeggen** notify, give notice of; **omzeilen** *zie* omvaren; (*moeilijkheid*) get round [a difficulty], bypass [obstacles]
omzendbrief circular letter; (*kerkelijk*) pastoral letter; **omzenden** send round
omzet turnover [the annual ...]; (*verkoop*) sale, business done (transacted), volume of business, movement [... was of a limited character]; *kleine winst, grote* ~ small profits, quick returns; *de* ~ *in dit artikel is gering* there is little doing in this article; *een vlugge* (*trage*) ~ *vinden* sell readily (slowly), be quick (dull) of sale; **-belasting** turnover tax, sales tax, value added tax; **-hefboom** reversing lever; **-machine** reversing-engine; **-premie** turnover premium
omzetten 1 place differently; transpose [words, etc.; *ook in muz*.]; 2 reverse [an engine]; 3 convert [iron into steel], convert, turn [a firm into a limited liability company], translate [words into action(s)], spend [one's money in beer]; transform [heat into energy]; *in geld* ~ convert into money, realize; 4 (*hand*.) turn over [one's capital]; sell; *hij zet honderdduizenden om in 't jaar* he turns over hundreds of thousands every year, his annual turnover amounts to ...; 5 *de hoek komen* ~ come (racing, running, etc.) round the corner
omzètten border; set [with diamonds, etc.]
omzetting 1 transposition (*ook in muz*.); (*van woordorde*) inversion; 2 reversal; 3 conversion; translation; *vgl*. *'t ww*.
omzetwerk reversing-gear
omzichtig cautious, circumspect, wary; ~ *te werk gaan* use one's discretion, exercise caution; *zie verder* voorzichtig; **-heid** cautiousness, circumspection, wariness
omzien look back; look out [for another job]; *zie* doen (doe wel ...); **-d** (*her*.) regardant
omzitten *a*) change places; *b*) *gaan* ~ turn round
omzomen hem; **omzómen** border, edge, fringe, skirt
omzwaai swinging round; (*fig*.) turn [of fortune, etc.], swing(-over) [in taste], sudden change, change of front, volte-face; (*bij verkiezing, enz*.) swing(-over); **omzwaaien** *tr*. swing (round); swing round [a corner]; *intr*. swing round; (*van auto*) swerve; (*zwenken ook*) wheel round; (*fig*.) make a (complete) change of front; (*van studie, beroep, enz*.) change over, switch (over), transfer [from history to philosophy]
omzwachtelen bandage, swathe; (*kind*) swad-

dle; **omzwalken** drift about, be tossed this way and that; *zie ook* omzwerven
omzwemmen swim round (*of*: about)
omzwenken wheel (*of*: swing) round; **-ing** change of front; *totale* – volte-face
omzwermen swarm about
omzwerven wander (rove, roam, ramble) about; **-ing** ramble, wandering, roving, peregrination [Dickens's London ... s]
omzweven, omzwéven hover (float) about
omzwieren whirl (*of*: wheel) about
omzwikken *zie* zwikken
on: ~ *of even* odd or even
onaandachtig inattentive; **-heid** inattention
onaandoenlijk impassive, apathetic, stolid; **-heid** impassiveness, apathy, stolidity
onaangebroken unused [packet of tea, etc.]; *vgl*. aanbreken
onaangedaan unmoved, untouched
onaangediend unannounced
onaangekleed *zie* ongekleed
onaangekondigd unannounced
onaangemeld unannounced
onaangenaam disagreeable, unpleasant [I have no desire to be ..., but I must say], offensive [smell], unappetizing [subject], unpalatable [truth, lesson, fact], unwelcome [surprise]; *'t stemde mij* ~ it annoyed me, (*fam*.) it got under my skin; *'t -ame ervan* the unpleasant part of it, (*van 't voorval*) the unpleasantness of the incident; **-heid** ...ness; *-heden* unpleasantnesses; *-heden krijgen* fall out [with a p., with each other]; *-heden ondervinden* have unpleasant experiences; *ik wil geen -heden veroorzaken* I don't want to make unpleasantness; *-heden krijgen door* get into trouble over [s.t.]
onaangeraakt, -geroerd untouched, intact [leave money, etc. ...]; (*van spijs*) *ook*: untasted; *een onderw*. *-geroerd laten* not touch upon a subject, pass it over in silence
onaangesproken unbroached [cask], unopened [bottle]
onaangestoken (*vrucht*) sound; (*onbesmet*) uninfected; (*vat*) unbroached; (*kaars, enz*.) unlighted, unlit
onaangetast untouched, unimpaired, unstained [your honour is ...]; [leave a capital, etc.] intact; (*door ziekte, 't weer, zuren, enz*.) unaffected
onaangevochten unchallenged, undisputed
onaangezocht: *zij is nog* ~ she has not had an offer (of marriage) yet
onaanlokkelijk uninviting, unattractive
onaannemelijk (*van voorstel, enz*.) unacceptable [*voor* to], prohibitive [terms]; (*niet geloofwaardig*) incredible, implausible; **-heid** ...ness, incredibility, implausibility
onaansprakelijk not ..., *zie* aansprakelijk
onaanstotelijk inoffensive, unobjectionable
onaantastbaar unassailable (*ook fig*.: ... truth); unimpeachable [honesty], inviolable [rights]; **-heid** ...ness; inviolability
onaantrekkelijk *zie* onaanlokkelijk

onaanvaardbaar unacceptable

onaanvechtbaar *zie* onbetwistbaar

onaanwendbaar inapplicable [*voor* to]; ~**heid** inapplicability

onaanzienlijk undistinguished; (*onbeduidend*) insignificant; (*van stand, geboorte*) humble; (*van bedrag, enz.*) inconsiderable; *het verlies is niet* ~ is considerable; ~**heid** insignificance; humbleness; inconsiderableness

onaardig unpleasant; unkind, rude; *niet* ~, (*nogal goed*) not bad; *'t is* ~ *van je* it is not nice of you; *hoe* ~ *van je!* how unkind of you!; ~**heid** ...ness

onachtzaam inattentive, inadvertent, careless, negligent; ~**heid** inattention, inadvertence, carelessness, negligence, neglect, lack of care

onadellijk not noble; plebeian; not befitting a nobleman

onafbetaald unpaid, not fully paid up [arrears]

onafgebroken I *bn.* uninterrupted, continuous [stream], sustained [rifle-fire], unbroken [service], perennial [supply of water], unremitting [care], unrelieved [monotony]; II *bw.* ...ly, without interruption; [work five hours] without a break (non-stop)

onafgedaan *a*) unfinished; *b*) unpaid, unsettled; outstanding [debts]; *c*) (*van partij goederen*) unsold; **onafgehaald** unclaimed, not called for; **onafgelost** (*schuld*) unpaid, outstanding; (*pandbrief, enz.*) unredeemed; (*wacht*) unrelieved; **onafgemaakt** unfinished; **onafgescheiden** unseparated

onafgesneden uncut, untrimmed [copy, edges]; *met* ~ *rand*, (*ook:*) deckle-edged [paper]; **onafgewend** *bn.* unaverted; *bw.* fixedly, steadily [look ... at a p.]; ~ *gevestigd houden op* keep [one's eyes] fixed steadily on; **onafgewerkt** unfinished

onafhankelijk I *bn.* independent [*van* of]; sovereign [state]; II *bw.:* ~ *van* independently of, irrespective of

onafhankelijkheid independence; ~**sbeweging** movement towards independence; ~**soorlog** war of independence

onaflosbaar irredeemable

onafscheidbaar, -elijk inseparable [*van* from]; *-elijk verbonden aan, ook:* inherent in [human nature]; ~**heid** inseparability

onafwendbaar not to be averted, unavoidable, inescapable, inevitable; ~**heid** ...ness, inevitability

onafwijsbaar imperative [duty]; ~*e voorwaarde* sine qua non

onafzetbaar irremovable

onafzetbaarheid irremovability

onafzienbaar (extending) beyond the reach of the eye; interminable, immense; incalculable [consequences]; ~**heid** immensity, immenseness

onager (*wilde ezel*) id.

onanie onanism; **onanist** id.

onappetijtelijk unappetizing

onartistiek inartistic (*bw.:* -ally)

onattent inattentive; (*voor anderen, ook:*) inconsiderate; ~**heid** inattention

onbaatzuchtig disinterested, unselfish, selfless; ~**heid** ...ness

onbalans imbalance

onbarmhartig merciless, pitiless, uncharitable; *iem.* ~ *afranselen* thrash a p. unmercifully; ~**heid** ...ness

onbeantwoord unanswered [letter]; unreturned, unrequited [love]; ~ *laten* leave without reply, not reply to [a letter]; ... *bleef* ~ his question went u.; **onbebouwd** (*land*) uncultivated, untilled, waste; (*terrein*) unbuilt(-)on, vacant; *huurwaarde van* ~ *eigendom* site value; *belasting op* ... rate on site value

onbedaarlijk uncontrollable, ungovernable, inextinguishable [laughter]; ~ *gelach, ook:* convulsions of laughter

onbedacht(zaam) thoughtless, rash, inconsiderate; ~**heid** ...ness; *zie* onbezonnen(heid)

onbedeeld *a*) not in receipt of poor relief; *b*) ~ *met* not blessed with [worldly goods]

onbedekt uncovered, bare; uncarpeted [floor]; *iem.* ~ *iets zeggen* ... openly, in plain terms

onbedenkelijk: *niet* ~ rather ..., pretty ... (*zie* bedenkelijk)

onbediend without receiving the last sacraments

onbedorven unspoiled, unspoilt, innocent, unsophisticated; untainted, sound; unvitiated [air]; undepraved, uncorrupted; *vgl.* bedorven; ~**heid** innocence

onbedreigd (*sp.*) unchallenged

onbedreven unskilful, unskilled, inexperienced, inexpert, unpractised [*in* in]; ~ *in, ook:* raw, a raw hand at [a job]; ~**heid** unskilfulness, inexperience

onbedrieglijk unmistakable [sign], unerring [instinct], infallible; ~**heid** infallibility, infallibleness

onbedrukt plain [paper]; unprinted [leaf]; [one side of the sheet remained] blank

onbeducht undaunted, unafraid [*voor* of]

onbeduidend insignificant, trivial, trifling, trumpery, twopenny(-halfpenny); *dit nummer is vrij* ~, *ook:* rather thin; ~ *mens* mere nobody, nonentity; *een* ~*e vrouw* a woman of no importance; *de winst is* ~ negligible (*niet* ~ not inconsiderable); ~**heid** insignificance; (*concr.*) triviality

onbedwingbaar uncontrollable, indomitable; irrepressible [mirth]; ~**heid** ...ness

onbedwongen untamed, unconquered

onbegaanbaar impassable, impracticable

onbegeerlijk undesirable; **onbegerig** undesirous

onbegeven (*van ambt, enz.*) vacant

onbegonnen: *een* ~ *werk* an endless (hopeless) task; *ook:* it is like looking for a needle in a haystack (in a bottle of hay)

onbegraven unburied, (still) above ground

onbegrensbaar illimitable

onbegrensd unlimited, unbounded

onbegrepen not understood; uncomprehended

onbegrijpelijk incomprehensible, puzzling, incredible [that he should fall for this]; (*van woorden, enz.*) unintelligible; (*ondenkbaar*) in-

547

- onberaden

conceivable; (dom) zie onbevattelijk; ~heid
...ness, incomprehensibility
onbegrip lack of understanding; [he met with total (blank)] incomprehension
onbehaaglijk unpleasant, disagreeable; (niet op zijn gemak) ill at ease, uneasy, uncomfortable; (onlekker) out of sorts; een ~ gevoel, ook: a feeling of discomfort; ~heid unpleasantness, etc., discomfort
onbehaard hairless, glabrous
onbehagen discomfort, uneasiness, [political] unease; gevoelens van ~ misgivings, qualms
onbehangen unpapered
onbeheerd ownerless, unowned; het huis ~ laten leave the house to take care of itself; ~ vaartuig, (verzek.) derelict vessel; ~ staand unattended [bicycle, motor-car]; de auto stond ~ without anyone in charge
onbeheerst violent [demeanour], ungovernable [rage]; [she is very] temperamental; ze begon ~ te snikken she burst into uncontrollable sobs
onbeholpen awkward, clumsy, shiftless; ~heid awkwardness, clumsiness, shiftlessness
onbehoorlijk unbecoming, unseemly, improper, indecent, undue [influence; be unduly late]; (= onhebbelijk) impertinent; 't ~e van ... the impropriety of ...; ~heid impropriety, indecency, unseemliness
onbehouwen unhewn, untrimmed [timber, stone]; (fig.) ungainly, unwieldy; (vlegelachtig) rude, unmannered; ~heid ungainliness, etc.; **onbesuisd** homeless
onbehulpzaam unhelpful, disobliging
onbekeerd unconverted, unreclaimed
onbekend 1 (pass.) unknown; ons ~ u. to us; zijn gezicht kwam mij niet ~ voor did not seem unfamiliar to me; dat is hier ~ that is (a thing) u. here; ~ maakt onbemind u., unloved; ~e grootheid u. quantity (ook fig.); ~ merk obscure make; 2 (act.): ik ben hier ~ I am strange (a stranger) here, I am new to this place; ~ met unacquainted with [a p., thing, fact], ignorant of [a thing, fact], unaware of [a fact]; hij was ~ met dit soort werk, ook: that sort of work was new (strange) to him; ~e (pers.) stranger, unknown [the, an, this u.; the beautiful u.; these ...s]; (wisk.) unknown [two ...s]; 't – the unknown; de – soldaat the Unknown Warrior; ~heid a) ('t ~ zijn: van pers.) obscurity; b) ('t niet-kennen) unacquaintance, unacquaintedness, unfamiliarity [met with], ignorance [met of]
onbekleed unclothed, uncovered, unupholstered [chairs]; (van ambt) vacant
onbeklemd free, unconstrained
onbeklimbaar unclimbable, unscalable, inaccessible
onbekommerd zie onbezorgd
onbekookt thoughtless, ill-considered, ill-digested, rash, crude, wild [schemes]; ~heid ...ness, crudity; ~heden crudities
onbekrompen (royaal) unstinted, liberal, open-handed; (van geest) liberal, open-minded, broad-minded; op ~ wijze [spend money] freely

(lavishly), [provide s.t.] without stint; ~ leven live comfortably; ~heid liberality, ...ness
onbekwaam incapable, unable, incompetent, inefficient; (dronken) drunk and incapable, incapably drunk; ~heid inability, incapacity, incapability, inefficiency, incompetence
onbeladen unladen, unloaded
onbelangrijk unimportant, insignificant, immaterial, of no consequence; ~heid unimportance, insignificance
onbelast unburdened, unencumbered; (zonder hypotheek) unencumbered, unmortgaged; (zonder belasting) untaxed (zie ook ~baar); ~ gedeelte van het inkomen personal allowance; (invoer) duty-free; (techn.) empty, without load; ~ lopend running on no load, idling; ~baar not liable to taxation; (goederen) free of (exempt from) duty, free; lijst van ~bare goederen free list
onbeleefd impolite, uncivil, discourteous, rude; dat is ~, ook: that is bad manners; ~heid impoliteness, incivility, discourtesy, rudeness
onbelegen new [beer]; **onbelemmerd** unhindered, unobstructed [view], unimpeded, unhampered, untrammelled, free; [act] without let or hindrance; **onbelezen** illiterate, unread
onbeloond unrewarded, unrequited; zijn arbeid bleef niet ~ his labour did not go u.; **onbemand** unmanned [ship], ungarrisoned [fort], pilotless [plane]; **onbemerkt** unperceived, unnoticed, [come, go] unobserved
onbemiddeld without means, impecunious; niet ~, ook: well off, well-to-do
onbemind unloved, unbeloved; ~heid unpopularity; **onbeminnelijk** unamiable, unlovely; **onbeneveld** unclouded [ook fig.: eye, mind, etc.]
onbenijd unenvied; ~baar unenviable
onbenoembaar unappointable, ineligible; ~heid ineligibility
onbenoemd unappointed; ~ getal abstract number; hij (de grootvader) is nog ~ none of his grandchildren have been named after him
onbenul noodle, (sl.) dud
onbenullig inane [person, remark], vapid [conversation], feeble [speech, story]; ~heid inanity, vapidity, dull-headedness; ~heden inanities, nothings
onbepaalbaar indeterminable
onbepaald indefinite (ook in gramm.), indeterminate, nondescript, unlimited, vague [express o.s. ...ly]; (onzeker) uncertain; ~ vertrouwen implicit faith; ~e wijs infinitive; voor ~e tijd uitstellen postpone indefinitely; voor ~e tijd verdagen, ook: adjourn sine die; voor ~e tijd met verlof gaan go on indefinite leave; ~heid ...ness, indeterminacy
onbeperkt unlimited, boundless, unrestrained; unrestricted [submarine warfare]; zie onbepaald; ~heid ...ness
onbeplant unplanted
onbeproefd untried, untested; niets ~ laten leave nothing (no expedient) untried, leave no stone unturned
onberaden thoughtless, rash, inconsiderate, ill-

advised, -judged, -conceived, -considered; *een ~ huwelijk aangaan* rush into marriage; ~**heid** rashness, etc.; *zie* onbezonnen(heid)

onbereden unbroken, unridden [horse]; unmounted [troops, police], foot [police]; *~ weg* unbeaten track, unfrequented road

onberedeneerd *a*) unreasoned [philosophy, confidence], unreasoning [optimism]; *b*) *zie* onbezonnen

onbereid raw, unprepared

onbereikbaar unreachable; (*ook van pers.*) inaccessible, unapproachable, (*fam.*) unget-atable; (*fig.*) unattainable

onbereisbaar impracticable, impassable

onbereisd untravelled [people, country], unfrequented [country]

onberekenbaar incalculable (*ook fig.*); *ook:* [he was so] unexpected, unpredictable

onberekend unequal [*voor* ... to a task]

onberekenend uncalculating [friendship]

onberijdbaar unrid(e)able [horse], impassable [road]

onberijmd rhymeless, unrhymed; *de ~e Psalmen* the non-metrical (prose) version of the Psalms

onberispelijk blameless, irreproachable, unimpeachable, faultless, flawless, unexceptionable, above (beyond) reproach; *hij was van ~ gedrag* he bore an irreproachable character; *~ gekleed* faultlessly (irreproachably, immaculately) dressed; *~e manieren* impeccable manners; ~**heid** ...ness

onberoemd unknown (to fame)

onberoepbaar out of earshot (*of:* hearing); (*van predikant*) ineligible

onberoerd unperturbed, serene

onbeschaafd ill-bred, unmannerly, uneducated, unrefined; (*van volk*) uncivilized, barbarous, savage; ~**heid** *a*) ill-breeding, unmannerliness; *b*) barbarism

onbeschaamd *a*) unashamed; *b*) impudent, insolent, impertinent, bare-, brazen-faced, unblushing [liar; lie ...ly], shameless; *zie* brutaal; ~**heid** impudence, insolence, impertinence (*ook:* an ...), effrontery, assurance; *zie* brutaliteit

onbeschadigd undamaged, uninjured, sound, [arrive] in good (*of:* sound) condition, intact

onbeschaduwd shadeless, unshaded

onbescheiden immodest, arrogant, forward; *als 't niet ~ is* ... if it is not a rude (indiscreet) question to ask; ~**heid** immodesty, arrogance; [an] indiscretion

onbeschermd unprotected, undefended; naked, unscreened [light]

onbeschoft impertinent, insolent, impudent; ~**heid** impertinence (*ook met* an & *in mv.*), insolence, impudence

onbeschreven *a*) blank, not written upon; *b*) undescribed; *c*) (*ongeschr.*) unwritten [law]; *'n ~ blad*, (*fig.*) (a) tabula rasa

onbeschrijf(e)lijk indescribable, beyond description, [beautiful] beyond words; *~ grappig* too funny for words; *het is ~*, *ook:* it defies (beggars) description; *~ veel* [do] untold [mischief]

onbeschroomd bold, undaunted, fearless, unabashed; ~**heid** ...ness

onbeschut unsheltered, unprotected; exposed [place]

onbesefbaar inconceivable

onbeslagen unshod; (*fig.*) unprepared; *zie* ijs

onbeslapen [the bed has] not [been] slept in, [the bed was] undisturbed

onbeslecht *zie vlg.*; **onbeslist** undecided; [problems] outstanding [between ...]; *~e blijven* not come up for discussion; *~ laten* not touch upon, pass over; 2 (*plaats*) unbooked, unreserved, free; 3 (*gedrag*) blameless; *zie* onberispelijk

onbeslist undecided; [problems] outstanding [between ...]; *~e* drawn battle; (*~e*) *spel* (*wedstrijd*) drawn game (match), draw, tie; *'t spel bleef ~* the game ended in a draw, was drawn; *nog ~ zijn*, *ook:* hang in the balance; **onbeslistheid** indecision

onbesloten undecided, irresolute

onbesmet spotless, stainless, untainted, undefiled, unblemished [honour]; uninfected [cattle]; (*bij staking*) untainted [goods]

onbesneden uncircumcised

onbespeelbaar unplayable (*ook van terrein*); unfit for play

onbespeeld unplayed, new

onbespied unobserved

onbespraakt wanting in fluency (of speech), (*fam.*) not having the gift of the gab

onbesproken 1 (*onderwerp*) undiscussed; *~ blijven* not come up for discussion; *~ laten* not touch upon, pass over; 2 (*plaats*) unbooked, unreserved, free; 3 (*gedrag*) blameless; *zie* onberispelijk

onbestaanbaar impossible; *~ met* incompatible (inconsistent) with; ~**heid** *a*) impossibility; *b*) incompatibility, inconsistency

onbestelbaar undeliverable, dead [letter]; *indien ~ gelieve terug te zenden aan* ... if undelivered (in case of non-delivery), please return to ...; *afdeling voor -are brieven* dead (*of:* returned) letter office

onbestemd indeterminate, vague; ~**heid** indeterminacy

onbestendig unsettled [weather, etc.], fitful [weather, worker], unstable, unsteady, inconstant, changeable, fickle [Fortune, climate]; ~**heid** unsettled state [of the weather], instability, changeability, inconstancy, fickleness

onbestorven: (*vlees*) too fresh; (*metselwerk*) fresh; (*verf*) tacky; *~ weduwe (-naar)* grass widow (widower)

onbestraat unpaved

onbestreden undisputed, unchallenged

onbestuurbaar unmanageable, unsteerable, out of control, not under control, [get] out of hand; ~**heid** ...ness

onbesuisd rash, giddy, headlong, reckless, hotheaded; *~ fietser, enz., zie* woest; ~**heid** rashness, etc.

onbetaalbaar unpayable [debts]; priceless, invaluable [services]; (*van grap*) capital, priceless

onbetaald (*bedrag, enz.*) unpaid; (*rekening ook*) unsettled; (*goederen*) unpaid-for [cigars]; *~e rekeningen*, *ook:* outstanding accounts

onbetamelijk unbecoming, unseemly, improper, indecent; *zie* onbehoorlijk; ~**heid** unseemliness, impropriety, indecency

onbetekenend *zie* onbeduidend

onbeteugelbaar, onbetoombaar uncontrollable, ungovernable; **onbeteugeld, onbetoomd** unbridled, unrestrained

onbetreden untrodden

onbetreurd unlamented, unwept

onbetrouwbaar unreliable, untrustworthy, not to be trusted, shady [individual]; **~heid** unreliability, unreliableness, untrustworthiness

onbetuigd: *hij liet zich niet ~* he acquitted himself well, kept his end up; *(aan tafel)* he did justice to the food

onbetwijfelbaar *zie* ontwijfelbaar

onbetwist undisputed, uncontested, unchallenged; **~baar** indisputable, incontestable, unassailable; **–heid** ...ness

onbevaarbaar in-, unnavigable; **~heid** ...ness; in-, unnavigability

onbevallig ungraceful, inelegant, ungainly; **~heid** ungracefulness, inelegance

onbevangen 1 unprejudiced, unbias(s)ed, open-minded, detached [observer], [approach a subject] with an open mind; *~ oordelen* keep an open mind; 2 *(vrijmoedig)* unconcerned; **~heid** 1 open-mindedness, detachment, impartiality; 2 unconcern(edness)

onbevaren unnavigated [seas]; *~ matroos* inexperienced (freshwater) sailor

onbevattelijk *(pers.)* dense, slow (of comprehension); *(zaak)* incomprehensible; **~heid** *a)* ...ness; *b)* ...ness, incomprehensibility

onbevlekt unstained, unblemished, undefiled; *de ~e Ontvangenis* the Immaculate Conception

onbevoegd incompetent, unqualified; *~ de geneeskunde uitoefenen* practise as a doctor without being registered; *~ verklaren* disqualify; *geen toegang voor ~en* no unauthorized person allowed to enter; *~e leerkracht* unqualified teacher; *een minderjarige is ~* is under a disability; **~heid** incompetence, incompetency; **~verklaring** disqualification

onbevolkt unpopulated, unpeopled

onbevooroordeeld unprejudiced, unbias(s)ed, open-minded; *~ overwegen* consider with an open mind; **~heid** freedom from prejudice, open-mindedness

onbevoorrecht unprivileged; **onbevredigd** unsatisfied; **onbevredigend** unsatisfactory

onbevreesd fearless, unafraid [voor of], undaunted; **~heid** fearlessness

onbevroed unsuspected; **onbevrucht** unimpregnated, unfertilized [eggs]; **onbewaakt** unguarded *(in alle bet.)*; *ook:* [in an] unthinking [moment]; *zie* overweg

onbeweegbaar immovable; **~heid** ...ness, immovability

onbeweeglijk motionless, immovable, immobile, unyielding; **~heid** immobility

onbeweend unwept, unmourned; **onbewerkt** unprocessed; *(onbereid)* undressed [leather, wood]; *(onversierd)* plain, unornamented; **onbewerktuigd** inorganic, unorganized; **onbewezen** unproved; *(jur. in Schotl.)* not proven;

onbewijsbaar unprovable, not to be proved

onbewimpeld frank, open, outspoken

onbewogen unmoved, unconcerned, impassive [face], unruffled [surface], without emotion; uneventful [times]

onbewolkt cloudless, unclouded

onbewoonbaar uninhabitable, unfit for habitation; *(van huis ook)* untenantable; *~ verklaren* condemn [a dwelling]; **~heid** ...ness; **~verklaring** clearance order

onbewoond uninhabited; *(van woning ook)* unoccupied, untenanted; *~ eiland* desert island; *~e winkel* lock-up shop

onbewust I *bn.* unconscious [actions], unwitting [sin]; *~ van* unaware (unconscious) of; *zich ~, dat (hoe, enz.)* unaware (unconscious) that (how, etc.); *het ~e* the unconscious; **II** *bw.* unconsciously, unawares, [sin] unwittingly; **~heid** unconsciousness; **onbezaaid** unsown

onbezadigd hot-headed, impetuous

onbezet vacant [chair, post], unoccupied, empty, disengaged [chair]; *(mil.)* unoccupied, ungarrisoned; *vgl.* bezetten

onbezield inanimate, lifeless, dead

onbezien(s) unseen; *~ verkocht* sold by description; **onbezocht** unfrequented, unvisited

onbezoedeld undefiled, unpolluted, unstained, unsmirched

onbezoldigd *(van pers. & ambt)* unsalaried, unpaid; honorary [doctors in hospitals; ... work]; *~ penningmeester* honorary treasurer; *~ rijksveldwachter, ongev.* special constable

onbezongen unsung

onbezonnen thoughtless, rash, giddy, inconsiderate, hare-brained, ill-advised, unthinking [in an ... moment]; *'n ~ stap* an indiscreet step, an indiscretion; **~heid** thoughtlessness, etc.; [a youthful] indiscretion

onbezorgd *a)* free from care, care-free [live a ... life], light-hearted, unconcerned; *b)* *(van brief)* undelivered; *c)* *(onverzorgd)* unprovided for; **~heid** light-heartedness, unconcern

onbezwaard *(van geweten, enz.)* unburdened; *(van bezit)* unencumbered, clear; **onbezwalkt** immaculate, unstained; **onbezweken** unflinching [courage]; unshaken [faith]

onbijbels unbiblical

onbillijk unjust, unfair, inequitable, unreasonable; **~heid** injustice [ook: an ..., ...s], inequity, unfairness, etc.

onbloedig bloodless, unbloody

onblusbaar inextinguishable, unquenchable

onboetvaardig(heid) impenitent (-ence)

onbrandbaar incombustible, uninflammable, non-flam(mable); **~heid** incombustibility

onbreekbaar unbreakable, infrangible; *zie ook* onsplinterbaar; **~heid** ...ness, infrangibility

onbroederlijk unbrotherly

onbruik disuse, desuetude; *in ~ geraken* go (drop, fall) out of use, fall into d.; *(van gewoonte, recht, enz., ook:)* fall into abeyance, lapse; **~baar** unfit for use, useless, unusable, unserviceable; *(van weg)* impracticable; *(van pers.)* unemployable, useless; *– maken* render useless; *ook:* cripple [a radio transmitter];

–heid ...ness; impracticability; unemployability

onbuigbaar inflexible; (*gramm.*) indeclinable; **~heid** inflexibility

onbuigzaam inflexible; (*fig. ook*) unbending, uncompromising, unyielding, rigid, intractable, stubborn; **~heid** inflexibility, rigidity, stubbornness, uncompromising attitude

onchristelijk unchristian; **~heid** u. conduct, u. spirit

oncollegiaal disloyal (to colleagues)

oncontroleerbaar unverifiable, [reports] which cannot be checked

ondank ingratitude, thanklessness; *mijns ~s* in spite of me (*of:* myself); *~ is 's werelds loon* i. is the way of the world; *eaten bread is soon forgotten; zie* oogsten

ondankbaar ungrateful, thankless, unthankful; *~ werk* a thankless task; **~heid** ingratitude, thanklessness, unthankfulness

ondanks in spite of, despite, notwithstanding, for all [his money], in the face of [great difficulties]; *zie* niettegenstaande

ondeelbaar indivisible; *~ getal* prime number; *voor (in) een ~ ogenblik* for a fraction of a second (in a split second); *~ klein* infinitesimal(ly small); **~heid** indivisibility; (*van getal*) primeness

ondefinieerbaar indefinable

ondegelijk(heid) unsubstantial(ity), unsolid(ity), unsound(ness), superficial(ity)

ondenkbaar unthinkable, inconceivable, unimaginable

onder I *vz.* 1 (*plaats*) under, underneath, beneath; *van ~ de tafel* from u. the table; *~ de brug (een ladder) door* [pass, go] u. the bridge (a ladder); 2 (*fig.*) *meest:* under [u. the British flag, u. the walls of the town, u. the article Natural History, work u. a p., an insurrection u. ..., fight u. ..., u. my predecessor, u. Charles I]; *een dorpje ~ Amsterdam* in the immediate neighbourhood of A.; *~ 5 pond (de 50, de 40 min.)* u. £5 (fifty, forty minutes); *hij heeft de stukken ~ zich* he has the documents in his keeping; *zie* hand (onder ...en); 3 (*tussen*) among, amid(st); to [he drove off ... the cheers of the crowd]; *~ vrienden* among friends; *~ vijanden* amid(st) enemies; *~ gelach* amidst laughter; *~ tranen* with tears; *~ alle gevaren* in the midst of all dangers; *hij vocht ~ de Duitsers* in the German ranks; *~ ons* [dine, etc.] just among ourselves; *~ ons (gezegd)* between ourselves (you and me); *'t moet ~ ons blijven* it must not go (get) any further (than ourselves), this is quite between you and me; *~ hen* among them, among their number; *er is minder geld ~ de mensen* there is less money about; 4 (*tijdens*) during; *~ 't eten* at dinner, during meals; *~ schooltijd* during school-hours (lessons); *~ 't lezen* while reading, [you see the scenes] as you read; *~ 't gaan* [she stooped, mopped her face] as she went; *~ klokgelui* with the bells ringing; *~ een glas wijn (een pijp)* [discuss the matter] over a glass of wine [a

pipe]; *zie ook* ander, zitten, enz.; II *bw.* below; *de zon is ~* the sun is set (is down); *~ wonen* live on the ground-floor; *er ~* underneath; *hoe was hij er ~?* how did he take it?; *naar ~(en)* down, below, downward(s); *van ~(en)* [wet, etc.] underneath; (*richting*) from below; *4de regel van ~(en)* fourth line from (the) bottom; *van ~en! (mar., enz.)* down below! head below!; *van ~(en) op* (right) up from below, [learn the business] from the bottom, from the ground up; (*mil.; ook fig.*) [rise] from the ranks; *van ~(en) op beginnen,* (*fig.*) begin (start) at the bottom (at the foot of the ladder); *hij is van ~(en) op begonnen, ook:* he has climbed every rung of the ladder; *van ~(en) naar boven* from the bottom (from below) upward(s); *hij bekeek me van ~ tot boven* he looked me up and down; *zie ook 't vz.* 1; *ten ~ brengen* subjugate, subdue, overcome, conquer; *ten ~ gaan* founder; *~ aan* at the foot of [the stairs, letter, page], at the bottom of [the page]; *~ in* at the bottom of [the basket, the cellar]; *zie ook* ben.; **~aan** at the bottom (*of:* foot), underneath; at the bottom of the class (the table, the list); (*in brief*) at foot, at the foot of the letter; *zie ook* onder *bw.*; **~aandeel** sub-share; **~aannemen** sub-contract; **~aannemer** sub-contractor; **~aards** subterranean, underground; **~adjudant** *ongev.:* warrant-officer; **~af** at (*of:* from) the bottom; **~afdeling** subdivision, subsection; **~arm** fore-arm; **~baas** foreman; **~balk** architrave; **~belichten** u.-expose; **~bevelhebber** second in command; **~bewust(zijn)** subconscious(ness); **~bezet** u.-manned, u.-staffed; **~bibliothecaris** sub-(deputy, u.-)librarian; **~binden** (put) on [skates]; **~binden** tie up, ligate [an artery]; **~binding** ligation; **~blijven** remain under water; stay downstairs; **~bootsman** boatswain's mate; **~borg** collateral security; **~bouw** substructure, infrastructure; (*van spoorw.*) road-bed; (*van lyceum*) first year (*of:* first and second years); **~breken** break [a journey], interrupt, break in on [a p.'s thoughts, a conversation]; punctuate [a speech with cheers; sobs ...d the evidence]; cut across [a sharp sound ... her words]; relieve [the monotony]; *de reis ~ te A.* stop off (over) at A.; **~breker** (*elektr.*) interrupter, circuit-breaker, contact-breaker; **~breking** break, interruption, intermission, halt; **~brengen** shelter [fugitives], accommodate, put up, lodge [persons], house [persons, things]; place, class [in a category], relegate [to an index]; *zich nergens (in categorie, enz.) laten –* fit in nowhere; **~broek** pants, panties, (pair of) knickers

onderbuik abdomen; **~s** ... abdominal

onder: ~buur downstairs neighbour; **~chef** assistant (*of:* deputy) station-master; **~daan** subject; *mijn ~danen,* (*scherts.: benen*) my pins; **~danen,** (*inz. in 't buitenland*) [British] nationals [in Spain]; **~dak** shelter, home, houseroom, accommodation; *geen – hebben, ook:* be homeless; *– verschaffen* accommodate, shelter;~**danig**submissive,humble;obsequious [he bowed most ... ly], subservient; *Uw -e dienaar* Yours obediently (respectfully); *de -e dienaar spelen* bow and scrape [*voor* to]; ~**danigheid** ...ness, humility, subservience; ~**deel** a) (*onderste deel*) lower part; b) part, inferior part; sub-division; (*van leger*) [army] unit; (*van maatschappij*) branch; head [the ...s of a speech, lecture]; branch [of a science]; fractional part [of a mile]; fraction [in a ... of a second]; *in een – van ..., ook:* in a split second; *-delen,* (*van machine, enz.*) [motor-]parts, accessories, fittings, components; ~**deur** hatch, lower half of a door; ~**directeur(-trice)** sub-(under-)manager, assistant manager; (*van school*) senior master (*vrouw.:* mistress), assistant headmaster (*vrouw.:* headmistress), vice-principal; ~**doen** a) tie (put) on [skates]; b) knuckle under (*voor* to); c) *niet – voor* be a match for, hold one's own with; *voor niemand – be* second to (yield to) none, be behind no one [in ...]; *niet voor elkaar – be* well-matched; ~**dompelen** immerse, plunge, duck, souse; ~**dompeling** immersion, plunge, ducking; ~**door** a) underneath, under it (them, etc.); b) among them (the number); *dat kan er voor deze keer – that* may pass for this once; *zwakke leerlingen gaan er – go* to the wall; ~**doorgang** subway; (*onder weg*) underpass; ~**dorpel** bottom rail **onderdrukken** oppress [a nation], suppress [a sigh, smile, an opinion, insurrection], repress, put down [crime, gambling, a rebellion], stamp out [a rebellion], subdue [a passion], keep down [one's anger], stifle [a laugh], smother [a yawn, curse], force back [emotions, tears], choke back [tears, sobs], fight down [an impulse to ...], get under [a fire], quell, crush [a revolt]; ... *laat zich niet ~* human nature will out; *niet te ~* irrepressible [feelings]; *onderdrukt, ook:* pent-up [feelings], smothered [wrath *toorn*]; -**er** oppressor; suppressor; -**ing** oppression, suppression (*vgl. 't ww.*) **onder:** ~**duiken** dive, plunge, duck, take a header; (*van zon*) dip (*of:* sink) below the horizon; (*tijdens bezetting*) go underground, go into hiding; ~**duiker** person in hiding; ~**duiking** dive, plunge, header; ~**duwen** push under; ~**een** together, pell-mell; *zie* dooreen; ~**einde** lower end; ~**en** *zie* onder **ondergaan** go down, sink; (*van zon, enz.*) set, go down; (*bezwijken*) go down [*voor* before], go under, perish; *de dichter ging onder in de staatsman* was submerged (*of:* lost) in ... **ondergáán** undergo [one's fate, a change, an operation, punishment], suffer [humiliations], experience [a similar fate], endure [pain, etc.], serve [a term of imprisonment]; *een gehele omwerking ~,* (*van boek*) be entirely rewritten; *doen ~* inflict [humiliations] on [a p.], subject to [a thorough revision]; *iem. een verhoor doen ~* put a p. through an examination **onder:** ~**gang** setting [of the sun]; (*fig.*) (down-)fall [of an empire]; ruin, ruination, destruction; *de – der wereld* the end of the world, the

crack of doom; *zij* (*dat*) *was mijn –* she (that) was the ruin of me (my undoing); *iems. – bewerken* undo a p.; *zi.* tegemoet; ~**gedeelte** lower part **ondergeschikt** subordinate (*ook van zin*), inferior, subsidiary [*aan* to]; *van ~ belang* of secondary (minor) importance; *~ punt* minor point; *~e rol,* (*ook fig.*) s. (minor) part; *een ~e rol spelen,* (*fig.*) play second fiddle; *~ maken* subordinate, place second [*aan* to]; *~e* subordinate, inferior; (*min.*) underling; ~**heid** subordination, inferiority **onder:** ~**geschoven, -gestoken** supposititious [child, documents]; ~**getekende** (*de*) – the (present) writer, the undersigned; (*scherts. = ik*) yours truly, your humble servant; *ik* (*wij*) –(*n*) I (we) the undersigned; ~**gieten** flood; ~**gisting** sedimentary fermentation; ~**goed** underclothing, -clothes, underwear, (*fam., inz. van vrouw of meisje*) undies; ~**gordijntje** low net curtain; ~**gráven** undermine, sap **ondergrond** underground; (*ook fig.*) subsoil; (*fig.*) foundation; the underlying causes [of an event]; ~**s** underground; *-e* (*spoorweg*) u. (railway), (*Am.*) subway; *-e* (*beweging*) u., resistance (movement); ~**sploeg** subsoil plough **onder:** ~**hand** meanwhile; ~**handelaar(ster)** negotiator (negotiatress, -trix); ~**handelen** negotiate [*over een punt* on a point; *over vrede* for peace], treat, parley; ~**handeling** negotiation; (*onofficieel*) pourparler; (*mil.*) parley; *in –en treden, –en aanknopen* enter into n...s [*met* with], open (up) n...s; *in – zijn met ... over vrede* be negotiating (be in treaty) with ... for peace; *–en voeren* conduct (carry on) n...s; *door – tot stand brengen* negotiate [a settlement]; ~**hands** bw. *zie* ondershands; bn. private [treaty, contract, sale, bargain]; (*ong.*) underhand [intrigues], hole-and-corner [arrangement], backstairs, behind-the-scenes [negotiations]; *– akkoord* private arrangement; *-e worp* underhand throw; ~**havig:** *'t -e geval* the case in question (before us, at issue, under consideration, in hand), the present case; ~**hebben** (*schaatsen*) have on; (*iem.*) have [a p.] down; *-d* subordinate; *zijn -den* his subordinates, (*-de manschappen*) the men under his command; ~**helpen** a) help to tie (*of:* put) on [skates]; b) shelter, accommodate; ~**hevig:** *– aan* liable to, subject to; *aan twijfel –* open to question (*of:* doubt); ~**horig** dependent, subordinate, belonging [*aan* to]; *-e* dependant, subordinate; ~**horigheid** dependence, subordination; (*land*) dependency **onderhoud** (*van pers.*) maintenance, support, keep, sustenance; (*van huis, weg, enz.*) upkeep; (*van gebouw, weg, enz., ook:*) maintenance; (*van geweer, auto, enz.*) care; (*gesprek*) interview, conversation; *voorzien in 't ~ van* provide for [one's family]; *in zijn eigen ~ voorzien* provide for o.s., be self-supporting (*ook van land*), earn one's keep, pay one's (own) way; *voor 't ~ van 't huis zorgen* keep the house in repair

ónderhouden keep under (*ook fig.* = *er ~*); **on-derhóuden 1** (*in stand houden*), (*zijn familie, enz.*) support, provide for, keep, maintain; (*gebouw, enz.*) keep in repair; maintain [a road]; service, maintenance [a car, a machine]; keep up [one's studies, one's French, friendship, a correspondence]; *zich*(*zelf*) ~ support (keep, provide for) o.s.; *een leger* ~ maintain an army; *niets om 't leven te* ~ ... to sustain life; *iets* (*een kunst, enz.*) ~, *ook:* keep one's hand in; *'t vuur werd goed* ~ ... was well kept up; *Gods geboden* ~ keep God's commandments; *betrekkingen* ~ *met* maintain relations with; *een dienst* ~ maintain (conduct, keep up, operate) a service; *goed* ~ ... well-kept [streets, graves], well-preserved; *slecht* ~ ... badly kept, unkempt [parks]; *'t huis is goed* (*slecht*) ~ is in good (bad) repair, is in (out of) repair; **2** (*aangenaam ~*) entertain, amuse; **3** *iem.* ~ *over* remonstrate (expostulate) with a p. on (about) [his behaviour]; *zich* ~ *met iem.* converse with a p.; ~**d** entertaining [talker, book], amusing; interesting [stories]; *hij is* -, *ook:* he is good company
onderhoud: ~**er** supporter; ~**skosten** cost of maintenance (of upkeep), maintenance cost, upkeep expenses; ~**smonteur** maintenance mechanic; ~**stoelage** maintenance grant
onder: ~**hout** underwood, undergrowth, brushwood; ~**huid** true skin, cutis, corium, derm(a); (*van schip*) inner planking, ceiling; ~**huids** hypodermic [injection], subcutaneous; ~**huis** lower part of the (a) house; basement; ~**huren** sub-rent; ~**huur** subtenancy; ~**huurder**, ~**ster** subtenant; ~**in** at the bottom; *zie* ~ *bw.;* ~**jurk** (under-)slip, petticoat; ~**kaak** lower jaw; ~**kaaks-**... submaxillary ...; ~**kant** bottom, underside, lower side, under-surface; ~**kast** (*typ.*) lower case; ~**kennen** distinguish, tell [one thing from another], discern; diagnose [a disease]; ~**kin** double chin, [he had a] chin, two chins; ~**klasse** sub-class; ~**kleed** undergarment; ~**kleren** *zie* ~**goed**; ~**koelen** supercool; ~**kok** undercook; ~**komen** *ww.* find shelter (*of:* accommodation); *zn.* shelter, lodging; *zie* onderdak; ~**koning** viceroy, lord-lieutenant; ~**koningin** vicereine; ~**koningschap** vice-royalty; ~**korst** under-crust; ~**krijgen** get under, get the better of, overcome
onderkruipen undercut, undersell [a p.]; spoil a p.'s trade; (*bij staking*) blackleg, rat, scab; **-er** *a*) undercutter, -seller, price-cutter, spoil-trade; *b*) (*bij staking*) blackleg, scab; *ook =* -sel; **-erij, -ing** *a*) under-cutting; *b*) blacklegging; -sel (little) shrimp; chit [of a girl]
onder: ~**laag** substratum, under-layer, foundation, undercoat(ing); (*van bed*) bed-boards; ~**laken** undersheet; ~**langs** along the bottom (*of:* foot); ~**leen** *zie* achterleen; ~**legd: goed** ~ *zijn in* be well (thoroughly) grounded (nave a good grounding) in; ~**léggen** prepare, give a [good, etc.] grounding; (*typ.*) underlay; '~**leggen** lay (put) under; ~**legger** blotting-, writing-pad; (*onder karpet, enz.*) underlay, [stair-]pad;

(*balk*) girder; ~**liggen** lie under; (*fig.*) get the worst of it; *-d* underlying; (*fig.*) defeated, vanquished; *de –de partij* the underdog; ~**lijf** lower part of the body, abdomen; ~**lijfje** (under-) bodice, camisole; ~**lijnen** underline
onderling I *bn.* mutual; *~e verzekering* m. insurance; *vereniging voor ~ hulpbetoon* Friendly Society, m. aid society; *met ~ goedvinden* by m. (common) consent; *hun ~e verhouding* their relation to one another; *hun ~e afstand* the distance between them; *~e strijd* (*binnen een groep*) in-fighting; *~e wedstrijd* inter-club contest; **II** *bw.* (*wederkerig*) mutually; (*samen*) together, between us (you, them); ~ (*on*)*deelbaar* (in)commensurable; ~ *beraadslagen* consult together; ~ *gemeenschap hebben*, (*van vertrekken, enz.*) communicate (with one another); ~ *verdeeld zijn* be divided among themselves; ~ *verschillend* different among themselves
onder ~**linnen** underlinen; ~**lip** lower lip, underlip; ~**lopen** be (get) flooded (overflowed, swamped, submerged); *laten* – flood; ~**maans** sublunary; *'t –e* the sublunary world; *in dit –e* here below; ~**maat** short measure; ~**maatschappij** subsidiary (company); ~**mast** lower mast; ~**meester** (*vero.*) usher, assistant teacher; ~**melk** *zie* taptemelk; ~**mijnen** (*ook fig.*) undermine, sap; *-de activiteiten* subversive activities; ~**mijning** undermining, sapping
ondernemen undertake, take upon o.s., attempt; *te veel tegelijk* ~ have too many irons in the fire; ~**d** enterprising
ondernemer (*econ.*) entrepreneur; producer; employer; undertaker [of a task]; *zie* exploitant; (*bouw-*) contractor; ~**sbond** employers' association; ~**sraad** council of employers
onderneming undertaking, enterprise; (*waagstuk*) venture; (*bedrijf*) concern; (*plantage*) estate, plantation; *een dwaze* ~ a wild-goose chase, a fool's errand; ~**sgeest** (spirit of) e.; *zonder* – unenterprising; ~**sraad** works council; *wet op de -den* employees (works) council act; ~**srubber** plantation rubber
onderofficier non-commissioned officer, N.C.O.; (*mar.*) petty officer; ~ *van politie*, (*mar.*) master-at-arms; ~**sstrepen** sergeant's stripes; ~**svaandeldrager** *ongev.* company sergeant-major; (*hist.*) colour-sergeant
onderom round the foot (the lower part)
onder: ~**onsje** *a*) family party, small intimate party, a select few; (*ong.*) clique; *b*) private affair; ~**ontwikkeld** under-developed; ~**orde** (*nat. hist.*) suborder; ~**pacht** sublease; ~**pachter** sublessee; ~**pand** pledge, guarantee, security; *op – lenen* lend (borrow) on security; *in – geven* pledge; *zie* zakelijk; ~**ploegen** plough back, p. in; ~**produktie** under-production; ~**ra** lower yard; ~**rand** lower rim (*of:* edge); ~**regenen** be inundated (swamped) with rain; ~**regent** vice-regent
onderricht instruction, tuition; ~**en** instruct, teach; (*verwittigen*) inform, apprise [*van of*]; ~**er** instructor; informant; ~**ing** instruction; (*inlichting*) information

onderrok petticoat, underskirt
onderschatten undervalue, underestimate, underrate; make light of [foreign competition]; *niet te ~* far from negligible, [a] very real [advantage]; **-ing** undervaluation, underestimation
onderscheid[1] difference; (*'t maken van ~*) distinction, discrimination [unfair ...], differentiation; *jaren des ~s* years of discretion; *oordeel des ~s* discernment, discrimination, discretion; *met oordeel des ~s* [act] discriminatingly (with discretion); ~ *maken tussen* distinguish (discriminate, differentiate, draw a distinction) between [good and bad]; ~ *m. ten voordele (ten nadele) van* discriminate in favour of (against); *geen ~ maken* make no distinction [between rich and poor]; *geen ~ makend* indiscriminate [charity]; *dat maakt geen ~* that does not make any d.; ~ *maken waar geen ~ bestaat* make a distinction without a difference; *de dood maakt geen ~* death is the great leveller; *allen zonder ~* all and sundry, all without exception; *zonder ~ behandelen* treat without fear or favour
onderscheiden I *ww.* distinguish; mark off (out) [a grace which ...ed her off (out) from the other girls]; (*onderscheid maken, ook:*) discriminate; (*onderkennen*) distinguish, discern, make out [a sail on the horizon]; (*fam.*) spot; (*met medaille, enz.*) decorate; *ik kan ze niet van elkaar ~* I can't tell them apart, can't tell the one from the other, don't know which is which [*zo ook:* I can't tell this wine from vinegar; he did not know right from wrong]; *zich ~* distinguish o.s., make one's mark [he made no mark at school], stand out [from the rest]; *zich ~ door, ook:* be distinguished by [a pointed chin], for [his writings]; ... *waardoor hij zich onderscheidt van ...*, *ook:* the points differentiating him from ...; *niet (nauwelijks) te ~* indistinguishable (hardly distinguishable) [*van* from]; *flauw te ~* faintly discernible; **II** *bn.* different, distinct, differentiated [*van* from]; (*verscheiden*) several, (*allerlei*) various; **~lijk** respectively; separately, severally
onderscheiding distinction [draw, make a ...; treat a p. with ...]; decoration; *~en op 's Konings verjaardag* Birthday honours; *~en met nieuwjaar verleend* New Year honours; **~sgave**, **~svermogen** discrimination, discernment; **~steken** distinguishing mark, badge; *–s*, *ook:* insignia
onderscheppen intercept; **onderschepping** interception
onderschikken subordinate; **~d** subordinating; **-ing** subordination, hypotaxis
onderschildering underpainting
onder: ~schoren, **~schragen** (*ook fig.*) shore up, buttress up, (under)prop, underpin; **~schrift** subscription; (*van brief*) signature, subscription; (*van plaat*) underline, (*tekst*) letterpress;

(*van film, foto, enz.*) caption, sub-title; **~schrijven** sign; (*fig.*) subscribe to, endorse [a view, etc.]; **~schuiven** shove (*of:* slip) under; (*fig.*) substitute surreptitiously, plant [evidence]; *zie* ondergeschoven; **~schuiving** substitution; **~secretaris** under-secretary; **~s-hands** privately, by private contract; **~slagmolen** undershot mill; **~slagrad** undershot wheel; **~sneeuwen** be snowed under; **~soort** subspecies; **~spannen** subtend; **~spit**: *'t – delven* be worsted, have (get) the worst of it; **~st** lowest, undermost, lowermost, bottommost, bottom [the ... drawer, pane, etc.]; *zie* kan; '**~staan** be flooded; **~stáán** dare, presume; (*een waagstuk*) attempt; **~staand** subjoined, undermentioned, mentioned below (at foot); *volgens –e kopie* as per copy at foot; **~stam** rootstock; **~stand** (*verlenen, ontvangen*) [grant, receive] (parish, Poor Law, public) relief, maintenance, assistance; (*van werkloze*) relief, the dole [*– ontvangen* be in receipt of relief, be on the dole]; *– aan huiszittende armen* outdoor relief, out-relief; **~standig** (*plantk.*) inferior; **~standsgeld** pecuniary aid, subsidy; (*bij staking*) strike-pay; (*van werkloze*) dole; **~station** (*elektr.*) sub-station; **~ste** *zie* **~st**; **~st(e)boven** upside down, wrong side up, bottom up(permost); *– halen* turn upside down, inside out; *– gooien* overthrow, upset, knock down; *ik was er helemaal (helemaal niet) van –* it knocked me sideways (I was not at all impressed); **~steek** bed-pan; **~steken** *zie* **~schuiven**; **~stel** under-carriage (*ook van vliegt.*), u.-frame; (*van auto*) *ook:* chassis; (*van locomotief, enz.*) truck, bogie
ondersteld hypothetical, suppositional [case]; ~, *dat ...* suppose, supposing (that) ...
onderstellen suppose, presume; *het boek onderstelt kennis van* presupposes (postulates) a knowledge of; **-ing** supposition, hypothesis; *zie* ver...
ondersteunen support; (*fig. ook*) succour; (*armen*) relieve; *zie* steunen
ondersteuning support; (*vooral armen ~*) relief; *ter ~ van* in s. (in aid) of; *zie* onderstand(sgeld); **~scommissie** relief committee; **~sfonds**, **-kas** relief-fund, benevolent fund; (*bij staking*) strike-fund; **~slinie** (*mil.*) s.-line; **~stroepen** supports, troops in s.; **~svuur** covering fire
onder: ~stoppen tuck in; **~strepen** underline (*ook fig.*), underscore; **~stroom** under-current, underset, undertow; **~stromen** be (*of:* get) flooded; **~stuiven** be (*of* get) covered with dust (*of:* sand); **~stuk** bottom piece, lower part; **~stutten** *zie* **~schoren**; **~stuur** understeer; **~stuurman** second mate; **~tand** lower tooth
ondertekenaar signer, subscriber; signatory [to a treaty]
ondertekenen sign; *zie* tekenen; **-ing** signature; (*'t ~*) signing; (*van schildering*) outline (preliminary) drawing; *zie* tekening
onder: ~titel sub-title, sub-heading; caption;

[1] *Zie ook* verschil

–en sub-title [a film]; **~toon** undertone
ondertrouw publication of the banns; notice of (intended) marriage (*vgl.* ~en); *gedurende de ~ during the time the banns are up; ~d, ...,* *ongev.* a marriage has been arranged between ...; **~de** bride(groom); **~en** have the banns published [in church]; give notice of a marriage [at a register office]
onder: ~tussen *a*) *zie* ~wijl; *b*) (*toch*) yet; **~uit** from below, at the bottom; – *gaan* fall over, lose one's foothold; – *halen* trip up; – *zakken* sag [in one's chair]; *ik kan er niet* – I cannot get out of it; *je komt er niet – dat ...* you cannot get away from it (the fact) that ...; **~vangen** obviate, remove [difficulties]; meet [objections, etc.]; parry [a blow]; *zie* ~scheppen & ~schragen; **~verdelen** subdivide; **~verdeling** subdivision; **~verhuren** sublet, sublease, underlet, underlease; **~verzekering** underinsurance; **~vinden** experience, meet with [hospitality, etc.], find [difficulty], have to put up with [inconvenience], encounter [delay]; *laat ze het zelf eens* – give them a taste of their own medicine
ondervinding experience; *weten bij ~* know by (from) e.; *spreken uit ~* speak from e.; *met ~* with e., experienced; *zonder ~* without e., inexperienced; *~ is de beste leermeesteres* e. is the best teacher (the mother of science), *ongev.:* live and learn; *de ~ is een harde leermeesteres* e. is a hard taskmaster
onder: ~vlak base; **~voed** underfed, undernourished; **~voeden** underfeed; **~voeding** underfeeding, under-nourishment, malnutrition; **~voorzitter** vice-, deputy-chairman, vice-president; (*Lagerhuis*) deputy-Speaker
ondervragen interrogate, question, examine, interview; **-er** interrogator, examiner; **-ing** interrogation, examination
onder: ~wal bottom of a dike; **~water-** underwater [photography, sports, etc.]; **~waterzetting** inundation, flooding; **~weg** on the (one's) way, en route, [I'll tell you] by the way; *lang – zijn* be long (in) coming; **~wereld** nether world, underworld; *de – van New York* the N. Y. underworld; **~werk** (*van schoen*) bottom
onderwerp subject (*ook gramm.*), theme; topic [the ... s of the day]; *ook:* subject-matter [of a book, etc.]; *naar ~en gerangschikt* classified according to subjects; *nu we 't toch over dat ~ hebben* since we are on the s.; **~elijk** *zie* onderhavig
onderwerpen (*volk, enz.*) subject [aan to], subdue, reduce [a town]; *~ aan* (*oordeel, beslissing*) submit to, (*onderzoek, proef, behandeling*) subject to; *zich ~* submit [to the law, a p.'s will], resign o.s. [to one's fate, to God's decrees]; *zich ~ aan een examen* go in (present o.s., sit) for an examination, take (sit) an e.; *ik onderwerp mij aan uw beslissing* (*mening*), *ook:* I bow to (abide by) your decision, defer to your opinion, *-ing* subjection; reduction; submission, resignation (*vgl. 't ww.*)

onder: ~werpszin subject clause; **~wicht** short weight, deficiency in weight, underweight; **~wijl** meanwhile, in the mean time, by this (that) time, [scoffing at himself] the while; [tidy up] as you go along
onderwijs education (= ~ *en opvoeding*), instruction, tuition; (*school-, ook:*) schooling; ~ *geven* (*in*) teach; *bij 't ~ zijn* be a teacher, be in the teaching profession; *hij had weinig* (*school-*) ~ *genoten* he had had (*of:* received) little schooling; *zie* lager, enz.; **~autoriteiten** e.-authorities; **~bevoegdheid** qualification to teach; **~gebied:** *vooruitgang op* – educational progress; **~inrichting** educational (*of:* teaching) institution (*of:* establishment); **~kracht** teacher; **~kringen** educational circles; **~kunde** theory of education; **~machine** teaching machine; **~man** education(al)ist; **~methode** method of teaching, teaching method, educational method; **~televisie** educational television; **~vernieuwing** educational reform; **~wereld** scholastic world, educational circles; **~wet** e.-act; **~zaken** education(al matters)
onderwijzen teach [persons & subjects], instruct [persons]; **~d personeel** teaching staff; *zie* jeugd
onderwijzer (primary school) teacher [*in* of], schoolmaster, -mistress; *eerste ~* chief assistant t.; **~es** (woman) t.; **~sakte** teacher's certificate; **~sambt** teaching-profession; **~sbaantje** teaching-job; **~sgenootschap, ~svereniging** teacher's union; **~skorps** [a splendid] body of teachers
onder: ~wijzing instruction; **~winden:** (*lit.*) *zich* – presume [to ...], make bold [to ...]; **~worpeling** (*lit.*) dependant, slave; **~worpen** subject [tribe]; (*onderdanig*) submissive; (*berustend*) resigned; – *aan* subject (liable) to [income tax, etc.], amenable [to the law]; **~worpenheid** submissiveness, submission; resignation; subjection [of one sex to the other]; **~zaat** subject
onderzee: ~boot, -ër submarine, underwater craft (*ook mv.*); **~bootjager** sub(marine) chaser; **~s** submarine; sunken [rock]
onder: ~zeil lower sail, course; **~zetten** inundate, flood; (*jur.*) mortgage; **~zetter** dish-stand, table-mat; **~zijde** *zie* ~kant
onderzoek inquiry (enquiry), examination, investigation (*naar of,* into); (*van machine, zieke, enz., ook:*) overhaul (*fam. van zieke*); (*wet.*) research; (*chem.*) analysis; [blood] test; examination [for acids]; (*mijnb.*) prospecting; *geneeskundig ~* medical examination; *uitgebreid ~* extensive survey; *~ naar de middelen van werklozen, enz.* means test; *~ doen, een ~ instellen* make inquiries, set up (hold, institute, make) an i. [*naar* into], inquire (go, look) into a matter (*zie* onderzoeken), make a search [for microbes]; *een gerechtelijk ~ instellen naar* hold a judicial i. into; *bij* (*nader*) ~ upon (closer) examination (inquiry); *de zaak is in ~* the matter is under investigation; *op ~ uitgaan* explore; *zie* leiden
onderzoeken examine (*ook med.*), inquire (look,

go) into, investigate, explore [possibilities]; test [have one's eyes (blood) ...ed]; (*med. of techn., fam.*) vet; probe [the origin of ..., motives, etc.]; (*wet.*) make researches into; (*toetsen*) test [gold, a theory, the truth of a statement]; (*chem.*) analyse; test [blood]; (*mijnb.*) prospect; (*aan den lijve*) search; *nauwkeurig ~* scan, scrutinize; (*streng en vergelijkend*) screen; *onderzoekt alle dingen en behoud het goede* prove all things, hold fast that which is good; *~ op* test (examine) [the stomach] for [heroin; the organs were tested for prussic acid]; *zie* grondig *~d ook:* searching [look, look at a p. ...ly], inquiring [mind]

nderzoeker examiner, investigator, research-worker, researcher; (*chem.*) analyst; (*mijnb.*) prospector

nderzoeking (*van land, enz.*) exploration; *zie verder* onderzoek; *~stocht* exploring expedition, exploratory trip, journey (voyage) of exploration; *– swerk* research work; *– verrichten,* (*in laboratorium*) be engaged in (work upon) research

ndeskundig inexpert, amateurish

ndeugd vice; (*guit*) (little) rogue (rascal), mischief; *de kleine ~* the naughty little thing; *zie* ondeugendheid; **ondeugdelijk** unsound [food, meat, fish, etc.], inferior [quality], flimsy, shoddy [materials]

ndeugend naughty (*ook scherts.*), mischievous; (*van hond, enz.*) vicious; *jij ~e jongen, ook* you bad (*of:* wicked) boy; **~heid** naughtiness, mischief

1 ondicht *bn.* leaky, not watertight

2 ondicht *zn.* prose

ndichterlijk unpoetical

ndienst bad (*of:* ill) turn, ill service; *iem. een ~ doen, ook:* do a p. a disservice

ndienstig useless, inexpedient

ndienstvaardig disobliging

ndiep shallow; **~te** ...ness; (*concr.*) shallow, shoal; (*in haven-, riviermond*) bar

ndier monster, brute

nding *a*) absurdity; *b*) *zie* prul

ndoelmatig unsuitable, inappropriate, inexpedient, inefficient; **~heid** ...ness, inexpediency, inefficiency

ndoeltreffend ineffective, ineffectual, inefficacious; **~heid** ...ness, inefficacy

ndoenlijk unfeasible, impracticable; **~heid** ...ness, impracticability

ndoordacht thoughtless, rash, ill-considered [moment], inconsiderate; **~heid** thoughtlessness, etc.

ndoordringbaar impenetrable; (*voor water, enz.*) impervious, impermeable [*voor* to]; *~ voor geluid* sound-proof; **~heid** impenetrability, impermeability

ndoorgrondelijk inscrutable, unsearchable, impenetrable; **~heid** inscrutability, unsearchableness, impenetrability

ndoorschijnend opaque; **~heid** opacity

ndoorwaadbaar unfordable

ndoorzichtig not transparent, untransparent,

opaque; **~heid** intransparency, opacity, opaqueness

ondraaglijk unbearable, intolerable, insupportable, insufferable, beyond bearing; **~heid** ...ness; **ondrinkbaar** undrinkable

ondubbelzinnig unequivocal, unambiguous, unmistakable; (*van lof, enz., ook:*) unqualified, whole-hearted; **~heid** ...ness

onduidelijk indistinct [pronunciation, outlines, view]; (*van schrijver, betekenis*) not clear, unclear, (*sterker*) obscure; **~heid** indistinctness; obscurity

onduldbaar unbearable, intolerable

onduleren undulate; (*haar*) wave [have one's hair ...d], set

onecht 1 not genuine; false [coin], spurious [coin, manuscript], unauthentic [document], imitation [diamonds]; sham, bogus, counterfeit, (*sl.*) phoney; (*rek.*) improper [fraction]; 2 (*van kind = ~elijk*) illegitimate, born out of wedlock; **~heid** 1 spuriousness, unauthenticity; 2 illegitimacy

onedel ignoble, mean, base; (*van metalen*) base; *~e bedoelingen* dishonourable intentions; **onedelmoedig** ungenerous

oneens: *'t ~ zijn met* disagree with, differ from (with) [a p.], be at issue with [a p., a policy]; *'t ~ zijn over* disagree on; *ze zijn 't ~* they are at issue (at variance), they disagree; *hij was 't met zichzelf ~* he was unable to make up his mind, was in two minds [about it]

oneensgezind divided, at variance

oneer dishonour, disgrace, discredit; *iem. ~ aandoen* bring disgrace etc. upon a p.; *zie* strekken; **~baar** indecent, immodest; *-re handelingen* indecent assault; **–heid** indecency, immodesty

oneerbiedig disrespectful, irreverent; **~heid** disrespect, irreverence

oneerlijk dishonest, unfair [competition *concurrentie*]; *~e praktijken* d. (sharp, crooked) practices; *~ spelen* cheat [at cards, etc.]; **~heid** dishonesty

oneervol dishonourable, discreditable [conduct]; *~ ontslaan* discharge (dismiss) ignominiously (with ignominy, in disgrace); *~ ontslag* ignominious dismissal (discharge)

oneetbaar uneatable, inedible; **~heid** inedibility, uneatableness

oneffen uneven, rough, rugged, bumpy [road]; *~ terrein* broken ground; **~heid** ...ness; (*concr.*) unevenness, roughness, inequality

oneigenlijk figurative, metaphorical; *~e breuk* improper fraction

oneindig I *bn.* infinite, endless; *de O~e* the I.; *'t ~e* the i.; *tot in 't ~e* ad infinitum, indefinitely, [smoke cigars] endlessly; II *bw.* infinitely; *~ klein* infinitely small, infinitesimal(ly) small; *~ lang* interminable; *~ veel gelukkiger (beter)* infinitely happier, (*fam.*) [I feel] tons better; *~ veel kwaad (sterren, geld, tijd)* an infinity of harm (stars), no end (heaps) of money (time); **~heid** infinity, infinitude

onengels un-English

onenig disagreeing, at variance, at odds, at issue; *zie* oneens; **~heid** discord, disagreement, dissension, disunity; (*mv.*) quarrels, dissensions, [domestic] differences; – *stichten* sow discord; – *krijgen* fall out, quarrel

onereus onerous; (*van voorwaarden van lening*) harsh and unconscionable

onervaren inexperienced; **~heid** inexperience

onethisch unethical

oneven odd; **~hoevigen** perissodactyls, odd-toed ungulates

onevenredig disproportionate, out of (all) proportion [*aan* to]; **~heid** disproportion

onevenwichtig (*ook fig.*) unbalanced, ill-balanced, unpoised, uneven; **~heid** disequilibrium, lack of balance, imbalance

onfatsoenlijk indecent, improper, offensive [language]; unmannered, rude [behaviour]; **~heid** indecency, impropriety

onfeilbaar infallible, unfailing, unerring, never-failing, fool-proof [system]; **~heid** infallibility, inerrancy

onflatteus unbecoming [hat]

onfortuinlijk unlucky

onfraai unbeautiful, unlovely

onfris not fresh, stale [air, egg], (*van vertrek*) stuffy; (*onlekker*) out of sorts; **~se gelaatskleur** sallow complexion; **~se bedoening** shady affair, unseemly business

ong. = *ongeveer* approx. [60], c. (circa) [350 B.C.]

ongaar underdone, not done enough; ~ *brood* under-baked (slack-baked) bread

ongaarne unwillingly, reluctantly; ~ *scheiden van* be reluctant to part from; ~ *zien* look with disfavour on, frown upon; *ik doe 't niet* ~ I am rather fond of it

ongangbaar (*van munt*) uncurrent, not current

ongastvrij inhospitable; **~heid** inhospitality

ongeaccepteerd unaccepted

ongeacht *bn.* unesteemed; *vz.* notwithstanding, in spite of, regardless; ~ *tot welke partij men behoort* irrespective of party; ~ *het land van oorsprong* without regard to ...

ongeanimeerd lifeless [debate]; (*hand.*) dull, inanimate; **ongebaand** unbeaten [road], untrodden, pathless [waste], trackless [country], untracked; **ongebaard** unbearded, beardless; **ongebakken** unbaked; **ongebeden** *zie* ongenood; **ongebleekt** unbleached; ~ *linnen* brown holland; **ongebloemd** (*van stof*) plain; **ongeblust** unquenched (*ook fig.*); **~e kalk** unslaked lime, quicklime

ongeboeid unfettered, unchained; (*zonder handboeien*) unmanacled

ongeboekt unbooked, not entered

ongebogen unbent; (*gestalte*) erect

ongebonden unbound; (*in losse vellen*) in sheets; (*fig.*) unrestrained; (*losbandig*) dissolute, licentious, loose, lawless; ~ *stijl* prose; **~heid** dissoluteness, etc.

ongeboren unborn; **ongebouwd** unbuilt; (*van terrein*) unbuilt (on); **ongebrand** (*koffie*) unroasted; **ongebreideld** unbridled, unfettered,

fetterless; **ongebroken** unbroken

ongebruikelijk unusual; (*van breuk*) imprope

ongebruikt unused, idle [capital]; **~e hulpbro nen** untapped resources; ~ *liggen* lie idle, by; *de tijd* ~ *laten voorbijgaan* idle one's tin away

ongebuild unboulted, whole [meal]; *van* ~ *me* wholemeal [bread]

ongecompliceerd (*mensen*) simple-souled, u sophisticated; uncomplicated, simple [pro lem]

ongedaan undone [leave nothing ...], unpe formed; *niets* ~ *l.*, (*ook*) spare no effort; *maken* undo, live down [the past], (*koop, en* cancel

ongedacht unexpected [help], unthought- [possibilities], unimagined [horrors]

ongedachtig unmindful [*aan* of]

ongedagtekend, ongedateerd undated

ongedeerd unhurt, unharmed, uninjured, u scathed; ~ *blijven* receive no hurt (injur come to no harm

ongedekt uncovered (*ook fig.*: expenses); op [credit]; unsecured [creditors, debts]; d [cheque]; fiduciary [loan *lening*; issue u gifte]; (*sp.*) unmarked; (*in spel*) unguarde (*kaart, ook:*) [king] bare; *met* **~en hoof** uncovered, bare-headed

ongedesemd *zie* ongezuurd

ongedienstig disobliging

ongedierte vermin; *vol* ~ crawling with v., ve minous

ongedoopt unbaptized; **ongedragen** unworn; o **gedroomd** undreamt-of; **ongedrukt** unprinte (*katoen*) plain

ongeduld impatience; **~ig** impatient [*over* ... the delay]; – *uitziend naar* impatient for [tl day]

ongedurig restless, inconstant, fidgety; ~ *mak* fidget [a p.]; *wees niet zo* ~ don't fidget; **~he** inconstancy, restlessness

ongedwongen unconstrained, unrestrained, n tural, casual, unselfconscious [attitude], fr and easy [chat], informal [gathering], u laboured [style], unforced [humour]; ~ *zal l het niet doen* he will only do it under con pulsion; **~heid** unconstraint, ease of manne abandon

ongeëerd unhonoured; **ongeëvenaard** u equalled [*wat ... betreft* for purity], unpara leled, unrivalled, matchless, peerless [beaut

ongeëvenredigd disproportionate, out of (a proportion [*aan* to]; **ongefortuneerd** withou means; **ongefrankeerd** not prepaid, unpai unstamped [letter]; (*opschrift*) postage du **goederen** ~ *verzenden* send goods carriage fo ward; **ongefundeerd** ill-based [optimism]

ongegeneerd [his] free and easy [ways], roug and ready, unceremonious, informal, of hand(ed); *een* ~ *pak slaag* a thorough hidin **~heid** unceremoniousness, free and eas way(s)

ongegist unfermented

ongeglansd unglazed, mat(t) [photo]

ongegrond unfounded, groundless, baseless [accusation, fear], without foundation; (*van gerucht ook*) idle; ~**heid** ...ness

ongegund (be)grudged, envied; **ongehard** unhardened; (*staal*) untempered; **ongehavend** undamaged, unhurt; **ongeheeld** unhealed; **ongeheveld** *zie* ongezuurd

ongehinderd unhindered, unimpeded; unhampered, unchecked, unmolested; **ongehoopt** unhoped(-)for; **ongehoord** unheard; (*fig.*) unheard(-)of, unprecedented, unconscionable [an ... time]

ongehoorzaam disobedient [to a p.]; ~**heid** disobedience

ongehouden not bound, not obliged

ongehuicheld unfeigned

ongehuwd unmarried; ~*e staat* single state, celibacy; *zie* ongetrouwd

ongein unfunny business (etc.)

ongeïnteresseerd indifferent, unconcerned; [he participated] half-heartedly; ~**heid** lack of interest; **ongekamd** uncombed, unkempt; **ongekapt** *a*) unfelled [trees]; *b*) undressed [hair]; with hair undressed

ongekend unprecedented [prosperity]

ongekleed *a*) undressed, unclothed; *b*) in déshabillé, in dishabille, in undress; *c*) (*er niet op gekleed*) not dressed

ongekleurd uncoloured [butter, report]; plain, black and white [picture-postcard]

ongeknipt uncut; (*van kaartjes*) unpunched

ongeknot unpolled [willows]

ongekookt unboiled, raw [milk, eggs]

ongekorven uncut; **ongekrenkt** unhurt, unoffended [pride]; sound [mental faculties]

ongekreukt uncrumpled [sheets], unwrinkled, unruffled [forehead]; unviolated; unshaken [loyalty]; **ongekroond** uncrowned; **ongekuist** unchastened, unexpurgated [edition]

ongekunsteld artless, unaffected, simple, natural, ingenuous; ~**heid** artlessness, simplicity

ongekwetst unwounded, unhurt

ongel tallow; ~**achtig** tallowy

ongelaagd (*geol.*) unstratified

ongeladen (*schip*) unloaded, unladen; (*wapen*) unloaded; (*elektr.*) uncharged

ongeldig invalid, (null and) void; spoiled [ballot-paper]; ~ *maken* invalidate, render null and void, nullify; ~ *verklaren* declare (null and) void, annul; ~**heid** invalidity, nullity [of marriage]; ~**verklaring** annulment, nullification, invalidation

ongeleed inarticulate

ongeleerd (*les*) unlearnt, unlearned; (*persoon*) untaught, unlearned, ignorant, untutored

ongelegen inconvenient, unseasonable, inopportune; *als 't u ~ komt* if it is i. to you; *het bezoek kwam mij ~* the visit came at an inopportune (awkward) moment; *kom ik u ~?* am I intruding? am I in your way?

ongelegenheid inconvenience; *in ~ brengen* inconvenience, put to [great] i.; *in geldelijke ~ verkeren* be in pecuniary difficulties; *zie* moeilijkheid

ongeletterd unlettered, illiterate, ignorant

ongelezen unread

ongelijk I *bn.* (*verschillend*) unequal [portions], different, unlike, dissimilar; (*ongelijkmatig*) uneven [step, temper, etc.], uneven [progress, temper], patchy [fog, crop]; (*oneffen*) unequal, uneven; *dat is ~*, (*wisselt af*) that varies; ~(*e*) *huwelijk* (*wedstrijd*) u. marriage (match); *niet ~ aan* ... not unlike ...; *zie* pool; II *bw.* unequally, unevenly; III *zn.* wrong; *iem.* ~ *aandoen* wrong a p.; ~ *bekennen* admit o.s. to be w.; *iem.* ~ *geven, in 't* ~ *stellen* put a p. in the w., (*jur.*) give judg(e)ment against a p.; *ik geef hem geen* ~ I don't blame him; ~ *hebben* be (in the) w.; *daarin heb je* ~ there you're w.; *totaal* ~ *hebben* be dead w., not have a leg to stand on; *de afwezigen hadden* ~ those absent missed a lot (*zie ook, voor andere betekenis* afwezig); *zie* kosten

ongelijk: ~**benig** scalene [triangle]; ~**heid** inequality, dissimilarity, disparity [of age, etc.], difference; (*oneffenh.*) inequality, unevenness; ~**matig** unequal [distribution, step, climate, style, temper], uneven [style, temper]; ~**matigheid** inequality, unevenness; ~**namig** having different names; (*breuken*) having different denominators; (*elektr.*) opposite; *zie* pool; ~**slachtig** heterogeneous; ~**soortig** heterogeneous, dissimilar, incongruous, disparate; ~**soortigheid** heterogeneity, dissimilarity, incongruity; ~**vloers** at separate levels; ~*e kruising* two-level crossing, overpass, underpass, flyover; ~**vormig** dissimilar; ~**vormigheid** dissimilarity; ~**waardig** of unequal value, unequal in value; ~**zijdig** inequilateral; (*van driehoek*) scalene

ongelijmd unglued; (*papier*) unsized

ongelijnd *zie* ongelinieerd

ongelikt unlicked; ~*e beer* u. cub; **ongelimiteerd** unlimited; **ongelinieerd** unruled, plain

ongelobd (*plantk.*) acotyledonous

ongelofelijk incredible, unbelievable, past (all) belief; ~**heid** incredibility

ongelogen *bw.* really, actually, positively

ongeloof unbelief, disbelief

ongeloofwaardig unworthy (undeserving) of belief, inveracious

ongelooid untanned, undressed, raw

ongelouterd unpurified, unrefined

ongelovig unbelieving, (*niet op godsdienstig gebied*) incredulous [*wat ... betreft* of such things]; *zie* Thomas; ~*e* unbeliever, infidel; (*niet-mohammedaan*) giaour; ~**heid** incredulity

ongeluk (*innerlijk*) unhappiness; (*door omstandigheden*) misfortune; (*ongeval*) accident [*overkomen aan ... to ...*], crash, casualty; (*minder erg*) mishap; ('*t ongelukkige toeval*) ill(-)luck; (*mispunt*) rotter, blighter; *een voorgevoel van een of ander* ~ [have] a foreboding (a presentiment of evil); *een* ~ *in en door de dienst* an accident arising out of and in the course of one's employment; *dat* (*zo'n*) ~ *!ook:* the beast!; *dat was zijn* ~ that was his ruin (*of:* undoing); *een* ~ *komt zelden alleen* misfortunes never come single (singly, alone), one misfortune rides on the back of another; *een ~ zit in een klein hoekje* accidents will (*of:* easily) happen; *een ~ aan iem.* (*zichzelf*) *begaan* do a p. (o.s.) a mischief (an injury); *ze zou een ~ aan zichzelf kunnen begaan* she might do s.t. to herself; *zich een ~ eten* (*lopen, werken*) eat till one is ready to burst (walk o.s. off one's legs, work o.s. to death); *ik kan me 'n ~ eten aan* ... I'm an absolute pig about chocolates; *hij heeft een ~ gehad* (*gekregen*) he has had (met with) an accident, (*iets gebroken bijv.*) he has had a mishap [*ook:* I've had an accident with the vase]; *'n ~ krijgen*, (*van ruiter, fietser, enz.*) *ook:* come to grief; *geen ~ zo groot, of er is een gelukje bij* it is an ill wind that blows nobody (any) good; *er kan geen ~ mee gebeuren* it is fool-proof; *'t ~ wilde, dat ik* ... as ill(-)luck would have it, I ...; *bij ~* by accident, accidentally; *bij ~ terechtkomen in* blunder into; *dood door ~* accidental death; *per ~ expres* accidentally on purpose; *zonder ~ken* without accidents; *zie* ambacht, helpen, lachen, tegemoet, enz.; *~je* (*van ongetrouwde moeder*) slip

ongelukkig (*vooral innerlijk*) unhappy [in one's children, etc.]; (*door omstandigheid*) unfortunate; (*noodlottig*) ill-fated [day]; (*door toeval*) unlucky; (*gebrekkig*) crippled; (*diep ~*) [feel] miserable, wretched; *~e liefde* unreturned (unrequited) love; *~ zijn in de liefde* be crossed in love; *~ zijn*, (*bij spel, enz.*) have bad luck, be down on one's luck; ... *en dan ben je ~*, (*fam.*) and then you're for it, then the fat is in the fire; *iem. ~ maken* make a p. u.; ruin a p.; *de term is ~* (*gekozen*) the term is unfortunate; *dat ~e vodje papier* that unfortunate scrap of paper; *~ genoeg, zie* jammer; *als je ~ aan mijn pen komt, dan* ... if you dare touch ...; *~e* (poor) wretch; (*gebrekkige*) cripple; *~erwijs* unfortunately, unhappily, by mischance

ongeluks: *~bode* bearer of bad news, Jonah; *~dag* black(-letter) day, fatal (unlucky) day; *~getal* unlucky number; *~kind* unlucky (ill-fated) person, child of misfortune; *hij is een ~, ook:* everything goes against him; *~nummer* unlucky number; *~profeet* prophet of woe (of evil), croaker; *~ster* evil star; *~vogel zie ~kind*; (*vero.*) bird of ill omen

ongemaakt *zie* ongekunsteld

ongemak inconvenience, discomfort; (*ontbering*) hardship; (*euvel*) trouble [foot-, ear- ...]; (*ongedierte*) vermin; *~ken van de oude dag* infirmities of old age

ongemakkelijk (*stoel, kledingstuk, enz.*) uncomfortable; (*ongelegen*) inconvenient; (*lastig te voldoen*) hard to please; *een ~ pak slaag* a sound thrashing (beating); *bw. ook:* roundly [abuse a p. ...], mercilessly, unmercifully [he was ... beaten], [I gave it him] with a vengeance; *iem. ~ de waarheid zeggen, zie* ongezouten; *~heid* uncomfortableness, etc.

ongemanierd unmannerly, ill-mannered, man-

nerless, ill-bred, rude; *~heid* unmanliness, ill-breeding, rudeness

ongematigd intemperate [speech, zeal]

ongemeen uncommon, extraordinary, out of the common, rare; *hij had een ~ gecompliceerd karakter* his was a singularly complex nature; *~heid* uncommonness, etc., rarity

ongemengd unmixed; *zie* onvermengd

ongemerkt I *bn. a*) unperceived, imperceptible; *b*) unmarked [linen]; II *bw.* without being perceived, imperceptibly; *~ in moeilijkh. raken* drift into trouble; **ongemeubileerd** unfurnished

ongemoeid unmolested, undisturbed; *laat mij ~* leave (let) me alone

ongemotiveerd unwarranted, uncalled for, gratuitous, unmotived, motiveless, groundless

ongemuilband unmuzzled

ongemunt uncoined; *~ metaal* bullion

ongenaakbaar unapproachable, inaccessible; *het kasteel ziet er ~ uit* the castle looks forbidding; *~heid* ... ness, inaccessibility

ongenade disgrace; *in ~ zijn* be in d.; *in ~ vallen bij iem.* fall into d. (*of:* disfavour) with a p., incur a p.'s displeasure; *zie ook* genade

ongenadig merciless, pitiless; *~ koud* bitterly cold; *zie ook* ongemakkelijk

ongeneeslijk incurable, past recovery; *een ~e zieke* an i.; *~heid* incurability

ongenegen *a*) disinclined, unwilling, indisposed [to ...]; *gans niet ~, ook:* nothing loath; *b*) *iem. ~ zijn* be ill disposed towards a p.; *~heid zie* ongeneigdheid

ongeneigd *zie* ongenegen *a*); *~heid* disinclination, indisposition

ongenietbaar unpalatable, indigestible [talk] (*voor* to); (*persoon*) disagreeable

ongenoegen displeasure; *~ hebben* be at variance [*met* with]; *~ krijgen* fall out

ongenoegzaam insufficient, inadequate; *~heid* insufficiency, inadequacy

ongenoemd unnamed, unmentioned, anonymous, nameless

ongenodigd, ongenood uninvited [guest], unbidden, unasked; *~e gast* (*op partij*), (*fam.*) (gate-)crasher

ongenuanceerd oversimplified [comments], unsubtle, simple-minded [approach], wholesale [condemnation]; *~ denken* simplistic thinking

ongenummerd not numbered, unnumbered

ongeoefend unpractised, untrained, undrilled, raw [recruit]; *een ~e* a raw hand; *~heid* lack of practice, inexperience

ongeoorloofd unallowed, unpermitted, unlawful, illicit; *~ gebruik* (*bijv. van noodrem*) improper use; *~heid* unlawfulness

ongeopend unopened

ongeordend unarranged, disorderly; *~e concurrentie* unregulated competition

ongeorganiseerd unorganized

ongepaard unpaired; (*handschoenen, enz.*) odd

ongepast 1 unbecoming, unseemly, improper, out of place, ill-timed [pleasantry]; *dat is ~ ook:* that is bad form; 2 *ze komen altijd met ~ geld* they never have the exact money; *~hei* ınseemliness, etc.; impropriety (*ook:* an ...)

ngepeld [rice] in the husk, unhusked; *zie* pellen; *~e rijst, ook:* rough rice, paddy; **ongepermitteerd** *a) zie* ongeoorloofd; *b)* disgraceful, unconscionable [he was unconscionably late]

ngepijnd virgin [honey]; **ongeplaatst:** *~e aandelen* uncalled (unissued) shares

ngeplaveid unpaved; **ongeploegd** unploughed

ngepolijst unpolished (*ook fig.*)

ngeraden unadvisable

ngerechtigd unwarranted; *~ tot* not entitled to **ngerechtigheid** iniquity, injustice; *-heden* iniquities; (*iron.*) blemishes, faults

ngerechtvaardigd unjustified, unwarranted, unwarrantable [intervention]

ngeredderd disorderly, untidy

ngereed unready, unprepared; *in 't -ede raken, a)* get lost, be mislaid; *b)* get out of order, go wrong [the wireless went wrong; *ook:* the transmitter was put out of commission by heavy storms]; *in 't -ede brengen* disable [the plane was ...d by engine-trouble]

ngeregeld irregular [order, life, troops, at ... hours], disorderly, rough-and-tumble [life], desultory [attendance at school, study]; *op ~e tijden, ook:* at odd times (moments); *~e goederen* unassorted goods (*partij daarvan* job (odd) lot; *uit failliete boedel:* bankrupt's stock; *koper daarvan* job buyer); *~e klant* chance (*of:* casual) customer; *~e troepen, ook:* irregulars; **~heid** irregularity; **~heden** riots, rioting, disturbances, disorders

ngerekend exclusive of, not counting, not including; (*afgescheiden van*) apart from

ngeremd uninhibited

ngerept untouched, intact; unspoilt [beach]; virgin [snow, forest]; (*rein*) pure, untainted, inviolate

ngerief inconvenience, trouble, hardship; *iem. ~ veroorzaken* put a p. to i., cause inconvenience a p.

ngeriefelijk inconvenient, (*huis, enz.*) uncomfortable, incommodious; **~heid** inconvenience, discomfort

ngerijmd absurd, preposterous; *'t ~e van* the absurdity of; *bewijs uit 't ~e* indirect demonstration (*of:* proof); *tot 't ~e herleiden* reduce to an absurdity; **~heid** absurdity

ngeroerd unmoved, impassive

ngerust uneasy, anxious, worried, exercised (in one's mind) [*over* about]; *zich ~ maken* be u. etc., worry [*over* about]; **~heid** uneasiness, anxiety, alarm [his condition gave rise to ...], disquiet(ude)

ngeschikt unfit [for work, for human habitation], unfitted [for the post], unsuited [to the climate, to the purpose], unsuitable; (*onbekwaam*) inefficient [teachers]; (*ongelegen*) inconvenient; *~ zijn voor zijn taak, ook:* be a round (square) peg in a square (round) hole; *~ maken voor* (render) unfit for, incapacitate for (from); *~ verklaren* disqualify [for a post]; **~heid** unfitness, unsuitability, incapacity, inefficiency

ongeschild unpared, unpeeled, [boil potatoes]

in their jackets; **ongeschoeid** unshod, shoeless; (*r.-k.*) discalced [Carmelites, etc.]

ongeschokt unshaken, unmoved

ongeschonden undamaged, intact; (*wet, eer, enz.*) inviolate, unviolated; **~heid** u. condition, intactness; inviolacy; **ongeschoold** untrained, unpractised, unschooled; unskilled [labour(er)]; **ongeschoren** unshaved, unshaven; (*schaap*) unshorn

ongeschreven unwritten; *'t ~ recht* the u. law, the common law

ongeschubd unscaled

ongeslachtelijk asexual

ongeslepen unground, unsharpened; (*diamant*) uncut, rough (*ook fig.:* a ... diamond)

ongesluierd unveiled

ongesnoeid unpruned, unlopped (*zie* snoeien); unclipped [coins]

ongesorteerd unsorted

ongespleten uncloven [foot]

ongestadig inconstant; unsettled; fitful [the candle burnt ...ly]; *zie* onbestendig; **~heid** inconstancy; unsettled state

ongesteeld without a handle; (*plantk.*) stalkless, sessile

ongesteld unwell, indisposed; *~ zijn,* (*van vrouw*) have a period; **~heid** indisposition; (*van vrouwen*) period

ongestoffeerd unfurnished

ongestoord *bn.* undisturbed, uninterrupted, untroubled; *bw.* ...ly, without being disturbed

ongestort uncalled [capital]

ongestraft *bn.* unpunished; *~ blijven* go u.; *bw.* with impunity; (*fam.*) [commit perjury] and get away with it; **~heid** impunity

ongestudeerd unlettered; **ongetand** smooth [edge], unperforated [stamp]; **ongetekend** unsigned; anonymous

ongeteld *a)* uncounted; *b)* untold, unnumbered, countless; **ongetemd** untamed

ongetemperd untempered

ongetroost uncomforted; **ongetrouw** *zie* ontrouw *bn.; een ~ beeld* an unfaithful picture

ongetrouwd unmarried, single, *~e man* bachelor; *~e vrouw* spinster; *~e jonge* (*werkende*) *vrouw* bachelor girl; *~e oom* (*tante*) bachelor uncle (maiden aunt); *'t ~e leven* single life

ongetwijfeld *bn.* undoubted; *bw.* undoubtedly, unquestionably, doubtless, no doubt, beyond question

ongevaarlijk harmless, [not altogether] undangerous

ongeval accident, (*minder erg*) mishap; *uitkering bij ~* a. benefit; *dood door ~* accidental death; **~lenverzekering** a. insurance; **~lenwet** Employers' Liability Act, Workmen's Compensation Act, Industrial Injuries Act; *in de - lopen* draw sickness benefit

ongevallig: *'t was hem niet ~ te horen ...* he was not displeased to hear ...

ongevederd unfeathered; *nog ~* unfledged

ongeveer about, in the neighbourhood of, somewhere about, some [10 ft., two hours], approximately [5 by 4 feet], circa [1725], something like [the tenth time]; ~ *hetzelfde* broadly the same; *'t luidt ~ als volgt* it runs something like this; ~ *8 uur*, (*fam.*) eightish

ongeveinsd unfeigned, sincere; ~**heid** sincerity

ongeverfd *a*) unpainted; plain [a ... wooden table]; *b*) undyed

ongevleugeld wingless; (*wet.*) apterous

ongevoeglijk *zie* onbetamelijk

ongevoelig unfeeling, impassive, impassible; callous [remark]; ~ *voor* insensible to (of); impervious to [music]; ~ *voor alle begrip van eer* lost to all sense of honour; ~**heid** insensibility, impassiveness

ongevormd unformed; **ongevraagd** (*pers.*) unasked, uninvited; (*zaak*) unasked (for), unsolicited, uncalled-for [advice, etc.]

ongewapend unarmed; (*van oog ook*) naked, unaided; **ongewassen** unwashed; ~ *wol* wool in the grease; *zie* ongezouten

ongewend unaccustomed, unused [aan to]

ongewenst unwanted [visitors], undesirable; ~ *persoon* undesirable; *'t ~e van* ... the undesirability of ...

ongewerveld invertebrate; ~*e dieren, ook:* invertebrates, invertebrata

ongewettigd unauthorized, illegitimate

ongewijd unconsecrated [earth], unhallowed; (*priester*) unordained; (*muziek*) secular; **ongewijzigd** unaltered; **ongewild** (*niet bedoeld*) unintended, unintentional; (*waren*) not in demand; **ongewillig** refractory, obstinate

ongewis uncertain; ~**heid** uncertainty

ongewoon 1 unusual, uncommon, out of the common (the ordinary, the way), unwonted, [a story] off the beaten track, unfamiliar, novel [experience]; 2 *zie* ongewend; *'t ongewone (van ...), zie* ~**heid** unusualness, uncommonness, novelty

ongewoonte want of practice, newness, unwontedness, unfamiliarity

ongewroken unavenged, unrevenged; *'t zal niet ~ blijven* it shall not go unavenged

ongewrongen undistorted; **ongezaagd** unsawn [timber]; **ongezadeld** unsaddled, bareback(ed) [ride bareback]; **ongezegd** unsaid; **ongezegeld** (*zonder stempel, postzegel, enz.*) unstamped, stampless [cheque]; (*zonder lak*) unsealed

ongezeglijk disobedient [child]; ~**heid** disobedience

ongezellig (*pers.*) unsociable, uncompanionable, poor company; (*vertrek, enz.*) cheerless; *een ~e boel* a dull affair; ~**heid** ... ness

ongezien *a*) unseen; *b*) *zie* ongeacht; *de O~e* the U.; *het ~e* the u.

ongezind disinclined, indisposed [*om* to]; *mij niet ~* not unkindly disposed towards me

ongezocht *a*) unsought, chance [meeting, etc.]; *b*) natural, unaffected

ongezond unhealthy [person, complexion, place, curiosity, climate, air], unwholesome [food, air, reading], insalubrious [atmosphere, climate, vapours], insanitary [conditions]; ~*e toestand* u. state of things; ~**heid** unhealthiness, unwholesomeness, insalubrity

ongezouten unsalted; *ik zei hem ~ de waarhe*. I gave it him hot; **ongezuiverd** unrefined, u. purified; **ongezuurd** unleavened [the Feast ᵒ the ... bread]

ongoddelijk ungodly

ongodsdienstig irreligious; ~**heid** irreligion

ongrammaticaal ungrammatical

ongrijpbaar elusive

ongrondwettig unconstitutional; ~**heid** unco. stitutionality

ongunst disfavour; inclemency [of the weather ~**ig** unfavourable (*in alle bet.*), inauspiciou. [sign], adverse [criticism, trade balance, rᵉ port]; *– uitziend* unprepossessing; *– verlede*. bad record; *in een ~e positie vergeleken met* .. [be] at a disadvantage as compared with

onguur forbidding, repulsive, unprepossessin sinister; unsavoury [individual, story]; (*taa*. coarse; *een ongure gast* a rough customer; *ee*. *onguur type* a nasty bit of work; ~**heid** forbic. dingness, etc.; inclemency

onhandelbaar unmanageable, intractable, un. ruly; ~**heid** ... ness, intractability

onhandig *a*) clumsy, unhandy, unpractica. awkward; *b*) (*van ding*) unhandy, unwieldy. clumsy; *hij is erg ~*, (*ook:*) his fingers are a. thumbs; ~**heid** clumsiness etc.

onhandzaam *zie* onhandig *b*)

onharmonisch inharmonious

onhartelijk cool, cold [reception], unkind, with. out cordiality; ~**heid** ... ness

onhebbelijk unmannerly, ill-mannered, rude. *zich ~ gedragen tegenover* make oneself offen. sive to; *een ~e gewoonte* an objectionabl. habit; ~**heid** unmannerliness, etc. (*zie boven*). *een –* a piece of rudeness, a rude remark

onheelbaar incurable, unhealable

onheil calamity, disaster, mischief, evil; *de plaat*. *des ~s* the scene of the accident; ~ *stichte*. make (*of:* work) mischief; ~ *brengen over on*. land us in disaster; ~**brengend** calamitous, dis. astrous

onheilig unholy, unhallowed

onheilsbode enz., *zie* ongeluks...

onheilspellend ominous, sinister, ill-omened. inauspicious; **onheilstichtend** mischief-ma. king; *zie* onheilbrengend; **onheilstichter** mis. chief-maker

onherbergzaam inhospitable, desolate

onherboren unregenerate

onherkenbaar unrecognizable; [changed] ou. of all recognition; **onherleidbaar** irreducible

onherroepelijk irrevocable, past (*of:* beyond). recall; ~ *laatste voorstelling* positively the las. performance; ~**heid** irrevocability

onherstelbaar irreparable [damage, breach. loss], irremediable, irrecoverable [loss], irre. trievable [ruin], past (beyond) remedy (cure. recovery, repair); ~**heid** ... ness, irreparability.

onheuglijk immemorial; *sedert ~e tijden* from. time immemorial, time out of mind

onheus discourteous, ungracious, unkind, dis. obliging; ~ *bejegenen* snub; *een ~e bejegening*. a snub (rebuff); ~**heid** discourtesy, ... ness

onhistorisch unhistorical
onhoffelijk(heid) *zie* onheus(heid)
onhollands un-Dutch, not Dutch
onhoorbaar inaudible; ~**heid** inaudibility
onhoudbaar untenable [*ook fig.*: ... theory];
-*bare toestand* u. position; '*t* -*bare van* the u.
nature of [those views]; ~**heid** untenability,
....ness
onhuiselijk undomesticated; **onhygiënisch** un-
hygienic, insanitary [conditions]; **oninbaar** irrecoverable, bad [debt]; **oningebonden** unbound, in sheets; **oningeënt** unvaccinated
oningenaaid in sheets; unsewn; **oningepakt** unpacked; **oningesneden** (*van bladrand*) entire
[margin]; (*van kust*) unindented
oningevuld blank, not filled in; **oningewijd** un-
initiated; *de* ~*en* the u., the outside public,
outsiders; **oninschikkelijk** uncomplying, unaccommodating
oninvorderbaar *zie* oninbaar
oninwisselbaar inconvertible [bank-notes]
onirisch oneiric
onjuist incorrect, inaccurate, wrong; ~*e behandeling* improper handling; ~*e opvatting* misconception; ~**heid** inaccuracy, ...ness; (*fout*)
error
onkenbaar *a*) unknowable; *b*) unrecognizable;
tot ~ *wordens toe* [changed, mutilated] beyond
recognition
onkerkelijk, onkerks unchurchly, of no religion,
irreligious
onkies indelicate, immodest; ~**heid** indelicacy,
immodesty
onkinderlijk *a*) unchildlike [speech]; *b*) unfilial
[conduct]
onklaar 1 out of order; (*anker, touw*) foul;
(*pomp*) choked; ~ *worden*, (*van machine, enz.*)
break down, be put out of action; ~ *zijn* (*worden*), (*van vliegt., enz.*) have (develop) engine
trouble; *zie* ongereed; 2 (*niet helder, ook fig.*)
not clear, turbid; ~**heid** lack of clearness, turbidness, turbidity
onknap: *niet* ~ rather good-looking, not un-
handsome, not a bad looker; *niet* ~ *gedaan*
done pretty well, not bad
onkosten expenses, charges; *af voor* ~: ... charges to be deducted: ...; ~ *inbegrepen* charges
included; *zie* kosten, aftrek, enz.; ~**boek (-nota,
-rekening**) expense account; ~**vergoeding** expense allowance
onkreukbaar uncrushable [silk]; unimpeachable [honesty]; ~**heid** ...ness, integrity
onkrijgshaftig unsoldierlike; unwarlike
onkritisch uncritical
onkruid weeds; *een* ~ a weed; ~ *vergaat niet* ill
w.s grow apace, a bad penny always turns
up; ~ *onder de tarwe* tares among the wheat
onkuis unchaste; ~**heid** unchastity
onkunde ignorance; *zuiver uit* ~ from sheer i.
onkundig ignorant; ~ *van* i. of, unaware of; *iem.
van iets* ~ *laten* keep a p. in the dark (about
s.t.)

onkwetsbaar invulnerable
onland marshy ground
onlangs the other day, lately, recently; ~ *op een
avond* the other evening; ~ *op een zondag* the
other Sunday
onledig: *zich* ~ *houden met* occupy (busy) o.s.
with, be engaged in [reading, etc.], be busy at
(about, over, with); (*in zijn lege uren*) fill in
the vacant hours with [some hobby]
onleesbaar illegible [writing], unreadable [book,
writing]; ~ *maken* obliterate, (*met inkt, enz.*),
ook:) black out; ~**heid** illegibility
onlekker out of sorts, off colour, seedy; *zie*
lekker (*niet ...*); **onlesbaar** unquenchable
onlichamelijk incorporeal
onlijdbaar, onlijdelijk *zie* onduldbaar
onlogisch illogical; '*t* ~*e van* ... the illogicalness
(illogicality) of...
onloochenbaar undeniable, incontestable; ~
heid ...ness
onlosmakelijk indissolubly
onlust: *gevoel van* ~ uncomfortable feeling,
sense of frustration; ~**en** disturbances, riots,
troubles; *binnenlandse* – civil commotion
onmaatschappelijk anti-social
onmacht *a*) impotence; *b*) (*flauwte*) swoon,
faint(ing-fit); *in* ~ *liggen* lie in a s.; *in* ~ *vallen*
faint (away), swoon, fall in(to) (go off in) a s.;
~**ig** impotent, powerless; (*niet in staat*) unable
[to ...], incapable [of ...]
onmanoeuvreerbaar *zie* onbestuurbaar
onmatig immoderate, intemperate; ~ *drinken*
drink to excess (*of*: immoderately); ~**heid**
...ness, intemperance, insobriety
onmededeelzaam uncommunicative
onmeedogend pitiless, merciless, ruthless; ~
heid ...ness
onmeetbaar immeasurable; *onderling* ~ incom-
mensurable; ~ *getal* irrational (number), surd
(number); ~**heid** immeasurableness; (*wisk.*) irrationality
onmengbaar unmixable, immiscible
onmens brute, monster; ~**elijk** inhuman, brutal; -**heid** inhumanity, brutality
onmenskundig *ongev.*: tactless
onmerkbaar imperceptible, insensible
onmetelijk immense; ~ *groot* immeasurable, immense; ~**heid** immensity
onmethodisch unmethodical
onmiddellijk[1] *bn.* immediate, prompt, instant;
bw. immediately, directly, at once, promptly,
instantly, then and there, out of hand, [killed]
outright, straight away; [they may be had] at
a moment's notice; *hij ging* ~ *aan 't werk, ook:*
he lost no time in getting to work (*zo ook:* in
obeying, etc.)
onmin discord, dissension; *in* ~ *leven* (*met*) be
at variance (with), be at odds (with); *in* ~
raken fall out
onmisbaar indispensable (for), essential (to)
onmisbaarheid indispensability
onmiskenbaar unmistakable, undeniable

[1] *Zie ook* dadelijk

onmogelijk I *bn.* impossible [*ook fig.*: an i. fellow, hat, etc.]; (*fig. ook*) ungodly [at an ... hour]; '*t is mij* ~ it's i. for me; '*t is mij* ~ *om* ... it is i. for me to ..., I cannot see my way to [visit him]; '*t* ~*e beproeven* attempt the i., attempt impossibilities; '*t* ~*e volbrengen* achieve the i.; '*t* ~*e willen* ask (cry) for the moon; *de regen maakte* ... ~ washed out the test match; II *bw.* not possibly [I cannot possibly go]; [I can] not for the life of me [understand ...]; '*n* ~ *lange tijd* an unconscionable time; *op een* ~ *vroeg uur* at an impossibly (unconscionably) early hour; ~**heid** impossibility

onmondig unemancipated; *zie* minderjarig; ~ *blijven*, (*fig.*) [Egypt was to] remain in (under) tutelage; ~**heid** *zie* minderjarigheid; (*fig.*) tutelage

onnadenkend unthinking, thoughtless; ~**heid** thoughtlessness

onnaspeurbaar, -lijk inscrutable, unsearchable; subtle [influence]; ~**heid** ... ness, inscrutability

onnatuur affectation

onnatuurlijk unnatural; (*gemaakt, ook:*) affected; ~**heid** ... ness; affectation

onnauwkeurig inexact, inaccurate, loose [definition]; ~**heid** inexactitude, inaccuracy

onnavolgbaar inimitable, matchless; ~**heid** ... ness, inimitability

onnederlands un-Dutch, not Dutch

onneembaar impregnable; ~**heid** impregnability

onnet untidy; improper

onnodig unnecessary [expenditure], needless; '*t* ~*e van* the unnecessariness of; *het maakte* ... ~ it did away with the necessity of ...; ~ *te zeggen* needless to say

onnoembaar, -elijk I *bn.* unnamable; unmentionable; (*talloos*) countless, numberless; -*elijk veel schade* untold damage; II *bw. zie* oneindig

onnozel silly [you ... boy! talk silly], simple, soft(-headed), green [I'm not ...], sheepish [smile ... ly]; (*gemakkelijk beet te nemen*) gullible; (*onschuldig*) innocent, harmless; ~*e hals* (*bloed*) simpleton, ninny, innocent, sap, sucker; *een* ~*e 5 pond* a beggarly (paltry, measly) five pounds; *een* ~ *stukje kaas* a (mere) scrap of cheese; *zich* ~ *houden* act the innocent; *zie je me voor* ~ *aan?* do you see any green in my eye?; *jij* ~*e!* you silly! you stupid!; *Onze-lieve-Heer is met de* ~*en* there is a special providence for fools; **O**~**e-kinderendag** Innocents' Day (*28 dec.*); ~**heid** silliness, simplicity; gullibility; (*onschuld*) innocence; *de vermoorde* (*verdrukte*) - [his attitude of] holy innocence, [like] innocence in distress, [represent them (him) as] holy innocents (a holy innocent); *in zijn* - *dacht hij* ... in his innocence he thought ...

onnut *bn.* useless, needless, unprofitable, good-for-nothing; *zn.* good-for-nothing (fellow); ~**heid** ... ness

onofficieel unofficial, off the record (= *niet voor publikatie bestemd*)

onomastiek onomastics

onomatopee onomatopoeia

onomkeerbaar irreversible

onomkoopbaar incorruptible, proof against bribes, not to be bribed; ~**heid** incorruptibility

onomstotelijk incontrovertible, irrefutable, incontestable, cast-iron [proof]; ~ *bewijzen* prove beyond any doubt; ~**onwonden** *bn.* straightforward, frank, plain; *bw. zie* ronduit

ononderbroken *zie* onafgebroken

onontbeerlijk indispensable

onontcijferbaar undecipherable; **onontgonnen** uncultivated, uncleared, unreclaimed, unexploited, unworked; *zie* ontginnen; **onontkoombaar** inescapable, unescapable, inevitable, ineluctable

onontplofbaar inexplosive; **onontploft** unexploded; ~*e granaat* blind (live) shell; (*sl.*) dud; **onontvankelijk** (*voor*) inaccessible (to), impervious (to); **onontvlambaar** non-inflammable, uninflammable, non-flam(mable); **onontwarbaar** inextricable; **onontwijkbaar** *zie* onontkoombaar; **onontwikkeld** undeveloped; (*pers.*) uneducated, ignorant

onooglijk unsightly, unpleasant to look at; ~**heid** unsightliness, etc.

onoordeelkundig injudicious

onopengesneden unopened

onopereerbaar inoperable [cancer]

onopgeëist unclaimed

onopgehelderd unexplained, uncleared-up

onopgelost undissolved; (*fig.*) unsolved, unsettled [problems]

onopgemaakt (*hoed*) untrimmed; (*bed*) unmade; (*haar*) undressed; (*was*) rough-dry; ~*e* (*druk*)*proof* galley-proof, slip proof

onopgemerkt unobserved, unnoticed, undetected

onopgeplakt unmounted

onopgesierd, -gesmukt unadorned, unembellished, unvarnished, unembroidered [record of facts], bald [statement, account], sober, plain [truth]; **onopgetuigd** unharnessed; (*schip*) unrigged; **onopgevoed** ill-bred; **onopgevraagd** unclaimed; (*kapitaal*) uncalled

onophoudelijk unceasing, ceaseless, incessant, unremitting [opposition]

onoplettend inattentive, unobservant; ~**heid** inattention

onoplosbaar insoluble; (*fig. ook*) unsolvable; ~**heid** insolubility, ... ness

onoprecht insincere; ~**heid** insincerity

onopvallend inconspicuous, unobtrusive, unspectacular, nondescript

onopzegbaar unbreakable [contract], non-withdrawable [credit]

onopzettelijk unintentional, inadvertent

onordelijk disorderly, unruly; untidy [room]; ~**heid** disorderliness, unruliness; untidiness

onordentelijk *zie* onfatsoenlijk

onorganisch inorganic; **onoverbrugbaar** un bridgeable; **onoverdacht** thoughtless, rash

onoverdekt uncovered

onovergankelijk intransitive

onoverkomelijk insurmountable, insuperable; ~**heid** insurmountability, insuperability

onoverlegd *zie* onoverdacht

onovertrefbaar unsurpassable
onovertroffen unsurpassed, unexcelled; *hij (zij) is ~ in die kunst* he (she) is a past master (mistress) in (of) that art
onoverwin(ne)lijk invincible, unconquerable; **~heid** invincibility; **onoverwonnen** unconquered
onoverzichtelijk disordered, confused, unclear; [the situation is] far from clear; poorly organized [textbook]; ill-digested [mass of information]
onoverzienbaar *zie* onafzienbaar
onparig unpaired, odd
onparlementair unparliamentary
onpartijdig impartial, even-handed [dealings, justice], dispassionate; **~heid** impartiality
onpas: *te ~* out of season, unseasonably; *te ~ (gedaan, gemaakt)* unseasonable; uncalled-for [remarks]; *een glas bier kwam niet te ~* did not come amiss, was very acceptable
onpasselijk sick; **~heid** sickness
onpeilbaar unfathomable; **~heid** ... ness
onpersoonlijk impersonal; **onplezierig** unpleasant, disagreeable; *zie* onlekker
onpoëtisch unpoetical
onpolitiek impolitic (*bw.:* -ly)
onpraktisch unpractical, unbusinesslike; *'t ~e van* the unpracticality of
onproduktief unproductive
onraad danger, trouble; *er broeit ~* trouble is brewing, there is s.t. brewing; *~ merken* take the alarm; (*fam.*) smell a rat
onraadzaam unadvisable, inexpedient; **~heid** unadvisableness, inexpediency
onrecht wrong, injustice, injury; *ten ~e* wrongly, unjustly; *iem. ~ aandoen* wrong a p., do a p. an injustice (a w.); **~matig** unlawful, illegal, illegitimate; wrongful [imprisonment, dismissal]; false (wrongful) [arrest]; **–heid** unlawfulness, illegality
onrechtvaardig unjust, unfair; *hij vindt, dat hij ~ behandeld wordt* he thinks himself ill-used; *'t ~e* the injustice [of it all]; **~heid** injustice; *een – * an injustice
onrechtzinnig heterodox; **~heid** heterodoxy
onredbaar *zie* reddeloos
onredelijk unreasonable; *een ~ lange tijd* an unconscionable time; *'t ~e van* ... the unreasonableness of ...; **~heid** ... ness
onredzaam feckless, shiftless
onregelmatig irregular, straggling [streets, writing], sprawling [writing]; *~ gebouwd* rambling [houses, villages]; **~heid** irregularity (*ook fin.*)
onrein unclean, impure; **~heid** uncleanness, impurity; **onridderlijk** unchivalrous; (*onhoffelijk*) discourteous; **onrijm** prose; **onrijp** unripe [fruit], immature [ideas]
onroerend immovable; *~e goederen* immovables, real property (*of:* estate), realty; *~e feestdag* immovable feast; **~-goedbelasting** real estate tax; (*Br. ongev.*) rates
onrust unrest, disquiet, commotion; (*ongerusth.*) uneasiness; (*rusteloosh.*) restlessness, unrest; (*in horl.*) balance; (*pers.*) fidget; **~barend** alarming; **~ig** restless, unquiet, dis-

turbed [the patient had a ... night]; (*van slaap*) troubled, fitful; (*zenuwachtig*) fidgety; (*opstandig*) turbulent, riotous; **~igheid** *zie ~*; **~stoker, ~zaaier** firebrand, agitator, mischief-, trouble-maker
1 ons hectogram(me); (*Eng.*) ounce (± *28 g*)
2 ons I *pers. vnw.* us; *de overwinning is aan ~* is ours; *~ kent ~* I am Yorkshire, too! you can't put that across me; *vgl.* hem & *zie* onder; II *bez. vnw.*, (*bijv.*) our; *zie* vader, enz., (*zelfst.*) *de (het) onze* ours; *zijn boeken en de onze ...* and ours; *de onzen* our family (party, soldiers, men); *hij is een van de onzen* he is with us, one of our party, on our side; *vgl.* mijn
onsamendrukbaar incompressible
onsamenhangend incoherent [mass, sentences, talk, speak ...ly], desultory [remarks], disconnected, rambling [story, conversation], disjointed [sentences], scrappy, bitty [talk, diary]; *~ spreken, ook:* ramble; *~ verhaal, ook:* rigmarole; **~heid** incoherence, disjointedness, scrappiness
onschadelijk harmless, inoffensive, innocuous; *hier is hij ~* out of mischief; **~ maken** render h., scotch [a p., party, etc.]; *iem. ~ maken, ook:* draw a p.'s teeth, cut a p.'s claws; (*doden*) make away with a p., put a p. out of the way; **~heid** ... ness
onschatbaar invaluable, inestimable, priceless; *van -are waarde, ook:* of incalculable value; **~heid** ... ness
onscheidbaar inseparable
onschendbaar inviolable; *de Koning is ~* the King can do no wrong; **~heid** inviolability; [the royal] prerogative; (*van gezant, enz.*) diplomatic immunity (*of:* privilege); (*van parlementslid*) parliamentary immunity
onscherp (*fot.*) blurred, out of focus
onschoon unbeautiful, unlovely
onschriftuurlijk unscriptural
onschuld innocence; *als de beledigde ~ poseren* assume an injured i.; *in alle ~* in all i.; *zijn (iems.) ~ bewijzen, ook:* clear o.s. (a p.); *ik was mijn handen in ~* I am perfectly innocent; *zie* onnozelheid
onschuldig innocent [aan of], guiltless, harmless [pleasure]; (*van gezwel*) *zie* goedaardig; *zo ~ als een pasgeboren kind* as i. as a new-born babe; *de ~ spelen* play the i. [*tegenover* with]
onsierlijk inelegant, ungraceful
onsmakelijk (*ook fig.*), unsavoury, unpalatable, unappetizing; **~heid** unsavouriness, etc.
onsmeltbaar not to be melted, infusible; **~heid** infusibility
onsolide *zie* insolide
onspeelbaar unplayable; unactable
onsplinterbaar unsplinterable [glass]; *zie* splintervrij
onspoed adversity; *zie* tegenspoed
onstaatkundig unpolitical, unstatesmanlike
onstabiel unstable
onstandvastig inconstant; unstable [equilibrium, nature]; **~heid** inconstancy, instability
onstelselmatig unsystematic (*bw.:* -ally)

onsterfelijk immortal, undying, deathless; ~ *maken* immortalize; *zich ~ belachelijk m.* make an absolute fool of o.s.; ~**e** immortal; *de* −*n* the immortals; ~**heid** immortality; deathlessness [the ... of love]

onsterk flimsy, frail, weak

onstichtelijk unedifying, offensive; ~**heid** ...ness

onstoffelijk immaterial, incorporeal, spiritual; ~**heid** immateriality, spirituality

onstuimig (*pers.*) impetuous, boisterous; (*wind, zee*) tempestuous, boisterous, turbulent; ~**heid** impetuosity, boisterousness, turbulence

onstuitbaar unstoppable

onsymmetrisch unsymmetrical, asymmetrical

onsympathiek uncongenial; unlikable; *ik vind zijn houding ~* I cannot approve of his conduct

ontaalkundig ungrammatical

ontaard degenerate; ~**en** degenerate [*in* into], deteriorate; ~**heid** degeneracy; ~**ing** degeneration, deterioration

ontactisch tactless

ontastbaar impalpable, intangible; ~**heid** impalpability, intangibility

ontbeerlijk dispensable

ontberen lack, be in want of; *ik kan 't* (*niet*) ~ I can(not) do without (dispense with) it

ontbering privation, want, hardship

ontbieden send for, summon, call

ontbijt breakfast; *ik deed mijn ~ met ...* I breakfasted on a slice of bread; ~**en** breakfast [*met vis* on fish], have (take) b.; *vroeg −*, *ook:* make an early b.; *zie* eten; ~**goed** b.-things; ~**koek** *ongev.* Dutch honey cake; ~**servies** b.-service; ~**tafel** b.-table

ontbindbaar decomposable; (*kamer, huwelijk, enz.*) dissolvable, dissoluble

ontbinden (*losmaken*) untie, undo; (*licht, lijk, enz., chem.*) decompose; (*chem. ook*) break down (up); (*rotsen, enz.*) disintegrate; (*krachten*) resolve [forces]; (*leger, geheim genootschap*) disband; (*optocht, organisatie*) break up, dissolve; (*huwelijk, Parl., firma*) dissolve; *zie* kamer; *in factoren ~* resolve (break up, separate) into factors, factorize; *zich ~*, (*van commissie, enz.*) dissolve, vote itself out of existence; (*van troepen, enz.*) disband

ontbinding decomposition; resolution; disbandment; dissolution; *vgl. 't ww.;* ('*t uit elkaar vallen, ook:*) disintegration [of a structure, the Coalition]; *tot ~ overgaan* become decomposed, decompose, decay; *in* (*vergevorderde*) *staat van ~* in a(n advanced) state of decomposition

ontbladeren strip off the leaves, defoliate; *ontbladerd, ook:* leafless [trees]; -**ingsmiddel** defoliant

ontbloot bare, naked; *met* -*ote hoofden* with bared (uncovered) heads; ~ *van* destitute of, devoid of, without [means]; *van alle grond ~* utterly unfounded; *niet ~ van ironie* not untinged with irony

ontbloten (*lichaam, ding*) bare; (*hoofd*) uncover; (*zwaard*) bare, unsheathe; ~ *van* de-nude [a country] of [troops], strip of; -**ing** baring; denudation, stripping; (*jur.*) indecent exposure

ontboeien unchain, unfetter; **ontboezemen:** *zich ~* unbosom o.s., pour out one's heart [*voor* to]; **ontboezeming** effusion, outpouring, ebullition [the ...s of one's pen]

ontbolsteren shell, husk, hull; (*fig.*) civilize [a p.]

ontbossen dis(af)forest, deforest; clear [land]; -**ing** dis(af)forestation, deforestation

ontbrandbaar inflammable, combustible, ignitable; ~**heid** inflammability, etc.

ontbranden take fire, kindle, ignite; (*van oorlog*) break out; *doen ~* kindle, ignite; *geruchten kunnen oproer doen ~* rumours may set off riots; *in toorn ~*, *zie* ontsteken

ontbranding ignition, combustion

ontbreidelen unbridle

ontbreken (*er niet zijn*) be wanting (missing, lacking) [there is a leaf ...]; *Engeland ontbrak op de conferentie* England was not present (represented) at the conference; '*t ontbr. hem aan geld* (*moed*) he is in want of money; he is wanting (lacking) in courage, lacks courage; '*t zal u aan niets ~* you shall want for nothing; '*t ontbr. ons aan woorden om ...* words fail us to ...; *dat ontbrak er nog maar aan!* it only needed that! that's the last straw; (*sl.*) that puts the (tin) lid on it; *het ~ van wegen* the absence of roads; *de ~de goederen* the goods that are short; *de ~de schakel* the missing link; '*t ~de* the deficiency, the remaining part; [pay] the balance

ontcijferen decipher; decode [a telegram]; puzzle (spell) out [a notice]; [there is a word I cannot] make out; *niet te ~* undecipherable; -**ing** decipherment; decoding

ontdaan upset, disconcerted, shaken [*van* by], bowled over; ~ (*beroofd*) *van* stripped (*of:* shorn) of [ornaments]

ontdekken uncover [the head]; discover [a country, person, thing, fact], detect [a mistake], strike [gold, oil]; (*fam.*) spot [a p., thing]; (*er achter komen*) find out; *ik ontdekte dat ik mijn portemonnaie kwijt was* I found I had lost my purse; *de moord is ontdekt* is out; **ontdekker** discoverer

ontdekking discovery; *een ~ doen* make a d.; *hij kwam tot de ~, dat ze verdwenen was* he found her gone; ~**sreis, -tocht** voyage of d.; ~**sreiziger** explorer

ontdoen: ~ *van* strip [a branch of its leaves, a p. of his clothes, etc.], trim [the meat of fat]; *zich ~ van* part with; dispose of [a dead body]; take (*snel:* slip) off [one's coat]; divest o.s. of [one's coat, power]; unload [stocks]; *zie* kwijtraken

ontdooien thaw (out); unfreeze [the waterpipes]; defrost [frozen meat]; (*fig.*) thaw, come out of one's shell, melt; thaw [frozen credits]

ontduiken dodge [a blow, pursuer, tax, the death-duties], elude [a blow, danger, the law], evade [a blow, tax, contract, obligation, the law], get round [the rules, the law], circumvent [restrictions], go behind [a contract], shirk [one's duty, a difficulty]; *de belastingen (invoerrechten)* ~, *ook:* defraud the revenue (the customs); **-ing** evasion, elusion; defrauding

ontegenzeglijk unquestionable, undeniable, incontestable

onteigenen expropriate [property, the owner], dispossess [the owner], *zie* naasten

onteigening expropriation, dispossession; ~**s-wet** compulsory purchase act, e. act, land clauses act

ontelbaar innumerable, countless, numberless, [times] without (out of) number

ontembaar untamable, indomitable, ungovernable; ~**heid** ... ness, indomitability

onterecht wrong, unjust, incorrect

onteren dishonour, degrade, (*verkrachten*) dishonour, violate, deflower, rape; (*ontheiligen*) desecrate; ~**d** (*van straf*) degrading; **-ing** dishonouring, degradation; defloration, violation, rape; desecration; *vgl. 't ww.*

onterven disinherit; **onterving** disinheritance

ontevreden discontented; (*mopperig*) disgruntled; (*tegenov. regering*) disaffected; ~ *over* dissatisfied (displeased, discontented) with; ~**en**, (*in de staat*) malcontents; ~**heid** discontent (at *over*), dissatisfaction

ontfermen *zich* ~ *over* take pity on, have mercy on, commiserate; (*zich 't lot aantrekken van*) *ook:* take [a p.] up; **-ing** pity, commiseration

ontfutselen: *iem. iets* ~ filch (pilfer) s.t. from a p. [my purse was spirited away, purloined]; *iem. een geheim* ~ get (worm) a secret out of a p.

ontgaan escape, elude [the fact ... d me]; *aan de aandacht* ~ escape notice, elude observation; *'t verschil ontgaat me* I fail to see the difference; ... *ontging haar* his bitterness was lost upon her; *de kans ontging hem* the chance slipped through his fingers, he let the opportunity slip; *zijn prooi ontging hem* he was baulked of his prey; *niets ontgaat hem* nothing escapes him (his notice); ... *waaraan niets ontging* an eye that missed nothing; *'t is mij (mijn geheugen)* ~ it has slipped my memory, escaped me (my memory); *dat is mij (mijn aandacht)* ~ it escaped me, I did not notice (see, hear) it, it slipped my attention

ontgelden pay for, suffer for

ontginnen reclaim [land], bring [land] under cultivation, break up [ground], open up [new land], clear [forests], work [a mine], exploit [a coal-field, mine], develop [oil wells, the resources of the earth]; **-ing** reclamation, clearing, working, exploitation, development; *vgl. 't ww.*

ontglanzen take the gloss off; sponge [cloth]

ontglijden slip from; **ontglippen** slip from one's hands; (*van zucht*) escape; *hij ontglipte mij* he gave me the slip; *'t woord ontglipte mij* the word slipped out, slipped from me (unintentionally), slipped from my tongue; **ontgloeien** begin to glow, take fire; **ontgommen** ungum

ontgoochelen *a*) *zie* ontfutselen; *b*) disillusion, undeceive, disenchant; *zie* ontnuchteren; **-ing** disillusionment, disenchantment

ontgraten bone; **ontgrendelen** unbolt

ontgroeien outgrow, grow out of, grow away from

ontgroenen rag [freshman] before admission to students' union

ontgronden (re)move earth from [a site]

onthaal reception; (*feest*) entertainment, treat; *een goed* ~ *vinden (bereiden)* meet with (give) a kind r. (*of:* welcome)

onthalen entertain, treat, regale, (*fam.*) do [a p.] well; ~ *op* treat to [a dinner, an anecdote], regale with [a dinner, lecture], e. with [a story], stand [a p. a supper]

onthalzen *zie* onthoofden

onthand inconvenienced

ontharder [water] softener

ontharen depilate, unhair; *zie* afharen; **-ing** depilation; **-ingsmiddel** depilatory

onthechten: *zich* ~ detach o.s.; (*r.-k.*) mortify o.s.; **-ing** detachment; (*r.-k.*) mortification

ontheemde(n) displaced person(s), D.P.(s)

ontheffen: ~ *van* free from [cares, etc.], exempt (dispense, exonerate) from [an obligation]; *iem. van zijn ambt (verantwoordelijkh.)* ~ relieve a p. of his office (responsibility); *van 't commando ontheven worden* be removed from (relieved of, superseded in) one's command; *zie* ontslaan & vrijstellen; **-ing** exemption, dispensation, exoneration; (*van ambt*) discharge, removal, supersession; (*van belasting*) remission; – *verlenen van* remit [taxes], exempt from [duties]

ontheiligen desecrate, profane; **-er** desecrator, profaner; **-ing** desecration, profanation

onthoofden behead, decapitate; **-ing** decapitation

onthouden 1 *iem. iets* ~ keep (withhold) s.t. from a p.; deny [his birthright was denied him]; *goedkeuring* ~, (*v. dw.*) consent withheld; *zie* ontzeggen; 2 *zich* ~ *van* abstain from [food, voting], refrain from [laughing], keep off [drink]; *onthoud u van opwinding* take care not to excite yourself; 3 remember [a lesson, names, etc.], retain [not ... one word of what one reads], bear in mind; *help 't mij* ~ remind me (of it); *onthoud dat wel* don't forget that, bear (keep) that in mind; *hij kan goed* ~ he has a retentive memory; *ik kan geen namen* ~ I have a bad (a poor) memory for names, I'm bad at names; *dat zal ik* ~! I'll make a note of that; *onthoud je dag!* I'll get even with you, just you wait!; ~**d** abstinent, abstemious; **-er** abstainer, *zie* geheel...; **-ing** abstinence, abstemiousness; continence [in sexual matters]; (*van stemming, enz.*) abstention; **-ingsdag** day of abstinence

onthuiden skin, strip

onthullen unveil [a monument], reveal, disclose, divulge [a secret]

onthulling unveiling [of a statue], revelation, disclosure [of a secret], exposure [of abuses]

onthutsen disconcert, bewilder
onthutst disconcerted, dismayed, upset
ontiegelijk outrageously [clever]
ontijd: *te(n) ~e* at an unseasonable time, inopportunely; *zie* nacht
ontijdig unseasonable, untimely (*ook bw.*); (*te vroeg*) premature [delivery *bevalling*]; ~ *bevallen* be confined prematurely; ~**heid** unseasonableness, untimeliness; prematurity
ontijzelen de-ice, defrost
ontkalken decalcify
ontkapen *zie* ontfutselen
ontkennen deny; *'t valt niet te ~, dat ...* there is no denying (the fact) that, it is not to be (cannot be) denied that ...; ~**d** negative, [answer] in the negative
ontkenning negation, denial; ~**swoord** negative word
ontkerkeren (*lit.*) release (from prison), set free
ontkerstenen dechristianize; -**ing** dechristianization
ontketenen unchain [*ook*: a storm, a war], unleash [energy], unshackle; launch [an attack]
ontkiemen germinate, sprout; (*fig. ook*) germ; -**ing** germination; **ontkleden:** (*ook: zich ~*) undress, strip; **ontkleuren** *tr.* decolo(u)rize; *intr.* lose colour, pale
ontkluisteren unchain, unfetter, unshackle
ontknopen untie, undo; unbutton [a coat]; -**ing** dénouement, outcome, catastrophe
ontknoppen bud
ontkolen decarbonize, (*fam.*) decoke [cylinders]
ontkomen escape, get off, get clear; ~ *aan* escape [one's pursuers], elude [a p.'s watchfulness]; evade [a tax]; get out of [paying in full]; *daar kun je niet aan ~* you can't e. that (get away from that); *aan hervormingen valt niet te ~* reforms are inescapably necessary; *zie* ontsnappen; -**ing** escape
ontkoppelen uncouple, disconnect, throw out of gear; unleash [hounds]; (*auto*) declutch, let (slip) in the clutch; (*fig.*) unlink, disengage; -**ingspedaal** clutch pedal
ontkrachten enfeeble, enervate
ontkronen discrown, uncrown
ontkurken uncork; **ontlaadsnelheid** (*techn.*) rate of discharge; **ontlaadstok** (*mil.*) cleaning-rod; **ontlaadtang** discharging rod
ontladen (*schip, vuurwapen*) unload, (*schip, elektr.*) discharge; (*afschieten*) discharge; ~ *raken*, (*van accu*) run down; -**er** discharger; -**ing** unloading, discharge; -**ingsbuis** discharge tube
ontlasten unburden [*ook fig.*: one's conscience, one's mind, o.s.]; relieve [a p. of his coat, of a parcel; the curriculum of some subjects]; take work off [a p.'s shoulders]; (*afkapen*) relieve (ease) a p. of [his purse, etc.]; *om ... te* ~ a new bridge to relieve Westminster Bridge; *hij ontlastte haar van de jongen* (*ervan*) he took the boy (it) off her hands; *zich ~*, (*van rivier*) discharge (itself) [into the sea]; (*van wolk, onweer*) burst, break; (*ontlasting hebben*) have a motion, ease oneself; -**ing** discharge, relief;

(*stoelgang*) motion [have a ...; have two ... a day], stool, evacuation [daily ...]; (*uitwerpselen*) stools, motions; *voor goede – zorgen* keep the bowels open (*of:* clean), move the bowels; -**ingsaanval** relief attack; -**ingsboog** (*bk.*) relieving-arch
ontlaten *intr.* soften, thaw; *tr.* temper, anneal
ontleden analyse; (*lijk, dier, plant*) dissect, anatomize; (*chem.*) decompose, break up (down); (*redekundig*) analyse; (*taalkundig*) parse; -**er** (*anat.*) dissector; -**ing** analysis; dissection; decomposition; parsing; *vgl. 't ww.*
ontleed: ~**kamer** dissecting-room; ~**kunde** anatomy; ~**kundig** anatomical; ~**kundige** anatomist; ~**mes** dissecting-knife, scalpel; ~**tafel** dissecting-table
ontlenen: ~ *aan* borrow [words from Latin, lines from Milton], adopt [words from other languages], derive [comfort, one's title, name, origin] from, quote [a passage] from [a book], take [data] from [a report], owe to [the haughty look that he owes to his race]; *'t ontleent z'n naam aan ...* it takes its name from ...; *een recht ~ aan* derive a right from, found a right on; -**ing** borrowing, adoption, derivation
ontloken blown, full-blown (*ook fig.*), in full bloom; *half ~, pas ~* half-, fresh-blown
ontlokken elicit [a reply, the truth, laughter] from, draw [tears, information] from, provoke [protests] from, coax (worm) [a secret] out of
ontlook *o.v.t. van* ontluiken
ontlopen run away from, give [a p.] the slip, escape; (*ontwijken*) avoid, shun; *zij ~ elkaar niet veel* they are much the same (*fam.:* much of a muchness); (*van prijzen*) they run near each other
ontluiken open, expand; *vgl.* ontloken; ~**d** (*fig.*) budding [beauty, sentiments], dawning [love]
ontluisteren tarnish, dim, mar, disfigure, deface; **ontluizen** delouse; **ontmaagden** deflower
ontmagnetiseren demagnetize
ontmannen castrate, emasculate; (*fig.*) unman, unnerve; -**ing** castration
ontmantelen dismantle; -**ing** ... ment
ontmaskeren unmask; (*fig. ook*) expose, show up; *zich ~* unmask; **ontmaskering** unmasking; (*fig. ook*) exposure
ontmasten dismast; -**ing** ... ing
ontmengen separate
ontmenst dehumanized, inhuman
ontmoedigen discourage, dishearten; ~**d, ook:** off-putting; *ontmoedigd, ook:* dispirited, out of heart; -**ing** ... ment
ontmoeten meet (*ook: elkaar ~*), (*toevallig*) meet (with), come across [a p., word], run across [a p.], fall in with [a p.], happen upon [a p., thing]; (*dikwijls vijandig*) encounter [a p., an enemy, obstacles, stormy weather, opposition]; *we ~ elkaar niet vaak, ook:* we don't see much of each other; *iem. dikwijls ~* see a good deal (a lot) of a p.; *die goed doet, goed ontmoet* doing good has its reward; -**ing** meeting; encounter; (*avontuur*) adventure
ontmunten demonetize

atmunting demonetization
atmythologiseren demythologize
atnemen take (away) from, deprive [a p.] of [a ight, chance]; *'t recht tot 't geven van onder- vijs (op pensioen, op een rijbewijs) werd hem >ntnomen* he had his certificate taken from iim (he was deprived of his pension-rights; ie was disqualified from holding a driving- icence); *zie* woord; **-ing** deprivation
atnuchteren sober, (*fig. ook*) disenchant, dis- llusion, bring to earth (with a bump), have a sobering effect on; *ontn. w., ook:* s. up (down), come down with a bump; *ontn. zijn* be in a sobered mood; **-ing** disenchantment, disillu- sionment; *pijnlijke* – rude awakening
atoegankelijk inaccessible, unapproachable; impervious [to argument]; **-heid** ...ness, in- accessibility
ntoegeeflijk, -gevend unaccommodating; **-heid** lack of complaisance
ntoelaatbaar inadmissible
atoepasselijk inapplicable, irrelevant [*op* to]; **-heid** inapplicability, irrelevance
atoereikend insufficient, inadequate; *mijn geld was ~ voor mijn behoeften* fell short of my wants; **-heid** insufficiency, inadequacy
ntoerekenbaar (*pers.*) irresponsible, of un- sound mind, unanswerable for one's actions, unaccountable; (*daad*) not imputable; **-heid** irresponsibility
ntoeschietelijk unresponsive, stand-offish, aloof
ntogenese ontogenesis
ntologie ontology; **~gisch** ontological
ntoombaar uncontrollable
ntoonbaar unpresentable, not fit to be seen
ntpitten stone [dates]; gin [cotton]
ntplofbaar explosive (*ook: -bare stof*)
ntploffen (*ook: doen ~*) explode, detonate
ntploffing explosion, detonation; bang; **~sge- luid** (*fon*). (ex)plosive; **~smiddel** explosive
ntplooien unfurl [a flag], unfold (*ook fig.*), un- case [the colours *vaandel*], break [the stand- ard], put forth [all one's eloquence], develop [talents]; *grote activiteit ~* be (become) very active; *zich ~* unfurl, unfold; (*mil.*) deploy, open out; (*fig.*) unfold, expand; *gelegenheid geven om zich te ~* give full scope to [one's natural gifts]; **-ing** ...ing; [the full] develop- ment [of his faculties]; (*mil.*) deployment
ntpoppen: *zich ~*, (*eig.*) break open the pupal case; *zich ~ als* turn out to be, reveal o.s. as; (*geleidelijk*) blossom into, blossom out as
ntraadselen unriddle, unravel; **ontraden** dis- suade [a p.] from [s.t.], dissuade, discourage; advise against [a plan]; *hij ontried 't mij* he dissuaded me; **ontrafelen** unravel; **ontrampe- neerd, ontreddend** damaged, battered, dilapi- dated; (*schip*) disabled; **ontratten** derat; **ontred- deren** disable, dismantle, cripple, throw out of gear; **ontreddering** disorder, confusion, [so- cial] upheaval; **ontregelen** upset, unsettle, bring out of adjustment; **ontreinigen** sully, defile

ontrieven deprive of s.t., put to inconvenience
ontrimpelen unruffle, smooth
ontroeren *tr.* move, affect, touch, thrill; *intr.* be moved, etc.; **~d** ...ing, pathetic [story]; **-ing** emotion
ontroester rust remover
ontrollen *tr. & intr.* unroll, unfurl [a banner], unfold; *zich ~* unroll etc. (itself); *iem. iets ~* pilfer s.t. from a p.'s pocket, pick a p.'s pock- et (of s.t.); **ontromen** cream, skim
ontronding unrounding
ontroostbaar inconsolable, disconsolate, **~heid** ...ness
ontrouw I *bn.* unfaithful, disloyal; *iem. ~ worden, ook:* break faith with a p.; (*pol. ook*) rat [on one's leader]; *zijn woord ~ worden* go back on one's word; II *zn.* unfaithfulness, disloyalty, infidelity, disaffection
ontroven: *iem. iets ~* rob a p. of s.t., steal s.t. from a p., deprive a p. of a chance, etc.
ontruimen evacuate [a town], vacate [a house], clear [the park, streets, etc.]; *de rechtszaal laten ~* have the court cleared
ontruiming evacuation, vacation, clearing; *vgl. 't ww.*
ontrukken snatch (away) from [snatch a p. from death], wrest (*of:* tear) from
ontrusten *zie* ver~
ontschepen disembark [passengers], discharge [goods]; *zich ~* disembark; **-ing** disembarka- tion; discharge
ontscheuren *zie* ontrukken
ontschieten slip from [a p.'s hand, etc.]; escape; *het is mij ontschoten* it has slipped my memory
ontschorsen bark, strip
ontsieren deface, disfigure, mar [the play is ...red by eccentricities]; (*ook*) blemish, dis- figurement [of the countryside]
ontslaan discharge [from an office], dismiss [he was ...ed (from) His Majesty's Service = *uit* ...], cashier [an officer], retire; (*fam.*) sack, fire; (*wegens bezuiniging*) axe; (*tijdelijk*) lay off [workmen]; discharge [from hospital]; release [from prison]; *~ van* (*verplichting, enz.*) release (absolve) from [an obligation, a prom- ise, an oath]; *iem. van een koop* (*zijn straf, een les*) *~* let a p. off a bargain (his punishment, a lesson); *iem. van zijn woord ~* set a p. free, let a p. off; *iem. van de verantwoordelijkh.* (*de moei- te*) *~* relieve a p. of the responsibility (the trouble); *van rechtsvervolging ~* discharge; *zich ~ van, ontslagen raken van* get rid of; *zie* oneervol
ontslag discharge (*ook uit hospitaal, enz.*), dis- missal [from the Service], retirement [mar- riage involves ...]; (*vrijwillig*) resignation; re- lease [from prison]; *zijn ~ indienen* (*aanvragen, aanbieden*) tender (hand in, give in, send in, submit) one's resignation, send in one's pa- pers; (*van officier*) resign one's commission; (*zijn*) *~ geven* dismiss, discharge; (*fam.*) give [a p.] the push; *zijn ~ krijgen* be dismissed; (*fam.*) get the sack, be sacked (fired); (*zijn*) *~ nemen* resign [*uit* ... from a post], retire; (*als*

lid van ...) resign from the committee; *zie* (on)eervol; ~**aanvrage** resignation; ~**brief(je)** notice of dismissal; (*van gevangene*) certificate of discharge, discharge certificate; ~**neming** resignation

ontslapen pass away, expire, depart this life; *in Jezus ~ zijn* be asleep in Jesus, rest in Christ; *de ~e* the deceased, the departed

ontslippen *zie* ontglippen

ontsluieren unveil, (*fig. ook*) reveal, disclose [a secret]; -**ing** unveiling, revelation, disclosure

ontsluipen steal (*of:* slink) away from

ontsluiten open (*ook: zich ~*), unlock; (*fig.*) open [one's heart to], unseal [one's mind]; make available [library resources]; retrieve [information]

ontsmetten disinfect, decontaminate, fumigate

ontsmetting disinfection, decontamination; ~**s-dienst** sanitary department; ~**sinrichting** disinfecting-station; ~**smiddel** disinfectant; ~**s-oven** disinfecting-cage, -drum; ~**sploeg** decontamination-squad; ~**stoestel** disinfector

ontsnappen escape, get away; (*weten te ~*) make (make good, effect) one's escape; *zie ook* weten; *~ aan* e. from [one's creditors, etc.], e. [observation, death, a p.'s notice, the guillotine]; break from, burst from [his lips]; *zie* ontgaan, ontkomen, ontvallen, ontvluchten; -**ing** escape, (*fam.*) get-away; -**ingsclausule** escape (let-out) clause; -**ingsluik** (*van duikboot*) e.-hatch; **ontsnapte:** *de ~* the escaped person; (*gevangene*) the escapee

ontspannen unbend [a bow, the mind], unstring [a bow], release, ease [a spring], unbrace [a drum], relax [muscles, etc.], unclench [one's fists], ease [the tense situation]; *de haan ~* uncock a pistol (rifle, etc.); **zich ~**, (*van spieren, enz.*) relax; (*van vuist*) unclench; (*van pers.*) relax, unbend; -**er** (*fot.*) release

ontspanning relaxation (*ook fig.*); (*opluchting*) relief; (*in pol. situatie*) easing of the tension, détente; (*verpozing*) diversion, entertainment, recreation, relaxation; *gelegenheid voor ~* recreational facilities; *dat gaf enige ~* that relieved the strain (the tension) to a certain extent; ~**slectuur** light reading

ontsparen dissave

ontspiegeld coated [lenses]

ontspinnen: *daarover ontspon zich een belangwekkende discussie* this led to an interesting discussion

ontsporen be derailed, run off (go off, leave, jump) the rails (the metals); (*fig.*) go off the rails, go wrong; *doen ~* derail, throw off the rails; -**ing** derailment; (*fig.*) slip, mistake, wrong move; **ontspringen** jump away from; (*van rivier*) (take its) rise; *zie* dans

ontspruiten sprout, spring, bud; *~ uit*, (*fig.*) arise (spring, result, proceed) from; *zie* afstammen

ontstaan I *ww.* arise, originate, come into being (existence), come about, develop; (*plotseling*) spring up; *doen ~* cause, occasion, start [a fire], raise [doubt]; *~ uit* arise (proceed, spring,

originate) from; *een lijn ontstaat door* ... a line is generated by the motion of a point; *~ dw.*) *door* [misfortunes] born of [the war-made [difficulties], [the vacancy] caus by ...; **II** *zn.* origin, genesis [the ... of t universe]

ontsteken kindle, light, ignite; (*van wond, en* inflame; *in toorn ~* fly into a passion; *doen* (*wond*) inflame; *in toorn* (*woede*) *doen ~* cense, infuriate; *Gods toorn was tegen h ontstoken* God's wrath was kindled agai them; **ontsteker** igniter

ontsteking ignition; (*van wond, enz.*) inflamm tion; ~**sbougie** sparking-plug, (*Am.*) spa plug; ~**sbuis** i.-tube; ~**sinrichting** firing-ge ~**stemperatuur** flash-point

ontsteld alarmed, frightened, dismayed

ontstelen: *iem. iets ~* steal s.t. from a p., rob p. of s.t.; *er werd haar ... ontstolen* she had necklace stolen

ontstellen *tr.* alarm, startle, disconcert, frig ten, terrify, appal [...ling news]; **II** *intr.* frightened (startled, upset); ~**d** *ook:* fearfu [cold]; -**tenis** consternation, alarm, dismay

ontstemd (*eig.*) out of tune, detuned (*circui* (*fig.*) put out, ruffled, displeased, vexed; *~ z over, ook:* resent; ~**heid** *zie* ontstemming

ontstemmen (*eig.*) put out of tune; (*radio*) c tune; (*fig.*) put out, ruffle, displease; -**ing** d pleasure, resentment, vexation, annoyanc [arouse] feeling [among ...]

ontstentenis: *bij ~ van* in default of, failing successor]; in the absence of

ontstichten offend, give offence, shock, sca dalize; -**ing** offence, scandal

ontstoken (*van wond*) inflamed, angry; *zie* on steken; **ontstoppen** unplug; **ontstrengelen** u twine, untwist

ontstrijden dispute; *iem. iets ~* dispute s.t. wi a p.; *dat laat ik me niet ~* I won't be argue out of that

onttakelen (*schip*) unrig, dismantle; (*installati enz.*) dismantle; -**ing** unrigging, dismantling

onttogen withdrawn; *aan zichzelf ~* in rapture **onttomen** unbridle

onttoveren *a*) disenchant, set free from a spe *b*) *zie* ontfutselen

onttrekken withdraw [*aan* from], hide [fro view], take [oxygen from the air]; *aan* ouderlijke macht ~ remove [a minor] fro parental control; *aan 't oog ~* hide fro view; **zich ~ aan** withdraw (retire) from, shi [one's duty, responsibility], back out of [one obligations]; *verplichtingen waaraan hij zic niet kon ~* obligations he could not afford t shirk; *zich aan de gerechtigheid ~* fly fro justice; *we kunnen ons niet aan de indruk ~* it hard to avoid the impression; *zich ~ aan* invloed van break away from the influence o *Goldsmith onttrekt zich aan een dergelijk analyse* refuses to be analysed in this way

onttrekking withdrawal, etc.; *zie 't ww.; ~ va goud, zie* goud~

onttroggelen *zie* aftroggelen

onttronen dethrone; **-ing** dethronement

onttuigen unharness [a horse], unrig [a ship]

ontucht vice, prostitution, lewdness, lechery, fornication; *~ plegen met* assault indecently; *huis van ~* disorderly house, bawdy house; *van de ~ van anderen leven* live on the immoral earnings of others

ontuchtig lewd, lascivious; **-heid** ...ness

ontuig (*afval*) refuse; (*onkruid*) weeds; (*gespuis*) riff-raff

ontvallen fall (drop, slip) from [a p.'s hand]; *'t woord ontviel me* the word escaped me, slipped out, I let it fall casually; *zich laten ~ let* it out; *laat u daarover geen woord ~* don't drop a word about it; *zijn vrouw ontviel hem* he lost his wife; ... *~ ons* ... the famous figures of the war are slipping away one by one

ontvang-: **~bak** receiver; **~bewijs** receipt; (*inz. mil.*) r.-note; **~dag** reception day, at-home (day)

ontvangen 1 receive; be in receipt of [parish relief, a pension]; (*bezoeker, ook:*) see [awfully good of you to ... me]; (*in ontvangst nemen*) draw [one's salary]; take delivery of [goods]; *ontvang mijn dank* (*verontschuldigingen*) accept my thanks (apologies); *Uw schrijven ~* your letter (yours) to hand; *bijzonderheden zijn nog niet ~* no details are as yet to hand; *hij ontving me hartelijk* he made me cordially welcome; *de vijand werd warm ~* was given a warm reception; *zijn voorstel werd gunstig ~* was favourably received, had a favourable reception; *Mevr. N. ontvangt elke dinsdag* is at home (receives) on Tuesdays; *ze ~ veel* they entertain a good deal; *ik kan* (*wil*) *hem niet ~* I am not at home to him; *ontvangen van,* (*op kwitantie*) received of (*of:* from); 2 (*zwanger worden*) conceive

ontvangenis conception

ontvanger receiver (*ook van luchtpomp, telegr. en telef.*); (*van brief, geschenk, enz.*) recipient; (*van goederen*) consignee; (*bloedtransfusie*) receptor, recipient; (*van belastingen*) tax (*of:* rate) collector; (*van zegelrechten*) stamp collector; *zie* hypotheek & gemeente-; **~skantoor** tax-(rate-)collector's office

ontvangkamer reception-room

ontvangst (*van brief, geld, enz.*) receipt; (*van pers.*) reception; (*radio*) reception [have a poor ...]; **~en** receipts, takings; *commissie van ~* reception committee; *~ berichten* (*bevestigen*) acknowledge r.; *bij* (*na*) *~* on r. [van of]; *in ~ nemen* take [orders], receive, accept; draw [one's salary, money]; (*goederen*) take delivery of, take up; (*toejuichingen*) acknowledge; *~ weigeren van* refuse to take delivery of; *'n koude ~ hebben* meet with a cold reception; *zie* uitgaaf

ontvang(st): **~bewijs** receipt; **~gebied** (*televisie*) reception area; **~station** (*ook radio*) receiving-station; **~termijn, ~tijd** prompt; **~toestel** (*radio*) receiver, receiving set

ontvankelijk susceptible, receptive, impressionable; *~ voor* s. (accessible) to [flattery], open (receptive) to [new ideas], alive to, amenable to; *zijn eis* ('*t beroep*) *werd ~ verklaard* his claim was admitted (the appeal was allowed); *niet ~ verklaren* dismiss; **~heid** susceptibility, receptivity, sensitivity [to the need for ...]

ontveinzen dissemble [one's satisfaction], disguise; *men kan zich niet ~ dat* ... there is no disguising the fact that ...; *zij kon zich niet ~ dat* ... she could not disguise (conceal) from herself that ...; '*t geeft niet zich 't feit te ~* it is no use blinking the fact; *zich de moeilijkheden niet ~* be fully alive to (well aware of) the difficulties

ontveld stripped of the skin; abraded [shin]; grazed [elbow]

ontvellen skin, graze, bark; **-ing** abrasion, graze, excoriation

ontvetten scour [wool, etc.]; *zie* vermageren

ontvlambaar inflammable (*ook fig.*), flammable; **~heid** ...ness, inflammability

ontvlammen (*ook fig.*) inflame, kindle

ontvlamming inflammation; **~spunt** flash-point

ontvleesd stripped of the flesh; fleshless

ontvlekken clean, remove stains from; **-ingsmiddel** stain remover

ontvlezen strip off the flesh [from]; *ontvleesd* emaciated [arm]

ontvlieden flee from, shun; *zijn ziel is het lichaam ontvloden* has taken wing

ontvliegen fly away from

ontvluchten escape [from prison], fly, flee; *~ (aan)* escape [one's pursuers], fly (from), flee (from); (*wielersp.*) break away; *het ouderlijk huis ~* run away from home; *zie* ontsnappen; **-ing** flight, escape; (*wielersp.*) break-away

ontvoerder abductor, kidnapper

ontvoeren carry off, abduct [a woman, etc.], elope with [a woman], kidnap [children, etc.]; **-ing** abduction, elopement, kidnap(ping)

ontvolken depopulate; (*fig.*) empty [schools have been emptied]; **-ing** depopulation

ontvonken *tr. & intr.* kindle; *intr. ook:* take fire

ontvoogden emancipate; **-ing** emancipation

ontvouwen (*ook fig.*) unfold (*ook: zich ~*)

ontvreemden steal [*iem. iets* s.t. from a p.], abstract; **-ing** theft

ontwaarding devaluation

ontwaken awake, wake up, get awake; *doen ~, zie* wekken; **-ing** awakening

ontwapenen disarm [*ook fig.*: suspicion, etc.]; **-ing** disarmament [conference, etc.]

ontwaren perceive, descry, become aware of

ontwarren disentangle, unravel [*ook fig.*: a problem], untangle [difficulties do not ... themselves], straighten out [a tangle, a muddle]; *niet te ~* inextricable; **-ing** disentanglement, unravelling

ontwassen *zie* ontgroeien

ontwateren drain [land]; dehydrate [crude oil]; **-ing** drainage; dehydration

ontweien disembowel, draw, paunch, eviscerate; **ontweldigen** wrest from

ontwellen spring from

ontwennen (*iem. iets*) break a p. of [a habit],

wean a p. from (of); (*iets*) lose the habit of, forget how to [laugh], get out of the way of [reading]; *zie* afwennen; **-ingskuur** withdrawal course

ontwerp project, plan, design; (*van document*) draft; (*van wet*) bill; **~akkoord** scheme of arrangement; **~en** project [a railway, campaign, etc.], plan [towns, a building, campaign], design [an engine, a picture], devise [a new costume], frame [laws], draw up, make [a plan], originate [a scheme], draft [a document, a scheme]; **~er** projector, planner, designer, framer [the ...s of the treaty]; (*van document*) draftsman; **~reglement** draft regulations

ontwijden desecrate, profane, violate; **-er** desecrator, profaner, violator; **-ing** desecration, profanation, violation

ontwijfelbaar *bn.* unquestionable, undoubted, indubitable; *bw.* unquestionably, etc., doubtless, no doubt

ontwijken dodge, evade [a pursuer, blow, question, difficulty], avoid [a motor-car], side-step [an opponent], fence with, parry [a question]; shirk [a point]; avoid, (*sterker*) shun [a p., place]; shy away from [unpleasant things], fight shy of [a p., poetry], give [a p.] a wide berth; **~d** evasive [answer], non-committal [reply]; **~de antwoorden geven,** *ook:* fence

ontwijking evasion

ontwikkelaar (*fot.*) developer

ontwikkeld developed (*ook van foto*); *een sterk ~ gevoel voor humor* a keen sense of humour; (*beschaafd*) educated [man]

ontwikkelen develop [the mind, character, heat, an argument, a theory, photograph, an algebraic form], engender, generate [heat], improve [the mind], evolve [a plan], unfold, set forth [theories]; put forth [strength]; *zich ~* d., grow [*tot* into]; *zien, hoe de toestand zich zal ~* await developments; *de zaak kan zich op een interessante manier ~* there may be interesting developments; *het nieuwe instituut ontwikkelt zich goed* shapes well

ontwikkeling development, education [a man of little ..., all-round ...]; *volle ~,* *ook:* maturity [reach ...]; *belangrijke positieve ~,* (*ook*) breakthrough; *tot ~ brengen* (*komen*) develop; *zie* algemeen; **~s...** *ook:* developmental; **~sgang** process of growth; **~sgebied** d. area; **~sgeschiedenis** history of d.; **~shulp** d. aid; **~s-landen** developing countries; **~sleer** theory of evolution; **~stijdperk** period of d.; (*bij mensen*) adolescence; **~stoestand** state (stage) of d.

ontwinden unwind, unravel, disentangle

ontwoekeren ~ *aan* reclaim (recover, wrest) [land] from [the sea]; *uren aan de slaap ~* wrest hours from sleep

ontworstelen wrest from; *zich ~ aan* tear o.s. (break) away from, shake off, struggle out of [bondage]

ontwortelen uproot, disroot, tear up (by roots)

ontwouden *zie* ontbossen

ontwricht dislocated, out of joint

ontwrichten dislocate (*ook fig.*), put out [one's

knee], disrupt [rail services]; **ontwrichting** di location (*ook fig.*); (*sterker*) disruption [society]

ontwringen wrest (force, wrench) from, wri [a confession] from

ontypisch un-, atypical

ontzadelen unsaddle [a horse]; unhorse, thro [a rider]

ontzag awe, respect, veneration; ~ *hebben vo* stand in a. of; *hij heeft er ~ onder* he hol (keeps) them in a.; ~ *inboezemen* (inspi with) awe; *in ~ houden* overawe; *van ~ b* vangen awed, awestruck; **~lijk** awful [... clever], formidable [task], stupendous [blu der, difficulties], vast [crowd], tremendou [increase], immense [like a p. ...ly]; *het hee hem – veel goed gedaan* it has done him a worl (a power) of good; *zie* ontzettend; **~wekker** awe-inspiring, majestic

ontzakken *zie* ontzinken

ontzegelen unseal, break the seal of

ontzeggen deny [a p. genius, the right to ... forbid [a p. the house]; *iem. de toegang ~* (refuse) a p. admittance; *dit geluk is mij on zegd* this happiness is denied me, I am denie this happiness; *zijn eis werd hem ontzegd* h was nonsuited, his claim (his suit) was di missed; *mijn benen ~ mij de dienst* my legs fa me, refuse to carry me; *zich alles* (*een geno gen*) ~ deny o.s. everything (a pleasure); **-in** denial

ontzeilen steer clear of [a rock, difficulties]; *ee klip ~,* (*fig.*) avoid a pitfall

ontzenuwen (*uitputten*) unnerve, enervate; (*a gument, enz.*) refute, disprove, knock the bo tom out of, rebut [evidence]; *iems. argumer ten geheel ~,* *ook:* cut the ground from unde a p.'s feet, (*fam.*) make mincemeat of a p.' arguments; **-ing** enervation; refutation

ontzet I *zn.* (*van vesting*) relief; (*van aangeva lene*) rescue; II *bn.* appalled [*over* at, by], ho rified, [stand, be quite] aghast; (*van rail* twisted, buckled, out of alignment (*of:* gauge *zie 't ww.*

ontzetten 1 relieve [a fortress, garrison], rescu [a p. attacked]; 2 (*afzetten*) dismiss; *zie* afze ten; *iem. ~ uit* deprive a p. of [his office, mem bership, rights], dispossess a p. of [his prope ty, rights]; *uit de ouderlijke macht ~* deprive o parental control; 3 (*ontzetting inboezemen*) ap pal, horrify; 4 put out of shape, twist, dislo cate; (*inz. van hout*) warp; (*scheepsplaten, enz* buckle; **~d** appalling, terrible, dreadful, (*fam* awful [...ly nice]; – *gevaarlijk,* *ook:* dangerou to the last degree; – *grappig* too comic fo anything; – *veel* any amount (no end, lots an lots) of [money]

ontzetting 1 relief; rescue; 2 dismissal; depriva tion [of civil rights], dispossession; (*van gee telijke*) deprivation; 3 dismay, horror; *vgl.* ' *ww.*; **~sleger** relief force

ontzield inanimate, lifeless

ontzien (*eerbiedigen*) respect, look up to; (*vre zen*) stand in awe of; (*sparen*) spare [a p., n

pains, no expense], save [one's clothes], consider [a p.'s feelings]; *'t land ontziet schatten noch bloed* stints neither gold nor blood; **zich** (*zijn gezondheid*) ~ take care of o.s. (one's health); *zich (niet)* ~, *(aanpakken, enz.)* (not) spare o.s.; *zich niet* ~ *te* not scruple to, *(de brutaliteit hebben te)* have the assurance (nerve) to ...; *niets* ~*d* unsparing, unscrupulous, uncompromising; desperate [criminal]; *geen kosten* ~*d* regardless of expense
ontzilten desalinate, desalt; **-ingsinstallatie** desalination unit
ontzind frantic, mad
ontzinken sink away from; *de krachten ontzonken hem* his strength gave way; *de moed ontzonk haar* her courage failed her (oozed away), her heart sank (within her)
ontzouten *zie* ontzilten
onuitblusbaar, -doofbaar *zie* onblusbaar; **onuitgedoofd** unextinguished, unquenched; **onuitgegeven** unpublished; **onuitgemaakt** undecided, unsettled, open [an ... question]; **onuitgeput** unexhausted; **onuitgesproken** unspoken
onuitgevoerd unexecuted, etc.; *zie* uitvoeren; **onuitgewerkt** not worked out; sketchy [writings]; active [volcano]; ~*e schets* sketch
onuitgezocht unsorted, ungraded
onuitputtelijk inexhaustible, unfailing; ~**heid** ...ness, inexhaustibility
onuitroeibaar ineradicable; **onuitspreekbaar** unpronounceable; **onuitsprekelijk** unspeakable [joy], ineffable, inexpressible; *bw. ook:* too [happy] for words, [glorious] beyond words
onuitstaanbaar intolerable, unbearable, insufferable, unendurable; ~ *verwaand* insufferably conceited; ~**heid** ...ness
onuitvoerbaar impracticable, unworkable [plan], unenforceable [contract]; *het is* ~, *(ook:)* it won't work; ~**heid** impracticability; unworkability [of an agreement]
onuitwisbaar indelible, ineffaceable; *-bare herinnering* imperishable memory; *-bare inkt* indelible ink; ~**heid** ...ness, indelibility
onvaderlands(lievend) unpatriotic (*bw.:* -ally)
onvast unsteady [market, hand, ... on one's legs, walk unsteadily], unstable, irresolute [character], infirm [will], shaky [fingers, writing], soft [ground], unsettled [weather], light [sleep], fluctuating [market], wavering [judg(e)ment], uncertain, groggy; ~**heid** unsteadiness, instability, etc.
onvatbaar: ~ *voor* insusceptible of [love], impervious (insensible) to [reason], incapable of [improvement], immune from [infection]; ~ *maken, zie* immuun; ~**heid** insusceptibility, immunity
onveilig unsafe; [feel] insecure; *(inz. mil. sl.)* unhealthy [place]; ~ *sein* danger signal; *'t sein staat op* ~ the signal is at danger, is against us (etc.); *op* ~ *zetten* put (place) [the signal] at danger; ~ *maken* make (render) u., infest [the seas]; *zie* rijden; ~**heid** unsafeness, insecurity

onveraccijnsd in bond; *(gesmokkeld)* uncustomed
onveranderbaar unchangeable, unalterable
onveranderd unchanged, unaltered; ... *blijft* ~ all the rest of the programme stands; *zie* druk 2
onveranderlijk invariable, unvarying [his ... reply], uniform [temperature], immutable [laws of nature], unchangeable [affection], unalterable; ~**heid** ...ness, immutability
onverantwoord *a)* unjustified, unwarranted, irresponsible; *b) (van geld, enz.)* unaccounted for
onverantwoordelijk *a) (niet aansprakelijk)* irresponsible, unaccountable (for one's actions); *b) (onvergeeflijk)* inexcusable, unwarrantable, unjustifiable; ~**heid** *a)* irresponsibility; *b)* ...ness
onverbasterd undegenerate, uncorrupted
onverbeterbaar, -lijk *a)* incorrigible [*ook fig.:* ... optimist], inveterate [grumbler], past praying for; *b) zie* onovertrefbaar
onverbiddelijk inexorable, relentless, unrelenting; ~**heid** ...ness, inexorability
onverbindend not binding
onverbleekbaar unfadable; **onverbloemd** sober, plain, unvarnished, [I told him so] in plain terms; **onverbogen** undeclined; **onverbrandbaar** *zie* onbrandbaar; **onverbreekbaar, -brekelijk** unbreakable, indissoluble
onverbuigbaar indeclinable
onverdacht unsuspected, above suspicion; *een* ~ *conservatief* a true-blue Tory; *uit* ~*e bron* on unimpeachable authority, from an u. source
onverdedigbaar indefensible, unjustifiable; ~**heid** indefensibility; **onverdedigd** undefended
onverdeelbaar indivisible
onverdeeld I *bn.* undivided [*ook fig.:* ... attention], undistributed [profit], whole, entire; unqualified [approval, success]; II *bw.* wholly, whole-heartedly [give o.s. ... to one's task]; ~ *gunstig* wholly (entirely) favourable; ~**heid** entireness; unanimity, harmony
onverdelgbaar indestructible; **onverderfelijk** imperishable; **onverdicht** *a)* uncondensed; *b)* true [story]; **onverdiend** *bn.* undeserved, unmerited; *(geld)* unearned; *bw.* undeservedly
onverdienstelijk: *niet* ~, *ook:* not without merit
onverdorven pure, undepraved; ~**heid** purity, integrity
onverdraagbaar, -lijk *zie* ondraaglijk
onverdraagzaam intolerant; ~**heid** intolerance
onverdroten unwearying, indefatigable, painstaking, unremitting [industry, efforts]
onverdund *(drank)* undiluted, neat, raw
onvereffend unsettled, outstanding [debts]
onverenigbaar incompatible [*met* with], irreconcilable [*met* to]; *(van ambten)* incapable of being held together; ~ *met, ook:* inconsistent with; ~**heid** incompatibility, inconsistency
onverflauwd undiminished, unabated, unabating [vigour], unflagging [energy, zeal, courage], unremitting [care, carry on ...ly]
onvergankelijk imperishable, undying, everlast-

ing; ~heid imperishableness
onvergeeflijk unpardonable, unforgivable; ~heid ...ness
onvergelijkbaar not to be compared
onvergelijkelijk incomparable, matchless, peerless, beyond (without, past) compare
onvergenoegd discontented; ~heid ...ness
onvergetelijk unforgettable, ever memorable, never to be forgotten [day]
onvergeten unforgotten
onvergeven unforgiven
onvergevingsgezind unforgiving
onvergezeld unaccompanied
onverglaasd unglazed
onvergolden unrequited, unpaid, unrewarded
onverhaalbaar (kosten) irrecoverable
onverhandelbaar not negotiable
onverhard unimproved, unmetalled [road]
onverhinderd unhindered, unimpeded
onverhoeds bn. unexpected, sudden; bw. unawares, unexpectedly, suddenly
onverholen bn. undisguised, unconcealed, open; bw. openly, undisguisedly, candidly
onverhoopt unexpected, unlooked (unhoped, unwished)(-)for; indien hij ~ mocht ... if, against (of: contrary to) expectation, he should ...; if, unfortunately, he should ...
onverhoord unheard [prayer], ungranted; ~ blijven find no hearing
onverhuurbaar unlettable
onverhuurd unlet, untenanted; ~ blijven find no tenant; ~ laten staan keep [the house] u.
onverkiesbaar ineligible; ~heid ineligibility; onverkieslijk undesirable
onverklaarbaar inexplicable, unaccountable; het is mij ~, ook: I cannot account for it; ~heid ...ness; onverklaard unexplained
onverkleinbaar irreducible
onverkocht unsold; mits ~ subject to being u.
onverkoopbaar unsal(e)able, unmarketable, unmerchantable; -bare voorraad dead stock; 't artikel was ~, ook: was a drug on the market
onverkort unabridged [edition, rights], uncurtailed; (eisen, standpunt) ~ handhaven refuse to compromise (not yield an inch) [on ...], make no concessions; vgl. onwrikbaar & verkorten
onverkrijgbaar unobtainable, not to be had; (onbereikbaar) unattainable; het -bare najagen attempt impossibilities
onverkwikkelijk unpalatable, distasteful, sordid [a ... affair], unsavoury [theme]; onverlaat miscreant, wretch, monster, brute; onverlet unhindered, unimpeded; (ongedeerd) uninjured; onverlicht unlighted, unlit; (fig.) unenlightened [ages]; (onverzacht) unmitigated
onvermakelijk unamusing
onvermeld unmentioned, unrecorded
onvermengd unmixed, unalloyed, unqualified, undiluted [joy, bliss]
onvermijdelijk inevitable, unavoidable; ~ verbonden met inseparable from; zie schikken; ~heid ...ness, inevitability
onverminderd undiminished [appetite], unaba-

ted [zeal]; (behoudens) without prejudice (de triment) to, subject to
onvermoed unsuspected, unthought(-)of
onvermoeibaar indefatigable; ~heid ...ness, in defatigability
onvermoeid untiring [work ...ly], tireless, un wearying [energy], unwearied [researcher] untired; ~heid tirelessness, etc.
onvermogen impotence, incapacity, disability inability; (behoeftigheid) indigence; ~ om t betalen insolvency; in staat van ~ insolvent bewijs van ~ proof of incapacity; (jur., ongev. certificate of legal aid
onvermogend (machteloos) impotent, powerless unable; (onbemiddeld) without means, im pecunious; (behoeftig) indigent, poor; ~ poor person [free legal aid for ...s], (inz. be deelde) pauper; school voor ~en charity schoo
onvermurwbaar unrelenting, relentless, inex orable, [he was (remained)] adamant [to he entreaties], as hard as nails
onverniel-, onvernietigbaar indestructible; ~hei indestructibility
onvernuftig uningenious
onverpacht zie onverhuurd
onverpakt unpacked; ~e lading bulk cargo
onverplaatsbaar immovable
onverplicht not obligatory, not compulsory optional [subjects leervakken]
onverpoosd uninterrupted, unremitting [labour
onverricht undone; wij keerden ~er zake teru, we returned with nothing achieved, we re turned empty (empty-handed, as wise as w went), had nothing to show for our pains; (hon derden moesten ~er zake naar huis, (bij voor stelling bijv.) hundreds had to be turned awa
onversaagd undaunted, unflinching, unblench ing, intrepid, fearless; ~heid undauntedness intrepidity
onverschillig indifferent [voor to]; reckless devil-may-care [fellow]; ~ evenwicht neutra equilibrium; 't is mij ~ it is immaterial (a matter of indifference, all the same) to me, don't care one way or another; hij is ons ge heel ~ he is nothing to us; hij was haar ~ sh was indifferent to him; met een ~ gezicht wit a 'couldn't care less' expression; op een ~ manier [laugh] in an unconcerned way; ~ voo de gevolgen regardless (heedless) of the con sequences; ~ wie (waar, enz.) no matter wh (where, etc.); ~ of 't ... is of ... irrespective o (of: as to) whether it is ... or ...; ~heid indif ference, unconcern, recklessness; apathy
onverschoonbaar unpardonable, inexcusable ~heid ...ness
onverschrokken(heid) zie onversaagd(heid)
onverslapt unflagging, unremitting [zeal]
onversleten not worn out, not used up
onverslijtbaar everlasting, indestructible, im possible to wear out
onversneden (drank) undiluted, unqualified
onverstaanbaar unintelligible [voor to]; ~hei unintelligibility, unintelligibleness
onverstand unwisdom

onverstandig unwise, ill-judged, ill-advised, injudicious; *'t zou ~ zijn te* ..., *ook:* it would be bad policy to ...; *'t ~e van die maatregelen* the unwisdom (unreason) of those measures
onversterkt unfortified, open [town]
onverstoorbaar imperturbable, impassive, (*fam.*) unflappable; **~heid** imperturbability, impassivity, (*fam.*) unflappability; **onverstoord** unperturbed, unruffled; (*van stilte, enz.*) undisturbed
onvertaalbaar untranslatable
onvertaald untranslated
onverteerbaar indigestible; *-are bestanddelen van voedsel* roughage; **~heid** indigestibility
onverteerd undigested, unconsumed, unspent; *vgl.* verteren
onvertogen indelicate, improper, indecent, unseemly; **~heid** indelicacy; indecency
onvervaard undismayed, fearless; *zie ook* onbevreesd & onversaagd; **~heid** fearlessness
onvervalst unadulterated (*ook fig.*: ... protectionism), genuine, pure, unalloyed, unqualified, undiluted [Naz(i)ism]; (*eig. Am.*) honest [beer, butter, sugar]; *~ socialisme* socialism pure and simple
onvervangbaar irreplaceable
onvervreemdbaar inalienable; (*inz. van recht ook*) indefeasible; *~ erfgoed* fee-tail; **~heid** inalienability, indefeasibility
onvervulbaar unrealizable [wishes]
onvervuld unfulfilled, unperformed, unaccomplished, unoccupied; *vgl.* vervullen
onverwacht unexpected, unlooked(-)for; *~ bezoek* surprise visit; **~(s)** unexpectedly, unawares, [collapse] without (any) warning, [he became famous] overnight
onverwarmd unheated, unwarmed
onverwelkt unfaded, fresh; **onverwijld** *bn.* immediate; *bw.* ...ly, without delay
onverwinlijk invincible, unconquerable
onverwisselbaar inconvertible, unexchangeable; **~heid** inconvertibility
onverwoestbaar indestructible, invincible [optimism]; **~heid** indestructibility
onverwrikbaar, onverwrikt *zie* onwrikbaar
onverzacht unmitigated
onverzadelijk insatiable, insatiate; **~heid** ...ness
onverzadigd not satiated, unsatiated, unsatisfied; (*chem.*) unsaturated; *meervoudig ~ vetzuur* (*~e olie*) polyunsaturated fatty acid (oil), polyunsaturate
onverzekerd uninsured, uncovered
onverzettelijk immovable; (*fig. ook*) unyielding, inflexible, stubborn, adamant; *een ~e, ook:* a die-hard; **~heid** inflexibility, stubbornness, obstinacy
onverzoend unreconciled
onverzoenlijk implacable, unyielding, irreconcilable, uncompromising; *een ~e* an irreconcilable, (*pol. ook*) a die-hard, a last-ditcher, a bitter-ender; **~heid** ...ness, implacability, irreconcilability
onverzorgd (*zonder middelen*) unprovided for [the unprovided-for members of the family],

[he left his wife] unsupported; (*van patiënt, enz.*) untended, unattended (to); (*slordig*) untidy [hair], uncared(-)for, neglected; unkempt [appearance, person, garden]; slipshod, slovenly [style]; **onverzwakt** unweakened; unimpaired [health]; unabated [fury, vigour]
onvindbaar unfindable, not to be found
onvoegzaam indecent, improper
onvoegzaamheid indecency, impropriety
onvoelbaar impalpable, intangible
onvoldaan unsatisfied, dissatisfied; (*rekening*) unpaid, unsettled; outstanding [debt]; **~heid** dissatisfaction
onvoldoend(e) insufficient, not up to the mark; (*ontoereikend*) insufficient, inadequate [*voor* to]; *een bloot onderzoek is ~e* mere inquiry will not meet the case; *~e betaalde arbeiders* underpaid men; *~e ontwikkeld,* (*van foto*) under-developed; *woorden zijn ~e* words fail to describe it; *een ~e* an i. (fail) mark; **onvoldragen** abortive, immature; *~ vrucht* embryo
onvoleind(igd) unfinished, uncompleted
onvolkomen imperfect, incomplete; **~heid** imperfection, incompleteness
onvolledig incomplete; elliptical [sentence,] defective [verb]; part-time [job]; **~heid** incompleteness
onvolmaakt imperfect, defective; **~heid** imperfection, deficiency, defectiveness
onvolprezen beyond praise, transcendent
onvoltallig incomplete; (*van vergadering*) lacking a quorum; **~heid** ...ness
onvoltooid unfinished, incomplete; (*gramm.*) imperfect [tense]; **onvoltrokken** unexecuted, unperformed; *zie* voltrekken
onvolvoerd unexecuted, unperformed
onvolwaardig *zie* minderwaardig; *geestelijk ~* mentally defective (deficient); *~e arbeidskracht* partly disabled (handicapped) worker
onvolwassen half-grown, not fully grown
onvoorbedacht unintentional, unpremeditated; **~elijk** ... ly, without premeditation
onvoorbereid unprepared, extempore, off(-)hand; *zie* vue (*à* ...); **~heid** unpreparedness
onvoordelig unprofitable; *~ uitkomen* appear at a disadvantage; **~heid** ...ness
onvoorspoedig unpropitious, unsuccessful
onvoorstelbaar unimaginable, inconceivable; *het is ~* it staggers belief
onvoorwaardelijk unconditional, implicit [faith, obedience, trust a p. ...ly], unquestioning [faith, obedience], unqualified [support]; *zich ~ overgeven* surrender unconditionally (without terms)
onvoorzichtig imprudent, incautious, unguarded [remark]; **~heid** imprudence
onvoorzien unforeseen, unexpected; *~e omstandigheden* u. circumstances, emergencies; *~e uitgaven* u. expenditure, incidental expenses, incidentals, contingencies; *fonds voor ~e uitgaven* contingency fund; *~s* unexpectedly, unawares; *op 't ~st* when (it was, is) least expected
onvrede discord, dissension; *~ met* (*over*) unease

about [the likely effect of abortion laws]; *hij leeft in ~ met zijn buren* he is at loggerheads with his neighbours

onvriend enemy; *~en zijn* be on bad terms [*met* with]

onvriendelijk unkind; ungracious [an ... reply], uncomplimentary [remarks]; ~**heid** ... ness

onvriendschappelijk *bn.* unfriendly [act *daad*]; *bw.* in an u. way

onvrij not free; (*inz.: horig*) unfree; *'t is hier erg ~* there is no privacy here; *~e* serf, bondman; ~**heid** want of freedom, constraint; lack of privacy; (*van slaaf*) serfdom, bondage, servitude

onvrijwillig I *bn.* not voluntary, forced, compulsory; *'n ~ bad krijgen* get a ducking; **II** *bw.* under compulsion, under coercion

onvrijzinnig illiberal

onvrouwelijk unwomanly, unfeminine

onvruchtbaar (*van land, vrouw, enz.*) infertile, sterile, barren, unfruitful; (*vruchteloos*) fruitless; unprofitable, arid [discussion]; *~ maken* sterilize [mental defectives]; ~**heid** infertility, sterility, barrenness; fruitlessness; ~**making** sterilization

onwaar(achtig) untrue, false

onwaard *zie* onwaardig

onwaarde invalidity, nullity; *van ~ zijn* be null and void; *van ~ verklaren* declare null and void, invalidate; *zes stembiljetten waren van ~* there were six spoiled (spoilt) papers, six ballot-papers were void

onwaardeerbaar inestimable; ~**heid** ... ness

onwaardig unworthy; undignified [an ... spectacle]; *zijner ~* u. of him; *onze liefde ~* u. (undeserving) of our love; *een zeeman ~* unsailorly [conduct]; *zie* aandoen; ~**heid** unworthiness

onwaarheid untruth, falsity, falsehood

onwaarneembaar imperceptible

onwaarschijnlijk improbable, unlikely; *'t ~e van ...*, *zie* ~**heid** improbability, unlikelihood, -ness

onwankelbaar(heid) *zie* onwrikbaar(heid)

onweder *zie* onweer

onwedergeboren(e) unregenerate

onwe(d)ersproken uncontradicted

onweegbaar unweighable, imponderable

onweer thunderstorm, storm; *er is ~ aan de lucht* there is thunder in the air; (*fig. ook*) there is something (some mischief) brewing; *er komt ~* there is a storm brewing; *'t ~ brak los* the storm burst (*ook fig.*); ~**achtig** thundery

onweerlegbaar irrefutable, unanswerable, irrefragable, indisputable, ~**heid** ... ness

onweers: ~**beestje** midge; ~**bui** thunder-shower; ~**lucht** thundery sky

onweerstaanbaar irresistible, compelling [beauty]; ~**heid** ... ness, irresistibility

onweers: ~**vogel** *zie* stormvogeltje; ~**wolk** thunder- (*of:* storm-)cloud

onwel unwell, indisposed

onwelkom unwelcome; *'t ~e van ...* the unwelcomeness of ...

onwellevend impolite, discourteous, ill-mannered, rude; ~**heid** impoliteness, discourtesy, rudeness

onwelluidend inharmonious, discordant; ~**heid** inharmoniousness, discordance

onwelriekend evil-smelling

onwelvoeglijk indecorous; *zie ook* onbetamelijk; ~**heid** indecorousness

onwelwillend unkind, disobliging; ~**heid** ... ness

onwennig not feeling at home, feeling out of one's element

onweren thunder; *'t onweert* there is a thunderstorm

onwerkbaar: *-bare dagen* lay-off days

onwerkelijk unreal

onwerkzaam inactive; ~**heid** inactivity

onwetend I *bn.* ignorant [*van* of]; *iem. ~ laten van, ook:* keep a p. in ignorance of; *iem. ~ houden, ook:* keep a p. in the dark; **II** *bw. zie* onwetens; ~**heid** ignorance

onwetens: (*mijns*) *~* without my knowledge, unknown to me, unknowingly

onwetenschappelijk unscientific (*bw.:* -ally), unscholarly

onwettelijk illegal

onwettig unlawful, illegal; unauthorized; (*van kind*) illegitimate, born out of wedlock; ~**heid** unlawfulness, illegality; illegitimacy

onwezenlijk unreal

onwijs foolish [remark]; (*fam.*) cracked, crazy

onwijsgerig unphilosophical

onwil unwillingness, obstinacy; **onwillekeurig** *bn.* involuntary; *bw.* involuntarily, inadvertently, unwittingly, in spite of o.s.; **onwillens** unwillingly, in spite of o.s.; *zie ook* willens

onwillig unwilling; refractory, recalcitrant; *zie* hond; ~**heid** unwillingness; refractoriness, recalcitrance

onwis (*lit.*) uncertain; ~**heid** uncertainty

onwraakbaar unchallengeable, unimpeachable [witness, authority], unexceptionable; ~**heid** ... ness

onwrikbaar immovable, unshakable, (as) firm as a rock, unwavering, unswerving [loyalty], unflinching [resolution *vastberadenheid*], [stand] four-square (*ook fig.*); *hij bleef ~, ook:* he was adamant; ~**heid** immovability, firmness

onyx id.

onz. = *onzijdig* n. (neuter)

onzaakkundig inexpert; unbusinesslike [methods]

onzacht rough, rude; *bw. ook:* none too gently; *in ~e aanraking komen met* come into sharp contact with, get a nasty blow from; ~**heid** ... ness

onzalig unholy, wretched; *te ~er ure* in an evil hour

onze our; *de* (*het*) *~* ours; *zie* ons

onzedelijk immoral, obscene [books, etc.]; ~**heid** immorality, vice

onzedig immodest; ~**heid** immodesty

onzeewaardig unseaworthy; *'t schip werd ~ verklaard* the vessel was condemned; ~**heid** unseaworthiness

nzegbaar *zie* onuitsprekelijk

nzeker uncertain, doubtful, problematic; [their fate remains] in doubt, [those things are still] in the lap of the gods; (*onvast*) shaky [hand], unsteady [walk, hand, steps], unsure [steps]; unsettled [weather, state of things]; (*onveilig*) unsafe, insecure; (*wisselvallig*) precarious [existence]; *processen zijn* ~e *dingen, ook:* lawsuits are chancy things; *alles is* ~ everything is in the air; *in 't* ~e *laten* leave [a p.] in doubt, leave [a thing] undecided, keep [a p., a thing] in the air; *in 't* ~e *zijn omtrent* be in uncertainty as to ...; *in 't* ~e *zijn, of* ... be doubtful whether ...; *omtrent 't lot van negen mannen verkeert men nog in 't* ~e nine men are still unaccounted for; ~**heid** uncertainty, incertitude, doubt; shakiness, unsteadiness; insecurity; precariousness; *vgl.* ~; *een tijd van* –, *ook:* a time of suspense

nzelfstandig dependent on others; ~**heid** dependence on others, want of firmness

nzelfzuchtig(heid) *zie* onbaatzuchtig(heid)

nze-lieve-heersbeestje ladybird; (*Am.*) ladybug

nze-lieve-vrouwebedstro woodruff

nzent: *te(n)* ~ at our house (place), in our country, over here, at home; ~**halve** for our sake(s), as far as we are concerned; *ook* = *van* ~**wege** on our behalf, on our part; *om* ~**wil** for our sake(s); **onzerzijds** on our part

Onze Vader Our Father; *'t onzevader* the Lord's Prayer

onzichtbaar invisible; ~ *maken*, (*van mist bijv.*) blot out [the landscape]; ~**heid** ...ness, invisibility

onzienlijk invisible; *de O*~e the Unseen, the Invisible

onzijdig neutral; (*gramm.*) neuter; *zich* ~ *houden* remain n.; ~e (*mogendheid, enz.*) neutral (power, etc.); ~**heid** neutrality

onzin nonsense, bosh, (tommy-)rot, rubbish; ~ *uitkramen* talk stuff and n., talk rot (rubbish, drivel, tripe), talk through one's hat; ~! *ook:* fiddlesticks!

onzindelijk unclean, uncleanly, dirty; ~e *redenering* impure reasoning (argument); ~ *geschrijf* dirty scribbling; ~**heid** unclean(li)ness, dirtiness

onzinkbaar unsinkable [ships]

onzinnelijk transcendental

onzinnig nonsensical, absurd, senseless, insensate [jealousy]; ~e *praat* inept chatter; ~**heid** absurdity, nonsense

onzuiver impure; (*van weegschaal, gewichten, enz.*) unjust; (*muz.*) out of tune, false [note]; (bruto) gross; ~ *beeld* false (inexact) picture; ~e *waarneming* inexact observation; ~ *in de leer* unsound in the faith, heterodox; ~**heid** impurity

ooft fruit; ~**boom** f.-tree; ~**bouw** f.-culture; ~**handel** f.-trade; ~**kunde** pomology; ~**mand** f.-basket; ~**teelt** f.-growing; ~**teler** f.-grower; ~**verkoper** f.-seller, fruiteer

oog eye (*ook van naald, tak, aardappel, pauwe-*

staart, anker, molensteen, traproede; ook: lus van koord); (*van knoop*) shank; (*op dobbelsteen, enz.*) pip, spot, point; (*in brood, kaas*) hole; (*in laars, japon, enz.*) eyelet(-hole); (*van schaar*) bow; *zie ook* haak; **geheel** ~ *zijn* be all eyes; *'t* ~ *van de* **meester** *maakt 't paard vet* the best manure is the farmer's footstep; *zijn ogen* **gebruiken** use one's eyes; *zie* kost; *hoge ogen gooien,* (*fig.*) stand an excellent chance; ~ **hebben** *voor* have an e. for [*meer* ... *girls* have a keener e. for colour than boys]; *open* ~ *hebben voor* be (fully) alive to; *goede ogen hebben* have sharp eyes, h. good eyesight; *heb je geen ogen?* where are your eyes?; *'t* ~ *wil ook wat* (*hebben*) appearances also count; *ieder, die ogen in zijn hoofd heeft* anyone with eyes in his head [can see ...]; *zich de ogen uit 't hoofd* **kijken** stare one's eyes out; *mijn ogen gingen eindelijk* **open**, (*fig.*) I had my eyes opened at last; *dat heeft me de ogen geopend* that has been an eye-opener to me; *toen gingen hem de ogen open,* (*fam.*) then he had an eye-opener; *zie* openen; *hij had zijn ogen niet in zijn zak* he did not miss much; *geen* ~ *in 't zeil* **houden** keep an e. on things, keep a sharp look-out, keep one's weather-eye open; *men kan er geen* ~ *op houden* [there are so many cars,] you cannot keep track (*of:* count) of them; *'t* ~ **houden** *op* ... watch a p.'s interests; *zie* oogje; *'t* ~ **slaan** *op* (cast a) look at; *wat het* ~ *niet ziet, deert het hart niet* what the e. does not see, the heart does not grieve over (about); *je ogen zijn* **groter** *dan je maag* your eyes are bigger than your stomach; *zijn ogen* **sluiten** *voor* shut one's eyes to, connive at, blink [facts]; *geen* ~ *toe-, dichtdoen* not sleep a wink, not get a wink of sleep; *zie* oogje; *grote ogen* **opzetten** open one's eyes wide; *hij zette grote ogen op, ook:* he stared, it made him stare (sit up); *hij heeft ogen van* **achter** *en van voren* he has eyes at the back of his head; *de hand* **boven** *de ogen houden* shade one's eyes with one's hand; *in 't* ~ *der wet* in the e. of the law; *in de ogen des Heren* [wicked] in the sight of the Lord; *in mijn* ~ in my eyes (opinion, judg(e)ment); *in zijn eigen ogen, ook:* [he was a coward] in his own esteem; *ik heb wat in mijn* ~ I've got something in my e.; *in 't* ~ **houden** keep an e. (have one's e.) upon [a p.], keep [a p., s.t.] in view, bear [s.t.] in mind; *houd hem in 't* ~, (*in de gaten*) watch him [*goed* closely], watch what he does, keep an e. (a watch) on his movements; *in 't* ~ **krijgen** catch (gain) sight of; (*fam.*) spot; *iem.* (*vlak*) *in de ogen zien* look a p. (full) in the face (in the e.); *in 't* ~ **lopen** strike the e.; *'t zou te veel in 't* ~ *lopen* it would look too marked (would be too obvious, too conspicuous, too pointed); *in 't* ~ **lopend** flagrant [error]; *'t valt je dadelijk in 't* ~ it hits you in the e.; *in 't* ~ ~ **springen** (*vallen*) strike (catch) the e., be obvious (manifest), stand out; *ook:* (*gall.*) leap to the eye(s) [those advertisements simply jump at you]; *in 't* ~ **springend** (*vallend*) conspicuous, striking, obvious, salient [points, features], marked [characteristics], glaring [mistakes, defects]; *in 't ~ vallend schoon* strikingly beautiful; *met 't ~ op* in view of [the facts], in consideration of [his age], with a view (an e.) to [the future, that possibility], [take measures] against [the day when he will arrive]; *met blauwe ogen, ook:* blue-eyed; *met droge ogen* [she sat] dry-eyed; *met grote ogen* [she stared at them] round-eyed, large-eyed, with round (large) eyes; *met mijn eigen ogen* [I saw it] with my own eyes; *dat kan men wel met een half ~ zien* you can see it with half an e.; *iem. met een goed ~ beschouwen* look favourably (kindly) on a p.; *iem. naar de ogen zien* toady to a p.; *hij hoeft niemand naar de ogen te zien* he has no one to consider (is his own man); *zonder iem. naar de ogen te zien* [speak one's mind] without fear or favour; *~ om ~ en tand om tand* an e. for an e. and a tooth for a tooth; *iem. iets onder 't ~ brengen* point out s.t. to a p., draw someone's attention to s.t.; remonstrate with a p. on s.t.; *hij deed 't onder mijn ogen* before my eyes (face), under my very nose (eyes); *kom mij nooit weer onder de ogen* don't let me see your face again, never let me set eyes on you again; *ik durf hem niet onder de ogen te komen* I dare not look him in the face; *wanneer deze regels je onder de ogen komen* when you read these lines; *het bericht is mij niet onder (de) ogen gekomen* has not come my way; *onder de ogen krijgen* set (*fam.*: clap) eyes (up)on; *de dood, enz. onder de ogen zien* face death (a difficulty, a fact, the truth, the situation), look death (facts, etc.) in the face, face up to [a p., the fact, problem, danger, situation], envisage [danger, facts]; *de gevolgen onder de ogen zien, ook:* face the music; *de feiten ('t vraagstuk) moedig onder de ogen zien* face facts (the problem) squarely; *een en ander onder 't ~ zien* take stock of the situation, review the whole affair; *op 't ~ on* the face of it, outwardly; *iets op 't ~ hebben* have s.t. in view (in mind, in one's eye); *wat kan hij toch op 't ~ hebben?* what can he be driving (aiming) at?; *de man, die ik op 't ~ heb* the man I have in mind; *hij had voor Piet een betrekking op 't ~* he had a situation in view for Peter; *zo op 't ~* at first sight, on cursory inspection; *op 't eerste ~* at first sight, on the face of it; *iem. de hoed over de ogen slaan* crush down (smash, knock) a p.'s hat over his eyes; *uit mijn ogen!* (get) out of my sight!; *uit het ~, uit het hart* out of sight, out of mind; long absent (seldom seen), soon forgotten; *kijk uit je ogen* have your eyes about you, keep your eyes open; look where you are going; *zie uit je eigen ogen* look with your own eyes; *ik kan niet uit mijn ogen zien* [I'm so tired] I can't see out of my eyes, *(van 't stof)* I cannot see for the dust; *nu zie je uit heel andere ogen* now you look at it in quite a different light; *de gierigheid kijkt hem de ogen uit* he has stingi-

ness written all over his face; *de slaap ziet je de ogen uit* sleep hangs in your eyes; *zie verliezen; met dit doel voor ogen* with this end in view; *... die wij voor ogen h.* [the ideal situation] which we envisage; *(alleen) voor 't ~* (only) for show, for the look of the thing; *'t is bij hem alles voor 't ~* he is all outside show; *voor ogen houden* be mindful of, keep in mind; *iem. iets voor ogen houden* hold s.t. before a p., impress a thing upon a p.; *zij werd haar vriendin voor ogen gehouden als ...* she was held up to her friend as a model of perfection; *zich een doel voor ogen stellen* set a purpose before one's eyes; *'t toneel, dat hem voor ogen stond* the scene in his mind; *ik kon geen hand voor ogen zien* I could not see my hand before my face; *zie verder* afhouden, blind, bloot, naald, schaar, schamen, traan, treffen, uitsteken, vallen, vier, wrijven, enz.

oog: **~appel** apple of the eye, eyeball, pupil; *(oogbol)* eyeball; *(fig.)* the apple of one's e.; **~arts** oculist, e.-surgeon, ophthalmic surgeon; **~bad** e.-bath; **~bal** eyeball; **~beschermer** *zie ~*scherm; **~bol** eyeball; **~bout** e.-bolt; **~druppelaar** *zie ~*spuitje; **~druppels** e.-drops; **~getuige** eye-witness; **~getuigeverslag** e.-w. account; *(sp.)* running commentary; **~glas** *(monocle)* (single) e.-glass; *(van kijker)* e.-piece, ocular; **~haar(tje)** eyelash; **~heelkunde** ophthalmology; **~heelkundig** ophthalmological; *-e* ophthalmologist; *zie ook ~*arts; **~hoek** corner of the e.; **~holte** orbit, e.-socket; *op ~*hoogte at e.-level, on a level with one's e.; **~je** (little) e.; eyelet; *een ~ hebben op* have an e. to [a girl, etc.], have designs upon, have one's e. on [the Premiership]; *een – dicht doen (toedoen)* turn a (the) blind e. to *(of:* on) s.t., shut one's eyes to s.t., close the other e., wink at s.t., make allowances, strain (stretch) a point; *iem. –s geven* ogle (make eyes at) a p., *(sl., van meisje)* give a p. the glad e.; *een – houden op* keep an e. on, give an e. to; *zie oog (... in 't zeil)*; **~jesgoed** huckaback; **~kamer** chamber of the e.; **~kas** *zie ~*holte; **~keuring** e.-test, (eye)sight-test(ing), e.-examination; **~klep** e.-flap; blinker, *(Am.)* blinder *(ook fig.)*; **~klier** e.-gland; **~kwaal** e.-disease, [suffer from] e.trouble; **~lid** eyelid; *met zware ~leden* heavy-lidded [eyes]; **~lijder** e.-patient; **~lijdersgesticht, -inrichting** eye *(of:* ophthalmic) hospital; **~lijk** pleasing to the e., attractive, handsome; **~luikend:** *– toelaten* connive (wink) at, condone; *-e toelating = ~*luiking connivance; *een goede ~*maat *hebben* have a correct (sure) e.; **~merk** object in view, design, aim, intention; *met 't – om* with a view to ... ing; *(jur.)* with intent to [hurt, etc.]; **~middel** ophthalmic remedy; **~onderzoek** *zie ~*keuring; **~ontsteking** inflammation of the e., ophthalmia; **~opslag** look, glance; *bij de eerste – at* the first glance; *met één – at* a glance; **~punt** point of view, viewpoint; *(perspectief, enz.)* visual point; *uit een – van geld* from the money point of view, [consider] in terms of money; *uit verschillende –en bekijken* view from different angles; *uit 't – van kunst* from an artistic point of view; *uit 't – van zedelijkheid* from the point of view of morality; *uit militair (handels-, financieel) –, ook:* militarily, commercially, financially; *(harde)* ~rok sclerotic (coat), sclera; ~schaduw e.-shadow; ~scherm e.-shade, -shield; ~sidderen nystagmus; ~spiegel ophthalmoscope, e.-speculum; ~spier eye (visual, ocular) muscle; ~spuitje e.-syringe, e.-dropper

▪ogst *('t oogsten, oogsttijd, opbrengst)* harvest; *(opbrengst meestal)* crop(s); *(van wijn)* vintage; *de letterkundige ~ van 1894* the literary output of 1894; *een goede (overvloedige) ~ opbrengen* crop well (heavily); ~bericht crop report; ~combine combine harvester; ~en reap, harvest, gather; *(fig.)* reap [glory], earn [gratitude], win [distinction]; *ondank –* get little thanks; *grote lof –* win golden opinions; *hij ~te daarmee ...*; it earned (for) him the gratitude of ..., *vgl.* zaaien; ~er reaper, harvester; ~feest h.-home; ~lied h.-song; ~maand h.-month, August; ~machine harvester, harvesting-machine; ~tijd h.-, reaping-time; ~veld h.-field; ~vooruitzichten crop prospects

▪og: ~tand eye-tooth, canine tooth; ~verblindend dazzling; ~vlek spot on the e.; ~vlies tunic *(of:* coat) of the e., *(hard)* cornea; ~water e.-wash, -water, -lotion; ~wenk *zie* ogenblik; ~wit white of the e.; *(fig.) zie* ~merk; ~zalf e.-salve; ~zenuw optic nerve; ~ziekte *zie* ~kwaal

▪oi ewe

▪oievaar stork; *de ~ heeft het gebracht* it was found under the gooseberry bush, the stork brought it, the doctor brought it in a black bag; ~sbeen s.'s leg; *(pers.)* spindle-shanks; ~sbek s.'s bill; *(plant)* crane's bill; ~sbloem sword- *(of:* yellow) flag; ~snest s.'s nest

▪oilam ewe-lamb *(ook fig.)*

▪oit ever, at any time; *heb je ~ van je leven!* did you e.? *wel heb ik ~!* well, I never!; *de opkomst was groter dan ~ (te voren)* the attendance was a record one; *die er ~ bestond, enz., (eig. Am.)* the best friend (the funniest sight) ever; *hij is ~ nog kok geweest* at one time ...

▪ook also, too, as well, likewise; *– de kleinste gift* even the smallest gift; *ik ben er ~ nog, a)* they still have me to fall back upon; *b)* they still have me to reckon with; *en het is ~ nog duur* and it is expensive, too; *en Jan ~, ook:* John among the rest; *hij is ziek en ik ~* and so am I; *hij is een gek, en jij ~* and so are you, and you are another; *ik ben blij, dat ...; ik ~, (fam.)* same here; *hij is niet ziek, en ik ~ niet* nor am I; *ik weet het niet, en jij ~ niet* nor (neither) do you, nor (do) you either; *ik wist ~ niet ...* I also didn't know ...; *hij is geen genie, maar jij ~ niet* but no more are you; *ik wist 't niet, en 't kon me ~ niet schelen* and I didn't care, either; *hij is ~ zo jong niet meer* he is none so (none too) young either;

dat hád (wás, dééd) hij ~ niet nor had (was, did) he!; *ze kon een kansje hebben, en ~ wel niet* she might have a chance, and again she might not; *waarom ging je (dan) ~ niet?* but then, why didn't you go?; *waarom zou hij het ~ doen?* what should he do it for?; *je kunt je dan ~ niet verwonderen, dat ...* you cannot wonder, then, that ...; *zie ook:* dan; *wat je ~ zegt* whatever you may say, say what you like; *wat ik ~ deed* do what I would; *waar hij ~ zij* wherever he may be; *ik krijg ~ nooit wat* I never do get anything; *wat doet hij ~ op straat?* what business has he (what is he doing) in the street?; *en hij dééd het ~* and he did (it) too; *..., maar of hij het ~ doet ...* but whether he will really do it ...; *ik trachtte het mij te herinneren, en ik herinnerde het mij ~ ...* and I did remember; *je bent ~ altijd uit* you always happen to be out [when I call]; *wanneer was dat (hoe heet hij) ~ (al) weer?* when was that (what is his name) again?; *heeft hij ~ kinderen?* has he any children?; *~ brieven? ~ nieuws?* any letters? any news?; *~ een mooi koopje!* a nice bargain, indeed!; *~ een vraag!* what a question to ask!; *~ een prettig plaatsje! (iron.)* a cheery place, I don't think!; *da's óók gek!* (that's) very strange indeed!; *da's óók wat!* what a nuisance!; *hij is bang voor honden, en dat is ~ wel te begrijpen ...* and that is, indeed, understandable; *zie ook* al, alleen, hoe, maar, wie, zijn, enz.

ooöliet oolite

oom uncle; *(fam.)* = ~pie nunk(e)y; *~ (ome) Jan, zie* janoom & lommerd; *hoge ome* great (big) gun, bigwig, nob, big noise, V.I.P. (= Very Important Person); ~zegger nephew; ~zegster niece

oor ear *(ook van kruik, kopje, enz.); (van mand, enz.)* handle; *(van pan)* (bow-)handle; *(in boek)* dog's ear; *'t gaat 't éne ~ in en 't andere uit* it goes in at one e. and out at the other; *ik ben geheel ~* I am all ears; *iem. de oren van 't hoofd eten* eat a p. out of house and home; *(geen ~) hebben voor muziek* have an e. (no e.) for music; *iems. ~ hebben* have a p.'s ear; *wie oren heeft om te horen, die hore, (bijb.)* he that hath ears to hear, let him hear; *ik heb er wel oren naar* I rather like the idea; *hij had er dadelijk oren naar* he fell in with it (with the idea) at once; *hij had er geen oren naar* he would not hear of it; *ergens een open ~ voor hebben* give ready e. to s.t.; *de oren laten hangen* hang one's head (one's ears); *zijn ~ te luisteren leggen* put one's e. to the ground [he has had his e. to the ground]; *de oren opsteken* prick (up) one's ears; *zijn oren sluiten voor* turn a deaf e. to, close (stop) one's ears to; *de oren spitsen* prick up one's ears; *(fig. ook)* strain one's ears; *ze spitsten de oren, ook:* ears were cocked; *zijn oren staan ver van het hoofd* his ears stick out; *de oren toestoppen* stop *(of:* hold) one's ears; *iem. aan de oren trekken* pull a p.'s ears; *aan z'n ~ houden* hold to one's ear; *hij legde zijn hand achter 't ~* he cupped his hand behind (against, to) his e.; *zie* achter & krabben; *met een half ~ luisteren* listen with half an e.; *met hangende oren,* (*fig.*) crest-fallen; *iem. wat om de oren geven* box a p.'s ears, give a p. a thick e.; *iem. om de oren gooien met* fling [abuse, etc.] at a p.; *hij ligt nog op één ~* he is still in bed; *zijn hoed op één ~ zetten* cock one's hat; *met zijn hoed op één ~* his hat (tilted) over one e.; *'t* (*varken*) *is op een ~ na gevild* we're on the last lap, it's all over bar the shouting; *'t kwam zijn vrouw ter ore, ook:* it came round to his wife; *kleuren tot achter de oren* colour up to one's ears; *tot over de oren in 't werk* up to one's ears (eyes, neck) in work; *tot over de oren verliefd* (*in de schuld*) over head and ears (head over ears) in love (in debt; *ook:* up to the eyes in debt); *alleen voor uw ~ bestemd* [that is] in your private e.; *zie ook* aannaaien, bewegen, door, droog, knopen, lenen, suizen, treffen, tuiten, vel, wassen, zaniken, enz.; ~**aap** galago; ~**ader** auricular vein; ~**arts** ear specialist, aural surgeon, aurist

oorbaar becoming, beseeming, proper, decent; ~**heid** propriety, decency

oor: ~**bel** ear-ring; ~**beschermer** ear-tab; ~**biecht** auricular confession

oord region, province, place, [holiday] resort; (*munt*) *zie* oortje

oordeel[1] judg(e)ment, opinion, (*jur.*) judg(e)ment, sentence; (*van jury; ook van dokter,* '*t publiek, enz.*) verdict; *zie ook* onderscheid (*oordeel des ...s*); *algemeen ~* consensus of opinion; *gezond ~* sound j.; *het laatste ~* the last j., the day of the Lord, j.-day, the day of. j.; *'t was een leven als een ~* the noise was enough to raise the dead; *er ontstond een leven als een ~* pandemonium (*of:* Hell) broke loose; *zijn ~ voor zich houden* keep one's (own) counsel; *zijn ~ uitspreken* express one's opinion [*over* on], give one's verdict [*over* on]; *een ~ vellen* pass j. [*over* on]; *nog geen ~ vellen, zijn ~ opschorten* reserve one's j.; *ik kan er geen ~ over vellen* I cannot judge of it; *zich een ~ over iem. vormen* sum up a p.; *dat laat ik aan uw ~ over* I leave it to your j. (*of:* discretion); *met ~ kiezen* choose with discernment; *naar* (*volgens*) *mijn ~* in my j. (*of:* opinion), to my mind; *ik ben van ~ dat ...* I am of (the) opinion that ...; *de rechtbank was van ~ dat ...* the Court held that ...

oordeel: ~**kundig** judicious, discreet; ~**sdag** day of judg(e)ment, judg(e)ment day, day of the Lord, doomsday; ~**skracht** power of judg(e)ment; ~**velling** judg(e)ment

oordelaar judge

oordelen judge [*over* of]; *zie ook* van oordeel zijn; *oordeelt niet, opdat gij niet geoordeeld wordt* judge not that ye be not judged; *ik kan*

daarover even goed ~ als jij I am as good a judge of that as you; *te ~ naar* (judging) from [his age], [a sailor] by [the looks of him]; *~ naar de schijn* judge by appearances; *oordeel zelf* judge for yourself, use your own judg(e)ment

oor: ~**getuige** ear-witness; ~**hanger** e.-drop; ~**heelkunde** otology; ~**holte** cavity of the e.; ~**ijzer** (gold, silver) casque; ~**klep** e.-flap, -protector; ~**klier** parotid (gland); ~**knopje** e.-ring, e.-stud

oorkonde *a*) charter, deed, document, instrument, record; (*vooral mv.*) muniment; *b*) [illuminated] address; *ter ~ waarvan* in witness whereof; ~**nboek** cartulary, register of documents and records, roll-book

oor: ~**kruiper** earwig; ~**kussen** pillow; *zie* ledigheid; ~**kwal** aurelia

oorlam drink ration, allowance of gin, dram, rum ration; *een ~ nemen* (*geven*), (*mar.*) *ook:* splice the main-brace

oor: ~**lap** *zie* ~klep; ~**lel** ear-lobe, -lap; ~**lepeltje** e.-pick; ~**lijder** e.-patient

oorlog[2] war, warfare; *de Zevenjarige ~* the Seven Years' W.; *de Grote ~* the Great W.; *grote* (*kleine*) *~* major (minor) w.; *koude ~* cold w.; *'t wordt ~* it will be w.; *de ~ aandoen* make (declare) w. (up)on; *tot* (*de*) *~ overgaan* go to w.; *de ~ verklaren* declare w. [*aan* (up)on]; *~ was verklaard,* (*fig.*) the gloves were off; *'t recht om ~ te verklaren en vrede te sluiten* the right to resolve on peace and w.; *~ voeren* wage (make) w. [*tegen* against, on]; *er werd ~ tussen hen gevoerd* a w. was carried on between them; *in staat van ~ zijn* in a state of w.; *in ~ zijn, ~ hebben* be at w. [*met* with]; *de in de ~ gedoden* the w.-dead; *zie* verminkt; *de eerste jaren na de ~* the early post-war years; *ten ~ trekken* go to the wars; *Groot-Brittannië vóór* (*na*) *de ~* pre-war (post-war) (Great) Britain; ~**en** *zie* ~ voeren

oorlogs-[3] war: ~**bazuin** w.-trumpet; ~**begroting** (*in oorlogstijd*) w.-budget, (*algemeen*) Army, Navy & Air Force Estimates; ~**behoeften** = ~benodigdheden military stores, (am)munition(s); ~**bodem** *zie* ~schip; ~**buit** w.-booty, spoils of w.; ~**contrabande** contraband of w.; ~**correspondent** w.-correspondent; ~**daad** act of w.; ~**ellende** misery of war; ~**fakkel** torch of w.; ~**feit** warlike deed (*of:* exploit); ~**film** w.-film; ~**gebruik** usage of w.; ~**gedenkteken** war memorial; ~**gerucht** rumour of w.; ~**gevaar** *a*) danger of w.; *b*) danger from w.; ~**geweld** acts of w., force of arms; ~**gezind** *zie* oorlogszuchtig; ~**god**(**in**) w.-god(dess); ~**graf** war grave; ~**handelingen** acts of war, hostilities; ~**haven** naval port; ~**inspanning** war effort; ~**invalide** w.-invalid, w.-cripple, (w.-)disabled ex-serviceman; *de −n ook:* the w.-disabled; ~**kas** w.-chest; ~**kosten** expenses of (the) w.; ~

---

[1] *Zie ook* mening
[2] *Zie ook* strijd
[3] *Zie ook* krijgs-

kreet *zie* strijdkreet; ~lasten w.-taxes; ~lening w.-loan; ~leus *zie* strijdleus; ~macht military forces; ~materieel w.-material; ~misdadiger w.-criminal; ~moe(de) w.-weary; ~moeheid w.-weariness; ~molest(verzekering) w.-risk (insurance); ~noodzaak military necessity; *op 't* ~pad on the w.-path; ~partij w.-party; ~propaganda w.-propaganda; ~ramp w.-catastrophe; *-en, ook:* evils of (the) w.; ~recht w.-law, law of w.; *-en* belligerent rights; ~risico *zie* ~molest; ~roem military glory; ~rumoer tumult of w.; ~schade [insurance against] w.-damage; ~schatting w.-contribution; ~schip w.-ship, man-of-war; ~schuld *a)* w.-debt; *b)* w.-guilt; ~sterkte w.-strength, w.-establishment, fighting-strength; *op* – at w.-s., on a w.-footing; ~stoker warmonger; ~terrein *zie* ~toneel; ~tijd time of w.; wartime conditions; ~toebereidselen preparations for w.; ~toeslag w.-bonus; ~toestand state of w.; wartime conditions; ~toneel theatre (*of:* seat) of w.; *op dit* – in this theatre of w.; ~tuig implements of w.; ~uitrusting w.-equipment; ~vaan banner of w.; ~vaartuig *zie* ~schip; ~veld field of battle; ~verklaring declaration of w.; ~verleden wartime record; ~verminkte *zie* ~invalide; ~veteraan veteran, ex-serviceman; ~vloot navy, fleet; ~wee(ën) evils of w.; ~wet law of w.; ~winst w.-profit; *'t maken van* – w.-profiteering; ~winstmaker w.-profiteer; ~zuchtig bellicose, warlike, war-minded; *-e geest* warlike (drum-and-trumpet) spirit; ~zuchtigheid bellicosity

oorlog: ~voerend belligerent; *de -en* the belligerents, the parties at war; ~voering conduct of (a, the) war, waging war; ~zaaier warmonger

or: ~merk, *-en* (*van schapen en varkens*) earmark, ear tag; *-en,* (*fig.*) earmark; ~ontsteking inflammation of the ear; (*wet.*) otitis; ~pijn e.-ache; ~rand rim of the e., helix; ~ring e.-ring; ~schelp auricle, concha, shell of the e.; ~sieraad e.-ornament, -jewel; ~smeer e.-wax; (*wet.*) cerumen; ~speekselklier parotid gland; ~spiegel otoscope, auriscope, e.-speculum

orsprong origin, fountain-head, source; *zie* voortkomen uit

orspronkelijk original, primitive, primary; *-e bewoners* o. inhabitants, natives, aborigines; *hij is* ~ *uit Mexico* he is of Mexican origin, a native of Mexico; *in 't -e lezen* read [a book] in the o.; ~heid originality

or: ~spuitje ear-syringe; ~suizing singing (ringing) in the ears, tinnitus; ~telefoon earphone; ~tipje lobe of the ear

ortje farthing, doit; *geen* ~ *waard* not worth a fig (a straw, a brass farthing); *hij kijkt alsof hij zijn laatste* ~ *versnoept heeft* he looks blank (sheepish, like a (dying) duck in a thunderstorm)

or: ~trompet ear-trumpet; ~tuiten tingling of the ears; ~uil *zie* ransuil; ~veeg box on the e.; *iem. een* – *geven* box a p.'s ears; ~verdovend deafening; ~verscheurend e.-splitting, -pier-

cing; ~vijg *zie* oorveeg; ~was *zie* ~smeer; ~watje e.-plug; ~worm, ~wurm e.wig; *hij zet een gezicht als een* – he looks like a bear with a sore head, his face is as long as a fiddle

oorzaak cause, origin; ~ *en gevolg* c. and effect; *de* ~ *van alle moeilijkheid, ook:* the root of all the trouble; *dit was de* ~, *dat hij ... liet varen* this caused him to abandon the plan; *kleine oorzaken hebben grote gevolgen* small causes produce great effects; *gelijke oorzaken, gelijke gevolgen* like produces like; *ter* ~ (*oorzake*) *van* on account of; ~aanduidend, oorzakelijk causal; oorzakelijkheid causality

oorzenuw auricular nerve

oorzieke ear disease

oost east [the wind is ...]; *de O~* the East, the Orient; (*onze O~, hist.*) the Dutch East Indies; (*officiële naam*) Netherlands India; ~ *west, thuis best* there is no place like home

Oost-Afrika East Africa

oostblok(landen) Eastern bloc (countries)

oosteinde east end

oostelijk eastern, easterly; ~ *van U.* (to the) east of U.; ~ *aanhouden,* (*mar.*) make easting; ~ste easternmost (the ... province)

oosten east; *'t* ~ the East, the Orient; *'t verre* (*'t nabije*) ~ the Far (the Near) E.; *ten* ~ *van* (to the) east of; *zie* midden-~

Oostende Ostend

Oostenrijk Austria; ~er Austrian; ~-Hongaars (*hist.*) Austro-Hungarian; ~-Hongarije (*hist.*) Austria-Hungary, the dual Monarchy; ~s Austrian; (*in verbindingen*) Austro-[German, etc.]

oostenwind east wind

ooster: ~grens eastern frontier; ~kim eastern horizon; ~lengte east(ern) longitude; *vgl.* westerlengte; ~ling Oriental, Eastern(er); ~poort eastern gate

Oosters Eastern, Oriental; *de* ~e *kerk* the E. church; *de* ~e *kwestie* the E. question; ~e *talen* Oriental languages; *kenner van* ~e *talen* Orientalist; *'t* ~-Romeinse Rijk the E. Empire

Oost-Europa East(ern) Europe

Oost: ~fries *bn. & zn.* East-Frisian; ~-Friesland East Friesland; o~ganger colonial soldier; ~goten Ostrogoths; ~gotisch Ostrogothic; o~hoek eastern corner; ~-Indië the East Indies, the Malay Archipelago; *zie* Oost (*onze ...*); ~indiëvaarder East-Indiaman; ~indisch East-Indian; *-e Compagnie* E.-India Company; *- geel* Indian yellow; *-e inkt* Indian ink, Chinese ink; *-e kers* nasturtium, Indian cress; *zie* doof

oost: ~kant east side; ~kust east coast; ~moesson north-east (*of:* dry) monsoon; ~noordoost east-north-east; ~passaat north-east trade wind; ~waarts *bw.* eastward(s); *bn.* eastward

Oostzee: *de* ~ the Baltic; ~handel Baltic trade; ~haven Baltic port; ~vaarder Baltic ship, timber-ship

oostzijde east side

Oostzone Eastern zone

oostzuidoost east-south-east

ootje small o; *iem. in het ~ nemen* make fun (a fool) of a p., pull a p.'s leg, chaff a p.

ootmoed humility, meekness, submission

ootmoedig humble, meek, submissive

ootmoedigheid *zie* ootmoed

op I *vz.* on, upon [the roof]; at [school], in [an office]; *~ je ...!* here's to your success (your new play, etc.)!; *leugen ~ leugen* [tell] lie upon lie; *een slot (sleutel) ~ de deur* a lock (key) to the door; *geen vizieren ~ 't geweer* no sights to the rifle; *~ een wenk ...* at a nod from A. he went out; *... ~ ... drinken* drink whisky on (the) top of champagne; *op zijn (eerlijk, enz.) gezicht* [engage a servant] on his face; *duel ~ de degen ('t pistool)* duel with swords (pistols); *~ gas koken* cook with gas; *~ zijn Hollands gekleed* dressed in (after) the Dutch fashion; *hoe heet dat ~ zijn Hollands?* what is that in Dutch?; *ze zag er ~ haar mooist uit* she looked her prettiest; *~ de muziek* [dance] to the music; *zingen ~ de muziek van de gitaar* sing to the guitar; *een ~ de vijftig* one in fifty (out of every fifty); *één telefoon ~ ...* one telephone to every fifty inhabitants (*zo ook:* one nurse to fifty sick men; a cup of vinegar to each gallon of water; the air-pressure is a ton to the square foot); *(benzineverbruik) 1 ~ 12* 35 (miles) to the gallon; *~ dat uur* at that hour; *~ 't uur (de minuut, enz.)* af to the very hour (the minute, etc.); *~ de Keizersgracht* [walk] in the ...; *~ zekere dag (morgen, enz.)* one day, etc.; *later ~ de dag (morgen, avond)* later in the day, etc.; *dag ~ dag* day after day; *~ mijn horloge, enz.* [it is three] by my watch (by the station clock); *zie* klok; *zij ziet er lief uit ~ deze foto* she looks nice in this photo; *~ de preekstoel* in the pulpit; *~ een stoomboot* on (board) a steamer; *~ een kasteel* [live] at a castle; *~ een eiland wonen* live in an island (*~ een eilandje, ook:* on an i.); *~ een eiland landen* land on an i.; *~ straat* in (*Am.:* on) the street; *~ zee* at sea; *kopen ~ juli*, (*hand.*) buy for July; *zie* bank, best, bevel, liggen, na, zichzelf, enz.; **II** *bw.* up; *~!* up!; *bajonet ~!* fix bayonet(s)!; *hij had iets ~* he had been having something; *de zon is ~* the sun has risen (is up); *hij is ~*, (*uit bed*) he is out of bed (up, astir, stirring), (*afgemat*) dead-beat, all in, knocked up, done (up), fagged (out), run down, (*afgeleefd*) worn out, (*financieel*) stony(-)broke, on the rocks; *het kleed is ~* the carpet is worn (out), (*opgenomen*) is up; *het is ~* there is nothing left; *het bier (geld, voedsel, de olie) is ~ (de kolen zijn)* ~ the beer (money, food, oil, coal) has (is) run out, is finished, we are (have run) out of beer, etc.; (*van menu*) beans are off; *~ is ~* when it's gone, it's gone; *de voorraad is ~* the stock is (has) run out, is finished (exhausted); *mijn klein geld is vrijwel ~* I've pretty well run out of change; *mijn geduld is ~* is exhausted; *'t gas (de lamp) is ~* the gas (the lamp) is alight (burning); *verder ~* further on; *~ en neer* [pace] up and down; *'t dek ~ en neer stappen* pace (up and down) the deck; *het gaat*

~ en neer met hem his health is going up and down; *met alles er ~ en er aan* with complete accessories, first-class; *het is er ~ of er onder* it is kill or cure, sink or swim (with me), neck (all) or nothing; *~-en-top* to the fingertips, every inch [a gentleman], all over, out and out; *~-en-top een ...*, *ook:* an aristocrat of aristocrats; *hij is ~-en-top mijn broer* my brother to a hair, the exact (spitting) image of my brother; *~-en-top een dwaas* a downright fool; *het raam wil niet ~* will not go up; *'t deksel wil er niet ~* the lid won't go on; *met een kegel er~* surmounted by a cone; *de grendel is er~* the bolt is on; *vraag maar ~* ask away!

opa grandad, grand-dad, grandpa

opaal opal; *~achtig* opalescent, opaline

opbaggeren bring up by dredging

opbakken bake (again), fry (again)

opbanken bank [fire]

opbaren place (up)on the (a) bier; *opgebaard liggen*, (*op praalbed*) lie in state

opbedelen beg, collect (by begging); cadge [a bit of food]

opbellen ring (up); (*tel. ook*) call (up), phone (up), (*fam.*) give [a p.] a ring, ring [a p.]; (*automatisch, ook:*) dial [a p., a number]

opbergen put away (*ook fig.: = gevangen zetten*), stow away, put in safe keeping, tidy away [toys], pack up, pack away; (*achter slot*) lock away, lock up; store, give house-room to [he offered to ... the few things I had]; (*in pakhuis*) store (away); (*in volgorde*) file [letters]; (*in vakjes*) pigeon-hole; *veilig opgeborgen, ook:* safely stowed (*ook van pers.*)

opbergmap file; *-systeem* filing system

opbeuren lift up; (*fig.*) cheer (up), comfort; **opbeuring** lifting up; (*fig.*) comfort

opbiechten confess, own up; *hij biechtte alles eerlijk op* he made a clean breast of it

opbieden: *~ tegen* bid against, make a higher bid than, try to outbid

opbinden bind (tie, do) up

opblaasbaar inflatable; **opblaasboot** inflatable dinghy; **opblazen** blow up (out), inflate, puff out (up) [one's cheeks]; (*brug, enz.*) blow up; (*fig.*) exaggerate, magnify [a matter] (out of all proportion), boost [the press ...ed it into a national crisis]; *blaas maar op*, (*tegen muzikanten*) blow away; *zie* opgeblazen

opbleken *tr. & intr.* bleach, whiten

opblijven sit (stay, wait) up [for a p.]

opbloei flourishing [of art, etc.]; (*economic*) prosperity; *~en* (begin to) flourish; prosper

opbod: *verkoop bij ~* sale by (at) auction; *bij ~ verkopen* sell by (at) auction, auction

opboksen struggle (*tegen* against, with); *niet tegen iem. k. ~* be no match for a p.; *moeten ~ tegen* have to contend with (against)

opbollen puff up, bag, bulge (out)

opboren bore out

opborrelen bubble (*of:* well) up; *-ing* bubbling (welling) up, upwelling

opborstelen brush (up), give a brush

ɔpbossen bind in bundles (sheaves)
ɔpbouw building, erection, construction; build-up [of a programme]; (*stichting*) edification; (*germ.*) upper structure; **~en** build up (*ook fig.*): ... instead of pulling down); *weer* – reconstruct, rebuild; *een nieuw bestaan* – build a new life; **–d** constructive [policy]; (*stichtelijk*) edifying, improving [reading]; **–de kritiek** constructive criticism; **~ing** *zie* opbouw

ɔpbranden *tr.* burn (down), consume; *intr.* be burnt (down)

ɔpbrassen (*mar.*) brace up

ɔpbreken I *tr.* (*openbr.*) break up (open); tear (take, dig, pull, *zeld.*: break) up [the street], take (pull) up [the floor], tear up [the railway track]; (*afbr.*) take down, strike [tents]; (*beleg*) raise [the siege]; (*huishouden*) break up [the household]; *de straat is opgebr.* is up; *opgebroken rijweg* road up; *zie* kamp; II *intr.* strike (break) camp, break up; (*van ijs, enz.*) break up; (*oprispen*) repeat; *dat zal je (zuur)* ~ you will suffer for it, (*bedreiging*) you shall pay for it; **-ing** breaking up (open), etc.; *vgl. 't ww.; break-up* [of the household, etc.]

ɔpbrengen (*omhoogbr.*) raise, carry up(-stairs); (*opdienen*) bring up, serve (up) [dinner]; (*grootbrengen*) bring up, rear; (*opleveren*) bring in [one pound a week], yield [profit]; (*bij verkoop*) realize [£100], fetch [a price, a great deal of money], command [a handsome premium]; (*betalen*) pay [taxes]; (*arresteren*) run in [a thief]; (*schip*) seize, capture; *zoveel kunnen wij niet* ~ we cannot pay (*of:* afford) so much; *'t zal de onkosten niet* ~ it won't defray the cost; *hij kon er geen belangstelling voor* ~ he could not bring himself to take an interest in it; *moed* ~ muster courage; *begrip* ~ *voor* show understanding of (sympathy for) [air problems]; (*sp.*) *de bal* ~ carry the ball forward (upfield)

ɔpbrengst (*produktie*) output, produce, out-turn; (*van oogst, belasting, enz.*) yield [the ... per acre; milk-...]; (*geldelijk*) proceeds (*steeds mv.*); *jaarlijkse* ~ purchase [sell at 20 years' ...]

ɔpbruisend effervescent; (*fig.*) hot-tempered, i-rascible; ebullient [idealism]; **~heid** irascibility; ebullience, -cy

ɔpbruising ebullition

ɔpcenten surtax, surcharges on taxes

ɔpcommanderen summon

ɔpdagen turn (*of:* show) up, come along; *weer* ~, *ook:* pop up again

ɔpdat (so) that, in order that; ~ *niet* that ... not, (*lit.*) lest; ~ *een schikking mogelijk is* ... for a settlement to be possible two things are necessary

ɔpdelen divide up

ɔpdelven dig up; *zie ook* opdiepen

ɔpdienen serve (up), dish up; *er werd (is) opgediend* dinner was (is) served

ɔpdiepen (*sloot, enz.*) deepen; (*fig.*) unearth, hunt (rout, ferret) out, dig up; *iets uit een zak,*

enz. ~ fish up s.t., fish s.t. out of a bag

opdikken bulk [paper, yarn]

opdirken trick out (up), dress up, (*fam.*) prink, doll up, tart up; *zich* ~ trick o.s. out (up), dress up, (*fam.*) prink (o.s. up), doll o.s. up, titivate o.s.; *opgedirkt*, (*ook:*) overdressed

opdissen serve (up), dish up, put on the table; (*fig.*) dish up [a story], serve up [scandal]; (*sl.*) pitch [a tale, a yarn]

opdoeken furl, make up [sails], gather up [sails, flags]; (*fig.*) do away with; (*zaak*) shut up shop, put up shutters; (*ophoepelen*) clear out, hop it

opdoemen loom (up) [a form ...ed up in the darkness, dangers ...ed ahead]; *het doemde op voor mijn verbeelding* it loomed before my imagination

opdoen (*inslaan*) lay in [a stock of ...], get in [coal for the winter]; (*opdienen*) *zie aldaar;* (*opmaken*) do up [linen]; (*verkrijgen*) obtain, get; pick up [information, knowledge], gain (acquire) [experience]; (*ziekte*) contract, take, catch [a disease]; *waar hebt ge uw Frans opgedaan?* where did you pick up your French?; *de ondervinding* ~, *dat* ... discover by experience that ...; *zich* ~ arise; *er deden zich zwarigheden op* difficulties arose (presented themselves); *hij wachtte, of zich iets zou* ~ he waited for something to turn up; *zodra de gelegenheid zich opdoet* as soon as an opportunity offers (presents itself); *als er zich iets vermakelijkers opdoet* if s.t. more amusing crops up

opdoffen (*sl.*) doll up

opdoffer *zie* opstopper

opdokken (*fam.*) fork (*of:* shell) out, cough up (the cash), stump up; *zie* afschuiven 3

opdonder *zie* opstopper; **~en:** *donder op!* get lost!, piss off!, get to hell out of here (it, this)!; *zie* uitrukken

opdooi (soil instability owing to) thaw; (*opschrift*) frost damage

opdraaien turn up [the lamp, the light]; twist up [one's moustache, hair]; *ergens voor* ~, (*sl.*) take the rap; *iem. ervoor* (*voor de kosten, enz.*) *laten* ~ let a p. in for it (for the cost, etc.); leave all the work for some one else to do; *ik moest ervoor* ~ I had to pay the piper (to stand the racket, to hold the baby); *opgedraaid* upturned [moustache]; (*fam.*) *zie* opgewonden

opdracht (*last*) charge, commission, instruction, mandate, order; (*taak*) task, assignment; (*zending*) mission; (*van commissie*) (terms of) reference [the committee adhered rigidly to its terms of r.; broad (wide) terms of r.]; (*van boek, enz., gedrukt*) dedication; (*geschreven*) presentation inscription; (*van Christus in de Tempel*) presentation; ~ *geven* instruct, commission; *buiten zijn* ~ *gaan* go beyond one's commission; *ik heb in* ~ *om* ... I am instructed (directed, commissioned) to ...; *de ... had* ~ *om* ... the frigate was under orders to ...; *in* ~ *handelen* act under orders; *in* ~ *van* by order of, by the direction of, [built] to the order of; *in ~ van de regering* by government order; *in ~ van ... deel ik u mede* I have been instructed by ... to inform you; *(gezonden) in ~ van de schrijver* with the author's compliments; **~gever** principal

opdragen (*naar boven dr.*) carry up(stairs); (*opdienen*) serve (dish) up, put on the table; (*gelasten*) charge, instruct, commission [a p. to ...]; (*boek, enz.*) dedicate [a book to a p.]; (*verslijten*) wear out [a coat]; *de mis ~* celebrate (say) mass; *wie heeft u dat opgedr.?* who has instructed you to do this (charged you with it)?; *mij is opgedr. u te berichten* I am directed (instructed) to inform you; *ik draag het aan uw zorg op* I recommend (commit) it to your care; *de u opgedr. taak* your appointed (allotted) task

opdraven (*fig.*) put in an appearance, present o.s., attend; *iem. laten ~* send for a p.

opdreunen rattle (*of:* reel) off, drone [a lesson]

opdrijven force (run, send, push) up, inflate [prices]; (*effecten*) boom, bull; *examencommissies drijven hun eisen op* examining bodies are tightening up their requirements; *wild ~* start game; **-ing** forcing up, etc., inflation [of prices]

opdringen I *intr.* press (push) on (forward), push closer; II *tr.: iem. iets ~* thrust (force, press) s.t. (one's opinion, attentions, etc.) upon a p., (*sterker*) cram (ram, thrust, force, push) s.t. down a p.'s throat; impose [a policy] on a p.; *de oorlog (de kandidaat, enz.) werd ons opgedr.* was thrust upon us; *zich ~ aan* intrude upon, obtrude (force, thrust, press) o.s. upon [a p., a p.'s company, notice], (*sterker*) inflict o.s. upon; *ik dring mij nooit op* I never force my company on others; *de vraag drong ...* the question forced itself on me; *reclames dringen ...* advertisements shout at you; *zij drong zich aan hem op* she threw herself at him

opdringer obtruder, intruder

opdringerig obtrusive, intrusive, officious; **~e reclame** insistent advertisement; **~heid** ... ness

opdrinken drink, drink up, finish, empty, drink (*of:* toss) off

opdrogen dry up, desiccate; (*van stroom, bron*) dry up, run dry; **~d** (*middel*) desiccative; **-ing** ... ing; desiccation

opdruk (*op postzegel*) overprint, surcharge; *postzegel met ~* overprinted (surcharged) stamp

opdrukken impress (*of:* imprint) on; *deze woorden waren opgedrukt op ...* the stamp was overprinted with these words, these words were superimposed on the stamp

opduikelen *zie* opdiepen

opduiken I *intr.* emerge; (*fig. ook*) turn (crop, pop) up; *weer ~*, (*van pers., vraagstuk*) re-emerge, (*van gerucht, onderw.*) crop up again; (*van duiker, enz.*) surface; II *tr.* zie opdiepen

opdunnen (*ook fig.*) thin (down, out)

opduvel *zie* opstopper; **~en** *zie* ophoepelen

opduwen push (up); **opdweilen** mop up, swa up; **opdwingen** *zie* opdringen

opeen[1] together, one upon (on top of) anothe **~drijven** drive t., round up [cattle, criminals **~dringen** crowd t.; **~hopen** heap (pile) up, a cumulate; *zich ~*, (*van menigte*) crowd t.; **-i** accumulation [of work], congestion [of tra fic], [traffic] jam, congeries [of houses, star half-truths]; crowd, mass [of people]; (*v sneeuw*) snow-drift; **~jagen** *zie* ~drijven; **knijpen**: *met ~geknepen lippen* with tight lip **~pakken** pack up, pack t.; *dicht ~gepa* (tightly-)packed [the ... crowd], crowde [houses]

opeens all at once, suddenly

opeen: **~schuiven** push (shove) together; (*dich* **~staan** stand (close) t.; **~stapelen**, **-ing** *zie* hopen, **-ing**; **~tassen** *zie* ~hopen; **~volgen** *zie* ceed (follow) each other; **-d** successive, co secutive [for ten ... days]; *zie ook* achteree volgend; **-ing** succession, sequence [of event

opeis: **~baar** claimable; *zie ook* opvorderbaa **~en** claim [money, luggage], demand; *alle aa dacht voor zich ~* monopolize the attention

opeising demand, summons

open open [door, field, carriage, wound, cour try, face, question, letter; *ook: niet versterk* town & *ijsvrij*: harbour, river, winter, weat er], open-necked [shirt], unsealed [envelope vacant [post]; (*van kraan*) on; *~ en bloot* [ca ried them] openly, [it was lying there] for a to see; *~ been* sore leg; *~ krediet* o. (*of:* blank credit; *~ dak*, (*van auto*) sunshine (*of:* slidin roof; *~ haard* o. fire; *in de ~ lucht* in the ope (air); *met ~ ogen* with o. eyes, with one's ey o.; *~ plaats*, (*betrekking*) vacancy, (*~liggen* exposed place, (*niet versterkt*) open town; *plek*, (*wond*) sore, (*in bos*) clearing, glade; *polis* o. (*of:* floating) policy; *de ~ zee* the sea; *in de ~ zee* in the offing, on the high sea *'t kan ~ en dicht* it is made to open and sh *'t raam wil niet ~* the window won't open; *gas (de waterleiding) is niet ~* the gas (th water) is not on; *~ met iem. spreken* be (frank) with a p.; *zie* arm, deur, kaart, taf enz.

openbaar public; **-bare lagere school** (state) pr mary school; **-bare les**, (*van lector, enz.*) i augural lecture; **-bare gelegenheden** places public resort; *~ lichaam* p. authority; *~ nut bedrijf* p. utility service; *de -bare weg* th public road, the King's highway; *~ make* make p., publish, disclose, divulge [a p. name], promulgate [a sentence *vonnis* ventilate [one's grievances]; *in het ~* in p.; *het ~ spreken* public speaking; *de (rechts)zaa in 't ~ behandelen* try the case in open cour *zie* aanklager, ministerie, publiek, enz.; **~he** publicity [give ... to the speech]; **~making** pub lication, disclosure, promulgation; *vgl.* ~

openbaren reveal, disclose, divulge; *zich ~*, (*v ziekte, enz.*) *ook:* declare (manifest) itself; *zi* geloof openbaarde zich in ... his faith manifested itself in ...; geopenbaarde godsdienst revealed religion

openbaring revelation, disclosure; de O~ (van Johannes) the R. (of St. John the Divine), the Apocalypse, (fam.) (the) Revelations; wat een ~! what an eye-opener!

open: ~barsten burst (open) (ook: doen –); ~breken break o. (of: in), force (o.), burst [a door], prize (pry) o. [a lock, a packing-case], crack [a safe], prize [the lid] off; ~doen tr. open; zie mond; intr. answer the door (bell, ring); wil je tante –? will you o. to Auntie?; er werd niet ~gedaan there was no answer (to the bell); ~d(o)uwen push (thrust, shove) o.; ~draaien open, unscrew; de kraan ('t gas) – turn on the tap (the gas)

openen open [a door, meeting, credit, campaign, shop, an account, the debate, etc.], open up [new fields of trade], unclench [one's fists]; iem. de ogen ~ open a p.'s eyes (voor to), undeceive a p.; 't park werd voor 't publiek geopend was opened (thrown open) to the public; 't vuur ~ op o. fire on; 't seizoen ~ met Hamlet, ook: lead off with H.; zich ~ open; zie weg, enz.

open: ~er id.; ~gaan open; come o. [the purse (the door) came o.]; (van knop ook:) burst; de deur ging ~, ook: swung o.; de deur gaat naar binnen en buiten ~ opens inward and outward; mijn hart gaat ~ my heart opens (expands), (van vreugde) leaps with joy; ~gewerkt o.-work [stockings, basket; exploded [drawing]; ~gooien throw (fling) o. [the door, etc.]; 't raam wijd ~, ook: fling the window wide; ~halen tear [one's hand]

openhartig open-hearted, outspoken, frank, plain, plain-spoken, straight [be ... with one another]; heart-to-heart [talk]; zie ook: rond(uit); ~heid ...ness, candour

open: ~heid openness, frankness, sincerity; ~houden keep open; hold [the door] o. [for a p.]; iems. baantje voor hem ~ keep o. (save) a p.'s job for him, (fam.) keep a p.'s job warm for him; zie mond

opening id. (ook bij schaaksp.); aperture; interstice [...s between the teeth], gap [in a hedge]; mouth [of a bag]; ~ van zaken geven give full information about the state of affairs; ~skoers opening price; ~srede, -woord opening (inaugural) address (speech); ~stijden hours of opening (of business)

open: ~kappen hew (cut) open; ~krabben scratch o.; ~krijgen get o.; ~laten leave o.; leave [the tap kraan] on; ruimte – leave a blank; ~leggen lay o. (of: bare) (ook fig.); disclose [plans]; turn up [a card], lay [a card] face up; open up [a country]; ~liggen lie o. (of: naked) [voor before]; zie wereld; ~lijk open, public; zijn –e bedoeling his avowed intention; –e agressie overt aggression; –e opstand outright (open) rebellion; –e verkenning, (mil.) reconnaissance in force; –e vijandschap open enmity; zie dag; ~lopen burst [the door]; walk [one's

feet] sore, skin [one's heels]

openlucht- open-air [school, restaurant, theatre]; outdoor [sports]; -maaltijd ook: alfresco meal; ~spel o.-a. (outdoor) game; (theat.) o.-a. play; ~voorstelling o.-a. performance

open: ~maken open, unlock [the door], undo [a parcel]; ~rijten rip up (ook fig.: old sores); tear [one's finger on a nail]; weer – re-open [old wounds]; ~rukken tear (wrench) o.; ~schaven graze [one's knee]; ~scheuren tear o., rip o.; ~schuiven push o., shove up [the window], draw back [the curtains]; ~slaan open [a book], knock o.; –de deur folding door(s); (tegelijk raam) French window; –d raam casement (-window); ~sluiten unlock; ~snijden cut o., open [(the pages of) a book]; split [herrings]; niet~gesneden unopened [volume]; ~spalken, ~sperren open wide, distend [the eyes, nostrils]; ~gesperde ogen dilated eyes (met ..., ook: wide-eyed); ~splijten split (up); ~springen burst (o.), split (up); (van huid) chap [...ped hands], crack [...ed lips]; ~staan be (stand) o. [the door is still o. to negotiations]; be vacant; (van rekening) be unpaid (unsettled); zie gaskraan; zijn huis staat voor iedereen open he keeps open house; er staan me twee wegen ~ there are two courses o. to me; [zo ook: the only profession o. to him]; er staat mij geen andere weg ~, ook: there is no alternative; ik sta altijd ~ voor nieuwe voorstellen I am always accessible to new suggestions; –de rekening unpaid (of: outstanding) account; ~steken broach [a cask]; pick [a lock]; prick [a blister]; (met lancet) lance [a tumour]; ~stellen open, throw o. [to the public]; zie inschrijving; ~stelling opening; ~stoten push o.; cut [one's shin]

openteren (mar.) go aloft

op-en-top zie op II

open: ~tornen rip up; ~trappen kick open; hack [a p.'s shin]; ~trekken open, draw (pull) back [the curtains], uncork, open [a bottle]; ~vallen fall o.; cut [one's knee]; (van betrekking) fall (become) vacant; ~vliegen fly o.; ~vouwen unfold, open out [a newspaper]; ~waaien be blown o.; blow o.; ~werpen throw o.; zie ~gooien; ~zetten open; de deur – voor misbruiken open the door to abuses

opera a) id.; b) = ~gebouw; ~bouffe opera bouffe; ~comique comic o.; ~gebouw o.-house; ~gezelschap o.-company, operatic company; ~tenor operatic tenor

operateur operating surgeon, operator; (van film) operator, projectionist

operatie operation [aan ... on (of: to) one's eyes]; een grote (kleine) ~ a major (minor) o.; een ~ ondergaan wegens ... undergo an o. for appendicitis; ... na een ~ post-operative [care]; ~basis base of operations

operatief operative, surgical [treatment]; -tieve heelkunde operative surgery

operatie: ~gebied area of operations; ~kamer, -mes, -stoel, -tafel operating-room, -knife, -chair, -table; ~terrein (mil.) theatre of opera-

tions; (*fig.*) sphere of one's operations; ~**zaal** operating-room; (*met zitplaatsen voor studenten*) operating-theatre; ~**zuster** theatre nurse
operationeel operational [research]
opera: ~**wereld** operatic world; ~**zanger(es)** opera-singer, operatic singer
opereerbaar: (*niet*) ~ (non-)operable [case]; *niet* ~ inoperable [cancer]
opereren operate (*ook mil.*); *iem.* ~ o. (up)on a p.; *dit kan geopereerd worden* this is an operable case; *van kanker geopereerd* operated upon for cancer; *iem. aan z'n maag* ~ operate on a p.'s stomach
operette operetta, musical comedy
operment orpiment
opeten eat, eat up, finish (up) [one's soup]; *hij zal je niet* ~ he won't eat you; *zie* opvreten
opfleuren *tr. & intr.* brighten (up), cheer up; buck up [trade is ...ing up]; *zie* opmonteren
opflikken patch (*of:* fake) up
opflikkeren flare up, (*sterker*) blaze up; (*van zieke*) rally; *zie ook* opmonteren; (*volkst.*) *zie* opdonderen; -**ing** flare-up (*ook fig.*), flicker [of hope, life], rally
opfok breeding; ~**ken** breed, rear; (*van motor*) tune up
opfrissen I *tr.* (*verkwikken*) refresh, freshen (up), revive; (*kennis, enz.*) rub (brush, touch, polish) up [one's English]; refresh, rub up, jog [a p.'s memory]; *je kunt je hier wat* ~ you can have a wash and a brush-up here; II *intr.* freshen (up); *daar zul je van* ~, (*fig.*) it will make you sit up; -**ing** refreshment, [his memory received a] refresher
opgaaf (*mededeling*) statement (*verkeerde* ~ misstatement), report; (*officieel*) return(s); (*voor belasting*) return [make false ... s]; (*taak*) task; *een hele* ~ a tall order; (*oefening*) exercise; (*vraagstuk*) problem; (*op exam.*) paper, question; *met* ~ *van* stating [age, details]; *zonder* ~ *van redenen* [dismissed] without reasons given; *de schriftelijke opgaven* the written work, the papers
opgaan (*stijgen*) go up, rise (*zie* gordijn); (*van zon*) rise; (*bestijgen*) go up [the stairs], mount, ascend [a hill]; (*voor exam.*) go in [for an examination]; (*van deling*) terminate [the division does not ...; *zie* gaan op]; (*opraken*) run out [my money is running out]; *'t meeste geld ging op aan boeken* went in books; *de pudding was helemaal opgegaan* all the pudding had been eaten; *de straat* (*de barricaden*) ~ take to the streets (mount the barricades); *de lichten gingen op* the lights went up (came on); *zie* licht; *er gaan stemmen op* ... voices are heard ...; *dat gaat niet op* that won't do [*bij mij* with me], that won't wash (won't work); *de grap* ('*t plan*) *ging niet op* the joke fell flat (the plan didn't work); *die redenering gaat niet langer op*-that argument will no longer ·erve; *zulk een excuus gaat niet op* will not hold water; *dat gaat niet in alle gevallen op* that doesn't hold (good) in all cases; *hij gaat te veel op in zichzelf* he is too much

taken up with himself, is too self-centred (sel engrossed); *hij gaat geheel in haar* (*in zijn werf op* he is entirely wrapped up in her (is al sorbed in his work, is quite taken up with .. his work is everything to him); *de schrijv gaat in zijn onderw. op* enters fully into h subject; *geheel in elkaar* ~ be all in all to (t wrapped up in, be bound up in) each othe *geheel in de menigte* ~ be lost in the crowd; *bewondering* ~ be lost in admiration; (*va onderneming, tijdschrift, enz.*) be merge (merge) [with (in) another]
opgaand rising [sun], ascending [line *linie*]; ~ *decimale breuk* (*deling*) terminating decima (division); ~ *hout* (*geboomte*) forest timbe timber trees; ~ *metselwerk* above-groun masonry; *op- en neergaande prijzen* see-saw (ing) prices; *in zichzelf* ~, *zie* opgaan
opgang (*van zon*) rise; (*fig.*) rise, growth, succes (*van woning*) entrance; *vrije* ~ direct acce from front door; ~ *en neergang* ebb and flow ~ *maken* become popular, catch on [the ide caught on], take [the article did not ...]; *h zal* ~ *maken* he is sure to make a stir in th world; '*t stuk maakte veel* ~ made a great h
opgaren *zie* vergaren
opgave *zie* opgaaf
opgeblazen puffed [cheeks], puffy, swoller (*fig.*) puffed up, swollen [with pride], bloate bumptious, flatulent; *een* ~ *beschrijving* an ir flated description; ~**heid** puffiness [beneat one's eyes]; bloatedness, bumptiousness, fla ulence, (*sl.*) swelled head
opgebruiken use up, consume, finish [a bottl of medicine]
opgedirkt, -gehoopt *zie* opdirken, enz.
opgeheven raised, upraised, uplifted [hea hand], tilted, lifted [chin], upturned [face]; *m ~ hoofd* with head erect
opgelaten: *zich* ~ *voelen* feel had
opgeld agio; ~ *doen* be in great demand, be at premium, be the vogue; (*fam.*) be all the rag catch on
opgelegd (*mar.*) laid-up [ships]; veneered [ta ble]; *dat was* ~ (*pandoer*) that was a cert (*Am.* a cinch); *zie* opleggen & taak
opgepropt crammed [*met* with], [the benche were] packed
opgericht *zie* opgeheven & oprichten
opgeruimd cheerful, good-humoured, in hig spirits; *zie ook* opruimen; ~**heid** cheerfulnes· high spirits
opgescheept, -geschikt *zie* opschepen, enz.
opgeschoten: ~ *jongen*, (*gunstig*) strapping lad (*ong.*) overgrown (*of:* weedy) boy, hobblede hoy; (*nozem*) teddy-boy; *zie* opschieten
opgeschroefd inflated, bombastic, stilted; ~ *vrolijkheid* forced gaiety
opgesmukt tricked out, showy, gaudy; *zie* op smukken; ~**heid** showiness, etc.
opgestopt stuffed
opgestreken *zie* zeil
opgetogen enraptured, elated [*over* at, about rapt; ~ *van blijdschap* in a rapture of deligh

~ *staan van bewondering* stand in rapt admiration; ~**heid** rapture, ecstasy, elation

opgeven I *ww.* (*aanreiken*) hand up; (*afgeven*) hand over; (*braken*) spit [blood], cough (fetch) up, expectorate; (*taak, enz.*) set [a p. a task, a paper, lessons, homework, impositions *strafwerk*], give out [a hymn, text], ask, propose, propound [a riddle]; (*vermelden*) give [one's age, a false name], (*voor belasting*) return [an increase in income; ... one's income at £600 *als*]; (*reden, condities, enz.*) state, give [the reason, conditions, terms]; (*laten varen*) give up [hope, the fight, a plan, a post], give over [a habit, study], scrap [a scheme], abandon [the attempt, a position], relinquish [a connection], resign [control], drop [a plan], throw up [one's post], ('*t roken, enz.*) give up, leave off [smoking, cards and cards [cigars]; (*schaaksp.*) resign, give up; (*een zieke*) give up, condemn; *de patiënt geeft nogal op* expectorates a good deal; *het ~,* (*bezwijken*) give out [his strength, eyes, boots, gave out]; *mijn benen gaven het op* my legs gave out; *ik geef 't op* I give it up (as a bad job); *ik geef 't niet op* (*geef niet gewonnen*) I'm not going to give in, to knuckle under; *hij geeft 't nooit op* he never knows (won't admit) when he is beaten; ('*t*) *nooit ~, jongen!* never say die, boy!; *geef op!* hand (it) over!; *wij gaven 't op elkaar te overtuigen* we agreed to differ; *hoog (breed) ~ van* speak highly of, make much of, boast of; ... *waarvan zo hoog wordt opgeg.* our boasted (much-advertised) civilization; *een bestelling ~* give an order; *verkeerd (te hoog, te laag) ~* misstate (overstate, understate) [one's age, etc.]; *zij wil haar naam niet ~* she refuses (to give) her name; *zich ~, zie* aangeven, aanmelden; *zich ~ als lid,* (*ook:*) enrol oneself as a member; *zie ook* hoop, moed, enz.; **II** *zn.:* '*t ~* ...ing; expectoration [of blood, phlegm]

opgewassen: ~ *zijn tegen* be a match for [a p.], be equal (be up) to [the task]; *ik ben niet tegen hem ~* I am no match for him, cannot hold my own with him; *tegen elkaar ~ zijn* be well matched; *niet ~ zijn tegen, ook:* be unable to cope with [the difficulties]; *hij toonde zich tegen de moeilijkheden ~* he rose to the occasion (the emergency, the crisis), proved himself equal to the occasion

opgewekt cheerful, buoyant (*beide ook van de markt*), genial, animated, in high spirits; *hij is verbazend ~* his flow of spirits is something wonderful; ~ *binnenkomen* breeze in; *hij werd ~er* his spirits rose; ~**heid** cheerfulness, high spirits, good humour, buoyancy

opgewonden excited, heated [words]; flushed [with joy]; ~ *zijn, ook:* (*fam.*) be worked up, be in a great state [*over* about]; *zie* standje

opgewondenheid excitement, agitation; *er heerste grote ~, ook:* feeling ran high

opgezakt: ~*e lading* bagged cargo

opgezet stuffed [animals]; swollen [cheek, face]; enlarged [liver]; ~*te kleur* flush; *een ~ gevoel* full feeling, feeling of fulness; *groot ~* full-

dress [debate], ambitious [programme]

opgezetheid puffiness, bloatedness

opgieten pour [water, etc.] upon

opgooi toss; *de ~ winnen* win the toss; ~**en** throw up, toss (up); *zullen wij erom –?* shall we toss (up) for it?; *zie* balletje; ~**spelletje** (*met centen*) [play] pitch-and-toss

opgraven dig up, dig out, unearth; exhume [a dead body]; excavate [an old town, a skeleton]; -**ing** excavation, dig; (*van lijk*) exhumation

opgroeien grow up; ~ *tot* grow (up) into; ~*de jeugd* teenagers, adolescents

ophaal (*van letter*) upstroke, hair-line; ~**brug** drawbridge, lift-bridge; ~**dienst** *zie* reinigingsdienst; ~**gordijn** blind; ~**net** square net

ophakken cut (*of:* hew) open; (*fig.*) brag, swank, swagger

ophakker braggart, swaggerer; ~**ig** bragging, swaggering; ~**ij** brag(ging), swank, swagger

ophalen (*omhooghalen*) draw up, pull up, raise [the blind], hoist [a flag], run up [the curtain at the theatre, a flag]; recover [a body from the river]; land [a fish]; sniff (in) [the fresh air], inhale [smoke]; shrug [one's shoulders]; turn (wrinkle) up [one's nose: *over* at]; (*inzamelen*) collect [books in class, votes, money, rent, taxes, refuse], salvage [paper]; (*goedmaken*) repair [a loss], make up [a loss, a deficiency]; (*bij wedren*) pull up; (*weer ~*) revive [old differences], resurrect [a grievance], bring up [a memory]; *geld ~, ook:* send the hat round; '*t ~ van huisvuil* rubbish removal; '*t schoolwerk ~* collect the papers; '*t anker ~* weigh anchor; *ik zal jullie allen met mijn auto ~* I'll come and collect you all in my car; *zie ook* afhalen; *zijn Frans ~* brush up (polish up) one's French; *een slecht cijfer ~* improve on a poor (examination) mark; *hij kan het niet meer ~* he cannot retrieve it; (*wat*) ~, (*in gezondheid, bij spel, enz.*) pick up (*ook van effecten, enz.*) stocks have picked up a little); *haal dat niet weer op* don't drag (*of:* bring) that (story) up again, don't rip up old sores (re-open the old wound), let bygones be bygones; *herinneringen ~, ook:* indulge in reminiscences; *zie ook* openrijten, optrekken, grond, hart, neus, enz.

ophaler collector

ophanden at hand, approaching, imminent

ophangen hang, hang up [*aan een spijker* on a nail], hang out [the washing], suspend [*aan 't plafond* from the ceiling]; (*telef.*) hang up, replace the receiver; *een schilderij ~* hang (put up) a picture; *een somber tafereel ~ van* paint a gloomy picture of; *een verhaal ~* spin a yarn; *hij werd opgehangen* he was hanged; *hij hing zich op* he hanged himself; *daar wordt hij voor opgehangen,* (*fam.*) he'll swing for it; *iem. ~ aan* make a p. answer for [his words]; *iets aan iets ~* make s.t. depend on s.t.; *het hele verhaal is ... opgeh.* on this slender peg the whole story has been hung; -**ing** hanging, suspension

ophangpunt point of suspension

ophappen snap up

opharken rake together, rake up; (*aanharken*) rake [the garden]; *'t opgeharkte* the rakings

ophaspelen reel

ophebben have on [a hat]; (*taak*) have to do; (*'t eten, enz.*) have eaten, have finished (one's bread and butter]; *hij heeft te veel op* he has had a drop too much; *hij had er al een paar (had al een paar glaasjes) op* he'd already had a few (drinks); *veel ~ met iem.* make much (be very fond) of a p.; *veel ~ met iets* be fond of s.t., take kindly to [money]; *ik heb niet veel met hem (ermee) op* I don't care for him (for it); *ze had niet veel met hem op, ook:* she did not cotton (on) to him; *ik heb niet veel op met zulke nieuwigheden* I don't hold with such innovations; *met zichzelf ~ be* pleased with o.s., fancy o.s.

ophef fuss; *maak er toch niet zo'n ~ van* don't make such a fuss (*fam.:* a noise, a song, a song and dance) about it; *'t is niet de moeite waard er zo'n ophef van te maken*, (*fam.*) it's nothing to make a song about; *met veel ~ with* a great deal of fuss, with a great flourish of trumpets; *met veel ~ aangekondigd* much trumpeted [reforms]

opheffen (*gewicht, hand, hoofd, enz.*) lift (up), raise; (*ogen*) raise; (*zijn hart, enz.*) lift up [one's heart, mind, soul]; (*fig.*) lift [a p. out of his misery], elevate, raise [a nation]; (*afschaffen, te niet doen*) abolish, repeal, abrogate [a law], remove [doubt(s), import duties], close [a school], discontinue, close (down) [a business], dissolve, suppress [monasteries], take off, lift, remove, raise [the embargo], raise [the siege, boycott, blockade], annul [a bankruptcy]; (*geleidelijk*) phase out; (*neutraliseren*) neutralize [these forces ... each other], cancel [each other] (out); *'t verbod op ... werd opgeh.* the ban on German goods was lifted (removed, withdrawn); *de staking ~* declare (call) the strike off; *die twijfel werd opgeh., ook:* that doubt was set at rest; *de zitting werd opgeh.* the meeting was adjourned; the Court (Parliament, etc.) rose (adjourned); *zijn hart tot God ~* raise one's heart to God; *zijn hand ~ tegen* raise one's hand against; *zie opgeheven & lijn*

opheffing lifting (up); raising; elevation; neutralization, cancellation; abolition, repeal, abrogation; removal, withdrawal; annulment; dissolution, suppression; closing (down), discontinuance; termination [of the strike]; *vgl.* opheffen; *uitverkoop wegens ~* closing-down sale

ophelderen *tr.* clear up [a misunderstanding], explain, elucidate; *de situatie ~* clarify the situation; *intr.* (*van weer, gezicht*) clear (up), brighten (up); **-ing** explanation, elucidation, enlightenment, clarification; clearing (up), brightening (up); (*mil.*) *zie* verkenning

ophelpen help up, raise

ophemelen extol, praise to the skies, cry (crack,

write) up, puff [one's goods], boost

ophijsen hoist (up), run up [a flag]

ophitsen set on [a dog]; (*fig.*) set on, incite, in stigate, stir up, egg on, hound on; *tegen elkaa ~ set* [people] by the ears; **-d** inflammator incendiary [statements]; **-er** instigator; **-in** instigation, incitement, setting on

ophoepelen make off, make o.s. scarce, (*sl* hook it, cut it, hop it

ophoesten cough up [blood]; (*sl.*) money, story]

ophogen raise, heighten

ophollen tear (*of:* rush) up [the stairs]

ophopen heap (pile, bank) up; accumulate; *he materiaal hoopte zich op* materials accumu lated; **-ing** accumulation, heap, pile, drift [c snow]; *zie* opeenhoping

ophoren: *ik hoor er vreemd van op* I am sur prised to hear it, I am surprised at it; *daar z hij van ~!* it will be news (a startler) to him! *i* will make him sit up!

ophouden I *ww.* (*omhoogh.*) hold up [one' head, hold [an umbrella]; (*uitsteken*) hol out [one's hand]; (*op 't hoofd h.*) keep o [one's hat]; (*hoogh.*) keep up [a tradition, one' position, rank], uphold [one's honour, repu tation], live up to [one's reputation, rank] support [a cause], maintain [one's position, tradition]; (*tegen-, terugh.*) hold up [a train the work, the traffic, urine, the news for a da or two; proceedings were held up by ...]; (*iem.* detain, keep [a p.], take up a p.'s time [I won' keep you; he was kept]; (*bij verkoping*) with draw, hold over; (*uitscheiden*) stop, cease leave off, come to an end; (*met werken, fam.* knock off; pack up, pack it in; pause in one' work; ... *hield op bij zijn overlijden* the annuit died with him; *door de mist* (*de wind, 't ijs opgeh.* fog-, wind-, ice-bound; *houd op!* sto (it)!; (*met geklets, enz., fam.*) dry up!; *'t rege nen heeft opgeh.* it has stopped raining, th rain has left off; *de trein houdt overal op* stops at all stations; *~ te bestaan* cease to exist, g out of existence; (*van handelszaak, ook:*) dissolved; *houdt dat* (*gezanik, enz.*) *dan nooi op?* shall I never hear the last of it?; *dat heef me lang opgeh.* it has taken me long (quite length of time); *ik vrees, dat ik je lelijk heb opgeh.* I've wasted a lot of your time, I'm afraid; *hij hield haar mantel voor haar op* h held out her coat; *hij hield 't garen voor haar op* he held the wool (the cotton) for her; *~ met* stop, leave off [reading], cease [attending church], discontinue [one's visits, a news paper]; *met werken ~* stop work, (*fam.*) knock off; (*voorgoed*) stop working, retire; *ze hiela maar niet op met ...* she never stopped clap ping her hands; *ze had nooit opgeh. hem lief te hebben* she had loved him all along; *houd op met je gekakel* cut your cackle; *~ met vuren* cease fire; *waar houdt hij zich op?* where is he staying (where does he live) now?, (*fam.*) where does he hang out?; *zich onderweg in een paar plaatsen ~* stop (*fam.*: stop off) at one or two places en route; *zich ~ bij* hang about, loiter near [the house]; *ik wil mij bij dit punt niet ~* I will not dwell upon this point; *de plaats, waar hij zich ophoudt* his whereabouts; *ik wil me daarmee (met hem) niet ~* I will have nothing to do with it (with him); *daar houd ik me niet mee op* that's not my line; *zie bemoeien (zich …);* II *zn.: zonder ~* uninterruptedly, continuously, without intermission; *het heeft drie dagen zonder ~ geregend* it has been raining for three days running (at a stretch, on end)

opinie opinion; *naar mijn ~* in my o., to my mind, to my (way of) thinking; *van dezelfde ~ zijn als* be of the same o. as; *zie ook* dunk & mening; **~blad** political journal; **~onderzoek, ~peiling** public o. poll(s), Gallup poll(s)

opium id.; *~ schuiven* smoke o.; **~eter** o.-eater; **~handel** o.-traffic; **~kit** o.-den, *(sl.)* o.-dive; **~pijp** o.-pipe; **~regie** state monopoly of o. production; **~schuiver** o.-smoker; **~smokkelaar** o.-runner, -smuggler

opjaagdynamo booster dynamo

opjagen drive (away); *(wild)* start, rouse, put up [game], *(vogels ook)* flush [birds]; *(iem.)* urge (egg, spur) on, incite [a p.]; *(vijand)* dislodge [enemy from position], keep on the run; *(prijzen)* force (send, run) up [prices] *(zie* opdrijven); *('t bod)* force, run up [the bidding]; *vogels ~, (wegjagen)* shoo (away) birds; *de paarden ~ (in wilde vlucht)* stampede the horses; *iem. de trap ~* chase (drive) a p. upstairs; *iem. de straat ~* turn a p. out into the street; *zie* stof, land, enz.; **opjager** *(jacht)* driver, beater; *(bij verkoping)* by-bidder, puffer, runner-up; *(elektr.)* booster

opjuinen stir up, incite; **opjutten** egg on; *z. niet laten ~* refuse to get into a flap

opkal(e)fateren *tr.* patch up, refurbish; *intr.* recover

opkamer *(insteekkamer)* mezzanine room

opkammen comb (up); dress [a wig]; *iem. ~* praise a p. to the skies; *(fam.)* crack a p. up, *(vleien)* butter a p. up; **-merij** cracking up

opkijken look up [*naar* at]; *hij zal er (vreemd, gek, raar) van ~* that will be a surprise for him, it will make him sit up; *je zult ervan ~* you will be surprised (are in for a surprise); *zie* ophoren

opkikker *zie* hartversterking; **~en** *tr. & intr.* pep (buck, cheer) up

opkisten coffer [a dike]

opklampen ledge; *opgeklampte deur* ledged door

opklapbaar tip-up [chair]

opklapbed wall-bed; **opklappen** fold back

opklaren *tr.* clear up [the matter], elucidate; *intr. (van weer, gezicht, geest, enz.)* clear (up) [his mind (the sky) cleared], brighten (up); *(van gezicht ook)* light up; **-ing** bright (clear) period (interval)

opklauteren clamber up, shin up [a tree, a wall]

opkleuren *tr.* raise the colour of, give a fresh colour to; *intr.* regain colour

opklimmen climb (up), mount, ascend; *(fig.)* rise, get on in the world; *geregeld ~, (in moeilijkheid)* be carefully graduated; *~ tegen* climb up [a waterpipe]; *tot hoge betrekkingen ~* rise to high posts; *van onderen ~, (fig.)* rise from the ranks; *hij klom op tot generaal* he rose to be a general; *~de reeks (linie)* ascending progression (line); **-ing** ascent, graduation, climax

opkloppen knock [a p.] up; beat (whisk) [two egg-whites]; *(fig.)* embellish [a story]

opknabbelen munch, nibble [chocolates]

opknappen I I *tr. (netjes maken)* (make) tidy, tidy up [a room], spruce up [the children]; furbish up (refurbish) [a room, old furniture], do up, brush up, redecorate [a house]; recondition [a ship]; *(zieke)* put right, bring round, [the rest will] set [me] up; *(kleren)* patch up, touch up, do up [a gown]; *(zaak, enz.)* manage [matters], put [things] right, fix [things] up *(zie* vuil); *een karweitje ~* polish off (do) a job; *dat is gemakkelijk op te kn.* that can soon be put right; *zij weet dat wel op te kn.* she knows how to deal with it; *laten ~* have [the furniture, etc.] done up; *ik wil mijn huis laten ~* I want my house done up; *de zeereis heeft me verbazend opgekn.* the voyage has done me a world of good; *ons gesprek heeft me opgekn.* I feel the better for our talk; *~ met, (in* opschepen; *zich ~* tidy *(of:* smarten) o.s. up, make o.s. neat; II *intr. (van zieke)* pick up, recuperate; *(van uiterlijk)* improve; *'t weer knapt op* the weather is looking up; 2 *zie* opknabbelen

opknopen tie up [a horse's tail]; button up [one's trousers]; *(ophangen, sl.)* string (tuck) up

opkoken boil up, cook again; *(stoomketel)* prime [the boiler]

opkomen I *ww.* come up *(ook van gewas)*; *(trap, rivier)* come up [the stairs, the river]; *(van zon, enz.)* rise; *(van deeg)* rise; *(overeind komen)* get up, recover one's legs; *(verschijnen ter vergadering, voor examen, enz.)* present o.s., attend, *(jur.)* appear, *(na borgstelling)* surrender; *(opdagen)* turn up; *(van acteur)* come on, [he had to] go on; *(van koorts, storm, onweer, mist, enz.)* come on; *(van storm, onweer, schemering, ook:)* gather; *(van koorts, ook:)* set in; *(van wind)* rise; *(mil.: dienst nemen)* join the colours, join up, *(ontstaan, van steden bijv.)* arise, spring up, *(van mode)* spring up, *(van vraag, enz.)* arise, crop up; *(uit lage stand)* rise (in the world); *er komt nog niets op,* *(in tuin) ook:* there is nothing showing yet; *Hamlet komt op* enter Hamlet; *de koppeling laten ~* let in the clutch; *kom maar op!* come on!; *laat ze maar ~!* let them all come!; *er komt een onweer op* a (thunder-)storm is coming on (is gathering); *de pokjes zijn mooi opgekomen* the vaccine has taken beautifully; *'t tij (water, de vloed) komt op* the tide is coming in; *zulke vragen komen telkens op* are cropping up at every moment; *die gedachte kwam bij hem op* crossed (entered) his mind, occurred (came) to him, entered his head, *(kwam weer …)* recurred to him; *het vermoeden* *kwam bij hem op* was taking form in his mind; *toen kwam er een idee bij hem op* then an idea struck him; *'t komt niet bij me op* I should never dream of such a thing; *dat gevoel kwam langzamerhand bij mij op* stole in (up)on me; *dit voorval kwam plotseling weer bij mij op* this incident suddenly came back to me; *'t kwam in mijn brein (gedachten) niet op* it never entered my head; *tegen iets ~* object to (take exception to, protest against) s.t., challenge [a statement], deprecate [this practice]; *hij kwam niet op tegen ..., ook:* he did not quarrel with the decision; *ik kon niet tegen de wind ~* I could not make head against the wind; *hij is van niets opgekomen* he has risen from nothing; *hij zal er wel van ~* I daresay he'll pull through; *~ voor* champion [a cause], assert, vindicate [one's rights], hold a brief for [free trade], stand up for, (*fam.*) stick up for [a p., o.s., one's country], take up the cudgels for [a p.]; II *zn.* (*van acteur*) entrance; (*van politieke partijen, enz.*) emergence

opkomend rising [tide, generation, town, novelist], mounting [blush], coming [a ... place], nascent [ideas], oncoming [fever], incoming [tide]

opkomst rise [of the Republic], origin, emergence [of a school of thought]; (*van vergadering, wedstrijd, enz.*) attendance; (*bij verkiezingen*) poll, turn-out; (*onder de wapenen*) joining the colours, etc. (*zie* opkomen); (*van zon, maan*) rising; *een geringe ~* a small (poor) attendance; *hij is in zijn ~* he is a rising man; *een bedrijf in ~* a rising industry; *in ~,* (*fam.*) on the up and up, [television is] in the ascendant; **~plicht** compulsory attendance [at the polls]

opkoop buying-up; (*hist.*) engrossment, forestalling

opkopen buy up; (*hist.*) engross, forestall; *alle ter markt zijnde goederen ~,* (*hist.*) forestall the market; **-er** buyer-up; (*hist.*) engrosser, forestaller

opkorten draw in, shorten; *zie ook* korten & opschieten

opkrabbelen struggle (scramble) to one's feet, pick o.s. up; (*van zieke*) pick up

opkrassen (*weggaan*) make o.s. scarce, skedaddle; (*doodgaan*) pop off (the hooks), go west

opkrijgen (*oprapen*) pick up; (*op 't hoofd*) get on [a hat]; (*taak*) be set [a task]; *ik kan dat allemaal niet ~* I can't manage all that; *~ met* take (a fancy, a liking) to [a p., s.t.], cotton (on) to [a p.]; *veel ~ met* take a great liking to; *ik kreeg met hem (ermee) op* I got to like him (it)

opkrikken jack up [a car]; boost [morale]

opkrimpen shrink, contract; *de wind krimpt op* is backing; **-ing** shrinkage, contraction

opkroezen curl, crisp [the hair]

opkroppen bottle (*of:* cork) up [one's emotions, anger]; *zijn verdriet ~* eat one's heart out; *zijn haat ~* nurse one's hatred in silence; *opgekrop-*

te woede pent-up rage

opkruien (*in kruiwagen*) wheel up; (*van ijs*) drift; **opkruipen** creep (*of:* crawl) up [the steps; the thermometer was creeping up hour by hour]; (*van kleren*) work up, ride up

opkruisen beat up [against the wind]

opkrullen curl (up), frizzle

opkunnen: *dat kan ik niet alles op* I cannot eat all that; *het schijnt wel, dat je geld niet op kan* you seem to have no end of money; *ik kon mijn (hij kan zijn) plezier wel op* I had (he is having, he is in for) a pretty thin time; *hij kan de trap niet op* he can't get up the stairs; *daar kan ik niet tegen op* that beats me, that is too much for me; *je kunt niet tegen hem op* you are no match for him; *... dat de dokters er niet tegen op kunnen* there are so many patients that the doctors cannot cope with them

opkweken rear, nurse, breed, bring up, educate; **-er** rearer, breeder, bringer-up

opkwikken *tr.* refresh, freshen (up), brisk [a p.] up; *intr.* feel refreshed; *zie ook* opdirken

oplaag impression, printing [the 3rd ... is now available]; (*aantal gedrukte exemplaren van blad*) circulation, sale [a ... of over one million]; *de ~ is slechts 250 exemplaren* only 250 copies have been printed, the edition consists of 250 copies only; *in de ~ van heden,* (*van krant*) in to-day's issue

oplaaien (*ook fig.*) flare up, blaze (up); *de vlammen laaiden op tot ... ook:* leapt to a height of 80 feet; **-ing** flare-up

opladen load (up), lade; (*elektr.*) charge; **-er** loader; **-ing** loading, lading

oplage *zie* oplaag

oplappen patch up (*ook fig.*), fake up [an old horse], vamp up (*Am.* revamp) [old dramas], tinker up [a kettle; *ook fig.*], furbish up (refurbish) [old furniture]

oplaten (*vlieger*) fly [a kite]; (*kinderen*) allow to stay up; *zie* opgelaten

oplaveren beat up; **oplawaai** clip; *zie* opstopper

oplazeren (*plat*) fuck (piss) off

oplegblad veneer

opleggen (*op iets leggen*) lay on [paint, colours, varnish, etc.]; (*belastingen*) impose, lay on [taxes], (*boete, enz.*) impose [a fine, sanctions], inflict [a fine on a p.], (*straf*) inflict [punishment on ...], (*'t zwijgen*) impose (enjoin) [silence], (*geheimhouding*) enjoin [secrecy on a p.], (*iem. een taak, enz.*) set a p. a task, charge a p. with s.t., lay an obligation on a p.; (*wil*) impose [one's will on ...], bend [a p.] to [one's will]; (*schip*) lay up, mothball; (*hout, tafel*) veneer [wood, a table]; (*geld*) lay by [money]; (*kanon*) limber up [a gun]; (*in pakhuis*) store [goods]; *een paard een zadel ~* put a saddle on a horse, saddle a horse; *5000 exemplaren ~* have 5000 copies printed, pull 5000 copies; *een schatting ~* lay under contribution (*of:* tribute); *er een gulden ~* raise the price by one guilder, (*bij verkoping*) improve (raise) the bid by twenty-five guilders; *de* *handen* ~ lay on hands; *iem. de handen* ~ lay one's hands on a p.('s head); *zichzelf beperkingen* ~ exercise restraint; *zichzelf een zware taak* ~ set o.s. a difficult task; *zie* opgelegd, boete, enz.

oplegger trailer; **~combinatie** articulated vehicle

oplegging laying on, imposition, infliction, etc.; *vgl. 't ww.*; *(der handen)* laying on (imposition) of hands; **oplegsel** *(van japon)* trimming; *(van meubel)* veneer

pleiden *(eig.)* lead up(stairs); *(fig.)* train, tutor, bring up, educate; *hij werd voor monteur opgeleid* he was trained for a mechanic; *daar ben ik niet voor opgeleid* I have not been trained for it; *voor een examen* ~ prepare *(of:* coach) for an examination; *tegen een muur* ~ train [a plant] up a wall; **-er** instructor, teacher, tutor

pleiding training, schooling; **~scursus** training-course; **~smogelijkheden** training facilities; **~s-schip** training-ship; **~sschool** training-college, -school

plepelen spoon (up) [one's soup]; *(toedienen)* ladle out *(ook fig.)*; trot out [a story], rehearse [data]

pleppen lap up

pletten pay attention, attend [to a p.]; *let toch op!* do attend! do pay attention!; *je let niet op* you're not attending

plettend attentive, observant; **~heid** attention, attentiveness

pleven revive; *(van markt, enz., ook:)* recover, awaken to fresh activity; *doen* ~ revive

pleveren *(opbrengen) zie aldaar;* *(resultaat, enz.)* produce, give, yield [good results]; *(moeilijkheden)* present; *(aangenomen werk)* deliver (up), give delivery of; *gevaar* ~ pose a threat (prove a danger) [to]; *een moeilijkheid* ~ pose a problem; *verlies* ~ result in a loss; *niets (geen resultaat)* ~ be unsuccessful, be without result; *... leverde niets op, ook:* the inspection of the room yielded nothing, the visit was unproductive, the post-mortem produced a negative result; *goed wat* ~, *(van goudhoudend grind, mijn, enz.)* pan out well (handsomely); *wat levert het karwei op?* what does the job pay?; *deze betrekking levert een salaris op van ...* this position commands a salary of ...; *(van slachtbeest)* kill well [the ox killed 30 stone]; *de maatregel heeft veel goeds opgel.* has had a beneficial effect; *wat zal de dag van morgen* ~? what has tomorrow in store for us?; *wat levert 't me op?* [if I let him go] what is it worth to me?; *niets ~d* [years of] abortive [discussion]

oplevering *(van werk)* delivery; **~stermijn** term of d.

opleving revival; upswing [of liberalism]; [spiritual] uprising; [economic] recovery; *krachtige* ~ *van de vraag* upsurge of demand

oplezen read out, give out [the text], call over [the names]

oplichten lift [a table, veil, one's hat], lift up, raise; *(ontvoeren)* carry off, kidnap; *zie* lich-

ten; *(afzetten)* swindle, defraud; *iem.* ~ *voor ...* swindle *(of:* do) a p. out of £20, fleece a p. of large sums of money

oplichter swindler, sharper, crook, con-man; **~ij** swindle, swindling, fraud; **~sfirma** long firm; **oplichtster** *zie* oplichter

oplikken lick up, lap up

oploeven haul upon *(of:* to) the wind, luff (up), bear up

oploop tumult, row, riot; *(menigte)* crowd; *er was een* ~ a crowd had collected

oplopen *(de trap, enz.)* go (walk, run) up [the stairs]; mount [the taxi ...ed (ran on to) the pavement]; *(stijgen: van weg)* rise, slope upwards, *(van water)* rise; *(opzwellen)* swell (up); *(van kosten)* mount up [that ...s up], tot up; *(van prijzen, waren)* rise, go up, look up [rye is ...ing up], move up; firm up; *het kan tot zes maanden* ~ it can run to six months; *(vooruitlopen)* walk on; *(bekomen)* receive [injuries], contract [a disease], catch [a cold, a disease], sustain [cuts and bruises, injuries, damage], incur [punishment]; *(mar.)* overtake (overhaul) [a vessel]; *zijn wang is opgelopen* is swollen; *een rekening laten* ~ run up a bill (an account); *bij iem.* ~ come round, drop in *(zie* aangaan 2); *samen* ~ walk on *(fam.:* push along) together; *(een eindje)* walk a bit of the way together; *ik loop even met je op* I'll come (walk along) with you part *(of:* a bit) of the way, I'll walk your way a bit; *tegen iem.* ~ run (bump, barge, run full tilt) into a p., blunder against a p.

oplopend rising, sloping upwards, etc.; *zie 't ww.*; ~ *schip, zie* oploper

oplópend short-, quick-tempered, hasty, irascible; **~heid** quick temper, irascibility

oploper *(mar.)* overtaking vessel

oplosbaar soluble, (dis)solvable; **~heid** solubility, solvability; **oploskoffie** soluble coffee, instant coffee; **oplosmiddel** solvent

oplossen dissolve [in water, *tr. & intr.*]; solve [a problem, a riddle, the crisis], work out, do [crossword puzzles], unriddle [a mystery]; *een dissonant (een vergelijking)* ~ resolve a discord (an equation); *zich* ~, *(in vloeistof)* dissolve; *opgeloste stof* solute; *dit probleem zal zich gemakkelijk genoeg* ~ will solve itself readily enough; *kan iem. dat raadsel* ~? *(fig.)* can anybody unriddle that riddle?; **~d vermogen** resolution [of a lens]

oplossing *(in vloeistof, van moeilijkh., enz.)* solution [to a problem *voor*], resolution [of an equation, a discord]; *een* ~ *vinden, ook:* find a way out; **~smiddel** solvent, menstruum *(mv.:* -strua)

opluchten relieve [I am somewhat ...d]; *zeer opgelucht* [feel] greatly relieved

opluchting relief

opluisteren grace, add lustre to, adorn; *met z'n aanwezigheid* ~ honour (grace) with his presence; illuminate [an adventure ...d by champagne], brighten [...ed with music]; *(van gezicht) zie* opklaren; **-ing** embellishment, adornment; *ter – van* in order to add lustre to

opmaak (*van krant*) make-up; lay-out; (*van gezicht*) make-up

opmaat (*muz.*) upbeat; (*fig.*) signal [for a new initiative]

opmaken (*verbruiken*) eat [everything], use up, run through [one's stock]; spend, run through, squander, (*sl.*) blue [all one's money]; (*in orde maken*) dress, do (up) [one's hair; her hair was very plainly done], do up, trim [a hat], get up [linen], make [a bed]; (*schotel*) make up, garnish; (*kip*) truss [a fowl]; (*samenstellen*) draw up [a document, contract, programme, report, an inventory], make out [a bill, accounts, passport, list], lay down [a plan]; (*typ.*) make up [a page]; *opgem. proef* page-proof; *hieruit maak ik op, dat ... from this I conclude (gather, understand) that ...; zich ~* make up; *zich ~ voor de reis* get ready for the journey; *opgemaakt gezicht* made-up face; *opgemaakte schotel* made-up dish; *een opgemaakt spel*, (*Z.-Ned.*) a put-up job, a got-up thing; *zie balans, uitslag, enz.; -er* spendthrift; (*typ.*) make-up man; *-ing* getting up, etc.; *zie 't ww.*

opmalen draw up [water]

opmarcheren march (on), advance; *~ tegen* m. on [a town], m. against [the enemy]; *zie ook* ophoepelen

opmars advance; march [Mussolini's ... on (*of:* to) Rome]; *strategische ~* concentric a.; *~linie* line of a.

opmerkelijk striking [appearance], remarkable [phenomenon], notable [exception]

opmerken (*bespeuren*) notice, observe, note, mark; (*een opmerking maken*) observe, remark; *slecht ~* be unobservant; *... merkte een toehoorder op, ook: ... a listener put in; men merkte ons niet op* we escaped being noticed; *iem. iets doen ~* point out s.t. to a p.; *er is ... op te m.* a feeling of distrust is noticeable; *zijn scherp ~d oog* his keenly observant eye; *~s-waard(ig)* remarkable, noteworthy, worth notice (noticing)

opmerker observer

opmerking observation, remark, comment [*over* on]; *een ~ maken over, ook:* remark on; *aanleiding geven tot ~en*, (*van gedrag, enz.*) excite (cause) comment; *zie raak; ~sgave* keenness (power) of observation; *met ~* perceptive

opmerkzaam attentive, observant; *iem. ~ maken op* draw (call, direct) a p.'s attention to; *~heid* attention, attentiveness

opmeten *a*) measure; *b*) (*van landmeter*) survey; *-ing a*) measurement; *b*) survey; *'n –(-en) doen, a*) take measurements; *b*) make a survey

opmetselen build up, run up [a wall]

opmonteren *tr. & intr.* cheer up, hearten (up), brighten (up), (*sl.*) buck up; *-ing* cheering up, etc.

opnaaien (*naaien op*) sew on; (*innemen*) tuck in, gather in; *opgenaaide zak* patch-pocket

opnaaisel tuck, gathers

opname *zie* opneming; recording [of a speech];

(*mil.*) survey; *fotografische ~* photo, view; exposure [a reel of 36 ...s (frames)]; *zie kiek & filmopname; topografische ~* topographical sketch(ing)

opnemen I *tr.* (*boek, karpet, enz.*) take up; (*oprapen*) pick up [a p., a thing], (*snel*) snatch up; (*telefoon*) pick up [the receiver], answer [the phone]; *er wordt niet opgen.* there is no answer; (*japon, enz.*) tuck (gather, pick) up [one's skirts in dirty streets]; gather up [one's hair; the cards, dominoes]; (*met lus*) loop up [the curtains]; (*gevallene*) take up, lift; (*reizigers*) take up, pick up [... and put down passengers]; (*met doek, enz.*) mop up [ink with blotting-paper], wipe up, swab up [the mess]; (*opbreken*) take up, pull up [the floor], tear up [the pavement]; (*innemen*) take in, tuck in [a dress]; (*steek*) take up [a dropped stitch]; (*geld*) take up, borrow, raise [money], (*van bankrekening*) take out, withdraw, draw [money from the bank]; (*ontvangen*) admit into one's house [the newcomer was ...ted into their midst; admit a p. (in)to hospital = hospitalize a p.]; (*in huis*) take [a p.] in [receiving-homes where dogs are ...n in]; (*in krant, enz.*) insert [an article, advertisement; a clause in a contract]; *de voorwaarden in een overeenkomst ~* embody the conditions in an agreement; include [a subject in the curriculum]; enter [words in a dictionary]; (*op grammofoon*) record [a song; ...ed on His Master's Voice], (*op magneetband*) record, tape; (*meten*) survey [land]; (*temperatuur*) take [a p.'s temperature, his pulse, the number of a motorcar]; (*gas, enz.*) read, take the reading of [the meter]; (*kas*) check [the cash]; (*voor een film*) film, shoot [a scene]; (*bekijken*) survey [a p., the situation]; take stock of [the position; *zie ook ben.*]; (*schade*) ascertain (estimate) [the damage]; (*stemmen*) collect, count [votes]; (*namen, enz.*) take down; (*bestelling*) take (collect) [orders]; (*in zich*) ~ take in [I didn't take the words in], pick up [things very fast]; take, (*wet.*) ingest [food]; absorb [heat, water, the shock, the atmosphere of one's surroundings, French words into our language; the Daily Telegraph ...ed the Morning Post]; (*van plant, handdoek, enz.*) take up [oxygen, water, etc.]; *de markt kan het niet ~* the market cannot absorb it; *contact ~ met* contact; *de toegeworpen handschoen ~* take up the gauntlet, t. up the challenge; *'t karpet ~* take (pull) up the carpet; *'t karpet was opgen.* was up; *iem. van 't hoofd tot de voeten ~* look a p. up and down, (*scherp*) scrutinize a p.; *zij namen de pasgekomene op* they took stock of (scanned, *fam.:* sized up) the new arrival, measured him with their eyes; *de tijd ~* (*waarin iem. iets doet*) time a p.; *'t* (*de zaken*) *gemakkelijk ~* take it (things) easy; *hij neemt de maatregel niet gunstig op* he does not take kindly to the measure; *'t kalm* (*in ernst*) ~ take it calmly (seriously); *hoe nam hij 't op?* how did he take it?; *hij nam het goed* (*kwalijk,*

lecht) *op* he took it well (ill), in good (bad)
art; *iets hoog ~* resent s.t.; *iets erg zwaar ~*
nake heavy weather of s.t.; *zie ook* opvatten;
n ... opgen. [he was] received (admitted) into
he R.C. Church (*zie* doop); *in een zaak ~* take
nto partnership, admit as a partner; *gebieden*
~ in de Unie incorporate territories into the
Union; een gebeurtenis in een boek ~ incorpo-
rate ...; ~ onder include among; *'t tegen iem. ~*
try conclusions with a p., pit o.s. against a p.,
stand up to a p., take a p. on [at billiards]; *hij*
kan 't tegen iedereen ~ he is a match for anyone, he can [drink, etc.] with the best; *wat ...*
betreft neem ik 't tegen iedereen op I'll win the
poetry with any man; *'t voor iem. ~* take a p.'s
part, take up the cudgels for a p., stand (*fam.*:
stick) up for a p.; *zie ook* opkomen I, II
intr. (*van artikel, enz.*) catch on [the book is
sure to ...]; (*van zaak*) prosper; *de courant*
neemt goed op the paper sells very well; *het*
papier (*de doek*) *neemt goed op ...* takes up
water well (is very absorbent); *het stuk nam*
goed op the piece went well with the audience;
zij neemt gemakkelijk op she is very receptive
pnemer reader [of the gasmeter, etc.]; (*land-*
meter) surveyor; (*van grammofoon*) pick-up
pneming admission [(in)to hospital, into part-
nership], reception; absorption; ingestion [of
food]; insertion [of an article]; survey; (*van*
temperatuur) taking; (*van gasmeter, enz.*)
reading; (*van stemmen*) count; *vgl. 't ww.*;
meteorologische ~en doen take meteorological
readings; *Duitslands ~ in het verdedigingsstel-*
sel van het Westen Germany's inclusion in
Western defence; **~sbevel** (*in gesticht*) reception order; **~svaartuig** survey(ing)-vessel; **~s-**
vermogen receptive faculty, receptivity; (*van*
markt) capacity for absorption
pnieuw again, anew, afresh, once more; (*hele-*
maal) *~ beginnen* begin, *of*: start (all) over
again; make a fresh start
pnoemen name, mention; (*opsommen*) enumerate; (*geweren, kanonnen,*) *noem maar op*
and what have you (and whatever); **-ing**
mention(ing); enumeration
opodeldoc id.; **opoe** granny
opofferen sacrifice [*ook fig.*: *voor* to], offer up;
~de daad act of self-sacrifice; **-ing** sacrifice;
met ~ van at the s. of; **-gezind** self-sacrificing,
-gezindheid spirit of s.
oponthoud stay, stop(page), halt [en route]; (*ge-*
dwongen) detention; (*vertraging*) delay; *plaats*
van ~ [his] whereabouts
opossum id.
oppakken (*opnemen*) take up, pick up, (*snel*)
snatch up; (*bijeenp.*) pack up, collect; (*inreke-*
nen) run in, round up; *zie ook*: opeenpakken
oppas (*bij klein kind*) baby-sitter; *zie* oppassing
& oppasser
oppassen (*hoed*) try on [a hat]; (*verzorgen*) take
care of; nurse, tend [a patient]; (*opletten*) attend, pay attention; (*zich in acht nemen*) take
care, be careful [what you say]; (*zich gedra-*
gen) *zie* gedragen; *pas op!* be careful! take

care! mind! look out [for that taxi]!, (*sl.*)
mind your eye!, (*opschrift*) caution! [left-
hand drive]; *als we niet ~ ...* if we don't
look out he'll spoil everything; *hij zal wel ~*
dat hij niet ... he knows better than to be late;
hij heeft nooit willen ~ he always was a bad lot;
~ voor be on one's guard against, guard
against [mistakes]; *pas op voor de hond* (*zak-*
kenrollers)*!* beware of the dog (pickpockets)!;
pas op voor de gaten (*voor 't ijzerdraad*) ware
holes (wire); *pas op voor de drempel!* mind the
step!; *pas op, dat een ander je niet voorbijstreeft*
look to your laurels; *pas maar eens op, wat ik*
zeg! mark my words!; *zie ook* laten, passen
op, boodschap
oppassend well-behaved, steady, steady-going
oppasser (*van huis*) caretaker; (*in dierentuin,*
enz.) attendant, keeper; (*lijfknecht*) valet; (*in*
hospitaal) orderly; (*mil.*) batman; *zie ook*
zieken~
oppassing nursing, attendance, care
oppennen *a*) jot down; *b*) pin up
oppeppen pep (liven) up [the proceedings]; *vgl.*
opkikker(en)
1 opper (hay-)cock; *in ~s zetten* cock [hay]
2 opper lee, safe anchorage
3 opper *zie* opperwachtmeester
opper: **~arm** upper arm; **~armbeen** humerus; **~-**
best excellent(ly), capital(ly), [an] A 1 [cook],
[be] A 1, [get on] extremely well; **~bestuur**
supreme direction (*of*: management); **~bevel**
supreme (high, chief) command; **~bevelhebber**
commander-in-chief, C. in C., Supreme Commander; **~bewind** *zie* ~bestuur; **O~-Egypte**
Upper Egypt
opperen 1 cock [hay]; 2 propose, suggest, put
forward [a plan]; raise [objections]; bring [a
question] on the carpet; advance [an opinion];
throw out [an idea, a suggestion], make [a
suggestion *idee*], volunteer [an explanation];
zie twijfel; 3 work as a hodman
opper: **~gerechts(hof)** Supreme (*of*: High)
Court of Judicature; **~gezag** supreme authority; **~god** supreme god; **~heer** sovereign, overlord; **~heerschappij** sovereignty, overlordship;
supremacy [naval ...]; *de ~ voeren* rule supreme; **~hofmeester** chief steward; **~hoofd** (*par-*
amount) chief, chieftain, head; **~huid** epider-
mis, scarf-skin, outer skin; **~kamerheer** Lord
Chamberlain; **~kerkvoogd** primate; **~kleed**
upper garment; **~kok** chef (de cuisine), head
cook; **~leen** fief held in chief; direct fee; **~-**
leenheer suzerain lord, overlord, lord paramount; **~macht** supremacy, sovereignty,
supreme power; **~machtig** supreme; **~man**
hodman, hod-carrier, builder's (bricklayer's)
labourer; **~mens** superman; **~officier** general
officer; **~priester** high-priest; (*r.-k.*) (sovereign) pontiff; **~rabbijn** chief rabbi; **~rechter**
(lord) chief justice
oppersen *a*) force up; *b*) press [clothes]; *op-*
nieuw ~ re-press [a suit]
opper: **~stalmeester** (Grand) Master of the
Horse; **~ste** *bn.* uppermost, supreme; *de ~*

Raad the Supreme Council; *zn.* superior; ~ **stuurman** chief (*of:* first) mate; ~**toezicht** general superintendence

oppervlak *a*) (*bovenvlak*) upper surface; *b*) *zie* oppervlakte

oppervlakkig superficial, (*fig. ook*) shallow [reasoning, mind, person], slight [acquaintance], sketchy [article], nodding [have a ... acquaintance with French], loose [thinking, talk], facile [talk]; *ook:* surface [knowledge, politeness]; skin-deep [emotions]; ~ *beschouwd* [the facts are,] on the surface, [very simple]; on the face of it [it seems correct]; *bij ~e beschouwing* on a s. view; ~**heid** superficiality, shallowness

oppervlakte surface [of the water]; (*grootte*) area [of land, a triangle, etc.]; superficies; *'n uitgestrekte ~ water* a vast expanse of w.; *aan de ~* on the s.; *aan de ~ tredende (kolen)laag* outcrop (seam); *aan de ~ brengen* raise [coal]; *aan de ~ komen*, (*van duikboot, duiker, enz.*) s., break (the)s.; *'t zit bij hem alles aan de ~* he has everything in the shop-window; ~**schip** s. craft; ~**spanning** s. tension; ~**water** s. water

oppervlootvoogd Commander-in-Chief

opperwachtmeester (*cavalerie*) squadron sergeant-major; (*artillerie*) battery sergeant-major; (*politie*) (police-)sergeant

Opperwezen: *het* ~ the Supreme Being

oppeuzelen eat (in small quantities and with relish)

oppikken (*van vogels*) peck up; pick up [a drowning person, the bus]; (*op de kop tikken*) pick up, snap up; (*inrekenen*) run in

opplak: ~**karton** mount; ~**ken** paste (*of:* glue) on; stick on [stamps]; mount [a photo, a map]

oppoetsen polish, rub (furbish, clean) up; *'t een beetje ~* give it a rub (up)

oppoken poke (up), stir, give [the fire] a stir

oppompen (*omhoog*) pump (up); (*fietsband*) pump up, blow up, inflate; (*fiets*) pump up [one's bike]

opponent id.

opponeren raise objections, oppose

opporren *zie* oppoken & aanporren

opportunisme opportunism

opportunist(isch) opportunist, time-server

opportuniteit opportuneness, expediency; *om redenen van* ~ from motives of expediency

opportuun opportune, well-timed

opposant opponent

oppositie opposition; *in de* ~ [the Liberals are] in o., [go] into o.; *hij is altijd in de* ~ he is in perpetual o.; *de* ~**(partij)** the O.; ~**blad** o. (news)paper

oppositioneel oppositional

oppotten hoard, (*sl.*) salt away (down) [money]

opprikbord (*voor insekten*) setting-board

opprikken 1 pin (up), stick [insects], set [a butterfly], pin up [a notice]; (*door klauwier*) impale; 2 = **oppronken** dress up, deck out, doll up; *opgeprikte kwast* dandified twirp

opproppen *zie* volproppen & opgepropt

oprakelen poke up, stir up [the fire], (*fig.*) rake

up [the past, an old quarrel], dig up (out), drag up [a story]

opraken (*van geld, munitie, voorraad, enz.*) run out (short, low), give out; *mijn geduld* (*zijn saldo*) *raakt op* my patience is wearing thin (his balance is running dry); *hun bier raakte op*, *ook:* they ran out of beer; *zie* slijten

oprapen pick up, take up; *een opgeraapt leger* a scratch army; *van de straat opgeraapt* [he was] picked out of the gutter; *voor 't ~ hebben*, *zie* grijpen

oprecht sincere, genuine [repentance], candid, straight, upright; *ik beloof u* ~ I promise you faithfully; *wij hopen* ~ we earnestly hope ...

oprechtheid sincerity, candour, uprightness; *in alle* ~ in all s., in all honesty

opredderen *zie* opruimen

oprekken stretch [gloves, shoes]

oprichten (*overeindzetten*) set up, raise, place on end, up-end [a boat, cask]; lift up [one's head]; set up, erect [a statue to], establish, found, set up [a business, school, newspaper]; put up [factories]; start [a club, a branch *filiaal*], launch [a business]; (*een bedroefde*) cheer up, comfort; (*meetk.*) erect [a perpendicular]; *een maatschappij* ~ form (float, found, start) a company; *zich* ~ straighten o.s., draw o.s. up, stand up, (*in bed*) raise o.s., sit up; *opgericht volgens de wet op de vennootschappen* incorporated under the Companies Act; *zie ook* opgeheven

oprichter founder; erector; *vgl. 't ww.;* ~**saandeel, -bewijs** founder's share

oprichting foundation, establishment, formation; erection; *vgl. 't ww.; zie* akte; ~**skapitaal** original stock; ~**skosten** formation expenses

oprijden ride (drive) up [a hill, etc.]; (*verder rijden*) move (drive) on; *een weg* ~, (*inslaan*) turn (ride, drive) into a road; *'t trottoir* ~, (*van taxi*) mount (run on to) the pavement; ~ *tegen* run (crash) into [a hand-truck]; **oprijgen** baste, stitch together

oprijlaan (carriage) drive; (*gebogen, ook:*) (carriage) sweep

oprijten rip up, tear open

oprijzen rise, get up; *de gedachte rees bij mij op* the thought occurred to me

oprispen repeat; *levertraan rispt licht op* cod-liver oil is apt to r.

oprisping eructation, (*fam.*) burp

oprit ascent, slope, ramp; (*van autoweg*) slip road; *zie* oprijlaan

oproeien row up [a river]; *zie* stroom

oproep summons; (*mil.*) call-up, call [to arms]; appeal [for help]; ~ *om hulp, ook:* SOS (call)

oproepen call up [for military training, etc.], call (on), summon; call up, evoke, recall [images, memories]; convoke [a meeting]; call out (up) [the reserves]; call over [the names]; *een getuige* ~ call a witness; *geesten* ~ conjure up (*of:* raise) spirits; -**ing** call, summons, (call-up) notice; convocation; conjuring-up, raising; (*van officier*) joining notice; *vgl.* oproepen

oproer rebellion, revolt, insurrection; (*aanspo-*

ring tot ~) sedition; (*muiterij*) mutiny; (*op-stootje*) riot; (*tumult*) tumult; ~ *kraaien* stir up strife; ~ *verwekken* cause a r.; ~**ig** rebellious, insurgent, mutinous, riotous; rebel [states]; (*tot* ~ *aansporend*) seditious, inflammatory [words, speeches]; ~**igheid** rebelliousness, insurgency; seditiousness; ~**kraaier** agitator, firebrand, sedition-monger; ~**ling** rebel, insurgent; ~**maker** *zie* ~kraaier & ~ling; ~**vaan** banner of revolt

proken finish [a cigar]; smoke [another p.'s cigars]; *zijn zakgeld* ~ spend one's pocket-money in (on) cigarettes etc.; *half opgerookt* half-smoked, half-finished [cigarette]

prolautomaat, -gordel inertia reel seat belt

prollen roll up; (*tot een tros*) coil up [a rope]; (*paraplu ook*) do up, furl, roll; *'n leger* (*'n dievenbende*) ~ roll up an army (a gang of thieves); *zich* ~ curl (o.s.) up, (*van slang, ook*): coil (itself) up; *opgerold* rolled (folded) [umbrella]; *zie* mat

proller (*insekt*) armadillo

protten (*plat*) piss off

pruien incite [to rebellion], stir up, instigate; ~*de woorden* inflammatory (seditious, incendiary) words; **-er** agitator; – *tot* instigator (inciter) to; **-ing** sedition; – *tot* incitement (instigation) to

pruimen (*wegruimen*) clear away [the tea-things, snow], clear [mines]; (*uitverkopen*) sell off, clear (off) [one's stock], remainder [books]; (*afschaffen*) do away with, abolish, sweep away [an old system]; (*kamer, enz.*) tidy up, put to rights, straighten up; clear [the table]; ream [a hole]; *'t hele leger* ~ make a clean sweep of the army; *dat ruimt op!* good riddance!; **-er** (*instrument*) reamer

pruiming clearing away, etc.; (*fig.*) clean-up; (*hand.*) selling-off, clearance(-sale); (*wegens vergevorderd seizoen*) *zie* seizoen~; ~ *houden* clear away things, sell off; (*fig.*) make a clean sweep [*onder* ... of ...]; *een* ~ *houden in, ook:* clean up [the West End of London]; ~**sploeg** break-down gang; ~**sprijs** clearance price; ~**s-uitverkoop** sale(s)

prukken advance; march (on), press onward; ~ *tegen* march upon [a town], march (move, advance) against [the enemy]; *zie ook* op-hoepelen

pscharrelen rout (rake, ferret, hunt, rummage, grub) out, unearth, dig up, dig out; nose out [a bargain]

pschenken pour [water] on

pschepen: *iem. met iets* ~ saddle (*of:* land) a p. with s.t.; *'t publiek* ~ *met* ... plant worthless shares on the public; *ze schepen haar op met hun rommel* they unload their junk on her; *ik ben met hem* (*ermee*) *opgescheept* I have him (it) on my hands, I am saddled with (it); *ik werd ermee opgescheept* it was thrown on my hands

pscheppen ladle out, serve out [the soup], dish up; (*fig.*) brag, boast, swank, swagger; *mag ik u nog eens* ~? may I give you another

helping?; *de boel* ~ kick up a dust, paint the town red; *we gaan de peentjes* ~ we are going to have a high old time; *het is er opgeschept* there is plenty; (*geld*) they are rolling in it; *voor 't* ~, *zie* grijpen

opschepper braggart, swanker, swankpot; *hij is helemaal geen* ~ he has no side at all; ~**ig** boastful, swanky; ~**ij** [it's all] swank, side

opscheren shave up(ward); (*heg*) trim

opscherpen whet, sharpen, refresh [the memory]; **opscherping** sharpening, etc.

opscheuren tear (up, open)

opschieten shoot up (*ook van plant & pers.*); (*fig.*) get on [time is getting on], make progress (headway), proceed [the work is ...ing satisfactorily]; *schiet op!* get a move on! come along! hurry up! look sharp!; *een beetje* ~! lively now! be quick about it!; *laten we* ~! let's get on!; *ik kan niet* ~ I can get no further; *een touw* (*kabel*) ~ coil a rope (cable); *vuurpijlen* ~ fire rockets; *mijn tijd begint op te schieten* is growing short; *'t werk schiet goed op, ook:* is well in hand, is getting on well; *flink* ~ (*bij lange autorit*) make good time; *'t plan schoot niet op* the plan hung fire; *we schieten* (*maar*) *niet op* we don't seem to make any progress; (*uitstekend*) *met elkaar* ~ get on (*of:* along) (well) together (like a house on fire); *ze kunnen niet met elkaar* ~, *ook:* (*fam.*) they rub one another up the wrong way; *ik kan niet met hem* ~ I cannot (don't) get on (hit it off) with him; *moeilijk om mee op te sch.* difficult to get on with; *daar schieten we niet mee op* that doesn't help things

opschik finery, trappings, frills

opschikken I *tr.* dress up (out), trick out, deck out, bedizen; *zie* opdirken; *vreselijk opgeschikt* dressed to kill; II *intr.* move up, close up

opschilderen paint up

opschoffelen hoe

opschommelen *zie* opscharrelen; **opschooien** *zie* opbedelen; **opschoppen** kick up

opschorten 1 tuck up [a dress, sleeves]; 2 suspend, reserve [one's judg(e)ment], suspend [a work], hold up [a scheme], stay [(the execution of) a sentence], delay, postpone, defer [one's decision], adjourn [a meeting], prorogue [Parliament]; **-ing** suspension; stay [of execution]; adjournment; prorogation; – *van doodvonnis* reprieve; *vgl. 't ww.*

opschransen *zie* opschrokken

opschrift superscription, inscription, lettering; (*van artikel*) heading; (*van plaat, film, enz., ook:*) caption; (*adres*) direction; (*van munt, enz.*) legend; *sensationeel* ~ scare headline

opschrijfboek(je) note-book, memorandum (*fam.:* memo) book

opschrijven write down, take down (in writing), commit to paper; (*voor klant*) score (up) to (against) [a p.]; (*bij spel*) (keep the) score; *schrijf die vent op!* take that man's name!; *voor hoeveel mag ik u* ~? what may I put you down for?; *schrijf 't maar voor mij op,* (*op rekening*) put it down to me (to my account); *zie* dood 2

opschrikken start, give a start, be startled, take the alarm; *doen* ~ startle; *daar schrok ik van op* that gave me a shock

opschrobben scrub; opschroeven screw up; (*fig. ook:*) string up; (*boek, artikel, enz.*) cry up, puff; *zie* opgeschroefd & opdrijven

opschrokken bolt, gobble up, gorge, guzzle

opschudden shake, stir; shake up [a pillow]; -ing commotion, sensation, bustle, stir; *een* – *veroorzaken* cause (create, make) a stir (a sensation); *in* – *brengen* set [the whole place] in stir and commotion

opschuieren brush up

opschuifraam sash-window

opschuiven push up, shove up; (*raam ook*) throw up; (*opschikken*) move up (*ook fig. in rang*), close up; (*van ook* opschorten; -ing moving up; (*fig.*) [there will be a] move up

opschuren 1 scour; (*cilinders van auto*) decarbonize; 2 (*opbergen*) store

opsieren adorn, embellish; (*verhaal, ook:*) embroider, touch up; *zich* ~ dress up; *te zeer opgesierd* ornate [style, etc.]; '*t verhaal is* (*nogal*) *opgesierd, ook:* the story has not lost (has lost nothing, has grown) in the (re-)telling; -ing adornment, embellishment; -sel *zie* versiersel

opslaan I *tr.* (*omhoogslaan*) strike up; (*kraag, enz.*) turn up [one's collar, trousers], tuck up, roll back [one's sleeves], turn back [the bedclothes]; (*ogen*) a) open; b) raise, turn up [one's eyes]; (*boek*) open [a book]; (*bladzij*) turn up [page 7]; (*tent, enz.*) pitch, set up, put up [a tent], (*haastig*) knock up [temporary barracks]; (*prijzen, enz.*) raise [prices, wages]; (*inslaan*) lay in [potatoes]; (*in pakhuis*) warehouse, (put into) store, put [one's furniture] into storage; *teveel goederen* ~ overstock o.s.; *overal waar men 't boek opslaat* wherever we open the book; '*t brood is opgesl.* bread has gone up, is up [twopence]; *de prijs met 10%* ~ raise the price by 10 per cent.; *zijn verblijf* ~ *te ... take up one's residence at ...*; II *intr.* (*van koopwaar*) go up, rise, advance; ~*de zitplaats* tip-up seat

opslag (*muz.*) up-beat; (*van oog*) look; (*van mouw*) cuff; (*van uniform*) facing; (*verhoging*) rise, advance; (*in pakhuis*) storage, warehousing; (*plantk.*) wild shoots; *4000 pond per jaar met 200 pond* ~ £4000 a year with a £200 rise, £4000 by £200 to £6000; *zie ook* ~plaats & oogopslag; ~bewijs warehouse receipt; ~kosten storage, warehouse charges (*of:* rent); ~loods transit shed; ~plaats store, storage yard; [munition] depot (*of:* dump); (*voor vee*) stockyard; ~ruimte storage accommodation; ~terrein storage yard

opslepen drag up, tow up; *vgl.* slepen

opslobberen lap up; opslokken swallow, gulp down; *de belasting slokt alle winst op* taxes devour all profits; *grote bedrijven slokken kleine op ... absorb ...*; opslorpen sip up, lap up; absorb, (*sl.*) mop up [profits, supplies]

opslorping absorption; ~svermogen absorptive power

opsluiten lock (shut) up, lock in; lock [a p. in room]; pen up, pen in [cattle, etc.], fol[d] [sheep]; lock up, incarcerate, confine [a crim inal]; coop up [...ed up in one's room a day]; place [a lunatic] under restraint; (*mil.*) close up, close [the ranks]; ~*d gelid* supernu merary rank; *opgesloten, ook:* pent up [in railway carriage]; (*in zichzelf*) withdrawr turned in upon oneself, (*fam.*) buttoned up opgesl., (*na ongeluk*) trapped [miners]; *da ligt erin opgesl.* that is implied in it; '*t daari opgesl. verwijt* the implied reproof; *alles wa daarin opgesl. ligt* [the question and] all i implications; -ing confinement, incarcera tion; *zie* eenzaam

opslurpen *zie* opslorpen

opsmijten fling up

opsmuk finery, trappings, fal-lals, frills

opsmukken trick out, trim, dress up; (*verhaa* embellish (*zie* opsieren); *zich* ~, (*fam.*) prin (o.s.); *zie* opdirken

opsnij(d)en cut (up, open), carve; (*fig.*) brag swank, swagger; *niets om over op te snijde.* nothing to shout (to write home) about

opsnij(d)er braggart, swanker, swank-pot; ~ij swanky; ~ij swank, swagger, brag(ging), (piec of) bounce

opsnorren, -snuffelen *zie* opscharrelen

opsnuiven sniff (in, up), inhale; *flink* ~ take long sniff

opsodemieter(en) (*plat*) *zie* opdonder(en)

opsommen enumerate, count up, sum up, recit [all one's grievances], recount [her virtues]

opsomming enumeration, recital; string [o kings and queens]; [this is only a bare] cata logue

opsonine opsonin; -nisch opsoninic

opsouperen spend, squander, (*sl.*) blue [all th money]

opspalken *zie* openspalken

opspannen stretch, tighten; *snaren* ~ string a instrument, fit on strings

opsparen save up, lay by, put by, hoard

opspelden pin on; opspelen (*muz.*) strike up (*kaartspel*) lead; (*bij knikkeren bijv.*) play up (*fig.*) cut up rough, kick up a row

opsperren *zie* opensperren

opspoelen a) rinse; b) wind (on a reel)

opsporen track (down), trace, trail, hunt u (*of:* down), run down, seek out, run [a crimi nal] to earth, locate [missing men]

opsporing tracing, etc.; (*mijnb.*) exploration prospecting; *de* ~ *wordt verzocht van ... th* police are anxious to trace ...; ~sambtenaa detective (officer); ~sdienst criminal investiga tion department, C.I.D.

opspraak scandal; ~ *verwekken* cause (a) s.; *i* ~ *brengen* compromise, get [a p.] talked about *in* ~ *komen* get (o.s.) talked about, become the talk of the town

opspreken speak up; (*ronduit*) speak out; *spreek maar op!* go ahead! fire away! get it off you chest! spit it out! (*eig. Am.*) shoot!

opspringen jump (leap, start) up (*at tegen*)

pring (jump) to one's feet; (*van bal*) bounce; *e trap* ~ bound up the stairs; *zijn hart sprong p* his heart leapt [for joy], gave a bound **spuiten** spout up, spout into the air; *terrein* ▸ raise a site [with fluid sand, etc.]; *jaartallen* ▸ reel off [dates]

staan (*van stoel, uit bed, enz.*) get up, rise; (*rechtop gaan staan*) stand up; (*in opstand ko- nen*) rise, rebel, revolt [*tegen* against]; *gaan* ~ ;et up, rise; *plotseling* ~ start up; (*van geval- ene ook*) pick o.s. up; *'t water staat op de* ;ettle is on; *er stond een profeet op* a prophet ▸rose; *van tafel* ~ rise from table; *uit de dood* ~ ;ise from the dead; *de leden stonden* (*enige ▸genblikken*) *van hun* **plaatsen** *op* rose (stood ▸p) in their places; *opgestaan, plaats vergaan* ▸eave your seat and lose it; *vroeg* ~ *en vroeg ▸aar bed gaan* keep early hours; *hij staat vroeg laat*) *op* he is an early (a late) riser; *je moet vroeg* ~ *om 't van mij te winnen* (*om mij te ▸edotten*) you have to get up early (in the ▸orning) to score off me (to catch me out); *ie doden doen* ~ raise the dead; ~*de kraag* stand-up collar; ~*de oren* erect ears; ~*de rand* ▸aised border; *zie* overeind & vallen

▸**stal** building(s), premises; *met de* ~ [freehold land] with the buildings erected on it; *recht van* ~ building and planting rights

▸**stand** rising, revolt, rebellion, insurrection, ▸prising; (*bk.*) (vertical) elevation; (*van winkel*) fixtures; *in* ~ *komen*, (*ook fig.*) rise, ▸ebel [*tegen* against; my whole soul rises against it], revolt [*tegen* against, from], rise in revolt [in arms]; *tegen iets in* ~ *k.*, *ook:* ▸evolt at s.t.; *hij* (*de publieke opinie, enz.*) *kwam in* ~ *tegen* ... such cruelties revolted him ▸(public opinion, etc.); *zie* verzet; *'t nationale geweten in* ~ *brengen* revolt the national con- science; *in* ~ *zijn,* (*ook fig*) be in revolt, be up ▸n arms [*tegen* against]; ~*eling* rebel, insurgent; *der* —*en, ook:* insurgent, rebel [army, etc.]; ~*ig* rebel(lious); (*minder sterk*) disaffected [sub- jects]; —*e gedachten* mutinous thoughts; —*heid* rebelliousness; ~*ing* resurrection

▸**pstap** step, stile ▸**stapelen** pile up [*ook fig.*: accusations, etc.], heap up, stack [hay, ammunition], accumu- late; *het* ~ *van voorraden* stock-piling; *zich* ~ accumulate, pile up [expenses ...]; *opge- stapeld* piled(-up) [pillows]; -*ing* accumula- tion [of difficulties], piling up, etc.

▸**pstappen** (*de stoep*) go up ..., (*de straat*) go (get) into ...; (*op de fiets stappen*) mount [one's bicycle]; (*weggaan*) go away, move on, push off; *ze zei dat hij maar beter kon* ~ she gave him his marching orders; *de regering is opgestapt* has resigned; (*sterven, sl.*) pop off, peg out; *ik moet* (*eens*) ~ I must be getting along

▸**pstapper** substitute crew member ▸**psteekladder** extension ladder ▸**psteken** I *tr.* (*omhoogst.*) hold (put) up, raise [one's hand] (*zie* hoofd); pitch [hay]; put up [an umbrella]; put (do, turn, gather) up [one's

hair]; (*in de schede st.*) put up, return, sheathe [a sword]; (*geld*) pocket [money]; (*openst.*), broach [a cask, beer]; (*aanst.*) light [a cigar, the lamp]; *stemmen met hand*~ vote by show of hands [the motion was lost on a show of hands]; *wil je eens* ~? have a smoke? light up? (*sigaar*) have a cigar? (*pijp*) have a fill?; *hij heeft er niet veel van opgest.* he has not profit- ed much by it, it has not been of much use to him; *zie* licht; II *intr.* (*van wind*) rise, get up, (*plotseling*) spring up; **opsteker** *a*) picklock; *b*) stroke of luck, windfall

opstel essay, composition, paper, (*Am.*) theme [*over* ... on literature]; *een* ~ *maken* write an e. (a paper), (*Am.*) compose a theme [*over* on] **opstellen** (*ontwerpen*) frame [a charge *aan- klacht;* an act *wet;* a petition], draft, draw up [a report, programme, regulations], get up [a petition], map out [a programme], lay [plans]; (*oprichten*) put (set) up, erect, mount [a machine], place [a gun] in position, mount [a gun], construct [a battery]; (*voor foto*) pose [a ...d group]; (*troepen, enz.*) draw (form, line) up; (*ergens*) post, station, place [somewhere]; *ik stelde ze op in een rij, ook:* I stood them in a row; *een* (*algebraïsche*) *vergelijking opstellen* form an equation; *zich* ~ line (form, draw) up, form [into companies], take up a position [on a problem]; *zich kritisch* ~ adopt a critical attitude [towards *tegen*]; (*mar.*) man the decks; *zich ergens* ~ post o.s. somewhere; *vooruit op- gesteld* prearranged [programme]; *zie* slag- orde, enz.; -**er** framer [the ...s of the Consti- tution], drafter [of a report, a deed *akte*]; -**ing** framing; drafting; erection; formation, dispo- sition [of troops]; attitude [on drugs]; *een harde* – *kiezen* take a hard line [on a question]; *vgl. 't ww.*

opstelplaats (*voor taxi's*) cab standing, rank **opstelstrook** filter lane **opstijgen** rise, ascend, mount, go up; (*van vliegt. ook*) take off; ~*!* to horse!; -**ing** ascent; (*van vliegt. ook*) take-off **opstijven** starch [linen]; (*van pudding, metsel- werk, enz.*) set, s. hard (firmly); (*van wind*) stiffen **opstoken** poke (up), stir (up); (*fig.*) incite, in- stigate; set [a p. against ...]; *al zijn kolen* ~ burn all one's coal **opstoker** instigator, agitator, firebrand **opstokerij** incitement, instigation **opstomen** steam up [a river] **opstommelen** stumble up [the stairs] **opstoot** (*boksen*) upper-cut **opstootje** disturbance, riot, tumult, (*fam.*) row **opstoppen** stop up, fill, pad; stuff [a bird] **opstopper** slap [in the face], punch [on the nose], smack [in the eye], dig [in the ribs], wallop, clout, sock; *iem. een* ~ *geven* (*ver- kopen*) hit a p. a slap in the eye, land (catch, fetch) a p. one (in the eye, on the nose, etc.) **opstopping** stoppage, [traffic] block (jam, hold- up), [road, traffic] congestion **opstormen** tear (race, bound) up [the stairs];

opstoten *a*) push up; *b*) push open
opstoven stew (again)
opstreek (*muz.*) upstroke
opstrijden *zie* betwisten
opstrijken twirl up [one's moustache]; iron [linen]; brush up [one's hat]; roll back [one's sleeves]; pocket, scoop in, rake in [money]; *de winst* ~ sweep in (gather in) the winnings; *opgestreken knevel* waxed moustache; *ik zal het wel even* ~ I'll pass an iron over it
opstropen tuck (roll, strip) up, roll back [one's sleeves]
opstuiken (*techn.*) upset
opstuiven (*van zand, enz.*) fly up; (*fig.*) fly out, flare (fire, flame) up [*bij* ... at my words]; *tegen iem.* ~ fly out at a p.; *de trap* ~ tear up the stairs; *zie* kleinigheid
opsturen *zie* opzenden
opstuwen drive up, dam up [water]; (*lading*) stow; **opstuwing** (*van bloed*) congestion
optakelen rig [a ship]; (*fig.*) *zie* opdirken
optant id.
optassen pile up
optater *zie* opstopper
optatief optative (mood)
optekenen note (write, jot, take) down, make a note of, enter [s.t. in a book]; (*te boek stellen*) record [in history]; (*spel*) (keep the) score; **-ing** notation, note, record
optel: **~len** add (up), count (cast, *fam.*: tot) up; (*opnoemen*) enumerate; *kun je* –? can you do addition?; **~ling** addition; enumeration; (*van cijferkolom*) footing; **~machine** adding-machine; **~som** addition sum
opteren 1 tar; 2 spend, consume
optéren decide in favour of, choose, opt [for India]
optica optics
opticien optician
optie option; *in* ~ *hebben* have the refusal of (have an option on) [a parcel]; *in onze* ~ (at, in) our o.; **~(los)haven** optional port of discharge
optiek optics; *vanuit deze* ~ from this point of view
optierecht (right of) option
optillen lift up, raise; *til je voeten op!* pick up your feet!; *wij werden letterlijk door de storm opgetild* we were literally taken off our legs by the gale
optimaal optimum [temperature]
optimaat optimate
optimisme optimism; **optimist** id.
optimistisch optimistic (*bw.*: -ally), sanguine; ~ *gestemd zijn* take an o. view
optimmeren build up
optisch optical
optocht procession; [historical] pageant; (*te paard*) cavalcade; *een* ~ *houden* go (walk) in p., process
optoetsen touch up, retouch
optomen bridle [a horse]; cock [a hat]
optooien deck out, adorn, decorate, smarten up; **-ing** decoration

optornen rip up (*of:* open); ~ *tegen* beat u against [the wind]; battle with [winds an waves]; make head against [difficulties]
optransformeren (*elektr.*) step up
optre(d)e step; (*van rijtuig*) foot-board; (*va trap*) rise; (*stoep*) steps
optreden I *ww.* appear [Mr. S. will ... next; oo van zaken:* symptoms of discontent ...ed] make one's appearance, (*ten tonele verschij nen*) enter, go on; (*van predikant*) take th pulpit; (*handelend* ~) act, take action; (*zic laten gelden*) assert o.s.; ~ *in 'n film* appea (figure, be featured) in ...; (*van verschijnsel* set in; *handelend* ~ take action; *streng* (*krach tig*) ~ take strong (drastic) action (a stron line), adopt rigorous measures (a strong poli cy); *er werd streng tegen hen opgetr.* they wer dealt with severely; *zie* hoogte; *flink tege iem.* ~ deal firmly with a p.; *de politie kan nie tegen hen* ~ the police are powerless to dea with them; ~ *tegen ... volgens artikel ...* pro ceed against ... under article ...; *gewapend* ~ *tegen* take up arms against; *voor iem.* (*in iems plaats*) ~ deputize for a p.; *als gastheer* ~ ac the host; *als Hamlet* appear in the characte of H., act (play) H.; *als voogd* ~ *over* ... act a guardian to ...; *als schrijver* ~ appear (com forward) as an author; *als verdediger* ~, (*jur.* appear for the defendant; *hij treedt op al hoofd van* ... he is acting head of ...; *de cava lerie kan niet gemakkelijk* ~ *in dat land* tha country cannot easily be negotiated by caval ry; *Hamlet treedt op* enter Hamlet; *voor d eerste maal* ~ make one's debut (one's firs appearance); *het* ~ *ministerie* the incomin ministry; *zie* gezamenlijk; II *zn.* appearanc [in public, on the stage]; way of acting, actio [police ...], attitude [his ... to(wards) me behaviour [insulting ...], [her quiet] demean our; *zijn eigenmachtig* ~ his high-handed pro ceedings; *hun waardig* ~ their dignified bear ing; *eerste* ~ debut; *zie* gezamenlijk
optrekje (holiday) cottage
optrekken (*omhoogtr.*) pull (draw) up [a blind] raise, lift [one's eyebrows], shrug, hunch (up [one's shoulders], pull (*met ruk:* hitch) u [one's trousers]; (*vliegt.*) pull up; (*bouwen*) ru up, raise, erect [a building, wall]; set up [a barrier; *ook fig.*]; (*van auto*) accelerate; (*va mist, enz.*) lift, clear (away); (*marcheren* march [*tegen* ... against the enemy, on a town *zijn broek te hoog* ~ brace one's trousers to high; *met opgetr. schouders* with one's shoul ders hunched; *de lip* (*verachtelijk*) ~ cur one's lip; *de wacht trekt op* the guard turn out; *wij hebben heel wat met hem opgetr.* h has given us a good deal of trouble and anx iety; *veel met iem.* ~ be thrown together a lo with a p.; *samen* ~ pull together; *ik moet altij met hem* ~ he is always on my hands; *zich* ~ pull (haul) o.s. up; *zie* neus
optrippelen trip up [the stairs]
optrommelen *zie* bijeentrommelen
optuigen rig [a ship]; harness, caparison [a

orse]; *zie ook* opdirken; *als kotter opgetuigd* cutter-rigged

ous id.; *afk.: op.*

otutten (*sl.*) doll up

ovallen strike [his silence struck me, it struck me that he was silent]; (*opzettelijk*) show off; *doen ~* make conspicuous; *dat zou te zeer ~* it would be too conspicuous (look too marked); *het valt niet op* it is not conspicuous; *zie oog in 't ... lopen, enz.*); **~d** striking [...ly beautiful], conspicuous, notable, marked [... improvements, she had changed very ...ly, was ...ly unemotional], banner [headlines], outstanding [facts]; *– gekleed* showily dressed; *niet* (*of: weinig*) *–* inconspicuous, unobtrusive [withdraw ...ly, *op weinig –e wijze*]; *op –e wijze* [his name was] pointedly [left out]

ovangcentrum reception centre

ovangen catch [a ball, the rain-water, the light, a glimpse of..., a sound, the words...], receive [a blow, rays], absorb [a shock], intercept [letters, a radio message, a person], overhear [words, a conversation], round up [stray dogs], take up [under one's wing, take care of (see to) [problems]; (*van hond*) snap up; *een blik van iem. ~ c.* a p.'s eye; *ik ving de woorden op, ook:* the words caught my ear; *slagen ~, a*) (*= incasseren*) receive, *b*) (*= ondervangen*) intercept; *de hoge prijzen worden opgevangen door hoge lonen* are met by high wages; *zie ook* vangen

ovaren sail (go, steam) up, ascend [a river]; ascend [to heaven]; *tegen 't tij ~* make headway against the tide; *~den* passengers and crew

ovatten (*opnemen, ter hand nemen*) take up [the pen, arms; a subject, science]; (*vormen*) conceive [a plan, an idea, a dislike, love, a prejudice, a regard for a p.]; *how he ...d* his function]; (*begrijpen*) understand, take, apprehend [a compound as separate words]; *zoals ik de zaak opvat* as I conceive the case; *hij heeft het verkeerd opgevat, a*) he has misunderstood it (me, etc.); *b*) he has taken it in bad part; *dat moet ge zo ~* you must take it this way; *het spijt me dat u het zo opvat* I am sorry you look at it like that; *te licht (te zwaar) ~*, (*inzien*) not take seriously enough (take too seriously); *zijn werk licht ~* make light of one's work; *de dingen gemakkelijk ~* take things easy; *'t als een compliment ~* take it as a compliment; *'t werk weer ~* resume work, (*na staking ook*) return to work; *'t gesprek weer ~* resume the conversation; *zie draad & opnemen*

ovatting idea, notion, view, conception; *naar algemene ~* by common consent; *bekrompen ~en* narrow outlook; *een verstandige ~* a sensible way of taking it (looking at it); *ook een ~!* fine doings!

oveegsel sweepings; **opvegen** (*stof, enz.*) sweep up; (*vloer*) sweep (up); (*kamer*) sweep (up, out)

overen bounce

opverven paint up

opvijzelen jack (lever, screw) up; (*fig.*) cry (crack, write) up, puff

opvissen fish up; (*fig. zie ook* opdiepen); *zijn lijk is nog niet opgevist* his body has not yet been recovered

opvlammen flame (flare, blaze) up

opvliegen fly up; (*uitvaren*) fly out, flare (blaze) up, explode [at any little thing]; *de trap ~* tear (*of:* dart) up the stairs; *vlieg op (je kunt ~)!* go to blazes!; **~d** short-, quick-, hot-tempered, peppery, irascible; **~dheid** quick temper, irascibility

opvoedbaar: *een moeilijk ~ kind* a problem child

opvoeden educate, bring up, rear; **~d** educative [influence, force]

opvoeder educator

opvoeding education, upbringing, bringing-up; *lichamelijke ~* physical training, P. T.; *physical education*, P. E.; *man van ~* well-educated man; *zonder ~* ill-bred [person]; **~sgesticht** *ongev. =* tuchtschool

opvoedkunde pedagogy, pedagogics

opvoedkundig pedagogic(al); **~e** education(al)-ist

opvoeren (*naar boven brengen*) carry up, (*water, kolen*) raise; (*prijzen, enz.*) raise, force up (*zie* opdrijven), level up [wages], speed up, send up, step up [production], press up [speed to the highest point]; *het peil ~* (*fig.*) raise the standard; *eisen ~* increase demands; *tot een hoog peil ~* carry [the discussions] to a high level; *hoog opgevoerde gerechtskosten* (*salarissen*) inflated law-costs (salaries); *de capaciteit tot de volle hoogte ~* increase the capacity to its full extent; (*motor*) tune (*fam.* soup) up; (*toneelstuk*) perform, act, produce, present, bring (put) on the stage; *de thans in L. opgevoerde stukken* the plays running in L. now; *'t stuk werd 50 maal achtereen opgev.* had a run of (ran) fifty nights; *goederen de rivier ~* carry (convey) goods up the river

opvoering performance; *zie* recht

opvoerschacht engine shaft

opvoerset tuning kit

opvolgen (*iem. in ambt, enz.*) succeed [a p.]; (*voldoen aan*) obey, act upon [an order], take, go by, follow [a p.'s advice], observe [a rule]; *elkaar ~* s. each other; *de gebeurtenissen volgden elkaar snel op* events marched (moved) swiftly; **~er** successor [*van* to, of]; *tot president gekozen als – van ...* in succession to ...; *zie* troon–; **-ing** succession

opvorderbaar claimable; (*geld bij bank*) withdrawable; *dadelijk ~* repayable at call (on demand)

opvorderen claim [money, etc.]

opvouwbaar folding [bed, Panama hat], foldaway [bed], collapsible [boat, fan], foldable

opvouwen fold up, double up

opvraag: **~baar** *zie* opvorderbaar; **~formulier** (*voor geld*) withdrawal form

opvragen call in, withdraw, draw out [money from a bank]; call in [a mortgage]; claim [one's luggage]; *de politie vroeg ... op* commandeered the merchant's books; *opgevraagde gelden, ook:* withdrawals; **-ing** withdrawal [of money from a bank]

opvreten devour, consume greedily, gobble up; *zich ~ van nijd* eat one's heart out with chagrin; *opgevreten van de roest* eaten away by rust; *we worden opgevreten van de muizen* the house is overrun with mice; *zij wordt opgevreten van de zenuwen* she is a bundle of nerves

opvriezen freeze (up)

opvrijen chat up [a p.]

opvrolijken cheer (up), brighten (up), liven up, enliven, exhilarate

opvullen fill up; pad [clothes]; pad out [a book, etc. with useless matter]; stuff [a turkey, bed, seat of a chair]; (*larderen*) lard; (*opzetten*) stuff [animals]

opvulling, opvulsel stuffing, padding

opwaaien *tr.* blow up; *intr.* be blown up; *opgewaaid stof* dust raised by the wind

opwaarderen revalue; **-ing** revaluation

opwaarts *bw.* upward(s); *bn.* upward; *~e druk* u. pressure

opwachten wait for; (*met vijandige bedoeling*) waylay; **opwachting:** *zijn ~ maken bij* wait upon, pay one's respects to [a p.]

opwandelen *zie* oplopen

opwarmen warm (heat) up [heated up coffee], reheat; (*fig.*) rehash [old stories]; *iem. ~* rouse a p., ginger (hot) a p. up; *opgew. kost,* (*ook fig.*) rehash; **opwarmertje** warming-up

opwassen grow (*snel:* shoot) up

opwegen: *~ tegen* (counter)balance, be set off by, offset [a loss], be a set-off (an offset) to; *... wegen precies tegen elkaar op* Government and Opposition are evenly matched; *'t weegt tegen goud op* it is worth its weight in gold; *niet ~ tegen, ook:* be outweighed by; *hij weegt niet tegen u op* he is not equal to you; *zijn voorzichtigh. weegt op tegen zijn jeugd* his caution balances his youth; *'t weegt ruimschoots op tegen ...* it more than counterbalances ...

opwekken awake, rouse; (*uit de dood*) raise from the dead, resuscitate; (*fig.*) awake, rouse, stir up, arouse, kindle, evoke [admiration], provoke [curiosity], excite [interest], raise [expectations], stimulate, quicken [the appetite], call up, evoke, stir [memories], work up [the passions], generate [electricity]; *wij wekken onze collega's op, dit streven te steunen* we urge our colleagues to support this action; *~ tot* rouse [a p.] to [activity], waken [people] to [the love of country]; *tot nadenken ~,* (*van boek, enz.*) challenge (stimulate) thought; *zie* levensgeesten; **~d** exciting, stimulating; bracing [air], exhilarating [weather]; **~d** *middel* tonic, cordial, stimulant

opwekking resuscitation; excitement; stimulation; generation; [a] challenge [to thought]; *vgl. 't ww.;* (*oproep*) appeal, call; *de ~ van Lazarus* the raising of Lazarus

opwellen well up [*ook van tranen & aandoenin-*

gen; ook: tears welled (in)to her eyes], bu ble up [the joy that ...d up in my hear *krachtig ~* surge up [the old suspicion ...d u again]; *~de aandoeningen* rising emotions; *~ bron* bubbling spring; *~de tranen* gatheri (welling, rising) tears; *zie* wellen

opwelling welling-up; ebullition [of rage], a cess [of jealousy, patriotism], gush [of pare tal feeling, of dismay], outburst [of fury burst [of generosity], wave [of feeling], sur [of horror], flush [the first ... of grief]; *in eerste ~* on the first impulse, on the spur the moment; *toegeven aan de ~ van 't ogenbl.* act on impulse

opwerken work up [a business]; touch up, d up [a picture]; *zich ~* w. one's way up [fro nothing, to the top of one's profession], wo o.s. up [from poverty, into a splendid pos tion], rise from the ranks; *opgewerkt* raise [figures]

opwerpen (*omhoogw.*) throw up [a ball], to up [a coin]; (*dam, enz.*) throw up; (*barricac* erect, raise; (*fig.*) raise [a point, questio difficulty], throw up [a problem]; throw o [a suggestion *'n idee*]; *zich ~ als* set o.s. up constitute o.s. [a p.'s protector; the sel constituted leader]

opwinden wind (up) [a watch, a top], win [wool into a ball], roll up [a ball of woo (*met een windas*) winch; (*fig.*) excite; *te strak* overwind; *zich ~* get excited [over s.t.], g worked up, work o.s. up [over nothing], (*s* go off the deep end; **~d** exciting; **-ing** excite ment, agitation, commotion; *er heerste gro - feeling ran high; zij verkeerde in grote – h* was in a terrible state

opwippen *tr. & intr.* tip (*of:* tilt) up; (*van zi stoel*) spring up; *de stoep ~* whisk (whip, ni up the steps; **opwrijven** rub up, polish

opwroeten root up

opzadelen saddle [a horse; a p. with s.t.]

opzegbaar withdrawable; (*van verbintenis, enz.* terminable; *~ kapitaal* capital redeemable a notice; *zie* dadelijk

opzeggen (*les, enz.*) say [a lesson, one's pray ers]; recite [a poem], repeat; (*herroepen*) te minate [a contract, the partnership], cancel [purchase], denounce [a treaty, an armistice call in [money, a mortgage], withdraw, reca [capital]; *de gehoorzaamheid ~* refuse furthe obedience, (*aan vorst*) renounce one's alle giance [to ...]; *zijn abonnement ~* cancel one subscription; *een krant ~* discontinue (one subscription to) a paper; *zijn lidmaatschap ~* resign (from the club, etc.); *iem. de betrekkin ~* give a p. notice (warning); *de dienst; d huur ~,* (*van eigenaar*) give notice (to quit) (*van huurder*) give notice (of removal); *zij huis (zijn betrekking) is hem opgezegd* he i under notice (to quit, to leave); *zeg op!* ou with it! speak out! come, let's have it! fir away! spit it out!; *met een maand ~s* at month's notice; *tot ~s toe* until further notic

opzegging termination; denunciation [of

treaty]; withdrawal; notice; *vgl.* opzeggen; (*van dienst ook*) warning; *met een maand ~ at a month's notice*; *zonder voorafgaande ~* without notice; *betaalbaar zonder ~* payable at call; ~**stermijn** term of notice

pzeilen sail up [the river]

pzenden send, forward; (*nazenden*) forward, send on, redirect [a letter]; (*gebeden*) offer (up), send (put) up; (*stukken*) send in; *naar een werkinrichting ~* commit to a labour colony; ~ *s.v.p.* please forward; **-ing** forwarding, redirection [of letters]; committal to (detention in) a labour colony, etc.

pzet (*van boek, enz.*) plan, framework; (*van kanon*) tangent sight; (*toeleg*) intention, design; *boos ~* malice, foul play, malicious intention, (*jur.*) malice (prepense), criminal intent; *met 't ~ om letsel toe te brengen* with intent to hurt; *met ~* on purpose, intentionally, purposely, deliberately, of set purpose, designedly, wilfully, [I use the word] advisedly; [*een campagne*] *uitstekend van ~* excellent in conception; *zonder ~* unintentionally; ~**telijk** I *bn.* intentional, premeditated, wilful; studied [insult, carelessness]; deliberate, calculated [lie]; II *bw. zie met ~*; – *blind voor ...* wilfully blind to ...; *ik deed hem niet – schrikken* I did not mean to frighten him; *iem. – beledigen, ook:* go out of one's way to offend a p.

opzetten I *tr.* (*overeindzetten*) set up, put up, place on end, up-end; turn (pull) up [one's collar], put up, open [an umbrella]; (*op iets zetten*) put on [one's hat, spectacles, the potatoes], put [the kettle] on; arrange, place, set up [chessmen]; (*brei-, haakwerk*) cast on; (*inzetten*) stake [money]; (*beginnen*) open, start, set up, establish [a business]; (*inrichten*) plan, organize, set up; (*opstoppen*) stuff [animals; *kunst om dieren op te z.* taxidermy]; (*ophitsen*) set on, incite, instigate; *'t zaakje was aardig opgezet* the affair was beautifully stagemanaged; ~ *tegen* set (put) [one person] against [another]; *de mensen tegen elkaar ~* set people by the ears; *de bajonetten ~* fix bayonets; *ik had drie gulden opgezet, ook:* I have seven shillings on; *een lap ~* (put on a) patch; *een tol ~* spin a top; *de veren ~*, (*van vogel*) ruffle (puff out) its feathers; *z'n kuif ~*, (*van kakeotoe*) erect [his crest]; *water ~* put the kettle on [for tea]; *een zaak ~, ook:* set up in business; *zet hem een bril op* put him on a pair of spectacles; *zie borst*; *zich ~*, (*bijv. bij gymnastiek*) lever o.s. up, prise o.s. up; II *intr.* (*opzwellen*) swell (up); (*komen*) ~, (*van storm, onweer, mist, koorts*) come on; (*opdagen*) turn up, make one's appearance; (*van water*) rise; *de vloed kwam ~* the tide was coming in; *in groten getale komen ~* show up in force; *zie keel, mond, oog, enz.*

opzetter (*van dieren*) taxidermer

opzetteugel bearing-rein, (*Am.*) checkrein

opzetting (*van lever, enz.*) enlargement, swelling

opzicht (*toezicht*) supervision, superintendence; *in één* (*in dit*) ~ in one (in this) respect; *in alle* ~*en, in elk ~* in every respect, in all respects, (in) every way; *in geen enkel ~* not in any sense, in no sense; *in zeker ~, ook:* in a way; *in politiek ~* politically; *in technisch ~* from a technical point of view; *in sommige ~en* in some respects (ways); *in dat ~ kan ik niet tegen u op* I am no match for you there; *hij is in ieder ~ even goed als jij, ook:* he is every bit as good as you; *'t past me in alle ~en* it suits me down to the ground; *in alle ~en een goede prestatie, ook:* a creditable effort all round; *ten ~e van* with respect (regard) to, in respect of; *te zijnen ~e* with respect (regard) to him, as far as he is concerned

opzichter overseer, overlooker, superintendent, supervisor; (*bij bouwwerken*) [city, etc.] surveyor; (*van park, enz.*) keeper

opzichtig showy [showily dressed], gaudy, garish [decorations], loud, noisy [dress], flashy [flashily dressed]; (*sl.*) jazz(y); ~ *en goedkoop* tawdry; ~**heid** showiness, gaudiness

opzichzelfstaand individual [fact, case]; *een ~e klasse vormen* form a class apart; *iets ~s* a thing by itself; *een ~ huis* a detached house

opzien I *ww.* look up [*naar* at]; ~ *tegen* look up to [a p.]; fear, dread [death], dread [the day, the unknown], shrink from, shirk [a fight, a speech, owning up], be shy of [coming], shy at [the truth]; *tegen geen moeite* (*kosten*) ~ not be afraid to take trouble (not count the cost); *ik zie er tegen op* I don't care to do it, don't feel like doing it, shrink from the business (from meeting him, etc.); *ik zie er tegen op om te gaan, ook:* I am reluctant to go; *niet tegen een leugen ~* not scruple to make use of a lie, not stick at a lie; *hij ziet niet tegen een wandeling van twee uur op* he thinks nothing of a two hours' walk; *zij ziet er tegen op dat ik* (*haar zoon*) *... she dreads my* (her son) leaving home; *hoog tegen iemand ~* think the world of a p.; *zie berg, opkijken*; II *zn.:* *onder biddend ~ tot God* praying God for His blessing; ~ *baren* make (cause, create) a sensation (a stir; it won't cause much stir, it'll make no small stir), (*fam.*) make a splash; ~**barend** sensational, spectacular, startling; ~**er** inspector, supervise

opzij aside; *zie zij(de)* 2

opzitten sit up; (*van hond*) (sit up and) beg; (*te paard stijgen*) mount (*commando:* to horse!); ~ *en pootjes geven*, (*fig.*) fetch and carry, sing to a p.'s tune; *iem. doen* ~, *leren* make a p. sit up (and take notice); *er zit niets anders op dan te gaan* there is nothing for it but to go; *dat zit er op* that's that, that job's jobbed; *er tien jaar tropen hebben* ~ have ... behind one; *ik heb het er* ~ I've finished, I'm through; *laat* ~ sit up late; *bij iem.* (*een patiënt*) ~ s. up with a p.; *voor iem.* ~, (*opblijven*) sit (stay, wait) up for a p.; *daar zal wat voor je* ~ you'll catch it; *zie ook zitten*

opzoeken (*zoeken*) look for [a p., a thing], look up [a word, train], look out [a train], seek (for) [the birds were seeking their nests, we

sought our rooms], go in search of; find [...
page 15; ... the waiter]; (*bezoeken*) call on [a
p.], give [a p.] a call (a look up), look a p. up;
ondertussen ga ik 'n vriend ~ meanwhile I'll
see a friend of mine; *hij komt je* ~ he'll come
and see you

opzoeten smooth(-file), polish

opzolderen store, warehouse

opzouten salt, pickle, preserve; (*fig.*) hoard
(*of:* treasure) up; place [quarrels, etc.] in cold
storage; *dan kun je je wel* ~, (*fam.*) you may
as well quit, then

opzuigen suck in (up), absorb, sip [lemonade];
pick up with the vacuum cleaner

opzuipen guzzle; (*geld, enz.*) waste [one's mon-
ey] on drink; **opzuiveren** (*techn.*) true (up)

opzwaai upward swing

opzwabberen *a*) swab (up, down) [the deck]; *b*)
swab up, mop up [water, etc.]

opzwellen swell (up), expand; *de aderen op zijn
voorhoofd zwollen op* the veins started out on
his forehead; *doen* ~ swell, inflate; ~ *van trots*
swell (be puffed up) with pride

opzwelling swelling, tumefaction

opzwemmen swim up [the river]

opzwepen whip up; (*fig. ook*) stir up, work up
[into a passion], flog up [a p.'s enthusiasm],
incite [a p.]

opzwoegen: *de trap* ~ drag o.s. upstairs [the
train laboured up the valley]; *zie ook* optornen

oraal oral

orakel oracle; ~**achtig** oracular; ~**en** oracle,
pontificate; ~**spreuk** oracle; ~**taal** oracular
language

orangeade id.

orangisme Orangism; **orangist** Orangeman

orang-oetan(g) orang-outang, -utan

oranje orange; (*van verkeerslichten*) amber; *O~
boven!* three cheers for O.! O. for ever!;
~**achtig** orange-like; aurantiaceous [plants];
~**appel** orange; ~**bitter** o.-bitters; ~**bloesem** o.-
blossom; ~**boom** o.-tree; ~**geel** orange; *O~*
gezind(e) Orangist; *O~***huis** House of O.; *O~*
klant Orangist, Orangeman; ~**kleur** o.-
(colour); ~**kleurig** o.(-coloured); *O~***man** *zie*
O~klant; *O~***Nassau** O.-Nassau; ~**rie** (*eig.*)
orangery; (*serre*) conservatory, greenhouse;
*O~***rivier(kolonie)** O. River (Colony); ~**schil**
o.-peel; ~**strik(je)** o.favour; ~**vaan(del)** flag
(banner) of O.; *de* ~**-Vrijstaat** the O. Free
State

oratie oration; (*univ.*) inaugural (lecture); **oratio
pro domo** self-interested plea, special pleading; **oratorisch** oratorical

oratorium (*muz.*) oratorio; (*kapel*) oratory

Orcadische eilanden Orkneys; (*bewoner*) *van de*
~ Orcadian

orchidee orchid

ordale (*mv.:* ordalia, ordaliën) (*hist.*) ordeal
(*mv.:* ordeals)

orde order (*in alle bet.*); ~ *en tucht* good o. and
discipline; *de* ~ *bewaren* preserve order; ~
brengen in restore o. to [the scattered papers],

get order out of [chaos]; *de* ~ *handhaven* maintain o.; ~ *en recht handhaven* maintain la
and o.; *hij heeft goede* (*strenge*) ~ he is a goo
(strict) disciplinarian; *de* ~ *herstellen* resto
o.; ~ *houden* keep o.; *hij kan geen* ~ *houden* h
cannot keep (the boys in) o., cannot mana
the boys (girls), cannot control the class;
scheppen create [some semblance of] o
~ *op zijn zaken stellen* put one's affai
in o., settle one's affairs, set one's hou
in o.; *de* (*openbare*) ~ *verstoren* break (distur
the peace; *hij beloofde de* ~ *niet meer*
zullen verstoren he promised to keep th
King's (Queen's) peace; *aan de* ~ *zijn* be und
discussion; *dat is nu niet aan de* ~ that is o
of o. (not in o.) now; *de zaak* (*een onderwer*
aan de ~ *brengen* raise the matter, moot
subject; *aan de* ~ *komen* come up for discu
sion, arise [if the question ...s]; *de voorzitt*
stelt aan de ~ ... opens the discussion on ..
dat is aan de ~ *van de dag* that is the o. of t
day (*ook:* education is very much in the a
just now; protection is on the map agai
buiten de ~ *zijn* be out of o.; *buiten de* ~ *v*
klaren rule out of o.; *in de* ~ *van* [a sum]
the neighbourhood of [£10,000]; *in dezelf*
~ (*van grootte*) of the same (order o
magnitude; *in* ~ *bevinden* find to be i
order, find correct; *in* ~ *brengen* put (set)
o., put (set) right, put (set) to rights, arrang
[papers], straighten [things] out, get (se
[things] straight, fix [things] up; (*kamer*) *ook*
tidy up (straighten, straighten up) a roon
een stoomboot weer in ~ *brengen* recondition
steamer; *ik zal de kwestie met hem in* ~ *breng*
I'll put things right (fix everything) with hin
ik zal 't wel voor je in ~ *br.* I'll fix everythin
for you; *in* ~ *houden* keep [the room] in o
dat komt in ~ that will come right (w
straighten itself out, will settle itself); I wi
see to it; *alles kan nog in* ~ *komen* all may y
be well; *'t zal vanzelf wel weer in* ~ *kome*
things will arrange (will come right of) them
selves; *in* ~ *maken, zie in* ~ *brengen; niet in*
out of o.; *in* ~! all right! (*fam.*) right oh
right-o!; *'t slot is in* ~ the lock is right; *a*
machine is in ~ the engine is in working-orde
de riolen zijn erg slecht in ~ there is somethin
seriously wrong with the drains; *hij is goed i*
~ he is quite well, quite fit, (*puik in* ~) as fit a
a fiddle; *in volmaakte* ~ in perfect o.; *alles*
perfect in ~, (*fam.*) everything is O.K., (
apple-pie o.; *dat is in* ~, (*afgesproken, enz*
that is settled; *zie zo, dat is in* ~ and that's tha
tot zover is alles in ~ so far so good; *dat is i*
~! (*lang niet mis*) (*fam.*) that's a bit of a
right!; *'t is niet alles in* ~ (*tussen hen*) a
(everything) is not well (between them); *er i*
iets niet in ~ there is s.t. wrong (amiss), s.
has gone wrong [with the motor]; *de rekenin*
is in ~ the account is correct (in o.); *uw brief i*
in goede ~ *ontvangen* your letter came duly t
hand; *zij is niet goed in* ~, (*fam.*) she is a b
under the weather; *zie grootte; op* ~ *legge*

arrange in proper o.; *ben je geheel op ~?* are you all straight?, (*in nieuw huis ook*) quite settled in?; ... *om op ~ te komen*, (*in huis*) he helped to settle us in (to get things straight); *zie ook:* in *~*; *tot de ~ roepen* call to o., (*fam.*) pull [a p.] up; (*Parl.*) name [an M.P.]; *tot de ~!* Chair! Order! Name!; *overgaan tot de ~ van de dag* pass to (proceed with) the o. of the day; *voor de goede ~* for regularity's sake; for the record

orde: ~**bewaarder** (*in zaal*) usher; (= *politie-agent*) keeper of law and order; ~**broeder** friar, brother; ~**geestelijke** regular; *de –n* the regular clergy; *goed* (*slecht*) ~**houder** good (bad) disciplinarian; ~**keten** chain, collar (of an order); ~**kruis** cross (of an o.); ~**lievend** orderly, law-abiding; ~**lievendheid** love of order; ~**lijk** *bn.* orderly; tidy; *bw.* in good order, in an orderly way; ~**lijkheid** orderliness; tidiness; ~**lint** ribbon (of an o.); *zie* lintje; ~**loos** disorderly; *de kledingstukken lagen – over de vloer verspreid* littered the floor; ~**loosheid** disorderliness

ordenen order [one's life, thoughts, etc.], arrange [papers, thoughts, etc.], regulate [the best ...d families], marshal [one's thoughts], put in order; (*geestelijke*) ordain; (*economie*) regulate [...d competition], plan, organize; *elk land moet zijn eigen zaken ~* set its own house in order; **-ing** *a*) arrangement, regulation; ordering [of national life]; (*economie*) planning, plan(ned) economy; *ruimtelijke –*, (*ongev.*) town and country planning; *b*) (*van geestelijke*) ordination

ordentelijk (*fatsoenlijk*) decent, respectable; (*redelijk*) reasonable, fair; ~**heid** decency; fairness

order order, command; (*hand.*) order; *connossement* (*cheque*) *aan ~* bill of lading (cheque) to order; *aan de Heer B. of ~* [pay] to Mr. B. *or* o.; *aan de ~ van* to the o. of; *aan eigen ~* to our own o., o/own; *om ~s verzoeken* solicit orders; *op ~* (*en voor rekening*) *van* by o. (and for account) of; *tot nader ~* until further notice; *tot uw ~s* [I am] at your service; *wat is er van uw uw ~s?* what can I do for you?; (*in winkel*) anything else?; *zie* bestelling & last; ~**bevestiging** confirmation of order (*of:* of sale); ~**boek** (*mil.*) order(ly)-book; (*hand.*) o.-book; ~**biljet**, ~**briefje** *a*) note of hand, promissory note; *b*) *zie* ~formulier; ~**connossement** bill of lading (B/L) to o.; ~**formulier** o.-sheet, -form

ordeteken (badge of an) order, decoration [foreign ...s]; *mv. ook:* insignia of an o.

ordeverstoring disturbance (of the peace), [commit a] breach of the peace

ordinaat ordinate

ordinair common, vulgar, coarse(-grained), low [talk]; (*van waren*) inferior, low-grade

ordinariaat (*univ.*) full professorship

ordinarius full professor

ordineren ordain; **ordner** file

ordonnans orderly, runner; (*bereden*) dispatch-rider, mounted o.; = ~**officier** aide(-de-camp)

ordonnantie order, decree, ordinance

ordonneren order, decree, ordain

oremus: *het is daar ~, a*) they are at loggerheads; *b*) things are in a bad way there; *hij is ~*, (*fam.*) he is half-seas over

oreren orate, hold forth [*over* on], declaim, (*fam.*) spout

orf (*volkst. & scherts.*) *o.v.t. van* erven

orgaan (*in alle bet.*) organ

organdie id., book-muslin

organiek organic [law]

organisatie organization; ~**bureau** (firm of) management consultants; ~**schema** o. chart; ~**talent** talent for o., organizing ability; ~**vermogen** organizing power, organizational skill

organisator organizer; ~ *van vakantiereizen* tour operator; ~**isch** organizing; **organisch** organic [chemistry, disease, whole] (*bw.:* -ally); **organiseren** organize; get up [a party, amateur theatricals]; mount [an exhibition]; (*sl.*) organize, scrounge; **organisme** organism

organist id., organ-player

organzinzijde organzine

orgasme orgasm

orgeade orgeat

orgel organ; *op 't ~ zitten* sit in the o.-loft; *een ~ draaien* grind an o.; *'t ~ trappen* blow the o.(-bellows); ~**bouwer** o.-builder; ~**concert** o.-recital; (*muziekstuk*) o. concerto; ~**draaier** o.-grinder; ~**en** (*van vogels*) warble; ~**ist** *zie* organist; ~**kast** o.-case; ~**koor** o.-loft; ~**maker** o.-builder; ~**man** o.grinder, -man; ~**pijp** o.-pipe (*ook geol.*); ~**punt** o.-point, pedal-(point); ~**register** o.-stop; ~**spel** o.-playing; ~**speler** o.-player; ~**trapper** organ-, bellows-blower

orgie orgy; *een ~ van kleuren* a riot of colour

Oriënt [the] Orient

oriënt: ~**aal** oriental; ~**alist** orientalist; ~**atie** orientation; –**bezoek** fact-finding mission (tour, trip); –**loop** orienteering race (trip, etc.); ~**eren**: *zich* – take one's bearings, see how the land lies, orient (orientate) o.s. [*naar* ... towards democratic government]; *zich – omtrent* familiarize o.s. with; *zich gemakkelijk –* have a bump of locality; *ik kan mij niet meer –* I have lost my bearings, I am all at sea; *dit is een algemeen –d boek* this book provides a general introduction to the subject; *een –d gesprek* a preliminary (introductory) talk; *–d onderzoek* pilot investigation; *Frans georiënteerd blad* paper with French leanings; *georiënteerd, ook:* [politically, scientifically] minded; *internationaal georiënteerd zijn* have an international outlook; ... *was van oudsher op Frankrijk georiënteerd* traditionally looked to France; ~**ering** orientation; *te uwer –* for your information (guidance); –**spunt** landmark; –**svermogen** sense of direction

originaliteit originality; **origine** origin

origineel *bn. & zn.* original [read a book in the ...]

orillonspasser bow-compasses

Orion id.; **ork(a)** orc(a)
orkaan hurricane; *de storm groeide aan tot een* ~ the gale attained h. force
Orkadisch *zie* Orcadisch
orkest orchestra, band; *(de plaats)* orchestra-(pit); *zie* bewerken; ~**bak** o.(-pit); ~**begeleiding** orchestral accompaniment; ~**concert** orchestral concert; ~**directeur** conductor (of an o.); ~**meester** leader (of an o.); ~**muziek** orchestral music; ~**nummer** orchestral item; ~**partij** orchestral part; ~**partituur** orchestral score; ~**ratie** orchestration; ~**reren** orchestrate, score; ~**rion** orchestrion; ~**toon(hoogte)** concert pitch
ornaat official robes, robes of office; *(van geestelijke)* pontificals, vestments, canonicals; *in vol* ~ in full pontificals (canonicals); [the Mayor] in full state; *(univ.)* in full academicals; *(fam.)* in full fig
ornament id.; ~**eel** ornamental; ~**eren** ornament; ~**iek** ornamentation
orneren adorn, decorate
ornithologie, -loog ornithology, -logist
orografie orography
orografisch orographical
Orpheus id.; *van* ~ Orphean, Orphic
orpiment id.
orseille *(plant & verfstof)* orchil, archil; ~**mos** orchil, archil
orthodontie orthodontics
orthodox id.; ~**ie** orthodoxy
ortho-: ~**ëpie** orthoepy; ~**pedie** orthopaedy, orthopaedic surgery; ~**pedisch** orthopaedic *(bw.:* -ally); ~**pedist** orthopaedic surgeon, orthopaedist
ortolaan *(vogel)* ortolan
os ox *(mv.:* oxen), bullock; *(fig.)* ass, blockhead; *jonge* ~ steer; *van de* ~ *op de ezel springen* ramble from one subject to another; *zie* slapen, enz.
oscilleren oscillate; ~*de machine* oscillating engine
oscillograaf oscillograph
Osmaan, Osmaans Ottoman, Osmanli
osmose osmosis; **osmotisch** osmotic
osse-: ~**gebraad** roast beef; ~**haas** fillet of beef, undercut; ~**huid** ox-hide; ~**juk** ox-yoke; ~**kop** ox-head; ~**leder** neat's leather, ox-hide; ~**n-markt** ox-market; ~**nweider** grazier; ~**oog** ox-eye; ~**staart** ox-tail; ~**stal** ox-stall; ~**tong** ox-, neat's tongue; *(plant)* bugloss, alkanet, ox-tongue; ~**vlees** beef; ~**wagen** ox-, bullock-wag(g)on, -cart
ossuarium ossuary
ostensorium *(r.-k.)* ostensory, monstrance
ostentatief ostentatious
osteologie osteology
osteopaat osteopath, bone-setter, manipulative surgeon; **-pathie** osteopathy, manipulative surgery; **-pathisch** osteopathic, *bw.:* -ally
ostracisme ostracism
O.T. O.T. (Old Testament)
otter id.; *(fig.)* fathead; ~**en** *zie* klungelen; ~**jacht** o.-hunt(ing)
Otto id., Otho

Ottomaan Ottoman; **Ottomaans** Ottoman; **ottomane** ottoman (couch)
oubollig waggish
oud old [man, house, friend, custom, wine], aged [man]; stale [bread, egg, cheque]; *(niet langer gebruikt, ook:)* disused [church]; *(van de oude tijd)* ancient [history, languages, Greece]; classical [languages]; *(antiek)* antique [furniture]; *(voormalig, in sam.)* former, late, ex-[mayor], retired [judge, sea captain]; *zo* ~ *als de weg naar Kralingen (naar Rome)* as o. as the hills; *een* ~*e firma* an old-established firm; ~ *ijzer* o. (scrap) iron, scrap; ~*e jenever* o. *(of:* matured) gin; ~*e kaas* ripe cheese; ~*e kleren* o. *(of:* second-hand) clothes; ~*e lui* [the, my, etc.] old folks; ~ *nummer (van tijdschrift)* back number; ~*e rechten* vested rights; *hij is tien jaar* ~ he is ten (years old), ten years of age; *de heer A.,* ~ *40 jaar* ... aged forty; *hoe* ~ *bent u?* how o. are you? what's your age?; *iem. vragen hoe* ~ *hij is* ask a p.'s age; *hij is ik weet niet hoe* ~ ever so o.; *voor hoe* ~ *ziet ge mij aan?* what age would you put me down at? how o. would you take me to be?; *men is nooit te* ~ *om te leren* one is never too o. to learn, live and learn; *hij is te* ~ *om te trouwen* past marrying; ~ *worden* grow o., age [she is ag(e)ing fast]; *hij wordt 'n dagje* ~*er* he isn't as young as he used to be; *hij werd heel* ~ he lived to a great (a high o.) age; ~ *maken* age [that hat ...s you]; *voor* ~ *kopen* buy second hand; ~ *en jong* o. and young; ~ *en nieuw vieren* see the old year out, see the new year in; *van* ~ *nieuw maken* make do and mend; *zie* oude(r), oudst; dag, heer, jongen, (leef)tijd, mens, mop, nummer, enz.
oud-: ~**achtig** elderly, oldish; **oud-alumnus** alumnus; ~**bakken** stale *(ook fig.:* news, etc.); ~**burgemeester** ex-mayor; ex-burgomaster; *vgl.* burgemeester
oude old man (woman); *de* ~, *(vader)* the governor, my old man; *(baas)* the governor, the old man, the boss; *(kapitein)* the old man; *de O~ van dagen, (Dan. 7)* the Ancient of Days; *tehuis voor* ~*n van dagen* home for old people, old people's home; *uitstapje voor* ~*n van d.* old people's outing; *de O~n* the ancients; *hij is weer geheel de* ~ he is quite himself (his usual self) again; *hij is niet meer de* ~ he is not what he used to be; *zoals de* ~*n zongen, piepen de jongen* as the old cock crows, the young cock learns; *bij het* ~ *blijven* remain as it was; *alles bij 't* ~ *laten* leave things as they are, as one finds (found) them; *zie* oud
oudejaar(savond, -dag) New Year's eve; ~**s-dienst** watch-night service *(tot middernacht)*
oude-: ~**kleerkoop** old clothes man, dealer in old (second-hand) clothes; ~**klerenmarkt** old-clothes market, rag-market; ~**lui** [don't tell my] people; ~**mannenhuis** old men's home
Oudengels Old English
ouder I *bn.* older, elder; *(in rang)* senior-ranking; *hij heeft* ~*e rechten* he has a prior claim; *hij is tien jaar* ~ *dan ik* ten years o. than

- over

I am, ten years my senior, my senior (my elder) by ten years; *je ziet er ~ uit dan je bent, ook:* you look o. than your age (your years); *ze scheen jaren ~ geworden* she seemed to have aged years; *van 50 jaar en ~* of fifty years and over; *hoe ~ hoe gekker* there's no fool like an old fool; *~ gewoonte* as of old, as usual; from old habit; *wij ~en* we oldsters; II *zn.* parent; *mijn ~s* my parents; *(fam.)* my people; *van Duitse ~s* of German parents (parentage); *van ~ tot (op) ~ overgaan* be handed down from generation to generation; *~avond* parents' evening; *~commissie* parents' council

ouderdom *(leeftijd)* age; *(hoge leeftijd)* old age, age; *zeer hoge ~* extreme old age; *een hoge ~ bereiken* attain (live) to a great age; *de ~ komt met gebreken* old age has its infirmities; *in de ~ van* at the age of; *zie* leeftijd & voorgaan; *~skwaal* infirmity of old age; *~spensioen, -rente(trekkende)* old-age pension(er); *~sverzekering* retirement insurance; *~szwakte* infirmity of old age, senility

ouderejaars senior (student)

ouder: ~huis parental home; *~liefde a)* parental love; *b)* filial love; *~lijk* parental; *~e macht* p. control; *~ling(schap)* elder(ship); *~loos* without parents, parentless, orphaned; *– kind* orphan; *~loosheid* orphanhood; *~min zie* ouderliefde; *~paar* parents, father and mother; *~schap* parenthood; *~vreugd(e)* parental happiness

ouderwets I *bn.* old-fashioned, outmoded [dress]; ancient, antique, old-world [customs, notions, cottage]; *een ~e Kerstmis* a good old-fashioned Christmas; *een echte ~e ruzie* a high old row; II *bw.* in an old-fashioned way; *we hadden ~ veel plezier* we had a gay (high, good) old time (of it); *hij werd ~ afgeranseld* he got a sound drubbing

oudevrijsterachtig old-maidish

oudevrouwenhuis old women's home

oudewijvenknoop granny (knot); **-praat** old wives' tale(s), idle gossip

Oudfrans Old French

oud: ~gast old colonial; **~gediende** veteran; *(inz. uit de wereldoorlogen)* ex-Serviceman; *(fig. ook)* old hand (stager, campaigner), old-timer

Oudgermaans Primitive (Common) Germanic; *vergelijkend ~* comparative Germanic

oudheid antiquity; *uit de verste ~* from the remotest ages, from time(s) immemorial; *oudheden* antiquities [Greek ...; museum of ...]; *koopman in oudheden* antique dealer; *~kamer* museum of antiquities; *~kenner* antiquarian, antiquary; *~kunde* archaeology; *~kundig* antiquarian, archaeological; *~kundige* antiquarian, antiquary, archaeologist

oudhollands Old Dutch; *~ papier* hand-made paper; *~e tuin* Dutch garden

Oudhoogduits Old High German

oudje old man, old woman; *(van vrouw ook)* granny, [the dear] old thing, *(aanspreking)* mother; *de beide ~s* the old folks

oud-katholiek Old Catholic

oud: ~leerling old pupil, old boy; *–en en leerlingen* pupils, past and present; **O~nederlands** Old Dutch, Old Netherlandish; **O~noors** Old Norse; **~officier** ex-officer; **~oom** great-uncle; **~roest** old (scrap) iron; *van ~s zie* ~sher; **O~saksisch** Old Saxon; *– porselein* Dresden china

oudsher: *van ~* of old, from of old, for a long time past, from early days; *van ~ bestaand (gevestigd)* old-established [business, newspaper]

oudst oldest [the ... inhabitants], eldest [my ... brother]; *~e bediende* senior clerk; *~e vennoot* senior partner; *~e, (in klasse)* senior (pupil); *ongev.:* prefect; *~e in rang* senior-ranking [officer]; *op zijn ~ 16* sixteen at the oldest; *zie* recht

oud: ~strijder *zie* oudgediende; **~tante** great-aunt; **~testamentisch** Old-Testamentary; **~tijds** in olden times; **~vader** patriarch; **~vaderlands** *lied* traditional song; *– recht* Old Dutch law; **~vaderlijk** patriarchal; **~voorzitter** past chairman, ex-president

Ouessant Ushant

outaar, outer *(vero.)* altar

outillage equipment, plant

outilleren equip [well-equipped]

ouverture overture

ouvreuse box-opener, -keeper, -attendant, usherette

ouwe *zie* oude; *~ (jongen)!* old man!; **~heer** *zie* oude *(de ...)*

ouwel wafer; *(voor poeiers, enz. ook)* cachet; **~doos** w.-box; **~en** wafer

ouwelijk oldish, elderly

ouwetje *zie* oudje & oude

ovaal oval

ovatie ovation; *een ~ brengen* give an o.; *(bij heengaan ook)* give a [rousing, etc.] send-off

oven id.; *(van fabriek ook)* furnace; *(kalk-, moutoven, enz.)* kiln; *zie* gapen; *~vogel* o.-bird

over I *vz. (boven)* over [the town; crouch ... the fire]; *(dwars ~)* across [go ... the river, the Channel, the fields], over [jump ... the brook]; *(aan de overzijde van)* beyond [the river, the mountains]; *(tegenover)* opposite [the post-office]; *(via)* by way of, via [Flushing]; *(na)* in [an hour], past [eight (o'clock)], *ook:* after [a little ... seven]; *(meer dan)* over, above, upwards of [forty]; *(omtrent)* about, concerning, over [a quarrel ... nothing]; *~ ... heen* he looked o. his glasses; *zie* ~heen; *de spoorweg loopt ~ de brug* the bridge carries the railway; *3 min. ~ acht (~ half acht)* three minutes past eight (twenty-seven minutes to eight); *een beetje (enkele min.) ~ ...* [he came] a little (a few minutes) after half past two; *~ de hele lengte ...* along the whole length of the house; *'t touw loopt ~ een katrol* the rope runs in (over) a pulley; *~ een onderwerp schrijven* write on (about) a subject; *hij heeft iets ~ zich, dat ...* he has s.t. about him that I don't like; *~ zijn werk in slaap vallen* fall asleep over one's work; *de tranen stroomden haar ~ de wangen* down her cheeks; *de punten van de pen zitten ~ elkaar* the nib is crossed; *de boeken lagen ~ de* *kamer* about (all over) the room; *koning* (*heer, enz.*) ~ ... king (lord, etc.) of ...; *de Heer M.* ~ *de* ... Mr. M. on the crisis; *een brug* ~ *de Dee* a bridge across (over) the Dee; ~ *de grens* across the frontier; ~ *land* (*en* ~ *zee*) by land (and by sea); ~ *enige tijd* after some time; ~ *een week* (*acht dagen*) in a week('s time), a week hence, a week to-day, this day (to-day) week; *donderdag* ~ *een week* (*acht dagen*) Thursday week, a week from (on) Thursday; ~ *vijftig jaar* fifty years hence; ~ *4 min.* [begin] in four minutes (from now); ~ *de honderd* upwards of (over, more than) a hundred; *hij is* ~ *de zestig* he is turned sixty, on the wrong side of sixty; *ze was al een heel stuk over de 50* she had long left fifty behind her; *de winst* ~ *het eerste kwartaal* the profit for the first quarter; *zie* hoofd, enz.; II *bw.* over [the concert is ...]; left [there is one ...]; *zie* opnieuw; *het is* ~ *van de vorige keer* it is left over from last time; ~ *'t geweer!* slope arms!; *de hele wereld* ~ all over the world, throughout the world; *tegen 10 uur zal ik* ~ (*'t Kanaal*) *zijn* by ten I shall be across; *mijn moeilijkheden zijn* ~ my troubles are at an end; *de stemming is* ~ the voting is over (and done with); *de strijd is* ~ the struggle is over; *dat is* ~, (*afgedaan*) that's done with; *hij is* ~ (*niet* ~), (*school*) he went up (didn't go up) to the next class; *mijn jongen uit Indië is* ~ is over, is home, is staying with us; *hij is* ~, (*te veel*) he is one too many, he is odd man out; *zijn drift is* ~ his passion has spent itself; *mijn kiespijn is helemaal* ~ is quite gone; *als er tijd* ~ *is* if there is any time left; *we hebben 5 minuten* ~ we have 5 minutes in hand; *houd maar wat er* ~ *is* you may keep the change; *alles is* ~ *met hem* it's all up with him; *hij woont hier* ~ he lives opposite, over the way; *zij zijn* ~, (*verhuizing*) they have moved in; *er was reden te* ~ there were plenty of reasons; ~ *en weer* to and fro; mutually; *elkaar* ~ *en weer* (*on*)*beleefdheden zeggen* bandy (in)civilities; *zie* ~hebben, enz.

overafkoeling (*nat.*) supercooling
overal everywhere; (*fam.*) ['where has she been?'] 'all over the place'; *ik heb* ~ *gezocht* I have searched high and low; *hij denkt* ~ *aan* he thinks of everything; ~ *waar* wherever, everywhere [I went I found them]; *het is* ~ *even dik* it has the same thickness throughout; *ze mocht* ~ *in 't huis komen* she had the run of the house; ~ *in het land* throughout (all over, up and down) the country
overal(l) overall(s)
over: ~**bagage** excess luggage; ~**bekend** generally (universally) known; (*gew. ong.*) notorious; *zijn naam was* – was a household word; *de heer Z., als verslaggever* (*als noordpoolreiziger*) – Mr. B., of reportorial (of arctic) fame; ~**belasten** overburden; (*mach.*) overload; (*met passagiers*) overcrowd; (*van belastingen*) overtax; ~**belast**, (*van schip*) overladen; (*van telefoonlijn*) overstrained; ~**belasting** overburdening; overloading; over-

crowding [of public vehicles]; over-taxation
~**beleefd** too polite, (over-)officious; ~**beleefdheid** (over-)officiousness; ~**belicht(ing)** (*fot.* over-exposed (-exposure); ~**beschaafd** over civilized, -refined, -educated; ~**beschaving** hypercivilization; ~**bevissing** over-fishing; ~**bevolking** over-population; (*van stadswijk bijv.*) overcrowding, congestion; ('*t teveel* surplus population, overspill; ~**bevolkt** over populated; overcrowded, congested; *zie* vor.; ~**binden** bind (*of:* tie) again
overblijfsel remainder, remnant, remains, rest relic, survival [from those days], vestige [from the dark ages]; ~**en**, (*na brand, enz.*) wreck age; *gewijde* ~en relics
overblijven (*overschieten*) be left, be left over remain; ('*s nachts*) stay the night; (*op school* remain during the midday interval; *zondag* ~ stay over (the) Sunday; *een boot* (*trein*) ~ sta over a boat (train); *in P.* ~ stop in P. on th way; *blijft nog over*, (*als punt van beschouwing enz.*) *Rusland* remains Russia; *er bleef on niets anders over dan* ... nothing was left to u (remained to us) but ..., there was nothin for it but to ..., the only choice left us wa ...; '*t voorstel werd aangevallen tot er niet van overbleef* the proposal was torn t shreds; *van al zijn goede voornemens bleef niet over* all his good resolutions came to nothing *van zijn bewering blijft alleen dit over* his whol statement boils down to this; ~**de jaren** [his remaining years; ~**de plant** perennial (plant) '*t* ~**de** the remainder, the rest; *de* ~**den** th survivors, those left behind; *de* ~**de boedel** th residuary estate
over: ~**bluffen** bluff, face [a p.] down, put [a p. out of countenance, browbeat, overbear; *iem* – *met* ... fling one's social position at a p. ~**bluft** dumbfounded, flabbergasted; ~**bodig** superfluous, redundant; – *te zeggen* ... need less to say ...; ~**bodigheid** superfluity redundancy
overboeken transfer; ~**ing** transfer
overboord overboard; ~ *slaan* (*spoelen*) b washed (swept) o.; ~ *werpen* throw o., (*te verlichting van schip*) jettison (*beide ook fig.* throw [dignity] to the winds; *een degelij raadsman* ~ *zetten*, (*fig.*) drop the pilot; *zij lijk werd* ~ *gezet* he was buried at sea; *dat* geen man ~ worse things happen at sea
over: ~**borrelen** bubble over [with energy]; ~ **braaf** too good, goody-goody; ~**breien** kn again
overbrengen transport [goods, etc.], move [fur niture to another room], convey [goods sound, a disease, the condolences of ...], tak [a message], transfer [a business to ...; a con vict to another prison; thoughts; *ook* = over boeken]; carry [diseases, germs; a message the war into the enemy's country]; (*afgeven* deliver [a message]; remove [a p. to hospital transmit [heat, light, sound, news, diseases photographs by wireless]; pass on [a disease transfuse [blood]; translate [into English

turn [verse into prose]; (*van stenografisch in gewoon schrift*) transcribe [shorthand into longhand]; *in code* ~ encode; (*verklappen*) blab, repeat; (*bij optellen*) carry; (*alg.*) transpose; (*op nieuwe rekening*) zie rekening; (*overzetten*) zie aldaar; *zijn woorden enz. zijn verkeerd overgebracht* he has been misreported; *door melk* (*muskieten*) *overgebracht* milk-(mosquito-)borne [disease]; *de zetel der regering naar L.* ~ transfer the seat of (the) government to L.; *zie* overbrieven; **-er** carrier [of diseases, etc.]; bearer [of a message]; (*telegr.*) transmitter; (*klikker*) tell-tale; **-ing** transport, conveyance; transfer; [thought] transference; removal; transmission (*ook techn.*); carrying; [blood] transfusion; translation; *vgl. 't ww.*

overbrengingsas [transmission] shaft

over: ~**brieven** repeat, blab [the whole story]; *ik zal 't niet* – I shan't talk (tell tales); **-er** telltale; ~**bruggen** bridge (over); *de moeilijke jaren* – tide over the hard years; *niet te* – unbridgeable; **-ing** bridging; –**sregeling** temporary (transition) arrangement; –**stoelage** price compensation allowance; ~**buigen** bend over; ~**buren** people opposite; ~**compensatie** over-compensation; ~**compleet** I *bn.* supernumerary, superfluous, surplus; *zie ook* over (*te veel*); II *zn.* surplus, overplus; ~**daad** excess, superabundance, exuberance; – *schaadt* one can have too much of a good thing; ~**dadig** excessive, superabundant, exuberant; *–e goede werken* works of supererogation; – *drinken* (*eten, roken*) drink etc. to excess; – *transpireren* sweat profusely; ~**dadigheid** zie ~daad; ~**dag** in the day-time, by day; ~**dansen** dance again; dance across [the lawn]; ~**dek** cover; (*mar.*) upper-deck; ~**dekken** cover (in, over, up), roof over (*of:* in); ~**dekking** cover; ~**dekt** covered in [playground], roofed-in, indoor [swimming-pool]

overdenken reflect on, consider, turn over in one's mind, meditate on, ponder (over, on) [the question], think [the matter] over; *goed overdacht* well considered, well thought-out [plan], deeply laid [plot]; **-ing** reflection, meditation, cogitation

overdisponeren overdraw one's account

over: ~**doen** do [s.t.] over again; (*afstaan*) dispose of [one's business to ...], make over [the house was made over to ...], sell; depute [a task to ...], pass [a question] on to ...; *de huur* – *aan* dispose of the lease to; *doe er een doek* ~ put a cloth on (over) it; *zie* dunnetjes; ~**donderen** zie overbluffen; ~**draagbaar** transferable [vote]

overdracht transfer(ence), assignment, conveyance, delegation; ~ *van de Kroon* (*door overlijden*) demise of the Crown; *vgl. 't ww. & zie* akte; ~**elijk** metaphorical; ~**skosten** cost of t.

overdragen carry over; carry; transmit [diseases, knowledge, experience]; transfer, convey, make over [property]; assign [a right]; hand over [the government, a monument,

one's case to ...]; turn over [responsibilities]; delegate [authority, duties]; (*endosseren*) endorse; *zie ook* overdoen

overdreven exaggerated [report], overdone [civility]; (*buitensporig*) extravagant, excessive [praise], immoderate [zeal]; (~ *in gevoelsuiting*) gushing [woman, speech]; ~ *nauwgezet* painfully conscientious; ~ *taal* [it is mere] gush; ~ *sentimenteel praten over* gush about [Wagner]; *dit lijkt een* ~ *voorstelling van zaken* ... taking it a bit far; *het is niet* ~ *warm* it isn't all that warm; (*tot in 't*) ~(*e*) [good, generous, etc.] to a fault; ~**heid** exaggeration, excessiveness, extravagance, immoderateness, gush(ingness)

overdrijven (*van onweer, enz., ook fig.*) blow over; ~*de wolkenvelden* low driving cloud

overdrijven exaggerate, overdo, overstate [a case], pile it on, lay it on thick; (*theat.*) overact; *sterk* ~, *ook:* lose all sense of proportion; *je overdrijft* you're exaggerating (overdoing it); *niet* ~ preserve a sense of proportion; **-er** exaggerator; **-ing** exaggeration; *het is geen – te zeggen* it is not too much to say; *zie* overdrevenheid

overdruk *bn.* too busy, overbusy

overdruk *zn.* (*van artikel,* = ~*je*) offprint, reprint, separate; (*op postzegel*) overprint, surcharge; (*stoomw.*) effective pressure; ~**blad** blue-carbon leaf; ~**je** zie ~; ~**ken** reprint; (*postzegel*) overprint; (*plaatjes*) transfer; ~**plaatje** transfer(-picture)

overduidelijk obvious, very distinct, abundantly plain (*of:* clear)

overduvelen zie overbluffen

overdwars across [it is 4 ft. ...], crosswise, athwart; *het schip lag* ~ *in de rivier* broadside on; ~ *doorsnede* cross section; *iem.* ~ *komen* cross (*of:* thwart) a p.

overeen: ~ *uitkomen* come to the same thing; ~**brengen** reconcile [conflicting statements]; *'t verhaal is niet* ~ *te brengen met de waarheid* cannot be reconciled with (the) truth; *met zijn geweten* – reconcile [s.t.] to (*of:* with) (square [s.t.] with) one's conscience; *ik kan het met mijn geweten niet* – it goes against my conscience; ~**komen** agree [with a p., on a thing]; – *met* agree with, fit [the theory ...s the facts]; correspond with [the original]; answer (to), conform to [the description]; tally with [it does not ... with your statement]; *de partij komt* ~ *met 't monster* is up to sample; *deze stof komt er precies mee* ~ matches it exactly; *iets* – agree (up)on s.t.; ~*gekomen* [*prijs, plaats*] [the price, place] agreed on (*soms* agreed: an agreed sum); *zoals overeengekomen* as arranged; *zie ook* beantwoorden aan & ~**stemmen**; ~**komst** (*overeenstemming*) agreement, conformity; (*gelijkenis*) resemblance, similarity; (*contract*) contract; (*verdrag*) treaty, convention, agreement, pact; *zie* aangaan, afspraak, treffen, vertonen, enz.; ~**komstig** corresponding [in the ... month of last year]; – *de feiten* in accordance (in keeping) with the facts;

–uw wensen in accordance with (in compliance with, pursuant to) your wishes; *– geval* similar (analogous) case; *–e hoeken* (*zijden*) corresponding angles (sides); ~**komstigheid** conformableness, conformity, similarity; ~**stemmen** agree, concur, harmonize [*met* with]; *– met, ook:* be in keeping (fit in, chime in, accord) with, be conformable to, fit [the facts]; *dit stemt ~ met* ... corresponds (squares, fits in, tallies) with what I said; *de straf stemt niet ~ met 't misdrijf* the punishment does not fit the crime; *zie ook* ~komen; ~**stemming** agreement, concurrence, harmony; (*van mening*) consensus of opinion; (*gramm.*) concord; *er bestaat volkomen – tussen hen wat betreft* ... they are in entire agreement as to ...; *– bereiken over* reach agreement on; *in – met* in conformity (agreement) with; *in – brengen met* bring [legislation] into agreement with [the feelings of the people, modern practice], make [the punishment] fit [the crime], reconcile [one's interests] with [one's duty]; *in – brengen met elkaar* coordinate [efforts to reduce pollution], bring into line with one another, harmonize [texts], reconcile [conflicting claims]; *in – zijn* (*met*) be consonant (with); *zie ook:* ~stemmen (met); *tot – komen* come to terms (to an agreement, to an understanding)

overeind upright, on end, erect, [the coffin stood] end up, endways, endwise; ~**staande haren** bristling hair; *~ zetten* raise, set (put) up, place on end, up-end; prick up [the dog ... ed up its ears]; right [a motor-car]; stand [a p.] up (*of:* on his feet); *de boot kwam weer ~ te liggen* righted herself again; *~ gaan staan* (*zitten*) stand (sit) up; *~ blijven staan* remain erect; *zie verder* ophelpen, opkrabbelen, enz.

over-en-weer: *~ gepraat* palaver

overerfelijk(heid) *zie* erfelijk(heid)

overerven *tr.* inherit; *intr.* be inherited, be hereditary; *-ing* heredity, hereditary transmission [of mental disorder, etc.]

overeten: *zich ~* overeat (o.s.)

overgaaf *zie* overgave

overgaan (*straat, enz.*) cross [the street, a stream]; (*van bel*) ring; (*op school*) go up, be moved up; *niet ~* stay down; (*van pijn, enz.*) pass off, wear off; (*van bui*) blow over; (*mar., van lading, enz.*) shift; *dat zal met de tijd wel –* it will pass (wear) off with time; *~ in* pass (change) into; develop into [pneumonia]; (*geleidelijk*) fade into [twilight], blend into [spring ...ed into summer]; *groen ~de in grijs* green turning to grey; *de beide soorten gaan geleidelijk in elkaar over* shade off into one another; *de woorden gingen over in* ... the words trailed off into a murmur; *~ in handen van* pass into the hands of; *~ in staatseigendom* pass over to State ownership; *~ naar* go over to [the enemy, the Liberals], move [from one group] to [another]; (*naar andere partij, ook:*) change sides, (*Parl.*) cross the floor (of the House); (*radio*) switch over to [London]; *~ naar* ..., *ook:* transfer (be transferred)

to another regiment (to the Chair of English Literature); cross the floor of the House (to the Conservatives); switch (over) to the Treasury; *de titel gaat over op* ... the title passes (descends) to ..., ... succeeds to the title; *zijn titel gaat over op* ..., *ook:* he is succeeded in the title by ...; *~ tot* pass on to [another subject], turn to [the next case]; change over (switch) [from one system] to [another], take to [closing at six]; embrace [Islam]; *zie ook ~* naar; *tot de aanval ~* attack, assume (take) the offensive; *weer tot de aanval ~* return to the attack; *tot een andere godsdienst ~* change one's religion; *tot handelen ~* proceed to action; *tot arbitrage ~* go to arbitration; *tot zaken ~* proceed (settle down) to business; *toen ging hij ertoe over te* ... he then proceeded to outline the case; *zie* bederf, stemming, enz.

overgang crossing; transit [of Venus]; change, transition; conversion [to another faith]; change-over [to summer-time]; (*pol.*) change of sides; (*muz.*) modulation; (*school*) [he got his] remove; (*van stemmen op andere partij*) turn-over [of votes]; (*van vrouw*) menopause, change of life

overgangs- *ook:* transitional [form, period]; ~**bepaling** temporary provision; ~**examen** qualifying examination, end-of-year examination; ~**jaren** climacteric (period), change (of life); ~**maatregel** temporary measure; ~**recht** right of transfer; ~**stadium** transitional stage, s. of transition; ~**tijdperk** transition period; ~**toestand** state of transition; ~**vorm** intermediate form

over: ~**gankelijk** transitive [verb]; ~**garen** lay up, save (up); ~**gave** handing over, delivery [of a parcel, etc.]; giving up; abandonment [her ... to sorrow]; (*van stad, van documenten, van zichzelf, ook berusting*) surrender; (*overdracht*) transfer; (*afstand*) cession; (*toewijding*) devotion, dedication; *hij bracht de vijand tot volkomen –* he brought the enemy to their knees; *zie* honger; ~**gedienstig** (over-)officious, (obsequious; ~**gedwee** meek to a fault; ~**gehaald** triple-dyed [fool], out-and-out [scoundrel]; *zie* overhalen; ~**geld** overtime money; ~**gelukkig** extremely (*of:* most) happy, overjoyed, enraptured; ~**gestreng** too severe

overgeven I *tr.* (*overreiken*) hand (over), pass; (*afstaan*) give up (over), yield, deliver up; surrender [a fortress]; (*braken*) vomit, throw up, spit [blood]; *aan de politie ~* give [a thief] in charge; *zich ~*, (*aan vijand, enz.*) surrender (o.s.), give o.s. up, yield (o.s.); *zich ~*, (*gewoonte, enz.*) give o.s. up to [sport, etc.], give way to, indulge in [drink], surrender o.s. to [vice]; *zich aan de drank* (*aan bedwelmende middelen*) ~, *ook:* contract the drink (the drug) habit; *zich aan dromerij ~* lose o.s. in a reverie; II *intr. a*) vomit; *hij moest ~* he was sick; *een gevoel hebben, alsof men moet ~* fee sick, feel queer; *b*) (*bij kaartspel*) deal again

overgevoelig over-(hyper-)sensitive, highly

strung, thin-skinned; ~heid over-sensitiveness
over: ~gewicht overweight; '~gieten pour [in into], decant [wine], transfuse [one's courage into others]; (morsen) spill; ~giéten water [plants], wet; – met cover with, suffuse with; douse in [petrol]; pour [brandy] over; ~-goten suffused [with tears (blushes)], bathed [in sunlight]; ~gooien throw (fling) over; 't roer – jam the helm over; ~gooier (kledingstuk) pinafore dress, tunic; ~gordijn curtain; ~groeien overgrow; ~groot vast [majority], undue [haste]; ~grootmoeder great-grandmother; ~grootvader great-grandfather; ~haal ferry; ~haalschuit ferry-boat; ~haast I bn. precipitate, overhasty, rash, hurried, hasty [conclusion], headlong [flight]; –e verkiezing rush (of: snap) election; II bw. ...ly, in a hurry; er werd – vrede gesloten peace was huddled up; ~-haasten: (zich) – hurry, hustle; ~haastig zie ~haast; ~haasting precipitation, precipitancy, overhaste

overhalen (ergens vandaan) fetch over; (in veerboot) ferry over (of: across); (hefboom) pull (throw) over [a lever]; throw [a switch]; (bel) pull [a bell]; (rem) pull [the communication cord]; (schip) careen [a ship]; (distilleren) distil [spirits]; (overreden) persuade [a p. to do s.t., into doing s.t., into a marriage], get (bring) [a p. to do s.t.], talk [a p.] over (of: round), prevail upon [a p.], win [a p.] over [to a party]; iem. tot een standpunt ~ bring a p. round; de haan (van geweer) ~ cock a rifle; de haan was half (geheel) overgehaald the gun was at half (at full) cock; de trekker ~ draw the trigger; de knuppel ~, (van vliegt.) pull the stick; zich laten ~ be persuaded, allow o.s. to be talked over; zie overgehaald en zienswijze

overhand: de ~ hebben have the upper hand [op of], have the mastery, predominate [op over], prevail; die mening heeft thans de ~ that opinion now prevails; de ~ krijgen get the mastery [op of], get the upper hand [op of], (fam.) get on top; de ~ krijgen op, ook: get the better of

overhandigen hand (over) [hand a p. a letter], deliver; present [a petition verzoekschrift; one's letters of credence geloofsbrieven]; -ing delivery, handing over, presentation

overhands overhand; ~ naaien sew o., overcast; ~e steek whip-stitch

overhangen hang over, incline; ~de rotswand beetling cliff; ~de struiken overhanging shrubs

overhebben have [no strength, no money] left; have [a few hours] to spare; een kamer ~ have a spare room; ik heb mijn vriend over I have my friend staying with me; ik heb er geen geld voor over I don't wish to spend anything on it; ik heb alles voor hem over I would do (sacrifice) anything for him; hij had er de kosten voor over he didn't grudge the cost; ik heb er veel moeite voor over gehad I've been at great pains to get it (to do it); dat had ik er wel voor over [I got fearfully dirty, but] it was worth it; 't heeft niet over it's only the bare minimum, only so-so

overheen: (er) ~ over, across, [dressed in his old clothes with his overcoat] on top; daar kunnen nog jaren ~ gaan it may be years first; ik liet er geen tijd ~ gaan, maar waarschuwde hem direct I lost no time in warning him; daar ben ik ~ I've got over that; ik kan er niet ~ (komen) I can't get over it; nu loopt het er toch ~ this goes too far; neem er nog een glaasje ~ have one more glass to top up with; ergens ~ lezen, zie lezen; ergens ~ stappen, (eig.) step over s.t.; daar zullen we maar ~ stappen we'll pass that over, we'll overlook it; ik zal er maar ~ stappen I won't press the point; (over een paar pond) I'll not stick at a few pounds, a few pounds won't break me, we'll not quarrel about ...; (over die bezwaren) I won't let these objections stand in the way; ge moet er u ~ zien te zetten you should try to get over it

overheerlijk exquisite, choice

overheersen tr. domineer over, dominate [that sentiment ...d all others], overbear; intr. predominate; ~d (pre)dominant [race, note], prevailing [the ...note of our time]; dominating [colour, mode]; -er tyrant, despot; -ing rule, domination

overheid government, (public) authorities; plaatselijke ~ local authority; door de ~ gesteund publicly maintained [schools], state supported

overheids: ~ambt government office; (rechterl.) magistracy; ~bedrijf public enterprise; ~dienst governmental department; hij ging in – he joined the Civil Service; ~gelden public funds; ~instellingen Government agencies; ~persoon (person in) authority; (rechterl.) magistrate; ~uitgaven a) public (government) spending (expenditure); b) (local) government publications

overhellen lean over, hang over, incline; (mar.) list (heel) [to port, to starboard], (tijdelijk, ook van vliegt.) heel over; (laten) ~, (van vliegt. & auto, in bocht) bank; gaan ~, (mar., vliegt.) take on a list; naar bakboord ~, ook: have a port list; ~ naar (tot), (fig.) lean (have a leaning) to(wards), tend (gravitate) towards, incline to [conservatism, a different theory, the view that ...]; doen ~ tilt; -ing leaning, inclination (beide ook fig.); (mar.) list

overhelpen help (of: get) over

overhemd shirt; (met stijf of geplooid front) dress-shirt; ~blouse shirt-blouse; ~je s.-front, dicky; ~sknoopje (shirt, front) stud; ~smouw s.-sleeve

overhevelen siphon over; (fig.) transfer, siphon off [money illegally]

overhoeks diagonal(ly), oblique(ly), (Am.) cater-corner(ed)

overhoop in a heap, in confusion, in disorder, topsyturvy, higgledy-piggledy, pell-mell, at sixes and sevens; (fig.) at loggerheads, at variance; ~gooien upset, overthrow; alles – knock the place about; ~halen turn over, rummage (in), make hay of [a p.'s papers, a room], turn [a room] inside out; ~liggen (van kamer, *enz.*) be in disorder, (*sterker*) in a litter, in a mess; (*fig.*) be at variance (at odds, at loggerheads) [*met* with]; *ik lig met hem* ~ we are at loggerheads; ~**raken** get into confusion; (*fig.*) fall out together; ~**schieten** shoot down; ~**steken** stab; ~**werpen** *zie* ~gooien

overhoren hear [lessons]; test; *wil je me ~?* will you hear me?

overhouden save [money], have [s.t.] left; *ik houd genoeg geld over* I'm left with enough money; *ik heb er een verkoudheid* (*een horloge*) *aan overgeh.* it has left (provided) me with ...; *de winter* ~ keep [things] through the winter, winter [plants, etc.]; *dat houdt niet over* that's no better than it should be

overig remaining; *de* ~*e dagen van zijn leven* his r. years, the rest of his life; *'t* ~*e* the rest, the remainder, (*vooral van geld ook*) the balance; *voor 't* ~*e* for the rest; *wij zorgen voor het* ~*e* we do the rest

overigens for the rest; apart from that; otherwise [this ... voiceless solitude]; (= *trouwens*) indeed, for that matter, though; ~ *betekent dit niet* ... this is not to say ...; ~ *een verstandig man* an otherwise sensible man; ~ *geen wrede man* a man not otherwise cruel; *een* ~ *niet moeiteloze overwinning* an admittedly ...

overijld precipitate, rash

overijlen: *zich* ~ hurry, rush things; *overijl je niet, ook:* don't do anything rash; ~**ing** precipitation, precipitance, -cy, undue haste, hurry; *vooral geen* ~ above all, don't rush things

over: ~**inspanning** overstrain; ~**jágen** override, overdrive [a horse]; ~**jarig** *a)* more than one year old; *b)* superannuated [spinster]; *c)* old-fashioned; ~**jas** overcoat, top-coat, greatcoat; ~**kalken** copy, crib; ~**kant** opposite (other, far, farther) side; *aan de* – *van, ook:* beyond [the river, the mountains], across [the Channel]; *aan de* – (*van de straat*) *wonen* live over the way, live opposite; *aan de* – *van het graf* beyond the grave; *naar de* ~, *ook:* [carry me] across

overkapitalisatie over-capitalization

over: ~**káppen** roof in, cover (in); ~**ing** roof; *zie ook* luifel; ~**kijken** look over; *zie* doorkijken; ~**kléden** cover; ~**kleed** upper garment; (*over tapijt*) drugget; ~**kléedsel** cover

over: ~**klimmen** climb over; ~**kluizen** vault (over), cover over; ~**kluizing** vault(ing); ~**koepelen** cover, overarch; ~*de organisatie* umbrella organization; ~**koken** boil over; ~**komelijk** surmountable

overkomen come over; (*in auto*) drive over; (*radio*) come through (*of:* over) [splendidly]; (*begrepen w.*) [the point did not] get across; (*sl.*) click; *ik kwam veilig over* (*de rivier, enz.*) I got safely over; *ik zal wel eens* ~ I'll come and see you some day; *ze komen met Kerstmis over* they are coming to spend Christmas with us

overkómen befall, happen to; *hem is een ongeluk* ~ he has met with an accident; *de ramp* ('*t ongeluk*) ~ *aan* ... the disaster (accident) to

...; *er zal hem niets* (*geen kwaad*) ~ he'll come to (he'll take) no harm; *als u enig kwaad over komt* if any evil comes to you; *haar kan geen kwaad* ~ she is out of harm's way; *ik moe zorgen dat je niets overkomt* I must keep yo out of harm's way; *men vreest, dat hem iets is* it is feared that s.t. (some ill) has befallen (happened to) him; *dat zal hem niet weer* ~ h won't be caught at that again; *dat is mij nooi* ~ I('ve) never had that happen to me; *zie bes*

over: ~**komst** coming (over), visit; – *noodzake lijk*, (*telegram*) your presence necessary; ~ **kórsten** crust, encrust; ~**krijgen** get [troops etc.] across; get [visitors]; ship [a sea], (*o achterschip*) poop [a sea]; ~**kroppen** cran [birds]; (*fig.*) overburden; ~**kropt** overbur dened; – *gemoed* pent-up feelings; ~**krui** crosswise, crossways; ~**laat** overflow, waste weir, spillway, overfall

overladen trans-ship, tranship (*ook van trein*) (*van wagon in wagon*) transfer; (*opnieuw laden* re-load

overláden overload [ships, etc.]; (*fig.*) (over load [with honours], overburden [a p. wit cares], smother [with presents, kisses], flood glut, overstock [the market]; *iem. met werk* overtask a p.; *met beleefdheden* (*gaven, welda den, vriendelijkheid*) ~ shower compliment (gifts) upon, heap benefits upon, overwhelm [a p.] with kindness; *een kind* ~ *met voedse* ply a child with food; *zich met roem* ~ cove o.s. with glory; *zich de maag* ~ overeat (o.s.) surfeit (overload) one's stomach; ~ *mark* overstocked (glutted) market; ~ *programme* (*agenda*) (over-)crowded (overloaded, heavy programme (agenda); ~ *zijn met kopij* (*me werk*) be overstocked with copy, overbur dened (snowed under) with work; ~ *me bloemen* [the coffin was] overladen wit flowers; *zie* overstelpen

overlading trans-shipment, transhipment

overláding surfeit [of the stomach]; overload ing, etc.; *zie* overláden

overlading: ~**shaven** port of trans-shipment; ~ **kosten** trans-shipment charges

overland by land; ~**mail**, ~**reis**, ~**weg** overlanc mail (journey, route)

over: ~**langs** *bw.* lengthwise, endlong; *bn* longitudinal [section]; ~**lappen** (*angl.*) overlap ~**last** annoyance, nuisance, molestation; *iem* – *aandoen* annoy (molest) a p.; *iem. tot* – *zij* be a burden on a p.

overlaten leave (*ook:* I l. the matter entirely ir your hands); '*t tot de volgende week* ~ l. it ove till ...; *laat dat maar gerust aan mij over* you l that to me; *laat dat maar aan hem over* trus him (let him alone) to do that, trust him (fo that)!; *de zaken* (*iem.*) *aan zichzelf* ~ let thing take their own course (leave a p. to his owr devices, to his own resources, to himself); *h liet ... aan zichzelf over* he left the farm tc look after itself; *zie* lot

overleden deceased; *de* ~*e*(*n*) the deceased (de parted); *de* ~*e*(*n*), *ook:* deceased

overleer upper leather, uppers

overleg deliberation, judg(e)ment, forethought, discretion, consideration, [the Paris] talks; (*ongev.: tact, zuinig beheer*) management; (*met 'n ander*) deliberation, consultation; ~ *is 't halve werk* look before you leap; ~ *plegen* consult together; ~ *plegen met* consult (with), confer with; *vrede door* ~ negotiated peace; *in onderling* ~ [act] in concert; *in* ~ *met* in concert with, in consultation with; *met* ~ [act] with discretion; *met onderling* ~ by mutual arrangement, *zie* rijp

over: '~leggen hand in, produce [documents, books]; (*bij rechtb.*) put in [a medical certificate, etc.]; (*sparen*) put by, put aside, lay by, lay up [money]; *ik leg* ~ I am putting by (saving); *het roer* – shift the helm; ~**léggen** consider, deliberate; (*bij zichzelf*) – debate (inwardly, in one's mind; he debated whether ...), debate (take counsel) with o.s.; *samen* – take counsel (consult) together; *ik zal 't met hem* – I'll consult with him about it; *van te voren~legd* premeditated, preconcerted [plan]; *goed ~legd plan* well-advised (well-concerted) plan; *slecht ~legd* ill-advised; '~**legging** production; *tegen* – *van* on production of; ~**légging** *zie* ~leg

overleunen lean over [*naar* to(wards)]

overleven outlive, survive; (*fam.*) see out [he'll see us all out yet]; *zijn roem* ~ o. one's fame; *zichzelf* ~ outlive one's usefulness [the institution has ...]; ~**de** survivor, longest liver

overleveren hand down [stories, traditions], transmit; (*overgeven*) deliver (up), give up; '*t is ons overgeleverd uit vroegere eeuwen* it has come down to us from ...; ~ *aan* give (deliver) [a p., o.s.] up to, turn (hand) [a p.] over to [the police], give up [a town to pillage]; *overgeleverd zijn aan* be at the mercy of; *je bent geheel aan mij overgel.* you are entirely in my power (my hands), I've got you at my mercy; *zie* heiden

overlevering tradition; *bij* ~ by t., traditionally; *volgens de* ~ *is zij* ... t. (*of:* legend) has it that she is ...

over: ~leving survival; ~**levingscontract** deed of reversion; ~**lezen** read through (*of:* over); (*vluchtig*) skim; (*nauwkeurig*) peruse; ~**ligdagen** (*mar.*) days on demurrage; ~**liggeld** (*mar.*) demurrage; ~**liggen** (*mar.*) be on demurrage

overlijden I *ww.* die, pass away, depart this life; *te B. is overleden de Heer* ... the death occurred at B. of Mr. ...; *zie* overleden; II *zn.* death, decease, demise; *betaalbaar bij* ~, (*in polis*) payable at death

overloop (*van water, enz.*) overflow; (*van gal*) overflowing [of the bile]; (*van blad, enz.*) overflow; (*van trap*) landing; (*van bevolking*) overspill [from Amsterdam to ...]

overlooppijp overflow pipe

overlopen (*vloeistof, vat, enz.*) run over, overflow, (*beker, enz. ook*) brim over (*alle ook fig.:* with joy, etc.); (*van vloeistof ook:*) spill (over), slop (over); *de druppel die de emmer doet* ~ the last straw; (*naar vijand, enz.*) go over, desert [to the enemy], defect, (*pol. min.*) rat; *zie* overgaan; *de ogen liepen hem over* his eyes streamed; *de brug* ~ cross the bridge; *zie* hart, maat

overlópen: *je overloopt ons niet* we don't see much of you; *zich* ~ overwalk o.s., (*van hardloper*) overrun o.s.

overloper deserter, defector, turncoat; (*pol.*) rat(ter); ~**tje** [play at] prisoner's bars (*of:* base)

overluid aloud, too loud

over: O~maas: *in 't O~mase* beyond the Maas; ~**maat** over-measure; (*fig.*) excess; *tot* – *van ramp* to make matters worse, to add to the misfortune, on top of it all; *tot* ~ *van geluk (zegen)* ... the crowning happiness (glory) was ...; ~**macht** superior power, superior forces; (*noodzaak*) force majeure, circumstances beyond one's control; (*in connossement, enz.*) the Act of God [a flood is regarded as an Act of God]; *tegen een grote* – *vechten* fight against heavy odds; *voor de* – *bezwijken* yield to superior numbers; *door* – *winnen* win by force of numbers; ~**machtig** superior (in numbers), stronger; ~**maken** (*weer maken*) do (write) over again; (*geld*) remit, (*telegrafisch*) wire [money]; (*overdragen*) make over, transfer [property]; ~**making** remittance; transfer; *vgl. 't vor.;* ~**mannen** overpower, overcome; ~**mand door smart (slaap)** overcome with (by) grief (sleep); ~**matig** excessive, undue [not unduly fatigued]; (*muz.*) augmented [third *terts*]; – *gebruik, ook:* overuse [of tobacco], (*van alcohol*) alcoholic excess; –*e studie* overstudy; – *belasten* overtax; – *drinken* drink to excess, indulge freely in drink; ~**meesteren** overmaster, overpower, conquer [one's passions]; ~**meestering** conquest; ~**meten** measure again; ~**mits** (*vero.*) whereas, since

overmoed over-boldness, recklessness; ~**ig** *a*) over-bold, reckless; *b*) presumptuous

overmorgen the day after to-morrow

over: ~mouw oversleeve; ~**naad** overcast (seam); ~**naads gebouwd**, (*scheepsb.*) clinker-built; ~**naaien** sew again, resew; ~**nachten** stay (pass) the night, stay (stop) overnight; ~**nachting** overnight stay; ~**name** *zie* overneming

overnemen take over [a business, a practice, the command, debts, etc.]; (*overschrijven*) copy, take over; borrow [s.t. from a writer]; adopt [an idea, an amendment]; (*gewoonte, enz.*) adopt, catch [the habit from other people]; (*kopen*) buy [at a reduced price, at cost price]; *zie ook:* beheer (*in eigen* ... *nemen*); *andere bladen gelieven dit over te nemen* other papers, please copy; *de dienst, enz.* ~ take over [the day-shift takes over at nine a.m.]; '*t geweer* ~ slope arms; **-ing** taking over; adoption; (*koop*) purchase; take-over; *vgl. 't ww.;* *ter* – *aangeboden* offered for sale

over: ~noeming metonymy; ~**nummeren** renumber; ~**oud** very old, ancient; *sinds* –*e tijden* from time immemorial

over: ~**pad** footpath; (*recht van*) – right of way; ~**pakken** repack, pack again; ~**peinzen** meditate on, muse on, turn over (revolve) in one's mind, reflect on, ponder; ~**peinzing** meditation, reflection; ~**pennen** copy; (*van iem.*) *ook:* crib [from ...]; ~**plaatsen** remove; (*ambtenaar, enz.*) transfer [to another department]; (*bisschop*) translate; ~**plaatsing** removal; transfer; translation; *vgl.* 't *ww.; – vragen* apply for a transfer; ~**plakken** paste over, paste; ~**planten** transplant; *zie ook* voortplanten; ~**planting** transplantation; ~**pléisteren** plaster (over); '~**pleisteren** plaster again;~**prikkelen** over-excite, over-stimulate; ~**prikkeld**, *ook:* [his nerves were] overstrung (*of:* on edge); ~**prikkeling** over-excitement; ~**produktie** over-production, surplus production

overreden persuade, prevail on [a p.], talk [a p.] over (*of:* round), induce; *zie* overhalen; ~**d** persuasive

overreding persuasion; (*zedelijke*) (moral) suasion; ~**sgave** gift of p.; ~**skracht** power of p., persuasiveness, persuasive power; ~**skunst** art of p.; ~**smiddel** persuasive

over: ~**reiken** hand, reach, pass; ~**rekenen** calculate again; '~**rijden** (*ergens over*) ride (drive) over (across); ~'**rijden** (*pers.*) run over, knock down; (*paard*) override, overdrive; ~**rijp** over-ripe; ~**roeien** *a*) row across; *b*) r. again; ~**rok** over-skirt

overrompelen (take by) surprise, take [a p.] off his guard, take [a p.] at advantage, rush (*of:* sweep) [a p.] off his feet; *hij is niet iemand die zich laat* ~ he is not a man to be rushed into decisions; **-ing** surprise (attack)

over: ~**rukken** cross [the frontier]; ~**schaduwen** overshadow, shade; (*fig.*) overshadow, cloud [a great sorrow ...ed his life]; (*in de schaduw stellen*) throw into the shade, eclipse; ~**schakelen** switch over [to London]; change over [to the manufacture of ...]; (*auto*) change gear, (*naar lagere versnelling*) change down (gear); *overgeschakeld op oorlog* geared for war; ~**schakeling** switch(-over), change-over; ~**schatten** overestimate, overrate; **-ing** overestimation, overrating

overschenken decant [wine], pour over

overschepen trans-ship, tranship; **-ing** ...ment

overscheppen scoop, ladle [out of, into]

over: ~**schieten** I remain, be left; 2 shoot (*of:* fire) again; ~**schilderen** paint over, repaint; (*onzichtbaar maken*) paint out [a name]; *driemaal* – give [it] three coats of paint; ~'**schilderen** overpaint; ~**schitteren** outshine; ~**schoen** overshoe, galosh, golosh; ~**schoon** extremely beautiful; ~**schot** remainder, rest, residue; ('t *meerdere*) surplus; (*aan geld*) balance; *stoffelijk* – mortal remains, body; *het – van* ... *ton van 1957* the carry-over of ... tons from 1957; *zie* goddeloos; ~**schreeuwen:** *iem.* – cry (shout, howl) a p. down, drown a p.'s voice; 't *lawaai* – shout down the tumult; *zich* – overstrain one's voice; ~**schrijden** step across, cross [the thresh-

old]; (*fig.*) exceed [the estimate, all bounds, one's duty], go beyond [one's time], overstep [the limits, the line between ...], transgress [the conventions]; *zijn verlof* – overstay one's leave; *zijn tegoed* – overdraw one's account; *zie* drempel

overschrijven write out, copy (out), transcribe; (*in* 't *net*) copy fair; (*opnieuw*) write over again; (*bkh., enz.*) transfer [from one account to another; ... property]; (*naschrijven*) copy, crib [from a p.]; **overschrijver** copier, copyist

overschrijving transcript, copy; (*op iems. naam, enz.*) transfer; ~**skosten** cost of transfer; (*bij koop van huis*) law costs; ~**srecht** transfer (conveyance) duty

overseinen transmit [a message], telegraph, wire

overslaan I *ww.* (*weglaten*) skip [the details, a word], omit, leave out, miss (out) [words]; (*iem., ook bij bevordering, enz.*) pass over; (*verzuimen*) miss [a concert]; (*ramen*) estimate; (*lading*) trans-ship; (*van stem*) crack (*ook:* her voice leaped an octave); (*van balans*) dip; (*van golven*) curl over; (*van motor*) misfire; (*elektr.*) *zie* overspringen; *ze had geen enkele dans overgesl.* she had not missed one dance; *de balans doen* ~ *naar de andere kant* tip the balance the other way; ~ *op*, (*van vlammen*) spread to, attack [the adjacent buildings]; *zijn paniekstemming sloeg over op zijn omgeving* communicated itself to; *zijn liefde sloeg over tot haat* turned to hatred; *zie* schaal & uiterste; II *zn.* (*van motor*) misfire

over: ~**slag** (*aan kleren*) turn-up; (*van enveloppe*) flap; (*raming*) estimate; (*overlading*) trans-shipment; (*bridge*) overtrick; ~**slepen, -sleuren** drag over (*of:* across); ~**smijten** *zie* ~gooien; ~**sneeuwen** be snowed under; ~**spannen** I *ww.* (*met hand, enz.*) span [a bridge ...s the river]; (*te zeer spannen*) overbend [a bow], overstretch; *zich* – overexert o.s.; II *bn.* overstrung, overwrought, overstrained, over-excited; ~**spanning** 1 (*van brug*) span; 2 overstrain, over-exertion, over-excitement; ~**sparen** save (up), lay by [money]; ~**speelster** adulteress; ~**spel** adultery, misconduct; – *plegen* commit adultery, misconduct o.s.; '~**spelen** (*sp.*) replay [a match]; *er moest* ~*gespeeld w.* a replay was ordered; ~**spélen** (*angl.*) overplay [one's hand]; (*sp.*) outplay; ~**speler** adulterer; ~**spelig** adulterous; ~**spoelen** wash over [the quay]; swamp, inundate, flood, deluge [with applications, visitors]; ~**spreiden** overspread; ~**springen** jump, leap over [a ditch]; skip [a class]; (*elektr.*) jump (over), spark across (*of:* over]; *zie* ~slaan; ~**staan** stand over [*tot* till]; *ten* – *van* before, in the presence of; –*d*, (*ook plantk.*) opposite; –*de hoeken* opposite angles; ~**stag:** – *gaan* tack, put a ship about, go about, change one's tack; (*fig.*) *a*) (give a) lurch; *b*) change one's tack; revise one's views; ~**stap** (*bij hek*) stile; ~**stap(kaart)je** transfer (ticket); ~**stappen** *a*) step over, go across, cross; *b*) change (carriages, trains, trams; into another train, to the steamer), transfer [to the main line]; *reizigers voor B. hier* – change here for B.; *je behoeft niet ~ te s.* you won't have any change; *zonder* – [travel] without change [to P.]; – *op*, (*fig.*) change, transfer, switch (over) to; *zie ook* ~slaan; ~stappunt transfer point

overste lieutenant-colonel; (*van klooster*) prior, prioress, (Father, Mother, Lady) Superior

oversteekplaats (pedestrian) crossing, zebra (c.)

overstek projection

oversteken cross [the Channel; c. here], traverse; *hij stak ... over, ook:* he went across the road, he struck across the lawn; *gelijk ~ hand over hand* simultaneously; even exchange; *naar Engeland ~ c.* over to E.; *ik zou niet met hem willen ~* I would not change places (*fam.:* wouldn't swop) with him

overstelpen overwhelm [your kindness ... s us]; ~ *met o.* with [orders, kindness, etc.], heap [insults] upon, shower [compliments] upon [a p.]; *door aandoening overstelpt* overwhelmed (overpowered) with emotion; *overstelpt met* overstocked with [copy], inundated (flooded, snowed under) with [requests], overburdened with [work]; *ik ben overstelpt met werk, ook:* I am worked off my feet; -**ing** overwhelming, etc.

overstemmen 1 vote again; 2 (*instrument*) tune again; **overstémmen** 1 (*bij stemming verslaan*) outvote [by four to one], vote [a p.] down; 2 drown, deafen [other sounds, a p.'s voice], shout [a p.] down

overstijgen exceed

overstorten pour over [into ...], cover with

overstromen overflow (*ook fig.: van ... with praise*)

overstrómen flood, inundate, overflow; *de markt ~* flood (deluge) the market; *overstroomd* flooded [rivers, fields], [rivers] in flood, submerged [shoals]; *zie* overstelpen; -**ing** inundation, flood; (*van rivier ook*) freshet, (*plotseling*) spate; (*grote*) deluge

over: ~**sturen** *zie* ~zenden; ~**stuur** (*ook van de maag*) out of order, upset; *zij was geheel* – she was very upset; *zeer* (*erg*) –, (*sl.*) she was in a (terrible) state [*van* about]; *er is niets mee* – there's no harm done; – *maken* upset [a p., the stomach]; – *raken* get upset; (*fam.*) go (all) to pieces; '~**stuur** (*van auto*) oversteer; ~**suikeren** sugar (over); ~**tallig** supernumerary; '~**tekenen** (*weer t.*) draw again, redraw; (*natekenen*) copy; (*mil.*) enlist in another corps; ~**tékenen** over-subscribe [a loan]; *zie* voltekend; ~**tekening** over-subscription; ~**tellen** count again, recount; ~**tillen** lift over, lift across; ~**tocht** passage; (*kort*) crossing; *bij mijn* – *naar Engeland, ook:* on my way over to E.; *de* – *verdienen met werken aan boord* work one's passage; ~**togen** suffused (with blushes) [his face was] wreathed [in smiles]; ~**tollig** superfluous, surplus [funds], redundant; '*t -e* the overspill; ~**tolligheid** superfluity, redundancy; ~**toog** [a flush] suffused (overspread) [her cheeks], [a smile] passed across [her face]

overtoom portage

overtreden transgress, break, contravene, infringe [the law]; break (through) [a rule]; *de wet ~, ook:* commit a breach of the law; -**er** transgressor, offender, breaker [of the ten commandments], infringer [of the rent act]; (*wie op verboden terrein komt*) trespasser; -**ing** transgression, offence, infringement, breach [of the rules], trespass, misdemeanour, contravention [of the regulations]

overtreffen surpass, excel, exceed, outdo, outvie, outrival, outstrip, transcend; *in pracht* (*heerlijkheid, enz.*) ~, *ook:* outshine [all others]; *in aantal* ~ outnumber; *de vraag zal het aanbod* ~ the demand will outrun the supply; *alles* ~, *ook:* (*fam.*) top everything; (*sl.*) take the cake; *de voordelen ervan* ~ *de nadelen* its advantages outweigh its disadvantages; *zichzelf* ~ surpass o.s.; *moeilijk te* ~ hard to beat; ~*de trap* superlative; *alles* ~*de liefde* [he loved her with a] surpassing love

overtrek cover, slip, case

overtrekken (*rivier, veld*) cross; (*tekening*) trace; (*van onweer, enz.*) blow over; *de haan ~* pull the trigger

overtrékken cover; (*meubelen ook:*) upholster; (*opnieuw*) recover [a chair, an umbrella]; (*bankrekening*) overdraw; (*overdrijven*) *zie ald.; zie ook* overtoog, -togen

overtrekpapier tracing-paper

overtrektekening tracing

over: ~**troeven** overtrump; (*fig. ook*) score off [a p.]; ~**trouwen** remarry

overtuigen convince, satisfy; *zich ~ c.* (satisfy, assure) o.s., make sure [*van* of]; *overtuigd aanhanger* declared supporter; *overtuigd socialist* convinced socialist; *ik ben overtuigd dat* ... I am (feel) confident that ...; ~**d** convincing, cogent [reasons]; *wettig en – bewijs* legal proof; – *bewijs van schuld* damning evidence; – *zijn, ook:* carry conviction; '*t -e van* ... the convincingness of his speech

overtuiging conviction; *mijn politieke ~* my political faith; *in de ~ dat* [act] in the c. that; *naar mijn ~* in my c. [it is wrong]; *uit ~* from c.; *tot de ~ komen, dat ...* come to the c. (the conclusion) that ...; *met ~, ook:* convincingly; *zie* moed, uitkomen & vast; ~**skracht** cogency; ~**sstuk** (*jur.*) exhibit

overtypen re-type; type out

overuren overtime (hours); ~ *maken* work (do) o.

overvaart passage, crossing

overval surprise (attack); [police] raid; (*van trein, enz.*) hold up; (*van bank*) raid, hold-up; (*sluiting*) hasp; *zie ook* toeval

overvallen (*van vijand, enz.*) surprise, set (fall) upon [a p.]; hold up [a train]; (*zonder vijandige bedoeling*) surprise, take by surprise, burst in upon [a p.]; (*van storm, nacht, enz.*) overtake [*ook:* the storm burst on us]; (*van vrees, enz.*) come over (upon) [a p.]; *door een storm ~ worden:* be caught in a storm; *door de nacht ~, ook:* benighted; *door de regen ~ wor-*

den get (*of:* be) caught in the rain; *iem.* ~ *met* spring [a question, a surprise, etc.] upon a p.; *een verschrikkelijke twijfel overviel haar* terrible doubts assailed her; *neerslachtigheid overviel hem* depression descended upon him
over: '~**varen** *tr.* cross [the river]; *iem.* - take (ferry) a p. across; *intr.* cross (over); ~**váren** run down, run into; ~**veiligheid** (*luchtv.*) margin of safety; ~**verfijnd** over-refined; ~**verfijning** over-refinement; ~**verhitten** overheat [*ook fig.:* the economy]; (*stoom*) superheat; **-ter** superheater; ~**vermoeid** over-fatigued, over-tired; ~**vermoeidheid** over-fatigue; ~**vermoeien** over-fatigue, over-tire; ~**vertellen** repeat, tell others, pass [it] on (to others); *je moet 't niet* -, *ook:* it's for your ears alone; *ik zal 't niet* -, *ook:* it won't go beyond me; ~**verven** *a*) *zie* overschilderen; *b*) (*stoffen*) re-dye
oververzadigen (*nat.*) supersaturate, surcharge; (*fig.*) surfeit
oververzadiging supersaturation; (*fig.*) surfeit
over: ~**verzekering** over-insurance; ~**vet** superfatted [soap]; ~**vleugelen** surpass, outdo, outstrip; (*mil.*) outflank; ~**vliegen** fly over, fly across
overvloed abundance, plenty, profusion; *tijden van* ~ times of (wealth and) plenty; ~ *van tijd* plenty (*fam.:* oceans) of time; *we hebben* ~ *van tijd, ook:* we are in plenty of time; ~ *van tijd geven, ook:* give time in plenty; ~ *van juwelen* jewels in plenty (in profusion, *fam.:* galore); *het land heeft* ~ *van goede voortbrengselen* abounds in excellent products; *in* ~ *voorkomen* abound; *bewijzen in* ~ ample proof (*of:* evidence); *ten* ~*e deel ik u mede, dat* ... needless to say that ...; *wellicht ten* ~*e* at the risk of labouring the obvious[, let me ...]
overvloedig abundant, plentiful, profuse, lavish, copious; *zeer* ~ superabundant; bumper [crop, year]; ~**heid** plentifulness, abundance, profusion, copiousness
over: ~**vloeien** overflow, run over; - *van* abound in, brim (over) with; *het land vloeit* ~ *van melk en honing* flows with milk and honey; *hij vloeide over van enthousiasme* he was bubbling over with enthusiasm; ~**voeden** overfeed (*ook: zich* -); ~**voeding** overfeeding; ~**voeren** carry over, transport, convey; (*in veerboot*) ferry over; ~**vóeren** glut, overstock, flood [the market]; overcrowd [with work]; *de markt is* ~*voerd, ook:* there is a glut in the market; ~**vol** (over-)crowded, over-full, congested, full (filled) to overflowing, chock-full, chock-a-block; - *van* crammed with; ~**vracht** excess luggage; excess freight; ~**vragen** overcharge, ask too much; ~**vraging** over-charge; ~**waaien** blow over (*ook fig.:* the affair will ...); *komen* -, *zie* aanwaaien; ~**waard** well worth [the money, reading]; ~**waarde** surplus value; ~**wal** (*Ind.*) opposite coast
1 overweg (*spoorw.*) (level, *Am.* grade) crossing; (*bovenkruising*) overpass; (*on*)*bewaakte* ~ (un)gated ([un]guarded) l. c.; ~ *met halve*

bomen half-barrier l. c.
2 overwég: *goed met elkaar* ~ *kunnen* hit it off, get on well together, understand each other; *ik kan niet met hem* ~ I cannot (don't) get on (can't away) with him; *hij kan ermee* ~ he knows how to manage it; *hij kan overal mee* ~ he can turn his hand to anything, everything comes easy to him
1 overwegen reweigh, weigh again
2 overwégen I *tr.* weigh, consider, contemplate, revolve in one's mind, have [a scheme] under consideration, think [a question] out; *de zaak wordt overwogen* is under consideration; *ernstig* ~ give serious consideration to; ~*de dat* considering that ...; *mijn wel overwogen oordeel* my considered judg(e)ment; *alles wel overwogen* all things considered; *zie* rijpelijk; II *intr.* preponderate, turn the scale; ~**d** preponderating; *de bevolking is* - *katholiek* is predominantly ...; *van* - *belang* all-important, of paramount importance
overweging consideration, deliberation, reflection; *in* ~ [the plan is] under c., in contemplation; *in* ~ *geven* suggest, recommend, submit [a plan] to a p.'s c.; *in* ~ *nemen* take into c., consider; *we kunnen 't denkbeeld niet in* ~ *nemen* we cannot entertain the idea; *uit* ~ *van* in c. of, in view of [his services]; *uit* ~*en van* [act] from c...s (motives) of [delicacy]; *zie* rijp
overwegwachter level-crossing keeper
overweldigen overpower [a p.], usurp [the throne, the kingdom], conquer [the country]; ~**d** overwhelming [majority], overpowering [demand], thrilling [spectacle], sweeping, smashing [victory], stupendous [height]; - *mooi* supremely beautiful, (*sl.*) [she was] stunning; **-er** usurper; **-ing** usurpation, overpowering, conquest
over: ~**welfsel** vault; ~**welven** vault (over), over-arch, arch over [...ed over with elms]; ~**welfde ingang** archway; ~**welving** vault(ing); ~**werk** overwork, extra work; *er moet wat* - *gedaan worden* some overtime has to be done; *vergunning vragen voor* - apply for an overtime permit; '~**werken** work (do, put in) overtime; ~**wérken:** *zich* - overwork (o.s.); *ik voel mij* ~*werkt* I feel overworked (overdriven); *ziek door* - ill from overwork (overstudy); ~**werktarief** overtime rates; ~**werkuren** overtime (hours); ~**werpen** *zie* ~gooien; ~**wicht** overweight; (*fig.*) preponderance, ascendancy; *zedelijk* - prestige, moral authority; - (*in aantal*) *van vrouwen over mannen* preponderance of women over men; *'t* - *hebben* preponderate; *een numeriek* - *hebben op* outnumber; *geen* - *hebben op* have no authority over (*of:* with); *nucleair* - [America's] superior nuclear power
overwinnaar conqueror, victor
overwinnares victress, victrix
1 overwinnen save, lay by [money]
2 overwinnen conquer [the enemy, one's passions, difficulties], gain the victory (over), overcome [*ook fig.:* difficulties, etc.], get over

[difficulties], fight down [one's passions], break [resistance], surmount [difficulties]; ~d victorious; *een overwonnen standpunt* an outmoded (abandoned) point of view

overwinning victory [*op* over]; (*inz. sp.*) *ook:* win; *een ~ behalen* win (score) a v.; *de ~ is aan ons, ook:* the day is ours; *zie verder* behalen; ~sroes intoxication of victory

overwinst surplus profit, excess profit; ~belasting excess profits duty (*of:* tax)

over: ~winteren winter, hibernate; -ing wintering, hibernation; ~wippen slip (dash) over, hop (pop) over [*ook fig.:* I'll hop over and see her], nip over [to Brighton], nip down [to ...], give a p. a look-up

overwitten whitewash (again)

overwoekeren overgrow

overwonnene, -eling vanquished person (party), [victor and] vanquished

overwulven vault; -ing vault(ing)

over: ~zedig over-modest, demure; ~zee oversea(s), beyond the sea(s); ~zees oversea(s) [possessions, trade, produce], *–e handel, ook:* sea-borne commerce; *–e bezoekers* overseas visitors; ~zeggen say again, repeat; ¹~zeilen sail over (*of:* across); *de zee –* sail (across) the sea; ~zéilen run down, run into; ~zenden send, forward, dispatch [goods, etc.], transmit [messages], remit [money]; ~zending dispatch; transmission; remittance; *vgl. 't ww.*

overzet: ~boot ferry-boat; ~geld ferriage, fare (for ferrying a p. over); ~schouw ferry-boat; ~ten take (put) across; (*in veerboot*) ferry (over, across); (*vertalen*) translate (render) [*in* into]; (*drukwerk*) reset; ~ter *a*) ferryman; *b*) translator; ~ting translation, rendering, version; ~veer *zie* veer 2

overzicht survey, [general] view, overview, review, conspectus, overall picture; outline, summary, synopsis; *een ~ geven van* ...

review [the motives], give [a p.] a run-down [of the problems still outstanding]; *zie* kameroverzicht; ~elijk sur·eyable, conveniently (neatly) arranged (laid out), well-ordered, well-organized, clearly structured; ~elijkheid convenient (clarity of) arrangement, surveyability; *voor de –* for ease of survey; ~skaart outline map; ~sfoto general view, over-all picture

overzien look over; *zie* doorkijken

overzien survey, overlook; command [the hill ...s the surrounding country]; *de afgelopen jaren ~* look back over the past years; *met één blik ~* take in [a situation] at a glance, sum up [a position] at once; *te ~* surveyable; *niet te ~, zie:* onafzienbaar; (*van gevolgen*) incalculable, not to be estimated, immense; ~baar *zie* afzienbaar

over: ~zijde *zie* overkant; ~zilveren silver (over); ~zingen sing over again; ~zoet over-sweet, rather too sweet; ~zorgvuldig over-careful; ~zout & ~zuinig *vgl.* ~zoet

overzwemmen swim [a distance, the Channel, a river], swim across [a river]; swim [a race] again

Ovidius Ovid; *van ~* Ovidian

O.W. = *oorlogswinst* war-profit; **oweeër** warprofiteer

oxaalzuur oxalic acid

Oxford id.; (*student, of oud-student*) *van ~* Oxonian; *~ Beweging, a*) (± 1830) Oxford Movement, Tractarianism; *b*) (± 1935) Oxford Group Movement

oxydatie oxidation

oxyde oxide; **oxydeerbaar** oxidizable

oxyderen oxidize

ozon ozone; ~apparaat ozonizer

ozonisatie ozonization

ozoniseren ozonize

P

P P; *als afk.:* p. (= page); P (= parking)

p.a. c/o, (to the) care of

pa pa, papa, dad, daddy, father, (*Am.*) pop

paadje footpath, path

paai: (*ouwe*) ~ old buffer, gaffer, old fog(e)y, old josser, old dodderer; (*mar.*) yeoman of the mast

paaien 1 appease, soothe, smooth down; *hij was jarenlang met beloften gepaaid, ook:* he had been fed on (*of:* with) promises from year to year; *'t diende om zijn geweten te ~* it served as a sop to his conscience; 2 grave [a ship]; 3 (*van vissen*) mate, spawn

paai: ~plaats spawning-grounds; ~rijp (sexu-

ally) mature; ~tijd mating-, spawning-season

paal [telegraph-]pole, [lamp-, gate-]post, stake; (*heipaal*) pile; (*versterkingskunst*) palisade; (*her.*) pale; (*Ind. maat*) c. 1507 metres; *dat staat als een ~ boven water* that is a(n obvious) fact, that is indisputable; *~ en perk stellen aan* set bounds to, check, limit [the evil]; *zie* ~tje; ~beschoeiing facing of piles, pileplanking; ~bewoner lake dweller; ~brug pilebridge; ~dorp lake village (*of:* settlement), pile village; ~fundering foundation of piles; ~tje peg; (*op vluchtheuvel*) guard-post; *zie* puntje; ~vast as firm as a rock; incontestable; ~werk pile-work, piling, palisade(s); ~werpen *ww.* &

zn. toss(ing) the caber; ~**woning** pile-dwelling, -house, -habitation, lake-dwelling; ~**worm** ship-, pile-worm, teredo, *mv.* -os

paap (*min. en hist.*) *a*) priest, *b*) papist

paapje (*vogel*) whinchat

paaps(gezind) popish, papistical; ~**heid** papistry, popery

paar pair [of shoes, gloves, etc.], couple [a married ...], brace [of partridges, etc.]; ~ *aan* ~, *bij paren* in couples (pairs, twos), two and (by) two; *bij 't* ~ *verkopen* sell in pairs; **gelukkig** ~ happy couple (pair); *een minnend (vrijend)* ~(*tje*) a couple of lovers (*scherts.*: of lovebirds), two lovers, a courting couple; *een* ~ *dagen* a few days, a day or two, two or three days; *een* ~ *honderd* ... a hundred or two ...; *een* ~ *keer* once or twice; *een* ~ *dingen* one or two (two or three) things; *laat ik het u met een* ~ *woorden zeggen* let me tell you in a few words; *twee paar*, (*schoenen, enz.*) two (*of:* a couple of) pairs; *drie getrouwde paren* three married couples; *dat wordt een* ~ it will be a match (between them); *niet ieder* ~ *hoort bij elkaar* every couple is not a pair

paard horse; (*gymn.*) (vaulting- *of:* wooden) horse; (*schaakspel*) knight; *werken als een* ~ like a (cart-)horse (a navvy, a nigger, a Trojan); ~ *en rijtuig houden* keep a carriage; *hij heeft geen verstand van* (*houdt van, stelt belang in*) ~*en, ook:* he knows little of (is a lover of, takes an interest in) horseflesh; *het beste* ~ *struikelt wel eens* it's a good h. that never stumbles; *het beste* ~ *van stal*, (*fig.*) the most deserving, etc. person present; *geen blind* ~ *kan er schade doen* it is very poorly furnished; ~*en, die de haver verdienen, krijgen ze niet* desert and reward do not often go together; ~ *rijden* ride (on horseback); ~ *gaan rijden* go out riding; *hij rijdt goed* ~ he sits a h. very well, sits well in the saddle, has a good seat; *men moet een* **gegeven** ~ *niet in de bek zien* do not look a gift h. in the mouth; *'t* ~ **achter** *de wagen spannen* put the cart before the h.; *met* ~*en bespannen voertuigen* horsed vehicles; *op het* ~ *helpen* give a leg up (*ook fig.*); *op het verkeerde* ~ *wedden* back the wrong horse; *hij was* **over** *het* ~ *getild* he had been made too much of; praise had turned his head; *te* ~ on horseback, mounted; *te* ~ *springen* vault into the saddle; *zich te* ~ *werpen* fling o.s. into the saddle; *te* ~*!* to h.!; *zie* zitten; *van 't* ~ *stijgen* dismount; *hij viel van 't* ~*, werd van 't* ~ *geworpen* he fell from his h., was thrown, (*fam.*) took a toss, had a spill; *zie* hinken, honger, ~je & Trojaans

paarde- horse: ~**bespanning** h.-traction; ~**bloem** dandelion; ~**boon** h.-, tick-bean; ~**borstel** h.-brush; ~**breedten** h.-latitudes; ~**dek(en)** h.-cloth, -blanket, -rug; ~**diefstal** h.-stealing; ~**drank** h.-drench; ~**getrappel** tramp of horses' feet; ~**haar** h.-hair; ~**haren** *bn.* h.-hair [sofa]; ~**hoef** h.-hoof; ~**horzel** h.-, bot-, gad-fly; ~**kastanje** h.-chestnut; ~**knecht** groom; ~**kop** horse's head; *anderhalve man en een* ~ [there

was] hardly a soul, just a handful of people ~**kracht** *a*) strength of a h.; *b*) h.-power, h. p.; *machine van 40* ~ engine of 40 h.-power, 40 h.-power engine; ~**mest** h.-dung; ~**middel** h.-drench, -physic; (*fig.*) kill or cure remedy desperate remedy; ~**mop** (*ongev.*) shaggy dog story

paarden- horse: ~**arts** veterinary surgeon, h. doctor, (*fam.*) vet; ~**dief** h.-stealer; ~**dokter** zie ~arts; ~**dresseur** h.-breaker; ~**dressuur** h. breaking; ~**fokker** h.-breeder; ~**fokkerij** *a*) h. breeding; *b*) zie ~stoeterij; ~**handel** h.-trade ~**kenner** judge of horseflesh; ~**koper** h.-dealer h.-coper; ~**markt** h.-fair; ~**pad** h.-track, bridle path; ~**slachter** h.-butcher, h.-slaughterer (h.-)knacker; ~**slachterij** knackery, knacker' yard; ~**spel** circus; ~**stamboek** stud-book; ~ **stoeterij** *a*) stud; *b*) stud-farm; *met* ~**tracti** h.-drawn; ~**vilder** (h.-)knacker; ~**vilder** knackery, knacker's yard; ~**volk** cavalry horse; ~**wagen** (*spoorw.*) h.-box, -truck

paarde- horse: ~**peen** carrot; ~**poot** h.-foot, h. leg; ~**ras** breed of horses; ~**sport** equestrian sport(s), equitation, (horse-)riding; ~**spron** (*schaken*) knight's move; ~**staart** h.-tail (*ook plant*); (*haardracht*) pony-tail; ~**stal** h.-stable ~**stro** h.-litter; ~**toom** bridle; ~**tuig** (h.-harness; ~**vijg** ball of h.-dung; *—en* h.-dung h.-droppings; ~**vlees** h.-flesh; *hij heeft* ~ *ge geten*, (*fig.*) he cannot sit still, is fidgety; ~ **vlieg** h.-fly; ~**voe(de)r** forage, fodder; ~**voe** h.-foot; (*horrelvoet*) club-foot; ~**wed** h.-pond ~**werk** (*fig.*) drudgery; ~**wik** h.-bean

paard- ~**je** little horse; (*kindertaal*) gee-gee; ~ *spelen* play (at) horses; *gauw op zijn* ~ *zijn* b quick to take offence; *hij zat op zijn* ~ he wa riding his hobby-horse; ~**mens** centaur; ~**rij den** h.-riding, h.-exercise; *zie ook* ~; ~**rijde** horseman, equestrian; (*vooral kunstrijder*) h. rider; ~**rijdster** horsewoman, equestrienne

paarl pearl; *zie* parel

paarlemoer mother of pearl, pearl-shell, nacre ~**achtig** nacr(e)ous; ~**en** mother-of-pearl, pear [buttons]; ~**glans** nacreous lustre; ~**kapel**, ~ vlinder fritillary (*grote:* silver-washed f.; *klei ne:* queen of Spain f.)

paars violet, purple [dressed in ...]; ~ *van d kou* purple with cold

paarsgewijs in pairs (couples, twos), two an (by) two; **paartijd** pairing-time, mating-sea son; **paartje** (*van vogels*) pair; *zie verder* paar

paas- Easter; P~**achten** Low Sunday; P~ **avond** E.-eve; ~**best** Sunday-best; ~**bloem** daisy, primrose, moonwort; *ook =* ~**lelie** (*fig.*) girl in her Sunday-best; ~**brood** E.-loaf (*joods*) Passover-cake, -bread; ~**collecte** E.-offering; ~**communie** paschal communion; P~ **dag** E.-day; *1e* – E. Sunday; *2e* – E. Monday ~**ei** E.-egg; ~**feest** Easter; (*joods*) Passover ~**lam** paschal lamb; ~**lelie** daffodil, Lent lily yellow narcissus; P~**maandag** E. Monday; ~**o** E.-ox; ~**plicht** (*r.-k.*) Easter duties; ~**tijd** E. tide; ~**vakantie** E.-holidays; ~**vuur** E.-bonfire ~**week** E.-week; P~**zaterdag** Holy Saturday

P~zondag E. Sunday

paatje daddy, dad; **pacha** *zie* pasja

pacht (*contract*) lease; (*geld*) rent, (*van monopolie, belastingen*) farm; ('*t pachter zijn*) tenancy; *in ~ geven* let out (on l.), (*tol, ambt, enz.*) farm out; *in ~ hebben* have on l., rent; *landgoed dat men in ~ heeft* lease-hold property; *hij denkt dat hij de wijsheid in ~ heeft* he thinks he knows everything; *in ~ nemen* take on l., rent; **~akte** lease; **~boek** rent-roll; lease; **~boer** tenant-farmer; **~brief, -ceel, -contract** lease; **~en** rent; (*tol, ambt, enz.*) farm; **~er** (*algem.*) lessee, leaseholder; (*van boerderij*) tenant(-farmer) [the landlord and his tenants]; (*van tollen, enz.*) farmer; **~geld** rent, rental; **~heer** (ground) landlord; **~hoeve** farm, holding; **~kamer** tenancy tribunal; (*gezamenlijke*) **~opbrengst** rent-roll; **~penningen** rent, rental; **~som** rent; **~stelsel, -wezen** (*van landerijen*) leasing-system; (*van tollen, enz.*) farming-system; **~waarde** rental value; **~wet** agricultural holding act

pachyderm id.; (*mv. ook*) pachydermata

pacificateur, -cator pacificator, pacifier

pacificatie pacification; **pacificeren** pacify; **pacifiek** peaceful; **pacifisme** pacifism; **pacifist-(isch)** pacifist

pact id.; **~eren** conclude (make) a pact [with]; make common cause [with]

pad[1] path (*ook fig.*: when I met him on my ...); (*breed*) [garden-] walk; (*door prairie, enz.*) trail; *zie ook* gangpad; *het ~ der deugd bewandelen* walk in the way(s) of righteousness; (*fam.*) go straight; *op '*t *~ zijn* be out and about; *altijd op '*t *~* always gadding about (on the gad); *op '*t *rechte ~ blijven* keep (go) straight; *iem. op '*t *rechte ~ houden* keep a p. straight (on the right p.); *op '*t *slechte ~, zie* weg; *vroeg op het ~ gaan* make an early start; *van '*t *rechte ~ afdwalen (afwijken)* go astray, go wrong, go to the bad; *iems. ~ kruisen* cross a p.'s path

pad(de) toad [swell like a t.]

paddesteen toad-stone

paddestoel (*giftig*) toadstool, (*eetbaar*) mushroom; *eetbare ~,* (*ook*) edible fungus; (*ANWB~*) mushroom-shaped signpost; *als ~en verrijzen* mushroom, spring up like mushrooms; **~mug** fungus gnat; **~systeem** (*bk.*) mushroom system

padi(e) paddy

Padua id.; **Paduaan(s)** Paduan

padvinder *a*) (*bij Indianen, oorlogsluchtvaart, enz.*) pathfinder; *b*) (boy) scout; **~ij** *a*) scouting, guiding; *b*) = **~sbeweging** (boy) scout movement; **~sreünie** jamboree

padvindster (girl) guide

paf bang! pop! crack! (*bij '*t *roken*) puff!; *ik stond er ~ van* I was staggered (dumbfounded, flabbergasted, *sl.*: flummoxed), it (fairly) took my breath away; (*sl.*) it knocked (stumped) me; *daar sta je ~ van,* (*sl.*) that shakes you!

that's a (fair) knock-out! it does me!; *hij stond ~, ook:* his jaw dropped; *de warmte maakt me ~* I am faint with the heat; *zie ook* pafferig

paffen (*schieten*) pop, blaze [*op* at]; (*van machine, roker*) puff; *erop los ~, a*) pop (blaze) away; *b*) puff (smoke) away

paff(er)ig puffy, flabby [cheeks]; *~ bleek* pasty [face]; *met ~ bleek gezicht* pasty-faced, putty-faced

pag. p. (= page), **pp.** (= pages)

pagaai paddle; **~en** paddle

page id., footboy; (*schildknaap*) squire

pagekopje bobbed hair [her hair was cut in 'page boy' style]

pagger (*Ind.*) fence

pagina page; **~tuur** *zie* paginering

pagineren page, paginate

paginering paging, pagination

pagode pagoda

pailletten spangles, sequins

pain de luxe fancy bread, fancy roll

pair peer; **~schap** peerage, peership

pais *zie* peis

pajo(e)ng (*Ind.*) payoong: umbrella

pak (*hand.*) package; (*pakje*) parcel; (*klein*) packet [of candles, matches, etc.], pack [of cards]; (*baal*) bale; (*in zakdoek, enz.*) bundle [*ook:* bundle of papers]; (*van marskramer*) pack; (*kostuum*) suit [of clothes]; *er viel een dik ~ sneeuw* there was a heavy fall of snow; *hij kreeg een flink ~ ransel* (*slaag*) he got a sound thrashing (hiding, flogging, caning); *een ~ slaag geven* give a p. what for (a thrashing, etc.); *~ voor de broek* spanking; *een ~ voor de broek geven* spank [a child]; *hij kreeg een nat ~* he got a wetting (soaking, drenching), got soaking wet, (*in vijver dgl.*) a ducking; *je neemt me een ~ van '*t *hart* you take a load off my mind; *er viel me ... a* great weight was taken (lifted) off my mind; *dat is me ...* that's a load (a weight) off my mind; *ga niet bij de ~ken neerzitten* don't sit down under it! keep your tail (pecker) up! never say die!; *met '*t *~ lopen* be a pedlar; *met ~ en zak* bag and baggage; *zie* ~je; **~dier** pack animal; **~doek** packing-cloth; **~drager** porter

pakezel pack-donkey, -mule

pakgaren packthread

pakhuis warehouse; *zie* opslaan; **~huur** w.-rent, storage; **~knecht** w.-man; **~kosten** w.-(warehousing-)charges; **~meester** w.-keeper

pakijs pack-ice; [an] ice-pack

Pakistaans, Pakistaner Pakistani

pakje parcel, packet, bundle; *een ~ bankbiljetten* a wad of banknotes; *ieder moet zijn eigen ~ dragen* every man must bear his own cross; *een ~ uittrekken,* (*vermageren*) lose flesh; **~savond** St.Nicholas' eve (5 Dec.); **~s-drager** (light) porter, commissionaire

pakkage luggage, things

pakkamer, -kelder packing-room, -cellar

---

[1] *Zie ook* weg

pakken (*inpakken*) pack; do (*of:* wrap) up [in brown paper]; (*grijpen*) catch, take [a p. round the waist], seize, take hold of, grip [he ...ped me by the arm], grasp, clutch; (*omhelzen*) hug, cuddle; (*vatten*) catch [cold]; (*boeien*) catch on [the play did not ...], take; grip [the book ...s the reader]; (*van sleutel, wiel, enz.*) bite [the screw did not ...], (*van anker ook*) grip; (*van sneeuw*) ball, bind; *mag ik even mijn tas ~?* may I get my bag?; *ik pak je nog wel* I'll get you (for this); *er nog een ~* have another (drink); *hij had het zwaar te ~* he'd got it very badly; *ze hebben elkaar te ~*, (*van vechtenden, enz.*) they are at grips; *nu heb ik je te ~* I have you now, I've got you; *ze hebben je (lelijk) te ~ gehad* you've been had, (*sl.*) they've done you brown; (*bij vechtpartij*) *zie* toetakelen; *iem. te ~ nemen*, (*bedotten*) take a p. in, (*sl.*) do a p. brown, (*voor de gek houden*) pull a p.'s leg; (*sp.*) tackle unfairly; *de rechte (verkeerde) te ~ hebben* (*krijgen*) have (get) the right (wrong) sow by the ear; *ik kan 't niet te ~ krijgen*, (*snappen*) I cannot get the knack (the hang) of it (*zie ook* snappen); *ik kreeg hem te ~* I got hold of him; *de vrees kreeg hem te ~* fear gripped him; *zijn adres te ~ krijgen* find out his address; *als hij die ... maar te ~ kon krijgen* if only he could get at (lay hands on) that anonymous letter-writer; *ik moet ~* I must pack (up); *ik moet nog ~* I've my packing still to do; *zijn boeltje ~* pack up; *pak hem!* (*tegen hond*) sick him! seize him!; *de politie heeft hem gepakt* the police have caught him (laid hands on him); *hij pakt zijn publiek* he grips his public; *zie* gepakt, eentje, enz.

pakkend fetching, taking [book, style], arresting [headlines], snappy [title, article], telling [speech], gripping [act *bedrijf*]; *~ wijsje* catchy tune

pakker packer; *~(d)* [give me a good] hug; *~ij a*) packing; *b*) packing-room, -department

pakket parcel, packet; block [of shares]; package [of measures]; *~boot* packet-boat, packet; *~kaart* dispatch-note; *~post* p.-post; *~vaartmaatschappij* packet company

pakking packing, stuffing; (*cosmetica*) face-pack; (*waterbouwk.*) fascine work; (*voor water- of stoomdichte afsluiting*) gasket; *vloeibare ~* gasket sealing compound

pak: *~kist* packing-case; *~linnen* packing-cloth, canvas, sacking; *~loon* packing-charges, -expenses; *~mand* hamper; *~naald* packing needle; *~paard* pack-horse; *~papier* packing-, wrapping-paper, brown paper; (*zwaar*) baling-paper; *~pers* packing-press; *~touw* twine; *~weg* (*fam.*) roughly, say [8 million]; *~zadel* pack-saddle; *~zolder* warehouse loft

1 pal *zn.* catch, click, pawl, ratchet(-wheel); (*van bajonet*) pusher

2 pal firm, immovable; *~ oost* due (dead, plumb) east; *~ staan* stand firm; *~ achter iem. staan*, (*fig.*) be solidly behind a p.; *~ tegen iem. aanlopen* run straight into a p.

paladijn paladin
palankijn palanquin, palankeen
palataal palatal; *-talisatie* palatalization
palataliseren palatalize
palatogram id.
palaver id. [hold a long ...]
paleis palace; *~achtig* palatial; *~revolutie* p. revolution; *~wacht* p. guard
palen: *~ aan* abut (up)on
paleograaf palaeographer; *-grafie* palaeography; **Paleolithicum** Palaeolithic, Old Stone Age
paleontologie palaeontology; *-toloog* palaeontologist
palesteel (*her.*) label
Palestijn Palestinian; *~s* Palestinian, Palestine
Palestina Palestine
palet palette, pallet; (*kaatsplankje*) battledore; *~mes* palette knife
paletot id., overcoat
palfrenier *a*) footman; *b*) (*koetsiershelper*) groom; *palimpsest* id.
paling eel; *gestoofde ~* eel-stew; *zie verder* aal
palingenes(i)e palingenesis
palingschaar eel-spear, eel-fork; *-visser* eel-catcher
palinodie palinode
palissade palisade, stockade
palissaderen palisade, stockade; *-ing a*) palisading, etc.; *b*) *zie* palissade
palissanderhout(en) rose-wood
paljas buffoon, clown, merry andrew, Jack Pudding; (*stromatras*) pallet, palliasse
palladium id.
palliatief palliative
pallium id., pall
palm palm [of the hand]; (*maat*) decimetre; (*boom & tak*) palm; (*heester*) *zie* ~boompje; *de ~ wegdragen* bear the p.; *de ~ toekennen aan* award (*of:* give) the p. to; *~achtig* p.-like, palmaceous; *~blad* p.-leaf; *~boom* p.-tree; *~boompje* ground-box, box(-tree); *~dragend* p. bearing; *~en* hoist, haul (hand over hand); *~eren* palm; *~et* palmette; *~gewelf* fan vault; *~hout(en) a*) p.-wood; *b*) box(-wood); *vgl.* palm; *~olie* p.-oil; **P~pasen** P. Sunday; *~slag* *zie* handslag; *~struik* *zie* ~boompje; *~suiker* p.-sugar; *~tak* p.-branch; **P~zondag** P. Sunday
palperen palpate
palrad ratchet-wheel
palts: *de P~* the Palatinate [of the Rhine]; *~graaf* count palatine, palsgrave; *~graafschap* palatinate, county palatine; *~gravin* countess palatine, palsgravine
pamflet lampoon, libel; (*brochure*) pamphlet
pamflettist lampoonist, pamphleteer
pampa id.; *~gras* pampas-grass
Pampus id.; *voor ~ liggen*, (*fam.*) be soaked, be dead drunk; **Pan** id.
pan-, Pan- id.
pan [frying-, milk-, stew-]pan; (*van geweer*) pan; (*in duin, enz.*) cup, dip; (*dakp.*) tile; (*herrie*) row, shindy, [I never saw such] goings-on; *onder de ~nen zijn* be all right, be on velvet;

wat een ~ *!* what a mess! what a to-do!; *de hele* ~ the whole concern, the whole show; *gezellige* ~ great fun; *kruit op de* ~ *doen* prime a gun; *uit de* ~ *rijzen* (*vliegen*) [prices will] go through the roof, skyrocket; *zie* hakken, veeg; ~**aal** spitchcock

panacee panacea, cure-all, universal remedy

panache id., plume

panama(hoed) Panama (hat)

Panamakanaal Panama Canal

panamerikaans, -arabisch Pan-American, Pan-Arabic

pancreas id.

pand (*onderp.*) pledge, security; (*bij pandverbeuren*) forfeit; (*van kledingstuk*) [coat-]tail, skirt, flap; (*van kanaal*) reach, pound; (*huis*) house, building; (*huis en erf*) premises (*mv.*); ~ *der liefde* p. of love; *een* ~ *lossen* redeem a pledge; *de* ~*en oproepen* cry forfeits; ~ *verbeuren* play (at) forfeits; *in 't zelfde* ~ on the same premises; *in* ~ *geven* give in p.; *op* ~ *lenen* lend (borrow) on security

panda id.

pand: ~**beslag** distraint, distress; *zie* beslag; ~**bewijs** letter of hypothecation; ~**brief** mortgage bond

pandecten pandects

pandeling (*Ind.*) pawner, credit bondsman; (*Mexico*) peon; ~**schap** slavery for debts; (*Mexico*) peonage

pandemie, -misch pandemic

panden seize, distrain upon; (*belenen*) pawn

pand: ~**gever** pawner; ~**goederen** pawned goods; ~**houdend crediteur** secured creditor; ~**houder** pawnee

pand(jes)huis pawnshop; *zie* lommerd

pandjesjas tail-coat, (*fam.*) tails; *een* ~ *aanhebben* (*aankrijgen*) be in (go into) tails

pandnemer pawnee

pandoer pandour; (*kaartspel*) 'pandoer'; *opgelegd* ~, (*fig.*) 1 a sure thing, a cert, a safe bet; 2 a trumped-up business

Pandora id.; *doos van* ~ Pandora's box

pand: ~**recht** lien; ~**schuld** mortgage (*of:* hypothecary) debt; ~**spel,** ~**verbeuren** (game of) forfeits; *zie ook* pand; ~**zak** tail-pocket

paneel panel (*ook schilderstuk*); ~**deur** panelled door; ~**hout** wainscot; ~**tje** panel, easel-, panel-picture; ~**werk** panelling

paneermeel bread-crumbs

paneren coat (sprinkle) with bread-crumbs

panfluit *zie* pansfluit

pang bang

pangermanisme Pan-Germanism

panharing 1 white (*of:* fresh) herring; 2 *zie* alvertje

paniek panic [(a) ... broke out], scare [a war ...]; *door een* ~ *bevangen* p.-stricken, (*fam.*) = ~**erig** panicky; *in* ~ *raken* (be seized by) panic; ~**voetbal** (*fig.*) panicky measures, hasty action; ~**zaaier(ij)** p.-, scaremonger(ing)

panier pannier; *zie ook* mandewagen

panisch panic; ~*e schrik* panic

panje cham(my), fizz, bubbly

panklaar dressed, ready to cook, oven-ready [turkeys]

panlat tile-lath

panlikken, -er *zie* klaplopen, -er

panne breakdown; ~ *hebben* break down, have engine-, tyre-trouble

panne: ~**deksel** lid of a pan; ~**koek** pancake; ~**koeksmes** fish-slice; ~**lap** pan-holder

pannen: ~**bakker** tile-maker; ~**bakkerij** tileworks; ~**dak** tiled roof; ~**dekker** tiler

pannetje little pan; (*met lange steel*) skillet

panopticum waxworks, waxwork show

panorama id.; scenic view; ~**kop** (*fot.*) panoramic head; ~**schijf** (*mil.*) landscape target

pansee pansy, heart's-ease

pansfluit Pan-pipe, Pandean pipe(s)

panslavisme, -ist Panslavism, -ist

pantalon trousers, slacks, (*Am.*) pants

Pantalone Pantaloon

panter panther

pantheïsme pantheism; **pantheïst** pantheist; **pantheïstisch** pantheistic(al)

pantheon id.

pantoffel slipper, house (*of:* indoor) shoe; *op* ~*s* in slippers; *hij zit onder de* ~ he is henpecked, is under petticoat-government; ~**held** henpecked husband; ~**parade** parade (of promenaders); (*na kerktijd*) church-parade; ~**tje** (*plant*) calceolaria, slipperwort

panto: ~**graaf** pantograph; ~**mime** pantomime, dumb-show; ~**mimisch** pantomimic (*bw.:* -ally); ~**mimist** id.

pantser (suit of) armour, (*borst-*) cuirass; (*van schepen*) armour-plating; ~**affuit** armoured mounting; ~**auto** armoured car; ~**dek** armoured deck; ~**dier** armadillo; ~**en** armour, plate; – *tegen*, (*fig.*) steel (*of:* arm) against; *zie* gepantserd; ~**fort** armoured fort; ~**gordel** a.-belt; ~**granaat** a.-piercing shell; ~**hemd** mailshirt; ~**ing** a.-plating, armour; [cable] armouring; ~**koepel** armoured cupola; ~**plaat** a.-plate; ~**schip** (*vero.*) ironclad; ~**toren** armoured turret; ~**trein** armoured train; ~**vuist** bazooka; ~**wagen** armoured car

panty(nylons) tights

panvis *a*) fish for frying, fryer, frier; *b*) fried fish

pap porridge; pap (*voor kinderen en zieken*); (*op zweer, enz.*) poultice; (*van katoen, enz.*) dressing; (*papierbereiding*) pulp; (*modder*) slush; *met* ~ *grootgebracht* pap-fed; *tot* ~ *koken* boil to mash

papa id., (*sl.*) the pater

papaja (*Ind.*) papaw, papaya

papaver poppy; ~**achtig** papaverous; ~**bol** p.-head; ~**vrucht** p.-head; ~**zuur** meconic acid

papegaai parrot, Poll-parrot (*beide ook fig.*); *houten* ~, (*hist.*) popinjay; *naar de* ~ *schieten* shoot at the popinjay; *de* ~ *schieten* bring down the popinjay; (*fig.*) score a hit; ~**achtig** p.-like; ~**duiker** puffin; ~**ekruid** prince's feather; ~**eneus** p.-nose; ~**eziekte** p.-disease, p.-fever, psittacosis; ~**vis** p.-fish

papenbloem, -kruid, -stoel dandelion

paperassen (*scheurpapier*) waste paper; (*papieren*) papers, (*sl.*) bumf; **papeterie** *a*) stationery; *b*) stationery-box, -case
papier paper; ~*en* papers; (*effecten*) stock(s); *lang* (*kort*) ~, (*hand.*) long (short) p.; ~ *zonder eind* continuous paper; *zijn* ~*en stijgen, de mijne dalen,* (*ook fig.*) his stock is rising (going up; *sterker:* booming), mine is falling (going down; *sterker:* slumping); ... *doet de Chin.* ~*en stijgen,* (*ook fig.*) this fact is sending up Chinese stock; *goede* ~*en hebben* have good testimonials (certificates); *hij heeft goede* (*de beste*) ~*en* he is a likely (the likeliest) candidate; '*t loopt in de* ~*en* it runs into a lot of money; *op* ~ *brengen* (*zetten*) put on p., commit to p., set down in writing; *we moesten het maar op* ~ *zetten* we had better have it down on p.; '*t op* '*t* ~ *gooien* dash it down (*of:* off); *zie* geduldig; ~**achtig** papery, p.-like; ~**bak** litter-box, -basket; (*op straat*) litter-bin; ~**binder** p.-clip; ~**bloem** immortelle; ~**boom** p.-tree; ~**en** paper [flower, measure]; – *geld* p. money, p. currency; – *hemeltjes* cat-ice; – *kind* [his] mind-child; – *oorlog* p. warfare; ~**fabriek** p.-mill; ~**fabrikant** p.-maker; ~**geld** *zie* ~**en**; ~**handel** p.-trade; ~**handelaar** p.-seller; (*in schrijfbehoeften*) stationer; ~**knipsel** p. cutting
papier-maché papier mâché
papier: ~**machine** paper-making machine; ~**maker** paper-maker; ~**mand** waste-paper basket; ~**merk** paper-mark, watermark; ~**mes** p.-knife; ~**molen** p.-mill; ~**nautilus** p. nautilus, argonaut; ~**pap** p.-pulp; ~**plant,** ~**riet** papyrus, p.-reed
papier-sans-fin continuous paper
papier: ~**snijder** paper-cutter; ~**snipper** snippet of p.; ~**strook** fillet (*of:* slip) of p.; ~**tje** bit (*of:* scrap) of p.; ~**winkel** stationer's (shop); ~**worm** bookworm
papil papilla, *mv.* papillae
papillot curl-paper, paper; ~*ten zetten* put one's hair in (curl-)papers; *met* ~*ten in* '*t haar* with her hair in papers
papisme papism
papist id.; ~**erij** papistry
papje 1 *zie* pap; 2 parrot, Polly, poll
pap: ~**kerel** milksop; ~**kind** pap-fed child; (*fig.*) molly-coddle; ~**kom** porridge-basin; ~**kost** (soft) pap; ~**lepel** pap-spoon; *iem. iets met de* – *ingeven* spoonfeed a p. with s.t.; *dat is hem met de* – *ingegeven* he has sucked it in with his mother's milk
Papoea(as) Papuan; **pappel** poplar
pappen (*zweer*) poultice; (*stoffen*) dress
pappenheimers: *ik ken mijn* – I know who I'm dealing with, (*sl.*) I know my onions
pappie daddy
pap: ~**pig** pappy; ~**pleister** poultice; ~**pot** pap-, porridge-pot; *bij moeders* – *blijven* be tied to one's mother's apron-strings
paprika id., pepper
papvorm: *al zijn eten in* ~ *gebruiken* take all one's food in pap

papyrus id.; ~**rol** papyrus, *mv.:* papyri
papzak pot-belly; *zie* dikzak
paraaf (*krul na handtekening*) paraph; (*verkorte handtekening*) initials
paraat ready (at, to hand), prepared; *parate executie* summary execution; *parate kennis* factual knowledge; ~**heid** (*van de vloot, enz.*) preparedness; *in – br.* put [troops] on the alert
parabel parable
parabolisch (*allegorisch*) parabolical; (*wisk.*) parabolic; **parabool** parabola
parachute id.; *met* '*n* ~ *naar beneden springen* p. (down); ~**fakkel,** -**licht** (*mil.*) p.-flare; ~**springer, parachutist** p.-jumper, parachutist, paratrooper (*mil.*)
Paracleet *zie* Parakleet
parade review, parade, (~*plaats*) parade (-ground); (*schermen*) parade, parry; (*fig.*) parade, show; *in orde van* ~ in parade formation, in r. order; ~ *afnemen* take the salute; ~ *houden* hold a r., (*over* '*t garnizoen*) pass the garrison in r.; ~ *maken* parade; *alleen om – te maken,* (*fig.*) only for show, only to show off
parade: ~**mars** parade-march; ~**paard** parade-horse; (*fig.*) show-piece; ~**pas** parade-step; (*vooral van Duitsers*) goose-step (*ook als ww.:* the soldiers ...ped past); ~**plaats** parade-ground
paraderen parade; (*fig.*) parade, show off; *laten* ~ p. [troops]; ~ *met* p., make a show of; *in* '*t want* ~ man the shrouds; *op de raas* ~ man the yards
paradetenue review order
paradigma paradigm
paradijs paradise; *het P*~ Paradise; ~**achtig** paradisiac(al), paradisaic(al); ~**appel** *a*) p.-apple; *b*) tomato; ~**elijk** *zie* ~**achtig**; ~**geschiedenis** story of man's fall; ~**korrels** grains of p.; *in* ~**kostuum** in nature's garb; ~**vogel** bird of p.
paradox id.; ~**aal** paradoxical
paraferen *a*) paraph; *b*) initial; *vgl.* paraaf
paraffine paraffin (wax); ~**kaars** p.-candle
parafrase paraphrase; -**seren** paraphrase
paragnosie extra-sensory perception, E.S.P.; **paragnost** psychic, medium
paragoge id.; **paragogisch** paragogic
paragraaf paragraph, section; ('*t teken* §) section-mark
paraisseren appear
Parakleet Paraclete, Holy Ghost
parallel *bn. & zn.* id. [*ook fig.:* it is without a ... in history]; *een* ~ *trekken* draw a parallel [*tussen* between]; ~ *lopen* run p. [*met* to, with]; (*van vonnissen*) run concurrently; ~**cirkel** parallel; ~**klas** p. form, p. class; ~**lepipedum** parallelepiped; ~**liniaal** p. ruler; ~**lisme** parallelism; ~**logram** parallelogram; – *van krachten* parallelogram of forces; ~**plaats** p. passage; *bijbel met* –*en* reference-bible; ~**schakeling** p. connection; ~**schroef** p. vice; ~**weg** p. road
paramat paramatta
paramedisch paramedical [services]
parameter id.
paranimf usher, groomsman, supporter

•aranoot Brazil nut

•aranormaal paranormal [p.ly gifted]

•araplu umbrella; (*fam.*) brolly; **~anker** mushroom anchor; **~antenne** u.-aerial; **~foedraal** u.-case; **~bak**, **~stander** u.-stand; **~stok** u.-stick

•arapsychologie parapsychology

•arasiet parasite, (*fig. ook*) toady; **parasitair**, **-isch** parasitic(al)

•arasiteren parasitize; (*fig.*) sponge [on]

•arasitisme parasitism

•arasol sun-shade, parasol; (*in tuin*) (sun-)umbrella

•arataxis (*gramm.*) id.

•aratroepen paratroops

•aratyfus paratyphoid (fever)

•aravaan paravane

Parcen: *de* ~ the Fates, the Parcae

•arcours (*sp.*) course, circuit

•ardel panther, leopard

•ardoen (*mar.*) backstay

•ardoes bang, slap, plump, bounce, flop, smack, smash; *iem.* ~ *tegen 't lijf lopen* run plump (slap, smack) into a p.

•ardon id.; ~*!* I beg your p.! (so) sorry! excuse me!; *geen* ~ *geven* give no quarter; *geen* ~ *hebben met* have no mercy on; **~nabel** pardonable; **~neren** pardon, excuse

•arel pearl (*ook fig.*); *een* ~ *aan zijn kroon*, (*fig.*) a jewel in his crown; *~en voor de zwijnen werpen* cast pearls before swine; **~achtig** pearly, p.-like; **~as** p.-ash; **~bank** p.-oyster bank, pearling-ground; **~duiken** p.-diving; **~duiker** p.-diver, p.-fisher; (*vogel*) black-throated diver; **~en** pearl, sparkle, bead; *het zweet ~de hem op het voorhoofd* beads of perspiration stood on his brow; **~gerst**, **~gort** p.-barley; **~gras** melic(k); **~grijs** p.-grey; **~gruis** seed-pearls; **~hoen** guinea-fowl, p.-hen; **~kleur(ig)** p.-colour(ed); **~kroon** crown of pearls; **P~kust** P.-coast; **~moer** *zie* paarle...; **~mos** Irish moss; **~mossel** p.-mussel; **~oester** p.-oyster; **~sago** p.-sago; **~schelp** p.-shell; **~schrift** pearl; **~snoer** rope of pearls, p.-rope, -chain, p. necklace; **~thee** p.-tea, gunpowder (tea); **~vangst** *zie* ~visserij; **~visser** p.-diver, pearler; **~visserij** p.-fishing, -fishery, -diving, pearling; **~vissersboot** pearler, pearling-vessel; **~wit** p.-white; **~zaad** seed-pearls; (*plant*) gromwell; **~ziekte** p.-disease

paren pair [dancers, etc.], couple; unite, combine, match [*aan* with], join [to]; (*zich*) ~, (*van vogels, enz.*) mate, pair, copulate; *zich* ~ *aan* be coupled with, go with [with this virtue goes a grace which ...]; *zie* gepaard

parentage id.; (*concr.*) relatives

parenthese parenthesis, *mv.* parentheses; *in* ~ *zetten* place in parentheses

pareren (*stoot*) parry, ward off [a blow]; (*versieren*) adorn, deck (out)

parforce: **~hond** hound; **~jacht** hunt(ing); **~paard** hunter

parfum scent, perfume; **~eren** scent [...ed soap, ... o.s.], perfume; **~erie** *a*) *zie* ~; *b*) (*zaak*) perfumery; **~eur** perfumer

1 pari par; *à* ~ at p.; *tegen* ~ *uitgeven* issue at face-value; ~ *staan* be at p.; *beneden* ~ below p., at a discount; *boven* ~ above p., at a premium; *l boven (beneden)* ~ *staan* be at 1 p. (discount)

2 pari bet; *zie* weddenschap

paria pariah; **~hond** p.-dog

pariëren bet; *zie* (ver)wedden

Parijs *zn.* Paris; *bn.* Parisian, Paris; ~ *blauw (groen)* Paris blue (green); ~ *rood* jewellers' rouge

Parijse Parisienne; **Parijzenaar** Parisian

paring mating, pairing, copulation; **~sdrift** m. urge

Parisch Parian [marble]

Parisienne id.

paritair on equal terms; *... is* ~ *samengesteld uit ...* [management and workers] have equal representation on [the committee]; **pariteit** parity

park id. (*ook van artill., auto's, enz.*), (pleasure-)grounds

parkeer parking: **~bon** p. ticket; **~garage** multi-storey car-park, p. garage; *een* ~ *zoeken*, (*ook*) look for garage parking; **~gelegenheid** p. facilities; **~inham** lay-by; **~meter** p. meter; **~plaats**, **~ruimte** car-park, p.-place, -space; (*naast rijbaan*) lay-by; **~schijf** p. disc; **~terrein** *zie* ~plaats; **~verbod** p. prohibition, no p.; **~wacht** car park attendant; **~wachter** p. policeman

parkeren park [motor-cars]; *niet* ~*!* 'parking prohibited', 'no parking (here)', N.P.

parket (*theat.*) seat(s) between stalls and pit; *ook* = *vloer;* (*jur.*) office of Counsel for the prosecution; *in een lastig* ~ *zitten* be in a hole (a scrape, a quandary, a nasty predicament); *iem. in een lelijk* ~ *brengen* get a p. into a scrape (into an awkward position); **~teren** inlay, parquet; **~vloer** parquet (inlaid) floor, parquetry

parkiet parakeet, paroquet

parkwachter park-keeper

parlement parliament; *in 't* ~, *ook:* [raise the subject] on the floor of the House; **~air** *bn.* parliamentary; *-e vlag* flag of truce, white flag; II *zn.* bearer of the flag of truce; **~ariër** parliamentarian; **~arisme** parliamentarism; **~eren** (hold a) parley

parlements: **~gebouw(en)**, **~huizen** Houses of P.; **~lid** Member of Parliament, M.P.; **~wet** Act of P.; **~zitting** session (sitting) of P.; *vgl.* zitting

parlesanten, -vinken palaver, jabber

parmantig jaunty, smart, dapper, pert, perky; ~ *stappen* swagger; **~heid** jauntiness, etc.

parmezaan Parmesan (cheese)

Parnas(sus): *de* ~ Parnassus

parochiaal parochial

parochiaan parishioner

parochie parish; *voor eigen* ~ *preken* be guilty of special pleading; **~kerk** p. church

parodie parody, burlesque, travesty, skit, (*fam.*) send-up

630

parodiëren parody, travesty, burlesque, take [a p.] off
parool (*erewoord*) parole; (*wachtwoord*) parole, password; (*leus*) watchword, slogan; *op ~* [*vrijlaten*] [liberate] on p.; *'t ~ geven* (*ook fig.*) give the word
paroxisme paroxysm
Pars(i) Parsee; **Parsisme** Parseeism
1 part id., share, portion; *voor mijn ~* for my part, as far as I am concerned, for all I care; *hij had voor mijn ~ dood mogen gaan* he might have died and welcome; *ik heb er ~ noch deel aan* I have neither art nor part (neither part nor lot) in it
2 part: *iem.* (*lelijk*) *~en spelen* play a p. a (nasty) trick; *uw geheugen heeft u ~en gespeeld* has played you false (played you tricks)
parterre (*van theat.*) pit; (*bloemperk*) parterre; (*van huis*) ground-floor
Parth Parthian; ~**ië** Parthia; ~**isch** Parthian; *–e pijl* P. arrow (*of:* shot)
parthenogenese parthenogenesis; **-genetisch** parthenogenetic (*bw.:* -ally)
participant participator; **-patie** participation; **-patiestelsel** co-partnership; **-peren** participate
participium participle
particularisme particularism
particularist id.; ~**isch** particularist(ic)
particulier I *bn.* private [school, secretary, patient, person, affairs, house, etc.], special [correspondent]; *ook:* privately-owned [motor-car, aeroplane]; *~e brug* (*weg*), *ook:* occupation bridge (road); *in ~ bezit* privately-owned; *zie* disconto; II *zn.* private person, (private) individual
partieel partial
partij party (*ook in contract, pol., enz.*); (*spel*) game; (*muz.*) part [violin ...]; (*huwelijk*) match; (*goederen*) parcel, lot; *de belanghebbende ~en* the parties interested; *bij een geding betrokken ~* p. to a suit, litigant; *een goede* (*begeerlijke, verkieslijke*) *~* a good (desirable) match, a catch; *een goede ~ doen* make a good match, marry well; *een* (*vrij*) *slechte ~* a poor match, [she was] not much of a catch; *ze heeft geen slechte ~ gedaan* she has not made a bad match (not done badly); *'n ~ geven* give a party, entertain; *veel ~en geven* entertain a great deal; *goed ~ geven* give a good account of o.s.; *beide ~en horen* hear both sides; *beide ~en te vriend houden* hold with both sides, (*ong.*) hold with the hare and run with the hounds; (*geen*) *~ kiezen* take (no) sides; *~ kiezen voor iem.* take a p.'s part (*of:* side), side (take part) with a p., stand (*fam.:* stick) up for a p.; *~ kiezen tegen* side (take part) against; *de wijste ~ kiezen* take the wisest course; *zijn ~ spelen* play one's part; *hoe staat de ~?* what's the game? what are the scores?; *zich ~ stellen* take sides, take a side; *~ trekken van* take advantage of, make the most of, turn to good account; *~ trekken voor, zie ~ kiezen; zijn ~ vinden* find (meet) one's match; *hij had zijn ~ gev., ook:* Greek had met Greek;

de ~ beantwoordt niet aan het monster the bull is not equal (not up) to the sample; *bij ~en* verkopen sell in lots; *boven de ~en staan* be above p.; *in maandelijkse ~en* in monthl deliveries; *van de ~ zijn, a*) be a party member; *b*) be of the p. (company), make one, be in on it; *zie ~tje; ~banden* p.-ties; ~**belang** p. interest(s); *uit –* from p.-considerations; ~**benoeming** partisan appointment; ~**blad** p.-paper; ~**bons** (*sl.*) p.-boss; ~**dag** p. convention
partijdig partial, bias(s)ed, partisan, preju diced; *~ samengestelde jury* packed jury
partijdigheid partiality, bias
partij: ~**discipline** party discipline; ~**ganger** par tisan; ~**geest** party spirit, faction (spirit), par tisanship; ~**genoot** member of the same p. political associate; ~**groepering:** (*nieuwe*) (re-, new) alignment (orientation) of parties ~**hoofd** head of a p., p.-leader; (*sl.*) p.-boss ~**kas** p.-fund; ~**leider** *zie* ~hoofd; ~**leiding** p. leadership; ~**leus** p.-cry, catchword, slogan ~**lid** p.-member; ~**man** p.-man, partisan; ~ **organisatie** p.-organization, (p.-)machine; ~ **politiek** p. politics; ~**programma** manifesto platform; ~**schap** faction; ~**stemming** p.-vote *'t was geen –* the division was not taken o p.-lines; ~**strijd** p.-strife; ~**tje** party; (*goederen* (small) lot; (*spel*) game; *een – whisten* have a game of whist; ~**verband** p.-allegiance, -at tachment; ~**wezen** p.-system; ~**zucht** *zie* ~ geest; ~**zuchtig** factious, p.-spirited
parti-pris parti pris, prejudice
partituur (musical) score
partizaan partisan
partje (*van boterham*) strip, finger; (*van sinaas appel, enz.*) slice, segment; *in ~s verdelen* sec tion
partner id.; *tot ~ hebben* be partnered by; ~**rui** exchange of partners; (*Am., fam.*) mate swapping
partuur match, equal; *hij is geen ~ voor u* he is no m. for you
parvenu id. (*vrouw. ook* parvenue), upstart; *de ~'s, ook:* the new rich; ~**achtig**, ~**ig** p. [that ...e woman], upstart, mushroom
1 pas (*nauwelijks*) scarcely, hardly; (*juist*) just (now); new [...-born], newly [...-married, ... arrived, the ...-lit lamp], fresh [... from school, ...-gathered fruit], freshly [... washed dishes, ... made coffee]; *hij is ~ vier dagen weg* it's only four days since he left; *~ aangekome ne* newcomer, new arrival; *~ beginnende* be ginner; *~ gisteren* only (not until) yesterday; *~ toen hij mij zag ...* it was not till he saw me that ...; *~ ontvangen* [this magazine is] newly to hand; *zie* nauwelijks *& eerst bw.*
2 pas (*stap*) pace; step (*ook van dans*); (*bepaalde manier van lopen*) gait; (*berg-*) pass, defile; (*mar.*) narrows; (*paspoort*) passport; (*verlof, enz.*) pass; (*van goochelaar, enz.*) pass; *gewone ~* quick time (*commando:* quick march!); *de ~ veranderen* change step; *de ~ inhouden* step short; *er* (*flink*) *de ~ in houden* keep up a stiff p.; *de ~ verlengen* step out; *in de ~* in step;

in de ~ *blijven met* keep p. (step) with; *in de* ~ *komen* fall into step [she fell into step beside him]; *bij iem. in de* ~ (*zien te*) *komen*, (*fig.*) (try to) get on a p.'s right side; *in de* ~ *lopen* walk in step, keep step; *goed bij iem. in de* ~ *staan* stand well with a p., be in a p.'s good books; *slecht bij iem. in de* ~ *staan* be in a p.'s bad books; *bij iem. in de* ~ *blijven*, (*fig.*) keep on a p.'s right side; *uit de* ~ (*raken*) (get) out of step; *uit de* ~*!* break step! march at ease!; *zie* afsnijden, flink, enz.

pas: *een woordje op zijn* ~ a word in (good) season; *te* ~ *en te on*~ in and out of season; *een naam te* ~ *en te on*~ *noemen* bandy a name about; *te* ~ *brengen*, (*in 't gesprek*) turn the conversation to; *een regel te* ~ *brengen* apply a rule; *dat geeft geen* (*komt niet te*) ~ that is not proper, that is not becoming; *dat kwam zo in 't gesprek te* ~ the conversation turned upon it; *dat komt altijd te* ~ that will always be useful; *'t geld kwam goed te* ~ came in useful; *zijn oefening kwam hem goed te* ~ his training stood him in good stead; *er komen ... aan* (*bij*) *te* ~ it involves the use of ...; *daar komt meer bij te* ~ there is more to it; *dat komt voor u niet te* ~ that is unbecoming for you; *'t kwam voor u niet te* ~ *om* ... you had no business to say so; *dat komt voor een dame niet te* ~ that is not becoming for a lady, is not ladylike; *hij kwam lelijk te* ~ he got into a scrape, was badly injured, came to grief; *de regering moest eraan te* ~ *komen* had to step in (to intervene); *'t kwam net van* ~ it was just the thing, it was just what we needed; it (the money, etc.) came in handy; *hij kwam juist van* ~ in the nick of time, as if he had been sent for; *uw aanbod komt juist van* ~ is very opportune; *hulp die juist van* ~ *komt* (*kwam*) timely help; *slecht van* ~ ill-timed; *'t komt me nu niet van* ~ it does not suit me (is not convenient to me) now; *goede raad komt altijd van* ~ good counsel is never out of date; *een jas van* ~ *maken* make a coat fit; *zijn woorden waren zeer van* ~ were very apposite, were to the point; *'t antwoord was zo van* ~, *dat* ... the retort was so apt that ...

pasar (*Ind.*) market, bazaar

Pascha Passover; (*paaslam*) paschal lamb

pasdame dress model

Pasen Easter; (*bij de joden*) Passover; *zijn* ~ *houden*, (*r.-k.*) do (go to) one's E. duty

pas: ~**foto** passport photograph; ~**gang(er)** *zie* telgang(er); ~**geboren** new-born; *zie* onschuldig; ~**geld** *zie* ~munt; ~**getrouwd** newly married; *de* ~*en* the n.-m. couple, the newly-weds

pasja pasha

pas: ~**je** transfer (ticket); ~**kaart:** *'n* ~ a bad hand; ~**kamer** fitting-room; ~**kamertje** fitting cubicle; ~**klaar** ready for trying on; (*fig.*) cut and dried [system], pat [formula], ready-made, [find things] ready to hand; *iets* ~ *maken voor* adapt s.t. to (for)

paskwil pasquinade, lampoon, (*fig.*) [such an examination is a] farce, jest, mockery; *wat 'n* ~*!* what a farce!

paskwillerig farcical

pas: ~**lood** plummet; ~**munt** change, small money; ~**plaat** (*techn.*) match plate; ~**poort** passport; (*mil.*) discharge papers; (*mil. sl.*) ticket; *zijn* – *krijgen*, (*mil.*) get one's discharge; *een rood* – *krijgen* be dismissed from the army; *hij kreeg zijn* -, (*fig.*) he got the sack (his walking papers); ~**pop** tailor's dummy

pasporteren (*mil.*) discharge

passaat(wind) trade-wind; *mv. ook* trades

passabel passable

passage id. (*ook van boek, enz.; ook de vracht:* pay one's ...); (*galerij*) arcade; (*verkeer*) traffic; *we hebben hier nagenoeg geen* ~ we see scarcely anyone passing here; ~ *bespreken* (*boeken, nemen*) book a (one's) passage, take passage, secure accommodation; ~**biljet** ticket; ~**bureau, -kantoor** booking-office; ~**geld** p.-money, fare; ~**koers** making-up price

passagier passenger; (*in huurrijtuig ook*) fare; *werkend* ~ *zijn* work one's passage; *zie* blind, enz.; ~**en** (*van matrozen*) be out on shore-leave; ~*de matroos* liberty-man

passagiers- passenger: ~**boot** p.-steamer; ~**goed** passenger's luggage; ~**lijst** p.-list; ~**trein** p.-train; ~**vliegtuig** p.-plane

passant (*voorbijganger*) passer-by; (*reiziger*) passing traveller, temporary visitor; (*Am.*) transient (visitor); (*van uniform*) shoulder-strap; *en* ~ in passing, by the way; *iets en* ~ *doen*, *ook:* take s.t. in one's stride; ~**enhuis** place where prisoners etc. are temporarily put up; night-shelter

passato: *de 5de* ~ on the 5th. ult. (= ultimo)

passe (*schermkunst, enz.*) pass

passement lace, braid, trimming, galloon, edging; ~**erie** id., trimming(s); ~**werker** laceman, l.-maker; ~**winkel** l.-shop

passen (*van kleren*) fit; (*van klant*) try on [a coat]; (*van kleermaker*) fit on; (*bij kleerm.*) [go to] be fitted, have a (one's) fitting, try on; *tweemaal* ~ two fittings given; (*bij kaartspel*) pass; (*betamen*) become, befit, behove; (*schikken*) suit, be convenient [to a p.]; (*ik*) *pas*, (*spel*) pass, (*bridge ook*) no bid; *dat past me net*, (*fig.*) it suits me down to the ground; *dat past precies* it fits exactly (to a T, to a nicety, like a glove); *die naam past hem precies* fits him exactly (*of:* like a glove); *dat past een oud mens niet* that is not becoming for an old (wo)man; *'t past u niet dat te zeggen* it is not for you to ...; you have no business to ...; *'t past me thans niet* it is not convenient to me at this moment; *kunt u 't niet* ~? couldn't you give me the exact money?; *de jas past hem goed* (*slecht*) fits him well (is a misfit, a bad fit); *met* ~ *en meten wordt de tijd versleten* procrastination is the thief of time; *met wat* ~ *en meten* ... with a bit of juggling (contriving) [we managed to get sixteen chairs in]; *aan elkaar* ~ fit [the pieces] together; *het behangsel past niet bij 't ameublement* the paper does not match (go with, fit in with, is not in tune with, is out of tune with) the furniture; *de schilderij past niet bij* ... the picture is out of harmony (*of:* keeping) with the surroundings; *ze* (*van pers. & zaken*) *~ er helemaal niet bij* they don't at all fit in; *deze kleur past niet bij die hoed* does not go with that hat [*zo ook:* he went well with his house]; *'t past er keurig bij* it goes charmingly with it; *deze zijde past er goed* (*slecht*) *bij* is a good (bad) match; (*niet*) *bij 't geheel ~* fit into (be out of) the picture; *bij elkaar ~*, (*van pers.*) suit (be suited to) each other; *zij ~ goed* (*slecht*) *bij elkaar* they are well- (ill-) matched; *niets paste bij elkaar* nothing matched; *het past in je rol* it suits your part; *in elkaar ~* fit into each other; *~ op* take care of, mind [the shop, the baby], look after, (*oppassen voor*) be on one's guard against, beware of [pick-pockets]; *pas erop!* (*van kruier bijv.*) mind the barrow! (*mar.*) gangway, please!; *pas op je zakken!* watch (take care of) your pockets!; *laat hij op zichzelf ~* let him look to himself; *zij kan heel goed op zichzelf ~* she is perfectly able to take care of herself; *op zijn woorden passen* be careful what one says; *de sleutel past niet op het slot* (*de deur*) does not fit the lock (the door); *zie* kleintje, tel; *ik pas er voor hem geld te lenen* I refuse to lend him money; *daar pas ik voor!* I'll have none of that! nothing doing!

passend (*eig.*) fitting [collar, ill-f. clothes]; (*fig*) fit [for ...], suitable [to your age, for you, a few s. words], becoming [to the occasion, to his age]; [the] right [word], [a] fitting [end], apposite [remarks], appropriate [measures; a text ... to the occasion]; *~ zijn voor*, *ook:* befit [as ...s a man in his position]; *niet ~ voor* ..., *ook:* [a word] unbecoming (of) a lady; *japon met daarbij ~e schoenen* with shoes to match; *niet bij elkaar ~* odd [have ... boots on; ... buttons]; *goed* (*slecht*) *bij elkaar ~ paar* well-suited (ill-assorted) couple

passe-partout id. (*in alle bet.*); (*sleutel ook*) master-key

1 passer *zie* pasar

2 passer compasses; *een ~* a pair of c.; *kromme ~* callipers; *~been* compass leg, leg of a pair of c.; *~doos* case (*of:* box) of mathematical instruments

passeren I *intr.* (*voorbijgaan*) pass (by); (*gebeuren*) happen, occur; *dat kan ~* that may p.; *dat kan ik niet laten ~* I cannot let it pass; II *tr.* (*voorbijgaan*) pass (by); (*doortrekken*) pass through; (*bij bevordering*) pass over; (*overgaan*) cross [the bridge]; (*aangeven*) pass [me the mustard]; (*doorbrengen*) pass [the time (in) reading]; (*akte*) execute [a deed]; *de 50 gep.* [he has] turned 50, [is] turned 50, is on the wrong side of 50; *'t aantal leden is de 10000 gep.* has passed the 10,000 mark; *gepasseerd worden* be passed over; *zie* dividend

passie passion (*in alle bet.*); (*liefhebberij ook*) craze; *zie* vos; *~bloem* p.-flower

passief *bn.* passive [trade balance, etc.]; *zn.*:

actief en ~ assets and liabilities

passie: *~spel* passion-play; *~tijd* P.-tide; *~vruch* p.-fruit; *~week* P.-week; *P~zondag* P. Sunda

passim id.; **passionist** id.; **passiva** *zie* passief *zn*

passus passage

pasta paste

pastei pie (*ook typ.*: *in ~ vallen* fall into pie) pasty; *twee vormen vielen* (*gingen*) *in ~* tw formes pied; *~bakker* pastry-cook; *~dee* paste; *~korst* piecrust; *~tje* patty

pastel (*plant & krijt*) id.; *~tekenaar* pastel(l)is *~tekening* p. (drawing), crayon

pasteurisatie pasteurization; -**seertoestel** pas teurizer; -**seren** pasteurize

pastille pastil, pastille, lozenge

pastinaak parsnip

pastoor (*r.-k.*) (parish-)priest; (*Am.*) pastor; *d ~ van N.* the parish priest of N.; *~ Janse* Father J.; **pastoraal** pastoral; -*ale arbeid* p work, parish work; -*ale brief* pastoral (letter) -*ale goederen* glebe

pastorale pastoral (play, poem); (*muz.*) id.

pastoralia glebe

pastorie rectory, vicarage, parsonage; (*van a gescheiden kerk, vooral Sc.*) manse; (*r.-k.* presbytery; *~goederen*, *~landerijen* glebe

pasvorm fit

1 pat (*schaaksp.*) stalemate; *~ zetten* stalemate

2 pat (*op uniform*) (gorget-)patch, tab

pataat batata, sweet (*of:* Spanish) potato

Patagonië Patagonia; **~r, -sch** ...n

patat(es frites) chips, French fried (potatoes)

patcho(e)li patchouli

pâté de foie gras id., goose-liver paste

pateen paten

1 patent *bn.* capital, first-rate, excellent; *ee ~e kerel* a c. fellow, a jolly good fellow, (*fam.* a (real) sport, a brick

2 patent *zn.* (*voor bedrijf*) licence; (*voor uitvin ding, enz.*) (letters) patent; *~ aanvragen* apply for a patent; *~ aangevraagd* p. pending; *~ ne men op* take out a patent for, patent [an in vention]; *~ verlenen* grant a patent; *~artike* proprietary article; *~belasting* (*hist.*) licence fee; *~eren* patent, register; *~geneesmidde* patent medicine; *~houder* patentee; *~medicij zie ~geneesmiddel*; *~nemer* patentee; *~oli* colza oil; *~recht a*) patent-right; *b*) = *~be lasting*; *~sluiting* patent lock (*of:* fastening), (*op fles*) patent stopper; (*van damestasje, enz.*) *zie* ritssluiting; *~wet* patent-act, Patents and Designs Act

pater father; *~ familias* paterfamilias, f. of a family, family man; *~(tje) goedleven* a p. fond of good living, an epicure; *~noster* id.; (*bk.*) chaplet; -*s* handcuffs, (*sl.*) darbies; *iem. de -s aandoen* handcuff a p., (*sl.*) fix the darbies on a p.; *~stuk* rumpsteak

pathetisch pathetic(al); melodramatic

pathologie pathology; **pathologisch** pathologi-cal; *~e anatomie* morbid anatomy

patholoog pathologist

pathos id.; (*ong.*) grandiloquence

patience (*spel*) patience [play ...]

atiënt patient; *ik ben* ~ I am on the sick-list; ~**e** (lady, female) p.; ~**enboek** [a doctor's] casebook; **patiëntie** patience

atina id.; **-eren** patinate

atjakker scamp, tyke, scallywag

atje *zie* pat 2

atjo(e)l (*Ind.*) mattock

atoïs id., (provincial) dialect

atres *zie* ad; **patria** mother-country; *in* ~ at home; *naar* ~ home

atriarch id.; ~**aal** patriarchal; ~**aat** patriarchate; (*vaderrecht*) patriarchy, father-right

atriciër, patricisch patrician

ºatricius Patrick

atrijs 1 partridge; 2 (*vorm, stempel*) patrix; ~**hond** spaniel; ~**hout** p.-wood; ~**poort** porthole, port; ~**poortdeksel** porthole shutter; ~**poortraampje** porthole window

atrijzejacht partridge-shoot(ing)

atrimonium patrimony

atriot *a)* id.; *b)* (*18e eeuw*) Dutch anti-Orangeman; ~**tisch** patriotic (*bw.:* -ally); ~**tisme** patriotism

atristiek patristics, patrology

atristisch patristic

atronaat patronage; (*vereniging*) confraternity; **patrones** patroness, patron saint

atroon 1 (*beschermheer*) patron; (*heilige*) patron saint; (*baas*) employer, principal, master; *bakkers*~, *enz.* master baker (builder, etc.); 2 (*om te schieten*) cartridge; *losse* ~ blank c.; *scherpe* ~ ball c., live c.; *10 patronen, ook:* ten rounds (of ammunition); 3 (*dessin*) pattern, design; *met een* ~ patterned [chiffon]; ~**houder** *a)* (*van geweer*) cartridge-, loading-) clip; *b) zie* ~**band**; ~**huls** cartridge-case; ~**riem** cartridge-belt; ~**tas** cartridge-box, -pouch; ~**tekenaar** pattern-maker, designer

atrouille patrol; ~**leider** (*padvinder*) patrol leader

atrouilleren patrol [the streets *in de* ...]

atrouille patrol: ~**vaartuig** p. boat (*of:* vessel); (*ter bescherming der visserij*) fisheries protection vessel; ~**wagen** p. car

ats slap, box on the ear; *zie* opstopper; ~**!** bang! slap! whack! crash!; ~**en** *tr.* bang; *intr.* come bump [on the ground, against the wall]; *met zijn geld –* throw one's money about; ~**er** cad, waster; (*verkwister*) spendthrift, wastrel; ~**erig** caddish; (*opschepperig*) swanky, flashy

atsjoeli patchouli

atstelling stalemate

auk kettledrum, (*mv. ook*) timpani; ~**en** beat (*of:* play) the k.; ~**enist, ~eslager** timpanist, kettledrummer

Paul id.; **Paulina** id., Pauline; **Paulinisch** Pauline [epistles]; **Paulus** (St.) Paul

pauper id.; ~**iseren** pauperize

pauperisme pauperism

paus pope; *hij is een echte* ~ he is an autocrat; *het* ~**dom** the papacy, the pontificate

paus: ~**elijk** papal, pontifical; *– delegaat* apostolic delegate; *de -e vlag* the Pope's flag; *zie* gezant, *enz.*; ~**gezind** papistical; *-e* papist;

~**keuze** papal election; ~**schap** *zie* ~**dom**

pauw peacock; (*mann. & vrouw.*) peafowl; (*fig. ook*) high-stepper; *stappen als een* ~ (strut like a) peacock; *zie* trots; ~**achtig** (*dierk.*) pavonine; (*fig.*) p.-like, peacockish; ~**estaart** p.'s tail; (*duif*) fan-tail pigeon; ~**eveer** p.'s feather; ~**fazant** argus-pheasant; ~**in** pea-hen; ~**oog** p.-butterfly; ~**staart** *zie* ~**estaart**

pauze pause [in the conversation], interval; (*theat., enz.*) interval; (*Am.*) intermission; (*school*) break, recess, interval; (*muz.*) rest

pauzeren pause, stop, have a break; **-ing** pause

pauzeteken (*radio*) signature tune, interval signal; **pavane** pavan(e)

paviljoen pavilion, tent, marquee; (*van gesticht*) cottage; ~**ziekenhuis** cottage hospital

pavoiseren dress [ships]; *gepavoiseerd, ook:* gay with bunting, beflagged

p.c. = *pour condoléance* with sympathy

pct. id., p. c. (= per cent.)

pé *zie* pee

peau de suède suede [a ... handbag]

peauter pewter; **peccavi** id. [cry ...]

pecco(thee) pekoe (tea)

pech bad (hard, rotten) luck; trouble; (*met auto, enz.*) breakdown; ~ *hebben* be down on one's luck, be out of luck, have a run of bad luck; *zie* bandepech; ~**vogel** *zie* wanboffer

pecuniair pecuniary

pedaal pedal; *hard* (*zacht*) ~ loud (soft) p.; ~**druk** p. load; ~**emmer** p. bin; ~**harp** p.-harp

pedagogie(k) pedagogy, pedagogics, theory of education

pedagogisch pedagogic(al)

pedagoog pedagogue, education(al)ist

pedant *zn.* id.; *bn.* (*schoolvosachtig*) pedantic (*bw.:* -ally); (*verwaand*) conceited, stuck-up; ~**erie** *a)* pedantry; *b)* conceitedness

peddelen pedal; (*roeien*) paddle

pedel mace-bearer, bedel(l)

pedes apostolorum: *per* ~ on Shanks's pony (mare)

pedestal id.

pedicure id., chiropodist

pedofilie p(a)edophilia; **pedologie** *a)* p(a)edology; *b)* pedology, soil science

pedometer id.

pee: *de* ~ *in hebben* (*in krijgen, in jagen*) have (get, give) the hump (the pip); *de* ~ *aan iem. hebben* hate the sight of a p.

peekoffie chicory, succory

peel marshy land, marshy region

peen carrot; (*witte*) parsnip; ~**haar** carroty hair, carrots; ~**lof** c.-tops; ~**tje** *zie* ~ & opscheppen

peer pear; (*van petroleumlamp*) receiver, reservoir; (*van elektr. gloeilamp*) bulb; *iem. met de gebakken peren laten zitten* leave a p. in the cart; *men liet hem met ... zitten, ook:* they left him to face the music; (*sl.*) he was left to hold (to carry) the baby (to carry the can); ~**drups** p.-drops; ~**lijsterbes** (*de boom*) service(-tree); (*de bes*) sorb; ~**vormig** p.-shaped

pees tendon, sinew, string, (*van boog*) string;

meer dan één ~ op zijn boog hebben have more than one string to one's bow; ~**knobbel** tendinous knot; ~**knoop** ganglion, *mv.* ganglia

peet godfather, godmother; (*mann. & vrouw.*) sponsor; ~ *staan* stand g., etc. to a child; ~**dochter** goddaughter; ~**oom** *zie* ~; ~**schap** sponsorship; ~**tante** *zie* ~; ~**zoon** godson

Pegasus id.

pegel icicle; (*sl.*) guilder

peignoir id., woman's dressing-gown

peil (water-)mark, gauge; (*fig.*) level, plane, standard; (*Normaal*) *Amsterdams* ~ Amsterdam ordnance datum, A. zero, A. watermark; *het ~ der beschaving* the level of culture; *beneden* ~ below (not up to) the m.; *boven* ~ above the m.; *op* ~ up to the m.; *op hoger* ~ *brengen* level up [labour conditions, wages], raise the standard of [football], raise [furnishing] to a higher level; *op lager* ~ *brengen* level down; *zie* opvoeren; *'t debat stond niet op 't gewone* ~ was not up to the usual level; *op een laag* ~ on a low level; *'t onderwijs stond op zijn laagste* ~ education was at its lowest ebb; *op* ~ *houden (brengen)* keep (bring) up to the m.; *'t leven van een hoger* ~ *beschouwen* regard life from a higher plane; *zijn hoogste* ~ *bereiken* reach its high-water m.; *op hetzelfde* ~ *staan als* be on a level with; *men kan op hem geen* ~ *trekken* he is quite unpredictable; ~**apparaat** direction finder; ~**datum** datum date; – *31 dec.* [growth] calculated from ..., [population] as at ...; ~**en** gauge [the contents of a cask, etc.], fathom [water]; (*mar.*) sound [the harbour]; (*land; ook luchtv.*) take bearings; (*zon*) take the sun's altitude; (*wond*) probe [a wound]; (*fig.*) sound [a p.], fathom, plumb [the depth(s) of a p.'s misery, ignorance, etc.], gauge [a p.'s character]; ~**er** gauger; (*radio*) direction finder; (*mar.*) leadsman; ~**glas** gaugeglass, (water-)gauge; ~**ing** gauging; (*mar.*) *a*) sounding; *b*) bearing; *vgl. 't ww.*; ~**en doen** take soundings (bearings); ~**ingslijn** line of bearing; ~**ketting** gauging-chain; ~**kraan** gauge-cock; ~**lood** *zie* dieplood; unfathomable, plumbless; ~**roede** *zie* ~stok; ~**schaal** water-, tide-gauge; ~**stok** (*van wijnroeier*) gauging-rod; (*mar.*) sounding-rod; (*van auto*) dipstick

peinzen meditate, ponder, muse [*over* on]; (*somber*) brood [*over* on, over]; *waar peins je zo over?* (*fam.*) a penny for your thoughts; ~**d** meditative, pensive, thoughtful, musing; ~**er** meditator, muser; ~**ing** meditation, musing

peis: *alles was* ~ *en vree* everything was rosy (lovely) in the garden, was peace and amity

pek pitch; (*schoenmakers~*) (shoemaker's) wax; *wie met* ~ *omgaat wordt ermee besmet* p. sticks; who touches p. will be defiled; ~**blende** pitch-blende; ~**broek** (Jack-)tar; ~**draad** wax-(ed)-end, waxed thread

pekel brine, pickle, souse; *hij zit in de* ~ he is in a scrape, is in a (sad) pickle; *iem. in de* ~ *laten zitten* leave a p. in the lurch; *hij houdt het vlees goed onder de* ~ he is a hard drinker, is fond

of a drop; ~**achtig** briny; ~**en** brine, pickl[e] salt, souse; ~**haring** salt herring; ~**nat** brin[e] *'t* – = *'t* ~**veld** the brine, the briny; ~**vlees** sa[lt] meat; (*sl.*) salt junk; ~**wagen** brine sprinkle[r] ~**water** brine; ~**zonde** *a*) old sin; *b*) peccadill[e] venial sin

Pekinees Pekin(g)ese

Peking Pekin, Peking

pekken, pekkrans enz., *zie* pik ...

pel [banana-]skin; [egg-]shell; [bean-]pod

Pelagiaan(s) Pelagian

pelargonium (*plant*) id.

pêle-mêle pell-mell, all anyhow

pelerine id.

pelgrim pilgrim, palmer; ~**age** pilgrimage

pelgrims: ~**gewaad**, ~**kleed** pilgrim's garb; ~**rei[s]** *zie* ~tocht; ~**staf**, ~**stok** p.'s staff; ~**tas** p.'s scri[p] (*of:* wallet); ~**tocht** pilgrimage; *een* – *onder[nemen]* *nemen* go on (make a) pilgrimage

pelikaan pelican; **pellagra** id.

pellen peel [almonds, eggs, shrimps], she[ll] [peas, nuts], husk, hull [rice, maize]

pellen(goed) huckaback, diaper

pellerij, pelmolen hulling-, peeling-mill

Peloponnesisch Peloponnesian

Peloponnesus id.; *de* ~, *ook* the Peloponnese

peloton platoon; (*cavalerie*) troop; ~**scomman[-]** **dant** p.-leader; ~**svuur** p.-fire

pels *a*) (*niet toebereid*) pelt; *b*) fur; fur coat; *iem[and]* *op zijn* ~ *komen* dust a p.'s jacket; ~**dier** furre[d] (fur-bearing) animal, fur-bearer

pelser pilchard

pels: ~**handel** fur-trade; ~**handelaar** furrier, fu[r] trader; ~**jager** (f.-)trapper, f.-hunter; ~**jas** f[ur] coat; ~**muts** f. cap; ~**vreter** biting louse; ~**wer[ker]** furriery, peltry; ~**werker** furrier

pelterij peltry, furriery

peluw bolster; ~**overtrek**, ~**sloop** b.-case

pen id.; (*losse* ~, *ook*) [hard, soft] nib; (*veer[tje]*) feather; (*slagpen*) pinion; (*ganzepen*) quill[(en)] (*pin*) peg, pin; (*van egel*) spine. quill; (*brei[-]* *enz.*) [knitting-, etc.] needle; *de* ~ *erdoor hale[n]* run one's p. through it; *een welversneden* ~ *hebben* write well and fluently; *de* ~ *voere[n]* wield (hold) the p.; *de* ~ *opnemen* take p. i[n] hand, take up one's p.; *de* ~ *neerleggen* (*fig[.]* give up writing; *heel wat* ~**nen** *in beweging[g]* *brengen* give rise to a good deal of controver[-] sy; *iem. de* ~ *op de neus zetten* put a p. on hi[s] good behaviour; *de* ~ *op 't papier zetten* pu[t] (set) p. to paper; *een werk in de* ~ *hebben* hav[e] a work in hand; *'t is in de* ~ it is on the stocks[,] *'t is in de* ~ *gebleven* it has never come off (*o[f:* materialized); *iem. iets in de* ~ *geven* dictate s.t. to a person; *hij is vlug met de* ~ he has a ready pen; (*dadelijk*) *naar de* ~ *grijpen*, (*voor[de krant, enz.*) rush into print; *uit zijn* ~ *from[*] his p.; *'t is bij vergissing uit de* ~ *gevloeid* it's a slip of the p.; *van zijn* ~ *leven* live by one's p[.]

penaal penal [sanction]

penanker pin-pallet

penant pier; ~**spiegel** p.-glass; ~**tafel(tje)** p.-[-] table

penarie: (*verschrikkelijk*) *in de* ~ *zitten* be in

a(n awful) hole (fix, scrape)

enaten penates, household gods; *zijn ~ op-zoeken* go home; *zijn laren en ~* his lares and penates

endant id., companion piece (*of:* picture), counterpart; (*fig.*) counterpart, pendant, [the German producer and his British] opposite number

endel commuting; **~aar** commuter

endeldienst shuttle service

endelen commute

endule (mantelpiece, *of:* bracket) clock

en-en-gat: *~ verbinding*, (*bk.*) dowelled joint

enetrant penetrating, piercing

enhouder penholder

enibel painful, awkward [silence]

enicilline penicillin

enis id.; **~nijd** p. envy

enitent id.; **~ie** penance; (*fig. ook:*) ordeal, trial

enne: ~houder penholder; **~kras** stroke (scratch) of the pen; *een paar –jes*, (*schetsje*) a thumb-nail (sketch); **~kunst** penmanship, calligraphy; **~likker** quill-driver; pen-pusher; **~mes** penknife

ennen pen, write; *zie ook* inrijgen

ennen: ~bak pen-tray; **~koker** pencase

enne: ~schacht quill; **~streek** stroke (dash) of the pen; *met één –* by one dash of the p.; **~strijd** controversy, paper war; **~trek** *zie ~* streek; **~vrucht** product of the (his, etc.) pen; **~wisser** penwiper

enning penny, farthing; (*gedenk~*) medal; (*voor automaat, enz.*) token; (*van politieagent*) badge, warrant(-card); (*gods~*) earnest-money; *zie* honde~; *hij is van ~ zestien, is erg op de ~* he looks at a penny twice before parting with it; **~kabinet** coin and medal room, numismatic collection; **~kruid** moneywort; **~kunde** numismatics; **~kundige** numismatist; **~meester** treasurer; *'t* **~ske** *der weduwe* the widow's mite

Pennsylvanië Pennsylvania; **~r, Pennsylvanisch** Pennsylvanian

penose underworld

pens (*van herkauwer*) paunch, rumen; (*als voedsel*) tripe; (*volkst., = buik*) paunch

pensee(bloem) pansy, heart's-ease

penseel (artist's paint-)brush; pencil (*vero., beh. in:* the masterly ... of Rembrandt, *e.d.*); (*voor wond, enz.*) brush; **~streek** stroke (*of:* touch) of the brush

penselen paint; (*wond*) pencil, paint

pensioen (retirement) pension; (*mil.*) retired pay; *hem werd ~ verleend* he was granted a pension; *~ nemen* take one's pension; *met ~ gaan* retire; (*mil.*) go on retired pay; *met ~ zijn* be retired; *weduwe met ~* widow in receipt of a pension; *betrekkingen met* (*zonder*) *~* pensionable (non-pensionable) posts; *recht op ~* pension right, claim to a pension; *op ~ stellen, zie* pensioneren; *betalen voor ~* pay towards one's p.; *meetellen voor ~* count towards one's p.; *~ verbinden aan* attach a pension to [a post]; *aan*

deze betrekking is (*geen*) *~ verbonden* this post is pensionable (carries no p.); *met* (*vol*) *~ ontslagen* discharged on (full) p.; *zijn ~ in ontvangst nemen* draw one's p.; **~aftrek** deduction from salary on account of pension; **~fonds** p. (*of:* superannuation) fund; **~gerechtigd** pensionable, eligible for (a) p.; *-e leeftijd* pensionable (retirement) age; **~grondslag** basis of p.; **~raad** pensions office; **~regeling** superannuation scheme; **~saanspraak** p. claim, p. entitlement; **~sbijdrage** contribution towards p., superannuation contribution; **~trekker** pensioner; **~wet** superannuation act, pensions act

pension guest-house, boarding-house; (*kost*) board; (*inz. buiten Eng., ook:*) pension [keep a ...; have ... for twelve marks a day]; *in ~ gaan* (*zijn*) go to (live at) a b.-h.; *in ~ nemen* receive as a boarder; *in* (*en*) *~, ook:* en pension

pensionaat boarding-school; **pensionair(e)** (*leerling*) boarder; (*jaargeldtrekker*) pensioner; **pensionaris** pensionary

pensioneren pension, grant a pension; superannuate; (*mil.*) place on the retired list; (*vervroegd*) pension off; **-ing** retirement, superannuation

pensiongast lodger, boarder; **pensionhoud-(st)er** boarding-house keeper

pensionprijs boarding-terms [from ...]

pentagram, -meter, P-teuch id.

pentekenaar pen-draughtsman, black-and-white artist

pentekening pen-drawing, -sketch, pen-and-ink (black-and-white) drawing

penwortel tap root

peper pepper; *gemalen* (*ongemalen*) *~* ground (round) p.; *zie* Spaans, enz.; **~achtig** peppery; **~boom** p.-tree; **-pje** spurge laurel, daphne; **~bus** p.-box, -pot, -castor; **~duur** high-priced, very expensive; *alles was –* everything was at prohibitive prices; *iets – betalen* pay (for s.t.) through the nose; **~en** pepper; *'n rekening –* salt a bill, stick it on; *zie* gepeperd; **~-en-zoutkleurig** p.-and-salt [hair, suit], grizzled [hair]; **~-en-zoutstel** salt and pepper set, cruet-stand; **~huisje** cornet, screw (of paper); **~ig** peppery; **~kers** pepperwort; **~koek** gingerbread; **~korrel** p.-corn; **~molen** p.-mill

pepermunt *a*) (*plant*) peppermint; *b*) = **~je** p.-drop, p.-sweet; **~olie** p.-oil; **~stok** p.-stick, p.-rock; **~water** p.-water

peper: ~noot ginger-nut, gingerbread nut; **~plant** p.-plant; **~tuin** pepper plantation; **~vogel, ~vreter** p.-bird, toucan; **~wortel** horse-radish

Pepijn Pepin, Pippin

peppel poplar; **pepsine** pepsin

pepton peptone; **~iseren** peptonize

per: *verkopen ~ ...* sell by the yard (bale, glass); *~ post* by post; *~ telefoon* by (over the) telephone; *~ postwissel* by money order; *~ jaar* per annum; *~ uur* [paid] by the hour; *drie gulden ~ el* (*~ week*) three guilders a yard (a week); *~ schip* by boat; *~ 'acre'* [30 bushels] to

the acre; ~ *seconde* [1000 vibrations] to the (a) second; *betaling ~ 3 mnd.* payment at three months; *~ onze driemaandswissel* by our draft at three months; *zie* adres, stuk, enz.
perceel (*kaveling*) lot, parcel, (*van grond*) *ook* plot; (*huis en erf*) premises (*mv.*); *een lastig ~* a handful; *in percelen = ~sgewijze* [sell] in lots
percent per cent., p.c.; *ook = ~age; 3 ~s papieren* three per cent. stock, three per cents; *er is 50 ~ kans dat ...,* (*fam.*) it is a fifty-fifty chance that ...; *5 (100) ~ krijgen van ...* get five per cent. (cent. per cent.) on one's investments; *25 ~ uitkeren,* (*bij faillissement*) pay 25p. in the pound; *5 ~ opbrengen* pay (yield) five per cent.; *tegen 5 ~* at (the rate of) five per cent.; *voor 90 ~ ...* [his work is] 90 per cent. mechanical; **~age** percentage; **~iel-score** percentile rank; **~sgewijze** proportional(ly); – *bijdragen* make pro rata contributions; **~ueel** *zie* ~sgewijze
perceptie perception
percussie percussion; **~dopje** p.-cap; **~geweer** p.-gun; **~hamer** p.-hammer
percuteren tap, percuss
perdoen (*mar.*) backstay
pere: **~boom** pear-tree; **~bloesem** pear-blossom; **~hout** pear-wood; **~laar** pear-tree
perendrank, -wijn perry
perevuur fire-blast, -blight (of pears)
perfect id.; *het staat je ~* it suits you to perfection; **~ibiliteit** perfectibility; **~ie** perfection; *in de –* perfect(ly); **~ief** perfective; **~ioneren** perfect
perfide perfidious
perforator id.; **perforeren** perforate; *niet geperforeerd* imperforate [stamps], unperforated [sheets]
pergola id.; **peri** id.
perifeer, -ferie peripheral, -ry
perifrase periphrasis (*mv.:* -phrases)
perihelium perihelion
perikel peril
perikoop pericope; **-kopenboek** lectionary
periode period; stage [first ... of an illness]; spell, run [of fine weather]; space [of three years]
periodiciteit periodicity; **~swetten** laws of p.
periodiek *bn.* periodic(al); *~e verhogingen* annual increments; *zn. a)* periodical; *b)* increment
peripateticus peripatetic
peripatetisch peripatetic (*bw.:* -ally)
periscoop periscope; **peristyle** id.
perk [flower-]bed; (*grens*) limit, bound (*gew. mv.*); *binnen de ~en der wet* within (the pale of) the law; *binnen de ~en blijven* keep within bounds; *de ~en overschrijden* go beyond the bounds [of prudence, etc.]; *dat gaat alle ~en te buiten* that is beyond (passes, transcends) all bounds; *zie* paal, gras-, strijdperk, enz.
perkament parchment, vellum; **~achtig** p.-like; **~en** *bn.* parchment; **~papier** p.-, vellum-paper; **~rol** (p.-)scroll

perkara (*Ind.*) dispute, lawsuit
Perm (*geol.*) Permian system
permanent id., lasting, standing [committee]; *zich laten ~en* have one's hair permanentl waved, (*fam.*) have one's hair permed
permissie permission, leave, (*vrijaf*) leave (c absence); *met ~* by your leave; *zie* verlof; *~ biljet* permit; (*ter bezichtiging, enz.*) order-t view, inspection-order
permitteren permit, allow; *zich ~* permit o.s. [liberty], indulge in [luxuries]; *als ik mij a vrijheid mag ~* if I may take the liberty; *ik ka me geen auto ~* I cannot afford (don't run t a motor-car
permutatie permutation
pernambukhout Brazil wood
pernicieus pernicious [anaemia]
peroratie peroration
perpetuum mobile id., perpetual motion
perplex perplexed, baffled, flabbergasted; *deed me ~ staan* it took my breath clean awa *zie* paf, versteld
perron platform; *~ van aankomst (vertrek)* a rival (departure) p.; *'t 3de ~* N° 3 p.; **~kaart** p.-ticket; **~restauratie** buffet bar
Pers *a)* Persian; *b)* Persian cat; *c)* Persian rug
pers press; *de ~* the p.; *een goede, enz. ~ hebbe* have (receive) a good (bad, splendid) p.; *h is aan de ~* on the p.; *juist bij het ter ~e gaa* just as we are going to p.; *het boek is ter ~e* in the p.; *uit de ~,* (*opschrift in krant*) p. (news paper) comment(s); *iem. van de ~, zie* ~mar **~agentschap** news agency; **~bericht** p.-repor press (news) release; **~bureau** p.-associatior -agency, -bureau; **~chef** p. chief, head of office, p. officer, p. secretary; **~conferentie** conference; **~delict** offence against the p laws; **~dienst** news service
per se (*eig.*) per se, intrinsically; (*noodzakelijk* necessarily, of necessity; (*met alle geweld*) b all means, by hook or by crook; *hij wou ~ me* he was determined to come
persen press, squeeze; (*bij ontlasting*) strair *iem. de tranen uit de ogen ~* force tears from p.'s eyes
perser presser
pers: **~fotograaf** press-photographer; camera man; **~gas** high-pressure gas
persianer Persian lamb
persico peach-brandy, noyau, persicot
persienne Persian blind, persienne
persiflage id., banter, raillery
persifleren banter, chaff
persijzer (tailor's) goose (*mv.:* gooses), smoot ing-iron, seam-presser
persing pressing, pressure
persisteren persist [*bij* in]
pers: **~kaart** press-ticket; **~klaar** ready for (the p.; **~kuip** wine-p.; **~magnaat** p. magnate, p lord; **~man** pressman, newspaper man; **~mis drijf** *zie* ~delict; **~muskiet** press hound
personage id., person
persona grata id.
personalia id.; (*als opschrift in krant*) persona

ersonaliteit personality; ~en [indulge in] personalities, personal remarks

ersoneel I bn. personal; -ele belasting, ongev.: inhabited house duty; -ele unie personal union; II zn. 1 staff, establishment, servants; (tegenov. materieel, van leger, vloot, enz.) personnel, manpower; ~ van de machinekamer, (mar.) engine-room ratings; 't ~ van ... bestaat uit ... the hospital is staffed by women; te weinig (te veel) ~ hebben be understaffed (overstaffed); met te weinig ~ [theatres are working] short-handed; wegens gebrek aan ~ owing to understaffing; 2 zie -ele belasting; ~chef personnel manager; ~sbeoordeling personnel assessment; ~sbezetting staffing; ~s-formatie establishment; ~smutaties changes in personnel (of: staff); ~sproblemen staffing problems; ~ssterkte (mil.) establishment

ersonen: ~auto, ~lift, ~trein, ~vervoer passenger car (lift, train, traffic)

ersonificatie personification

ersonifiëren personify

ersoon person; (mv. theat.) dramatis personae, characters (in a play); vorstelijke -onen royal persons, royalties, royalty; één gulden de (per) ~ a head, each, apiece; hij kwam in (eigen) ~ in (his own) p., personally; in de ~ van in the p. of; de ... in ~ kindness personified (of: itself), the essence of kindness, the soul of virtue (of generosity); in één ~ [author and film-director] in one, rolled into one; met zijn ~ verlegen self-conscious; tenger van ~ slight in p.; lang (kort) van ~ of a tall (short) stature; ik voor mijn ~ I, for one; voor één ~, voor 2 personen, zie een-, tweepersoons-; zie ook ~tje

ersoonlijk I bn. personal; individual [my ... opinion]; private [debts]; (reisbiljet) not (of: non-)transferable; (op brief) private; 't woord vragen wegens een ~ feit rise on a point of privilege (of: of order); ~e borgtocht p. security; ~e ongelukken casualties; u wordt ~ you are getting p.; niet ~ worden, alsjeblieft no personalities, please; 't ~e the p. touch [in his lecture]; II bw. personally, in (one's own) person; hem ~ betreffende [a point] p. to himself; ~heid personality; zie ook personaliteit

ersoons: ~beschrijving personal description; ~bewijs identity card; ~verbeelding personification; ~verheerlijking personality cult; ~verwisseling [it was a case of] mistaken identity; ~vorm (gramm.) finite form; - van een werkwoord finite verb

ersoontje little person; mijn onbeduidend ~ my poor self; ... en mijn ~ Captain C. and self; haar lief ~ her sweet self

ersorgaan press organ

ersoverzicht press review

erspectief perspective (ook fig.: open new ...s); (vooruitzichten, ook) prospects; betrekking waar geen ~ in zit blind alley occupation, dead-end job; in een breder ~ pl. set in a wider context [of ...]; ~ geven aan place [events] in some kind of p.; perspectivisch bn. perspective; bw. ...ly, in p.

pers: ~plank pressing-board; ~pomp force-, forcing-pump; ~raad Press Council; ~raam (typ.) tympan; ~revisie final revise; ~schroef pressing-screw; ~telegram press telegram (of: cable); ~tribune press gallery; ~vrijheid liberty (freedom) of the press

pertinent positive; ~e verklaring categorical statement; ~e leugen downright lie; ~ liegen lie unwinkingly; ~ weigeren refuse flatly

Peru id.; ~(vi)aan(s) Peruvian; p~balsem Peruvian balsam, balsam of P.

pervers perverse; perverted [proposal]; ~iteit perversity

Perzië Persia; thans: Iran

perzik peach; ~bloesem p.-blossom; ~boom p.-tree; ~kruid persicaria, peachwort; ~pit p.-stone

Perzisch Persian; pol. thans: Iranian; ~e Golf P. Gulf

pessarium (med.) pessary

pessimisme pessimism

pessimist id.; ~isch pessimistic (bw.: -ally)

pest plague, pestilence; (fig.) pest, dry rot [this apathy is the dry rot of Ireland], bane [correcting exercises is the ... of the teacher's profession], curse; attr. pestilential [that ... paper]; zie ook kanker; schuwen als de ~ shun like the p.; de ~ h. aan hate, loathe [writing letters]; hij (het) is een ~ voor de samenleving a public (social) pest, a pest of society; dat is de ~ voor je gezondheid it plays havoc with ...; voetballen is de ~ voor het gras is disastrous for the lawn; 't haten als de ~ hate it like poison; ik had de ~ in toen ik het zag, (fam.) I could have kicked myself when I saw it; hij had de ~ in over die rotopmerking he was mad over ...; zie ook pee; ~achtig pestilential; ~bacil p.-bacillus; ~blaar, ~buil p.-sore, -spot; ~en badger, nag, tease, bait, bully; alleen om hem te - simply to spite him; ~epidemie p.-epidemic; ~erij nagging, teasing; ~gezwel zie ~buil; ~haard, -hol p.-den; ~huis p.-house; ~humeur black mood; ~ilent id., pernicious; ~ilentie zie ~ziekte; ~kop bully, tease; ~lijder p.-patient; ~lucht pestilential air; ~neger teaser; ~pokken (plague) pox; ~stof p.-virus; ~vent pestiferous fellow; ~vogel waxwing; ~wijf pestiferous hag; ~ziekte plague, pestilence

pet (peaked, visored) cap; dat gaat boven mijn ~ (je) that is beyond me, that beats me; zijn ~ afnemen voor, (fig.) zie hoed; geen hoge ~ ophebben van not think much of; met de ~ er-naar gooien take (have) a shot at; 't is ~, (sl.) it's trash, rubbish, a wash-out; dat mag de ~ niet drukken, zie pret

pete: ~gift (christening-)present from a godfather or godmother; ~kind godchild; ~moei godmother

Peter id.; zie Pieter; p~ godfather

peterselie parsley; ~zaad p.-seed

petieterig tiny, wee, poky [flat], diminutive; (pietluttig) niggling

petitie petition, memorial; een ~ richten tot iem. petition (memorialize) a p., present a

petition to a p.; ~recht right of p.
petitionaris petitioner, memorialist
petitioneren petition, memorialize [the Government]
petitionnement petition
petje (little) cap; zie pet
petoet (mil. sl.) glass-house
Petrarca Petrarch
petrochemie petrochemistry
petroleum[1] (ruw) id.; (gezuiverd) paraffin, (Am.) kerosene; ~aandeel oil share; ~blik paraffin can; ~bron p.-, oil-well; een - ontdekken strike oil; ~gehalte zie gehalte; ~haven oil-port, -harbour; petroleum docks; vgl. haven; ~ kachel paraffin stove, oil-heater; ~kan p.-can; ~lamp paraffin lamp; ~leiding pipe-line; ~ maatschappij oil-company; ~motor oil-engine; ~(toe)stel (paraffin) oil-stove; ~tank(schip) oil tank(er); ~vat zie olievat; ~veld oil-field; ~ waarden oil shares, oil stock, oils
Petronella id.
Petrus Peter; (de apostel) (St.) Peter
petto zie in petto
peueraar bobber, sniggler
peueren bob, sniggle (for eels)
peuk(je): a) [cigar] stump (stub, butt, end), fag-end, dog-end; b) zie peuter 3
peukel pimple; ~ig pimpled
peul pod, husk, shell; ~en, zie ~tjes; ~dop pea-pod; ~erwt string-pea; ~schil pea-pod; (pers.) shrimp; het is maar een ~schilletje it is a mere flea-bite; it's as easy as shelling peas; dat is een - voor hem, ook: he makes nothing of it; ~tjes podded peas, sugar peas; (fam.) moet je nog peultjes? did you ever!; ~vrucht(en) pulse, leguminous plant(s)
peur bob (of lob-worms); ~der zie peueraar; ~en bob, sniggle (for eels)
peuter 1 pipe-scraper; 2 biff; zie opstopper; 3 little mite, nipper, tiny tot, chit [of a girl]; zie dreumes; ~aar potterer, niggler; ~en potter, niggle, fumble, tinker [at s.t.], tamper [aan ... with a pistol]; in de tanden (de neus) - pick one's teeth (one's nose); in het vuur - poke the fire; ~ig meticulous, pernickety, niggling, fiddly; finicky, finicking, finical; ~werk(je) pernickety work (of: job)
peuzel: kleine ~, zie peuter 3
peuzelen peck, pick, munch; ~ aan nibble at, pick [a bone]
pezen race, pace; exert o.s.; walk the streets
pezerik (bull's) pizzle
pezig tendinous, sinewy, wiry; stringy [meat]
Pfeiffer: ziekte van ~ mononucleosis, (fam.) mono, glandular fever, kissing disease
ph- zie ook onder F
Phaëton Phaeton
Phoenicië enz., zie Feni ...
Phrygië Phrygia; Phrygiër Phrygian
Phrygisch Phrygian; ~e muts P. cap
phylloxera id.
pianino id., upright (of: cottage) piano

pianist id.; ~e pianist(e)
piano id. (ook muziekterm); de Heer A. aan ~ Mr. A. at the p.; ~ aan doen go easy, go slow; ~fabrikant p.-maker; ~forte id., pian~juffrouw piano(forte) teacher; ~kast p.-cas~kruk(je) music-stool; ~la id., player-piano piano-player; ~les p.-lesson [ook: give lesson on (in) the p., teach the p.], music-lesson; ~ muziek p.-music; ~onderwijzer(es) p.-teache~orgel p.-organ; ~spel p.-playing; ~spele play the p.; ~speler pianist, p.-player; ~stemmer p.-tuner; ~stoeltje zie ~krukje; ~uittreksel p. score
pias clown, buffoon, merry andrew
piaster piastre; piauter pewter
pia vota pious wishes
picador id.; Picardië Picardy
piccolo 1 (muz.) id., mv. -os; 2 page(-boy), buttons; (inz. Am.) bell-boy, -hop
pickelhaube spiked helmet
picknick(en) picnic; ~mandje p.-basket
pick-up record player; (auto) id.
pico bello tiptop, top-hole
picrinezuur picric acid
Picten Picts
picturaal painterly [qualities]
pièce de milieu epergne, centre-piece
pièce de résistance id.
pied-à-terre id.; piëdestal pedestal
pief: ~ paf, poef! pop, bang, fire!
piek (wapen) pike, (bergtop) peak; (mar (fore-)peak; (munt, sl.) guilder; ~ haar spea (spike) of hair
piekdrager, piekenier pikeman
piekeraar puzzle-head, -brain
piekeren puzzle [over s.t.]; (meer tobberig brood [over s.t.], worry, fret (o.s.); hij kwa er na veel ~ achter he puzzled it (the problem etc.) out; ik pieker er niet over I won't even cor sider it; zich suf ~ puzzle one's head off; z peinzen
piekerig spiky [hair, moustache]
piekfijn spruce, smart, swell, natty; (sl.) posh nobby; first-rate, top-hole, A1; ~ geklee dressed up to the nines, d. to kill; 't ~ doe do the thing in slap-up style
piekuur peak hour
piel zie pik
piemel zie pik; rare ~ queer cuss; ~en piddle ~naakt mother-naked
Piëmont Piedmont; ~ees bn. Piedmontese; z (ook: ~ezen), Piedmontese
pienter clever, sharp, smart, bright, shrew (sl.) brainy; ~heid cleverness, etc.
piep! peep! chirp! squeak!; ~en (van muizer squeak; (van vogels) chirp, peep; (van schar nier, enz.) creak, squeak; (van rem) screech (van adem) wheeze; (aardappelen, enz.) roas 'm -, zie smeren; dat is ge~t that job's jobbec we zijn ge~t we're for it, we've had it; ~e chirper, squeaker; (vogelsoort) pipit; (fluitje whistle; (op te blazen speelgoed) squeake

---

[1] Zie ook olie...

(**aardappel**, *sl.*) spud, tater; **~erig** squeaky, squeaking, wheezy [voice]; **~jong** very young; **~kuiken** spring chicken; **~schuim** (*fam.*) styrofoam, polystyrene foam; **~zak**: *in de – zitten* be in a (blue) funk, be nervous

~ier 1 (*in zee, op luchthaven*) pier; (*op luchthaven, ook*) finger; 2 (*worm*) lob-, lug-, rainworm; *zo dood als een ~* as dead as a doornail (as mutton, as the dodo); *hij is voor de ~en* he is done for; 3 *ik ben altijd de kwade p~* 'it's always me'

~ierement *zie* straatorgel

~ier: **~enbak** (children's) paddling-, wading-pool; **~enbakje** worm-box, -tin; *een* **~enverschrikker(tje)** a peg, a drop

~ierewaaien be on the spree, be on the razzle (-dazzle), go the pace, have one's fling; *gaan ~* go on the razzle(-dazzle); **-er** rip, rake

~ierlala: *er uitzien als de dood van ~* look like Death

~iermeester pier-master, -guard

~ierrette id.

~ierrot id.; **~kostuum** p. dress

~iesen piddle, make water

~iet Peter; **~** *de Smeerpoes* Shock-headed P., Slovenly P.; *p~ snot* booby, noodle; *voor p~ snot staan* cut a poor figure; *een hele ~* quite a swell (a toff), (*kraan*) a dab; *een hoge ~, zie* oom; *zich een hele ~ vinden* fancy o.s.; *Zwarte ~* [Santa Claus and] Black Peter; (*kaartsp.*) Old Maid; *iem. de zwarte p~ toespelen*, (*fig.*) leave a p. to hold the baby (carry the can); *een stijve ~* a stick

~ieteit piety, reverence

~ietepeuterig finicky; microscopic [script]

~ieter Peter; *St. ~,* (*1 aug.*) Lammas

~ieterig diminutive

~ieterman weever; *grote ~* greater w., sting-bull; *kleine ~* lesser w., sting-fish; (*sl.*) guilder

~ieternel Petronella

~ieterselie parsley; **~zaad** p.-seed

~ieterspenning Peter's pence

~iëtist pietist; (*ong. ook*) bigot saint; **~isch** pietistic(al)

~ietje (*meisje*) Nell; (*jongen*) Pete; **p~** (head-)louse

~ietlut niggler, piffler

~ietluttig niggling, piffling, meticulous

~ietsje, **pietzeltje** (*fam.*) wee bit

~igment id.; **~atie** pigmentation

~ij (monk's) habit (*of*: frock); **~jekker** pea-, pilot-jacket

~ijl arrow, bolt, dart, shaft; *~ en boog* bow and arrow(s); *de ~en van de laster* ('t *vernuft*) the shafts of calumny (of wit); *als een ~ uit de boog* [go off] like a shot, as swift as an a.; *hij heeft al zijn ~en verschoten* he has fired his last shot, has come to the end of his tether; *meer ~en in zijn koker hebben* have more strings to one's bow; **~bundel** bundle (*of*: sheaf) of arrows

pijler pillar, column; (*van brug*) pier; (*fig.*) cornerstone [of policy], mainstay

pijl: **~gift** arrow-poison; (*Indiaans*) curare,

curari; **~koker** quiver; **~kruid** a.-head; **~naad** sagittal suture; **~recht** (*as*) straight as an a.; **~schot** bow-shot; **~snel** (*as*) swift as an a.; **~spits** a.-head; **~staart** pin-tail (duck); *ook =* **~staartrog** & **~staartvlinder**; **~staartrog** sting-ray; **~staartvlinder** hawk-moth; **~stormvogel** shearwater; **~vergif** *zie* **~gift**; **~wortel(meel)** arrowroot

pijn 1 pain, (*aanhoudend*) ache; (*stekend, van wond bijv.*) smart; (*erge, geen*) ~ *hebben* be in (great, no) p.; *ik had overal ~* I ached in every limb (*of*: all over); *~ in de keel hebben* have a sore throat; *~ in 't lijf* (*de ingewanden*) gripes, p. in one's inside; *~ in de zij hebben* have a pain in one's side; *~ doen* (*van lichaamsdeel*) hurt, ache; *mijn ogen doen ~* my eyes smart; *iem. ~ doen* hurt a p., give a person p.; 't *doet me ~ 't te zeggen* it pains me (gives me p.) to …; 't *doet mijn oor* (*mijn zenuwen*) ~ it grates on my ear (my nerves); *met ~* (*en moeite*) only just, with great trouble; *zie* cent; 2 pine (-tree); **~appel** fir-, pine-cone; **~appelklier** pineal gland; **~bank** rack; *iem. op de – brengen* put a p. to the rack (the torture); **~boom** pine-tree

pijnigen torture, torment, rack [one's brains], rake [one's memory]; *~de gedachte* agonizing thought; **-er** torturer, tormentor; **-ing** torture

pijnlijk painful, sore; poignant [meeting, message, silence]; tender [feet]; embarrassing [question], awkward [silence]; ~ *getroffen* [look] pained; *~e glimlach* twisted (*of*: wry) smile; ~ *lachen* force a laugh (a smile); *met ~e zorg* with scrupulous care, scrupulously; **~heid** painfulness

pijnloos painless; ~ *gezwel*, *ook*: indolent tumour; *-loze bevalling* p. childbirth, twilight sleep; *-loze dood*, *ook*: euthanasia

pijnstillend soothing, pain-killing, sedative, anodyne; ~ *middel*, **-stiller** anodyne, sedative, pain-killer; (*Am.*) sedation

pijnverwekkend pain-giving, -bringing

pijp pipe [of an organ, for smoking, etc.]; (*buis*) tube, [water-]pipe, spout; (*van sleutel*) shank; (*van schip*) funnel; (*van broek*) leg; (*van brandspuitslang, blaasbalg*) nozzle, nose; (*van konijnehol, eendenkooi, enz.*) pipe; (*van kandelaar*) socket; (*vat*) pipe, butt; (*ronde plooi*) flute (*fluit*) fife; (*lak, drop, kaneel*) stick; *lange stenen ~* long clay (pipe), (*fam.*) churchwarden; *in de ~ branden* burn in the socket; *de ~ aan Maarten g.* opt (contract) out; (*doodgaan*) peg out; *rustig een ~ roken bij zijn krant have* a quiet p. over one's paper; *een lelijke roken* come to grief, find o.s. in Queer Street *de ~ uitgaan*, (*sl.*) kick the bucket; *nou breekt mijn ~, zie* klomp; *een ~je* (*tabak*) a fill (of tobacco); *zie ook* pijpjes, kaars, uitkloppen, enz.; **~aarde** p.-clay; **~been** long bone; **~bloem** birthwort

pijpe: **~doorsteker** pipe-cleaner; **~dop** lid of a p.-bowl; **~kop** p.-bowl; **~koter**, **~wisser** p.-cleaner

pijpen *ww.* pipe; *hij danst naar haar ~* he dances to her piping (tune, pipe)

pijpen- pipe: ~**bakker** p.-maker; ~**lade** p.-tray; (*kamer*) long narrow room; ~**maker** p.-maker; ~**rek** p.-rack

pijpepeuter pipe-cleaner, -scraper

pijper piper, fifer

pijpe: ~**steel** pipe-stem; ~**uithaler** p.-scraper; ~**wroeter** *zie* ~**peuter**

pijp: ~**gast** hoseman, nozzleman; ~**gezwel** fistula; ~**je** *zie* pijp; [cigar-, etc.] holder; small beer-bottle; – *lak*, (*plant*) gesneria; ~**kaneel** (whole) cinnamon; ~**kruid** chervil; ~**leider** *zie* ~**gast**; ~**leiding** *zie* buisleiding; ~**orgel** pipe organ; ~**plooi** flute; ~**sleutel** box-spanner, b.-wrench; ~**werk** pipes [of an organ]; ~**zwavel** roll sulphur; ~**zweer** fistula, sinus

pik 1 pitch; *zie* pek; 2 (*met snavel, enz.*) peck; (*wrok*) pique, grudge, spite; *hij heeft de ~ op mij* has a pique (a spite) against me, has his knife in me, (*sl.*) has a down on me, is always down on me; 3 (*houweel*) pickaxe, pick; 4 (*zeis*) reaping hook; 5 (*penis, volkst.*) prick; (*kindert.*) willie; 5 (*vent, sl.*) guy

pikant piquant [sauce, face, remarks], spicy, pungent, highly seasoned (flavoured), savoury [dishes], (*Am.*) sharp [cheese], racy [style], fruity [story]; (*al te ~*) spicy [stories], risky [joke]; *de kaas heeft iets ~s* the cheese has some bite in it; *dat geeft er iets ~s aan* that gives a spice (adds, *of:* lends, a zest) to it; *'t ~e ervan* the piquancy (pungency) of it

pikanterie piquancy; (*wrok*) pique

pik: ~**blend** pitch-blende; ~**broek** tar, jack tar; ~**donker** *bn.* pitch-dark; *zn.* pitch darkness; ~**draad** wax(ed)-end, waxed thread

pikeren nettle, pique; *zie* gepikeerd

piket (*kaartspel*) piquet; (*mil.*) picket; *officier van* ~ picket officer; ~**paal** picket; ~**ten** play (at) piquet

pikeur riding-master; horse-breaker; (*circus*) ring-master; (*jacht*) huntsman

pik: ~**haak** *a*) boat-hook; *b*) (*punthaak*) cant-hook; *c*) (*zichthaak*) hook; ~**houweel** pickaxe

pikkedillen peccadilloes

pikken 1 (*met pek*) pitch; 2 pick; (*met snavel*) peck [*naar* at], pick; (*prikken*) prick; (*naaien*) sew; 3 (*van verf enz.*) be tacky; 4 *zie* nemen

pikkerig tacky

pikkrans pitch-ring

pikol (*Ind.*) picul

pik: ~**orde** pecking order; ~**ton** pitch-barrel; ~**zalf** basilicon, basilicum; ~**zwart** pitch black, inky black

pil pill (*ook* = '*de*' ~: be on the p.); chunk [of bread], 'doorstep'; (*dokter, apotheker, sl.*) pill(s); (*dokter, ook*) medic(o); *de ~ slikken* swallow the p.; (*fig. ook*) take (swallow) one's medicine; *dat is een bittere ~* that's a bitter p. (to swallow); ~**len draaien** roll pills; *de ~ vergulden* gild (*of:* sugar) the p.

pilaar pillar, column, post; ~**bijter** hypocrite; ~**heilige** p. saint, pillarist, stylite; ~**hoofd** capital; ~**kap** abacus; ~**schacht**, ~**schaft** shaft (of a pillar); ~**voet** base (of a pillar), pedestal

pilaster id.

Pilatus Pilate; *zie* Pontius; *de* ~**(berg)** Pilatus

pillegift *zie* petegift

pillen: ~**doos** pill-box (*ook mil.*); ~**draaier** pill roller; (*min.*) *ook:* pill-monger, gallipot

pilletje pilule, small pill

pilo pillow

piloot (air-)pilot; *2de* ~ co-pilot

pils(ener bier) lager (beer), Pilsen beer

piment pimento, allspice, Jamaica pepper

pimpel: *aan de* ~ *zijn* be on the booze; ~**aa** tippler, toper, elbow-lifter; ~**en** tipple, bib booze, lift the elbow

pimpelmees blue tit(mouse, *mv.:* -mice)

pimpelpaars purple

pimpernel burnet, pimpernel

pimpernoot bladder-nut, pistachio

pin peg, pin; *zie ook* pen

pinacotheek pinacotheca

pinakel pinnacle

pinang areca; (*noot*) areca-nut

pinas pinnace

pince-nez id.

pincet (pair of) tweezers (*twee ~ten* two pair of …)

pinda peanut; ~**kaas** p.-butter; ~**mannetje** p. vendor

Pindarus, -risch Pindar, -ric

pineut (*sl.*) fellow, johnny; *de* ~ *zijn* be for it

ping (*van snaar, enz.*) id.; *zie* ping ping

pingelaar(ster) higgler, haggler

pingelen higgle, haggle, chaffer; (*van automotor*) pink; (*sp.*) hold on to the ball too long

ping-ping (*fam.*) cash, lolly

pingpong ping-pong, table tennis; ~**spel** (*concr.*) p.-p. set

pinguïn penguin

pink 1 (*vaartuig*) pink, pinkie; 2 little finger; *als men hem een* ~ *geeft, neemt hij de gehele hand* give him an inch and he'll take a yard; *ik wou er mijn* ~ *wel voor geven* I would give one of my ears for it; *elkaar de* ~ *geven*, (*wanneer men tegelijk 't zelfde zegt*) link fingers; *hij heeft meer verstand in zijn* ~ *dan jij in je hele lichaam* he has more good sense in his little finger than you have in your whole body; *hij is bij de* ~*en* he is all there, he has got no flies on him; 3 (*rund*) yearling

pinkelen *zie* pinkeren

pinken blink, wink; *een traan uit de ogen* ~ dash away a tear

pinker (tip-)cat; ~**en** play (at) tip-cat

pinkers eyelashes

pinkerspel tip-cat

pinkogen blink, wink

Pinkster Whitsuntide; (*joods*) Pentecost; *attr.:* Whitsun [excursions, etc.]; ~ *drie* Whit Tuesday; ~**avond** eve of Whit Sunday, (*vero.*) Whitsun eve; p~**bloem** cuckoo-flower, lady('s)-smock; p~**dag** Whit Sunday; *tweede* – Whit Monday; *met de* –*en* at Whitsun(tide); ~**en**, p~**feest** *zie* ~; p~**nakel** parsnip; p~**roos** peony; p~**tijd** Whitsuntide; p~**vakantie** Whitsun(tide) holidays; p~**week** Whit week, Whitsun week; ~**zaterdag** Whit Saturday; ~**zondag** Whit Sunday

nnen peg, pin

nsbek pinchbeck, prince's metal

nt id.; **~fles** pint-bottle

oen(roos) peony

on pawn [at chess]

onier pioneer, pathfinder; **~en** pioneer; **~s-werk** pioneering, pioneer work; (*fig. ook*) spadework; – *verrichten* break (new) ground

ip (*vogelziekte*) id.; *de ~ hebben*, (*ook van mensen*) have the pip; *zie* pee

ipa: *de ~* the governor, the pater; (*Am.*) [my] **poppa**

pet pipette

ipi: *~ doen, zie* plasje

ippeling pippin

ips suffering from the pip; (*fig.*) under the weather, off colour

iqué id., quilting

iraat pirate; **~je** (*sigaret*) fag, gasper

iramidaal pyramidal; (*fig.*) egregious [blunder, folly], prodigious

iramide pyramid

irouette(ren) pirouette, twirl

is (*plat*) piss, urine

is-aller pis aller, makeshift, last resource

isang (*boom & vrucht*) banana; *een rare ~* a queer fish; *dat is de ware ~* that's the ticket, that's just it; *zie* sigaar

is: **~bak** (*volkst.*) urinal; (*mar.*) pumpship; **~blaas** urinary bladder; **~buis** urethra; **~glas** urinal; **~leider** ureter; **~pot** (*volkst.*) piss-pot; **~potje** (*plant*) great bindweed, bellbine

issebed (*insekt*) wood-louse, slater, sow-bug; (*oprollend*) pill wood-louse, pill bug; (*plant*) dandelion

issen (*plat*) piss, make water, pump ship; *~ zijn* be gone, have pissed off

istache (*vrucht*) pistachio(-nut); (*knalbonbon*) cracker

iste (*van circus*) ring

iston (*muz.*) cornet(-à-piston)

istonist cornetist

istool 1 (*munt*) pistole; 2 (*wapen*) pistol; *hij zette mij het ~ op de borst* he put the pistol to my breast, (*fig.*) to my head; **~greep** pistolgrip; **~holster**, **~koker** p.-holster; **~kolf** p.-butt; **~mitrailleur** sub-machine-gun; **~schot** p.-shot; **~tje** (*van kind*) toy-pistol; (*vlinder*) gamma (moth), y-moth

it (*eetbaar*) kernel [of a nut]; (*van perzik, kers, druif, enz.*) stone; (*van appel, sinaasappel*) pip; (*van vijg, rozijn, druif*) seed; (*van vlier*) pith; (*van lamp, kaars*) wick; (*gas*) [gas-] jet; (*van petroleumstel, enz.*) burner [a four-burner oil-stove]; (*fig.*) pith, spirit, zip, ginger [full of ...]; *van de ~ten ontdoen* stone [cherries, raisins]; *zonder ~ten* stoneless [raisins]; *er zit geen ~ in* the thing has no go (no guts, no kick) in it; *er zit geen ~ in hem* he has no go in him, is spineless; *er zit ~ in jou* you're a game one, you've got guts (a backbone); *er zit ~ in dit laken* this cloth is excellent stuff; *op een laag* (*zacht*) *~je staan* (*zetten*) be (keep) simmering (over a low flame); (*fig.*)

tick (keep ticking, let [s.t.] tick) over

pitriet pulp cane

pitten *zie* maffen

pittig pithy [speech, talker], racy [wine, speech, story, English], crisp [style, voice], snappy [anecdote, headlines, phrases], full-flavoured [wine, cigar]; *'n ~e kerel* a plucky (spirited) fellow, a game one, a man of grit; **~heid** pithiness, etc.

pittoresk picturesque

pitvis dragon-fish

pitvrucht pome; **pixis** (*r.-k.*) pyx

P.K. = *paardekracht* h.p., horse-power

plaag plague [the ...s of Egypt, insect ...], nuisance [the fly ..., the noise ...], scourge, pest; (**~geest**) tease, teaser; *een ~ voor m'n oren* an affliction to my ears; **~geest** tease, teaser; **~ziek** (fond of) teasing; *in een ~e stemming* in a teasing mood; **~zucht** love of teasing

plaat (*deur-, metaal-, glas, elektr., fotogr., van kunstgebit, enz.*) plate; (*marmer, enz.*) slab; (*metaal, dun*) sheet [of iron]; (*gedenk-*) tablet; (*koeke-*) griddle; (*grammofoon-*) record, disc; (*wijzer-*) dial; (*afbeelding*) picture, print, plate, engraving; (*reclame-*) poster; (*ondiepte*) shallow, shoal, flat; *de ~ poetsen* sling (take) one's hook; **~batterij** (*elektr.*) p.-battery, p.-supply; **~brood** griddle bread (*of:* loaf); **~druk** (*'t drukken*) copperplate printing; (*afdruk*) copperplate(engraving); **~drukker** copperplate printer; **~ijzer**, **~koper** enz., sheet-iron, -copper, etc.; **~je** *a*) plate; [identity] disc; (*aan hotelsleutel, enz.*) tag, label; *~s*, (*van paddestoel*) gills; *b*) picture; **~sboek** picture book; **~skijken** looking at pictures; **~kiel** plate keel; **~koek** griddle cake

plaats place (*ook: stad, enz.; ook in boek*); (*mar.*) (ship's) position; (*ruimte*) room, place (*zie ook: ~ruimte*); (*pleintje*) court, yard; (*bij huis*) yard; (*zit-*) seat [show a p. to his ...], place (*zie ook* zitplaats); (*hoeve*) farm(-house); (*plek*) spot, place; (*betrekking*) post, place; (*van dienstbode*) situation; (*van predikant*) living; (*passende*) ~ [he has found his] niche, level, footing; *de ~ der handeling* the scene of action; *~ van de bestuurder*, (*van auto*) driving-seat; *~ bepalen* locate; (*mar.*) fix the exact position of one's ship; *heb je ... een andere ~ gegeven?* did you move my letter-balance?; *~ grijpen* (*hebben, vinden*) take p., happen; (*van bal, diner, enz., ook*) come off; *wat ~ grijpt de* proceedings; *... zal ~ hebben, ook:* the funeral is timed for one o'clock; *ik heb* (*zij hebben*) *geen ~ om ...* I have nowhere to receive him (they have nowhere to play); *we hebben geen ~ voor lijntrekkers* we have no use for slackers; *de hervorming had al lang moeten ~ hebben* the reform is long overdue; *bijna geen ~ innemen* take up hardly any room; *zijn ~ innemen* take one's seat, sit down in one's p.; *zijn ~ weer innemen* resume one's seat (one's place in the world, etc.); *iems. ~ innemen* take (supply) a p.'s place, (*voor goed ook*) step into a p.'s shoes, (*tijdelijk ook*) deputize for a p.; *een bij-*

zondere ~ innemen occupy a special place; *de eerste ~ innemen* rank (stand) first [*onder* among], take first rank, lead the field [in salesmanship, etc.], hold pride of p. [the English motor-car holds pride of p.; England holds pride of p. in luxury cars; *zo ook:* ... *afstaan aan* yield pride of p. to]; *hij neemt een eerste ~ in onder* ..., *ook:* he is in the first flight of modern story-tellers; *deze post neemt een voorname ~ in op de balans* this item bulks large in the balance sheet; ... *nam dezelfde ~ in als* ... the motor-car ranked in her mind with the telephone—an invention of the devil; *geen ~ kunnen krijgen* be crowded out, be turned away; *~ maken* make room; *~ maken voor* make way (*of:* room) for, give p. (*of:* way) to; *~ maken voor iem.* anders, make p. stand aside for somebody else; (*maak*) *~ daar!* make room (clear the way) there! (*mar.*) gangway!; *~ nemen* take a seat, sit down; *neemt u ~* take a seat, please; *~en nemen* take (book, secure) seats; *er is geen ~ meer (in onze wagen, enz.)* we are full (up); *geen ~ om te staan* no standing-room; *er is ~ genoeg voor allen* there is plenty of room for all; *zijn ~ weten, (fig.)* know one's p.; *in ~ van* instead of, in p. of; *in ~ daarvan* instead; *'t was vermeerderd in ~ van verminderd* it had been increased instead of being reduced; *een maand loon in ~ van de gewone opzeggingstermijn* a month's wages in lieu of notice; *in de eerste ~* in the first p., primarily, first of all; *ook:* [my name isn't John,] for one thing; *in de allereerste ~ beïnvloed door* ... influenced first and foremost by ...; *in de eerste en laatste ~* first and last; *in de laatste ~, (opsomming)* lastly; *veiligheid komt in de eerste ~* security comes first; ... *kwamen pas in de tweede ~, ook:* [she was a cargo boat,] passengers were a secondary consideration; *in uw ~* in your p.; *in de ~ stellen van* substitute for; *stel u in mijn ~* put yourself in my p.; [*ik nam de dienst waar*] *in zijn ~* in his stead; *ga naar uw ~, (getuige)* stand down; *(leerling)* go back to your p.; *op twee ~en* [one cannot be] in two places [at once]; *op zijn ~* [a bandage to hold the thing] in p.; *hij legde de hoorn weer op zijn~* he replaced the receiver; *uw opmerking was niet op zijn ~* was out of p., not in p., uncalled for; *hier is een verontschuldiging op z'n ~* an apology is due here; *op z'n ~ blijven* stay (where it is) put; *op dezelfde ~* [it happened] on the same spot; *op de eerste ~, zie* in de eerste ~; *op de ~ zelf* on the spot, there and then; *op de ~ doodblijven* be killed on the spot; *op de ~ rust!* stand easy!; *op uw ~!* (*sp.*) on your marks!; *zich niet op z'n ~ voelen* not feel at home (in one's element), feel out of one's element; *hij is nu (eindelijk) op zijn ~* he is settled now; *iem. op zijn ~ zetten* put a p. in his (proper) place; *hij werd drommels gauw op z'n ~ gezet* he was put in his p. double quick; *ter ~e* [have an agent,

study the position] on the spot; (= *op c oorspronkelijke ~, ook)* in situ [the whole fin is still ...]; *hier ter ~e* here, in our tow (place, etc.); *ze zijn ter ~e (aangekome.* they have arrived, have reached the destination; *ter ~e waar 't behoort* [r port the fact] to the proper quarter; *ter aa gehaalde ~* as quoted, l.c., loc. cit.; *de ker was tot de laatste ~ bezet* no vacant seat was left (in the church); *zij verhieven zich van hu ~en, (als bewijs van eerbied)* they rose in the places; *zie* plaatsje, zeker, bespreken, enz.

plaats: *~bekleder zie ~vervanger*; *~bepaling* de termination of a place, position-finding (*gramm.*) adjunct of p.; *om – vragen, (va piloot)* ask for one's position; *~beschrijven* topographic(al); *~beschrijving* topography *~bespreking* (advance) booking; *~bestemmin* destination; *~bewijs* ticket; *~bureau* box offic

plaatschaar shears [for cutting sheet metal]

plaatschade bodywork damage

plaatselijk local; (*med.*) topical; *~ adjudan* town-adjutant; *~ bestuur* l.-government; ~ *commandant* town-major; *~ gebruik* l. usage *~e keuze* l. option; *~e verordening* by(e)-law *zie* verdoving

plaatsen[1] place, put, sit [a p. in a chair]; han [a door, bell]; set (put) up, erect [a machine (*op post ~*) station, post [sentries]; (*adverter tie, enz.*) insert, put [an advertisement in paper]; (*kranteartikel*) print [a story], ru [a series of articles]; (*beleggen*) inves [money]; (*deponeren*) deposit [*bij* with]; (*aan stellen*) appoint [*bij* ... to the General Staff attach [*bij* ... to a regiment], post [*bij* .. to a battery] (*aan betrekking helpen*) plac [boys], get (find) [a p.] a place; (*verzekering contract, orders*) p. [an insurance, a con tract, orders: *bij* ... with a firm]; (*handels artikel*) find a market for, sell, dispos of; (*rennen*) p. [*geplaatst worden* be placed (*tennistournooi*) seed; *wij kunnen een leerling ~* we have an opening for an apprentice; *een lening ~ p.* a loan; *de gehele lening (30 % va de lening) is gepl.* the loan has been fully taker up (30 per cent. ... has been taken up); *' artikel kon door gebrek aan ruimte niet gepl worden* got crowded out; *hij is boven u gepl* he is set over you, is your superior; *voor moei lijkheden gepl.* [be] up against difficulties; *d moeilijkheden waarvoor we geplaatst worder* the difficulties with which we are faced; *voo een raadsel ~* present with a riddle; *zie ook ge plaatst

plaats: *~gebrek* lack (want) of space [*wegens ~ for* ...]; *wegens ~, (courant)* owing to pressure on (our) space; *~geheugen* memory for places, locality; *een goed – hebben, (fam.)* have a good bump of locality; *~geld (markt)* stallage (rent); *(kerk)* pew-rent

plaatsing placing; hanging; erection; station-ing, posting; appointment; attachment; in-

[1] *Zie ook* stellen

vestment; insertion; disposition [of troops, etc.]; *vgl.* plaatsen; ~ *vinden, (van koopwaar)* find a market

plaats: ~je (little) place; corner [occupy a warm ... in a p.'s heart]; *(van huis)* yard; *zie* plaats; *ergens nog een – vinden* squeeze in somewhere; ~kaart (seat-)ticket; ~kaartenautomaat ticket-machine; ~kaartenbureau *(station)* booking-office; *(theat.)* box-office; ~naam place-name; –kunde toponymy, place-name study

plaat: ~snijder (copperplate) engraver; ~snij-kunst (copperplate) engraving

plaats: ~ruimte room, space; – *aanbieden voor* accommodate, provide accommodation for, seat [500 persons]; *gelieve mij enige – af te staan in uw blad* afford me the hospitality of your columns; may I trespass on your space?; ~verandering change of place; ~vervangend deputy [manager, member], acting [mayor], supply [teacher]; ~vervanger substitute, deputy; *(van acteur)* understudy; *(van dokter, predikant)* locum tenens, *(fam.)* locum; *(van predikant ook)* supply; *(van bisschop)* surrogate; *als – preken* preach on supply; ~vervanging substitution, replacement; ~zin sense of locality

plaatwerk *a)* illustrated work; *b) (techn.)* plating; ~er *(techn.)* sheet metal worker

placebo id.; **placet** id.

placht *o.v.t. van* plegen

pladijs *(vis)* plaice

plafond ceiling *(ook: hoogtegrens)*; ~lamp c.-lamp, -light

plafonneren ceil; -neur plasterer

plafonnière ceiling-light

plag *zie* plagge

plagen *(kwellen)* tease, vex; worry [flies ... a horse]; *(sarren)* badger; *(goedaardig)* tease, chaff, banter, rally *[met* on]; *zijn zenuwen ~ hem* he is suffering from nerves; *zijn geweten plaagt hem* his conscience pricks him; *mag ik u (je) even ~* excuse me (can I bother you a moment); *zijn hersens ~ met* rack (puzzle, cudgel) one's brains about; *iem. met iets ~* tease a p. about s.t.; *we worden niet met veel huiswerk geplaagd* we are not bothered with much homework; *plaag je daar niet mee* don't bother (yourself) about it; *zie ook* lastig vallen

plager tease, teaser; ~ig *zie* plaagziek; ~ij teasing, nagging, bantering, rallying, chaff; *vgl.* plagen

plagge *(sod of turf)* turf; ~n *steken,* ~n *ww.* cut sods; ~nhut turf hut, sod hut; ~nsteker *a)* sod-, turf-cutter; *b)* sod-spade

plagiaat plagiarism; *(fam.) ~ plegen* plagiarize; *(fam.)* crib [from an author]

plagiaris, -ator plagiarist

plaid id.; *(reisdeken)* (travelling-)rug

plak *(ham, brood, enz.)* slice; *(spek)* rasher; *(chocolade)* cake; slab [of cake, chocolate]; *(school)* ferule; *hij zit onder de ~ van zijn vrouw* he is henpecked; he is completely under the domination of his wife; *hij houdt de jongens*

streng onder de ~ he keeps a tight hand over the boys; *ze onder de ~ hebben* have them under one's thumb

plak: ~album paste-in album, scrap-book; ~band adhesive tape; ~boek scrap-book

plaket plaquette

plakje slice, etc., *zie* plak

plakkaat placard, poster, broadsheet; *(edict)* edict, proclamation; ~boek collection of edicts

plakken I *tr.* paste, stick, gum; affix [a stamp to a document]; *(haar)* plaster; **II** *intr.* stick, cling; *blijven ~, (fig.)* stick on, sit on [till midnight], outstay one's welcome

plakker paster, sticker; *(fig.)* sticker, fixture; *(dierk.)* gipsy moth; ~ig sticky

plakket plaquette

plak: ~meel flour paste; ~middel adhesive; ~plaatje *(kinderamusement)* transfer; ~pleister sticking-plaster; adhesive plaster; ~sel paste adhesive; ~spaan plasterer's trowel; ~stijfsel (starch) paste; ~tafel pasting table; ~zegel receipt-, bill-, revenue-stamp *(in Eng. = postzegel); (tegenov. ingedrukt zegel)* adhesive stamp

plamuren prime, ground

plamuur(sel) priming; ~mes putty-, stopping-knife

plan id., scheme, project, intention, design, blueprint; *(plattegrond)* (ground-, floor-) plan; *'t ~ bestaat om ...* it is intended (proposed) to ...; ~nen maken make plans; ~nen maken voor* plan [a trip]; *een ~ maken van* make a plan of, plan [a building]; *een ~ ontwerpen* draw up a plan; *zie* opvatten; *wat is uw ~?, (voornemen)* what is your intention?; *ik heb geen ~ om ...* I have no intention of ...ing; *met 't ~ om ...* with the intention of ...ing (to ...); *'t brengt haar leven op een hoger ~* it lifts her life to a higher plane; *van ~ zijn* intend, be going, purpose, mean, propose, have [s.t.] in mind; *ben je dat van ~?* is that your intention?, *(wat je in je schild voert)* is that what you are up to?; *ik was al van ~ je te bellen* I've been meaning to ring you up; *ik ben niet van ~ ...* I am not going to stay here; I refuse to be made a fool of; *dat was hij niet van ~* he had no such intention; *als hij (werkelijk) van ~ is te komen* if he (really) means to come; *van het eerste (tweede) ~* first- (second-)rate; *dichter van het tweede ~* minor poet; *volgens plan* according to plan; *volgens soortgelijk ~ gebouwd* built on a similar plan (on similar lines); *zie ook* bedoeling

planbord planning-board

planchet plane-table

planchette *(spiritisme)* id.

planconcaaf, -convex planoconcave (-convex)

plan de campagne plan of campaign (of action)

plané *zie* glijvlucht

planeerhamer planishing-hammer

planeerwater size

planeet planet; *attr.* planetary; *iems. ~ lezen* cast a p.'s nativity *(of:* horoscope); ~baan or-

bit (of a planet); ~**lezer** astrologer
planeren planish [metal, paper]; size [paper]; (*van boot & vliegtuig*) plane, glide
planetarium id., orrery
planetenstelsel planetary system
planimetrie plane geometry
plank id., (*dunner*) board; (*om iets op te zetten, in kast, enz.*) shelf; (*gymn.*) jumping-board; *zie ook* brood~, loop~, enz.; '*de ~en*' the boards, the stage; *vensters met ~en ervoor* boarded-up windows; *de ~ mis zijn* (*slaan*) be beside (wide of) the mark, wide of the bull's eye, off the target; *op de ~en brengen* stage, put on the stage (the boards), put on, produce [a play]; *op de ~en komen* appear on the boards; *van de bovenste ~* first-rate, of the first rank, (*fam.*) top-hole; *een kerel van de bovenste ~, ook:* a brick, a sport, a topper; *van de ~en nemen* withdraw, take off [a play]; *zie* betreden
planken *bn.* made of boards (planks), plank ...; ~**beschot** wainscot(ing), boarding; ~**koorts** stage-fright; ~**loods** timber shed; ~**vloer** boarded floor; ~**vrees** stage-fright
planket *zie* plankenvloer & planchet
plankgas (*ongev.*) full throttle; ~ *geven* go flat out
plankier platform, planking, boarded pathway; (*van wagon*) foot-board
plankton id.
plan: ~**loos** planless, haphazard; ~**matig** according to plan, systematic(ally); planned [production]; ~**nenmaken:** '*t* ~ planning; ~**nenmaker** planner, schemer; ~**netje** little plan, [I know your] game
plano: (*in*) ~ broadside, in broadsheets
planodruk broadside, broadsheet
planologie town and country planning; -*ische dienst* planning department
planoloog (town) planner
plant id.; ~**aarde** (vegetable) mould, vegetable soil; ~**aardig** vegetable [dyes, ivory, oil]
plantage plantation, estate; *zie ook* plantsoen; ~**eigenaar** planter
plantdier (*ongev.*) sea anemone
plante: ~**boter** vegetable butter; ~**leven** plant life, vegetable life; (*fig.*) vegetable life (*of:* existence); *een – leiden* vegetate; ~**melk** latex
planten plant (*ook fig.:* one's foot, a gun, the standard of revolt)
planten- plant: ~**album** botanical album; ~**beschrijving** phytography; ~**bus** botanical case; ~**etend** herbivorous, p.-eating; ~**eter** herbivore (*mv. ook:* herbivora), herbivorous animal, p.-eater; ~**geografie** p. (botanical) geography, phytogeography; ~**gordel** zone (*of:* belt) of vegetation; ~**groei** p.-growth, vegetable growth, vegetation; ~**kenner** botanist; ~**kweker** nurseryman; ~**kwekerij** *a*) cultivation of plants; *b*) nursery(-garden); ~**leer** botany; ~**luis** plant-louse; ~**rijk** vegetable kingdom; ~**systematiek** p. taxonomy; ~**teelt** p.-breeding; ~**tuin** botanic(al) garden; ~**wereld** vegetable world

planteolie vegetable oil
planter id.
plante: ~**schopje** garden trowel; ~**soort** plant species
planteur cheroot
plante: ~**vet** vegetable tallow; ~**vezel** vegetabl fibre; ~**ziekte** plant-disease; ~**ziektenkund** phytopathology; ~**ziektenkundig** phytopatho logical [service]
plant: ~**ijzer** dibble; ~**kunde** botany; ~**kundi** botanical; ~**kundige** botanist; ~**luis** plant-louse green fly
plantnaam plant-name
planton *zie* ordonnans
plantsoen park, public garden(s); (*van heesters* shrubbery; *hoofdopzichter der ~en* parks su perintendent
plantsoenwachter (public) park-keeper
plapperen *zie* plassen & snateren
plaque id.; **plaquette** id., tablet
plas pool, puddle; (*uitgestrekte ~*) sheet of wa ter; (*meer*) lake; *een ~ doen* do (have) a pec *zie* plasje
plasdankje [get a (mere)] thank(-)you; ... o *een – te verdienen* he did it to ingratiate him self [with you]
plasje puddle; *een ~ doen*, (*van kind*) piddle [I want to] do wee-wee; [a child wets the bec a dog wets the floor]
plasma id.; (*plantk. ook* plasm)
plas: ~**regen** downpour, pelting rain, (*fam.* drencher, drench; ~**regenen** pour, come pou ing down, rain cats and dogs; ~**sen** splash plash, dabble; (*op blote voeten, enz.*) paddl [in the water]; (*urineren*) make water; *zie* ~je ~**ser(tje)** (*kindert.*) willie; ~**serij** splashing
plastic id.; **plasticine** id.
plastiek plastic art(s); expressive faculty [o language]; plasticity [of a painting]; (wor of) sculpture
plastisch plastic (*bw.:* -ally); ~*e chirurgie* p surgery
plastron *a*) id., fencing-jacket; *b*) starched shir front; *c*) (*stropdas*) stock
plat I *bn.* flat [nose, roof]; (*horizontaal*) leve (*effen*) even; (*fig.*) broad, low, coarse, vulga [language]; (*van dialect*) broad; *zo ~ als ee schol* as f. as a pancake; ~*te beurs* empty purse ~ *bord* dinner plate; *met ~te borst* f.-chest ed; ~*te kiel* flat plate keel; ~ *maken* (*worde* flatten; ~ *drukken* squeeze f., crush; ~ *gedruk worden tegen* be flattened up against; *hij loop me de deur* (*de drempel*) ~ he is always at th door; *de klanten liepen hem de deur ~* his sho was besieged with customers; *iem. ~ prate* talk a p. down, silence a p.; ~ *schieten* shoo (*of:* batter) down, level to (with) the groun reduce to rubble; ~ *trappen* trample (*of* tread) down; II *bw.* flat; vulgarly, etc.; ~ *lig gen* lie f.; *ik moest 14 dagen ~ te bed liggen* had to lie flat on my back for a fortnigh *het huis ligt ~* is completely pulled down *de fabriek ligt ~* is strike-bound; ~ *tegen d muur gaan staan* flatten o.s. against the wal

III zn. flat [of the sword, the hand]; (van dak) leads, flat; (terras) terrace; (van boek) cover, board; continentaal ~ continental shelf; ~ praten speak (broad) dialect

plataan plane-tree

plataf: ~ weigeren refuse flatly

platbol plano-convex

platboomd flat-bottomed [vessel]

platbranden burn down

Platduits Low German

plat du jour id.; zie dagschotel

plateau id. (mv. -s & -x), table-land; en zie plat III

platebon record token

plateel pottery, faience, delf(t-ware), stoneware, earthenware; ~bakker pottery maker; ~fabriek pottery; ~goed zie ~

platenspeler record player; -wisselaar (van grammofoon) record changer

platform id.; (van vliegveld) tarmac, apron

platgetrapt down-trodden, trampled; platgetreden beaten [track paden]

platheid flatness; (fig.) vulgarity, coarseness

plathol plano-concave

platina platinum; ~-afdruk platinotype, bromide print; ~draad p. wire; ~papier platinotype paper, bromide paper

platineren platinize

plat: ~je (guit) sly dog, rogue; zie ook: plat zn. & ~luis; ~kop flat-head; ~lood sheet-lead; (scheepsbouw & van kanon) apron; ~luis crablouse; ~maken (sl.) bribe; ~neus flat-nose; ~neuzig flat-nosed

Plato id.; p~nisch platonic (bw.: -ally)

plattegrond (van gebouw) ground-plan, floorplan; (van stad) plan, map

platteland country, countryside; ~er zie ~sbewoner; ~sbevolking rural population; ~sbewoner countryman; ~sdominee c.-parson; ~sgemeente rural municipality; ~sschool rural school, country school

platten flatten; platteren plate

plat: ~trappen trample down; ~vis flat-fish; ~vloers zie laag-bij-de-gronds; ~voet flat-foot(ed person); -en hebben have flat feet, be flatfooted; ~voetwacht (mar.) [first, second] dogwatch; ~weg [refuse] flatly; ~worm flat-worm; ~zak: - thuiskomen, (van jager, enz.) come home with an empty bag (empty-handed); - zijn, zie blut

plausibel plausible, colourable [excuse]

plavei paving-stone; ~blok rammer; ~en pave; ~sel pavement; ~steen paving-stone

plavuis flag(-stone); met plavuizen geplaveid flagged [floor]

plebejer plebeian; (sl.) pleb

plebejisch plebeian, vulgar

plebisciet plebiscite

plebs: 't ~ the rabble, the riff-raff

plecht forward deck, after-deck; ~anker sheetanchor (ook fig.); (fig.) mainstay

plechtgewaad robes of state, state-clothes

plechtig solemn, ceremonious, dignified, stately, imposing; ~ openen open in state; ~e opening official opening; ~heid solemnity, ceremony, rite; een -, ook: a function [be present at the ...]; ~heden ten hove state functions

plechtstatig zie plechtig

plectrum id., mv.: plectra

plee (hist.) privy; (fam.) loo; een ~figuur slaan, (fam.) look extremely silly

pleeg: ~broeder, ~dochter, ~kind, ~moeder, ~ouders, ~vader, ~zoon foster-brother, -daughter, -child, -mother, -parents, -father, -son; ~zuster a) foster-sister; b) (sick-)nurse, nursing sister

pleet(werk) plated ware

pleet(zilver) electroplate, silver plate

plegen I ww. perpetrate, commit [a crime], practise [fraud]; verzet ~ (tegen) resist; daar pleegt men ... there one habitually (invariably) ...; hij placht te zeggen ... he used to say, was in the habit of saying ...; hij placht soms ... he would disappear for days at a time; hij placht niet te drinken he used not to drink; placht hij te ...? used he to drink?; II zn.: 't ~, zie begaan; -er zie bedrijver; -ing zie begaan

pleidooi plea(ding), argument, counsel's speech (of: address), (address for the) defence; een ~ beginnen open a pleading; een ~ houden make a plea

plein square; op (aan) een ~ [play, live] in a s.

plein-pouvoir plenary (of: full) authority

pleinvrees agoraphobia, fear of open spaces

pleister (op wond) plaster; (kalk) plaster, stucco, parget; 'n ~ op de wond, (fig.) salve for the wound, balm for wounded feelings; 'n ~ op de wond leggen salve the wound [to one's pride]; ~afgietsel, ~beeld p. cast

pleisteren 1 plaster, parget, stucco; gepleisterde graven whited sepulchres; 2 (onderweg) stop (for refreshment), (vero.) bait

pleister: ~kalk plaster, stucco; ~model plaster cast; naar - tekenen draw from casts; ~plaats (hist.) baiting-place; halting-place, pull-up; (fig. ook) port of call; ~werk stucco(-work), plaster-work

Pleistoceen pleistocene

pleit (law)suit, plea; het ~ is beslist it's all over, the matter has been decided; 't ~ winnen, (eig.) gain one's suit; (fig.) carry one's point, carry the day; ~bezorger solicitor; (fig.) advocate, intercessor; ~dag court-day

pleite (sl.) gone, a goner

pleit: ~en plead, argue; dat pleit tegen (voor) je that tells against you (speaks well for you); het pleit voor de familie it is to the credit of the family; alles pleit tegen (voor) ... everything militates against (argues for) this theory; dat feit pleit sterk voor hem that fact tells strongly in his favour; dat pleit niet voor ... that does not say much for his intelligence; ~er pleader; (advocaat) counsel; ~geding lawsuit; ~rede zie pleidooi; ~zaak lawsuit; ~zaal courtroom; ~ziek, ~zuchtig litigious, contentious; ~zucht litigiousness

plejaden: de ~ the Pleiads, the Pleiades

plek spot, place; (vlek) stain, spot, patch; ter

~*ke* on the spot; *een mooi ~je* a beauty spot, a lovely spot; *zie* open

plekken *ww.* stain

plekkerig patchy, spotty, specked, blotchy [face]

plempen fill in, fill up

plenair plenary, full [session, meeting]

plengen shed [tears, blood]; pour out [wine]; offer [wine, etc.] as a libation

plenging shedding, pouring out

plengoffer libation, drink offering; '*n ~ brengen* pour (out) a l. [to ...]

plenipotentiaris plenipotentiary

plens splash; *ook* = ~nat; ~**bui** downpour; ~**nat** wet through, soaked

plenum full (*of:* plenary) session (sitting, meeting)

plenzen pour [with rain *van de r.*], (*fam.*) bucket

pleonasme pleonasm

pleonastisch pleonastic (*bw.:* -ally)

pletcilinder flatt(en)ing-roller

pleten silver-plated

plet: ~**hamer** flatt(en)ing-hammer; ~**machine** rolling-machine; ~**molen** rolling-, flatting-mill; ~**rol** *zie* ~cilinder

pletten *tr.* flatten, roll (out); *intr.* (*van stoffen*) crush [velvet ... es easily]

pletter 1 flatter; 2 *te ~ slaan* smash (up), knock (*of:* smash) into smithereens; *iem. te ~ slaan* smash a p. to a jelly, knock the stuffing out of a p.; *te ~ lopen* crash, be dashed to pieces, *tr.* break [one's head against a wall]; *te ~ vallen* smash, be smashed, crash [the aeroplane ...ed]

pletterij rolling-, flatting-mill

pleura id.

pleureuse *a*) (*rouwband, enz.*) weeper; *b*) black border; *c*) drooping (ostrich) feather

pleuris, pleuritis pleurisy

plevier (*vogel*) plover

plezier[1] pleasure; *veel ~!* enjoy yourself! have a good time!; *daar kan hij ~ aan* (*van*) *beleven!* (*iron.*) he'll get a lot of fun out of that!; *veel ~ ermee!* (*iron.*) much good may it do you!; *iem. ~ doen* please (oblige) a p., do a p. a favour; *je zult me ~ doen als je het laat* I'll thank you not to do it; *~ hebben* enjoy o.s., have a good (a nice) time; *veel ~ hebben* have good (great) fun; *heb je ~ gehad in de vakantie?* did you enjoy your holiday(s)?; *~ gehad?* had a good time? enjoyed yourself?; *ik had niet veel ~*, *ook:* I had a pretty thin time; *~ hebben in muziek* delight in (enjoy) music; *~ hebben over* be amused at; *als je ~ hebt te gaan* if you care to go; *daar kun je lang ~ van hebben* that will serve you a long time; *ik heb veel ~ van die jas gehad* I got a great deal of use out of that coat; *~ krijgen in* take (a fancy) to; *~ vinden in* take (a) pleasure in; *met* (*alle*) *~ with* (the greatest) p.; *hij zou je met ~ laten verhongeren* he would cheerfully let you starve; *ten*

[1] *Zie ook* pret & genoegen

~*e van* for the p. of, to please; *schreeuwen van ~* shout with glee; *voor* (*zijn*) *~* [travel] for p.; (*kaart, ei z.*) *spelen voor zijn ~* play (cards, etc.) for love; *zie* beleven & opkunnen, genoegen; ~**boot** excursion-, p.-steamer; ~**en** please; ~**ig** pleasant, pleasing, amusing; *hij voelde zich niet* – he did not feel well, was rather out of sorts; *zie* prettig; ~**jacht** (p.-)yacht; ~**maker** merry-maker, reveller; ~**reis** p.-trip; *zie ook* ~tochtje; ~**reiziger** tripper; ~**ritje** p.-ride, -drive, (*inz. in auto, met of zonder toestemming van eigenaar*) joy-ride; ~**tochtje** p.-trip, outing, jaunt; *zie ook* ~ritje & ~vlucht; ~**trein** excursion-train; ~**vaart** p.-trip; ~**vaartuig(en)** p.-craft; ~**vlucht** joy-flight, joy-ride; ~**wissel** accommodation bill

plicht duty [*jegens* to], obligation; *zijn ~ doen* do one's d.; *ook:* do the right thing [*tegenover* ... by one's family]; *meer dan zijn ~ vereist* beyond the call of duty; *de laatste droevige ~ vervullen* perform the last mournful offices [*jegens* to]; *het is uw ~ hem te helpen, ook:* it is up to you to ...; *iem. tot zijn ~ brengen* teach a p. his d.; *ze stelde 't zich tot ~ te ...* she made it a point of d. to ...; *uit ~ tegenover ... in* d. to my partner I must go; *volgens zijn ~ handelen* act up to one's d.; *volgens* (*naar*) *~ en geweten* conscientiously; *zie* verzaken, enz.; ~**besef** sense of d.; ~**getrouw** dutiful (*bw.* -ly); ~**matig** dutiful(ly), (ain s) duty bound; *louter* – perfunctory, (*bw.*) perfunctorily

plichtpleging ceremony, compliment, *geen ~en, alstublieft* no c., no compliments, don't stand upon c., please!; *zonder verdere ~en* without more ado

plichts- duty: ~**besef** sense of d.; ~**betrachting** devotion to d.; ~**getrouw** dutiful (*bw.:* -ly); ~**halve** (as) in d. bound, dutifully, in the line of d.; ~**vervulling** performance (discharge) of one's d.

plicht: ~**vergeten** forgetful of one's duty, undutiful; ~**verzaker** shirker, duty-dodger; ~**verzaking,** ~**verzuim** neglect (breach, dereliction) of d., failure of d.

Plinius Pliny [the Elder, the Younger]

plint skirting(-board), base-board; (*van zuil*) plinth

plissé pleat(ing); **plisseren** pleat

plm. = *plusminus* approx. [500 barrels a day]

ploeg plough (*ook* = ~*schaaf*); (*in hout*) groove; (*personen*) gang [of workmen], shift, working-gang, work party; relay (party) [of rescue workers]; (*mil. enz.*) squad [disinfection ...]; (*film*) [camera] crew; (*sp.*) team; (*roeien*) crew; (*bij exam.*) batch [of candidates]; *de hand aan de ~ slaan* put (set) one's hand to the p.; *achter de ~* at the p.-tail; *in ~en* [work] in relays, in shifts; ~**baar** ploughable; ~**baas** ganger, gang-boss, gaffer, (gang) foreman; ~**boom** p.-beam; ~**en** plough [the land, (*dicht.*) the seas]; groove [boards]; '*t strand* (*de rotsen*) – p. the sands; ~**endienst** shiftwork; (*werken* volgens '*t*) ~**enstelsel** (work on the) shift system; ~**enwedstrijd** team race; ~**er** plougher, ploughman; ~**ijzer**, ~**mes** coulter; ~**jongen** p.-boy; ~**leider** team manager; ~**paard** p.-horse; ~**schaaf** (carpenter's) plough, grooving-plane; ~**schaar** ploughshare; –**been** (*anat.*) vomer; ~**sporten** team (crew) sports; ~**staart** p.-tail, p.-handle(s); ~**voor** furrow; ~**zool** p.-shoe

loert cad, skunk; (*stud.: huisbaas*) landlord; (*niet-student*) townee; *de koperen* ~ (*in de tropen*) the sun; ~**achtig** caddish; ~**endoder** life-preserver, bludgeon; (*sl.*) cosh; ~**endom** cads; townees; ~**enstreek** mean (scurvy, caddish, cad's) trick; ~**erij** (*stud.*) people one digs with; ~**ig(heid)** caddish(ness); ~**in** landlady

loeteraar(ster) plodder, drudge

loeteren (*in water*) splash, dabble; (*zwoegen*) drudge, toil (and moil), plod, plug, slave; (*hard studeren*) mug, swot; ~ *aan* peg (*of*: slog) away at, plod at; *door de modder* ~ plough through the mud

lof thud, bump, plop; ~*!* flop! bounce! plump! plop!; **ploffen** plump (down), flop (down), (fall) plop [into the water]

lok 1 handful; 2 ~(**geld**, ~**penning**) *zie* strijk-geld; ~**worst** (*ongev.*) smoked Bologna sausage

lombe *zie* plombeerloodje & plombeersel

lombeer: ~**loodje** lead seal, lead; ~**sel** stopping filling, plug

lomberen lead [goods], (*wagon*) seal [a van]; fill, stop [teeth]

lombière ice-cream (with crushed fruit); (*eig. Am.*) sundae

lomp 1 (*plant*) [white, yellow] water-lily; 2 (*geluid*) *zie* plof; 3 (*mar. sl., = zee*) drink; 4 *zn.* clumsy, heavy, unwieldy; squat [tower]; (*ruw*) rude, coarse, blunt; ~**en** *zie* ploffen; ~**erd** boor, lout; ~**heid** clumsiness, etc., *zie* ~ 3; ~**verloren** plump, plop, flop; ~**weg** *zie* botweg

lons splash, plop, flop; ~*!* plop! flop!

lonzen plop, flop, plunge; (*plassen*) splash, dabble

looi fold (*ook geol.*), pleat, tuck; (*in broek, enz.*) crease; (*rimpel*) wrinkle, pucker; (*valse*) ~, (*in kledingstuk*) ruck; *er komt een* ~ *in* it rucks up; *er een* ~ *aan geven* gloss things over; ~*en gladstrijken*, (*fig.*) straighten things out, smoothe the creases out [of], iron out in-equalities; *zijn gezicht in de* ~ *zetten* compose one's face; *hij komt nooit uit de* ~ he never unbends; *iem. uit de* ~ *brengen* take the starch out of a p.; *er waren zware* ~**en** *van zorg op zijn voorhoofd* care had drawn deep furrows in his forehead; ~**baar** pliable, pliant, compliant; ~**baarheid** pliability, pliableness, pliancy; (*ook pol.*) flexibility; ~**dal** (*geol.*) trough; ~**en** fold, crease, pleat [a ...old shirt]; (*rimpelen*) wrinkle; *een glimlach* ~**de** *zijn wangen* a smile creased his cheeks; *een zaak* – arrange matters, smooth a matter over, straighten things out; *dat zal zich wel* – that'll come right; *geplooide manchet* (*of: kraag*) ruffle; ~**ing** (*geol.*) folding; ~**ingsge-bergten** folded mountains; ~**kraag** (*hist.*) ruff;

~**rug** (*geol.*) fold, ridge; ~**sel** pleating, frill(s), gathers; ~**tang** goffering-iron, -tongs, goffer

plootwol skin-wool; **ploten** shear [wool]

plots 1 *zie* plof; 2 *zie* plotseling

plotseling I *bn.* sudden; ~*e* (*kamer*)*ontbinding* snap dissolution (*zo ook:* snap decision, s. answer); '*t* ~*e van* ... the suddenness of ...; II *bw.* ... ly, all of a sudden, at once, abruptly; *hij hield* ~ *op* he stopped abruptly, came to a dead stop; ~ *ontstaan* spring into existence; ~ *stilhouden* pull up short; *de auto hield* ~ *stil* the car pulled up dead; *hij keerde zich* ~ *om* he turned round sharply

plotsklaps suddenly, unexpectedly, all at once

plu brolly

pluche plush; **pluchen** *bn.* plush

plug id.; (*van vat*) bung; (*schoenpin*) peg

pluim plume, feather, crest; (*aan staart*) tuft [of hair]; (*bloeiwijze*) panicle; ~(*pje*), (*fig.*) compliment; *de* ~**en** *van de kastanje*, *ook:* the spires of the chestnut; *dat is een* ~ *op je hoed* that is a feather in your cap; *iem. een* ~ *op de hoed* (*de muts*) *steken*, (*fig.*) stick a feather in a p.'s cap; *hij kreeg een* ~*pje voor zijn vastberaden-heid* he was complimented on his resolution; *hij verdient een* ~*pje* he deserves a pat on the back; ~**age** plumage, feathers; *vogels van diverse* – all sorts and conditions of men; ~**bal** shuttlecock; (*spel*) battledore and shuttle-cock; ~**bos** plume, crest; ~**en** *ww.* pluck [birds]; (*bepluimen*) plume; *gepluimde hoed* plumed hat; ~**gedierte** poultry, barndoor fowls; ~**gierst** millet; ~**graaf** (*hist.*) poulter; ~*pje* *zie* ~ & ~**bal**; ~**riet** common reed, water-reed; ~**staart** bushy tail; ~**strijken** fawn upon, cajole, wheedle, toady; ~**strijker** sycophant, fawner, toady; ~**strijkerij** toad-eating, toady-ism, sycophancy; *met veel* –*en* with a good deal of bowing and scraping; ~**varen** royal fern; ~**vee** *zie* ~**gedierte**; –**houderij** poultry farm(ing); –**tentoonstelling** poultry show

1 pluis *bn.:* '*t* (*de zaak*) *is niet* ~ there is s.t. wrong (phon(e)y, fishy) about it; '*t is daar niet* ~, ('*t spookt*) the place is haunted; (*mil.*) the place is not healthy; '*t is bij hem niet* ~ *in de bovenverdieping* he has a tile loose

2 pluis *zn.* (*pluche*) plush; (*onder bed, enz.*) fluff; (*op dekens, enz.*) fluff, fuzz; (*geplozen touw*) oakum; ~**je** bit of fluff; ~**kop** fuzzy head

pluizen *tr.* (*tot pluis maken*) fluff [a rope]; *touw* ~ pick oakum; *intr.* give off fluff; *zie ook* peu-zelen & napluizen

pluizer picker; (*fig.*) ferreter

pluiz(er)ig fluffy

pluk gathering, picking; *een* ~ *haar* a knot (tuft) of hair; *de eerste* ~ the first crop; *het is een hele* ~ it is a tough job; *hij zal er ... aan hebben* he'll find it heavy going; ~**haren** (have a) tussle; *zie* bakkeleien; ~**ken** gather, cull, pick [flowers, etc.]; *pluck* [a bird]; (*afzetten*) fleece, pluck, milk; – *aan* pick (pluck) at [the patient ...s 'at the sheets]; '*t* – *aan beddegoed* (*door ijlende patiënten*) floccillation

plukker, -ster gatherer, reaper, picker

pluksel lint
pluktijd picking-season, -time
plumeau feather-duster, feather-brush
plunder: ~aar(ster) plunderer, pillager, ransacker, looter, robber; ~en plunder, ransack, pillage, loot [a place], gut, rifle [a house]; rob, plunder [a p.]; -d, ook: predatory [bands]; ~ing plundering, pillage, looting; de – en moord van Naarden the sack and massacre of N.; ~zucht rapacity
plunje togs, toggery, rig-out, things; zijn oude ~ weggooien, (fig.) turn one's coat; beste ~ best clothes; (sl.) glad rags; haar beste ~ her best bib and tucker; ~zak kit-bag, ditty-bag
pluralis: ~ majestatis plural of majesty (of excellence); ~ modestiae the editorial we
pluralisme pluralism; pluriform multiform
plus id.; above [ordnance datum]; ~ minus about, approximately; afk. ±, c. (= circa); (wisk.) ±; ± 400 400 approx.; ± 600 v. Chr. c. 600 B.C.; zie ook ~punt
plusfour plus-fours
pluspunt advantage, asset; point in [a p.'s] favour
plussen (en minnen) puzzle, break one's head
plusteken plus (of: positive) sign
Plutarchus Plutarch; Pluto id.
plutocraat plutocrat; -cratie plutocracy; -cratisch plutocratic (bw.: -ally)
plutonisch Plutonic [rocks]
plutonisme Plutonic theory, Plutonism
Plutus id.
pluviale (r.-k.) cope; (hist.) pluvial
pluvier (vogel) plover
pneumatisch pneumatic
p.o. = per omgaande by return [of post]
po id.
pochen boast, brag, vaunt, talk big; ~ op boast (brag) of; pocher boaster, braggart
pocheren poach [eggs]
pocherij boast(ing), brag(ging), braggadocio
pochet breast-pocket handkerchief
pochhans(-hanzerij) zie pocher(ij)
pocket(boek) paperback
podagra id.; podagreus podagric, gouty
podagrist gouty (of: podagric) patient
podium platform, dais
poedel poodle; (bij 't kegelen) miss, boss
poedelen 1 (ijzer) puddle; 2 (bij 't kegelen) miss, boss; zich ~, (fam.) have a wash; zie ook knoeien
poedel: ~hond poodle(-dog); ~machine puddling-machine; ~naakt stark naked; ~oven puddling-furnace; ~prijs booby prize
poeder powder; tot ~ malen (maken) pulverize, reduce to p.; ~chocolade cocoa(-powder); ~donsje p.-puff; ~doos p., puff-box; -je compact; ~en powder, strew with p.; ~ig powdery, p.-like; ~kool pulverized coal; ~kwast p.-puff; ~sneeuw powder snow; ~suiker castor sugar, icing-sugar; in ~vorm in p. form, pulverized
poëem poem; poëet poet
poef 1 ~ paf! pop, bang!; 2 pouf(fe)
poeha fuss, to-do, ado; (opschepperij) swank;

veel ~ maken make a great f., swank; ~make swanker
poeier enz., zie poeder, enz.
poel pool; (kleine) puddle; (modder-) slough (voor buffels, enz.) wallow; ~ van ongerechtig heid sink of iniquity
poelepetaat guinea-fowl, pearl-hen
poelet knuckle [of veal]
poelier poulterer; poultry, game and veniso dealer; ~swinkel p.'s (shop), game-shop
poel: ~snip great snipe; ~vogel marsh-bird
poema puma, cougar, mountain lion
poen vulgarian, snob, bounder; (duiten, sl.) tin rhino
poenaal penal [sanction]
poenig flashy, spivvy
poep dirt, dung; (wind) fart; (Duitser) Boche ~doos (fam.) loo, john; ~en relieve nature relieve o.s.; ~erd b.t.m. (= bottom), behind ~goed (sl.) A 1
poerem zie poeha
poes puss(y), pussy-cat; (bont) boa, fur tippet (meisje, sl.) bird, puss; ~! ~! puss!; de ~ puss Felix; hij is voor de ~ it is all up with him, he i a goner; hij is lang niet voor de ~ he is not to b trifled with; dat is niet voor de ~ that's no pic nic, that is no child's play; £ 5000 is niet voo de ~ £5000 is not to be sneezed at; maak da de ~ wijs fiddlesticks!
poesaka (Ind.) heirloom
poesje pussy(-cat); (snoes) ducky, pops (-wopsy); (vulva) pussy; (pousse-café) zie ald
poeslief bland, suave; silky [smile, speech manners], honeyed [words], sugary [smile words]
poesmooi dressed up to the nines
poespas hotch-potch, hodge-podge, farrago; a die ~ all that fuss
poesta puszta: Hungarian steppe
poet (sl.) swag
poëtaster poetaster, versifier, doggerel write
poëtica, poëtiek poetics
poëtisch poetic(al); poëtiseren poetize
poets trick, prank, practical joke, hoax; iem een ~ bakken play a t. upon a p.
poets: ~borstel polishing-brush; ~doek zie ~doel ~en polish, clean [the silver], clean, brush [one's teeth], scour, dry-rub; (fam.) shin (up) [boots, plate, etc.; v. t. & v. dw.: shined] (mil. & mar.) spit and polish; –, mijnheer. (want a) shine, sir?; 'm – hook it; zie plaat; ~e polisher, scourer, cleaner; ~gerei, ~goed clean ing-, polishing-things; ~katoen cotton waste waste cotton; ~lap polishing-cloth, cleaning rag; ~machine knife-cleaner; ~poeder polish ing- (of: plate-)powder; ~pommade polish ing-paste, metal polish; ~potlood Berlin black ~steen Bath (Bristol, Flandeᵣ²) brick; ~zak (mil.) brush-bag
poezel(ig) zie mollig
poëzie poetry; ~album p. album, girl's album of friends' verses
pof thud, bump; ~! bounce! bang!; op de ~ ko pen buy on tick

pofadder (*Z.-Afr.*) puff-adder
pofbroek knickerbockers, plus-fours
poffen (*op krediet kopen*) buy (*of:* go) on tick; (*bol doen staan*) bunch up, puff; (*schieten*) pop; (*braden*) roast [chestnuts, potatoes], pop [maize]
poffertje (*in Eng. onbek.*) kind of small pancake
poffertjeskraam (*ongev.*) pancake-booth
pofmouw leg-of-mutton sleeve
pogen endeavour, try, attempt
poging effort, endeavour, attempt (*van* by); try [succeed at the seventh ...]; *een ~ tot verzoening* an attempt at reconciliation; *een ~ doen te* make an attempt to ... (at ... ing); (*om 't record te slaan*) make an attempt on the record; (*om vrij te komen*) make a dash for freedom; *een ~ wagen* have a try (a go), (*fam.*) have a shot at it; *~ tot moord* (*inbraak*) attempted (attempt at) murder (burglary); *een ~ tot inbraak doen* attempt burglary
pogrom id.
point d'honneur: *op zijn ~ staan* be (*of:* stand) on one's dignity
point d'orgue *zie* orgelpunt
pointe point [of an anecdote, etc.]
pointeren lay [guns]; check [accounts]
pointilleren prick
pok pock; (*inentteken*) vaccination-mark; *de ~ken* (the) smallpox; *de ~ken hebben* (*krijgen*) have (get) (the) smallpox; *aan de ~ken lijden* suffer from smallpox; *van de ~ken geschonden* pock-marked, -pitted; *de ~ken kwamen niet op* the vaccine did not take; *z. de ~ken werken* slave away; **~dalig** p.-marked
poken: *in 't vuur ~* poke (*of:* stir) the fire
poker id.; **~en** play p.
pokhout guaiac(um), lignum vitae
pok: ~ken: *ww. ge~t en gemazeld h.* be well-seasoned; *zn. zie* pok; **~kenbaan** (*fam.*) pestilential job; **~kenbriefje** certificate of vaccination, vaccination paper; **~kenepidemie** smallpox epidemic; **~kenlijder** smallpox patient; **~kenweer** pestilential weather; **~puist** pock; **~put** pock-mark; **~stof** (vaccine-)lymph, vaccine
pol tussock, clump [of grass]
polair polar; (*fig.*) diametrical
Polak Pole; Polish Jew, (*Am.*) Polack
polakker (*vaartuig*) polacre, polacca
polarisatie polarization; **polariseren** polarize; **polariteit** polarity
polder id.; **~bestuur** p.-board, p. authorities; **~dijk** p.-dike; **~jongen** navvy; **~land** p.-land; **~meester** p.-master; **~molen** draining-mill
polei (*plant*) penny-royal, pudding-grass
polemicus *zie* polemist
polemiek polemic(s), controversy
polemisch polemic(al), controversial, contentious; **polemiseren** carry on a controversy, polemize; **polemist** controversialist, polemic, disputant
polemologie [university department of] war studies
Polen Poland

polenta (*Ital. gerecht*) id.
poleren polish; (*glad uitboren van geweerloop*) smooth-bore
polichinel Punchinello, Punch
poliep (*dier*) polyp; (*gezwel*) polypus (*mv.:* polypi, polypuses)
polijsten polish (*ook fig.*), burnish
polijster, polijststaal polisher, burnisher
polijststeen polishing-stone
polikliniek policlinic, out-patient(s') department, out-patient clinic
polio id.
polis policy; *voorlopige ~* covering note; *~ met* (*zonder*) *aandeel in de winst* (non-)participating p.; *een ~ sluiten* take out a p.; *zie* open, enz.; **~houder** p.-holder; **~kosten** cost of p.
polissoir nail polisher
poliszegel policy-stamp
politicoloog political scientist
politicus politician
politie police; *de ~, ook:* the law [the ... was on his trail; you can't buy the ... here] (*vgl.* justitie); *zie ook* ~agent; *bereden ~* mounted p.; *~ te voet* foot p.; *de ~ op iem. afsturen* put the police on a p.; *bij de ~ zijn* be in the p.(-force); **~agent** policeman, constable, p.-officer; *vrouwelijke –* policewoman; **~arts** p.-surgeon; **~auto** p.-car, squad (*Am.* prowl) car; **~beambte** p.-official; **~bericht** (*radio*) p.-message; *–en,* (*in krant*) p.-intelligence; **~bescherming** p.-protection; **~bewaking** p.-guard; *onder –, ook:* in p.-custody; **~blad** p.-gazette; **~boot** p.-boat; **~bureau** p.-station; (*hoofd-*) p.-headquarters; **~cel** p.-cell; **~commissaris** p.-commissioner; **~cordon** p.-cordon; **~dienaar** *zie* ~agent; **~dokter** p. doctor, p. surgeon
politieel police [action]
politie: ~geleide police-escort; **~hond** p.-dog; **~huisje** *zie* ~post *b*) & ~telefooncel; **~inspecteur** p.-inspector; **~inval** p.-raid
politiek I *zn.* (*algem.*) politics; (*pol. richtlijn*) policy [our foreign ...]; (*burgerkleding*) plain clothes, civilian clothes; (*sl.*) civ(v)ies; *'t over de ~ hebben* talk politics; *in ~ ook:* in mufti; *in de ~* in politics; *uit ~* from policy, for political reasons; II *bn.* political; (*fig.*) politic (*bw.:* politicly), diplomatic (*bw.:* -ally); *'t is niet ~ ..., ook:* it's bad policy to upset her
politiekamer (*mil.*) guard-room
politiek-economisch politico-economical
politiek-financieel politico-financial
politie: ~kordon police-cordon; **~korps** police force; **~macht** p.-force, body (*of:* posse) of p.; **~man** p.-officer; **~muts** (*mil.*) forage-, foraging-, fatigue-cap; **~onderzoek** p.-inquiry; **~post** *a*) policeman on point-duty; *b*) p.-post, p. section house; **~rapport** p.-report; **~rechtbank** p.-court; **~rechter** (p.-)magistrate; (*sl.*) beak; **~reglement** *zie* ~verordening; **~school** p.-college; **~spion** p.-spy; (*sl.*) (copper's) nark; (*Am. sl.*) stool pigeon; **~telefooncel** p.-box; **~toezicht** p.-supervision; policing [of the sea]; **~troepen** military police; **~vaartuig** p.-boat; **~val** p.-trap; **~verordening** p.-regulation, p.-

by(e)law; ~wacht p.-guard, -watch; ~wacht-
huis zie ~post b); ~wagen p.-van; 't ~wezen
the police; ~zaak p.-case; (mv. ook) p.-matters,
-business; er een – van maken notify the p.,
put the matter in the hands of the p.
politioneel zie politieel
politiseren politicize, talk (dabble in) politics
politoer (French) polish, spirit varnish; ~der
French-polisher; ~en (French-)polish, burnish
polka id.; ~haar bobbed hair; ~-mazurka id.
pollak (vis) pollack, pollock
pollepel ladle; (Am.) dipper
polo (spel) polo; (hemd) polo-neck sweater
polonaise (in alle bet.) id.; aan mijn lijf geen ~,
(fam.) I'm not (I won't) having any
pols 1 leaping-, jumping-pole, fen-pole; spring
niet verder dan uw ~ lang is, zie tering (zet
...); 2 (gewricht) wrist; (polsslag) pulse; een
zwakke ~ a low pulse; iem. de ~ voelen,
(ook fig.) feel a p.'s pulse; zie polsen; ~ader
radial vein; zie ook ~slagader; ~adergezwel
aneurysm; ~armband wristlet
polsen: iem. ~ sound a p. [over on, about], approach a p. [with a view to his accepting the
office]; de publieke (iemands) mening ~ throw
out a feeler; de vergadering ~ take the sense
of the meeting
pols: ~gewricht wrist(-joint); ~horloge wrist-
watch; ~meter pulsimeter; ~mofje wrist mitten, wristlet; ~slag pulsation, pulse; ~slagader
radial artery; ~springen ww. pole-jump, -vault;
zn. pole-jump(ing), -vault(ing); ~stok zie pols 1
poly: ~andrie polyandry; ~archie polyarchy; ~-
chromatisch polychromatic (bw.: -ally); ~-
chromie polychromy; ~chroom polychrome;
~gamie polygamy; ~glot id.; ~glottisch polyglot
Polynesië Polynesia
Polynesiër, Polynesisch Polynesian
poly: ~technisch polytechnic; ~e school polytechnic (school); ~theïsme polytheism; ~theïst
polytheist; ~theïstisch polytheistic (bw.: -ally)
pomerans 1 bitter orange; zie ook ~bitter; 2
(aan keu) (cue-)tip
pomeransbitter orange bitters
pommade pomatum, pomade
pommaderen pomade
Pommer(aan) Pomeranian; Pommeren Pome-
rania; Pommers Pommeranian
pomologie pomology
pomoloog pomologist; Pomona id.
pomp pump; zie fiets~; loop naar de ~! go and
be hanged!; laat die vent naar de ~ lopen! dang
(= damn) the fellow!; zie man
Pompeji Pompeii; Pompejus Pompey
pompelmoes shaddock, pomelo; (klein soort)
grapefruit
pompen pump; 't is ~ of verzuipen it is sink or
swim (do or die); pomper pumper
pompernikkel pumpernickel
pompeus pompous

pomp: ~gast, ~ier engine-man; ~klep pump-
valve; ~machine pumping-engine; ~maker
pump-maker
pompoen pumpkin, gourd
pompon id.
pomp: ~schroevedraaier yankee screwdriver;
~slinger pump-handle; ~stang pump-rod; ~-
station (water) pumping-station; (voor benzine) filling-station; ~stok a) (voor geweer)
cleaning rod; b) zie ~stang; ~water pump-
water; ~werk pump-gear; ~zuiger pump-
piston; ~zwengel pump-handle
pon nighty (= night-dress)
poncho id., mv.: ponchos
pond pound (Engels: 453.6 grammes); ~ sterling p. sterling; 't volle ~ eisen exact one's p.
of flesh; 't volle ~ geven pull one's weight,
make a one hundred per cent. effort; zich honderd ~ lichter voelen feel much relieved; vgl.
bij 10 & de; ~enbezit sterling holding(s); tien
(enz.) ~er ten- (etc.) pounder; ~spondsgewijs
pro rata, proportionally
ponem face
poneren posit, advance [a thesis], postulate
[that ...], submit [evidence that the court had
no jurisdiction]
ponjaard poniard, dagger
pons punch; ~band punched tape; ~en punch;
~kaart punched card; ~machine punching-
machine; ~oen punch
pont ferry-boat
ponteneur (volkst.) zie point d'honneur
pontgeld fare, ferriage
pontifex pontiff
pontificaal bn. pontifical; zn. pontificals; in ~ in
full canonicals (pontificals), in full regalia,
(fam.) in full feather, in full fig
pontificaat pontificate
Pontijnse moerassen Pontine marshes
Pontius id.; iem. van ~ naar Pilatus zenden send
a p. from pillar to post
ponto (in kaartspel) punt
ponton pontoon; ~brug p.-bridge; ~nier pon-
toneer
pontreep ferry-rope
pontschipper, -voerder, -wachter ferryman
1 pony id.
2 pony(haar) bang, fringe; zij draagt ~ she
wears her hair in a fringe
pooien booze; pooier ponce, bully, pimp
pook poker; (v. auto) stick
1 Pool 1 Pole; 2 p~ greatcoat
2 pool 1 pole; ongelijk(namig)e polen trekken
elkaar aan, gelijk(namig)e polen stoten elkaar
af unlike poles attract, like poles repel; 2 (van
tapijt) pile; 3 (pot, toto) id.; ~beer polar bear;
~cirkel polar circle; ~expeditie polar expedition; ~ijs polar ice; ~klem (elektr.) terminal;
~licht polar lights, aurora polaris; ~reiziger
arctic (antarctic) explorer; ~route polar route
Pools Polish; ~e landdag bear-garden
pool: ~safstand polar distance; ~schip polar
exploration ship; ~schoen (van magneet) polar
piece; ~shoogte elevation of the pole, latitude;

– nemen see how the land lies, take one's bearings, size up the situation, take stock; **~spanning** terminal voltage; **~ster** polar star, pole-star, lodestar; **~streken** polar (*noord:* arctic, *zuid:* antarctic) regions; **~tocht** polar (*noord-:* artic, *zuid-:* antarctic) expedition; **~vos** arctic fox; **~zee** polar (*noord-:* arctic, *zuid-:* antarctic) sea (*of:* ocean)

poon gurnard; *grote* ~ sapphirine g.; *kleine* ~ grey g.; *zie* koning

poort gate, gateway, doorway; **~ader** portal vein; **~deksel** (*mar.*) dead-light; **~er(schap)** citizen(ship), burgher(ship); **~je** (little) gate; (*van duiventil*) pigeon-hole; (*croquet*) hoop; **~klok** g.-bell; **~wachter** g.-keeper

poos while, time; *bij pozen* from time to time, at intervals; *een hele* ~, *zie* tijd; **~je** little while; (*voor*) *een* ~(*je*) (for) a while, (for) a space, for a little

1 poot paw, foot, leg; (*van haas, vos, enz.*) *ook:* pad (*ook: afdruk van* ~); (*van tafel, enz.*) leg; (*hand*) paw [his large …], fist, fin; (*homofiel*) queer, gay; (*tegen hond*) shake!; *de hond gaf hem een* ~ gave him a paw; *ik kan zijn* ~ *niet lezen* I cannot read his fist (his scrawl); *zijn* ~ *stijf houden* stand firm; *iem. een* ~ *uitdraaien* soak a p.; *geen* ~ *aan de grond kr.* be nowhere, (*sp., ook*) be played off the field; *geen* ~ (*willen, kunnen*) *verzetten* not move a little finger (refuse, be unable to move); *op zijn* ~ *spelen, op zijn achterste poten* (*gaan*) *staan* stand (get up) on one's hind legs; *dat staat op poten* that is as it should be, that is to the point; *een brief die op poten staat* a strongly worded letter; *op hoge poten* in high dudgeon; *laag op de poten*, (*van dier*) low-set; *hij komt altijd op zijn poten terecht* he is certain to fall (to land) on his feet (legs), always comes right side up; **~je**

2 poot (*van plant*) layer, slip, shoot; (*van vis*) fry; (*van oesters*) (oyster-)spat, (oyster-)seed

pootaan: ~ *spelen* buckle to, slog away

pootaardappel seed-potato; **pootgoed** seed-potatoes (-onions, etc.)

poothout, -ijzer dibber, dibble

pootje (little) paw; (*van kind*) tootsy(-wootsy); (*ziekte*) podagra; *met hangende* ~*s* with one's tail between one's legs, crestfallen; *alles komt op z'n* ~*s terecht* everything comes right after all; *zie* opzitten, poot; **~baden** paddle

poot: **~schopje** garden trowel; **~stok** *zie* **~hout**; **~vijver** nursery, nurse-pond; **~vis** fry, young fish

pop doll; [straw etc.] man; (*marionet*) puppet; (*van kleermaker, enz.*) dummy; (*kaart*) picture-, court-, face-card; (*van insekt*) pupa (*mv.:* pupae), chrysalis, nymph; (*wijfjesvogel*) hen(bird); (*kind*) darling, pet, [my] poppet; (*fam. = gulden*) guilder; *toen waren de* ~*pen aan het dansen* then the fat was in the fire, then there was the devil (hell) to pay

popachtig doll-like; *zie* popperig

pope (*Russisch priester*) id.

popel poplar

popelen quiver, throb; *mijn hart popelde* my heart was a-flutter, my heart leaped [*van vreugde* for joy]; *'t deed mijn hart* ~ it set my heart a-flutter; *hij popelde om te gaan* he was anxious (all in a fidget) to go; *zij* ~ *om weg te komen* they are itching to be off; *hij popelde van ongeduld* he could not bear to wait

popeline poplin

pophuid (*van insekt*) pupa-case

popje *zie* pop, poppetje & poppie

popnagel blind rivet; **~tang** riveting pliers

poppe: **~gezicht** doll's (*of:* baby) face; **~goed** doll's clothes; **~jurk** doll's (dolly) dress; **~kleren** *zie* **~goed**

poppen: **~dokter** mender of dolls; **~huis** doll's (dolls') house; **~kast** puppet-show, Punch and Judy show; *–!* blah! merely show!; **~kasterij** (tom)foolery, mummery, flummery; **~rover** pupivore; *mv. ook:* pupivora; **~spel** puppet-show; **~theater** dolls' theatre, puppet theatre; **~winkel** doll-shop

popp(er)ig doll-like, pretty-pretty, [her] baby [face]; *een* ~ *tuintje* a pocket-handkerchief garden

poppeservies doll(y)'s tea-set

poppetje little doll, dolly; **~s tekenen** draw matchstick men (figures), doodle; *zie* pop

poppewagen doll's, (dolls', dolly) pram

poppie (*lieverd*) popsy-wopsy; *zie* pop

poptoestand chrysalis state, pupa(l) state

populair popular; ~ *maken* popularize; *zich* ~ *trachten te maken* court popularity; ~ *worden*, (*van lied, enz.*) *ook:* catch on; **~wetenschappelijke** *lezing* scientific lecture for the general public; **populariseren** popularize; **populariteit** popularity; vogue [the … of the short story]; *het tot grote* ~ *brengen* achieve great popularity

populatie (statistical) population

populier poplar; *witte* ~ white p., abele; *Italiaanse* ~ Lombardy p.

populieren *bn.* (of) poplar-wood

popzanger pop-singer

por thrust, dig [in the waistcoat], poke, prod [in the ribs]; (*met mes*) stab

porder caller-up, knocker-up

poreus porous; **~heid** porosity

porfier porphyry; **~en** *bn.* porphyry

porie pore

porno porn

pornograaf pornographer; **-grafie** pornography; **-grafisch** pornographic (*bw.:* -ally)

porren (*vuur*) poke, stir; (*iem.*) prod [a p. with a stick]; (*met mes*) stab; (*wekken*) call (*of:* knock) up; (*aan*~) rouse, spur on; *daar is hij wel voor te* ~ he won't take much persuading

porselein 1 china, china-ware, porcelain; *Chinees* ~ Chinese porcelain; *zeer fijn* ~ egg-shell c.; 2 *zie* postelein; **~aarde** c.-clay, porcelain-clay, kaolin; **~achtig** porcellan(e)ous; **~bloempje** London pride; **~en** china, porcelain; **~fabriek** c.-factory; **~goed** c.-ware; **~kast** c.-cabinet; *voorzichtigheid is de moeder der* – prudence is the mother of wisdom; **~lak** white porcelain solution; ~schelp porcelain shell; ~schilder painter on c.; ~slak cowrie; ~winkel c.-shop

porster caller-up, knocker-up

1 port postage; *te betalen* ~ p. due; *zie straf~*; ~ *betaald* p. paid

2 port (*wijn*) port(-wine)

portaal porch; hall; (*trap-*) landing; (*spoorw., enz.*) portal; (*kraan-, sein-, enz., ook*) gantry; ~kraan portal (jib) crane, gantry crane

portatief portative organ

Porte: *de* (*Verheven*) ~ the (Sublime) Porte

porte-brisee folding-door(s)

portee import, purport [of words], significance [of a question], drift [of an argument]

portefeuille (*van minister, voor tekeningen, enz.*) portfolio; (*zak-*) pocket-book, (letter-, note-) case, wallet; (*voor tijdschriften*) reading-case; *de* ~ *van Financiën aanvaarden* accept the p. of Finance; *zijn* ~ *behouden* retain one's p.; *zijn* ~ *neerleggen* surrender (deliver up) one's p., resign (office), go out of office; *aandelen in* ~ uncalled (unissued, reserve) shares, shares in portfolio; *bankbiljetten in* ~ notes unemployed; *wissels in* ~ bills in case; *artikelen* (*verhalen*) *in* ~ unpublished articles (stories); *in* ~ *houden* hold [a draft] for representation; *zonder* ~ [minister] without p.; ~kwestie *zie* kabinets...; ~verwisseling(en) Cabinet reshuffle

porte-manteau hall-stand

portemonnaie, -nee purse; *het hangt er maar van af wie de dikste* ~ *heeft* it is a case of the longest p.; *voor elke* ~ [prices] to suit everybody's purse; ~zakje hip pocket; *zie beurs*

portglas port-glass

porti postage(s)

portie portion, part, share; (*aan tafel*) helping [give large ...s]; *dagelijkse* ~ daily allowance; ~ *rum* go of rum; *een* ~ (*twee* ~*s*) *ijs* an ice (two ices); *nog een* ~ another helping [of lobster]; *met een behoorlijke* ~ *bluf* with a good deal of swank

portiek portico (*met zuilen*), porch; *winkel*~ shop doorway; *met een* ~ porticoed; ~woning (*in Eng. onbekend*) *ongev.* tenement-house

portier 1 door-, gate-keeper, janitor; (hotel-, hall-)porter; (*bij ingang fabriek*) gateman; [cinema-, club-] doorman; (*van bioscoop, enz. ook*) commissionaire; 2 (carriage-, coach-) door; [let down the] window; 3 (*van maag*) pylorus

portière portière, door-curtain

portier: ~skamertje porter's lodge; ~ster portress; ~svrouw (hall-)porter's wife; ~swoning (porter's) lodge

portlandcement Portland cement

porto postage; ~foon walkie-talkie; ~kosten postal expenses; ~laan portolan(o)

Portorico Porto Rico (tobacco); (*land*) Puerto Rico

portret portrait [full-length, half-length ...]; (*foto*) photo(graph); *een goed* (*slecht*) ~ a good (bad) likeness; *een lastig* ~ a difficult piece of

goods; *zijn* ~ *laten maken* have one's photo taken; have one's portrait painted; ~album photo(graph) album; ~lijstje photo-frame; ~schilder p.-painter, portraitist; ~stander photo-frame; (*ezeltje*) photo(graph)-easel; *iem.* ~teren portray, paint a p.'s portrait; *zich laten* – sit for one's p.

Portugal id.; -gees(-ezen) *zn. & bn.* Portuguese

portulak purslane, purslain

portuur *zie* partuur

portvrij post-paid, postage free, [petitions to Parliament are] exempt from postage (= *genieten* ~dom)

portwijn port(-wine)

portzegel (postage) due stamp

porum (*sl.*) body; face; *zijn* ~ *drukken* lie low, keep a low profile

pos (*vis*) ruff

pose id., posture, attitude

Posen (*prov.*) id., Posnania; (*stad*) id., Poznan

poseren sit [for one's portrait, to (*of:* for) an artist]; (*fig.*) pose, strike an attitude, attitudinize; ~ *als* pose as

poseur id., attitudinizer

positie position (*ook bij 't bespelen van viool*), [social] status; (*betrekking*) position, post; *geen officiële* ~ *hebben* have no official standing; *zijn* ~ *verbeteren* better o.s.; *de vet*~ *is nog moeilijk* the fat situation is still acute; ~ *nemen* (*kiezen*) *tegen* make a stand against; *onzeker wat betreft de* ~ *aan te nemen omtrent* ... undecided on the stand to take about ...; *de* ~ *aannemen,* (*mil.*) come to attention; *in de* ~ *staan,* (*mil.*) stand at attention; *in mijn* ~ in my p., situated (*of:* placed) as I am; *in gunstiger* ~, *ook:* more favourably placed; *in* ~ *zijn* be in the family way; *de gunstigste* ~ *trachten te krijgen* jockey (*of:* manoeuvre) for p.; *hij bevond zich in een lastige* ~ he was in an awkward predicament; *hij is in de* ~ *dat hij dit doen kan* he is in a position to do this; *zie scheef*

positief I *bn.* positive; -*ieve pool* p. pole, anode; -*ieve plaat* plus plate; -*ieve ideeën* decided views [*omtrent* upon]; *ik weet 't* ~ I am p., I am dead sure of it; ~ *beoordelen* form a favourable opinion of; II *zn.* (*fot.*) positive; (*gramm.*) p (degree); *zie ook positieven*

positiejapon maternity dress

positieoorlog position (trench, stationary) warfare)

positieven: *hij is niet bij zijn* ~ he is not in his senses, (*fam.*) he has a screw loose; *hij heeft zijn* ~ *bij elkaar* he has his wits about him; *zijn* ~ *bij elkaar houden* keep one's head; *zijn* ~ *kwijtraken* lose one's head

positivisme positivism

positivist(isch) positivist

positron id.

1 post (*pos*) ruff

2 post (*van deur, enz.*) [door-]post, jamb [of the doorway]; (*van rekening*) item; (*in boek*) entry; (*van staatsbegroting*) vote; (*standplaats*) post; (*kol.*) station; (*schildwacht*) sentry; (*bij staking*) picket; (*ambt*) post, office, place;

(*brieven-*) post, mail; (*~kantoor*) post-office, post; (*~bode*) postman; (*~papier*) *zie ald.*; ~ *van uitgaven* head of expenditure; ~ *van vertrouwen* position of trust; *de ~*, (*dienst*) the postal service, the Post Office; *de ~ vervoeren* carry the mail; *is de ~ niet geweest?* hasn't the p. (*Am.:* mail) come?; *is er geen ~?* is there no p. (mail)?; *de ~ bracht een brief* the postman brought a letter; *enkele ~en werden afgedaan* a few lots were sold; *een ~ bekleden* hold an office; *een ~ boeken* make an entry; ~ *vatten* take post, take up one's station, post (*of:* station) o.s.; (*van gedachte*) take form; *hij is bij de ~* he is in the post-office; *bij de ~ verloren gegaan* lost in the p. (*Am.:* mail); *met de ~ verzenden* send by p. (*Am.:* mail); *met de eerste* (*de volgende*) ~ *verzenden* send by first (by next) p.; *met dezelfde ~* by (the) same p. (*of:* mail); *op zijn ~ blijven* stick to one's p.; *een brief op de ~ brengen* (*doen*) post a letter, take a letter to the p.; *hij sliep op ~* at his p.; *op ~ staan*, (*mil.*) stand sentry; *politieagenten staan op de hoeken der straten op ~* are stationed at street corners; *op ~ trekken*, (*mil.*) mount guard; *op ~ zijn* be on duty; *op zijn ~ terugkeren* return to duty; *op ~ zetten* post [sentries]; *over de ~* (*per ~*) *verzenden* send by (through the) p.; *per kerende ~* by return (of post, of mail); *stukken voor de ~* postal matter

postaal postal [contact]

postadministratie: *de ~* the Post Office, the postal authorities

postadres postal address

postagentschap post-office sub-agency

postambtenaar post-office official

postament pedestal

post: ~**auto** mail-van; ~**band** wrapper [for printed papers]; ~**beambte** p.-office worker (employee), postal worker; (*in trein*) mail clerk; *bond van ~n* Postal Workers' Union; ~**bestelling** *a*) postal delivery; *b*) mail order; ~**bewijs** postal order, P.O.; ~**blad** letter-card; ~**bode** postman; ~**boot** mail-boat; ~**bus** p.-office (P.O.) box, private box, box [write ... V 19]; ~**cheque- en girodienst** Post Office Giro, (*Eng.*) National Giro; ~**code** (*Br.*) postcode; (*Am.*) zip code; ~**commandant** p.-commander; ~**commies** p.-office clerk; ~**dag** p.-day

postdateren post-date

post: ~**diefstal** mail robbery; ~**dienst** postal service; ~**directeur** postmaster; ~**district** postal district; ~**duif** carrier-, homing-pigeon, homer(-pigeon)

postelein purslane, purslain

posten post (*Am.:* mail) [a letter]; (*bij werkstakingen*) picket; ~ *bij* picket [the dockgates]

postenketen (*mil.*) sentry (*of:* outpost) line

Post- en Telegraafdienst Postal and Telegraph Service

poster (*bij staking*) picket(er); (*biljet*) id.

posteren post, station [o.s.], plant [a spy]

poste-restante poste restante, to be (left till) called for, to wait arrival; ~ *Hoofdpostkantoor* c/o G.P.O. (= care of General Post Office)

posterijen: *de ~* the Post Office, the postal service

posteriori: *a ~* id.

post: ~**gids** post-office guide; ~**giro** Post Office Giro, (*Eng.*) National Giro; ~**hoorn** post-horn; ~**houder** (*Ind.*) post-holder; ~**huis** (*hist.*) posting-house

posticheur hair-worker, wig-maker

postiljon postil(l)ion, post-boy

postille postil

postje (*vis*) ruff

post: ~**kantoor** post-office; ~**koets** mail-coach; ~**kwitantie** postal collection order; ~**loket** *zie* loket; ~**meester** (*hist.*) postmaster; ~**merk** postmark; *datum* – date as postmark; ~**nummer** *zie* ~code; ~**order** mail order; ~**pakket** (postal) parcel; *als – verzenden* send by parcel-post; ~**pakketdienst** parcel-post; ~**pakketformulier** dispatch note; ~**papier** notepaper, stationery; (*kwartoformaat*) letterpaper; ~**personeel** Post-Office staff; ~**rekening** postal giro account; ~**rijtuig** (*in trein*) mailvan, postal van, travelling post-office

post: ~**sjees** post-chaise; ~**spaarbank** p.-office savings-bank; ~**spaarbankboekje** p.-office savings-bank book; ~**stempel** postmark, date-stamp; *de brief droeg de – Sheffield* was postmarked S.; ~**stuk** postal article (item); ~**tarief** postal rates, rates of postage; ~**tijd** p.-time; ~**trein** mail-train

postulaat postulate; **postulant** id.

postuleren postulate, posit

postunie postal union

postuum posthumous(ly)

postuur shape, figure, stature; (*houding*) posture, attitude; *zich in ~ stellen* draw o.s. up, square one's shoulders, assume position of defence; *een knap ~* a fine figure

post: ~**verbinding** postal communication; ~**verdrag** postal convention (*of:* treaty); ~**verkeer** mail traffic; ~**vliegtuig** mail-carrier, mail-plane; ~**vlucht** mail-flight; ~**wagen** mail-van; (*diligence*) stage-coach; ~**weg** post-road; ~**wet** p.-office act; ~**wezen:** '*t –* the postal system, the Post Office; ~**wissel** (Post Office) money order; *zie* telegrafisch; ~**wisselformulier** money-order form; ~**wisselrecht** poundage; ~**zak** mail-, p.-bag

postzegel (postage) stamp; ~ *van 5 pence* five-penny s.; *een ~ op een brief doen* stamp a letter; ~**album** s.-album; ~**automaat** (automatic) s.-machine; ~**bevochtiger** s.-damper; ~**strook** s.-border; ~**verzamelaar** s.-collector, philatelist; ~**verzameling** s.-collection; ('*t verzamelen*) s.- collecting, philately

pot id. (*ook = marihuana*); [tobacco-]jar; (*voor inmaak*) jar [preserving- ...]; (*kroes*) mug, pot; [sugar-]basin, bowl; (*nacht-*)chamber(-pot), pot, po; (*van kachel*) fire-pot; (*bij spel*) stakes, pool, pot, kitty; ('*t bakje*) pool(-dish); *een ~ bier* a pot of beer; *gewone* (*burger*)~ plain cooking; *goede ~* good cooking; *in ~ten* potted [begonias]; *fooien gaan in de ~* tips are put into a common box (are pooled); *een hoofd als een ijzeren* ~ a wonderful memory; *eten wat de* ~ *schaft* eat what's cooked; (*voor lief nemen*) take pot luck; ~ *spelen* play pool; *de* ~ *verteren* spend the pool; *hij won de* ~ he swept the stakes, hit the jackpot; *de* ~ *verwijt de ketel, dat hij zwart is* the p. calls the kettle black; *op de* ~ *zetten* pot [the baby]; *hij kan de* ~ *op* he can go hang (go to blazes); *je kunt de* ~ *op* forget it; *zie ook* hond, ~je & ~nat

potage pottage, soup; *zie* Jean

potas potash

pot: ~**bewaarder** stake-holder; ~**bloem** pot-flower; ~**boter** potted (*of:* salt) butter; ~**buis** stoneware pipe; ~**deksel** pot-lid; (*mar.*) gunwale; ~**dicht** perfectly closed, air-, water-tight; (*van vliegveld*) thick in fog; (*fig.*) like a clam; ~**domme** dash it; ~**doof** stone deaf

poteling seedling; (*sterke kerel*) husky; (*vis*) young fish; (*mv. ook*) fry

poten plant (*ook van vis, oesters, enz.*), set, prick in (off, out) [*zaaiplanten* seedlings]; (*aardappelen ook*) dibble; (*fam.*) put, place; *vis* ~ *in 'n vijver* stock a pond with fish

potent id.

potentaat potentate.

potentiaal, potentieel *bn.* & *zn.* potential

potentie potency, power

poter *a*) planter; *b*) seed-potato

poteten: *een raar* ~ a queer fish

pot: ~**geld** *zie* spaarpenningen; ~**grond** (potting) compost; ~**hengsel** pot-hook, -handle; ~**huis** cellar-shop

potig robust, sturdy, husky, hefty, strong-limbed, large-boned

potje (little) pot; (*geld achter de hand*) nest-egg; *de winst in één* ~ *doen* pool the profits; *een* ~ *biljarten* have a game of billiards; *een* ~ *golf* a round of golf; *je mag een* ~ (*bij hem*) *breken* you are in high favour (with him), you are in his good books; *een* ~ *maken* (*voor de kwade dag*) lay by some money for (*of:* against) a rainy day; *hij maakt er een* ~ *van* he is not taking it seriously; *er staat voor hem een* ~ *te vuur* there is a rod in pickle for him; *hij moet zijn eigen* ~ *gaar koken* he must work out his own salvation; *kleine* ~*s hebben* (*ook, grote*) *oren* little pitchers have long ears; *een klein* ~ *is gauw warm* a little pot is soon hot; *de fijnste zalf zit in de kleinste* ~*s* the best goods are packed in the smallest parcels; ~**slatijn** dog Latin

pot: ~**kachel** pot-bellied stove; ~**kijker** Paul Pry, Nosy Parker, snooper; *zie ook* janhen; ~**lam(metje)** cosset; ~**lepel** ladle

potloden black-lead

potlood (lead-)pencil; (*poetsmiddel*) black lead; *met* ~ *geschreven* written in p., pencilled [note]; ~**jes** (*voor vulpotlood*) leads; ~**passer** p.-compass; ~**slijper** p.-sharpener; ~**tekening** p.-drawing, p.-sketch, crayon

pot: ~**nat**: *'t is één* ~ it's six of one and half a dozen of the other, it's tweedledum and tweedledee, they are all alike; *een vreemd* – a

queer fish; ~**penning** *zie* ~geld; ~**plant** pot-plant, potted plant

potpourri (*muz.*) pot-pourri, (musical) medley; (*fig.*) medley, jumble, mixed grill

pots prank, drollery; ~**en** antics

potscherf potsherd

potschraapsel scrapings

potsenmaker buffoon, clown, zany

potsierlijk droll, grotesque

pot: ~**spel** pool; ~**stuk**: *-ken, zie* spaarpenningen; *zijn laatste* – his last penny; ~**tekijker** *zie* ~kijker; (*lamp*) light over cooker

potten *a*) pot [plants]; *b*) hoard (up) (salt down, salt away) money, make a stocking

pottenbakker potter, ceramist; ~**ij** pottery, p.'s workshop; ~**saarde, -klei** p.'s clay, argil; ~**schijf, -wiel** p.'s wheel

pottenkast kitchen-cupboard

pottenwinkel pottery-, earthenware-shop

potter hoarder

potverdeling share-out

potverdikkie! by Jingo! by George!

potverteerder beanfeaster; (*fig.*) spendthrift; ~**verteren** (*fig.*) eat up one's capital; *zie* pot

potvis sperm-whale, cachalot

poule(spel) pool

poulet chicken; (*vlees, ongev.*) brisket

pourparler parley; ~*s* pourparlers

pousse-café id., chasse

pousseren (*waren*) push; (*pers.*) push (forward, on); *z'n kaartje* ~ leave one's card [*bij iem.* on a p.]

pover poor [a ... crop, ... creature], shabby, meagre [results]; ~**heid** poorness, etc.

povertjes poorly; *zij hebben het* ~ they live poorly

pozen (*lit.*) pause, linger

Praag Prague

praaien hail, speak [a ship]; *gepraaide schepen* ships spoken

praal pomp, magnificence, splendour, pageantry; ~**bed** bed of state; *op een – liggen* lie in state; ~**gewaad** robes of state; ~**graf** mausoleum; ~**hans** braggart; ~**hanzerij** braggartism; ~**koets** state coach; ~**vertoning, -vertoon** pomp, ostentation; *-ing, ook:* pageant; ~**wagen** (*in optocht*) float; ~**ziek** ostentatious, fond of display; ~**zucht** ostentation, love of display

praam pra(a)m; (*knevel*) twitch

praat talk, tattle; *iem. aan de* ~ *houden* hold (keep, detain) a p. in t. (in conversation), (*om hem 'vast te houden'*) *ook:* hold a p. in play; *aan de* ~ *krijgen* get to t.; (*motor*) get going (ticking over); *zie ook* praten; *ik had hem spoedig aan de* ~ I soon had him talking; *we kwamen aan de* ~ *over ...* we fell into t. about ...; *aan de* ~ *raken met* drop into t. with; *veel* ~*s hebben* talk big, brag, (*sl.*) swank; *wat minder* (*brutale*) ~*s, baasje!* a little less lip, my lad!; *geen* ~*s!* none of your lip!; *hij krijgt te veel* ~*s* he is getting too forward, is getting above himself, he is beginning to throw his weight about; *hij heeft* ~*s genoeg voor tien* he has side enough for ten; *zie* ~je

ML

& derde; ~achtig *zie* ~ziek; ~achtigheid *zie* ~zucht; ~al chatterbox, rattle; ~graag *zie* ~ziek

praatje talk, chat; (*gerucht*) rumour; (*klets-*) idle story; (*laster-*) (piece of) scandal; ~s gossip, (tittle-)tattle, [it's all] t.; *geen* ~s! don't argue; (*zie ook* praats; *een* (*populair*) ~ *houden over* ... give a t. on Thackeray; *aanleiding geven tot* ~s cause t. (*of:* comment); *'t* ~ *van de dag* the gossip of the day; *dat is 't algemene* ~ it is the t. of the town; *niet alle* ~s *geloven* [you should] not believe all that is said; *mooie* ~s soft words, blandishments, blarney; (*sl.*) soft soap, soft sawder; *mooie* ~s *houden*, (*sl.*) talk soft sawder; *laat ons maar geen mooie* ~s *houden* let us have no soft talk; *met mooie* ~s *krijgen* coax a p. out of [his watch]; *iem. met een mooi* ~ *de kamer uit krijgen* coax a p. out of the room; *ze kregen hem met mooie* ~s *te M.* they cajoled him down to M.; *iem. afschepen met mooie* ~s put a p. off with fair speeches; *er begonnen* (*zekere*) ~s *te lopen* stories got abroad; *'t* ~ *ging* it was rumoured, the story went; *zoals 't* ~ *gaat* as the story has it; *een* ~ *maken* have a chat [*met* with]; *om een* ~ *te maken* ... to make conversation I said ...; *zal dat* ~ *dan nooit ophouden?* shall we never hear the last of it?; ~s *vullen geen gaatjes* fine (fair, soft) words butter no parsnips; *dat is maar 'n* ~ *voor de vaak* that is idle talk (all eyewash); *geen* (*meer*) ~s without more ado; *zie* los; ~smaker bit of a humbug; (*klein kind*) prattler; (*eigenwijze*) whipper-snapper, cocky ass

praat: ~lustig *zie* ~ziek; ~paal emergency telephone (beside motorway, etc.); ~s *zie* praat; –maker *zie* ~jesmaker; ~stoel: *hij zit op zijn* – he is in a talkative mood; ~vaar great talker, tattler; ~ziek talkative, loquacious, garrulous, chatty; ~zucht talkativeness, garrulity, loquacity

pracht[1] splendour, magnificence, pomp; ~ *en praal* pomp and circumstance; *een* ~ *van een* ..., *zie* ~ig; ~band de luxe (luxury) binding; *in* –, *ook:* bound extra; ~exemplaar *a) zie* ~uitgave; *b)* fine specimen, beauty [*ook iron. van pers.:* he is a ...]; (*van hond bijv.*) [he is a] fine fellow; ~ig splendid, magnificent, lovely, fine, grand; (*weelderig*) sumptuous; *een* – *idee* a tophole (a great) idea; *ze zingt* – she has a wonderful voice; *dat treft* – that's marvellous; –*e kaart* [hold a] fat hand; *de hindernis* – *nemen* clear the obstacle in fine style; ~kerel trump, fine (splendid) fellow; ~kleed (*van vogel*) [put on its] gay (*of:* breeding) dress; ~lievend splendour-loving, ostentatious; ~lievendheid love of splendour; ~stuk *zie* ~exemplaar *b*); ~uitgave édition de luxe, de luxe edition; ~werk first-rate piece of work

practicabel practicable; **practicum** practical work [in laboratory]; **practicus** practical person, practised hand; (*tegenov. theoreticus*) practician

[*] *Voor samenstell. zie ook* prachtig

prae- *zie* pre-

praeses chairman, president

pragmatiek, -matisch pragmatic (*bw.:* -ally); *-ieke sanctie* p. sanction; **-matisme, -ist** pragmatism, -ist

prairie id.; ~brand p.-fire; ~gebied p.-lands; ~gras p.-grass; ~hoen p.-hen, p.-chicken; ~hond p.-dog; ~wolf coyote, p.-wolf

prak hash; *in de* ~, (*fam.*) smashed up; *van z'n eten een* ~ *maken*, ~ken make a mixture

prakkezeren (*fam.*) think, muse; (*uitdenken*) contrive; *ik moet eens* ~ I must have a think; *beginnen te* ~ put on one's thinking-cap; *zich suf* ~ puzzle one's head off

praktijk practice; *kwade* ~en evil practices, malpractices; *zonder* ~ without p.; (*van advocaat*) briefless [barrister]; *hij heeft een uitgebreide* ~ he has a large p.; *hij raakte zachtjesaan in* (*uit de*) ~ drifted into (out of) p.; *een* ~ *beginnen* settle down into practice; *de* ~ *uitoefenen* practise, be in p. [at ...]; *de* ~ *neerleggen* retire from p.; *een* ~ *overnemen* buy a practice (a connection); *in de* ~ in p.; *in* ~ *brengen* put into p., practise [what one preaches]; *man van de* ~, *ook:* practical man; ~juffrouw (*van tandarts, enz.*) receptionist

praktisch I *bn.* practical; [handle things in a] workmanlike [way]; *een* ~e (*niet theoretisch gefundeerde*) *methode* a rule-of-thumb method; ~ *werk*, (*van med. stud.*) hospital work; ~e *zakenlui* hard-headed businessmen; ~ *vergelijk* working compromise; ~ *voorstel* workable proposal; ~e *zin* practicality; II *bw.* ...ly, for all p. purposes [it comes to the same thing]

praktizeren practise; ~d *geneesheer* medical (*of:* general) practitioner; *ik praktizeer niet meer*, *ook:* I'm not in practice now; ~ *over*, (*van dokter*) treat [a patient]; *zie ook* prakkezeren

pralen shine, glitter, sparkle; (*ong.*) flaunt; ~ *met* make a show of, show off [one's learning], parade, make a display of, flaunt; *zie ook* pochen

praler swaggerer; *zie ook* pocher; ~ij ostentation, swagger; *zie ook* pocherij

praline id.

pralltriller upper mordent

prangen press, squeeze; (*beklemmen*) oppress; *in het* ~ *van de nood* in the extremity of distress

pranger (*neusknijper*) barnacle

prat ~ *zijn* (*gaan*) *op* pride (*of:* plume) o.s. on, take (a) pride in, glory in; *zij gaat er* ~ *op, dat* ..., *ook:* it is her boast that ...

praten talk, chat; (*wauwelen*) prate; *'t kind kan nog niet* ~ cannot talk yet; ~ *kan hij wel* (*maar dat is ook al*) he never gets beyond talking; *ze had geen zin om te* ~ she was not in a chatty mood; *hij heeft gepraat*, (*geklapt*) he has blabbed, has let the cat out of the bag; *jij hebt goed* (*mooi, gemakkelijk*) ~ it's all very well for you to t.; *laat de mensen* ~ let people t.; *lang* (*rustig*) ~ have a long (a quiet) t. [*met* with]; *iem. van zijn stoel af* ~ t. a p. down, t. a p.'s head off, t. the hind leg off a donkey; *dat bracht hen aan 't* ~ that set their tongues wagging, that set them off; *aan 't* ~ *raken* fall (drop) into t. [*over* over, about]; *iem. aan 't* ~ *krijgen* get a p. to t., set a p. off [*over* on], (*om uit te horen*) draw a p. (out); *vgl.* praat; *ik moet eens met je* ~ I want to have a t. with you; *er valt met hem te* ~ one can reason with him, he is open (will listen) to reason; *er omheen* ~ t. round (and round) a subject, hedge (on a question), beat about the bush; ~ *over* t. of; ~ *over paarden, enz.* t. horses (dinners, books, politics); *over 't vak* ~ t. shop; *daarover valt te* (*zou men kunnen*) ~ it's a matter for argument (discussion); *er wordt druk over gepr.* there's a lot of t. about it; *er zou over gepraat w.* it would set people talking; *de hele stad praat erover* it is the talk of the town; *hij praat altijd over het hem aangedane onrecht* he is always harping on his wrongs; *hij kon 't niet doen zonder dat erover gepraat werd* without causing comment; *praat me niet van* ... don't talk to me of ...; *al ~d ging hij de kamer uit* he talked himself out of the room; *zie* Brugman, hoofd, koetje, langs, los, zichzelf, enz.

prater talker; *hij is een onderhoudend* ~ he is good company, a good conversationalist

praterij talk, (tittle-)tattle

prauw proa, pra(h)u; ~**voerder** p.-man

pré advantage, preference, first claim

preadamiet pre-adamite

preadvies proposals, report

prealabel preliminary; *de ~e kwestie stellen* move (*of:* put) the previous question

preambule preamble

prebende prebend, church living

precair precarious (*ook jur.*), delicate [situation], uncertain

precario (municipal) duty

precedent id., leading case; *een* ~ *scheppen* establish (create, set) a precedent; *zonder* ~ unprecedented

precies I *bn.* precise, particular, as regular as clockwork; *Jantje* ~ Mr. Particular (*zo ook:* Miss, Mrs. P.); II *bw.* precisely, exactly; *~!* *ook:* quite so!; *dat was 't niet* ~ it wasn't quite that; ~ *dezelfde* the very same; *te zes uur* ~ at six precisely (sharp, on the dot); *in ~ 12 min.*, *ook:* in 12 minutes by the clock; *om ~ te zijn* [at 10.14] to be exact; *weet u ~ hoe laat het is?* have you got the exact time?; *waar ... ~ ...?* where exactly did you drop your key?; *zie* net, passen, tijd

precieus precious; **preciosa** valuables

precipitaat precipitate

precipiteren precipitate

preciseren define [one's meaning, position], state precisely, specify; *nader* ~ give further details

precisie-instrumenten precision instruments

predestinatie predestination

predestineren predestine

predikaat (*gramm.*) predicate; (*titel*) title; (*rapportcijfer, enz.*) mark; (*het* ~ *'cum laude'* designation

predikambt ministry, pastorate

predikant clergyman; *zie verder* dominee; ~s **plaats** living, benefice, incumbency, cure (o souls); ~**swoning** *zie* pastorie

predikatie sermon, homily

predikatief predicative

predik: ~**beurt** *zie* preek...; ~**en** *tr. & intr* preach [the word of God]; ~**er** preacher; *d. P-*, (*bijb.*) Ecclesiastes; ~**heer** Dominica (friar) (*mv. ook* Friars Preachers); ~**in** preaching

predisponeren predispose [*voor* to]

predispositie predisposition

predomineren predominate

preek sermon, address; (*fig.*) sermon, preach ment; *een* ~ *houden*, (*eig.*) preach (give, deliv er) a s.; (*fig.*) *zie* preken; ~**beurt** *a*) turn t preach; *b*) preaching-engagement, engage ment to preach; *een* – *vervullen* officiate, oc cupy the pulpit; ~ *en ruilen* exchange pulpits ~**heer** *zie* predik...; ~**stoel** pulpit [*op de* – ir the ...]; ~**toon** sermonizing tone, pulpit (*of* clerical) voice; ~**trant** manner (*of:* style) o preaching

prees *o.v.t. van* prijzen

prefatie (*r.-k.*) preface

prefect(uur) prefect(ure)

preferabel preferable [*boven* to]

preferent preferential; ~ *aandeel* preference share; ~*e schuld* preferred debt; ~*e crediteu* secured (preferential) creditor

preferentie preference; *zie* voorkeur

prefereren prefer [*boven* to]

pregnant id. [words, construction]

prehistorie prehistory

prei leek

prejudic(i)e prejudice; *zonder* ~ without p [to]; **-ciëren** prejudice; – *op* p. [a question]

preken preach [*voor* ... to large congregations *naar aanleiding van* ... from a text; *van 't papier* from notes]; (*fig.*) preach, sermonize; *zi* parochie

prekerig preachy, inclined to preach

prelaat prelate; ~**schap** prelacy

preliminair preliminary [articles]; ~*en* prelim inaries [*tot de vrede* of peace]

prelude id.; *zie* voorspel; **preluderen** (play a) prelude; **preludium** prelude

prematuur premature; *zie* voorbarig

premie premium; (*op suiker, enz.*) bounty (*voor de kapitein*) primage; (~*plaat, enz.*) ar extra; *dubbele* ~, (*beurs*) put and call option *een* ~ *stellen op agressie* put a premium on ag gression; ~**affaire** option; ~**geld** option money ~**jager** p.-hunter, (*sl.*) stag; ~**lening** lottery loan; ~**lot**, ~**obligatie** lottery-, p.-bond; ~**plaa** art extra

premier id., prime minister

première first night, première, opening per formance; (*geregeld*) ~**bezoeker** first-nighter

premie: ~**stelsel** (*bij uitvoer, enz.*) bounty system; ~**vrij**: *-e polis* paid-up policy; *– pensioen* non-contributory pension; ~**zaken** option business, options

premisse premise, premiss

prenataal antenatal [care]

prent print, picture, engraving; *een paar ouwe ~en*, (*fig.*) a couple of old frumps; ~**briefkaart** picture postcard

prenten impress, imprint [s.t. on the memory]

prenten: ~**bijbel** illustrated (*of:* pictorial) bible; ~**boek** picture-book; ~**kabinet** Print Room; *directeur van het* – Keeper of Prints and Drawings; ~**winkel** print-shop

prentje picture; *~s kijken* look at pictures

preparaat preparation; *microscopisch* ~ microscopic slide, microscopical preparation (specimen); **preparateur** taxidermist

preparatief preparative; *zie* toebereidsel

prepareren prepare; (*huiden*) dress; *zich* ~ prepare, make (*of:* get) ready

prepositie preposition

prerogatief prerogative

presbyter id.

presbyteriaan(s) Presbyterian

presenning tarpaulin

present *zn.* id.; *zie* cadeau; *bn.* present; ~*!* here!; ~ *roepen* answer to one's name; *zijn we allen ~?* are we all here?; *alle leden waren ~* in attendance

presentabel presentable; *hij zag er niet zeer ~ uit* he did not look very p.

presentatie presentation

presenteerblad salver (*gew. van metaal*), tray, waiter

presenteren offer [a cigar, refreshments], hand (pass) round [refreshments], present [the bill, a new play]; (*ter betaling*) present [a cheque etc.]; (*voorstellen*) introduce, present; *wat mag ik u ~?* what may I o. you?; '*t geweer* ~ present arms; *in de wereld* ~ bring out [a young lady] (*gepr. w.* come out; *gepr. zijn* be out); *te koop* ~ o. for sale; *zich* ~ introduce o.s.; *hij presenteert zich goed* he is a man of pleasing address; *als de gelegenheid zich presenteert* if an opportunity offers; *de rekening gepresenteerd kr.*, (*fig.*) be faced with the consequences [of an action *voor* ...]

present-exemplaar presentation (specimen, complimentary, free) copy

presentie presence; ~**geld** attendance fee; ~**lijst** roll [sign the ...], attendance list (*of:* register)

preservatief preservative; contraceptive

presgang press-gang

president[1] id.; (*voorzitter*) chairman, president; (*van Lagerhuis*) Speaker; (*van jury*) foreman; (*van rechtb.*) president, presiding judge; (*van Eng. Bank*) governor; *de toespraak van de* ~ the presidential address; ~**commissaris** chairman of (the board of) directors; ~**e** (lady) p., chairwoman, (woman) chairman; *mevrouw de* –*!* madam chairman!; ~**ieel**

presidential; ~**schap** presidency; chairmanship; ~**shamer** gavel; ~**sverkiezing** presidential election; ~**szetei** (presidential) chair

presideren *tr.* preside at (*of:* over) [the meeting]; *intr.* preside, be in the chair; *de vergadering werd gepr.* (*zal gepr. worden*) *door* ..., *ook:* the chair was occupied (will be taken) by ...

presidium (*USSR*) id.; *zie ook* presidentschap

preskop pressed cheek

pressen 1 press [a p. to ...], be at [a p. to ...]; 2 press [into the navy, the army], crimp

presse-papier paper-, letter-weight

presser crimp, member of a press-gang

presseren press, hurry [a p.]; *het presseert niet* there's no hurry; *zie* gepresseerd

pressie pressure; ~ *uitoefenen op* bring p. (*of:* weight) to bear (up)on, put p. (up)on, pressurize, pressure [a p. into doing s.t.]; *onder* ~ [act] under p. [*van* from]; ~**groep** pressure group

prestatie performance, achievement, feat; *zijn ~s op school waren uitstekend* he had an excellent school record; *beloning naar* ~ according to merit; *zie* gering; ~**beloning, ~loon** merit rating; ~**vermogen** capacity, efficiency; ~**zweefvliegtuig** high-performance glider

presteren achieve; *hij zal nooit veel* ~ he will never achieve much, he will never do anything to speak of; *waarvoor niets gepresteerd wordt* [thousands of pounds] with nothing to show for it

prestige id.; *zijn* ~ *ophouden* maintain one's p.; *zijn* ~ *redden* save one's face; *zijn* ~ *verliezen*, *ook:* lose face; *zijn* ~ *heeft geleden* his prestige has dropped; *verlies van* ~, *ook:* loss of face; ~**kwestie** question of p.; ~**verlies** loss of p.

prestissimo id.; **presto** id.

presumeren presume

presum(p)tie suspicion; ~ *op iem. hebben* suspect a p.

pret[2] fun, pleasure; *stille* ~ quiet amusement; ~ *hebben* enjoy o.s.; *veel* (*dolle*) ~ (~ *voor zes*) *hebben* enjoy o.s. immensely, have great fun (high jinks); *wat hadden we een ~!* what fun we had!; ~ *hebben over* be amused at [an incident]; ... *terwijl hij de grootste* ~ *had* [he related my gaffe] in great glee; ~ *maken* make merry, have a good time; *toen begon pas de* ~ then the real fun started; *dat mag de* ~ *niet drukken* never mind, no matter; *de* ~ *is er wel af* it's no fun any longer; '*t is uit met de* ~ the fun is over; '*t uitschreeuwen van de* ~ shout with glee; *voor de* ~ for fun; *zie* pretje; ~**bederver** killjoy, wet blanket, spoil-sport

pretendent pretender [*naar* ... to the throne], claimant [*naar* for, of, on]; (*minnaar*) suitor

pretenderen pretend, lay claim to; *zie* beweren

pretentie (*aanspraak*) claim, pretension; (*aanmatiging*) pretension; *hij krijgt te veel ~s* he is getting above himself; he is getting too big

---

[1] *Zie ook* voorzitter
[2] *Zie ook* plezier

for his boots; *zonder ~s* unpretentious, unpretending, unassuming, [he is utterly] without side; ~**loos** unpretentious

pretentieus pretentious, assuming

pretext id.

pretje lark, frolic, (bit of) fun; *dat is geen ~* it's no picnic; *zie* lolletje

pretmaker merry-maker, reveller

pretor praetor; ~**iaan** praetorian

pretpark fun fair

prettig pleasant, nice, enjoyable; gratifying [it is ... to be able to report, etc.]; congenial [a ... task]; (*fam.*) jolly; ~ *vinden* like, enjoy; *iem. een ~ leventje bezorgen* give a p. a good time; *'t is niet ~ om te horen* it is not nice to hear; *deze stoelen zitten ~* these chairs are very comfortable; *zie* plezierig

preuts prudish, prim, squeamish; *een ~(e) vrouw (meisje)* a prude; ~**heid** ... ness, prudery

prevaleren prevail

prevelaar(ster) mutterer

prevelement talk, address

prevelen mutter; **prevelmis** silent mass

preventie prevention

preventief preventive; *-ieve hechtenis* detention on suspicion (under remand, awaiting trial) (*vgl.* preventive *in deel I*); *zie verder* voorarrest; *-ieve maatregel* p. measure

Priamus Priam; **priapisch** priapic

prie-dieu id.

prieel summer-house, arbour, bower

priegelen do fine needlework; do pernickety work

priel gully

priem awl, bodkin, pricker, piercer; (*dolk*) dagger; (*breinaald*) knitting-needle

priemen pierce

priemgetal prime number

priemkruid awl-wort

priemvormig awl-shaped

priester priest; ~**ambt** priestly office; ~**boord** clerical collar, (*sl.*) dog-collar; ~**dom** priesthood; ~**es** priestess; ~**gewaad** sacerdotal vestments, canonicals, clerical garb; ~**kaste** priestly caste; ~**kleed** clerical garment; ~**koor** sanctuary; ~**lijk** priestly; ~**orde** (order of) priesthood; ~**schap** priesthood; ~**wijding** ordination; *de – ontvangen* be ordained

prietpraat twaddle

prij (*aas*) carrion; (*feeks*) vixen, shrew

prijken shine, glitter, stand forth [in all its beauty], be resplendent [in colours, etc.], be displayed [in the window]; ~ *met bloemen*, (*van venster, enz.*) be gay with flowers; ~ (*geuren*) *met* show off, flaunt, parade; *bovenaan ~*, (*op lijst*) be (*of:* figure) at the top of the list, top the list

prijs (*wat iets kost*) price, figure; (*van treinreis, enz.*) fare; (*in loterij, beloning, buit, enz.*) prize; (*op tentoonstelling*) award; (*lof*) praise; ~ *voor goed gedrag* good-conduct prize; *de eerste ~* the first prize; *haast niet te betalen ~* prohibitive price; *de gewone ~* the current price; *mijn gewone ~* my usual figure; *een hoge ~ maken,*

(*van artikel*) realize (fetch) a high p., (*van verkoper*) obtain (make) a high p.; *zie* hoog(st); ~ *maken* seize, capture [a vessel]; ~ *verklaren* confiscate, seize; ~ *stellen op, zie* ben. (*op ~ stellen*); *er werd een ~ op zijn hoofd gezet* a p. was set on his head; *op dit nummer viel een ~* a prize fell to this ticket; *nummers, waarop prijzen vallen* winning numbers; *zie* behalen, enz.; *in de ~ van ... tot ...* at from 5p to 10p; *onder de ~ verkopen* undersell; (*zeer*) *op ~ stellen* appreciate, value [highly], prize, set great store by; *ik zou 't op ~ stellen als u mij een exemplaar zoudt willen sturen* I should appreciate your sending me a copy; *wij stellen veel ~ op uw medewerking* we value your collaboration highly; *iets op ~ houden* keep up (maintain) the p. (of s.t.); *tegen de ~ van* at the p. of, at the rate of; *tegen elke ~* at any p.; *tegen'n hoge ~,* (*fig.*) at a heavy cost; *tegen lage prijzen* at low prices; *hoe kunnen ze 't tegen die ~ doen?* how can they do it at the p.?; *tot elke ~* at any cost, at all costs, [peace] at any p.; *van lage ~* low-priced; *voor geen ~* not at any p., not for the world; *voor de ~ van drie gulden* at the p. of three guilders; ~**aanvrage** inquiry; ~**bederf** spoiling the market; ~**bederver** underseller; ~**beheersing** price-control; ~**bemanning** prize crew; ~**bepaling** fixing of prices, p.-fixing; ~**berekening** calculation of prices; ~**bewust** p.-conscious; *– winkelen* shop around; ~**binding** *zie* verticaal; ~**catalogus** priced catalogue; ~**courant** p.-list, p.-current; ~**daling** fall, drop (in prices); *plotselinge sterke –* slump; ~(**e**)**lijk** *zie* prijzenswaardig; ~**geld** prize money; ~**gerecht** prize court; ~**geven** abandon [*aan* to], give up; *geheimen –* yield up secrets; *terrein –* concede ground; *aan de bespotting –* hold up to ridicule; *zie* genade; ~**houdend** firm, steady; ~**index** (*voor de gezinsconsumptie*) cost-of-living index; *voor 'n ~je, zie* spotprijs; *het – zat er nog aan* the price-ticket was still attached; ~**kamp** competition; ~**klasse** p.-bracket; ~**lijst** *zie* ~courant; ~**making** seizure, capture; ~**niveau** p.-level; ~**notering** quotation (of prices); *zie* beursnotering; ~**nummer** (*in loterij*) (prize-)winning number; ~**opdrijving** forcing up of prices, inflation; ~**opgave** estimate, quotation; *– doen van* quote for [an article]; ~**peil** price level; ~**plafond** price ceiling; ~**recht** prize-law; ~**rechter** (*bij wedstrijd*) judge; (*bij ~gerecht*) prize judge; ~**schieten** shooting-match, -competition; ~**schip** prize ship; ~**schommeling** p. fluctuation, fluctuation in prices; ~**stijging** *zie* ~verhoging; ~**stop** price-freeze; ~**uitdeling, -uitreiking** distribution of prizes, prize distribution; (*op school ook*) prize-giving; (*de dag*) prize-giving day, speech-day; ~**vaststelling** price-fixing; ~**verandering** change in prices; ~**verbetering** improvement (in prices); ~**verhandeling** prize essay; ~**verhoging** price increase, price-rise, rise (*of:* increase) in prices, advance (of prices), appreciation; ~**verlaging** reduction, cut; *grote –* drastic reduction(s); ~**verloop** movement of prices, p.-movement; ~**vermindering** *zie* ~verlaging; ~**verschil** difference in p.; ~**vorming** determination of prices; ~**vraag** prize question, (prize) contest, competition; *een* – *uitschrijven* offer a prize [for the best essay on …], invite designs [for …]; ~**waardig** worth the money, worth its price; ~**winner** prize-winner

prijzen praise, commend [*wegens* … a p. for his good work], eulogize, (*sterker*) extol, glorify, (*dicht.*) laud; (*van prijs voorzien*) price, ticket, mark [all goods are …ed in plain figures], (*in catalogus*) list; *iem. gelukkig* ~ consider a p. fortunate; *iem. luide* ~ be loud in a p.'s praise; *teveel* ~ overpraise; *zie* veelgeprezen; ~**beschikking** price control order; ~**d** laudatory [remark]; ~**hof** prize court; ~**swaardig** praiseworthy, laudable, commendable, worthy of praise; –**heid** praiseworthiness, etc.

prijzig high-priced, expensive; (*fam.*) pric(e)y

prik 1 (*vis*) lamprey; 2 prick, stab, sting; (*voorwerp*) spike; (*kindertaal*) fizz, pop; (*van prikslee*) pricker; *een vaste* ~, (*fam.*) a regular occurrence, cert; *ik weet 't op een* ~ I know it to a T, have it at my finger-tips (finger-ends), have it pat; *voor een ~je kopen* buy for a (mere) song; ~**actie** selective strike action; ~**band** spike collar; ~**bord** notice-board; (*Am.*) bulletin-board; ~**je** *zie* ~

prikkel (*voor vee, enz.*) goad, (*zie* verzenen); (*van plant, egel, enz.*) prickle; (*van insekt, netel, enz.*) sting; (*van prikkeldraad*) barb; (*fig.*) goad, stimulus, spur, incentive [to work]

prikkelbaar irritable, touchy, excitable, petulant; ~**heid** irritability, touchiness, excitability, petulance

prikkeldraad barbed wire; ~**schaar** wire-cutter; ~**versperring** b.-w. entanglement, b.-w. fence

prikkel: ~**en** prickle; tickle, titillate [the palate]; (*fig.*) irritate, excite, provoke, nettle [a p.], rub [a p.] the wrong way; prick, pique, [a p.'s curiosity], excite [a p. sexually]; tickle [the imagination]; stimulate [the nerves]; *hij fronste geprikkeld de wenkbrauwen* he frowned impatiently; *iem. (elkaar) –, ook:* get on a p.'s (on each other's) nerves, get under a p.'s skin; *iem. – tot* stimulate a p. to [fresh exertions], goad a p. into [fury]; *iems. eetlust (begeerte)* – whet (give an edge to) a p.'s appetite; –**d** irritating, provoking; titillating; stimulating, exciting; ~**hoest** tickling cough; ~**ing** prickling; tickling, tickle [in one's throat]; (*fig.*) irritation, provocation, stimulation; ~**lectuur** sensational literature; shocker(s), thriller(s)

prik: ~**ken** *tr.* prick [o.s. with a needle, on a rose-bush]; (*van wesp, enz.*) sting; *zich –, ook:* run a needle into one's thumb, etc.; II *intr.* (*van wond, lichaamsdeel*) tingle; (*van werkman*) clock in, clock out; ~**ker** pricker; (*cocktail*) stick; ~**klok** time clock; ~**limonade** aerated (fizzy) lemonade; ~**pil** contraceptive injection; ~**pop** pin-up (girl); ~**slede** sledge moved by

prickers; ~**stok** pricker; ~**tol** peg-top

pril: *le jeugd* early youth; *van zijn ~ste jeugd af* from his earliest days, from his tenderest years (*of:* age); *het ~le groen* the tender verdure

prima I *bn.* first-rate, -class, prime, choice [meat, wine], high-grade [wool], tiptop; (*fam.*) top-hole, top-notch, A1; (*fam., inz. N. Eng.*) champion [feel …, sleep …]; ~! OK!, fine!, super!; ~ *kwaliteit* first quality; ~ *fondsen* gilt-edged securities; II *zn.* = ~**wissel**

primaat primate (*ook dierk., zie* primaten); ~**schap** primateship, primacy

primadonna prima donna

primair primary [colours]; *van ~ belang* of paramount importance; **primaten** (*dierk.*) primates [prai'meiti:z, 'praimeits]; **prima vista** at sight

primawissel first of exchange

primen (*r.-k.*) prime

primeur: *de* ~ *hebben* be the first to get it (to hear the news, etc.); (*van krant*) get (bring off) a scoop; ~**s** early vegetables (*of:* fruit), earlies

primitief primitive, crude; *Primitieven* Primitives

primo in the first place; ~ *januari* on the first of J.; ~**genituur** primogeniture

primula (**veris**) primrose

primus first; (*op school*) top boy, head boy, (*vooral Sc.*) dux; ~(**brander**) primus (stove)

principaal principal; *ten principale* on the main point

principe principle; *in* ~ in p., essentially; *uit* ~ on p., as a matter of p.; *'t is tegen mijn* ~ it is against my principles; *bouwen volgens moderne ~s* on modern lines; *met hoge ~s* highly principled

principieel fundamental [difference, stand against (for) limitation of arms], essential; *een -ële beslissing* a decision in principle; ~ *bezwaar* objection in (of) principle; *-ële overeenstemming* agreement in principle; ~ *tegenstander* opponent on principle; ~, *om -ële redenen* for reasons of principle, on principle; *-ële vraag(stelling)* basic question; ~ *standpunt,* (*ook*) principled standpoint; *hij is zeer* ~ he has very strong principles; ~ *dienstweigeraar* conscientious objector, (*fam.*) C. O., conchy; *uit -ële overwegingen* from motives of principle; ~ *uitmaken* thresh [the matter] out

prins prince; *leven als een* ~ live like a prince; *hij heeft de* ~ *gesproken* he is half seas-over; *ik weet van de* ~ *geen kwaad* I am as innocent as a babe unborn; *vertrouwt niet op ~en,* (*bijb.*) put not your trust in princes; *zie* leventje; ~**dom** principality; ~**elijk** princely; ~**enleven** *zie* leventje

prinses princess

prinsessen: ~**bier** pale ale, pale beer; ~**blauw** Berlin blue; ~**boon** haricot (bean)

prins-gemaal prince consort

prinsgezind(e) (Dutch) Orangist

prinsheerlijk as proud as a lord; *daar zat hij* ~

in de leunstoel van de burgemeester there he was, sitting in state in the Mayor's armchair
prins-regent prince regent
prinzipienreiter(ei) stickler (stickling) for principle; *ong.*: faddist (faddism)
prior id.; ~**aat** priorate, priorship
priores, priorin prioress
priori: *a ~* id.; **priorij** priory
prioriteit priority, precedence; ~**saandeel** p. *(of:* preference) share; ~**slening** p. loan; ~**sobligatie** p. bond; ~**srecht** right of p.
priorschap priorate, priorship
prise d'eau intake
prisma prism; ~**kijker** p. binoculars
prismatisch prismatic *(bw.:* -ally)
prismoïde prismoid
privaat *bn.* private; *zn.* water closet, w.c., privy, convenience; *(in kazerne, enz.)* latrine; ~**bezit** p. property; *(als stelsel)* p. ownership; ~**docent** unsalaried (external) university lecturer; ~**gebruik** p. (personal) use; *(verbruik)* domestic consumption; ~**les** p. lesson; ~**onderwijzer** p. teacher; ~**recht** civil law; ~**rechtelijk** of (according to) civil law
privatief privative
privatissimum *(ongev.)* tutorial
privé private [office, life, account, secretary], personal; *voor zijn ~, in ~* for one's own account; ~**uitgaven** personal spending
privilege, -gie privilege
privilegiëren privilege
pro id. [pro-Boer, -German, etc.]; *het ~ en contra* the pros and cons [of a case]; [nationalisation:] the case for and against
probaat approved, tried, sovereign [remedy], efficacious, excellent
probeersel experiment
probeersteen touchstone
proberen try, test [the ice, a new invention]; try out [a new car], take [a car] for a run; taste, sample [wines]; *laat hem het eens ~* let him have a try [a shot, a go, a throw, a fling], let him try his luck; *probeer (nog) eens!* have a (another) try!; *probeer 't eens bij hem (hiernaast)* try him (next door); *'t anders ~* try another way; *hij probeerde 't 3 keer* he gave it three tries; *'t (nogeens) met iem. ~* give a p. a (another) trial; *probeer dat maar niet (met hem)* don't try it on (with him); ~ *de deur te openen* try the door; *probeer 't te raden* try and guess
probleem problem; *een ~ stellen* set (pose) a p.; ~**loos** uncomplicated; ~**stelling:** *de – is (on-)juist* the problem has been (in)correctly stated (defined)
problematiek *zn.* problems; problematic nature; issue [the whole ... of the use of atomic energy]; *bn.* = -**matisch** problematic(al)
procédé process; device, technique [of artistic production]; *volgens 'n ~ behandelen (bereiden)* process [meat]
procederen be at law *[met* with], litigate; *gaan ~* go to law, take legal action, institute (legal) proceedings; ~**de partijen** litigants; *zie ook* proces & Deo

procedure *a)* *(werkwijze)* procedure; *b)* *zie* proces; -**reel** procedural
procent *zie* percent; ~**ueel** *zie* percentueel
proces action, lawsuit, suit, legal proceedings; *(openbare behandeling)* trial; *(verkoop, procédé)* process; *iem. een ~ aandoen* bring an a. (proceed, institute proceedings) against a p., go to law with a p., sue a p. [for damages], take a p. to court, *(fam.)* have the law of a p. *[wegens* for]; *een ~ beginnen* institute (legal) proceedings, go to law; *ik verloor 't ~, ook:* the case was given against me; *een ~ voorkomen* prevent litigation; *in ~ liggen, in een ~ gewikkeld zijn* be involved in a lawsuit, be at law *[met* with]; *met een ~ dreigen* threaten litigation; *een ~ voeren zie* in ~ liggen; *(van advocaat)* conduct a case [for the client]; *zie ook* vorm; ~**beheersing** process control; ~**kosten** costs (of suit)
processie (religious) procession; *deelnemer aan 'n ~* processionist; ~**rups** processionary caterpillar; ~**vlinder** processionary moth
proces: ~**stukken** documents bearing on the (a) case; ~~**verbaal** *(verslag)* official report, minutes, record; *(bekeuring)* (police-)warrant; – *van de verkoop* report of the sale; – *maken van* record [a case], make a report of; – *opmaken tegen iem.* take a p.'s name (and address); ~**voering** litigation, legal proceedings; ~**ziek** litigious
proclamatie proclamation; -**eren** proclaim; *tot koning ~* proclaim [a p.] king
proconsul id.
procreatie procreation
Procrustesbed bed of Procrustes
procuratie procuration, power of attorney, proxy; *per ~* per *(of:* by) p., p.p., p. pro(c); *gemeenschappelijke ~* joint p.; ~ *verlenen* grant power of p. to; ~**houder** managing (chief, confidential) clerk
procurator id.
procureur solicitor, attorney; ~~**fiscaal** Judge Advocate General; ~~**generaal** attorney-general
pro Deo in forma pauperis, free of charge; ~ *procederen, ook:* sue as a poor person; *'t ~ procederen* poor persons' procedure; *pro-Deo geding* poor persons' suit
producent producer; **produceren** produce, turn out, make; generate [steam]
produkt product *(ook in wisk.);* production; *(van land, lit. enz.)* product(ion); ~**en**, *(opbrengst)* produce; *een raar ~, (fam.)* a queer chap; ~**enbeurs, (-handel, -markt)** produce exchange (trade, market)
produktie production; *(opbrengst)* output, yield; *met de ~ beginnen (van fabriek)* start operations; ~ *op grote schaal* mass p.; ~**apparaat** productive machinery; ~**capaciteit** productive capacity, output c.; ~**cijfers** p. figures
produktief productive, remunerative; *een zeer ~ schrijver* a prolific writer; *een mijn ~ maken* make a mine pay; *zijn kennis ~ maken* turn one's knowledge to account

produktie: ~**kosten** cost of production, p. costs; ~**leider** p. controller; ~**middelen** means of production; ~**slag** output drive; ~**vermogen** productive power; **produktiviteit** productivity, productiveness, productive capacity

proef trial, test, experiment; (*van aspirant-zanger, -declamator, enz.*) audition; (*in rek.*) proof; (*fot.*) proof, copy; (*nat. enz.*) experiment; (*druk-*) proof(-sheet); (~*je*) sample, specimen; *proeve van bekwaamheid afleggen* pass a proficiency examination (a test), give proof of one's ability; *de* ~ (*'n zware* ~) *doorstaan* stand the test (a severe test); *de* ~ *op de som nemen* do the proof, prove the sum; *dat is de* ~ *op de som* that settles it; *een* ~ *ermee nemen* give it a t., try it out; *er een eerlijke* ~ *mee nemen* give it a fair t.; *neemt* ~! give it a t.! (a try!); *proeven nemen* make (carry out, conduct) experiments; *proeven nemen op* experiment on [rats], try s.t. (a remedy, etc.) upon [a p.]; *proeven trekken* pull proofs; *aan een grondige* ~ *onderwerpen* subject to a thorough test (try-out); *op* ~ on t., on approval, [preach] on probation; *op* ~ *kopen* buy on t.; *op* ~ *zingen* (*declameren*) be given an audition; *6 mnd. op* ~ *zijn* be on probation for six months; *een op* ~ *aangestelde* a probationer; *op de* ~ *stellen* put to the test; try, tax [a p.'s patience]; *stel mijn geduld niet te zeer op de* ~ don't try my patience too far; *bij wijze van* ~ by way of t.; ~**baal** sample bale (*of:* bag); *vgl.* baal; ~**balans** t.-balance; *een* – *opmaken* draw out a t.-b.; ~**ballon** pilot-balloon; (*fig.*) (trial) kite; *een* – *oplaten* send up a trial balloon, fly a kite, throw out a feeler; *bij wijze van* – [he said so] tentatively; ~**bank** test-bench; ~**bestelling** t.-order; ~**blad** advanced sheet, specimen-page; (*drukproef*) proof-sheet; ~**boring** t. (test, exploration) boring (–*en doen* carry out ...s); (*boorgat*) t.-hole, t.-shaft; *'n* – *doen, ook:* sink a t.-shaft; ~**dier** laboratory (*of:* experimental) animal, test object; ~**druk** proof; ~**geding** *zie* ~**proces**; ~**gewicht** standard weight; ~**houdend** proof, genuine; – *blijken* stand the test; ~**jaar** year of probation, probationary year; ~**je** sample, specimen [a ... of his prose], taste; *een–nemen* (*krijgen*) *van* sample (*ook fig.*); ~**konijn** laboratory (*of:* experimental) rabbit; (*fig.*) guinea pig; *ik wil niet als* – *dienen* I don't want to be experimented upon; ~**leerling** probationer; ~**leider** experimenter, (*Am.*) tester; ~**les** specimen lesson; ~**lezer** corrector of the press, proof-reader; ~**lokaal** bodega, wine-vaults, bar; ~**maat** standard measure; ~**monster** t.-, testing-sample; ~**naald** touch-needle; ~**nemer** experimenter; ~**neming** experiment, trial; ('*t nemen van proeven*) experimentation; –*en doen* carry out (conduct) ...s; *zie* ~; ~**nummer** specimen copy; ~**ondervindelijk** experimental, empirical; – *vaststellen* find through experience; ~**opstelling** (*wet.*) experimental design (set-up); ~**order** t.-order;

~**persoon** subject of experiment, experimental subject, guinea-pig; ~**preek** probation (*of:* trial) sermon; ~**proces** test case (action, trial); ~**rijden** t.-drive; ~**rit** t.-run, t.-drive; ~**schot** t.-shot; ~**schrift** thesis [for a doctorate] (*mv.:* theses), (doctoral) dissertation; *'n – verdedigen* uphold (defend) a thesis; ~**station** experimental (testing, research) station; ~**steen** touch-stone; ~**stemming** test ballot; ~**stomen** I *zn.* t. (practice, experimental) trip (cruise, run), [the cruiser carried out her] trials; II *ww.* make a (her) ... (*zie 't zn.*); ~**stuk** specimen (of work); (*bij gilde*) masterpiece; ~**terrein** t.ing ground, t.ing range; ~**tijd** (time of) probation, probationary (trial) period, noviciate, novitiate, probationership, apprenticeship; ~**tocht** t.-trip; *technische* – maker's trial(s); *zie* ~**stomen**; ~**tuin** experiment(al) garden, t.-plot; ~**vel** proof(-sheet); ~**veld** experiment(al) field, t.-plot; ~**vlieger** test-pilot; ~**vlucht** t.-flight, [the flying-boat carried out her] trials; ~**wedstrijd** t.-match [tennis ...]; ~**werk** test paper, test; ~**zending** t.-shipment, -consignment

proesten sneeze; (*van paard*) snort; ~ *van 't lachen* explode with laughter; *hijgend en* ~*d* gasping and puffing

proeve *zie* proef

proeven I *tr.* taste (*ook hand.:* tea, etc.; *ook fig.:* sorrow, etc.); (*om te keuren ook:*) sample [food]; *daar kan men de Schot uit* ~ that's where the Scotchman comes out; *God proeft hart en nieren,* (*bijb.*) God trieth the heart and reins; II *intr.* taste [I can neither ... nor smell]; *ik proef er niets van* I don't t. it; *proef eens van deze wijn* just t. this wine; **proever** taster; (*drinkebroer*) tippler

Prof. id., Professor; **prof** (*in sport*) pro, professional; (*fam. voor professor*) professor; *de* ~ the prof

profaan profane [history, language]

profanatie profanation; -**eren** profane

profeet prophet; *de grote en kleine profeten* the major and minor prophets; *een* ~ *die brood eet* a false (*of:* lying) p., *een* ~ *is niet geëerd in zijn land* no man is a p. in his own country, a p. has no honour in his own country

professen profess

professie profession; *van* ~ [a story-teller] by p., [a] professional [story-teller]

professioneel professional

professor id. [*in ... of* (*soms:* in) divinity, etc.]; *benoemen tot* ~ *in de ...*, *ook:* appoint to the Chair of history; ~**aal** professorial; ~**aat** professorate, professorship

profetenmantel [assume the] mantle of a prophet; **profetenschool** school of prophets; **profeteren** prophesy; **profetes** prophetess; **profetie** prophecy; **profetisch** prophetic(al) (*bw.:* -ally)

profiel profile, side-face; (*van gebouw*) vertical section, profile, side-view; (*van staal, enz.*) section; *in* ~ in p., [be photographed] side-face; ~**ijzer** p. (*of:* shaped) iron; ~**lijst** (*bk.*) moulding

profijt profit, gain; *zie* voordeel; ~**elijk** profitable, lucrative; ~**ertje** (*hist.*) save-all
profileren profile
profitabel profitable, remunerative
profiteren profit; ~ *van* profit by, benefit from; (*gebruik maken van*) avail o.s. of; (*soms in ong. zin*) take advantage of; ... ~ *meer van* ... women get more out of these talks than men; *iem. laten* ~ *van* give a p. the benefit of [an advantage]; *zoveel mogelijk* ~ *van* make the most of; *van beide kanten* ~ have it both ways; *ze wil van alle kanten* ~ she wishes to have all the fun that is going; *je kunt niet van twee dingen tegelijk* ~ you cannot eat your cake and have it; ~ *van een bepaling* benefit under a provision
profiteur profiteer
pro forma id., for form's sake; ~ *factuur* (~ *rekening*) pro forma invoice (account)
profylactisch: ~ (*middel*) prophylactic
profylaxe, -xis prophylaxis
prognose prognosis, forecast
program(ma) programme, program, (*pol. ook*) platform; (*theat. ook*) playbill; (*rennen*) racecard; (*school*) curriculum; (*van cursus*) syllabus; ~ *van actie* p. of action; *een punt van hun* ~ a point in their p., (*pol.*) a plank in their platform; '*t staat niet op 't* ~ it's not on the p.; *op 't* ~ *staan* (*van acteur*) be billed; *wat staat er voor vandaag op 't* ~? (*ook fig.*) what's the p. for to-day?; ~**muziek** p.-music; ~**tuur** software; ~**verkoopster** (*theat.*) p.-seller
programmeren programme
programmeur (computer) programmer
progressie progression; (*van belasting*) graduation [of a tax]; **progressief** progressive; (*van belasting*) graduated [income-tax, taxation]
prohibitief prohibitive [duties]
prohibitiestelsel prohibitive system
prohibitionist id.
project id.
projecteren project [roads]; **projectie** projection
projectiel projectile; *geleide* ~*en* guided missiles
projectie: ~**doek**, ~**scherm** (*fot.*) screen; ~**lantaarn** projecting-, projection-lantern, projector(-lantern); ~**plaatje** (lantern-)slide
projector id.
prol(eet) prole
proletariaat proletariat, proletarians
proletariër, -isch proletarian
prolongatie carry(ing)-over, continuation, margin transactions; (*van wissel*) renewal; *op* ~ *kopen* buy on margin, buy [securities] by pledging them; ~**premie**, ~**rente** contango
prolongeren continue, carry over [a transaction]; (*wissel*) renew [a bill]; (*film*) continue
proloog prologue, proem
prolurk boor, lout
promenade id.; ~**concert** p.-concert, (*fam.*) prom; ~**dek** p.-deck
promesse promissory note, note of hand
prominent id.
promiscuïteit promiscuity
promotie promotion, rise, advancement, pre-

ferment; (*univ.*) *ongev.* graduation (ceremony), (doctoral) degree ceremony; (*school*) *zie* bevordering; ~ *maken* get p.; (*fam.*, *inz. mil.*) get one's step; *snel* ~ *maken* gain rapid p.; ~**dag** degree-day; ~**diner** graduation dinner; (*van juristen*) call dinner; ~**lijst** p.-list, -roster
promotor (company-)promotor; (*univ.*) professor who supervises a student's work for his doctor's degree; **promoveren** *intr.* graduate, take one's (doctor's) degree; *tr.* confer a doctor's degree on; *hij promoveerde in de geneeskunde in 1910* he was awarded the M.D. in 1910
prompt id. (*ook zn.*), ready; ~*e aflevering* p. delivery; ~ *betalen* pay promptly; *de betalingen geschieden* ~ payments are made promptly; ~ *op zijn tijd passen* be punctual; ~ *om 7 uur* prompt(ly) at seven o'clock, at ... sharp; ~ *kennen* have [a thing] at one's fingerends; *ze viel* ~ *flauw* she promptly fainted; ~**heid** promptitude, promptness, readiness
pronk ostentation, show; (*mooie kleren*) finery, Sunday best; *te* ~ *staan* be on show; (*aan de kaak*) stand in the pillory; ~**bed** bed of state; ~**boon** scarlet-runner; ~**degen** dress-sword
pronken show off, cut a dash; (*van mannetjesvogel*) display [to the female]; ~ *met* show off [one's learning, one's children], make a show (a display) of, parade; ~ *met zijn voorname familie* flaunt one's fine relations; *met eens andermans (met geleende) veren* ~ adorn o.s. with (strut in) borrowed plumes; *de pauw pronkt* the peacock spreads his tail; *een* ~*de pauw* a peacock displaying his plumage; (*her.*) a peacock in his pride
pronker beau, dandy; ~**ig** fond of show, showy, flashy, ostentatious, dressy; ~**ij** show, ostentation, parade
pronk: ~**erwt** sweet pea; ~**gewaad** dress of state, gorgeous dress; ~**juweel** gem, jewel (*beide ook fig.*); ~**kamer** stateroom, best room; ~**stand:** *pauw in de* ~ peacock in his pride; ~**ster** *zie* modepop; ~**stuk** showpiece; *zie ook* prachtexemplaar *b*); ~**ziek** *zie* pronkerig; ~**zucht** love of ostentation (of fine things)
pronunciamiento pronunciamento
prooi prey, quarry; (*gedood dier ook:*) kill; *ten* ~ *zijn* (*vallen*) *aan* be (fall) a prey to; *zie* wind
proosdij deanery
proost 1 dean; (*hist.*) provost; 2 *zie* prosit
prop ball [of paper], plug [of wadding, earplugs], wad [of paper, cotton]; (*watten, med.*) swab, (~*je*) pledget; (*op fles*) stopper, stopple, stop; (*van vat*) bung; (*van kanon*) wad; (*in de mond*) gag; (*om mee te gooien*) pellet; (*in pijp*) dottle; (*pers.*) humpty-dumpty, dumpy (tubby) person; *ik had een* ~ *in de keel* I had a lump in my throat; *met* ~*pen gooien* shoot pellets; *op de* ~*pen komen* turn up; *hij durft er niet mee op de* ~*pen te komen* he dare not come out with it, dare not bring it on the tapis
propaan propane
propaedeuse, propaedeutica propaedeutics;

propaedeutisch bn. propaedeutic, preliminary; zn. preliminary (examination), (fam.) prelim; (med.) pre-medical (exam.)

propaganda id. (ook r.-k.); ~ van de daad direct action; ~ maken make (do) p., propagandize; ~ maken voor carry on propaganda for, propagandize, agitate for [reforms, etc.]; -ganderen propagandize; -gandist id.; verwoed – hot gospeller; -gandistisch propagandist(ic); -geren propagate

propeller id.

proper neat, clean, tidy; zij houdt de kinderen ~ she keeps the children tidy; ~heid neatness, tidiness

propertjes neatly, tidily

propje zie prop; 'n ~ nemen have a drop; ~s zie propaedeutisch zn.

proponent candidate for the ministry (for holy orders), postulant

proponeren propose

proportie proportion; reusachtige ~s aannemen assume enormous ...s; zie verhouding

proportioneel proportional

proppen cram, stuff, squeeze, plug [the tobacco into one's pipe]; in één wagon gepropt squeezed (piled) into one carriage

propperig dumpy, stumpy, stubby, squat

proppeschieter pop-gun

propvol chock-full, chock-a-block, crammed, packed (to its utmost capacity)

propyleeën Propylaea

pro rata (rato) zie rato (naar ...)

proscenium id.

prosector id., demonstrator

proseliet proselyte; ~en maken proselytize; ~enmaker proselytizer; ~enmakerij proselytism

Proserpina Proserpine

prosit (here's) your health! here's to you! (here's) luck! cheerio! cheers! chin-chin! (bij niezen) bless you!

prosodie prosody; van de ~ prosodic

prospecteren prospect [for oil, etc.]; -tor id.; -tus id., mv.: -tuses

prostaat prostate (gland)

prostituée prostitute, street-walker

prostitueren prostitute; zich ~ prostitute o.s.

prostitutie prostitution

protectie (in handel, enz.) protection; (kruiwagens) influence [owe one's position to ..., everything goes by ...], favour, pull, patronage, interest; zie kruiwagen

protectionisme protectionism

protectionist(isch) protectionist

protectoraat protectorate

protégé(e) id.; protegeren patronize, favour, take [a p.] up (of: by the hand)

proteïne protein; ~stoffen proteins

protest id. (ook van wissel), protestation, remonstrance; luid ~ outcry; ~ tegen een verkiezing petition against a return; ~ aantekenen tegen protest against enter (register, make) a protest against; zie ook protesteren; ~ opmaken draw up a protest; onder ~ under p.; zonder ~ [comply with an order] without demur; bij wijze van ~ [raise one's voice] in p.; ~ wegens niet-betaling protest for non-payment; ~akte deed of p.

protestant Protestant; ~isme Protestantism; ~s Protestant

protesteren protest, remonstrate, expostulate; (bij jury) appeal; ~ tegen p. against, take exception to, demur to (at); (Am. ook) p. [a decision]; krachtig ~ make a strong protest, (tegen ...) take strong exception to ..., declaim against; bij iem. ~ tegen p. to (with) a p. against; een wissel laten ~ have a bill protested [for non-acceptance, for non-payment]

protest: ~-meeting p. meeting; ~nota note of p.; ~staking p. strike; ~vergadering p. meeting

Proteus id.; van ~ Protean

prothese prosthesis [dental ...]; (concr.) artificial limb (teeth, etc.)

prothesis (gramm.) pro(s)thesis

protocol id.; zie ook proces-verbaal; ~len maken = ~len ww. play (at) consequences; ~lair formal, according to protocol

proton id.

proto: ~plasma protoplasm; ~type prototype; ~zoön protozoon, mv.: protozoa

protsen flaunt [one's wealth = met zijn geld]

protserig showy, flauntingly prosperous; zie ook poenig

prouveren ~ voor, zie getuigen voor

prove stipend, prebend

Provençaal(s) Provençal

provenier pensioner, almsman, beadsman; ~shuis almshouse, (hist.) hospital

provenu proceeds (mv.); netto ~ net(t) p.

proviand provisions, victuals, [ship's] stores; ~eren provision, victual; ~ering provisioning, victualling; ~meester store-keeper; (op passagiersschip) chief steward; ~schip victualling-, store-ship

provinciaal bn. & zn. (ook r.-k.) provincial; de Provinciale Staten the P. States, ongev.: the County Council; lid van de Provinciale Staten, ongev.: County Councillor

provincialisme provincialism

provincie province; 'de ~' the provinces; iem. uit 'de ~' a provincial; ~huis county-, shire-hall; ~roos Provence rose; ~stad provincial (of: country) town

provisie (voorraad) provision, stock, supply; (loon) commission (over on); ~kamer pantry (eig. voor brood, enz.), larder (eig. voor vlees, enz.), store-room; ~kast pantry, larder, store-cupboard; ~nota zie ~rekening; ~reiziger traveller on commission; ~rekening commission account

provisioneel provisional

provisor dispenser [at a chemist's]

provisorisch provisional

provo id.

provocatie provocation

provoceren provoke; ~d provocative

provoost 1 (punishment-)cell, detention room; (straf) close arrest; 2 ~(geweldiger) provost-sergeant; (mar.) master-at-arms

proza prose; ~**ïsch** prosaic (*bw.:* -ally), prosy, matter-of-fact; ~**ïst**, ~**schrijver** p.-writer, prosaist; ~**mens** prosaic person, prosaist; ~**stijl** p.-style
prude *bn.* prudish; *zn.* prude
prudentie discretion [leave it to a p.'s ...]
pruderie prudery, prudishness
pruik wig (*kort:* bob w., *lang:* full-bottomed w.), periwig, peruke; *hij draagt geen* ~ he wears his own hair; *wat een* ~ *haar!* what a shock of hair!; *een oude* ~ an old fog(e)y, a fossil; *zie ook* bokkepruik
pruikebol wig- (*of:* barber's) block
pruiken: ~**maker** wig-maker; ~**stijl** rococo style; ~**tijd** eighteenth century (Holland)
pruikerig antiquated, fossil(ized)
pruil: ~**en** pout, sulk, (*fam.*) be in the pouts; ~**er** sulky person, pouter, sulker; ~**erig** sulky, sulking; ~**hoek** growlery; ~**mondje** pout
pruim plum; (*gedroogd*) prune; (*tabaks-*) quid, chew (of tobacco); ~**eboom** p.-tree; ~**edant** (blue) prune; *ze trok een* ~**emondje** she pursed her lips; ~**en** I *tr. a*) chew [tobacco]; *b*) (*fam.*) swallow [an insult]; *erin* – get caught; *c*) (*stoomketel*) prime; II *intr. a*) chew (tobacco); *b*) eat heartily; ~**entaart** p.-tart; ~**epit** p.-stone; ~**er** *a*) (tobacco-)chewer; *b*) hearty eater; ~**tabak** chewing-tobacco
Pruis Prussian; **Pruisen** Prussia
Pruisisch Prussian; ~ *blauw* Prussian (*of:* Berlin) blue; ~ *zuur* prussic acid
prul rubbishy concern (*of:* affair); (*krant, blaadje*) rag; (*ornamentje, enz.*) bauble, gimcrack; *attr. ook:* rotten [play, school]; *'t is een* ~, (*van ding*) it is trash (*of:* rubbish); *zo'n* ~ such trash (rubbish); *een* ~ (*van een vent*) a dud, a wash-out; *pak je* ~**len bij elkaar** get your rubbish together; ~**dichter** *zie* ~poëet; ~**ding** *zie* ~; ~**laria**, ~**lenboel**, ~**kraam** trash, stuff, trumpery; ~**lenmand** waste-paper basket; (*Am.*) waste basket; ~**l(er)ig** trashy, shoddy, rubbishy, trumpery, gimcrack(y) [articles], twopenny-halfpenny [ring]; ~**poëet** versifier, rhymester, poetaster; ~**roman** trashy novel; ~**schrijver** scribbler; ~**werk** trash, shoddy (work)
prune (*kleur*) id.; **prunel** prunello
prut *zn.* (*van koffie, enz.*) grounds; (*van melk*) curds; (*modder*) mire, slush; (*sl.*) rubbish
pruts *zie* prul; ~(**el**)**en** fiddle, tinker [*aan* at, with], fumble [at s.t.], potter, mess about [with a gadget]; ~**er** potterer, fumbler; ~**ig** flimsy; ~**werk** shoddy (flimsy) work, botchery
pruttelaar(ster) grumbler
pruttelen grumble; (*op 't vuur*) simmer, bubble; ~*d*, (*op 't vuur*) on the (at a) simmer
pruttelig grumbling, grumpy
P.S. id., postscript; **ps.** psalm
psalm id.; ~**berijming** metrical psalms; ~**boek** p.-book, psalter; ~**bord** hymn-board; ~**dichter** psalmist; ~**gezang** p.-singing; ~**ist** id.; ~**zingen** p.-singing; (*mar.*) holystoning (decks)
psalter (*instrument*) psaltery; (*boek*) psalter
pseudo- pseudo- [intellectuals, scholarship],

bogus [policeman], would-be, pretended, supposed
pseudoniem *zn.* pseudonym, pen-name; *bn* pseudonymous
pst! hist! st!
Psyche, psyche id.; *de vrouwelijke p*~ feminine psychology; **psyché** cheval-glass
psychedelisch psychedelic
psychiater psychiatrist, psychiatric practition er, alienist; **-atrie** psychiatry, alienism; **-a trisch** psychiatric(al); mental [home *inrichting*]
psychisch psychic(al) [Society for Psychical Research]
psycho: ~**analist, -analyse, -analytisch** psycho analyst, -analysis, -analytic(al); ~**linguistiek** psycholinguistics; ~**logie** psychology; *zie me* nigte; ~**logisch** psychological [at the .. moment]; ~**loog** psychologist; ~**metrie, -me trisch** psychometry, -metrical; ~**paat, ~patisch** psychopath, -pathic; ~**patenasiel, -inrichting** psychopathic clinic; ~**se** psychosis; ~**techniek** applied psychology; ~**technisch** psycho-tech nical; ~**therapie** psycho-therapy; ~**tisch** psy chotic
Ptolemeus Ptolemy; *van* ~ Ptolemaic
puber adolescent; ~**teit** puberty, adolescence –**sjaren, -periode** puberty (age), puberal period
publiceren publish, make public, bring (*of.* lay) before the public, issue [a report], release [figures]; **publicist** id.
publiciteit publicity; ~ *geven aan* give p. to, make public, air [a grievance]
publiek I *bn.* public; ~ *geheim* open secret; ~ *huis* disorderly house; ~ *maken* make p., an nounce [an engagement, etc.; they don't want their engagement announced yet], publish; divulge [a secret]; ~ *worden* become known, get abroad; *de vergadering werd* ~ was opened to the p.; ~*e veiling* sale by auction; ~*e vrouw* common prostitute; ~*e (terecht)zitting* open court; ~*e werken* p. works; (*bureau*) Board of Works and P. Buildings; *zie* bekend & open baar; II *bw.* publicly, in public; ~ *verkopen* sell by p. auction; III *zn.* public; (*gehoor*) audience; *er was veel* ~ there was a large attend ance; *'t grote* ~ the p. at large, the general p., the man in the street; *'t stuk trok veel* ~ drew a full house; *in 't* ~ in p.; *op 't* ~ *spelen* play to the gallery; ~**elijk** publicly; ~**recht** p. law; ~**rechtelijk** corporate; – *lichaam* corporation
publikatie publication
puddelen enz., *zie* poedelen, enz.
pudding (*ongev.*) id.; *chocoladep.* chocolate blancmange
puf: 1 *ik heb er geen* ~ *in* I don't feel like it; 2 undersized fish
puffen puff [with the heat]; blow; (*van machine*) puff, chug, throb; *'t* ~ *van ...* the chug-chug of a motor-boat; **pufferig** close, sultry, puffing hot; (*van pers.*) puffy, pursy
pui *a*) lower front of a building, shopfront; *b*) flight of steps (outside a town hall)
puik *bn.* choice, excellent, prime; *zie* prima; *zn., zie* ~je; ~**best** A1, first-rate; *'t* ~**je** *van de*

choice (pick, flower) of; *een* – a brick, a spanker, a treasure [our new maid is a …], a peach [of a cook]

uilen bulge, protrude; *zijn ogen puilden uit hun kassen* started from their sockets.

uilogig goggle-eyed, pop-eyed; **-oog** goggle-eye, pop-eye

uimen pumice

uimsteen pumice(-stone)

uin rubbish, debris, ruins; *(afbraak)* rubble; ~ *storten* shoot r.; *hier mag ~ gestort worden*, *(opschrift)* r. shot here; *in ~ vallen* fall (crumble) to ruin (to pieces); *in ~ liggen* lie in ruins; *in ~ leggen* reduce to ruins; *in ~ rijden* smash up [a car]; *tot ~ schieten* shoot (reduce) to rubble; **~hoop** r.-heap; *(ruïne)* (heap of) ruins; *(fig.)* flop, mess, wash-out; *tussen de ~hopen, ook:* among the wreckage; **~kegel** talus, *mv.* tali; **~plaats** *zie* stortplaats

uissant: ~ *rijk* enormously rich

uist tumour; **~(je)** pimple, pustule, acne; *zich een ~ lachen*, *(fam.)* die of laughing; **~(er)ig** full of pimples, pimply, pimpled, pustulous; **~je** *zie* ~

uitaal blenny, eel-pout

uk pug

ukkel *a)* pimple; *zie* puist; *b)* small pack, (ex-army) canvas shoulder-bag

ul (pot-bellied) jug, vase, jar, mug, tankard (of beer)

ulken pick; *in de neus* ~ p. one's nose

ulp [sugar-beet, wood] pulp

uls pulse; **~eren** pulsate

ulver (gun)powder; **~isator** spray; **~iseren** pulverize, (reduce to) p., pound

ummel boor, yokel, lout, bumpkin, clod-hopper; **~ig** boorish, loutish

unaise drawing-pin, *(inz. Am.)* thumb-tack; *(voor verkeer)* stud […-marked crossing-place], *(met reflector)* cat's eye

unch id.; **~kom** p.-bowl

unctie *(med.)* puncture; tapping [of a lung]; pricking [of a blister]

unctualiteit punctuality; **punctuatie** punctuation; **punctueel** punctual; **punctum!** that's that!; **punctuur** puncture

Punisch Punic [wars]; **~e trouw** Punic faith

unniken French knitting

unt *a)* de ~: *(spits)* point [of a needle, a cape], tip [of the nose, tongue, tail, finger, of a toe, cigar, leaf, horn, wing], toe(-cap) [of a shoe]; *(van zakdoek, boord)* corner [turn-down …s]; *(van taart), zie* taartpunt; *(leesteken)* full stop, period; ~, *uit!* full stop!; *b)* het ~: *(van lijn, van weg, bij spel, enz.)* point; *(stip)* dot; *(van programma, agenda, enz.)* item; *(van aanklacht)* count [of an indictment]; *(van pol. programma)* plank [in a platform]; **~en**, *(school, exam.)* marks [be 14 … ahead of the second on the list]; *dubbele* ~ colon; **~en en strepen**, *(telegr.)* dots and dashes; *'t ~ onder discussie* the p. at issue (in question); **~en geven op werk**, *(school, enz.)* mark papers; *hoeveel ~en heb je?* *(sp.)* what is

your score?; *hij heeft de meeste ~en* he is top-scorer; *tien ~en maken* score ten; *op beide ~en schuld erkennen* plead guilty on both counts; *onverzoenlijk op alle ~en* irreconcilable all along the line; *op 't ~ van …* in p. (in the matter) of [education, dress, etc.]; *op dit ~* [there is no need for anxiety] on this p. *(of:* score); *op veel ~en verschillen* differ on many points; *de regering werd op dat ~ verslagen* the government was defeated on that issue *(of:* count); *op 't ~ staan (zijn) om …* be on the p. of …ing, be about to …; *op 't ~ om in te storten (in tranen uit te barsten)* on the verge of collapse (of tears); *iem. op de ~ van de degen vorderen* call a p. out (to a duel with swords); *op ~en winnen* win on points; *op ~en verslaan* beat on points, outpoint; *we zullen er maar een ~ achter zetten* we'll call it a day; *ergens een ~ achter zetten* put a period to s.t.; *een ~ zetten*, *(plat)* fuck; ~ *voor* ~ *beantwoorden* answer p. by p.; *zie* ~je, dood, elkaar, punctum, zwak, enz.; **~baard** pointed beard; *korte* – Vandyke beard; **~boord** butterfly *(of:* wing) collar; **~dicht** epigram; **~dichter** epigrammatist; **~draad** barbed wire; **~eerkunst** stippling, stipple work; **~eerwerk** stippled drawing *(of:* etching); **~en** point, sharpen [a pencil]; *('t haar)* trim [have one's hair …med]; **~enboekje** score-book; *(school)* mark-book; **~enlijst** mark(s) list; score sheet; **~enstelsel** *(distrib.)* points system; **~entelling** scoring table, count

punter *(schuit)* punt; **~en** punt

puntéren stipple, dot

punt: **~gaaf** in mint (perfect) condition; **~gevel** gable; **~helm** spiked helmet; **~hoed** sugar-loaf (steeple-crowned) hat; **~hoofd:** *ik krijg er een* – *van*, *(fam.)* it drives me mad (up the wall); *ik schrok me een* – I nearly jumped out of my skin; **~ig** pointed, sharp *(beide ook fig.)*, spiky; **~igheid** …ness; *zie* ~ig; **~je**, point, etc.; *zie* punt; *daar kun je een* – *aan zuigen* match that if you can; *zet de* –*s op de i* dot your i's and cross your t's *[zo ook:* in his second speech he dotted the i's of his first speech]; *de fijne* –*s gaan (zijn) er bij hem af* he is losing (has lost) his grip; he is getting (has got) rusty; *(zo ook:* his French is a bit rusty); *als* – *bij paaltje komt* when it comes to the point; *alles was in de* –*s* everything was in apple-pie order, was shipshape; *een diner, dat in de* –*s was* an elaborate dinner; *hij zag er altijd in de* –*s uit* he always looked spick and span; *in de* –*s gekleed* dressed up to the nines *(of:* punctiliously); *in de* –*s verzorgd* [her hands were] elaborately manicured, [she was] beautifully groomed, *iets tot in de* –*s kennen* know the ins and outs of a thing, know [a lesson] pat; **~kogel** pointed (conical) bullet; **~las(sen)** spot-weld; **~lijn** dotted line; **~muts** conical cap; **~schoen** pointed shoe; **~sgewijs** point by point; **~uur** *(typ.)* points

pupil *(onmondige)* ward, pupil; *(van oog)* pupil

puree id.; (*van aardapp.*) p. of potatoes, mashed potatoes, (*fam.*) mash, mashed; *in de ~ zitten*, (*fam.*) be in the soup
puren gather [honey]
purgatie purge, purgation; **purgatief** *zie* purgeermiddel; **purgatorium** purgatory; **purgeermiddel** purgative, purge, aperient, cathartic; **purgeren** purge o.s., take a purgative; *laten ~* purge [a p.]
purificeren purify
Purim, purimfeest Purim
purisme purism
purist id.; **~erij** purism; **~isch** puristic (*bw.:* -ally)
puritein Puritan
puriteins Puritan [party], Puritanic(al)
purper purple; *het ~ ontvangen* be raised to the p.; *zij zijn in het ~ geboren* they were born in the p.; **~achtig** purplish; **~en** *bn.* purple; *ww.* (em)purple; **~glans, ~gloed** p. glow; **~hoen** sultan(a), p. water-hen; **~hout** p.-wood; **~kleur** p. (colour); **~kleurig** p.; **~mossel** *zie* **~slak**; **~reiger** p. heron; **~rood** p.; **~slak** p.(-fish), murex, purpura
put (*water-*) well; (*kuil*) pit; *in de ~ zijn* be out of heart (in the depths, in the dumps); (*sl.*) feel quite useless; *een bodemloze ~,* (*fig.*) [pour money into] a bottomless pit (a sieve); *zie* kalf & kuil; **~baas** foreman of a gang of navvies; **~deksel** lid (*of:* cover) of a w.; **~haak** w.-hook; *over de – trouwen* marry over the broomstick; jump the besom (the broomstick); **~je** (*in wang, enz.*) dimple, (*van pokken*) pockmark; **~jesschepper** *zie* **~ruimer**
putoor (*vogel*) bittern
putruimer nightman, sewer-man
puts (leather) bucket, pail; [the cat got] a

pailful (bucketful)
putsch id., coup (d'état)
puttees id.
putten draw [water; *ook fig.:* d. hope from ...] *~ uit* d. on [one's imagination, experience] *uit een werk ~* draw on a work, lay a work under contribution; *een saldo om uit te ~, ook.* a balance to fall back upon
putter *a*) [water-]drawer; *b*) gold-finch
putting(want) futtock-shrouds, -rigging
put: **~touw** well-rope; **~water** well-water; **~zuiger** gully-sucker; **~zwengel** draw-beam (of a well)
puur pure, sheer [nonsense, lunacy]; (*van drank*) neat, raw [spirits]; *een ~ verzinsel* a pure fabrication; *~ verlies* a dead loss; *uit pure goedhartigheid* out of p. kind-heartedness *zij deed het ~ om je te plagen* purely (merely) to tease you; *cognac ~* brandy neat; *een ~tje* a short one
puzzel puzzle; **~en** puzzle [*op* over]; do puzzles
pygmee pygmy
pyjama pyjamas (*mv.*), pyjama suit, suit (*of:* pair) of p., (*Am.*) pajamas
Pyreneeën: *de ~* the Pyrenees
Pyrenees Pyrenean
pyriet pyrites
pyro: **~maan** pyromaniac; **~manie** pyromania **~meter** id.; **~technicus** pyrotechnist; **~techniek** pyrotechnics; **~technisch** pyrotechnic(al)
Pyrrus Pyrrhus; **~overwinning** Pyrrhic victory
Pythagoras id.; *stelling van ~* Pythagoras (Pythagorean) theorem (*of:* proposition)
Pythia id., **pythisch** Pythian
python id., anaconda
pythonissa pythoness

Q

Q Q
qua id., as; *~ aantal* as far as numbers go
quadraat enz., *zie* kwa...; **Quadragesima** id.
quadrant, quadratuur *zie* kwa...
quadriljoen quadrillion; (*Am.*) septillion; **quadrille** id.; **quadrilleren** play quadrille; **quadroon** id.; **quadrupel** quadruple; **quadruplet** id.
quaestieus *zie* kwestieus
quaestor id., treasurer
qualificatie, -ficeren, -tatief *zie* kwa...
quantitatief enz., *zie* kwanti...
quantité négligeable negligeable quantity
quantum id., quantity; **~theorie** quantum theory
quarantaine quarantine; *in ~ liggen* be in q.; *in ~ plaatsen* (put in) q.; *het schip moet in ~ liggen* the ship is subject to q.; *de ~* (*van het schip*) *werd opgeheven* the q. was taken off (*of:*

lifted); the vessel was admitted to pratique; **~haven, ~inrichting** q.-station; **~vlag** q.-flag
quartair (*geol.*) quaternary
quarterone quadroon
quarto *zie* kwarto
quasar id.
quasi id.; pretended, mock [emperor, seriousness]; *~ liefdadig* q. charitable; *hij deed ~ alsof* ... he pretended to ..., he made believe to ...
Quasimodo Low Sunday, White Sunday
quatertemperdag ember-day
quatre-mains: *à ~* for four hands; *een ~ a* (pianoforte) duet; *~ spelen* play duets (a duet)
querulant grievance-monger, grumbler, grouser; (*mar.*) sea-lawyer
queue id., line; (*van biljart*) cue; (*van japon*) bustle; *~ maken* stand in a q., line up, queue up

uidam: *een rare ~* a queer fish
uiëtisme quietism; **quiëtist** quietist
uint(aal), quintessens *zie* kwin ...
uintet *zie* kwintet
uintiljoen quintillion; (*Am.*) nonillion
uiproquo mistake, misunderstanding
)uirinaal Quirinal
uitte [be] quits, even [I mean to be ... with you
yet]; *~ of double* double or q.; *de rekening is ~*
the account balances; *'t ~ rekenen* cry q.; *~-
spelen* break even

qui-vive who goes there?; *op zijn ~ zijn* be on
the qui vive (on the alert); *niet op zijn ~, ook:*
off one's guard
quodlibet medley, pot-pourri; double entendre;
(*muz.*) id.
quorum id.
quota, quote quota, contingent, share
quotiënt quotient
quotisatie assessment, allotment of shares
quotiseren assess, allot shares
quotum *zie* quota

R

R R
ʳa 1 yard; 2 *zie* raden
aad (*~geving*) advice, counsel (*een ~* a piece, a
word, of advice); (*lichaam*) council, board;
(*~gever*) counsellor; (*lid van ~*) councillor; *de
~ vergadert morgen* the (town-)council will
meet to-morrow; *zie* gemeenteraad; *Gods ~,
zie* raadsbesluit; *~ van Arbeid* Board of
Labour; *~ van Beheer* Board of Directors; *~
van Beroep* Board (*of:* Tribunal) of Appeal;
(*voor belastingen*) special commissioner; *~
van Beroerten* Council of Troubles; *zie* bloed-
raad; *~ van commissarissen* Board of Directors; *~ van eer* court of honour; *~ van Toezicht
en Discipline, ongev.:* Disciplinary Committee
(of the Law Society); *~ van State* State Council, Council of State (*niet in Eng.:* the Privy
Council *is zeer verschillend*); *~ van toezicht*
supervisory board; *wat een ~* what a.!; *dat is
een goede ~* that is good a. (a good piece of a.);
nu was goede ~ duur now we (they) were in a
fix, here was a difficult situation; *goede ~
komt altijd gelegen* good counsel is never out
of date (never comes amiss); [*iems.*] *~ inwinnen* ask (take) [a p.'s] advice; *neem mijn ~ aan*
take my a.; *iem. ~ geven* advise a p. [*over* on];
~ schaffen find (devise) ways and means; *iems.
~ volgen* take (follow, act on) a p.'s advice; *hij
weet altijd ~* he is never at a loss for an expedient, has a solution for everything; *er ~ op
weten* be equal to the occasion; *ik weet geen ~
(meer)* I am at my wit's (wits') end, at a loss
what to do; *met zichzelf geen ~ weten* not
know what to do with o.s.; *met zijn figuur
geen ~ weten, zie* verlegen; *geen ~ weten met
zijn geld* not know what to do with one's
money; *hij wist geen ~ met zijn tijd* time hung
heavy on his hands; *daar is ~ voor* (*op*) that
may be managed (remedied); *er is geen ~ voor*
there is no help for it; *in de ~ zitten* sit (be) on
the (town-)council; *een grote meerderheid in
de ~ hebben* have a strong majority on the
council; *met ~ en daad bijstaan* assist by word

and deed, assist and advise; *luister naar ~* be
advised; *op ~ van* at (on) the a. of; *op mijn ~* at
(on) my a.; *met iem. te rade gaan* consult
(advise with) a p.; *met iems. belangen* (*zijn eigen gevoel, enz.*) *te rade gaan* consult a p.'s
interests (one's own feelings, etc.); *zie* beurs;
iem. van ~ dienen advise a p.; *volgens iems. ~
handelen* act (go by) a p.'s advice; *~adviseur*
(*in ministerie*) ministerial adviser
raad: *~gevend* advisory [body], consultative
[committee]; *– bureau* (firm of) management
consultants; *~gever* adviser, counsellor; *~ge-
ving* (piece of) advice; *~huis* town hall; *~kamer*
council chamber; *in –,* (*jur.*) in chambers; *'t
hof ging in – om zijn uitspraak te overwegen* the
court closed (retired) to consider their finding; *~pensionaris* Grand Pensionary
raadplegen consult [a p., a book], advise (take
counsel) with [a p.], see [the doctor], refer
to [one's notes, a dictionary]; *met elkaar ~*
take (hold) counsel together; *nuttig om te ~*
[the list is] useful for reference; *zijn boeken
~de bevond hij ...* on reference to his books he
found ...; *raadpleeg pagina 5* see page 5; *-ing*
consultation; reference [to one's diary]
raadsbesluit (*van de raad*) decision, decree; (*van
God*) decree, ordinance, [divine] order, dispensation [of Providence]
raadsel riddle, enigma, puzzle [life is full of
...s]; *het* (*hij*) *is mij een ~* it (he) is a puzzle (a
riddle, a mystery) to me, beats me, puzzles
me; *in ~en spreken* speak in riddles; *zie* opgeven; *~achtig* enigmatic(al), puzzling, baf-
fling [mystery, conduct]; *~achtigheid* mysteriousness, enigmatic character; *~boek* book of
riddles
raads: *~heer* councillor, senator, (*jur.*) justice;
(*schaakspel*) bishop; (*duif*) capuchin, jacobin;
~heerambt, -schap ...ship (*zie ~heer*); *~kelder*
town-hall cellar; *~lid* councillor, member of
the (town-)council; *~lieden* advisers; *de –
der Kroon* H.M. government; *~man* adviser;
(*advocaat*) counsel; *~vergadering* meeting of

the (town-)council, council meeting; ~verslag town-council report; ~zetel seat on the (town-)council; ~zitting sitting (session) of the (town-)council

raadzaal council-chamber, -room, -hall

raadzaam advisable, expedient; *het ~ achten* see (think) fit; *niet ~* inadvisable; ~heid advisability, advisableness, expediency

raaf raven; *witte ~* black swan, white crow; *de raven zullen u geen brood brengen* the ravens will not feed you; *al zouden de raven 't uitbrengen* though it were the stones that would cry out (*of:* disclose the matter); *zie* stelen; ~achtig r.-like; corvine [birds]

raaigras darnel, rye-grass

raak: *~ antwoord* telling repartee (*of:* retort); *zijn opmerkingen zijn ~* his remarks go home, are to the point; *de slag was ~* the blow came (*of:* went) home; *die was ~* it was a hit (a bull's eye), the shot went home; *elk schot was ~* every shot told, took effect, went home; *een stoot die ~ is* a home thrust; *maar ~ praten, enz.* talk etc. away; *vraag maar ~* ask away, go right ahead; *zie* los (er op ...); *~ schieten* (*gooien, enz.*) hit the mark, make a hit; *~ schieten,* (*ook*) shoot to kill; *~ slaan* hit home; ~lijn tangent; ~punt (*ook wisk.*) point of contact; ~schot hit; ~vlak tangent plane; (*fig.*) interface

1 raam estimate, rough calculation; (*mikpunt*) aim; *hij deed er een ~ naar* he made a shot at it; *zijn ~ te hoog (te laag) nemen* take one's aim too high (too low)

2 raam (*venster*) window, ('*t schuivende deel*) sash; (*boven deur*) transom (window), (*waaiervormig*) fanlight; (*lijst, enz.*) frame; (*van broeikas*) frame; *door 't ~ binnenkomen* come in through (*of:* at) the w.; *door 't ~ naar binnen kijken* look in at the w.; *uit 't ~ kijken* look out of the w.; *voor 't ~ liggen,* (*van waren*) be in the w.; *aan (voor) 't ~ staan* stand at the w.; *zie* kader; ~antenne frame (*of:* loop) aerial; ~koord sash-cord, -line; ~kozijn w.-frame; sash-weight(s); ~vertelling frame-story; ~werk frame

raap turnip; (*knol-*) swede, Swedish turnip; (*veevoeder*) rape; (*horloge*) turnip; (*volkst.*) body; *iem. op zijn ~ komen* tan a p.'s hide; *voor zijn ~ schieten* shoot (in head or body); *recht voor zijn ~* without mincing matters, straightforwardly; *nu zijn de rapen gaar* now the fat is in the fire

raapbord mortar-board, hawk

raap: ~koek rape-cake, rapeseed cake; ~kool turnip-cabbage, kohlrabi; ~olie rape(-seed) oil, colza (oil); ~stelen turnip-tops; ~zaad rapeseed

raar queer, strange, odd; *een rare Chinees* (*kwibus, sijs, snijboon, vent*) a q. chap (cove, fellow, customer), a rum beggar, an odd fish, a strange sort of bird; '*t is een rare geschiedenis* a queer affair; *zich ~ voelen* feel q.; *mijn hoofd wordt soms zo ~* gets so funny sometimes; *het ging er ~ toe* there were strange goings-on; *zie*

opkijken; ~heid strangeness, queerness, oddity

raas: ~donders yellow peas; ~kallen rave, talk nonsense

raat honeycomb; *honing in de ~ =* ~honing honey in (on) the comb, comb-honey

rabarber rhubarb; ~steel stick of r.

rabat (trade) discount, reduction, rebate; (*rand*) (flower-)border; (*van gordijn*) valance; *weder verkopers 20 % ~* 20 per cent. to the trade; *met 5 % ~* at a discount of five per cent.; ~teren deduct

rabauw 1 rennet; 2 blackguard, scallywag

rabbel: ~aar gabbler, jabberer; ~aarster, ~e gabble, jabber, patter; ~kous chatterbox, rattle

rabbi, rabbijn rabbi, rabbin

rabbijns, rabbinaal rabbinic(al)

rabbinaat rabbinate; rabbinisme rabbinism, rabbinist id.

rabdomant rhabdomantist, dowser, water diviner

rabiaat rabid [opponent]

rabiës rabies

race id.; ~auto racing-car; ~baan r.-course (*voor auto's*) circuit; (*voor motoren*) speedway, dirt-track; ~boot speed-boat; ~fiets, ~jach enz., racer; ~n race; '*t ~,* (*in auto langs de weg*) road-hogging; ~paard r.-horse, racer; ~r id. ~stuur drop handlebars

Rachel id.

rachitis id., rickets

racisme racialism, racism; racist(isch) racist

1 rad swift, nimble; (*van spraak*) voluble, fluent, glib [tongue]; *hij is ~ van tong* he ha the gift of the gab, has his tongue well-oiled; *ze sprak verbazend ~* she talked at a tremendous rate

2 rad wheel; '*t ~ van avontuur,* '*t ~ der fortui.* the w. of fortune; *~ van fortuin,* (*op kermis*) joy-wheel; *het grote ~,* (id.) big wheel, (*Am.*) Ferris wheel; *~ slaan* turn (*of:* do) cartwheel (a cartwheel, Catherine-wheels); '*t vijfd ~ aan de wagen zijn* be de trop; *iem. een ~ voo ogen draaien* throw dust in a p.'s eyes; *zie* gal;

radar id.

rad: ~band tyre, tire; ~braken break upon th w.; (*fig.*) abuse (murder) [a language, th King's English]; *ik ben als geradbraakt* I am completely knocked up; ~draaier ringleader, bell-wether

radeer: ~gummi eraser; ~kunst etching; ~mesj erasing-knife, eraser; ~naald burin; ~poede pounce

radeloos at one's wit's (wits') end, distracted desperate; ~heid desperation, desperateness, desperate state

raden (*raad geven*) advise, counsel; (*gissen*) guess; *raad eens wat ik hier heb* guess what have here; *je hebt 't bijna geraden* you are near the mark, it is a near guess; *je hebt 't ger* you've got (*of:* guessed) it; *ik geef je de naam te ~* I'll leave you to guess the name; *dat zo ik je ~,* (*dreigend*) you'd better; *ie raadt he nooit* you'll never guess; *je raadt het in geen twintig keer* I'll give you twenty guesses; *mis (goed)* ~ guess wrong (right), make a bad (good) shot; *goed ger.* guessed it (in one go); ~ *naar* guess at, make (give) a guess at, have a shot at; *erom* ~, *ongev.:* draw lots (for it), toss up (for it); *laat je* ~ be advised, take my (his, etc.) advice; *'ra, ra, in welke hand' spelen* play at handy-dandy; *ra, ra, wat is dat?* riddle me this; riddlemeree; riddle my riddle; *ra, ra, wie is dat?* guess who (it is); *zie* best, tien & geraden

⁻**adenrepubliek** soviet republic
·ader: ~baar, ~brancard wheeled stretcher; ~boot paddle-boat, -steamer, -wheeler; ~diertjes rotifera, wheeled animalcules
⁻**aderen** erase, scratch out; etch; -ing erasure
⁻**raderkast** paddle-box
⁻**raderwerk** wheel-work, wheels; (*van klok*) clockwork; *'t gehele* ~ *in beweging brengen* set all the wheels going
·radheid swiftness, nimbleness; (*van tong*) volubleness, volubility, glibness
·radiaal radial; ~band radial (tyre)
·radiant radiant (point)
·radiateur *zie* radiator; **radiatie** radiation; **radiator** id.
·radicaal I *bn.* radical [cure, change, reform(er)], sweeping [changes], thorough, root-and-branch [reformer]; *-ale hervorming, ook:* drastic (thoroughgoing) reform; ~ *tegengesteld aan (gekant tegen)* radically (rootedly) opposed to; ~ *middel* sovereign remedy; **II** *zn.* certificate, diploma; (*pers. & in chem.*) radical
·radicalisme radicalism
·radijs radish
·radio id. (*ook toestel*), wireless; *door de* ~ *horen* hear on (over) the radio; *de* ~ *stond aan the r.* was on (was going); *zie* aanhebben; ~actief r.active; ~activiteit r.activity; ~amateur r.-amateur; (*sl.*) r. ham; ~baken r.beacon; ~bericht radio message; ~buis r. valve, (*Am.*) r. tube; ~centrale radio relay exchange; ~distributie rediffusion, (*fam.*) radio on tap; ~drama r. (broadcast, wireless) drama (*of:* play); ~enthousiast r. (*of:* wireless) fan; ~graferen, -grafie, ~grafisch radiograph, -graphy, -graphic(al); ~gram id.; ~grammofoon radiogram(ophone); ~handelaar radio dealer; ~hut wireless room; ~kastje wireless cabinet; ~kompas r.-compass; ~lamp thermionic valve; ~logie, -logisch, -loog radiology, -logical, -logist; ~mast r.-mast, r.-tower; ~meter id.; ~omroep broadcast(ing); ~-ontvangtoestel wireless receiving-set; ~peiler direction finder; ~peiling *a*) wireless direction-finding; *b*) radio-bearing(s); ~programma broadcasting programme; ~recorder radio cassette recorder; ~rede broadcast speech; ~richtingzoeker wireless direction-finder; ~sonde id.; ~spreker broadcaster; ~station r.-station; ~telefonie radio-telephony; ~telegrafie, -tele-

grafisch radio-telegraphy, -telegraphic; ~telegrafist r. (wireless) operator; ~telegram id., radiogram; ~telescoop r. telescope; ~therapie radio-therapy; ~toestel wireless set, r. receiver; ~verslaggever r.-commentator, r. reporter; ~voordracht broadcast talk; ~zender r.-transmitter
radium id.; ~houdend r.-bearing [ore]
radius id., *mv.* radii; *zie* actie~
radja rajah
rad: ~krans wheel-rim, -flange; ~lijn cycloid; ~naaf w.-nave; ~rem w.-brake; ~spaak w.-spoke; ~stand w.-base; ~velg felly; ~venster w.-window, rose-window; ~vormig w.-shaped
rafactie tret, allowance for damage
rafel ravel; ~draad ravel; ~en *tr. & intr.* ravel out, unravel, fray; *gerafeld* = ~ig frayed
raffelen *a*) scamp one's work; *b*) gabble
raffia id.
raffinade refined sugar
raffinaderij (sugar-)refinery, refining-works
raffinadeur refiner; **raffineren** refine
rag cobweb; *zo fijn als* ~, *zie* ~fijn
rage craze, rage; *dat is nu een* ~ it's all the rage now
ragebol ceiling-mop; (*fig.*) mop, shock (of hair)
ragen sweep away cobwebs
ragfijn gossamer, filmy
ragoût ragout, stew, hash; **raid** id.
rail id.; *uit de* ~*s lopen* leave (run off) the rails (the metals), jump the rails, be derailed; ~ing railing(s); ~las fish-plate
railleren banter, chaff, jest, poke fun [at a p.]
raillerie raillery, chaff, banter
raison: *zo'n maatregel heeft geen* ~ there is no point in such a measure; ~ *d'être* id.; ~nabel reasonable; ~neren argue; ~neur id.; arguer
rak [river-]reach, straight; (*mar.*) truss
rakel *zie* ~ijzer; ~en rake; ~ijzer fire-rake, raker
rakelings: *iem. (iets)* ~ *voorbij gaan* brush (skim) past a p. (a thing), shave, graze [his car ...d a cart]; *de kogel ging* ~ *langs mijn hoed* the bullet narrowly missed my hat; ~ *langs de grond gaan* skim the ground
raken[1] (*treffen*) hit [the mark, the target]; (*aan*~) touch; (*ranselen*) lam (*of:* pitch) into [a p.]; (*aangaan*) affect, concern; (*ge*~) get (*zie ben.*); *de steen raakte hem ...* caught (took) him between the eyes; *hij raakt alles* he is a dead shot; *de schade raakt,* (*verzek.*) the damage reaches the limit; *dat raakt mij niet* that does not concern me, is not my business; *het raakt u meer dan iem. onzer* it concerns (affects, touches) you more than any of us; *elkaar* ~, (*ook in meetk.*) touch; *de stofdeeltjes* ~ *elkaar nooit* the particles of matter are never in contact; *geschiedenis en aardrijkskunde* ~ *elkaar dikwijls* history and geography frequently overlap; *'m* ~, (*eten*) stoke up, tuck in, guzzle, (*hard werken*) leather away at one's job; *hij kan 'm* ~ he is a regular guzzler; *we*

---
[1] *Zie ook* geraken

raakten geëngageerd we became (got) engaged; *de voorraden ~ uitgeput* ... are getting exhausted; *ik raakte door mijn kleren heen* I was getting short of clothes; *~ aan* touch (*ook fig.*: a cherished institution which must not be ...ed); *zie ook* komen aan; *we raakten erover aan de praat* we came (*of:* got) to talk about it; *in moeilijkheden ~* get into difficulties; ... *raakte in* ... a wheel of his bicycle caught in the tram-rails; *uit het gezicht ~* drop out of sight; *zie ook* brand, drank, grond, stuk, vlot, enz.

raket (*tennis, enz.*) racket, racquet; (*bij pluimbal*) battledore; (*projectiel*) rocket; (*plant*) hedge mustard; **~aandrijving** rocket drive, r. propulsion; *met* – rocket-propelled; **~baan** r.-court; **~bal** shuttlecock; **~bom** rocket bomb; **~kanon** rocket-gun; **~motor** rocket motor; **~spel** rackets, racquets, battledore and shuttlecock; **~ten** play at rackets (at battledore and shuttlecock); **~vliegtuig** rocket plane; **~werper** rocket launcher

rakingshoek angle of contact

rakker rascal, rogue, scapegrace (*alle ook scherts.*); (*hist., van schout*) catchpole, (Bow-Street) runner; *een ~ van een jongen* a pickle of a boy

rally id. (the Monte Carlo ~); **rally(e)-paper** (*sp.*) *a*) paper-chase; *b*) point-to-point race

ralreiger squacco (heron)

ram id.; (*konijn*) buck(-rabbit); *de R~* (*in dierenriem*) Aries

ramboetan rambutan; *Chinese ~* lychee, litchi

ramee ramie, rhea, China grass

ramen estimate, compute [*op* at]

ramenas black radish

ramie *zie* ramee; **raming** estimate

rammei battering-ram; **~en** batter, ram

rammel (*pers.*) rattle; *hou je ~!* shut up!; *zie ook* ~ing & ~kast; **~aar** (*voor kind*) rattle, bells and rattle; (*babbelaar*) rattle; (*haas, konijn*) buck(-hare, rabbit); **~en** rattle [at the door]; (*van borden enz.*) clatter; (*van ketenen*) clank; (*van geld*) jingle; (*kletsen*) rattle, chatter; *deze schilderij '~' enigszins* this picture is a bit of a jumble; **~end betoog** shaky (unsound) argument; *door elkaar –* shake [I could have shaken her]; *met zijn geld –* jingle one's money; *met de sabel –*, (*ook fig.*) r. the sabre; *ik ~ van de honger* I am famished; *doen –* rattle [the wind ...d the windows]; **~ing** [give a p. a] dressing-down, drubbing; **~kast** (*rijtuig*) rattletrap; (*auto*) ramshackle car, old crock, Tin Lizzie; (*piano*) tin-pot (piano); **~kous** chatterbox, rattle

rammen ram [a ship]

rammenas black radish

ramp disaster, calamity, catastrophe; *de ~en van de oorlog* the evils of war

rampassen (*Ind.*) pillage, loot

rampgebied afflicted (distressed, disaster) area

rampok (*Ind.*) gang of robbers; **~ken** plunder,

loot, (armed) robbery; **~partij** looting expedition

ramponeren damage

rampspoed adversity; **~ig** (*~ ondervindend*) ill fated; (*onheilvol*) calamitous, disastrous

rampzalig disastrous, fatal; (*jammerlijk*) wretched, miserable; (*tot ondergang gedoemd*) doomed, ill-starred; *~e* wretch(ed person); **~heid** wretchedness, misery

Ramses Rameses; **ramsjen** remainder

rancune rancour, grudge, ill-will; *sans ~* no ill feeling; *ik heb een ~ tegen hem* I bear (*of:* owe) him a grudge; **~maatregel(en)** (*na staking*) victimization; **rancuneus** rancorous, vindictive

rand[1] (*van hoed, beker*) brim; (*van papier, bla, van boom*) margin; (*van behangsel*) frieze; (*va stoel, tafel, bed; ook van water, bos, enz.*) edge; (*van kleed, karpet, bloembed*) border, edging; (*inz. tussen karpet en wand*) surround; (*van munt, kopje, vat, oog*) rim; (*van glas, vaas greppel, ook*) lip; (*van afgrond*) brink; (*va bos, ook*) fringe; (*van put*) parapet; (*vooruit stekende ~*) ledge [of a mantelpiece; a rocky ...]; (*munt*) (Kruger)rand; *~je vet*, (*aan vlees* rim of fat; *aan de ~ van* on the verge of [the grave, ruin, starvation], on the skirt(s) o [the town], on the brink of [war, the grave] [it brought me] within an ace of [a break down]; *met rode ~en* red-rimmed [eyes] *tot aan de ~ vullen* fill [a glass] to the b. **~apparatuur** input and output devices **~en** ww. border; (*munten*) mill; **~gebergte** mountain range forming the boundary of a plateau; **~gebied** fringe area; **~gemeente** suburb, suburban district; **~glosse** marginal note (gloss); **~je** *zie* ~; *op het uiterste –* on the very edge; *nogal op het –*, (*van grap*) rather risky (risqué), a bit off, near the knuckle

Randolf Randolph, Randal

rand: **~schrift**, **~stempeling** (*van munt, medaille* legend; **~staat** border (*of:* frontier) state; **~** **stad** (*ongev.*) urban agglomeration, conurbation, (*Am.*) interurbia; **~verschijnsel** (*ongev.*) side-issue; **~versiering** ornamental border; **~** **voorwaarde** limiting condition; prior condition [for further progress]

rang rank, degree, grade, position; *bevorder tot de ~ van ambassadeur* raised to the status of ambassador; *1ste ~*, (*theat.*) dress circle, stalls; (*op sportveld*) front seats; *2de ~* upper circle; (*op sportveld*) back seats; *~ en stand* r. and station (in life); *een hoge ~ bekleden* hold high r.; *één ~ hoger dan ik* one grade my superior in r.; *in ~ staan boven* (*beneden*) rank above (below); *in ~ volgen op* rank after; *plaatsen op de eerste ~* seats in the stalls (dress circle); *zie* dubbeltje; *mensen van elke ~ en stand* people of all ranks and classes, all sorts and conditions of men; *van de eerste ~* first-class [hotel, etc.]; *iem.* (*iets*) *van de eerste, enz. ~*, (*fam.*) a first-, second-, third-rater; **~cijfer** number

[1] *Zie ook* zoom

angeer: ~**der** shunter, yardman; ~**emplacement** *zie* ~**terrein;** ~**locomotief** shunting-engine; ~**schijf** turntable; ~**spoor** siding; ~**terrein** shunting-yard, marshalling-yard; ~**wissel** shunting-switch

angeren shunt; *tijdens 't* ~ during shunting-operations; *op (heel, half)* ~ on (full, half) rations; *zich* ~ settle down

ang: ~**getal** ordinal (number); ~**lijst** (priority) list; (*sp.*) [league, etc.] table; (*van officieren*) army-list; *5 j. achteruitgezet worden op de* – forfeit (lose) five years' seniority; ~**nummer** number; ~**orde** order; ~**regeling** (*in faillissement*) list of admitted claims; ~**schikken** range, arrange [in order of size, according to subjects]; set out [in rows]; marshal [arguments, etc.]; (*papieren*) arrange, file; (*classificeren*) class, classify; (*naar kwaliteit, bevoegdheid, enz.*) grade; (*tabellarisch*) tabulate; – *onder* range (group, class) under [two heads], class among [the string instruments]; –**d** (*gramm.*) ordinal; -**ing** arrangement, marshalling, classification; ~**telwoord** ordinal (number)

anja orangeade

1 rank *zn.* tendril, clasper

2 rank *bn.* slender, slim [of stature]; (*van schepen*) easily capsized, crank

anken put forth tendrils, climb, twine

ankheid slenderness; crank(i)ness; *zie* rank

anonkel ranunculus (*mv.:* -culuses, -culi); ~**achtig** ranunculaceous; ~**achtigen** ranunculaceae

ans rancid

ansel knapsack, rucksack; (*mil.*) knapsack, pack; (*slaag*) hiding

anselen thrash, flog, give a drubbing (thrashing); (*sl.*) whop, wallop, lick; *iem. halfdood* ~ beat a p. within an inch of his life

ansheid rancidness; **ransig** rancid

ansuil long-eared owl

antsoen ration, portion, allowance; (*losprijs*) ransom; *op (heel, half)* ~ on (full, half) rations; *op* – *stellen* = ~**eren** ration, put on rations; ~**beweiding** strip-grazing; ~**ering** rationing

ranzig rancid; **raout** rout

rap nimble, quick, agile; ~ *van voet* swift of foot, swift-, light-, fleet-footed

rapaille rabble, riff-raff; **rapé** rappee

rapen pick up, gather, collect; ~ *en schrapen*, *zie* passen en meten; *zie ook* berapen

rapheid nimbleness, quickness, agility

rapier id.; (*schermdegen*) foil

rappèl (*van gezant*) recall; (*herinnering, aanmaning*) reminder; (*med.*) booster (injection)

rappelleren recall; *iem. iets* ~ recall s.t. to a p., remind a p. of s.t.; *zich iets* ~ recall (remember) s.t.

rapp(e)lement (*volkst.*) blowing-up, rocket [give a p. a ...]

rapport report (*ook op school*), statement; (*bij hypnose*) rapport; *een* ~ *opmaken* draw up a r.; ~ *maken van* report [an offence]; (*een gunstig*) ~ *uitbrengen* report (favourably) [*over* on]; *zich in* ~ *stellen met* communicate with; ~**cijfer** r.-mark; ~**eren** *tr. & intr.* report [*over*

on]; ~**eur** reporter; (*pol.*) rapporteur [of a conference]

rapsode rhapsode; **-sodie** rhapsody; **-sodisch** rhapsodical; **-sodist** rhapsodist

rapunzel (*plant*) rampion

rarekiek peep-show, raree-show

rarigheid *zie* raarheid; (*concr.*) oddity, curiosity

rariteit curiosity, curio; ~**en**, *ook:* bric-a-brac; ~**enkabinet, -verzameling** museum (collection) of curiosities

1 ras race [of men]; breed, stock [of animals]; variety [of plants]; strain [of animals, plants, bacteria]; *attr. dikw.:* pedigree [dog, etc.]; *van zuiver* ~ thoroughbred, of a pure strain; *van een goed* ~ *zijn* come of a good stock (*of:* strain); *uit vele* ~**sen bestaand** multiracial

2 ras (*stof*) rash

3 ras *bw.* soon, quickly; *bn.* quick, swift, rapid

rasecht true-, pure-bred, thoroughbred, pedigree [dog], true-born, 100 per cent. [Arab], true to type; *een* ~*e schavuit* a thorough-paced scoundrel; ~**heid** trueness to type

ras-egoïst: *hij is een* ~ he is selfish to the core

raseren raze to (level with) the ground

ras: ~**genoot** congener; ~**gevogelte** pedigree poultry

rasheid quickness, swiftness, rapidness, speed, rapidity

rashoen(ders) pedigree fowl(s); ~**hond** pedigree (true-bred, pure-bred) dog; ~**idioot** prize idiot; ~**kenmerken** racial characteristics; points [of a dog]

rasp grater, rasp

raspaard thoroughbred, blood-horse; ~**en** (*coll.*) bloodstock

raspen grate [cheese, etc.], rasp [wood, etc.]

rasphuis (*hist.*) rasp-house, house of correction

rasploert, -poen, -proleet utter cad

rasse- race: ~**haat** r. (racial) hatred, rac(ial)ism; ~**ndiscriminatie** racial discrimination, apartheid; ~**ngelijkheid** integration; ~**nonderscheid** r. distinction(s); ~**nscheiding** (racial) segregation; *opheffing der* – desegregation; *voorstander van* – segregationist; ~**nstrijd** r. (racial) conflict; ~**nvermenging** mixture of races, miscegenation; ~**trots** pride of r.; ~**waan** racism

raster lath; (*techn.*) screen; (*televisie*) id.; ~**draad** fencing wire; ~**ing,** ~**werk** lattice(-work), grating, grill, railing, wire fence

rasuur erasure

rasvee pedigree cattle, bloodstock

rasveredeling race culture, eugenics, stirpiculture; **rasvooroordeel** r. (racial) prejudice; **raszuiver** *zie* rasecht

rat id.; *een lepe* ~ a sly-boots, a sly dog, a clever old stick; *'n oude* ~, (*fig.*) an old hand (*of:* fox); *'n oude* ~ *loopt niet licht in de val* an old bird is not caught with chaff

rata: *naar* ~ pro rata, in proportion; *naar* ~ *bijdragen* make pro rata contributions; *naar* ~ *omslaan*, (*Am.*) prorate; *zie verder* gelang (*naar ...*)

ratafia id.

rataplan id., rub-a-dub; *de hele* ~ the whole concern, (caboodle, show)

ratel rattle (*ook* = *kletser*); (*tong*) clack, clapper; *hou je* ~*!* keep your trap shut!; *a*) *zie* ~kous; *b*) (*plant*) rattle; *c*) *zie* ~populier; ~**boor** ratchet brace; ~**en** rattle; (*van de donder*) rattle, crash, roll; *–de donderslag, zie* ~slag; *wat* ~*de zij!* how she chattered!; *er maar op los* – r. away, r. on; *haar –de tong* her runaway tongue; ~**kous** rattle(r); ~**populier** trembling-poplar, aspen; ~**slag** rattling (rolling) peal of thunder; ~**slang** r.snake

ratificatie ratification; -**ceren** ratify

ratiné ratteen

rationalisatie, -seren rationalization, -ize

rationalisme rationalism

rationalist id.; ~**isch** rationalist(ic)

rationeel rational

ratjetoe hotchpotch; (*fig. ook*) medley, farrago, olio; *rato zie* rata

rats *zie* ratjetoe; *in de* ~ *zitten* be in a (blue) funk (in a stew), have cold feet, have the wind up, feel windy

ratsen (*sl.*) pinch

ratte: ~**jacht** ratting; *op de* – *gaan* go ratting; ~**nest** rat's nest

ratten: ~**gif(t)** rat-poison; (*lit.*) ratsbane; ~**koning** cluster of rats (with interlocked tails); (*fig.*) inextricable problem, Gordian knot; ~**kruit** arsenic; ~**plaag** rat nuisance, plague of rats; ~**vanger** rat-catcher; Pied Piper [of Hamelin]; (*hond*) ratter; ~**vergif(t)** *zie* ~gif

ratte: ~**pest** rat plague; ~**staart** rat's tail (*ook een vijl*); ~**val** rat-trap; ~**vel** rat-skin

rauw (*niet bereid*) raw, uncooked, unfired; crude [alcohol]; (*van huid*) raw [wound], sore; (*van geluid*) hoarse, harsh, raucous [voice]; (*fig.*) crude [schemes], tough (hard-boiled) [types]; *een ~e keel* a raw (*of:* sore) throat; *dat viel me* ~ *op 't lijf* that was an unexpected blow; *zie* ruw; ~**elijks, ~elings** unexpectedly, unawares, without due process; ~**heid** rawness, crudity, etc.; ~**kost** uncooked food

rauzen (*sl.*) kick up a row; (*met auto, enz.*) scorch

ravage havoc, destruction; *een* ~ *aanrichten* (*in*) work h. (wreck [a place])

ravebek raven's bill; (*werktuig*) bent gouge; ~**s-uitsteeksel** coracoid process

ravegekras croaking (of ravens)

ravelijn ravelin, demilune

ravenaas carrion; (*fig.*) gallows-bird

ravezwart raven-black

ravijn ravine, gorge, gully, clough, canyon

ravioli id.

ravitailleren *zie* proviandieren

ravotster romp, tomboy

ravotten romp; **ravotter** romping boy

rawa (*Ind.*) swamp

rayeren rifle [a gun]

rayon area; (*van handelsreiziger, ook:*) territory; ~**chef** *ongev.:* shopwalker, (*Am.*) floorwalker

razeil square sail

razen rage, bluster, rave; *'t water raast* th kettle sings; *het verkeer raast voorbij* roar past (at great speed); ~ *en tieren* storm an rage

razend[1] furious, raving, mad, in a tearin passion; infuriated [the ... mob]; ~ *op* f. with *ben je* ~*?* are you mad?; *'t* ~ *druk hebben* b tremendously busy; *ik heb een* ~*e honger* have a ravenous (*of:* roaring) appetite; *een* ~ *hoofdpijn* a splitting (*of:* raging) headache *iem.* ~ *maken* drive a p. mad (wild); *'t is om te worden* it's enough to drive you mad; ~ *verliefd* madly in love [*op* with]; ~ *veel gel* hebben have no end of money; ~ *veel pre* hebben have a ripping time; *een* ~*e* a madman *als een* ~*e* [he drove] like mad; *zie* bezeten vaart

razeren *zie* raseren

razernij frenzy, madness, rage; *tot* ~ *brenge* drive to frenzy

razzia id., (police, mass) raid, round-up swoop; *een* ~ *houden onder* (*op*) round u [criminals], execute (carry out) a r. upon make a clean sweep of, swoop down on *een* ~ *houden in de oude stad* raid the old tow

re (*muz.*) id.

reaal (*munt*) real; *zie ook* reëel

reactie reaction (*ook hand.*), response; *als* ~ *op* in r. to; revulsion (of feeling); *de* ~*s in de Ara bische landen* the repercussions in ...; *in* ~ *zij* (*hand.*) be lower, react; ~**f** reactive; ~**moto** reaction (type) motor; reaction drive

reactionair *bn & zn.* reactionary

reageerbuis test-tube

reageerder reactor

reageermiddel reagent, test

reageerpapier test-paper, litmus-paper

reagens reagent, test

reageren react; ~ *op* r. upon [a p., each other; *ook in chem.*], r. to [a blow, stimulus, an action, impressions], respond (be responsive) to [kindness, irony, proper treatment]; *nie* ~ *op, ook:* ignore [a rude remark]

realia, -liën realities, real facts, practical things

realisatie realization; **realiseren** realize; (*hand. ook*) convert into money, cash, sell

realisme realism

realist id.; ~**isch** realistic (*bw.:* -ally)

realiteit reality; **realiter** actually, in actual fact

realpolitik id.

rebbe rabbi

Rebecca id.

rebel id., mutineer; ~**leren** rebel, mutiny; ~**lie** rebellion, mutiny; ~**s** rebellious, mutinous; ~*s zijn op* be furious with

rebus id., picture (pictorial) puzzle

rebuten dead letters

recalcitrant z., refractory

recapitulatie recapitulation

recapituleren recapitulate, sum up

recensent reviewer, critic

ecenseren review; (*kort aankondigen*) notice; (*gew. ong.*) criticize

ecensie review, criticism, critique; (*kort*) notice; (*filologie*) recension; *het boek heeft goede ~s* is favourably reviewed; **~-exemplaar** review(er's) copy

ecent id.; *van ~e datum* of r. date; **~elijk** recently

ecepis scrip certificate, scrip

ecept (*keuken*) recipe (*ook fig.*), receipt; (*van dokter*) prescription; *zie* klaarmaken & voorschrijven; **~enboek** receipt-, recipe-, prescription-book; *vgl.* ~; **~eren** dispense, prepare, make up [medicines]

eceptie reception; ~ *ten hove*, (*van dames en heren*) court, (*hist.*) drawing-room; (*van heren*) levee

eceptief receptive

eceptie: **~gelden, -kosten** allowance for receptions; **~kamer, -zaal** r.-room

eceptuur dispensing (of medicines)

eces recess; *op ~ gaan* go into r., rise [till Easter], adjourn; *op ~ zijn* be in r.; **~sie** recession; **~sief** recessive

ecette takings, receipts, box-office money; (*sp. ook*) gate(-money)

echerche detective force, criminal investigation department, C.I.D., (*Am.*) F.B.I.; (*tegen smokkelarij*) preventive force; *fiscale ~* Enquiry Branch of the Inland Revenue; **~ambtenaar** revenue-officer; **~bureau** detective agency

echercheur detective; (*fam.*) plain-clothes man; (*sl.*) dick, tec; *particuliere ~* private d., private inquiry agent

echerchevaartuig revenue-cutter

1 recht *zn.* (*bevoegdheid, aanspraak*) right, claim, title; (*gerechtigh.*) right, justice; (*wetten, rechtsgeleerdh.*) law; (*belasting, gew. mv.*) duties, customs, (*op postwissel*) poundage, (*voor aantekening*) [registration] fee; *~en en plichten* rights and duties; *dezelfde ~en krijgen als de oprichters* (*van maatschappij*) get in on the ground-floor; *in 't belang van 't ~* in the interests of justice; *'t geschreven ~* statute law, the written law; *~ op pensioen* right (claim, title) to a pension; *~ van beroep* r. of appeal; *~ van bestaan* raison d'être, ground for existence; *deze wet heeft haar ... bewezen* this act has justified its existence; *~ van dispensatie* dispensing-power; *~ van gratie* prerogative of mercy; *~ van koop* [rent a house with] option of purchase; *~ van terugkoop* r. (power) of redemption; *~ van op-, uitvoering* performing rights; *~ van vereniging en vergadering* r. of free assemblage, r. of (public) meeting; *~ van voorkoop* option, (r. of) pre-emption, preemptive r.; *goddelijk ~ der vorsten* divine r. of kings; *geen ~ van spreken hebben* have no r. to speak, be out of court, (*om mee te spreken in een zaak*) have no say in the matter; *hij had geen ... meer* he had put himself out of court; *evenveel ~ van spreken hebben als* have an equal voice with; *'t ~ van de sterkste* club-law, the law of the jungle; *de ~en van de mens* human rights; *~en der vrouw* woman's rights; *'t ~ in zijn loop belemmeren* defeat the ends of justice, interfere with the course of justice; *zie ook* loop; *zijn goed ~ bewijzen* make out one's case; *'t is zijn goed ~ om te weigeren* he has a right to refuse; *~ doen* administer the law (*of:* justice); *iem. ~ doen* do a p. justice; *zorgen, dat er ~ gedaan wordt* see justice done; *er was ~ gedaan, ook:* the ends of justice had been met; *als ons geen ~ geschiedt* if we do not get justice; *er is haar ~ geschied* she has had justice done to her; *~ geven op* entitle to; *~ hebben op* have a r. (a title) to, be entitled to; *~* (*geen ~, alle ~*) *hebben om te ...* have a (the) r. (no r., every r.) to ...; *u hebt niet het ~ de betaling te weigeren* you are not justified in refusing payment; *daar heb je ~ op* [he ought to tell you,] it is due to you; *hij heeft oudere ~en* he has a prior claim; *de eerste* (*oudste*) *~en hebben op* have first call (first claim) on (the first r. to); *evenveel ~ hebben op ... als ...* have as much r. to ... as ...; *~ verkrijgen* obtain (get) justice; *krijgen waar men ~ op heeft* come into one's own; *zich ~ verschaffen* procure justice; *zichzelf ~ verschaffen* take the law into one's own hands; *~ zoeken* seek justice; *het ~ is aan zijn kant* he has r. (*of:* justice) on his side; *hij is in zijn ~* he is within his right(s) (in the r.); *in ~en aanspreken* take legal proceedings against, sue [a p. for damages *om ...; for libel wegens ...*]; *in de ~en studeren* read law, read for the Bar; *met ~* rightly, justly, with good reason; *met ~ boos zijn* be justifiably angry; *zie ook* terecht; *met alle ~* with every r.; *naar ~*, *zie* rechtens; *tot zijn ~ komen* show (appear) to full advantage; *haar japon deed haar figuur tot zijn ~ komen* set off her figure to advantage; *dit portret laat u* (*helemaal*) *niet tot uw ~ komen* this portrait does not do you justice; *zie ook* burgerlijk, initiatief, ongeschreven, vrij, wedervaren, enz.

2 recht I *bn.* (*niet krom*) straight [line]; (*juist, goed*) right [the ... word]; **~e hoek** right angle; *de afstand is 40 mijl in ~e lijn* as the crow flies; *zie ook* lijn; *de ~e man op de ~e plaats* the right man in the right place; *hij is niet de ~e man op de ~e plaats, ook:* he is a round peg in a square hole; **~e steek**, (*breien*) plain stitch; *~ van lijf en leden* s.-limbed; *~ als een kaars*, *zie* kaarsrecht; *~ en billijk* just and fair; *~ maken* straighten; *~ oversteken* cross at right angles; *~ trekken* straighten [one's neck-tie, one's waistcoat], adjust [one's clothes], pull straight; (*iets onbillijks*) set right; *zit mijn hoed ~?* is my hat s.?; *~ zetten* adjust [one's hat], put [one's hat] on s.; straighten [have one's teeth ...ed]; (*fig.*) correct, put [a thing] right; *het ~e ervan* [I don't know] the rights of the case (of it, of the story); *'t ~e ervan te weten te komen* get to the bottom of the matter; *zie* pad, tijd, enz.; **II** *bw.* rightly, right, quite; [walk] straight; *~ vliegen* fly a s. course; *~ toe, ~ aan* [keep] s. on;

~ *toe* ~ *aan gaan, ook:* follow one's nose; *ik ben* ~ *blij* right glad; *ik weet 't niet* ~ I do not know the rights of it; *ik weet niet* ~ *of* ... I don't quite know if ...; *nu begon ik eerst* ~ *te* ... now I really began to ...; *er werd niet* ~ *voor gezorgd* it was not properly looked after; *hij is niet* ~ *bij zijn verstand* not quite right in his head; *iem.* ~ *in 't gezicht kijken* look a p. full in the face; ~ *zo die gaat!* (*mar.*) as she goes! keep steady!; *zie* echt, klimming, raap, regelrecht, zee, *enz.*; ~**aan** s. on

recht: ~**bank** court of justice (of law), law-court; (*deftig*) tribunal; (*fig.*) tribunal, bar [at the ... of public opinion, of one's own conscience]; *de plaatselijke* –, *ook:* the local bench; *een zaak voor de* – *brengen* take a matter into court; *de zaak zal door de* – *beslist worden* the matter will be settled in court; *zie ook* aanrechtbank & gerecht; ~**buigen** straighten (out); ~**dag** court-day; ~**draads** with the grain; ~**e** straight line; ~**elijk** *zie* gerechtelijk & ~**ens**; ~**eloos** (*van pers.*) rightless, without rights; (*van staat*) lawless, anarchic; ~**en** *intr.* administer justice; *tr.* (*terechtstellen*) execute; (~*maken*) straighten; ~**ens** by right(s), in justice, rightfully, according to the law; *'t komt hem* – *toe* it belongs to him by right

1 rechter *zn.* judge, justice; ~ *van instructie* examining magistrate, investigating judge (*geen Eng. titels*); *zijn eigen* ~ *zijn* take the law into one's own hands; *hij werd tot* ~ *benoemd* he was made a j. (raised to the bench); *hij werd voor de* ~ *gebracht* he was put on trial; *zie ook* gerecht

2 rechter *bn.* right [leg]; right-hand [corner, door]; (*van paard, rijtuig, enz.*) off [... hind leg, ... front wheel, ... side]; ~ *bovenhoek* top right-hand corner

rechterarm right arm; (*schermen*) sword arm

rechterbeen *zie* rechter 2

rechter-commissaris *zie* rechter van instructie; (*faillissement*) official receiver

rechterhand right hand; (*fig.*) [my] right-hand man, right hand; *laat uw* ~ *niet weten wat uw linker doet* let not thy right hand know what thy left hand doeth; *aan de* ~ on the right (right hand, right-hand side)

rechterkant *zie* rechterzijde

rechterlijk judicial [post], legal; *de* ~*e macht* the judicature, the judiciary; *wet op de* ~*e organisatie* Judicature Act, Judicial Organization Act; ~ *vonnis* j. sentence; *zie* dwaling

rechter-plaatsvervanger deputy-judge

rechtersambt judgeship

rechterstoel judg(e)ment-seat [appear before God's ...], tribunal

rechter: ~**vleugel** right wing (*ook van partij*); *lid van de* – r.-winger; ~**voet** right foot; ~**wiel** off-side wheel; ~**zijde** right (side), right hand; (*van rijtuig, enz.*) off-side; *de* –, (*pol.*) the Right

rechtgeaard right-minded; *zie* rechtschapen

rechtgelovig orthodox; ~**e** true believer; ~**heid** orthodoxy

rechthebbende rightful claimant

rechthoek rectangle, oblong; ~**ig** (*van vorm*) rectangular; (*met rechte hoek*) right-angle [triangle]; – *op* at right angles to; ~**szijde** on of the sides containing the right angle in right-angled triangle; perpendicular & bas (*een algemene term niet gebruikelijk*)

recht: ~**huis** court-house; ~**lijnig** rectilinear, re tilineal; – *tekenen* linear (*of:* geometrica drawing; *zich* – *voortbewegen* move in straight line; ~*e houding* consistent attitud – *denken,* (*ook*) have a one-track min ~**loos** *zie* rechteloos; ~**maken** straighten; ~**m**: **tig** rightful, lawful, legal, legitimate; *met* – *trots* with legitimate (*of:* proper) pride; ~**m**: **tigheid** rightfulness, lawfulness, legality, legi imacy; ~**nervig** straight-veined; ~**op** uprigh erect [walk ...], on end; – *zitten* sit u (straight); – *gaan staan* (*zitten*) stand (sit) u straighten o.s.; *zie* overeind; ~**opstaand** vert cal, erect, upright; ~**over** just opposite

rechts I *bw.* to (on, at) the right; ~ *en averecht breien* knit plain and purl; *drie* ~, *drie ave rechts* three plain, three purl; ~ *en links, link en* ~ [borrow money, hit out] r. and left, lef right and centre; ~ *en links van mij* to r. an left of me; ~ *boven* (*beneden, onder*) (at) to (bottom) r.; *naar* ~ *to* the r.; *naar links en kijken* look r. and left; *zonder* ~ *of links kijken,* (*fig.*) without fear or favour; *hij za* ~ *van haar* on her r.; ~ *van* ... to the r. of th table; – *houden* (*afslaan*) keep (turn) to th r.; ~ ... *richt u!* r. .... dress!; ~ ... *zwenken!* ... wheel!; II *bn.* a) *zie* rechter 2; *'t* ~*e portie ook:* the off-side door; b) right-handed, dex trous; c) (*pol.*) [parties] of the Right; *de* ~ the Right (Wing, Wingers); ~**af** to the r. (turn) r. [at the pub]; *zie ook* afslaan; ~ **bedeling** administration of justice; ~**beginse** principle of justice; ~**begrip** sense of justice ~**bevoegd** competent; ~**bevoegdheid** com petence, jurisdiction; ~**bewustzijn** sense o justice; ~**bijstand** legal aid; ~**binnen** insid right; ~**buiten** outside right, r. winger

rechtschapen honest, upright, honourable; ~ **heid** honesty, uprightness, integrity, probity

rechts: ~**college** court, bench; ~**dwaling** mis carriage of justice; ~**gang** judicial process ~**gebied** jurisdiction; ~**gebouw** court-house ~**gebruik** judicial (legal) custom; ~**gedin** lawsuit; *een* – *voeren* conduct a case; ~ **geldig** legal, valid in law, legally valid – *worden* [the Home Rule Act will] becom law (pass into law); ~**geldigheid** legality validity; ~**geleerd** legal, juridical; *zie* rechts kundig; ~*e* lawyer, jurist, jurisconsult ~**geleerdheid** jurisprudence; *faculteit der* – faculty of law; ~**gelijkheid** equality before th law, equality of rights (of status); ~**gevoe** sense of justice; ~**grond** legal ground; ~**halve i** justice; *zie ook* rechtens; ~**handeling** act ir law; ~**herstel** rehabilitation; ~**ingang:** – *verle nen tegen* commit for trial; (*hist., van Gran Jury*) find a true bill against; *er werd* – *ver* *leend*, (*hist.*) a true bill was found (for the case); – *weigeren*, (*hist.*) ignore (throw out) the bill; ~**kosten** *zie* gerechts...; ~**kracht** force of law, legal effect (force); ~**kundig** legal, juridical; *zie* advies, adviseur, bijstand; – *bureau* solicitor's office; –e lawyer, solicitor; ~**kwestie** question of law, legal question; ~**middel** (legal) remedy, remedy at law; ~**misbruik** abuse of justice

echtsom to the right; ~*!* right ... turn!; ~**keert!** about ... turn!; – *maken* face (to the right) about; (*fig.*) turn tail, turn on one's heel; – *laten maken* face [a company] about

echts: ~**onzekerheid** legal insecurity; ~**orde** legal order; ~**persoon** body corporate, corporate body, corporation; *als* – *erkennen* incorporate; ~**persoonlijkheid** corporate capacity, incorporation; – *hebben* (*verkrijgen*) be incorporated; ~**pleging** administration of justice, judicature; ~**positie** legal status (position, standing)

echtspraak administration of justice, jurisdiction; **rechtspreken** administer (*of:* do) justice; ~ *over* sit in judg(e)ment upon

echts: ~**praktijk** practice at the Bar; *de* – *uitoefenen* practise at the Bar; ~**punt** legal question, point of law; ~**regel** rule of law; ~**staat** constitutional state; ~**taal** legal terminology

·**echtstaal** language of the court(s)

echtstandig perpendicular, vertical; ~**heid** perpendicularity

echts: ~**term** legal term; ~**titel** legal title; ~**toestand** *zie* ~**positie**

rechtstreeks *bw.* direct [write direct to ...], directly [descended from ...]; *zie* regelrecht; *bn.* direct

rechts: ~**veiligheid** legal security; ~**verdraaiing** strained interpretation of the law, perversion of justice; ~**verhouding** legal relation; ~**verkrachting** violation (perversion) of justice (of the law); ~**vermoeden** (*jur.*) presumption of fact; – *van overlijden* presumption of death; ~**vervolging** prosecution; *zie* ontslaan; ~**vordering** action, (legal) claim; *een* – *instellen* put in a claim; *wetboek van burgerlijke* – Code of Civil Procedure; ~**vorm** legal form; ~**vraag** *zie* ~**kwestie**; ~**wege:** *van* –, *zie* rechtens; ~**weigering** denial of justice; ~**wetenschap** jurisprudence; ~**wezen** (system of) judicature, administration of justice; ~**winkel** (free) legal advice centre; *vgl.* wetswinkel; ~**zaak** lawsuit, cause; ~**zaal** court-room; *in de* – *zijn* be in court; *zie* ontruimen; ~**zekerheid** legal security; ~**zitting** *zie* terechtzitting

recht: ~**tijdig** *zie* tijdig; ~**toe** straight on; *zie* ~ 2; ~**trekken** *zie* ~ 2; ~**uit** straight on; (*fig.*) *zie* ronduit; *al maar* – *lopen* go straight on, follow one's nose

rechtvaardig just, righteous; *alle mensen* ~ *behandelen* act (deal) fairly by all men; ~**en** justify, warrant [a course of action]; *zich* –, *ook:* vindicate o.s., put o.s. right [*tegenover* with; *in de ogen van* in the eyes of]; *niet te* – unjustifiable, unwarrantable, gratuitous

[provocation]; *gerechtvaardigd* justifiable [demands, pride], righteous [anger]; ~**heid** righteousness, justice; ~**heidsgevoel** sense of justice (of right and wrong); ~**ing** justification, vindication; *ter* – in justification, in vindication [of ...]

recht: ~**verkrijgende** assign; ~**vleugelig** orthopterous; –*en* orthoptera

rechtzinnig orthodox; ~**heid** orthodoxy

recidive recidivism, relapse (into crime, of a disease)

recidivist id., old (*of:* repeated) offender, backslider

recief mate's receipt

recipiënt recipient; (*nat., chem.*) receiver

recipiëren receive, entertain

reciproceren reciprocate, return [a visit]

reciprociteit reciprocity

recirculatie recycling

recital id.; **recitatief** recitative

reciteren recite, declaim

reclamant claimant; (*klager*) complainant

reclame advertising, advertisement, publicity; (*opschrift*) special offer; (*concr.*) [electric] sign; (*vordering*) claim; (*klacht*) complaint; (*tegen belasting*) appeal; (*typ.*) catchword; *'t is alles* ~ it's all eyewash (bunkum, claptrap); *dat is geen* ~ *voor hun zaak* that is not a good advertisement for their business; *een* ~ *indienen* put in a claim [*bij* with]; *een* ~ *aannemen* (*inwilligen, intrekken*) entertain (allow, waive) a claim; ~ *maken* advertise; ~ *maken voor* advertise, publicize, boom, boost; *waar veel* ~ *voor gemaakt wordt, ook:* much trumpeted [article]; *recht van* ~ stoppage in transit(u); ~**aanbieding** (special) offer; ~**adviseur** publicity expert; ~**afdeling** advertising department, publicity d.; ~**artikel** catch-line; –*en*, (*proefbusjes, enz.*) advertising matter, publicity material; ~**biljet** (advertisement) poster; ~**bluf** (*Am.*) ballyhoo; ~**bon** gift coupon; ~**bord** advertisement-board; –*en*, (*gedragen, één vóór, één achter*) sandwichboards; ~**bureau** publicity agency, advertising a.; ~**campagne** advertising campaign, publicity c.; ~**code** (British) Code of Advertising Practice; ~**firma** firm of advertising-consultants; ~**kosten** advertising-charges; ~**ontwerper** poster designer, commercial artist; ~**plaat** show-card, picture-poster; ~**raad** (*ongev.*) Code of Advertising Practice Committee, Advertising Standards Authority

reclameren *a*) (*hand.*) claim [*bij* on, against], put in a claim [*bij* with; *wegens* for]; *b*) appeal [*tegen een belastingaanslag* against an assessment]

reclame: ~**tekenaar** advertisement (commercial) artist; ~**tekst** slogan; –*en schrijven* write advertising copy; ~**truc** publicity stunt; ~**wagen** advertising-van; publicity-wag(g)on; ~**zin** slogan; ~**zuil** advertising-pillar

reclasseren reclaim [discharged prisoners], assist [discharged prisoners] in finding employment

reclassering after-care of prisoners, rescue-work, rehabilitation; *college van* ~ Discharged Prisoners' Aid Society, After-Care Society; ~**sambtenaar** probation officer
recommandatie recommendation
recommanderen recommend
reconstructie reconstruction
reconstrueren reconstruct, re-stage [a crime]
reconvalescent convalescent
reconvalescentie convalescense
record id.; *'t* ~ *slaan* (*verbeteren*) beat (break) the r. (*trachten te* ... make an attempt on the r.); *een nieuw* ~ *maken* set up (put up) a new r.; *'t* ~ *verhogen tot* ... raise the r. (put the r. up) to 160 m.p.h.; ~**houder** r.-holder
recreatie recreation; *gelegenheid tot* ~ recreational facilities; ~**zaal** r.-room
recriminatie recrimination
rectaal rectal [temperature]
rectificatie rectification; amended notice
rectificeren rectify, put [a few things] right
rector (*van klooster of gesticht*) id.; (*van gymnasium, enz.*) principal, headmaster, high master, (*Sc.*) rector; ~ *magnificus* Vice-Chancellor; (*Sc.*) Lord Rector; (*buiten Gr. Br.*) Rector; ~**aal** rectorial [address]; ~**aat** rectorship, headmastership; *vgl.* ~
rectrice, rectrix rectress
reçu I *zn.* (luggage-, cloakroom) ticket, check; (*kwitantie*) receipt; (*post*) certificate of posting; (*postwisselstrook als* ~) counterfoil; ~ *van de walbaas* wharfinger's receipt; II *bn.* accepted, approved
recul (*van vuurwapen*) recoil
recuperatie *a*) recuperation; *b*) regeneration, recycling
red. = *redacteur of redactie* Ed. (= editor)
redacteur editor
redactie editorship; (*concr.*) editors, editorial staff; (= *r.-raad*) editorial board; (*van artikel, enz.*) wording; terms [of a motion]; *onder* ~ *van* edited by; *de* ~ *verzorgen van* edit; ~**bureau** editorial office; ~**commissie** drafting-committee; ~**kamer** editorial room; *van* ~*wege bekort* abridged by editor
redactioneel editorial; **redactrice** editress
reddeloos past recovery, past help, irretrievable, irrecoverable, beyond hope; ~ *verloren* irretrievably (irrecoverably) lost, past (beyond) redemption
redden save [a p., one's reputation]; rescue [a p.]; save, salve, salvage [pictures from a fire]; *de dokter heeft u gered* has pulled you through; *de doktoren deden alles om zijn leven te* ~ fought for his life; *de toestand* ~ retrieve the situation; *iem. uit een moeilijkheid* ~ get a p. out of a difficulty; *hij is niet meer te* ~ he is past praying for (past redemption); *die kies is niet meer te* ~ that tooth is past saving; *zie* reddeloos; *zich* ~ save o.s.; *... om zich te* ~ pick up enough French to carry on with (to rub along, to manage); *zich eruit* (*zijn figuur*) *trachten te* ~ try to s. one's face; *hij redt zichzelf* he shifts for himself, pays his own way;

je moet jezelf maar ~ you must fend for yourself; *ik moest mezelf zien te* ~, *ook:* I was thrown on my own resources; *ik zal me wel* I'll get by (cope, manage); *zich weten te* manage to carry on; *zij kunnen zich royaal* they are well (comfortably) off; *zij* ~ *zich door de vlucht* they saved their lives by flight; *zic trachten te* ~ *door opzij te springen* jump for safety; *hij redt er zich wel door* he is sure to pull through; *ik kan me met 50 gulden* ~ fift guilders will do, I can manage with ...; *zic met heel weinig* ~ manage on very little; *zi ook* rondkomen; *zich* ~ *door een sprong* (*u auto, enz.*) jump clear, leap to safety; *de ge redden* the saved, those saved; **redder** rescue saver, preserver; saviour [of the country, o souls]
redderen arrange, put in order, do [a room] **-ing** *zie* beredderding
redding rescue, deliverance; salvation [o British industry]; (*zaligmaking*) salvation, re demption; *dat kan zijn* ~ *zijn* that may be th saving of him (his salvation)
redding(s): ~**actie** rescue operation(s); ~**boe** life-buoy; ~**boot** life-boat; ~**brigade** rescue party, r.-squad; (*om iem. te zoeken*) search party; ~**broek** breeches buoy, travellin cradle; ~**gordel** life-belt; ~**ladder** fire-escape ~**lijn** life-line; ~**maatschappij** Humane Society National Life-Boat Society; ~**medaille** life saving medal; (*in Eng.*) medal of the Roya Humane Society; ~**middel** life-saving appli ance; *'t enige* –, (*fig.*) the only solution; ~**ne** (*van brandweer*) life-net; ~**ploeg** *zie* ~brigade ~**station** life-boat station; ~**toestel** life-savin apparatus; ~**vaartuig** rescue-vessel; ~**vest** life jacket; ~**vlot** life-saving raft; ~**werk** rescue work; (*van goederen bij brand, enz.*) salving operations; ~**wezen** life-saving service; ~**zei** (*van brandweer*) jumping-, safety-sheet
1 rede roads (*mv.; zeld.* road), roadstead; *op d* ~ [lie] in the roads (roadstead)
2 rede (*verstand*) reason, sense; (*redevoering*) speech, oration, discourse; *zie ook* ~voering (*in*)*directe* ~ (in)direct speech; ~ *verstaan, naa* ~ *luisteren* listen to r., see r.; *dat ligt in de* ~ that is obvious, is self-evident, stands to r. is a matter of course; *iem. in de* ~ *vallen* in terrupt a p., (*scherp*) cut a p. short, take a p. up (short), (*ruw*) jump down a p.'s throat *'bijvoorbeeld', viel ik haar in de* ~ ..., I cu (broke, put) in, I interposed; *iem. tot* ~ *bren gen* bring a p. to r. (to his senses), make a p. see r. (*of:* sense); *zie* vatbaar; ~**deel** part o speech; ~**figuur** figure of speech; ~**kavelen** chop logic, argue, palaver; ~**kaveling** logic-chopping, palaver; ~**kunde** rhetoric; ~**kundig** *a*) rhetorical; *b*) logical; *zie* ontleden; ~**kuns** rhetoric; ~**kunstenaar** rhetorician; ~**kunstig** rhetorical; *-e figuur* figure of speech
redelijk (*met rede begaafd*) rational [being], (*billijk*) reasonable [terms], fair [amount], moderate; (*tamelijk*) passable, tolerable; *het hield het huis* ~ *schoon* reasonably clean; *het*

is ~ *goed* pretty good; *hij is ~ wel* passably well; *ik wil u elke ~e som betalen* any sum in reason; **~erwijs** (with)in reason, reasonably; **~heid** reasonableness

redeloos void of reason, irrational; senseless [the ... multitude]; *'t redeloze vee* the brute creation; **~heid** irrationality

redemptorist Redemptorist

1 reden prepare; equip, fit out [a ship]

2 reden reason, cause, ground, motive; (*verhouding*) ratio; *meetkundige* (*rekenkundige*) ~ geometrical (arithmetical) ratio; ~ *tot klagen* cause for complaint; ~ *tot dankbaarheid* reason for thankfulness; ~ *van bestaan* r. (reasonable ground) for existence, raison d'être; *dat is de* ~ (*waarom ik 't deed*) that's why (I did it); *de* ~ *waarom* (*dat*) the r. why; *hij noemde de* ~ *van zijn komst* he stated his business; *de* ~ *hiervan is* ... the r. for this is ...; (*goede, bijzondere*) ~ **hebben** *om* ... have (good, special) r. to ...; *daar had ik mijn ~en voor* I had my reasons; *er is* (*alle*) ~ *te* ... there is (every) r. to ...; *er is geen* ~ *om bang te zijn* there is no r. (call, occasion) to ...; *ik zie geen* ~ *dit onderhoud te rekken* I see no use in prolonging this interview; *en daar was* ~ *voor* and there was r.; ~ *te meer* all the more reason [why ...]; [he lost his temper] as well he might; *zijn toestand geeft* ~ *tot bezorgdheid* his condition gives rise to (cause for) anxiety; *in* ~ *van 2 tot 3* in the ratio 2 : 3 (*of:* of two to three); *in omgekeerde* (*rechte*) ~ *tot* in inverse (direct) ratio to; *en met* ~ and with (good) r., [he wonders why ...] and well he may, [it horrified me,] as well it might; *om* ~ *van* by r. of, because of; *om die* ~ for that r., on that account; *om ~en van zuinigheid* (*staatsbelang*) for reasons of economy (of State); *zonder* ~ without r.; (*sterker*) without rhyme or r.

redenaar orator

redenaars: ~bloempje flower of oratory (of rhetoric); **~gave** oratorical talent; **~gestoelte** *zie* spreekgestoelte; **~kunst** oratorical art; **~talent** *zie* ~gave

redenaarster woman orator, oratress

redenatie *zie* redenering

redeneer: ~der reasoner; **~kunde** logic; **~trant** argumentation

redeneren reason, argue [*over* about], hold forth, discourse [*over* upon]; *er is met haar niet te* ~ there is no arguing with her; *zie* kip, kringetje; **-ing** reasoning; *fout in de* – flaw in the chain of reasoning; *volgens die* – on that line of argument (of reasoning), by parity of reasoning

redengevend (*gramm.*) causal

reder (ship-)owner; **~ij** (firm of) shipowners, ownership; *vereniging van ~en* shipping conference

rederijk voluble

rederijker (*hist.*) rhetorician; (*nu*) member of a drama society; **~skamer** (*hist.*) chamber of rhetoric; (*modern*) drama society; **~skunst** rhetoric

rederijvlag house-flag

redersbedrijf shipping-trade

redetwist dispute, disputation, controversy; **~en** dispute; (*kibbelen*) argue, wrangle; **~er** disputant, controversialist

redevoerder orator; **redevoeren** orate, speechify, make a speech, speak

redevoering speech, address; (*plechtig*) oration; (*heftig*) harangue; *eerste* ~, (*van nieuw lid*) maiden s.; *een* ~ *houden* deliver (make) a s., give an address [*over* on]

redigeren edit, conduct [a paper]; (*opstellen*) draw up, draft; (*uitdrukken*) word [an article]; *opnieuw* ~ re-edit, reword, redraft

redmiddel remedy, expedient; (*tijdelijk* ~) makeshift; *zijn laatste* ~ his last resource; *als laatste* ~ in the last resort

redoute 1 (*mil.*) redoubt; **2** (masked) ball

redres redress

redresseren redress, right; *'t zal zich wel* ~ things will right (arrange) themselves

redster *zie* redder

reduceren reduce; **reductie** reduction; *een* ~ *geven, ook:* make an allowance

reduit (*mil.*) id.; (*van kasteel*) keep, donjon

reduplicatie reduplication

redzaam handy

redzeil (*bij brand*) jumping-, safety-sheet

ree 1 roe, hind, doe; **2** *zie* rede 1; **~bok** r.-buck; **~bout** haunch of venison; **~bruin** fawn

reed *o.v.t. van* rijden

reeds already; ~ *in januari* as early as (as long ago as) January; ~ *de gedachte daaraan doet mij rillen* the mere (the bare) thought of it makes me shudder; *zie verder* al 2

reëel real [value, quantities]; (*zakelijk*) reasonable

reef id.; *een* ~ *inbinden* take in a r. (*ook fig.*); *een* ~ *losmaken* let out a r.; **~knoop** r.-knot

reeg *o.v.t. van* rijgen

ree: ~geit roe; **~kalf** fawn; **~kleurig** fawn-coloured

reeks series [of years, surprises, books; *mv. id.*], chain (range) [of mountains], row [of houses, trees], train [of events, recollections], string [of words, questions], succession [of remarks], run, set [of a periodical], round [of festivities, visits], sequence [of events]; (*wisk.*) progression, series; *toenemen volgens een meetkundige* ~ increase in geometrical progression

reep (*touw*) rope, line, string; (*strook*) strip; bar [of chocolate, of soap]; *in ~jes snijden* cut to ribbons; (*boterham*) cut into fingers

reeposten buck-shot

rees *o.v.t. van* rijzen

reeschaaf jointer, jointing-plane, jack-plane

1 reet *o.v.t. van* rijten

2 reet crevice, cleft, chink, crack, interstice; (*werktuig*) flax-, hemp-brake; (*plat*) arse; (*plat*) *geen* ~, *zie* donder (*geen* ...)

refactie *zie* rafactie

refectorium refectory

referaat report; newspaper paragraph; (*lezing*) lecture

referendaris -   66[8]

referendaris referendary; head of special branch of government department

referendum id., poll of the people, poll of all the members

referent a) reporter; (= *recensent*) reviewer; b) speaker; c) specialist; consultant; **~ie** reference; (*persoon*) referee; *uitstekende ~s* highest references; *~s opgeven* state r.s; **~kader** frame of r.

refereren refer; *wij ~ ons aan uw beslissing* we r. to your decision; **referte** reference; *onder ~ aan* referring to, with r. to

reflatie reflation: renewed inflation

reflectant *zie* gegadigde

reflecteren (*weerkaatsen*) reflect; *~ op* answer [an advertisement], entertain [an offer, a proposal]; *op ... zal niet gereflecteerd worden* anonymous letters will not be considered; *~d op ...* in response to your advertisement; **~de** *zie* gegadigde

reflectie reflection; **~hoek** angle of r.

reflector id.

reflex id.; **~beweging** reflex (action); **~ief** *bn. & zn.* reflexive

reform: ~ateur reformer; **~atie** reformation; **~eren** reform; **~huis** health-food shop; **~ist** id., reformer

refractie refraction; **refractor** id.

refrein burden [of a song], chorus, refrain

refter refectory; **refugié** refugee

regaal 1 (*van orgel*) vox humana; (*draagbaar orgel*) regal; 2 book-rack; 3 royal prerogative

regalia, -iën regalia

regarderen regard, have to do with, concern; *dat regardeert mij niet* is no concern of mine;

regatta id.; **regeerder** ruler

regeer: ~krachtig: *-e meerderheid* working majority; **~kunst** art of governing, statecraft; (*van vorst*) kingcraft

regel rule; (*van spel ook*) law; (*lijn*) line; *~ van drieën* r. of three; *nieuwe ~!* new line!; *~s schrijven* write (out) lines; *geen ~ zonder uitzondering* no r. without an exception; '*t is eer ~ dan uitzondering* it is the r. rather than the exception; *dat is hier (de) ~* that is the r. here; '*t is ~ bij hem* it is a r. with him; *er 'n ~ van maken* make it a r. (a practice), make a practice of it; *in de ~* as a r.; *onder ~s brengen* reduce to rules; *tegen alle ~ in* contrary to all rules; *als ~ aannemen* (*zich tot ~ stellen*) *te ...* make it a r. to ...; *tussen de ~s* [read] between the lines; *volgens de ~en der kunst* in the approved manner, scientifically; *~ voor ~* line by line; *schrijf me een paar ~s* (*een ~tje*) write (send, drop) me a line; **~aar** regulator, control; **~apparatuur** controls; **~baar** regulable, adjustable; **~drukker** line-printer

regelen arrange [one's affairs], settle [things], order, regulate [prices, one's life, quantity], (*fam.*) fix (up); direct, control [the traffic]; (*techn.*) regulate, adjust [a watch, a compass], time [a motor-car]; *zie ook* schikken & schade; *~ naar* order [one's life] in accordance with [a p.'s wishes], accommodate [one's pace] to ...,

fit in [one's plan] with ..., adjust [the pay] t[o] [the cost of living]; *zich ~ naar* conform to[;] *zie* richten; *de prijs regelt zich naar 't aanbo[d]* the price is determined by the supply

regeling arrangement, settlement; [traffic-]control; regulation, adjustment; timing; *vgl. '[.]* *ww.; ~ der vorderingen* adjustment of claims *zie* schade~; *een ~ treffen* make (effect) an a (a settlement); **~scommissie** organizing committee

regelkamer (*radio*) control room; **regelkle[p]** (*techn.*) pilot valve; **regelknop** (*radio*) control

regelloos orderless, without rule, rough-and[-]tumble [life]; **~heid** absence of order, disorder

regelmaat regularity

regelmatig regular [breathing, features]; even [teeth]; **~heid** regularity; evenness

regelmechanisme control mechanism

regelrecht straight, right [walk ... up to a p.][;] *~ gaan naar, ook:* make a bee-line for; '*t gaa[t]* *~ op de gevangenis aan met hem* he is heading for prison; *hij kwam ~ op mij af* he wen[t] straight to me; *zie* lijnrecht

regelspatie line space, interline

regeltafel console; **regeltechniek** control engineering; *zie* meet- en ~

regeltje *zie* regel

regen rain; *de ~s van de laatste tijd* the late rains; *na ~ komt zonneschijn* after r. comes sunshine; *van de ~ in de drop* from the frying-pan into the fire; *een ~ van pijlen* a volley o[f] arrows; *een ~ van kogels* [they advanced through] a hail of bullets; *een ~ van kogels doen neerdalen op* rain (*of:* shower) bullets upon, pump lead into [the enemy]; *zie* blauw, enz.; **~achtig** rainy, wet; '*t wordt een ~e avond* it is settling in for a wet evening; **~arm** deficient in rainfall, dry, arid; **~bak** (r.-water) cistern, (r.-water) tank; **~boog** rainbow; **~boogforel** rainbow trout; **~[-]boogvis** rainbow wrasse; **~boogvlies** iris; **~bui** shower of r., r.-shower; **~dag** a) rainy day; b) r.-day [the number of ...s]; **~dicht** r.-proof, -tight; **~droppel** r.-drop

regenen rain; '*t begon (net) te ~* it came (was just coming) on to r.; *als 't niet begint te ~* if the r. holds (*of:* keeps) off; *Hij doet het ~ ...* He sendeth rain on the just and on the unjust; '*t regende, dat 't goot* it was raining cats and dogs, was pouring (with r.), the r. was coming down in buckets; '*t regende bommen* (*slagen*) it rained bombs (blows); '*t regende titels,* ('*lintjes*') it rained titles; '*t regent complimenten* compliments (bouquets) are flying

regeneratie regeneration; reclamation; **~f** regenerative; **~ve reactor** breeder r.; *vgl.* **regenereren** regenerate; (*rubber, enz.*) reclaim

regenerator id.; **~oven** r.-furnace

regen: ~fluiter *zie* ~wulp; **~gordel** rain-belt; **~jas** r.-coat, mackintosh, (*fam.*) mac(k); (*mil.*) trench-coat; **~kaart** r.-chart; **~kapje** rain-hood; **~kleding** rainwear; **~loos** rainless; fine [200 ... days in the year]; **~lucht** rainy (watery) sky; '*t is een - it* looks like r.; **~maand**

rainy month; ~**maker** r.-maker, -doctor; ~**mantel** r.-cloak, waterproof (cloak); ~**meter** r.-gauge, pluviometer; ~**periode** rainy spell; ~**pijp** r.-pipe; waterproof leggings

Regensburg Ratisbon

regen: ~**scherm** umbrella; ~**schreeuwer** (*vogel*) plover; ~**seizoen** rainy season

regent id., governor; (*van weeshuis, enz.*) trustee; (*van ziekenh.*) governor; (*van gevangenis*) (prison) commissioner; *zie* college; ~**en-regering** oligarchy; ~**enstuk** picture representing governors of orphanage

regentes regent, lady governor

regentijd rainy season; **-ton** water-butt

regentschap regency (*ook concr.: the Preanger Regencies*)

regen: ~**val** rainfall; ~**verzekering** r.-insurance; ~**vlaag** r.-squall; ~**vloed** torrent of rain; ~**water** r.-water; ~**waterbak** *zie* ~bak; ~**waterpijp** water-, stack-pipe; ~**weer** rainy weather; ~**wind** rainy wind; ~**wolk** r.-cloud; ~**worm** earthworm; ~**wulp** whimbrel; ~**zon** watery sun(shine)

regeren I *tr.* reign over, rule; (*van ministers*) govern; *zijn hartstochten* ~ *hem* he is swayed by his passions; *de jongens* (*een paard*) ~ manage (control) the boys (a horse); *hij is moeilijk te* ~ he is difficult to manage, is rather a handful; *niet langer te* ~ [the crowd was] out of hand, [the boy was] beyond control; *Oost-Afrika werd geregeerd vanuit ...* was ruled from Downing Street; *dit ww. regeert de genitief* this verb governs the genitive; II *intr.* reign (*alleen van van*) rule, govern; ~ *over* reign over, rule (over); ~**d** reigning, ruling [house], [Queen] Regnant; [party] in power (office)

regering (*van vorst*) reign, rule; (*bestuur*) government; *een* ~ *vormen* form a government (an administration); *aan het hoofd der* ~ at the head of affairs; *aan de* ~ *komen* come to the throne, (*van ministers, van partij*) come into power; *de conservatieven zijn thans aan de* ~ the conservatives are in office now; *onder de* ~ *van* in (under) the r. of; *zie* bewind; ~**loos** anarchic(al); ~**loosheid** anarchy

regerings-[1] government: ~**almanak** g. yearbook; ~**apparaat** machinery of g.; ~**beleid** policy (of the g.); ~**besluit** decree, ordinance, g. order; ~**bureau** g. office; ~**commissaris** g. commissioner; ~**crisis** g. crisis; *in* ~**dienst** in g. employ; ~**gebouw** g. building; ~**gezind** friendly to the g.; ~**instantie** g. agency; ~**jaren** (*van vorst*) regnal years; ~**kringen** g. circles; ~**leider** head of (the) g.; ~**meerderheid** g. majority; ~**opdracht** g. commission; ~**partij** party in office; ~**persoon** member of the g.; ~**stelsel** system of g.; ~**tijd** reign; ~**toezicht** g. supervision; ~**troepen** g. troops; ~**verklaring** (the government's) declaration of policy; ~**vorm** form of g.; *van* ~**wege** officially, from (on the part of) the g.; ~**zaak** state affair; *is kunst een –?* should the g.

patronize art?; ~**zetel** seat of g.

regesten (*hist.*) calendar (of state papers)

regie *a*) régie, state monopoly; *b*) (*theat.*) stage-management; (*film*) direction; *de* ~ *van 't stuk was uitstekend* the piece was beautifully staged; *Don Carlos:* ~ *van ...* produced by ...

regime id., régime, rule; (*leefregel*) regimen

regiment id. (*ook vero. als bestuur*)

regiments: ~**arts** regimental surgeon; ~**bureau** orderly-room; ~**commandant** regimental commander; ~**kas** regimental chest

Regina id.

regio region; ~**nen** [in the highest] quarters; [he was in higher] spheres; ~**naal** regional

regisseren produce, direct, (*ook fig.*) stage-manage; **regisseur** stage-, film-manager, producer, director

register (*boek & lijst*) id.; (*van boek*) id., index, table of contents; (*van stem*) id.; (*van orgel, enz.*) (organ- etc.) stop, (*inz. mixtuur*) rank; *een* ~ (*op een boek*) *maken* index a book; *alle* ~*s uithalen* (*opentrekken*) pull out all the stops; (*fig.*) shout at the top of one's voice; *zuiver* ~ *houden*, (*typ.*) make register; *in een* ~ *inschrijven* (enter in a) r.; *in de* ~*s* (*ingeschreven*) on the registers, on the rolls; ~**accountant** registered accountant; ~**en** (*typ.*) *tr. & intr.* register; ~**ton** r. ton, ton r. (2,8316 m³)

registratie registration; ~**kantoor** register office; ~**kosten** registration fee; ~**ontvanger** registrar of deeds

registreerapparaat recorder

registreerballon sounding balloon

registreren register, record

reglement regulation(s); rules [of a club]; (*van maatschappij*) by-law; [*zich houden aan 't*] ~ *van orde* [comply with] standing orders; ~**air** *bn.* prescribed (by the rules), regulation; *bw.* in accordance with (according to) the regulations; ~**eren** regulate, give regulations for; regiment [public life]; ~**ering** regimentation

regres recourse; *zonder* ~ without r.; ~ *nemen op* have r. to [drawer]; ~**recht** (right of) r.; ~**sie** regression; ~**sief** regressive

regularisatie regularization; **regulariseren** regularize; **regulateur** regulator (*in alle bet.*); **regulator** id., governor

reguleren regulate, adjust; straighten [children's teeth]; (*munt*) manage, control; *gereguleerde munt* managed (controlled) currency

regulier *bn. & zn.* (r.-k.) regular

rehabilitatie rehabilitation, vindication; (*van failliet*) discharge; ~**bewijs** bankrupt's certificate

rehabiliteren rehabilitate, put [a p., o.s.] right with the world; (*failliet*) discharge, whitewash; *zich* ~, *ook:* retrieve one's character, redeem o.s., vindicate o.s.; *volkomen gerehabiliteerd worden*, (*van failliet*) obtain a full discharge; *niet gereh.* undischarged [bankrupt]

rei *a*) chorus; *b*) (round) dance; dancers; ~**dans** round dance

---

[1] *Zie ook* rijks- & staats-

reien *ww.* sing, dance

reiger heron; ~**achtig** h.-like; ~**bos** *a*) h.-crest, -plume; *b*) heronry; ~**hut**, ~**kolonie** heronry; ~**jacht** h.-hunt; *(met valken)* h.-hawking; ~**s-bek** *(plant)* stork's (crane's) bill

reiken I *intr.* reach [up to the knees, from ... to ...], extend, stretch [from ... to ...]; *zo hoog kan ik niet* ~ I cannot r. so high; *zover 't oog reikt* as far as the eye can r.; *zo ver reikt mijn macht niet* that is beyond my power; *haar stem reikte zo ver niet* did not carry so far; ~ *naar* r. (out) for; **II** *tr.* reach, pass, hand; *iem. de hand* ~ hold out one's hand to a p.; *de behulpzame hand* ~ *aan* extend the (a) helping hand to

reikhalzen: ~ *naar* long for, yearn (hanker) for (after); ~**d** *bw.* longingly, anxiously

reikwijdte range, reach

reilen: *zoals 't (ze) reilt en zeilt* [sell the house] lock, stock and barrel, as it stands; [buy the business] as a going concern

reiltop *(mar.)* flag-staff; **Reims** id.

rein pure, clean, *(kuis)* chaste; *(muz.)* perfect [interval]; *je* ~*ste* ... rank [poison, nonsense, heresy], unadulterated [nonsense], utter [nonsense], absolute [nonsense, poison, drivel], flat [mutiny], [they are] the veriest [savages]; ~ *leven, ww.* live cleanly; *zn.* clean living; ~ *levend* clean-living [one of the cleanest living men], pure in morals; *de* ~*en van hart* [blessed are] the p. in heart; *de* ~*e is alles rein* (un)to the p. all things are p.; *in 't* ~*e brengen* straighten out, put [matters] straight, smooth out [the mess *de warboel*], set right; *in 't* ~*e komen* [things will] straighten themselves out, right themselves

Reinaert (de Vos) Reynard (the Fox)

reïncarnatie reincarnation

reincultuur *(germ.)* pure culture

Reinder(t) Reynold

reine-claude greengage

reinet(te) *(plant)* goat's beard; *(appel)* rennet

reinheid purity, cleanness, chastity

Reinier Rainer, Rayner

reinigen clean; *(zuiveren)* purify [the blood; ... of (from) sin], cleanse [of (from) sin]

reiniging cleaning, purification, cleansing; ~**s-dienst** (public) cleansing-department, -service, sanitation department; *directeur van de* ~ sanitary *(of:* cleansing) superintendent; ~**s-middel** cleanser, detergent

Reinout Reynold; **Reintje** *zie* Reinaert

reinvaren *(plant)* tansy

reis *(algem.)* journey; *(ter zee)* voyage; *(uitstapje)* trip; *(rondreis)* tour, trip [round the world]; *(overtocht)* passage, crossing; *(van vorst, enz. door 't land)* [royal, presidential] progress; *(keer)* time; *reizen, (vooral ontdekkings-)* travels [Stanley's ...]; ~ *heen en weer (uit en thuis)* round *(of:* double) trip *(of:* voyage), j. there and back, voyage out and home; ~ *om de wereld* world-tour; *goede* ~*!* a pleasant j. (to you)! pleasant (safe, happy) j.!; *iem. goede* ~ *wensen* wish a p. a good jour-

ney *(lit.* God speed); *de grote* ~ *aanvaarden* go to one's last (long) home; *een* ~ *doen* make (take) a j.; *een* ~ *om de wereld doen* trave round the world, make a (the) tour of the world; *een* ~ *doen in Schotland, ook:* tou (in) S.; *een* ~ *doen langs 't front* tour the front; *als iem. verre reizen doet, enz.* he travels far knows much; *een* ~ *ondernemer* undertake a j.; *op* ~ *zijn* be on a j.; *op zijn reizen* on his travels; *op* ~ *naar* on the way to; *op* ~ *gaan* set out (go) on a (one's) j. (voyage); *van een koude* ~ *thuis komen, zie* kermis; *niet voor de* ~, *(boot)* not wanted on voyage

reis- travel; ~**agentschap** t. agency, t. agent's; ~**apotheek** t.ler's medicine-chest; ~**avontuur** t.ling-adventure; ~**belasting** tourist tax; ~**benodigdheden** t. requisites *(of:* needs); ~**beschrijving** book of t.(s), itinerary; ~**beurs** t.ling-scholarship, t. grant; ~**biljet** ticket; ~**boek** t. book; ~**bureau** t. bureau, tourist *(of:* travel) agency; ~**charter** voyage charter; ~**cheque** t.ler's cheque; ~**declaratie** voucher for t.ling expenses; ~**deken** t.ling-rug; ~**documenten** t. documents; ~**doel** destination; ~**duif** *(Z.-Ned.)* homing pigeon, homer; ~~ **en verblijfkosten** t.ling and hotel expenses; ~**exemplaar** *(boekhandel)* dummy (copy); ~**geld** fare, t.ling-money; *(van getuigen)* conduct-money; ~**gelegenheid** means of conveyance; *(mv. ook)* t.(ling) facilities; ~**genoot**, ~**gezel** t.ling-companion, fellow-t.ler; ~**gezelschap** *a)* party of t.lers, t.ling *(of:* tourist) party, touring company; *(onder leider)* [Cook's] conducted party; *b)* = ~**gen(o)ot(en)**; ~**gids** guide (book), t.lers' guide; *(van spoor, enz.)* timetable; ~**goed** luggage; ~**herinneringen** t. reminiscences; ~**indrukken** impressions of t.; ~**kaart** map for t.lers, itinerary map; ~**klok(je)** t.ling-clock; ~**koffer** (t.ling-)trunk; ~**koorts** t. mania; ~**kosten** t.ling-expenses; *vergoeding van* ~ t.ling-allowance; ~**kredietbrief** t.ler's letter of credit; ~**lectuur** reading matter for a journey; ~**leider** tour manager; courier; *tocht met* ~ conducted (guided) tour; ~**lust** love of t.; ~**makker** t.ling-companion; ~**necessaire** dressing-case; ~**pantoffels** t.ling-, folding-slippers; ~**pas** passport, t. pass; ~**penning** *zie* ~geld; ~**plan** itinerary; ~**polis** voyage policy; ~**route** route; ~**seizoen** holiday season; ~**tas** t.ling bag; ~**toilet** *(van bruid)* going-away dress; ~**vaardig** ready to set out (to start); ~**verbod** t. ban; ~**vereniging** t. association; ~**vergunning** t. permit; ~**verhaal** record of t., t.-story, *(geïllustreerd)* travelogue; ~**wagen** *(diligence)* stage-coach; *(bus)* coach; ~**wekker** t. alarm; ~**wieg** carry-cot; ~**wijzer** t.-guide; ~**zak** valise; ~**woede**, ~**zucht** *zie* ~koorts

reizen travel, journey; *'t* ~ travel [free, fast, luxurious, cheap ...], travelling; *jaren met* ~ *doorbrengen* spend years in t.; *ze zijn altijd aan 't* ~ *en trekken* they are always travelling, they are always on the go; ~ *in tabak* t. in tobacco; *per spoor, over zee, over land, over water, per* *vliegtuig, met de Rijndam* ~ t. by rail, by sea (by steamer), by land, by water, by air (by aeroplane), in the R., *voor zijn plezier* ~ take (make) a pleasure-trip; *zie* vrij, bagage, rondreizend; **reizig(st)er** traveller [in cigars]; passenger [traffic]

rek l elasticity; 2 (*gymn.*) horizontal bar; (*voor pijpen, enz.*) rack; (*van auto*) (luggage) grid, luggage carrier; (*van kleren*) clothes-horse; (*van handdoek*) towel-horse, -rack, -rail; (*van kippen*) roost; (*van kanaal of rivier*) reach; *dat is een hele* ~ a long distance, quite a long time, a far cry

rekbaar elastic (*ook fig.*: notion, term, etc.), ductile, extensible; **~heid** elasticity, ductility, malleability, extensibility

rekbank draw-bench

rekel (*mannetjeshond*) (male) dog; (*vos*) dog (fox); (*hond*) cur; (*vlegel*) cur, churl; *kleine* ~ little rascal; **~achtig** currish

rekenaar calculator, arithmetician, reckoner

reken: ~**boek** arithmetic-, sum-, tot-book; ~**bord** abacus

rekenen I *intr.* calculate, do sums (*of:* figures), reckon, count; (*vertrouwen*) count, reckon, depend, rely [*op* (up)on]; II *tr.* reckon, count; (*in rekening brengen*) charge [... five guilders for it]; (*schatten*) estimate, value [*op* at]; **goed** (*slecht*) *in 't* ~ good (bad) at figures; *er niets voor* ~ make no charge for it; *ik reken voor ieder een pond* I estimate a pound each; *iem. te veel* ~ overcharge [a p. a guilder]; *zij weten van* ~ they know how to put it on; *reken maar!* [I'll do my best,] you bet!; *bij elkaar* ~ count (add, sum) up; (*fam.*) tot up; *door elkaar ger.* on an average; *ruim ger.* on a liberal calculation [their forces number ...]; **bij** (**met**) *ponden* ~ reckon by pounds; *naar onze tijd ger.* [at six] reckoning by our time; *als je naar de leeftijd rekent* if you go by age; *men rekent hem onder de grote dichters* he is reckoned (numbered) among the great poets; ~ *op*, (*schatten*) estimate [the profit] at; (*vertrouwen*) depend (rely) on [a p.; depend on it]; count (reckon) on [a p., a thing, on his being there; I ... on you to help me]; *reken er maar gerust op* depend on it; *reken niet op mij* count me out; *daar had ik niet op gerekend*, (*tegenvaller*) I had not bargained for that; *ik reken 't mij tot plicht* (*tot een eer*) I consider it my duty (an honour); *zulk werk kan men nauwelijks tot de kunst* ~ ... can hardly be accounted (counted as) art; *te* ~ *van vandaag* reckoning from to-day; *te* ~ *naar wat jij zegt* judging from what you say; *hij had ger. zonder* ... he had reckoned without the rate-collector; *zie* waard

reken: ~**fout** mistake (error) in (the) calculation; ~**genie** mathematical genius

rekening (*nota*) bill, account; (*in restaurant ook*) check; (*berekening*) calculation, reckoning, computation; ~ *en verantwoording van de penningmeester* the treasurer's accounts; ~ *en verantwoording doen* render an account [*van*

of], account [*van* for]; *een* ~ **hebben** (*openen*) *bij een bank* have (open) an account with a bank; (*ten volle*) ~ **houden** *met* take into account, reckon with, take (full) account of, bear in mind; ~ *h. met* (*de gevoelens van*) *andere mensen* consider other people's (feelings); *met de leeftijd wordt* ~ *geh.* regard is paid to age; ~ *h. met zijn toestand* (*leeftijd*) make allowance for (allow for) his condition (age); *er wordt te weinig* ~ *geh. met* ... too little allowance is made for the Irish temper; *geen* ~ *h. met* make no allowance for, take no account of, leave out of account; *rijden zonder* ~ *te houden met andere mensen* drive without consideration for other persons; ~*en* **maken** run up bills; ~*en* **schrijven** make (write) out accounts (bills); *hij kan hoge* ~*en schrijven, zie* rekenen (*weten te* ...); *zijn* ~ *erbij vinden* find one's account in it, make a profit on it; **buiten** ~ *laten* leave out of account (out of the reckoning); *in* ~ *brengen* charge [a pound]; *iem. iets in* ~ *brengen* charge s.t. to s.b.; *zie* rekenen voor; *monsters worden tegen kostprijs in* ~ *gebracht* samples are charged for at cost price; *in* ~ *staan met* conduct an account with; *extra's op de* ~ extras on the b.; *niet minder dan 2 miljoen pond komt op* ~ *van cacao* accounts for no less than £2,000,000; *op* ~ *kopen* buy on credit (*fam.*: on tick); *op* ~ *ontvangen* receive on account; *op nieuwe* ~ *overbrengen* (*boeken*) carry forward (to new account); *een bedrag op iems.* ~ *schrijven*, (*stellen*) charge an amount to a p.('s account), put it down to a p.'s account, debit a p. for an amount; *zet 't maar op* ~ put it down, charge it (to my account); *op* ~ *stellen van*, (*fig.*) put (set) down to, ascribe to; *ze staan op uw* ~ they are down to your account; *op* ~ *zijn* ~ [have two murders] to one's account; *volgens* ~ as per account; *voor eigen* ~ for (on) one's own account; [publish a book] at one's own expense, [printed] privately; *voor eigen* ~ *beginnen* set up (in business) for (on) one's own account, start for o.s.; *voor* ~ (*en risico*) *van* for account (and risk) of; *voor gezamenlijke* ~ on (for) joint account; *ik neem de kosten voor mijn* ~ I'll see to the expenses; *de verantwoordelijkheid neem ik voor mijn* ~ I will take the responsibility upon myself; *ik nam twee der schurken voor mijn* ~ I tackled two of the villains; *Rotterdam neemt de helft van het Europese verkeer voor zijn* ~ R. accounts for one half of all European traffic; *die bewering laat ik voor* ~ *van de schrijver* the onus of that assertion I leave on the author; *zie* kind, streep, vereffenen

rekening-courant current account, account current; *in* ~ *staan met* have an account current (a running account) with; *geld in* ~ money on c. a.; *krediet in* ~ cash credit; *zie* uittreksel; ~**boekje** (bank) pass-book; ~**houder** current account customer

rekeninghouder account-holder

reken: ~**kamer** audit office, exchequer and

rekenkast -

672

audit department; *algemene –*, (*ongev.*) Public Accounts Committee; *president van de* – Auditor General; ~**kast** *zie* ~raam; ~**kunde** arithmetic; ~**kundig** arithmetical; ~**lat** *zie* ~liniaal; ~**les** arithmetic lesson; ~**liniaal** slide-rule; ~**machine** calculating-machine, calculator, (*elektronische*) computer; ~**meester** first class arithmetician; financial wizard, statistical expert; (*hist.*) teacher of arithmetic; ~**munt** money of account; ~**penning** counter, money of account; ~**plichtig** accountable, responsible; ~**raam** ball-, counting-frame; (*bij de Ouden, Russen, Chinezen, enz.*) abacus

rekenschap account; ~ *afleggen* (*geven*) *van* render an a. of, account for [one's conduct]; *iem.* ~ *vragen* call a p. to a.; *zich* ~ *geven van* realize, be (fully) alive to [the importance of ...], appreciate [the magnitude of one's task], form a clear idea of [one's object]

reken: ~**som** sum in arithmetic; ~**tabel** ready reckoner; ~**tuig** computer

rekest enz., *zie* rekwest, enz.

rekkelijk *zie* rekbaar; (*fig.*) moderate, pliable

rekken 1 I *tr.* draw out [metal], stretch [linen, shoes], crane [one's neck]; (*fig.*) draw out [investigations], spin out [negotiations, the time], protract [a visit, negotiations, the time], prolong [an interview], trail [one's words], lengthen out [a sermon], drag out [one's life, the trial *proces*], eke out [one's life in degradation]; *z'n benen* ~ stretch one's legs; *de zaak (*'t proces*) werd gerekt tot ...* the business (the suit) hung (hung fire) till ...; *zich* ~ stretch o.s. (one's limbs); 1 *intr.* (*van stof, schoenen, enz.*) stretch; 2 (*van kippen*) roost

rekker stretcher; ~**ig** stretchy

rekruteren recruit; *gerekruteerd worden uit, ook:* be drawn from [the educated classes]; **rekrutering** recruitment

rekruut recruit; (*sl.*) rookie

rekstok horizontal bar

rekverband traction (apparatus)

rekwest petition, memorial; *zie* nul; *een* ~ *indienen, zie* ~reren; ~**rant** petitioner, memorialist, suppliant; ~**reren** (make) petition; – *bij* petition, memorialize

rekwirant requisitionist; **rekwireren** requisition, lay under (put in, call into) requisition, commandeer, impress,; (*jur.*) demand; *de brandspuit werd ger.* was called out

rekwisieten (stage-)properties; (*fam.*) props

rekwisiteur property-man; (*fam.*) props

rekwisitie requisition

rekwisitoor *zie* requisitoir

relaas account, story, tale; *hij stak een heel* ~ *af* he spun a long yarn

relais relay (*ook elektr.*); ~**station** r.-station

relateren relate (to *aan*)

relatie relation, connection; *in* ~ *treden met* enter into (business) relations with; *in voortdurende* ~ *staan met* be in constant touch with; *geen* ~*s meer onderhouden met* be out of touch with; *prettige* ~*s* friendly relationship; *door verhuizing raakten we onze* ~*s kwijt* we

lost our ties; *zie* connectie

relatief relative, comparative

relatiegeschenk present given to business acquaintances

relativeren relativize; tone down [an earlier statement]

relativiteit relativity; ~**stheorie** theory of r., r. theory

relayeren relay, retransmit; -**ing** relay, retransmission

relevantie relevance

releveren call special attention to, point out, bring to the front; **relict** relic

reliëf [high, low] relief; *en* ~ in r.; *hoog* ~, (*ook*) alto-relievo; ~ *geven aan* set off, bring out in full r.; ~**druk** r. print(ing); ~**kaart** r.-map; ~**letters** embossed (raised) type

reliek relic; ~**houder**, ~**schrijn** reliquary

religie religion; **religieus** religious

religieuze religious, nun

relikwie relic; ~**ënkastje** reliquary

reling (*mar.*) rail; ~**ladder** side ladder

relletje row, disturbance, riot; *distributie*~*s* food riots; *een* ~ *maken* kick up a row (a shindy); '*t was een heel* ~ there was quite a row; ~**smaker** (*bij onlusten*) rioter

relmuis dormouse, *mv.*: dormice

rem brake, (wheel-)drag; (*fig.*) drag [on progress], dead-weight, check; *de* ~*men aanzetten* apply (put on) the brakes; *alle* ~*men losgooien* (*fig.*) lose all inhibitions; *bekrachtigde* ~*men* power(-assisted) brakes; ~**bekrachtiger** b. assister; ~**blok** b.-block, drag, skid; ~**blokje** (*van fiets*) b.-block

rembours cash on delivery, C.O.D.; *onder* ~ [send goods] cash on delivery, C.O.D.; ~**dienst** C.O.D. service; ~**kosten** C.O.D. fee

rembrandtiek Rembrandtesque

remedie remedy; (*van munten*) remedy, tolerance; *daar is geen* ~ *voor* that is beyond (*of:* past) r.; *zij is een* ~ *tegen de liefde* she is a perfect horror, (*sl.*) a lemon

remhandle brake lever

reminiscentie reminiscence

remise (*van geld*) remittance; (*bij schaak- en damspel*) draw, drawn game; (*koetshuis*) coach-, carriage-house; car-, waggon-shed; [tramway] depot; ~ *spelen* tie, draw

remittent remitter; **remitteren** remit

remketting drag-chain

remklep (*van vliegt.*) (split-)flap

remleiding brake hose

remmen I *intr.* put (turn, *krachtig:* jam) on the brake(s), brake; (*bij rijtuig*) apply the skid, put the drag on; II *tr.* brake [a car]; (*fig.*) (keep in) check, curb; (*ong.*) be a drag on; *een* ~*de invloed* a restraining influence; '*t* ~ the application of the brake(s); **remmer** brakesman; **remming** (*psych.*) inhibition

remonstrant id.; ~**ie** remonstrance

remonstrants Remonstrant

remonstreren remonstrate

remontoir keyless watch, (*Am.*) stemwinder

remous (*luchtv.*) id.; *er stond veel* ~ the air was very bumpy

remousklap (air-)bump
rempaardekracht brake horse-power, b.h.p.
remparachute brake parachute, (*Am.*) drag (para)chute
rempedaal brake pedal
remplaçant substitute
remplaceren replace, take the place of
rem: ~**raket** retro-rocket; ~**schoen** brake-shoe; (*van rijtuig ook*) skid, drag; ~**spoor** (*van auto*) skid mark(s); ~**toestel** brake(s), brake apparatus; ~**trommel** brake-drum; ~**voering** b.-lining; ~**wagen** b.-van
ren l race, run, trot, gallop; *in volle* ~ full speed; 2 chicken-, hen-run
renaissance id., renascence, revival (of learning)
renbaan racecourse, -track, turf; (*voor motoren*) speedway; (*voor auto's en motoren*) motor-circuit
renbode courier, dispatch-rider, runner
rendabel paying, remunerative, workable [mine]; ~ *maken* make [the business] pay; *niet* ~ non-paying, unremunerative
rendement profit, return, output, yield; (*nuttig effect*) efficiency
renderen pay (its way); '*t rendeert niet* it does not p., is not a paying concern (*sl.*: a paying proposition); ~**d** *zie* rendabel
rendez-vous rendezvous, appointment, assignation [have an ... with]; *elkaar* ~ *geven* make an appointment; ~ *spelen*, (*fam.*) vomit
rendier reindeer; ~**huid** r.-skin, -hide; ~**mos** r.-moss; ~**vel** r.-skin
renegaat renegade; **renet** rennet
renkever ground beetle; **renmaniak** speedfiend, speed-merchant, road-hog
rennen race, rush, run, gallop; (*voor korte afstand*) sprint; *hij kwam op mij af* ~ he made for me at a run; **renner** racer, runner
renommee fame, reputation
renonce, renonceren renounce
renoveren renovate; (*wissel*) renew
ren: ~**paard(enhouder)** racehorse (owner); ~**sport** racing, the turf; ~**stal** racing-stable (*ook van auto's*); (*de paarden*) racing-stud
rentabiliteit remunerativeness, productiveness, earning capacity, earning power; *de* ~ *der onderneming is twijfelachtig* it is doubtful whether the undertaking will pay
rentambt steward's office
rente interest; *een goede* ~ *maken* obtain a fair return upon one's capital; *op* ~ *zetten* put out at i.; *tegen* ~ *lenen* borrow on i.; *hij leeft van zijn* ~ he lives on his private means; *zie verder* interest; ~**berekening** calculation of i., charging (of) i.; ~**besparing** saving of i.; ~**betaling** payment of i.; ~**dienst** (*van lening*) service (of a loan); ~**garantie** guarantee of i.; ~**gevend** i.-bearing; ~**kaart** insurance (*of:* contribution) card; ~**loos** bearing no i.; i.-free [loan]; – *liggen* lie idle; – *kapitaal* dead capital; -*loze schuld* passive debt; – *voorschot* advance free of i.
renten yield interest; ~*de 2 %* bearing interest at 2 per cent

rentenier rentier, retired tradesman (businessman, farmer), (gentle)man of independent means; ~**en** live on one's private means; live a life of ease and leisure; *gaan* – retire from business; –*d bakker* retired baker; ~**ster** lady of independent means, woman living on her private means
rente: ~**stand(aard)** rate of interest; ~**tafel** i.-table; ~**type** rate of i.; ~**vergoeding** payment of i.; *als* – by way of i.; ~**verlies** loss of i.; ~**verzekering** life-annuity insurance; ~**voet** rate of i.; ~**zegel** (national health) insurance stamp
rentmeester (estate-)steward, (land-)agent, (gentleman's) bailiff; *de onrechtvaardige* ~ the unjust s.; ~**schap** stewardship, (land-)agency
rentree come-back, return
renvogel cream-coloured courser
renvooi reference; ~**teken** r.-mark
renvoyeren refer
reorganisatie reorganization
reorganiseren reorganize
reostaat rheostat
rep: *in* ~ *en roer brengen* throw into commotion; *alles was in* ~ *en roer* there was a great stir, the whole place (town, etc.) was in commotion (in an uproar)
reparateur repairer, repairman, service man
reparatie repair(s), reparation; *in* ~ under repair; ~*s aan* repairs to [the gas-main]; ~**benodigdheden** repair outfit; ~**inrichting** service-station; ~**kosten** cost of repair; ~**werkplaats** repair(ing) shop
repareren repair, mend; *het wordt gerepareerd* it is under repair
repasseren adjust, time [a watch]
repatriëren *intr.* leave for (return, go) home; *tr.* repatriate; -**ing** repatriation
repel ripple; ~**en** ripple [flax]
repercussie repercussion
repertoire id., repertory; ~ *houden* keep the stage [for four years]; *van 't* ~ *nemen* take off [a play]; '*t stuk werd weer op 't* ~ *gebracht* was revived; ~**stuk** stock-play, -piece
repertorium repertory
repeteer: ~**geweer** repeating rifle, repeater; ~**vuur** magazine fire
repetent period, circulator, repetend; *0,3* ~ 0.3 recurring
repeteren repeat; go over, revise, (*Am.*) review [a lesson]; rehearse [a play] (*ook zonder voorw.*); '*t stuk wordt ger.* the play is in rehearsal; *laten* ~ rehearse [actors]; ~*de breuk* repeating (*of:* circulating) fraction, [pure, mixed] repeater, recurring decimal
repetitie repetition; (*school*) revision, (*Am.*) review, test-paper(s), examination(s); (*theat., enz.*) rehearsal; (choir-) practice; *grote* (*generale*) ~, (*muz.*) last rehearsal; (*theat.*) (full-)dress rehearsal; *grote* ~, (*school*) terminal test; *hij heeft slechte* ~*s gemaakt* he has done badly in examinations; ~**horloge** repeater, repeating-watch; ~**werk** test-, trial-paper(s)
repetitor private tutor, coach, crammer
repliceren reply, retort

repliek counter-plea, rejoinder, rebuttal; *van ~ dienen* reply, retort

report (*Beurs*) contango; ~age (running) commentary [on a match]; report; ~agewagen recording van, mobile studio

reporter id.; **reporteren** carry over

reppen: ~ *van* mention; *rep er niet van* don't mention it, keep it close; *ik heb er helemaal niet van gerept* I never breathed a word of it; *zich* ~ hurry (up), bustle

represaillemaatregel reprisal, retaliatory measure

represailles reprisals; ~ *nemen* make reprisals, retaliate [*tegen* upon]

representant representative; **-atief** representative (*voor* of); **-ve groep** sample; **-ve figuur** presentable (socially acceptable) figure; **-atiekosten** (entertainment, etc.) expenses; **-eren** represent

reprimande reprimand, rebuke

reprise (*muz.*) repeat; (*theat.*) revival

reproduceren reproduce

reproduktie reproduction; ~f reproductive

reprografie reprography

reptiel reptile; ~enhuis r.-house

republiek republic (*ook fig.:* the ... of letters); **republikein(s)** republican

reputatie reputation; *'n goede* (*uitstekende*) ~ *hebben* have (bear) a good r. (an excellent, a high, character), be in good (high, excellent) repute, have a good (outstanding) record [for punctuality]; *hij heeft 'n slechte* ~ he stands in bad repute, his r. is none of the best; *hij heeft de* ~ *van 'n wijs man te zijn* he has a r. for wisdom, is reputed to be a wise man; *zijn* ~ *ophouden* keep up one's reputation; *zijn* ~ *getrouw blijven* live up to one's r.

request enz., *zie* rekwest, enz.

requiem id.; ~**mis** requiem (mass)

requirant enz., *zie* rekwirant, enz.

requisitoir requisitory: sentence demanded by the public prosecutor (*bestaat niet in Eng.*); *ongev.:* Counsel for the Prosecution's address to the jury

rescontre settlement, carry-over; *verkoop op* ~ sale for the account; *op* ~ (*ver*)*kopen* buy (sell) for the account; ~**dag:** *1ste –* contango day, making-up day; *2de –* name day, ticket day; *3de –* settling-day, pay day; *de –en* the settlement

rescript id.

research id.; ~**afdeling** r. laboratory, r. department

reseda mignonette; (*kleur*) réséda

reservaat reserve [for wild animals], (bird) sanctuary; (*van Indianen*) reservation; *zie* natuurreservaat

reserve id. (*ook hand.*); (*mil.*) reserve (troops), reserves; *bij de* ~ *zijn* be on the r.-list; *bij de* ~ *plaatsen* (*overgaan*) transfer to (pass into) the reserves, place (be placed) on the r.-list; *in* ~ *hebben* (*houden*) have (hold) in r., have [s.t.] to fall back upon, have s.t. as a stand-by, have [a plan, etc.] up one's sleeve; *onder* (*alle*) ~

aannemen accept with some r. (with all r., with reservations, with all proper reserves); *op* ~ *plaatsen* place (put, transfer) to r.; *zonder* ~ without r., unreservedly; ~**band** spare tyre; ~**deel** spare part, spare; ~**fonds** r.-fund; ~**kader** r.-officers' training-corps; ~**kapitaal** r.-capital; ~**locomotief** stand-by engine; ~**luitenant** lieutenant in the r.; ~**officier** r.-officer, temporary o.; ~**rekening** r.-account

reserveren reserve; set aside [money for ...]; *zie gereserveerd*

reserve: ~**stift** refill lead; ~**troepen** r.-troops, reserves; ~**wiel** (*van auto*) spare wheel

reservist id.; **reservoir** id., tank

resident id. (*ook Ind. = Br. I.* commissioner); ~**ie** royal residence, court capital, (*Ind.*) residency; *de R–* The Hague; ~**swoning** residency

resideren reside

residu residue, residuum

resolutie resolution

resoluut resolute, determined

resonansbodem sound-board

resonantie resonance; **resonator** id.

resoneren resound, reverberate

resorberen resorb; **resorptie** resorption

resp. respectively; or otherwise, or else, or alternatively; *bestemd* ~ *voor A en B* for A and B respectively

respect id., esteem, regard; *mijn* ~ *aan Mevrouw* my respects to Mrs. ...; *met alle* ~ *voor ...* with all (due) r. for (to) Mr. N. (your hard work, etc.); *uit* ~ *voor* in deference to [the public]; ~ *hebben voor* have r. for, hold [a p.] in r.; ~**abel** respectable (*ook van aantal, enz.*); ~**eren** respect, hold in r., esteem

respectief respective, several

respectievelijk respective(ly), severally; *zie* resp.

respijt respite, reprive, delay

respijtdagen days of grace

respirator id., inhaler

respondent id.; **responderen** answer

responsiecollege *ongev.* seminar

responsorie responsory, response

ressort jurisdiction, province, sphere; *in 't hoogste* ~ in the last resort; *dat behoort niet tot mijn* ~ that is not within my province; ~**eren:** *– onder* be under the j. of [a court, etc.], be (directly) responsible to, come under the competency of; *dat* ~*eert niet onder mij* it is outside my province, (*jur.*) does not come within my j.; *de Eng. Kerk in Fr.* ~*eert onder ...* the Bishop of Fulham has j. over the Anglican Church in France; *onder dit hoofdpostkantoor – 200 bijkantoren* this General Post Office has headship over 200 sub-offices; *dit kwam te – onder het Departement van Landbouw* this passed into the control of ...

rest rest [the ... of us]; remnant[s of a staircase]; (*ook van deling*) remainder; *voor de* ~ for the r.; *ook =* ~**ant** remnant, remainder; (*saldo*) balance; *–en* [publisher's] remainders; (*van goederen*) (oddments and) remnants; (*klieken*) scraps, leavings; *–endag* remnant-day; *–enuitverkoop* remnant-sale(s)

restaurant id., refreshment-house [in the Zoo]; (*goedkoop*) chop-house

restaurateur id., restaurant keeper; (*van gebouwen, enz.*) restorer, renovator

restauratie *a*) (*herstel*) restoration [the ... of the Stuarts], renovation; *b*) restaurant; (*in station bijv.*) refreshment-room, (*kleiner*) buffet (bar); **~wagen** dining-, restaurant-car; (*fam.*) diner; **~zaal** refreshment-room

restaureren restore, renovate, recondition; (*verkwikken*) refresh; *zich* ~ take some refreshments, refresh o.s. (one's inner man)

resten be left, remain; *mij restte niets anders dan te* ... it only remained for me to ...; *zie ook* overblijven

resteren remain, be left; *'t* ~ *-de* the remainder, the remaining part

restitueren pay back, refund, return, make restitution of; **restitutie** restitution; (*van accijns of invoerrecht*) drawback

restorno return of premium

restrictie restriction, reservation; **~f** restrictive

resultaat result, outcome, upshot; ~ *boeken* produce results; *zonder* ~ without r., in vain; *zonder* ~ *geen geld* no cure, no pay; *met negatief* ~ with negative r.; *'t gewenste* ~ *bereiken* gain the desired r.; *'t had niet veel* ~ it did not lead to much; *'t* ~ *was verlies* it resulted in loss; *het boek bevat de jongste resultaten der wetenschap, ook:* is up to date, is abreast of the latest research

resultante resultant

resulteren result

resumé summary, synopsis, résumé; (*van rechter*) summing-up

resumeren sum up, summarize, recapitulate

resus-: **~factor** rhesus factor; **~-negatief** rh. negative; **~-positief** rh. positive

retabel retable; **reten** ret [flax]

retentie(recht) lien [have (hold) a ... on]

reticule id., lady's hand-bag

retirade w. c., (public) lavatory; (*opschrift*) gentlemen (ladies); **retireren** (effect a) retreat, retire, draw (*of:* fall) back

retor rhetorician; **~ica**, **~iek** rhetoric

retorisch rhetorical

retorsierechten countervailing duties

retort id.

retoucheren touch up, retouch; **-eerspuit** air-brush

retour return; *op z'n* ~ past his (its) prime; ~ *Delft* D. return, return D.; **~biljet** *a*) r.-ticket; *b*) r. half [of a ticket]; **~boek** r.-book; **~commissie** illicit (*of:* secret) commission, (*fam.*) rakeoff; **~kaart** *zie* ~biljet; **~lading** r. (*of:* homeward) cargo; **~neren** return; **~porto** r. postage; **~rekening** account of re-exchange; **~tje** *zie* ~biljet; **~vlucht** r.-flight; **~vracht** r.-freight; **~wissel** re-exchange, re-draft

retraitant (*r.-k.*) retreatant

retraite retreat (*ook r.-k.*); ~ *blazen* sound the (a) r.; *in* ~ *zijn* (*gaan*), (*r.-k.*) be in (go into) r.,

make a r.; **~huis** (*r.-k.*) retreat-house

retributie *a*) refund; *b*) charges

retrospectief retrospective

reu dog [a ... and a bitch], male dog

reuk smell; (*van hond, enz.*) scent [dogs have a fine ...]; (*geur*) smell, scent, odour; (*altijd aangenaam*) flavour, fragrance; *een politiehond* ~ *geven van* give [a bloodhound] scent of; *geen* ~ *hebben* have no (sense of) s.; *ergens de* ~ *van hebben* (*krijgen*) get wind of s.t., smell a rat; *in goede* (*kwade*) ~ *staan* be in good (bad) odour; *in de* ~ *van heiligheid staan* have an odour of sanctity about one, live in the odour of sanctity; **~altaar** incense altar; **~doosje** scent-box; **~eloos** (*van gas, enz.*) odourless; (*van bloem*) scentless; **~eloosheid** ...ness; *zie* ~eloos; **~flesje** scent-, smelling-bottle; **~gras** vernal grass; **~hout** cherry wood; **~je** *zie* luchtje; **~offer** incense offering; **~orgaan** organ of s., olfactory organ; **~vat** censer; **~verdrijvend:** – *middel* deodorant; **~water** scented water; **~werk** perfume(s), scent(s), perfumery; **~zakje** sachet, scent-bag; **~zeep** scented soap; **~zenuw** olfactory nerve; **~zin** (sense of) s., olfactory sense; **~zout** smelling-salt(s)

reuma(tiek) rheumatism; **reumatisch** rheumatic (*bw.:* -ally); (*fam.*) rheumaticky

reünie reunion, reunion gathering, [boy scouts'] rally; **~diner** r. dinner

reünisten *ongev.:* old boys, alumni (*ev.:* alumnus), members past and present

reus giant, colossus; *ouwe* ~ (*fam.*) old boy

reusachtig gigantic (*bw.:* -ally), giant [crane], huge, colossal, mammoth [hotel, sums]; (*sl.*) thumping [victory], howling [success]; (*fam.*) (*prachtig*) grand [that's ...!], capital; *'n* ~*e mop* a huge joke, [it was] no end of a joke; ~ *verrukt* hugely delighted; ~ *boffen* have prodigious luck; ~ *met elkaar opschieten* get on famously together; *zie ook* reuzen... & kolossaal; **~heid** g. size, hugeness

reutel *a*) rattle (in the throat); *b*) = **~aar** *zie* leuterkous & brompot; **~en** rattle; (*van pijp*) gurgle; (*brommen*) grumble; (*zeuren*) (talk) twaddle; *'t* ~, *zie* gereutel

reutemeteut caboodle [the whole ...]

reuze: (*fam.*) *hij was* ~ *in zijn schik* he enjoyed himself hugely; *dat is* ~*!* that is super!; *'t doet me* ~ *goed* it does me a power of good; *ik had een* ~ *honger* I was simply starving

reuzel lard

reuzelekker (*fam.*) delicious; **reuzeleuk** (*fam.*) very amusing; **reuzemop** (*fam.*) capital joke

reuzen-[1] giant; bumper [crop]; **~arbeid** gigantic task; *'t* R-*gebergte* the Riesengebirge, the Giant Mountains; **~geslacht** race of giants; **~gestalte** gigantic stature, (*concr.*) colossus; **~graf** *zie* hunebed; **~haai** basking shark; **~hagedis** g. lizard; (*fossiel*) megalosaurus; **~kracht** gigantic (herculean, titanic) strength; **~krijg** *zie* ~strijd; **~panda** Giant panda; **~salamander** g. salamander; **~schildpad** green turtle; **~**

[1] *Zie ook* reusachtig

schrede giant('s) stride; *met –n vooruitgaan* advance with g. strides; ~**slang** python, boa constrictor; ~**stad** mammoth town; ~**sterk** of gigantic strength; *zie ook* ijzersterk; ~**strijd** battle of giants, gargantuan struggle; ~**taak**, ~**werk** *zie* ~arbeid; ~**volk** people (*of:* nation) of giants; ~**zwaai** g.'s turn, grand circle, g. swing

reuzevent (*fam.*) excellent fellow, splendid chap

reuzin giantess

revaccinatie, -neren revaccination, -nate

revalidatie (physical) rehabilitation

revalorisatie revalorisation, revaluation

revaluatie revaluation

revanche revenge (*ook bij spel*); ~ *geven* give a p. his r.; ~ *nemen* have (take) one's r., retaliate; ~**partij, -wedstrijd** (*sport*) return match; *zich* ~**ren** take one's revenge; reciprocate

reveil [religious] revival, [national] awakening

reveille id.; ~ *blazen* sound the r.

revelaar twaddler, driveller

revelen twaddle, drivel

reven *tr.* reef [a sail]; *intr.* reef down, take in (*of:* shorten) sail

revenu revenue

reverbeeroven reverberating-furnace, reverberatory

révérence curtsy [make (*of:* drop) a ...]

reverentie *a*) reverence; *b*) *zie* revérence

revers facing, revers, lapel; (*van munt, enz.*) reverse

revideren revise; *ook = * **reviseren** overhaul [a motor-cycle, etc.]; *geheel* ~, (*ook*) recondition [an engine]; **revisie** revision; overhaul [of motor-cycle, etc.]; (*jur.*) review [of a trial]; (*typ.*) revise, clean proof; *laatste* ~ final revise, page proof

revisor reviser, -or

revoir: *au* ~ *!* id., good-bye (for the present)! (*fam.*) so long!, see you!

revolutie revolution; ~**bouw** *a*) jerry-building; *b*) jerry-built houses; ~**bouwer** jerry-builder; ~**geest** revolutionary spirit; ~**man** revolutionist

revolutionair *bn. & zn.* revolutionary; *bn. ook:* subversive [ideas, activities]; *zn. ook:* revolutionist

revolver id.; ~**draaibank** turret-lathe, capstan lathe; ~**held** gunman; ~**kop** turret-head; ~**schot** r. shot; ~**spuit** (*om auto's te verven, enz.*) spray gun; ~**tang** revolving punch

revue review (*ook tijdschrift*); (*theat.*) revue; (*klein*) revuette; *de* ~ *passeren* pass (*of:* march) in r., file past; (*fig.*) pass in (under) r.; *de* ~ *laten passeren* pass in r.; (*fig.*) pass in (under) r., review [one's past life], take stock of [the situation]

revue-ster revue star

rez-de-chaussee ground-floor

**R.H.B.S. = ** *Rijks-Hogere-Burger-School,* (*hist.*) State Secondary Modern School

Rhodus Rhodes; (*inwoner*) *van* ~ Rhodian

Rhône Rhone

riant id., laughing, smiling [landscape]; delightful [residence], ample [salary, lead *voorsprong*]

rib id. (*ook van blad, stof, schelp, schip, gewelf, enz.*); (*van kubus*) edge; *zie ook* ~b(e)stuk; *ware* (*valse, vrije*) ~ true (false, floating) r.; *iem. de ~ben smeren* tan a p.'s hide; *ik zal hem de ~ben breken* I'll break every bone in his body; *men kon zijn ~ben tellen* he was no more than skin and bone; *een ~ uit iems. lijf* a considerable expenditure; ~**breuk** fracture of a r.; ~**bel** rib, ridge; (*geol.*) ripple-mark; ~**belig** ribbed, ridgy; ~**beling** (*geol.*) ripple-mark; (*appel*) costard; ~**benkast** rib cage; (*fam.*) body, carcass; ~**bestoot** poke (dig, punch) in the ribs; ~**(be)stuk** rib (of beef, of pork); ~**betje** rib, cutlet, chop; ~**betjesgoed** *a*) ribbed (corded) material; *b*) *zie* rips; ~**bevlies** pleura

ribes (*plant*) ribes, flowering currant

ribfluweel velvet corduroy

ribgewelf ribbed vault

ricambio *zie* retourwissel

richard rich fellow, moneyed man

richel ledge, border, edge, ridge; '*t is tuig van de* ~ it is the scum of the earth

richt: ~**antenne** directional aerial; ~**bedrag** lump sum; ~**datum** target date

richten (*algem.*) direct; (*wapen*) aim, point, level [*op* at], (*kanon*) lay, point [*op* at], train [*op* on; *ook:* a camera on ...]; (*kijker*) direct [*op* on, to]; (*brief*) direct, address [*tot* to]; *zich* ~, (*mil.*) dress, take up one's dressing; *rechts richt u!* right ... dress!; *zich* ~ *naar* conform to [a custom, etc.], be guided by [circumstances]; *zich naar iem.* ~, *a*) conform to a p.'s wishes; *b*) follow a p.'s example; *niets om ons naar te* ~ nothing to go by; *hij richtte* ... *naar* ... he accommodated his step to hers; *de kanonnen werden op een torpedojager gericht, ook:* were brought to bear on a destroyer; *zijn gedachten* (*aandacht*) ~ *op* bring one's mind to bear upon [a problem], bend one's thoughts towards (direct one's attention to); *de achterman richt zich op z'n voorman* the rear rank man covers his front rank man; '*t oog* ~ *op* bend one's eye (bring one's eye to bear) upon; *aller ogen waren op hem gericht* all eyes were turned towards (focused on) him; *kritiek* ~ *op* level criticism at; ... *behoort gericht te zijn op* ... religious teaching should be focused on ...; '*t wapen op zichzel* ~ turn the weapon on o.s.; *haar geest was gericht op* ... her mind was bent on her mission; '*t stelsel is gericht op* ... aims at the reclamation of young offenders; *die opmerking was op mij* (*tegen mij*) *gericht* was aimed at (directed against) me; *zijn schreden* ~ *naar* bend one's steps to, head for; *zijn ogen ten hemel* ~ turn one's eyes to heaven; ~ *tot* address [a warning to; level [reproaches] against; *zich* ~ *tot* apply to, address o.s. to; *het* ~, (*mil.*) *zie* richting; *zie ook* schrede, enz.

richter 1 judge; 2 (*mil.*) (gun-)layer

Richteren: (*het boek der*) ~ (the book of Judges

richtgetal (*fot.*) guide number

richthoek angle of sight

richtig right, correct, exact, accurate
richtigheid correctness, accuracy
richting direction, set [of the current], trend [of the coast, the hills; *ook fig.*: the ... of the times, of public opinion], school [of thought], tenor [of a p.'s life]; (*mil.*) alignment, dressing; (*in de kunst*) school; *de moderne ~* modernism, modern thought; *de orthodoxe ~* orthodoxy; *de ~ bewaren* preserve the alignment; *geen bepaalde ~*, (*in pol., enz.*) no definite policy; *ze zijn van onze* (*godsd.*) ~ of our persuasion; *hij was de ~ geheel kwijt* had lost all sense of d.; *hij heeft een gave in die ~* he has a gift that way; *de vorderingen in die ~* the progress towards it; *hij vertrok ~ Londen* in the direction of L.; *zie* een~sverkeer; **~aanwijzer** (turn) indicator, trafficator; **~sbord** (*van tram*) route-indicator, destination-(sign)board; **~sgevoel** sense of direction; **~skabel** leader-cable; **~spijl** d.-arrow; **~sroer** (*v. vliegt.*) rudder; **~sstabiliteit** directional stability; **~zak** windsock; **~zoeker** (wireless) d.-finder
richt: **~kijker** telescopic sight, (*bommen-*) bomb-sight; **~lat** (*van metselaar*) jointing-rule; **~lijn** marking-, tracing-cord; (*wisk.*) directrix; (*mil.*) line of sight; (*algemene aanwijzingen*) directives, guide-lines; **~prijs** controlled price; **~schroef** adjusting screw; **~snoer** line of action, rule of conduct, guide-line; *een – geven* give a lead; *iem. tot – dienen* serve for a p.'s guidance; *iem. tot – nemen* take one's cue from a p.; **~vaan** pennant
ricinus(boom) castor-oil plant (*of:* tree)
ricinusolie castor-oil
ricksha rickshaw
ricoch(ett)eren ricochet
ricochetschot ricochet (shot)
ridder knight; *~ van de droevige figuur* k. of the rueful countenance; *~ van de pen* k. of the pen (the quill); *~ van de Kouseband* K. of the Garter; *~ zonder vrees of blaam* k. without fear or reproach; *hij werd ~ te voet* he was unhorsed; *iem. tot ~ slaan* dub (make, create) a p. a k., knight a person; **~dienst** k.('s) service; **~eed** k.'s oath, oath of knighthood; **~en** knight; *geridderd worden, ook:* receive a knighthood; **~gedicht** poem of chivalry; **~geest** chivalrous spirit, spirit of chivalry; **~geschiedenis** tale of chivalry; **~goed** manor, manorial estate, baronial property; **~hofstede** manorial farm; **~kruis** knight's cross; **~lijk** chivalrous, knightly; *zie ook* ronduit; **~lijkheid** chivalrousness, chivalry; **~lint** ribbon of knighthood; **~orde** order of knighthood; military order; **~roman** romance of chivalry; **~schap** knighthood, chivalry, nobility; **~slag** accolade; *de – ontvangen* be dubbed a k.; *de – geven* confer the accolade on [a p.], give [a p.] the accolade; **~slot** k.'s castle; **~spel** tournament; **~spoor** (*plant*) delphinium, larkspur; **~stand** knighthood; **~tijd** age of chivalry; **~verhaal** tale of chivalry; **~wezen** chivalry; **~zaal** hall (of the castle); *de R– the* Knights' Hall

ridicuul ridiculous
ried *o.v.t. van* raden
Riek *zie* Hendrika & Frederika
riek three- (two-, four-)pronged fork
rieken smell; (*fig.*) savour [*naar* of]; *zie* ruiken
riem (*van leer*) strap, thong; (*om middel*) belt, girdle; (*over schouder*) belt, baldrick; (*van geweer, kijker, enz.*) sling; (*van hond*) lead; (*van kijker ook*) lanyard; (*schoen-*) strap, (*over wreef ook*) bar; (*van polshorloge*) (watch-) strap; (*drijf-*) (driving-)belt; (*scheer-*) strop; (*roei-*) oar; *zie* roeiriem; (*papier*) ream; *~ zonder eind* endless belt (strap, band); *de ~en binnenhalen* (*uitleggen*) ship (unship) the oars; *roeien met de ~en die men heeft* make shift with what one has, make the best of it; *iem. een hart onder de ~ steken* put (some) heart into a p., put a p. in heart; *zie* leer 1; **~pje** *zie ~*; **~schijf** (belt-)pulley; **~slag** stroke of (the) oars
riep *o.v.t. van* roepen
riet reed (*ook muz.*); (*bamboe*) cane; (*van daken*) thatch; (*bies*) rush; (*Spaans ~*) rattan; *~(je)*, (*stok*) cane, bamboo; (*voor limonade*) straw [sip lemonade through a ...]; *hij liet alles in het ~ lopen* he let things drift, made a mess of it; **~achtig** r.-like, reedy; **~akker** r.-plot; **~blazers** r.s; **~bos** r.-marsh; **~dekker** (r.-)thatcher; **~en:** – *dak* thatched roof; – *stoel* cane (wicker, basket) chair, (*met – zitting*) cane-bottomed chair; – *koffer* cane (*of:* basket) trunk; **~fluit** r.-pipe, (shepherd's) r.; **~gans** bean-goose; **~gors** *a*) (*vogel*) r.-bunting; *b*) (*schorre*) r.-flat, r.-marsh; **~gras** swordgrass, reed canary-grass; **~hoen** moor-hen; **~je** *zie ~*; **~land** r.-land; **~lijster** great reedwarbler; **~mat** rush-mat; **~molen** (sugar-) cane mill; **~mus** *zie* ~gors *a*); **~schorre** *zie* ~gors *b*); **~suiker** cane-sugar; **~tuin** (sugar-)cane field; **~veld** *a*) r.-land; *b*) *zie* ~tuin; **~vink** *zie* ~gors; **~voorn** rudd; **~wouw** marsh-harrier; **~zanger** sedge-warbler
rif (*klip*) reef; (*geraamte*) carcass, skeleton; (*in zeil*) reef; *het Rif* the Riff
rigabalsem Riga (*of:* Carpathian) balsam
rigorisme rigorism
rigueur: *de ~* id., essential
rij row, range, series, file, line, string [of taxis], tier [of seats]; *een ~ getallen* (*onder elkaar*) column of figures; (*naast elkaar*) series of figures; *de ~ sluiten* bring up the rear; *een hele ~ van beroemdheden* a whole array of celebrities; (*van metselaar*) jointing rule; *in de* (*op een*) *~* in a r.; *de ~en sluiten* close the ranks [of the Party]; *in de ~ staan* queue (up) [for tickets]; *op ~en* in rows; *op de ~ af* [they are numbered] consecutively; *op vier ~en staan* stand four deep; *zij wandelden vier op een ~* four abreast; *ze in een ~tje opzeggen* say them in a string; *hij heeft ze niet allemaal op een ~tje*, (*fam.*) he has a tile loose; *op een ~tje zetten* line up [the effects of the oil crisis], marshal [the facts]; *zie* queue & knoop
rij: **~baan** roadway; carriageway; (= **~strook**)

lane; *(weg met)* dubbele – dual carriageway; *(ijs)* (skating-)rink; ~**beest** *zie* ~dier; ~**bewijs** (driving, driver's) licence; ~**broek** riding-breeches, *(lange)* jodhpurs; ~**das** (hunting-)stock

rijden I *intr. (op dier, op fiets, in trein, tram, bus)* ride; *(in eigen rijtuig, auto)* drive; *(mennen)* drive; *(op schaatsen)* skate; *(van voertuig zelf)* go, run; *(van vliegt.)* taxi; *(van Sinterklaas)* bring presents; *(op examen)* cut a poor figure, do badly; *hij reed zelf* he was driving himself; *de omnibus rijdt tussen A. en H. (rijdt dagelijks)* plies (runs) between … (runs daily); *de auto reed hard* was travelling fast; *(te)* hard ~, *(in auto)* speed [be fined for …ing]; *hij is altijd aan 't ~ en rossen* he is always careering about; *met de vier (de acht)* ~ drive four (eight) in hand; *hij kan ~ en omzien* he has his wits about him; he is very resourceful; *gaan* ~ go out for a ride (a drive); go out skating; *voor anker* ~ r. at anchor; *de auto ('t rijtuig) reed naar 't trottoir* drew in to the kerb; *door onveilig sein ('t rode licht)* ~ pass (drive past) a halt sign, overrun the signal(s), run through the red light(s), jump the lights; *op een paard* ~ r. a horse, r. on horseback; *op iems. rug* ~ r. pick-a-back; *de trein rijdt op de boot* runs in connection with the boat; *de omnibus rijdt op de trein* meets the train; ~ *tegen* run (crash) into [a lamp-post]; *zitten te* ~, *(op stoel, enz.)* fidget; *een kind op zijn knie laten* ~ r. a child on one's knee; II *tr.* drive [who has driven you?]; *(in kinderwagen, brancard, ziekenwagentje)* wheel; *(kruiwagen enz.)* trundle; *een paard half dood* ~ override *(of:* founder) a horse; *'m* ~, *zie* rats *(in de … zitten); zie* tong, woest, enz.; ~**de** *artillerie* horse artillery; – *kantine, zie* kantine

rijder *a)* rider, horseman; *b)* skater; *c) (hist.)* [gold, silver] rider; *d)* driver; cyclist; delivery man

rijdier riding-animal, mount
rijdraad *(van tram)* contact-wire
rijdracht riding wear
rijenteelt row (ridge) cultivation
rijenzaaimachine seed-drill
rijexamen driving test
rijf *(rasp)* grater, rasp; *(hark)* rake
rijgdraad basting-thread, tacking-thread
rijgen *(met steken)* baste; *(met spelden of steken)* tack; *(met veters)* lace [shoes]; *(kralen)* string, thread [beads]; file [papers]; *iem. aan de degen (de bajonet)* ~ run a p. through with the sword (the bayonet), skewer a p.
rijg: ~**laars** lace-up boot; ~**naald**, ~**pen** bodkin, ribbon threader; ~**schoen** laced shoe, Oxford shoe; ~**snoer**, ~**veter** lace; ~**steek** tack, basting-stitch
rijhandschoen riding-, driving-glove, -gauntlet
1 rijk *zn.* state, empire, kingdom, realm, dominion; *(fig. ook)* domain [this was her …]; *'t Britse* ~ the British Empire, the British Commonwealth of Nations; *'t Duitse* ~, *(hist.)* the (German) Reich; the German Empire; *zie* duizendjarig, Hemels, Rooms; *de drie* ~*en der natuur* the three kingdoms of nature; *'t* ~ *der fantasie* the realm of fancy; *'t behoort tot het* ~ *der mogelijkheden* it is within the bounds of possibility; *'t* ~ *der letteren* the republic of letters; *zijn* ~ *is uit* his rule is over; *dit behoort aan het* ~ this is state property; *ze hadden 't* ~ *alleen* they had it (the place) all to themselves; *hij wil het* ~ *alleen hebben* he wants to have it all his own way

2 rijk *bn. (van pers.)* rich, wealthy, opulent; *(van zaken)* rich [country, soil, dress, harvest], sumptuous [dinner], copious […ly illustrated]; *een buitengewoon* ~*(e) jaar (oogst)* a bumper year (crop); *heden* ~, *morgen arm* r. one day, poor the next; *de* ~*e man, (bijb.)* the r. man, Dives; *hoe* ~ *is hij?* what is he worth?; *iets* ~ *worden* become (get) the richer by s.t.; *geen cent* ~ not worth a farthing; *hij was geen …* ~ he boasted no greatcoat; *hij is wel tien keer zo* ~ *als jij, ook:* he could buy you up ten times over; ~ *aan* r. in [money, experience, friends]; *die (dat) is* ~*!* that is r.!; *de* ~*en* the r.; ~*(en) en arm(en)* r. and poor, *(fam.)* [the] haves and have-nots; *zie* ~elijk & huwelijk; ~**aard** r. man, Croesus, plutocrat; ~**dom** riches, wealth, affluence, opulence; *(fig.)* wealth, copiousness, abundance; *natuurlijke* –*men* natural resources; *zie* schat & rijkheid
rijkelijk *bn. zie* rijk; *bw.* richly, abundantly, copiously, plentifully, liberally; *(ruim)* amply [sufficient]; rather, unduly [late]; ~ *belonen* reward handsomely (liberally); *niet te* ~ *met de suiker!* go easy with the sugar!; *zich* ~ *bedienen van jus* help o.s. liberally to gravy; *zie* ruimschoots; ~**heid** abundance
rijkelui rich people; *(sl.)* nobs
rijkheid richness [the … of the soil, of her life]
rij: ~**kleding** riding wear; ~**kleed** (riding-)habit; ~**knecht** groom; ~**kostuum** riding-kit, r.-costume; ~**kruk** *(van elektr. tram)* driving-handle; *(van elektr. trein)* controller-, safety-handle
rijks…[1] *dikw.* government …, *(Am.)* federal …: ~**adel** nobility of the Realm (the Empire); ~**adelaar** imperial eagle; ~**advocaat** *ongev.:* solicitor for *(of:* to) the Treasury, Treasury *(of:* government) solicitor; ~**ambt** g. office, office under g.; ~**ambtenaar** g. official, g. servant; *(burgerlijk)* civil servant; ~**appel** orb, imperial globe; ~**archief** Public Record Office; ~**archivaris** *(algemeen)* Master of the Rolls; *(provinciaal)* Keeper of the Public Records; ~**automobielcentrale** g. car service; ~**ban** ban of the Empire; ~**banier** imperial banner; ~**bank** State bank; ~**beheer** [under] State control; ~**belasting** tax; *(Am.)* federal tax; *plaatselijke en* –*en* rates and taxes; ~**bemiddelaar** g. conciliator (mediator), conciliation

officer; *college van –s* Board of Arbitration; ~**bestuur** g. (of the country); ~**bestuurder** governor, regent; ~**betrekking** g. office, State post; ~**beurs** State scholarship; government grant; ~**bewind** *zie* ~bestuur; ~**bouwmeester** g. architect; ~**controlemerk** g. control stamp; ~**daalder** rixdollar (fl. 2.50); ~**dag** diet (of the Realm), [German] Reichstag; ~**deel** territory [overseas]; (*zelfstandig*) dominion; ~**dienst** (State) [Archaeological] Service; g. [planning] board, g. [development] authority; *in –* in g. service; ~**eigendom** g.-property; ~**entrepot** g. (bonded, King's) warehouse; ~**gebied** territory of the State; ~**gebouw** public building; –**en-dienst** (*ongev.*) Ministry of Works and Buildings; ~**geld(en)** public funds; ~**genoot** Antillean and/or Surinamese; ~**gezag** supreme power of the State; ~**grens** (national) frontier; ~**inkomsten** (public, national) revenue; ~**inkomstenbelasting** income-tax; ~**inkoopbureau** g. purchasing-board; ~**insignes** regalia; ~**instelling** g. institution; ~**keurmerk** (*op boter, enz.*) national mark; *op* ~**kosten** at the public expense, State [funeral]; ~**kroon** imperial (royal) crown; ~**kweekschool** (g.) college of education; ~**leraar** master in a state school; ~**luchtvaartdienst** (*Eng.*) Civil Aviation Authority; (*Am.*) Civil Aeronautics Board; ~**middelen** *zie* ~inkomsten; ~**munt** a) coin of the realm; b) (*gebouw*) Royal Mint; ~**museum** national museum; ~**opvoedingsgesticht** approved (Home Office, *vero.*: industrial) school; *ongev.*: Borstal institution; ~**politie** state police, (*Am.*) Federal P.; *ongev.*: county constabulary; ~**post** Royal Mail; ~**postspaarbank** Post Office Savings Bank; ~**scepter** sceptre; ~**schatkist** national exchequer; ~**school** state school; ~**seruminrichting** State Serum Institute; ~**sieraden** regalia; ~**stad** imperial city, free town; ~**staf** sceptre; ~**subsidie** g. (*of:* state) grant, state aid; *met –* state-aided, -supported [schools]; ~**telefoon** Post Office Telephones; ~**uitgaven** national expenditure; (*drukwerk*) government publications; ~**universiteit** state university; *– te L.* university of L.; ~**veldwacht** (*hist.*) *zie* ~politie; *onder* ~**versluiting** under crown locks; ~**verzekering** national insurance; ~**verzekeringsarts** national insurance doctor (*of:* practitioner); ~**verzekeringsbank** national insurance bank; ~**verzekeringswet** National Insurance Act; ~**vlag** national flag; ~**wapen** arms of the State; ~**waterstaat** *zie* waterstaat; ~**weg** national highway; ~**wege:** *van –* by authority (of the g.); *van – gekeurd* officially (government) tested; ~**werf** g. dockyard; ~**werkinrichting** labour colony; ~**wet** law of the realm; ~**zegel** great seal; ~**zwaard** sword of state

ij: ~**kunst** a) horsemanship, equestrianism, equitation; b) (*in auto*) driving skill; ~**laars** riding-boot; ~**les** a) riding-lesson; b) driving lesson

ijm 1 rhyme, rime; *staand (slepend)* ~ masculine (feminine) r.; *op* ~ in r.; *op* ~ *brengen* put into r.; 2 *zie* rijp 1

rijmantel riding-cloak

rijm: ~**bijbel** rhymed bible; ~**elaar** rhymer, rhymester, versifier, poetaster; ~**elarij** doggerel (verse), jingle; ~**elen** write doggerel

rijmen rhyme [*op* to, with]; (*fig.*) tally, square, agree [*met* with: this does not tally etc. with what you told me]; *hoe rijm je dat met …?* how do you reconcile this with …?; *niet met elkaar te* ~ [the two points of view are] irreconcilable

rijm: ~**kroniek** rhymed chronicle; ~**kunst** art of rhyming; ~**loos** rhymeless, unrhymed; ~*loze vijfvoetige jamben* blank verse; ~**pje** rhyme, jingle; ~**prent** illustrated broadside poem; ~**woord** rhyme(-word); ~**woordenboek** rhyming-dictionary

Rijn Rhine; *zie* water; **r~aak** R. barge; ~**dal** R. valley, valley of the R.; ~**graaf** Rhinegrave; *'t* ~**land** the Rhineland; ~**lands** Rhineland [foot]; ~**oever** bank of the R.; *de* ~**provinciën** the R. Provinces; ~**-Pruisen** Rhenish Prussia; ~**schipper** bargee on the R.; ~**streek** R. country; *de* ~**stroom** the river R.; ~**vaart** navigation on the R.; **r~wijn** R.-wine, hock

rij-op-rij-af drive on - drive off; roll on - roll off

1 rijp zn. hoar- (*of:* white) frost; (*dicht.*) rime

2 rijp bn. ripe [fruit, cheese; *ook fig.*: the time is not yet r. for it, the plan is r. for execution; *ook van zweer*]; (*gew. fig.*) mature; ~ *voor, ook* fit for; *na* ~*(e) beraad* (*overleg, overweging*) after (*of:* on) mature (careful) consideration (deliberation); *op* ~*e leeftijd* at a r. (*of:* mature) age; ~*ere jeugd* teenagers; ~ *en groen* r. & unripe; ~ *en groen lezen* be an omnivorous reader, read anything; *vroeg* ~, *vroeg rot* soon r., soon rotten; ~ *worden (maken)* ripen (*ook van zweer*), mature; *aan de boom* ~ *geworden* tree-ripened [fruit]; *zie* galg

rijpaard riding-, saddle-horse, [lady's] mount

rijpad *zie* ruiter & fietspad

rijpelijk: *ik heb het* ~ *overwogen* I have given it ample thought, considered it fully (carefully)

rijpen 1 *het heeft gerijpt* there has been a hoar-frost (a white frost); 2 *intr. & tr.* (*ook fig.*) ripen, mature; (*van kaas, ook:*) age; ~ *tot* r. into [acquaintance …ed into friendship]

rijpheid ripeness, maturity; *'t plan kwam tot* ~ came to maturity

rijping, rijpwording ripening, maturation

rijplaat steel planking

rijproef [pass a] driving-test; *bewijs, dat men de* ~ *met succes heeft afgelegd* certificate of driving-proficiency; (*van ruiter*) dressage test

rijs twig, sprig, osier, withe; ~**bezem** birch-broom; ~**bos, ~bundel** bundle of twigs, faggot; (*mil.*) fascine

rijschaaf trying-plane

rijschool a) riding-school, -academy; b) school of motoring

rijsdam osiered dam

rijshout osiers, twigs, sprigs

rijsnelheid driving speed; [train, etc.] speed

Rijssel Lisle, Lille

rijst rice; ~**akker** r.-field; ~**baal** r.-bag; ~**blok** r.-pounder; ~**bouw** cultivation of r., r.-growing; ~**brandewijn** r.-arrack, r.-wine; '~**buikje**' r.-belly; ~**cultuur** *zie* ~bouw; ~**diefje** *zie* ~vogeltje; ~**ebrij** r.-pudding; (*plantk.*) arabis; ~**ebrijberg:** *door een – heen eten*, (*fig.*) plough one's way through a mound of [papers, etc.]; ~**emeel** r.-meal; ~**epap** r.-milk; ~**korrel** grain of r.; ~**land** r.-, paddy-field, r.-plantation; ~**nat** r.-water; ~**oogst** r.-crop; ~**papier** r.-paper; ~**pellerij**, ~**pelmolen** r.-hulling works; ~**pelmachine** r.-huller; ~**plantage** r.-plantation; ~**pudding** r.-pudding

rijstrook (traffic) lane

rijst rice; ~**soep** r.-soup; ~**stamper** r.-pounder; ~**stro** r.-straw; ~**tafel(en)** (have an) Indonesian rice meal; ~**veld** *zie* ~land; ~**vogeltje** r.-, paddy-bird, (*Am.*) Java sparrow; ~**water** r.-water

rijswaard osier-bed, -holt

rijswerk osiery, osier-work; (*mil.*) fascine-work, brushwood revetment

rijten tear, rend, rip

rijtijdenboekje (*ongev.*) driver's record book

rijtje *zie* rij

rijtoer drive; ride (*vgl.* rijden); *een ~ doen* go for (take) a drive (a ride)

rijtuig carriage; (*huur~*) cab; ~ *met twee* (*vier*) *paarden* c. (*of:* coach) and pair (and four); (*paard en*) ~ *houden* keep a c.; *zie* met; ~**fabriek** c.-, coach-works; ~**verhuurder** livery-stable keeper, jobmaster

rij: (*bewijs van*) ~**vaardigheid** (certificate of) driving proficiency; –**sproef** driving test; ~**verbod** driving ban; ~**vereniging** riding club; ~**verkeer** vehicular traffic; ~**vlak** (*van brug*) roadway, carriageway; ~**weg** carriageway, -road, roadway, drive; (*voor ruiters*) *zie* ruiterpad

rijwiel[1] bicycle, cycle; (*fam.*) bike; *zie* fiets; ~**club** cyclists' touring-club; ~**fabriek** cycle works; ~**hersteller** cycle repairer; ~**herstelplaats** cycle repair(ing)-shop; ~**stalling** cycle shed

rijzen (*van pers.*, *zon*, *rivier*, *barometer*, *deeg*, *enz.*) rise; (*van waren & prijzen*) rise, go up, look up; (*zich voordoen*) arise, crop up [questions, difficulties ...]; *'t water* (*getij*) *rijst* the tide is coming in; *zie ook* stijgen

rijzig tall (stature); ~**heid** tallness

rijzing rise; (*van prijs ook*) advance, (*plotseling & sterk*) boom

rijzweep riding-whip, -crop, -switch

Rika *zie* Hendrika & Frederika

rik(ke)kikken (*van kikkers*) croak

rikketik: *mijn hart ging van ~* went pit-a-pat; *in de ~ zitten* be nervous (in a funk); ~**ken** (*van horloge*) tick, go tick-tack

riks (*fam.*) rixdollar

riksja rickshaw

rillen shiver [*van* ... with cold, fear, etc.], shudder [*bij* ... at the sight, etc.]; *'t doet me ~*

it makes my flesh creep, makes me creep all over, it (the thought, etc.) sends a cold shudder through me; *zie* huiveren

rillerig shivery

rilling shiver(s), shudder; *zie* huivering

rimboe (*Ind.*, *Br. I.*) jungle; (*Austr.*, *Afr.*) bush; *hij woont daar ergens in de ~*, (*fig.*) ... out in the wilds

rimpel (*algem.*) wrinkle, ruck; (*van pers.*) wrinkle, line; (*diep*) furrow; (*van water*) ripple, ruffle; ~*s*, (*om de ogen*) crow's feet; *gezicht met diepe ~s* deeply lined face; ~**en** *tr.* & *intr.* wrinkle (up) [wrinkle up one's forehead], ruck up, pucker (up), rumple; ruffle, ripple (*vgl.* ~); *tr. ook:* knit ['*t voorhoofd* one's brow], line [his face was ...d with worry]; *doen –* ruffle, ripple [the water]; *zorg ~t het gelaat* care furrows (*of:* lines) the face; ~**ig** wrinkled, wrinkly, lined [face], furrowed [cheeks], puckered [brow], shrivelled [apple]; ~**ing** wrinkling, furrowing, puckering; rippling, ripple, ruffling, ruffle (*vgl.* ~)

rimram balderdash, slush, tosh; [the whole] caboodle

ring id. (*zie ook* kring); (*om maan*) circle, halo; (*om eind van stok*) ferrule; (*kerk.*) (church) district, circuit, (*Z.-Afr.*) ring; ~**en**, (*gymn.*) swinging-, flying-rings; *haar met veel ~en versierde hand* her much beringed hand; *de ~ steken*, *zie* ~rijden; ~**baan** circular railway, (*Am.*) belt-railway; ~**baard** fringe (of whisker); ~**band** r. binder, loose-leaf book; ~**bout** r.-bolt; ~**dijk** r.-, enclosing dike; ~**(el)duif** r.-dove; ~**elen** *zie* ~en *a*); ~**elgans** *zie* rotgans; ~**eling** (*kindertaal*) r.-finger; *zie ook:* klingelen; ~**elmus** tree-sparrow; ~**eloren** bully, order about, sit upon, ride roughshod over [a p.]; ~**elrups** *zie* ~rups; ~**en** *a*) ring [a pig, birds]; infibulate [a mare]; *b*) girdle, ring(-bark) [trees]; ~**etje** little r.; *men kan hem door een ~ halen* he looks as if he had just stepped (*of:* come) out of a bandbox; *~es blazen* blow (smoke-)rings; ~**fazant** r.(-necked) pheasant; ~**gebergte** (*op de maan*) crater; ~**lijn** circle line; ~**lijster**, ~**merel** r.-ouzel; ~**mus** tree-sparrow; ~**muur** r.-wall, circular wall; ~**oppervlak** (*meetk.*) torus; ~**oven** round kiln; ~**rijden** *w.w.* tilt at the r.; *zn.* tilting at the r., tilting-competition; ~**rups** lackey caterpillar, (*fam.*) footman; ~**slang** r.-snake, grass-snake; ~**sleutel** r. spanner; ~**sloot** circular ditch, r.-ditch; ~**steken** *zie* ~rijden; ~**vaart** circular canal; ~**vinger** r.-finger; ~**vormig** r.-shaped, annular; *– kraakbeen* ring (*of:* cricoid) cartilage; *~e verduistering* annular eclipse; ~**weg** r. road, circular road; ~**werpen** *ww.* play quoits; *zn.* quoits; ~**worm** annelid; (*uitslag*) ringworm, tinea

rinkel jingling metal disc; ~**bel** *zie* rammelaar; ~**bom** tambourine; ~**en** jingle, tinkle, chink, [the blow made the tea-things] ring; *– met* jingle, chink [one's money], rattle [one's sabre]; ~**rooien** revel, carouse; ~**rooier** reveller, carouser

inkinke(le)n tinkle, jingle

inoceros rhinoceros; (*fam.*) rhino

-**ins** sourish

ioleren sewer; **riolering** sewerage

-**iool** sewer, drain; ~**buis** s.-pipe; ~**deksel** manhole cover; ~**gas** s.-gas; (*mv. ook*) s.-fumes; ~**journalistiek** gutter journalism; ~**net** sewerage; drainage system; ~**pers** gutter press; ~**water** sewage, effluent; ~**werker** sewer-man

riposte id.; **riposteren** riposte

rips rep, repp; **ris** *zie* rist

risee butt, laughing-stock

risico risk, hazard; *voor* ~ *van* at the r. of; *zie* rekening; *voor* ~ *van de koper* at buyer's r.; *voor eigen* ~ at one's own r.; ~ *dragen* carry a risk; ~ *lopen* run (incur) a r. (risks); *hij wou geen* ~ *lopen, ook:* he was not running (going to take) any risks, was taking no chances; *een* ~ *op zich nemen* undertake a r.; *verzekeren (verzekering) tegen alle* ~ insure (insurance) against all risks; ~**dragend** risk-bearing [capital]

riskant risky, hazardous

riskeren risk, venture, hazard, take a chance; *te veel* ~, (*ook*) overplay one's hand; *vgl.* wagen

rispen *zie* repelen; **rissen** *ww.*, *zie* risten

rissole id.

rist string [of onions, sausages, herrings, motor-cars, names], bunch [of berries], rope [of onions]; ~**en** string [red-currants, etc.]; ~**er** (*van ploeg*) mould-board

ristorno return of premium

rit 1 ride, drive; *een vlugge* ~, (*met trein bijv.*) a quick run; *een ~je doen* go for a ride (drive, an outing), have a run in a car; *vgl.* rijden; 2 *zie* kikkerrit

rite id.

ritme rhythm

ritmeester cavalry (tank) captain

ritmiek rhythmic(s); -**misch** rhythmic(al); –*e gymnastiek* eurhythmics, callisthenics, rhythmic gymnastics (*of:* drill); -**mus** rhythm

ritnaald wireworm

ritornel ritornello, ritornel

ritprijs fare

rits 1 *tw.* slash! crack!; 2 *zn.* groove, zip (-fastener)

ritselen rustle (*ook* = *doen* ~); (*fam.*) bristle [with mistakes]; (*sl.*) fix, wangle; -**ing** rustle, rustling

1 ritsen groove, gouge

2 ritsen (*Z.-Ned., zich snel bewegen*) swish; (*v. sluiting*) zip (*dicht* up)

ritsig rutting, on (in, at) heat; ~**heid** heat, rut

ritsijzer gouge

ritssluiting zip-fastener, -fastening, (*Am.*) zipper, slide-fastener; (*fam.*) zip; *met* ~ zip-fastened [purse]

rituaal ritual; -**alisme, -alist** ritualism, -alist; -**alistisch** ritualist(ic)

ritueel *bn. & zn.* ritual; **ritus** rite, ordinance

rivaal rival; competitor

rivaliteit rivalry, competition

rivier river; *de* ~ *de Nijl, enz.*, the R. Nile, etc.; *aan de* ~ [situated] on the r.; *bij de* ~ by the river(side); *op de* ~ on the r.; *de* ~ *op (af)* up (down) the r.; *langs de* ~ *gelegen* riverside [houses]; riverain, riparian, riverine [provinces]

Rivièra: *de* ~ the Riviera [live on ...]

rivier: ~**aal** river-eel; ~**arm** branch of a r.; ~**baars** r.-perch; ~**bed(ding)** r.-bed, r.-channel; ~**bekken** r.-basin; ~**berichten** r.-reports; ~**bezinking** r.-wash; ~**dal** r.-valley; ~**dijk** r.-dike, -wall; ~**donderpad** miller's thumb, bullhead; ~**eiland** r.-island; (*klein*) ait, eyot; ~**gezicht** r.-view; ~**god** r.-god; ~**haven** r.-port; ~**kant** riverside; ~**karper** r.-carp; ~**klei** r.-clay; ~**kreeft** crayfish, crawfish; ~**mond** r.-mouth; (*zeer brede*) estuary; ~**mossel** r.-mussel; ~**nimf** r.-nymph, naiad; ~**oever** r.-bank, riverside; ~**otter** r. (*of:* common) otter; ~**paard** *zie* nijlpaard; ~**paling** r.-eel; ~**politie** r.-police; ~**prik** r.-lamprey, lampern; ~**scheepvaart** river navigation; ~**schildpad** r.- (*of:* freshwater) tortoise; ~**slib** r.-silt, -mud; ~**stand** level of the r., r.-level; ~**stelsel** r.-system; ~**vaartuig** r.-vessel; (*mv. ook*) r.-craft; ~**varken** capybara; ~**verkeer** r.-traffic; (*van oever tot oever*) cross-river traffic; ~**vis** r.-fish; ~(**- en zee)vis** *ook:* fluvial (and marine) fish; ~**visserij** r.-fishery; ~**water** r.-water; (*bij overstroming ook*) flood-water; ~**zand** r.-sand

rizofoor rhizophora

r.-k. R. C., Roman Catholic

rob seal; *zie* zeerob

Rob Bob (= Robert)

robbedoes romping boy, romper, (*vooral meisje*) romp; (*meisje*) tomboy, hoyden

robbedoezen *ww.* romp

robbe: ~**jacht** seal-hunting, -fishery; sealing; ~**jager** seal-hunter, -fisher, sealer

robber (*bij kaartspel*) rubber; *zullen we 'n ~tje vechten?* shall we have a r.?

robbe: ~**spek** seal-blubber; ~**traan** seal-oil; ~**vangst** *zie* ~jacht; ~**vel** sealskin

robe id., gown; ~ *princesse* princess dress

Robert id., (*fam.*) Bob

Robertskruid adder's tongue, herb Robert

robijn ruby; ~**en** *bn.* ruby

robot id.

robuust robust, stalwart

rochel phlegm; ~**aar** spitter, expectorator

rochelen expectorate; (*vooral van stervende*) rattle (in one's throat), ruckle; (*van pijp*) gurgle

rococo id.; ~**stijl** rococo (style)

roddel(en) gossip, (talk) scandal

rode, rodehond enz., *zie* rood

Rode Kruis *zie* kruis

rodel: ~**baan** toboggan-slide, -shoot; ~**en** toboggan; ~**slee** toboggan

rododendron rhododendron

rodomontade id., brag(ging)

roe *zie* roede; **roebel** rouble

roede -

roede rod; (*om te straffen*) birch; (*tover-*) wand; (*staf*) verge; (*van molen*) sail-arm; (*anat.*) penis; (*maat*) rood [every ... of ground]; *Ned.* ~ decametre; *vierkante* ~ are; *zie ook* wichel~; (*met*) *de* ~ *krijgen* be whipped (caned); *de* ~ *kussen* kiss the r.; *de* ~ *ontwassen zijn* have outgrown the r.; *zie* ijzeren; **~loper** dowser, (water-)diviner, rhabdomantist

1 roef *zn.* deck-house; (*op woonschuit*) home

2 roef: ~, ~ helter-skelter, hurry-scurry; ~! whiz! dash!

roei- rowing; **~baan** r.-course; **~bank** r.-bench, thwart; (*glijbank*) slide; **~boot** r.-boat, row-boat; **~club** r.-club; **~dol** thole(-pin)

roeien row, pull; (*met 1 of 2 kleine riemen*) scull; (*vaten*) gauge; ~ *naar* r. (pull) up to; *naar wal* ~ r. in; *wat gaan* ~ go for a row; *uit alle macht* ~ pull away, bend to one's oars; *zie* riem, stroom

roeier rower, oarsman, [a good] oar; (*van vaten*) gauger

roei: **~klamp** rowlock; **~pen** thole(-pin); **~riem**, **~spaan** (*voor 2 handen*) oar; (*voor 1 hand*) scull; **~sport** rowing, boating; **~ster** rower, oarswoman; **~stok** gauging-rod; **~tochtje** row [take a p. for a ...]; **~vereniging** rowing-club; *lid van de – zijn*, (*fam.*) pinch, steal; **~wedstrijd** rowing-match, boat-race

roek rook

roekeloos rash, foolhardy, dare-devil, reckless [... betting; drive a car ...ly]; ~ *met zijn geld omgaan* play ducks and drakes with one's money; **~heid** rashness, etc.

roekoe coo-roo; **~en** coo

Roel Ralph

Roeland Roland; *als een razende* ~ like (one) mad; **~slied** Chanson de R., Song of R.

Roelof Ralph

roem glory, renown, fame, celebrity; (*kaartsp.*) meld; *zie ook* trots; ~ *dragen op* pride o.s. on, glory in [one's ignorance]; *zie* overladen

Roemeen(s) Romanian

roemen I *tr.* praise, speak highly of; (*sterker*) extol; (*kaartsp.*) meld; **II** *intr.:* ~ *op*, (*pochen op*) boast of, (*prat gaan op*) glory in; *er is geen reden om te* ~ there is nothing to boast of; *er valt niet op te* ~ it is no better than it should be; *zie* hooggeroemd

Roemenië Romania; **~r** Romanian

roemer (*glas*) rummer

roem: **~gierig** *zie* ~zuchtig; **~loos** inglorious; **~rijk**, **~ruchtig**, **~vol**, **~waardig** glorious, renowned; **~zucht** thirst for (of) glory, ambition; (*zucht tot roemen*) vainglory; **~zuchtig** *a*) thirsting for (after) glory, ambitious; *b*) vainglorious

roep call, cry (*ook van vogel*); (*gerucht*) rumour; (*roem*) fame, reputation; *eerste (tweede) ~*, (*huwelijksafk., r.-k.*) first (second) time of asking; *de ~ gaat, dat ...* there is a rumour abroad that ...; *zijn ~ ging van stad tot stad* his fame resounded far and near; *er is maar één ~ over hem* people are unanimous in their praise of him; *in een goede (kwade) ~ staan* be in good (bad) repute; *karpers die in een ~ va heiligheid staan* carp which are held to be sacred; *in een kwade ~ brengen* bring into disrepute; *in kwade ~ geraken* fall into dis repute

roepen I *intr.* call (*ook van koekoek*); (*schreeuwen*) cry, shout; *om iem.* ~ call (for) a p.; *om iets* ~ call for s.t., (*schreeuwen, smeken*) cry for [bread]; *luide ~ om*, (*fig.*) clamour for [redress]; cry out for [peace]; *hij riep er erg over* he was very enthusiastic about it; **II** *tr.* call [a p.] call in, send for [the doctor]; cry, shout ['no! he ...ed]; *mijn plicht roept mij* calls me; *roep je hond bij je* call your dog off; *als ik je nodig heb, zal ik je* ~, (*sarc.*) when I need your as sistance I'll call on you; *ik heb hem laten* ~ I've sent for him; *zich iets te binnen* ~ recall s.t. (to mind); *iem. iets te binnen* ~ remind a p of s.t.; *tot een hoge post geroepen w.* be called to a high post; *zich hees* ~ cry (shout) o.s. hoarse; *ik voel me niet geroepen te ...* I don't feel called upon to ...; *je komt als geroepen* as if you had been sent for; *velen zijn geroepen, maar weinigen uitverkoren* many are called, but few are chosen; *de stem eens ~den in de woestijn* the voice of one crying in the wilderness; *zie* leven, wapen

roeper speaking-trumpet, (*groot*) megaphone

roepia rupiah

roeping call(ing), vocation; *zijn ~ volgen* follow one's vocation; *hij heeft zijn ~ gemist* he has mistaken (missed) his vocation; *ik voel geen ~ te ...* I don't feel called upon to ...; ~ *voelen voor 't predikambt* feel a(n inner) call to the ministry; *dat was zijn ~ in 't leven* that was his mission in life

roep: **~letters** (*radio*) call letters, call sign; **~naam** usual name; (*radio*) *zie* ~letters; **~stem** call [of duty], voice

roer (*roerblad*) rudder; (*stuurinrichting*) helm; (*van pijp*) stem; (*vuur-*) firelock; ~ *geven* apply the r.; *'t ~ recht houden*, (*fig.*) walk straight; *hou je ~ recht!* steady!; *'t ~ in handen nemen* take the helm; *'t ~ omgooien*, (*ook fig.*) put over the helm; *spreek niet tegen de man aan 't ~* to the man at the wheel; *een krachtige hand aan het ~*, (*fig.*) a firm hand at (on) the wheel; *aan 't ~ komen* come into office (*of:* power); *aan 't ~ zitten*, (*fig.*) be at the helm (of State, of affairs), be in control; *'t schip is stijf op zijn ~* is slow to answer (to respond to) the helm; *uit 't ~ lopen*, (*mar.*) sheer, swing out of line; *zie* luisteren

roercommando's helm-, steering-, conning-orders

roerdomp bittern; (*fam.*) bull-of-the-bog

roereieren scrambled eggs

roeren I *tr.* stir [one's tea, the Christmas pudding]; (*fig.*) move [it ...d her to the depth of her heart], stir, affect, touch; *koffie met een ei erin geroerd* with an egg stirred in; *zijn mond (tong)* ~ wag one's tongue, be talking away; *zij weet haar mondje (tong) te* ~ she has a tongue in her head, she has the gift of the gab;

zich ~ stir, move; *een ruimte waarin men zich niet kan* ~ a poky place; *zich goed kunnen* ~, (*fig.*) be well off; *zie* trom, wenden; II *intr.:* ~ *aan* touch; ~ *in* stir [the water]; *hoe meer je erin roert, des te meer stinkt 't* the more you stir it, the more it stinks; *'t* ~ *in verdachte zaken* muck-raking (*zo ook:* a muck-raker); *voortdurend* ~ s. round and round; ~**d** moving, touching, pathetic, thrilling [story], stirring [drama]; *het* ~ *eens zijn* agree whole-heartedly; *-e goederen* movables, personal property (*of:* estate); *-e feestdagen*, (*r.-k.*) movable feasts

roer: ~**ganger** helmsman, man at the wheel (the helm); ~**haak** (rudder-)pintle

roerig restless, lively, active; (*oproerig*) turbulent; ~**heid** restlessness, excitement, liveliness, activity; turbulence

roering (*beweging*) stir, motion; (*buikloop*) diarrhoea; (*ontroering*) emotion; (*opschudding*) commotion

roerloos 1 (*van schip*) rudderless; 2 motionless; (*fig.*) unmoved

roerom stirabout; **roerpen** helm, tiller

roersel motive, prompting; ~*en*, *ook:* springs [the ... of French policy], movings [the ... of the Oriental mind]

roerspaan, ~**staaf**, ~**stang** stirring-spoon, -rod; (*van apotheker*) spatula; (*in brouwerij*) mash-staff

roersteven sternpost, rudderpost

roerstok *zie* roerpen & roerspaan

roertouw tiller-rope; *zie* vinkentouw

roervink decoy-bird; (*fig.*) firebrand

roes drunken fit, intoxication (*ook fig.*); ~ *der overwinning* flush of victory; *in de* ~ *der overwinning, ook:* flushed with victory; *zijn* ~ *uitslapen* sleep off one's debauch (one's liquor), sleep o.s. sober; *ik leefde als in een* ~ my life was a whirl of excitement; *bij de* ~ *verkopen* sell in the lump (in bulk); *zie* aanhebben, aankrijgen

roest 1 rust; (*op plant*) rust, blight, smut; *oud* ~ old iron, scrap iron; *door* ~ *verteerd* r.-eaten; 2 (*van kippen*) perch, roost; ~**en** 1 rust, get rusty; 2 perch, roost; ~**ig** rusty (*ook van plant*); ~**igheid** rustiness; ~**kleurig** r.-coloured, rubiginous; ~**middel** *zie* ~werend; ~**vlek** spot of r.; (*op wasgoed*) iron-mould; ~**vlekje** speck of r.; ~**vogel** perching bird, percher, passerine; ~**vrij** r.-proof, rustless; – *maken* r.-proof; – *staal* stainless steel; ~**werend** r.-preventing (r.-resisting); – *middel* rust-preventer

roet soot; ~ *in 't eten gooien* be a spoil-sport (a killjoy), make trouble; (*sl.*) queer the pitch for a p.; ~**achtig** sooty; ~**deeltje** black, smut; ~**(er)ig** sooty; ~**kleur** sooty colour; ~**kleurig** soot-coloured; ~**lucht** sooty smell, smell of soot; ~**mop** lump of soot; (*fig.*) nigger

roetsjbaan switch-back (railway), roller-coaster, big dipper

roet: ~**smaak** sooty taste, taste of soot; ~**vlok** smut; ~**zwart** *bn.* (as) black as soot; *zn.* (*van schilders*) bistre

roezemoezen buzz, bustle; ~**ig** noisy, boisterous; (*van weer*) boisterous, blustering

roffel 1 *zie* ~schaaf; 2 (*van trom*) roll, ruffle; *hij kreeg 'n* ~ he got a wigging (= *berisping*); *'n* ~ *slaan* beat a roll (*of:* ruffle); *er met de* ~ *overheen lopen*, (*fig.*) scamp (bungle) one's work; ~**aar** bungler, muddler; ~**en** (*met schaaf*) rough-plane; (*op trom*) roll (the drum), beat a roll (ruffle); (*op ruit*) drum; (*knoeien*) bungle; *zie af*–; *'t* ~, (*van trom*) the rub-a-dub; ~**ig** shoddy [work]; ~**schaaf** jack-plane; ~**vuur** drum-fire; ~**werk** shoddy work

rog ray, thorn-back

rogatoir rogatory [commission]; *hij werd door een -e commissie verhoord* he was heard on commission

rogge rye; ~**bloem** r.-flour; ~**brood** pumpernickel, r.-bread, black bread; ~**meel** r.-meal, -flour; ~**stro** r.-straw

rok 1 (*van vrouw*) skirt; (*onder-*) underskirt, petticoat; (*van man*) dress-coat, (*fam.*) tails, swallow-tail;(*plantk.*) tunic, scale; *in* ~ in dress-clothes, in evening dress; *zie* hemd; 2 *zie* rokken; 3 (*vogel*) roc

rokade (*schaakspel*) castling; *vgl.* rokeren

rokbeschermer dress-guard

rokbroek divided skirt, skirt trousers

roken *tr.* & *intr.* (*ook dampen, van schotels, enz.*) smoke [a pipe, fish, ham]; ~ *van bloed* s. (*of:* reek) with blood; *'t rookt hier* there is s. here; *ik had behoefte om eens te* ~ I wanted a s.; *als een schoorsteen* s. like a chimney (furnace); *niet* ~ no smoking; *gerookt* smoked, smoke-cured, smoke-dried [bacon, tongue, etc.]

roker smoker

rokeren (*schaakspel*) castle; *lang* (*kort*) ~ c. on the queen's (the king's) side

rokerig smoky; ~**heid** smokiness

rokerij smoke-house; *zie* rookartikelen

rokje *zie* rok 1; ~ *der Bergschotten* kilt; *je hebt een* ~ *uitgetrokken* you've not lost flesh; *zie* omkeren; **rokken** (*spin-*) distaff

rokkenjager womanizer, Casanova

rokkostuum dress-suit

rokophouder skirt-holder, page

rol roll [of paper, tobacco, linen]; bolt [of cloth]; piece [of wall-paper]; (*van hout, enz.*) roller, cylinder; (*onder 't haar*) pad; (*deeg~*) rolling-pin; (*perkament*) scroll [of parchment]; (*katrol*) pulley; (*monster-*) (muster-)roll; (*van doctoren*) panel; (*jur.*) cause-list; (*van aangeklaagden*) calendar; (*bij politierechtb.*) charge-sheet, (*theat.*) part, role, rôle, character, [an actor's] lines; *zie ook* ~letje; *een* ~ *bezetten* fill a part; *de* ~*len verdelen* cast (assign) the parts; *iem. voor een* ~ *aanwijzen* cast a p. for a part (*ook fig.*); *iem. een* ~ *toewijzen* assign a part to a p.; *hij krijgt de* ~ *van Hamlet* he is cast for Hamlet; *de* ~*len zijn omgekeerd* the tables are turned, the roles are reversed; *een* ~ *spelen* act (play) a part (*ook fig.*); *een voorname* (*grote, gemene*) ~ *spelen* play a prominent (great, nasty) part [*in* in]; *een* ~ *spelen in*, (*fig.*, *van pers.* & *zaken, ook:*)

figure in [all the things that ...d in the case];
nu begint Dr. H. een ~ te spelen, ook: now
Dr. H. comes into the picture; *hij speelt een
~ in het openbare leven* he is a public figure;
prijzen schijnen geen ~ te spelen prices seem
to play no role; *de prijs speelt een grote ~* is
an important factor; *geld speelt geen ~* money
is no object; *aan de ~ zijn (gaan)* be (go) on the
spree (the loose); *zie zwier; dat hoort zo bij de
~* that's (all) in the character; *hij bleef in (viel
uit) de ~* he kept in (came out of, acted out of)
character; *in een van zijn grootste ~len, ook:*
in one of his greatest impersonations (crea-
tions); *zich met een ondergeschikte ~ vergenoegen,* (*fig.*) take a back seat; *de zaak staat
op de ~ voor vandaag* the case is down for
hearing (is in the cause-list for) to-day; *op de
~ inschrijven* enter on the charge-sheet; **~aap**
cebus: capuchin, squirrel-monkey, etc.
Roland *zie* Roeland
rol: ~baan (*luchtv.*) taxi-strip; **~beroerte:** *z. een
– schrikken* (*lachen*) *zie* rot 3; **~beugel** (*v. auto*)
roll-bar; **~blind** rolling (roller, roll-down)
shutter; **~brug** roller-bridge; **~film** (*fot.*) roll-
film; **~gordel** inertia reel seat-belt; **~gordijn**
(roller-)blind; **~handdoek** roller-towel, jack
towel; **~hockey** rink-hockey, roller-h.; **~jaloe-
zie** *zie* ~blind; **~klaver** bird's foot trefoil; **~
kraag** roll-collar; *trui met –* polo-neck pullover; **~laag** upright course of bricks; **~lade**
collared beef, rolled beef (veal, pork); **~lager**
roller-bearing; **~lebollen** turn somersaults
rollen roll [a ball, etc.; the thunder ...s],
trundle [a hoop; the bus ...s through the
street]; tumble [into a ditch]; (*luchtv.*) taxi;
geld moet ~ riches have wings and fly away;
dat doet 't geld ~ it circulates money; *je weet
nooit hoe een dubbeltje ~ kan* you never can
tell; the unexpected often happens; *de zaak
aan 't ~ brengen* set the ball rolling; *door de
wereld ~* be a happy-go-lucky fellow; *zie*
doorrollen; *zich in 't zand ~* r. (about) in the
sand; *met de ogen ~* r. one's eyes; *van de trap ~*
tumble down the stairs; *hij rolde van de fiets*
('t paard) he parted company with his machine (horse), he had a spill; *iems. zakken
~* pick a p.'s pocket; *iems. horloge ~* pinch
a p.'s watch; *zie* materieel; **~bank** rolling
road; **~spel** role-play
roller (*golf*) roller, rolling wave
rolleren cast (the parts of) a play
rol: ~letje *zie* ~; roll, rouleau [of pennies]; wad
[of banknotes]; (*onder stoel, tafelpoot, enz.*)
castor, caster; *alles ging als op –s* everything
went like clockwork; **~luik** *zie* ~blind; **~maat**
spring rule; **~mops** Bismarck (*of:* collared)
herring; **~pens** (*niet in Eng.*) beef minced,
spiced, sewn in tripe and pickled; **~plank** (*voor
deeg*) pastry-(paste-)board; **~prent** film, picture; **~roer** (*van vliegt.*) aileron, elevator; **~
rond** cylindrical; (*van pers.*) roundabout,
plump; **~schaats** roller-skate; **–band** (roller-)
skating rink; **~schaatsen** roller-skate, -skating;
~schaatser roller-skater; **~schelp** volute; **~**

schuier carpet-sweeper; **~steen** boulder; **~
stelling** safety-cradle; **~stoel** wheel(ed) chair,
Bath chair; **~stok** rolling-pin; **~tabak** roll-
tobacco; **~tong** (*dierk.*) proboscis, sucking-
tongue; **~trap** escalator, moving staircase
(stairway); **~vast** letter-, word-perfect; **~veger**
carpet-sweeper; **~verband** roller bandage; **~
verdeling** cast; **~wagen(tje)** truck, trolley, lorry
Romaan Latin; *zie* Romanen
Romaans Romance [languages], Romanic
[race]; *–e stijl* romanesque (style)
roman novel; *~s, ook:* [they only exist in] fiction; **romance** id.; **romancier, -ière** novelist,
fiction-writer, romancer, romancist
Romanen Romance (Romanic) nations
roman: ~esk romantic; **~held(in)** hero (heroine)
of romance (*of:* in a novel)
romaniseren Romanize; **romanist** Romanist
roman: *de ~kunst* the novelist's art; **~lezer**
novel-reader; **~schrijfster, ~schrijver** novelist;
~ticus romanticist; **~tiek** *bn.* romantic (*bw.:*
-ally); *zn.* romanticism; romance [of the
Highlands]; **~tisch** romantic (*bw.:* -ally); *een
– tintje geven aan,* **~tiseren** romanticize
romboïde rhomboid; **rombus** rhomb
Rome id.; *~ is niet op één dag gebouwd* R. was
not built in a day; *zie* dicht, oud & weg
Romein Roman; **r~** (*letter*) Roman (type); **~s**
Roman; *– recht* Roman Law; *~e cijfers* R.
numerals
romen cream, skim [milk]
romer (*glas*) rummer
rommel lumber, rubbish, litter, jumble; (*prullen*) rubbish, trash; *~ maken* make a mess;
't was een erge ~ in de kamer the room was
in a terrible mess; *laat geen ~* (*papier, enz.*)
achter don't leave any litter behind; *ouwe ~*
old junk; *de hele ~* the whole lot, (*sl.*) the
whole show; **~en** rummage [among papers,
books]; (*van de donder*) rumble; *het rommelt
in India* India is in a ferment; *in iems. papieren –, ook:* make hay of a p.'s papers; *– in de
marge* tinker, avoid the real problems; **~ig**
disorderly, untidy; littered [table]; **~ing** rumbling; **~kamer** lumber-room; *zie ook* ~ig; **~
markt** flea-market; **~pot** rumbling-pot; **~
winkel** jumble-shop; **~zo(oi)** scrap-heap, omnium gatherum
romp trunk; (*van paard, koe, ook:*) barrel; (*van
schip & luchtschip*) hull; (*van vliegt.*) fuselage,
body; *'t R~parlement* the Rump (Parliament)
rompslomp (*drukte*) (fuss and) bother, ado, to-
do; (*rommel*) lumber, mess; *... en de hele ~*
and all the etceteras
rond I *bn.* round, rotund, circular, globular,
spherical; straight(forward) [a ... answer]; in
~e getallen (*cijfers*) in r. numbers (figures); *een
~ jaar* a full year; *~e taal* plain speaking; *een
~e som* a r. sum, (*alles inbegr.*) a lump sum;
een ~e vent a straight(forward), plain-spoken
fellow, [he is] the straight sort; *de ~e waarheid*
the plain (the unvarnished) truth; *de zaak is
~* the case is complete; **II** *bw., zie* ~uit; *zie*
uitkomen; **III** *vz.* round [the fire], about

[fifty]; **IV** zn. round; *in 't ~ r.* about, (all) around, [a room with benches] all r. it; *zijn ogen in 't ~ slaan* cast one's eyes about; *mijlen in 't ~* (for) miles around; *voortdurend in 't ~ lopen* mill [the ...ing crowds]

rondachtig roundish

rondas buckler, (*vero.*) targe

rond: ~**bazuinen** broadcast, trumpet, blaze (blazon) abroad, hawk [one's grievances] about; ~**boog** r. arch; ~**borstig** frank, candid, open-hearted; ~**borstigheid** frankness, candour, open-heartedness; ~**brengen** take r.; (*kranten, enz., ook:*) deliver; ~**brenger** (*van brood, enz.*) roundsman; ~**brieven** spread (*of:* rumour) about, blab; ~**dalven** (*fam.*) traipse about; ~**dansen** dance about; ~**darren** (*fam.*) gad about; ~**delen** distribute, hand r., give out; ~**dienen** help [the soup, pudding], hand (serve) r. [refreshments]; *de soep is ~gediend* is served; ~**dobberen** drift about; ~**dolen** rove (roam, wander) about; ~**draaien I** intr. turn (about, round), wheel r., spin r. [on one's heels], rotate, gyrate; **II** tr. turn (round); twiddle [one's thumbs]; (*snel*) whirl [a stick through the air]; *zie ook* (om-)draaien; *–de paren* twirling couples; *–de beweging* rota(to)ry motion; ~**dragen** *zie* omdragen; ~**draven** trot about; ~**drentelen** lounge about; ~**drijven** float (drift) about; ~**dwalen** wander (roam) about

ronde round, circuit, tour; (*van patrouille, enz.*) round; (*van politieagent*) beat; (*sp.*) round, leg [of a cup competition], (*omloop*) lap; *een ~ vliegen* fly a circuit; *de ~ doen* make (*of:* go) one's rounds, (*van gerucht, enz.*) go (the) r., get about; *lelijke verhalen doen de ~* ugly tales are going the rounds; *de brief deed de ~ door de pers* went the r. of the press

rondeau id.

rondedans round dance, ring-dance

rondeel (*mil.*) round bastion; (*poëzie*) rondeau, rondel

ronden I tr. round (*ook van klinker*), make round; camber [a beam, a road]; (*af-*) round off; **II** intr. (become) round

rond round: ~**fladderen** flutter about; ~**gaan** go r., go about; make the round of [the rooms]; (*van beker, ook:*) circulate; *zie ook:* de ronde doen; *laten –* pass (hand) r., (*de hoed*) send (pass) the hat r., (*de fles*) send r. the bottle, (*de vriendschapsbeker*) circulate the loving-cup; *–de brief* circular (letter); ~**gang** circuit, tour; *een – doen door 't gebouw* make the (a) tour of the building; ~**geven** hand r., pass r.; ~**hangen** h. (stand) about; ~**heid** roundness, rotundity; (*fig.*) frankness, candour; **R~hoofd** Roundhead; ~**hout** (*mar.*) spar; ~**ing** rounding, bulge; (*van kin, enz.*) curve; (*van weg, balk, dek, enz.*) camber; ~**ist** (*van briljant*) girdle; ~**je** round [another ..., waiter! two ...s of gin]; *een – geven* stand a r. (of drinks), stand (pay for) drinks (glasses) all r.; *elk op zijn beurt een – geven* stand a round of drinks

in turn; ~**kijken** look about (one); *'t gezelschap – look* r. the company; *ik keek eens ~* I had a look r.; ~**komen** make (both) ends meet; *met £ 15 per week –* manage on £15 a week (*ook:* £15 a week will keep me); *ik kan net – met £ 15* I can just jog (*of:* scrape) along on £15; *ze kunnen nauwelijks –* they can hardly manage; *ze kan net –* she just manages; **R~kop** Roundhead; ~**leiden** lead about; *iem. –* show (take) a p. over a place (round, about); ~**leider** (*door museum, enz.*) guide(-lecturer); ~**leiding** conducted tour; ~**leuren** hawk about; ~**lopen** walk about; (*fam.*) knock about; *een eindje –* take a short walk; *met een plan –* go about with a plan; *er lopen 'n hoop van die lui ~* there are a lot of those people about; *vrij –*, (*van misdadiger*) be at large; *een van de grootste schurken, die ... one of the greatest scoundrels going (unhung); *loop ~!* get along with you!; ~**lummelen** fool (idle, mooch, poke, potter) about; ~**neuzen** nose (poke) about; ~**om** a) bw. all (a)round, r. about; in all respects; b) vz. (a)round, all r., r. about; connected with, surrounding [the problems ... this issue]; ~**reis** (circular) tour, r. trip; *een – doen in de Koloniën* tour the Colonies; *op de – (gaan)* go(on tour); ~**reisbiljet** circular (circular tour) ticket; ~**reizen** travel about; *de wereld –* travel all over the world, (*fam.*) knock about the world; *al zijn klanten – make the r.* of all one's customers; ~**reizend** itinerant, strolling [actors], [actors] on tour; *–e bibliotheek* mobile library – (*toneel*)*gezelschap* touring company; ~**rijden** drive (ride, skate) about; *have a run r.* (go for a spin) [in the car]; *vgl.* rijden; *de stad –* make the tour of the town; ~**rit** tour; ~**schaaf** fluting-plane; ~**scharrelen** *zie* omscharrelen & rondkomen; ~**schenken** serve; ~**schouderig** r.-shouldered; ~**schrift** r. hand; ~**schrijven** circular letter; *een – richten tot* circularize; ~**sel** pinion; ~**slenteren** lounge (knock) about; ~~**slingeren** tr. fling about; intr. (*van boeken, enz.*) lie (knock) about; *laten –* leave [one's things] about; ~**sluipen** steal (prowl) about; ~**snuffelen** nose (forage, poke) about [for s.t.]; ~**springen** jump (spring, frisk, cavort) about; *zie* omspringen & rondkomen; ~**staan** (*van een zak bijv.*) bulge; ~**strooien** strew about, scatter [bread crumbs]; (*fig.*) put (spread) about [rumours, etc.]; ~**sturen** send r., send out; ~**tasten** grope (feel) about [*naar* for, after]; *in 't duister –* grope (be) in the dark [*omtrent* about]

rondte circle, circumference; *in de ~ draaien* turn round, revolve; *in de ~ gaan staan* form a c.; *zie* ronde & rond zn.

rondtrekken wander about; *zie ook* rondreizen(d)

ronduit I bn. straight(forward), plain-spoken, forthright; **II** bw. roundly [express one's views ...], frankly, flatly, plainly, outright, [say it, ask her] straight out; *~ spreken* speak one's mind, speak straight from the shoulder, speak out (freely); ~ (*met iem.*) *praten* talk straight, have a good straight talk (with a p.); *iem.* ~ *iets vragen* ask a p. a plain question; ~ *antwoorden* give a straight answer; ~ *weigeren* refuse flat(ly), give a flat refusal; *ik heb 't hem ~ gezegd* I told him so in plain terms; *iem.* ~ *zeggen, waar 't op staat* talk to a p. straight from the shoulder; *om 't maar ~ te zeggen* to put it bluntly (plainly), not to put too fine a point upon it, to be (quite) frank, not to mince matters; ~ *gezegd* frankly [I don't see why], frankly speaking, to be candid, candidly

rond: ~**vaart** circular trip; (*kruistocht*) cruise; –**boot** water-bus; ~**varen** *ie* omvaren; ~**venten** hawk about; ~**vertellen** spread, blab (all over the town); *zie* ~*bazuinen*; ~**vliegen** fly about (round), circle [the aeroplane ...d over the town]; (*fig.*) tear (rush) about; ('*n*) ~**vlucht** (*maken*) (fly a) circuit; ~**voeren** lead about; ~**vraag** questions before closure of meeting, (*ongev.*) any other business (= *wat verder ter tafel komt* + ~*vraag*); ~**wandelen** walk about, take a turn [in the park, etc.]; walk [when Jesus ...ed the earth]; ~**wandeling** perambulation, tour; *een – doen door de zalen* make a tour of the wards; ~**wangig** chubby(-cheeked); ~**waren** (*van spook*) walk; (*van wild dier, enz.*) prowl; (*van hongersnood, enz.*) stalk; *ergens –*, (*van geest*) haunt a place; *er waren spoken in 't huis* ~ the house is haunted; ~**weg** circular road, bypass (road); ~**wentelen** revolve; ~**worm** round-worm; ~**zeggen:** *iets* – give notice of s.t. (to one's neighbours, etc.); ~**zenden** send round, send out; ~**zien** look about; *ik heb er overal naar* ~*gezien* I've been looking for it everywhere; ~**zwaaien** *tr. & intr.* swing r., slew r.; ~**zwalken** be tossed (toss, drift) about; ~**zwerven** wander (roam, rove, *fam.*: knock) about; ~**zwieren** (*in danszaal*) whirl about, swing round; (*fig.*) be on the spree

rong (*van wagen*) upright

ronken (*snorken*) snore, (*van kever*) whirr; (*van motor, enz.*) throb, drone, chug; (*van vliegt.*) roar; (*van locomotief*) snort; (*snoeven*) brag; **-er** snorer

ronselaar crimp; *vgl. 't volg.*

ronselen recruit [volunteers]; (*inz. door list of geweld*) shanghai, (im)press, crimp

röntgen: ~**en** röntgen, X-ray, radiograph; ~**foto** röntgenogram, X-ray photograph, radiograph; ~**ologie** röntgenology; ~**oloog** röntgenologist; ~**onderzoek** X-ray examination; ~**stralen** X-rays, Röntgen rays; ~**therapie** röntgenotherapy

ronzebons Punch-and-Judy show, puppet-show; (*Ind.*) tin-kettle band

rood red (*ook in de pol.*), [my coat is getting] rusty; *de rode gloed van het vuur* the ruddy glow of the fire; *rode hond* German measles, rubella, (*tropisch*) prickly heat; *rode kool* r. cabbage; *rode loop* bloody flux; ~ *maken* make r., redden; ~ *worden* redden, flush, colour (up); *zo ~ als een kreeft* (*een kroot*) as r. as a lobster (a beet); *de rode* (*bal*), (*bilj.*) the r. (ball); *een*

rode, (*pol.*) a Red; *de roden* the Reds; *in 't ~* [dressed] in r.; *in de rode cijfers* in the red; *een glaasje* ~ a glass of black-currant gin; *zie* duit, graat, haar, kruis, rugje, enz.; ~**aarde(n)** ruddle; ~**achtig** reddish, ruddy; ~**baard** r.-beard; ~**bloedig** r.-blooded; ~**bont** r. and white; ~**borstje** (robin) redbreast, robin; ~**borsttapuit** stonechat; ~**bruin** reddish brown, russet; bay [horse]; ~**gloeiend** r.-hot; ~**harig** r.-haired; (*sl.*) carroty; ~**heid** redness; ~**hout** r.-wood, Brazil wood; ~**huid** redskin, r. Indian; **R~kapje** Little Red Riding-hood; ~**koper(en)** copper; *hij is voor zijn* (*ruige*) –, (*fam.*) that job's jobbed; ~**kopklauwier** woodchat (-shrike); ~**kopvee** r.-poll cattle; ~**krijt** r. chalk, ruddle, reddle; ~**mus** scarlet grosbeak; ~**nek** (*Z.-Afr.*) roinek; ~**rok** redcoat; ~**schimmel** roan (horse); ~**sel** ruddle; (*blanketsel*) rouge, raddle; *met – geverfd* raddled (face); ~**staartje** redstart; ~**valk** *zie* torenvalk; ~**vonk** scarlet fever, scarlatina; ~**vos** bay (horse); ~**wangig** r.-cheeked, ruddy; ~**zijden** r. silk

roof 1 (*op wond*) scab, slough; 2 plunder, robbery; (*buit*) booty, plunder, loot; *op ~ uitgaan* go out plundering; (*van dieren*) go in search of prey, go on the prowl; ~**achtig** rapacious; ~**bouw** overcropping, predatory cultivation, premature exhaustion (*ook van mijn*); – *plegen* (*op*), (*fam.*) drive [people] too hard, work [one's staff] to death; *door – uitgeput* prematurely exhausted (*ook van mijn*), overcropped; ~**dier** beast of prey, predator; ~**gierig** rapacious; ~**gierigheid** rapacity; ~**goed** stolen goods; *het is geen –* please be careful (with it); *het is – it is in great demand (and scarce supply); ~**hol** *zie* ~*nest*; ~**kever** ground-beetle; ~**moord** murder for robbery; ~**nest** den (*of:* haunt) of robbers; ~**oorlog** war of plunder; ~**overval** hold-up; ~**politiek** policy of grab; ~**ridder** robber knight (*of:* baron); ~**schip** pirate-ship; ~**sprinkhaan** (praying) mantis; ~**staat** robber state; ~**tocht** foray, raid; ~**vis** fish of prey; ~**vlieg** robber-fly; ~**vogel** bird of prey; ~**ziek** rapacious; ~**zucht** rapacity; ~**zuchtig** rapacious, predatory

rooi: *geen ~ houden* aim badly; *de ~ te hoog* (*laag*) *nemen* aim too high (low)

rooie (*schn.*) carrots, ginger; *een ~,* (*pol.*) a Red; *zie* rood

rooien 1 (*mikken*) aim; *hij kan 't* (*met zijn inkomen*) *niet ~* he cannot make (both) ends meet; *hij zal 't wel ~* he is sure to manage (it); *ik kan 't niet met hem ~* I cannot get on with him; 2 (*aardappels*) lift, dig (up), raise; (*bomen*) pull up, stub; (*boomstronken, enz.*) grub up, stub up [tree-stumps], (*van wortels zuiveren*) stub, grub [land]

rooilijn (fixed) building-line, alignment; *op de ~ staan,* (*van huis*) range with the street

rooimeester *zie* bouwopzichter

rooinek (*Z.-Afr.*) roinek

rook 1 (hay-)rick; 2 smoke; *onder de ~ van A.* within easy reach of A.; *geen ~ zonder vuur* there is no s. without fire; *in ~ op-*

gaan end in (go up in, vanish in) s., melt (vanish) into thin air; *zie* snijden; 3 *o.v.t. van* ruiken; ~**artikelen** smokers' requisites; ~**bestrijding** s.-abatement [... society]; ~**bom** s.-bomb; ~**coupé** smoking-compartment, (*fam.*) smoker; ~**gas** flue gas; ~**gerei** smoking materials; ~**glas** smoked glass; ~**gordijn** s.-screen [lay, draw, put up, set up a ...]; ~**granaat** s.-shell; ~**hok** smoking-shed; ~**kamer** smoking-, s.-room; ~**kanaal** flue; ~**kap** hood; ~**kast** (*mach.*) s.-box; ~**kolom** pillar of s.; ~**kringetje** smoke-ring; ~**loos** smokeless [powder]; ~**lucht** smell of s.; ~**masker** s.-mask, -helmet; ~**massa** volume of smoke; ~**ringetje** s.-ring; ~**salon** *zie* ~kamer; ~**scherm** *zie* ~gordijn; ~**signaal** (*mar.*) s.-candle; ~**spek** smoked bacon; ~**stel** smoker's set; ~**tabak** pipe-tobacco; ~**tafeltje** smoking stand; ~**topaas** smoky topaz; ~**vang** chimney-flue; ~**verdrijver** s.-doctor; ~**vlees** smoked (s.-dried) beef; ~**vrij** *zie* ~loos; ~**wolk** cloud of s., s.-cloud; *-je* puff (whiff) of s.; ~**worst** smoked sausage; ~**zwak** smokeless [powder]

room cream; *dikke* ~ clotted c., Devonshire c.; *geslagen* ~ whipped c.; ~**achtig** creamy; ~**afscheider** c.-separator; ~**boter** (creamery) butter; ~**gehalte** c.-content; ~**horen** c.-horn; ~**huis** creamery; ~**ijs** ice-c.; ~**kaas** c.-cheese; ~**kan** c.-jug; ~**kom** c.-bowl; ~**lepel** c.-ladle

rooms Roman Catholic, Roman; *zie* ~katholiek; *~e bonen* broad beans; *'t Heilige R~e Rijk* the Holy Roman Empire; *~e neigingen, ook:* Romeward leanings; ~**gezind** Romanist(ic); *-e* Romanist; ~**gezindheid** leaning towards Rome; ~-**katholiek(e)** Roman Catholic [he is a R.C., they are R.C.s]

room: ~**soes** cream-puff, -bun; ~**taart** c.-tart; ~**vla(de)** c.-custard

roos rose; (*op hoofd*) dandruff, scurf; (*huidziekte*) erysipelas, St. Anthony's fire; (*van kompas*) card; (*van schijf*) bull's eye, (*fam.*) bull; (*diamant*) rose diamond; *geen* ~ *zonder doornen* no r. without a thorn; *de rozen op haar wangen* the roses in her cheeks; *'t is al rozen wat men hier ziet* the place is a riot of roses; *in de* ~ *schieten* score a bull's eye (*fam.:* a bull); *onder de* ~ under the r., sub rosa, in secret; *hij wandelt op rozen* his path is strewn with roses, he lies on a bed of roses; *vol* ~ scurfy [hair]; *zie* gouden, *enz.*; ~**achtig** r.-like; (*plantk.*) rosaceous [plants]

Roosje Rose; **roosje** (little) rose; (*diamant*) rose (diamond), rosette

rooskleur rosy colour, rose-colour

rooskleurig (*ook fig.*) rosy, roseate, rose-coloured; *'t ziet er niet erg* ~ *uit, ook:* the outlook is none too bright; *zie* bril

roosten roast [seeds, coffee-beans, ore]

rooster (*in kachel*) grate; (*om op te braden*) grill, gridiron; (*brood~*) toaster; (*ter afsluiting, enz.*) grating; (*elektr.*) grid; (*werk~*) (duty-)rota, (*vooral mil.*) roster, (*op school, enz.*) timetable; *volgens* ~ *aftreden* (*zitting houden, enz.*) go out (sit, etc.) by (in) rotation; *zie* heet;

~**batterij** (*elektr.*) grid-battery; ~**en** broil, roast, grill; toast [bread, cheese]; (*sneetje*) ge-roosterd brood (slice of) toast; ~**lek** (*elektr.*) grid-leak; ~**spanning** (*elektr.*) grid potential; negatieve – grid bias; ~**vork** toaster, toasting-fork; ~**werk** grating(s)

roostoven roasting-furnace

roosvenster rose window

roosvormig rose-shaped

rootkuil, -kuip retting-pit (*voor vlas*)

ropij rupee

1 ros *zn.* steed; *geen* ~, (*fam.*) absolutely nothing

2 ros *bn.* reddish [hair], ruddy [a ...glow]; ~**se** *buurt* red-light district

Rosa Rose

rosachtig *zie* rossig

Rosalie id., Rosalia

rosarium id., rosary

rosbief roast beef

rose *zie* roze; **roset** *zie* rozet

rosharig red-haired, sandy-haired

roskam curry-comb; ~**men** curry, rub down; (*fig.*) criticize severely, cut up

rosmarijn rosemary; ~**olie** r.-oil

rosmolen horse-mill; (*fig. ook*) treadmill

rossen 1 *zie* roskammen & afranselen; 2 ride (drive) like mad; *vgl.* rijden

rossig reddish, sandy-haired, sandy [hair], ruddy [a ...glow]

rossinant Rosinante, jade

1 rot *zie* rat

2 rot (*mil.*) squad; (*2 man*) file; (*bende*) gang, set; (*geweren*) stack [of arms]; *met de richting belast* ~ dressing-file; *half* (*blind*) ~ blank file; *de geweren aan* ~**ten zetten** pile arms

3 rot I *bn.* rotten (*ook fig.*); putrid, putrefied; (*onaardig*) beastly [*doe niet zo* ~ don't be ...]; ~*te tand* decayed (*of:* bad) tooth; ~*boek* (*-weer, enz.*) r. book (weather, etc.); *dat* ~*huis, ook:* that wretched house; *zich* ~ *lachen* (*schrikken*) laugh fit to burst (be scared to death); *zich* ~ *werken* work one's fingers to the bone, work o.s. to death; *zie* appel; II *zn.* rot

rota id. [the Sacred Roman R.]

rotacisme rhotacism

rotan rattan; ~**stoel** cane-chair

Rotariër Rotarian

rotatie rotation; ~**pers** rotary press

roten ret [flax, hemp]; -**erij** rettery

roteren rotate; *-de motor* rotary engine

rotgans brent-goose

rot: ~**heid** rottenness; ~**je** fire-cracker; *zich een* – *lachen*, (*volkst.*) laugh one's head off; ~**joch** little pest; ~**kelder** septic tank; ~**kreupel** *zn.* footrot; ~**lucht** putrid smell (*of:* stench)

rotogravure (roto)gravure

rotonde rotunda; (*verkeersplein*) roundabout; (*Am.*) traffic circle; (*mantel*) opera cloak

rotor id.

rots rock; (*steil, vooral aan kust*) cliff; (*steil*) crag; *zie* ploegen; ~**achtig** rocky; ~**achtigheid** rockiness; ~**been** petrous bone; ~**blok** boulder; ~**eiland** rocky island; *'t R~gebergte* the Rocky Mountains; (*fam.*) the Rockies; ~**gevaarte**

mass of rocks; ~gruis r.-waste; ~helling rocky
slope; ~keten chain of rocks; ~kloof chasm;
~kristal r.-crystal; ~mus r.-sparrow; ~muur
rocky wall; ~partij (mass of) r.-work; (*vooral
kunstmatig*) rockery; ~puin r.-waste; ~punt
peak; ~rand rocky ledge; ~spelonk r.-cavern;
~spleet chasm
rotstraal (*paardeziekte*) thrush
rots: ~tuin rock-garden; ~vast firm as a r.; ~
wand r.-face, precipice; (*aan zee ook:*) bluff;
~woning r.-dwelling; ~zout r.-salt
rottan(g) *zie* rotan & rotting 2
rotten rot, decay, putrefy, get rotten; (*volkst.*)
fart; *zie ook* roten
Rotterdam id.; *vgl. verder* Amsterdam
rottig *zie* rot 3
1 rotting putrefaction, rotting, decay
2 rotting cane; ~knop head (of a c.)
rottingskelder septic tank
rottingwerend antiputrefactive
rottinkje cane; (*van Eng. mil.*) swagger-cane
rotvent, rotzak (*plat*) rotter, nasty piece of work
rotziekte putrid fever; (*bij vee*) foot-rot
rotzooi *a*) mess; *b*) caboodle; *c*) mayhem
Rouaan Rouen
roué id., rip, rake, debauchee
rouge id.; ~-et-noir id.
roulade id.; roulatie circulation [be out of ...
for a month]; rouleau (roller-)blind
rouleren *a*) be in circulation, circulate; *b*) rotate, take turns (in the performance of duty,
etc.) work in shifts; ~d krediet revolving credit; -eringsstelsel shift-system
roulette id.; ~tafel r.-table
route id., way, round (of the postman)
routine *a*) experience, practice; *b*) id., (daily)
round; *officiële ~, ook:* red tape; *zie* sleur
rouw mourning; *zware* (*lichte*) ~ deep (half) m.;
de ~ aannemen go into m.; *~ bedrijven, ~ dragen* mourn [*over* for]; *in de ~ zijn* (*gaan*) be in
(go into) m. [*over* for]; *in de lichte ~ gaan* go
into half m.; *diep in de ~* in deep m.; *in ~ dompelen* plunge in(to) m.; *uit de ~ gaan, de ~ afleggen* go out of m.; ~auto (*lijkauto*) motor
hearse; (*volgauto*) m.-car; ~band m.-band,
crêpe band
rouwbeklag condolence; *adres van ~* address of
c.; *brief van ~* letter of c. (of sympathy); *geen ~*
no calls of c. (desired); rouwbezoek visit of c.
rouw- mourning: ~brief m.-card; ~dag day of
m.; ~dienst memorial service; ~drager mourner; *voornaamste –* chief mourner
rouwen 1 mourn, go into (be in) mourning
[*over* for]; *zie ook* berouwen; 2 *laken ~* raise
cloth
rouw- mourning-: ~floers crape; ~geld smart-
money; ~gewaad m. (-attire, -garb, -garments);
(*van weduwe*) (widow's) weeds; ~goed m. (-ma-
terial, -articles); ~ig: *ik ben er niet – om* I am
not sorry for it; ~jaar year of m.; ~japon m.-
dress; ~kaart funeral card; ~kamer funeral (*of:*
undertaking) parlour; ~kapel draped (*of:*
funeral) chapel; ~klacht lamentation; ~kla-
gen lament; ~klager mourner; ~kleding m.

(-clothes), m.-wear; *zie* ~gewaad; ~kleed m.-
dress; (*over doodkist*) pall; ~koets m.-coach
funeral coach; ~koop smart-money; *ik heb -*
repent (of) my bargain; ~krans funera
wreath; ~lint m.-ribbon; ~pak m.-suit; ~pa
pier m.-paper, black-edged (-bordered) note
paper; ~rand m.-border, black border [paper
appeared in ... s]; *met*-black-edged, -bordere
[paper]; *nagels met –en* nails in m.; ~sluie
weeper, widow's veil; ~stoet funeral procession; ~tijd period of m.; ~vlag *a*) flag a
half-mast; *b*) black flag
roven *intr.* rob, pillage, plunder; *tr.* steal
kidnap [children], snatch [a kiss]; *iem. iet*
(*ont*)~ rob a p. of s.t.
rover robber, brigand; (*zee~*) pirate; (*struik~*
footpad, highwayman; ~bende gang of rob
bers, robber band; ~hoofdman r.-chief; ~
robbery, brigandage; (*zee-*) piracy; ~kapitei
r.-captain; ~schip pirate(-ship); ~shol, ~snes
den (*of:* haunt) of robbers; ~tje *spelen* play (at
robbers
royaal (*van pers.*) *a*) open-, free-handed, gener
ous, liberal [*met* of], lavish [*met* of], munifi
cent; *b*) sportsmanlike [*een -ale vent* a sports-
man], handsome [a ... apology, apologize
most ...ly]; (*van beloning, aanbod, enz.*
handsome, liberal, generous; (*papierformaat*
royal [paper]; (*ruim*) ample [amply sufficient,
zie ook ruim]; *een -ale meerderheid* a comfortable majority; *het kan er ~ uit* there's enough
and to spare; *iem. ~ behandelen* do the handsome thing by a p.; *~ zijn,* (*met zijn geld*) spend
(money) freely, be generous with one's money; *de tafel was ~ voorzien* the table was lav
ishly spread; *te ~ leven* live beyond one's
means; *~ voor de dag komen* come down
handsomely (liberally); *hij sprong ~ over de*
muur heen he jumped clean over the wall,
zie ook ronduit
royalisme royalism; -ist id.; -istisch royalist(ic)
royaliteit open-handedness, liberality, munificence, generosity
royalty (*aandeel in opbrengst*) id.
royement removal; expulsion [from a club];
cancellation; disbarment; *vgl. 't volg.*
royeren strike off (remove from) the rolls (list,
register, books), expel [a p. from a club, a
party], deprive [a p.] of membership, cancel
[a contract, etc.]; (*advocaat*) *ook:* disbar
roze pink, rose; *oud ~* old rose
roze- rose: ~blad r.-leaf; ~bok musk beetle;
~boom r.-tree; ~bottel r.-hip; ~geur perfume
of roses; *'t leven is niet alles – en maneschijn*
life is not a bed of roses (*fam.:* not all cakes
and ale, not all beer and skittles); *'t was alles*
... everything was lovely in the garden; ~hout
r.-wood; ~kevertje r.-chafer, -beetle, -bug,
-fly; ~knop r.-bud; ~laar r.-bush, r.-tree; ~
marijn rosemary
Rozemonde (*Eng.*) Rosamond; (*dochter van*
Kunimund) Rosamund
rozen-: ~bed roses of roses; ~gaard *zie* ~tuin; ~
hoedje (*r.-k.*) chaplet, lesser rosary, five dec-

ades; ~krans garland of roses; (r.-k.) rosary; (van gewei) rose; een – bidden tell one's beads, say (recite) the rosary

ozenkruis rosy cross; ~er Rosicrucian

ozenkweker rose-grower

ozenobel rose-noble

ozen- rose: ~olie r.-oil, attar of roses; R~oorlogen Wars of the Roses; ~perk r.-bed, rosary; ~tuin r.-garden, rosary; ~vingerig rosy-fingered; ~water r.-water

oze- rose: ~rood r.-red; ~stek r.-cutting; ~stok (van gewei) pedicle; ~struik r.-bush

ozet rosette; (van lint, enz., ook:) favour

ozetak rose-branch; rozetint rose-hue

ozig rosy, roseate; (van huid) inflamed

ozijn raisin; ~enbaard herpes; ~enwijn r.-wine

R.P.S. Post-Office Savings Bank

'.s.v.p. id., an answer will oblige

rubber id.; met ~ behandeld rubberized [cotton]; ~aandeel r.-share; ~aanplanting, -plantage r.-plantation; ~achtig rubbery

Ruben Reuben

Rubicon Rubicon [cross the ...]

rubricator id.

rubriceren class (under different heads)

rubriek head(ing); (afdeling) division, category; (in krant) column, feature; vaste ~, ook: regular department; (vooral kerk. & in handschr.) rubric; ~ voor dienstaanbiedingen, enz. want column; onder deze ~ vallen come (fall) under this head(ing); in verschillende ~en indelen group under various headings; in 2 ~en verdeeld kunnen worden fall into two classes (under two heads); ~sadvertentie classified ad(vertisement)

ruche id., frill(ing)

ruchtbaar known, public; ~ maken make known (public), spread abroad; ~ worden become k., transpire, be noised (get) abroad (of: about), get wind; het geheim is ~ geworden, ook: the secret is out; ~heid publicity; – geven aan, zie ~ maken

rudiment id.; ~a rudiments

rudimentair rudimentary [organs]

Rudolf Rudolph, Rudolphus

rug back [of a p., book, hand, knife], spine [of a book], bridge [of the nose], ridge [of mountains, of high pressure]; ik heb een brede ~ my back is broad; rode ~ zie rugje; hij draaide (keerde) mij de ~ toe he turned his b. (up)on me; pas had ik mijn ~ gekeerd, of ... hardly had I turned my b. when ...; iem. de ~ smeren tan a p.'s hide; een hoge ~ zetten hump (put up) one's b.; ~ aan ~ [sit] b. to b.; hij deed 't achter mijn ~ he did it behind my b. [we all talk behind people's backs]; (fig. ook) he went behind my b.; dat hebben we achter de ~ that's finished with; ik zal blij zijn, als ik 't achter de ~ heb I shall be glad to get it over; 't ergste is achter de ~ the corner has been turned; hij heeft de dertig (drie kruisjes) achter de ~ he has thirty years on his b., is turned thirty; hij heeft zijn beste dagen achter de ~ he is past his

best; hij heeft een veelbewogen leven achter de ~ behind him; ... in je ~ wouldn't you like that cushion to your b.?; de wind in de ~ hebben have the wind at one's b.; in de ~ aanvallen attack [the enemy] in (the) rear; iem. met de ~ aanzien give a p. the cold shoulder; hij stond met de ~ naar mij toe he had his b. turned to me; met de handen op de ~ [he walked on,] his hands behind his b.; iem. op de ~ dragen carry a p. (give a p. a) pickaback; hij lag op zijn ~ on his b.; het geld groeit me niet op de ~ I'm not made of money; ik heb geen ogen op mijn ~ I have no eyes at (in) the back of my head; op de ~ vliegen fly upside down; iem. op de ~ kloppen pat a p. on the b.; zie geld; 't loopt me ijskoud over de ~ I feel a cold shiver down my b.; rugader dorsal vein

rugby id., rugger

ruggegraat backbone (ook fig.: without ...), spine, vertebral column; zonder ~, (fig.) ook: spineless [creature]; ~sverkromming curvature of the spine; ~swervel dorsal vertebra (mv.: vertebrae)

ruggelings bw. backward(s), back to back; bn. backward

ruggemerg spinal marrow (of: cord); ~sontsteking inflammation of the s. m.; (wet.) myelitis; ~stering spinal consumption, tuberculosis of the spine

rugge: ~spraak consultation; – houden met iem. consult (with) a p., hold a consultation with a p.; ~steun enz., zie rug ...

rugje: een rood ~ a thousand-guilder note

rug: ~leuning back [of a chair]; ~pijn pain in the back, backache; ~riem b.-band; ~schild carapace; ~slag (zwemmen) b. stroke; ~spier dorsal muscle; ~steun support, backing; ~steunen back (up), support; gerugsteund worden door, ook: have [an enormous majority] at one's b.; ~stuk b.-piece; saddle [of mutton], chine [of pork]; ~titel title on the spine; ~vin dorsal fin; ~vliegen, -vlucht inverted (upside down) flight (flying); ~vuur (mil.) reverse fire; ~waarts bw. backward(s); bn. backward; ~weer (mil.) parados; ~wervel dorsal vertebra (mv.: -brae); ~zak rucksack, (met lang frame) backpack; ~zenuw dorsal nerve; ~zijde back; ~zwemmen swim back-stroke; ~zwemmer back-stroke swimmer, (insekt) water-boatman

rui moult, moulting(-time); aan de ~ zijn be moulting; ~en moult, shed its feathers

ruif(el) (stable-, hay-)rack

ruig shaggy [moustache], hairy, woolly, bushy [eyebrows], (ruw) rough; ~e vorst hoar-frost; ~ begroeid, (van veld) covered with a growth of tangled weeds; dat is voor zijn ~e that job's jobbed; ~harig shaggy; ~heid shagginess, etc.; ~poot (sl.) homo; –buizerd rough-legged buzzard; ~potig rough-footed; ~schaaf jackplane; ~te a) zie ~heid; b) underwood, brushwood, brambles

ruiken I tr. smell, scent; de honden ~ het wild scent the game; hoe kon ik dat ~? how could

I possibly know?; II *intr.* smell; *goed* (*lelijk*)
~ s. good (bad); *lekker* ~ s. nice (sweet); *laat
me eens* ~ let me have a smell; *de kaas ruikt
wat* smells, is smelly; ~ *aan* (have a) s. at [a
rose]; *hij mag er alleen maar aan* ~ [the workman cannot buy home-killed meat,] he has
only got the s. of it; *hij zal er niet aan* ~ he
shall have none of it, he may whistle for it;
je kunt niet aan hem ~ you are not a patch
upon him; *het* (*hij*) *ruikt naar cognac* it (he)
smells of brandy; *dat ruikt naar eigen lof* that
smacks of self-praise; *hij ruikt uit zijn adem* he
has an offensive breath, his breath smells
ruiker nosegay, bouquet
ruil exchange, barter; (*fam.*) swop (swap) [do
a ...]; *in ~* (*voor*) in e. (for); *in ~ nemen* take
in e.; *een goede ~ doen* make a good e.; **~baar**
exchangeable; **~ebuiten** barter; (*fam.*) swop;
~en exchange, barter, truck, trade [cigarettes
for butter], (*fam.*) swop; – *voor* (*tegen*) e. etc.
for; *van plaats* – change places [*met* with]; *ik
zou niet met hem willen* – I wouldn't change
places with him; –? shall we swop?; **~handel**
barter; **~hart** heart transplant; **~ing** *zie* ~; **~
middel** medium of e., circulating medium; **~
motor** e. engine; (*tweedehands*) reconditioned
(rebuilt) engine; **~object** trade-in; (*fig.*) bargaining counter; **~professor** ir.-professor; **~
verdrag** barter-pact, barter-agreement; **~ver-
kaveling** re-allotment, land consolidation
[act]; **~verkeer** exchange; *'t vrije* – free trade;
~voet terms of trade; **~waarde** e.-value
1 ruim (*van schip*) hold; (*van kerk*) nave
2 ruim large [assortment, on a ... scale], broad
[views], wide [view, choice], loose [blouse],
spacious [rooms], roomy [garments, easy-
chair, house], capacious [pockets, house],
ample [coat, sleeves, stores, compensation,
means], liberal [salary], plenty of [scope];
comfortable [lead *voorsprong*]; ~ *en geriefelijk* commodious [house, cabin]; *zijn
~e blik, ook:* his breadth of view; *een ~e blik
hebben* take long views, take a broad view [*op
of*]; ~ *van opvatting* broad-minded; *een ~ inkomen* (*bestaan*) a comfortable income (existence); *een ~ gebruik maken van* avail o.s.
freely of; ~ *geweten* large (elastic) conscience;
een ~e kamer met een ~ uitzicht a large
(spacious) room with a wide view; ~ *voldoende* amply sufficient, ample; *dat zal ~ voldoende zijn* that'll be ample; *'t ~e veld* the open
field; ~ *e wind* free wind; ~ *zeilen* zie *~schoots;
in de ~ste zin* in the widest sense; ~ *honderd*
upwards of a hundred, a hundred odd; ~ *tien
jaar* a good ten years; ~ *een uur* (well) over
an hour; ~ *boven de duizend* considerably over
a thousand; ~ *op tijd* in good time [for lunch];
de handen ~ hebben have plenty of time on
one's hands; *hij heeft het niet ~, zie* breed; ~
ademhalen breathe freely; ~ *uit elkaar staan*
be (stand) wide apart; ~ *meten* give good
(liberal) measure; *het geld* (*de geldmarkt*) *is ~*
money is easy; *op zijn ~st berekend* at the
outside calculation; *zie ook ~*schoots, baan,

beurs, rekenen, voorzien, enz.
ruim: ~en empty, evacuate; (*weg–*) clear awa
[the snow]; (*van wind*) veer (aft); *zie* weg
~er *a*) *zie* putruimer; *b*) = ~naald reame
priming-needle; **~schoots** amply, plentifully
copiously, abundantly, richly, [it was ..
deserved]; – *gelegenheid hebben voor* ... hav
ample opportunity for ...; – *de tijd hebbe*
have ample time; – *op tijd* [arrive] in plent
of time; – *zeilen* sail large; *ook:* go free; *i
heb – genoeg* I have enough and to spare; *zi*
opwegen; **~(s)gast** (*mar.*) yeoman of the hol
ruimte room, space, capacity; (*ledige ~*) void
(*omsloten ~*) enclosed space, circuit; (*tussen~*
interval, distance; (*techn. ook*) clearanc
[piston-...]; (*overvloed*) abundance; (*open zee*
open sea, offing; *wat voor ~ is er?* (in huis
what's the accommodation?; *de oneindige*
(infinite) space; ~ *van beweging* elbow-room
~ *van blik* breadth of view (of vision); *gee
hem de* ~ give him a wide berth; *de ~ kieze*
(*zoeken*) make off, take to one's heels; (*mar.*
take the offing; ~ *laten voor* leave r. fo
[doubt], leave scope for [the imagination]
geen ~ open laten na ... leave no space afte
the figures of a cheque; ~ *maken* make r
clear the way; *in de ~ redeneren* talk in th
void; *gezwam in de* ~ talky-talky; *zich op d*
~ *houden* not commit o.s.; *zie ook* gebrek *&
plaatsruimte;* **~besparend** space-saving; **~be
sparing** space-saving, saving of space; **~cap
sule** space-capsule; **~lijk** spatial; *-e ordenin*
(town and country) planning; **~maat** cubi
measure, measure of capacity; **~onderzoe***
space exploration [lab.]; **~schip** s. ship; s
craft; **~snelheid** space velocity; **~vaarder** astro
naut, space traveller, s.man; **~vaart** s. trave
~vaartuig s.craft; **~veer** s. shuttle; **~verhoudin**
gen spatial relations; **~vrees** agoraphobia, fea
of open spaces
ruimwater bilge-water; **ruin** gelding
ruïne ruins, remains, [the castle is a complete
ruin, [he is a complete] wreck
ruïneren ruin; *zich* ~ ruin o.s.; *'t ruïneerde zij*
gestel it wrecked his constitution; *zonder een
lening ben ik geruïneerd* without a loan, I am
undone; *hij is geruïneerd, ook:* he is brok
ruïneus ruinous
ruis (*telec.*) noise [filter]; *witte* ~ white n.
ruisen (*van kleed, woud, wind*) rustle; (*van zijde
regen, enz. ook*) swish; (*van beekje*) murmur
purl, ripple; (*van oren*) *zie* suizen; *'t ~, zie
geruis*
ruisgeel orpiment, realgar
ruising *zie* geruis; **~sgeluid** *zie* schuringsgeluid
ruisvoren, -voorn rudd
ruit (*van glas*) pane (of glass); (*van deur*) glas
panel; (*van broeibak*) light; (*figuur*) diamond
lozenge; (*wisk.*) rhomb; (*van dam-, schaakb.*
square; (*van diamant*) facet; (*patroon & stof*
check; (*plont*) rue; (*schurft*) mange; **~en inzet**
ten glaze windows; *zijn eigen ~en ingooier*
ruin one's own case, cut one's own throat
ruiten *ww.* check, chequer; *zie* geruit; *zn.* dia

monds; ~**aas** (~**boer**, ~**tien** enz.) ace (knave, ten, etc.) of diamonds; ~**krasser** window slasher; ~**tikker** smash-and-grab raider

uiter horseman, rider; (*mil.*) trooper; (*op systeemkaart*) flag, signal; *hij werd* ~ *te voet* was unhorsed, lost his seat; *Spaanse* (*Friese*) ~*s* chevaux-de-frise; ~**aanval** cavalry charge; ~**bende** body of horse; ~**ij** cavalry, horse; ~**lijk** *bn.* frank, plain, straightforward; *bw.* ...ly; *zie ook* ronduit; ~**pad** bridle-path, riding-track; (*inz. in bos, ook:*) ride; ~**pistool** horse-pistol; ~**standbeeld** equestrian statue; ~**stoet** cavalcade; ~**tje** (*op systeemkaart*) flag, signal, tab; ~**vaan** cavalry standard, guidon; ~**wacht** mounted guard, vedette; ~**weg** riding-track

ruite: ~**sproeier** screenwasher; ~**wisser** windscreen (*Am.* windshield) wiper, screenwiper

ruitijd moulting-time

ruitje pane, diamond, etc.; *zie* ruit; ~(**sgoed**) check, chequered material; ~**spapier** squared paper

ruitvormig lozenge-, diamond-shaped

ruk pull, tug, jerk, wrench; (*luchtv.*) hop [in one ...] *hij gaf een* ~ *aan de bel* he tugged at the bell; *een hele* ~, (*tijd*) quite a spell; (*afstand*) quite a distance (to cover); *bij* ~**ken** by fits and starts

rukken pull, tug, jerk, snatch; *heen en weer* ~, (*van hond*) worry; ~ *aan* pull, etc. at; *te velde* ~ take the field; *iem. iets uit de handen* ~ tear (snatch, wrench) s.t. from a p.'s hands; *uit zijn verband* ~ tear (wrench) [a passage] from its context; *uit zijn gewone doen gerukt* jolted out of his usual routine; *uit zijn gezin gerukt* wrenched from his family; *zie* uitrukken

rukwind squall, gust of wind

rul *a)* bumpy [ice]; *b)* loose [sand], friable [soil]

rum id.; ~**boon** brandy-bean

rumgrog rum-grog, -toddy

rumoer noise, clamour, uproar; ~ *maken* = ~**en** make a noise; ~**ig** noisy, uproarious, riotous, tumultuous; *zie* lawaaierig

rumoermaker noise-maker

rumor *in casa* [there is] a flutter in the dovecote(s); ~ *veroorzaken* cause a flutter in etc., put the cat among the pigeons

rumpunch rum-punch, -shrub

run tan, tanning-bark

rund cow, bull, ox; *mv. ook:* cattle; (*fig.*) boor; *hij bloedt als een rund* he is bleeding like a pig

runder[1]: ~**daas** *zie* ~**horzel**; ~**gebraad** roast beef; ~**haas** *zie* ossehaas; ~**harst** sirloin; ~**horzel** ox warble-fly; ~**huid** cow-hide; ~**lapje** beefsteak; ~**leer** cowhide, neat's leather; ~**pest** cattleplague, rinderpest; ~**rib** rib of beef; ~**rollade** collared beef; ~**schijf** round of beef; ~**tuberculose** bovine tuberculosis

rund: ~**vee** (horned) cattle; ~**veestamboek** herdbook; ~**vet** beef suet; (*gesmolten*) beef dripping; ~**vlees** beef

rune id., runic letter; ~**nalfabet** runic alpha-

---

[1] *Zie ook* koe... & vee...

---

bet, futhorc; ~**nschrift** runic writing (script); **runisch** runic

run: ~**kleur** tan(-colour); ~**kleurig** tan(-coloured); ~**koek** t.-ball; ~**kuil** t.-vat, -pit; ~**looier** tanner; ~**molen** t.-, bark-mill

runnen curdle; **runsel** rennet

runvocht tan-ooze, -pickle

rups caterpillar; ~**band** c. track, endless belt; *met* ~*en* tracked [vehicles]; ~**bandtractor** c.-tractor; ~**bandwiel** c.-wheel; ~**endoder** (*vogel & larve van sluipwesp*) c.-eater; ~**ennest** nest of c...s; ~**enplaag** c.-plague; ~**ketting** c. track; ~**klaver** Calvary clover, medick; ~**trekker** c. tractor, (*op* ~**wielen**) crawler tractor

1 Rus Russian; **r**~, (*sl.*) tec (= detective)

2 rus rush

rusgeel orpiment, realgar

Rusland Russia

russen rush [mats]

Russen: ~**hater** Russophobe; ~**vrees** Russophobia; ~**vriend** Russophil(e)

russificatie Russification, Russianization

russificeren Russify, Russianize

Russin Russian (woman)

Russisch Russian; (*in sam.*) Russo-[Turkish, German]; ~*e eieren* Russian eggs; ~ *leer* Russia (leather); ~*e thee* (*laarzen*) Russian tea (boots)

russofiel, -fobie, -manie Russophil(e), -phobia, -mania

rust rest, repose, quiet, tranquillity, calm; (*mil.*) halt [at the ..., *gedurende de* ~]; (*muz.*) rest; (*in versregel*) rest, pause, caesura; (*voetb.*) half-time, interval, (*Am.*) intermission; (*van vuurwapen*) safety-catch; (*mar.*) chains, channel; *een korte* ~, (*roeien, ook mil.*) an easy; *op de plaats* ~*!* stand easy!; ~ *geven* give a r., rest [one's voice, eyes, horse], set [a p.'s mind] at r.; *zich een ogenblik* ~ *gunnen* rest o.s. a little, take a moment's r.; *iem. geen* ~ *gunnen* leave a p. no peace; *hij heeft* ~ *noch duur* he is very restless; *hij heeft geen* ~ *voordat* ... he won't be happy (will know no peace) until he gets it; *de* ~ *herstellen* restore quiet (*of:* calm); *de eeuwige* ~ *ingaan* enter into (*of:* on) one's r.; *hij is* ... *ingegaan, ook:* he is at r.; ~ *nemen* take a r.; *een beetje* ~ *nemen* take (have) a moment's r.; (*volkomen*) ~ *nodig hebben* need (complete) r.; ~ *roest* idleness rusts the mind, to r. is to rust; *in* ~ at r.; *de haan in de* ~ *zetten* half-cock [a pistol, etc.]; *in diepe* ~ *zijn* be fast asleep; *in* ~*e, zie* rustend; *laat hem met* ~ leave him in peace, leave (let) him alone, let him be, don't bother him; *ze lieten haar niet met* ~, *ook:* they gave her no peace; *zich ter* ~*e begeven* retire for the night, go (retire) to r.; *ter* ~*e leggen* lay to r. [the body was laid to r.]; *tot* ~ *brengen* set at r., quiet; *tot* ~ *komen* settle (calm, quiet) down, subside; *zie* verstoren

rust: ~**altaar** wayside altar; ~**bank** couch, lounge; ~**bed** couch; ~**dag** day of rest, holiday, day off, off-day

rusteloos untiring, unremitting [labour], restless [spirit]

rusten rest, repose; *zie ook* toerusten; *hij rustte niet, voordat* ... he never rested until ...; *hier rust* ... here lies ...; *hij (zijn ziel) ruste in vrede!* may he (his soul) r. in peace!; *zie* as; *laten ~* r. [one's horse]; r. [one's head on one's hands, one's eye on ...]; cup [one's face in one's hands]; *geschilpunten laten ~* sink differences; *de zaak laten ~* drop the matter, let the matter r. (*of:* sleep); *men zal de zaak niet laten ~* the matter will not be allowed to drop; *'t verleden laten ~* let the past r., let bygones be bygones; *laat de doden ~* let the dead be; *wel te ~! rust wel!* good night! sleep well!; *wat ~* have a (moment's) r.; *ze ligt te ~* she is resting; *ik heb goed gerust* I've had a good r.; *na gedaan werk is 't goed ~* rest is sweet after the work is done; *zijn oog rustte op ...* rested on ...; *zijn ogen bleven ~ op ...* a) came to r. on ...; b) lingered on ...; *moge de aarde zacht op hem ~!* may the earth lie lightly on him!; *op mij rust de plicht (verplichting) te ...* on me rests the duty to ..., it is incumbent on me to ...; *op goede gronden ~* r. (be based) on solid grounds; *er rustte nog een aanzienlijke schuld op* it still had a considerable debt clinging to it; *er rust geen verdenking op u* no suspicion attaches to you; *zie* blaam; **~d** retired [teacher], dormant [volcano]; **~d predikant** pastor emeritus

rustgevend restful [scene]

rusthuis rest-home, -house, home of rest

rusticiteit rusticity

rustiek rustic (*gew. ong., behalve in* rustic bridge, etc.); (*gunstig*) rural

rustig quiet, calm, tranquil, still, restful [place, evening], serene [confidence], uneventful [life]; *~ worden* quiet down; *zich ~ houden* keep q.; *niets boven een ~ leven!* anything for a q. life!; *de patiënt had een ~e nacht* a comfortable night; *ik moet 't ~ hebben* I must have q.; *ik zat ~ een sigaar te roken, ook:* I was smoking a q. cigar; *het leven ging ~ zijn gang* life moved smoothly; *zie ook* kalm; **~heid** quietness, calm(ness), stillness, tranquillity

rustigjes quietly

rusting (suit of) armour

rust- rest: **~kuur** r.-cure; **~lokaal** r.-room; **~oor**[retreat; **~pauze** rest-break; **~plaats** resting[place; *naar zijn laatste ~ geleiden* lay to r[**~poos** breathing-spell, -time, -space; **~pur**[pause, rest, resting-point; **~stand** position of r[(*sp.*) position at half-time, half-time (*of:* in[terval) score; **~stoel** r.-chair; **~teken** (*muz.*[rest; **~tijd** (time of) r., resting-time; **~uur** hou[of r.; **~verstoorder** disturber of the peace[peace-breaker, rioter; **~verstoring** disturb[ance, breach of the peace

rut *zie* blut; **Rutger** Roger

Rutheen enz., *zie* Roetheen, enz.

rutschbaan *zie* roetsjbaan

ruw (*oneffen*) rough, rugged [tree-trunks]; (*on[bewerkt*) raw [cotton, sugar], crude [oil]; (*[bewerkt*) rough-hewn [stone, statue]; (*grof[coarse; (*fig.*) rude, coarse, crude, rough; *ee[~e diamant* a r. diamond (*ook fig.*); *~e gissin[(raming*) r. guess (estimate); *~e handdoe[Turkish towel; *~ ijzer* pig iron; *~e klant* roug[customer; *~ klimaat* raw climate; *~ lood* pi[lead; *~e schets* r. draft; *~e taal gebruiken* us[bad language; *'t ~e werk doen* do the r. work[*~e woorden* coarse words; *~e zee* r. sea; *~ i[de mond* foul-mouthed; *in 't ~e tekenen* drav[in the r., rough in; *in 't ~e begroten* estimat[roughly

ruwaard (*hist.*) regent, lord-lieutenant

ruwharig shaggy, wire-haired [terrier]

ruwheid ...ness (*zie* ruw), crudity

ruwvoer roughage

ruwweg roughly [two million]

ruzie quarrel, row, squabble, brawl, fray; *[hebben* (have a) q. [*over* over, about], have a[row, be at odds, (*sl.*) scrap [*we* ... a lot]; *[krijgen* fall out [*over* s.t.]; *er komt hoge ~*[there will be a row; *~ maken* quarrel; *~ stoke*[stir up a q.; *~ zoeken* pick a q.; *~ zoeken me[pick a q. with, fasten (fix) a q. (up)on; **~achti[** quarrelsome; **~maker**, **~zoeker** quarrelsom[person, brawler

R.V.B. = *Rijksverzekeringsbank* (*nu: Social[Verzekeringsbank*) National Insurance Bank

R.V.D. = *Rijksvoorlichtingsdienst* Central Of[fice of Information

S

S S

1 saai *zn.* serge

2 saai *bn.* dull [as ... as ditch-water], slow [fellow, town], humdrum [evening, sermon], drab [life], tedious [journey, speech], monotonous, tame [scenery]; *~e Tinus* dry stick, dull dog; *'t is daar zo vreselijk ~* so deadly dull

saaien serge

saaiheid dullness, etc.; *zie* saai 2

saam together; *zie* samen; **~gezworenen** conspirators; **~horigheid** oneness, togetherness, unity, solidarity; (*geest van*) – team-spirit; (*ge[voel van, ook*) corporate sense

Saar(tje) Sarah, Sal(ly)

abbat sabbath; ~dag s.-day; ~sjaar sabbatical (year); ~srust s.-rest; ~sschender s.-breaker; ~sschennis s.-breaking; ~sverlof sabbatical (leave); ~tist sabbatarian, sabbatist

abbelen suck; ~ *aan* nibble [bait]; ~ *op* suck [candy]; suck at [one's pipe]

abberen slaver, slobber

abel 1 (*dier, bont, kleur*) sable; 2 sword; (*cavalerie*) sabre; *gevecht op de* ~ sword-fight; *zie* blank, krom; ~bek (*vogel*) avocet; ~bont sable (fur); ~dier sable; ~en sabre, slash [about one, into ...]; ~gekletter sabre-rattling; ~houw sword-, sabre-cut; ~kling sword-blade; ~koppel sword-belt; ~kwast sword-knot; ~schede scabbard; ~schermen sword-exercise; ~sprinkhaan long-horned grasshopper, (*Am.*) katydid; ~tas sabretache; ~vel sable-skin

ʒabijn Sabine; ~s Sabine; ~*se maagdenroof* rape of the S. women

ʒabotage id., wrecking

ʒaboteren sabotage, wreck

ʒaboteur id.

ʒabreur (beau) sabreur, swashbuckler

ʒacharine saccharin; sachem id.

ʒacherijn (*fam.*) worry, vexation; (*persoon*) curmudgeon; sachet id.

ʒacrament id.; *de ~en der stervenden* the last sacraments, extreme unction; *voorzien van de heilige ~en* fortified with the rites of (the) Holy Church; ~ *der biecht* sacrament of confession; ~aliën sacramentals; ~eel sacramental; S~sdag Corpus Christi; ~shuisje pyx, tabernacle

ʒacristein sacristan, sexton

ʒacristie sacristy, vestry

ʒadduceeër Sadducee

ʒadducees Sadducean

ʒadisme, -dist, -distisch sadism, -dist, -distic

ʒafeloket safe deposit box, safe, locker

ʒaffiaan morocco (leather); ~tje, saffie (*fam.*) fag, gasper

ʒaffier sapphire; ~en *bn.* sapphire

ʒaffloer(s) safflower

ʒaffraan saffron; ~achtig saffrony; ~bloem s.-flower; ~geel *bn.* s.-yellow; *zn.* saffron; ~kleurig s.-coloured

ʒaffranen saffron

ʒaga id.

ʒagaai assagai, assegai

ʒage legend, tradition, myth

ʒago sago; ~palm s.-palm, -tree; ~weer sagwire

ʒahara: *de* ~ the Sahara; *van de* ~ Saharan, Saharian, Saharic

ʒaillant *bn. & zn.* salient

ʒajet wool; ~ten *bn.* woollen

ʒake, saki saké

ʒakkerloot! the deuce! by Jove! by George! bless my soul!

ʒaks Saxon

ʒaksen Saxony; ~-Coburg Saxe-Coburg; ~-Weimar Saxe-Weimar

ʒakser Saxon; Saksisch Saxon; ~ *porselein* Dresden china

ʒalade salad; *voor sam. zie* sla

ʒalamander id.

salangaan salangane

salariëren salary, pay; *een goed-gesalarieerde betrekking* a well-paid job; *te laag gesalarieerd worden* be underpaid; -ing payment

salaris salary, pay; (*sl.*) screw; *op een* ~ *van* at a s. of; *op* ~ *zal minder gelet worden* s. no object; *zie* verbinden; ~actie, ~beweging agitation (*of:* campaign) for higher salaries; ~regeling scale of s., rate of pay; ~schaal s. scale; ~verhoging rise, (salary) increase; ~vermindering reduction of s. (salaries), s. cut

salderen balance

saldo balance; *batig* (*voordelig*) ~ credit b., surplus, b. in hand, b. in one's favour; *nadelig* ~ debit b., deficit; *per* ~ on b. (*ook fig.*); *'t* ~ *trekken* strike a b.

salep id., saloop

salet parlour; ~jonker carpet-knight

salicyl id.; ~zuur salicylic acid

salie sage; ~melk s.-milk

Saliër Salian; Salisch Salic [law]

salmagundi id.; salmi id.

salmiak sal-ammoniac

salmiakgeest liquid ammonia

Salomo(n) Solomon; (*als*) *van* ~ Solomonic, Solomonian; *hij is zo wijs als* ~*'s kat* he fancies he can see through a brick wall; ~soordeel Solomonian judg(e)ment; ~swijsheid Solomon-like (Solomonian) wisdom; s~szegel (*plant*) S.'s seal

salon *a*) drawing-room; *b*) (*aan boord & van kapper, enz.*) saloon; *c*) (*Parijse*) ~ id.; *d*) (*attr., ook*) armchair [revolutionary]; ~ameublement d.-r. furniture; '*n* – a d.-r. suite; ~boot saloon-steamer; ~held drawing-room lion

Saloniki Salonica, -ka, Thessaloniki

salon: ~muziek light music; ~orkest light orchestra; ~rijtuig *zie* ~wagen; ~stuk (*muz.*) drawing-room piece; (*theat.*) d.-r. play; ~tafeltje fancy table, coffee-table, occasional table; ~vleugel baby-grand (piano); ~wagen saloon carriage, Pullman (car)

salpeter saltpetre, nitre, nitrite; ~aarde nitrous earth; ~achtig nitrous; ~damp nitric fume(s); ~ig nitrous; – *zuur* nitrous acid; ~papier touchpaper; ~zuur nitric acid; ~*zure soda* nitrate of soda; ~zuurzout nitrate

salsaparille sarsaparilla

salto-mortale somersault; '*n* ~ *maken* turn a somersault

salueren salute, give a salute; (*met 't vaandel*) dip the flag (the colours); *er wordt niet gesalueerd* no compliments are paid

1 Salu(u)t! (*in wetten, enz.*) Greeting!

2 saluut salute, salutation; ~! good bye! so long!; '*n* ~ *brengen* (give a) s.; (*kanon*) fire a s.; ~schot(en) salute; –*en lossen* fire a s.

salversaan salvarsan

salvo (*ook fig.*) volley, round [of fire, of applause], salvo

salvo *errore et omissione* errors and omissions excepted, E. & O.E.

salvovuur volley firing

samaar simar, cymar

Samaria id.

Samaritaan Samaritan; *de barmhartige* ~ the Good S.; ~s S.; ~se S. woman

sambal id.; **sameet** velvet

samen[1] together, [all these causes] combined; *hoeveel (geld) is dat* ~? how much does that make (come to)?; *50* ~, *ook:* 50 all told; ~ *500 ton* aggregating 500 tons; *goede morgen* ~! good morning all (everybody)!; *allen* ~ *gaan* go in a body; *door hen* ~ *geschreven* [plays] written conjointly by them; *zullen we* ~ ... *nemen?* will you join me in a bottle? shall we split a bottle?; ~ *een taxi nemen* share (split) a taxi; ~ *hebben* share [a room, cabin]; *zij verdienden* ~ ... they earned ... between (among) them; ~**binden** bind (tie) t., tie up, strap [books] t., knit [the nations] t.; ~**brengen** bring t., throw [persons] t.; ~**doen** *tr.* put t.; *intr.* be partners, go shares, join hands [in doing it]; ~**drukbaar** compressible; ~**drukbaarheid** compressibility; ~**drukken** press t., compress [one's lips]; ~**duwen** squeeze t.; ~**flansel** patchwork; tissue [of lies]; ~**flansen** knock t., patch (botch) up (*of:* together), clap up [a play]; ~**gaan** go t. (*ook fig.*), [my affection and admiration] go hand in hand, [theory and practice do not always] tally, agree; amalgamate; (*de handen inéénslaan*) join hands; *wij gaan hierin* ~ we stand t. in this matter; – *met* go with, stand in with [the Radicals]; *die daarmee* ~*gaat* [red hair and the white skin] that goes with it; *dit verschijnsel gaat samen met* ... is accompanied by ...; *zie* gepaard

samengaren hoard up

samengesteld compound [leaf, interest], composite [flower]; (*ingewikkeld*) complex, complicated; ~*e breuk*, (*rek.*) complex fraction, (*med.*) compound fracture; ~*e vrucht* compound fruit, syncarp; ~*e zin* compound (complex) sentence; ~**bloemig** composite(-flowered); ~**heid** complexity

samen- together; ~**groeien** grow t., grow into one; ~**groeiing** growing t.; ~**hang** cohesion, coherence, connection, (*wet.*) relation(ship); (*zinsverband*) context; ~**hangen** cohere, be connected, hang together; – *met*, *ook:* be linked up with; *ten nauwste* – *met* be closely bound up with; ~**hangend** connected, coherent; *'t daarmee* ~*e vraagstuk* the allied problem; *drie onderling* ~*e onderwerpen* three interrelated subjects; ~**hechten** connect, fasten t.; ~**hokken** herd together; ~**hopen** heap (*of:* pile) up, accumulate; ~**hoping** accumulation; *zie* opeen-; ~**horen** belong t.; ~**horigheid** *zie* saam-; ~**ketenen** chain t.; ~**klank** consonance, concord; ~**klinken** *intr.* harmonize, chime t.; *tr.* rivet t.; ~**knijpen** pucker, screw up [one's eyes]; *zie ook* ~persen; ~**knopen** tie t.; ~**komen** come t., meet, assemble, gather, congregate, for(e)gather; (*elkaar ontmoeten*) meet; *zie* bijeen; ~**komst** meeting, conference, gathering;

(*sp.*) rally; *plaats van* – venue; ~**koppelen** couple; (*fig. ook*) bracket [their names are always ...ed (together)]; ~**leving** society; (*met vrouw*) cohabitation; ~**loop** concourse [of people], concurrence; (*van rivieren*) confluence; – *van omstandigheden* coincidence, conjunction (concurrence) of circumstances; ~**lopen** meet, run into each other, converge; (*te hoop lopen*) flock together; *alles liep* ~ *om* ... everything concurred in bringing about his ruin; ~**mengen** mix t.; ~**pakken** pack up, pack t.; *zich* – crowd t.; (*van onweer*) gather, brew; ~**persen** press t., compress [with ...ed lips; *ook:* tight-lipped]; *van* ~*geperste lucht voorzien* pressurize; ~**persing** compression; ~**raapsel** hotchpotch; – *van leugens* tissue (pack, parcel) of lies; ~**rapen** collect, gather; *zie* bijeen-; ~**roepen**, ~**roeping** *zie* bijeen-; ~**rollen** roll t., roll up; ~**rotten** assemble, band t.; ~**rotting** *zie* ~scholing; ~**scholen** mob, assemble, gather; ~**scholing** gathering, (unlawful, riotous) assembly; ~**schraapsel** scrapings; ~**schrapen** scrape t.; ~**smeden** forge (*of:* weld) t.; knit [hearts] t.; ~**smelten** melt t., fuse; (*maatschappijen, enz.*) amalgamate; -**ing** ...ing t., fusion; (*fig.*) amalgamation, fusion, [industrial] merger; ~**spannen** plot, conspire, be in league [met] with; *tegen* against]; -**ing** plot, conspiracy; (*tussen ogenschijnlijke tegenstanders, inz. jur.*) collusion; ~**spel** combined action (*of:* play), teamwork; (*muz., theat.*) ensemble; *hun* – *liet te wensen over* their play was ragged; – *van krachten* interplay of forces; ~**spraak** *a)* dialogue; *b)* *zie* ~spreking conference, conversation, discussion, confabulation; *kwade* –*en bederven goede zeden* evil communications corrupt good manners; ~**stand** (*astron.*) conjunction; ~**stel** structure, construction, system; – *van krachten* composition of forces; ~**stellen** compose, compile, make up [a programme]; empanel [a jury]; frame [laws]; –*de delen* component parts; ~*gesteld uit* composed of, made up of; -**er** composer, compiler; -**ing** composition, structure, make-up, constitution [the ... of the court-martial], texture [of nerves, etc.]; (*gramm.*) compound (word); ~**stemmen** harmonize, chime t., agree; ~**stemming** harmony; ~**stromen** (*van rivieren*) flow t., unite; (*van mensen, enz.*) flock t.; ~**stroming** *a)* confluence; *b)* concourse [of people]; ~**tellen** add (up); ~**treffen** *ww. a)* meet; *b)* coincide; *zn. a)* meeting, encounter; *b)* coincidence, conjuncture; ~**trekken** I *tr.* contract (pucker, knit) [one's brow, etc.], purse (up) [one's lips], screw up [one's eyes]; contract [words], concentrate [troops], knock (*of:* throw) [two rooms] into one; *zich* – contract; (*van troepen*) concentrate; (*van onweer, enz.*) gather, brew; II *intr.* contract; –*d* astringent, constringent; ~**trekking** contraction; concentration (*vgl. I ww.*); ~**trekkingsteken** circumflex; ~**vallen** (*plaats & tijd, ook meetk.*) coincide; fall in (f.

[1] *Zie ook* bijeen ..., ineen ... & toe...

together) with; (*tijd*) synchronize; (*van vonnissen*) run concurrently; *het boekjaar valt ~ met het kalenderjaar* the financial year is equal to the calendar year; *gedeeltelijk* – overlap; ~**vatten** take t., gather up, combine; (*fig.*) sum up, summarize, condense, recapitulate; *alles –* sum up; *samengevat:* in summary:; -**ing** summary, resumé, recapitulation, [the judge's] summing-up; ~**vlechten** braid (plait, twine) t., interlace; ~**vloeien** unite; (*fig.*) merge [met in]; (*vooral van kleuren*) blend; -**ing** confluence, junction; ~**voegen** join, unite, link up, amalgamate; *twee kamers* – knock two rooms into one; -**ing** junction; ~**vouwbaar** *zie* opvouwbaar; ~**vouwen** *zie* vouwen; ~**weefsel** texture, web, tissue; (*fig.*) tissue [of lies]; ~**werken** act (work) t., co-operate, collaborate, pull t.; *gaan* – join hands; *al deze redenen werken ~ om* all these reasons combine to; -**ing** co-operation, collaboration; concerted action, teamwork; *geest van* – team-spirit; *in – met, ook:* in conjunction with; ~**wonen** live t., live [*met* with], share rooms; (*als man & vrouw*) cohabit; -**ing** living t.; cohabitation; ~**zang** community singing; ~**zijn** *zn.* gathering, assembly; ~**zweerder** conspirator (*vrouw.:* conspiratress), plotter; ~**zweren** plot, conspire; -**ing** plot, conspiracy; *een* – *smeden* lay a plot

sammelaar(ster) dawdler, slowcoach; -**arij** dawdling; **sammelen** dawdle, loiter

Samniet, -nitisch Samnite

samoen simoon

Samojeed Samoyed (*ook hond*); ~**s** Samoyedic

samovar id.; **sampan(g)** sampan

sam-sam: ~ *doen*, (*fam.*) go shares, go fifty-fifty, split

Samuel id.; (*fam.*) Sam, Sammy

sanatorium id. (*mv.:* -ia), health-resort; (*Am. ook:*) sanitarium

sanctie sanction (*ook als dwangmaatregel*); *de Koninklijke* ~ the Royal Assent [to a bill]

sanctioneren sanction, authorize, countenance [an action]

sanctus id.; **sandaal** sandal

sandelboom, -hout sandal-tree, -wood

Sander Alec(k), Alick, Sandy

sandrak sandarach

saneren redevelop [a district], reconstruct [the finances of a country], reorganize, put on a sound basis [a business]; -**ing** redevelopment, reconstruction, (monetary) reform, purge

sangfroid sang-froid, coolness

sanguinisch sanguine

sanhedrin sanhedrim

sanikel (*plant*) sanicle

sanitair I *bn.* sanitary; ~*e artikelen* bathroom equipment; ~*e dienst* s. department; **II** *zn. ongev.:* plumbing, sanitary fittings (facilities)

sans (= sans atout) no trumps

sansevieria (*plant*) id., mother-in-law's tongue

Sanskriet Sanskrit; -**itisch** Sanskrit(ic)

sant saint; **santé** your health! here's to you! (*fam.*) chin-chin! cheerio!

santenkraam: *de hele* ~ the whole lot (concern,

show), the whole caboodle, the whole bag of tricks

santjes *zie* santé

santorie (*plant*) centaury

Saoedi Arabië Saudi Arabia

sap (*in plant*) id.; (*van groenten, vruchten*), juice; (*in lichaam*) fluid; *kwade* ~*pen* morbific matter

sapajou id.; **sapgroen** sap green

sapje (*fam.*) soft drink

saploos sapless, juiceless; *vgl.* sap

saponiet saponite, soap-stone

sappanhout sap(p)an wood

sappe (*mil.*) sap; ~**l:** *zich te – maken, a*) get excited, worry [about s.t. *over*]; *b*) = ~**len** toil; ~**ren** sap

sapperloot, -ment *zie* sakkerloot

sappeur (*mil.*) sapper

sappig, saprijk (*van plant*) sappy; (*van vrucht*) juicy, luscious; (~ & *vlezig, van plant*) succulent (*alle ook fig.*); ~ *vlees* succulent meat; ~ *verhaal* juicy story; ~*e weiden* lush meadows; ~**heid** juiciness, lusciousness, succulence

saprofiet (*plantk.*) saprophyte

sapverf sap colour

Sara Sarah, (*fam.*) Sal(ly)

sarabande saraband

Saraceen Saracen; ~**s** Saracen(ic)

sarcasme sarcasm

sarcastisch sarcastic (*bw.:* -ally)

sarcofaag sarcophagus, *mv.:* -gi

sarcoom sarcoma, *mv.:* sarcomata

sarder baiter, teaser

sardine, -dientje sardine; ~**blikje** s.-tin

Sardinië Sardinia

Sardiniër, Sardinisch Sardinian

sardonisch sardonic (*bw.:* -ally)

sardonyx id.

Saron (*bijb.*) Sharon; **sarong** id.

sarren bait, badger, worry, tease, deliberately provoke

sarrig baiting, teasing

sarsaparilla id.

sarsenet id., sarcenet

sas 1 (*sluis, kolk*) lock(-chamber); 2 composition; 3 *in zijn* ~ *zijn* be in high feather; **S~** Saxon

sassafras, sassefras sassafras

sassen piss

satan Satan, the devil, the fiend; ~**isch, -s** satanic (*bw.:* -ally); ~**skind** imp, limb (of the devil); ~**swerk** devilish work

satelliet satellite; (*fig. ook*) henchman, myrmidon; ~**stad** s. town; **sater** satyr

satijn satin; ~**achtig** satiny, like s.; ~**en** s.; ~**hout** s.-wood; **satineren** satin, glaze; **satinet** id., sateen

satire id.; ~**ndichter, satiricus** satirist

satiriek, satirisch satiric(al)

satisfactie satisfaction; ~ *eisen* (*geven*) demand (give) s.

satraap satrap; **satrapie** satrapy

saturnaliën, -lia saturnalia

Saturnisch Saturnian

Saturnisme Saturnism
Saturnus Saturn; **satyr** id.
saucijs *a*) sausage; *b*) = **-ijzebroodje** s.-roll
saucis de Boulogne Bologna sausage, polony
Saul(us) Saul; **sauna** id.; **sauriër** Saurian
saus sauce; (*jus*) gravy; (*verf*) wash, distemper; *zure* ~ vinegar s.; (*voor sla*) dressing; **-en** sauce [tobacco]; wash, distemper [a wall]; (*fam.*) rain cats and dogs; **-kom** s.-boat, butter-boat; **-lepel** s.-ladle
sauteren jump [potatoes], sautée
sauternes Sauterne
sauve qui peut devil take the hindmost
sauveren (*redden*) save; (*dekken*) shield, screen, save the face of; *zich* ~ get out of it with a whole skin
savanne savanna(h)
savant id.; **savante** id., blue-stocking
savelboom savin
savoir-faire id., ability, resource
savoir-vivre id., good manners, good breeding
savonet(horloge) hunting-watch, hunter
Savooiaard, Savooys Savoyard
savooi(e)kool savoy (cabbage)
savoureren relish
Savoye Savoy
sawa flooded rice-field, paddy-field
saxhoorn saxhorn
saxofoon saxophone; **-fonist** saxophonist
s-bocht S-bend
scabiosa (*plant*) scabious
scabreus scabrous, risky
scafander *a*) (*zwemvest*) scaphander; *b*) *zie* duikerpak
scala scale, gamut, range [of possibilities]; (*wet.*) cline
scalair (*wisk.*) scalar
scalp id.; **-eermes** scalping-knife; **-eren** scalp
scalpel id.
scandaleus scandalous
scanderen scan; (*soms*) chant; **-ing** scansion
Scandinavië Scandinavia; **-r, Scandinavisch** Scandinavian
scapulier (*r.-k.*) scapular(y)
scarabee scarab
scatologie, -gisch scatology, -gical
scenario id., screenplay; **-schrijver** s.-writer, screenwriter
scène *a*) scene; *b*) scene [make a ...], row, (*sl.*) bust-up; *huiselijke* ~ domestic squabble; *iem. een ~ maken* blow a p. up
scepter sceptre; *de ~ zwaaien* wield (*of:* bear) the s., hold sway
scepticisme scepticism; **-icus** sceptic
sceptisch sceptical [attitude, smile, philosophy]; ~ *staan tegenov.* be s. of (about); sceptic [school, philosopher]
scha *zie* schade
schaaf plane; (*groente-*) slicer, shredder; (*kaas-*) slicer; *er met de fijne ~ over gaan* polish up one's work; (*met de ruwe*) scamp (*of:* botch) one's work; *ergens met de ruwe ~ over gaan,* (*ook:*) take a strong line, resort to drastic measures; **-bank** carpenter's (joiner's) bench; **-beitel, ~-**

ijzer plane-iron; **-karton** scraper-board; **-machine** planing-machine; **-mes** plane-iron; **-sel** shavings; **-wond** gall, graze
schaak check; ~ (*aan de*) *koning* c. to the king; *partij* ~ game of chess; ~ *geven* check; ~ *spelen* play (at) chess; ~ *zetten* (*zijn*) place (be) in c.; **-bord** chess-board (*ook fig.:* the European ...); **-figuur** *zie* **-stuk**; **-mat** checkmate; – *zetten,* (*eig.*) mate; (*fig.*) checkmate, stalemate; **-meester** chess master; **-partij** game of chess, chess game; **-probleem** chess problem; **-rubriek** chess column; **-spel** *a*) (game of) chess; *b*) chess-set; **-speler** chess-player; *hij is een goede* – he is a good hand at chess; **-stuk** chess-man, -piece; **-toernooi** chess tournament; chess tourney; **-wedstrijd** chess match; **-zet** move at chess, chess move
schaal (*graadverdeling*) scale; (*van schaaldier, ei, enz.*) shell; (*schotel*) dish; (*voor collecte*) plate; (*drink-*) cup; (*van balans*) scale, pan; (*weegschaal*) (pair of) scales; (*toon-*) scale, gamut; *dat doet de ~ overslaan* that turns the s. (*zie* doorslag: *de ... geven*); *in de ~ werpen* throw [one's influence] into the s.; *de ~ laten rondgaan* pass (*of:* hand) the plate round; *met de ~ rondgaan* make a plate collection; *op een ~ van 1 : 50* to a s. of 1 to 50; *op ~ tekenen* draw to s.; *tekening op ~* s.-drawing; *op dezelfde ~* [drawn] to the same s.; *op ~ vergroten* (*verkleinen*) scale up (down); *op ~ vervaardigd* constructed (done) to s.; *een op ~ vervaardigde ...* a reproduction to s.; *op grote* (*kleine*) ~ on a large (small) s., in a large (small) way, widely, extensively [used], [make weapons] in quantity; *op grote ~* large-scale [map, experiments], wholesale [arrests, destruction]; *een koper op grote ~, ook:* a large buyer; *zie* bescheiden & gewicht; **-aanwijzing** s.-reading; **-collecte** plate collection; **-dier** crustacean; *-en* shell-fish, crustacea; **-tje** (small) dish, etc.; *zie* ~; **-verdeling** graduation; graduated scale; *met* – graduated [pipette]; **-vergroting** scaling up
schaam: -achtig bashful, shamefaced; shy; **-achtigheid** ...ness; **-been** pubis, pubic bone; **-delen** genitals, privy parts; **-lippen** labia (majora, minora); **-rood** I *zn.* blush (of shame); *die gedachte joeg hem 't – op de kaken* brought a blush to his cheeks; II *bn.* blushing with shame; **-spleet** vulva
schaamte shame; *zich uit ~ niet durven vertonen* hide one's head for (very) s.; *alle ~(gevoel) afgelegd hebben* be lost to all sense of s.; **-gevoel** sense of s.; *ook:* [have no] s.; *door op hun – te werken kreeg hij de moed erin* he shamed them into courage; *zie ook* ~; **-loos** shameless, impudent, barefaced; *zie* onbeschaamd; **-loosheid** shamelessness, impudence
schaap sheep; (*fig., ook:*) mutton-head, simpleton; *onnozel* ~, (*fig.*) silly goose; *dat arme ~!* (*kind*) the poor kid!; *verloren* ~ lost s., stray s.; ~ *in wolf,* (*op dambord*) fox and geese; *schurftig* ~ black sheep; *zwarte* ~, (= *zondebok*) scapegoat; *één schurftig* ~ *steekt de gehele kudde aan* one scabby (*of:* rotten) s. in-

fects the whole flock; *er gaan veel **makke** scha-pen in één hok* there is always room for a good one; *vijf **poten** aan één ~ zoeken* expect the impossible; *als er één ~ over de **dam** (de brug) is, volgen er meer* where one s. goes, follows another; come one, come all; *zie* schaapje & bok

schaapachtig sheepish; **~heid** ...ness
schaapherder shepherd; **~in** ...ess; **~shut** s.'s cot; **~sstaf** s.'s crook
schaapje (little) sheep; *zijn ~s scheren* feather one's nest; *hij heeft zijn ~s op het droge* he has feathered his nest (made his pile); *om weer tot onze ~s terug te keren* to return to our mut-tons; *~s, zie* schapewolkjes
schaapschaar (pair of) sheep-shears
schaaps: **~kle(de)ren** *zie* wolf; **~kooi** (sheep-) fold, pen; **~kop** sheep's head; *(fig.)* mutton-head, blockhead, simpleton; **~vacht, ~vel** *zie* schapevacht
schaar *zie* schare
schaar (pair of) scissors (*twee -ren* two pairs of s.); (*voor schapen, heggen, enz.*) (pair of) shears; (*van ploeg*) share; (*van kreeft*) pincers, claws, nippers; *~ en lijm-pot,* (*fig.*) scissors and paste; *daar hangt de ~ uit* they fleece you there; *door het oog van de ~ halen* cabbage [cloth]; **~bek** (*vogel*) shear-, scissor-bill, skimmer; **~beweging** (*voetb.*) scis-sor-kick
chaard(e) chip, notch; *zie ook* scherf; *'t mes had ~en* the knife was chipped; **~en** *ww.* chip; **~ig** chipped, jagged
chaardijk dyke skirting the (a) river
chaarlamp anglepoise
chaars I *bw.* scantily [furnished], slenderly [at-tended *bezocht*], dimly [lighted]; (*nauwelijks*) scarcely; (*zelden*) seldom; II *bn.* scarce, scanty, in short supply; (*van geld*) tight, scarce; **~heid, ~te** scarcity [*aan* ... of money, provisions], paucity [of orders, money, news], scantiness, dearth [of coal], [house-, water-, coal-] fam-ine, [paper] shortage, tightness [of money]
chaats skate; *een scheve ~ rijden* act (behave) in a regrettable way, blunder; say more than one can answer for; **~enloper** (*dierk.*) pond-skater; **~enrijden** *ww.* skate; *zn.* skating; *doet u aan –?* are you a skater?; **~enrijd(st)er** skater; **~enrijdersbond** skating-union; **~wedstrijd** ska-ting-match
chabel footstool
chablone, schabloon stencil (plate); (*fig.*) pattern
chacht (*van mijn, lift, van lans, pijl*) shaft; (*van zuil*) shaft, shank; (*van sleutel*) shank; (*van roeiriem*) shaft, loom; (*van veer*) quill; (*van laars*) leg; (*van anker*) shank; **~kooi** cage
chade damage [*aan huizen* to ...], harm, injury; (*nadeel*) detriment; (*verlies*) loss; *de ~ afmaken* (*regelen*) settle the d., (*door dispacheurs*) *ook:* adjust the average; *~ aanrichten, ~ doen* do d. [no d. was done], do harm [*aan* to]; *de ~ be-talen* pay for the d.; *iem. ~ berokkenen* bring a loss upon a p.; *wie de ~ heeft, heeft ook nog de*

schande the laugh is always against the loser; *zijn ~ inhalen* make up arrears, m. up for lost time; *~ lijden,* (*van pers.*) suffer a loss, suffer, lose [you don't ... anything by it], be a loser [*bij* by], (*van zaken*) sustain d., be damaged; *~ toebrengen* do (cause) d. to (*zie* schaden); *door ~ en schande wordt men wijs* live and learn; *door ~ en schande wijs w.* learn by (bitter) ex-perience; *tot ~ van* to the detriment of [your health]; *ik heb 't tot mijn ~ ondervonden* I ex-perienced it to my cost; *zonder ~ aan* without detriment to [my interests]; *zie* baat; **~afma-king** *zie* **~regeling;** **~certificaat** certificate of d.
schadelijk harmful, hurtful, noxious [drugs, in-sects], detrimental, injurious [to health], pre-judicial [to our interests]; (*onvoordelig*) un-profitable; *~ dier* pest; **~heid** harmful-, hurt-ful-, noxious-, unprofitableness
schadeloos harmless; *iem. ~ stellen* indemnify (compensate) a p., make it up to a p.; *zich ~ stellen* indemnify (reimburse, recoup) o.s.; **~stelling** compensation, indemnity, indemni-fication, reparation, restitution; *zie ook* scha-devergoeding
schaden harm, hurt, damage, injure [it would injure my business], impair; *dat schaadt uw gezondheid* that is injurious (detrimental) to your health; *zie ook* schade toebrengen & be-nadelen
schade: **~post** loss; **~regeling** settlement of damages, (*verzekering ook:*) adjustment; **~rekening** (*verz.*) average statement; **~vergoe-ding** compensation, indemnity, indemnifica-tion, damages; *– van iem. eisen* claim damages from a p., (*jur.*) sue a p. for damages; *hij wilde – hebben* he wanted to recover damages; **~verhaal** redress; **~verzekering** indemnity in-surance (policy); **~vordering** claim (for dam-ages)
schaduw shade (80° in the s.); (*met bepaalde omtrek*) shadow; *de ~e des doods* the shadow of death; *iem. volgen als zijn ~* follow a p. like his shadow; *hij is de ~ van wat hij vroeger was* the shadow (ghost) of his former self; *je kunt niet in zijn ~ staan* you are not fit to hold a candle to him; *in de ~ stellen* eclipse, throw (cast) into (put in) the s., overshadow, dwarf; *naar een ~ grijpen* catch a shadow; *een ~ werpen op* cast a shadow over [the festivities]; *hij is bang voor zijn eigen ~* he is afraid of his own shadow; *zie* schijn; **~beeld** silhouette; **~boksen** shadow-boxing; **~boom** shade-tree; **~en** shade; (*door politie*) shadow; **~kabinet** shadow-cabinet; **~kant** *zie* **~zijde;** **~kegel** um-bra, cone of s., shadow cone; **~loos** shadeless; **~lozen** ascians; **~rijk** shady, shadowy, shaded; **~zijde** shady side; (*fig.*) drawback; *alles heeft zijn –* there are drawbacks to everything
schaffen procure, give; *niets te ~* nothing to eat; *zie* pot, raad & schaften
schaft *zie* schacht & schafttijd
schaft: **~en** dine; knock off (work) for one's meal; *niets mee te –* none of my business, [have] nothing to do with [s.t.]; **~gat** wicket

[in prison-door], serving-hatch; ~klok dinner-bell; ~lokaal canteen; ~tijd, ~uur meal-time, -interval; een ~tijd van een uur a one-hour midday break

schakel link; ontbrekende ~ missing l.; ook = ~net; ~aar switch; ~armband curb-, chain-bracelet; ~bord switchboard; ~en link (togeth-er); (elektr.) connect [in serie in series; (in) parallel in parallel], switch; (mech.) couple; (auto) change gear; ~ing connection, (radio) circuit; ~kamer switch-room; ~kast switch-cupboard; ~ketting l.-chain; ~klok time switch; ~net flue, trammel-net; ~rad (in uurwerk) balance-wheel; ~schema wiring diagram; ~ station transformer station; ~woning link (detached) home

schaken 1 play (at) chess; 2 run off (away) with, carry off, abduct; zij liet zich door hem ~ she eloped with him; -er 1 chess-player; 2 abduc-tor

schakeren variegate, chequer; -ing variegation, nuance, shade [ook fig.: all ...s of political opinion], gradation [of colours]

schaking elopement, abduction

schal reverberation, sound

schalie (roofing) slate; (geol.) shale

schalk rogue

schalkachtig, schalks arch, roguish; ~heid ...ness

schallebijter ground-beetle

schallen sound, resound

schalm link

schalmei shawm, (shepherd's) reed

schalmen (mar.) batten down

schalmgat (van trap) well

schalmlat (mar.) batten

schamel poor, humble; ~ gekleed poorly dressed; ~ gemeubileerd scantily furnished; een ~ pensioentje a paltry pension; ~ bedrag pittance; ~heid poverty, humbleness

schamen: zich ~ be (feel) ashamed, feel shame; zich diep ~ be heartily ashamed; schaam je! for shame! shame on you!; zich ~ over be ashamed of; je moest je ~ you ought to be ashamed of yourself; je mag je wel ~, ook: you may well hide your face (your head); er is niets waarover ik me hoef te ~ I have nothing to be ashamed of; ik schaam me voor je, a) (om je) I am ashamed for you, I blush for you, I wonder at you; b) (tegenover je) I am ashamed to look at you; ik zou me dood ~ I should die of shame; ik schaam me te ... I am ashamed to ...; ik schaam me, als ik eraan denk I blush to think of it; zich de ogen uit 't hoofd ~ feel heartily ashamed of o.s., not be able to look anybody in the face; zonder mij te ~ [I say so] unashamedly

schamp graze; zie ook schimpscheut

schampen graze, brush [tegen against]

schamper scornful, sarcastic (bw.: -ally), sneer-ing; ~e opmerking sneer; ~en sneer; ~heid scorn, scornful tone, sarcasm

schampschot graze, grazing shot; hij kreeg een ~ a bullet (just) grazed him

schandaal scandal, shame; wat een ~! what shame!; ~ maken (vermijden) make (avoid) s.; je loopt voor ~ your dress is a disgrace ~pers gutter press; schandaleus, -lig shame-ful, disgraceful, scandalous; zie verde schandelijk; schandaliseren (ergernis verwek ken) scandalize, shock; (te schande maken) dis grace, bring d. upon; schanddaad outrage, in famous deed, shameful act

schande shame, disgrace, ignominy, infamy scandal; ... is een ~ voor de staat this state o things is a disgrace (a reproach) to the Stat (a national disgrace); 't is bepaald ~ it's ␣ downright s.; 't is ~ hem zo voor de gek t houden it's a s. pulling his leg like that; hij i de ~ der familie he is a disgrace to the family ~ aandoen, ~ brengen over bring s. (of.: dis grace) upon, disgrace; ~ roepen over (spreke van) cry s. upon; zich met ~ overladen disgrace o.s.; te ~ maken disgrace [a p., o.s.]; een voor spelling te ~ maken put a prophecy to s.; to mijn ~ [I must confess] to my s. ...; dat strek u tot ~ that is a disgrace to you; 't strekt o ('t land) voor eeuwig tot ~ it is to our eterna s., eternal s. attaches to the country for it; zi␣ armoede & inleggen

schandelijk shameful, disgraceful, infamous ignominious, outrageous [lie, liar, lie ...ly ~e veronachtzaming gross neglect; ~ duu shockingly expensive; ~ hoog extortionat [rent], exorbitant [prices]; zich ~ gedragen ook: disgrace o.s.; er ~ uitzien look disgrace ful; je haar zit ~ slordig your hair is a disgrace de dingen ~ in de war sturen make the mos unholy mess of things; een ~ slecht geheugen ␣ shocking memory; ~heid shamefulness, ig nominy, infamy

schand: ~geld a) price of infamy; b) zie spot prijs; ~knaap catamite; ~merk mark (of brand) of infamy, stigma; ~merken stigma tize; [aan de] ~paal [in the] pillory; aan de ~ nagelen pillory, (fig.) expose; ~prijs ridiculous price; ~schrift lampoon, libel; ~teken zie ~ merk; ~vlek stain, stigma; hij is de - de␣ familie the disgrace of the family; ~vlekke␣ disgrace, dishonour, brand [a ...ed name]

schans entrenchment, field-work, redoubt (mar.) quarter-deck; in de laatste ~ sterven di␣ in the last ditch; ~graver sapper, trencher; ~ kleed (mar.) waist-cloth; ~korf gabion; ~paa palisade; ~werk earthwork, entrenchment

schap a) shelf; b) trade organization, industria board

schape- sheep: ~bloem white clover; ~bout le␣ of mutton; ~hok s.-fold; ~horzel s.-bot; ~hui␣ sheepskin; ~kaas ewe-cheese; ~kervel zi␣ kervel (wilde ...); ~keutels s.-droppings; ~ klaver wood-sorrel; ~kop zie schaapskop; ~ leer sheepskin; (voor boekband, ook:) roan; ~ melk sheep's milk

schapen- sheep: ~fokker s.-breeder, -farmer wool-grower; ~fokkerij a) s.-farming; b) s. farm; ~scheerder s.-shearer; ~scheren zn. s. shearing; ~teelt s.-breeding

chaper shepherd

chape- sheep: **~ras** breed of s.; **~schaar** (pair of) s.-shears; **~stal** s.-fold; **~vacht, ~vel** fleece, sheepskin; *zie* wolf; **~vet** mutton fat; **~vlees** mutton; **~weide** s.-walk; **~wol** s.'s wool; **~wolk-jes** fleecy clouds; *lucht met* – mackerel sky

chappelijk fair [treat a p. ...ly], moderate [price], tolerable, decent [work]; (*van pers.*) decent [sort of chap]; *ik zal het* ~ *met je maken* I'll be reasonable; **~heid** fairness, etc.

char (*vis*) dab

chare (*leger-*) host; (*menigte*) multitude, crowd; fleet [of motor-cars]; (*reeks*) array

charen range, draw up; rally [one's party round one, to one's banners]; *in slagorde* ~ draw up in battle array; *zich* ~ range o.s. [they ...d themselves on each side]; *zich langs de weg* ~ line the road; *zich* ~ *om* gather round [the door], draw round [the hearth], (*fig.*) rally round (to) [his friends, his party rallied round (to) him]; *zich* ~ *achter* (*aan de zijde van*) range o.s. on the side of, range o.s. with [the enemy], take one's stand by (the side of), line up with [the railwaymen ...d up with the miners]; *zich om iems. banieren* (*vaandel*) ~ join (enrol(l) o.s. under, flock to, rally round) a p.'s banner(s); *in twee rijen langs de straat geschaard staan* line the street two deep

charensliep, scharenslijper scissors-, knife-grinder

charlaken *zn. & bn.* scarlet; **~bes** fever; **~luis** cochineal; **~rood** scarlet; **~s** scarlet

charlei (*plant*) clary

charminkel scrag, bag of bones

charminkelig scraggy, skinny

charnier hinge; (*van boek, ook*) joint; *met ~en* hinged [door]; **~gewricht** hinge(-like) joint; (*wet.*) ginglymus

char(re)bier small beer

charrebijter ground-beetle

charrel flirtation; **~aar** (*sjacheraar*) petty dealer, cheap-jack; (*op schaatsen*) beginner; (*knoeier*) botcher, bungler; (*met meisjes*) one who is always after the girls, philanderer; (*vogel*) roller; **~benen** *ww.* muddle along; **~ei** free-range egg; **~en** (*woelen: in grond*) grub; (*van hoenders*) scratch [on the dunghill]; (*in lade, enz.*) rummage; (*op schaatsen, enz.*) blunder (muddle) along; (*knoeien*) muddle, bungle; (*sjacheren*) deal [in second-hand furniture], job [in small houses]; (*met meisje*) keep company [with]; *met meisjes* – play about with girls, gallivant; *door de tijd zien heen te* – try to rub along; – *om rond te komen* scrape (jog, scratch) along [on one's income]; *zie* doorheen, bijeen-, om-; **~kip** free-range chicken; **~partijtje** flirtation; (*sl.*) petting-party; **~tje** popsy, [nice] piece of goods

charretong (*vis*) whiff, lemon-sole

chat treasure; (*verborgen*) hoard; [he's a perfect] dear, darling; *als een* ~ *bewaren* treasure (up) [a gift, memories]; *mijn* ~(*je*)! my dear! dearest! my darling (sweet)!; *zie die ~jes eens!* look at the little dears! *zie ook* snoes &

snoezig; ~ *van bloemen* (*illustraties, bewijsmateriaal, enz.*) wealth (*of:* profusion) of flowers (illustrations, evidence, etc.); *een* ~ *van geld* a mint of money; *dit boek bevat een* ~ *van kennis* is a storehouse (contains a fund) of information; **~baar** ratable, taxable; **~bewaarder** treasurer

schateren (*van 't lachen*) roar (shout) with laughter, laugh one's head off; (*weerklinken*) resound; *hij deed ons* ~ *van 't lachen* he set us in a roar; ~*d gelach* peals of laughter

schaterlach loud laughter, burst of laughter; **~en** *zie* schateren

schat: **~graver** treasure-digger, -seeker, -hunter; **~je** sweetheart; *zie* ~; **~kamer** t.-chamber, -house, treasury; (*fig.*) storehouse, t.-house, mine [of knowledge]

schatkist (*public*) treasury, exchequer; *zie* bezwaar; **~aanwijzing** treasury warrant; **~biljet** exchequer bill; **~obligatie** treasury bond; **~papier** = ~biljetten & ~promessen; **~promesse** treasury bill, treasury bond; **~wissel** *zie* ~biljet

schatmeester treasurer; **~schap** ...ship

schatplichtig tributary

schatrijk very rich, wealthy; *hij is* ~, *ook:* he is fabulously rich, has pots of money

schattebout *zie* schat(je)

schatten (*goederen, enz.*) value, rate; (*door taxateur*) appraise, value; (*voor belasting ook*) assess; (*verlies, kosten, enz.*) estimate; ~ *op* value etc. at; *op de juiste waarde* ~ assess [the results]; *hoe oud schat je hem?* how old do you take him to be?; *ik schat hem op 50 jaar* I take him to be fifty, put him (his age) down at (as) fifty; *afstanden* ~ judge distances; *te hoog* ~ overestimate, overvalue, overrate; *te laag* ~ underestimate, undervalue, underrate; *verkeerd* ~ misjudge; *te waarde*; **~er** appraiser, valuer, valuator; (*voor belasting ook*) assessor

schattig sweet; *zie* snoezig

schatting (*'t schatten*) estimation, valuation; (*'t resultaat*) estimate, valuation; (*cijns*) tribute, contribution; ~ *van afstanden* distance judging; *te hoge* (*lage*) ~ overestimate (underestimate); *naar* (*ruwe*) ~ at a rough estimate (computation); *naar hoogste* (*naar matige*) ~ at (on) the extremest (at, on, a conservative) estimate; *naar* ~ *twee miljoen* an estimated two million; *zie* opleggen

schattingskosten valuation charges

schavelen (*van wind*) abate, subside; (*van touwwerk*) chafe

schaven plane, smooth; (*scheen, enz.*) graze, bark, skin [one's arm, shin], abrade, chafe [the skin], gall; *geschaafde plek* graze

schavielen *zie* schavelen

schavot scaffold

schavuit rascal, scapegrace; **~enstreek, ~enstuk** rascally (knavish) trick

Scheba Sheba [Queen of ...]

schede (*algem.*) sheath; (*van zwaard*) sheath, scabbard; (*anat.*) vagina; (*plantk.*) sheath, vagina; *in de* ~ *steken* (*uit de* ~ *trekken*) put up,

sheathe (draw, unsheathe) [the sword]
schedel skull, brain-pan, cranium; *hij heeft een harde* ~, (*fig.*) he is thick-skulled, has a thick s.; *zijn gladde* ~ his shining scalp; ~**basisfractuur** fracture of the base of the skull; ~**beenderen** cranial bones; ~**boor** trepan, trephine; ~**boring** trepanation; ~**breuk** fracture of the s., [be in hospital with a] fractured s.; ~**holte** cranial cavity; ~**huid** pericranium; ~**leer** phrenology, craniology; ~**meter** craniometer; ~**meting** craniometry; ~**naad** cranial suture; ~**onderzoek** cranioscopy; ~**plaats** place of a s. (*Matth.* 27:33); ~**vorm** shape of the s., cranial form
schee *zie* schede
scheef I *bn.* wry [face, nose, neck], oblique [line, angle, etc.], crooked [back, houses], lopsided [building]; [your hat is all] on one side; slanting [eyes], leaning [the ... tower of Pisa, ... chimneys], sloping [masts]; (*pred.*) *ook:* awry, askew; II *bw.* obliquely, etc., awry [he held his spoon ...], aslant, askew [hang ...]; *scheve hakken* worn-down heels; *een* ~ *gezicht zetten* make a wry face (mouth); *scheve verhouding (positie)* [place (put) a p. in a] false position [*tegenover* with]; *je sigaar brandt helemaal* ~ is burning all down one side; ~ *groeien* grow crooked; ~ *houden* hold [the candle] crooked, slant [one's head], slope; *'t wiel loopt* ~ the wheel doesn't run true (is out of true); *dat loopt* ~ that's going wrong; *zijn schoenen* ~ *lopen* wear one's shoes out on one side; (*fig.*) run o.s. off o.'s feet; ~ *schrijven* write slantingly; ~*staand* inclined; *hij zette zijn hoed* ~ *op* he put on his hat awry (*of:* aslant); *hij zette zijn hoed* ~ he cocked (tilted) his hat; ~ *zitten* sit sideways [at a table], sit awry; *je das (hoed) zit* ~ your tie (hat) is (sits) crooked, is on one side; *die zaak zit* ~ ... isn't quite straight; ~ *trekken intr.* (*van hout*) warp; *tr.* pull out of true; ~ *voorstellen* misrepresent; *scheve voorstelling* misrepresentation; *scheve logica* cock-eyed logic; *scheve ideeën* wry notions; ~**bek** (*vis*) w.-mouth; ~**bekpluvier** w.-bill; ~**bloem** candytuft, iberis; ~**hals** w.-neck; ~**heid** wryness, crookedness; ~**hoekig** oblique-angled; ~**kelk** arabis; ~**ogig** slant-eyed; ~**te** *zie* ~heid
scheel squinting, squint-, cross-, swivel-, cock-, skew-eyed; *schele hoofdpijn* migraine, bilious (*of:* sick) headache; *de schele nijd* green-eyed jealousy; *hij is (ziet)* ~ he squints, has a squint, (*een weinig*) has a cast in his eye; ~ *zien van honger* be famished; ~ *zien van afgunst* be green with envy; *met schele ogen aankijken* view with a jealous eye; *schele ogen maken* arouse jealousy; ~**heid** *zie* ~zien; ~**ogig** *zie* ~; ~**oog** squint-eye, (*sl.*) cock-eye; ~**zien** *zn.* squinting, strabismus; *ww., zie* ~
scheemes sheath-knife, case-knife
1 scheen *o.v.t. van* schijnen
2 scheen shin; *iem. tegen de schenen schoppen* kick a p.'s shins; (*fig.*) hurt a p.'s feelings, offend a p.; *zie* blauw(tje) & vuur; ~**been** s.-bone; (*wet.*) tibia; ~**beschermer** s.-guard; ~

platen (*van harnas*) greaves
scheep: ~ *gaan* go on board, embark, take ship; ~**je** (small) vessel; (*van ballon*) car; *zie* ook bootje
scheeps- ship: ~**aandeel** share in a s.; *ook* scheepvaartaandeel; ~**affuit** mounting (of naval gun); ~**agent** shipping agent, s.'s a.; ~**agentuur** s.'s agency; ~**artikelen** s.'s article; ~**artillerie** naval artillery; ~**arts** *zie* ~dokte; ~**behoeften** s.'s provisions, naval (*of:* sea) stores; *leverancier van* – ship-chandler; ~**be kleding** (s.'s) sheathing, plating; ~**bemanning** (s.'s) crew; ~**benodigdheden** *zie* ~behoeften; ~**berichten** shipping-intelligence; ~**beschu** ship('s) biscuit; (*sl.*) hard tack; ~**bevrachte** chartering-broker, -agent; ~**bouw(bedrijf)** s building (industry); ~**bouwer** s.-builde, -wright; ~**bouwkundige**, ~**bouwkundig ingen** eur naval architect; ~**bouwkunst** naval arch tecture; ~**bouwmeester** naval architect, s builder; ~**brand** s.-fire, ship on fire; (*brand aa boord*) shipboard fire; ~**contract** shipping articles; ~**dek** deck; ~**dokter** s.'s surgeon, s.' doctor; ~**gelegenheid:** *per* – by s., by water; *pe eerste* – by first (available) steamer; ~**geschu** naval guns; ~**gezel** sailor; ~**haak** grappling hook; ~**helling** slip(way); ~**hersteller** s repairer; ~**huid** ship's plating (sheeting); ~**jongen** s.'s boy, s.-, cabin-boy; ~**journaal** lo (-book), s.'s journal; ~**kameel** s.'s camel; ~**kanon** naval gun; ~**kapitein** s.-captain, master (of a ship); (*van klein schip*) skipper; ~**keuke** galley, caboose; ~**keuze:** *naar* – at s.'s option ~**klok** s.'s bell; ~**kok** s.'s cook; ~**kolen** bunke (*of:* s.'s) coals; ~**ladder** Jacob's ladder; ~**ladin** s.-load, cargo; *bij* –*en* [ship goods] by the s. load; ~**lantaarn** s.'s lantern; ~**last** two tons; ~**lengte** s.'s length; ~**leverancier** s.-chandler ~**maat** ship-mate; ~**macht** navy, naval force ~**makelaar** shipbroker; ~**manifest** (s.'s) mani fest; ~**officier** s.'s officer; ~**papieren** s.'s papers ~**predikant**, ~**priester** naval chaplain; ~**provian** s.'s stores; ~**raad** council of war (on board s. ~**ramp** shipping-disaster; ~**recht** maritime law *driemaal is* –, *zie* drie (*alle goeie dingen* ... ~**reder** s.-owner; ~**roeper** speaking-trumpe megaphone; ~**rol** muster roll; ~**romp** s.'s hul ~**ruim** hold; ~**ruimte** tonnage, cargo space; *te kort aan* – shortage of shipping; ~**sjouwerma** longshore-man; ~**sloper** s.-breaker; ~**sloper** s.-breaking yard; ~**tagrijn** marine-store deale ~**term** nautical term; ~**tijdingen** shipping intelligence; ~**timmerman** *a*) *zie* ~bouwer; *b* s.'s carpenter, (*sl.*) Chips; ~**timmerwerf** s building yard, shipyard; (*mar.*) dockyard; ~ ~**ton** (register) ton; ~**tucht** discipline on board ~**tuig** rigging; ~**verklaring** (captain's, s.'s, sea protest; ~**victualiën** s.'s victuals; ~**vlag** s.'s flag ~**volk** (s.'s) crew; ~**vracht** s.-load; ~**want** rig ging; ~**weerbericht** (weather-)forecast fo shipping; ~**werf** *zie* ~timmerwerf; ~**zwabbe** swab, squeegee
scheepvaart navigation, shipping; *voor de* navigational [warning]; ~**aandelen** shipping

shares; ~akte n.-act; ~bedrijf shipping(-trade);
~belangen shipping interests; ~beurs shipping-
exchange; ~beweging shipping-movement; ~~
haven shipping-port; ~kanaal ship-canal; ~~
kunde science of n.; ~maatschappij shipping-
company; ~museum maritime museum; ~route
shipping route, line of traffic; ~verkeer ship-
ping(-traffic); ~wet n.-act

cheer (rotseil. in Scandinavië) skerry

cheer: ~apparaat (safety) razor, (elektrisch)
(electric dry-)shaver; ~baas barber; ~bakje
shaving-bowl, -dish; ~bekken barber's basin;
~der barber; (van schapen) shearer, clipper;
~doos shaving-box; ~draad warp; ~gereed-
schap, ~gerei shaving-tackle, -things, -set; ~~
kwast shaving-brush, lather brush; ~lijn guy-
rope

cheerling (plant) hemlock

cheer: ~mes razor; gewoon – straight (fam.:
cut-throat) razor; –je, (veiligheids-) razor-
blade; ~papier shaving-paper; ~riem strop; ~~
salon shaving saloon; ~sel shearings; ~spiegel
shaving-glass; ~stel shaving-set; ~stoel barber's chair; ~tijd (voor schapen) shearing-time;
~water shaving-water; ~winkel barber's shop;
~wol shorn wool, clip; (in textiel) virgin wool;
~wondje shave-cut; ~zeep shaving-soap

cheet (volkst.) 1 o.v.t. van schijten; 2 zn. fart;
'n ~ laten (let a) f.

cheg(ge) (mar.) knee of the head; ~beeld figure-
head; ~buiging cutwater

cheidbaar separable; ~heid ...ness, separabili-
ty; scheidbrief (Deut. 24, enz.) bill of divorce-
ment

cheiden separate [a river ...s the two coun-
tries], divide, sever [the head from the body],
disconnect; ('t haar) part [one's hair on one
side, down (of: in) the middle]; (chem.) decompose; (gehuwd paar) divorce; (uiteengaan)
part, separate; de vechtenden ~ part (separate)
the combatants, pull ... apart; de dood zal
ons niet ~ death shall not part us; 3 (paard-)
lengten scheidden no. 2 en 3 three lengths
divided the second and third; onderwijs en
godsdienst ~ divorce education from religion;
zich ~ part [her lips ...ed]; hier ~ zich onze
wegen here our roads part; zich laten ~ van
divorce [one's husband or wife], obtain a
divorce from; waarom konden ze niet ~? why
couldn't they divorce?; hij weigert te ~ he
refuses to give her a divorce; ~ van tafel en
bed separate from bed and board, obtain a
judicial separation; als (de beste) vrienden ~
part (the best of) friends; als kwade vr. ~ part
bad friends, part on bad terms; uit het leven –
depart this life; ik kon niet van hem ~ I could
not part from him; (afstand doen) part with
him; feiten van verdichtsel ~ sift fact from fiction; 't –de jaar the closing year; bij 't ~ van de
markt leert men de kooplui kennen, ongev.: the
proof of the pudding is in the eating

cheiding separation, division, parting; [racial]
segregation; vgl. 't ww.; (tussenschot, enz.)
partition; (in haar) parting; (echt-) divorce;

(van tafel en bed) judicial s., s. from bed and
board, divorce a mensa et toro; (van Kerk en
Staat) disestablishment, s. of Church from
State; ~ aanvragen, zie echt~; pijnlijke ~ [it was
a] great wrench; hij heeft een ~ in het haar,
(aan één kant) his hair is parted on one side,
(in 't midden) down (of: in) the middle; ~ der
geesten parting of the ways; ~saanvraag zie
echt~; ~slijn zie scheilijn; ~svlak interface

scheidpaal boundary post (of: stone)

scheidsgerecht court of arbitration, arbitration
board; aan een ~ onderwerpen submit (refer)
to arbitration; scheidslijn dividing line;
scheidsman arbiter, arbitrator

scheidsmuur partition-wall, party-wall; (fig.)
barrier

scheidsrechter arbiter, arbitrator; (tennis, cricket, enz.) umpire; (voetb., enz.) referee, (fam.)
ref; als ~ optreden = ~en umpire [in a match],
referee, (fam.) ref; ~lijk arbitral; –e uitspraak
(arbitral) award; aan een –e uitspraak onderwerpen, zie scheidsgerecht; – uitmaken settle
by arbitration, arbitrate [a dispute]

scheidsvrouw arbitress

scheikunde chemistry

scheikundeleraar chemistry master (teacher)

scheikundig chemical; ~e (analytical) chemist;
(van voedingsstoffen) analyst

schei: ~lijn dividing-line; zie ook grenslijn; ~~
muur zie scheids-; ~sloot partition ditch

schel I bn. shrill, strident, piercing; (van licht)
glaring, vivid [lightning]; met een ~le stem,
ook: in a high-pitched voice; II zn. bell; de ~len
vielen hem van de ogen the scales fell from his
eyes, he had an eye-opener

Schelde: de ~ the Scheldt

scheld: ~en call names [you should not ...]; –
op abuse, revile, inveigh against, rail at, decry
[the English climate], slang [one another];
iem. (voor) een verrader – call a p. a traitor; –
als een viswijf scold like a fishwife; gaan –
become abusive; – doet geen zeer hard words
break no bones; ~naam nickname, contemptuous term; ~partij slanging-match; ~woord
abusive word, term of abuse; –en, ook.: abusive language, abuse, vituperation, invective

schelen (verschillen) differ; (mankeren) zie de
voorb.; het kan niet ~ never mind, it is no
matter, does not matter; wat kan het ~? what
does it matter? what matter?; het kan me niet
~ I don't care, (ik heb er niet tegen) I don't
mind; ik weet 't niet, en 't kan me ook niet ~ I
neither know nor care; 't had me niet zoveel
kunnen ~ I should not have minded so much;
't kon haar niet ~ dat ... it mattered nothing
to her that ...; 't kan me wat ~! much (sl.:
(a) fat lot) I care!; wat kan mij de kosten (dat
alles) ~! hang the expense! hang it all!; wat
kan het je ~? what do you care?; dat zal hem
wat kunnen ~ much he'd worry!; hij kan me
geen zier ~ I am absolutely indifferent to him;
dat scheelt me fl. 500 that makes 500 guilders'
difference to me; dat scheelt me een reis that
saves me a journey; dat scheelt veel that makes

a great (makes all the) difference; *dat scheelde niet veel!* that was a near thing; *het scheelde weinig (niets), of het was vergeefs geweest (of hij was gedood, of ik had hem geraakt)* it was very near being in vain (he was within an ace of being killed, I just missed hitting him); *zie ook* haar 2; *zijn er honderd? het scheelt maar een paar* are there a hundred? only a few short of it; *hem scheelt altijd wat* there is always something or other the matter with him; *is 't tijd? — 't scheelt niet veel* pretty nearly *wat scheelt er aan?* what's the matter? what's amiss (*of:* wrong)?; *wat scheelt eraan? (aan dat boek, enz.)* what is wrong with it?; *scheelt er iets aan?* is anything the matter?; *wat scheelt je (toch)?* what (what ever, whatever) is the matter with you? what is troubling you? (*wat bezielt je*) what's come over you?; *zie* bezielen; *hem scheelt niets* there is nothing the matter (nothing wrong) with him; *het scheelt hem in 't hoofd (de bol, de kruin)* he has a tile off (a screw loose), is not quite right in his upper story; *zij ~ haast niet in leeftijd* there is hardly any difference in their ages; *ze ~ twee jaar* they are two years apart; *zie ook* mankeren

schelf stack, rick [of hay, etc.]
schelheid shrillness; (*van licht*) glare
schelklinkend shrill, strident, piercing
schelknop, -koord *zie* bel...
schelkruid common (*of:* greater) celandine
schellak shellac
schellen ring (the bell); *zie* bellen
schellenbord bell indicator
schelling sixpence
schellinkje: *'t ~* the gallery; (*de bezoekers*) *ook:* the gods; *op het ~* in the gallery, (*fam.*) among the gods
schelm rascal, knave, rogue, scapegrace; (*scherts.*) [little] rascal (rogue), wag; **~achtig** *zie* ~s; **~enroman** picaresque novel, rogue-story; **~enstreek** *zie* ~stuk; **~erij** roguery, knavery, rascality; (*van kapitein of bemanning*) barratry; **~pje** little rogue (rascal), imp; **~s** roguish, knavish, rascally; (*scherts.*) roguish, impish; **~stuk** (piece of) knavery, roguish trick
schelp shell; (*bij diner*) scallop; *zie* schulp; **~dier** shell-fish, testacean; **~enpad** s.-path; **~envisser** s.-gatherer; **~kalk** s.-lime; **~(dier)kunde(-ige)** conchology (-logist); **~marmer** s.-marble; **~mergel** s.-marl; **~vis** s.-fish; **~vormig** conchiform, shell-shaped; **~zand** s.-sand
scheluw warped; *~ trekken* warp
schelvis haddock; **~oog** (*fig.*) fishy eye; *met ~ogen* fishy-eyed
schema outline, skeleton, scheme, sketch, diagram, schedule; **~tisch** schematic (*bw.:* -ally); outline [drawing etc.]; **~tiseren** schematize
schemel stool
schemer twilight; (*'t donkerste stadium ervan*) dusk; *zie* ~ing; **~achtig** dim, dusky, crepuscular; (*fig.*) dim; **~avond, ~donker** twilight; **~en** (*'s morgens*) dawn; (*'s avonds*) grow dusk; (*van licht*) glimmer, gleam, shine (feebly),

(*door-*) filter [through the blinds]; (*van pers*) sit in the t.; *'t begon te –* the t. began t gather; *'t ~t hem niet* he knows what he about; *er ~t mij iets van voor de geest* I r member it dimly; *'t ~t mij voor de ogen* m head reels, swims (round); **~ig** *zie* ~achtig; **~ing** (evening, morning) twilight, dusk, gloam ing; *de – naderde* it was drawing towards t. was growing dusk; *in de –* at t., at dusk, in th dusk of evening; *in – gehuld* [the] veil [church]; **~lamp** floor-, standard- (*op tafe* table-)lamp; **~licht** *a)* twilight; *b)* dim ligh **~tijd** twilight; **~toestand** (*psych.*) twiligh state; **~uurtje** twilight (hour)
schend: ~blad libellous (scurrilous) paper; **~brief** defamatory (libellous) letter
schenden violate (a treaty, one's oath, one' word, a law, a woman); (*beschadigen*) dam age; (*verminken*) disfigure, mutilate; (*over treden*) transgress, infringe; (*ontheiligen*) dese crate, profane; *zijn vlekkeloze naam ~* sul one's fair name; *de sabbat ~* break the Sal bath; *'t stel ~* break (spoil) the set; *geschor den, (van boek, enz.)* damaged, soiled; *ze po*
schender violator, transgressor, desecrato profaner, breaker; *vgl. 't ww.;* **~ij** *zie* balda digheid & straatschenderij
schend: ~ig desecrating, defamatory, profan zie ook schandelijk; **~ing** violation, damagin disfigurement, mutilation; transgression, ir fringement; desecration [of a churchyard profanation; breaking [of the Sabbath]; *vg ~en; – van vertrouwen* breach of confidenc (*of:* trust); **~schrift** libel, lampoon; **~tong** z lastertong
schenkblad tray; **-blaadje, -bord** salver
schenkel shank; (*wet.*) femur
schenkelvlees shin (of beef)
schenken (*water, thee, enz.*) pour (out: shall I p you out a cup of tea?); (*wijn, enz.: presenterer* serve [cocktails], (*verkopen*) sell [beer], reta [*hier schenkt men jenever* gin ...ed here (*geven*) give, grant, make a present of, presen with, bestow (confer) [*aan* on]; *ik schenk j die bijzonderheden* I will spare you thes details; *iem. een schuld (de straf) ~* let a p. o a debt (the punishment) [*dat schenk ik je* I' let you off (that)]; *ik schenk je de thema* I excuse you the exercise; *de rest schenk ik j* you may keep the rest; (*van verhaal*) we wi take the rest for granted; *zie* kwijtschelden; *e werd niet (geen wijn) geschonken* no spiri were (no wine was) served; it was a 'dr party; *wil u (thee) ~?* will you pour out (th tea)?; *ze schonk haar man een jongen* sh presented her husband with a boy; *zijn vrou had hem zes kinderen geschonken* had brough (borne) him six children; *'t ons geschonke vertrouwen* the confidence shown to us; *zie ge* nade, leven, enz.
schenker pourer; cup-bearer [to the gods (*gever*) giver, donor
schenking gift, grant, donation, benefactio **~sakte** deed of gift (of donation, of covenant

schenk: ~**kan** tankard; ~**ketel** tea-kettle; ~**ster** pourer-out [of tea]

schennis, violation; *zie* heiligschennis

schep (*voorwerp*) scoop, shovel; (fish-)slice; (*hoeveelh.*) spoonful, shovelful; *een* ~ *geld* heaps (a mint) of money; *een* ~*je suiker* a spoonful of sugar; *er nog een* ~*je bovenop doen* increase the effort [etc.], add a little extra (add insult to injury, etc.); ~**bord** (*van schep-rad*) paddle

schepel bushel, decalitre

schepeling member of the crew, sailor; *de* ~*en* the crew, the men

1 schepen *ww.* take on board, ship

2 schepen *zn.* sheriff, magistrate, alderman; ~**bank** court of aldermen, bench of magistrates; ~**kamer** court of sheriffs; ~**schap** sheriff's office, aldermanship

scheper shepherd

schep: ~**je** *zie* schep; ~**lepel** ladle, scoop; ~**licht** skylight; ~**net** landing-, dip-net

scheppen 1 scoop; ladle [soup into a plate]; (*hozen*) bail (out); shovel [snow]; dip [paper]; hive [young bees]; (*sl.* = *afzetten*) fleece, sting; *vol* ~ fill; *zie* behagen, genoegen, enz.; 2 create; set up [a new state of things]; establish [a tradition]; make [one's own troubles *moeilijkheden*]; *zijn eigen fortuin* (*toekomst*) ~ carve out one's own fortune (future); *hij is tot heersen geschapen* he was born to rule, is a born ruler; ~**d** creative [power, genius]

schepper creator; (*papier-*) vatman, dipper; (*voorwerp*) scoop

schepping creation; *de S~,* (*bijb.*) the C.; *de* ~, (*concr.*) (the) c.; *zie* heer; ~**sboek** Genesis; ~**s-drang** creative urge; ~**skracht** creative power; ~**sverhaal** account (story) of the C.; ~**sver-mogen** creative power, creativeness; ~**swerk** work of creation

scheprad paddle-wheel

scheprand deckle; (= *geschepte rand*) deckle-edge

schepsel creature (*in alle bet.*); *ook:* thing [a ... like you; they were brave ...s, those girls; she was a wonderful ...]

schepvat bailer

1 scheren shave [men]; shear, clip [sheep]; shear [cloth]; trim [a hedge]; skim [a pebble over the water]; (*weverij*) stretch [a line], warp; (*mar.*) reeve [a rope]; *hij had zich in geen 4 dagen geschoren, ook:* he had a four days' growth of beard; *de varkens* ~ get the worst of it; *de zwaluw scheert over het watervlak* skims (over) the water; *zich* ~ shave [met ... in cold water]; *zich laten* ~ get (be) shaved, have a shave; *iem.* ~, (*afzetten*) fleece a p.; *zie* geschoren, rakelings, wegscheren

2 scheren (*plant*) water-soldiers

scherf potsherd, (*hist.*) sherd, shard; (*van glas*) fragment, splinter, (*van granaat*) [shell-] splinter; ~**vrij** (*mil.*) splinter-proof

schering warp; (*van schapen*) shearing, clip; ~ *en inslag* w. and woof, woof and weft; *dat is* ~ *en inslag* that is the order of the day; (*van uitdrukking*) stock phrase

scherlei (*plant*) clary

scherm (*vuur-, tocht-, enz.*) screen; (*theat.*) (drop-)curtain; (*tegen zon, enz.*) awning (*zie* zonne~); (*plantk.*) umbel; (*van kwal*) umbrel-la; *achter de* ~*en* behind the scenes, in the wings, [step back] into the wings, back-stage; (*fig.*) [peep] behind the scenes; *achter de* ~*en zitten* pull the wires (the strings), be at the bottom of it; *wie achter de* ~*en zit* the wire-puller; ~**beeldonderzoek** radiography; ~**bloem** umbellifer; ~**bloemigen** umbelliferae; ~**club** fencing-club; ~**degen** foil

schermen fence; *in 't wild* ~ talk (spar away) at random; *met zijn armen in de lucht* ~ flourish one's arms; *met een stok om zich heen* ~ brandish a stick; *met woorden* ~ make great play with (high-sounding) words, gas, (*in de lucht* ~) talk in the void, (*eromheen praten*) f. with words; *met zijn fatsoen* (*zijn connecties*) ~ parade (make a parade of) one's respectability (one's connexions); **-er** fencer, swordsman

scherm: ~**handschoen** fencing-glove, -gauntlet; ~**kunst** art of fencing, swordsmanship; ~**masker** fencing-mask; ~**meester** fencing-master, -instructor; ~**pje** (*plantk.*) umbellule; ~**rooster** (*radio*) screen grid; ~**school** fencing-school; ~**ster** swordswoman

schermutselen skirmish; (*fig., ook:*) spar

schermutseling (*ook fig.*) skirmish, brush

schermvereniging fencing-club

schermvormig (*plantk.*) umbelliform

scherp I *bn.* sharp [knife, turn, rebuke, criticism, distinction, cold, frost, tongue, photo, outline, tone], keen [wind, frost, edge, sight, glance, prices], harsh [wine]; acute [perception], tart [comment], severe [remark]; trenchant [article, speech]; *zie ook* ~zinnig; ~ *antwoord* s. (tart, cutting, snide) reply; ~ *beeld* s. image; ~*e beelden geven,* (*van lens*) give excellent definition; ~*e concurrentie* keen (*sterker:* fierce) competition; ~*e gelaatstrekken* s. (s.-cut) features; ~*e grens* [draw a] s. (hard and fast, rigid) line; ~*e hoek, a)* (*meetk.*) acute angle; *b)* s. angle, s. corner (*vgl.* hoek); *de twist verloor z'n* ~*e kanten* lost its bitterness; ~*e lucht, a)* s. air; *b)* pungent (acrid) smell; ~*e medeklinker* hard consonant; *een* ~*e nota richten tot* address a stern note to; ~ *onderscheid* strongly marked difference; ~ *onderzoek* strict (searching, close) investigation (examination); ~*e ogen hebben* have s. eyes, be s.-eyed; ~*e oren* s. (*of:* quick) ears; ~*e opmerking* s. (caustic) remark; ~*e patroon* ball cartridge; ~*e strijd* s. conflict, keen contest; *haar toon was* ~, *ook:* there was an edge to her voice, her voice had an edge to it; ~ *verschil* well-marked difference; ~ *verstand* keen intellect; *zie* patroon, enz.; II *bw.* ....ly; ..., *zei zij* ~ ..., she said with asperity; *iem.* ~ *aankijken* look hard (closely) at a p.; ~ *besneden* clean-cut [mouth]; *ik sloeg hem* ~ *gade* I watched him narrowly (intently); ~ *gesteld* strongly worded [protest]; *zij hoort* ~ she has s. ears (a quick ear); *de bocht ~ nemen* take the corner too close (too narrowly); *hij werd ~ ondervraagd* he was closely examined; ~ *stellen*, (*fot.*) focus; (*van zaag*) set; ~ *toeluisteren* listen intently; ~ *uitkijken* keep a s. look-out; ~ *uitkomen* stand out in bold relief; *hij voelde 't ~* he felt it acutely; *zie* berekenen, enz.; III *zn.* edge [of a knife]; *met ~ geladen* loaded with ball; *met ~ schieten* fire (with) ball (*of:* live) cartridge(s); *een paard op ~ zetten* calk (frost-nail) a horse, rough a horse('s shoes); *op ~* roughshod, calked, frost-nailed

scherpen sharpen (*ook fig.:* the appetite, the intellect); (*scheermes*) whet, strop; (*potlood*) sharpen, point; (*paard*) *zie* scherp (*op ... zetten*)

scherp: ~**heid** sharp-, keen-, acute-, tartness, trenchancy, pungency, acridity, causticity; *zie* scherp; ~**hoekig** acute-angled; ~**klinkend** shrill; ~**rechter** executioner, headsman, hangman; ~**schutter** s.-shooter, [good] marksman; (*verdekt opgesteld*) sniper; ~**schuttersvereniging** shooting-, rifle-club; ~**slijper** extremist; ~**snijdend** s.-, keen-edged; ~**te** sharpness, edge; (*van kijker, enz.*) definition; (*van foto*) acutance; -**diepte** depth of field; ~**ziend** s.-, keen-sighted; (*fig. ook*) penetrating; ~**ziendheid** s.-, keen-sightedness, penetration; ~**zinnig** acute, discerning, keen(-witted), astute, shrewd [judgement], sharp-witted, penetrating [mind, remark], long-headed, sagacious; ~**zinnigheid** acuteness, acumen, discernment, penetration, sagacity

scherts joke, jest, fun, raillery, banter; *als ~ opvatten* treat as a j.; *hij verstaat ~* (*geen ~*) he knows how to take a j. (he can't take a j.); *in ~* in jest, in play, by way of a j., jokingly, jestingly; (*alle*) ~ *terzijde* (all) joking apart; *zie* gekheid

schertsen jest, joke, be facetious; *hij laat niet met zich ~* he is not to be trifled with; ~**d** *ook:* facetious; – *gebruikt* jocularly used; ~**derwijze** *zie* in scherts

scherts: ~**figuur** nonentity; ~**vertoning** wash-out

scherven splinter, break (up) into splinters

schervengericht ostracism

scherzando id.; **scherzo** id.

schets sketch, draught, (sketchy) outline; ~**boek** s.-book; ~**en** sketch, outline [a programme], trace briefly; (*schilderen*) sketch, paint, picture; describe [as a prosperous country]; *zie* trek; ~**er** sketcher; ~**kaart** s.-, outline-, skeleton-map; ~**matig** (in) outline; ~**tekening** s.

schetteraar braggart, swaggerer, swashbuckler; (*redenaar*) ranter, tub-thumper

schetteren (*van trompet, enz.*) blare, bray; (*van stem*) shrill; (*van redenaar, enz.*) rant, vapour, gas; (*bluffen*) swagger, brag, gas; ~**d redenaar**, *zie* schetteraar; *'t ~*, *zie* geschetter

scheur crack, fissure, cleft, rent; (*in stof, kledingstuk, enz.*) tear, rip; *een ~ maken* tear a rent; *hou je ~* shut your trap

scheurbuik scurvy; ~**achtig** scorbutic; ~**lijde**ŗ scorbutic (patient)

scheur: ~**en** I *tr.* (*kapot-*) tear up [a letter]; (*bℓ ongeluk*) tear [one's clothes], (*uit droefheid* rend [one's garments]; (*weiland*) ploug**h** (break) up [pasture], open [grass land], laᵧ [land] under the plough, put [land] undeᵣ crop; (*rukken*) tear, snatch [s.t. out of a p.'ₛ hands]; (*met auto*) tear [round corners]; *iₙ stukken – tear to pieces; 't behangsel van dₑ wand –* rip the paper off the wall; *hij scheurdₑ zich uit mijn armen* he tore himself away fronʳ me; *'t kind werd ons van het hart gescheurₑ* was torn from our hearts; II *intr.* tear; (*van ijₛ enz.*) crack; ~**ing** (*fig.*) rupture, split [thₑ Tory ...], cleavage [in the party], [politicaₗ disruption; (*kerkelijke*) schism; *een – veroorₛ zaken in* split, disrupt; ~**kalender** block- (tear off) calendar; ~**kies** flesh-tooth; ~**maker** schis matic; ~**papier** waste paper

scheut (*van plant*) shoot, sprig; dash [of brandy]; twinge, stab [of pain]; *pijn met* ~**eₙ** shooting pain; *een ~ krijgen*, (*groeien*) shoot up; *een ~je whisky doen bij koffie* lace coffee with whisky

scheutig 1 open-handed, liberal; *zie* royaal; 2 *zie* rijzig; ~**heid** open-handedness, liberality

scheutje *zie* scheut

schibbolet shibboleth (*Richt. 12:6*)

schicht (*lit.*) arrow, dart; flash [of lightning]; (*bloeiwijze*) scorpioid cyme

schichtig shy, skittish; ~ *paard, ook:* shier; ~ *worden* shy [*voor ...* at a tree], take fright; ~**heid** ...ness

Schiedam id.; ~**mer** native of S.; *s–*, (*jenever*) Schiedam, Hollands

schielijk *bn.* quick, swift, rapid, prompt, sudden; *bw.* ...ly; ~**heid** ...ness, rapidity

schieman boatswain's mate

schiemansgaren spun twine, spun yarn

schiep *o.v.t. van* scheppen

schier almost, nearly, all but; *zie* bijna

schiereiland peninsula; **schierzand** leached sand

schiet: ~**baan** (firing-, shooting-)range; (*geweer-*) rifle-range; *zie* ~**terrein**; ~**beitel** mortise chisel; ~**boog** bow

schieten I *tr.* shoot [a p., an animal]; (*op jacht ook*) bag [hares, etc.]; (*af~*) fire [a gun], shoot [an arrow]; lend [money]; *zich voor 't hoofd* (*de kop*) ~ blow out one's brains; *'t brood in de oven ~* run (*of:* shove) in the loaves; *de netten ~* shoot the nets; (*stralen ~* shoot (dart) rays; *vlammen ~* blaze, flash fire; *de zon ~* s. the sun, take the sun's altitude; *iem. dadelijk ~*, (*fig.*) take a p.'s measure (size a p. up) at once; *hij heeft het* (*goed*) *geschoten* he has the right idea; *zie* aar, vonk enz.; II *intr.* shoot, fire; (*zich snel bewegen*) shoot (*ook van sterren & pijn*), dart, rush; (*van gewassen*) sprout; *geschoten tarwe* sprouting wheat; *goed ~* be a good shot; *iem. laten ~* drop a p. (*fam.:* like a hot brick, a hot potato), give a p. the go-by; *iets* (*koord, enz.*) *laten ~* let it go; *'t wetsontwerp laten ~* abandon the bill; *'t touw laten ~*

pay away (*of:* out) the rope; '*t schoot mij door* '*t hoofd* the thought darted (flashed, shot) through my mind; *in de hoogte* ~, (*groeien*) s. up; *in de kleren* ~ slip on one's clothes; *zie* aanschieten; '*t is me in de rug gesch.* I got a crick in the back; '*t bloed schoot haar naar* '*t gezicht* the blood rushed to her face; ~ *op* fire at (on); *onder de* (*over de hoofden der*) *menigte* ~ fire into (over the heads of) the crowd; *de woorden schoten mij uit de mond* slipped out of my mouth; *voorover* ~ pitch forward; (*van ruiter*) come a cropper; *voorover in* '*t water* ~ a) fall headlong into the water; b) take a header; *zie ook* bok, duif, lucht, enz.

schieter shooter; (*van bakker*) (bread-)shovel, peel; (*grendel*) bolt; (*insekt*) clothes-moth

schiet: ~**gat** loop-hole; (*voor kanon*) embrasure; *van –en voorzien* loop-hole [a wall]; ~**gebedje** short prayer; *een – doen* offer up a little prayer; ~**geweer** firearm; ~**gleuf** embrasure; ~**graag** trigger-happy; ~**katoen** gun-cotton; ~**lood** plummet, plumb; ~**masker** humane (cattle-)killer; ~**mot** caddis-fly; ~**oefening(en)** target-practice, artillery (gun-fire) practice, firing-exercise(s); ~**partij** shooting-affray, -affair; ~**plaats** *zie* ~terrein; ~**plank** (*van bakker*) *zie* schieter; ~**schijf** target, mark; ~**school** musketry school; (*artill.*) school of gunnery; ~**schouw** a) flat-bottomed boat; b) leeboat; ~**sleuf** embrasure; ~**spoel** shuttle; ~**stand** (rifle-)range, butts; ~**stoel** (*luchtv.*) ejector seat; ~**stroom** rapid; ~**tent** shooting-gallery, rifle-g.; ~**terrein** artillery-range, practice-ground; *zie* ~baan; ~**vereniging** rifle-club; ~**voorraad** ammunition, munitions; ~**wedstrijd** rifle competition (*of:* meeting), shooting-match; (*van boogschutters*) archery contest; ~**wilg** white willow; ~**wond** shot-wound

schiften sort (out); separate [chaff from wheat]; (*uitpluizen*) sift [evidence, facts]; (*door exam., enz.*) eliminate [an eliminating examination]; (*van melk*) curdle, run, turn; **-ing** sorting, sifting; elimination; curdling

schijf (*algem.*) disc, disk (*ook van zon, enz.*); (*bij damspel*) man; (*schiet-*) target; (*plakje*) slice, round [cut apples into ...s]; (*runder-*) round [of beef]; (*van katrol*) sheave; (*van autom. telef.*) dial; *schijven hebben*, (*sl.*) have tin (brass, the dibs); *dat loopt over veel schijven* it is a complicated procedure; *zie* knie-, werpschijf, enz.; ~**bloem** disc-flower; ~**eg** *zie* schijveneg; ~**je** *zie* ~; *in –s snijden* slice [apples]; ~**kwal** discophoron, *mv.:* discophora; ~**rad** d.-wheel; ~**rem** disc brake; ~**schieten** target-practice, -shooting; *aan* '*t – zijn* be at t. -p.; ~**vormig** d.-shaped; ~**werper** (*hist.*) discobolus (*mv.:* -li); ~**wiel** d.-wheel

schijn (*licht*) glimmer, sheen, shine; (*voorkomen*) appearance, semblance [preserve some ... of order], seeming; show [treat a p. with some ... of respect], pretence, pretext; *die ruwheid is maar* ~ is only on the surface; *attr. dikw.:* sham, bogus, dummy, mock; ~ *en wezen* shadow and substance [mistake the shadow for the substance]; *hij heeft geen* ~ *van kans* not a ghost of a chance (not a snowball's chance in hell); *geen* ~ *of schaduw van bewijs* not a scrap of evidence; ~ *bedriegt* appearances are deceptive; *ik wil niet de* ~ *wekken van pedant te zijn* I don't want to sound pedantic; *een* ~ *van waarheid geven aan* give (lend) colour (*of:* verisimilitude) to [the story]; '*t heeft er alle* ~ *van* it looks very much like it; *de* ~ *redden* save appearances; *hij neemt de* ~ *aan alsof* ... he makes a show (a pretence) of ...ing; *hij nam de* ~ *aan van vrolijk te zijn* he affected to be gay; *hij heeft de* ~ *tegen zich, de* ~ *is tegen hem* appearances are against him; *in* ~ in appearance, seemingly, ostensibly; *met veel (enige)* ~ *van waarheid* [it might be said] with much (some) colour; *met enige* ~ *van grond* with some show of justification (of reason); *naar alle* ~ to all appearance, apparently; *onder de* ~ *van* under the show (cloak, mask, colour) of [friendship]; *voor de* ~ for the sake of appearances, for the look of the thing; *hij doet alles voor de uiterlijke* ~ appearance is everything with him; ~**aanval** feigned (*of:* sham) attack, feint; ~**baar** seeming [a ... contradiction], apparent, ostensible; ~*bare horizon* apparent horizon; *zie ook:* in ~ & naar alle ~; ~**batterij** dummy battery; ~**beeld** phantom, illusion; ~**beweging** feint; ~**bewijs** seeming proof (*of:* evidence); ~**christen** pseudo- (*of:* lip) Christian; ~**deugd** simulated virtue; ~**dood** *zn.* apparent death, suspended animation; *bn.* apparently dead, in a state of suspended animation

schijnen (*van zon, enz.*) shine [*ook:* the sun is out again]; (*lijken*) seem [he does not ... to like it], look [the Queen ...ed to be in good health]; '*t schijnt (wel), dat* ... it (rather) seems (would seem) that ...; *naar* '*t schijnt* by the look(s) of it (of things), to all appearance; *naar* '*t schijnt heeft hij* ... it appears he has ..., he appears to have ...; *zie* toeschijnen

schijn: ~**geleerde** would-be scholar, sciolist; ~**geleerdheid** would-be learning, sciolism; ~**geloof** simulated faith; ~**geluk** seeming happiness; ~**gestalte** phase (of the moon); ~**gevecht** sham fight; ~**goud** similor; ~**grond** apparent reason

schijnheilig hypocritical, sanctimonious; ~**e** hypocrite; ~**heid** hypocrisy, sanctimoniousness

schijn: ~**koning** mock king; ~**proces** mock trial; ~**raket** (*plant*) bastard rocket; ~**schoon** *bn.*, *zie* schoonschijnend; *zn.* (mere) glitter, tinsel; ~**sel** shine [of a lantern], gleam, glow [of headlights], radiance, (*zwak*) glimmer; (*van vuur*) *ook:* firelight; ~**stelling** (*mil.*) dummy position; ~**tje:** *zie* schijn; [*'t kost*] *maar een –* only a trifle; *hij verdient maar een –* he earns a mere pittance; ~**verdienste** seeming merit; ~**vertoning** sham; ~**vrede** hollow (*of:* false) peace; ~**vriend** fair-weather friend; ~**vroom** *zie* ~heilig; ~**vrucht** false fruit; ~**waarheid** verisimilitude, apparent truth; ~**werper** (*van auto*) dazzle lamp, dazzle headlight; (*zoeklicht*) search-, spot-light, (*fam.*) spot; *met –s verlichten* flood-light [London]

schijt (*plat*) shit, crap; **~en** (*plat*) shit, crap; *de duivel schijt altijd op de grootste hoop* to him that hath shall be given; **~laars, ~lijster** (*volkst.*) funk (= coward)

schijveneg(ge) disc-harrow, (*Am.*) disk harrow

schijvenploeg disc-plough, (*Am.*) disk plough

schijventarief graded system of income brackets for tax-assessment

schik: *wij hadden veel ~* we had great fun, enjoyed ourselves immensely (tremendously), (*sl.*) had a ripping time; *~ hebben in zijn werk* enjoy one's work; *in z'n ~ zijn* be in high spirits; *ik ben ermee in mijn ~* I am pleased (delighted) with it; *niet bijzonder in zijn ~ over* ... not over-pleased at ...; *zie* plezier

schikgodinnen: *de ~* the fates, the weird (*of:* fatal, three) sisters

schikkelijk(heid) *zie* inschikkelijk & schappelijk

schikken (*ordenen*) arrange, order; (*bijleggen*) settle, compose, make up [a quarrel]; (*gelegen komen*) suit, be convenient to; *kunt u 't ~?* can you make it convenient?; [*hoe gaat 't?*] *'t schikt nogal* pretty well; *ik zal 't zo ~, dat je hier kunt slapen* I will a. for you to sleep here; *doe wat je 't beste schikt* suit your own convenience; *zodra 't u schikt* at your earliest convenience; *ik weet niet hoe ik 't zal ~* how to a. matters; *zich ~*, (*van zaken*) come right; *'t zal zich wel ~* it is sure to come right; *zich ~ in zijn lot* resign o.s. to one's fate; *zich zo goed mogelijk in iets ~* make the best of it, grin and bear it; *zich in 't onvermijdelijke ~* resign (reconcile) o.s. to the inevitable, accept the inevitable; *men moet zich in 't onvermijdelijke ~, ook:* what cannot be cured must be endured; *zich in zijn werk ~* become reconciled to one's work; *zie* minne; *zich naar iems. wensen* (*naar de regels*) *~* comply with a p.'s wishes (with the rules); *zich ~ naar een conventie* conform to a convention; *zich naar de omstandigheden ~* adapt o.s. to circumstances; *zich om de tafel ~* draw round the table; *op zij ~* move aside; *dichter bij 't vuur ~* draw up to the fire

schikking arrangement, settlement, agreement; *tot een ~ komen, een ~ treffen* come to an a. (an understanding), reach a settlement, compromise; **~en** (*maatregelen*) *treffen* make dispositions, arrange [for the letting of the house]; *zie* minnelijk

schil rind [of fruit, of trees], peel [of an orange], (*van bessen, druiven, bananen, enz.*) skin; (*'t afgeschilde, mv.*) parings, peelings [of potatoes]; *met de ~ koken* boil [potatoes] in their jackets; *zie* schel

schild shield (*ook fig.:* God is my ...); (*beukelaar*) buckler; (*wapen-*) (e)scutcheon; (*van schildpad*) shell; (*van insekt*) wing-case, -cover, (*wet.*) elytron (*mv.:* elytra); *wat voert hij in zijn ~?* what is he up to? what is his game?; *hij voert wat in zijn ~* he is up to something (up to

mischief, up to no good), he has designs [upon me *tegen mij*]; *ik weet wat hij in z'n ~ voert* I know his little game (what he is after); **~dak** hip(ped) roof; (*Rom. hist.*) testudo; **~drager** s.-bearer; (*her.*) supporter

schilder *a*) painter, artist; *b*) (house-)painter

schilderachtig picturesque; scenic [route]; **~heid** ...ness

schilderen paint; (*fig. ook*) picture, delineate; (*van schildwacht*) do sentry-go, stand sentry; (*staan wachten*) cool one's heels; *~ en behangen* decorate [a room]; *geschilderde ramen* stained glass windows; *naar het leven* (*de natuur*) *~ p.* from life (nature); *'t ~* (*mil.*) sentry-go

schilderes paintress, (lady, woman) painter (*of:* artist)

schilderhuisje sentry-box

schilderij picture, painting; **~enkabinet** p.-gallery; **~ententoonstelling** exhibition of p...s, [Italian] Art Exhibition; **~enverzameling** collection of p...s; **~koord** p.-cord; **~lijst** p.-frame

schildering painting, portrayal [of daily life], picture; delineation [of character]

schilderkunst (art of) painting

schilders: **~ambacht** trade of a (house-)painter; **~atelier** (painter's) studio; **~baas** master house-painter; **~bent** band of painters

schilderschool *a*) [Dutch, etc.] school of painting; *b*) school of painters

schilders: **~ezel** easel; **~gereedschap** painter's tools; **~knecht** journeyman painter; **~koliek** painter's (*of:* lead) colic; **~kwast** paint-brush; **~lak** lack-dye; **~model** artist's model; **~palet** palette; **~penseel** paint-brush; **~stok** maulstick, guiding-stick

schilder: **~stuk** picture, painting; **~swerkplaats, -winkel** house-painter's workshop; **~werk** painting, paintwork

schild: **~houder** (*her.*) supporter; **~kever** tortoise-, helmet-beetle; **~klier** thyroid (gland); **~vergroting** struma; **~knaap** shield-bearer, squire; (*fig.*) (chief) lieutenant [Mussolini's ...]; henchman; **~krab** hermit crab; **~luis** coccus (insect), scale insect

schildpad (*land-*) tortoise; (*zee-*) turtle; (*stof*) tortoise-shell; **~den** *bn.* t.-shell; **~soep** turtle (-soup); *nagemaakte ~* mock turtle

schildvleugel sheath-wing; **~ig** sheath-winged; **~igen** coleoptera

schildvormig shield-shaped; (*wet.*) scutiform; *~ kraakbeen* thyroid cartilage

schildwacht sentry, sentinel; **~en plaatsen** post sentries; *op ~ plaatsen* put on s.; *op ~ staan* stand s., do (a spell of) s.-go; *~ voor 't geweer* s. over arms; **~huisje** s.-box

schildwants stink-bug

schildzaad madwort

schilfer scale, chip; (*geol.*) flake; *~s op het hoofd* dandruff; **~achtig** scaly; **~en** scale (off), peel (off), flake off; **~ig** scaly, flaky

schillen peel [potatoes, oranges, a stick; *ook intr.* = *zich laten ~*: they ... quite easily]; pare [apples]; blanch, shell [almonds]; ~boer waste food collector

schillerhemd soft shirt open at the neck

schillerkraag open (Byronic) collar

schilletje lemon brandy

schilmachine [potato-]peeler

schilmesje peeler, peeling-, paring-knife

schim shadow [he is but the ... of his former self], shade, ghost, spectre; *tot een ~ vermagerd* worn to a s.; *Chinese ~men* Chinese shades; ~achtig shadowy

schimmel 1 grey (horse); 2 mould, mildew; ~achtig *zie* ~ig; ~en go (get, grow) mouldy (mildewed, mildewy), mildew; ~ig mouldy, mildewed, mildewy; ~kaas blue cheese; ~plant fungus, *mv.*: fungi; ~ziekte mycosis

schimmen ~rijk spirit world, abode of the dead, [the] shades; ~spel shadow-show, galanty-show, phantasmagoria

schimmetje *zie* schijntje

schimp scorn, taunt(s), contumely; ~dicht satire; ~dichter satirist; ~en scoff, gibe, rail; *– op* revile, scoff (gibe, gird, jeer) at, rail at (against); ~er scoffer; ~erij scoffing, abuse; ~naam nickname, so(u)briquet; ~rede abusive speech (language), invective, diatribe; ~scheut gibe, taunt, jeer; ~schrift lampoon, libel; ~taal abusive language; ~woord abusive word

schin dandruff

schinkel *zie* schenkel

schip ship (*vooral groot zee~*), vessel; (*schuit*) (canal-)barge, canal-boat; (*van kerk*) nave; *'t ~ van staat* the s. of state; *'t ~ der woestijn* the s. of the desert; *daar komt een ~ met zure appelen* a storm is brewing; *het ~ ingaan* get (have) the worst of it, be worsted; *hij was passagier op dat ~* in that s.; *uit het ~,* (*hand.*) ex s.; *als 't ~ met geld komt* when my s. comes home; *schoon ~ maken* a) *zie* opruiming houden; b) settle accounts; c) have a (complete) clear-out; *zijn schepen achter zich verbranden* burn one's boats; *een ~ op 't strand, een baken in zee* take warning by others' misfortunes

schipbreuk shipwreck; *bij ~* in case of s.; *~ lijden* be shipwrecked; (*fig.*) fail, miscarry, come to grief, break down [his policy broke down]; *doen ~ lijden* wreck (*of:* torpedo) [a bill *wetsontwerp*, a plan]; *zie* klip; ~eling shipwrecked person, castaway; *maatschappelijke ~* (social) misfit, failure, (*fam.*) down-and-out(er)

schipbrug boat-bridge, bridge of boats, pontoon-, floating-bridge

schipper bargee, bargeman, (canal) boatman; (*gezagvoerder*) skipper, master (of a vessel); ~aar trimmer; ~en trim, give and take, compromise; *hij zal 't wel* – he is sure to manage (it) somehow; ~ij inland navigation; ~ke (*hond*) id.

schippers ~baard bargee-beard, Newgate frill (*of:* fringe); ~beurs shipping-exchange; ~boom barge-pole; ~haak boat-hook; ~hond (Dutch) barge-dog; *school voor ~kinderen* bargees' (barge, canal-boat) children's school; ~knecht barge hand

schippertje (*hond*) schipperke

schippond ship-pound ($\pm$ *140 kg*)

schisma schism; ~ticus schismatic; ~tiek *bn. & zn.* schismatic (*bw.:* -ally)

schist (*min.*) id.

schitter: ~en glitter, shine [his eyes shone with pleasure], sparkle [sparkling diamonds, eyes], be ablaze [with light, flowers], be aglitter [with stars]; *– door afwezigheid* be conspicuous by one's absence; *'t ~de in al zijn heerlijkheid* it shone forth in all its glory; *met ~de ogen* with lustrous eyes; *de kunstenaar ~de die avond* was in great (in brilliant) form; *zie* uitblinken; ~d (*fig.*) brilliant, glorious, gorgeous, splendid; *een ~ voorbeeld* a shining example; ~glans, ~ing glittering, sparkling, sparkle [of diamonds], lustre, splendour; ~licht flash(ing)-light

schizofreen, -frenie schizophrenic, -phrenia

schlager (smash) hit, song-hit, draw

schlemiel *zie* slemiel

schmink grease-paint; (*fam.*) make-up; ~doos make-up box

schminken make up; *zich ~* make up

schnabbel earnings on the side

schobbejak, schobber(d) blackguard, scamp

schobberdebonk: *op de ~ lopen* sponge, be a sponger, cadge

schoeien 1 shoe; *zie* leest; 2 *zie* beschoeien

schoei: ~ing *zie* beschoeiing; ~plank sheet(ing)-pile; ~sel foot-gear, ~wear

schoelje *zie* schobbejak

schoen shoe (*ook van vlaggestok, karabijn & rem*); (*hoog*) boot; *de stoute ~en aantrekken* pluck up (screw up) courage, take heart, pull o.s. together, nerve o.s.; *wie de ~ past, trekke hem aan* whom the cap fits, let him wear it; *daar wringt (knelt) hem de ~* that's where the s. pinches; *ieder weet 't best, waar hem de ~ wringt* who wears the s. knows best where it pinches; *gooi geen oude ~en weg, vóór je nieuwe hebt* don't throw old shoes away before you have new ones; *hij staat vast in zijn ~en* he stands firm in his shoes; he is sure of his ground; *iem. iets in de ~en schuiven* lay s.t. at a p.'s door, saddle a p. with s.t., pin s.t. on (to) a p.; *put a thing down to a p.; ik zou niet graag in zijn ~en staan* I should not like to be in his shoes; *'t hart zonk hem in de ~en* his heart sank (it drove, sent, his heart) into his boots, he had his heart in his boots; *zie* loden & lood; ~band s.-string; ~borstel s.-, blacking-brush; ~crème boot-polish, shoe-polish; ~-en-laarzenmaker boot- and shoemaker

schoener schooner; ~brik brigantine

schoen: ~gesp shoe-buckle; ~hoorn s.-horn, -lift; ~lappen *zn.* cobbling; ~lapper cobbler; (*vlinder*) tortoise-shell; ~leer s.-leather; *–tje* tongue; ~leest (s.-)last; ~lepel *zie* ~hoorn; ~maker shoemaker; *zie* leest; ~makerspek cobbler's wax; ~pin s.-peg, -pin; ~poetser s.-black; (*in hotels*) boots; ~reparaties s.-repairs; ~riem s.-, bootstrap; (*hist.*) latchet; *gij zijt niet waard zijn*

−*en los te maken* you are not worthy to untie his s.-strings, not fit to black his boots; −*pje*, (*over wreef*) bar; ~**schrapper** s.-, boot-scraper; ~**smeer** shoe- (boot-)polish, shoe-cream, blacking; ~**snavel** (*dierk.*) shoe-bird; ~**spanner** shoe-stretcher; ~**spijker** s.-pin, -tack; ~**trekker** s.-lift; ~**veter** shoelace, s.-string; ~**winkel** shoe-shop; ~**zool** sole of a s.

schoep paddle(-board); (*van molenrad ook*) float(-board); (*van turbine*) blade, vane; (*van zonneblind*) slat; ~**enrad** vaned wheel, fan

schoffeerder desecrator, violator

schoffel hoe; ~**en** hoe

schofferen rape, ravish, violate

schoffie *zie* schoftje

schoft 1 (*van paard*) withers (*mv.*); 2 (*werktijd*) shift; 3 (*schavuit*) scoundrel, scamp; ~**achtig** *zie* ~erig; ~**en** *zie* schaften; ~**erig** scoundrelly, rascally; ~**hoogte** height; ~**je** brat; ~**tijd** *zie* schafttijd

schok jerk, jolt [of a bus]; [earth-quake, electric] shock; [escape with a severe] shaking; [awake with a] start; (*bij samenstoten*) shock, concussion; (*fig.*) shock; '*t gaf mij 'n* ~ it gave me a shock, a (nasty) jar, (*fam.*) a turn; *zijn reputatie heeft een ernstige* ~ *gekregen* has received a severe blow; ~**beton** vibrated concrete; ~**breker** shock absorber; ~**buis** (*mil.*) percussion fuse; ~**golf** shock wave; ~**handgranaat** percussion grenade; *granaat met* ~**inrichting** percussion shell

schokken I *tr.* shake, jerk, convulse; (*fig.*) shake [a man's resolution, credit, faith], upset [confidence in the government], convulse [economic life has been ... d by labour conflicts], give a shock, (*sl.*, = *betalen*) fork out, cough up [ten quid]; '*t schokte zijn gezondh.* it gave a shock to (it shook, *sterker:* it shattered) his health; *geschokte gezondh.* shaken health; *het schokte ons geweldig* it gave us a terrible shock (*fam.*, the shock of our lives); II *intr.* shake, jolt, jerk

schokker *a*) (kind of) fishing-boat; *ongev.* seiner; *b*) green pea

schokschouderen shrug one's shoulders

schol 1 (*vis*) plaice; 2 (*ijs-*) floe; 3 (*aard-*) (tectonic) plate

scholasticus schoolman, scholastic

scholastiek scholasticism; (*pers.*) scholastic

schold *o.v.t. van* schelden

scholekster oyster-catcher

scholen 1 flock together; (*van vissen*) shoal; 2 school, tutor; ~**gemeenschap** multilateral (*van twee scholen:* bilateral) school

scholiast id.; **scholiën** scholia

scholier pupil, scholar; ~**enkaart** scholar's ticket

scholing schooling; education

schollevaar, scholver(d) cormorant

schommel swing; *Russische* ~ swing-boat; *dikke* ~ fat woman; ~**bedje** swing-cot; ~**en** I *intr.* (*op schommel*) swing; (*van trein, in stoel*) rock; (*van boot*) roll; (*van slinger*) swing, oscillate; (*van prijzen, enz.*) fluctuate, see-saw; (*wagge-*

len) roll, wobble, walk from the hips; − *in rummage in*, rake among [old books]; − *tussen* wobble between [reality and symbolism]; −*de prijzen, ook:* see-saw prices; II *tr.* swing, rock; ~**gang** wobbling gait; ~**ing** swinging, oscillation, fluctuation; (*bij aswenteling*) nutation; −*en in temperatuur* changes in temperature; *vgl.* ~en; ~**steen** rocking stone, logan(-stone); ~**stoel** rocking-chair, (*fam.*) rocker

schond *o.v.t. van* schenden

schone *zie* schoon; ~**n** clean

1 **schonk** *o.v.t. van* schenken

2 **schonk** bone, shank; ~**ig** bony

1 **schoof** *o.v.t. van* schuiven

2 **schoof** sheaf; *in schoven binden* sheave; *aan schoven zetten* shock [corn], sheave

schooien beg

schooier beggar; (*landloper*) tramp, vagrant, layabout; (*haveloze kerel*) tatterdemalion, ragamuffin; (*schobbejak*) blackguard; *luie* ~, (*ook fig.*) lazy b.; ~**en** beg, cadge; ~**ig** raffish, blackguardly; ~**ij** begging

1 **school** *o.v.t. van* schuilen

2 **school** id. (*ook in de kunst, enz.*); (*vooral grote kost-, ook opleidings-*) college [naval ..., training-...]; (*voor bepaald vak*) academy [Military ..., dancing-...]; *iemand van de oude* ~ a man of the old stamp; (*vissen*) shoal, school; ~ *met de bijbel* (protestant) denominational s.; *lagere* ~ primary s.; *zie ook* achterlijk, buitengewoon, openbaar, mulo, voortgezet, enz.; *particuliere* ~ private s.; *als de scholen aan de gang zijn* during term; *de* ~ *begint om 9 uur* s. begins at nine; *de* ~ *begint weer op 3 mei* s. re-opens on ...; *de* ~ *is uit* s. is over; ~ *gaan* go to s.; *zij had weinig* ~ *gegaan* she had but little schooling; *geen* ~ *vandaag* no s. to-day; ~ *houden, a*) keep s.; *b*) (*leerling*) keep in, detain after s.-hours; *een* ~ *houden* keep a s.; ~ *maken* found a s., find a following; *de* ~ *verzuimen* be absent from s.; *in de* ~ *doen bij* put to s. to; *naar* ~ *gaan* go to s.; *start school* [at the age of six]; *op* ~ *doen* put to s.; *op* ~ *gaan* be at (attend) s.; *we zijn samen op* ~ *geweest* we were at s. together; *ter* ~ *gaan bij*, (*fig.*) go to s. to; *uit de* ~ *klappen* tell tales (out of s.), blab; *van* ~ *gaan* leave s.; *leeftijd waarop men van* ~ *gaat* s.-leaving age; *zie ook* aangaan, leerschool, enz.; ~**arts** s. medical officer, s.-doctor; ~**artsendienst** s. medical service; ~**bank** s.-desk (and seat); (*lang, zonder leuning*) form; *hij had met hem op de* −*en gezeten* he had been to school with him; ~**behoeften** educational aids; ~**bestuur** (board of) school governors; ~**bezoek** *a*) s. attendance, attendance at s. (*verplicht* compulsory ...); *b*) visit from the s.-inspector; ~**blad** *a*) educational paper; *b*) school magazine; ~**blijven** I *ww.* stay (stop) in (after hours); *moeten* −, *ook:* be kept in; II *zn.* detention, staying-, stopping-in; ~**boek** s.-, class-, lesson-book; ~**bord** blackboard; ~**commissie** education committee; (*hist.*) s.-board; ~**dag** s.-day; ~**decaan** (*ongev.*) careers master; ~**engels** schoolbook English; ~**feest** s.-treat;

709

- schoorsteen

~**frik** zie frik; ~**gaan** zie ~; –**d** s.-going [children]; –de leeftijd s.(-going) age [raise the ... to 16]; 't – s.-going; ~**gebouw** s.-building, -house; voor ~**gebruik** for use in s...s, for class use, adapted for s...s; ~**geld** s.-fee(s); ~**geleerdheid** book-learning; ~**hoofd** s.-head, headmaster, -mistress; ~**houden** zie ~; ~**jaar** a) scholastic year, s.-year; b) ~jaren, [in my] s.-days; ~**jeugd** s.-children; ~**jongen(sachtig)** schoolboy(ish); ~**juffrouw** s.-mistress, s.-teacher; ~**kameraad** zie ~makker; ~**kennis** a) s.-learning, scholastic knowledge; b) s.-acquaintance; ~**kind** s.-child; ~**krijt** (blackboard) chalk; ~**leider** headmaster; ~**lokaal** classroom; ~**maaltijd** school meal; ~**makker** s.-fellow, -mate, -chum; ~**man** education(al)ist, pedagogue; ~**meester** schoolmaster; (-vos) pedant; ~**meesterachtig** pedantic (bw.: -ally), priggish, schoolmasterish, -ly; ~**meesteren** teach (school), play the s.m.; iem. – play the s.m. to; ~**meisje(sachtig)** schoolgirl(ish, -y); ~**meubelen** s.-furniture; binnen de ~**muren** within the s.-walls; ~**onderwijs** s.-teaching; het genoten – the schooling received; ~**onderzoek** (ongev.) internal assessment; ~**opzicner** s.-inspector, inspector of schools; ~**orde** s.-discipline; ~**paard** s.-trained horse; ~**plein** (s.) playground; ~**plicht** compulsory attendance at s.; ~**plichtig** of s.-age, schoolable [child]; de –e leeftijd verhogen raise the s.(-leaving) age; ~**raad** ongev.: education commitee; ~**rapport** s.-report; ~**reglement** s.-regulations (bw.); ~**reis(je)** s.-journey, outing, instructional (educational) tour; ('t gezelschap) s. party; ~**rijden, -er** s.-riding, rider; ~**s** scholastic; zie ook ~meesterachtig; –e geleerdheid, zie ~wijsheid; ~**schip** s.-ship; ~**schrift** s. exercise-book; ~**slag** (zwemmen) breast stroke; ~**tandarts** s. dental officer; ~**tas** satchel; ~**tijd** a) s.-hours [from 9 to 12 and 2 to 4], s.-, class-time, [morning] school; b) (~jaren) s.-time, [my] s.-days; c) (van vakantie tot vak.) term; onder – during lessons; buiten – out of s.(-hours); gedurende de –, (niet in de vakanties) during term; zij moest de hele – door staan she was made to stand all through the class; ~**tje** spelen play at s...s (at keeping s.); ~**toezicht** a) s.-inspection; b) inspectors of schools; ~**uitgave** s.-edition; ~**uitzending** (radio, t.v.) school programme; ~**uur** s.-hour; zie ~tijd; ~**verband:** buiten – extra-mural, extra-curricular [activities, education]; ~**vergadering** teachers' (masters') meeting; ~**vertrek** class-room; ~**verzuim** non- (of: irregular) attendance (at s.); commissie tot wering van – s.-attendance committee; lid daarvan s.-attendance officer, (fam.) truant inspector; ~**vliegtuig** training-plane, trainer; ~**voorbeeld** classic example; ~**vos** pedant, pedagogue; ~**vosserij** pedantry; ~**vossig** pedantic (bw.: -ally); ~**vriend** s.-friend; ~**waarts** schoolwards; ~**wereld** scholastic world; ~**wet** education act; ~**wezen** s.-affairs, schools; ~**wijsheid** book-learning; ~**zaken** s.-affairs; ~**ziek** shamming; ~**ziekte**

sham illness, feigned illness (of schoolboy)
1 schoon (vero.: ofschoon) (al)though
2 schoon (mooi) beautiful, handsome, fine; (zindelijk) clean [collar, etc.]; (zuiver, rein) pure; uiterlijk ~ is slechts vertoon beauty is but skin-deep; de schone kunsten the fine arts; ~ linnengoed (schone sokken) change of linen (of socks); geef me een ~ bord change my plate; ~ goed aandoen put on clean things; het is ~ op it's all gone (clean gone); zijn geld ~ opmaken run through all one's money; de schone the fair one; een schone a beauty; de schone van 't dorp the village belle; het schone the b.; zie genoeg, geslacht, gewicht, haak, kans, lei, schip, enz.; ~**broeder** brother-in-law; ~**dochter** daughter-in-law; ~**druk** (typ.) unbacked (unperfected) sheet; de – opbrengen print (the) white paper; ~**familie** (fam.) in-laws
schoonheid beauty; een ~ a b.
schoonheids: ~**cultuur** beauty-culture; ~**gevoel** sense of b., aesthetic sense; ~**instituut** b.-parlour; ~**foutje** minor flaw, slight mistake, slip; ~**koningin** b.-queen; ~**leer** aesthetics; ~**middel** beautifier, b.-preparation, b.-wash; ~**moesje, -pleistertje** patch, b.-spot; ~**salon** b.-parlour; ~**specialist(e)** b. specialist; (Am.) beautician; ~**vlekje** b.-spot; ~**wedstrijd** b.-competition, b.-contest; ~**zin** zie ~gevoel
schoon: ~**houden** keep clean; ~**klinkend** melodious; (fig.) fine-sounding [slogans leuzen], specious [arguments]; ~**maak** (house-)cleaning, clean-up (ook fig.); (in voorjaar) spring-cleaning; aan de – zijn, zie ~maken; – houden make a clean-up, clean up; ~**maakbeurt** cleaning, turn-out; ~**maakdag** turning-out day; ~**maakster** charwoman, charlady, (fam.) char; (in school, enz.) (woman) cleaner, cleaning-woman; ~**maakwoede** cleaning-mania; ~**maken** I tr. clean, clean out [a stable]; give [the kitchen, a statue] a clean-up; gut, clean [fish], draw [a fowl], pick [salad]; iets goed – give s.t. a good clean(-up); II intr. clean (up); (in voorjaar) spring-clean; ~**maker** cleaner; ~**moeder** mother-in-law; ~**ouders** wife's (husband's) parents (fam.: people), (fam.) in-laws; zich ~**praten** exculpate o.s.; ~**rijden** fancy-, figure-skating; ~**schijnend** plausible, specious [argument, excuse]; ~**schrift** calligraphic writing; (cahier) copy-book; ~**schrijfkunst** penmanship, calligraphy; ~**schrijver** penman; (vooral beroeps-) calligrapher, calligraphic artist; ~**springen** (competition) diving; ~**vader** father-in-law; ~**vegen** sweep clean; scour [the seas]; (ontruimen) clear [the streets]; ik kan mijn eigen pad wel – I can take care of myself; ~**wassen** wash (clean); (fig.) whitewash [a p., o.s.]; ~**zicht** belvedere; ~**zoon** son-in-law; ~**zuster** sister-in-law
1 schoor o.v.t. van scheren
2 schoor shore, support, prop, buttress, abutment; ~**balk** summer; ~**hout** prop, shoring timber; ~**muur** buttress
schoorsteen chimney; (op 't dak ook) c.-stalk, c.-top, (ronde) c.-pot, (groep -stenen) c.-stack;

(*van stoomb., locomotief*) funnel, (*Am.*) (smoke)stack; *daar kan de ~ niet van roken* that won't keep the pot boiling; *schrijven om de ~ te doen roken* write a pot-boiler; ~**brand** c.-fire; ~**gek** turn-cap, cowl; ~**geld** hearth-money, -tax; ~**haak** pot-hanger, pot-hook; ~**kap** c.-top, -cap; ~**kleed** mantelpiece covering; ~**loper** runner for mantelpiece; ~**mantel** mantel(piece), c.-piece, mantelshelf; ~**pijp** c.-shaft, -stalk; (*van stoomboot*) funnel, (*Am.*) (smoke)stack; ~**plaat** hearth-plate; ~**stuk** c.-painting; ~**vegen** c.-sweeping; ~**veger** c.-sweep(er), sweep; ~**wissel** accommodation bill, (*sl.*) kite; *een – trekken* fly a kite

schoorvoeten hesitate; ~**d** reluctantly, hesitatingly, with lagging steps; *zijn – gegeven toestemming* his reluctant consent

schoorwal bar

1 schoot *o.v.t. van* schieten

2 schoot lap (*ook van kledingstuk*); (*fig.*) womb [of time], fold, bosom [of the Church], bosom [in the ... of his family]; (*mar.*) sheet; (*van plant*) sprig, shoot; (*van slot*) bolt; *de schoten aanhalen,* (*mar.*) haul the sheets home; *zie* vieren; *aan de ~ der aarde toevertrouwen* commit to the earth; *in de ~ der aarde* in the bowels of the earth; *in de ~ des tijds (der toekomst)* in the womb of time (of the future); *in de ~ der Kerk opgenomen* received within the fold of the Church; *hij keerde in de ~ der (r.-k.) Kerk terug* he returned to the communion of the Holy Church; *in de ~ der goden (verborgen)* in the l. of the gods; *in de ~ der weelde* in the l. of luxury; *met de handen in de ~ zitten* sit with folded hands, sit idly by; *de handen in de ~ leggen,* (*fig.*) fold one's arms (one's hands), remain idle; *'t hoofd in de ~ leggen* give in, submit, knuckle down (*of:* under); *'t wordt hem zo maar in de ~ geworpen* it is simply thrown (it simply falls, drops) into his l.; *wat de toekomst in haar ~ verbergt* what the future holds in store for us; *op haar ~* in (on) her l.; ~**gaan** do a bunk; ~**hondje** l.-, toy dog; ~**hoorn** (*mar.*) clew; ~**kindje** baby, infant in arms; (*fig.*) pet (*of:* spoiled) child

schoots: ~**afstand** (*mil.*) range; ~**hoek** (*mil.*) angle of projection; ~**lijn** (*mil.*) line of fire

schootsvel (leather, leathern) apron

schootsveld (*mil.*) field of fire

schootsverheid (*mil.*) range

schootvrij bullet-, shot-, bomb-proof; (*fig.*) proof [against slander]

schop 1 shovel (*ook voor kolen*), spade; (*voor graan, meel, enz.*) scoop; (*kinderschopje*) spade; (*planteschopje*) trowel; (*schommel*) swing; *twee ~pen diep* two spits deep; 2 (*trap*) kick; *vrije ~* free k.; *hij kreeg de ~* he got the boot (the sack); *zie* trap

1 schoppen *ww.* kick [*naar* at, *tegen iets aan* against]; *een bal (heen en weer)* ~ kick a ball about; *herrie (lawaai)* ~ k. up a row; *in de wereld* ~ throw into the world; *'t ver* ~, *zie* brengen

2 schoppen *zn.* spades; ~**aas, -heer, -vrouw,**

-**boer, -negen** enz. ace (king, queen, knave, nine, etc.) of s.

schopstoel: *ik zit hier op de* ~ I may be turned (kicked) out at short notice

1 schor *zn.* salting(s), mud flat

2 schor *bn.* hoarse, husky, raucous [fog-horn]

schorem *zn. zie* schorriemorrie; *bn.* shabby; ~**er(d)** ragamuffin

schoren shore (buttress) up, support, prop

schorheid hoarseness, huskiness

schorpioen scorpion; *de S~,* (*dierenriem*) Scorpio, the Scorpion; ~**vlieg** s.-fly

schorr(i)emorrie ragtag (and bobtail), riff-raff, ragamuffins

schors bark, rind; (*hersen~*) cortex

schorsen suspend [a clergyman, hostilities, etc.]; (*geestelijke ook*) inhibit; (*vergadering*) adjourn; *iem. als lid* ~ s. a p. from membership; *iem. in zijn betrekking* ~ s. a p. from duty; *de werkzaamheden* ~ (*van vergadering*) s. proceedings

schorseneel, schorseneer (*groente*) scorzonera; (*wilde* ~) salsify

schorsing suspension, inhibition, adjournment; *vgl.* schorsen; ~**sbesluit** s. order

schorskever bark-beetle

schorswants bark-bug

schort apron; pinafore; ~**eband** a.-string

schorten: *wat schort eraan?* what is the matter? what is wrong?; *zie* schelen

schot 1 shot; (*knal ook*) report, crack [of a pistol]; (*sein*) signal-gun; (*tussen* ~) partition; (*mar., van vliegt.*) bulkhead; *ieder* ~ *is geen eendvogel* every s. does not mean the death of a rabbit; *een ~ doen* fire a s.; *50 ~en in de minuut doen* fire fifty rounds a minute; ~ *en lot betalen* pay scot and lot; *er viel een* ~ a s. rang out; ~ *geven* veer [a cable]; ~ *krijgen,* (= *groeien*) shoot up; *er komt (zit)* ~ *in* we're making headway, things are beginning to move; *er zit geen* ~ *in, ook:* it (the plan, etc.) is hanging fire; *binnen (buiten)* ~ within (out of) range (*of:* shot); *buiten* ~ *blijven,* (*fig.*) keep out of harm's way; *onder* ~ within range (*of:* shot); *onder* ~ *krijgen* find the range of, get a s. at; *onder* ~ *nemen* cover [a tiger]; *houd ze onder* ~ keep them covered; *op* ~ *zijn* have one's eye in; ~ *voor de boeg* warning shot across the bows (*ook fig.*); *een ... geven* fire across the [American] bows; *zie* kruit; 2 (*jonge koe*) heifer; 3 (*vis*) *zie* ~je 2

Schot Scotchman, Scot; (*vooral door ~ten zelf gebruikt*) Scotsman; *de ~ten* the Scots, the Scotch

schotel dish (*ook 't eten*), (*hist.*) platter; (*groot & plat, vooral bijb.*) charger [John the Baptist's head in a ...]; *kop(je) en ~(tje)* cup and saucer; *vliegende* ~ flying saucer; ~**doek** d.-cloth; ~**likker** lick-platter; ~**rek** d.-rack, -stand; ~**tje** *zie* ~; ~**veer** diaphragm spring; ~**versiering** garnish

schotje 1 *ergens een* ~ *voor steken, zie* stokje; 2 (*vis*) salmon-trout, sea-trout

Schotland Scotland

1 schots *zn.* floe [of ice], ice-floe

2 schots *bw.* rudely; ~ *en scheef door elkaar* at sixes and sevens, criss-cross, higgledy-piggledy, pell-mell; *met de huizen* ~ *en scheef door elkaar* rambling [village, street]

Schots *bn. & zn.* Scottish, Scotch; (*vooral door Schotten zelf gebruikt*) Scots, Scottish; (*dans*) schottische; (*stof*) tartan, check; s~bont tartan, check, chequered

schotschrift lampoon, squib, skit, libel

Schottisch(e) (*dans*) schottische

schotvaars heifer; **schotvarken** store pig

schotvrij *zie* schootvrij

schotwond shot-, bullet-wound

schouder shoulder; *de ~s ophalen* shrug one's s...s; *de ~s optrekken* hump one's s...s; *zijn ~ eronder zetten* put one's s. to the wheel, put one's back into it; ~ *aan* ~ *staan* stand s. to s.; show a united front; *geweer aan de ~!* shoulder ·... arms!; *hoog in de ~s* high-shouldered; *iem. op de ~s ronddragen* carry a p. shoulder high, chair a p.; *wij staan op de ~s van een vorig geslacht* we stand on the s...s of an earlier generation; *op de ~(s) nemen* shoulder; *help mij om de koffer op de ~ te nemen* help me up with the trunk; *iem. over de ~ aanzien* give a p. the cold s., cold-shoulder a p.; ~**band** (*van schort, enz.*) s.-strap; (*anat.*) humeral ligament; ~**blad** s.-blade; (*wet.*) scapula, omoplate; ~**breedte** s. width; ~**breuk** fracture of the s.-blade; ~**doek** (*r.-k.*) humeral veil; ~**en**: *'t geweer* – (*op de* ~ *nemen*) shoulder the rifle; (*aan de* ~ *brengen*) shoulder arms; ~**gewricht** s.-joint; ~**ham** picnic ham; ~**klep** (*mil.*) s.-strap; ~**mantel** cape, tippet, pelerine; (*van oude vrouw*) *ook:* [a] Mother Hubbard; ~**ontwrichting** dislocation of the s., (*veeartsenijk.*) s.-slip; ~**ophalen** [with a] shrug (of the s...s); *er zich met 'n* – *afmaken* shrug it off; ~**passant** s.-strap; ~**riem** s.-belt, baldric; ~**stuk** (*algem.*) s.-piece; (*passant*) s.-strap; (*van hemd, enz.*) yoke; (*voorbout*) s. [of lamb, etc.]; ~**tas** s.-bag; ~**weer** (*mil.*) traverse

schout sheriff, bailiff

schoutambt sheriff's office, shrievalty

schout-bij-nacht rear-admiral

schouw 1 (*schoorsteen*) fireplace, chimney; **2** (*vaartuig*) scow, punt; **3** *zie* schouwing; **4** *bn.*, *zie* schuin (*fig.*)

schouwburg theatre, playhouse; ~**bezoek** playgoing, t. attendance; ~**bezoeker** t.-, playgoer; ~**s**, *zie ook* ~publiek; ~**directeur** t. (*of:* theatrical) manager; ~**kaartje** t.-ticket; ~**publiek** t.-audience, playgoing public; ~**zaal** *zie* zaal

schouw: ~**en** inspect, survey; (*eieren*) candle; *een lijk* – perform a post-mortem (examination); (*door de 'coroner'*) hold an inquest; ~**ing** inspection; *zie ook* lijkschouwing; ~**spel** spectacle, scene, view, sight; (*hist.*) pageant; ~**toneel** stage, scene, theatre

schoven *ww.* sheave, sheaf

schovenbinder sheaf-binder

schraag trestle; *tafel op schragen* trestle table; ~**balk** supporting-beam; ~**beeld** supporting-figure, (*vrouw*) caryatid, (*man*) telamon; ~**pijler** buttress

schraal (*algem.*) poor [soil *grond*, crop *oogst*], meagre, scanty; slender [income, hope, crop], needy [existence], hard [times]; lean [purse, crop]; (*pers.*) thin, gaunt, scraggy, spare; (*kost*) spare, scanty, poor; (*wind, weer*) cold and dry; *schrale beloning voor ... poor return for one's services; ~ dieet* low (lean) diet; *wij hebben 't vandaag ~ van eten* we are on short commons today; ~ *stemmetje* thin voice; '*t is een schrale tijd* times are bad; *we hadden een schrale tijd, hadden 't maar ~tjes* we had a lean time (of it); *schrale troost* cold (poor) comfort; ~**hans:** – *is daar keukenmeester* they starve you there; ~**heid** scantiness, poorness, poverty, thinness, bleakness; *vgl.* ~; ~**tjes** poorly, scantily, thinly, slenderly; *zie* ~

schraap: ~**achtig** stingy, scraping, miserly, covetous; ~**ijzer**, ~**mes** scraper, scraping-knife; (*van wals*) doctor; ~**sel** scrapings; ~**zucht** stinginess, covetousness; ~**zuchtig** *zie* ~achtig

schrab scratch; ~**ben** scratch, scrape; *zie* schrappen; ~**ber** scraper, scraping-iron; ~**ijzer**, ~**mes**, ~**sel** *zie* schraap...

schrafferen, -ing *zie* arceren, -ing

schragen shore (up), buttress, support, prop (up)

schralen (*van wind*) scant, haul forward

1 schram (*jong varken*) piglet

2 schram, ~**men** scratch, graze

schrander clever, sagacious, shrewd, intelligent, discerning, understanding, bright, smart, sharp; ~**heid** cleverness, etc., sagacity, intelligence, discernment

schranken set [a saw]

schransen gormandize, gorge, stoke (up), stuff, cram, tuck in, grub; *hij kan geweldig* ~ he is a huge feeder; **-er** gorger, glutton; **-erij** gorge, gorging, cramming

schrap I *zn.* scratch; *er een* ~ *door halen* strike (*of:* scratch) it out; **II** *bw.: zich* ~ *zetten* take a firm stand [*tegen* against], brace o.s. (up), set one's teeth, (*fam.*) pull up one's socks

schrapen scrape; (*fig.*) (pinch and) scrape; *bij elkaar* ~ s. together; *zich de keel* ~ clear one's throat, hawk [vigorously]

schraper scraper, money-grub(ber); ~**ig** *zie* schraapachtig

schraperij money-grubbing

schrapijzer, -mes *zie* schraap...

schrapje (*bij inenting*) insertion; *ergens een* ~ *bij zetten* call it a day

schrappen scrape [new potatoes], scale [fish]; (*doorhalen*) strike (cross) out, cancel (*ook fig.:* debts); expunge [a passage]; delete [letters, words]; make excisions [in a text]; scratch [a candidate]; *hij werd van de lijst geschrapt* his name was struck off the list (the Medical Register, etc.); *zich als lid laten* ~ renounce membership; **-er** *zie* voet ...; **-ing** ...ing, cancellation, expunction, deletion, erasion; *vgl.* '*t ww.; -sel* scrapings

schrede step, pace, stride; *de eerste* ~ *doen* take

the first s.; *zijn ~n richten* (*wenden*) *naar* turn (direct, bend) one's steps to; *met rasse ~n* with rapid strides; *wij gingen met rasse ~n onze ondergang tegemoet* we were hurrying on to our ruin

schredenteller pedometer

schreed *o.v.t. van* schrijden

1 schreef *o.v.t. van* schrijven

2 schreef line, scratch; (*van letter*) serif; *over* (*buiten*) *de ~ gaan* go over the l., exceed the limit, go beyond the bounds, overstep the mark; *jij hebt een ~je bij hem voor, zie* streepje; **~loze** *letter* sanserif

schreeuw shout, cry, scream; *een ~ geven* give a cry, etc., **~arend** lesser spotted eagle; **~en** cry, bawl, shout, (*gillen*) yell, shriek; (*van varken*) squeal; (*van uil*) hoot (*zie* krassen); (*van hert in bronsttijd*) troat; *~ zo niet!* don't shout!; *je hoeft niet te –* you needn't shout [I'm not deaf]; *– om* cry out (clamour) for; *uit alle macht –* shout at the top of one's voice, yell one's head off; *– als een mager varken* squeal like a bleeding pig; *hij ~t vóór hij geslagen wordt* he squeals (cries out) before he is hurt; **~end** crying (*ook fig.:* injustice), howling; loud, noisy, glaring [colours, dress]; noisy [pattern]; *– duur* wildly expensive; **~er** bawler; (*fig.*) ranter, gas-bag; **~erig** screaming [headlines], clamorous, loud-voiced [woman]; blatant [speech]; ranting [orator]; *zie ook* ~end; **~lelijk** bawler; (*huilebalk*) cry-baby

schreien[1] (*wenen*) weep; (*huilen*) cry; *hij schreide bij de gedachte, dat ...* he wept to think that ...; *'t – stond hem nader dan 't lachen* he was nearer to tears than to laughter; *~ om* w. (cry) for; *zie* wraak; *'t schreit ten hemel* it cries (aloud) to Heaven; *zich de ogen uit 't hoofd ~* cry one's eyes out; *~ van vreugde* w. for joy; *vreugdetranen ~* w. tears of joy; *hete tranen ~* w. (*of:* shed) hot tears; *zij lag stilletjes in bed te ~* she cried into her pillow; *tot ~s toe* [be moved] to (the point of) tears

schreier weeper, crier; **~ig** given to crying; *op ~e toon* in a tearful voice

1 schrepel *zn.* weeding-hook, weeder

2 schrepel *bn.* thin, gaunt

schriel ungenerous, parsimonious; *zie ook* schraal; **~hannes** pinch-belly, pincher, curmudgeon; **~(ig)heid** stinginess, etc.

schrift *a*) (hand)writing, script; *duidelijk ~* distinct writing; *b*) exercise-book; *de* (*Heilige*) *S~* Holy Writ, (Holy) Scripture, the (Holy) Scriptures; *geschreven ~* writing; *iets op ~ brengen* put s.t. in writing; *op ~ stellen* record (make a record of), put (place) on r.; *vgl.* boek (te ... stellen); *zie* gewoon; **~elijk** I *bn.* written [homework, examination], in writing, on paper; *-e cursus* correspondence course, postal tuition; *– werk* (*ook:*) paper work; II *bw.* in writing, on paper, by letter; *– maken* do in writing; *zowel mondeling als –* [be examined] both orally and in writing; *zich – aanmelden*

apply by letter; **~geleerde** scribe; **~kunde** (*voor karakterstudie, enz.*) graphology; **~kundige** *a*) graphologist; *b*) handwriting expert; **~matig** in accordance with Holy Writ; **~matigheid** conformity with Holy Writ; **~uitlegger** exegete, exegetist, interpreter of Holy Writ; **~uitlegging** exegesis

schriftuur *a*) document, writing; *b*) *zie* Schrift (*de Heilige*) ...; **~lijk** scriptural; **~plaats** passage from the Scriptures

schriftvervalser forger; **-ing** forgery

schrijbenen *ww.* straddle

schrijden stride, stalk

schrijf- writing; **~behoeften**, **~benodigdheden** stationery, w.-materials; **~blok** note-pad; **~boek** *zie* schrift; (*met voorbeelden*) copy-book; **~bord** blackboard; **~bureau** w.-table, -bureau; **~cassette** w.-case, -box; **~fout** slip of the pen, clerical error; **~gereedschap**, **~gerei** w.-materials; **~hand:** *'n goede – hebben* write a good hand; **~inkt** w.-ink; **~jeuk(te)** writing-, scribbling-itch; **~kamer** w.-room; **~kramp** writer's cramp; **~kunst** art of w.; (*schoonschr.*) calligraphy; **~kunstenaar** calligrapher; **~les** w.-lesson; **~lessenaar** w.-desk; **~letter** script-letter; **~loon** copying-fee; **~machine** typewriter; **~map** w.-case; **~papier** w.-paper; **~rol** (*van ~machine*) platen; **~ster** (woman) writer, authoress; (*op bureau*) (female) clerk, copyist; **~stift** style, stylus; **~taal** written language; **~tafel** w.-table; typing pool; centre of administration; **–tje** (*plankje*) w.-tablet; **~teken** character, letter; **~trant** manner (*of:* style) of w.; **~voorbeeld** *zie* voorbeeld; **~werk** writing, desk-work, clerical work; **~wijze** *a*) spelling; (*van getallen, enz.*) notation; *b*) *zie* ~trant; **~woede** mania for w.; **~zucht** scribbling-mania

schrijlings astride [ride ...], astraddle [*op* of], straddle-legged; *~ zitten op* straddle [a chair]

schrijn box, chest, cabinet; (*r.-k.*) shrine

schrijnen graze, abrade; (*van wond, ook fig.*) smart; *~de pijn* smart, smarting pain; *~de ironie* poignant irony

schrijnwerk joiner's work, joinery, cabinet-work; **~er** joiner, cabinet-maker; **~ershout** cabinet wood

schrijven I *ww.* write; *iem. ~ w.* to a p.; *iem. een brief ~ w.* a p. a letter; *groot* (*klein*) *~ w.* large (small); *een recept* (*een cheque*) *~ w.* out a prescription (a cheque); *een aardige hand ~ w.* a nice hand; *met een duidelijke hand geschreven* written in a clear hand; *de hoeveelste ~ we?* what day of the month is it?; *men schreef toen 1872* the year (the date) was ...; *er staat geschr.* it is written; *hij schreef, dat ...* he wrote (to say, saying) that ...; *ik schrijf je deze om afscheid te nemen* this is to say good-bye; *niets om over naar huis te ~* nothing to w. home about; *we ~ elkaar niet meer* we no longer correspond; *om iets ~ w.* for s.t.; *op een advertentie ~* answer an advertisement; *er was iets op geschr.* there was writing on it; *'t stond* *op zijn gelaat geschr.* it was written on (all over) his face; *je kunt het op je buik ~* forget it; *~ over een onderwerp* write on (*of:* about) a subject; II *zn.* (*schrift*) (hand)writing; *Uw ~ van de 8ste dezer* your letter (yours) of the 8th inst.; *ons ~* our letter, ours

schrijver (*van brief, enz.*) writer; (*van boek, enz.*) writer, author; (*klerk, enz.*) clerk, secretary, copyist; *~ dezes* the (present) writer; *van de ~ with the author's compliments; *hij is de ~ van ...*, *ook:* he has a long list of novels to his name; **~ij** writing; **~sbent**, **~sgild** writing-fraternity; **~ke(n)**, **~tje** (*tor*) whirligig(-beetle); *zie* broodschrijver

schrik fright, terror, alarm; *hij is de ~ van de straat* the terror of ...; *een ~ krijgen* get a f.; *ik werd met ~ wakker* I started from my sleep, awoke with a start; *ik zie met ~ zijn komst tegemoet* I dread his coming; *met de ~ vrijkomen* get off with a f., escape with a shaking, suffer from shock only; *ze met ~ vervullen, de ~ eronder brengen* strike terror (put the fear of God) into them; *met ~ en beven* with (in) fear and trembling; *tot zijn ~* to his horror; *de ~ sloeg hem om 't hart* he was seized with f.; *iem. een ~ op 't lijf jagen* give a p. a f. (a shock, a turn); *zich van de ~ herstellen* recover o.s.; *pull o.s. together; zie* aanjagen, enz.; **~aanjagend** terrifying, frightening [thought]; **~aanjaging** terrorization; *iem. door - brengen tot* terrorize a p. into [paying]; **~achtig** easily frightened, nervous; (*van paard*) shy; (*van pers., fam.*) jumpy, nervy; **~achtigheid** nervousness, (*fam.*) jumpiness; **~barend** terrific, appalling, dreadful, frightful; staggering [price]; **~beeld** terror, bugbear, ogre, bugaboo; **~bewind** (Reign of) Terror; **~draad** electric fencing, e. cattle fence

schrikkeldag intercalary day, leap-day
schrikkelijk dreadful, awful, frightful, terrible; *~ koud* frightfully, etc. cold
schrikkeljaar leap-year, bissextile (year)
schrikkelmaand February

schrik: ~ken be frightened, take fright [*voor* at]; (*opschrikken*) (give a) start; *- van* start at, be startled by [a noise]; *... waar je van schrikt* staggering [prices]; *'t paard schrok voor ...* shied at the motor; *ik schrok mij dood* I was frightened (terrified) to death (out of my life, out of my wits); *hij ... he jumped out of his skin; *ik ben toch zo geschrokken!* I had such a fright!; *doen -* frighten, startle, give [a p.] a fright (*fam.*: a turn), (*erg*) scare; *wakker - * awake with a start; *hij ziet er uit om van te -* he's looking awful; **~kerig** *zie* **~achtig**; **~plank** (*bij bouwwerk*) (protecting) fan; **~reactie** panic reaction; **~wekkend** terrifying, terrific, appalling

schril shrill, reedy [voice, notes]; glaring [light, colours]; violent [contrast, colours]; [paint s.t. in] garish [colours]

schrobben scrub, scour; (*schip*) hog
schrobber scrubbing-brush, scrubber
schrobbering scolding, wigging, trimming,

blow(ing)-up, dressing-down; *iem. een ~ geven* give a p. a dressing-down, etc., blow a p. up
schrobnet trawl-net; **~visser** trawler
schrobzaag compass-saw

schroef screw; (*van stoomb. ook*) propeller; (*van vliegt.*) propeller, airscrew; (*bank-*) vice; (*van snaarinstrument*) (tuning-)peg; (*bloeiwijze*) helicoid cyme; *~ van Archimedes* Archimedean s.; *~ zonder eind* endless s., worm-gear; *de ~ aandraaien*, (*ook fig.*) turn (put on) the s.; *alles staat op losse schroeven* everything is unsettled (is in the air); **~as** propeller-shaft; **~asblok** shaft-bearing; **~bank** vice-bench; **~blad** propeller-blade; **~boor** s.-auger, spiral drill, tap; **~boot** s.-steamer; **~bout** s.-bolt; **~deksel** s.-cap; **~dop** s.-cap, s.-top; **~draad** s.-thread, thread (*of:* worm) of a s.; **~fles** s.-stoppered (s.-capped) bottle; **~gang** worm (*of:* groove) of a s.; **~gat** (*mar.*) s.-aperture; **~haak** s.-hook; **~koker** well of the s.; **~kop** s.-head; **~lijn** helical line; **~moer** nut, female s.; **~molen** Archimedean screw; **~oog** s.-eye; **~paal** s.-pile; **~pers** s. press; **~pomp** hydraulic s.; **~ring** s.-eye, eye-s.; **~sgewijs** spirally; **~sleutel** s.-, monkey-wrench, (s.-)spanner; **~sluiting** s.-stopper, -cap; *fles met -, zie* **~fles**; **~stoomboot** s.-steamer; (*met dubbele ~*) twin s.-steamer; **~turbine** turbo-prop; **~verband** tourniquet; **~vliegtuig** propeller plane; **~vormig** s.-shaped, spiral, helical

schroeien I *tr.* scorch [one's dress, the grass], singe [a fowl, a p.'s hair], scald [a pig], cauterize [a wound]; II *intr.* be (*of:* get) singed (*of:* scorched); *er schroeit iets* there is a smell of s.t. burning
schroeiplek scorch(-mark)
schroevedraaier screw-driver
schroeven screw

1 schrok *o.v.t. van* schrikken
2 schrok glutton, gorger; **~achtig** *zie* **~kig**; **~ken** *tr. & intr.* gorge, gobble; *tr. ook:* bolt [one's food]; *naar binnen -* gobble up, bolt down; **~ker(d)** *zie* **~**; **~kerij** gorge, gorging; **~kig** gluttonous, greedy; **~kigheid** gluttony, greediness

schromelijk terrible, bad, gross [blunder, ...ly exaggerated]; *zich ~ vergissen* be greatly (grossly) mistaken
schromen fear, dread, hesitate, scruple; *zonder ~* [meet death] fearlessly
schrompelen shrivel (up)
schrompelig wrinkled, shrivelled
schrooien, schrooitouw parbuckle
schroom diffidence, scruple, shyness
schroomachtig, -hartig, -vallig diffident, timorous, timid; **~heid** diffidence, timorousness, timidity
schroot scrap(-iron); (*techn.*) clippings; (*mil.*) canister-, grape-shot; (*hagel*) shot; **~hoop** [throw on the] scrap-heap; **~jeswand** wall (partition) of laths; **~vuur** grape-fire; **~zak** shot-bag
schrot (*van appels*) screenings
schub scale; **~achtig** scaly; **~ben** *ww.* scale; **~big** scaled, scaly; **~dier** pangolin; **~sgewijze** in

scales; ~vinnig scaly-finned; ~vleugelig scaly-winged; (wet.) lepidopterous; ~vormig squamiform; ~wortel toothwort

schuchter shy, bashful, timid; na een ~ begin after a hesitant start; een ~e poging a faint-hearted attempt; ~heid coyness, shyness, bashfulness, timidity

schuddebol dodderer; ~len dodder

schudden tr. shake; (kaarten) shuffle; intr. shake; (van rijtuig) jolt; appels ~ s. down apples; (met) 't hoofd ~ s. one's head; iem. de hand ~ shake (krachtiger: pump) a p.'s hand, s. hands with a p., (krachtig, fam.) pump-handle [a p.]; elkaar de hand ~ s. hands; de vinger ~ tegen s. (of: wag) one's finger at; de vuist ~ tegen s. one's fist at; zich ~ shake o.s., give o.s. a shake; hij voelde de grond onder zich ~ he felt the earth rock beneath his feet; ~ van 't lachen s. (be convulsed, rock) with laughter; doen ~ shake; rock [an earthquake ...ed the place]; (van 't lachen) send [a p.] off into fits of laughter, convulse [the sight ...d the House]; zie dooreen~, innemen, mouw, wakker

schudding shaking, shock, concussion

schudgoot shaker conveyor

schuier brush, (carpet-)sweeper

schuieren brush, sweep [a carpet]

schuif (algem.) slide; (van kachel) damper; (grendel) bolt; (van toverlantaarn) slide; (van doos) sliding-lid; een ~ geld heaps (a mint) of money; ~blad zie inlegblad; ~bout sliding-bolt; ~dak (van auto) sunshine roof; ~deksel sliding lid; ~deur sliding-, folding-door(s); ~dop slip-on cap

schuifelaar(ster) shuffler, shambler

schuifelen shuffle, shamble; (van slang) hiss

schuif: ~klep slide-valve; ~knoop slip-knot; ~ladder extension-ladder; ~lade drawer; ~maat a) marking gauge; b) vernier callipers; ~raam sash-window, lift-up window; ~ring (van paraplu) (umbrella-)runner; ~stang slide-rod; ~tafel extending (extension) table; ~trompet trombone; (hist.) slide-trumpet; ~venster zie ~raam

schuil: ~en take shelter, shelter [voor ... from the rain]; (zich verbergen) hide (o.s.); daar ~t iets achter there is s.t. behind it; daar ~t meer achter there is more behind it, more is meant than meets the ear (the eye); hij school in de hoek he lurked in the corner; het gevaar dat in monopolies schuilt the danger that lurks in monopolies; daar schuilt de moeilijkheid that is where the difficulty lies; ~evinkje (spelen) (play at) hide and seek; ~gaan (van zon, enz.) go in (behind the clouds), hide (itself); ~hoek hiding-place; de binnenste -en van het hart the inmost recesses of the heart; ~hol retreat, lurking-place; zich ~houden be in hiding, keep close, (sl.) lie low, lie doggo; ~kelder underground (air-raid, A.R.P.) shelter; ~kerk clandestine church; ~loopgraaf shelter-trench; ~

naam (pen-)name, pseudonym

schuilplaats hiding-place, place of concealment, shelter, (Am.) hide-out; asylum, retreat, refuge; (om op de loer te liggen) lurking-place; bomvrije ~ dug-out, bomb-proof shelter, (fam.) funk-hole; een ~ verlenen shelter, harbour [a spy]; een ~ zoeken take shelter [tegen from], (bij zijn vijanden) take refuge with one's enemies, (in een heilig gebouw) take sanctuary; de vos kwam uit zijn ~ the fox broke cover

schuim (op golven, om bek van paard, enz.) foam; (op bier, enz.) froth; (van metalen) dross; (van zeep) lather; (op soep, enz.) scum; (fig.) scum, dregs [of the nation], off-scourings [of the earth]; geen goud zonder ~ no gold without dross; met ~ bedekte golven f.-crested waves; 't ~ staat hem op de mond he foams at the mouth; eieren tot ~ klutsen whip eggs; ~achtig foamy, frothy; ~achtigheid foaminess, frothiness; ~beestje frog-hopper; ~bekken foam at the mouth; - van woede, ook: foam (of: fume) with rage; ~blaasje bubble; pearl [of wine]; ~blusser f. extinguisher; ~diertje frog-hopper; ~en foam; froth; lather; vgl. ~; (van wijn) sparkle, bead; (klaplopen) sponge; (af-) skim [metals, soup]; op zee - scour the seas; ~er (klaploper) sponger; (zee-) pirate; ~ig foamy, frothy; ~kop crest [of the waves], feather; ~lepel skimmer; ~pje meringue; ~plastic f.-plastic; ~rubber f.-rubber; ~spaan skimmer; ~spoor zie bellenbaan; ~ziekte barkrot

schuin[1] I bn. slanting, sloping, oblique; (fig.) broad, obscene, smutty [joke]; ~e rand bevel(led) edge; ~e tanden, (techn.) chamfered teeth; ~e zijde (van driehoek) hypotenuse; II bw. slantingly, etc., aslant, awry; ~ gedrukt in italics, italicized; ~ houden slope, slant, tilt [a bottle]; ~ invallende lichtstralen s. rays; ~ knippen cut [material] on the bias; ~ kijken look askance (ook fig.), look out of the corner of one's eye [naar at]; ~ oversteken cross at an oblique angle; de bomen groeiden ~ over de beek grew aslant the brook; ~ tegenover diagonally opposite, [he lives] nearly opposite [to us]; ~balk (her.) bend; ~en bevel, slant off, chamfer; ~heid obliqueness, etc.; ~s zie ~; ~schrift sloping (slanting) writing (of: script); ~smarcheerder gay dog; ~te slope, acclivity

schuit boat, barge; oude ~ old (sea-)tub, [the] old hooker; ~en van schoenen beetle-crushers; zie ~je; ~ehuis b.-house; ~enmaker b.-builder; ~evoerder bargeman, bargemaster, bargee; ~hoed shovel-hat; (van vrouw) poke-bonnet; ~je (little) b.; car, basket [of a balloon]; pig [of tin]; (weverij) shuttle; wij varen in 'tzelfde - we are in the same b. (in the same box); wie in 't - zit, moet meevaren in for a penny, in for a pound; we zijn in 't - en moeten mee we are in for it now; hij komt al in mijn - he is coming round to my opinion; ~jevaren boat, go out boating; ~vormig b.-shaped; navicular

---

[1] Zie ook scheef

chuiven push, shove; slip [a ring on one's finger]; (van deur, over de vloer) drag; iem. op zij ~, ook: brush a p. aside; in elkaar ~, zie in-een~; hij schoof 't (de schuld) op mij he put it on me, put (laid, fastened) the blame on me; de verantwoordelijkheid op een ander ~ throw the responsibility on another, saddle another with it; bij 't vuur ~ draw up to the fire; hij schoof dichter bij he edged up (to me); zitten te ~ fidget (shift, move uneasily) [in one's seat]; gaan ~ clear out, abscond; hij gaat met de eer ~ he takes the credit; de lading gaat ~ the cargo is shifting; laat hem maar ~ he can look after himself all right; zie af~, grendel, hals, opium, schoen, enz.

schuivenmotor sleeve-valve motor

schuiver zie opiumschuiver; een ~ maken give a lurch; (van auto) skid

schuld (te betalen ~) debt [have ... s]; (fout, enz.) guilt [aan of], fault; (moral) culpability; Ned. Werkelijke ~, ongev.: Dutch consols; ~en, (passiva) liabilities; 't totaal van zijn ~en bedroeg ..., ook: his total indebtedness was ...; ~ bekennen confess one's guilt, plead guilty; zijn ~en betalen, ook: meet one's engagements; hij droeg de ~, had ~, 't was zijn ~ it was his fault, he was in (at) fault (of: to blame); 't was zijn eigen ~, ook: he had himself to blame; 't is alles uw ~, (fam.) it's all along of you, it's all your doing; wie draagt de ~? who is to blame?; de hoge belastingen dragen de ~ van de slechte resultaten high taxation is responsible for the bad results; uitmaken, wie ~ heeft fix the blame; ik heb geen cent ~ I haven't a farthing owing; ik heb geen ~ aan die twist I am not a party to that quarrel; hij gaf er mij de ~ van he put (laid, fastened, threw) the blame on me, blamed it on to me; hij gaf mij de ~ van ... he blamed me for the accident; de rechte (verkeerde) de ~ geven put (lay) the saddle on the right (wrong) horse; ik kreeg er de ~ van it was laid at my door, I was blamed for it; ~en maken contract (make, incur, run up) debts; geen ~(en) maken keep out of (clear of) d.; vergeef ons onze ~en, (Book of Common Prayer) forgive us our trespasses; buiten mijn ~ through no fault of mine (of my own); dat is buiten mijn ~ that's not my fault; dood door ~ culpable homicide; door eigen ~ through one's own fault; bij iem. in de ~ staan be in a p.'s d. (a p.'s books); bij iedereen ... owe money right and left; in ~en geraken, zich in ~en steken run into d.; (diep) in de ~(en) zitten be (deeply) in d.; zie oor; uit de ~ raken get out of d., get straight; zie schuiven, treffen, vrijspreken, enz.; ~bekentenis a) confession of guilt; b) I O U (= I owe you), bond; ~belijdenis confession of guilt; ~besef conscious-ness (sense) of guilt; ~bewijs zie ~bekentenis b); ~bewust conscious of guilt; guilty [look, smile; smile guiltily]; ~brief debenture; ~delging d.-redemption; ~eiser creditor; ~eloos guiltless, innocent, blameless; ~eloosheid guiltlessness, innocence; ~enaar, -ares debtor;

~endienst d.-service, service of a (the) d. (of debts); ~enlast burden of d., indebtedness

schuldig guilty [aan ... of a crime], culpable; uw ~e plicht your bounden duty; ~ zijn a) be g.; b) owe [money, etc.; how much do I ... you?]; 3 weken (kostgeld, enz.) ~ zijn owe for three weeks; iem. geld (dank, zijn leven) ~ zijn owe a p. money (thanks, one's life; zie ook dank); men is mij ... ~ I am owed £1000; des doods ~ zijn have forfeited one's life, deserve death; het antwoord ~ blijven make (return, give) no answer; hij zal u 't antwoord niet ~ blijven he will not fail to give you an answer; he will have an answer ready for you; ik blijf u 20 gulden ~ I remain twenty guilders in your debt, I'll owe you ...; zich ~ verklaren plead g. [aan of]; de gevangene werd (door de jury) ~ verklaard was convicted, was brought in g.; de jury sprak het ~ uit brought in their verdict of guilty; hij wilde zijn zoon niet ~ verklaren he would not convict his son; zich ~ maken aan be g. of, commit; hij werd ~ bevonden he was found g. (was convicted) [aan ... of that crime]; zie verschuldigd, enz.; de ~e the culprit, the offender, the g. party

schuld: ~invordering recovery (collection) of a debt; ~vergelijking compensation, set-off; ~vernieuwing renewal of a debt; ~vordering claim

schulp shell; in zijn ~ kruipen draw in one's horns, climb down; ~en scallop; ~kalk enz., zie schelp...; ~lijn scalloped line; ~zaag large frame-saw

schunnig a) shabby [treat a p. shabbily], mean, scurvy [trick], shady; b) scurrilous [language]; c) zie sjofel; in een ~ zaakje betrokken mixed up in a shady affair

schuren scour [a kettle, pots and pans]; scrub [the floor], (met schuursteen) (hearth)stone [the steps], holystone [the deck]; (met schuur-papier) sandpaper; graze, gall, chafe [one's skin]; rub [against a wall], scrape [against (along) a wall]; over 't zand ~ grate over the sand; zie ook uitschuren

schurft (van mens) itch, scabies; (van schaap) scabies, scab; (van paard, hond) mange; (plantk.) scab; de ~ aan iem. hebben hate a p.'s guts; de ~ in hebben be riled; ~ig scabby, mangy; zie schaap; ~igheid scabbiness, etc.; ~mijt itch-mite, (wet.) sarcoptes; ~vis scald-fish; ~ziekte scab

schuring rubbing, friction; zie ook uit~; ~sge-luid continuant, fricative

schurk scoundrel, rascal, knave, villain, black-guard; (fam.) baddie; ~achtig scoundrelly; knavish, villainous, rascally; ~heid villainy, rascality, roguery

schurken ww. writhe, wriggle; zich ~ rub o.s. [tegen against], shake o.s.

schurkenstreek, schurkerij knavish trick, knav-ery, (piece of) villainy, scoundrelism, black-guardism

schut (scherm) screen; (schutting) fence; (schot) partition; voor ~ lopen (staan) look idiotic, look a fool; *iem. voor ~ zetten* make a p. look a fool; ~**blaadje** (*van plant*) bractlet; ~**blad** (*in boek*) endpaper; (*tegen 't bord geplakt*) pastedown; (*vrij*) fly-leaf; (*van plant*) bract; ~**dak** penthouse (roof); ~**deur** lock-, flood-gate; ~**geld** (*voor vee*) poundage; (*voor schip*) lockage; ~**hok** pound; ~**kleuren** (*voor camouflage*) dazzle-painting, (*biol.*) protective colouring; ~**kolk** lock-chamber; ~**meester** (*van schutstal*) pound-keeper; (*van sluis*) lockkeeper

schuts protection; ~**engel** guardian angel; ~**heer** patron; ~**heilige** *zie* ~patroon

schutsluis lift-lock

schutspatroon patron (*of:* titular) saint

schutstal pound

schutsvrouw patroness

schutten (*vee*) pound; (*water*) dam up; (*schip*) lock (through); *zie* beschutten

schutter marksman, shot; *de S~*, (*dierenriem*) Sagittarius; (*lid van schutterij, hist.*) citizen soldier; *een rare ~* a queer fish; (*onhandige*) ~ clumsy fool; ~**en** behave (act) clumsily; ~**ig** awkward, clumsy; ~**ij** (*hist.*) citizen soldiery; ~**sdoelen** shooting-range; ~**skoning** championshot; *de S~***smaaltijd** the Banquet of the Civic Guard; ~**sputje** foxhole

schutting fence; (*tijdelijk*) hoarding; ~**taal** obscene language; ~**woorden** dirty words, four-letter words, graffiti

schuur barn (*van boerderij*), shed

schuurborstel scrubbing-, cleaning-brush

schuurdeur barn-door

schuur: ~**katoen** emery-cloth; ~**linnen** emerycloth, abrasive cloth; ~**machine** sander; ~**middel** abrasive; ~**papier** emery-, glass-, sandpaper, abrasive paper; ~**schijf** sanding disc; ~**steen** hearth-stone; (*mar.*) holystone

schuurtje shed; *zie* schuur

schuurzand scouring-sand

schuw shy, bashful, timid, timorous; ~*e blik, ook:* hunted look; ~ *van iets zijn* be s. of something; *zie ook* schichtig; ~**en** shun, fight shy of, shrink from, eschew; *zie* pest; ~**heid** shyness, etc., timidity; ~**lelijk** *zie* foeilelijk

'**schwung**' verve, go

Scilly Eilanden Scilly Isles, Scillies; (*bewoner*) *van de ~* Scillonian

sclerose sclerosis; **scooter** (motor-)scooter

scopolamine id.; **scorbuut** scurvy

scorebord (*sp.*) score-board; **scoren** score; (*de score bijhouden, ook:*) keep (the) score

scriba secretary

scribent writer; (*ong.*) scribbler

scriptie (*univ., ongev.*) essay

scrofuleus scrofulous; ~**lose** scrofula

scrupel scruple; **scrupule** scruple, qualm

scrupuleus scrupulous, conscientious; *al te ~* over-scrupulous, squeamish

sculptuur sculpture

Scylla: *tussen ~ en Charybdis* between Scylla and Charybdis, between the devil and the deep (blue) sea

Scyth Scythian; **Scythië** Scythia

Scythisch Scythian

seance id., séance, meeting, sitting

Sebastiaan Sebastian

sec (*in kaartspel*) unguarded, bare; (*van wijn*) dry; (*onvermengd*) neat; (*zonder meer*) jus [Peter], without more

secans secant

Secessieoorlog War of Secession

secondair *zie* secundair

secondant assistant master; (*bij boksen*) second (*in duel*) second

secondante assistant teacher

seconde second

seconderen second

secondeslinger seconds pendulum

secondewijzer second(s)-hand

secreta (*r.-k.*) secret, secreta

secretaire id., escritoire, secretary

secretaresse (lady, woman, girl) secretary

secretariaat (*ambt*) secretaryship; (*bureau*) office, (*van groot lichaam*) secretariat

secretarie town clerk's department (*of:* office)

secretaris secretary (*ook de vogel*); (*gemeente~ongev.*: town clerk; *van 'n ~* secretarial [work] ~**baantje** secretarial job; ~**generaal** *a*) permanent under-secretary; *b*) s.-general [of the United Nations Organization]; ~**penning-meester** s. and treasurer; (*van parochie*) vestry clerk; ~**vogel** s.-bird

sectariër enz., **secte** enz., *zie* sekt-

sectie section; (*univ.*) department; (*van lijk*) section, post-mortem (examination), autopsy (*Parl.*) (sessional) committee; (*mil.*) platoon (*Eng. section =* $1/4$ *platoon*); ~ *verrichten* make (carry out, conduct) a post-mortem; ~**commandant** platoon-commander, -leader; ~**vergadering** committee meeting

sector id.; ~**commandant** (*luchtbescherming*) air-raid warden

seculair secular; **secularisatie** secularization; **seculariseren** secularize

seculier secular; ~**en** secular clergy, seculars

secunda(wissel) second (of exchange)

secundair secondary [interest, colours, education]; ~*e arbeidsvoorwaarden* fringe benefits; *S~*, (*geol.*) Secondary

secundo secondly, in the second place

securiteit (*veiligheid*) security; (*nauwkeurigh.*) accuracy, precision; *voor alle ~* to be quite sure, to be on the safe side

secuur accurate, precise, scrupulous, exact; (*veilig*) safe, secure; (*stellig*) positive

sedan id., saloon (car)

sedecimo sixteenmo, 16mo

sedert I *vz.* (*tijdpunt*) since; (*tijdruimte*) for; ~ *de 12e mei* since the twelfth of May; ~ *enige tijd* for some time past; ~ *2 j.* for the last two years, for two years (past), these two years; ~ *lang* [I have not seen you] for a long time; II *bw.* since [I have not seen him...]; III *vw.* since

sediment, -air, -atie sediment, -ary, -ation

segment id.

segregatie segregation

segrijn shagreen; ~**leer** s.-leather

eigneur *zie* grand ~

ein signal; ~*en geven* make signals; ~ *van vertrek* s. of departure, starting-s.; '*t* ~ *van vertrek geven* give the s. to start; *iem. een* ~*tje geven* warn a p., give a p. a hint; *zie* onveilig; ~**boek** s.-book, -code; ~**en** signal; (*telegraferen*) telegraph, wire; *met morselamp* – morse; ~ *mij even* just wire me, let me have a wire; ~**er** signaller, signalman; ~**fout** telegraphic error; ~**gever** (*telec.*) transmitter, sender; ~**huisje** s.-box, -cabin; ~**hut** (*radio*) wireless office (room, cabin); ~**inrichting** *zie* ~**toestel**; ~**lamp, -lantaarn** s., flashing-lamp, -light; ~**letters** signallers' letters; ~**ontvanger** (*telec.*) receiver; ~**ontvangtoestel** trans(mitter-re)ceiver; ~**paal** semaphore, s.-post; ~**post** s.-station; ~**raket** s.-rocket; ~**register** *zie* ~boek; ~**schot** s.-gun, -shot; ~**sleutel** (*telec.*) tapping-key, transmitting key; ~**station** s.-station, -post; ~**toestel** signalling-apparatus; (*radio*) transmitting-apparatus, -instrument; ~**vlag** s.-flag; ~**vuur** s.-fire; ~**vuurpijl** s.-rocket; ~**wachter** signalman

seismisch seismic

seismo- ~**graaf** seismograph; ~**gram** id.; ~**logie** seismology; ~**meter** id.

seizen (*mar.*) seize; **seizing** id., gasket

seizoen season; *midden in 't* ~ at the height of the s.; ~**arbeid(er)** seasonal work(er); ~**artikelen** seasonal articles; ~**bedrijven** seasonal trades; ~**drukte** seasonal pressure; ~**opruiming** end-of-season (after-season) sale(s)

sekreet (*hist.*) privy; (*volkst.*) w.c.; (*stuk*) ~ dirty swine

seks sex

sekse sex; *de schone* ~ the fair s.. the s.; *toegang vrij voor personen van beiderlei* ~ admission free to persons of either s.; ~**n** sex [day-old chicks]

seks sex: ~**poes** s. kitten; ~**ualiteit** s.uality; ~**ueel** sexual, sex [problems]; ~**uoloog** s.ologist

sektariër, sektaris sectarian; **sektarisch** sectarian; **sektarisme** sectarianism

sekte sect, denomination; ~**geest** sectarianism

sekteschool denominational school

sekuur *zie* secuur

sekwester (*pers.*) sequestrator; (*beslag*) sequestration; **sekwestratie** sequestration

sekwestreren sequestrate, sequester

selderij celery; ~**loof** c.-leaves

seldrement! (*vero.*) the devil! the deuce!

select, ~eren select

selectie selection; **selectief** selective

selectiviteit selectivity

seltzerwater Seltzer water, seltzer

Sem Shem

semafoor semaphore

semantiek, -tisch semantics, -tic

semasiologie, -logisch semasiology, -logical

semester id. (*in Am., Duitsl., enz., niet in Eng.*), six months, (college) half(-year)

semi-arts medical student having passed last examination but one

Semiet Semite

semina(a)r (*univ.*) research class, seminar

seminarie seminary; *groot* ~ major s.; *klein* ~ minor s.; **seminarist** id.

semiotica semiotics

semi-overheidsbezit semi-State property

Semitisch Semitic

semi-zelfstandig: ~*e lichamen* semi-independent bodies

senaat senate; *academische* ~, *ook:* university board; (*van studentencorps*) *ongev.:* club committee, Officers of the Students' Union

senang comfortable

senator id.

seneblad (*plant*) senna; ~**en** senna

Senegal id.; **Senegambië** Senegambia

senegroen (*plant*) bugle, ajuga

seneplant senna

seniel senile; ~*e aftakeling* s. decay; **-iliteit** senility, dotage

senior id.; (*van broers op school*) major [Brown ...]; ~**aat** *zie* majoraat

seniorenconvent standing committee (of parliamentary party leaders); **seniorenpas** senior citizens' identity card

senna id.; *zie* seneblad

sensatie sensation, thrill [yachting ...s]; (*in sam. dikw.*) sensational [film, lawsuit]; ~ (*ver-*)*wekken* cause (create) a s. (stir, flutter), (*fam.*) make a splash; ~**blad** stunt newspaper; ~**lust** appetite for s.; ~**pers** sensational (yellow, stunt) press; ~**roman** s.-novel, shocker, penny-dreadful, thriller, blood-curdler, hair-raiser, blood-and-thunder novel; ~**stuk** thriller, hair-raiser; ~**zoeker** s.-monger, s.alist; ~**zucht** s.-alism

sensationeel sensational

sensitiviteit (hyper-)sensitivity

sensualisme sensualism; **sensualiteit** sensuality; **sensueel** sensual

sententie sentence

sententieus sententious

sentimentaliteit sentimentality, (*fam.*) slush

sentimenteel sentimental, mawkish, (*fam.*) sloppy; ~ *gedoe* (*geschrijf, enz.*), (*fam.*) slop, sob-stuff; *een* ~ *verhaal*, (*fam.*) a sob-story

S.E. & O. E. & O. E. (errors and omissions excepted)

separaat separate (*bn. & zn.*); (*onder*) ~ (*couvert*) *zenden* send s.ly (under separate cover); **-atisme** separatism; **-atist** id.; **-ator** id.; **-eren** separate

sepia (*kleur*) id.; (*vis*) cuttle-fish; ~**been** cuttle (-fish) bone

seponeren dismiss [a charge]

september September; ~**maand** (month of) S.

septennaal septennial; **septennaat** septennate

septet septet(te)

septime (*interval*) seventh; (*toon*) seventh degree; ~**akkoord** (chord of the) s.

septisch septic (*bw.:* -ally)

Septuagesima id.; ~**gint(a)** Septuagint

sequens, sequentie (*r.-k., film*) sequence

sequester enz, *zie* sekwester, enz.

S.E.R. Social and Economic Council

seraf(ijn) seraph, *mv. ook:* seraphim

serafine(orgel) seraphine, seraphina
serail seraglio
sereen serene
serenade id.; *een ~ brengen* serenade [a p.]
sereniteit serenity
serge id.
sergeant id., serjeant; *(werktuig)* hand-screw; **~-instructeur** drill-sergeant; **~-majoor** s.-major; **~-majoor-instructeur** company s.-m.; **~sstrepen** s.'s stripes *(of:* chevrons); **~-stoker** stoker petty officer; **~-vlieger** s.-pilot
serie series *(mv. id.*); *(bilj.)* break [make a ...]; *(sp.)* heat; *een partij in drie ~s uitmaken* run out in three breaks; *in ~ vervaardigd* quantity-produced [car]
serieel serial
serie-: **~letter** *(van bankbiljet)* serial *(of:* index) letter; **~meubelen** mass-produced furniture; **~motor** series motor; **~nummer** serial number; **~produktie** quantity production; **~schakeling** series connection
serieus serious
sérieux: *au ~ nemen* take seriously
sering lilac; **~eboom** lilac(-tree)
sermoen sermon, lecture
seroen seroon, seron, *(Am.)* ceroon
serologie serology; **-logisch** serological; **-loog** serologist
serpeling *(vis)* dace
serpent id. *(ook muziekinstrum.);* *(fig.)* shrew; **~ijn** serpentine; **~ijn(steen)** serpentine
serpentine (paper) streamer, paper snake
serre a) *(voor planten)* conservatory, green-, hot-house; b) *ongev.:* sun-lounge, sun-room, glazed verandah
serum id., *mv.:* sera & serums
Servaas, Servatius Gervase
serveerboy dumb waiter; tea-trolley
serveren serve
servet (table) napkin, serviette; *tussen ~ en tafellaken* at the awkward age; **~band** n.-tie; **~je** *(slabbetje)* bib; **~ring** n.-ring, serviette-ring
Servië Serbia; **Serviër** Serb(ian)
serviel servile, slavish
servies a) tea-set; b) dinner-service; **~goed** crockery
serviliteit servility
Servisch Serbian; *(in sam.)* Serbo [...-Albanian, -Croat(ian), -Bulgarian]
servituut easement, charge [on an estate]
sesam sesame; *~, open u!* open, s.!; **~olie** s.-oil; **~zaad** s.-seed
sessie session, sitting; **~l** sessile
Sexagesima id.
sexe, sexueel *zie* seks-
sext *(muz.)* sixth
sextant id.; **sexten** *(r.-k.)* sext; **sextet** sextet(te)
sfeer sphere; *(fig. ook)* province, domain; *er heerste een onaangename ~* there was an unpleasant atmosphere; *het was een klein restaurant, maar het had ~* had character; *een romantische ~* an air of romance; *binnen de communistische ~ getrokken worden* be drawn into the Communist orbit; *buiten mijn ~* out of my

s. (province, domain); *in hoger sferen,* *(fig.* in the clouds; *hij was soms in hoger ...,* *ook* he did not always have both feet on the groun◄
sferisch spherical; **sferoïdaal** spheroidal
sferoïde spheroid
sfinx sphinx; *(vlinder ook)* hawk-moth
s.g. a) *= soortelijk gewicht* s.g. (= specifi◄ gravity); b) *zie* scholengemeenschap
shag shag-tobacco, cigarette tobacco
Shakespeariaans Shakespearian
shamponeren, shampooën shampoo
sheik sheik(h); **sherry** id.
shilling id.; *(sl.)* bob [five ...]
showbink, showpik swaggerer
Siam id.; **~ees** *bn. & zn.,* **~ezen** Siamese
Siberië Siberia; **~r, Siberisch** Siberian; *het laa◄ me Siberisch* it leaves me cold
sibille sibyl; **sibillijns** sibylline
siccatief siccative
Siciliaan(s) Sicilian; **Sicilië** Sicily
sidder: **~aal** electric eel; **~en** tremble [*van ..* with fear], shake, quake, shudder; **~ing** shud◄ der, trembling; **~meerval** electric cat-fish; **~** **rog** electric ray, torpedo
sideraal *[licht],* **siderisch** *[jaar]* sidereal
siepelen, sieperen *zie* sijpelen
sier: *goede ~ maken* make good cheer, feast *ook = ~aad* ornament; *hij is een – der balie h◄* adorns (is an ornament of, an honour to) th◄ Bar; *haar ~adiën* her trinkets; **~beplanting** or◄ namental planting; **~boom** ornamental tree **~duif** fancy pigeon; **~en** adorn, decorate, or◄ nament, embellish, grace [...d by every vir◄ tue]; **~gewas** *zie* ~plant; **~heester** ornamenta◄ shrub; **~letter** ornamental letter; **~lijk** elegant◄ graceful; **~lijkheid** elegance, gracefulness; **~** **palm** ornamental palm; **~plant** ornamenta◄ plant; **~steek** ornamental stitch; **~steen** a◄ facing-brick; b) semi-precious stone; **~struik** *zie* ~heester; **~tuin** ornamental garden
siësta siesta, nap; **sifon** siphon
sigaar cigar; *de ~ zijn,* *(fam.)* be for it, have had it; **~vormig** c.-shaped
sigare- cigar: **~aansteker** c.-lighter; **~as** c.-ash◄ **~bandje** c.-band, -ring; **~boortje** c.-piercer; **~** **eindje** c.-stub, -stump, -end; **~knipper** c.-◄ cutter; **~nfabriek** c.-factory, -works; **~nhande◄ laar** tobacconist, dealer in cigars; **~nkist(je)** c.-box; *-jes, (schoenen, sl.)* beetle-crushers◄ clod-hoppers; **~nkoker** c.-case; **~nmagazijn** c.-store(s); **~nmaker** c.-maker; **~nwinkel** to◄ bacconist's (shop), c.-shop; **~pijpje** c.-holder◄ **~puntje** c.-tip; **~stompje** *zie* ~eindje
sigaret cigarette, *(fam.)* cig, *(sl.)* fag, *(goedkoop)* gasper; **~tenkoker** c.-case; **~tenpapier** c.-paper◄ **~tepijpje** c.-holder; **~teplaatje** c.-card
sigarillo cigarillo
signaal signal; *(op hoorn)* call; *de chauffeur ga◄ een ~ met de hoorn* sounded his horn; *zie* sein◄ & inrukken; **~hoorn** bugle; **~vlag** signalling flag; **~vlam** flare
signalement (personal, police) description
signaleren *(de aandacht vestigen op)* signalize◄ *(opmerken)* signalize, see, notice; *(vermelden)*

mention; *(beschrijven)* describe

ignatuur signature *(ook typ. & hist. med.)*; *(bibliotheek~)* pressmark, shelf-mark, *(systematisch)* class-mark; *van geheel andere ~* of a totally different nature (character)

ignet id., seal

ignifica significs

ijpelen ooze, filter, percolate, trickle, seep

ijpeling oozing, percolation, seepage

ijs(je) siskin, aberdevine; *zie* raar

ijsjeslijmer *(fam.)* slowcoach

ik *(geit)* goat; *(baard van geit)* goat's beard; *(van man)* goatee (beard), chin-beard, -tuft

ikkel 1 reaping-hook, sickle; *(van maan)* crescent, sickle; *(in sovjetvlag)* sickle [hammer and …]; 2 *(Hebr. munt & gewicht)* shekel; **~vormig** sickle-shaped, falcate(d)

ikkeneurig querulous, peevish, testy

ikkepit(je) bit; *geen ~* not the least bit, not a shred [of good], not one jot

ikker *(sl.)* boozed, tight

ilene *(plant)* id., catchfly, campion

ilezië Silesia; **~r**, **Silezisch** Silesian

ilhouet silhouette; **~teren** silhouette

ilicaat silicate; **-cium** silicon; **-conen** silicones; **-cose** silicosis

ilo *(voederkuil & mil.)* id.; *(graanpakhuis)* (grain) elevator, grain warehouse; *(fig.)* multi-storey office (flat) building

Siluriër, -risch, Siluur Silurian

Silvanus id.

ilvesteravond New Year's Eve

Silvia Sylvia

im 1 *(aap)* monkey; 2 angling-line; *(dobber)* float; *onder de ~ hebben* hold [a p.] under one's thumb

Simeon id.

simili *zn. & bn.* paste; **~diamant** paste (diamond); **~goud** = similor similor

Simon id.; **simonie** simony

simpel simple, mere; *(onnozel)* silly, *(dial.)* simple; **~heid** simplicity; silliness

simplisme simplism; **-tisch** simplistic

Simson Samson

simulant malingerer, simulator, shammer

simulatie simulation, malingering; **-tor** id.

simuleren simulate, sham, feign [illness], malinger; *'n inbraak ~* stage a burglary

simultaan simultaneous [play …ly; … game, … play]; **~séance** s. exhibition

sinaasappel orange; **~limonade** o.-squash, orangeade; **~sap** o.-juice; **~schil** o.-peel

Sinaï Sinai

sinds *zie* sedert; **~dien** (ever) since

sinecure, -cuur sinecure, soft *(sl.:* cushy) job; *houder van ~* sinecurist

Singalees Sin(g)halese *(mv. id.)*

Singapore id.

singel *(gordel)* girdle; *(r.-k.)* cinture; *(van paard)* girth; *(onder stoel bijv.)* web, *(als stof)* webbing; *(gracht)* moat; *(wal)* rampart; *(als wandelplaats)* boulevard, promenade; **~band** webbing

singelen girth [a horse]; web [a chair]

singulier singular, strange, odd

sinister id.

sinjeur [strange] fellow, [queer] customer

sinjo (male) half-caste, Eurasian

sinologie sinology; **-logisch** sinological; **-loog** sinologue, sinologist

sinopel *(her.)* vert

sint saint; *de S~* St. Nicholas, Santa (Claus)

sint-andrieskruis St. Andrew's cross

Sint-Bern(h)ard St. Bernard; **sint-bernard(s-hond)** St. Bernard (dog)

sintel cinder; **~s**, *ook:* slag; **~baan** dirt-track, c.-path (track)

sint-elmsvuur St. Elmo's fire

sintelpad cinder-path (track)

sinteren sinter

sint (S~): S~erklaas St. Nicholas; *voor s– spelen* scatter presents right and left; *ook =* **~erklaasavond** St. Nicholas' Eve; **~erklaaspop** gingerbread man; **S~-Jan** St. John; *(de dag)* Midsummer(day) *(24 juni)*; – *de Doper,* *(r.-k.)* St. John the Baptist; **~jansbrood** St. John's bread, locust-bean, -pod; **~janskruid** St. John's wort; **S~-Joris** St. George('s day); **~jut(te)mis:** *met – (als de kalvers op 't ijs dansen)* when two Sundays come together; **S~-Maarten** St. Martin; *(11 nov.)* Martinmas; **S~-Margriet** *(20 juli), ongev.:* St. Swithun (St. Swithin)'s day *(15 juli)*; **S~-Nicolaas** St. Nicholas; **S~-Pieterspenning** Peter's pence; **~teunisbloem** evening primrose; **~vitusdans** St. Vitus's dance, chorea

sinus sine, sinus

Sion Zion; *voor afleidingen zie* Zion

sip: *~ kijken* look glum, look blue

Sire your Majesty; *(hist.)* Sire; *pauvre ~* poor creature

sirene siren *(ook hoorn)*; **~nzang** s. song

sirih sirih, betel; **~kauwen** *zn.* s.-, betel-chewing

Sirius id.; **sirocco** id.

siroop *zie* stroop

sisal(hennep) sisal (hemp)

sisklank hissing sound, hiss, sibilant

sissen hiss *(ook van slang)*; *(bij 't braden)* sizzle, frizzle

sisser *(pers.)* hisser; *(vuurwerk)* squib; *met een ~ aflopen* blow over, be a false alarm

Sisyfusarbeid Sisyphean labour

Sisyphus id.

sits chintz; **~en** chintz

situatie situation; **~kaart** topographical map; **~plan** plan of site, site-plan; **~tekening** topographical drawing; **-ioneel** situational; **situeren** set [a play in the 16th century]; site [a building on a stream]

Sixtijns Sistine [chapel]

sjaal shawl, wrap, scarf

sjabbes *(fam.)* Sabbath; **~goje** *zie* sabbatsvrouw

sjablone, sjabloon stencil(-plate); *(fig.)* stereotype [think in …]; **-oneren** stencil

sjabrak housing, saddle-cloth, caparison

sjacheraar(ster) barterer, huckster, chafferer, haggler

sjacheren *a)* barter, chaffer; *b) zie* scharrelen

sjah shah
sjakes: *zich ~ houden,* (*sl.*) keep mum
sjako shako
sjalot shallot, scallion, eschalot
sjamaan Shaman; **-anisme** Shamanism
sjamberloek dressing-gown
sjambok id.; **sjampie** *zie* champie
sjanker [hard, soft] chancre
sjap *zie* sjappietouwer
sjappen mark, blaze [trees]
sjappie *a)* whipper-snapper; *b)* = **~touwer** rough
sjees gig (*Eng.* chaise *is een 4-wieler*)
sjeik sheik(h); **sjerp** sash
sjezen *a)* run, leg it; *b)* be ploughed [in an examination]; *een gesjeesd student* a sent-down student
sjibbolet *zie* schibbolet
sjiek, (*fam.*) **sjijk** *zie* chic
sjilpen, sjirpen chirp, cheep
sjoege (*sl.*) notion [have no ...]; *geen ~ geven* keep mum
sjoelbak *ongev.:* shovel-board
sjoemelen fiddle [the statistics, with the knob]
sjofel shabby, scruffy, seedy; *~ boeltje* three-penny concern; **~heid** shabbiness, seediness; **~tjes** shabbily
sjokken trudge, jog; **-er** trudger, jogger
sjorren (= *binden*), lash, seize; (= *slepen*) lug; **sjorring, sjortouw** lashing, lanyard
sjouw I *een* (*hele*) ~ a tough job, a stiff proposition, a grind, a fag, uphill work; *aan de ~ zijn* be on the loose, be going the pace (the racket), racket (about); *aan de ~ gaan* go on the loose; 2 (*vlag*) waft; *de vlag in ~ hijsen* hoist a waft; **~en** *tr.* carry; (*sleuren*) drag, lug; *intr.* (*zwaar werken*) toil, drudge, fag; (*rondslenteren*) knock about; (*boemelen*) *zie:* aan de ~ zijn; **~er** *a)* porter; dock-hand; *b)* loose fish; **~erman** *zie ~er a)*
skald id., scald; **~en** ... skaldic [poetry]
skelet skeleton
skepter enz., *zie* scepter, enz.
ski id.; **~baan** ski-run; **~ën** ski; **~ër** s.-runner, skier
skiff id.
ski: **~laars** ski-boot; **~lopen** *ww.* ski; *zn.* ski-running, ski-ing; **~loper** *zie* **~ër**; **~sok** ankle-sock; **~terrein** ski-run
sla salad; (*~plant*) lettuce
Slaaf Slav, Slavonian
slaaf slave, bondman; (*techn.*) s. (unit); *hij is de ~ van zijn hartstochten* he is the s. of (a s. to) his passions; *tot ~ maken* enslave
slaafs I *bw.* slavishly; *iem. ~ dienen* serve a p. hand and foot; II *bn.* slavish, servile; **~heid** slavishness, servility
slaag drubbing, etc.; *zie* pak; *meer ~ dan eten* [get] more kicks than halfpence; *~s raken* come to blows (to grips, to close quarters), close (with the enemy), join battle [*men raakte ~ battle* was joined]; *~s zijn* be at close quarters, be fighting
slaan (*één of meer slagen toebrengen*) strike,

hit; (*herhaaldelijk*) beat; (*met platte hand*) sla [a p. on the shoulder], bang; (*ranselen*) thras flog, whack, lick; (*van hart*) beat; (*van klo* strike; (*van paard*) kick, (*met kracht*) lash o (*ook:* the shark lashed out with its tail); (*va zeil*) flap; (*van vogel*) warble, sing; (*damspe* take, capture [a man]; *een brug ~* build bridge, (*over ...*) throw a bridge over (acros. a river; *de maat ~* beat time; *de vijand ~* be (defeat) the enemy; *munten* (*een medaille*) *~* coins (a medal); *zie* munt; *olie ~* make oil; *a trommel ~* beat the drum; *het sloeg tien* struck ten, ten (o'clock) struck; *hij hoorde d* ... he heard ten striking; *zie* klok & kwartie *zich warm ~* beat one's arms; *zich door a vijand heen ~* fight (*of:* force) one's wa through the enemy; *zie* doorheen; *de bliksе* *sloeg in de toren* the tower was struck b lightning; *de regen sloeg me in 't gezicht* th rain beat in my face; *zie* gezicht; *'t is hem in hoofd geslagen,* zie schelen ('*t scheelt ...*); *me de deur ~* slam (*of:* bang) the door; *'t vee sloe met de staart* the cattle were swishing thei tails; *ze met de koppen tegen elkaar ~* ban their heads together; *geslagen worden met tegen 0* be beaten by six (points) to nil; *~ naa* s. (hit out) at; *hij sloeg met ... naar ... h* whisked at a fly with his handkerchief; *o* *zich heen ~* lay about one; *een mantel om zic. heen ~* wrap a cloak round one; *sla je arme om mij heen* put your arms round me; *zijn arr was om ... gesl.* his arm circled her waist; *iem met iets om de oren ~,* (*fig.*) blow a p. up ove s.t.; *met de vuist op de tafel ~* s. (*of:* bang) one' fist on the table, bang (on) the table with one' fist, thump the table; *zich op de borst ~* bea one's breast; *dat slaat op mij* that refers to me, i meant for me; *de cijfers ~ op het eerste tijdval* cover the first period; *de jas over ... ~* slin (throw) the coat over one's shoulder; *de arme* (*benen*) *over elkaar ~* cross one's arms (legs) *de golven sloegen over 't dek* broke ove (swept) the deck; *zijn knieën sloegen tege elkaar* his knees knocked together; *iem. tege de grond ~* knock a p. down, floor a p.; (*sp.* lay [one's opponent] out; *hij ('t vliegtuig sloeg tegen de grond* he struck against the ground (the aeroplane crashed); *met kracl tegen de bal ~* swipe at (*sl.:* slam) the ball; *d vlam sloeg uit 't dak* burst from (shot up through) the roof; ... *~ uit* make money (£100) out of; *zie ook* binnen, blindheid, oog rond, vuur, enz.; *~de klok* striking-clock; *~ horloge* chiming-watch; *– ruzie* [have a] terri ble row; *met – trom* with drums beating; *~a werk, zie* slagwerk
slaap sleep; (*van hoofd*) temple; *eerste ~* first s., (*vóór middernacht*) beauty-sleep; *de ~ de rechtvaardigen slapen* sleep the s. of the just *~ hebben* be (feel) sleepy; *~ krijgen* get sleepy; *ik kon de ~ niet vatten* I could not get to s., (*fam.*) I couldn't get off; *door ~ verdrijven* sleep off [one's fatigue]; *in ~ zijn* be asleep; *zich in ~ lezen* read o.s. to s.; *in ~ vallen* (*raken*

fall asleep, go (drop off, doze off) to s.; *vast in ~ vallen* go fast asleep; *de preek deed me in ~ vallen* sent me to s.; *zich in ~ schreien* cry o.s. to s.; *in ~ sussen* lull [a child, one's conscience] asleep; *in ~ wiegen*, (*eig.*) rock asleep; (*fig.*) put to s., lull [a p.('s suspicions)] to s.; *in ~ zingen* sing to s.; *iem. uit de ~ houden* keep a p. awake; *niet kunnen kijken van de ~* be blind with s.; *~ in zijn voet hebben, zie* slapen; ~baas lodging- (*sl.*: doss-)house keeper; ~bank settee-bed; ~been temple bone, temporal bone; ~bol poppy; ~coupé sleeping compartment; ~drank sleeping-draught; ~dronken overcome (blind, bemused, heavy) with s.; ~dronkenheid drowsiness; ~gelegenheid sleeping-accommodation; ~goed night-things; ~huis common lodging-house, (*sl.*) doss-house; ~huishouder *zie* ~baas; ~jak sleeping-jacket; *een ~je doen* take a nap (*of:* forty winks); ~kamer bedroom; *zie ook* ~zaal; *-ameublement* bedroom suite; *-tje* (*in ~zaal*) cubicle; ~kameraad bed-fellow; ~kop sleepy-head; ~kruid *zie* ~bol & ~middel; ~liedje lullaby; ~matje (*Ind.*) sleeping-mat, -rug; ~meubel settee-bed; ~middel opiate, narcotic, soporific; ~muts *a*) nightcap; *b*) *zie* ~kop; *-je*, (*fig.*) nightcap; (*plantk.*) California poppy; ~pak s.ing suit; ~plaats sleeping-place, -accommodation; ~poeder sleeping-powder; ~rat *zie* bergrat; ~sok bed-sock; ~stad dormitory town; ~ste(d)e *a*) *zie* bed(stede); *b*) *zie* ~huis; ~steehouder *zie* ~baas; ~ster sleeper; *de schone* – the Sleeping Beauty; ~stoel long chair, rest-chair; (*auto, enz.*) (fully) reclining seat; ~tablet sleeping-pill; ~verblijf (*mar.*) sleeping-quarters; ~verdrijvend s.-dispelling; ~vertrek sleeping-apartment, bed-chamber; *-ken*, (*mar.*) sleeping-quarters; ~verwekkend *zie* ~wekkend; ~wagen, ~wagon sleeping-car, -carriage, sleeper; ~wandelaar(ster) s.-walker, somnambulist; ~wandelen *ww.* walk in one's s.; *-d, ook:* s.-walking; *zn.* s.-walking, somnambulism; ~wekkend soporific, narcotic, somnolent; ~werend *middel* stimulant; ~zaal dormitory; ~zak sleeping-bag; ~ziekte (*Europese*) sleepy sickness, encephalitis lethargica; (*tropische*) sleeping sickness; ~zucht lethargy, coma; ~zuchtig lethargic, comatose

slaatje salad; *er een ~ uit slaan* make a good thing out of it

slab(be) bib, feeder

slabak salad-bowl

slabakken (*verslappen*) slacken [in one's duties, etc.]; (*luieren*) idle, slack; (*treuzelen*) dawdle; *lopen te ~* lounge about

slabakker slacker

slabb(er)en lap

slaboon(tje) butter-bean, wax-pod

slacht *a*) slaughtering; *b*) slaughtered animal(s); ~afval garbage; ~bank slaughtering-table; (*gew. fig.*) shambles (*mv.*); *naar de – leiden* lead to the shambles (the slaughter); ~beest butcher's (*of:* slaughter) beast; (*mv. ook*) stock for slaughter, slaughter cattle; ~bijl butcher's axe; ~blok slaughtering-block; ~dier *zie* ~beest

1 slachten: *hij slacht zijn vader* he is very much like (favours, takes after) his father, he is a chip off the old block

2 slachten kill, slaughter

slachter butcher; ~ij b.'s shop, slaughter-house

slacht: ~huis slaughter-house; *openbaar –, ook:* abattoir; ~ing slaughter, butchery, carnage; *een – aanrichten onder* do (great) execution among, slaughter; ~maand November; ~masker humane (cattle-)killer; ~mes butcher's knife; ~offer victim; *'t – worden van* fall victim to; *tot – maken* make a victim of, victimize; ~plaats slaughter-house, shambles; (*mil.*) butchery; ~tijd killing time; ~vee *zie* ~beesten

sladood: *lange ~* beanstalk

slafelijk servile [work]

1 slag kind, sort [Dutch boys are a good ...], type, class; *mensen van allerlei ~* all sorts and conditions of men; *'t is niet voor lui van jouw ~* it's not for the likes of you; *zij zijn van één ~ of* a piece; *hij is van 't rechte ~, ook:* of the right kidney; *van 't zelfde ~ als de anderen* of the same cut (stamp) with the rest; *'t gewone ~ (van) mensen* the common (general, ordinary, usual) run of people; *niet tot 't gewone ~ behoren* be outside the common run

2 slag (*met vuist, hamer, enz.*) blow; (*met zweep, touw, enz.*) stroke, lash; (*met hand*) blow, cuff, box [on the ears], hit, smack, slap [in the face]; (*van roeiriem, zuiger, bij zwemmen*) stroke; *vloerpook met korte ~* with short travel; (*~roeier*) stroke; (*van vleugels*) beat stroke; (*van hart, pols*) beat, pulsation; (*van klok*) stroke; (*muz.*) beat; (*van donder*) clap; (*geweldige ~*) crash; (*knal*) report; (*plof*) thud, thump; (*van vogel*) warble, (call-)note; (*van nachtegaal*) jug; (*van kwartel*) call; (*draai van touw*) turn; (*van wiel, schroef, enz.*) turn; (*in kaartspel*) trick; *die ~ is voor jou*, (*fig.*) one up to you; (*in damspel*) take, capture; (*bij laveren*) board, leg [long (short) ...s], tack; (*aan zweep*) lash; (*veld-, zee-~*) battle; (*handigh.*) knack; (*zwaar verlies, enz.*) blow [*voor mij* to me]; *een ~ voorwaarts* (*achterwaarts*), (*mar.*) a turn ahead (astern); *de ~ bij ...* the battle of Waterloo, off the Falkland Islands; *een zware (verpletterende) ~* a hard (crushing) b.; *de ~ aangeven* (*bij roeien*) set the stroke; *de ~ aannemen* (*aanvaarden*) accept battle; *een ~ doen* strike a b.; (*naar*) hit out at [a p.]; *'t hart doet ... ~en ...* the heart makes from 70 to 80 beats a minute; *zie ook ben.: 'n ~ uitvoeren; alle ~en halen* win (make) all the tricks; *men moet er ~ van hebben, 't is maar een ~* it's only a knack, there is a knack in doing it; *er ~ van hebben om ...* have a knack of ...ing; *ik heb er geen ~ van* I am no (a poor, not much of a) hand at it; *hij heeft er de ~ van beet* he has got the hang (the way) of it, has got his hand in; *hij is de ~ ervan kwijt* he has lost the knack of it, his hand is out; *~ houden* keep stroke; *hij hield een ~ om de arm* he was non-committal (did not (want to) commit himself); *er ~ van krijgen* get into the way of it (of things), get the hang of it; ~ **leveren** give battle; ~ *in de lucht* absolute guesswork; empty gesture, fruitless attempt; *een* ~ **maken,** (*kaartspel*) make a trick; ~ **roeien** pull (*of:* row) stroke; *zijn* ~ **slaan** make (*of:* score) a hit; *een goede* ~ *slaan* do a good stroke of business; *een reusachtige* ~ *slaan,* (*financieel*) pull (bring) off a big coup; *zakkenrollers sloegen hun* ~ it was a great day for pickpockets; *sla nu uw* ~ now is your chance; *er een* ~ *naar slaan* make a random guess, take a shot at it; *een* ~ *toebrengen* deal (*of:* strike) a b.; *hij bracht hem een zware* ~ *toe* he struck him a heavy blow; *hij bracht me een* ~ *op de wang toe, ook:* he landed a crack on my cheek; *de eerste* ~ *toebr.* get the first b. in, get one's blow in first; *iem. een gemene* ~ *toebr.,* (*ook fig.*) hit a p. below the belt; *een zware* ~ *toebr. aan* ... deal a heavy b. to ...; *er zullen* ~*en vallen* they will come to blows; *hij zit in de hoek waar de* ~*en vallen* he gets all the blows; *hij voerde nooit een* ~ *uit* he never did a stroke of work, never did a hand's turn; *de* (*veld*)~ *weigeren* refuse battle; *de* ~ *winnen,* a) (*kaartspel*) win the trick; b) win (gain) the battle (the day); *ik kon niet aan* ~ *komen* I could not get in; *nu aan de* ~*!* get cracking! get busy!; *aan* ~ *zijn,* (*cricket*) have one's innings, be in; *bij de eerste* ~ at the first b. (stroke); *met één* ~ at one (a) b. (stroke), at one fell swoop; *zie* Frans; *op* ~ *van vijven* on the stroke of five; *op* ~ *komen,* (*dadelijk*) come at once; *ik kon niet op* ~ *komen* I could not get my hand in; *hij kon op* ~ *zeggen* ... he could say off-hand ...; ~ *op* ~ b. upon b., stroke upon stroke; *op* ~ *gedood* killed on the spot, killed outright; *van* ~ *zijn,* (*van roeier*) be off one's stroke; (*van klok*) strike wrong (incorrectly); *van* ~ *brengen* put [an oarsman] off his stroke; *de roeiers waren van* ~, *roeiden niet op* ~ the crew did not keep time, (*helemaal van* ~) were all to pieces; *zonder* ~ *of stoot* without (striking) a b.; *zie ook* dwingen, gezicht, molen, enz.

slagaard (*mar.*) sounding-rod
slagader artery; *grote* ~ aorta; ~**breuk** rupture of an a.; ~**gezwel** aneurysm; ~**lijk** arterial [blood]; *in* – *bloed veranderen* arterialize [venal blood]; ~**ontsteking** arteritis; ~**opening** arteriotomy; ~**verkalking** arteriosclerosis, hardening (of the) arteries; ~**verwijding** aneurysm
slag: ~**bal** handball; ~**bedding** launching-way; ~**beurt** (*honkbal, enz.*) innings; *goede* ~**boeg** *maken,* (*mar.*) make long boards; ~**boom** barrier [*ook fig.*: it set up a ... between them]; ~**deur** wicket; ~**drempel** lock-sill; ~**duif** domestic pigeon
slagel (*Z.-Ned.*) maul
slagen succeed; (*fam.*) make the grade; (*voor exam.*) pass (an examination); (*voor bevoegdheidsexam. ook*) qualify [*voor* for]; *in ieder opzicht* ~ carry all before one; *niet* ~, *ook:* be unsuccessful [in one's efforts]; *elders zien te* ~ look elsewhere; *erin* ~ *te* ... s. in ...ing, manage (contrive) to ...; *er niet in* ~ *te* ..., *ook:* fail to [discover ...]; *erin* ~ *zich terug te trekken* (*te ontsnappen*) make good (effect) one's retreat (one's escape); *om de zaak te doen* ~ to make the thing a success; *zie* geslaagd

slagenteller rev(olution)-counter; (*luchtv.*) turn-indicator
slager butcher; ~**ij** b.'s shop
slagers: ~**bank** slaughtering-bench; ~**bijl** butcher's axe; ~**blok** b.'s (*of:* chopping-)block; ~**jongen** b.'s boy; ~**knecht** b.'s man; (*voor bezorging*) b.'s roundsman; ~**winkel** b.'s shop; ~**zaak** b.'s (butchery) business
slag: ~**hamer** mallet; ~**hoedje** percussion-cap; ~**horloge** chiming-watch, repeater; ~**hout** (*sp.*) bat; ~**instrument** percussion instrument; ~**kooi** bird-tap; ~**koord** cordtex, primer cord; ~**kruiser** battle-cruiser; ~**kruit** detonating powder; ~**kwik** fulminate of mercury; ~**linie** line of battle; ~**net** clap-net, drop-down net; ~**orde** order of battle, battle-array; *in* – *opstellen* draw up in ...; *zich in* – *scharen* form in ...; ~**pen** flight-feather; ~**pin** (*van geweer*) striker, firing-pin; ~**regen** downpour, driving (pelting) rain; –**en** pour with rain, rain in torrents; ~**roeier** stroke; ~**room** whipped cream; whipping cream; ~**ruimte** (*elektr.*) spark-gap; ~**schaduw** cast shadow; ~**schip** battleship, capital ship; ~**tand** (*van hond, wolf*) fang; (*van olifant, ever*) tusk; *met* –*en* fanged, tusked; ~**uurwerk** striking-clock; ~**vaardig** ready for battle, in good fighting-trim, ready for the fray; (*fig. ook*) quick at repartee; prepared for quick action, alert, (*fam.*) on the ball; –**heid** alertness, [in a state of] armed readiness; ~**veer** a) flight-feather; b) (*van geweer, enz.*) main spring; ~**veld** battlefield, field of battle; ~**vloot** battle-fleet; ~**wapen** (*ongev.*) blunt instrument; ~**werk** (*van klok*) striking-part, -train, -work; (*van orkest*) (instruments of) percussion; –**er** percussionist; ~**wijdte** (*elektr.*) spark-ing-, striking-distance; ~**woord** slogan; ~**zee** *zie* stortzee; ~**zij(de)** (*mar.*) list; (*van vliegt.*) bank(ing); – *hebben* have a list [to port, to starboard]; (*van vliegt.*) bank; (*van vlieger bijv.*) be lopsided; ~**zin** slogan; ~**zwaard** broadsword; (*van de Schotse Hooglanders*) claymore

slak (*met huisje*) snail; (*zonder huisje*) slug; (*van metaal*) slag, scoria (*mv.:* scoriae); *hij legt op alle* ~**ken** *zout* he is always cavilling (fussing over trifles)
slakdolf (*vis*) sea-snail
slaken (*zucht*) heave, fetch, utter, breathe [a sigh]; (*kreet*) give [a cry, a scream]; (*ketenen*) break [a p.'s chains]
slakke: ~**boor** twist(ed) drill; *de* ~**gang** *gaan* go (move) at a snail's pace; ~**huis(je)** snail-shell; (*in oor*) cochlea; ~**lijn** spiral, helical line
slakken: ~**cement** slag cement; ~**meel** ground basic slag; ~**wol** slag-wool, lagging
slakke: ~**steen** scoria-, slag-brick; ~**steker** snail-

sticker; (*bajonet*, *sl.*) cheese-toaster, toasting-fork, winkle-pin, skewer, (*Am.*) frog-sticker

sla: ~**kom** salad bowl; ~**krop** head of lettuce; ~**lepel** salad-spoon; – **en** -**vork** salad-servers

slalom (*sp.*) id.

slamier gawk(y)

slampampen gad about; -**per** gadabout, good-for-nothing

slang snake, serpent; (*buis*) tube; (*brandspuit*, *tuin*-) hose-(pipe); (*van distilleertoestel*) worm; (*van fietspomp*) (rubber-)connection; (*fig.*) serpent, viper; *als een ~ vooruitkruipen* snake one's way forward; ~**aal** snake-eel; ~**achtig** snaky, serpentine

slange- snake: ~**beet** s.-bite; ~**bloem** willow-herb; ~**broed(sel)** brood of snakes; ~**dans** s.-dance; ~**dienst** s.-worship; ~**drager** (*astron.*): *de* – Serpentarius, the Serpent-bearer; ~**ei** snake's egg; ~**gesis** hissing of snakes; ~**gif(t)** s.-poison; ~**halsvogel** s.-bird, darter; ~**hout** s.-wood; ~**kop** *a*) snake's (serpent's) head; *b*) *zie* slangekruid; ~**kruid** viper's bugloss; ~**lijn** serpentine line, wavy line, squiggle; ~**look** rocambole; ~**mens** contortionist

slangen *ww.* squiggle

slangen- snake: ~**aanbidder** s.-worshipper; ~**bezweerder** s.-charmer; ~**haar** snaky hair; ~**verering** s.-worship; ~**wagen** hose-tender, -van

slange- snake: ~**staf** caduceus; ~**steen** serpentine, s.-stone, ophite; ~**tand** serpent's tooth; ~**tje** (*lijntje*) squiggle; ~**tong** serpent's tongue; (*plant*) adder's tongue; ~**vel** snakeskin, (*afgeworpen*) slough; (*fig.*) shrew [of a woman]; ~**wortel** s.-weed

slang: ~**hagedis** seps, snake-, serpent-lizard; ~**irrigator** enema; ~**ster** brittle-, sand-star; ~**vormig** serpentine

slank slender, slim; (*~ en teer*) slight; (*~ en soepel*) willowy [figure]; *~ en lenig* svelte; *aan de ~e lijn doen* slim [the art of ... ming]

slankaap langur

slankheid slenderness, slimness

slaolie salad oil

slap slack [rope, trade, day]; slack, lax [discipline]; soft [nib, collar, hat]; limp [bookbinding]; supple [limbs]; flabby [cheeks, muscles], flaccid; (*van luchtschip*) non-rigid; (*van dranken*) weak [a ... grog], thin [beer]; unsubstantial [food]; low [diet]; nerveless [hand]; dull [trade]; (*van pers.*) weak; (*lang en ~*) lanky (weedy) [youth]; (*lusteloos*) limp; (*~ en bleek*) lymphatic; (*geestelijk ~*) lax, slack, flabby, spineless, weak-willed, weak-kneed; ~**pe** (*fiets*)*band* flat (soft) tire; *mijn band wordt ~* is going down (getting soft); *~ aftreksel*, (*fig.*) pale imitation; *~ gebouwd* loosely-knit [frame lichaam], loosely-made [man]; *'t met 'n ~ handje doen* give it a lick and a promise (of better); *~pe hoed* soft (*of:* squash) hat; *~pe koffie* weak (wishy-washy) coffee; *ze had de ~pe lach* she was convulsed with laughter, had a fit of giggles; *~pe markt* dull market; *~pe politiek* weak-kneed policy; *~ neerhangen* droop, flag; *met ~pe oren* flap-eared; *zo ~ als*

een vaatdoek as limp as a rag, [feel] as weak as water; *~ van 't lachen* helpless (weak, limp) with laughter; *zie* ~**jes,** Tinus & was

slapeloos sleepless; *ook:* wakeful, white [night]; ~**heid** ... ness, insomnia; *lijder aan –* insomniac

slapen sleep, be asleep; *slaap, kindje, slaap! zie* suja; *de dienstbode slaapt* (*niet*) *bij ons in huis* sleeps in (sleeps out); *mijn voet slaapt* my foot is asleep, has gone to s., is all pins and needles; *we zullen ... laten ~* we'll s. the girls in that room; *gaan ~* go to s., (*naar bed*) go to bed, (*fam.*) turn in; *ik ga eerst wat ~* I'll have a s. (snatch a little s.) first; *zich te ~ leggen* compose o.s. to sleep; *~ als een marmot* (*als een os*) s. like a log; *~ als een roos* s. like a top; *ik heb goed* (*slecht*) *gesl.* I've had a good (bad) night; (*niet*) *goed kunnen ~* be a good (bad) sleeper; *door ~ is mijn hoofdpijn overgegaan* I have slept off my headache; *ik zal er eens op* (*over*) *~* I'll s. (up)on it (over it), take counsel of my pillow; *hij zal er wel rustig om ~* he'll not lose any s. on that account; *slaap wel!* good night! s. well!; ~**d talent** undeveloped talent; *zie ook* aandeel, slaap, hond, wijzer; ~**stijd** bedtime

slaper sleeper; (*slaapgast*) lodger; (*standaard van maten, enz.*) standard; *ook* = ~**dijk** backdike, subsidiary dike

slaperig (*ook fig.*) sleepy, drowsy; ~**heid** sleepiness, drowsiness, somnolence

slapheid slackness, etc. (*zie* slap), lassitude; laxity [of discipline]

slapie (*mil. sl.*) bedfellow, (*Am.*) bunkie

slapjanus (*fam.*) spineless chap

slapjes *bw.* slackly; slowly; *bn.* slack, dull; *zie* slap; *hij is erg ~* very poorly

slaplant lettuce(-plant)

slappeling weakling, spineless fellow

slappen (*van wind*) abate, subside, lull

slapping (*mar.*) old rope

slapte slackness [in business]; *zie* slapheid

slasaus, -**schotel** salad-dressing, -dish

slatten dredge

Slaven Slavs, Slavonians

slaven slave, drudge, toil (and moil)

slaven- slave; ~**aard** slavish nature; ~**arbeid** slavery, slaves' work; (*fig.*) drudgery; ~**band** s. bangle; ~**drijver** s.-driver; ~**hater** slaver; ~**handel** s.-trade, slaving; ~**handelaar** s.-trader, -dealer; ~**houder** s.-owner, -holder; ~**jacht** s.-hunt(ing), -raid; ~**jager** s.-hunter, -raider; ~**juk** yoke of bondage, thraldom; ~**ketenen** (slave's) chains; **S~kust** S. Coast; ~**leven** slavery, life of toil; ~**markt** s.-market; ~**opstand** s. revolt; ~**schip** s.-ship, slaver

slavernij slavery, thraldom, servitude, bondage; *afschaffing der ~* abolition of s., emancipation of the slaves; *voorstander daarvan* abolitionist, emancipationist

slavin (female) slave, bondwoman, *zie* blank

Slavisch Slav(onian), Slavonic [languages], Slavic

slavist slav(ic)ist

Slavonië Slavonia; ~r, **Slavonisch, Slavoon** Slavonian, Slav

slavork salad fork; *zie* slalepel

slecht I *bn.* bad [boy, food, health, news, thought, name]; (*moreel* ~, *ook*) evil, (*sterker*) wicked; ill [effects]; sorry [performance, beginning]; *de ~ste van de klas zijn* be bottom of the class; II *bw.* badly, ill; ~*e dag,* (*waarop men niet 'in vorm' is*) off-day; ~*e eetlust,* (*kwaliteit*) poor appetite (quality); ~ *huis* (*bordeel*) bawdy-house; ~*e tijden* b. (hard) times; *iets sparen voor ~e tijden* save s.t. for a rainy day; ~*e reputatie, ook:* fly-blown reputation; ~ *en recht* plain and honest; ~ *eten* make a poor dinner; *hij eet* ~ he is a poor eater; *vrij ~ slapen* sleep indifferently; *als 't ons ~ gaat* if things go ill with us; '*t moet al heel ~ gaan, of we winnen* things will be pretty bad if we do not win; *de zaak gaat* ~ the business is doing badly; *er het ~st afkomen* come off worst; *ik ben ~ van gezicht* I've got b. eyes, my eyesight is b.; *hij had wel ~er kunnen doen* he might have done worse; '*t is lang niet* ~, (*fam.*) it isn't at all bad; ~ *gekleed* badly dressed, ill clothed; ~ *betaald* poorly (badly, ill) paid; ~ *tevreden* ill content; ~*er maken* make worse; ~*er worden* grow worse, worsen, deteriorate; '*t ~e met 't goede nemen* take the b. with the good; ~ *in* [be] b. at [s.t.]; *op zijn ~st* at one's (its) worst; *zie ook* min 3, passen, toe, weg, enz.; ~**aard** miscreant; ~**en** level (with, *of:* to the ground), raze, demolish; ~**er** worse; *zie* ~; ~**hamer** planishing-hammer; ~**heid** badness, wickedness; ~**horend** hard of hearing; ~**ing** levelling, razing, demolition

slechtje (*in zee*) smooth; (*tussen windvlagen*) lull

slechts only, but, merely; ~ *tien minuten ook:* as little as ten minutes; ~ *een wonder kan hem redden* nothing short of a miracle ...; *zie* maar 1

slechtst worst; *zie* slecht

slechtvalk peregrine (falcon)

slechtweg plainly, simply, without ceremony, unceremoniously

slechtziend with imperfect (poor) eyesight

slede (*algem.*) sledge; (*voor pers. ook*) sleigh; (*voor goederen ook*) sled; (*glijdend onderstel*) cradle; (*van draaibank*) carriage; ~**hond** s.-dog; ~**n** *ww.* sledge, sleigh; ~**tocht, -vaart** sledge-, sleigh-drive, -ride

slee I *zn. zie* slede; (= *auto*) big car, Rolls; II *zn.* (*vrucht*) sloe; III *bn.* (*wrang*) tart; (*plantk.*) blunt(ed); (*van tanden*) on edge; ~ *maken* set [one's teeth] on edge

sleedoorn sloe, blackthorn

sleeën sleigh, sledge

1 sleep *o.v.t. van* slijpen

2 sleep train [of a dress, of followers, etc.]; (*slier*) trail, string; (*opschrift*) on tow; (*van schepen*) barge train; *met een schuit op* ~ with a barge in tow; ~**antenne** (*van vliegt.*) trailing aerial; ~**asperges** stalks of asparagus, asparagus served whole; ~**boot** tug(-boat); ~**bootmaatschappij** towing-company; ~**contact** (*elektr.*) sliding-contact; ~**dienst** towing-service; ~**drager, ~draagster** t.-bearer

sleep: ~**helling** slipway; ~**japon** train-dress, -gown; ~**kabel** tow-cable, t.-rope; (*van ballon*) trailing-, guide-rope; ~**loon** towage; (*te land*) cartage, haulage; ~**net** drag-, trail-, trawl-, ground-net; ~**rok** trailing skirt

sleepruim sloe

sleep: ~**sabel** sabre; ~**schip** towed vessel; ~**touw** *a*) tow-rope; *b*) *zie* ~kabel; *op* ~ *hebben* (*nemen*) have (take) in tow (*ook fig.*); *op* ~ *houden zie:* aan 't lijntje houden; ~**tros** tow-rope, hawser; ~**vaart** towing-service; ~**voeten** shuffle (along); ~**wiel** trailing-wheel, trailer

Sleeswijk(s) Schleswig

Sleeswijker Schleswiger

sleet 1 *o.v.t. van* slijten; 2 *zie* slijtage; **sleets:** ~ *zijn* wear out one's clothes in a short time; *vgl.* half~

sleeuw *zie* slee 3

slegel, slegge, slei maul

slem slam; *groot* (*klein*) ~ *maken* make a grand (little, small) slam

slemiel (*Bargoens*) sap, sucker; *zie* sladood

slemp saffron milk; ~**en** carouse, revel, feast; ~**er** carouser, reveller, feaster; ~**erij, ~partij** carousal, carouse; ~**melk** *zie* ~

slenk gully; (*geol.*) rift valley

slenter trick, dodge; (*vod*) tatter, rag; *met ~s omgaan* shuffle, prevaricate, be a twister; *zie ook* sleur; ~**aar** saunterer, lounger; ~**en** saunter, lounge, stroll; (= *lummelen*) loaf; ~**gang** sauntering gait, saunter

slepen I *tr.* drag, haul; (*met sleepboot*) tow; *gesleept worden door, ook:* be in tow of; *erbij* ~ drag (*of:* lug) in [his name was ... ged in]; *met iets* ~ lug about (along); *noten* ~, (*muz.*) slur notes; *zich naar huis* ~ drag o.s. home; *na zich* ~ bring in its train, draw on [danger], entail [expenditure, delay]; II *intr.* drag (*ook van deur*), trail (*ook van rok*); *met 't ene been* ~ d. one leg; *laten* ~ trail [one's hand in the water]; ~*de blijven* d. on; *een zaak ~de houden* let a thing drag, drag one's feet; ~*de gang* shuffling (trailing) gait; *hij had een ~de gang* he walked with a drag; ~*de ziekte* lingering disease; ~*d rijm* feminine rhyme; ~*d zingen* slur the notes

sleper carter, carman, (road) haulier, haulage contractor; (*in mijn*) haulier; *zie ook* sleepboot & -tros; ~**ij, ~smaatschappij** haulage company (*of:* business); ~**sfirma** haulage firm, firm of haulage (*of:* cartage) contractors; ~**spaard** dray-horse, cart-horse; ~**swagen** dray(-cart)

slet slut, drab, strumpet, trollop

sleuf groove, slot, notch

sleur routine, rut; *de dagelijkse* ~ the daily round (*of:* grind), the routine of daily life; *de oude* ~ the same old way; *dezelfde* ~ *volgen* go the same dull (*of:* old) round; *iets in de* ~ *doen* do s.t. by rote; *met de* ~ *breken* get out of the rut, get out of the old groove; *tot een* ~ *vervallen* get into a groove (a rut); *zie* ~werk; ~**en** *tr. & intr.* drag, trail; *zie* slijk; ~**mens** routineer, routinist; ~**werk** r.-work; *onderwijs geven wordt licht* – teaching easily tends to get into grooves

sleutel key (*ook fig.: money is not the ... to happiness; hold the ... to the problem*); (*van kachel*) register, damper, regulator; (*voor verdeling*) ratio; (*muz.*) clef [C, F, G ...]; (*van viool*) peg; *ik heb een ~ van de deur* a k. to the door; *met de ~ naar binnen gaan* let o.s. in with the (latch) key; *de ~ tot het raadsel, ook:* the clue to the riddle; *de ~ van de vijandelijke stelling* the k.-point of ...; *zie* Engels; ~**baard** k.-bit; ~**been** collar bone, clavicle; ~**beenbreuk** clavicular fracture; ~**bloem** primula; cowslip, primrose; ~**bord** k.-rack; ~**bos** bunch of keys; ~**drager** k.-bearer, -keeper; ~**en** tinker; ~**gat** k.-hole; ~**geld** k.-money; ~**hanger** key fob; ~**industrie** k.-industry; ~**ketting** k.-chain; ~**macht** power of the keys; ~**pijp** k.-shank; ~**plaatje** k.-label; ~**positie** k.-position; ~**ring** k.-ring; ~**schacht** k.-shank; ~**schild** (k.-hole) (e)scutcheon; ~**stad** 'town of the keys': Leyden; ~**stelling** k.-point, k.-position; ~**stuk** bracket; ~**vormig** k.shaped, claviform

slib silt, ooze, mire, slime, mud; *zie ook* slip; ~**achtig** miry, slimy, muddy

slibber: ~**achtig** *zie* ~ig; ~**baan** slide; ~**en** slither, slip, slide; ~**ig** slippery, slithery; ~**igheid** slipperiness, etc.

slichten flesh [skins]; (*weverij*) size

sliep *o.v.t. van* slapen

sliepuit *zie* uitsliepen

slier (*streep*) streak, smear; (*rij*) string [of taxis], trail, streamer [of seaweed]; *lange ~*, (*pers.*) *zie* sladood; ~**asperge** *zie* sleepasperge; ~**baan** slide; ~**en** slide, glide; *zie ook* slingeren

sliert *zie* slier; *ook:* thread [of smoke], tail [of hair]

slij (*vis*) tench

slijk mud, slime, mire, dirt; *'t ~ der aarde, 't aardse ~* filthy lucre; *iem. door 't ~ sleuren* drag a p.('s name) through (*of:* in) the mire (the mud); *met ~ gooien* fling (throw, sling) m. [*naar* at]; ~**achtig** *zie* ~erig; ~**bad** m.-bath; ~**bord** *zie* spatbord; ~**erig** muddy, miry, slimy, oozy; ~**gat** m.-hole; ~**gras** broom-sedge; ~**grond** slimy ground, slime; *–en* mud-flats; ~**vlieg** drone-fly; ~**vulkaan** m.-volcano

slijm (*van slang, enz.*) slime; (*van ~vlies*) mucus; (*fluim*) phlegm; ~**achtig** *zie* ~erig; ~**afdrijvend** phlegm-discharging; ~**afscheidend** expectorant [gland]; ~**afscheiding** mucus secretion; ~**diertje** amoeba (*mv.: -bae, -bas*); ~**erd** slimy fellow; ~**erig** slimy (*ook fig.*), mucous; ~**hoest** catarrhal (moist, phlegmy) cough; ~**huid** mucous membrane; ~**jurk** *zie* ~erd; ~**klier** mucous (pituitary) gland; ~**koorts** pituitous fever; ~**prik** (*vis*) hag(-fish); ~**verdrijvend** *zie* ~afdrijvend; ~**vis** shanny; ~**vlies** mucous membrane; ~**ziekte** slime-sickness, wet rot; ~**zuur** mucic acid

slijp scouring-sand, knife-powder, -polish; ~**bord** knife-board; ~**en** grind, sharpen, whet; (*diamanten*) cut, (*in engere zin*) polish [diamonds]; *de straat ~* gad about, knock about the streets; *'t verstand ~* sharpen (*of:* whet) the intellect; ~**er** grinder [of knives, etc.]; cutter, polisher (*vgl.* ~en); ~**erij** grindery; ~**machine** grinding-machine; (*voor scheermes*) strop; ~**molen** grinding-mill; ~**plaatje** (*geol.*) thin section; ~**plank** knife-board; ~**poeder** knife-powder, -polish; ~**sel** a) *zie* ~poeder; b) (*afval*) grindings; ~**staal** knife-sharpener; ~**steen** grindstone, whetstone; ~**vlak** grinding surface; ~**zand** scouring-sand

slijt: ~**achtig** *zie* sleets; ~**age** wear (and tear), wastage; (*van munten*) abrasion; –**slag** (*ongev.*) war of attrition

slijten I *tr.* wear out [clothes], wear down [shoes], (*doorbrengen*) pass [one's days in quiet], live out [one's life]; (*verkopen*) retail [wares]; II *intr.* wear away (out, off), get used up; *uw droefheid zal wel ~* your grief will wear away, you will live down your sorrow; *dat gevoel slijt gauw* that feeling soon wears off; *niet gauw ~*, (*van stof*) wear well; *die schoenen ~ niet gauw* there is a lot of wear in these shoes; *dit doet messen vlug ~* this wears knives quickly

slijter retailer, retail-dealer; (*van dranken*) licensed victualler; ~**ij** licensed victualler's shop; ~**sprijs** wholesale (*of:* trade) price; ~**svergunning** retail-licence

slijting (*geol.*) erosion

slijtlaag wearing course (surface), surface dressing

slik a) swallow; b) mud flat; ~(**bord**) enz., *zie* slijk(bord) enz.

slikbeweging deglutition

slikken swallow; *een belediging ~ s.* (pocket, stomach, digest, sit down under) an insult; *dat slik ik niet* I won't take (stand for) that; *die onzin slik ik niet* I won't s. that stuff; *je zult 't moeten ~* if you don't like it, you may lump it; *ik moest heel wat ~* I had to put up with a great deal; *dat* (*zo'n behandeling*) *zal hij maar zo niet ~* he won't take it lying down; *iem. iets doen ~*, (*ook fig.*) force s.t. down a p.'s throat

sliknat soaking wet

slim smart, clever, astute, shrewd; (*sluw*) sly, wily; (*erg*) bad; *'t is een ~ ding* she is a sly puss; *hij was mij te ~ af* he was one too many for me, was too clever (sharp) for me, got the better of me, outwitted (outmanoeuvred) me; *te ~ willen zijn* overreach o.s.; *wie niet sterk is, moet ~ zijn* necessity is the mother of invention; *zie* al II; ~**heid** smartness, etc.; slyness, wiliness

slimmerd, -erik slyboots, sly dog, (*fam.*) deep one

slimmigheid(je) dodge

slinger (*nat., van klok*) pendulum; (*werptuig, draagband*) sling; (*van pomp*) handle; (*van auto*) crank, starting-handle; (*guirlande*) garland, festoon, [paper] chain, streamer; *zie* ~ing; *'n ~ om de arm houden, zie* slag; *zijn ~*

hebben, zie draai; ~**aap** spider-monkey; ~**aar** slinger; ~**beweging** oscillation; ~**bos** wood with winding alleys; ~**deslang** twisting and doubling, with twists and turns, tortuously
slingeren I *intr.* (*algem., ook van slinger*) swing, oscillate; (*bengelen*) dangle; (*van dronkaard*) reel, lurch; (*van rijtuig*) sway, lurch; (*van schip*) roll, lurch; (*kronkelen*) wind, meander; (*ordeloos liggen*) lie about; *'t schip slingerde hevig, ook:* had a heavy roll on; *jij laat je goed* (*brieven, enz.*) ~ you leave your things (letters, etc.) about, let ... lie about; *langs de straat* ~, (*slenteren*) knock (gad) about the streets; *aan de staart* ~, by the tail; *zie* hoop; II *tr.* (*laten* ~) swing [one's legs]; (*gooien*) fling, hurl [*naar* at]; (*met slinger, of* ~*de beweging*) sling [a stone]; ... a bundle over one's shoulder]; ... *werd door* ... *gesl.* a brick hurtled through the window; *hij werd in een hoop sneeuw gesl.* he went spinning into a snow-drift; *iem. ... naar 't hoofd* ~ fling [a book] at a p.'s head; (*scheldwoorden*) hurl abuse at a p., (*beschuldiging*) level a charge at a p.; *zie* banvloek; *zich* ~, (*van rivier, enz.*) wind, meander; *de slang slingerde zich om de tijger* wound itself round the tiger; *zich in 't zadel* ~ swing (o.s.) into the saddle; ~**d**, *ook:* pendulous
slingerhoning extracted honey
slingering swing(ing), oscillation [of a pendulum, etc.]; roll; lurch; *vgl. 't ww.*
slinger: ~**laantje** winding alley (*of:* walk); ~**lat** (*mar.*) fiddle; ~**pad** winding path; ~**plant** climber, creeper, trailer; ~**proef** [Foucault's] pendulum experiment; ~**punt** point of suspension [of a pendulum]; ~**schommeling**, ~**slag** oscillation, beat; ~**schotten** (*mar.*) shifting-boards; ~**tijd** time of oscillation; ~**uurwerk** pendulum clock; ~**wetten** laws of the pendulum; ~**wijdte** amplitude (span, arc) of an oscillation
slinken shrink [to nothing], waste; (*van gezwel*) subside, go down; (*door koken*) boil down; *'t aantal slonk tot* ... the number dwindled down to ...; *zie* opraken
slinking shrinkage, wastage; subsidence, dwindling; *vgl.* slinken
slinks I *bn.* sly, cunning, crafty, artful; fraudulent [device]; oblique [dealings]; ~*e streek* cunning move, (*mv. ook*) underhand doings; II *bw.* cunningly, etc.; ~**heid** cunning, artfulness
1 slip: ~ *vangen* draw (a) blank; *zie* bot 5
2 slip lappet; [coat-, shirt-]tail, flap (skirt) [of a coat]; (*auto*) skid, side-slip; (*luchtv.*) side-slip; ~**gevaar!** slippery road!; ~**haak** quick release; ~**jacht** drag(-hunt); ~**jas** tail coat; (*fam.*) tails; *zie* pandjesjas; ~**je** briefs; ~**pedrager** pall-bearer; ~**pen** slip; (*van auto, enz.*) skid, side-slip; *hij* ~*te ongemerkt mee naar binnen* he slipped in unnoticed; *proberen erdoor te* –, (*van auto*) cut in; *een* ~**per(tje)** *maken* take French leave, go off on a pleasure trip; ~**school** (*ongev.*) skid-pan; ~**spoor** skid-marks; ~**steek** slip-knot; ~**touw** sliding-rope; ~**trein**

slip-train; ~**wagon** slip-carriage
slissen lisp
slobber (*slik*) mire; (*varkensvoer*) pig('s) wash; ~**does** *zie* slodder; ~**en** lap, feed (drink, sip one's tea, etc.) noisily; (*van eenden, enz.*) gobble; ~**ig** slovenly, sloppy [trousers]
slobbroek pull-ups
slobeend shovel(l)er (duck)
slobkous (*lang*) gaiter; (*gew. kort*) spat
slodder sloven, grub; (*vrouw ook*) slattern, [old] frump, dowdy; ~**(acht)ig** slovenly, grubby, slatternly; ~**en** flop, flap; ~**kous** draggle-tail, slattern; ~**vos** *zie* ~
sloeber(d) skunk
sloeg *o.v.t. van* slaan
sloep boat, shallop, sloop, [the royal] barge, lifeboat; (*werk*~) pinnace; ~**endek** b.-deck; ~**enrol** (life)boat drill
sloerie slut
1 slof *bn.* slack, careless, negligent
2 slof *zn.* slipper; (*van strijkstok*) nut; (*van sigaretten*) carton; (*van aardbeien*) chip (basket), punnet; *de boel is er op* ~*fen* things are in a mess; *hij kan 't op zijn* ~*jes af* he has plenty of time for it; *hij doet 't op zijn* ~*jes* he is taking it easy, is taking his time; *uit zijn* ~ *schieten a*) pull up one's socks; *b*) flare up, fly out; (*sl.*) go off the deep end; ~*je onder spelen* play at hunt the slipper; *zie* vuur; ~**fen** shuffle, shamble; (*met zijn werk, enz.*) be slow (slack) about one's work, keep putting things off; *alles laten* – let things slide; ~**fig** *zie* slof 1; ~(**fig**)**heid** slackness, carelessness, negligence; ~**je** *zie* ~; ~**-slof** clippity-cloppity, clip-clop
slöjd sloyd, slojd, manual training (*of:* instruction), handicraft
slok draught, pull, swallow [of water, etc.]; (*sl.*) swig [take a good ...]; *hij nam een* ~ *uit* (*van*) ... he took a pull at his glass (at his brandy and soda); *in één* ~ at a d., at one swallow, at a (one) gulp; *dat scheelt een* ~ *op een borrel* that makes a great difference; ~**darm** gullet, esophagus; ~**je** (small) d., sip [take a ... from one's glass]; (*borrel*) dram, nip, drop; ~**ken** swallow, guzzle, gulp; ~**ker** *zie* ~op; *arme* – poor devil; *goeie* – good-natured (harmless) fellow; ~**op** glutton, gobbler
slomp heaps [of money]; *zie* hoop 1
slonk *o.v.t. van* slinken
slons slattern, sloven, draggle-tail, dowdy, [an old] frump; ~**achtig** *zie* slonzig; ~**je** *zie* ~ & dievenlantaarn
slonzig slovenly, sluttish, dowdy, frumpy, frumpish; ~**heid** slovenliness, etc.
sloof (*schort*) apron; (*pers.*) drudge
sloom lethargic, inert, lazy; *slome duikelaar* futile person, dud, stick-in-the-mud
sloop 1 pillow-case, -slip; 2 *zie* sloping; 3 *o.v.t. van* sluipen
1 sloot *o.v.t. van* sluiten
2 sloot ditch; (*paardesp.*) water jump; *hij loopt in geen zeven sloten tegelijk* he looks before he leaps; *hij was net met de hakken*

over de ~ he got through by the skin of his teeth, he scraped through; *zie* wal; ~**graver** ditcher

slootje 1 (*van armband, enz.*) snap; 2 (small) ditch; ~ *springen* leap (over) ditches

sloot: ~**kant** side of a ditch; ~**water** ditch-water; (*fig.*) dish-water

slop blind alley, cul-de-sac; *in 't* ~ *raken* (*zitten*) (have) come to a dead end

slopen pull down [a house], demolish [buildings], break up [a ship], (*om onderdelen te gebr.*) cannibalize [a car]; undermine, sap [a p.'s strength]; pull, rip [the wheels off a parked car]; ~*d werk* back-breaking (gruelling) work; ~*de ziekte* wasting disease; *zijn gesloopt lichaam* his wasted frame

sloper [house-, ship-]breaker, knacker, [house-]demolisher, demolition contractor; ~**ij** breaking(-up) yard

sloping demolition, breaking-up; *ter* ~, (*van schip*) [sold] for breaking-up (purposes)

slordig slovenly (*ook van stijl*), slatternly, dowdy, careless [*op* ... of one's clothes]; untidy [hair, beard]; shoddy [work]; sloppy [thinking, style]; slipshod [style, English]; loose [definition, style, usage of words]; *een* ~*e* ... [it cost me] a cool hundred dollars; *tegen 'n* ~ *prijsje* at a price; ~**heid** slovenliness, etc.; – *in 't denken* sloppy thinking, mental sloppiness

slorp *zie* slok & slurf; ~**en** sip audibly [at one's whisky], slurp [the tea], gulp; suck [an egg]

slot (*van deur, enz.*) lock; (*van boek, enz.*) clasp; (*van armband, enz.*) snap; (*kasteel*) castle, hall; (*van ambachtsheer*) manor-house; (*einde*) conclusion, end, close; (*van redevoering*) peroration; ~ *met veer, zie* veer~; *batig* ~, *zie* saldo; ~ *volgt* to be concluded (in our next); *iem. een* ~ *op de mond leggen* shut a p.'s mouth; *achter* ~ locked up; (*iem.*) *achter* ~ *en grendel* (*zetten*) (clap a p.) under l. and key; *bij* (*per*) ~ *van rekening* in the end, ultimately, when all is (was) said and done, in fine, on balance, after all; *op* ~ *doen* lock; *de deur gaat vanzelf op* ~ locks itself; *kan ... op* ~? does the door l.; *ten* ~*te* finally, lastly, eventually, ultimately, [you'll find it cheapest] in the end; *ten* ~*te is hij toch verantwoordelijk?* after all, he is responsible?; *ook = tot* ~ in conclusion, to conclude; *ten* ~*te een enkel woord over* ... a final word about ...; *ten* ~*te verdienen ze £ 5000 per jaar* they and (up) by making £5000 a year; *dat heeft* ~ *noch zin, is zonder* ~ *of zin* it is without rhyme or reason, there is neither rhyme nor reason in it; ~**akkoord** (*muz.*) final chord; ~**balans** final balance-sheet; ~**bedrijf** last act; ~**beschouwing** concluding observations; ~**bewaarder** castellan, governor [of a (the) castle]; ~**couplet** final stanza; ~**dividend** final dividend

sloten *ww.* (dig a) ditch; ~**maker** locksmith

slot: ~**gracht** castle-moat; ~**haak** picklock; ~**heer** lord of the castle; ~**klinker** final vowel; ~**koers** closing rate [of the pound sterling];

(*van effecten*) closing price; ~**letter** final letter; ~**medeklinker** final consonant; ~**notering** closing quotation; (*van effecten*) closing price; ~**nummer** last item; ~**opmerking** closing (concluding) remark; ~**opsteker** picklock; ~**plein** castle-yard; ~**poort** castle-gate; ~**rede** peroration, conclusion; ~**regel** final line; ~**rijm** final rhyme; ~**som** result, upshot, [come to the] conclusion [that ...]; ~**strofe** last stanza; ~**stuk** concluding piece, finale; ~**toneel** closing scene; ~**toren** castle-tower, donjon, keep; ~**voogd** *zie* ~bewaarder; ~**woord** closing (concluding, final) word, peroration [of a speech]; ~**zang** *a*) (*kerk*) closing hymn; *b*) (*van gedicht*) last (final) canto; ~**zin** closing (concluding) sentence

sloven drudge, toil (and moil)

Slowaak, Slowakisch Slovak

Slowakije Slovakia

Sloween Slovene; ~**s** Slovenian

sluier veil; (*fig., ook:*) blanket [a ... of secrecy]; (*op fotoplaat*) fog; (*van mist*) blanket [of fog]; *de* ~ *aannemen* take the v.; *de* ~ *oplichten*, (*fig.*) lift the v. (the curtain); *stof voor* ~*s* veiling; ~**dans** serpentine dance; ~**effect** (*radio*) fading; ~**en** veil; (*fotoplaat*) fog; ~**ing** (*radio*) fading; ~**staart** (*vis*) veil-tail

sluik (*van haar*) lank, straight; *ter* ~(*s*), *zie* ter-sluiks; ~**en**, ~**handel** enz., *zie* smokkelen, enz.; – *in verdovende middelen* trafficking in illicit drugs; ~**harig** l.-haired; ~**schutter** sniper

sluimer slumber; ~**aar** slumberer; ~**en** slumber (*ook fig.*), doze; ~**ing** slumber, doze; ~**rol** sofa-cushion

sluipdeur secret door, back-door

sluipen steal, slink, sneak, skulk; slip [out, through, etc.]; thread one's way [through the crowd]; prowl [for prey]; (*achter wild*) stalk; *er was een fout in ... geslopen* an error had crept into the account; ~*de voetstappen* stealthy footsteps

sluiper sneak(er); ~**tje** *zie* slipper(tje)

sluip: ~**gat** hole of escape, bolt(ing)-hole (*ook van dief, enz.*); (*uitvlucht*) loop-hole; ~**haven** cove, creek; ~**hoek** hidden corner; ~**hol** haunt, hiding-place; ~**jacht** (*op herten*) deer-stalking; ~**koorts** (s)low fever; ~**moord** assassination; ~**moorde(naar)** assassin; (*gehuurde*) bravo; ~**patrouille** scouting-patrol; ~**schutter** sniper; ~**vlieg** parasite fly; ~**weg** secret route; *langs* ~*en* by stealth; ~**wesp** ichneumon(-fly), parasite wasp

sluis lock, sluice; *de* -*zen der welsprekendheid* the floodgates of eloquence [are open]; *de* -*zen des hemels werden geopend* the floodgates of heaven were flung wide; ~**deur** l.-gate; ~**geld** l.-dues, -toll, lockage; ~**haven** dock; ~**kanaal** l.-canal; ~**kolk** l.-chamber; ~**poortje** sluice(-gate); ~**wachter** l.-keeper, locksman; ~**wachterswoning** l.-house; ~**werken** locks, lockage

sluit: ~**baar** admitting of being closed (locked); ~**band** belly-band, bandage; ~**boom** [railway] swing-gate; (*van haven*) boom; ~**briefje** *zie* ~~

nota; ~**cel** (*plantk.*) guard-cell; ~**draad** (*van valscherm*) rip-cord

sluiten I *ww.* (*deur, boek, ogen, enz.*) shut, close; seal (up) [a letter]; fasten [a door]; (*gat in dijk*) seal, close; (*op slot doen*) lock; (*voor 't naar bed gaan*) lock up (the house) [I'll lock up and go to bed]; (*met luiken*) shutter; (*onbewoond laten*) close, shut up; (*een zaak, 's avonds*) close, (*voorgoed*) close (shut) down (up), put up the shutters, (*fam.*) shut up shop; (*straat*) close [to traffic]; (*contract*) conclude, make, enter into; (*debat*) close [a debate]; (*fabriek*) close down [a factory]; (*koop*) strike, close, conclude [a bargain]; (*lening*) contract (negotiate) [a loan]; (*rekening*) close [an account]; (*verdrag*) conclude [a treaty]; (*vergadering*) close [a meeting], prorogue [Parliament]; (*verzekering*) effect [an insurance] (*zie* levensverzekering); (*vrede*) make, conclude [peace]; ... gaat nu ~ the Light Programme is now closing down; *de deur sluit niet goed* does not shut (*of:* close) properly; *slecht ~de deuren en ramen* ill-fitting doors and windows; *die redenering sluit niet* that argument does not run on all fours, is not air-tight (water-tight); *dat sluit*, (*klopt*) that tallies; *zie* bus; *de markt sloot vast* the market closed firm; *de aandelen sloten op* ... the shares closed (finished) at ...; *de scholen* ~ schools break up [for the holidays] (*vgl.*: schools have been closed down on account of measles); *vandaag* ~ *alle winkels vroeg* it's early closing day today; *de begroting sluit* the budget balances; *de rekening sluit met een verlies van* ... the account shows (closes with) a loss of ...; *de gordijnen* ~ draw (down) the blinds, draw (shut) the curtains; *de (dood)kist* ~ screw down the coffin; *iem. aan 't hart* ~ press a p. to one's heart; *in elkaar* ~, *zie* ineen~; *iem. in de armen* ~ lock a p. in one's arms; fold one's arms round a p.; *in zich* ~, (*fig.*) include, imply; *zich* ~, (*van wond, ogen*) close; (*van bloem*) close (up), shut; *zie ook* gesloten, gelid, incident, kamer, loket, oog, enz.; II *zn.* conclusion [of peace]; *zie* sluiting

sluitend (*van kleren*) close-fitting; (*van begroting*) balanced; *niet* ~ unbalanced [budget]; *een rekening (de begroting)* ~ *maken* balance an account (the budget); *~e redenering* closely-reasoned argument; *slecht ~e deuren en ramen* ill-fitting doors and windows

sluiter (*fot.*) shutter

sluiting closing(-down), shutting(-down); locking (*vgl. 't ww.*); (*radio*) close-down; closure [of a debate, of a bridge]; break-up [for the holidays]; prorogation [of Parliament]; (*concr.*) fastening(s), lock, [window-]latch; ~ van 't debat vragen move the closure; ~**sdag** (*van school bijv.*) breaking-up day; ~**sdatum** closing (cut-off) date, deadline (date); ~**splechtigheid** closing-ceremony; ~**srede** closing speech; ~**stijd, -suur** closing-time, -hour; (*van park ook*) lock-out time; *schenken na (buiten)* – supply liquor after (out of) hours

sluit: ~**inrichting** (*van kanon*) breech mechanism; ~**jas** close-fitting coat; ~**klep** (*van luchbrief*) flap; ~**klinker** final vowel; ~**kool** heade cabbage; ~**krop** cabbage lettuce; ~**laken** ob stetric binder; ~**letter** final letter; ~**licht** (*spoor* rear light, tail light; ~**mand** hamper; ~**naa** lock seam; ~**nota** covering note, slip; ~**plaa** locking-plate; ~**post** closing entry, balancin item; ~**rede** syllogism; ~**regel** last line; ~**rin** washer; ~**sein** tail signal; ~**spier** sphincter, con strictor, contractor; ~**steen** key-stone (*oo fig.*); ~**stuk** (*van kanon*) breech-block; (*fig.* coping-stone; *als* – to round it off [we can ... ~**vers** final stanza; ~**zegel** poster-, picture stamp

slungel lout, hobbledehoy, gawk; ~**achtig** *zi* ~ig; ~**en** lounge (idle, moon) about; ~**i** loutish, gawky, lanky; –*e gang* slouch; – *lope* (*zitten*) slouch

slurf (*van olifant*) trunk; (*van insekt*) probosci **slurp(en)** *zie* slorp(en)

sluw sly, crafty, cunning, astute, wily, foxy; *plan* deep-laid scheme; ~**heid** slyness, crafti ness, cunning, wiliness, guile

smaad contumely, obloquy, indignity [the .. offered to her *haar aangedaan*], defamation (*jur.*) libel; *proces wegens* ~ libel suit, suit fo defamation of character; ~**rede** diatribe; ~ **schrift** libel, lampoon

smaak taste (*ook fig.*: have a ... for sketching) savour, relish; (~ *en geur*) flavour [a coffee flavoured cream]; *smaken verschillen* tastes differ; *ieder zijn* ~ everyone (every man) to his t. (fancy, choice); *een fijne* ~ *hebben*, (*van spijs* have a delicious t., (*van pers.*) have a fine palate, (*fig.*) have a fine t.; *een uitstekende* ~ (*werkelijk* ~) *hebben* have excellent (real) t.; ~ *krijgen in* a t. (*of:* liking) for, take to; *ik heb* (*vind*) *er geen* ~ *in* I do not fancy (*of.* relish) it, I have no taste for it; *hij heeft er de* ~ *van beet (te pakken) gekregen* he has come to like it, he has acquired a taste for it; *'t getuigt van goede (slechte)* ~ it is in good (bad) t.; *puddings in 4 smaken* in four flavours; *in de* ~ *vallen van* be to my t. (the liking) of [it is not to my t.]; *bij iem. in de* ~ *vallen, ook:* take a p.'s fancy; *wat zou dat in de* ~ *vallen!* how popular that would be!; *dat boek moet in de* ~ *vallen* cannot fail to be popular, is sure to make a hit; *hij viel bij de vrouwen in de* ~ he was much liked by (was a great favourite with) women; *hij valt niet bij iedereen in de* ~, (*fam.*) he is not everybody's money (*of:* cup of tea); *met* ~, *zie* ~vol; *met* ~ *eten* eat with relish, enjoy one's dinner (supper, etc.); *naar de laatste* ~ *gekleed* dressed after the latest fashion; *naar mijn* ~ to my t. (liking); *er azijn bijvoegen naar de* ~ add vinegar to t.; *op* ~ *brengen* season (to taste); *over de* ~ *valt niet te twisten* there is no accounting for (disputing about) tastes; *zonder* ~ tasteless; *er is een ~je aan* there is a tang about it, it has a tang; ~**loos** tasteless, insipid; ~**maker** season ing; (*fig., ongev.*) trend-setter; ~**organen** organs of t., gustatory organs; ~stof flavouring; ~tepeltje taste-bud, gustatory papilla (*mv.*: -lae); ~vol tasteful [...ly executed], in good t., elegant; ~zenuw gustatory nerve; ~zin sense of t.

smachten languish, pine [*naar* for, after], yearn (thirst) [*naar* ... for freedom]; *ernaar* ~ *om te* ... pine to ..., be aching (dying) to ...; *zie* hunkeren & versmachten; ~d *ook:* languorous [eyes]; (*van liefde*) *ook:* love-lorn; parching [heat]; – *naar iets kijken* cast wistful eyes at s.t.

smadelijk humiliating, insulting, scornful [treatment], shameful [death], ignominious [end]; *zich een ~e bejegening laten welgevallen* put up with indignities; *zie* smalend

smaden revile, defame, vilify; *deze veel gesmade dieren* these much maligned animals

smak 1 (fishing-)smack; 2 smack(ing) [of the tongue or lips]; (*bons*) heavy fall, thud, crash; 3 (*boom*) sumac(h); 4 *een ~ geld* (*volk*) a mint of money (crowd of people)

smakelijk palatable, savoury, appetizing, tasty, toothsome; ~ *eten!* (*ongewoon in Eng.*) enjoy your meal!; *zie* smaak (*met ...*); ~ *lachen om* laugh heartily at

smakeloos tasteless, without taste; (*fig. ook*) in bad (poor) taste; ~heid ...ness

smaken taste; *goed* (*lekker, eigenaardig, zoet, bitter, lelijk*) ~ t. good (nice, peculiar, sweet, bitter, nasty); *deze smaakt beter* this one tastes better; *'t heeft me goed gesmaakt* I've enjoyed it (my dinner, supper, etc.); *'t smaakt goed bij ...* it tastes good with bread and butter; *hoe smaakt u deze wijn?* how do you like ...?; *'t smaakt mij niet* I don't like it, I have no t. for it; *de erwtjes ~ lekker* are excellent (delicious); *'t smaakte hem heerlijk* he enjoyed it exceedingly; *de genoegens des levens* ~ enjoy the pleasures of life; ~ *naar* t. of; (*fig.*) savour (*of:* smack) of; *naar de kurk* (*'t vat*) ~ t. of the cork, be corked (t. of the cask); *waar smaakt 't naar?* what does it t. like?; *dat smaakt naar meer* that tastes mor(e)ish

smakken *tr.* fling, dash; *iem. tegen de grond* ~ fling a p. smash to the ground; *intr.* smack; (*vallen*) fall with a thud; *met de lippen* ~ smack one's lips

smal narrow; ~ *gezicht* n. (*slecht uitziend:* peaked) face; *de ~le gemeente* the lower orders; ~ *toelopende nagels* (*vingers*) taper(ing) nails (fingers); *Holland op z'n ~st* Dutch narrow-mindedness; *zie* spoor; ~bladig n.-leaved; ~borstig n.-chested; ~deel squadron; ~doek: *dat is geen* – that's not to be sneezed at

smalen rail; ~ *op* r. at, run down; ~d scornful, contemptuous; – *spreken over* speak slightingly of; – *lachen* laugh scornfully

smal: ~film 8 (16) mm film; ~hans *zie* schraalhans; ~heid narrowness; ~letjes narrowish; *er* – *uitzien* look peaky; ~spoor *a*) n. gauge; *b*) n.-gauge railway

smalt id.

smaragd emerald; ~en *bn.* emerald; ~groen e. green; ~hagedis green lizard

smart sorrow, grief, affliction, pain; (*diepe*) anguish; *gedeelde ~ is halve ~* company in distress makes s. less; *met ~ verwachten* expect anxiously; *zie* verdriet; ~egeld smart-money, compassionate allowance (*of:* grant), disability (hardship) allowance, compensation

smartelijk painful, grievous; ~heid ...ness

smarten 1 cause (*of:* give) pain, grieve; *het smart mij* it pains me, it gives me pain; 2 (*mar.*) parcel; -ing (*mar.*) parcelling

smartlap tear-jerker

smeden forge; (*wellen*) weld; (*fig.*) forge [a lie], coin [new words], lay, plan [a conspiracy, a plot], hatch [a plan, a plot]; **smederij** smithy, forge

smedig *zie* smijdig

smeed: ~baar malleable; ~baarheid malleability; ~bak quenching-tub; ~hamer sledge-hammer; ~ijzer wrought iron; ~kunst, ~werk (wrought) iron-work

smeegruis slack coal, culm

smeek: ~bede supplication, entreaty, appeal [for help]; ~gebed supplication, humble prayer

smeekolen forge (*of:* smithy) coal(s)

smeekschrift petition

smeent (*vogel*) widgeon

smeer [cart-, axle-]grease, fat; (*voor schoenen*) polish, dubbin(g), grease; (*talk*) tallow; (*vlek*) smear [of blood, ink], stain, spot; ~ *geven* give [a p.] a thrashing; ~ *krijgen* get a licking (hiding, strap-oil); *om den wille van de ~* from love of gain; [it's all] cupboard love; ~achtig greasy; ~baar spreadable; ~boel mess; ~bol doughnut; ~buik pot-belly; ~bus grease-cup, lubricator; ~der greaser, oiler; ~kaars tallow-candle, dip; ~kaas cheese spread; (*Am.*) smearcase; ~kees *zie* ~lap *b*); ~kuil (*in garage*) lubrication pit; ~lap *a*) greasing-clout, greasy rag; *b*) dirty fellow, blackguard, swine, skunk; ~lapperij dirt, filth, muck; ~ling (*vis*) gudgeon; ~middel lubricant; *zie ook* ~sel; ~olie lubricating oil; ~pijp, ~poe(t)s dirty fellow; *zie* Piet; ~pot *zie* ~bus; ~prop plug; ~sel ointment, unguent; (*vloeibaar*) embrocation, liniment, (*voor boterham*) [anchovy, liver] paste, sandwich spread; ~vlek greasy (grease) spot; ~worst sausage-spread; ~wortel comfrey, blackwort; ~zalf ointment, unguent

smeet *o.v.t. van* smijten

smekeling suppliant; supplicant

smeken beseech, entreat, implore, supplicate, plead (with) [he was pleading to be taken home; he pleaded with her not to go]; ~ *om* plead for, implore [forgiveness], beg [o.'s life]; *ik smeek er u om* I beseech you; *ga niet, smeek ik je, ook:* ... I beg of you; ~*de blik, ook:* pleading (appealing) look; -er *zie* -eling; -ing *zie* smeekbede

smelleken merlin, stone-falcon

smelt sand-eel

smeltbaar fusible, liquefiable; *moeilijk ~* difficult of fusion, stubborn; ~heid fusibility

smelt: ~en I *tr.* melt, fuse, liquefy; (*erts*) smelt; (*vet*) render; II *intr.* melt [they will ... in the mouth], fuse; (*van boter*) melt, oil; *dit metaal ~ bij gloeihitte* fuses at a red heat; *–d,* (*van toon*) mellow, melting; *zie* doorslaan 7, gesmolten & traan; ~er melter, smelter; ~erij smelting-works, melting-house, smeltery; ~hitte *zie* ~punt; ~ijzer mild steel; ~ing fusion, melting, smelting; ~ingswarmte heat of fusion; ~ingswetten laws of fusion; ~kaas process(ed) cheese; ~kroes melting-pot (*ook fig.*), crucible; ~lepel melting-ladle; ~middel flux; ~oven smelting-furnace; ~pan melting-pan; ~punt melting-, fusing-point; ~stop, ~veiligheid, ~zekering (*elektr.*) safety-fuse, cut-out

smeren (*leer*) grease; (*machine*) grease, oil, lubricate; (*lichaamsdeel*) embrocate; rub [cream on one's face]; (*met boter*) butter [a slice of toast]; (*met bloed, enz.*) smear; '*m ~*, (*sl.*) skip it, skedaddle, clear off (out), cut and run, do a bunk, scoot; *smeer 'm! (sl.)* scram!; *boter op 't brood ~* butter (spread butter on) bread, spread bread with butter; '*t* (*de boter*) *er dik op ~* spread it thick; *dun ~* scrape [butter]; '*t laat zich ~ als ...* it spreads like butter; *zich een boterham ~* make o.s. some bread and butter; *iem.* (*de handen*) *~* grease a p.'s palm, square a p.; '*t gaat als gesmeerd* it goes swimmingly (smoothly), runs on (oiled) wheels; *als de gesmeerde bliksem* like greased lightning; *de machine gaat gesmeerd* the machine goes smoothly; *zie* boter, keel, moeten, rib, enz.

smergel emery; ~en polish with e.

smerig dirty [road, paper, weather], grubby [boys]; (*vettig*) greasy; (*fig.*) dirty [fellow, story], filthy [habits], sordid [act], shabby [treatment]; messy [job]; foul [weather]; *iem. ~ behandelen* treat a p. shabbily, do the dirty on a p.; *zie* vuil; ~heid dirtiness, etc.; dirt

smeris (*sl.*) cop(per)

smet spot, stain; (*fig.*) stain [on one's character], blot [on one's reputation], slur, blemish, taint [the ... of foreign influences]; *iem. een ~ aanwrijven* cast (*of:* put) a slur on a p.; *dat werpt een ~ op zijn nagedachtenis* that reflects (casts reflections) on his memory; *~ op 't wapenschild* blot on the (e)scutcheon; ~stof virus, infectious matter; ~teloos (*ook fig.*) spotless, speckless, stainless, immaculate, impeccable [evening dress], blameless [life], unspotted [reputation]

smetten *tr.* stain, soil; *intr.* (*van stoffen, enz.*) soil; (*van huid*) be (*of:* get) chafed (*of:* sore)

smeuïg vivid, racy; *zie* smakelijk & smijdig

smeulen smoulder (*ook fig.:* ...ing discontent); (*fig. ook*) simmer [it is always ...ing there]; *er smeult verraad* there is treason brewing; *het ~de vuur aanwakkeren* fan the embers

smid (black)smith; *dat is 't geheim van de ~,* (*ongev.*) that is the trick of the trade; *de ~ van zijn eigen fortuin* [everyone is] the architect of his own fortunes

smidse forge, smithy, blacksmith's shop

smids: ~haard forge; ~hamer smith's (sledge-, forge-)hammer; ~kolen forge-coal(s), smithy coal(s)

smiecht scamp, rascal

smient (*vogel*) widgeon

smiezen: (*fam.*) *in de ~ krijgen* twig; *ik heb je in de ~* I've got you taped; *je hebt 't nog niet in de ~* you haven't got the hang of it yet; *houd hem in de ~!* watch him!

smijdig smooth [mayonnaise]; (*smeedbaar*) malleable; (*buigzaam*) supple, pliant; ~heid malleability; suppleness, pliancy

smijten throw, fling, dash, pitch, hurl, heave; *met 't geld ~* throw (fling, chuck) one's money about

smikkelen tuck in

smoel (*plat*) *a*) *zie* bek; *b*) = ~werk mug; *een aardig ~tje* a pretty face

smoesje idle story; (*mere*) pretext, dodge, blind, poor excuse; ~(*s*) eyewash [his talk is all ...]

smoezelig dingy, soiled, grubby [collar]

smoezen whisper, exchange confidences; jaw

smoken smoke, puff [at a cigar]; -er id.

smoking dinner-jacket; (*Am.*) tuxedo, (*fam.*) tux

smokkel smuggling; ~aar(ster) smuggler; (*van drank*) rum-, whisky-runner, (*Am.*) bootlegger; (*van geweren*) gun-runner; ~arij smuggling; ~drank (*sl.*) moonshine; ~en smuggle; run [guns, rum, whisky]; (*bij spel*) cheat, trick; ~goed *zie* ~waar; ~handel smuggling, contraband trade; ~waar contraband (goods); ~zak false pocket

smokken (*handwerken*) smock

smokwerk smocking

smolt *o.v.t. van* smelten

smook (thick) smoke

smoor: (*fam.*) *de ~ in hebben, zie* pee; ~dronken dead (staggering, helplessly) drunk, thoroughly plastered, as tight as a drum; ~heet broiling, sweltering [day], suffocating(ly hot); ~hitte broiling heat, swelter; ~klep throttle-(valve), butterfly valve; ~kuil *zie* moordkuil; ~lijk *verliefd* over head and ears (madly) in love [*op* with]; *– verliefd zijn op, ook:* (*sl.*) be dead struck (sweet, gone) on; ~pan stew-pan; ~spoel choke-coil

smoren I *tr.* smother, strangle, throttle, suffocate; (*motor*) throttle (down); (*vlees*) stew, braise; (*fig.*) stifle [a cry, sigh], choke down [a sob]; hush up, stifle [an affair]; stifle [one's conscience, all enterprise, the free press]; throttle, burke [the discussion]; *met gesmoorde stem* in a strangled voice; *zie* kiem; II *intr.* stifle; *zie* sop, stikken

smous (*jood*) sheeny, -ie; (*hond*) griffon

smousen (*fam.*) cheat

smout 1 grease, rendered fat, lard; 2 job-work, jobbing; ~drukker job-printer; ~drukkerij job-office; ~en grease, lard; ~werk job-work; ~zetter job-compositor

smuigen *zie* snoepen; smuiger(d) sneak

smuk finery; ~ken deck out, trim

smul: *aan de ~ zijn, zie* ~len; ~baard, ~broer *zie*

~paap; ~len feast [van upon], banquet, regale (o.s.) [van upon], (sl.) tuck in, have a good tuck-in; zij – ervan, (fig.) they lap it up, they just eat it (up); (van schandaaltje) they lick their lips over it, [the newspapers] had a glorious time of it; ~paap gastronome, epicure; ~partij banquet, junketing; (sl.) (grand) tuck-in, spread, blow-out

smurrie sludge, dirt

Smyrna id., Izmir; bewoner van ~ Smyrniote

Smyrnaas Smyrna, Smyrnaean, Smyrniote; ~ tapijt Turkey carpet

snaai (sl.) profit; ~en (sl.) pilfer, pinch, bag, nab

snaak wag; vrolijke ~ gay (of: jolly) dog; rare ~ queer fish

snaaks bn. waggish, facetious, quizzical, droll, puckish; bw. ...ly; ~heid waggishness, drollery

snaar string, chord; (van trommel) snare; (van leer) strap; er trilt een droeve ~ in zijn stem there is a ring of sadness in his voice; 'n gevoelige ~ aanroeren touch (upon) a tender s., stir a tender chord, (grievend) touch a p. upon the raw; ~instrument stringed instrument

snabbel (sl.) earning(s) on the side

snakerig, -erij zie snaaks(heid)

snakken: ~ naar yearn (pine, languish) for; naar adem (lucht) ~ gasp for breath (for air); zie hunkeren & smachten

snap id.; in één ~ at a s.; in een ~ in a trice; zie hap; ~achtig talkative, gossipy

snaphaan matchlock, flintlock

snappen (happen) snap (naar at); (grijpen) snatch; (betrappen) catch in the act, catch [a p.] out; (sl.) cop, nick, nab [a criminal]; (begrijpen) understand, realize, see [a joke]; (babbelen) prattle, chat; snap je mij? do you see (get) my meaning?; do you take (get, follow) me?; see?; gesnapt? get me?; ik snap je (de vraag) niet recht I don't quite follow you (the question); dat snap ik niet that baffles (fam.: does) me, it's beyond me, I don't get it; ik snapte 't dadelijk I twigged it in a moment, tumbled to it at once; hij snapte de situatie direct he at once grasped (took in) the situation; als je 't maar eenmaal snapt [law is a simple thing] when you get the hang of it; ik kon 't maar niet ~ I couldn't get the hang of it; hij snapte er niets van, ook: he was befogged; hij begon het te ~ he got (was getting) wise to it; zie eentje

snapper prattler, chatterer; ~ij zie gesnap

snaps a) schnap(p)s, gin, Hollands, Schiedam; b) = ~je, zie borrel

snapslot spring lock

snapster gossip, chatterbox

snaren: ~sleutel string-key; ~(speel)tuig stringed instrument; ~spel string music

snars: (fam.) hij weet er geen ~ van he does not know a thing about it; 't gaat je geen ~ aan it's none of your business

snater: (fam.) hou je ~! hold your jaw! shut up!; ~aar chatterer; ~aarster chatterbox; ~achtig tattling; ~en (van eend) chatter; (van gans)

gaggle, cackle; (van pers.) chatter, jabber

snauw 1 (schip) snow; 2 snarl, gibe, growl; ~en snarl, snap ['no!' he ...ped], growl; je hoeft niet zo te – no need to jump down my throat; – tegen snarl (snap) at; –d geven snap out [an order]; ~er snarler; ~erig snappy, snarly; ~mast (mar.) snow-mast

snavel bill; (sterk & krom) beak; hou je ~, (fam.) keep your mouth shut; zijn ~ roeren, (fam.) have plenty to say; ~insekt bill-bug; ~krokodil gavial; ~vormig beaked [nose], beak-like, rostriform

sneb bill, beak; (van ouderwets oorlogsschip) beak, rostrum (mv.: rostra)

snede, snee cut; (groter) gash, slash; (van gewas) cutting; (insnijding) incision; (plak) rasher [of bacon], slice [of bread, meat, etc.]; (scherp) edge [of a knife, etc.]; (van versregel) caesura, section; (van boek) edge; zie verguld; gulden ~ golden section; dikke ~ brood slab of bread, (sl.) doorstep; juist ter ~ komen come in the nick of time; ter ~ zijn be to the point; zie ad (... rem)

snedig witty, smart [reply]; ~heid ready wit, quickness at repartee, smartness

snee zie snede

sneed o.v.t. van snijden

snees 1 score, twenty; 2 (opkoper van gestolen goed) fence, receiver

sneetje a) cut, nick; b) slice; zie snede

sneeuw snow; (bagger~) slush, slosh; natte ~ sleet; door ~ ingesloten s.-bound [persons, villages]; met ~ bedekt, (van berg) s.-capped; de stad ligt onder de ~ is deep in s.; de ~ lag vier voet hoog the s. lay four feet deep; 't verdwijnt als ~ voor de zon it disappears like s. under a hot sun (in the sun); ~achtig snowy; ~baan snow-track

sneeuwbal snowball (ook gebakje); (plant) snowball, guelder rose; (fig.) snowball (letter), endless chain, chain letter; ~len maken roll s...s; met ~len gooien pelt [a p.] with s...s; zie ook ~len; een ~effect hebben snowball; ~len snowball, throw s...s; ~lengooier snowballer; ~letje glass of gin and sugar; ~stelsel s. (-system)

sneeuw: ~bank zie ~hoop & ~wolk; ~berg a) mound of s.; b) s.-capped (s.-clad) mountain; ~bes s.-berry; ~blind(heid) s.-blind(ness); ~bril s.-goggles; ~bui s.-shower; ~en I ww. snow (ook fig.); 't ~de bloemen op hen they were snowed under with flowers; II bn. a) s. [mantle, ice, etc.]; b) s.-white; ~gans s.-goose; ~gors s.-bunting; ~grens s.-line, -limit; ~haas mountain hare; ~hoen white (of: snow-) grouse, ptarmigan; ~hoop heap (of: bank) of s., s.-drift; ~hut s.-hut; (van Eskimo's) igloo; ~ig snowy; ~jacht driving s., s.-storm; s.-drift; ~ketting (om autoband) (non-skid, snow) chain; ~kleed snow-mantle; ~klokje snowdrop; ~klomp heap of s.; ~linie zie ~grens; ~lucht snowy sky; ~man s.-man; ~modder slush, slosh; ~(op)ruimer s.-clearer, s.-shoveller; ~(op)ruiming s.-clearing; ~panter ounce, s.-

leopard; ~**ploeg** s.-plough; ~**pop** s.-man; ~**roos** snowball, guelder rose; ~**schepper** s.-shoveller; ~**schoen** s.-shoe; ~**schop** s.-shovel; ~**storm** s.-storm; (*verblindend*) blizzard; ~**storting** zie lawine; ~**uil** snowy owl; ~**val** *a*) s.-fall, [heavy] fall(s) of s.; *b*) zie lawine; ~**vink** s.-bunting; ~**vlaag** s.-squall; ~**vlok** s.-flake; ~**vogel** zie pestvogel; ~**water** s.-water; (*vuil*) slush; ~**wit** s.-white; S~**witje** S.-white; ~**wolk** s.-cloud

snek(rad) snail(-wheel), fusee

snel quick [her mind worked ...ly], swift [action, calculation], fast [her heart beat ...], rapid, speedy, (*dicht.*) fleet; *le achteruitgang van* ... rapid fall of the barometer; *de* ~*st varende boot* the fastest steamer; *dat ging* ~ sharp work that was; ~*ler* (*kunnen*) *lopen dan,* (*ook van schip*) have the legs of; zie ook hard; ~**blusser** chemical (*of:* hand) extinguisher; ~**buffet** quick-lunch bar, snack-bar, quick-service buffet; ~**dienst** limited stop service; ~**draaistaal** zie ~snijstaal; ~**duik** (*van duikboot*) crash-dive; ~**goed** *als* – by fast goods train; ~**heid** velocity [of a bullet, etc.], speed [of a train], quickness, rapidity, swiftness; – *door 't water* (*over de grond, door de lucht*), through-the-water (ground-, air-) speed; *met een* – *van* ... at the rate (at a speed) of 60 miles an hour; zie maximum; ~**heidsmaniak** zie kilometervreter; ~**heidsmeter** speedometer, tachometer, speed indicator; ~**heidsproef** speed-trial; ~**kookpan** pressure-cooker; ~**laadgeschut** rapid-loading guns; ~**laadkanon** rapid-loading gun; ~**len** hasten, hurry, rush, dash [to a p.'s help]; zie koppen-–; ~**ler** hair-trigger

Snellius: *de wet van* ~ Snell's law

snel: ~**lopend** fast [horse, steamer]; high-speed [motor]; lightning calculator; ~**schrift** shorthand, stenography; ~**schrijver** short-hand writer; ~(**snij**)**staal** high-speed steel; ~**tekenaar** lightning artist; ~**tocht** head-hunting expedition; ~**trein** fast train, express; ~**varend** fast(-sailing), high-speed; ~**verkeer** fast (*of:* high-speed, *Am.* express) traffic; –**sweg** zie snelweg; ~**voetig** swift-, nimble-, fleet-footed; ~**vuur** rapid fire, q.-firing; ~**vuurgeschut** q.-firing guns; ~**vuurkanon** q.-firing gun, q.-firer; ~**wandelen** walk(ing), [the 10,000 metres] walk; ~**weg** motorway, clearway, (*Am.*) speedway; ~**weger** automatic weigher; ~**werkend** q.-acting, speedy [poison]; ~**zeilend** fast(-sailing); ~**zeiler** fast sailer

snepper scarifier

snerken *intr.* sizzle, frizzle; *tr.* frizzle

snerpen cut, bite; (*van kogel*) zip, ping; ~**d** biting, searching, piercing [cold]; searching, cutting, nipping, rasping [wind]

snert[1] (*fam.*) pea-soup; (*fig.*) trash, muck, tripe

snertvent rotter, blighter, perisher

1 sneu disappointing; *dat vind ik* ~ *voor hem* I am sorry for him; *dat is* ~ *voor hem* it is hard on him

2 sneu *zn.* (*van beuglijn*) snood

sneuvelen, sneven be killed, fall (in battle, in action), be slain, perish; (*fam., oneig.*) *doen* ~ break [a record, teacup]

snib(be) shrew, vixen

snibbig snappish, snappy [answer snappily], ratty; ~**heid** snappishness

snij: ~**bank** cooper's bench; ~**bloemen** cut flowers; ~**bonenmolen** bean-slicer; ~**boon** French bean; *-en,* (*op tafel*) sliced (green) beans; zie raar; ~**brander** oxy-acetylene cutter

snijden cut; (*aan stukken*) cut up; (*voor* ~) carve [meat]; (*fijn*) mince; (*in repen*) shred; (*snijbonen, ham, enz.*) slice; (*graveren*) carve [wood, etc.; ... figures in wood, stone, etc.], engrave; (*castreren*) geld, cut; (*whist, enz.*) finesse; (*afzetten*) fleece, sting, make [a p.] pay through the nose; (*van auto*) cut in; *'t laat zich* ~ *als kaas* it cuts like cheese; *elkaar* ~, (*van lijnen*) intersect, cut each other, meet; *men kon de rook* ~ you could c. the smoke with a knife (*zo ook:* you could c. his dialect with a knife); *'t snijdt mij door de ziel* (*'t hart*) it cuts me to the heart; zie gesneden, gezicht, mes, vinger, stuksnijden, enz.; ~**d** cutting [wind, tone, she spoke ...ly], sharp, biting [sarcasm], stinging [pain]; (*meetk.*) secant, intersecting; – *werktuig,* zie snijwerktuig; – *koud* stingingly cold

snijder cutter, carver; (*graveur*) engraver; (*kleerm., vero.*) tailor; ~**sbenen** bow-, bandy-legs; ~**spier** sartorius; ~**vogel** tailor-bird; zie verder kleermaker

snijding cutting, (inter)section; (*meetk.*) intersection; (*in vers*) caesura; (*in het lijf*) gripes

snijer: (*fam.*) *een rare* ~ a queer fish; *nog zo'n* ~ another Johnny

snij: ~**ijzer** die-stock; ~**kamer** dissecting-room; ~**kop** cutter; ~**lijn** secant, intersecting line; ~**machine** cutting (slicing) machine, slicer, cutter; (*fot.*) table; (*boekbinden*) guillotine; ~**punt** (point of) intersection; ~**tafel** dissecting-table; ~**tand** incisor, cutting-tooth; ~**werk** carved work, carving, fretwork; –**tuig** edge(d) tool, cutting tool, ~**wond** cut; incised wound, knife wound

snik I *zn.* sob, gasp; ~ *zonder tranen* dry s.; *de laatste* ~ *geven* breathe one's last; *tot de* (*mijn*) *laatste* ~ to the last gasp, to my dying day; II *bn.: niet recht* (*goed*) ~ not all there, a bit off, a little touched, a bit cracked, dotty, potty, barmy; ~**heet** zie smoorheet; *'n* ~**je** a half s.; ~**ken** sob; *-d uitbrengen* sob out

snip snipe; *zo dronken als een* ~ as drunk as a fish; zie verkouden; ~**pejacht** s.-shooting

snipper *a*) cutting, clipping, snip(pet), chip, scrap, shred; *b*) piece of candied lemon-(orange-)peel; *geen* ~(*tje*) not a scrap, not a shred; ~**dag** day off; floating day; *de zeven extra vakantiedagen zullen als* –*en worden opgenomen* will be taken up in odd days over the year; ~**en** snip, cut up, shred; ~**jacht** hare and hounds, paperchase; ~**mand** waste-paper basket; ~tje zie ~; ~uur spare (of: leisure) hour; werk in de ~uren odd-time work; ~werk trifling work

snipsnaarderij zie snorrepijperij

snip-snap snip-snap-snorum

snit cut [clothes of a foreign ...]; naar de laatste ~ after the latest fashion

snobisme snobbery, snobbishness; -istisch snobbish

snoeftaal zie snoeverij

snoei: ~en (algem. van bomen) lop; prune [fruittrees, roses, lilacs, etc.]; clip, trim [a hedge]; clip [money]; ~er lopper, pruner, trimmer, clipper; ~goed (sl.) super; ~ing pruning, etc.; ~kunst art of pruning; ~mes pruning-knife; bill-hook, hedge-bill; ~schaar pruning-, lopping-shears, secateur(s); ~sel prunings, loppings; ~tang garden-shears, averruncator; ~tijd pruning-, lopping-time

snoek pike; hij ving een ~, (fig.) he got a ducking, (bij 't roeien) he caught a crab

snoekbaars pike-perch

snoep zie ~goed; ~achtig a) sneaky [cat, boy]; b) fond of sweets; ~centen money for sweets; hij verdient er een aardige ~cent aan he is making a nice thing out of it; ~en a) (heimelijk) sneak, steal [he was caught ...ing sugar]; (Am.) snoop; b) eat (of: munch) sweets (cakes, chocolates); graag – be fond of sweets, have a sweet tooth; wie heeft van de jam gesnoept? who has been at the jam?; wil je eens –? have a sweet?; ~(st)er a) sneak; b) zie zoetekauw; oude ~er old rake; ~erig lovely, charming; zie snoezig, ~erij, ~goed sweets, sweetmeats, (Am.) candy; ~kraampje sweet-stall; ~lust fondness for sweets; ~reisje trip, jaunt; (in auto) joy-ride; (in vliegt.) joy-flight; ~s zie ~achtig; ~winkel(tje) sweet-shop; (in school) tuck-shop; ~zucht zie ~lust

snoer line [fishing-...], string [of pearls, beads], rope [of pearls], cord; (elektr.) flex, (Am.) cord; iem. aan zijn ~ krijgen get hold of a p., rope a p. in

snoeren string, lace, tie; zie mond

snoes darling, duck, ducky, peach, sweetie; een ~ van een hoed, enz., zie snoezig; ~haan: vreemde –, a) foreign chap; b) = rare – queer customer, rum fellow, odd fish; ~je zie ~

snoet snout, muzzle; (gezicht) mug; hou je ~, (fam.) keep your mouth shut; aardig ~je pretty face; (pers.) pretty piece (of: bit) of goods, a little bit of all right

snoeven boast, brag, swagger, vaunt; ~ op boast (of: brag) of; ~d ook: vainglorious

snoever boaster, braggart; ~ij brag, boast(ing), braggadocio, swagger, vainglory

snoezepoes zie snoes

snoezig sweet, lovely, dinky [hat], (Am.) cute; een ~(e) ... ook: a duck of a hat (child, name, etc.), a dream of a gown; ~e meisjes sweet girls

snol (plat) tart, bitch

snood base, vile, wicked, heinous [crime], black-hearted [traitor], black [treason, a ... lie], sinister [for some ... purpose], nefarious

[schemes], deep-laid [plot]; snode ondankbaarheid black (base, sl.: low-down) ingratitude; ~aard villain, miscreant; ~heid baseness, etc.

snoof o.v.t. van snuiven; snoot o.v.t. van snuiten

snor 1 moustache; 2 (vogel) Savi's warbler; 3 dat zit wel ~ that will be all right; ~baard moustache; (van kat) whiskers; oude – fire-eater

snorder crawler, crawling (plying, cruising) taxi(-cab)

snorkel schnorkel, snort

snorken snore; (fig.) zie snoeven; ~d ook: stertorous [breathing]

snorker snorer; (fig.) zie snoever; ~ij zie snoeverij

snorrebaard zie snorbaard

snorrebot bull-roarer, turndun

snorren (machine, enz.) whirr, whir, drone; (zacht) purr, hum [motor-cars ... to and fro]; (pijl, kogel, enz.) whiz(z); (kachel) roar; (taxi) crawl, ply for hire; ... snorde voorbij a bus roared by; over de weg ~ spin along the road

snorrepijperij gimcrack(ery), knick-knack, trifle

snot (nasal) mucus; (plat) snot; (vogelziekte) coryza, roup; zie ook droes 1; ~aap brat, urchin, whipper-snapper; iem. als een – behandelen treat a p. like dirt; ~je: ik had hem in 't –, (fam.) I had twigged him, knew what he was up to; in 't – krijgen twig, get wind of [s.t.]; ~(d)olf (vis) lump-sucker; ~jongen zie ~aap; ~neus (eig.) snotty nose; (lamp) slush-lamp; zie ook ~aap; ~teren snivel, blubber, blub; ~terig snotty, snivelling

snuf zie snuif; ~ ~ sniff sniff; ~felaar(ster) prier (pryer), ferreter, Paul Pry, Nos(e)y Parker

snuffelen (met neus) sniff, nose; (fig.) nose, ferret, rummage [in a drawer, etc.], pry [into s.t.], root, fumble [among papers, etc.], hunt [in old books]; naar iets ~ nose (forage) for s.t.

snuffelpaal air pollution detector

snuffen zie snuiven

snufferd (volkst.) conk

snufje: 't nieuwste ~ the latest novelty, the last word, the latest thing [in hats, etc.]; met de laatste ~s sophisticated; technisch ~ gadget; ~ zout pinch of salt

snugger clever, bright [a ... lad], smart, sharp, spry, quick in the uptake, (fam.) brainy [chap, idea]; 't is een ~e vent, ook: his head is screwed on all right; hij is niet van de ~sten not over-intelligent; ~heid ...ness

snuif snuff; ~doos s.-box; ~je pinch of s. (ook: of salt, etc.); ~tabak snuff

snuisterij knick-knack, trinket, bauble, gewgaw; ~en, ook: bric-a-brac

snuit snout, muzzle; (van olifant) trunk; (van insekt) proboscis; (gezicht) mug; (van schip) zie sneb; ~en snuff [a candle]; (de neus) – blow one's nose; ~er 1 (pair of) snuffers; 2 chap, fellow; rare – queer bird, odd fish, rummy chap; vrolijke kleine – cheerful little beggar; ~je zie snoetje; ~kever s.-beetle; ~mot veneer-

moth; ~sel (candle-)snuff
snuiven sniff, give a sniff, snuffle; (*piepend ademhalen*) wheeze; (*van woede, enz.*) snort [with fury, etc.]; (*van paard*) snort; (*van dampig paard*) roar, whistle; (*snuif gebruiken*) take snuff; *cocaïne ~* sniff (*of:* snuff) cocaine; **-er** *a*) sniffer; *b*) snuff-taker; *c*) (*paard*) roarer, whistler; *d*) (*van onderzeeboot*) snort
snurken enz., *zie* snorken, enz.
sober sober, frugal; (*schraal*) scanty; ~**heid** soberness, sobriety, frugality, scantiness; ~**tjes** scantily, poorly
sociaal social [justice, security, etc.]; *-le uitkeringen* welfare benefits; *-le verzorging* welfare work; *-le voorzieningen* welfare services; ~**-democraat, -cratie, -cratisch** s.-democrat, -democracy, -democratic
sociabel sociable
socialisatie socialization; **socialiseren** socialize
socialisme socialism
socialist id.; ~**isch** socialist(ic)
sociëteit club(-house); *de S~ van Jezus* the Society of Jesus; *zie* soos; ~**sbestuur** club committee; (*vaste*) ~**sbezoeker** clubman
Sociniaan Socinian
socio: ~**-economisch** socio-economic; ~**linguïstiek** sociolinguistics; ~**logie** sociology, social science; ~**logisch** sociological; ~**loog** sociologist, social scientist
Socrates id.; **socratisch** Socratic (*bw.:* -ally)
soda id.; ~**fabriek** s.-works; ~**water** s.-water
sodemieter (*plat*) *a*) sodomite; *b*) bastard, [poor] bugger; *als de ~* like hell, like blazes; *'t helpt geen ~* it's no bloody use; *geef 'm op z'n ~* let him have it!; ~**en** (*plat*) *tr.* chuck; *intr.* fall, drop; ~ *op!* get the hell out of here!; *lig* (*volkst: leg*) *niet te–!* chuck it! (*Am.*) cheese it!
Sodom id.; **sodom(s)appel** S. apple, apple of S., Dead Sea apple; **sodomie** sodomy
soebatten implore, beseech, whimper [*om* for]
soeda(h)! never mind! enough!
Soedan: *de ~* the Sudan; ~**ees** *bn. & zn.*, ~**ezen** Sudanese; **Soefi** Sufi
soelaas solace, comfort
Soenda Sunda; ~**-eilanden** S. Islands; ~**nees** *bn. & zn.*, ~**nezen** Sundanese; ~**straat** S. Strait
soenna Sunna(h)
soenniet Sunni, Sunnite
soep soup; (*bouillon*) broth; (*onzin*) rubbish, tommy rot; *in de ~ rijden* smash up [a car]; *in de ~ zitten* be in the s. (a hole, a mess, the cart); *niet veel ~s* not up to much, nothing to write home about; *de ~ wordt nooit zo heet gegeten als ze opgediend wordt, ongev.:* things are sure to simmer down; it may not be as bad (draconian, etc.) as it looks; ~**balletje** forcemeat ball; ~**been** soup-bone; ~**blokje** s.-cube; ~**bord** s.-plate
soepel supple, flexible, pliant (*ook fig.*); *~ maken* (*worden*) supple; *~ lopen* run (go, work) smoothly; ~**heid** ... ness, flexibility
soep: ~**erig** (*ook fig.*) soupy, wishy-washy; ~**groente** vegetables for putting in soup; ~**jurk** baggy, sack-like dress; (*fam.*) long dress;

~**ketel** s.-kettle; ~**kip** boiling-hen; ~**kokerij** s.-kitchen; ~**lepel** s.-ladle; (*om mee te eten*) s.-spoon; ~**tablet** s.-cube; ~**terrine** s.-tureen; ~**uitdeling** distribution of s.; ~**vlees** meat for cooking and serving in soup
soera (*van de koran*) sura
soes 1 (*dommel*) doze; *oude ~* old dotard, old muff; 2 (*gebak*) puff, puffed cake
soesa bother, worry, worries
1 soeverein: ~**boor** countersink (drill); ~**en** countersink
2 soeverein I *bn.* sovereign; ~*e macht* supreme authority; ~*e minachting* supreme contempt; II *zn.* sovereign, ruler; (*munt*) sovereign; ~**iteit** sovereignty, s. power
soezen doze, be wool-gathering, be in a brown study; *waarover zit je te ~?* a penny for your thoughts; **-erig** dozy, drowsy
sof (*sl.*) wash-out
sofa id.
sofboel, -vent (*sl.*) dud
Sofia, Sofie Sophia, Sophy
sofisme sophism
sofist sophist; ~**erij** sophistry; ~**isch** sophistic(al)
soigneren *zie* verzorgen & verzorgd
soiree soirée, evening party
soja soy(a), bean sauce; ~**boon** soy(a) bean; ~**koek** bean cake; ~**meel** soy(a) flour; ~**olie** soy(a) bean oil
sok sock, half-stocking; (*van dier*) stocking [white ...]; (*techn.*) socket; (*pers.*) muff, mug, duffer; *ouwe ~* (old) dotard, old buffer, old fogey; *op zijn ~ken* in one's socks; *held op ~ken* funk, coward, pasteboard knight; *er de ~ken in zetten* spurt; *van de ~ken gaan* faint; *iem. van de ~ken rijden* knock a p. down, bowl a p. over
sokkel socle
sokkerig spunkless, spiritless
sokophouder sock-suspender
soksleutel (*techn.*) socket wrench
sol (*nat. & muz.*) id.
solaas solace, comfort
solarium id., sun-trap (shelter)
solawissel sole bill, sola (bill)
soldaat soldier (*ook bij insekten*); *~ 1ste klas, ongev.:* lance corporal; *gewoon ~* private (soldier); *een fles ~ maken* crack a bottle; ~**je** toy s.; *– spelen* play (at) soldiers
soldaten: ~**barak** army-hut; ~**beroep** soldiering; ~**brood** *zie* commies...; ~**jas** army coat; ~**kind** soldier's child; ~**leven** a soldier's (*of:* military) life, soldiering; ~**lied** soldier's song; ~**muts** forage-cap; ~**raad** soldiers' council; ~**regering** military government; ~**rok** military coat; ~**stand** military profession; ~**uniform** military uniform; ~**volk** soldiery; **soldaterij** *zie* soldatenleven; **soldatesk** soldierly, soldier-like
soldateska soldiery
soldeer solder; ~**bout** soldering-iron; ~**der** solderer; ~**lamp** soldering-lamp; ~**lood** lead-solder; ~**pasta** flux; ~**sel** solder; ~**tin** tin-solder; ~**water** soldering-water, -liquid; ~**werk** soldering(-work)

soldenier (*hist.*) mercenary
solderen solder, braze
soldij pay
solecisme solecism
solenoïde (*elektr.*) solenoïd
soleren give a solo performance
solfatare solfatara
solfège (*muz.*) solfeggio; **soli** *zie* solo
solidair solidary; ~ *aansprakelijk* jointly and severally liable, responsible jointly and severally; ~ *zijn* stand by each other; *zich* ~ *verklaren met* (decide to) act in sympathy (declare one's solidarity, throw in one's lot) with
solidariseren consolidate, solidify
solidariteit solidarity; (*hand.*) joint liability; *staken uit* ~ strike in sympathy [*met* with]; **~s-gevoel** feeling of s.; **~sstaking** sympathetic (sympathy) strike
solide (*stevig*) substantial, solid, strong; (*oppassend*) steady(-going); (*fatsoenlijk*) respectable [firm]; (*vertrouwbaar*) trustworthy, reliable; (*in staat te betalen*) solvent; ~ *effecten* sound securities; ~ *gebouwd* soundly constructed (*of:* built)
soliditeit substantiality, solidity; steadiness, respectability; reliability; solvability, solvency; [financial] stability, soundness; *vgl.* solide
solied *zie* solide
solist(e) soloist
solitair *bn.* solitary; *zn.* (*diamant, spel*) solitaire; (*kluizenaar*) recluse, solitary
sollen romp [with a child]; ~ *met* haul about, drag about; (*fig.*) make fun (a fool) of; *hij laat niet met zich* ~ he stands no nonsense, he is not to be trifled with; ~ *met de waarheid* trifle with the truth
sollicitant candidate, applicant; *~en oproepen voor ...* invite applications for
sollicitatie application; *~bezoeken bij de commissie afleggen* canvass the committee; *zie* bezoek; *~brief* letter of a.
solliciteren apply; ~ *naar* a. for, stand (go in) for; (*fam.*) put in for [a job], ask for [a punch on the nose], be looking for (in for) [a heart-attack]
solmi(s)eren (*muz.*) solmizate
solo id. (*ook kaartspel*) (*mv.:* solos, soli); **~partij** s. part; **~spel** s. performance; **~vlucht** s. (*of:* lone) flight; **~zang** s. singing; **~zanger** soloist, s. vocalist
solsleutel (*muz.*) G clef
solstitium solstice; **solutie** (rubber) solution
solvabel solvent; **solvabiliteit** solvency, solvability
solvent id.; **~ie** solvency
som (*bedrag*) sum (*ook:* the sum of the angles of a triangle ...); (*vraagstuk*) sum, problem; *'n aardig ~metje* a tidy little sum; *een* ~ *maken* do a s.; *hij kan goed ~men maken* he is good at sums
somatisch somatic
somber gloomy [house, person, clouds, forest, sky], sombre [sky, colour], dull, dismal [weather], dreary [landscape], cheerless

[house], bleak [future]; (*van stemming*) mirthless, dejected, glum, melancholy; ~ *gestemd* dejected, in low spirits; **~heid** gloom, sombreness, dullness, cheerlessness, dejection
sombrero id.
somma sum total, total amount
sommatie summons
sommeren summon, call upon; serve a notice (a writ) on [a p.]; *de menigte* ~ *uiteen te gaan, ook:* read the Riot Act; *zie ook* optellen
sommetje *zie* som
sommige some; **~n** some (people)
sommiteit notable; *zie* kopstuk
somnambule somnambulist
somnambulisme somnambulism
soms sometimes, now and then; (*misschien*) perhaps [I looked to see if ... it might be there]; ~ ..., ~ ... now ..., now ...; at times ..., then again ...; *hij kan* ~ *heel aardig zijn* he can be very nice at times; *hij zat er* ~ *uren* he would sit there for hours; *hebt u* ~ *anjers?* have you any carnations?; *als je er* ~ *voorbij gaat* if you happen to pass that way; *hij is ...; of niet* ~? or is he?; *zie* misschien
somtijds, somwijlen *zie* soms
sonant(isch) sonant
sonate sonata; **sonatine** sonatina
sonde probe, sound, explorer; **sondeerijzer** *zie* sonde; **sonderen** probe, sound
songtekst lyric
sonnet id.; **~tenkrans** s. cycle
sonoor sonorous; **sonoriteit** sonority
Sont: *de* ~ the Sound
soort kind, sort, species; style [of binding]; (*merk*) brand; (*biol.*) species; *vroege en late ~en* early and late varieties; *eerste* ~ *eieren* top-grade eggs; *een* ~ *dichter* a sort of poet, a poet of sorts (of a sort); *een* ~ *...* [he spoke] broken English of a k. (of a sort); *voor jou of jouw* ~ [I'll not work] for you or your likes (or the likes of you); *... of zo'n* ~ *naam* or some such name; ~ *zoekt* ~ likes seeks like; birds of a feather flock together; *hij is een goed* ~ he is a good sort; *in zijn* ~ [the speech was a gem, was good] of its k., [a masterpiece, unique] in its way; *zie* enig; *hij is niet van onze* ~ he is not our sort; *schurk van 't ergste* ~ villain of the blackest dye; *hij is een van 't rechte* ~ he is (one of) the right sort; *mannen van dat* ~ of that stamp; *mensen van 't zelfde* ~ of the same k. (sort, kidney); *zie* hefboom & slag 1; **~elijk** specific [gravity *gewicht*]; – *verschillend* specifically distinct; **~gelijk** similar, suchlike, of the same kind; **~genoot** congener, one of the same kind; **~naam** class-name, generic (specific) name
soos club; *op de* ~ at the c.; *zie* sociëteit
sop broth; (*zeep-*) [soap-]suds; *'t ruime* ~ the offing, the open sea; *'t ruime* ~ *kiezen* stand out to sea; *'t* ~ *is de kool niet waard* the game is not worth the candle; *iem. in zijn eigen* ~ *laten gaar koken* let a p. stew in his own juice; *met 't zelfde* ~ *overgoten* tarred with the same brush

Sophia, Sophie Sophia, Sophy

sop: ~je! *een – halen* get wet through; *zie ook* zeepsop; ~**pen** sop [bread], dunk, steep; *zij kunnen niet ruim* (*vet*) – they are not well off; ~**perig** (*van weg, enz.*) sloppy, soppy; (*van eten*) sloppy; (*van kleren*) sloppy, floppy

sopraan soprano (*mv.:* -nos, -ni), treble; ~**blokfluit** descant recorder; ~**partij** s. part; ~**stem** s. voice; ~**zangeres** s. singer, soprano

sorbe sorb; ~**boom** sorb(-tree); ~**nkruid** burnet

sorbet id., sherbet

sordine id., muffler, damper

sores (*sl.*) trouble(s)

sorteer: ~**der** sorter, grader (*vgl. sorteren*); ~**kamer** sorting-room; ~**strook** filter lane; ~**tafel** sorting-table

sorteren sort, assort; (*naar kwaliteit, ook:*) grade; (*naar grootte, ook:*) size; (*ongesorteerde eieren*) ungraded eggs; (*geen*) *effect* ~ be (in-)effective, produce an (no) effect; *zie* gesorteerd, -**ering** sorting, grading, sizing; *zie* ~; (*collectie*) assortment [*uitgebreide –* large ...]

sortie (*mantel*) opera-cloak, -wrap; (*schouwburg*) pass-out (*of:* return-)check; (*uitval*) sortie, sally

sortiment assortment

sottise silly thing, folly

sotto voce id., in an undertone

sou: *geen* ~ not a sou, not a farthing

soubrette id.; **souche** counterfoil

souchong id.; **soufflé** id.

souffleren prompt

souffleur prompter; ~**shokje** prompter's (*of:* prompt) box

souper supper; ~**en** take (have) supper, sup; – *met oesters en champagne* sup on oysters and champagne

sourdine sordine, muffler, damper

sous: ~**bras** dress-shield, dress-preserver; ~**chef** sub-chief; Deputy Chief of Staff [in Engl.]; Vice-Chief [of the French General Staff]; ~**main** blotting-, writing-pad; ~**pied** (*hist.*) (trouser-)strap; spat; *broek met –s* strapped trousers

soutache braid; **soutane** id., cassock

souteneur id., bully, fancy-man, ponce, pimp

souterliedekens metrical psalms

souterrain basement(-storey); (*archeol.*) id.

souvenir id., keepsake, memento

sovjet, sowjet Soviet; ~**republiek** S. Republic; **Sovjetunie** S. Union, U.S.S.R. (Union of Soviet Socialist Republics); ~**tiseren** sovietize; ~**tisering** sovietization

spa *zn. & bn. zie* spade

spaak spoke; (*van stoel*) rung; (*van gangspil*) bar; *hij stak mij een* ~ *in 't wiel* he put (*of:* thrust) a s. in my wheel; *'t loopt stellig* ~ it is sure to go wrong; ~**been** radius

spaan chip [of wood]; (*boter-*) scoop, pat; (*schuim-*) skimmer; (*dak-*) shingle; ~**der** chip; –*s, ook:* shavings; *waar gehakt wordt vallen –s* you can't make an omelette without breaking eggs; ~**(der)plaat** chipboard

Spaans Spanish; ~ *groen* verdigris; ~ *leder* S.

leather, cordovan; ~*e peper* red pepper, capsicum, (*één peul*) chilli; ~ *riet* (Bengal) cane; ~*e ruiters* chevaux-de-frise; ~*e vlieg* S. fly, cantharides (*mv.*), fly-blister; blister-beetle; ~*e zeep* white soap; *'t ging er* ~ *toe* there were wild goings-on there; ~*e* S. woman; s~**gezind** pro-Spanish; S~**Portugees** Hispano-Portuguese

spaar: ~**bank** savings-bank; *wat ik op de – heb* my s.-b. account; *geld op de – zetten* put money into the s.-b.; ~**bankboekje** s.-b. book, account book, deposit book; ~**bekken** storage basin, reservoir; ~**brander** pilot flame, bypass burner; ~**brief** savings certificate; ~**centen, ~duiten, ~geld** *zie* ~penningen; ~**der** saver; (*inlegger*) depositor; ~**kas** savings-bank; (*met geregelde uitkeringen, bijv. met Kerstmis*) sharing- (share-)out club; ~**penningen** savings, nest-egg, 'stocking'; ~**pot** money-box; *een –je maken* lay by (save up) a little money; *'n aardig –je* a nice little nest-egg; ~**varken** piggy-bank

spaarzaam saving, economical [*met of*], thrifty; sparing [*of words*]; ~ *verlicht* sparingly (dimly) lighted; *zie verder* zuinig; ~**heid** thrift, economy

spaarzegel saving(s) stamp

spaat spar

spade I (*vero.*) *bn.* late; II *zn.* spade; *de eerste* ~ *in de grond zetten* cut the first sod, turn the first spadeful of earth, break ground

spadille id.

spahi id.

spakerig (*hout*) dry; (*lucht*) hazy

spalier espalier, trellis-, lattice-work; ~**boom** espalier (tree)

spalk splint; ~**en** splint, put in splints

span 1 (*maat*) span [of the hand]; 2 (*gespan*) team [of horses, oxen], yoke [of bullocks]; set, match-pair [of carriage-horses]; *een aardig* ~ a nice couple; *een mooi* ~ *voor een bokkewagen*, (*iron.*) strange yoke-fellows; *zie* verwisselen

spanader, -aar *zie* tongriem

spanbroek (*kort*) (pair of) tights, (*lang*) (pair of) pantaloons

spanderen *zie* spenderen

spandienst statute-labour with teams; *zie* handen ~en

spandoek banner

spanen *bn.* chip [box, hat, etc.]; ~ *doos, ook:* millinery box; ~ *mandje* c. basket, (*voor fruit*) punnet

spang clasp, ring

spanhaak tenter-hook

Spanjaard Spaniard; **Spanje** Spain

spanjolet espagnolette, French window fastener; **Spanjool** Spaniard

spankracht tensile force, tension; (*van gas, enz.*) expansibility, expansive force

spanlak (*van vliegt., enz.*) dope

spanmoer tightening-nut

spanne: ~ *tijds* [our life is but a] span, brief space of time

spannen I *tr.* stretch [a rope across the road]; string [a racket]; (*strakker* ~) tighten; (*boog*) bend, draw; (*spieren, zenuwen*) strain [one's muscles, every nerve]; (*trommel*) brace [a drum]; (*strik*) lay [a snare], (*net*) spread [a net]; (*de aandacht*) strain [the attention]; *de haan van 'n geweer* (*weer*) ~ (re-)cock a rifle; *de paarden voor 't rijtuig* ~ put (harness) the horses to (the carriage); *zich ervoor* ~ take the matter in hand, take up the case; *zie* gespannen, boog, verwachting, enz.; II *intr.* (*van kleed*) be (*of:* fit) tight; (*van te nauwe jas bijv.*) strain, drag; *het zal er* ~ it will be hot work, there will be some sharp fighting (lively passages between ...); *het spande erom* it was a near (a close) thing; *'t zal erom* ~ *te* ... it will be a squeeze [to get everybody in, to balance the budget, etc.]; *als 't erom spant* at a pinch, at a squeeze; *zie ook* nijpen

spannend tight [coat]; exciting [scene, game]; (*sterker*) thrilling [story, race]; tense [moment, drama, scene]; *'t publiek genoot van een ~e wedstrijd* the public thrilled to a close-fought game

spanner (*vlinder, rups*) geometer, spanworm

spanning (*algem., van spieren, zenuwen, enz.*) tension; (*nat.*) tension, stress, strain; (*druk*) pressure; (*elektr.*) tension, voltage; (*van brug, enz.*) span; (*fig.*) tension [a state of great ...], [political] stress; (*onzekerh.*) suspense; *in angstige* ~ on tenterhooks, in mortal suspense, [look] anxiously; *iem. in* ~ *houden* keep a p. in suspense (on tenterhooks); *ogenblik van* ~, *ook:* tense moment; *met* ~ *verwacht* anxiously (eagerly) expected

spanningsmeter (*elektr.*) voltmeter; (*van autoband*) tyre-gauge; (*med.*) tonometer; **spanningzoeker** voltage tester

span: ~raam tenter; ~riem knee-strap; ~rups geometer, looper; ~schroef tightening(-up) screw, stretching screw; (*mar.*) rigging (straining) screw

spant (*van dak: één balk*) rafter; (*dakstoel*) truss; (*van houten schip*) timber; (*van stalen schip*) frame

spanwijdte span

spanzaag frame-, span-, bow-saw

spar (*van dak*) rafter; (*boom*) spruce-fir

sparappel fir-cone

sparen I *tr.* save, save up [money]; reserve [s.t. for another occasion]; (*ontzien*) spare [a p.('s) life], neither time nor money]; *zich* (*zijn krachten*) ~ save (spare) o.s., husband (save, nurse) one's strength; *de fles niet* ~ not spare the bottle; *zijn kleren* ~ save one's clothes; *zijn kapitaal* (*zijn beste pak*) ~ nurse one's capital (one's best suit); *geen moeite of kosten* ~ spare no pains or expense; *spaar me* ... spare me your remarks (that humiliation); *om 't boek te* ~ [binding] to preserve the book; *wie wat spaart heeft wat*, ~ *doet garen* a penny saved is a penny gained (is twopence got), waste not want not, saving is having; II *intr.* save (up) [for one's old age], lay by (money); ~ *voor een*

reisje s. up for a trip; *zie ook* besparen

sparreboom spruce-fir; -**hout** fir-wood; -**kegel** fir-cone

sparrenbos fir-wood

Sparta id.; **Spartaan(s)** Spartan

spartelen flounder, struggle, squirm

sparteling floundering, etc.

spasmodisch spasmodic; **spastisch** spastic

spat (*bij paarden*) spavin; (*vlek*) speck, stain, spot; *zie ook* ~ader; *geen* ~, (*fam.*) not an atom (a scrap); *geen* ~ *uitvoeren* not do a stroke of work; ~ader varicose vein, varix (*mv.:* varices); ~bord (*vóór aan rijtuig*) splash-board; (*over wiel*) mudguard, (*van auto ook*) wing, (*Am.*) fender

spatel spatula, slice; (*van schilder*) palette-knife, spatula; ~**vormig** spatulate

spatie space

spatiëren space; -**ing** spacing

spatje speck; [a] spatter [of rain]; (*borrel*) wet, spot, dram, drop of short

spatkleed apron

spatlap (*fiets*) mud(guard) flap

spats (*fam.*) swank; ~ *maken* swank

spatten splash, spurt, spirt, spatter; (*van vlam, enz.*) sp(l)utter [...ing night-light]; (*van pen*) splutter; *vonken* ~ emit sparks, sparkle; *zie* uiteen~; ~*d zeewater* spray of the waves; ~*de olie* oil spray

spatterig spluttering (pen)

spattig (*van paarden*) spavined

spatwerk spatter-work

spe: *in* ~, *zie* aanstaande

specerij spice; condiment; ~**achtig** spicy; **S~eilanden** S.-Islands

specht woodpecker; (*blauwe*) nuthatch; (*groene*) green w., rain-bird; (*zwarte*) black w.; *grote bonte* ~ wood-pie, great spotted w.

speciaal special; *-ale commissie* select committee; *een -ale vriend van me*, (*fam.*) a great pal of mine; ~ *werk maken van* specialize in [a subject], make a speciality of, make [it] one's speciality

specialiseren: *zich* ~ specialize; -**ing** specialization

specialisme specialism, speciality

specialist id., expert [*in* on]; (*med. ook*) consulting physician; ~**isch** specialist(ic), -lized

spécialité (*med.*) patent medicine

specialiteit speciality, specialty [brass work is our ...]

specie id., ready (*of:* hard) money (*of:* cash); (*kalk*) mortar; (*bagger*) spoil; ~**handel** s.-trade; ~**voorraad** (stock of) bullion

specificatie specification, specified statement; breakdown [of a bill]; ~**biljet** (*bank*) paying-in slip

specificeren specify, particularize; *gespecificeerd, ook:* detailed, itemized [account, statement]

specificum (*med.*) specific

specifiek specific (*bw.:* -ally); ~ *gewicht* s. gravity; ~*e rechten* s. duties

specimen id., facsimile; ~ *van handtekening*

facsimile of a p.'s signature
spectaculair spectacular
spectator id.
spectraalanalyse spectrum (spectral) analysis
spectrometer id.; **spectroscoop** spectroscope
spectrum id.
speculaas(je) kind of hard brown spiced biscuit
speculant speculator, operator; ~ *à la hausse* bull; ~ *à la baisse* bear
speculatie speculation, (*fam.*) spec; *op* ~ on s., (*fam.*) on spec; ~**bouw** *zie* revolutiebouw
speculatief speculative [investment, treatise]
speculatie: ~**geest** spirit of speculation; ~**papier** speculative securities; ~**woede**, ~**zucht** speculative craze
speculeren speculate; ~ *op* trade on, take advantage of [a p.'s weakness], gamble on [the chance that ...], hope for, expect [an inheritance]; *grof* ~ plunge; *gaan* ~ launch into speculations; *zie* baisse & hausse
speech id.; ~**en** speechify
speeksel saliva, spittle, spit; ~**afscheiding** secretion of s., [promote the] flow of s.; ~**klier** salivary gland
speel: ~**avond** play-night; ~**bal** player's (playing) ball; (*biljart*) cue ball; (*fig.*) sport, toy, plaything, tool; puppet [he became a ... in their hands]; *de – der fortuin* the sport of fortune; *'t schip is de – der golven* is at the mercy of the waves; ~**bank** gaming-, gambling-house; ~**dag** play-day; ~**doos** musical box; ~**duivel** demon of gambling; ~**film** feature film; ~**geld** cash for playing; (*inzet*) stake(s), (*pot*) pool; ~**genoot** playfellow, playmate
speelgoed toys, playthings; *een stuk* ~ a toy; ~**winkel** toyshop
speel: ~**hol** gambling-, gaming-den; ~**huis** gambling-, gaming-house; (*waar gewed wordt*) betting-house; ~**jacht** pleasure-yacht; ~**kaart** playing-card; ~**kamer** *a*) [children's] playroom; *b*) card-room; ~**kameraad** *zie* ~makker; ~**koorts** gaming-fever; ~**kwartier** break, interval; *in 't – during* play(time); ~**lokaal** (*in school, enz.*) games-room; ~**makker** playmate, playfellow; ~**man** fiddler, minstrel; *de – zit nog op 't dak* they are still in their honeymoon; ~**noot** *zie* ~genoot; ~**penning** counter, fish; *–en, zie ook* ~geld; ~**plaats** playground; ~**pop** (*fig.*) doll, puppet, toy; *zie* ~bal; ~**reisje** *zie* pleziertochtje; ~**ruimte** play [of parts in motion]; (*fig.*) scope, elbow-room, margin, latitude, elasticity, [have] full (*of:* free) play, room for manoeuvre
speels playful, sportive. gamesome
speel: ~**schuld** gambling-, gaming-, card-debt; ~**seizoen** play-season; (*theat.*) theatrical season; ~**sgewijze** *zie* spelenderwijs; ~**sheid** ...ness (*zie* speels); ~**ster** *a*) gambler, player; *b*) actress; ~**stuk** (*theat.*) [a good] acting-play; ~**tafel** *a*) gambling-, gaming-table; *b*) (*van orgel*) console; *c*) = ~**tafeltje** card-table; ~**terrein** play-, recreation ground; playing-field; ~**tijd** play-time; (*sp.*) *a*) playing time; *b*) period; ~**tuig** musical instrument; ~**tuin** playing-garden,

recreation ground; ~**uur** play-hour; ~**uurwerk** chiming-clock; ~**veld** field of play, pitch; ~**werk** chime [of a clock]; (*fig.*) *zie* kinderspel; ~**woede** *zie* ~zucht; ~**zaal** gaming-, gambling-room; (*in sociëteit, enz.*) card-room; ~**ziek** *zie* speels; ~**zucht** passion for gambling
speen teat, nipple; (*fop*~) dummy, comforter
speenkruid lesser celandine
speenvarken sucking-pig
speer spear; (*werp*~) javelin; ~**distel** s.-thistle; ~**drager** spearman; ~**haai** picked dog-fish, spineshark; ~**haak** bickern; ~**punt** s.-head; ~**ruiter** spearman, lancer; ~**werpen** *zn.* javelin-throwing, throwing the javelin; *... won het – ...* won the javelin (event); ~**werper** javelin-thrower
1 speet *o.v.t. van* spijten
2 speet spit, twig, skewer; ~**aal** spitchcock
spek (*gezouten, gerookt*) (fat) bacon; (*vers*) pork; (*van walvis*) blubber; *er voor* ~ *en bonen bij zitten* sit mum, be (the) odd man out, sit by doing nothing; *met* ~ *schieten* draw (*of:* pull) the long bow, romance; *met* ~ *vangt men muizen* good bait catches fine fish; *ongev.:* every man has his price; *voor* ~ *en bonen meedoen* count for nothing, be present on sufferance; *dat is geen* ~(*je*) *voor jouw bek(je)* that's not for the likes of you; ~**achtig** bacony, b.-like; ~**bokking** fat bloater; ~**buik** paunch; ~**eend** widgeon; ~**glad** extremely slippery; ~**haak** S (*spr. uit:* es), *mv.:* Ss, S's; ~**je** *zie* ~; ~**jood** wet Jew; ~**ken** (*eig.*) lard; (*fig.*) (inter)lard [one's conversation with foreign phrases]; *zijn beurs* (*zakken*) – line one's purse (one's pockets); *goed gespekte beurs* well-lined (*of:* long) purse; ~**kig** *zie* ~achtig; (*ranzig*) rancid, strong; ~**koper** b.-merchant; *hij is een hele* – he is well off; ~**muis** bat; ~**naald** larding-pin; ~**nek** fat neck; ~**priem** *zie* ~naald; ~**slager** pork-butcher; ~**slagerij** pork-shop; ~**snijder** whale-cutter; ~**steen** soap-stone, French chalk, steatite
spektakel uproar, racket, hubbub, (*sl.*) rumpus; ~ *maken* (*schoppen*) kick up a row (a dust); *zie* herrie; ~**stuk** spectacular play
spek: ~**tor** bacon-beetle; ~**vet** bacon fat; ~**wortel** *zie* smeerwortel; ~**zak** kit-bag; ~**zool** crepe sole; ~**zwoerd** pork-, bacon-rind
spel (*'t spelen*) play, performance [he congratulated the team on their ...]; (*een* ~) game [I watched his play and approached him after the game]; (*aan speeltafel*) gambling [addicted to ...], gaming; (*theat.*) (style of) acting; (*op muz.instr.*) playing, execution; (*op kermis, enz.*) show, booth; (*kaarten, enz.*) pack [of cards], set [of dominoes, of chessmen; ping-pong ...]; *ook* = kinderspel; *'t afwisselende* ~ *van licht en kleuren* the shifting p. of light and colour; *'t* ~ *bederven* mar the game, spoil sport; *een goed* ~ (*in handen*) *hebben* have a good hand; *goed* ~ *te zien geven,* (*sp.*) put up a good game; *vrij* ~ *hebben* have free play (free scope, full scope), have it all one's own way; *iem. vrij* ~ *laten* give a p. free play, leave a p. a free hand; *'t was alsof 't* ~ *sprak* it was an

extraordinary coincidence; *hoe staat 't ~?* how (what) is the game? what are the scores?; *'t ~ staat 16 gelijk* the game is 16 all; *hij heeft gewonnen ~* he has the game in his own hands; *'t ~ gewonnen geven* throw up one's cards, give up the game as lost; *'t ~ is verloren,* (*fig.*) the game is up; *hij heeft 't ~ in handen* he holds all the trumps (cards), has all the cards in his hands; *hij speelt zijn ~ met u* he is playing (trifling) with you, is making game of you; *eerlijk ~ spelen* play the game; *gevaarlijk ~ spelen* play a dangerous game; *hoog ~ spelen* play high, play for high stakes; *zijn ~ goed spelen,* (*fig.*) play one's cards well; *laat mij buiten ~* leave me out of it; *dat kwam erbij in 't ~* that played a part in it; *deze overweging komt hier in 't ~* comes into play here; *er is een dame in 't ~* there is a lady in the case; *..., dat er misdaad* (*misdrijf*) *in 't ~ is* the police suspect foul play; *hij liet me in zijn ~ zien* he showed me his hand; *op 't ~ staan* be at stake; *wat op 't ~ staat* the issue at stake; *alles op 't ~ zetten* stake (hazard) everything, stake one's all, go neck or nothing; *zijn leven op 't ~ zetten* stake (*of:* risk) one's life; *het schip was ten ~ aan de golven* was at the mercy of the waves; *zie* spelletje, land, enz.

spelbederf (*sp.*) time-wasting
spelbederver spoil-sport, wet blanket
spelboek spelling-book
spelbreker, -breekster *zie* spelbederver
speld pin; *men had een ~ kunnen horen vallen* you could have heard a pin drop; *er is geen ~ tussen te krijgen, a)* you can't get in a word edgeways; *b)* that (his reasoning, etc.) is air-tight (watertight); **~dek(n)op** pin's head; **~en** pin
spelden- pin; **~brief** paper of pins; **~geld** p.-money; **~koker** p.-case; **~kussen** p.-cushion; **~werk(ster)** lace-work(er)
speldeprik pin-prick (*ook fig.*); **~ken geven,** (*fig.*) *ook:* stick pins into
speldepunt pin-point
speldje pin; (*in 't haar, verschuifbaar*) slide; (*van collecte*) flag; (*van club*) badge; *er 'n ~ bij steken* put in the pin; **~sdag** *ongev.:* flag-day, (*Am.*) tag-day
spelemeien go a-maying, frolic, sport
spelen play (*ook van radio, fontein, brandspuit, zoeklicht, enz.*); have a game [of billiards, cards, etc.]; (*gokken*) gamble; (*theat.*) play, act [the play is ...ed to perfection]; *er werd niet gespeeld,* (*voetb., enz.*) (there was) no play; *goed ~* (*sp.*) put up a good game; *slecht ~* make a bad play [at bridge]; *beter ~ dan ik* outplay [a p.]; *jij moet ~* it is your game, your turn to p.; *de klokken speelden* the bells were chiming; *de klok speelt de kwartieren* the clock chimes the quarters; *een dodenmars ~, ook:* render a funeral march [on the organ]; *wat wordt er gespeeld?* (*in theat.*) what is on? what is playing?; *er wordt thans niet gespeeld* there is no p. on at present; *hij speelt Brutus tegenover Mevr. N.'s Portia* he plays B. to

Mrs. N.'s P.; *we hadden dit anders moeten ~,* (= *aanleggen*) we should have set to work (managed, tackled, contrived) this differently; *paardje* (*treintje, Indiaantje*) ~ p. (at) horses (trains, Red Indians); *rovertje ~* play at being bandits; *zie* schooltje ~; *piano ~* p. (on) the piano; *de gastheer* (*spion, enz.*) ~ p. the host (spy, etc.); *de oudere zuster ~* p. the elder sister (game) [*over mij* on me] (come the elder sister over me); *wij ~ samen, ook:* we are partners; *eerlijk* (*oneerlijk*) ~ p. fair (cheat at play); *hij speelt uitstekend* he is a first-rate player; *de muziek begon te ~* the band struck up; *laten ~* turn on [the gramophone]; play [searchlights, guns, etc.] [*op* on]; (*sp.*) play [Smith at full back]; *dat speelt mij door 't hoofd* (*de geest*) that is running through my head (brain, mind); *'t stuk* (*verhaal*) *speelt in ...* the scene is laid in (the story is set in) a little town, the action takes place in ...; *~ met zijn horlogeketting, enz.* play (toy, fiddle, trifle, fidget) with one's watch-chain, etc.; *ik laat niet met mij ~* I won't be trifled with; *met een idee ~* toy with an idea; *de wind speelt met haar lokken* plays with her curls; *met zijn leven ~* p. with one's life, court death; *speel niet met uw goede naam* (*geluk*) do not trifle with your reputation (happiness); *naar binnen ~* dispose of, dispatch, polish off [two platefuls]; *~ om geld* ('*n hoge inzet*) p. for money (high stakes); *om niet* (*niet voor geld*) ~ play for love; '*n glimlach speelde om ...* a smile was playing round his lips; *~ op* p. (on) [the harp, etc.]; *op het publiek ~* play up to the audience; *op winst ~* play for a win; *op zeker ~* play for safety, play safe; *op zien komen ~, zie* afwachtend ('*n ...e houding aannemen*); *~ over, zie* boven; *tegen iem. ~* play (against) a p. [the Harlequins are playing the Army team]; *voor Hamlet ~* p. (the part of) H., act H.; *voor Sinterklaas ~* p. Santa Claus; *voor gastheer ~* p. the host; *zie* gek, hoog, spel, enz.; **~d kind** child at play; **~derwijs:** *hij doet zijn werk –* his work is but play to him; *de zwaarste problemen – oplossen* make light work of the most difficult problems; *– promotie maken* get promotion without exerting o.s.; *hij zei 't –* he said so in sport (in fun)
speleoloog speleologist, potholer
speler player; gamester, gambler; musician, fiddler; performer, actor; *vgl. 't ww..; de gezamenlijke ~s,* (*theat.*) the cast; *zie* vals
spele: **~vaart** boating; **~varen:** *gaan –* go (out) boating; *aan 't – zijn* be (out) boating
spelfout spelling-mistake
speling play, tolerance; *zie* speelruimte; *~ der natuur* freak (*of:* sport) of nature; *door een ~ van het lot* by an ironic freak of fate
spelkunst orthography
spelleid(st)er games master (mistress); (*theat., film*) producer, stage-, film-director; (*radio, t.v.*) producer; (*bij revue, enz.*) compère
spellen spell (*ook* = *voorspellen: dat spelt ongeluk* it ...s disaster); *hoe wordt dit gespeld?*

how does it s.?; *verkeerd* ~ misspell

spelletje game; round [a ... of golf]; ~ *voor de huiskamer* parlour game; *een* ~ *doen* have a g.; *10 jaar was hij met datzelfde* ~ *bezig geweest* he had been at the same g. for ten years; *hij is nog met 't zelfde* ~ *bezig* he is still at the old g.; *dat* ~ *ken ik ook,* (*fig.*) two can play at this game!

spelling id., orthography; ~**hervormer** s.-reformer; ~**hervorming** s.-reform; ~**methode** orthographical method

spelonk cave, cavern, grotto; ~**achtig** cavernous; ~**bewoner** cave dweller (*of:* man), troglodyte

spelregel *a*) rule for spelling, spelling-rule; *b*) (*van enig spel*) rule (*of:* law) of the game

spelt (*plant*) id., bearded wheat

spelwedstrijd spelling-bee

spenderen spend [*aan* on], (*fam.*) spring [*aan* on, for], blow [*aan* on]; *zullen we er een dollar aan* ~? shall we have a dollar's worth?

spenen wean [*van* from; *ook fig.*]; *ik moet er mij van* ~ I must abstain from it (do without it); *gespeend kind* weanling; *hij is gespeend van ieder gevoel voor humor* he lacks all sense of humour; *'t* ~, **spening** weaning, (*wet.*) ablactation

sper: ~**ballon** barrage balloon; ~**boom** barrier, bar; ~**fort** barrier-fort

spergelkruid wild asparagus

sperketting barring-chain

sperma sperm

spermaceti id.; ~**olie** s.-oil

sperren *zie* versperren & opensperren

spertijd curfew

spervuur barrage, curtain-fire

sperwer sparrow-hawk

sperzieboon(tje) *zie* slaboon(tje)

spes patriae *ongev.:* the rising generation

speten skewer, string [herrings] on twigs

spett(er)en *zie* spatten

speurder sleuth, detective, (*sl.*) tec

speuren trace, track; *zie ook* bespeuren

speurhond (*ook fig.*) blood-, sleuth-hound, sleuth, tracker dog

speurtocht search, quest; **speurwerk** research, detective work (*ook politie*)

speurzin flair, [keen] nose

spichtig lank, weedy, spare(-built), peaky [old maid], pinched [face], spiky [hair]; spidery [handwriting]; *'n* ~ *meisje* a wisp of a girl; ~**heid** lankness, etc.

spie pin, wedge, peg, cotter; (*cent, sl.*) cent, bean; (*geld, sl.*) dough, oof, rhino, tin; (*spion, hist.*) spy

spieden spy; **spieën** pin, wedge

spiegat scupper(-hole); spy-hole [in door]; *zie* spuigat

spiegel mirror, looking-glass, glass; (*nat.*) mirror, reflector; (*van auto*) (driving-) mirror; (*med.*) speculum; [sedimentation] level; (*op vleugel van vogel*) speculum; (*mar.*) stern, (*deel ervan met de naam*) escutcheon; (*oppervlak*) surface, level [of the sea]; *hij keek in de* ~ he looked (at himself) in the glass; *blinken als een* ~ shine like a mirror; ~**beeld** image, reflection; (*schijnbeeld*) phantom, illusion; *in* – in reverse; ~**blank** as bright as a mirror; ~**ei** fried egg; (*van stationschef*) *zie* vertrekstaf; ~**erts** specular iron ore

spiegelen be as smooth as a mirror; (*met spiegelglas*) shine [a piece of mirror on the wall]; *zich* ~ look at o.s. in the glass (in shop windows, etc.); *zich* ~ *aan* take warning from, take example by; *die zich aan een ander spiegelt, spiegelt zich zacht* one man's fault is another man's lesson; he is a happy man who is warned by (takes warning from) another man's mistakes; *zie ook* weerspiegelen

spiegel: ~**gevecht** sham fight, mimic battle; ~**glad** as smooth as a mirror (as glass, as a mill-pond); (*in de winter*) icy [roads]; ~**glas** *a*) plate-glass; *b*) piece of mirror; *zie* spiegelen; ~**hars** *zie* vioolh.; ~**ijzer** spiegeleisen, specular iron; ~**ing** reflection; *zie ook* lucht–; ~**karper** mirror-carp; ~**kast** mirror(-fronted) wardrobe (*of:* cupboard); ~**lijst** l.-g. frame; ~**mees** *zie* koolmees; ~**microscoop** reflecting microscope; ~**raam**, ~**ruit** plate-glass window; ~**reflexcamera** reflex camera; ~**rog** sandy ray; ~**schrift** mirror (l.-g., reversed) writing; ~**telescoop** reflecting telescope, reflector; ~**vis** *zie* ~rog; ~**vlak** *a*) surface of a l.-g.; *b*) mirror (-like) surface; ~**zaal** hall of mirrors; ~**zool** clump(-sole)

spieken crib; **spiekpapiertje** crib

spier 1 muscle; 2 shoot, spire, blade (of grass); 3 (*mar.*) boom, spar; 4 (*vogel*) black martin; *geen* ~ not a bit; *geen* ~ *vertrekken* not move a m., not turn a hair, not twitch (bat) an eyelid; *zonder een* ~ *te vertrekken, ook:* without wincing, without flinching, without batting an eyelid; ~**bundel** muscle bundle

spiering smelt; *een* ~ *uitwerpen om een kabeljauw te vangen* throw (out) a sprat to catch a whale (a herring, a mackerel); *magere* ~, *zie* sprinkhaan

spier: ~**kracht** muscular strength, muscle [he lacks the necessary ...]; ~**maag** gizzard, muscular stomach; ~**naakt** stark naked; ~**pijn** muscular pain(s), pain(s) in the muscles, aching muscles; ~**reumatiek** muscular rheumatism; (*wet.*) myalgia

Spiers Spires, Speyer, Speier

spier: ~**schede** sheath of a muscle; ~**stelsel** muscular system; ~**tje** *zie* ~; ~**trekking** muscle twitch; ~**verrekking** sprain; ~**verstijving** muscle rigidity; ~**vezel** muscle fibre; ~**weefsel** muscle tissue; ~**werking** muscular activity; ~**wit** snow-white, as white as a sheet

spies spear, pike, javelin, dart

spiesdrager pikeman, spearman

spiesglans antimony

spieshert pricket, brocket

spiesvormig spear-shaped, hastate

spiets *zie* spies; **spietsen** spear [salmon, etc.], pierce, spit [on the bayonet], gore [the bull ...d him], transfix, impale

spijbelaar(ster) truant
spijbelen *ww.* play truant (from school); *zn.:* 't ~ truancy
spijk (*plant*) *a*) lavender; *b*) aspic
spijker nail; (*in schoen*) *zie* ~tje; *van* ~s *voorziene zolen* studded soles; *gloeiende* ~, (*fig.*) pinpoint of light; *de* ~ *op de kop slaan* hit the (right) n. on the head, strike home; ~s *met koppen slaan* get (come down) to business, get down to brass tacks, [let's] cut the cackle; ~s *op laag water zoeken* split hairs, carp, cavil; *zo hard als een* ~, *a*) as hard as nails; *b*) as poor as a church-mouse, hard up; *iets aan de* ~ *hangen* put off s.t., hang the matter up; *zie gat*; ~**balk** n.-box
spijker: ~**broek** (blue) jeans; ~**en** nail; ~**gat** n.-hole; ~**huid** (*mar.*) wood sheathing; ~**kop** n.-head; ~**pak** denims; ~**schoen** hobnailed boot; ~**schrift** cuneiform (characters, writing); *tafels in* – cuneiform tablets; ~**tang**, ~**trekker** n.-puller; ~**tje** tack [I have a ... in my shoe]; *vertind* – tin tack; ~**vast** *zie* nagelvast; ~**zool** studded sole
spijl bar; (*van stoel*) rung, round; (*van trapleuning*) baluster; (*van hek*) spike, pale; ~**mat** scraper mat
spijs food, fare; *spijzen* food(s) [flesh foods], viands, victuals; *verandering van* ~ *doet eten* a change of food whets the appetite, variety is the spice of life; ~ *en drank* meat and drink, eatables and drinkables; (= *amandel~*) almond paste; ~**brij**, ~**brok** chyme; ~**kaart** menu, bill of fare; ~**kanaal** *zie* ~verterings-; ~**lijst** *zie* ~kaart; ~**offer** meat-offering; ~**olie** edible oil
spijsvertering digestion; *stoornis in de* ~ digestive upsets; *slechte* ~ indigestion, dyspepsia; ~**skanaal** alimentary canal, food canal; ~**s-organen** digestive organs; ~**sstelsel** digestive tract; ~**sstoornissen** digestive upsets
spijt regret [for a loss; at being refused s.t.]; (*ergernis*) spite, vexation; *ijdele* ~ vain regrets; *in* (*ten*) ~ *van* in spite of, notwithstanding; *tot mijn* (*grote*) ~ (much) to my r.; *tot mijn* ~ *kan ik* ... I am sorry (*ook:* I am afraid) I cannot help you; *ik heb er* ~ *van* I regret it, I am sorry for it
spijten: 't *spijt me* I am sorry (for it); 't *spijt me dat* ... I am sorry ..., I regret ...; 't *spijt me u te moeten melden* I am sorry (I regret) to inform you ...; 't *spijt me voor u* I am sorry for you; 't *spijt mij van* 't *geld* I (be)grudge the money; 't *spijt me, maar ik geloof* 't *wèl* [is this your writing?] I am afraid it is: *ge hebt niets gedaan dat u behoeft te* ~ you've done nothing to be sorry for; ... *en dat zou me erg* ~ and I should be very sorry for it
spijtig (*met wrok*) spiteful; (*verdrietelijk*) *dat is* ~ that is a pity; *hij ging* ~ *heen* he went away in a huff; *hij zei* 't *in een* ~ *ogenblik* in a moment of pique; ~**heid** ...ness, spite
spijtoptant person regretting (unhappy) choice
spijzen *intr.* eat, dine; *tr. zie* spijzigen
spijzigen feed, give to eat; **-ing** feeding
spikkel spot, speck, speckle; ~**en** speckle; *ge-*

spikkeld behang mottled wall-paper; ~**ig** speckled
spiksplinternieuw bran(d)-new
spil pivot (*ook mil.*), spindle; (*as*) axis, axle (-tree); *vgl.* as; (*van wenteltrap*) newel; (*van draaibank*) mandrel; (*werktuig*) capstan, windlass; (*voetbal*) centre-half; *dat is de* ~ *waar alles om draait* that is the p. on which everything hinges (*of:* turns); *hij* (*dat*) *is de* ~ *van alles* he (that) is the p. of everything
spillage id., leakage
spillebeen spindle-shank; (*pers.*) [a] spindle-shanks, spindle-legged person
spilleleen female fief
spillen squander, waste, spill
spillezijde spindle (*of:* distaff) side
spilziek extravagant, wasteful, prodigal, thriftless; **spilzucht** extravagance, prodigality; (*van regering, enz.*) squandermania
spin spider; (*nijdige*) ~, (*fig.*) wasp; *zij is zo nijdig als een* ~ as cross as two sticks; *bij de wilde* ~*nen af* too outrageous for words
spinachtig spidery; ~**en** arachnida
spinazie spinach; ~**bed** s.-plot
spinde pantry, store-cupboard
spindel spindle
spindop spinneret, spinning nozzle
spindraad spider-thread
spinel id., spinel ruby
spinet id., virginal(s)
spin: ~**fabriek** spinning-mill; ~**huis** (*hist.*) spinning-house, house of correction; ~**klier** spinneret; (*van zijderups ook*) silk-gland; ~**machine** spinning-machine, -jenny
spinne: ~**kop** *a*) spider; *b*) sharp-tongued woman; *c*) type of post-mill; ~**krab** spider-crab
spinnen spin; (*tabak*) twist [tobacco]; (*van kat*) purr; *gesponnen glas* spun glass; *garen* (*zijde*) ~ *bij* reap profit from, make a nice thing out of; *je zult er geen* ... it will do you no good; *er is geen goed garen mee* (*met hem*) *te* ~ there is nothing one can do with it (he is quite hopeless)
spinner id.; ~**ij** spinning-mill
spinneweb cobweb, spider's web; ~**vlies** (*anat.*) arachnoid; **spinnewiel** spinning-wheel; **spinnig** (*fig.*) waspish; **spinnijdig** as cross as two sticks
spinorgaan spinneret
Spinozisme Spinozism
spin: ~**pot** (*techn.*) centrifugal spinning box; ~**rag** cobweb; ~**ragvlies** (*anat.*) arachnoid; ~**rok(ken)** distaff
spinsbek pinchbeck, prince's metal
spinsel (*van fabriek*) spinning(s), spun yarn; (*van insekt*) web; (*van zijderups*) cocoon
spinster spinner
spint sap-wood, splint-wood, alburnum; ~**(acht)ig** alburnous
spinwol spinning-wool
spion spy; (*van politie, sl.*) nark; *zie ook* ~netje; ~**age** espionage; **-net** spy ring; ~**eren** spy, play the s.; ~**netje** spy-, window-, spying-mirror, reflector

spiraal spiral; (*mech.*) coil; **~boor** twist drill; **~daling**, **~duiking** (*van vliegt.*) s. dive; **~lijn** s. (line); **~matras** s. spring mattress; **~sgewijze** spirally; *zich – bewegen* spiral; **~tje** intra-uterine device, I.U.D.; **~veer** coiled spring, s. spring; **~vorm** s. form; **~vormig** spiral, helical
spirea spiraea; (*knol~*) dropwort; (*moeras~*) meadow-sweet
spirit id., kick [a young man with ... in him]; **~isme** spiritualism, spiritism
spiritist spiritualist, spiritist; **~isch** spiritualist-(ic); *–e séance* spiritualist seance (*of:* meeting); **spiritualiën** (ardent) spirits, alcoholic liquors; (*Am.*) hard liquor
spiritualisme spiritualism
spiritualist spiritualist; **~isch** spiritualist(ic)
spiritueel spiritual; **spiritueus** spirituous
spirituosa *zie* spiritualiën
spiritus spirits, spirit, methylated spirit, meths; (*gramm.*) id.; *op ~ zetten* put into spirits; **~fabriek** distillery; **~komfoor**, **-stel** spirit (*of:* meths) stove; *klein –*, *ook:* etna; **~lamp(je)** spirit lamp
spit (*braad~*) spit; (*in rug*) crick (in the back), backache; lumbago; (*spadevol*) spadeful, spit, graft; *aan 't ~ steken* spit; **spitdraai(st)er** turnspit
spits I *bn.* pointed [nose, beard], sharp, spiry; acute [brain, remark]; *~ gezicht* p. (peaky) face; *~e ton*, (*mar.*) conical (*of:* nun) buoy; *~e toren* steeple; *~ toelopen* taper [...ing nails, fingers], end (terminate) in a point; *~ maken* point, sharpen; II *zn.* point; (*van speer, ook:*) (spear-)head; (*toren~*) spire; (*spits torentje*) pinnacle; (*plantk.*) acumen, cusp, tip; (*van berg*) peak, top, summit; (*verkeer*) peak hour, rush-hour; (*van leger*) point; (*hond*) spitz; *'t (de) ~ afbijten* bear the brunt of the battle, of the fighting; *de vijand 't (de) ~ bieden* make head against the enemy; *zich aan de ~ stellen* place o.s. at the head; *aan de ~ staan*, (*fig.*) hold pride of place, lead the van; *aan de ~ der beschaving staan* be in the van of civilization; *aan de ~ der beweging staan* head (form the spearhead of the movement; *'t op de ~ drijven* push matters to extremes, force the issue, bring things to a head; **~baard** pointed beard; **~belasting** (*techn.*) peak-load
Spitsbergen Spitzbergen, Svalbard
spits: **~boef** scoundrel, rascal; **~boevengezicht** gallows-face; **~bogenstijl** Gothic style; **~boog** pointed arch; **~boor** common bit, pointed drill; **~broeder** comrade, brother in arms
spitsen point, sharpen [a pencil]; *zich ~ op* set one's heart on, look forward to; *zie ook* oor
spits: **~heid** pointedness, sharpness; acuteness; **~hond** spitz; **~ig** pointed; **~kogel** *zie* puntkogel; **~muis** shrew(-mouse); **~neus** (person with a) pointed nose; **~roede:** *door de –n gaan* (*lopen*) run the gauntlet; **~speler** (*sp.*, *ongev.*) spearhead; **~uur** (*elektr.*) peak hour (period); (*fig.*) rush-hour, peak hour
spitsvondig (super)subtle, over-ingenious, quib-

bling, cavilling; fine-spun [theories]; **~heid** (super)subtlety, [legal] quibble, subtle distinction, distinction without a difference, nicety; *zich met ~heden ophouden* quibble, split straws
spitten dig, spade; **spitter** digger
spleen id.
1 spleet *o.v.t. van* splijten
2 spleet cleft, crevice, crack [the soles of his shoes were all cracks], chink, cranny, fissure, interstice; slit [of a pen]; **~oog:** *met ~ogen* slit-eyed [Chinese]; **~potig(e)** fissiped; **~sluiter** (*fot.*) focal plane shutter; **~vizier** (*mil.*) peep-sight; **~vleugel** (*van vliegt.*) slotted wing; **~voet** cloven foot; *met ~en* cloven-footed, -hoofed
spletig full of clefts (chinks, crevices)
splijtbaar cleavable, fissile, sectile, (*nat.*) fissionable
splijten split [wood; the gloves had ...], cleave, rend; (*nat.*) *zie* splitsen; *gespleten* cloven [hoof *of:* foot], split [lip, personality], cleft [palate], chapped [hands]; **-ing** cleavage, split, fission
splijtstof fissionable material
splijtzwam fission fungus (*mv.:* fungi), schizomycete; (*fig.*) seed(s) of disruption, disintegrating influence, divisive issue
splint (*sl.*) tin, brass, dibs
splinter splinter, shiver; *ik kreeg een ~ in m'n vinger* I ran a s. into my finger; *hij ziet de ~ in zijns broeders oog, maar niet de balk in zijn eigen* he sees the mote in his brother's eye, and not the beam in his own; *in ~s slaan* smash to smithereens (to matchwood); *de wagen ging tot ~s* was smashed (reduced) to splinters (matchwood); *de boot ging tot ~s tegen ...* went to flinders against the rocks; **~bom** fragmentation bomb; **~en** splinter, shiver; **~ig** splintered, splintery; **~nieuw** bran(d)-new; **~partij** s. party; **~tangetje** splinter forceps; **~vrij** shatter-proof [glass], safety [glass]
split slit, slash; (*van jas*) slit, vent; (*in vrouwenrok*) placket(-hole); (*Ind.*) split; (*steenslag*) chippings; **~erwten** split peas; **~gevaar** loose chippings; **~je** (*Ind.*) split; **~pen** split pin, cotter pin; **~ring** split ring
splits: **~baar** divisible; (*nat.*) fissionable; **~en** split (up), divide; (*touw*) splice [rope(s)]; (*nat.*) fission [uranium], split [atoms]; *zich –* split (up), divide [the train ...s into two portions at B.]; (*van weg ook*) branch, fork, bifurcate; **~er** splitter; splicer; *vgl. 't ww.;* **~ing** splitting (up), division, bifurcation; fork, road junction; splicing [of a rope]; (*biol.*, *nat.*) fission; (*fig.*) split [a party ...], disintegration; **-sprodukten** fission products; **~ring** split ring
splitvlag burgee
splitvrucht dehiscent fruit, cremocarp
spoed speed [travel with all (possible) ...], haste, expedition [do it with the necessary ...]; (*van schroef*) pitch; (*van vuurwapen*) twist; *~!* (*op brief*) urgent!; *met de meeste ~ uitvoeren* execute [an order] with the utmost dispatch, with all possible expedition; *met bekwame ~ behandelen, ~ maken met, ~ bijzetten* press [the

matter] forward, hurry up, expedite [the matter]; *iem. tot ~ aanzetten* hurry up a p.; *zie ook* haast; ~**bestelling** (*post*) express delivery; (~*order*) rush order; ~**cursus** intensive (accelerated, crash) course; ~**eisend** urgent, pressing

spoeden: (*zich*) ~ speed, hurry, hasten, rush [home]; *de dag spoedde ten einde* the day was wearing away quickly

spoedgeval (case of) emergency

spoedhuwelijk shot-gun marriage

spoedig I *bn.* speedy [end, recovery, return], quick; *een ~ antwoord* an early reply; *de ~e nadering van deze dag* the near approach ...; *de noodzaak van een ~e verkiezing* ... for an election soon; II *bw.* soon, speedily, quickly, before long, at an early date; ~ *daarop* by and by, presently; *zo ~ mogelijk, ook:* at the earliest possible date; *ze moet zo ~ mogelijk gewaarschuwd worden, ook:* no time should be lost in warning her

spoed: ~**karwei** rush job; ~**operatie** emergency operation; ~**order** rush order; ~**shalve** to expedite matters; ~**stuk** urgent document (letter, etc.); ~**telegram** urgent telegram; ~**vergadering** emergency meeting; ~**zending** express parcel

spoel spool, spindle, bobbin, shuttle; (*radio*) coil; (*van veer*) quill; (*van filmapparaat*) reel

spoel: ~**bak** rinsing-tub; (*fot.*) washing-trough, washer; ~**drank** gargle

spoelen 1 (*weverij*) spool; (*film, enz.*) wind; 2 wash, rinse, flush, sluice; *de mond* ~ w. (rinse) one's mouth; *de golven spoelden over het dek* the waves swept over the deck; *iem. de voeten* ~ make a p. walk the plank; *door de keel* ~ w. down; *alle zorgen van 't hart* ~ w. away (drown) all cares in drink; *'t spoelt, (van regen)* it's sluicing down

spoeling (*in branderij*) spent grains; (*voor varkens*) hog-, pig-wash, pig-swill, swillings, slop; *zie* varken; ~**bak** swill-trough

spoel: ~**kom** slop-basin; ~**machine** rinsing-machine; (*garenwinder*) bobbin-winder; ~**stelsel** water-closet (water-carriage) system; ~**tje** *zie* ~; ~**vormig** spindle-shaped, fusiform; ~**water** dish-water, slops; ~**worm** round-worm

spoetnik sputnik

spog spittle

spoken haunt, walk [her ghost still walked there]; *'t spookt daar* the place (house, etc.) is haunted; *'t heeft vannacht erg gespookt* the night has been boisterous; *jij bent al vroeg aan 't* ~ you are stirring (*of:* astir) early; *'t kan op de Zuiderzee* ~ the Zuyder Zee can be rough at times

spokerij walking (of ghosts)

1 spon *o.v.t. van* spinnen

2 spon bung

sponde (*lit.*) couch, bed, bedside

spondeus spondee

spongat bung-hole

sponning rabbet, groove, notch; (*van schuifraam*) runway; ~**schaaf** rabbet-plane

spons sponge; (*fig., drankzuchtige*) soak; *er de*

~ *over halen* pass the s. (draw a wet s.) over it

sponsachtig spongy; ~**heid** sponginess

spons: ~**en** (clean with a) sponge; ~~ **en zeepbakje** bath tidy, s. and soap-holder; ~**ezak** s.-bag; ~**gezwel** spongy excrescence; ~**rubber** sponge (*of:* foam) rubber; ~**steen** spongite; (*puimsteen*) pumice; ~**visser** s.-fisher, -diver

spontaan spontaneous; *'t -ane, zie* **spontaneïteit**

spontaneity

sponze(n), sponzig *zie* sponse(n), sponsachtig

spook ghost, spectre, phantom, spook; (*pers.*) toad, freak, [she is a perfect] horror, [an old] terror, [a ridiculous old] fright; (*fig.*) bogey [the war ...]; *'t rode* ~ the red bogey (*of:* spectre); *spoken zien,* (*fig.*) see lions in the way; ~**achtig** ghostly, spectral; ~**beeld** bogey; ~**dier** tarsier; ~**gestalte** phantom; ~**huis** haunted house; ~**schip** phantom ship; ~**sel** *zie* spook; ~**uur** witching (*of:* ghostly) hour, witching time; ~**verhaal** g.-story; ~**verschijning** (ghostly) apparition, spectre

1 spoor (*van ruiter; ook van gebergte*) spur; (*van affuit*) spade; (*van mast, kaapstander*) step; (*van bloem*) spur, calcar; (*bij paddestoelen e.d.*) spore; *hij gaf zijn paard de sporen* he set (put) spurs to his horse, dug his spurs into the horse's flanks; *hij heeft zijn sporen verdiend* he has won his spurs

2 spoor (*van voet*) footmark, footprint, track, trace, trail; (*van hert, enz. ook*) slot, spoor; ('*lucht*') scent; (*van wagen*) rut, track; (*van magnetofoon*) track; (*overblijfsel*) vestige, trace; (*spoorweg*) railway, rails, track; *sporen,* (*spoorwegwaarden*) railway stock (*of:* shares), rails; *sporen van nagels* marks of nails; *enkel* (*dubbel*) ~ single (double) track; *smal* (*wijd*) ~ narrow (broad) gauge; *geen* ~ *van* not a trace of; *geringe sporen blauwzuur* small traces of Prussic acid; *'t* ~ *vinden,* (*van jachth.*) pick up the scent, hit the line; *er is geen* ~ *van te vinden* not a trace of it is to be found; *ik zag geen* ~ *van hem* I did not see a sign (trace) of him; *ik heb zijn* ~ *verloren* I've lost track of him; *geen sporen nalaten* leave no traces; *de tijd had zijn sporen op haar voorhoofd gedrukt* time had left its mark(s) on her forehead; *een* ~ *volgen* follow a track, follow up a clue; *zijn* ~ *uitwissen* cover up one's tracks; *ik ben 't* ~ *bijster* I have lost my way, I've got off the track; *de honden waren 't* ~ *bijster* were at fault, had got off the scent; *zie verder* bijster; *iem. van 't* ~ *afhalen* meet a p. at the station; *hij is bij 't* ~ he has a job on the railways; *alles weer in 't rechte* ~ *brengen* put things right again; *iem. in 't rechte* ~ *houden* keep a p. straight; *iem. op 't* ~ *komen* get on a p.'s track, trace a p., track a p. down; *op 't verkeerde* ~ *komen* (*zijn*) get (be) on the wrong t(r)ack; *iem. op 't* ~ *brengen* put a p. on the track, on the (right) scent; *iem.* (*de politie enz.*) *op een vals* ~ *brengen* lay a false scent; *zie ook:* van 't ~ brengen; *iem. op 't* ~ *zijn* be on a p.'s track; *iets op 't* ~ *zijn* be on to s.t.; *de wagon kwam op een ander* ~ was shunted (switched off) to another track; *de wagens liepen op 't verkeerde* ~ ran on the wrong line; *op dood* ~ *rangeren, gaan* uitrangeren; *per* ~ by rail, by train; *de locomotief raakte uit het* ~ got off the metals (rails), left the track, was (*of:* got) derailed; *iem. van het* ~ *brengen* throw (put, turn) a p. off the track (the scent); *van 't* ~ *raken* get off the track

spoor-[1] railway, (*vooral Am.*) railroad: ~**baan** railway, permanent way; (*vooral Am.*) railroad; ~**boekje** (r.) time-table, r.-guide; ~**boom** (level) crossing barrier; ~**boot** *zie* ~**pont**; ~**breedte** (*van auto*) track; *zie* ~**wijdte**; ~**brug** r.-bridge; ~**dijk** r.-embankment; ~**hotel** r.-hotel; ~**kaartje** r.-ticket; (*mil.*) r.-warrant; ~**lijn** r.(-line); (*'t spoor*) r.-track; ~**loos** trackless; – *verdwijnen* vanish without (leaving) a trace vanish into space (into thin air), be spirited away; ~**pont** train ferry

spoorraadje (spur-)rowel

spoorreis rail(way) journey, j. by rail

spoorriem spur-strap

spoorslag spur, incentive, stimulus, fillip; *tot* ~ *dienen* spur on, stimulate, give a fillip [to trade]

spoorslags at full (at the top of one's) speed, [ride] whip and spur, hell for leather; *ze reed* ~ *vooruit* she spurred ahead

spoor-[1] railway, (*vooral Am.*) railroad: ~**staaf** rail; ~**stang** tie-rod; ~**stok** (*van wagen*) splinterbar; (*in roeiboot*) stretcher; ~**student** *ongev.:* non-resident (student), day student; ~**tijd** r.-time; ~**trein** r.-train; ~**verbinding** r.-connection, -communication; ~**vracht** (*van pers.*) r.-, train-fare; (*van goederen*) r.-charges, railage, (r.-) carriage; ~**wagen** r.-carriage; *zie* wagon

spoorweg[2] railway, (*vooral Am.*) railroad: ~**aandeel** r.-share; ~**ambtenaar** r.-official; ~**beambte** r.-employee; ~**conducteur** r.-guard; (*Am.*) r.-conductor; ~**dienst** r.-service; ~**directie** r.-board; ~**emplacement** r.-yard; ~**fondsen** r.-securities; ~**gids** *zie* spoorboekje; ~**halte** *zie* halte; ~**hek** level crossing gate; ~**kaart** r.-map; ~**knooppunt** r. junction; ~**maatschappij** r.-company; ~**materieel** r.-material, r.-plant; ~**net** r.-system, network of railways; ~**obligatie** r.-bond, r.-debenture; ~**overgang** level (*Am.* grade) crossing; *bewaakte* – gated (guarded) l. c.; *onbewaakte* – unguarded l. c.; ~**personeel** r.-men; ~**politie** r.-police; ~**rijtuig** r.-carriage, coach; ~**station** r.-station; ~**tarieven** r.-rates; ~**verkeer** r.-traffic; ~**waarden** r.-stock, -shares, (*fam.*) rails; ~**wachter** signalman, gate-keeper; level-crossing keeper; (*wisselwachter*) pointsman; ~**werkplaats** r.-workshop; ~**wet** r.-act

spoorwijdte (railway) gauge

spoorzoeker tracker

spoot *o.v.t. van* spuiten

Sporaden: *de* ~ the Sporades

sporadisch sporadic, *bw.:* -ally

spore (*plantk.*) spore, sporule

sporen go by rail; *twee uur* ~*s* a two-hours' train-journey; (*van wielen*) track

sporenelement trace element

Sporenslag: *de* ~ the Battle of the Spurs

sporeplant cryptogam

1 sport (*van ladder, stoel, enz.*) rung (*ook fig.:* start at the lowest ... of the ladder; rise from the lowest ... of the ladder to the highest), round; *op de hoogste* (*laagste*) ~ *van de maatschapp. ladder staan* be at the top (the bottom) of the ladder; *hij heeft de hoogste* ~ *van de ladder bereikt*, (*fig., ook:*) he has got to (is at) the top (of the tree)

2 sport id.; *hij houdt niet van* ~ he is not a sporting man; *kennis van* ~ sporting knowledge; ~**artikelen** sports goods; *handelaar in* – sports goods dealer; ~**auto** sports car; ~**beoefenaar** sportsman; ~**beoefening** playing games; ~**berichten** *zie* ~**nieuws**; ~**blad** sporting-paper; ~**broek** knickerbockers, knickers, plus fours; *korte* – shorts; ~**club** sporting club; ~**feest** sports-festival; (*voor ruiters*) gymkhana; ~**hal** sports hall; ~**hemd** sports-shirt; ~**ief** *a*) fond of (good at) sports; *b*) sporting [offer, conduct; 'that's very sporting!'], sportsmanlike; *c*) sporty, showy [tie], casual [shirt]; – *zijn* be a sport; ~**iviteit** sportsmanship; (*helgekleurd*) ~**jasje** blazer; ~**journalist** sports writer; ~**kar** mail-cart; ~**kleding** sportswear; ~**kostuum** sports-suit, -costume; ~**kousen** knee-socks; ~**kringen** sporting-circles; ~**liefhebber**, ~**man** sporting man, sportsman; *als een* –, *ook:* [take defeat] in a sporting spirit; ~**lievend** sport(s)-loving; ~**nieuws** sporting-news, sports news; ~**pantalon** slacks; ~**redacteur** sports-editor; ~**stuur** drop handlebars; ~**terrein** sports-ground, s.-field; ~**trui** sweater; ~**uitrusting** sports equipment; ~**uitslagen** sporting results; ~**veld** playground, sports field; ~**vliegen** *zn.* private flying; ~**vlieger** owner (*of:* amateur) pilot; ~**vliegtuig** private aeroplane; ~**wagen** sports car; ~**wereld** sporting-community, -world; ~**winkel** sports shop

1 spot spot(light); [T.V.] spot

2 spot mockery, ridicule, derision; *de* ~ *drijven met* mock (scoff, sneer) at, make game of, poke fun at; *ten* ~ *van allen* exposed to the m. of everyone; *de* ~ *zijn van* be the laughing-stock (the mockery) of; ~**achtig** scoffing, mocking, derisive; ~**beeld** caricature; ~**boef** mocker, scoffer; ~**dicht** satirical poem, satire; ~**goedkoop** dirt-cheap; ~**koopje** snip; ~**lach** mocking (jeering) laugh (smile), sneer, jeer; ~**lied** satirical song; ~**lijster** *zie* ~**vogel** (*eig.*); ~**lust** love of mockery; ~**naam** nickname, by-word; ~**prent** caricature, (political) cartoon; ~**prijs** ridiculously low price, nominal (bargain, *sterker:* ruination) price; *voor een* –, *ook:* for a (mere) song, dirt-cheap; ~**rede** diatribe; ~**schrift** satire, lampoon

---

[1] *Zie ook* spoorweg...
[2] *Zie ook* spoor...

spotten mock, scoff, sneer, jeer; ~ *met* mock (scoff, sneer, jeer, gird) at, deride; (*fig.*) defy, bid defiance to [the elements], set [rules, etc.] at defiance, flout [the wishes of the nation]; *'t is niet om mee te ~* it's no joking matter; *'t spot met alle beschrijving* it beggars (defies) description; *hij laat niet met zich ~* he is not be trifled with, stands no nonsense; *hij spot met alles* he makes fun (makes game) of everything; *ik spot met uw bedreigingen* I defy (laugh at) your threats; ~*d gejouw* derisive hooting

spottenderwijs mockingly, jeeringly

spotter, -ster mocker, scoffer

spotternij mockery, derision, taunt, gibe

spot: ~**vogel** icterine warbler; *Amerikaanse* – mocking-bird; (*fig.*) mocker, scoffer; ~**ziek** *zie* ~achtig; ~**zucht** love of scoffing (mockery, satire)

spouw split, cleft; ~**en** split; ~**isolatie** cavity filling; ~**muur** hollow wall, cavity wall

spraak speech, language, tongue; *alleen de ~ ontbreekt eraan* nothing but speech is wanting; *zie ook* sprake & derde; ~**belemmering, ~gebrek** s.-defect, s.-impediment; ~**gebrekkige** person with an impediment in his s., stammerer; *kliniek voor –n* speech clinic; ~**gebruik** usage; *in 't gewone* – in common parlance, in colloquial s.; *in 't medische* – in medical parlance; ~**geluid, ~klank** s.-sound; ~**kunst** grammar; ~**kunstenaar** grammarian; ~**kunstig** grammatical; ~**leer** grammar; ~**leraar** teacher of voice production (of elocution), speech-training master (*vrouw:* mistress), elocutionist; ~**orgaan** organ of s.; ~**verlies** aphasia, loss of speech; ~**vermogen** power of s.; ~**verwarring:** *Babylonische* – confusion of tongues, (*fig. ook*) [a perfect] babel (of tongues); ~**water** *a*) a drop of something, (strong) drink; *b*) talkativeness; ~**wending** turn of s.; ~**werktuig** organ of s.

spraakzaam talkative, chatty, gossipy; *weinig ~, ook:* uncommunicative, monosyllabic; ~**heid** ...ness, loquacity, garrulity

sprak *o.v.t. van* spreken

sprake: *er was ~ van geweest* there had been (some) talk of it; *er is ~ van oorlog* there is talk of war; (*daar is) geen ~ van!* not a bit of it! nothing of the sort! never! certainly not! that is (altogether) out of the question; *er is geen ~ van ...* there is no question of love between them; *als er ~ is van geld* when it is a question of (when it comes to) money; *in dit geval is er ~ van diefstal* it is a question of theft; *ter ~ komen* come up (for discussion), (*toevallig*) crop up; *een onderwerp* (*kwestie*) *ter ~ brengen* introduce (broach, raise, moot) a subject (a question), bring a subject on the carpet (the tapis), bring it up (for discussion)

sprakeloos speechless, dumb, tongue-tied, inarticulate; blank [amazement]; *hij stond ~, ook:* he was beyond speech; ~**heid** ...ness

spronk spark; (*stroompje*) water-course; ~**el** spark(le); ~**elen** sparkle [*van* with]; ~**je** *zie* ~;

een – hoop a gleam of hope; *geen –* [there is] not a spark [of good, of generosity in him]

spreek: ~**beurt** (speaking-, lecture-, lecturing-) engagement, lecture, talk; *een – vervullen* deliver a lecture (*... niet kunnen ...* be unable to fill one's lecturing-engagements), give an address; ~**buis** speaking-, voice-tube; (*fig.*) mouthpiece; ~**cel** (*telef.*) call-box; ~**fout** slip of the tongue; ~**gestoelte** pulpit [*ook fig.:* this paper has always been the ... of the people], tribune, (speaking-)platform, rostrum; *'t – bestijgen* mount (*of:* ascend) the pulpit, etc.; ~**hoorn** ear-trumpet; ~**kamer** (*van arts, enz.*) consulting-room, (*Am.*) office: (*in klooster*) parlour, locutory; ~**koor** speaking-chorus, chant; ~**les** lesson in voice production, elocution lesson; ~**oefening** *a*) speech-training; *een* – a speaking-exercise; *b*) conversational exercise; ~**onderwijs** speech training, instruction in voice production (*of:* elocution); ~**ster** (woman, lady) speaker; ~**taal** spoken language, colloquial speech (*of:* language); ~**trant** manner of speaking; ~**tribune** *zie* ~gestoelte; ~**trompet** speaking-trumpet; (*fig.*) mouthpiece; ~**uren, -uur** hours of business [1 to 2]; (*van advocaat, enz.*) office-hours; (*van dokter*) consulting-hour(s), surgery hour(s) (*ook:* Hours from 11 a.m.–12 noon; Dr. Butt, at home 8–9); – *houden* give consultations; *hij houdt – van 2–4* he is at home (is available for consultation) from 2–4; ~**vaardigheid** fluency; ~**vertrek** *zie* ~kamer; ~**wijze** phrase, locution, [old] saw

spreekwoord proverb, adage; ~**elijk** proverbial; – *worden* pass into a proverb, become a by-word; *de – verstrooide professor* the proverbially absent-minded p.; ~**enboek** dictionary of proverbs

spreeuw starling

sprei bedspread, counterpane, coverlet

spreiden spread; (*van vakanties*) stagger; *een bed ~* make a bed; *zie* tentoon~; ~**d** spreading, divergent; **spreiding** spread(ing); dispersal; (*mil.*) dispersion; (*van vakanties, enz.*) staggering; (*van bezit*) spreading

sprei(d)licht floodlight

spreidstand (*gymn.*) straddle

spreken I *ww.* speak, talk; *die cijfers ~* those figures tell their own tale (*of:* story); *ik luisterde en hij sprak* and he did the talking; *ge behoeft maar te ~* s. (say) the word; *hij is niet te ~* you can't see him, he is engaged, is invisible; *voor niem. te ~ zijn* not be at home to anybody; (*student in Oxf. of Cambr.*) sport one's oak; *ik kon hem niet te ~ krijgen* I failed to get an interview with him; *niet goed te ~* in a bad temper; *daar ben ik niet over te ~* I'll have none of it; *Oom is niet best over hem te ~* is far from pleased with him (his behaviour, etc.); *hij is slecht over je te ~* he is annoyed with you; *om maar niet te ~ van* to say nothing of, let alone, not to mention [his manners]; *hoe spreekt 't hondje dan?* speak! beg! what does a good dog say?; *hij kon bijna niet* *meer* ~ he was almost past speech; *iem.* ~ s. to a p.; *ik moet hem absoluut* ~ I have very particular (urgent) business with him; *ik moet je eens even* ~ I want a word with you; *mag ik mijnheer N. even* ~? can I see (s. to) Mr. N. for a moment? can I have a word with Mr. N.?; *ik spreek veel mensen* I get around; *ik zal je morgen wel* ~, *baasje!* I'll have my say out with you to-morrow, young man!; *ik spreek je nog wel*, *(ook bedreiging)* I'll see you later; *Duits (Engels, enz.)* ~ *als een Duitser, enz.* speak German (English, etc.) like a native; ~ *met* s. (talk) to (with); *spreek ik met* ...? *(telef.)* that you, Daphne? is that the Gas Board?; *met wie spreek ik?* who is (it) speaking?; *u spreekt met* ... (this is)W. speaking; I am Maggie; *we* ~ *niet met (tegen) elkaar* we are not on speaking terms; *hij maakte, dat we weer met elkaar spraken* he put us on speaking terms again; *om met Shakespeare (de psalmist) te* ~ to quote S., in the words of the P.; ~ *over* s. (talk) of (about), s. on [a subject]; *heeft iem. van u erover gespr.? ('t genoemd)* has any of you mentioned the matter?; *over zaken (financiën, de kunst, 't vak)* ~ talk business (finance, art, shop); *laten we over wat anders* ~ let us change the subject; ~ *tegen* s. to *(zie ook bov.)*; *spreek er tegen niem. over, ook:* do not breathe a word of it to anyone; ~ *tot* s. to; *(fig.)* appeal to [it ...ed to their sense of fairness], strike [the imagination]; *uit haar blikken sprak wantrouwen* her eyes looked distrust; *uit iedere regel sprak wantrouwen* distrust was revealed in every line; *uit zijn houding spreekt een verlangen naar sympathie* his attitude bears witness to ...; *men sprak ervan dat* ... there was (some) talk of the house being pulled down; *zijn gebogen houding sprak van* ... his stoop spoke of labour in the fields; *je moet maar goed van je af* ~ you should stand up to them (him etc.); *hij sprak van zich af* he gave as good as he got; *hij weet van zich af te* ~ he can stick up for himself, knows how to hold his own; *van zich doen* ~ make o.s. conspicuous, get talked about; *(gunstig)* make one's mark, [*hij zal* ... he is a coming man]; *'t erop aanleggen om van zich te doen* ~ advertise o.s., be out for advertisement, keep one's name well before the public; *hij deed in zijn tijd veel van zich* ~ he made a great noise *(of:* stir) in his time; *de mensen* ~ *goed (kwaad) van u* people s. well (ill) of you; *van* ... *gesproken* speaking (talking) of ..., apropos of ...; *dat spreekt vanzelf* that is a matter of course (stands to reason, goes without saying, is understood); *zijn verdiensten* ~ *voor zichzelf* his merits are self-evident; *dat feit spreekt voor zichzelf* that fact speaks for itself, tells its own story; *~de voor de Regering (in Parl. ook)* Mr. B., acting for the Government; *zie ook* praten, goedspreken, enz.; II *zn.:* 't ~ *werd hem (door geschreeuw) belet* he was howled (shouted) down; ~ *is zilver, zwijgen is goud* speech is silver, silence is gold(en); *zie* l wijs

sprekend speaking *(ook fig.:* a ... likeness = a close resemblance); ~*e film* talking picture *(of:* film); *(fam.)* talkie; ~*e ogen* s. (talking) eyes; ~*e trekken (bewijzen)* striking features (proofs); ~*e registers (van orgel)* s. stops; ~*e cijfers* telling figures; ~*e naam* significant name; *een* ~ *voorbeeld* a vivid example; ~ *wapen, (her.)* allusive *(of:* canting) arms; *dit portret lijkt* ~ it is a s. likeness; *ge lijkt* ~ *op uw vader* you are your father all over, are the very image *(fam.:* the very spit) of (bear a striking resemblance to) your father; *zie* vanzelfsprekend

spreker speaker, lecturer, orator; *een goed* ~, *ook:* a good platform speaker

sprengen sprinkle, water

sprenkel *(vlekje)* speck; *(vonkje)* spark(le); *(strik)* snare; *(val)* trap; ~**en** sprinkle; *(bij 't strijken)* damp; ~**ing** sprinkling

spreuk motto, aphorism, apo(ph)thegm, maxim, (wise) saw; *(spreekw.)* proverb; *de S~en* (the Book of) Proverbs; ~**achtig**, ~**matig** sententious; ~**enboek** book of aphorisms

spriet blade [of grass]; *(van insekt)* antenna *(mv.:* antennae), feeler; *(mar.)* sprit; *(vogel)* corncrake, landrail; = ~**antenne** whip aerial; ~**(er)ig** *zie* spichtig; ~**je** thin cigar; ~**zeil** spritsail

spring: ~**ader** *(vero.)* spring, fountain-head; ~**bak** *(van bed)* box-mattress; ~**balsemien** *zie* ~zaad; ~**bok** id.; *(gymn.)* vaulting-buck; ~**bron** spring, fountain; ~**cicade** leaf-hopper; ~**concours** show-jumping contest

springen spring, jump, leap; *(~d voortgaan & van bal)* bound [... forward]; *(op hand(en) steunend)* vault [... into the saddle]; *(huppelen)* skip; *(knappen)* snap; *(scheuren)* crack, rupture; *(van huid)* chap; *(uiteen)* burst, explode; *(van fontein)* play, spout; ~ *met gesloten voeten van de plaats* s. at a stand; ~ *met aanloop* take a running jump; *hij kan hoog of laag* ~ whatever he does; *de snaar sprong* the string snapped; *de band sprong* the tyre burst, blew out, *(fam.)* went pop; *de stoomketel sprong* the boiler burst; *de zaak is gesprongen* the business has gone smash; *op* ~ *staan, (van zaak, enz.)* be on the verge of bankruptcy; *hij zat te* ~ *op zijn stoel* he could hardly keep seated; *laten* ~ spring [a mine], blast [a rock], let [the fountains] play, break [the bank]; *in 't water* ~ leap (jump, plunge) into the water; *in een omnibus* ~ board a bus; *iem. naar de keel* ~ jump at a man's throat; *ze staan ernaar te* ~ they are itching for it; *we zitten er om te* ~ we are in urgent need of it; *we zitten te* ~ *om* ... we can't wait to (for)...; *hij sprong op ons af* he sprang at us; *over een sloot* ~ leap *(of:* clear) a ditch; *'t paard sprong prachtig over 't hek* cleared (leapt) the gate beautifully, *(bij rennen)* took the hurdle beautifully; *ik sprong over 't hek* I vaulted over the gate; *uit bed* ~ jump out of bed; *uit een vliegtuig* ~ bail out; *hij sprong van 't paard* he leapt from his horse; ~ *van vreugde* leap (jump) for joy; *gesprongen* burst [motor-tire, water-pipe], chapped [hands]; (*van anker*) atrip, aweigh; *zie* hak, oog, pols, traan, vel, zij(de), enz.

spring: ~er jumper, leaper; –ig fidgety [child]; wiry [hair]; ~**fontein** fountain; ~**granaat** high-explosive shell; ~**haas** jumping-hare; ~**hengst** *zie* dekhengst; ~~**in**-'t-veld madcap, colt, romp; (*meisje*) tomboy; ~**kever** spring-beetle, skip-jack; ~**kruid** spurge; ~**lading** (*in granaat*) bursting-charge; (*voor rotsen*) blasting-charge; ~**levend** alive and kicking, [she is] very much alive; ~**matras** spring-mattress; ~**mes** switchblade (knife), switch-knife; ~**middelen** explosives, blasting-materials; ~**net** spring-net; (*bij brand*) jumping-sheet; ~**oefening** jumping-, leaping-, vaulting-exercise; ~**paard** jumper; (*gymn.*) vaulting-horse; ~**plaats** jumping-off place; ~**plank** jumping-, spring- (*om te duiken:* diving-) board; (*fig.*) jumping-off board, springboard; ~**riem** martingale; ~**slot** spring-, snap-lock; ~~**spin** jumping-spider; ~**staart** springtail; ~**stof** explosive; ~**stok** leaping-pole; ~**teugel** martingale; ~**tij** spring-tide; ~**toestel** (*voor hoogtesprong*) (pair of) jumping-stands; ~**tor** *zie* ~kever; ~**touw** skipping-rope; ~**veer** spiral (metallic) spring; ~**veren** matras (*zitting*) spring mattress (seat); ~**vloed** (high) spring-tide; ~**zaad** touch-me-not, balsam, noli me tangere; ~**zeil** (*brand*) zie ~net

sprinkhaan locust, grasshopper; *magere ~* thread-paper; ~**zwerm** l.-swarm

sprint id.; ~**en** sprint; ~**er** id.; ~**wedstrijd** sprint-race

sprits (butter) shortbread

spritsen (*germ.*) sprit, squirt, spout

sproei: ~**en** sprinkle, water; (*tegen ongedierte*) spray; ~**er** *a*) (*van gieter*) rose(-head), spray-nozzle; *b*) (*van motor*) jet; *c*) *zie* tuinsproeier; ~**middel** spray; ~**wagen** water(ing)-cart, sprinkler

sproet freckle; ~**en krijgen** freckle; ~**(er)ig** freckled

sproke (*hist.*) (medieval) tale

sprokkel dry stick; ~**aar(ster)** wood-gatherer; (*fig.*) compiler; ~**en** gather [dry sticks]; ~**hout** dry sticks, dead wood; ~**ing** wood-gathering; –*en*, (*fig.*) gleanings; ~**maand** February

1 sprong *o.v.t. van* springen

2 sprong jump, leap, spring, bound, caper, gambol; (*muz.*) skip; (*luchtv.*) hop; *ook* ~ hazesprong; *~ in 't water* (*hoofd vooruit*) header [take a ...]; *~ van de plaats* standing j.; *zie* aanloop; *een ~ doen* make (take) a spring (a leap); *hij heeft een hele ~ gedaan*, (*fig.*) he has made a great stride forward; *kromme ~en maken* cut capers; (*fig.*) give o.s. up to all kinds of extravagances; *de ~ wagen*, (*ook fig.*) take the plunge; *dat is een hele ~*, (*fig.*) a big j., a far cry; *een ~ in 't duister* (*doen*) (take) a leap in(to) the dark; *zich door een ~ redden* jump clear, jump to safety; *met een ~* at a bound (*of:* leap); *met ~en* by jumps; (*zeer snel*) by leaps and bounds; (*mil.*) [advance] by rushes;

met ~en vooruit (*omhoog, omlaag*) *gaan* advance (go up, go down) by leaps and bounds; *de prijs ging met een ~ omhoog* went up at (with) a bound; *met een ~ stijgen tot ...* jump to £40,000; *de kosten van levensonderhoud gaan met ~en omhoog* the cost of living is soaring; *ik stond op ~ om te ...* I was on the point of ...ing; ~**etje** skip, hop; ~**gewricht** hock, hough; ~**sgewijs** abrupt [changes]; *zie ook ~* (*met ~en*)

sprook *zie* sproke

sprookje nursery-, fairy-tale; *uit een ~* fairy [prince, princess]; *~ van Moeder de Gans* Mother Goose's (Mother Hubbard's) tale; *iem. ~s vertellen*, *zie* wijsmaken; ~**sachtig** fairy-like; ~**sprins** Prince Charming; ~**sschrijver** writer of fairy-tales; ~**sverteller** story-teller

sproot *o.v.t. van* spruiten

sprot sprat

spruit sprout, shoot; (*eig. & fig.*) sprig, scion, offshoot; (*plantk.*) surculus, *mv.*: -i; (*van gieter*) spout; (*techn.*) branch pipe; ~**en**, (*fig. ook*) issue, offspring; *adellijke ~* sprig of (the) nobility; *mijn ~en* my kids (youngsters); *zie ook ~jes*

spruiten sprout, shoot; (*aardapp. in kelder*) grow (out), sprout; *uit een adellijk geslacht gesproten* descended from a noble race; *zie* afstammen

spruitjes, spruitkool (Brussels) sprouts

spruitstuk header; (*meervoudig*) manifold

spruw thrush, aphtha; (*de vlekjes*) aphthae (*mv.*); *Indische ~* sprue, tropical thrush

spugen spit; *zie* spuwen

spui sluice; ~**en** sluice; (*stoomketel*) blow off; (*fig.*) let in fresh air; ventilate [one's grievances]; (*hand.*) unload [securities; he ...ed before the slump came]; ~**er** (*van dak*) gutterspout, (*in vorm van dier of monsterkop*) gargoyle; ~**gat** scupper(-hole); *dat loopt de –en uit* it goes beyond (it passes) all bounds, it is outrageous; ~**kraan** blow-off cock; ~**sluis** sluice

spuit syringe, squirt; (*voor verf enz.*) spray-gun; (*brand-*) (fire-)engine; (*paraplu: sl.*) brolly, gamp; (*geweer: sl.*) gas-pipe; *~ elf geeft modder* hear who's talking, hark at him (at her); ~**bus** spray (can); ~**en** spout, squirt, spirt, spurt, syringe; (*inspuiten*) inject; *water tegen de ruiten ~* spray the windows [with a hose]; *spuitwater – in ...* squirt soda-water into ...; *–de bron*, *zie* ~er; ~**er** spouter, squirter; (*petroleumbron*) spouter, gusher; ~**fles** siphon; –*je* (*voor odeur*) scent-spray; ~**gast** hoseman, (fire-)engine man; ~**gat** (*van walvis*) blow-, spout-hole, spiracle; ~**(en)huis** engine-house; ~**je** *zie* ~; (*med.*) injection; ~**meester** head fireman; ~**pijp** nozzle (of a firehose); ~**slang** hose; ~**vis** cuttle-fish; ~**water** soda-water, aerated water; (*sl.*) [whisky and] splash; ~**zak(je)** forcing bag

spul (*goedje*) stuff; (*kraam*) booth; (*equipage*) [a smart] turn-out; (*last*) trouble; *goed ~* good s.; *ik heb heel wat ~ met die jongen* that boy gives me a good deal of trouble; ~len, (ge-reedschap) implements, tools; (boeltje) things, traps, sticks (of furniture), (personal) effects, belongings; (kleren) togs, duds, things; mijn zondagse ~len my Sunday togs (of: best); pak je ~len bij elkaar pack up your traps; ~lebaas, -man showman; ~lelui show-people; een mooi ~letje een armoedig – a twopenny(-halfpenny) concern; zie verder ~

spurrie spurry
spurten spurt, spirt, sprint [I had to ... for my tram]
sputteren sputter, splutter
sputum id.
spuug spittle, saliva; ~bak spittoon; ~bakje (mar.) vomiting-pan; ~drank emetic; ~lelijk frightful; ~lok kiss-me-quick, cow-lick; (Am.) spit-curl; ~misselijk sick to death
spuw: ~bak spittoon; ~en spit [blood, fire], squirt [tobacco-juice], expectorate; (braken) vomit, be sick, bring up, (volkst.) spew; vuur en vlam –, (ook van pers.) spit fire, be in a towering rage; ik ~ op die vent I spit upon (of: at) the fellow; ~er (van dak) zie spuier; ~sel spittle, vomit
Sri Lanka id.
st! sh! sh-sh! s-s-sh! hush! mum!
St. St., Saint
staaf bar; (van hout) stick, stave; (van goud) ingot; ~antenne (Eng.) rod aerial, (Am.) flagpole antenna; ~batterij flashlight battery; ~ diagram histogram; ~goud b.-gold, gold in bars; ~ijzer b.-iron; ~magneet b.-magnet; ~vormig (wet.) baculiform; ~zilver b.-silver, silver in bars
staag zie gestadig
staak stake, pole; pea-stick; bean-pole (ook fig.); (her.) branch; ~heining wooden fence
staal 1 steel (ook medicijn); zie ijzer; 2 (monster) pattern, specimen, sample; ~achtig steely, steel-like; ~artsenij zie -middel; ~bad s. (of: chalybeate) bath; ~blauw s.-(steely)blue [sky, diamond]; ~boek pattern-, sample-, design-book; ~borstel (steel) wire-brush; ~bron chalybeate spring; ~constructie s. construction; ~draad s.-wire; –kabel s. rope; wire rope; –matras wire-wove(n) mattress; ~drank s. wine; ~droppels s. (of chalybeate) drops; ~fabriek s.-works (mv. id.); ~fabrikant s.-manufacturer; ~gieterij s.-foundry; ~grauw, ~grijs steely-grey [eyes]; ~graveur s.-engraver; ~gravure s.-engraving; ~hard (as) hard as s.; ~houdend chalybeate; ~kaart pattern-card; ~kabel steel cable, hawser; ~kleur steely colour; ~kleurig s.-coloured; ~kuur s.-cure, course of s.; (Rembrandts) S~meesters (R.'s) Syndics (of the Cloth Guild); ~middel s. (of: chalybeate) medicine; ~plaat zie ~gravure; ~pletterij steel-rolling mill; ~tje sample, etc. (zie ~); (fig.) sample [that is a ... of his manners]; specimen; piece [of carelessness, wisdom, etc.]; een knap – van bouwkunst, (techn.) an extraordinary feat of engineering; 't is een – van mijn plicht it is part of my duty,

it is up to me [to see that ...]; ~vijlsel s.-filings ~water s. (of: chalybeate) water; ~waterbron zie ~bron; ~werk(er) s.-work(er)
staan stand, be; (blijven ~) stop; (van kleren enz.) become, suit [this dress won't ... you] (van tol) sleep, be asleep; (= geschreven of gedrukt zijn) be, say (it says in the Bible, it says so in the book); er ~ veel gegevens in het boek many data are to be found in the book; bij mijn werk moet ik de hele dag ~ I am on my feet all day; sta! (tot paard) whoa! wo! wo-ho!; staat! (mil.) eyes front!; er staat geschreven it is written; ~ of vallen s. or fall [samen together; met with, by: the government will s. or fall with the bill; the whole argument stands or falls with (hangs on) ...]; zie toezien; de mens zoals hij gaat en staat the average man; de vruchten ~ mooi fruit promises well; die japon staat u lelijk (mooi) that dress does not become (of: suit) you (looks nice, looks well, on you); 't staat u lelijk, (fig.) it il becomes you; die hem vreemd stond [a humility] that sat strangely upon him; hij doet het omdat het 'staat' for effect, because it looks good; de hond staat the dog sets (of: points ook: points a partridge); die hond staat goed stands game well; er staat een pond (schuld) there is a pound owing; er staat 24 voet water there is a depth of 24 feet of water; er staat een flinke zee (deining) there is a considerable sea (a big swell) on; iem. ~ stand (face, fam...) stick) up to a p.; zie man; blijven ~ remain standing, (stilhouden) stop, pull up, halt; je kunt hier niet langer blijven ~ you cannot stand about here any longer; gaan ~, a) get up; (van gevallene ook) pick o.s. up; b) (go and) s., place (station) o.s., take one's stand, ga daar (in de hoek) ~ s. there (in the corner); hij weet waar hij ~ moet, (fig.) he knows his place; iem. leren waar hij staat teach a p. his place; nu wist ik, waar ik stond, (fig.) now I knew where I was; nu weet ge wat u te doen staat now you know what you have to do; hij wist dadelijk, wat hem te doen stond he took his cue in a moment; hoe zag, hoe de zaken stonden how the land lay, how things stood; zoals 't nu staat as things are (stand) now; de zaak staat aldus the case stands thus; laat dat ~ hands off, don't touch it; de baard laten ~ grow a beard; spijs en drank laten ~ touch neither food nor drink (zie lusten); de alcohol (vlees, enz.) laten ~ keep off alcohol (meat, etc.); een rekening laten ~ let an account stand over; laat 't ~, (schrift) leave it, don't cross (of: rub) it out; laat ~ zijn eigen kinderen not to mention his ...; niet geschikt voor een beest, laat ~ voor een mens not fit for a beast, let alone a man; hij kan niet lezen, laat ~ schrijven much less write; hoe staat de barometer? what does the b. say?; hoe staat de frank? what is the franc standing at?; hoe staan de consols? how are consols?; zie partij; wat staat er? what does it say?; dat staat aan u it lies with (depends on) you; de

beslissing staat aan u the decision rests with you, it is (it rests) with you to decide; *het staat niet aan mij om uit te maken* ... it is not for me to decide ...; *er aan gaan* ~ tackle s.t., do s.t. about it; *ga er maar aan* ~ just try it, some job; *achter iem.* ~, (*fig.*) back a p. (up), be behind a p.; *'t volk staat achter de* ..., *ook:* the Premier has the nation behind him; *hij staat er voor 100 % achter* he is behind it 100 %; ... *stond vreemd bij* ... his pale face went strangely with his black hair; *zie passen bij*; *erbij* ~, (*van oogst*) *zie ben.* (ervoor ~); *ze stonden erbij* they stood by; *boven iem.* ~ be over a p., be a p.'s superior; ~ *buiten* s. outside [the conflict, the League of Nations]; *daar sta ik buiten* I'm not concerned in it, I've nothing to do with it, it has nothing to do with me; ~ *langs* line [the route of the procession]; *hoe staat 't met je?* how are you?; *hoe staat 't met uw gezondh.?* how is your health?; *'t staat slecht met me* I am in a bad way (in poor health), (*financieel*) I am hard up, things are bad with me; *hoe staat 't met je wat geld betreft?* how are you fixed for money?; *en hoe staat 't nu met* ...? and now, what about (of) your brother?; *ik wil weten, hoe ik met hem sta* where I am with him; *hoe zou 't met je* ~ *als* ...? where would you be if ...?; *hoe staat het met mijn geld?* (= *wanneer krijg ik* ...) how about my money?; *hoe staat 't met zijn rekenkunde?* how is he with his arithmetic?; *hoe staat 't met 't grote werk?* how goes the magnum opus?; *hoe staat 't met je wat* ... *betreft?* how have you off for money (vegetables, etc.)?; ~ *of vallen met, zie bov.;* ~ *naar, zie* hoofd, leven, enz.; *onder iem.* ~ be under a p.; ... *staat onder* ... this hospital is in the charge of (controlled by) a woman; *ik sta op mijn recht* I s. (insist) on my right; *hij stond erop, dat ik 't deed* he insisted on my doing it, insisted that I should do it; *op een onmiddellijk antwoord* ~ press for an immediate answer; *ze staat erg op* ... she is a great stickler for propriety; *hij staat erop* insists (on it), is firm on it, he makes a point of it, (*dat ik ga*) he makes a point of my going; *ze had er zo op gestaan* she had been so persistent, she had made such a point of it; *hij staat op nauwkeurigheid* he is strict on correctness; *de thermometer staat op 80* stands at (points to) 80; *de klok stond op* ... stood at (pointed to, showed) ...; *er stond op: voorzichtig!* it was marked (labelled) 'with care'; *je staat er goed op,* (*foto*) you (have) come out well; *je staat er goed bij hem op* you're in his good books; *zie gekleurd; er staat boete op* it is liable to a fine; *op desertie staat de doodstraf* desertion is liable to be punished by death; *zeggen waar 't op staat* call a spade a spade; *dat komt te* ~ *op* it works out at ...; *die straf staat erop* that penalty is attached to it; *waar komt me dat op te* ~ how much is it going to cost me; *deze wijn komt mij op vijftig pence de fles te* ~ sets me back fifty pence a

bottle; *zie zichzelf;* ~ *uit te kijken* (*te lezen, roken, denken*) s. looking out (reading, smoking, thinking); ~ *te praten met* be talking to; *wat sta je daar weer stom te lachen* look at you standing there with that stupid smirk on your face; *zie bezien, enz.; gedurende de tijd, dat hij te A. stond,* (*van predikant*) during his pastorate at A.; ~ *tegenover, zie* tegenover; *tot* ~ *brengen* bring [the car] to a stand (to a standstill, to rest, to a halt), halt [the car]; pull (bring) up; check [s.t.] in its progress, arrest [the brain may be ...ed in its development], stay [inroads of disease], halt [prices]; *de brand was niet tot* ~ *te brengen* the fire got beyond control; *plotseling tot* ~ *brengen* bring up sharp (short); *tot* ~ *komen* come (be brought) to a stand (a standstill), bring (pull) up; *5 staat tot 10 als 3 tot 6* is to ... as ...; *daar sta ik* (*gewoonweg*) *voor* it baffles me, that's a poser (a stumper, a facer); *zo sta ik ervoor* that's how I stand; *laat ons zien hoe we ervoor* ~ let us see where we are; *de zaak staat er goed voor* looks promising, promises well; *de tarwe staat er vrij goed voor* wheat looks (is doing) fairly well; *hij staat* (*zijn zaken* ~) *er slecht voor* he is (his business is, his affairs are) in a bad way; *zoals hij er nu voor staat wordt het nooit* ... on (his) present showing he'll never ...; *de maatschappij staat er niet te best voor* is not doing any too well; *hij staat voor niets* (*voor geen leugen*) he sticks (stops) at nothing (does not stick at a lie); *voor de rechter* ~ face the judge; *voor een moeilijk vraagstuk* ~ be up against (be faced with, be facing) a difficult problem; *ik sta voor de schade* I'll pay for the damage (bear the loss); *de letters p. c.* ~ *voor* ... s. for ...; *zie* alleen, duur, enz.

staand standing [army, collar, start, stone]; upright [gravestone]; perpendicular [drinking, drinker]; ~*e boord* stand-up collar; ~ *bord* easel board; ~*e hond* pointer, setter; ~ *hout* s. timber; ~*e klok* mantelpiece (*of:* bracket) clock; (*lang*) grandfather clock, long case-clock; ~*e kraag* upstanding collar; ~*e lamp* standard (pedestal) lamp; ~*e passagier,* (*in tram*) strap-hanger; ~*e receptie* stand-up reception; ~ *schrift* perpendicular writing; ~*e uitdrukking* set (stereotyped) phrase (expression); ~ *water* s. (stagnant) water; ~*e de vergadering* pending the meeting; ~ *want* s. rigging; *iem.* ~*e houden* stop a p.; ~*e houden* maintain [he ...ed that I was wrong], stand by [what one has said]; *zich* ~*e houden* keep one's foothold; (*fig. ook*) hold one's own [*tegenover* ... with others], stand one's ground; [without help he cannot] carry on, hold out; [he had a hard struggle to] keep going; *'t gerucht houdt zich nog* ~*e* the rumour still holds the field; ~*er* standard, scaffold pole; ~**evoets** *zie* voet (*op* ~*e* ...)

staan: ~**geld** (*op markt*) stallage, toll; (*waarborggeld*) deposit; ~**plaats** stand; (*voor taxi's*) cab-rank, cab-stand; *alléén maar –en* standing-room only; *geen –en* no standing; *–en fl. 1.–* standing 12p

staar cataract; *grauwe ~* cataract; *groene ~* glaucoma; *zwarte ~* amaurosis; *van de ~ lichten* couch a c. (the eye, a p.)

staarlichting couching

staart tail (*ook van vlieger & komeet*); (*van staartklok*) (hollow) wall-case; (*van konijn, haas, hert*) *ook:* scut; (*van vos*) *ook:* brush; (*vlecht*) pigtail; (*van affuit*) trail; (*sleep, gevolg*) train; *zie ~je*; *weglopen met de ~ tussen de benen* go off with one's t. between one's legs (tail down, crest-fallen); *daar krijg je een ~ van* it drives you up the wall; *~been* t.-bone; (*wet.*) coccyx; *~hamer* tilt-, triphammer; *~je* (little) tail; (*wet.*) caudicle; *zie ~*; t.-end [of a storm]; (*overblijfsel*) remnant; *geen –s in de glazen!* no heeltaps!; *~klok* id. (*mv.: –s*); *~lastig* (*van vliegt.*) t.-heavy; *~letter* tailed letter, descender; *~loos* tailless; *~mees* long-tailed tit-(mouse); *~mens* tailed man; *~moot* t.-cut; *~pen zie ~veder*; *~peper* cubeb; *~pruik a)* tie-wig; *b)* pigtail; *~riem* crupper (strap); *~rupsvlinder* hook-tip; *~schroef* (*mil.*) breechpin; (*van helikopter*) tail rotor; *~schudden* (*van vliegt.*) buffeting; *~schutter* t. gunner; *~ster* comet; *~steun* (*van vliegt.*) t.-skid; *~stuk* (*van viool enz.*) t.-piece; (*vlees*) rump; (*van kanon*) breech-piece; *~ve-(d)er* t.-feather; (*wet.*) rectrix, *mv.*: rectrices; *~vin* t.-fin, caudal fin; *~vlak* (*van vliegt.*) t.-plane; *~ken* empennage; *~vormig* (*wet.*) caudiform; *~wervel* caudal vertebra (*mv.: -brae*); *~wiel* tail wheel; *~wind* t.-wind; *~wit* t. margin

staat (*rijk*) state; (*in proces, enz.*) Crown [judgment for the ... was given]; (*toestand*) state, condition; (*rang*) rank; (*lijst*) list, statement; *de ~, ook:* the body politic; *~ van beleg* s. of siege; *de ~ van beleg afkondigen* proclaim martial law; *de ~ van beleg is afgekondigd in de stad* the town is under martial law; *een goede* (*slechte, schitterende*) *~ van dienst hebben* have a good (bad, brilliant) record (of service); *~ der gehuwde vrouw*, (*jur.*) coverture; *~ van zaken* state of affairs (of things), position of affairs; *een grote ~ voeren* live in great style; *~ maken op* rely (depend) on; *er is geen ~ te maken op* ... no dependence can be placed on (in) ...; *'t bedrag op te maken bij ~*, (*jur.*) [judgment for the plaintiff] for an amount to be ascertained; *in goede ~* in good condition, in good shape; *in droge ~* when dry; *ze was in alle staten* she was very much excited; *in ~ stellen* enable, put [a p.] in a position; *in ~ van beschuldiging stellen* indict [*ook fig.*: ... the Church, the Government, etc.], (*vooral wegens hoogverraad*) impeach; *in* (*niet in, buiten*) *~ zijn te ...* be able (unable) to ..., (not) be in a position to ...; *het spijt ons dat we niet in ~ zijn om te gaan* we regret our inability to go; *zodra hij in ~ is te reizen* as soon as he is fit to travel; *hij is tot alles in ~* he

is capable of (will descend to, is up to) any thing, will stick at nothing; *tot niets in ~* in capable of anything; *ik acht hem er wel toe in ~* I think him quite capable of (doing) it, wouldn't put it past him; *in ~ van verdediging brengen* put into a s. of defence; *zie ontbinding, subsidiëren, verminderen, enz.*

staat: *~huishoudkunde* political economy economics; *~huishoudkundig* politico-economical; *-e* political economist; *~je a)* little state; *b)* statement, list; *~kunde* politics, statecraft, statesmanship; *~kundig* political; *– even wicht* balance of power; *zie grens*; *S– Gere formeerden* Political Calvinists; *~loze perso* without nationality, displaced person

Staats (*hist.*) States('); *in ~e dienst* in States (the States') service

staats-[1] state: *~aangelegenheid* s. concern public affair; *~almacht* omnipotence of the s. *~almanak* s.-directory; *~amateur* state ama teur; (*fam.*) shamateur; *~ambt* public office government employment; *~ambtenaar* publi (*of:* civil) servant, government official, publi functionary; *~apparaat* public service; *~banl* national bank; *~bankroet* s. (*of:* national bankruptcy; *~bediening* public office; *~bedrij* government undertaking; *~begrafenis* state funeral; *~begroting* budget; *~beheer* (*van de s.* s.-management, -control; *~belang* interest o the s.; *zie reden*; *~beleid* statesmanship, poli cy; *~bemoeiing* s.-interference; *~bestel zie ~ inrichting a)*; *~bestuur, ~bewind* governmen of the s.; *~betrekking* government office *~bezoek* s. visit; *~blad ongev.:* statute-book *in 't – opnemen* place (enter) on the s.-b. *~bosbeheer* State Forestry Service, Forestry Commission; (*Am.*) Forest Service; *~ burger(es)* citizen; *~burgerlijk* political; *~ burgerschap* citizenship; *~commissie* royal (*of* government) commission; *~courant* (Official Gazette; *~dienaar* s. (*of:* government) official public functionary; *~dienst* public service; *in ~ zijn* hold office under the government; *~do mein* s.-demesne; *~drukkerij* governmen printing office; *~eigendom* (*concr.*) publi property; (*abstr.*) state ownership; *~examer a)* state examination; *b)* (*voor toelating to univ.*) matriculation; (*fam.*) matric; *– doe* go in for one's matriculation; *~exploitatie* government exploitation; *~fondsen* govern ment securities (*of:* stock); *~geheim* s.-secret secret of s.; *~gelden* public money; *~gevaarlijk* dangerous to the s.; *~gevangene* s.-prisoner prisoner of s.; *~gevangenis* s.-prison; *~geza* s.-authority; *~godsdienst* s.-religion; *~gree* coup d'état, coup; *~hoofd* head of state *~hulp* s.-aid, -grant; *onderneming met – s.* aided enterprise

staatsie state, pomp, ceremony; (*stoet!*) proces sion, cortège; *met grote ~* in great s., with great pomp; *~bed* bed of s.; *zie praalbed* *~bezoek* s. visit; *~degen* dress-sword; *~ge*

---

[1] *Zie ook* rijks...

waad, ~kleed s.-robes [in full ...], robes of s., court-dress, full dress, ceremonial costume; ~koets s.-coach, -carriage; ~mantel robe(s) of s.; ~rok court-dress, gala coat; ~sloep s.-barge; ~trap grand (*of:* s.) staircase; (*mar.*) accommodation ladder, gangway ladder; ~vertrekken s.-apartments; ~zaal s.-room

staats- state: ~inkomsten public revenue; ~inmenging s.-interference; ~inrichting *a*) polity, form of government, constitution of the state; *b*) *zie* ~wetenschappen; ~instelling public institution; ~kas Public Exchequer, Treasury, [a grant out of the] public funds; ~kerk Established Church, s.-church; ~kosten: *op* – at the public cost, at the expense of the state; ~krediet public credit; ~leer political science (theory), civics; ~lening public loan; ~lichaam (*de staat*) body politic, (*lichaam in de staat*) public institution; ~loterij s. (*of:* national) lottery; ~macht power of the s.; ~man statesman; *als van een* – statesmanlike; ~mansbeleid, -wijsheid statesmanship, statecraft; *van* – *getuigend* statesmanlike [act]; ~misdaad political crime; ~misdadiger political offender; ~monopolie s.-monopoly; ~omwenteling political revolution; ~onderneming s.-enterprise; ~onlusten internal troubles; ~papieren *zie* ~fondsen; ~raad Privy Council; (*pers.*) Privy Councillor; ~recht constitutional law; ~rechtelijk constitutional, relating (conformable) to constitutional law; *om* ~redenen for reasons of s., for s. reasons; ~regeling constitution; ~ruif: *uit de* – *eten* draw government pay; ~school s. school; ~schuld national (*of:* public) debt; ~secretaris (*ongev.*) Parliamentary Under-Secretary [for Defence, etc.]; ~socialisme s.-socialism; ~spoorweg s.-railway; ~stuk s.-document (*of:* paper); ~toezicht s.-supervision; ~uitgaven public expenditure; ~uitgeverij government publisher; (*Eng.*) H.M. Stationery Office; (*Am.*) Government Printing Office; ~vermogen public capital; ~verraad high treason; ~vijand public enemy; ~vorm form of government; ~wege *zie* rijks...; ~wet law of the country; ~wetenschappen political science, civics; ~zaken s.-affairs, affairs of s.; *aan 't hoofd der* – at the head of affairs; ~zorg government(al) care; ~*en* cares of s.

stabiel stable [equilibrium], steady, stationary **stabilisator** (*van schip of vliegtuig*) stabilizer; -satie stabilization [... *fonds* ...fund]; -seren stabilize [the currency]; peg [prices] **stabiliteit** stability **stacaravan** holiday (non-mobile) caravan, (fixed) site-caravan **staccato** (*muz.*) id. (*ook zn.*) **stad** town; (*grote* ~, *dikwijls: bisschops*~) city; *de Heer K.,* ~ Mr. K., local; *buiten de* ~ outside the t., in the country; *in de* ~ *grootgebracht* t.-bred; *ik ga de* ~ *in* I am going into (down) t.; *in de* ~, (*van inwoning of naburig*) in t.,

(*anders*) in the t.; *is A. al in de* ~? (*stud.*) is A. up yet?; *naar de* ~, (*van in de buurt wonende* = *naar* ~) to t., (*anders*) to the t.; *uit de* ~ *gaan* go out of (leave) t.; *de* ~ *verlaten*, (*van niet-inwoner*) leave the t.; ~ *en land* t. and country; ~ *en land aflopen voor* ... search the highways and byways for ...; ~bewoner inhabitant of a (the) t., townsman, t.-, city-dweller

stade: *te* ~ *komen* stand in good stead, come in handy, serve one's purpose **stadgenoot** fellow-townsman (townswoman), [my] townsman (townswoman) **stadhouder** *a*) (*Ned. hist.*) stadtholder; *b*) governor, proconsul [...s in the East]; *zie ook* stadehouder; ~lijk of a (the) s.; ~loos without a s.; ~schap stadtholdership, stadtholderate **stadhuis** town hall, city hall; ~bode town-beadle; ~taal officialese; ~woord grand word **stadie** (*135 m*) stadium; **stadion** stadium **stadium** stage, phase; *in dit* ~ at this s. [of the proceedings]; *de zaak is nog in 't eerste* ~ is still in its first s. (in its infancy); *in een nieuw* ~ *treden* enter upon a new phase **stads-**[1] town (*c.q.* city): ~aanplakker official bill-sticker; ~apotheek t.-dispensary; ~architect t.-architect; ~beeld city scene; ~bestuur municipality, (*met burgemeester*) (municipal) corporation, (*zonder burgem.*) t. (city, common) council; ~bewoner *zie* stad-; ~bibliotheek t.-library; ~briefkaart local postcard; ~bus corporation bus; ~deel part (district) of town, town district; ~gebied territory of a (the) t., the London] conurbation; ~gebouw municipal building; ~gesprek (*telec.*) local call; ~gezicht town view (*ook schilderij*); ~gracht (*om vesting*) t.-moat; (*in stad*) canal of a (the) t.; ~grenzen *zie* grens; ~guerrilla urban guerrilla(s); ~huis t.-house; ~kapel t.-band; ~keur by-law; ~klok t.-clock; ~leven t.-life, urban life; ~lichten (*van auto*) parking lights, sidelights; ~mensen townsfolk, townspeople, city dwellers; ~muur t.-wall; ~muziek(korps) t.-band; ~nieuws t.-news, local news; ~omroeper t.-crier; ~ontwikkeling *zie* uitbreidingsplan; ~park t. (municipal, corporation, urban) park; ~poort t.-gate; ~praatje t.-talk; ~recht municipal right; *ook* = ~vrijheid; ~regering municipal government; ~reiniging municipal cleansing; *zie* reinigingsdienst; ~school municipal school, urban school; ~schouwburg municipal theatre; ~secretaris (*ongev.*) t.-clerk; ~sleutel t.-key; ~telegram local telegram; ~uitbreiding t.-development; ~vervoer local (city) transport; ~vest rampart; ~vrijheid privilege of a city; ~vuil t.-refuse; ~waag t. weighhouse; ~wal city rampart; ~wapen arms of a (the) t., city-arms, civic crest; ~weide common; ~wijk quarter of a (the) t., ward; ~zegel city-seal; ~zending t.-, city-mission

stadwaarts townward(s), cityward(s), towards (in the direction of) the town

---

[1] *Zie ook* gemeente...

staf staff (*ook mil.*); (*als symbool van gezag*) mace, staff; (*bisschops~*) crosier; (*in ~rijm*) stave; (*fig.*) staff [bread is the ... of life], prop [the ... of my old age]; *bij de ~,* (*mil.*) [serve] on the s.; *de generale ~* the general s.; *bij de gen. ~ geplaatst worden* be appointed (transferred) to the G. S.; *Chef van de ~, Chef-~* Chief of Staff; *de ~ breken over* condemn; **~drager** mace-bearer, verger; **~kaart** ordnance-, survey-map; **~muziek** regimental band; **~muzikant** bandsman; **~officier** s.-officer; **~rijm** alliteration; **~vormig** s.-like

stag (*mar.*) stay; *over ~ gaan, zie* overstag

stage term of probation; practical (work); *~ lopen* do [teaching, etc.] practice

stageld *zie* staangeld

stagiair(e) trainee (teacher, etc.)

stagnatie stagnation; hold-up [of traffic]

stagneren be stagnant, stagnate

stagzeil staysail

sta-in-de-weg obstacle, encumbrance

stak *o.v.t. van* steken

stakelen (*mar.*) burn flares

stakellicht (*mar.*) flare-up light

staken I *tr.* stop [work], suspend [a person], abandon [a match]; *vgl.* schorsen; '*t werk ~* stop work; (*voor hoger loon enz.*) strike, go on strike, come out (on strike), walk out, down tools; (*om te rusten*) knock off (work); *de betalingen ~* stop (*of:* suspend) payment; *de treindienst* (*zijn bezoeken*) *~* discontinue the train service (one's visits); *de procedure ~* stay the proceedings; II *intr.* stop, leave off; (*van werklieden*) be out (on strike); (*gaan*) *~, zie bov.* ('*t werk ~*); *blijven ~* continue (remain, stay) on strike; *de stemmen staakten* the votes were equally (evenly) divided, the division resulted in a tie, there was a tie

staker striker

staket(sel) fence, palisade, wooden railing, paling

staking stoppage, cessation; suspension [of payment, of hostilities]; (*werk~*) strike; (*college~*) boycott; *~ van stemmen* tie, equality (of votes); *bij ~ van stemmen* in case of equality (of votes); *in ~ gaan, zie* staken ('*t werk ...*); *in ~ zijn* be out (on strike); *een ~ afkondigen* call (declare) a strike; *de ~ opheffen* call off the strike; *tot ~ oproepen* call out on strike; *tot ~ overhalen* bring out [the railwaymen]; *door ~ getroffen* strike-bound [factory, ship]; **~breker** strike-breaker; *zie* onderkruiper

stakings- strike: **~comité** s.-committee; **~fonds** s.-funds; **~kas** s.-fund; **~leider** s.-leader; **~post** s.-picket; **~recht** right to strike; **~uitkering** s.-pay

stakker(d) poor devil (fellow, beggar, wretch); (*vrouw, kind, dier*) poor thing (soul); *~s van kinderen* bits of children

stakkerig pitiful, pathetic

1 stal *o.v.t. van* stelen

2 stal (*paarde-*) stable; (*koe-*) cow-house, -shed, byre; (*schape-*) [sheep-]fold; (*varkens-*) [pig]-sty; (*afdeling van een stal*) stall; (*in koorbank* stall; (*fig.*) pigsty; *op ~ zetten, zie* stallen *ook:* lay up [one's car during the winter] *hij werd op ~ gezet,* (*fig.*) he was shelved laid on the shelf; *je loopt wat hard van ~ yo* are rushing things a bit, you go (run on) to fast; *loop niet te hard van ~, ook:* go slow, g easy; *het paard ruikt ~* the horse knows he i making for his stable

stalactiet stalactite

stalagmiet stalagmite

stal- stable: **~boom** s.-bar; **~deur** s.-door

stalen I *bn.* steel; (*fig. ook*) iron [diligence, will nerves], steely [courage]; *~ geheugen* tena cious (retentive) memory; *met een ~ gezich* (as) cool as a cucumber, (*Am.*) dead-pan; **~meubelen** s.-(tube) furniture; *met ~ platen* s.-plated; *~ voorhoofd* brazen face; *met een ~ voorhoofd* brazen-faced; II *ww.* (*fig.*) stee [one's courage, one's nerves, o.s.]

stal- stable; **~erf** s.-yard; **~geld** stabling-money **~houder** jobmaster, (livery-)stable keeper; ~ **~houderij** livery-stable; **~huur** s.-rent; **~jonge** s.-boy; **~knecht** stableman, s.-hand, groom (*in herberg*) stableman, (h)ostler; **~kruid** rest harrow, cammock; **~lantaarn** s.-lantern, s. lamp

stallen stable [horses], put up [one's horse, bicycle], house [cattle], stall [ox]; garage, stable put up, put away [one's motor-car]

stalles stalls

stalletje [book-, gingerbread-]stall, stand; *me een ~ staan* keep a stall; *houder van 'n ~* stallholder

stalling stable, stabling; ('*t stallen*) stabling etc.; *vgl.* stallen

stal: **~meester** master of the horse, equerry; **~mest** stable-, farmyard-manure (*of:* -dung) **~mesting** stall-feeding; **~muts** (*mil.*) foragecap; **~paal** stall-post; **~voeder** fodder; **~voedering** stall-feeding

stam stem (*ook van woord*); (*van boom ook*) trunk; (*geslacht*) stock, race [the last of his ...], (*onder gemeenschapp. hoofd*) tribe, (*Sc.*) clan; *de ~ van Juda* the tribe of Judah; *hout op ~ kopen* buy timber on the stump; *uit dezelfde ~ spruiten* come from the same stock; *het leiderschap van een ~* tribal leadership

stamboek (*van pers.*) genealogical register; (*mil.*) regimental roll; (*van vee*) herd-book; (*van paarden*) stud-book; (*van schapen*) flockbook; **~nummer** (*mil.*) regimental number; **~paard** stud-horse; *-en, ook:* blood-stock; **~vee** pedigree cattle

Stamboel Stamboul; *thans:* Istanbul

stamboom genealogical (family) tree, pedigree

stamboon dwarf bean, bush-bean

stamcafé: *zijn ~* his favourite café

stamelaar stammerer

stamelen *intr.* stammer, stumble in one's speech; *tr.* stammer (out) [an excuse], falter ['you knew?' she ...ed]

stam: **~gast** habitué, regular customer; **~genoot** (fellow-)tribesman, (fellow-)clansman; **~god**

tribal deity; ~**goed** family estate; ~**hoofd** tribal chief, chieftain; ~**houder** son and heir; ~**hout** standing timber, trunk-wood; ~**huis** dynasty

ꞈ**tamijn** strainer, bolting-cloth

ꞈ**tam**: ~**kaart** master card; ~**kapitaal** original capital; ~**klinker** radical (root) vowel; ~**kroeg** [his] favourite pub; ~**land** cradle-land; ~**men** *zie* afstammen; – *uit de tijd, dat* ... date from the time when ...; *uit Portugal* – be of Portuguese origin (descent); ~**moeder** ancestress; (*bij matriarchaat*) matriarch; ~**ouders** ancestors, [our] first parents: Adam and Eve

stamp *a*) stamp(ing); *b*) lot, crowd; ~**aarde** pisé

stampei hullabaloo

stampen *ww.* I *intr.* stamp, thump; (*van schip*) pitch; (*van machines*) thump, thud; *met zijn voet* ~ s. one's foot, (*lichtjes*) tap one's foot; ~*d de kamer op en neer lopen* s. up and down the room; II *tr.* (*fijn-*) pound, bruise, bray; mash [potatoes]; crush [ore]; (*in geweer, enz.*) ram; *iets in 't hoofd* ~ drum s.t. into one's head; *de grond in* ~ slate [an artist]; *uit de grond* ~ set up (develop) [an organization] from scratch (nothing); *hij stond de sneeuw van zijn schoenen te* ~ he stood kicking the snow from his boots; *gestampte pot* hotchpotch; III *zn.* 't ~ pitching, etc.; the thud [of machinery]

stamp: ~**er** (*pers. & ding*) stamper; (*van geschut*) rammer; (*van vijzel*) pounder, pestle; (*straat-*) paving-beetle, rammer; (*van bloem*) pistil; ~**erbloem** pistillate flower; ~**erhokje** (*plantk.*) carpel; ~**molen** stamping-, crushing-mill, crusher; ~**pot** hotchpotch; mashed potatoes and cabbage; ~**stok** rammer; ~**voeten** stamp one's foot (feet); ~**vol** chock-full, packed (to suffocation), cranꞈmed (to overflowing), (over)crowded; ~**zee** pitching sea

stam: ~**ras** parent race; ~**register** genealogical register; ~**roos** standard-rose; ~**salaris** basic salary; ~**slot** ancestral castle (*of:* seat); ~**taal** parent language (speech); ~**tafel** genealogical table; (*in sociëteit, enz.*) *ongev.*: habitués' table; ~**tijden** principal parts (of a verb); ~**uil** (*vlinder*) gipsy moth; ~**vader** ancestor, progenitor; patriarch; founder (of a family); ~**verband** tribalism; ~**verwant** I *bn.* cognate; (*gramm. ook*) paronymous; –*e woorden* paronyms; II *zn., zie* ~genoot; *onze* –*en in Z.-Afr.* our kinsmen in ...; ~**verwantschap** affinity; ~**wapen** family arms; ~**woord** primitive word, stem; ~**zaad** pedigree seed

stand (*houding*) attitude, posture; (*gymn.*) position, (*mv. ook*) figures; (*ligging*) position [of a house]; (*hoogte*) height [of the water, of the barometer], state [of the barometer], [thermometer, barometer] reading [a ... of 50 degrees]; rate [of the dollar]; (*bij spel*) score(s) [the scores are ...], position [the ... in the match is as follows]; (*van partijen bij verkiezing*) state [of the parties]; (*van maan*) phase; (*toestand*) situation, condition, state, position; (*maatschapp.*) rank, station [in life], (social) position, standing, [people from all] walk[s] of life; (*op tentoonstelling*) stand; *de*

militaire (*geestelijke*) ~ the military (clerical) order; *lagere* (*hogere*) ~*en* lower (higher, upper) classes (orders); *de hoogste* ~ Society; (*fam.*) the upper ten; *de derde* ~ the third estate; *vierde* ~ working classes (*vgl.*: the fourth estate, *scherts.* = *de pers*); ~ *van zaken* state (*of:* position) of affairs; *verslag doen van de* ~ *van zaken* report progress; *de* ~ *der onderhandelingen* the (present) position of the negotiations; ~ *houden* stand one's ground, stand firm, hold one's own, hold out, hold [his luck held]; *moedig* ~ *houden* make a plucky stand; ~ *houden tegen, ook:* stand up against; hold [this plea would not ... against ...]; *dat houdt geen* ~ that cannot last; *zijn* ~ *ophouden* keep up one's (social) position; *beneden (boven) zijn* ~ *trouwen* marry beneath (above) one (one's social position); *bij deze* ~ *van zaken* in the present state of affairs, as matters stand at present; *zich boven zijn* ~ *kleden* dress above one's station; *boven zijn* ~ *leven* live beyond one's means; *buiten zijn eigen* ~ [marry a girl] out of one's own station; *in hun* ~ in their (social) position; *in alle* ~*en* in all walks (in every walk) of life; *in* ~ *blijven* endure, last; *in* ~ *houden* keep [a building] in repair, maintain, keep up [the club], preserve [the race], support [...ed by voluntary contributions]; *een winkel op goede* ~ in a good position (situation); *tot* ~ *brengen* bring about, achieve, accomplish; establish [contact]; effect [a sale (= *koop, eig.:* verkoop), an agreement, economies], float [a loan], put [a business, a loan] through, negotiate [a treaty, transaction, loan], conclude [an arrangement]; *tot* ~ *komen* come about; come into being; be effected, etc. (*vgl.* tot ~ brengen); *de transactie is tot* ~ *gekomen* the deal has come off; *mensen van hun* ~ people of their position (of their station); *mensen van hoge* ~ people of high rank (station); *van goede* ~ good-class [people], of good social position; *hij is niet van onze* ~ he is not our class; *mensen van elke* ~ people in all walks (in every walk) of life; *volgens zijn* ~ *leven* live according to (in accordance with) one's rank; *zie* burgerlijk, enz.

standaard (*vaandel, maatstaf, munt-*) standard [gold, silver, double, single ...]; ... of correct speech; *de koninklijke* ~ the Royal S.; *zie* stander & gouden; ~**drager** s.-bearer; ~**formaat** s. size; ~**gewicht** s. weight; ~**goud** s. gold; ~**isatie** standardization; ~**iseren** standardize; ~**loon** s. rate of wages; ~**maat** s. measure; ~**molen** post-mill; ~**monster** s. sample; ~**munt** s. coin; ~**prijs** s. price; ~**werk** s. work; ~**zilver** s. silver

standbeeld statue; *hij staat daar als een* ~ like a post, like a s.

standegeest enz., *zie* klasse...

standelkruid orchis

stander stand [for umbrellas, etc.], [hat-]stand; (*rek*) [clothes-]horse; (*paal*) post; upright [mirror between ...s]; (*om iets op te zetten*)

stand, (drievoet) tripod
stand: ~geld zie staangeld; ~houden zie stand
standje (berisping) blowing-up, scolding, rebuke, wigging, talking-to; (herrie) row, shindy, affray; een opgewonden ~ a peppery fellow, a regular little tempest; vgl. opvliegend; zij hebben (kregen) ~s they are (fell) out; een ~ krijgen get a scolding; hij kreeg een flink ~ he came in for a good scolding (for some plain speaking); iem. een ~ geven (maken) blow a p. up, rebuke (tell off) a p., (geducht ~) give a p. a rocket; (vaderlijk) talk to a p. like a Dutch uncle; zie verder herrie & ruzie
stand: ~olie stand-oil; ~penning standard coin; ~pijp stand-pipe, hydrant; ~plaats stand, standing-place; (van venter, enz.) pitch; (van taxi's) (cab-)stand, rank; (van ambtenaar) station, post, place of work; (van predikant) living, place; (van plant) habitat; zich naar zijn – begeven take up one's position (of: duties); de taxi keerde naar zijn – terug, ook: the taxi returned to its rank; ~punt standpoint, point of view [from his ...]; op 't – staan dat ... take the position (the line) that ...; van – veranderen, ook: change one's ground; 't zelfde (een dergelijk) – innemen take the same (a similar) stand (take up ... position); zich op 't – van de ander plaatsen take (of: see) the other fellow's point of view; ~recht summary justice, drumhead court-martial; ~rechtelijk: -e veroordeling summary conviction; – gefusilleerd shot by order of a drumhead court-martial
standsverschil class distinction, difference in station (in rank)
standsvooroordeel class prejudice
standvastig steadfast, firm, constant, unwavering; ~heid steadfastness, firmness, constancy
standvink bolster
standvogel resident (of: sedentary) bird
standwerker (op markt) (ongev.) barker; (Am.) pitchman
stang rod, bar, pole; stanchion [of a tram-car]; (van vogel, enz.) perch; (van paard) bridle-bit; (van bril) side, wire, fastening-piece, ear-loop, -piece; iem. op de ~ rijden ride a p. on the curb; iem. op ~ jagen, (fam.) get someone's rag out; ~ijzer rod iron; ~kogel bar-shot; ~passer beam-compasses, -dividers
stank stench, bad (nasty, foul) smell, stink; reek [of gin]; ik kreeg ~ voor dank I got small thanks for it (for my pains), I got more kicks than halfpence (than thanks); door ~ verdrijven stink out; ~afsluiter, ~bocht, ~scherm stench-, stink-, siphon-trap
stanniool tin-foil
stansen punch
stap step (ook fig.), pace, stride; footstep, footfall; (fig. ook) move [a new ...; the next ... lies with you moet van u komen]; een lichte (zware) ~ a light (heavy) s. (of: footfall); een ~ in de goede richting a s. (a move) in the right direction, a s. forward; een ~ achteruit a s. backward, a backward move; een stoute ~ a bold s.; hij bracht 't werk een ~ verder he

carried the work a s. farther; dat brengt on. geen ~ verder that does not carry us a s farther; 't is maar een ~ of wat it is but a s. een ~ doen take a s. (langer: a stride); lange ~pen doen take long strides; ~pen doen om te ... take steps to ...; de regering behoort ~pen te doen in deze zaak should move (take action) in this matter; geen (verdere) ~pen doen take no (further) action; ~pen doen bij approach [a p. on a subject], make representations to [the ministry]; de eerste ~ doen take the first s.; make the first move, make advances (overtures), take the initiative; er de ~ in zetten step out; iems. ~pen nagaan watch a p.'s movements; de ~ wagen take the plunge; bij iedere ~ at every s., [you see them] at every turn; in één ~ at (in) a stride; in de ~ brengen pull [a horse] into a walk; op ~ gaan a) set out, go (fam.: push) off; b) go out on a spree; ~ voor ~ s. by s., progressively
1 stapel zn. pile [of papers], stack [of sovereigns], heap; (voor schepen) stocks (mv.); (~plaats, ~recht) staple; (van strijkinstrument) sound; een ~ rekeningen, ook: a batch of bills; aan ~s zetten pile up, stack; op ~ staan be on the stocks (on the ways); op ~ zetten lay down [a new cruiser], lay down the keel of; (ook fig.) put on the stocks; 't schip liep van ~ the ship left the slipway, glided off the stocks, took the water; van ~ laten lopen launch [a vessel]; alles liep vlot (glad) van ~ everything passed off without a hitch, went (off) smoothly, went on swimmingly, went off well (according to book); 't plan liep prachtig van ~ the plan worked to a nicety; (te) hard van ~ lopen be (too) precipitate, go (move) (too) fast
2 stapel bn.: ben je ~? are you mad?; zie ~gek
stapelartikel staple commodity
stapelbed bunk bed
stapelblokken (mar.) stocks
stapelen stack, pile (up), heap; de ene ... op de andere ~ heap discomfort on discomfort, pile up one blunder on another, top (of: cap) one blunder with another
stapel- staple: ~gek stark (clean, raving) mad, stark staring mad, as mad as a hatter (as a March hare); ~goederen s.-commodities (of: goods), staples; ~handel s.-trade; ~huis warehouse; ~katoen s.-cotton; ~loop (van schip) launch; ~markt s.(-market); ~plaats emporium, mart; (hist.) staple(-town, -place); ~recht (hist.) s.-right; ~vezel s.-fibre; ~wolk cumulus (mv.: cumuli), woolpack (cloud); ~zot zie ~gek
stappen step; (met lange passen) stride, stalk; op en neer ~ pace up and down; trots ~ strut; een eindje gaan ~ go for a walk, take a breather; 't paard stapt goed (sierlijk) picks up his feet well (daintily); hij stapte over de sloot (onder 't lopen) he took the ditch in his stride; ~ op mount [one's bicycle], board [a tram]; uit de bus ~ get off the bus; zie overheen; ~d (her.) passant
stapvoets [move, go, ride] at a walk(ing-pace),

755   - steek

at a foot-pace; *'t paard moest daar ~ gaan*
had to walk there; *~ gaan lopen* fall into a
walk; *~ laten gaan* walk [a horse]
star I *bn.* stiff; *(van blik)* fixed; *(fig.)* zie steil;
II *zn.* star; *zie* ster
staren stare, gaze [*naar* at]; *woest ~* glare,
glower [*naar* at]; *in 't vuur ~* s. into the fire; *de
honger staarde hem in 't gezicht* hunger stared
him in the face; *hij staarde voor zich uit* he
stared in front of him; *een ~de blik* stare, [there
was] a far-away look [in his eyes]
starnakel blotto
starogen (*lit.*) stare; *zie* staren
start id., get-away; ~**baan** *(luchtv.)* runway; ~**en**
start; *(luchtv.)* take off, ~**er** id.; ~**klaar** ready
to start; ~**knop** starter button; ~**motor** motor
starter, starter motor; ~**pistool** starting pistol;
~**schot** starting shot
statelijk *zie* statig
Staten: *de Heren~,* (*hist.*) the Lords the Estates;
de ~ van Holland the Estates (States) of H.;
zie provinciaal; ~**bijbel** (Dutch) Authorized
Version (of the Bible); **s~bond** confederation
(of states); *Austr.* – Commonwealth of Australia; ~**Generaal** States General; ~**kamer**
council-hall of the (Provincial) States; ~**vergadering** meeting of the States; ~**vertaling** *zie*
~**bijbel**
statica statics
statie (*r.-k.*) Station of the Cross; (*Z.-Ned.*)
station; *de ~s bidden, zie* Kruisweg; *zie ook*
staatsie
statief [camera-]stand, tripod, support
statiegeld deposit [on bottles]; *~ 25 ct.* 5p.
(back) on the bottle
statig *bn.* stately, solemn, dignified, majestic;
bw. in a s. manner, solemnly, majestically;
~**heid** stateliness, solemnity
station (railway) station; (*Am. ook*) depot; *~
van aankomst (vertrek)* arrival (departure) s.;
~ van afzending (ontvangst) forwarding (receiving) s.; *~ restant* to be left till called for;
~**air** stationary; *– draaien* idle; ~**car** estate car,
shooting-brake (-break); (*Am.*) station wag-
on; ~**eren** station, place; *de agent is hier gesta-
tioneerd* the policeman is on point-duty here;
–de voertuigen stationary vehicles
stations- station: ~**boekhandel** railway book-
stall; ~**bord** s. name-board; ~**chef** s.-master; ~-
emplacement s. yard; ~**gebouw** railway-s., s.-
building; ~**hal** (main) concourse; ~**hotel** s.-
hotel; ~**personeel** s.-staff; ~**plein** s.-square;
~**vestibule** booking-hall; ~**weg** s.-road, approach to the s.
statisch static(al)
statist supernumerary, walking-gentleman,
mute, (*sl.*) super
statisticus statistician
statistiek (*wet.*) statistics; (*opgaven*) statistics,
[government] returns; (*zeld. ev.*) [a discourag-
ing] statistic; *Centraal Bureau voor de S~*
Central Statistical Office; *genootschap (bureau) voor ~* statistical society
statistisch statistical

statoscoop statoscope
status id.; *~ quo (ante)* id.; ~**symbool** status
symbol
statutair according to the articles of association, statutory [meeting]
statuur stature; height, build
statuut statute, covenant [of the League of
Nations]; *statuten,* (*van club, genootschap*)
regulations (of a club, society); (*van maatschappij*) articles of association; (*van staatk.
partij, enz.*) constitution
stavast: *een man van ~* a strong, resolute man
staven confirm, bear out [an opinion], substantiate [a charge *beschuldiging;* every word
I've said], support [claims by documentary
evidence], fortify [o.'s case with statistics],
authenticate [well-...d reports *berichten*];
(*door onderzoek*) verify [a statement]; *zijn
aanspraak ~ ten genoegen van het Hof* make
out one's claim to the satisfaction of the
Court; *... wordt niet gestaafd door de feiten*
this legend has no foundation in fact; *door
getuigen gestaafd* (duly) attested [confession]
staving confirmation, substantiation, verification; *tot ~ van* [quote authorities] in support
of [one's contention]; *stukken die tot ~ kunnen
dienen* documentary evidence
stearine stearin; ~**kaars** composite (*of:* stearin)
candle
stede: *te dezer ~* in this town; [Mr. N.] of this
town; *in ~ van* instead of: ~**aanleg,** ~**bouw**
town-planning; ~**houder** viceroy, viceregent,
vicegerent, governor; *– van Christus* Vicar of
Christ; ~**kroon** *a)* (girdle of) ramparts; *b)* (*van
maagd*) mural crown; ~**lijk** town [officials],
municipal [government, privileges, orchestra];
urban [districts], civic [authorities]; ~**ling**
townsman, town-, city-dweller; *mv. ook:*
townspeople, -folk; ~**linge** townswoman; ~-
maagd patroness (of a town)
stee spot; *zie* stede
1 steeds *bw.* always, ever, all the time, continually; *~ door* all along; *nog ~* still; *~ lager* lower
and lower, ever lower; *~ de uwe* ever yours; *~
weer* again (*of:* ever) and again; *de gedachte
kwam ~ weer bij mij op* the idea kept coming
back to me (*zo ook:* he keeps following me); *~
aangroeiend* ever-increasing [number]; *~
moeilijker* [become] increasingly difficult
2 steeds *bw.* townish, towny
steef *o.v.t. van* stijven
1 steeg *o.v.t. van* stijgen
2 steeg *zn.* lane, alley, alleyway
3 steeg *bn.* restive [horse]
steek (*naaiwerk*) stitch, (*van angel*) sting, (*van
dolk*) stab, (*van zwaard, enz.*) thrust, (*van
pijn*) stitch [in the side], twinge; (*hoofddeksel*)
three-cornered hat, cocked hat; (*van schop*)
spit [dig two spits deep]; (*hatelijkheid*)
dig; (*bij tandwielen*) pitch; *~ onder water* sly
dig, side-hit; *iem. een ~ onder water geven* have
a sly dig at a p.; *iem. een ~ in de rug geven,*
(*ook fig.*) give a p. a stab (stab a p.) in the
back; *dat is een ~ op mij* that is a hit (dig,

thrust) at me, that is one for me; *dat is een lelijke ~ op hem* that's a nasty dig (*of:* smack) at him; *een ~ in de zijde* a s. (in my side); *uw bewering houdt geen ~* your assertion will not hold water (cuts no ice); *zie* opgaan (*niet ...*); *een verkeerde ~ maken* make a false s.; *een ~ laten vallen* drop (*of:* lose) a s. (*zie* breister); *een ~ opnemen* take (pick) up a s.; *ik kan geen ~ zien, a*) I am as blind as a bat; *b*) I cannot see a thing; *ik begrijp er geen ~ van* I cannot make head or tail of it, I do not understand it a bit; *het kan me geen ~ schelen* I don't care a rap (a button) (*zie* zier); *hij heeft geen ~ uitgevoerd* he has not done a stroke of work; *haar geheugen laat haar nu en dan in de ~* fails her now and then; *hij liet ons in de ~* he failed us, left us in the lurch, let us down, deserted us; *haar tong laat haar nooit in de ~* never fails her; *ze lieten hun leider in de ~* they deserted (went back on) their leader; *zijn kalmte liet hem in de ~* his coolness deserted him; *een dictionaire die je nooit in de ~ laat* that never lets you down; *hij liet zijn vrouw in de ~* he abandoned (ran out on) his wife; *hij had haar in L. in de ~ gelaten, ook:* he had left her stranded in L.; *'t schip (zijn post) in de ~ laten* abandon the ship (desert one's post); *daar is een ~(je) aan los* there is s.t. wrong about it, there is a screw loose somewhere; *er schi:nt een ~je aan haar los te zijn* her reputation is none of the best, she is no better than she should be

steek: ~appel thorn-apple; ~bakens (*mar.*) piles, stakes; ~balk hammer-beam; ~beitel paring-chisel; ~bekken bed-pan, (*fam.*) slipper; ~bout (*mar.*) earing; ~brem furze, gorse; ~brief (*hist.*) hue and cry; ~cirkel (*van tandwiel*) pitch circle; ~distel milk-thistle; ~doorn gooseberry; ~hevel plunging-siphon; ~houdend sound, solid, valid; ~ijzer *zie* graveerijzer; ~je *zie* ~; ~mug (stabbing) gnat, mosquito; ~palm (common) box; ~pan *zie* ~bekken; ~partij knifing(-affair); ~passer (pair of) dividers; ~penning hush-money, bribe, illicit commission; *'t aannemen van –en* [accused of] corruptly accepting money; ~pil suppository; ~proef (*hand.*) sample taken at random; (*fig.*) random test (check), experimental sounding, spot-check; *-ven nemen* test (try) s.t. at random; ~sleutel picklock; ~spel tournament; tilt; ~vlam blow-pipe (flame), oxy-acetylene flame; flash; ~vlieg stable-fly; ~wagen trolley, hand-truck, sack-truck; ~wond stab wound; ~zak slit pocket

steel (*om aan te pakken*) handle [of a spoon, etc.]; (*van bijl*) helve, shaft; (*van bloem, pijp, tabak*) stem; (*van bloem, vrucht*) stalk; stick [of peppermint, of rhubarb]; *de ~ naar de bijl gooien* throw the helve after the hatchet; *van stelen ontdoen* stalk, tail [fruit]; stem [strawberries]; leaf [tea], strip [tobacco]; ~kam tail-comb; ~loos (*plantk.*) stalkless, sessile; ~pan saucepan

steels I *bn.* stealthy; *hij wierp een ~e blik op haar* he stole a look at her, looked at her out of the corner (the tail) of his eye; II *bw.* = ~wijs, ~gewijze furtively, stealthily, by stealth

steeltje *zie* steel

steen (*gehouwen*) stone; (*gebakken*) brick; (*bij domino*) stone, piece, domino; (mah-jong) tile; (*van vrucht*) stone; (*dobbel~*) die; *~ in de blaas, enz.* stone, calculus (*mv.:* calculi); (*in horloge*) jewel, ruby; *~ des aanstoots* s. (rock) of offence, stumbling-block, bugbear; *de ~ der wijzen* the philosophers' s.; *met een hart van ~* stony-hearted; *ik ben niet van ~* I am not made of s.; *de eerste ~ leggen* lay the first s. (foundation-s.); *de eerste ~ werpen naar* cast the first s. at; *met stenen gooien (naar)* throw (hurl, fling) stones at, pelt with stones, stone [the police]; *een ~ van 't hart, zie* pak; *~ en been klagen* complain loudly (bitterly, *fam.*: no end); *geen ~ op de andere laten* not leave one s. upon another, not leave a s. standing; *al ging de onderste ~ boven* come what might; *iem. stenen voor brood geven* give a p. a s. for bread

steen: ~aarde brick clay; ~achtig stony; ~achtigheid stoniness; ~ader rocky vein; ~arend golden eagle; ~bakker brick-maker; ~bakkerij brick-yard, -field, -works; ~beitel stone-mason's chisel; ~berg (*van mijn*) slag-heap; ~bik s.-dust, -chippings; ~bikker s.-breaker; ~blok s.-block; ~bok ibex; *de S~bok, (in dierenriem)* Capricorn; ~bokskeerkring tropic of Capricorn; ~bolk (*vis*) (whiting-)pout, bib, stink-alive; ~boor masonry drill; ~breek, ~breke (*plant*) saxifrage, breakstone; ~breker s.-breaker (*ook machine*); ~doorn hawthorn; ~druk lithography; ~drukker lithographer; ~drukkerij *a*) lithography; *b*) lithographic printing-office; ~duif rock-pigeon, -dove; ~eik holm-oak, ilex; ~es (common) ash; ~gal wind-gall; ~geit rock-goat; ~goed *zn.* earthenware, stoneware, crockery; *bn.* first-rate; (*sl.*) smashing; ~groef, ~groeve quarry, s.-pit; ~grond stony ground; ~gruis hardcore, s.-, brick-dust, broken stones; (*geol.*) debris; (*voor wegen*) road metal; ~hamer s.-hammer; ~hard as hard as s., s.-hard, stony; ~hoop heap of stones (bricks); ~houwer s.-mason, s.-cutter; ~houwersbeitel s.-mason's (s.-cutter's) yard; ~klaver *a*) bird's foot trefoil; *b*) white clover; ~kloppen *zn.* s.-breaking, -pounding, breaking stones; ~klopper s.-breaker

steenkolen[1] (pit-)coal; *zie* wit; ~bedding c.-layer; ~bekken c.-basin; ~engels broken English; ~gas c.-gas; ~groeve c.-mine, -pit; ~handel c.-trade; ~laag c.-seam, -stratum (*mv.:* strata), -layer; ~mijn colliery, c.-mine; ~teer gas tar; ~wagen tender

steenkool *zie* steenkolen; ~briket briquette; ~ten, *ook:* patent fuel

steen: ~koud stone-cold; ~kraai Alpine chough; ~krans stone circle; ~kruid saxifrage; ~kuil *zie*

---
[1] *Zie ook* kolen...

~groeve; ~kunde lithology; ~laag layer (stratum) of stones (bricks); ~legging: (*eerste*) − (foundation-)s. laying; ~linde small-leaved linden tree; ~loper (*vogel*) turnstone; ~marter s.-, beech-marten; ~merg s.-marrow; ~mortel hard cement, concrete; ~mos rock lichen; ~oven brick-kiln; ~puist boil; ~put s.-pit; ~raket worm-seed; ~rood brick-red; ~rots rock; ~ruit spleenwort, finger-fern; ~schrift lapidary characters; ~slag (road) metal, broken stones, s.-chippings, rubble; ~slagweg metalled road; ~snijder lapidary, gem-cutter; ~tijd(perk) Stone Age; *oude* (*midden, nieuwe*) − Old (Middle, New) S. A., Palaeo- (Meso-, Neo-)lithic (period, age, times); ~tje small s., pebble; *een − bijdragen* contribute one's mite, do one's bit; (*van horloge*) *zie ~; de kleine −s, zie* trottoir; ~uil little owl; ~valk merlin; ~varen s.-fern; ~vink *zie* oeverloper; ~violier wall-flower; ~vlas mineral (*of:* mountain-)flax, asbestos, amiant(h)us; ~vorm brick-mould; ~vormer brick-moulder; ~vos s.-fox; ~vrucht s.-fruit, drupe; ~weg (*Z.-Ned.*) paved road, high road; ~worp s.'s throw; *op* (*binnen*) *een* − at (within) a s.'s throw; ~zaag s.-, marble-saw; ~zout rock-salt; ~zwaluw swift

steevast *bn., bw.* regular(ly), invariable (-bly)

Stefanie Stephanie; **Stefanus** Stephen

steg *zie* heg & weg

steiger (*van huis*) scaffolding, staging; (*aanlegplaats*) pier, jetty, landing-stage; *in de ~s zetten* scaffold; ~balk scaffolding-beam; ~en rear, prance; (*een steiger bouwen*) raise (put up) a scaffolding; ~paal scaffolding-pole; ~werk *zie* steiger (*van huis*)

steil steep, bluff; (*zeer steil*) abrupt, precipitous; (*mar.: van kust, klip*) steep-to; (*loodrecht*) sheer [a ... cliff; it rose ... for a hundred feet]; ~ *haar* stiff upstanding hair; (*fig.*) uncompromising, dogmatic, rigid [in ideas]; high and dry [conservatism]; unbending, hard-shell(ed), rigid [Calvinist, Tory], dour [Calvinist]; ~(*er*) *worden* steepen; ~heid steepness, etc.; (*fig.*) dogmatist, hard-shell; (*stijfkop*) mule; ~orig prick-eared [cur]; (*fig.*) stubborn, headstrong, dogmatic; ~schrift upright (*of:* perpendicular) writing (*of:* hand); ~te steepness; (*concr. ook*) steep, precipice

stek (*van plant*) slip, cutting; (*elektr.*) plug; (*hengelsp.*, = ~*je*) beat; ~ken (*uitschot van fruit*) specks; *kweken van* ~*ken* cultivate [geraniums] from slips; ~*ken nemen, zie* stekken

stekeblind stone blind, (as) blind as a bat

stekel prickle, prick, sting; (*van egel*) spine, quill; (*plantk.*) spine; ~achtig *zie* ~ig; ~baars stickleback, (*fam.*) tiddler; ~brem needle-furze, -gorse; ~doorn gooseberry; ~draak *zie* pieterman; ~hoorn porphyry-shell; ~huidige echinoderm

stekelig prickly, spiny, thorny, spinous [fins]; (*fig.*) stinging, caustic, sarcastic, sharp, acri-

monious; ~*e zet* caustic (sarcastic) remark; ~heid prickliness, spinosity, spininess; (*fig.*) sarcasm, acrimony, asperity, caustic remark; *uitwisseling van ~heden* exchange of asperities

stekel: ~rog thornback (ray), roker; ~tje *zie* ~baars; ~varken porcupine; ~vinnigen spiny-finned fishes

steken (*met angel, enz.*) sting, prick; (*met dolk*) stab; (*met zwaard, enz.*) thrust; (*van wonden*) smart; (*van likdoorns*) shoot; (*van de zon*) burn; (*ergens aan of in doen*) put, stick, shove; (*mar.: ankerketting bijv.*) pay out; *aal* (*zalm*) ~ spear eels (salmon); *wormen* ~ dig for worms; *zoden* ~ cut sods; *dat steekt hem* that stings him, sticks in his throat, he is (feels) sore about it; *zijn stem* (*adem*) *bleef* ~ his voice (breath) caught; *plotseling blijven* ~ come to a dead stop, stop dead, get stuck; (*van auto, enz.*) *ook:* stall; *hij bleef dikwijls* ~, *omdat hij 't rechte woord niet kon vinden* he often got stuck (broke down) for want of a word; *zie ook ben.* (~ *in*); *een ring aan de vinger* ~ put (slip) a ring on one's finger; *daar steekt wat achter* there is s.t. behind it; *daar steekt meer achter* more is meant than meets the ear (the eye); *steek dat bij je* put it in your pocket; *de sneeuwklokjes staken hun kopjes boven de grond* thrust their heads above the ground; *zij stak haar arm door de zijne* she slipped her arm under his, hooked her arm into (*of:* through) his; *de handen in de zakken* ~ put (stick, thrust, slip) one's hands into one's pockets; *iem. in een dwangbuis* ~ clap a p. in a strait waistcoat; *hij stak hem in de arm* he jabbed (stabbed) him in the arm; *een naald* ~ *in* stick (*injectienaald:* jab) a needle into; *ze stak de naalden* (*nijdig, krachtig*) *in ...* she jabbed the needles into the ball of wool; *de sleutel in 't slot* ~ put (insert, fit) the key in(to) the lock; *de sleutel steekt in 't slot* the key is in the lock; (*diep*) *in de schuld* ~ be (deep, deeply) in debt; *daar steekt geen kwaad in* there is no harm in it; *wat voor* (*kwaad*) *steekt daarin?* where is the harm in it?, what harm can it do?; *ik wist niet, dat zo iets in je stak* I did not know you had it in you; *er steekt een ... in hem* he has the makings of a ...; *hij bleef in zijn woorden* ~ he broke down in his speech, stuck fast; *in de modder blijven* ~ stick in the mud; *de kogel bleef* ~ *in ...* the bullet lodged in the lung; *geld* ~ *in* put (invest, sink) money in [an undertaking]; *zijn voeten staken in grote schoenen* were encased in large shoes; ~ *naar* stab (thrust) at, strike a blow at [a p. with a knife]; *hij stak ... onder ...* he stuck the books under his arm; *'t hoofd uit 't raam* ~ put (shove, pop) one's head out of the window; *zie keel, neus, stoel, zak, enz.*

stekend stinging, cutting, smarting, shooting, burning, etc.; *vgl.* steken

steker *zie* stekker

stekje (*van plant*) cutting, slip; *zie* stek

stekken slip [plants], strike cuttings (of), multiply (reproduce) by cuttings

stekker (*elektr.*) plug

stel 1 set [of cups and saucers, jewels, samples, Bills of Lading; *ook van pers.*: a ... of fools], kit [of tools], lot [they're a queer ...]; (*van wagen*) undercarriage; (*gas-, enz.*) [gas-]stove; *hij is de beste* (*zij is de knapste*) *van 't ~* he is the best (she is the prettiest) of the bunch; *hij heeft een ~ aardige jongens,* (*fam.*) a crowd of nice boys; *ze zijn een raar ~* they are a queer pair; *hij heeft een goed ~ hersens* he is a brainy fellow; *zie* schenden; 2 *we zijn nog niet op ~,* (*na verhuizing*) we are not yet settled in; *op ~ en sprong* [he left us] then and there, like a shot, abruptly

stelen I *tr.* steal (*ook:* a kiss, a p.'s heart); (*kapen*) pilfer, purloin; *hij steelt al wat los en vast is* he steals whatever he can lay his hands on; *het kan me gestolen worden* they can keep it, and welcome!; *je kunt me gest. w.* you may go hang! I prefer your room to your company; *een kind om te ~* a perfect little pet; II *intr.* steal, thieve; *~ als de raven* s. like magpies, like monkeys; **steler** stealer, thief

stelfout error in sentence structure (in composition), stylistic error

stelkamer erecting-shop, fitting-shop

stelkunde algebra

stelkundig algebraical

stellage scaffolding, staging; [cask-]stand

stellen I *ww.* (*plaatsen*) place, put; erect [a frame], put [an engine] in working order; set [a problem, task]; put, pose [a question, problem]; posit [a problem], state [a case]; *vgl.* beweren; put [k = b/a]; (*afstellen*) adjust [the brakes], regulate, set; (*richten*) lay, train [a gun]; (*vaststellen*) fix [a price]; (*uitdrukken*) compose, draw up, write [a letter], couch, phrase, word [the letter was ...ed in the following terms, in polite language]; (*veronderstellen*) suppose; *een kijker ~* adjust (fix) a spyglass; *de kijker is goed* (*slecht*) *gesteld* is in (out of) adjustment; *goed ~* write a good style, be a good stylist; *zich ~* place (put, post, station) o.s., take one's stand; *zich een doel ~* propose an object to o.s.: *zich ten doel ~* make it one's aim; *ik had mijzelf die regel moeten ~* I should have set myself that rule; *zich een taak ~* set o.s. a task [the task he had mapped out for himself]; *een zichzelf gestelde taak* a self-appointed task; *~ dat ...* put the case that ...; *stel dat 't zo was* suppose (supposing) it were so; *stel dit geval* put this case [I put the case as mildly as I could]; *ik zou willen ~ dat ...* I suggest that ...; *hij kan het goed ~* he is well off (in easy circumstances); *hoe zal hij dat ~?* how is he going to manage it?; *connossement gesteld aan de order van ...* Bill of Lading made out to the order of ...; *zich boven iem. ~* put o.s. above a p.; *... ~ boven* ... put one's happiness before one's ambition, put duty before (above) everything, rank reasoning higher than observation; *ik kan 't buiten u ~* I can do without you; *... kon 't wel buiten hem ~, ook:* the world could well spare

him; *zie ook:* ~ zonder; *in krasse taal gestel.* [the resolution was] framed in strong language; *ik kan 't er voor 't ogenblik mee ~ i* (they) will do for now; *ik kan het hier mee ~* I ca make this (these) do; *ik heb wat te ~ met di jongen* that boy takes some looking after *gives me a lot* (peck) of trouble, is a handfu *ik kan 't met heel weinig slaap ~* I can do (g along) with very little sleep; *we zullen 't ermee moeten ~,* (*met 't eten*) we shall have to mak a meal of it, we shall have to make do wit [bread and coffee]; *zich ~ onder de zorg va put o.s.* under the care of; *de prijs ~ op* fix th price at; *een uur voor de tijd, waarop de ... gesteld was* an hour before the ceremony wa timed to begin; *'t aantal ~ op 40* place (put) th number at 40; *stel 't aantal dagen op x* let x b the number of days; *'t zich tot plicht stellen t ...* make it one's duty to ...; *voor 't feit ~, zie* fait accompli; *hij kon 't zonder slaap* (*eten*) ~ he could go (do) without (dispense with) sleep (food); *je zult 't er zonder moeten ~* you'll have to go without (it); *zie ook:* ~ buiten; *zie* gesteld, eis, kandidaat, taak, probleem, taak, vaststellen, enz.: II *zn.* composition; (*van machine*) erection; *wenken voor 't ~ in 't Engels* aids to (hints for) the writing o English (to English composition); **~de trap** positive (degree)

steller writer, author; ~ *dezes* the (present) writer; *hij is een goed ~* he writes a good style, is a good stylist

stellig positive [proof, instructions], sure and certain [hope], confident [belief]; *hij sprak op ~e toon* he spoke in a peremptory tone (*of:* assertively); *hij spreekt veel te ~* he is too positive; *hij komt ~* he is sure to come; *ze zal hem ~ meebrengen* she is bound to bring him with her; *ze zullen ~ te laat komen* they will certainly be late; *dat moet je ~ eens doen* you must do it by all means; *ik reken er ~ op* I absolutely count on it; *ten ~ste ontkennen* deny flatly; *zie verder* zeker & vast (...e overtuiging)

stelligheid positiveness; certainty

stelling thesis [*mv.*: theses; Luther nailed his theses to the church-door]. theorem; (*wisk. & logica*) proposition; (*mil.*) *a*) position [select a ...]; *b*) fortress, (line of) fortifications; (*mar.*) naval station; (*steiger*) scaffolding; *een kanon in ~ brengen* place a gun in position; ~ *nemen tegen* make a (one's) stand against; **~gast** (*scheepsbouw*) stager; **~name** attitude; *zijn ~ in deze kwestie* the position he adopted ...; **~oorlog** position (*of:* trench) war(fare)

steloefening exercise in correct writing

stelpen stanch, staunch [the bleeding]

stelregel maxim, (fixed) rule; *'n goede ~, ook:* a good rule to go by

stelring adjusting ring

stelschroef adjusting (adjustable) screw, set-screw

stelsel system, scheme; *continentaal* (*koloniaal*) ~ continental (colonial) s.; *tot een ~ maken* reduce to a s.; *zie* talstelsel & tientallig **telselloos** unsystematic, unmethodical, planless; **~heid** want of system (method) **telselmatig** systematic; **~heid** ...ness **telt** stilt; *op ~en lopen* walk on stilts; *alles stond op ~en* things were at sixes and sevens; *... stond op ~en* the whole town was in an uproar, the house was turned upside down; *alles (de boel) op ~en zetten* turn the place (the house, etc.) upside down; *overal de boel op ~en zetten* cause trouble everywhere; **~loper** s.-walker; *(vogel)* s.-bird, -walker, grallatorial bird; **~wortel** prop-root, stilt-root

stem voice; *(bij verkiezing, enz.)* vote; *(van muziekstuk) (voice)* part [first, second ...]; *de ~ des volks (der natuur)* the v. of the people (of nature); *de ~ van het bloed* the call of the blood; *een ~ van binnen* an inner v.; *één ~ tegen* one dissentient (vote), one contrary vote; *de ~men der Conservatieven* the Tory vote; *de meeste ~men gelden* most votes carry the day; *hij hoort graag zijn eigen ~* he likes to hear (likes the sound of) his own v.; *zijn ~ laten horen* be vocal; *ik ben mijn ~ kwijt* I've lost my v.; *slechts een adviserende ~ hebben* act as adviser, but have no vote; *ik heb mijn ~ terug* I've found my v.; *zij heeft niet veel ~* she has not much of a v.; *hij heeft er geen ~ in* he has no voice (no say) in the matter; *hij heeft zes ~men tegen ik één* he has six votes to my one; *de meeste ~men hebben* be at the top (the head) of the poll; *de minste ~men hebben* be at the bottom of the poll; *veel ~men (7000 ~men) krijgen (op zich verenigen)* poll heavily (poll 7000 votes); *er gaan ~men op om ...* voices are heard demanding that ...; *de ~men opnemen* collect (count) the votes; *zijn ~ verheffen* make one's voice heard, raise one's v. [tegen against]; *~men winnen* catch votes; *de ~men van ... trachten te winnen* seek the votes of the electors; *redevoeringen berekend op 't winnen van ~men* vote-catching speeches; *zijn ~ uitbrengen* record (register, cast, give, enter) one's vote; *zijn ~ uitbrengen op* vote for; *hoeveel ~men zijn er uitgebracht?* how many votes were polled *(of:* cast)?; *op één stem na had hij zijn zetel verloren* he was within a vote of losing his seat; *de tweede ~ zingen* sing second; *goed bij ~ zijn* be in (good) v.; *slecht bij ~* in poor v.; *de zanger was uitstekend bij ~* was in splendid (excellent) v.; *niet bij ~ zijn* be out of v.; *met luide ~* in a loud v.; *met (van aandoening) gebroken ~* with a break (catch) in one's v.; *de motie werd met een meerderheid van 14 ~men aangenomen* was carried by fourteen votes; *met algemene ~men* unanimously, without one dissentient voice, nem. con.; *met 10 ~men voor en 8 tegen* by ten votes in favour and eight against; *voor drie ~men* [song] in three parts, three-part [song]; *zie* beslissend, roepen, werven, wisselen, enz.

stem: ~**balletje** ballot; ~**banden** vocal cords; *de*

– spannen en ontspannen tighten and relax the vocal cords; ~**biljet** voting-, ballot-paper; ~**blok** wrest-block; ~**briefje** *zie* ~biljet; ~**buiging** modulation, [rising, falling] inflection; ~**bureau** polling-booth, -station; *(fig.)* poll; *(de personen)* polling-committee; ~**bus** ballot-box; *(fig.)* poll; *met de meeste ~men uit de – komen* head (be at the top of) the poll; *aan de – verslagen worden* be defeated at the polls; *voor sam. zie* verkiezings...; ~**dag** polling-day; ~**district** polling-district, ward; ~**dwang** compulsory voting; ~**fluitje** tuning-, pitch-pipe; ~**geluid** voice; ~**gember** stem-ginger; ~**gerechtigd** entitled to (a, the) vote, enfranchised; *-e leden* voting members; *-e leeftijd* voting age; *– zijn* have the vote; ~**hamer** tuning-hammer, -key; ~**hebbend** *a)* = *~gerechtigd; b)* voiced [consonant]; ~**hokje** compartment (of polling station); ~**lokaal** *zie* ~bureau; ~**loos** voiceless, mute, dumb; *(medeklinker)* voiceless (breathed) [consonant]

stemmen vote, give (cast, record) one's vote, go to the poll; *(geheim)* ballot; *(Parl.)* divide; tune [instruments], voice [organ pipes]; *(van orkest)* tune up; *om haar gunstig te ~* to propitiate her, to get into her good books; *vrolijk ~* put in a cheerful mood; *zachter ~* mollify [a p.]; *'t stemt me droevig* it makes me feel sad; *er werd niet gestemd* no vote was taken; *slechts 7 % stemde* only seven per cent. polled; *Liverpool stemt vandaag* L. polls to-day; *~! ~! (Parl.)* 'vide! 'vide! (= divide); *~ met zitten of opstaan* v. either by rising or remaining seated; *~ op* v. for; *(op een) liberaal (conservatief, enz.) ~* v. liberal (conservative, etc.), v. with the liberals, etc.; *als iem man ~ op* plump for; *op toon ~* pitch [an instrument]; *~ over* v. (up)on [the resolution was not voted upon]; *(Parl.)* divide on; *laten ~ over* take a vote on, put [a proposal] to the vote; *~ tegen* v. against; *'t stemt ons tot grote dankbaarheid* it makes us feel deeply grateful; *tot ongerustheid ~* give rise to anxiety; *tot vriendelijk. ~* dispose [a p.] to kindness; *'t stemt tot kalmte* it is soothing; *~ voor* v. for (in favour of, in support of); *iem. (on)gunstig ~ voor ...* predispose (prejudice) a p. in favour of ... (against ...); *zie* druk, hoofdelijk, onaangenaam, nadenken enz.; ~**aantal,** ~**cijfer** poll [a good liberal ...], [the communist] voting strength; ~**gedruis,** ~**gegons** murmur of voices; ~**verhouding:** *een – van ...* a vote of 200 to 50; ~**versnippering** vote-splitting; ~**werver** canvasser

stemmer voter; *(muz.)* tuner

stemmig *(van pers.)* grave, staid, demure, sedate, sober; quiet [dress, dress ...ly], sober; ~**heid** gravity, staidness, demureness, sedateness, soberness; quietness

stemming ballot (= geheime ~), voting, vote, polling; *(in Parl., enz.)* division; *(gemoeds-)* frame *(of:* state) of mind, mood, humour, feeling, disposition; *(van de markt)* tone, tendency, sentiment [... on the Stock Exchange was firm]; (*in bos e. d.*) atmosphere; (*muz.*) *a*) tuning; *b*) pitch; *c*) intonation; *d*) temperament; *vaste* (*onvaste, flauwe*) ~, (*hand.*) firm (unsettled, weak) tone (*of:* tendency); *schriftelijke* ~ vote by ballot; *er heerste een feestelijke* ~ *in de vergadering* there was a festive air about the meeting; *zich vergewissen van de* ~ (= *'t gevoelen*) *der vergadering* take the sense of the meeting; *de algemene* ~ *was ertegen* the general feeling was against it; *zijn* ~ *werd beter* his spirits rose; ~ *eisen* (*verlangen, vragen*) challenge a division, press the matter to a division; *een* ~ *houden* take a vote (a ballot, a poll); ~ *maken* create an atmosphere; ~ *makèn voor* (*tegen*) rouse popular feeling for (against); *de motie werd aan* ~ *onderworpen, in* ~ *gebracht, kwam in* ~ was put to the vote, a vote was taken on the motion; *bij* ~ on a division; *bij eerste* ~ *gekozen* elected at (*of:* on) the first ballot; *ik ben er niet voor in de* ~ I am not in the mood for it, I don't feel like it; *niet in de* ~ *zijn om te* be in no mood to; *in een feestelijke* (*vrolijke, strijdlustige*) ~ in (a) festive (merry, fighting) mood; *in een goedgeefse* ~ in the giving vein; *in uitstekende* ~ in excellent heart; *tot* ~ *overgaan* proceed to the vote (to a division); *zonder* ~ without a division; (*fam.*) on the nod; *zie* handopsteken, uitslag, enz.; ~**smens** man (woman) of moods

stem: ~**oefening** voice-training; *'n* – a v.-t. exercise; ~**omvang** range (*of:* compass) of the voice, vocal register; ~**opnemer** (*inz. Parl.*) teller; (*bij verkiezing*) polling-clerk, scrutineer; ~**opneming** count, counting of votes

stempel [name-, date-] stamp, (initial) seal; (*munt-, enz.*) die; (*afdruk*) stamp (*ook fig.:* bear the ... of truth), impress, imprint; (*keur*) hall-mark; (*post-*) postmark; (*van bloem*) stigma; *zijn* ~ *drukken op* put (set) one's stamp (*of:* seal) upon, (*fig. ook*) leave (put) one's mark upon; *je beroep drukt een* ~ *op je* your profession marks you; *hij drukt op de gehele inrichting zijn* ~, *ook:* the whole establishment bears the s. of his personality; *het besluit draagt het* ~ *van ...* bears the mark (imprint) of; *van de oude* ~ of the old s.; *geliefden van de oude* ~, *ook:* an orthodox pair of lovers; ~**aar** *a*) stamper; *b*) *zie* steuntrekker; ~**band** cloth binding; *in* – in cloth; ~**beeld** (*op munt*) effigy

stempelen stamp [paper], mark; (*brief*) postmark (*zie* poststempel); (*goud, enz.*) hallmark; (*op stempelklok*) clock in, punch the time-clock; *dat stempelt hem tot een verrader* this stamps him (as) a traitor

stempel: ~**hamer** stamping-hammer; ~**ing** ... ing (*zie* stempelen); ~**inkt** stamp-pad ink; ~**kaart** time-card; ~**klok** time-(stamp) clock; ~**kussen** ink-pad, inking-pad; ~**lob** (*plantk.*) stigmatic lobe; ~**machine** stamping-machine; ~**pers** stamping-press; ~**snijder** stamp-cutter, seal-engraver, die-sinker, medallist

stempen (*muz.*) wrest-pin

stem: ~**plicht** compulsory voting; ~**recht** (*pol.* suffrage, franchise, vote [have the ..]; (*in vergadering, enz.*) right to vote, voting-power, vote [have no ...]; *aandelen met* – votin stock; *algemeen* – universal suffrage; *'t* – ver lenen confer the vote on, give the vote; *'t ontnemen* disfranchise; ~**sleutel** tuning key; ~**spleet** glottis; *tot de* – *behorende* glottal; ~**va** cadence; ~**vee** voting robots (dummies, ma chines), [the] voting mob, vote recorders; ~**verandering** *zie* ~wisseling; ~**verheffing** raisin of the voice; *met* – *spreken* raise one's voice *zonder* – *spreken, ook:* speak in a level (a even) voice (*of:* tone); ~**vermogen** vocality; ~ **volume** vocal power; ~**vork** tuning-fork; ~ **vorming** voice production; ~**wisseling** break ing of the voice

stencil id.; ~**en** stencil, duplicate

stenden estates of the realm

1 stenen groan, moan

2 stenen *bn.* stone, brick (*vgl.* steen); clay [pipe] flint [knives]; brick-built [bungalow]; ~ *har* heart of s.; ~ *vloer* s. floor, (*van plavuizen* flagged floor

steng pole; *zie* stang; (*mar.*) topmast; *grote* - main-topmast

stengel stalk, stem; (*van blad, ook:*) petiole; (*va* hop, *ook:*) bine; ~**blad** stem (*of:* foliage) leaf cauline leaf; ~**bloem** pedunculate flower; ~ **knoop** node; ~**lid** internode; ~**loos** ...less; ~ **vormig** s.-, stem-like, cauliform

stengewant (*mar.*) topmast shrouds

stengun id.

stenig *zie* steenachtig; ~**en** stone (to death); ~ **ing** stoning, lapidation

steno (*fam.*) shorthand; ~**graaf** s. writer, steno grapher; ~**graferen** *intr.* write s.; *tr.* take down in s.; ~**grafie** shorthand, stenography; ~**grafisch** s., stenographic (*bw.:* -ally), in s.; – *op nemen* take down in s.; ~**gram** s. report; ~ **typist(e)** s. typist

Stentor id.; s~**stem** stentorian voice

step id.; (*speelgoed*) scooter; ~**dans** step-dance

Stephanie id.; **Stephanus** Stephen

steppe id.; ~**hoen** (Pallas's) sand-grouse; ~**hond** prairie-dog; ~**meer** s.-lake

ster star (*ook op voorh. van paard, van orde, enz.*); (*distinctief*) pip; (*fig. ook*) [a legal] lu minary, [shining] light (*zie* lichtend); ~ *van Bethlehem,* (*plant*) s. of Bethlehem; S~ *in het Oosten* Eastern Star; ~ *van de eerste grootte,* (*ook fig.*) s. of the first magnitude; *met* ~**ren** *bezaaid* studded with stars, star-spangled, -strewn, starry; ~**ren en strepen,** (*Am. vlag*) stars and stripes; *zie* sterretje; ~**anijs** s. anise (-seed), Chinese anise, badian; ~**appel(boom)** s.-apple (tree)

stère id., stere, cubic metre

stereo id.: ~**chemie** s.chemistry; ~**fonie, -fonisch** s.phony, -phonic; ~**meter** id.; ~**metrie** solid geometry; ~**metrisch** s.metric (*bw.:* -ally); ~ **scoop** s.scope; ~**scopisch** s.scopic (*bw.:* -ally); ~**tiep** s.type [edition]; (*fig.*) s.typed [questions], stock [remark], cut-and-dried [answer]; ~*e uitdrukking, ook:* cliché; ~**typeren** s.-type; ~**typie** s.type printing, s.type

sterfbed death-bed

sterfdag day of a p.'s death, [I shall regret it to my] dying-day

sterfelijk mortal; ~**heid** mortality

sterf: ~**geval** death; *wegens* – [closed] owing to death, owing to a bereavement; ~**huis** house of the deceased, house of mourning; *de stoet zal 't* – *verlaten om 2.15* the cortège will move (leave residence, leave the house) at 2.15; ~**jaar** year of a p.'s death; ~**kamer** death-room, -chamber; ~**register** register of deaths

sterfte mortality; *ook* = ~**cijfer** death-rate, (rate of) m.; ~**kans** death risk; ~**lijst** bill of m.; ~**statistiek** statistics of m., m.-returns; ~**tafel** (*verzek.*) life-table, m.-table

sterf: ~**uur** hour of (a p.'s) death, dying-hour; ~**wol** dead-wool

sterhyacint star hyacinth

steriel sterile, barren; (*bacterievrij*) sterile, sterilized; (*van chirurgische instrumenten enz.*) *ook:* surgically clean

steriisatie sterilization; **sterilisator** sterilizer

steriliseren sterilize (*ook pers.:* the unfit); spay [a female animal]

steriliteit sterility, barrenness

sterisch steric

sterk I *bn.* strong [man, chain, ice, boots, coffee, fortress], robust; powerful [microscope, glasses, cocktail, electric current]; high-power [lens]; high-powered [engine]; high-tenacity [yarn]; stout [shoes, cord]; high [wind]; sharp [rise *stijging;* fall *daling;* ~ *en gezond* able-bodied; ~ *van lichaam* s. in body; *wij zijn 300 man* ~ three hundred s.; *hoeveel zijn ze* ~? how many are they s.?; *dat is nogal* ~ that's a bit thick (steep; pretty stiff); *het is zelfs zo* ~ so much so; ~ *bewijs* s. proof; ~*e boter* s. (rancid) butter; ~*e drank* s. drink, (s.) liquor, ardent spirits; ~ *geheugen* tenacious (retentive) memory; *'t* ~*e geslacht* the stronger (sterner) sex; ~(*e*) (*glas*) *grog* stiff (glass of) grog; ~ *roker* heavy smoker; ~ *stukje* remarkable feat; ~*e verhalen* tall stories; ~ *water, zie ben.;* ~ *werkwoord* s. verb; II *bw.* strongly, etc.; ~ *afgeplat* (*vertakt*) much flattened (branched); ~ *vergroot* much enlarged; ~ *gekleurd* highly coloured; ~ *verschillend* widely different; *dat is* ~ *gezegd* that is putting it s.ly, (*sl.*) that is coming it s.; *daar ben ik* ~ *voor* I am quite in favour of it; I am all for [peace]; *zich* ~ *uitdrukken* express o.s. forcibly (strongly), put it strongly; *ik vroeg me* ~ *af, of* ... I very much wondered whether ...; *ik maak mij* ~ *'t beter te doen* I'm pretty sure I can do it better; *ik maak me* ~ *dat* ... I am sure (I feel confident) he will come; I'll even go so far as to say that ...; *hij staat* ~ he has (his is) a s. case (position), he is on s.ground [in saying so]; *wie niet* ~ *is, moet slim zijn* if you are not strong, you must use your wits; *ik twijfel er* ~ *aan of* ... I greatly (much, strongly) doubt whether ...; *hij is* ~ *in 't Grieks* he is s.

in Greek, Gr. is his s. point (his forte); *hij was niet* ~ *in zijn kennis van Holland* not s. on H.; *hij is* ~ *in 't maken van* ... great on compliments; *dat gevoel* (*die gewoonte*) *werd* ~*er bij hem* that feeling (habit) grew upon him; *ik zal het je nog* ~*er vertellen* I'll go one better than that; *de tegenstand werd* ~*er* resistance stiffened; *zie ook* been, knap, krachtig, leven 2; ~**benig** s.-legged

sterken strengthen, fortify, invigorate; *gesterkt door de gedachte* ... buoyed up by the thought ...; *het sterkte hem in zijn zelfzucht* it confirmed him in his selfishness

sterk: ~**gebouwd** strongly (solidly) built; ~**gekleurd** highly coloured [stories]; ~**gespierd** muscular; ~**ing** strengthening; ~**riekend** strong-scented; ~**sprekend** bold [pattern]

sterkstroom strong current; ~**kabel** power current cable

sterkte strength (*ook van orkest*); power [of a lens]; (*vesting*) stronghold (*ook fig.*), fortress; *het regiment is op* (*boven, beneden*) ~ at (above, below) establishment; *op* ~ *brengen* (*houden*) bring (keep) [a battalion] up to s.; *het leger op volle* ~ *houden* maintain the army at full strength; ~*!* more power (*of:* s.) to your elbow!; *ik wenste hem* ~ I wished him courage; *zie* kracht

sterkwater (*salpeterzuur*) aqua fortis; (*alcohol*) spirits; *op* ~ *zetten* put (steep, mount) in spirits

sterling id.; ~**blok,** ~**gebied** s. area

stermotor radial engine

stern (*vogel*) (common) tern; *grote* ~ Sandwich t.; ~**tje** (lesser, little) t.

sterre: ~**baan** course (*of:* orbit) of a star; ~**bloem** stellate flower; ~**dag** siderial day; ~**distel** star-thistle, caltrop; ~**jaar** siderial year; ~**kers** garden-cress; ~**kijker** telescope; ~**kroos** water starwort, (*wet.*) callitriche; ~**mos** starred moss; ~**muur** chickweed, starwort

sterren- star: ~**aanbidder** s.-worshipper; ~**beeld** constellation; ~**beschrijving** astrography; ~**dak,** ~**gewelf** starry vault (of heaven); ~**heir** starry host; ~**hemel** starry sky; ~**hoop** [galactic *open,* globular *bolvormige*] s. cluster; ~**kaart** s.-map, celestial chart; ~**kijken,** ~**kijkerij** s.-gazing; ~**kijker** s.-gazer (*ook vis*); ~**kunde** astronomy; ~**kundig** astronomical; ~**kundige** astronomer; ~**licht** s.-light; *de door* – *verhelderde nacht* the s.-lit (s.-light) night; ~**regen** s. (*of:* meteoric) shower; ~**stroming** s.-drift, s.-stream; ~**wacht** (astronomical) observatory; ~**wichelaar** astrologer; ~**wichelarij** astrology

sterreschans (*hist.*) star-redoubt, -sconce

sterretijd siderial time

sterretje *a*) little star; *b*) asterisk (*); *c*) (*mil.*) pip; *hij kreeg zijn 2de* ~, (*werd 1ste luitenant*) he got his second pip; ~*s,* (*vuurwerk*) stars; ~*s zien* [if you don't shut up, you'll] see stars; (*med.*) scintillation

sterrit [Monte Carlo] (motor-)rally

sterveling mortal; *geen* ~ not a (living) soul; *geen* ~ *kan meer doen* angels can do no more

sterven die, expire; *ik mag* ~ *als 't niet waar is*

I am a Dutchman (I will eat my hat) if it is not true; *als bedelaar* ~ d. a beggar; ~ *aan een ziekte, aan vergift, aan zijn wonden, door geweld, door verwaarlozing, op de brandstapel, op 't schavot, van armoede, van dorst, van schrik, van ouderdom, van verdriet, van uitputting, van vermoeienis* d. of a disease (*ook:* from typhoid, etc.), from poison, from one's injuries (wounds), by violence, through neglect, at the stake, on the scaffold, of poverty, of thirst, of (*of:* with) fright, of old age, of grief (a broken heart), of exhaustion, from fatigue; *ze stierf door kouvatting* she caught her death of cold; *aan de gevolgen* ~ d. from the effects; *van honger* ~ d. of hunger, starve (to death); (*komen te*) ~ *vóór* d. before, predecease; *de lach stierf op zijn lippen* died (away) on his lips; *je kunt maar eenmaal* ~ you can only d. once; *ze* ~ *als vliegen* they are dying off like flies; *op* ~ *liggen* be dying (in a dying condition, at the point of death, on the point of dying, at death's door, at the (one's) last gasp); *zie ook* dood 2

stervend dying, sinking, moribund [*ook fig.:* the party is far from ...]; *de* ~*e* the dying man (woman, person); **stervensuur** dying-hour, hour of death, last hour

stervormig star-shaped, stellate(d), asteroid

stethoscoop stethoscope

stethoscopisch stethoscopic (*bw.:* -ally)

steun[1] support, prop, (*fig. ook*) stay, help, stand-by; (unemployment) benefit, u. pay; *de* ~ *van haar oude dag* the prop of her old age; *tot* ~ *van* in s. of, [garden party held] in aid of [the hospital]; *ze* (*het*) *was hem tot grote* ~ she (it) was a great help to him; ~ *verlenen* support, aid, give assistance; *zijn zedelijke* ~ *verl.* lend one's moral s.; *de* ~ *ondervinden van* have the s. of; ~ *zoeken bij* seek the s. (the aid) of; (*van de*) *steun trekken* be on the dole; ~**balk** supporting beam, girder, summer; ~**beeld** *zie* schraagbeeld; ~**beer** buttress; ~**blad** stipule; ~**bout** stay-bolt; ~**comité** relief-committee

1 steunen (*stenen*) groan, moan

2 steunen support, prop (up), sustain, (*fig.*) support, stand by, uphold [a p.], back (up); second; (*kracht, moed geven*) bear up; (*inz. wankele instelling of zaak, enz.*) bolster up, buttress, prop up; underpin [the franc]; (*vooral zedelijk*) countenance, give countenance to [he gave countenance to the cause by his presence]; (*motie*) second, support, speak in support of [a motion]; *een politiek* ~, *ook:* endorse a policy; *iems. aanspraken* ~ s. a p.'s claims [*bij* with]; *hij wordt flink gesteund* (*in zijn streven*) he has a solid backing behind him; ~ *op* lean on [a stick; *ook fig.:* she wanted a man to ...]; *ze steunde de ellebogen op tafel* she leaned her elbows on the table; (*gebaseerd zijn op*) be based (founded) on, rest on; *op iem.* ~ *voor hulp* rely on a p. for help; *steun*

---

daar niet teveel op don't bank on it too much; *zie ook* leunen

steun: ~fonds relief-fund; ~**muur** retaining wall, breast-wall; ~**pilaar** pillar (*ook fig.:* a... of the Church, ...s of society); (*fig. ook* stand-by, mainstay [the ... of the State]; *hij i. een – der regering, ook:* a tower of strength to the government; ~**punt** point of support; (*va. hefboom*) fulcrum (*mv.:* -cra); (*mil.*) base [naval ..., air ...], key-point [English ...s i. the Mediterranean]; ~**regeling** relief regulations; ~**sel** prop, stay, support; ~**tje** [elbowrest; *iem. een – geven*, (*fig.*) take a p. by the hand, give a p. a leg up; *'n – nodig hebbe* need a leg up]; ~**trekkend** on the dole, i. receipt of relief; ~**trekker** recipient of relief ~**troepen** supports; ~**uitkering** (*aan werklozen* unemployment benefit, dole; ~**zender** booste station; ~**zool** arch support

steur sturgeon, (*kleine*) sterlet; ~**garnaal** prawn ~**haringen** sprinkled herrings; ~**krab** prawn ~**kuit** caviar(e)

stevel (*hist.*) boot; *zie* laars

Steven Stephen

steven prow, stem; *de* ~ *wenden* put (the ship about; *de* ~ *wenden naar* make (*of:* head) for ~**beeld** figure-head; ~**en** set sail, sail, stee [*naar* for]; *zie* aanstevenen

stevig solid [table, breakfast], strong [boots] firm [flesh, legs; seat on horseback, ...ly seated], steady [hand], square [meal], big [breakfast], substantial [dinner, food, packing-case], hearty [meal, eater], stout [cardboard, boots, paper, plank, stick], stiff [breeze, grog, price, march]; (*pers.*) well set-up, well-knit, sturdy, sturdily built, strapping [girl]; ~*e wijn* wine of a good body; *een* ~ *uur* rather more than an hour, a stiff (good) hour; *een* ~*e vijftiger* a person well on in the fifties; ~ *doorstappen* walk on at a brisk pace; ~ *beetpakken* grasp [a p.'s hand] firmly; ~ *drinken* drink deeply (heavily); ~ *staan* stand firm; *houd mij* ~ *vast* hold me tight; *ik heb je* ~ *vast* I've got you tight; ~ *vastbinden* tie securely; *zich* ~ *vastklemmen aan* cling tight to; ~ *inpakken* wrap substantially, pack [a parcel] firmly; *'m* ~ *om hebben* be three sheets in the wind; ~ *op de benen* sure-footed; *zie ook* flink; ~**en** strengthen, stiffen; ~**heid** solidity, firmness, stoutness, substantiality, sturdiness

stewardess id., air-hostess

sticht bishopric, [bishop's] see; (*klooster*) convent; *'t S*~ the b. of Utrecht

stichtelijk edifying [sermon], improving; ~ *boek* devotional book; *dank je* ~*!* thank you for nothing! not on your life! (*sl.*) I'm not having any!; ~**heid** edification

stichten found [a business, colony, hospital, church, an empire], establish [a business], plant [colonies], start [a fund], edify [one's audience], make [peace]; *brand* ~ raise (start) a fire; *goed* (*kwaad*) ~ do good (evil); *nut* ~ be

---

[1] *Zie ook* hulp & onderstand

useful; *oproer (tweedracht)* ~ stir up sedition (strife); *zie* gesticht, onheil, oprichten, enz.

stichter founder

stichting foundation; *(concr.)* institution, foundation, alms-house; *(van hoorders, enz.)* edification; *ter ~ van, ook:* for the benefit of *(ook iron.)*; **~sbrief** deed *(of:* charter) of f.

stichtster foundress

stiefbroeder, -dochter, -kind stepbrother, -daughter, -child *(ook fig.*)

stiefmoeder stepmother *(ook fig.)*; **~lijk** stepmotherly *(ook fig.:* ... treatment, etc.); *– behandeld (bedeeld) worden* be treated in a stepmotherly fashion (as the Cinderella [of the professions]); *de natuur heeft hem – bedeeld, ook:* nature has not given him a fair chance

stiefvader, -zoon, -zuster stepfather, -son, -sister

stiekem I *bn.* underhand, hole-and-corner [marriage, affair]; *zich ~ houden* lie low, *(sl.)* lie doggo; II *bw.* on the sly, on the (strict) quiet, on the q.t., in secret; *er ~ van door gaan* sneak off; *een ~weg* a slyboots, a deep one, a sneak; **~weg** *zie* ~ *bw.*

Stien Christina, *(fam.)* Chrissy

stiep stereo(type) (block); **~en** s.

stier bull; *als een dolle ~* like a mad bull; *jonge ~* steer; *de S~,* (dierenriem) Taurus; **~egevecht** b.-fight; **~enek** b. neck

stierf *o.v.t. van* sterven

stierkalf bull-calf

stierlijk: ~ *'t land hebben* be fed up to the back teeth; *iem.* ~ *vervelen* bore a p. stiff (to death); *zich ~ vervelen* be bored stiff, be dreadfully bored

Stiermarken Styria, **-er, -s** Styrian

stiet *o.v.t. van* stoten

stift 1 peg, pin, [etching-]needle; [menthol, headache] pencil; *(tandheelk.)* post; *(van zonnewijzer)* gnomon, gnomon; *zie* schrijf~ & graveer~; 2 *zie* sticht; **~sdame** canoness; **~sheer** canon; **~sleutel** hex(agon) key; **~tand** crowned tooth

stigma *(wondteken)* id. *(mv.:* stigmata); *(brandmerk)* id.; brand; **~tisatie** stigmatization; **~tiseren** stigmatize

stijf stiff [cardboard, collar, leg, joint, etc.; *ook fig.:* bow, manners, design, handwriting], starched, stiff [shirt-front], hard [hat]; *(van luchtsch.)* rigid; *(fig. ook)* starchy, starched [old maid], wooden [gestures]; *(van pers.) fam. ook:* buttoned up; *(van markt)* firm; *half ~,* (van luchtschip) semi-rigid; *overhemd met ~ front,* (sl.) boiled shirt; *-ve koelte* s. breeze; *-ve nek* s. *(of:* cricked) neck; *een -ve nek hebben, ook:* have a crick (rick) in one's neck; *hij is zo ~ als een stok* as s. as a poker; *hij hield 't ~ en strak vol* he stoutly persisted (maintained it); *'t been ~ houden* refuse to give way; ~ *van de koude* s. (numb, benumbed) with cold; ~ *van 't zitten* s. *(of:* cramped) with sitting; *alles was ~ bevroren* was frozen s.; *haar lippen waren ~ op elkaar gedrukt* were tight set; *met zijn ogen*

~ *dicht* ... tightly shut; ~ *worden,* (van lijk, pudding, enz.) set; *stijver worden,* (van prijzen) stiffen, harden; *zie* stevig, hark. Klaas; **~harig** wire-haired [terrier], hispid [plant]; **~heid** stiffness, rigidity, starchiness, starch [take the ... out of a p.]; *vgl.* ~; **~hoofd(ig)** *zie* ~kop(pig); **~kop** obstinate (headstrong) person, mule; **~koppig** obstinate, headstrong, pig-headed, mulish; **~koppigheid** obstinacy, mulishness

stijfsel (laundry) starch; *(om te plakken)* paste; **~achtig** starchy; **~en** starch; **~kwast** paste-brush; **~pap** s.-paste; **~pot** paste-pot; **~water** s.-water

stijfster (clear-)starcher

stijfte stiffness; *(van pap, enz.)* consistency

stijg 1 *(snees)* score; 2 *(op ooglid)* sty

stijgbeugel stirrup *(ook in oor)*; *iem. met de voet in de ~ helpen* give a p. a leg up; *de voet in de ~ hebben, (fig.)* be in the saddle; *daardoor kreeg hij de voet in de ~* that gave him his start in life; **~riem** s.-leather; **~strap**

stijgblok mounting-block

stijgen *(van weg, rivier, barometer, enz.)* rise; *(van vliegt., ook:)* climb; *(toenemen)* increase; *(van prijzen, enz.)* rise, go up, look up, tend upwards, be on the advance, stiffen, pick up, strengthen, firm up, appreciate [land in this neighbourhood is bound to ...]; Dutch florins ... d to 4.40]; *snel ~,* (van prijzen, enz.) r. sharply, bound up [the cost of living is bounding up]; *plotseling sterk ~,* (van artikel) boom; *zijn ster is aan 't ~* his star is in the ascendant; *de wijn ('t bloed) steeg me naar 't hoofd* the wine went to my head (the blood rose, mounted, rushed to my head); *tot aanzienlijke ambten ~* r. to high offices; *'t meel is (5 p) gestegen* flour is up (five pence); *de uitvoer is gest.* exports are up [met ... by £5000]; *'t getij (water) stijgt* the tide is coming in; *doen ~* swell [the box-office receipts], send up [prices, the temperature]; *te paard ~* mount (one's horse); *van 't paard ~* dismount; **~d** *(toenemend)* on the increase; *de lonen zijn ~de* wages are rising (are on the upgrade); *~de beweging* upward movement; *~de kosten* mounting (rising) cost; *zie* klimmend

stijging rise, rising, advance [tegenover 1976 on 1976]; increase, appreciation; *(van prijs, ook:)* upturn, uplift; *(zeer sterk)* boom; *vgl. 't ww.; (opstijging)* ascent

stijgkracht, -vermogen *(vliegt.)* lift, climb; *(van ballon)* lifting-power

stijgsnelheid *(van vliegt.)* rate of climb

stijl *(stift, schrijfwijze, trant, tijdrekening, plantk.)* style *(ook van roeier, enz.); (post)* [door-, bed-]post, stanchion, upright; *(van vliegt.)* strut; *(van deur, raam, schoorsteen, ook:)* jamb; *(van leuning)* baluster; *geen ~,* (fam.) poor show; *de oude ~* the Old Style, the Julian Calendar; *van de oude ~* [aristocrat] of the old s. *(of:* stamp); *naar de laatste ~ in (of:* after) the latest s.; **~band** *(bk.)* astragal; **~bloempje** flower of speech; **~figuur** figure of speech; **~fout** fault of s.; **~gebreken** deficiencies of s.;

~**kamer** period room; ~**leer** stylistics, art of composition; ~**loos** styleless, without style; ~**middel** stylistic device; ~**oefening** (exercise in) composition; ~**vol** in good s., elegant, (*soms*) stylish

stijven (*algem., ook van prijs & wind*) stiffen; (*linnen*) (clear-)starch; (*fig.*) stiffen, back [a p.] up [in s.t.]; *de schatkist* ~ swell (benefit) the Exchequer; *iem.* ~, *ook:* stiffen a p.'s back; *pas gesteven* freshly starched; *stijf gesteven* stiffly starched [collars]

stijving stiffening, etc.; *vgl. 't ww.*

stik: ~**bom** asphyxiating bomb; ~**donker** *bn.* pitch-dark; *zn.* pitch (*of:* inky) darkness; ~**gas** asphyxiating gas; (*in mijn*) choke-damp; (*na explosie*) after-damp; ~**heet** *zie* smoorheet; ~**hoest** suffocating cough

stikken 1 (*met garen, enz.*) stitch; *gestikte deken* quilt; 2 stifle, be stifled, choke, be choked to death, be suffocated, suffocate; *stik! je mag* ~! go to blazes! you may go hang!; *een gevoel alsof men zal* ~ a choking feeling; *we* ~ *in de bureaucratie* we are smothered in red tape; ~ *in een stuk brood* choke on a piece of bread; *hij stikte van 't lachen* he laughed until he choked, he was convulsed with laughter; *hij stikte van woede* he choked with fury; *'t is hier om te* ~, *je stikt hier* it is stiflingly hot here, there's no air in here; *'t was om te* ~, (*zo grappig*) it was a scream, (*zoals ze er uitzag*) she looked a scream; *iem. laten* ~, (*fig.*) let a p. go hang

stikker stitcher; **stikking** suffocation

stiklucht suffocating air

stik: ~**machine** stitching-machine, stitcher; ~**naald** stitching-needle; ~**sel** stitching; ~**ster** stitcher

stikstof nitrogen; ~**houdend** nitrogenous; ~**verbinding** nitrogen compound

stikvol chock-full, packed (crowded, crammed, thronged, jammed) to suffocation; ~ *fouten* bristling with mistakes

stil (*onbeweeglijk*) still; (*zonder geluid*) silent (*ook van film*), still; (*rustig*) quiet [a ... place], calm; (*in zaken*) slack; (*van markt*) quiet, flat, dull; ~! hush! be quiet! silence!; ~ *maar, kleintje* there, there, my little one; *'t werd* ~ (a) silence (a hush) fell; *ze werden* ~ they fell silent; *je bent erg* ~ *vanavond* you are very quiet tonight; *een* ~*le dag,* (*zonder wind*) a s. day; ~*le diender* detective, (*fam.*) tec; ~*le getuige* dumb (silent) witness; ~*le lommerd* dolly-shop; *een* ~ *meisje* a quiet girl; ~*le mis* low mass; ~ *nummer,* (*telef.*) ex-directory number; *een* ~*le pimpelaar* a secret drinker; ~ *spel* silent action, by-play; *de* ~*le tijd,* (*hand.*) the slack (*of:* dull) season; ~*le uitslag,* draft, turn of the scale; ~*le vennoot,* limited partner; *'n* ~ *verwijt* a silent rebuke; ~ *water* turn of the tide; *de* ~*le week* Holy Week; *zo maar, bij* ~ *weer* [it happened] just like that; *S*~*le Zaterdag* Holy Saturday; *zo* ~ *als een muisje, zie* muisstil; ~ *gaan leven* retire from business; ~

leven live in retirement; ~ *levend* retired [broker]; *hij behoort tot de* ~*len in den lande* he is a silent man, he has not much to say for himself, he is one of those who look on and say nothing; *zie* water

stileren 1 (*stellen*) compose; *hij stileert goed* he writes a good style; 2 (*in de kunst*) formalize, stylize, conventionalize

stilet stiletto, *mv.:* -os, -oes

stilhouden stop, come to a stop (a standstill), halt; (*van trein, auto, enz., ook:*) pull up, draw up; (*van ruiter, ook:*) draw rein (*of:* bridle); *houd dat been stil* keep that leg still; *hij liet de auto* ~ he stopped the car; *zich* ~ keep quiet, keep mum, be silent, hold one's peace; *'t* ~ hush it up, keep it (the matter, the affair) quiet; *hou je stil!* keep silent! be silent (quiet)! hold your tongue!, (*fam.*) shut up

stiliseren *zie* stileren; **stilist(iek)** stylist(ics)

stilleggen *zie* stopzetten

stillen hush, silence, quiet [a child], quiet [one's conscience, fear], allay [fears], relieve, alleviate, allay [pain], satisfy, appease [one's hunger], quench [one's thirst]; *de eerste honger* ~ take off the edge of hunger; *zijn eerste honger was gestild* the first edge of his appetite had worn off

stil: ~**letje** (night-)commode, night-stool, -chair; ~**letjes** secretly, stealthily, by stealth, on the sly, on the quiet, on the q. t.; – *meerijden* steal a ride; ~**leven** still life

stilliggen lie still (quiet); (*van schepen*) lie idle, lie up [for the winter]; (*van fabriek*) be idle; ~**d** idle [shipping, etc.]; *zie ook* stilstaan

stilling silencing, alleviation, appeasement, etc.; *zie 't ww.*

stilstaan stand still; (*van fabriek*) be idle; (*van zaken, enz.*) be at a standstill, (*tijdelijk*) be suspended [business was suspended during the time of the funeral]; *blijven* ~ stop, halt; (*van trein, rijtuig, enz.*) pull up, stop; *laten* ~ stop [the clock]; *haar hart (polsslag) stond een ogenblik stil* missed (lost) a beat; *mijn horloge staat stil* has stopped; *de bus stond stil,* (= *reed niet*) was stationary; *geen ogenblik* ~, (*van zenuwachtigheid, enz.*) fidget all the time; *zijn mond staat geen ogenblik stil* he cannot keep his tongue still for a moment; *de telefoon stond niet stil* the telephone never stopped ringing; ~ *bij* dwell on [a subject]; ~ *bij de gedachte* stop at the thought; *lang* ~ *bij* deal with [a question] at great length, linger on [a q.]; *even* ~ *bij* touch lightly on [a subject]; *zie* mond, verstand, enz.

stilstaand stagnant, dead [water]; stationary, standing [train], idle [factory]

stilstand standstill, stoppage; arrest [of growth, of development]; (*in zaken, enz.*) stagnation, stagnancy; (*wapen-*) truce, armistice, cessation of hostilities; *tot* ~ *komen* (*brengen*) come (bring) to a s.; *zie ook* staan; *een jaar van* ~, *ook:* [this has been] a year of marking time

stilte silence, quiet, stillness; *er heerste een*

doodse ~ there was (a) dead s.; *er trad een ~ in* [after he had spoken] there was a s., s. fell, a hush fell [upon the assembly]; *de ~ die de storm voorafgaat* the calm (*of:* lull) before the storm; *in ~* in s., silently, secretly, in private, [the wedding will take place] privately; *zie* stilletjes; *in ~ lijden* suffer in s.; *in alle ~* very quietly; *zie* gebieden

stilus stylus, style

stilzetten stop [a watch], hold up [the traffic]

stilzitten sit still; (*fig.*) sit still (and do nothing); *hij kan niet ~, ook:* he has got the fidgets

stilzwijgen silence, reticence; *het ~ bewaren* keep (maintain, preserve, observe) s., be (keep) silent, be reticent [*over* about], draw a veil [over], maintain secrecy [regarding the invention]; *het ~ verbreken* break s.; *het ~ opleggen* enjoin s. [*aan* on]; *zie ook* geheimhouding; *met ~ voorbijgaan* pass over (*of:* by) in s., pass without comment, ignore

stilzwijgend silent, taciturn [person], tacit [consent], implied [condition, undertaking *verbintenis*], implicit [assumption *onderstelling*]; *ook:* by tacit consent [the matter was dropped]; *~e afspraak* tacit agreement; *~ aannemen* (*toegeven*) assume (admit) tacitly; *iets ~ aannemen, ook:* take s.t. for granted; *er werd ~ aangenomen, dat ..., ook:* it was an understood thing that ...; *~e gevolgtrekking* implication; *'t contract wordt ~ verlengd, tenzij ...* the contract is automatically renewable (renewed) unless ...; *zie ook* stilzwijgen (*met ...*); **~heid** silence, taciturnity; (*geheimhouding*) secrecy

stimulans (*prikkelend middel*) stimulant; (*fig.*) stimulus (*mv.:* stimuli), impetus, (*fam.*) shot in the arm

stimulatie stimulation; **stimuleren** stimulate, activate; boost [sales]; **stimuleringsgebied** special area; **stimulus** *zie* stimulans (*fig.*)

stink: **~bloem** dog's (*of:* stinking) camomile, mayweed; **~bom** stink-bomb; **~das** teledu; **~dier** *a*) skunk; *b*) = **~das**; **~ei** rotten egg

stinken stink, smell (bad); *~ naar* s. of, smell of, reek of [gas]; *het stinkt 'n uur in de wind* it stinks to high heaven; *~ van 't geld* s. of money; *'t stonk er* there was an abominable smell, there was a stench (a stink); *erin ~,* (*sl.*) be caught out; *zie ook* inlopen (er ...) & ruiken

stinkend stinking, evil-smelling [canals], smelly [a ... pipe]; fetid, noisome [odour]; *~e adem* bad (foul, offensive) breath, halitosis; *~e gouwe* celandine, swallowwort; *~e kamille* stinking (*of:* dog's) camomile, mayweed; *~ jaloers* (*rijk, vervelend*) insufferably jealous (rich, tiresome), insanely jealous; *~ lui* bonelazy, as lazy as lazy

stink: **~er(d)** stinker; (*fig.*) skunk, (mean) hound; *rijke* – bloated moneybag; *in zijn – zitten, zie* rats; **~klier** scent-gland; **~poel** stinking pool; **~sloot** stinking ditch; **~stok** (*slechte sigaar*) bad, cheap cigar; **~zwam** stinkhorn

stip dot, point; *zie ook* stippel

stipendium stipend; (*voor studie*) exhibition, scholarship

stipje (little) dot; *zie* stippel(tje)

stippel speck [a dark ...], dot, point; *een onnozel ~tje* an insignificant s.; **~en** dot, speckle, point, stipple; **~gravure** stipple print; **~lijn** dotted line

stippen 1 *zie* stippelen; 2 dip

stipt punctual, accurate, prompt, precise; strict [honesty, obedience; ...ly honest]; *~e geheimhouding* strict (dead) secrecy; *~ op tijd zijn* be p. (to the minute); *~ betalen* pay promptly; *hij is erg ~,* (*ook*): he is very conscientious; **~heid** punctuality, accuracy, promptness, precision; **~sactie** work(ing) to rule

stipuleren stipulate; *zie* bedingen

Stoa id.

stobbe [tree] stump, stub

stochastisch stochastic; random [noise *ruis*]

stoeien romp, have a romp

stoei: **~er** romper, romping boy; **~erij,** **~partij** romp, game of rough-and-tumble (of romps); **~ster** romp, tomboy; **~ziek** romping, frisky, playful

stoel chair; (*van torenklok*) frame; (*plantk.*) stool; *zie ook* preek-, biechtstoel, enz.; *de Heilige ~* the Holy (Papal, Apostolic) See; *neem een ~* take a seat (*sl.:* a pew); *'t niet onder ~en en banken steken* make no bones about it, make no disguise of it (of one's feelings, etc.), make no secret of it; *hij had pret en stak 't niet ..., ook:* he was frankly amused; *tussen twee ~en in de as zitten* fall between two stools; *voor ~en en banken spelen* (*preken*) play to an empty house (to empty benches) (preach to empty pews); *zie* praten; **~draaier** c.-maker; **~en** (*plantk.*) stool; *deze partijen – op dezelfde wortel* spring from the same root; **~endans** musical chairs; **~enmaker** c.-maker; **~enmatten** *zn.* c.-bottoming; **~enmatter** c.-bottomer, -mender; **~enzetster** c.-woman; *ongev.:* pew-opener; **~gang** stool(s), motion(s); *zie* ontlasting; **~geld** c.-rent; (*voor zitplaats in kerk*) pew-rent; **~kussen** c.-cushion; **~leuning** c.-back; **~mat** bottom (of a c.); **~poot** c.-leg; **~tjesklok** Friesland clock, id.; **~tjeslift** chair-lift; **~vast:** *hij is erg –* he sticks to his seat

stoep (flight of) steps, doorstep, (*Am.*) stoop; (*trottoir*) footpath, pavement, (*Am.*) sidewalk; *zijn eigen ~ schoonvegen* sweep before one's own door; *de ~ doen* wash the steps

stoepa stupa

stoepier (*voor winkel*) tout

stoepje: *op 't ~* (*laten*) *komen, zie* mat

stoer sturdy, stalwart, stout, hefty, four-square, burly; *~ doen* show off; *hij doet* (*erg*) *~* he pretends to be self-assured (brave); **~heid** sturdiness, etc.

stoet cortège, procession, train, retinue; *schitterende ~, ook:* galaxy [of film-stars]; *de door de ~ gevolgde weg* the processional route

stoeterij *a*) stud; *b*) stud-farm

stoethaspel clumsy fellow (c. girl); *een vreemde ~* a queer customer; **~en** fumble, bungle, flounder; ~ig awkward, clumsy

1 stof (*materie*) matter; (*voor kleren, enz.*) material, stuff; (*geweven* ~, *ook*) (textile) fabric; (*onderwerp*) subject-matter, theme; *chemische* ~ chemical (substance); ~ *tot* ... [provide] food (matter, material) for reflection (thought, meditation, discussion); ~ *voor een roman* material for a novel; ~ *voor praatjes* food for gossip; *lang van* ~ long-winded; *kort van* ~ short-tempered, curt

2 stof dust, powder; (*in hoeken, enz.*) fug; ~ *afnemen* (*in*) dust [a room]; '*t* ~ *van iem.* (*van zich*) *afslaan* dust a p. (o.s.); ~ *opjagen* make (raise) a d.; (*fig.*) raise a (good deal of) d.; '*t* ~ *van zijn voeten schudden* shake the d. off one's feet; *in* '*t* ~ *bijten* bite the d.; *in* '*t* ~ *kruipen* (*fig.*) lick the d.; [*zich*] *in* '*t* ~ *vernederen* humble [o.s.] in (*of:* to) the d.; *zich in* '*t* ~ *buigen* prostrate o.s. [*voor* before]; *onder* '*t* ~ *zitten* be covered with (smothered in) d.; ~ *zijt gij en tot* ~ *zult gij wederkeren* d. thou art and unto d. shalt thou return; *tot* ~ *vergaan* turn (crumble) into d.; *uit* '*t* ~ *verheffen* raise [a p.] from the d.; ~**bezem** long-handled brush; ~**bindende** *olie* d.-laying oil; ~**blik** dustpan; ~**boel** dusty place, d.-heap; *kijk eens naar zo'n* – look at the d.; ~**bril** goggles; ~**deeltje** particle of matter, atom; *zie ook* ~je; ~**dicht** d.-proof; ~**doek** duster; ~**dop** d.-cap

stoffage stuff, material; *zie ook* stoffering

stoffeerder upholsterer

stoffeerderij upholstery (business)

stoffel blockhead, numbskull, ninny

stoffelachtig stupid; ~**heid** stupidity

stoffelijk material; ~ *aandenken* tangible memorial; ~*e behoeften* creature (material) comforts; ~ *overschot* mortal remains, dust

stoffelijkheid materiality

stoffeloos immaterial; ~**heid** ...ness

stoffen: I *bn.* ~ *pantoffels* list slippers; II *ww.* (*stof afnemen*) dust; III *ww.* (*pochen*) boast, brag [*op* of]; ~**winkel** draper's, drapery shop

stoffer (dusting-, furniture-)brush; ~ *en blik* dustpan and brush; *zie* pocher

stofferen upholster [a room, furniture], furnish [houses]; *een schilderij* ~ do the staffage, fill in a picture

stoff(er)ig dusty; *vgl.* stof; ~**heid** dustiness

stoffering upholstering, upholstery [of a motorcar], furnishing; staffage [in a landscape painting]

stof: ~**goud** gold-dust; ~**hagel** soft hail; ~**hoop** dust-heap, heap of dust; ~**jas** dust-coat; ~**je** speck of dust, dust-mote; (*voor kleren*) material, stuff; *een – in mijn oog* a speck of dust (a grit) in my eye; ~**kam** fine-tooth comb, scurf-comb; ~**knoop** cloth-covered button; ~**laag** dust-layer; ~**laken** dust-sheet; ~**mantel** dust-cover; ~**meel** mill-, flour-dust; ~**naam** name of a material, material noun; ~**nest** dust-trap; ~**omslag** dust-jacket, -wrapper; ~**pareltje** seed-pearl; ~**regen** drizzle, drizzling rain; ~**regenen** drizzle; ~**thee** tea-dust, siftings (of tea); ~**vrij** dust-proof; ~**wisseling** metabolism, circula-

tion of matter; ~*sprodukt* metabolite; ~**wolk** dust-cloud, cloud of dust; *grote –en opjagen* raise large clouds of dust; ~**zak** (*van ~zuiger*) dust-bag; ~**zand** dusty sand; ~**zuigen** vacuum-clean, (*fam.*) hoover [the room]; ~**zuiger** vacuum cleaner

stoïcijn stoic; ~**s** stoic(al)

stok stick, staff; (*wandel-*) cane, walking-stick; (*van vogels*) perch, (*inz. van hoenders*) roost; (*van politie*) truncheon, baton [*met* ~ *uitgevoerde charge* truncheon (baton) charge]; (*dirigeer-*) baton; (*van vlag*) pole; (*bij golf*) club, stick; (*aanwijs-*) pointer; (*bij bonen, enz.*) pole, stick; (*van anker*) stock; (*van kaarten*) stock, talon; (*van cheque, enz.*) counterfoil; (*strafwerkt., hist.*) stocks (*mv.*); *lange* ~, (*bij ~vechten*) quarterstaff; '*t aan de* ~ *hebben met* be at loggerheads with; '*t met iem. aan de* ~ *krijgen*, (*met een meerdere bijv.*) get into trouble (into hot water) with a p.; (*anders*) fall out (quarrel) with a p.; '*t met elkaar aan de* ~ *krijgen* fall out; *hij had* '*t aan de* ~ *gehad met* ... he had been in trouble with (had fallen foul of, had been up against) the police; *met de* ~ *geven* cudgel, cane, give [a p.] the s.; *hij moet met de* ~ *hebben* he wants the s.; *hij is er met geen* ~ *naar toe te krijgen* wild horses won't (nothing will) drag him there (*evenzo:* wild horses won't make me say more about it, won't drag the secret out of me); *op* ~ *gaan* go to roost; (*fig. ook: sl.*) kip down; *zie ook* kip; ~**anker** common anchor; ~**bewaarder** (*hist.*) jailer; ~**boon** runner-bean, pole-bean; ~**degen** sword-stick; ~**doof** stone deaf, as deaf as a post; ~**dweil** mop

stokebrand firebrand, mischief-maker

stoken I *tr.* (*brandstof*) burn [wood, oil, etc.]; (*vuur*) make [a fire], feed [the fire]; (*machine enz.*) fire, stoke [an engine]; (*drank*) distil [spirits]; '*t vuurtje* ~, (*fig.*) fan the fire; *kwaad* (*onheil, twist*) ~ brew (make) mischief, stir up strife, cause trouble; *met olie gestookt w.* be oil-fired; II *intr.* make (*of:* light) a fire, have a fire in the room; (*van stoker*) stoke; (*fig.*) *zie boven* (*kwaad* ~); *wij* ~ *nooit vóór november* we never have any fire (never put on the heating) before N.

stoker (*van locomotief, fabriek, schip*) fireman; (*mar.*) stoker; (*van drank*) distiller; (*fig.*) firebrand; *machinisten en* ~*s*, (*bij de spoorwegen*) foot-plate men; ~**ij** distillery; (*fig.*) mischief-making

stokje (little) stick; (*haken*) treble; *er een* ~ *voor steken* stop it, put a stopper on it; *van zijn* ~ *vallen* faint, swoon; *zie* gekheid

stokken I *intr.* (*van bloed*) cease to circulate; (*van spreker*) break down [in a speech]; (*van gesprek*) flag, hang [for a moment], halt; *haar adem stokte* her breath caught, she gave a gasp; *haar stem stokte* there was a catch (a break) in her voice, her voice caught (*of:* broke); *zie* hokken; II *tr.* keep [bees]; tie up [beans]

stokk(er)ig wooden, stiff-legged

stok: ~**lak** sticklac; ~**maat** measuring rod; ~**oud** very old, stricken in years; ~**paardje** hobby-horse; (*fig.*) pet (favourite) subject; *op zijn – rijden* ride one's hobby-horse; *zijn – bestijgen* mount one's hobby-horse; *hij reed weer op zijn –, ook:* he was off on his favourite topic; ~**passer** trammel, beam-dividers; ~**roos** hollyhock, rose-mallow; ~**schaar** stock-shears; ~**schermen** I *ww.* play at singlestick, have a bout at quarterstaff; *goed –* play a good stick; II *zn.* stick-, cudgel-play; ~**slag** stroke with a stick; *dracht –en* caning, drubbing; ~**sleutel** pinhandle, socket-wrench; ~**stijf** like a statue; *– volhouden* maintain obstinately (stubbornly); ~**stil** stock-still; ~**vechten** *zie* ~schermen; ~**vis** (*vissoort*) (herring) hake; (*gedroogde kabeljauw*) stockfish; ~**voering** (*van violist*) bowing

stola stole (*ook van dame*)

stollen congeal, curdle, clot, coagulate; (*Am.*) jell; (*doen*) ~, *ook:* solidify; *de jus stolt* the gravy is setting hard; *'t bloed stolde in zijn aderen* his blood ran cold (froze in his veins); *'t deed zijn bloed~* it made his blood run cold, it curdled (froze) his blood

stolling coagulation, congelation, curdling; ~**smiddel** coagulant

stolp cover, glass bell, g. cover, g. dome, g. shade, bell-glass [violets grown under ...es], (*tuinbouw*) cloche; ~**en** cover with a glass-bell; ~**plooi** box-pleat

stom dumb, mute, speechless [*van verbazing* with amazement]; (*dom*) stupid, dull, dense; *tot mijn ~me verbazing* to my utter amazement, to my immense surprise; *hij zat zo ~ als een vis* he never opened his mouth; *een ~ dier* a brute; *het ~me dier!* poor brute!; ~*me film* silent film; *door ~ geluk* by a mere fluke; ~*me h* mute (silent) h; ~*me personen,* (*theat.*) walking gentlemen, supernumeraries, mutes; ~*me rol* walk-on part; *hij sprak geen ~ woord* he said never a word; *hij zei geen ~ woord meer* he shut up like a clam; ~ *zo te handelen* foolish to do so; *een ~me* a d. person, a mute; *zie verder* dom & *getuige*; ~**dronken** dead (*of:* blind) drunk, (as) drunk as a lord, as tight as a drum, blotto, soaked

stomen *a*) steam (*ook: in stoom koken*); (*walmen*) smoke; *b*) dry-clean; *c*) (*drillen*) cram

stomer *zie* stoomboot; ~**ij** dry cleaner's

stom: ~**gelukkig** fluk(e)y; ~**heid** *a*) dumbness, etc. (*zie* stom); *b*) stupidity; *met – geslagen* struck dumb, dumbfounded; ~*me zie* ~; ~**meknecht** dumb-waiter

stommelen clump [down the stairs], clatter [about], lumber [out of the room]

stommeling, -merd, -merik blockhead, fathead, numbskull, stupid, idiot, silly goose

stommetje: *voor ~ spelen* sit mum

stommigheid, stommiteit stupidness, stupidity; (*concr.*) stupidity, blunder [*'n ~ begaan* make a ...], howler, bloomer

stomp I *bn.* blunt [weapon, pencil], dull [razor], obtuse [angle], flat, snub [nose]; (*fig.*) obtuse,

dense, dull; ~*e ton,* (*mar.*) can buoy; ~*e toren* tower; ~ *maken* (*worden*) blunt, (*mes, ook*) dull; II *zn.* (*stuk*) stump, stub; III *zn.* (*stoot*) push, thump, punch [on the nose], prod, dig [in the waistcoat]; ~**en** pummel, thump, push, punch, jog; (*zacht met elleboog*) nudge; ~**heid** bluntness, dullness; (*fig.*) obtuseness; ~**hoekig** obtuse-angled; ~**je** stump, stub [of a cigar, pencil, etc.], butt-end [of a cigar]; (*pijpje*) cutty(-pipe); ~*s van tanden* stumpy teeth, snags of teeth; ~**neus** *a*) snub nose, pug-nose; *b*) snub-, pug-nosed person; ~**voet** club-, stump-foot

stompzinnig obtuse, dull; ~**heid** ... ness

stomverbaasd stupefied, staggered

stomvervelend deadly dull; *een ~e vent* an unmitigated bore

stond *o.v.t. van* staan

stond(e) time, moment, hour; ~**en** (monthly) periods, menses, menstruation; *te dezer ~* at this moment; *van ~en aan* from now on, henceforth

stonk *o.v.t. van* stinken

1 stoof *o.v.t. van* stuiven

2 stoof foot-warmer, -stove; ~**appel** cooking-apple; (*fam.*) cooker; ~**pan** stew-pan, stewing-pan, saucepan, casserole; ~**peer** cooking-, stewing-pear, (*fam.*) cooker

stook: ~**gas** fuel-gas; ~**gat** stoke-, fire-hole; ~**gelegenheid** fireplace; ~**inrichting** heating-apparatus; ~**kas** hothouse; ~**olie** oil (*of:* liquid) fuel, fuel oil; ~**oven** furnace; ~**plaats** fireplace, hearth; (*mar.*) stoke-hole, -hold

stool stole (*ook van dame*)

stoom steam; ~ *houden* keep up s.; ~ *maken* get up (raise, put on) s.; ~ *laten vliegen, ~ uitlaten* blow off (let off) s.; *met volle ~* at full s.; ~ *op hebben* have s. up; *onder eigen ~* [the vessel reached the port] under her own s. (*of:* power); *zie* drijven; ~**afsluiter** stop-valve; ~**bad** s.-bath, vapour-bath

stoomboot steamboat; steamer, steamship; ~**maatschappij, ~onderneming** steam navigation (*of:* steamship) company

stoom: ~**cursus** intensive course, crash course; *hij ging naar een –, ook:* he went to a crammer; ~**dicht** s.-tight; ~**druk** s. pressure

stoom: ~**fluit** steam-whistle, hooter; ~**gemaal** s. pumping-station, pumping-engine; ~**hamer** s.-hammer; ~**hitte** s.-heat; ~**kap** s.-dome; ~**ketel** (s.-)boiler; ~**klep** s.-valve, -slide; ~**kolen** s.-coal(s); ~**kraan** *a*) s.-crane; *b*) s.-cock; *vgl.* kraan; ~**kracht** s.-power; ~**leiding** s.-pipe(s); ~**machine** s.-engine; ~**mantel** s.-jacket; ~**meter** s.-gauge; ~**schip** steamer, s.-ship, -vessel; ~**schuif** s.-valve; ~**spanning** s.-pressure; ~**trein** s.-train; ~**uitlaat** exhaust; ~**vaart** s.-navigation; ~**vaartlijn** steamship line; ~**vaartmaatschappij** enz., *zie* stoombootm.; ~**vermogen** s.-power, s.-capacity; ~**wals** s.-roller; ~**werktuig** s.-engine; ~**wezen** s.-engineering, s. and its application; *Dienst voor het S–* Boiler Inspectorate; ~**zuiger** s.-piston

stoop (*hist.*) stoup

stoorgebied (*radio*) mush area, interference a.

stoornis disturbance, disorder; *zonder ~ verlopen* pass off without a hitch; *~ verwekken* create a d.; *zie* storing

stoorzender jamming station, jammer

stoot (*duw*) push, shove; (*boksen*) punch, blow; (*~je, met elleboog ook*) nudge [to attract a p.'s attention]; (*bij schot*) kick, jump; (*wind-*) gust [of wind]; (*met zwaard, enz.*) thrust; (*met dolk*) stab; (*schermen*) lunge; (*bilj.*) stroke, shot; (*botsing*) impact; (*fon.*) glottal stop, g. catch; *~ op hoorn* (*fluit, enz.*) blast [on a horn, etc.], toot; *een ~ in de ribben* a dig (a prod) in the ribs; *een ~ geven* give [a p.] a push; *de ~ aan* (*tot*) *iets geven* give the impulse (an impetus, a fillip) to s.t., take the initiative to do s.t., set the ball rolling; *een ~ geven*, (*fig.*) deal a heavy blow (to); *zijn gezondheid kreeg een lelijke ~* his health suffered a severe setback; *aan ~ zijn*, (*bilj.*) be in play; *jij bent aan ~*, (*bilj.*) it's your shot; *je bent vandaag* (*niet*) *goed op ~*, (*bilj.*) you are in good (bad) form to-day

stoot: *~blok* buffer(-stop); *~bodem* (*mil.*) breech; *~bord* (*van trap*) riser; *~degen* rapier; *~je* push; (*met elleboog*) nudge; *hij kan tegen een – he* can stand a good deal, can take some knocks, is not easily hurt; *~kant* seam binding; *~kar* push-cart; *~kussen* buffer; *~mat* (*mar.*) paunch; *~plaat* (sword-)guard; *~s* given to butting; *~stang* push-rod; *~tactiek* (*mil.*) shock tactics; *~troepen* shock troops; *~vogels* (*ongev.*) birds of prey; *~wapen* thrust-weapon

stop plug [in a wash-basin, etc.]; (*van fles*) stopper; (*van vat*) bung; (*elektr.*) plug; (*in kous, enz.*) darn; *één en al ~pen* [the socks are] all darn; *de ~ doen op*, *ook:* stopper [the bottle]; *~bal* (*bilj.*) hazard (winning h. *van tegenpartij*, losing h. *van eigen bal*); *~bord* stop sign; *~contact* power-point; electric point, plug-socket; (*ingebouwd*) wall plug (socket, point); *~doek a*) (*med.*) styptic bandage; *b*) darning-sampler; *~fles* (glass) jar, stoppered bottle; *~garen* mending-cotton, m.-wool; *~gat* (*elektr.*) plug-hole; *~horloge* stopwatch; *~katoen* darning-cotton; *~lamp* stop signal; *~lap* (*eig.*) darning-sampler; (*fig.*) stop-gap; (*bladvulling*) fill-up; *~licht* (*van auto*) stoplight; (*op straat*) traffic-light; *~mes* putty-, glazing-knife; *~middel* (*med.*) astringent; *~naald* darning-needle; *~page* invisible mending

stoppel stubble; *~akker* s.-field; *~baard* stubbly (stubby) beard; *~gans* s.-goose; *~haar* stubbly hair; *~harig* stubbly-haired; *~ig* stubbly, (*van baard, enz. ook*) stubby, bristly, scrubby; *~land*, *~veld* s.-field; *~veer* pin-feather

stoppen (*gat, enz.*) stop (up), (*met een stop*) plug up; stuff [birds]; darn, mend [stockings, etc.]; (*pijp*) fill, load [a pipe]; (*worst*) fill [sausages]; (*ergens indoen*) put [where did you ... it?], slip [s.t. into one's pocket (*zie ook* ben.*); (*bilj.*) pocket, hole, pot [a ball]; (*met stopverf*) putty (up); (*lek*) stop [a leak]; (*diarree*) arrest [diarrhoea]; (*van spijs*) constipate, bind [cheese is very binding; (*blijven*

stilstaan) stop [the train ...s here], call only] two trains a day ... here], halt [buses ... here], pull up [the tram had to ...] (*zie* stilhouden); (*staande houden*) stop [a p.]; *bijna onzichtbaar ~* fine-draw [a tear *scheur*]; *zie* stoppage; *'n cheque ~* stop (countermand) a cheque; *'t verkeer ~* hold up the traffic; *iem.* (*de handen*) *~* square a p., grease a p.'s palm; *hij laat zich voor ...* *~* he can be squared for a few thousands; *zich de oren ~* s. one's ears; *stop!* stop! hold hard! (*mar. ook*) avast!; *zonder te ~* [travel, fly] non-stop [to ...]; *even ~* make a short halt; *mag ik mijn pijp eens van u ~?* can you oblige me with a fill of tobacco?; *eens ~?* have a fill (of tobacco)?; *kom, stop eens!* here, fill up!; *de tabak dieper in de pijp ~* stuff the tobacco deeper in the pipe; *stevig ~* (c)ram [tobacco into one's pipe]; *de vingers in de oren ~* stuff o.'s fingers in(to) o.'s ears; *ze stopte haar zakdoek in de mond* she stuffed her handkerchief into her mouth; *ze stopte de envelop in haar tas* she tucked the envelope into her bag; *~ in*, *ook:* (*fam.*) pop [s.t.] into [a p.'s hand, one's mouth, one's pocket]; *in bed ~*, (*van dokter*) pack [a p.] off to bed; *in een baantje ~* pitchfork [a p.] into a place; *hij stopte haar in de auto* he bundled her into the car; *ze ~ hun kinderen in ...* they bundle their children into any employment that comes handy; *ze stopt de dingen overal* she stuffs things away anywhere; *zie ook* doos, gat, grond, hand, mond, instoppen, enz.

stoppend binding, constipating, astringent

stopperspil (*voetb.*) stopper

stop: *~plaats* stopping-, halting-place, [bus-] stop; *~sein*, *~signaal* halt sign (signal); *~streep* (*op weg*) halt-line; *~teken zie ~sein*; *~trein* stopping train; *~verbod* stopping prohibition; (*op bord*) no stopping; clearway; *~verf* putty; *~was* bee-glue, propolis; *~werk* (*kousen, enz.*) darning; (*om te breeuwen*) oakum; *~wol* darning-wool; *~woord* expletive, stopgap; *~zetten* stop [all traffic], halt [promotions]; (*fabriek, enz.*) shut (close) down, throw idle; *~zetting* stopping, etc.; stoppage [of a factory], discontinuance [of a subsidy]

stopzij(de) darning-silk

storax id., styrax

store Venetian blind

storen disturb [a p., a p.'s happiness], interrupt [a lesson, telegraphic communication, the train-service], derange, interfere with, inconvenience; (*radio*) cause (set) up interference, (*opzettelijk*) jam [a station, a message]; *gestoorde nachtrust* broken sleep; *hij stoorde ons plotseling* he broke in upon us; *stoor ik u?* am I in your (the) way? am I intruding?; *zeg 't me, als ik stoor* tell me if I am in the way; *laat ik je niet ~* don't let me d. you ..., *waar je niem.* *stoort* go to the top room, where you won't be a nuisance; *stoor niet* don't be a nuisance; *de lijn is gestoord*, (*telef.*) the communication is interrupted; *geestelijk gestoord* mentally deranged; *stoor u niet aan mij* do not mind me; *ik* *stoor mij niet aan haar (er aan)* I do not care about (I take no notice of) her (it); …, *maar hij stoorde er zich niet aan* she protested, but he took no notice; *zich niet ~ aan, ook:* ignore [the apostle's warning]; *hij stoort zich aan niets en niemand* he is a law unto himself; *hij stoort zich aan alles* he stumbles at a straw; *zonder zich te ~ aan* heedless of [time, distance]; ~**d** annoying [misprint]; interfering [factors]

storing disturbance (*ook van 't kompas*), inconvenience, intrusion, interruption; derangement, [mental] disorder; [electrical, mechanical] fault; (*van gemoedsrust*) perturbation; (*weerk.*) depression; (*radio*) interference, disturbance, jamming; *ook:* break in transmission; breakdown [of engine]; *atmosferische ~en* atmospherics, statics; *technische ~* technical trouble (*of:* hitch); *~ van 't elektr. licht* electric light failure [the electric light supply failed]; *~ veroorzaken*, (*radio*) *zie* storen; ~**svlucht** nuisance raid; ~**vrij** (*radio*) trouble-free; without interference

storm gale, (wind-)storm; (*hevige ~*) tempest; *~ met regen* rain-storm; *door ~ tegengehouden* s.-bound; *door ~en geteisterd* s.-beaten; *~ in een glas water* s. in a tea-cup; *de wind had de kracht van een ~* the wind was at gale force; *een ~ van toejuichingen* [be received with] a s. of applause (of cheers); *~ luiden* ring the alarm-bell, sound the tocsin; *zie* waaien

stormaanval assault

stormachtig stormy [meeting], tempestuous, tumultuous [reception]; *~e toejuichingen, ook:* a storm of applause; *zie* bijval; ~**heid** storminess, etc.

storm: ~**bal** black ball; ~**band** hat-guard; (*van helm*) chin-strap; ~**bok** battering-ram; ~**centrum** storm-centre; ~**colonne** storming- (assault-)column, -party; ~**dak** (*van schilden*) testudo; ~**dek** (*mar.*) hurricane deck

stormen storm; *'t stormt* it is blowing a gale, there is a gale blowing, (*Am.*) it is storming; *'t zal er ~*, (*fig.*) there will be a breeze; *de soldaten stormden de heuvel op* stormed up the hill; *naar boven (beneden) ~*, (*in huis*) tear (rush) up (down) the stairs; *in (uit) de kamer ~* tear (dash, burst, fling, bounce) into (out of) the room; ~**derhand** *innemen (veroveren)* take by storm [*ook fig.:* the play took the town by storm]

storm: ~**-en-drang-periode** period of storm and stress, storm-and-stress period; ~**gebied** s.-area; ~**hoed** (*hist.*) morion; ~**ig** *zie* ~achtig; ~**kegel** s.-cone; ~**klok** tocsin, alarm-bell; ~**kolonne** *zie* ~colonne; ~**kracht** gale force; ~**ladder** scaling-ladder; (*mar.*) side-, rope-ladder; ~**lamp** hurricane-lamp, -lantern, -light; ~**lijn** (*van tent*) guy; ~**loop** rush (*ook fig.*), assault; run [on a bank]; stampede [the Klondyke …]; ~**lopen** *op* storm, rush, assault [a town, battery]; *ze lopen ~ om die sigaren* there is a regular run on those cigars; ~**meeuw** common gull; ~**paal** palisade; *met ~palen omringen* palisade; ~**pas** double quick step; *in de ~* at the double; ~**ram** battering-ram; ~**riem** *zie* ~band; ~**rijp** (*mil.*) ripe for the assault; ~**schade** s.-damage; ~**sein** s.-cone, bad weather cone; (*fig.*) s.-signal; ~**streek** s.-area; ~**troep** assault-party, storming-party; ~**troepen** s.-troops; ~**veld** s.-centre; ~**vis** orc; ~**vloed** storm surge; ~**vogeltje** s. (*of:* stormy) petrel; ~**waarschuwing** gale warning; ~**waarschuwingsdienst** weather intelligence service; ~**we(d)er** stormy (tempestuous) weather, [in a] gale; ~**wind** s.-wind, gale, s. of wind; ~**zeil** s.-sail

storneren reverse [an entry], adjust [an account]; **stornering** = **storno** reversal of an entry; **stornopost** cross-, counter-entry

stort 1 thin sheet-iron, blackplate; 2 *zie* ~plaats

stort: ~**bad** shower-bath; *een ~ geven*, (*fig.*) pour cold water on [a p., his zeal, etc.]; ~**bak** cistern; ~**berg** slag-heap; ~**bui** heavy shower (of rain), downpour, drencher; ~**ebed** (sunk) fascine work

storten shed [blood, tears], spill [milk]; shoot, dump, tip [rubbish *puin*, refuse *vuilnis*], pour [concrete *beton*]; throw [o.s. out of the window, into a p.'s arms]; pay in, deposit [money]; *eens per maand de ontvangen gelden ~* pay in the money received once a month; *geld ~ bij een bank* pay money into (deposit … with) a bank; *in oorlog (ellende) ~* plunge into war (misery); *zich ~ in* plunge into [the water, war, etc.]; *zich in zee ~* throw o.s. (*van rivier:* fall, empty) into the sea; *zich voorover in 't water ~* plunge head foremost into the water, take a header; *zich ~ op* fall upon, pounce upon (swoop down on) [one's prey], hurl oneself upon [one's enemy]; *tranen ~ over* shed tears over [a loss]; *~ voor zijn pensioen* contribute towards one's pension; *pensioen waarvoor gestort moet worden* contributory pension; *zie* gestort, puin, stortregenen, verderf

stortgat chute

stortgoederen goods laden in bulk, bulk cargo; *met ~ geladen* laden in bulk

storting shedding, etc., *zie* storten; (in)payment, deposit, premium; (*op aandelen*) call [*een ~ van … vragen* make a call of 10 per cent. [on the shares]; (*voor pensioen, enz.*) contribution; *een ~ doen* make a payment, pay a deposit; ~**sbewijs** deposit receipt; ~**sformulier** paying-in slip, inpayment slip

stort: ~**kar** tip-, tilt(ing)-cart, tumbrel, tumbril; ~**koker** [rubbish] chute, shoot; ~**plaats** dumping-ground, -tip, (rubbish-)tip, shoot; ~**regen** heavy shower (of rain), downpour, torrential rain; ~**regenen** pour (with rain) [it's …ing], come pouring down, rain cats and dogs; ~**vloed** torrent, flood; *zie* stroom & vloed; ~**zee** *een ~ krijgen* ship a sea

stoten[1] I *ww.* (*duwen*) push, give a push; (*aan~ met elleboog*) nudge; (*met zwaard*) thrust, lunge; (*met de horens*) butt; (*stuk stoten*)

---

pound; (*schokken*) jolt; bump, (*van geweer*) kick, recoil; *zijn teen* ~ stub one's toe; *zijn knie* (*elleboog, enz.*) ~ knock (*of:* bump) one's knee (elbow, etc.); *zich* ~ knock o.s., bump o.s.; *wie moet* ~? (*bilj.*) who plays? who is in play?; *dat geweer stoot erg* kicks badly; *aan de grond* ~, (*mar.*) touch the ground; *zich* ~ *aan*, (*fig.*) be offended (*sterker:* shocked) at, take exception to (*sterker:* offence at) [a p.'s conduct]; *zie ook:* ~ *tegen*; *zijn vijand de degen* (*dolk*) *in 't hart* ~ run the sword (plunge the dagger) into one's enemy's heart; *zich een gat in 't hoofd* ~ break one's head; *de bal in de zak* ~, (*bilj.*) send the ball into the pocket, pocket the ball; *naar iem.* ~ (make a) thrust at (lunge at) a p.; *'t schip stootte op een rots* struck upon (ran on) a rock, fouled a rock, ran (fell) foul of a rock; *op de vijand* ~ come upon (fall in with) the enemy; *tegen de tafel* ~ push (against) the table; (*met*) *'t hoofd tegen de muur* ~ knock (bump) one's head against the wall; *tegen een steen* ~ hit one's foot against a stone; *hij stootte tegen de muur* he bumped up (struck) against the wall; *zich* ~ *tegen* knock (bump) o.s. against; *tegen elkaar* ~ bump (knock) against each other; *van de troon* ~ dethrone, drive from the throne; *van zich* ~ cast [a p.] off, repudiate [one's wife]; *zie* hoofd, kogelstoten, enz.; II *zn.: 't* ~ *van de biljartballen* the click of the billiard-balls
stotend (*fig.*) offensive, obnoxious; *zie ook* stoterig
stoter (*hist.*) 'stoter' (2½ stivers)
stoterig (*bij 't spreken*) stammering, stuttering, jerky; (*van bok*) = **stotig** given to butting
stotteraar(ster) stammerer, stutterer
stotteren stammer, stutter, falter
1 stout (*bier*) id.
2 stout bold, daring; wild [it's beyond my ... est hopes]; (*ondeugend*) naughty [it's very ... of you], bad [you ... boy!]; *een ~e zet* a b. move; **~erd** naughty child (boy, girl); **~heid** *a)* boldness, daring; *b)* naughtiness
stoutmoedig bold, undaunted, daring, audacious; *zie* geluk; **~heid** daring, boldness, audacity
stoutweg boldly
stouw: **~age** stowage, stowing; **~en** stow [goods], trim [the hold]; *zie* stuwen; **~er** stevedore, stower, trimmer
stoven *tr. & intr.* stew; *zich* ~ bask [in the sun]
straal I *zn.* ray, beam, shaft [of light]; (*van bliksem*) flash; (*van cirkel*) radius (*mv.:* radii); (*van paardehoef*) frog; (*van water, enz.*) jet, spout, squirt; *een ~(tje) van hoop* a ray (gleam, glimmer, flicker) of hope; II *bw.* (*fam.*) ~ *bezopen* dead drunk; *iem.* ~ *negeren* cut a p. dead; *ik heb het* ~ *vergeten* I have clean forgotten it; **~aandrijving** jet propulsion; **~behandeling** *zie* stralenbehandeling; **~bloem** ray flower; **~bloempje** (*van samengestelde bloem*) ray floret; **~brekend** refractive [power]; **~breker** (*aan waterkraan*) splash preventer; **~breking** refraction; **~buiging** diffraction; **~**

bundel pencil of rays; **~dier** radiate (animal), rayed animal; **~jager** jet-fighter; **~kachel** reflector heater; **~motor** jet (propulsion) engine; **~pijp** nozzle, jet [of a fire-hose]; **~sgewijze** radially, like the spokes of a wheel; **~tje** *zie* ~; *klein* –, (*van vloeistof, ook fig.*) *ook:* trickle; **~vliegtuig** jet(-propelled) plane, (*fam.*) jet; **~vormig** radial, radiated; **~zender** beam(ed) transmitter
straat street, road; (*zee-*) strait(s) [the Strait(s) of Gibraltar]; (*poker: kleine* ~) straight, (*grote* ~) straight flush; *eerste* ~ *rechts* first turning to the right; *in die* ~ *wonen* live in that s. (that road); *langs de* ~ ('*s Heren straten*) *lopen* knock about the streets (the place); *op* ~ in the street(s); *er was geen mens op* ~ there was not a soul about; *iems. goede naam op* ~ *brengen* make a p.('s name) a byword; *op* ~ *staan*, (*fig.*) have the key of the s., be on the streets, be in the gutter; *iem. op* ~ *zetten* turn a p. into the s. (out of house and home) give a p. the key of the s.; *op* ~ *gezet worden* get the key of the s.; *de* ~ *op snellen* run into the street(s); *in die jas kun je niet over* ~ *gaan* you can't go out in that coat; *iem. van de* ~ *oprapen* pick a p. out of the gutter; *van de* ~ *af houden* keep [lads] off the streets; **~arm** as poor as a church-mouse; – *maken* bring [a p.] to the gutter; **~bandiet** *zie* ~schender; **~belasting** (*ongev.*) rates; **~bengel** *zie* ~jongen; **~brievenbus** roadside private letterbox; **~collecte** s.-collection, *ongev.:* flag-day; **~deun** s.-song, s.-ballad; **~deur** s.door, front door; **~fotograaf** street photographer; **~gerucht** *zie* ~rumoer; **~gevecht** s.-fight; **~hamer** paving-hammer; **~handelaar** s.-dealer, s.-trader; **~hoek** s.-corner; **~hond** s.-dog, tyke; **~je** small s.; (*bij poker*) straight; *dat is juist in mijn* – that is right up my street; **~jeugd** s.-urchins; **~jongen** s.-boy, guttersnipe; **~kei** *zie* kei; **~kind** guttersnipe; **~komediant** busker; **~koopman** *zie* ~handelaar; **~kreet** s.-cry; **~kunstenaar** s.-performer, busker; **~lantaarn** s.-lamp; **~lawaai** street noise(s); **~liedje** *zie* ~deun; **~locomotief** road-. traction-engine; **~madelief, ~meid** *zie* ~nimf; **~maker** roadmaker, -mender, paver, paviour, roadman; **~muzikant** s.-musician; *–en, ook:* s. (*of:* German) band; **~naam** s.-name; *–bordje* name-plate (of a s.); **~nimf** woman of the streets, streetwalker; **~ongeval** s. accident; *afdeling –len*, (*in ziekenhuis*) casualty ward; **~orgel** barrel-, s.-organ, hurdy-gurdy; **~prediker** s. (*of:* open-air) preacher; **~redenaar** s. (*fam.:* soap-box) orator; **~reiniger** s.-sweeper; **~reiniging** s.-cleansing, scaveng(er)ing; **~reinigingsdienst** *zie* reinigingsdienst; **~roof** s.-robbery; **~rover(ij)** s.-robber(y); **~rumoer** s.-noise(s), noise (tumult) in the s.
Straatsburg Strassburg, Strasbourg
straat: **~schender** hooligan, rowdy; **~schenderij** hooliganism, rowdyism; **~slijpen** *zie* slijpen; **~slijper** s.-lounger, gadabout, loafer; **~stamper** paver's (paving-)beetle, rammer; **~steen** pav-

ing-stone; *zie ook* kei; ~**taal** s.-language, gutter-words; ~**tekenaar** *zie* trottoirtek.; ~**toneel** s.-scene; ~**veger** road-, s.-sweeper; *zie* veegmachine; ~**venter** s.-hawker, -trader, -vendor; ~**verlichting** s.-lighting; ~**vlegel** *zie* ~jongen & ~schender; ~**vuil** s.-refuse; ~**weg** highroad; ~**werker** *zie* ~maker; ~**zanger(es)** s.-singer

1 straf *bn.* severe, austere, stern [look]; stiff [march, breeze, grog]; tight [organization]; *bw.* ... ly; ~(*fer*) *aanhalen* tighten [a rope]

2 straf *zn.* punishment, penalty, chastisement; *'t is een* ~ *des hemels* it is a judgment on you (him, etc.); *zo'n huis is een* ~ living in such a house is a trial (an ordeal); ~ *krijgen* be punished, get p.; *dat brengt z'n eigen* ~ *mee* it carries its own p.; *op* ~*fe van* on (under) penalty of; *op* ~*fe des doods* on pain of death; *voor* ~ [sent there] as (for) a p.; *zie* oplopen, enz.; ~**baar** punishable [*volgens de wet* by law; *met de dood* with death], liable to p., penal [offence], actionable; – *feit, ook:* [it's an] offence [under the Housing Act]; – *stellen* make punishable, make [careless driving] an offence, penalize; ~**baarstelling** penalization; ~**bal** (*sp.*) penalty (stroke); ~**bedreiging** threat of p.; ~**bepaling** *a*) penal provision; *b*) = ~clausule; ~**boek** *zie* ~register; ~**cel** p.-cell; ~**clausule** penalty clause; ~**exercitie** p.-(pack-, defaulters') drill, extra drill; ~**expeditie** punitive expedition; ~**feloos** with impunity; *zie* ongestraft; ~**feloosheid** impunity

straffen punish, (*tuchtigen*) chastise; *dronkenschap kan gestraft worden met boete of gevangenschap* is punishable by fine or imprisonment; *dat straft zichzelf* it carries its own punishment; [his follies come (home) to roost; ~**er** punisher

straf: ~**geding** criminal trial; ~**gericht** divine judgment; ~**gevangenis** prison, gaol, house of correction

strafheid severity, sternness, stiffness

straf: ~**kamp** (*mil.*) detention barracks, (*sl.*) glasshouse; ~**kolonie** penal (*of:* convict) settlement (*of:* colony); (*voor landlopers*) tramp colony; ~**maatregel** punitive measure; ~**middel** means of punishment; ~**oefening** execution [of a sentence]; ~**plaats** place of execution; ~**pleiter** criminal lawyer; ~**port(o)** surcharge; *met* – *belasten*, – *laten betalen* surcharge [the letter was ...d 10p; I was ...d 10p on the letter]; ~**portzegel** (postage) due stamp; ~**predikatie** lecture; *een* – *houden* talk like a Dutch uncle; ~**prediker** censorious preacher, (severe) moralist; ~**preek** *zie* ~predikatie; ~**recht** criminal (penal) law; ~**rechtelijk** criminal, penal; ~**rechter** criminal judge; ~**regels** lines; – *schrijven* write (out) (*of:* do) lines; ~**register** punishment-book; (*school*) black book; (*mil.*) defaulters' book; [a soldier's] conduct-, crime-sheet; (*fig.*) [his] record; ~**schop** penalty kick; ~**schopgebied** penalty area; ~**schuldig** guilty, culpable;

~**stelsel** penal system, system of punishment; ~**taak** *zie* ~werk; ~**tijd** term of imprisonment; *zie* uitzitten; ~**verordening** *zie* politieverordening; ~**vordering** criminal procedure [act]; ~**waardig** deserving of punishment; ~**werk** imposition(s); (*in school te maken*) detentionwork; *zie* ~regels; – *maken* do an imposition; *zie* opgeven; ~**werktuig** instrument of punishment; ~**wet** criminal (*of:* penal) law; *vgl.* justitie; ~**wetboek** penal code; ~**wetgeving** penal legislation; ~**zaak** criminal case; *advocaat voor* ~*zaken* criminal lawyer

strak tight, taut, stiff; firm [line]; set [face]; tight-set [lips]; fixed, hard, intent [look], stony [stare]; ~ *aankijken* look hard (intently, fixedly) at; *zijn gezicht werd* ~ his face set (stiffened); *zijn gezicht stond* ~ was set; ... *nam een* ~*ke uitdrukking aan* his mouth tightened; *zijn gelaat bleef even* ~ never relaxed; *een* ~ *blauwe lucht* a hard blue sky; ~(*ker*) *aanhalen* tighten [a rope]; ~ *gespannen* taut, tight, tightly stretched [rope]; *zie* stijf; ~**heid** tightness, stiffness, fixedness, hardness, intentness

strakjes, straks (*toekomst*) presently, by and by, in a little while, before long; (*verleden = zo straks*) just now, a little while ago; *tot* ~! so long! good-bye for the present! good-bye! see you later!; ~ *maken ze nog een eind aan 't voetballen* they'll be stopping football next; ~ *koopt hij me nog ... * the next thing he'll buy will be ...; *wil je me* ~ *even helpen?* will you lend me a hand in a minute?

stralen beam, shine, radiate; (*bij examen*) be ploughed (*of:* plucked); *zij (haar gezicht) straalde van geluk* she (her face) beamed (was radiant, beaming) with happiness (she was radiantly happy); *de* ~*de hemel* the luminous (radiant) sky; ~*de warmte* radiant heat; *een* ~*de dag* a glorious day

stralen: ~**behandeling** radiation therapy, irradiation; ~**bundel** pencil of rays, beam; ~**gang** path of rays; ~**krans**, ~**kroon** aureole, nimbus, halo; ~**therapie** radiation therapy

straling radiation; ~**ziekte** r. sickness

stram stiff, rigid; ~**heid** ...ness, rigidity

stramien canvas; *op 't zelfde* ~ *borduren*, (*fig.*) harp on the same string

strand beach, sands, foreshore; *'t* ~ *te Margate* the M. sands; *op 't* ~ *lopen*, (*stranden*) run ashore (aground); *op 't* ~ *zetten* run ashore, beach; *zie* ploegen; ~**batterij** shore-battery, coast(al) battery; ~**boulevard** sea-front, promenade, esplanade; ~**dief, -dieverij** *zie* ~jutter(ij)

stranden (*ook: doen* ~) strand, run ashore, run aground; *al hun plannen strandden op zijn onverzettelijkheid* all their plans broke down on (foundered on, were defeated by) his intransigence; *door geldgebrek strandde het gezelschap in Zwitserland* through lack of money the party were stranded in Switzerland; *zie* klip

strand[1]: ~**gaper** (long or soft) clam; ~**goed(eren)**

---

[1] *Zie ook* kust...

wrecked goods, jetsam, flotsam; ~haver lyme-grass; ~huisje beach-hut; ~ing stranding; ~jager (mossel) clam; ~jut(ter) wrecker; (Grote Oceaan) b.comber; ~jutterij wrecking; b.-combing; ~kleding beachwear; ~leeuwerik shore-lark; ~loper (vogel) sanderling, dunlin; ~meer coastal lake, lagoon; ~meester zie ~vonder; ~muur sea-wall; ~pakje beach set; ~plant sea-shore plant; ~pluvier Kentish plover; ~pyjama('s) b.-pyjamas; ~recht right of salvage, shore-rights; ~roof zie ~jutterij; ~schoen sand-shoe; ~stoel beehive-, dome-, b.-chair, sentry-box wicker chair; ~tent b.-tent; ~verplaatsing b.-drifting; ~vlo sand-hopper; ~vogel b.-, strand-bird; ~vond zie ~goed; ~vonder receiver of wreck(s), wreckmaster; ~vonderij (board of) receivers of wreck(s), wreck authorities; ~voogd zie ~vonder; ~weg coast (coastal) road

strateeg strategist; **strategie** strategy, strategics; **strategisch** strategic(al)

stratenmaker zie straatmaker

stratificeren stratify

stratosfeer stratosphere [ascent into the ...]

'streber' pusher, pushing fellow. careerist, (social) climber, thruster; hij is een ~, ook: he is always on the make

streed o.v.t. van strijden

streefdatum target date, deadline

1 streek o.v.t. van strijken

2 streek (met pen, potlood, penseel, op schaatsen, enz,) stroke; (haastige~ van pen, ook) dash; (op viool) bowing; (van kompas) point (of the compass); (oord) region (inz. met betr. tot klimaat, bodem, enz.: an inhospitable ...; ook van maagstreek, enz.), district, tract, part of the country parts [I'm a stranger to these ...], area [mining-..., the distressed ...s]; (list) trick, artifice; (sluwe~) wile; (poets) (monkey-) trick, prank; zie ook streep; de gehele ~, ook: the whole countryside; een woeste ~ a desolate tract (of land); prachtige ~, (op viool) fine bowing; gemene ~ nasty (dirty, scurvy) trick; wat zijn dat voor streken? what game is this?; hij heeft streken he is a sneak, there are underhand ways about him; hij heeft rare streken op zijn kompas he is always up to tricks; streken uithalen play tricks [tegen on]; je hebt weer streken uitgeh. you've been up to your old tricks again; een gemene ~ tegen iem. uith., (fam.) do the dirty on a p.: zie ook poets; in deze ~ in these parts; in de ~ van de maag in the region of the stomach; met één ~ van de pen by one dash (with a stroke) of the pen; op ~ komen (raken) get into the way of it (into one's stride), get into the swing of one's work; (na verhuizing) get settled in; goed en wel op ~ zijn, (van spreker bijv.) be fairly launched; zie ook orde (op ...); uit wat voor ~ van Holland? from what part of Holland?; van ~, (geestelijk) [quite, a bit] unstrung, [altogether] off one's balance; (bedroefd) distressed; (lichamelijk) out of sorts, out of order; hij was helemaal van ~, (van schrik bijv.) most

upset, (sl.) rattled; mijn maag is van ~ my stomach is out of order (is upset); mijn zenuwen zijn totaal van ~ my nerves are in a dreadful state; mijn horloge is van ~ my watch has gone wrong; 't verlies had haar geheel van ~ gebracht had quite unsettled (upset) her, thrown her off her balance; de maag van ~ brengen upset the stomach; van ~ (de kluts kwijt) raken lose one's head; zie afleren & thuiskrijgen; ~dorp ribbon village; ~plan-(dienst) regional plan(ning board); ~roman regional novel; ~taal (regional) dialect

streep stripe, streak, stroke, line; (wet.) stria-(tion); (horizontaal ~je, telegr., aandachts-streep) dash [dots and ...es]; (schuin streepje) slant (line), (breuk~) solidus, (Duitse komma) virgule; (op bilj.) baulk; (cirkel) crease; (in vaktaal) millimetre; een ~ halen door strike (of: cross) out [a word]; (fig.) cancel, wipe out [a debt]; daar kun je wel een ~ door halen you can count that out (write that off); zijn strepen krijgen, (mil.) get one's stripes; er loopt (bij hem) een ~ door he has a tile off (a screw loose), there is a mad streak in him; een ~ trekken om line round [an advertisement]; strepen zetten in score [an exercise thema]; dat is een ~ door de rekening that upsets all our plans (calculations, fam.: our apple-cart); we zullen er voor vandaag een ~ onder zetten we'll call it a day; met de tenen aan de ~ staan, (bij wedstrijd) toe the line (mark, scratch); met strepen striped, streaked; zie punt; ~je dash; (koppelteken) hyphen; (bij inenting) insertion; (stof) stripe, striped material; smal –, (in stof) pin-stripe; een – voor hebben be privileged; ... bij iem. be in a p.'s good books (good graces); zie ~; ~jesbroek striped trousers; ~jesgoed stripes, striped material; ~lijn dashed line, broken line, ~puntlijn dot and dash line; ~varen spleenwort; ~zaad hawk's beard

strekbeweging extension motion

strekdam breakwater

strekel a) (voor zeis) strickle, scythe-stone; b) (voor maat) strickle, strike

strekgras zie kweekgras

strekgrens (techn.) yield point

strekken I intr. stretch, extend, reach [as far as ...]; zolang de voorraad strekt as long as the stock lasts, while stocks last, subject to stock being unsold; zover als de gegevens ~ as far as the data go; zover strekt mijn macht niet it is beyond my power, my power does not extend so far; ~ om serve to; ~ tot, (fig.) tend (conduce, be conducive) to [happiness]; dat strekt u tot eer that does you (redounds to your) credit; het strekt het Bestuur blijvend tot eer it is to the lasting credit of the Board; 't strekt u niet tot oneer it is no disgrace to you; iem., enz. tot voordeel (zegen) ~ be beneficial to a p., be to a p.'s advantage, benefit [it would ... the whole of society]; zie ook schande; II tr. stretch [one's legs], extend; zich ~ stretch o.s.; 10 ~de meter (voet) 10 running metres (feet); per ~de meter (*voet*) per metre (foot) run, per running metre (foot)

strekker (*spier*) (ex)tensor

strekking tendency, purport, tenor; drift [he did not see the ... of the question]; (*spier*) extension, *van dezelfde* ~ [second copy] of the same tenor, of similar purport; [or words] to that effect; *van verre* ~ long-range [plan]; ~**s-roman** *zie* tendensroman; ~**sstuk** (*theat.*) problem play

streks: ~*e steen* stretcher; ~*e laag* course of stretchers; **strekspier** (ex)tensor

strelen stroke, fondle, caress, pet; (*fig.*) flatter, titillate [...d by the thought], woo [the wind ...ed her hair; the bacon ...ed his nostrils], tickle [the palate], appeal to, gratify [the senses; she was gratified at the effect of her song]; *'t streelde haar ijdelheid* it tickled her vanity; ~**d** (*fig.*) flattering; **streling** ...ing, caress

stremmen *intr.* (*van melk*) curdle, coagulate; (*van bloed*) congeal, coagulate; *tr.* 1 curdle, coagulate, congeal; 2 stop, obstruct, block (up), hold up [the traffic]; **stremming** 1 coagulation, congelation, curdling; 2 stoppage, obstruction, blocking-up; (*van verkeer ook*) traffic-block, -jam; (*van spoorlijn*) congestion of the line; **stremsel, stremstof** coagulant; (*kaas-*) rennet

1 streng *bn. & bw.* severe [master, tone, look, style, critic, sentence, climate, winter, examination], hard [frost, winter], stern [look, countenance, parent, necessity, rebuke], strict [master, discipline], rigid [laws, discipline, economy, principles, diet], stringent [rules, medical examination], austere [self-restraint, simplicity], rigorous [examination, law, climate], stiff [examination], close [supervision; in ...captivity; under the ... st guard *bewaking*]; (*in godsd.*) rigid, strict, observant [Jews]; *in* ~*e stijl* in a severe style; ~*e zondagsheiliging* strict Sunday observance; ~ *toepassen* rigorously enforce [the law, the penalty clause *strafclausule*]; *zich* ~ *aan de regel houden* stick rigidly to the rule; ~ *logisch* rigidly (strictly) logical, closely reasoned [speech]; ~ *verboden toegang!* strictly private!; *zijn eigendom werd* ~ *geëerbiedigd* his property was religiously respected; ~ *zijn tegen* be s. upon (strict with); *zie* heer

2 streng *zn.* (*trektouw*) trace; (*van garen*) skein [of yarn]; (*van touw*) strand; *halssnoer van 3* ~*en* three-row necklace; *zijn* ~ *vasthouden* stick (keep) to the point, stick to one's opinion; *de derde* ~ *maakt de kabel, zie* derde (*de ... man, enz.*) & drie (*alle goede dingen, enz.*)

strengel strand [of hair]; ~**en** twist, twine (*beide ook: zich* –), wind (wreathe) [one's arms round a p.'s neck]; (*zich*) *in elkaar* – intertwine; ~**ing** twisting, etc.

strengen 1 tighten [a rope]; 2 become severer; *als de dagen lengen, begint de kou te* ~ when the days begin to lengthen, the cold begins to strengthen

strengheid severity, rigour [trespassers will be prosecuted with the utmost ... of the law], austerity, sternness

strepen stripe, streak; (*wet.*) striate

streptococcus, -kok streptococcus; *mv.*: -ci

streptomycine streptomycin

streven I *ww.* strive; ~ *naar* s. for [the mastery], s. after [an ideal], aspire to [the throne, the leadership], aspire after, hunt for [popularity], aim at [perfection], try for [the impossible], seek after [truth], seek [independence]; *op zijde* ~ emulate, rival [a p.], run [a p.] close (*of:* hard); II *zn.* endeavour(s), effort(s), ambition, aspiration, striving(s); *zijn* ~ *naar kennis* his pursuit of knowledge; *een* ~ *naar centralisatie* a tendency towards ...; *het* ~ *naar onafhankelijkheid* the movement towards independence; *eenheid van* ~ unity of purpose

stribbelen *zie* tegenspartelen

strictuur (*med.*) stricture

striem weal, welt, stripe; ~**en** castigate, lash; *de wind* ~*t ons in 't gezicht* lashes (cuts into) our faces; –*de regen* cutting rain; –*de spot* biting sarcasm; –*de woorden* cutting words

strijd fight (*ook fig.*: against disease, etc.), battle, combat, conflict, struggle, strife; *inwendige* ~ inward struggle; ~ *om het bestaan* struggle for life (for existence); *de* ~ *tegen* ..., *ook:* the crusade (the war) against cancer; *gereed voor de* ~, *ook:* ready for the fray; *de eigenlijke* ~ *komt pas bij de kieskwestie* the tug of war will come on the electoral question; *het zal een harde* ~ *geven* it will be a hard f. (*of:* tussle); *de* ~ *opgeven* give up the struggle (the f.), (*fam.*) throw (chuck) up the sponge; *de goede* ~ *strijden* fight the good f.; ~ *voeren tegen* wage war against; *de geest voert* ~ *tegen het vlees* the spirit is at war with the flesh; *een harde* ~ *om het bestaan voeren* (have a) struggle for existence; *in de* ~ *blijven* be left on the field of battle; *in* ~ *met* contrary to [my interests, common sense], opposed to [the public interest], in contravention of, in defiance of [the law, the regulations]; *in* ~ *zijn met, ook:* run counter to, conflict (be in conflict) with; *met elkaar in* ~ *zijnde meningen* conflicting views; *openlijk in* ~ *met de wet* in open violation of the law; *totaal in* ~ *met de werkelijke feiten* at complete variance with the real facts; *zij hielpen ons* (*als*) *om* ~ they vied with (outvied) each other in their endeavours to help us; *ten* ~*e roepen* call to arms; *zich ten* ~*e rusten* prepare for war; *ten* ~*e trekken* go to war; *ten* ~*e voeren* lead to battle; *zie* aanbinden, leven, enz.

strijdbaar fit for service, able-bodied, warlike; efficient [soldiers]; *ook:* fighting [men]; *een* -*re natuur* a fighter; ~**heid** fighting spirit

strijdbijl battle-, war-axe, tomahawk; *de* ~ *begraven* bury the hatchet (the tomahawk)

strijden fight, combat, struggle, war, contend, strive, battle; ~ *met*, (*fig.*) conflict with, clash with, be contrary to [our interests]; *daarover valt niet te* ~ there can be no two opinions about that, that is indisputable; ~ *tegen* fight (struggle) against; *zie ook* bestrijden; *de onverschilligheid, waartegen ik te ~ heb, ook:* with which I have to contend; ~ *voor eer en deugd* f. for all that is honourable (all that honour stands for); *zie* kampen & strijd; ~d ...ing; *zie* strijdig; *de ~de kerk* the Church militant; ~den, *zie* strijder; *ook:* belligerents

strijder fighter, combatant, warrior

strijd: ~gas combat gas; ~genoot *zie* ~makker; ~gewoel turmoil of battle; ~hamer *zie* ~kolf; ~handschoen gauntlet

strijdig contrary, incompatible; ~ *met* c. to, incompatible (inconsistent) with; *zie ook:* strijd (*in ... met*); ~e belangen clashing (conflicting) interests; ~heid contrariety, contradiction, incompatibility, difference, divergence, disparity [of character, etc.]

strijd: ~knots, ~kolf mace, (war-)club; ~krachten armed (military, fighting) forces; *Binnenlandse* – Forces of the Interior; *levende* – man-power; *dode* – war-material; ~kreet, ~leus war-cry (*ook van 't Heilsleger*), war-whoop, battle-cry, (*Sc.*) slogan (*fig. ook in Eng.: popular ...*); ~lied battle song, fighting song

strijdlust pugnacity, bellicosity, combativeness, warlike spirit, fighting spirit; fight [he has plenty of ... in him]; *'t had hem de ~ benomen* it had knocked (crushed) the fight out of him; *hij verloor alle ~* he lost all stomach for fighting; *'t wekte haar ~ op* it roused her fighting-spirit; ~ig bellicose, combative, pugnacious, militant, fighting [a ... speech]; *zie* stemming

strijd: ~makker brother (*of:* companion) in arms; ~middel weapon (*ook fig.*); *mv. ook:* arms; ~perk lists (*mv.*), arena; *in 't – treden* enter the lists; *met iemand ...* join issue with a p.; ~ros war-horse, charger; ~schrift controversial (*of:* polemic) pamphlet; ~toneel scene of battle, battle area

strijdvaardig ready to fight, in fighting trim, fighting-fit, game; ~heid readiness to fight, gameness

strijd: ~vraag question at issue, moot point, open question; ~wagen chariot

strijk: ~ *en zet* again and again, every moment, repeatedly; *dat is ~ en zet met hem* that is the order of the day with him

strijkage bow; ~s airs and graces; ~s *maken* bow and scrape [*voor* to]

strijk: ~bord (*van ploeg*) mould-board; ~bout flat-iron; ~concert concert for strings; ~deken ironing-cloth, -blanket

strijkel (*voor maat*) strickle, strike

strijkelings *zie* rakelings

strijken (*vlag*) strike, haul down, lower [the flag, the colours]; (*zeil, boot*) lower [a sail, a boat]; (*glad~*) smooth [one's hat, hair, etc.]; (*linnen*) iron [linen]; (*met strijkstok*) bow [in the old style]; (*verspreiden*) spread [the ointment on the skin, butter on bread]; (*een maat*) strike [a measure]; (*vellen*) pass [sentence]; (*zich*) ~, (*van paard*) brush, overreach (itself); *de riemen ~* back water; *de zeilen ~* s. (*fam.:* down) sail;

de zeilen werden gestr. the sails were struck; ~! (*bij roeien*) back water! back oars! (*de zeilen*) let go amain!; *zijn baard ~* stroke one's beard; (*rakelings*)~ *langs* brush past; *de zwaluw strijkt langs 't water* skims (over) the water; *met de vingers door 't haar ~* run one's fingers through one's hair; *met de hand over de ogen ~* pass one's hand across one's eyes; *met de strijkstok over de viool ~* draw the bow over the violin; *met de eer gaan ~* take the credit for; *met de prijs (de buit) gaan ~* walk off with (carry off) the prize (the plunder), pull off the prize (the Derby, etc.); *zijn verhaal ging met de prijs ~* his story took (bore off) the prize; *met de winst gaan ~* pocket the gain (the profits); *met de hele winst gaan ~* sweep the board; *zie* hand; *een kind onder de kin ~* chuck a child under the chin; *een lucifer tegen de muur ~* s. a match against the wall; *zich 't haar uit 't gezicht ~* brush one's hair out of one's face; *de vouwen eruit ~* smooth out the creases; *hij streek 't geld van de tafel* he swept in the money

strijk: ~er (*van linnen*) ironer; *zie ook* strekel & strijkel; ~geld *a*) premium (to the highest bidder); *b*) charge for ironing; ~goed clothes (linen, etc.) to be ironed, ironing; (*reeds gestreken*) ironed clothes, etc.; ~hout *zie* strijkel; ~ijzer (flat-, smoothing-)iron, [tailor's] goose (*mv.:* gooses); ~instrument stringed instrument; *de ~en,* (*in orkest*) the strings; *voor ~en* [fantasia] for strings; ~je string-band; ~kwartet string quartet(te); (*met*) ~licht (*beschijnen*) floodlight; ~muziek string-music; ~net drag(net), sweep-net; ~orkest string-orchestra; ~plank ironing-board; ~steen whetstone; (*van zeis*) scythe-stone; ~ster (laundry) ironer, shirt and collar dresser; ~stok bow, fiddle-stick; (*voor maten*) strickle, strike, smoothing-rod; *er blijft veel aan maat- en – hangen* much sticks to the fingers (of promoters); ~vernis liquid veneer; ~voeten (*hist.*) bow and scrape [*voor* to]; ~voetje scrape

strik (*van lint*) knot [of ribbons], bow, favour; (*dasje*) bow(-tie); (*om te vangen*) snare, noose, wire [for rabbits], (*hist.*) springe; ~ken zetten lay snares; *hij spande mij een ~* he laid a snare for me; *hij werd in zijn eigen ~ gevangen* he was caught in his own trap, hoist with his own petard; *zijn hoofd bijtijds uit de ~ halen* get one's head out of the noose (back out of the business) in time; *vgl.* net 1; ~das bow(-tie); ~je [breast] knot; (*dasje*) bow(-tie); *zie ook* kwikjes

strikken (*das, enz.*) tie; (*vangen*) snare [birds, hares], wire [a hare, pike *snoek*]; (*fig.*) ensnare, snare, rope in [for a job]; ~spanner, ~zetter snarer (*ook fig.*); (*pelsjager*) trapper

strikknoop looped knot

strikt strict, precise; rigorous; dead [it's a ... secret]; ~ *verboden* strictly prohibited; ~ *genomen* strictly speaking; *zie ook* stipt, streng; ~heid strictness, precision

strikvraag catch (trap, trick) question, catch

stringent id.

strip (*techn.*) butt-strap, -strip; (*beeldverhaal*) strip (cartoon); ~**goed** strip tobacco; ~**peling** strip-leaf, strips, stripped tobacco; ~**pen** strip, stem [tobacco]; (*namelken*) strip

strips (*katoenafval*) id.

stro straw; *dat is niet van* ~ that's not at all bad; *een ventje van* ~ a weakling; ~ *dorsen* flog a dead horse, thresh s., plough the sand(s); *zie* strootje & weg; ~**achtig** strawy; ~**bed** s.-bed; ~**bloem** immortelle, everlasting (flower); ~**bokking** red herring; ~**bos** bundle of s.

stroboscoop, -scopisch stroboscope, -scopic

stro: ~**breed:** *ik wens hem geen – in de weg te leggen* I do not wish to cross him in any way; ~**dak** thatched roof; ~**dekker** thatcher

stroef stiff [door-handle, etc.]; (*op 't gevoel*) rough, uneven; (*fig.*) stiff [manners; be ... to strangers], rugged, harsh [features, style], awkward [interview]; ~ *lopen* (*gaan*) run (work) stiffly; ~**heid** ... ness

strofe strophe, stanza; **strofisch** strophic

stro: ~**fles** wicker bottle; ~**geel** straw-yellow, s.-coloured; ~**halm** (blade of) s.; *zich aan een – vasthouden* catch (clutch, snatch) at a s.; ~**hoed** *zie* strooien hoed; ~**huls** s. cover; ~**hut** thatched hut (*of:* cottage); ~**karton** s.-board; ~**kartonfabriek** s.-board factory

stroken: ~ *met* tally (agree, square) with, fit in with [a p.'s views, plans], fit [their theories do not ... the facts]; *de deur strookt met de muur* the door is flush with the wall

stro: ~**kleur(ig)** straw-colour(ed); ~**leger** bed of s.; ~**man** s.-man; (*fig.*) man of s., figure-head; ~**mat** s.-mat; ~**matras** s.-mattress, paillasse, palliasse, pallet

stromen stream, flow, pour (*alle ook fig.*); (*snel*) rush [the blood ... ed to his head], course [the tears were coursing down her cheeks]; *he felt the blood coursing through his veins*; *de straten stroomden van 't bloed* ran with blood; *brieven* ~ *'t kantoor binnen* are pouring into the office; *'t stroomt er naar toe* people are crowding (flocking) to it; ~*d water* running water (*ook in huis, enz.*); *in* ~*de regen* in pouring (driving) rain

stroming current; (*nat.*) flow; (*fig. ook*) trend, drift [of public opinion], tendency, [intellectual and social] movement; *de tegenwoordige* ~ *is in die richting* the present tendency is that way

strompel: ~**aar** stumbler, etc., *zie* ~**en** stumble, totter, hobble, limp, dodder; ~**ig** (*van pers.*) stumbling, etc.; (*van weg*) *zie* hobbelig; ~**rok** hobble-skirt

stronk (*van kool*) stalk; (*van boom*) stump, stub; (*van andijvie*) head [of endive]

stront *zie* drek

strontium id.

strontje sty [in the eye]

strooiavond St. Nicholas' eve

strooibiljet handbill, leaflet, hand-out

strooibus dredger, dredging-box

1 strooien *bn.* straw; ~ *hoed* straw hat, (*fam.*)

straw; straw bonnet (*vgl.* hoed); (*matelot*) *ook:* boater

2 strooien *ww.* strew [flowers], scatter, sow [seed], sprinkle [ashes, sand], dredge [sugar, flour]; *er wordt gestrooid*, (*bij gladheid*) sanding is in progress; *de paarden* (*'t vee*) ~ litter down [the horses, the cattle]; *geld* ~ throw money to be scrambled for; *met geld* ~, *zie* smijten; (*'t zaad der*) *tweedracht* ~ sow (the seeds of) discord

strooi: ~**er** (*pers.*) strewer, etc.; *zie 't ww.*; [sugar-, pepper-]castor, [flour-, sugar-] dredger, [salt-]sprinkler; ~**jonker** *zie* bruidsjonker; ~**lepel** sugar-sifter; ~**meisje** bridesmaid; ~**mijn** floating mine; ~**sel** litter; (*voor boterham*) grated (*of:* flaked) chocolate; ~**ster** strewer, etc.; *ook* = ~**meisje**; ~**suiker** powdered (*of:* castor) sugar; ~**suikertjes** sugarplums; ~**vuur** distributed fire

strook strip [of land, cloth, etc.], slip [of paper]; (*van japon, enz.*) flounce, furbelow; (*van kant, enz.*) frill; (*van postwissel bijv.*) counterfoil; (*van cheque*) stub; (*voor adres*) label; (*telegr.*) tape; *met stroken* flounced; ~**je** (*papier, ook*) tear-off slip

stroom stream [of water, blood, etc.]; (*in vloeistof, lucht, elektr.*) current; (*rivier*) stream, river; (*berg-*) torrent; (*fig.*) flood [of light, tears], stream [of people, callers, taxis, protests, abuse], flow [of words], torrent (volley) [of abuse *scheldwoorden*], deluge [of protests], spate [of memories, confidences, war books]; ~ *leveren*, (*elektr.*) supply current; *de regen viel bij* (*in*) *stromen neer* came down in torrents; *met de* ~ *meegaan* go (swim) with the s. (with the tide); *onder* ~, (*elektr.*) live [wire, rail], electrically charged; *niet onder* ~ dead [wire]; *onder* ~ *staan* be alive (charged); *onder* ~ *brengen* electrify [barbed wire]; *de boot ligt op* ~ is moored in mid-s.; *niet tegen de* ~ *kunnen oproeien* be unable to stem the tide; *tegen de* ~ *ingaan*, (*fig.*) swim against the s.

stroom: ~**afnemer** (*elektr.*) current collector; ~**af(waarts)** downstream, down the river; ~**baan** (*elektr.*) circuit; ~**bed** river-bed, channel [of a river], fairway; (*in getijrivier*) tideway; ~**besparing** saving of current; ~**breker** (*in zee*) breakwater, groyne; (*van brug*) starling; (*elektr.*) circuit-, contact-breaker, interrupter; ~**dichtheid** current density; ~**draad** (*van rivier*) main current; (*elektr.*) contact wire, live wire; ~**gebied** (river-)basin, drainage- (*of:* catchment-)basin, -area; ~**god** river-god; ~**godin** naiad; ~**inductie** (*elektr.*) current induction; ~**kaart** *a*) river-map; *b*) (*van zeestr.*) current chart; ~**kap** (*van vliegt.*) fairing; ~**kring** (*elektr.*) circuit; ~**levering** current supply; (*met*) ~**licht** (*beschijnen*) floodlight; ~**lijn** streamline; ~**lijnen** *ww.* streamline [a motorcar; *ook fig.*]; ~**loos** (*elektr.*) dead [wire, rail]; ~**meter** (*elektr.*) galvanometer, ammeter; ~**nimf** naiad; ~**onderbreker** (*elektr.*) *zie* ~breker; ~**op(waarts)** upstream, up the river, [steam] up-river; ~**pje** streamlet; ~**rafeling** overfalls;

~regelaar (*elektr.*) current-regulator; ~**regeling** c.-control; ~**rijk** rich in rivers; ~**schema** diagram of connections; ~**sluiter** (*elektr.*) circuit-closer; ~**splitsing** bifurcation; ~**sterkte** strength of current; ~**verbreker** (*elektr.*) *zie* ~breker; ~**verbruik** consumption of current; ~**verdeling** (*elektr.*) current distribution; ~**versnelling** rapid; *in een - geraken*, (*fig.*) gain momentum, be accelerated (aggravated); ~**voerend** (*elektr.*) live [wire, terminal]; ~**wisselaar** (*elektr.*) commutator, switch, (current-) reverser

stroop treacle; (*suiker-*) molasses; (*vruchten-, hoest-*) syrup; (*fig.: vleierij*) butter [he loves ...]; *iem. ~ om de mond smeren* butter a p. up; ~**achtig** treacly; syrupy; *vgl.* ~

stroopballetje bull's-eye

stroopbende band of marauders

stroop: ~**je** (soothing-)syrup; ~**kan** *zie* ~pot; *met de ~kwast lopen, zie* ~likken; ~**lepel** treacle-spoon; ~**likken** play the toady [to a p.], toady [a p.], butter [a p.] up; ~**likker** lickspittle, toady; ~**likkerij** toadyism; (*sl.*) soft sawder, butter

strooppartij *zie* strooptocht

strooppot treacle-pot; *zie* stroopkwast

strooptocht predatory incursion, raid, marauding-expedition, depredation

stroop: ~**ton** treacle-tub; ~**wafel** t.-wafer

strootje straw; mild cigar; ~ *trekken* draw straws; *over 'n ~ vallen* stumble at a s.; *hij is met 'n ~ te verleiden* he is very easily led astray (*of:* away); *zie* weg

strop (*om iem. op te hangen*) halter, (hangman's) rope; (*mar.*) strop; (*van laars*) strap; (*stropdas*) stock; *zie ook* strik; (*geldelijk, enz.*) set-back, loss; *een ~ van een jongen* a (little) rascal, a pickle, a handful; *iem. de ~ om de hals doen*, (*ook fig.*) put the rope round a p.'s neck, cook a p.'s goose; *hij werd tot de ~ veroordeeld* he was condemned to be hanged (by the neck); *de ~ krijgen* get the rope; *daar krijgt hij de ~ voor* it will mean the rope for him, he'll swing for it; *dat is een lelijke ~ (voor hem)* it's tough luck (on him), a bad bargain, a bad loss; *wat een ~!* what rotten luck!

stropapier straw-paper

stropdas stock

stropen 1 (*met stroop*) treacle; 2 (*roven*) pillage, maraud; (*van wilddief, tr. & intr.*) poach; 3 skin [eels, etc.]; *de bast van een boom ~* strip a tree of its bark; *de bladeren van een tak ~* strip a branch of its leaves; *naar boven ~, zie* opstropen

stroper marauder, raider; (*wilddief*) poacher

stroperig *zie* stroopachtig

stroperij marauding; poaching; *vgl. 't ww.*

stropershond poaching-dog, lurcher

stropop *zie* strohuls & stroman

stroppen snare, wire [rabbits]

strosnijder straw-cutter; (*fig.*) *ouwe ~, a*) old josser; *b*) old author; *rare ~* queer cuss

strot throat, throttle; *zich de ~ afsnijden* cut one's t.; *zie verder* keel; ~**ader** jugular vein;

~**klep** epiglottis; ~**tehoofd** larynx; *van 't -* laryngeal; *ontsteking van 't -* laryngitis

stro: ~**vlechten** straw-plaiting; ~**vlecht(st)er** s.-plaiter; ~**vuur** (*fig.*) nine days' wonder, flash in the pan; ~**wis** s.-wisp, wisp of s.; *hij kwam hier op een - aandrijven* he landed here without a penny in his pocket; ~**zak** s.-mattress, pallet

strubbeling difficulty, trouble, hitch [a ... in the negotiations]; (*sl.*) ruction; *dat zal ~ geven* there will be ructions

structureel structural; **-reren** structure

structuur structure, [the social] fabric; (*van mineraal, enz., ook:*) texture; ~**formule** structural formula; ~**wijziging** corporate adjustment

struif *a*) contents of an egg; *b*) omelet(te); *men moet geen ~ om een ei bederven* it's no use spoiling a ship for a ha'p'orth of tar

struik bush, shrub

struikachtig bushy, shrubby

struikelblok stumbling-block, obstacle

struikeldraad trip wire

struikelen stumble [*over* over, at], trip [*over* over], be tripped up [*over* by], falter; (*fig.: een misstap doen*) trip; *iem. doen ~* trip a p. up; *over zijn woorden ~* s. over one's words, s. in one's speech; *zie* paard

struikeling stumbling, stumble

struik: ~**gewas** brushwood, scrub, shrubs, bushes; (*als schuilplaats van wild*) covert; ~**hei(de)** ling; ~**roos** bush rose; ~**roven** *zie* ~roverij; ~**rover** highwayman, footpad; ~**roverij** highway robbery

struis I *zn.* ceruse, white lead; II *zn.* ostrich; III *bn.* sturdy, robust; ~**gras** spear-grass; ~**veer** ostrich-feather

struisvogel ostrich; ~**ei** o.-egg; ~**maag:** *'n - hebben* have the digestion of an o.; ~**politiek** o.-policy; *een - volgen* pursue an o.-p., play the o.; ~**veer** o.-feather

struma id., goitre

struweel (*dicht.*) brushwood

strychnine id.

stuc stucco, plaster

stud (*fam.*) undergrad; *zie* student

studeer: ~**kamer** study; ~**lamp** reading-lamp; ~**vertrek** study

student (university) student, undergraduate, (*fam.*) undergrad; ~ *in* s. of [divinity, law, etc.]; ~ *in de rechten, ook:* law s.; ~**e** *zie* ~; *ook:* girl (woman) student, (*Am.*) co-ed

studenten: ~**almanak** students' almanac; ~**arts** university medical officer; ~**blad** undergraduate paper; ~**bond** students' union; ~**corps** (*ongev.*) students' corps; ~**decaan** student adviser; ~**flat** (*ongev.*) student hostel; ~**grap** students' prank; ~**haver** almonds and raisins; ~**jool** students' rag; ~**leven** student life, college life; ~**lied** students' song; ~**pastor** university chaplain; ~**relletje** students' rag; ~**roeiwedstrijd** (inter-)university boat race; ~**sociëteit** students' club, (students') union; ~**stop** student freeze; entry-quota [for medical students]; *een*

– *invoeren* impose restrictions on student admissions; ~**streek** students' trick (*of:* prank); ~**tijd** [his] student (*of:* college) days; ~**vereniging** *zie* ~corps; ~**werkkamp** *ongev.:* N.U.S. (= National Union of Students) camp

studentikoos student-like [behaviour]

studeren study, read [for an examination]; (*muz.*) practise; (*aan de univ.*) be at college; *te veel* ~ overstudy; ~ *in de medicijnen* (*rechten, theologie, wiskunde*) s. medicine (law, *of:* for the bar; divinity; mathematics); *heeft hij te Oxford gestudeerd?* is he an Oxford man (an Oxonian)?; *op de piano* ~ practise the piano; *ik zal er eens op* ~ I'll think it over; *erop* ~ *om iem. van dienst te zijn* make it one's study (go out of one's way) to oblige a p.; *voor een examen* ~ study (*of:* read) for an examination; *voor dominee* ~ study (*of:* prepare) for the ministry; *zie* gestudeerd

studie study (*ook van schilder*); *een* ~ *over Byron* a study of B.; *de leerlingen zijn aan de* ~ are at prep. (= preparation); *ernstig aan de* ~ *gaan* settle down to serious s.; *'t plan is in* ~ is being studied, is under consideration; *in* ~ *nemen* study [a plan]; put [a play] into rehearsal [*ook:* the play went into rehearsal]; *met* ~ *ergens naar kijken* look at s.t. with rapt attention; ~ *maken van* make a s. of; *daar heb ik* (*speciaal*) ~ *van gemaakt* I have made it my (particular) s.; ~**beurs** scholarship, studentship, bursary, exhibition; ~**boek** manual, text-, study-book; ~**club** s.-club, -circle; ~**fonds** endowment, foundation; *uit 't* – *studeren* be on the foundation; ~**genoot** fellow-student; ~**jaar** [he was the first of his] year, [first, etc.] year's course, (*academisch*) session; *iem. uit 't eerste* – first year man (*of:* student), freshman, fresher; ~**kop** [have no] head for s.; (*van schilder*) head s., s. of a head; ~**kosten** university expenses, cost of studies; ~**kring** s.-club, -circle; ~**leider** director of studies; ~**polis** education policy; ~**programma** programme of study; ~**reis** s.-tour, instructional (educational) tour; ~**richting** field of study; ~**tijd** years of s., student days; ~**toelage** grant; *vgl.* ~beurs

studieus studious

studieverlof study leave

studieverzekering education insurance; *'n* ~ *aangaan* take out an education policy

studievriend college friend; **studiezaal** reading room; **studiezin:** *iem. met veel* ~ a studious person

studio id.; **studiosus** student

stuf *zie* vlakgom

stug stiff, dour; (*nors*) surly, gruff; taciturn; (*van snijbonen bijv.*) tough, stringy; ~**heid** stiff-, dour-, surli-, gruff-, tough-, stringiness

stuif: ~**aarde** dry-mould; ~**beek** spraying cascade; ~**brand** ustilago; ~**lawine** snowdust avalanche; ~**meel** pollen; ~**poeder** lycopodium (powder); ~**zand** drift-sand, blowing sand(s); ~**zwam** puff-, fuzz-ball, lycoperdon

stuik *zn.* (*van schoven*) shock (*zie* hok); (*scheeps-*

bouw) butt; *bn.* (*techn.*) flush

stuiken *ww.* shock [sheaves]; (*techn.*) upset

stuip convulsion, fit; (*gril*) whim; *een* ~ *krijgen* be seized with a c.; *de Kamer kreeg* ~*en van 't lachen bij dat schouwspel* the sight convulsed the House; *zich een* ~ *lachen* be convulsed with laughter; *'t jaagt je de* ~*en op 't lijf* it gives you the creeps; ~**achtig** convulsive; ~**trekken** be (become) convulsed, twitch; ~**trekkend** convulsed, convulsive; ~**trekking** convulsion, convulsive movement, twitching; *hij ligt in de laatste* –*en* he is in the agony of death

stuit 1 (*van bal, enz.*) bounce, bound; 2 = ~**been** coccyx, tail-bone

stuiten check [the enemy], stem, hold up [the advance *opmars*], stop [a runaway horse], arrest [the flames, etc.]; (*van bal*) bounce, bound; *niet te* ~ uncheckable [rise in prices]; *laten* ~ bounce [a ball]; *'t stuit me* (*tegen de borst*) it goes against the grain with me, it is repugnant to me; ~ *op* encounter, meet with, run up against [difficulties, opposition]; *op een* (*verborgen*) *moeilijkheid* ~, *ook:* hit a snag; *de kogel stuitte tegen de muur* struck the wall; *zie* gebod

stuitend shocking, revolting, disgusting

stuiter big marble; ~**en** *zie* bikkelen

stuitstuk rump-piece

stuiven be dusty; (*snellen*) tear, rush, fly, dash [into the room, etc.]; (*van vonken, enz.*) fly (about); *'t stuift erg* it is very dusty; *hij stoof woedend de kamer uit* he flung (stormed) out of the room; *naar binnen* ~ rush in; *de kamer uit* ~ flounce out of the room (in a rage); *vooruit* ~ dash forward; *wat stuif je toch!* (*bij 't vegen*) what a dust you are making!; *ik weet niet waar hij gestoven of gevlogen is* what has become of him

stuiver five-cent piece, penny; *een* ~ *gespaard is een* ~ *gewonnen* a penny saved is a penny gained (*of:* got); *een aardige* ~ *kosten* (*verdienen*) cost (earn, make) a pretty penny; *hij bezit geen* ~ he hasn't got a penny to bless himself with; (*sl.*) he hasn't got a bean; ~**s-roman** penny dreadful, (*Am.*) dime novel

stuivertje five-cent (penny) piece; *ze bezit een aardig* ~ she is pretty well off; *een* ~ *kan raar rollen, men weet nooit hoe een* ~ *rollen kan* things may take strange turns, the unexpected always happens; ~ *wisselen* (play) puss in the corner; (*fig.*) reshuffle [the Cabinet]; general post [there has been a ... in the Cabinet]; *zie* stuiver & kant

stuk I *zn.* piece [*ook:* ... of music, prose, luggage, etc.], fragment [...s of glass], splinter; (*homp*) chunk [of cheese, bread], (*snee*) slice [of bread; *ook fig.:* of Poland]; (*deel*) part; (*lap*) piece; (*op kledingstuk, enz.*) patch; (*grond*) patch, plot [of ground]; (*plank, enz.*) length [of board, rope, etc.]; (*vee*) head [twenty ... of cattle]; (*geschut*) piece [of ordnance], gun; (*artikel*) article, paper; (*document*) document, instrument, paper; (*effect*) security; (*post-;*

ook: cheque, enz.) article; (*kaartspel*) marriage; (*damspel*) man; (*schaakspel*) piece; (*toneel-*) play, piece; (*schilder-*) piece, picture; (*meisje, sl.*) bit; (*van lijn*) segment; (*onvertaald:*) *een partij van 100 ~s* a parcel of 100; *twee ~s bagage* two pieces of luggage; *een flink ~ geld* a packet of money; *een ~ zeep* a piece (a cake) of soap; *een stout ~(je)* a bold feat; *een lomp ~ vlees* a great hulk of a (wo-)man; *een mooi ~ werk* a beautiful p. of work-(manship); *een ~ huisraad* an article (a piece, *geen ~ ...,* *ook:* not a stick) of furniture; *een ~ wijn* a piece (a butt) of wine; *een ~ dichter* a poet of sorts; *dat ~ dichter* that poet fellow; *~ ongeluk* rotter, blighter; *een raar ~ mens* a strange specimen of humanity; *een ~ van een weg* a stretch of road; *een ~ vuil* a bit of dirt; *dat ~ vuil,* (*fig.*) that dirty swine; *een verwaand ~ vreten,* (*volkst.*) a stuck-up piece of goods; *een stevig ~* [the sideboard was] a solid affair; *aangetekende ~ken* registered mail; *een ~ zetten op* (*in*) put a patch on, patch [trousers, a kettle]; *een heel~ beneden 't normale* [prices are] a long way below normal; *hij is mij een heel ~ voor* he is well (*fam.:* streets) ahead of me; *een heel ~ over 50* well over fifty; *dat brengt me een ~ verder* it helps me a lot; *een ~ (~ken) beter, enz.* far better (easier, etc.); *zie ook* eind; *een ~ inhebben, zie* kraag; *vijf shilling het ~* five shillings each; *~ken en brokken* odds and ends; *een ~ of drie* two or three; *een ~ of tien* nine or ten, about ten (or so); *hoeveel ~s zijn er? drie ~s* how many are there? three; *'t schip heeft twintig ~ken* mounts twenty guns; *hij heeft een ~ in de broek* his trousers have been patched; *er bleef van zijn redenering geen ~ heel* his reasoning (his logic) was torn to ribbons, the bottom was knocked out of his argument; *zie ook ~*je; *er staat een ~(je) over hem in de krant* there is a paragraph about him in the paper; *uren* (*drie uur*) *aan één ~* for hours (three hours) at a stretch (*of:* on end); *uren aan één ~, ook:* [I heard him run on] by the hour; *aan één ~* [fly, travel] non-stop [to ...], [fly 1300 miles] in one hop; *aan één ~ door* [work] without a break; *aan 't ~ zien* see [the material] in the p.; *'t was aan ~ken en brokken* it was smashed all to pieces; *aan ~ken slaan, scheuren, vallen* knock (smash), tear, fall, to pieces; *aan ~ken snijden, ook:* cut up, (*aan ~jes*) cut small [potatoes cut small]; *'t aan ~ken gescheurde (gesneden) lichaam* the dismembered body; *zie verder* kapot; *vechten dat de ~ken er af vliegen* make the fur fly; *bij ~ken en brokken* bit by bit, p. by p., piecemeal; *bij 't ~ betalen* pay p.-rates, pay by p.-work; *bij 't ~ verkopen* sell by the p. (singly, in ones); *in één ~ door* read right (straight) through; *zie ook* aan één ~ & aan ~ken; *op 't ~ van godsdienst* (*kleren, enz.*) in the matter of (in point of) religion (clothes,

etc.); *op ~ van zaken* after all, in point of fact; *toen 't op ~ van zaken aankwam* when it came to the point; *op ~ werken* work by the p., be on p.-work; *op ~ werkend, ook:* [man] on the p.; *op zijn ~ blijven staan* stand firm, stick (keep) to one's (the) point, stand (stick) to one's guns; *op geen ~ken na* not by a long way (by a long chalk); *hij begreep op geen ~ken na waar het over ging* he did not begin to understand what it was all about; *zie* lang (... *niet*); *tegen 5 gulden per ~* at five guilders each (*of:* apiece); *per ~ verkopen, zie bov.* (*bij 't ...*); (*geheel*) *uit één ~* (all) in (of) one p., of a piece; [a] one-piece [costume]; *man uit één ~* man of character, four-square fellow; *hij is klein (groot) van ~* of a small (tall) stature, short (tall) of build (stature); *de peren zijn niet groot van ~* are not big; *ze zijn dit jaar niet groot van ~* they do not run big this year; *klein van ~, ook:* undersized; *iem. van zijn ~ brengen* upset (disconcert) a person, put a person out (out of countenance), (*sl.*) rattle (flummox) a person; *het slechte nieuws bracht mij helemaal van mijn –* I was completely bowled over by the bad news; *hij was niet van zijn ~ af te brengen* he was not to be put off; *van zijn ~ raken* be upset, become flustered, lose one's head, (*sl.*) get rattled; *helemaal van zijn ~ zijn* be quite upset, be completely taken aback; *zie* wijs I; *~ voor ~* one by one; [I pawned what clothing I had] p. by p.; *zie* ingezonden, inzenden, stukje, voet, enz.; II *bn.* broken, gone to pieces, (*fam.*) bust, (*defect*) out of order, (*gebarsten*) cracked

stukadoor plasterer, stucco-worker; **~swerk** p.'s work, stucco-work

stukadoren plaster, stucco; *gestukadoord plafond* plaster(ed) ceiling

stuk: **~breken** break (to pieces); *zie ook* kapot; **~draaien** overwind [a watch]; **~gaan** break (to pieces), go to pieces; *zie* kapot; **~goed(eren)** (*scheepslading*) [loaded with a] general cargo; (*manufacturen*) piece-goods; **~goedlading** *zie bov.;* **~gooien,** *zie* kapot; **~hakken** chop up

stukje[1] (little) bit, small piece; *zie ook* eindje; *brutaal ~* piece of cheek; *~ mens* piece of humanity; *een akelig ~ mens* a nasty piece of work; *er was een ~ uit de lampekap* (*'t lemmet, enz.*) there was a little chip out of the lampshade (the blade, etc.), the lamp-shade etc. was chipped; *geen ~* not a scrap [of luggage, of meat, etc.], not [eat] a scrap [all day]; *een ~ grond met aardappelen* (*kool*) a potato (cabbage) patch; *een ~ eten* have a bite (a bit of dinner, a spot of d., etc.); *~s draaien* play truant; *zij lieten geen ~ aan haar heel* they did not leave a rag on her; *~s en beetjes* bits and pieces; *~ bij beetje, ~ voor ~* bit by bit, piecemeal, inch by inch, by inches; *ik ben er bij ~s en beetjes achter gekomen* I've pieced it all out; *hij vertelde 't mij van ~ tot beetje* he gave me a detailed account of it; *ik ken ... van ~*

[1] *Zie ook* stuk

tot beetje I know it (France, etc.) backwards

stuk: ~**kend** *zie* ~ *bn.;* ~**kenhuur** (*effectenb.*) backwardation; ~**kenrijder** *zie* ~rijder; ~**lezen** [read a book] to pieces; ~**loon** piece-wages; *op - werken* work on piece rates; ~**maken** break, smash; *zie ook* ~slaan; ~**scheuren** tear up; ~**s-gewijs** piecemeal, one by one, separately, [paid] by the piece; ~**slaan** I *tr.* smash (dash, knock) to pieces, smash (up); (*bij 't te water laten*) break [a bottle of champagne] over the bows; (*geld*) chuck [money] about; [he has money to] burn; II *intr.* be dashed to pieces, cut (up); ~**stoten** (*lichaamsdeel*) cut; ~**trekken** pull apart (to pieces, to bits); ~**vallen** fall to pieces; smash [the cup ...ed]; ~**vat** piece, butt [of wine]; ~**werk** piece-work; *ons weten is slechts* - we know in part, our knowledge is only patch-work; ~**werker** piece-worker

stulp (*lit.*) hut, hovel; (*stolp*) glass-bell; ~**kooi** chicken-coop; ~**vormig** bell-shaped

stumper(d) bungler, duffer, poor hand [at games]; (*arme* ~) poor fellow, poor wretch; (*vrouw, kind*) poor thing; **stumper(acht)ig** bungling; (*armzalig*) poor [work, creature]; ~*e vertoning* one-horse show

stuntelen flounder, (*stuntelig lopen*) hobble

stuntelig feeble, shaky, infirm; (*onhandig*) clumsy

stuntvliegen stunt-flying; **-er** s.-flyer

sturen (*zenden*) send; (*besturen*) steer [a ship, bicycle, motor-car], drive [a car, horse], guide [a horse, a p.'s hand, a pen, needle]; (*roeien*) cox (*ook tr.:* ... a boat); *noordwaarts* ~, *ook:* head for the north; *R. stuurde*, (*auto, ook:*) R. was at the wheel; *die auto stuurt erg makkelijk* is easy to handle; *een rekening* ~ s. in a bill; *naar huis* (*bed*) ~ pack [a p.] off home (to bed); *naar de wal* ~ stand in to the land (shoreward); *naar de dokter* ~ send word to ...; ~ *om* s. for [the doctor]; *zie* weide

Sturm und Drang *zie* storm-en-drang

stut prop, stay, support (*alle ook fig.*); (*tegen muur, enz.*) shore; (*van vliegt. & radiomast*) strut, (*onder drooglijn*) (clothes-)prop; *de* ~ *en steun van mijn oude dag* the staff (prop, stay) of my old age; ~**balk** supporting beam, summer; ~**muur** buttress; ~**sel** *zie* ~

stutten prop, strut, shore (up), support, buttress up, underpin [a building]; stake [flowers, etc.]; **-ing** propping, etc., support

stuur (*van schip*) helm, tiller; (*van fiets*) handlebar; (*van auto*) wheel; *hij kan zijn* ~ *niet houden* he cannot walk straight; *'t* ~ *kwijtraken* lose control [of one's machine]; *achter 't* ~ at the wheel; *aan 't* ~ *zitten*, (*ook fig.*) be at the helm; (*van vliegt.*) be at the controls; *zie* overstuur; ~**as** steering-shaft; ~**automaat** automatic pilot; ~**bekrachtiging** power steering; ~**boord** starboard; *'t roer aan* – *leggen* starboard the helm; *zie* bakboord; ~**cabine** (*van vliegt.*) (pilot's) cockpit, control-cabin; ~**gerei** *zie* ~inrichting; ~**groep** steering committee; ~**hefboom** (*van vliegt.*) *zie* ~knuppel; ~**huis** (*mar.*)

wheel-house; (*van vliegt.*) cockpit; ~**hut** (*van vliegt.*) cockpit; ~**inrichting** steering-gear, s.-mechanism, steering [of a car]; (*van vliegt.*) controls; ~**ketting** tiller-, steering-chain; ~**knuppel** (*van vliegt.*) control-column, -lever; (*sl.*) joy-stick; ~**kolom** steering-column; ~**kunde** cybernetics; ~**lastig** (*mar.*) down by the stern; ~**lieden**, ~**lui** *mv. van* ~man; ~**loos** out of control

stuurman (*algem.*) steersman [a ship without a ...]; (*op boot*) [chief (*of:* first), second] mate, navigating officer; (*van giek, reddingboot*) coxswain, (*sp.*) cox; (*roerganger*) helmsman, man at the helm; *twee met* ~ coxed two; ~ *aan de wal* back-seat driver, armchair critic; ~**briefje, -reçu** mate's receipt; ~**schap, ~s-kunst** helmsmanship, steersmanship, (art of) navigation

stuur: ~**pen** (long) tail-feather; ~**rad** steering-wheel; (*van auto*) steering-, driving-wheel; ~**reep** tiller-rope, wheel-rope; ~**roer** (*van vliegtuig*) rudder

stuurs surly, sullen, gruff, cross-grained; ~**heid** surliness, etc.

stuur: ~**slot** steering column lock; ~**stang** (*van fiets*) handlebar(s); (*van auto*) steering connecting-rod; (*van vliegt.*) *zie* ~knuppel; ~**stoel** stern-sheets; (*van vliegt.*) control-seat; ~**stok** tiller; (*van vliegt.*) *zie* ~knuppel; ~**toestel** *zie* ~inrichting; ~**touw** tiller-rope; ~**versnelling** column(-mounted gear-)change; ~**vlak** (*van vliegt.*) aileron; ~**wiel** (*van vliegt.*) control-wheel; (*van auto*) driving-wheel

stuw weir, barrage, flood-control dam, sta(u)nch

stuwadoor stevedore; ~**sbaas**, ~**spaai** warehouse foreman

stuw: ~**age** stowage; –**verlies** broken stowage; ~**dam** *zie* ~; ~**druk** (*van raket, straalmotor*) thrust; ~**en** (*mar.*) stow [the cargo]; (*voortbewegen*) propel; (*keren*) dam up [the water]; ~**er** *zie* stouwer; ~**hout** dunnage; ~**kracht** propelling-force; (*opwaarts*) lifting-power, lift [of a balloon], buoyancy [of gas, liquid]; (*fig.*) driving-power, -force, [have plenty of] drive, impetus, momentum; ~**loon** stowage; ~**mat** dunnage-mat; ~**meer** reservoir; ~**materiaal** dunnage; ~**plan** plan of stowage; ~**plank** shifting-board; ~**straalmotor** ram-jet (engine)

Stygisch Stygian

styleren *zie* stileren

styliet *zie* pilaarheilige

stylist *zie* stilist

styp(e) stereo(type); **stypen** stereotype

styreen styrene

Styx id.

sub: ~ *3* subsection 3

subagent sub-agent; ~**schap** sub-agency

subaltern id.; ~*e officier* subaltern (*in Eng.:* lieutenant & second lieutenant)

subatomair sub-atomic

subcommissie sub-committee

subdiaken (*r.-k.*) subdeacon

subiet *bn.* sudden; *bw.* (*dadelijk*) at once, right

away; (*plotseling*) suddenly, all at once

subject id.; **~ief** subjective; **~ivisme** subjectivism; **~iviteit** subjectivity

subjunctief subjunctive

subliem sublime; **sublimaat** sublimate

sublimatie sublimation

sublimeren sublimate

subordinatie subordination

subordineren subordinate

subornatie subornation

sub rosa id., under the rose

subsidiair [a fine of £5] with the alternative (with the option) of (or alternately) [one month's imprisonment]

subsidie subsidy, subvention, grant(-in-aid); *zie ook* rijks~; ~ *verlenen* = **subsidiëren** subsidize, endow; *door 't rijk gesubsidieerd* State-aided [flying-clubs, schools], State-endowed [theatres]

subsidiëring subsidization

substantie substance, matter

substantieel substantial

substantief substantive, noun

substantivisch substantive, *bw.:* ...ly

substitueren substitute; **substitutie** substitution

substituut substitute, deputy; *attr.:* deputy; **~griffier** deputy clerk; **~-officier** deputy prosecutor

substraat substratum, substrate

subtiel subtle, delicate [equilibrium]

subtiliteit subtlety

subtropisch subtropical

subversief subversive

succes success; ~! good luck (to you)! I wish you (the best of) luck (every s., all s.)!; ~ *met je boek!* good luck with your book!; ~ *hebben* (*behalen*) have (achieve) s., score (win) a s., be successful, make a hit [as a comic singer]; *veel ~ hebben* score a great s. [with a song, etc.]; *'t boek had veel ~* was a great s., was the hit of the day; *hij* (*het*) *had ~, ook:* he (it) was a s.; *hij had ~ in 't debat* he scored in the debate; *geen ~ hebben* be unsuccessful, fail; (*van toneelstuk, grap, enz., ook:*) fall flat; *met ~* successfully, with s., [speak] to good purpose; *met ~ volbrengen* make a s. of [it, the job, etc.]; *met weinig ~, ook:* [work] to little purpose; *zonder ~* without s., [try] unsuccessfully, to no purpose; **~boek** best seller

succesnummer hit, winner; *zie ook* ~stuk

successie succession; *'t derde jaar in* ~ in a row; **~belasting** *zie* ~rechten; **successief** successive

successie: ~oorlog war of succession, **~rechten** death-, legacy-, succession-, estate-duties; *vrij van* – free of legacy duties; **~staten** Succession (Successor) States

successievelijk successively, by stages, gradually; **successiewet** inheritance act

succes: ~stuk draw, (smash) hit; (*fam.*) sure (safe) card; **~vol** successful

succursale branch(-establishment, -office)

sudderen simmer

Sudeten id.; **~duits(er)** Sudeten German

suède suede [gloves]; **Sueven** Suevi

Suez id.; **~kanaal** S. Canal

suf drowsy, dull, sleepy; ~ *zijn,* (*van oud mens*) dote; ~ *van de slaap* dead sleepy; *zich* ~ *zitten denken* puzzle one's brains

suffen doze, moon, be day-dreaming, be wool-gathering, be in the clouds

suffer(d) dullard, dull fellow, duffer, muff; *oude* ~ old buffer, dotard

sufferig, suffig dull, sleepy; **~heid** dullness, sleepiness, stupidity

sufferij day-dreaming, dozing

suffertje (*krant*) local rag

suffragaan suffragan; **~bisschop** suffragan (bishop)

suggereren suggest [a plan]

suggestie suggestion; *door* ~ *in slaap brengen* charm asleep; **suggestief** suggestive, stimulating [lecture]; *-ieve vraag* leading question

suiker sugar; ~ *doen in* sugar, sweeten [the tea]; **~accijns** s.-duty; **~achtig** sugary; **~ahorn** s.-maple; **~amandel** s.-almond; **~bakker(ij)** confectioner(y); **~biet** s.-beet; **~boon** (*groente*) butter-bean; (*bonbon*) s.-plum; **~brood** s.-loaf; **~campagne** s.-beet processing season; **~cultuur** s.-culture; s.-growing; **~en** sugar, sweeten (up); **~erwt** s.-pea; (*~balletje*) s.-drop; **~fabriek** s.-factory, -mill, -works; **~fabrikant** s.-manufacturer; **~gast** silver-fish (insect); **~gehalte** s.-content; **~glazuur** s.-icing; frosting [on cakes, etc.]; **~goed** confectionery, sweetmeats; **~houdend** containing s., sacchariferous; **~ig** sugary, sugared

suiker: ~kist sugar-box; **~klontje** lump of sugar; **~koekje** sugared biscuit; **~kraaltjes** hundreds and thousands; **~land** *zie* ~plantage; **~lepeltje** s.-spoon; **~meloen** s.- (*of:* sweet) melon; **~mot** *zie* ~gast; **~netel** dead nettle; **~oogst** s.-crop; **~oom** rich uncle; **~patiënt** diabetic (patient); **~peentjes** young (new, spring) carrots; **~peer** s.-pear; **~peultjes** s.-peas, podded peas; **~plantage** s.-plantation, -estate; **~planter** s.-planter, -grower; **~pot** s.-basin, -bowl; **~raffinaderij** s.-refinery; **~raffinadeur** s.-refiner; **~riet** s.-cane; **~rietmolen** cane-mill; **~schaaltje** s.-basin; **~schepje** s.-spoon; **~smaak** sugary taste; **~spin** candy floss; **~strooier** s.-caster, -dredger; (*in lepelvorm*) s.-sifter; **~stroop** molasses; **~tang** s.-tongs; **~tante** rich aunt; **~tje** s.-plum, comfit; **~water** s. and water, sugared water; **~werk(en)** confectionery; **~zakje** sugar-bag; **~ziek(e), -ziekte** diabetic, -betes; **~zoet** as sweet as s.; (*fig.*) sugared, sugary [smile], honeyed [words]; **~zuur** saccharic acid

Suisse Switzer, Swiss Guard; (*r.-k.*) verger

suite suite of rooms; sequence (*of:* run) [of cards]; (*muz.*) id.; *luitenant à la* ~ lieutenant unattached (*of:* additional), supernumerary lieutenant; *à la* ~ *voeren,* (*mil.*) place on (pass to) the unattached list; second [*bij* to]; *en* ~, (*van kamers*) id., in a s.

suizebollen be (get) giddy (dizzy); *iem. doen* ~ knock a p. silly; *'t deed me* ~ it made my head (my brain) reel; *slag, die doet* ~ staggering (reeling) blow

suizelen *a*) *zie* suizebollen; *b*) (*suizen*) rustle; **suizelig** *zie* duizelig

suizeling *a*) *zie* duizeling; *b*) rustling

suizen (*van kogels*) whizz; (*van wind*) sough, sigh; (*van regen, boom*) rustle, swish; (*van kokend water*) *zie* razen; *mijn oren ~* my ears sing (ring, tingle), (*men praat over mij*) my ears are burning; **-ing** rustling [of the trees]; (*in oren*) *zie* oorsuizing; *–en in de oren hebben, zie* suizen; *zie verder het ww.*

suja: *~, kindje, slaap!* rest, my baby, rest! hushaby baby!

sujet: (*gemeen*) ~ scamp, scallywag, skunk; *'n verdacht ~* a shady customer (character); *'n gevaarlijk ~,* (*Am.*) a tough guy

sukade candied (lemon-, orange-)peel, citron-rind; **~koek** kind of spiced cake

sukkel noodle, mug, oaf; *zie ook* stumper; *aan de ~ zijn* be ailing, be an invalid; **~aar(ster)** *a*) invalid, ailing man (woman), valetudinarian; *b*) *zie* stumper; **~achtig** ailing; (*stumperig*) bungling; **~arij** *zie* ~partij; **~draf** jog-trot; *op een –je* at a jog trot; *op een –je gaan, ook:* jog along

sukkelen be ailing, be in poor (*of:* indifferent) health; (*~d lopen*) trudge [from house to house], plod, jog [down the road]; *met zijn borst ~* suffer from one's chest; *achter iem. aan ~* trudge behind a p.; *hij sukkelt achteruit* he is getting worse and worse; *met 't Frans ~* be weak (shaky) in French; *in het kanaal ~* blunder into the canal; **~d** ailing

sukkel: **~gangetje** *zie* ~draf(je); *'t gaat een –* things are moving at a snail's pace; **~partij** ailing; *het is bij ons aan huis een –* there is s.t. the matter with all of us at home; *dat wordt een –* we shall never see the end of it

sul simpleton, noodle, cuckoo, soft(y), mug, muff, duffer; *ik vond hem een ~, ook:* I thought him soft; **~achtig** *zie* sullig

sulfa(preparaat) sulpha (drug)

sulfaat sulphate

sulfer sulphur; **~achtig** sulphurous

sulfonamide sulphonamide

sulky (*bij harddraverijen*) id., trotting-car

sullebaan slide; **sullen** slide

sullig soft, goody-goody

sultan id.; **~aat** sultanate

sultanarozijnen sultanas

sultane sultana; **sultanshoen** sultan

sumak sumac(h)

Sumatra id.; **Sumatraan(s)** Sumatran

Sumeriër, Sumerisch Sumerian

summair, -arisch, -ier summary

summa summarum id., in sum, to sum up

summier brief, concise

summiteit *zie* sommiteit

summum *zie* toppunt

sunna Sunna(h); **sunniet** Sunni, Sunnite

superarbiter umpire

supercarga supercargo

superdividend extra dividend

superfijn superfine

superfosfaat superphosphate

superieur *bn. & zn.* superior; **~e** (*van klooster*) Mother S.

superintendent id.

superioriteit superiority

superlatief superlative (*ook fig.:* speak in ...s)

supermarkt supermarket

supernaturalisme supernaturalism

supernaturalist id.

supernaturalistisch supernaturalistic

superplie (*r.-k.*) superplice

supersonisch, -soon supersonic

supervisie supervision

supplement id.; **~shoek** supplemental angle

suppleren supplement, supply (make up) the deficiency; (*bij prolongatie*) pay the margin, make an additional deposit

suppletie supplementary payment; completion; **~biljet** excess ticket; **~troepen** supports, reserves

suppletoir supplementary; **~e begroting** supplementary estimates (*of:* budget)

suppli(c)ant petitioner, suppliant

suppoost door-keeper, usher; (*in museum*) custodian; (*in gevangenis*) warder

support id.; **~draaibank** slide-lathe; **~er** (*sp.*) id., (*Am.*) rooter

supprimeren suppress, put down

supranationaal supranational

suprematie supremacy

1 surah (*zijde*) id.

2 sura(h), sure (*van de koran*) sura

Surinaams, Suriname Surinam; **-mer** Surinammer

surnumerair supernumerary

surplus id., excess, overspill [of population etc.]; (*dekking*) cover

surprise id.; (*concr.*) surprise (packet)

surrealisme surrealism

surrogaat substitute, makeshift, succedaneum

surséance: *~ van betaling* suspension of payment, moratorium; *~ van betaling aanvragen* apply for a letter of licence

surveillance id.; (*school*) supervision (duty); (*bij exam.*) invigilation; **surveillant** id., overseer; (*school*) duty-master; (*bij exam.*) invigilator; **surveilleren** *tr.* keep under surveillance, supervise, keep an eye on, watch; *intr.* (*bij exam.*) invigilate; (*van politie*) patrol

sus! hush!

Susanna id.; (*fam.*) *zie* Suze

suspect suspected; (*pred. ook*) suspect

suspensie suspension

suspensoir (*med.*) suspensory bandage, suspensor; **suspicie** suspicion

sussen hush [a child], quiet [a baby], soothe, pacify [a p.], ease, quiet, salve [one's conscience], hush up [a quarrel]; *neuriënd ~* croon over [a child]; *om haar geweten te ~, ook:* as a sop to her conscience; *zie ook* slaap

sutti(isme) suttee(ism)

Suzanna Susanna; **Suze** Susan, Sue, Suzy

suzerein suzerain; **~iteit** suzerainty

s. v. p. (if you) please

swarai - 782

swarai Swaraj; swaraïst Swarajist
swastika id., fylfot; *zie* haakkruis
sybariet sybarite; **-itisch** sybaritic (*bw.:* -ally)
sycomore, **-moor** sycamore
syfilis syphilis; **syfilitisch** syphilitic
syfon *zie* sifon
sylfe sylph; **sylfide** sylphid
syllabe syllable; *er is geen ~ van waar* there is not a s. of truth in it
syllabus id., *mv.:* syllabi, syllabuses
syllogisme syllogism
symbiose symbiosis
symboliek symbolism
symbolisch symbolic(al), emblematic(al); *~e betaling (vermindering)* token payment (reduction); *~ voorstellen* = **symboliseren** symbolize
symbool symbol, emblem; *'t ~ zijn van, ook:* be symbolic(al) of [peace, etc.]
symfonie symphony; **~orkest** s.-orchestra
symfonisch symphonic; *~ gedicht* s. poem, tone-poem
symmetrie symmetry
symmetrisch symmetric(al)
sympathetisch sympathetic (*ook van inkt*)
sympathie sympathy [*voor* with, for], fellow-feeling; *~ën en antipathieën, ook:* likes and dislikes; *de ~ was wederkerig* the liking was mutual; *~ voelen voor* feel s. for, be in s. with [a p., a work]; *(geen) ~ tonend* (un)sympathetic
sympathiek congenial, appealing [this human quality about him is very ...], nice [man], likable [person], engaging [smile]; *(zeld.)* sympathetic (*gew.* = *sympathie tonend*); *hij ('t werk) is mij niet ~* he (the work) is not c. to me; *hij was mij dadelijk ~* I took to him at once; *hij werd mij ~* I came to like him
sympathiestaking *zie* solidariteitsstaking
sympathisch sympathetic [nerves]
sympathiseren sympathise; *iem. die met het communisme sympathiseert* communist sympathizer, fellow-traveller; *niet (met elkaar) ~* be out of sympathy; *~d, ook:* sympathetic

T

T T; *'t, zie* het
Taag Tagus
taai tough [meat, soil, etc.], wiry [person, animal], leathery [meat], tacky [hardbake]; *(fig.)* tough [person, animal, constitution *gestel*], tenacious [life]; *(saai)* tedious, dull; *~ geduld* untiring patience; *~e volharding (moed, vasthoudendheid)* dogged persistence (pluck, tenacity); *met ~e vasthoudendh., ook:* with true bull-dog pertinacity; *hij is 'n ~e kerel, heeft 'n ~ gestel, ook:* he is tough; *hij is 'n ouwe ~e* he is hale and hearty; *zo ~ als*

symposion symposium
symptomatisch symptomatic (*bw.:* -ally)
symptoom symptom
synagogaal synagogical
synagoge synagogue
synchronisch, **-iseren** synchronic, -ize
synchronisme synchronism; **-istisch** synchronistic (*bw.:* -ally), synchronous
synchroon synchronous [motor]
syncope (*gramm., med.*) id.; (*muz.*) syncopation, syncope; **syncoperen** syncopate
syncopisch (*muz.*) syncopated; *~e muziek, ook:* ragtime
syncretisme syncretism
syndicaat syndicate, ring, combine; (*garantie~*) underwriting syndicate, underwriters
syndicalisme, **-ist** syndicalism, -ist; **syndiceren** underwrite; **syndicus** syndic
syndroom (*med.*) syndrome
synodaal synodal, synodic(al)
synode synod; *generale ~* church assembly; *provinciale ~, (in Eng.)* convocation
synodisch synodic [month]
synoniem *bn.* synonymous; *zn.* synonym
synonymie, **synonymiek** synonymy
synopsis id.; **synoptici** synoptics, synoptists; **synoptisch** synoptic(al)
synovia id., synovial fluid
syntactisch syntactic; **syntaxis** syntax
synthese synthesis
synthetisch synthetic (*bw.:* -ally)
Syracusaan(s) Syracusan; **Syracuse** id.
Syrië Syria; **-r** Syrian
Syrisch *bn.* Syrian; (= *in 't S.*) Syriac [Gospels]; *zn. 't ~* Syriac
systeem system; *er zit (geen) ~ in* there is (no) method in it; *volgens 'n ~* [bring up children] on a s.; *~analyse* systems analysis; *~bouw* prefabrication
systematiek systematics, taxonomy
systematisch systematic (*bw.:* -ally)
systematiseren systematize

leer as t. as leather; *vooroordelen hebben 'n ~ leven* prejudice dies hard (is hard to kill); *zich ~ houden* bear up like a man; *hou je ~!* never say die! keep your pecker up!; *~achtig* toughish; *~e(rd)* t. fellow; *~heid* toughness; wiriness; tenacity; *vgl. ~*
taaitaai kind of gingerbread; **~pop** gingerbread man
taak task, job; (*school*) lesson(s), (home-)work; (*daltonstelsel*) assignment [monthly ...s]; *iem. een ~ opgeven (opleggen)* set a p. a t.; *ik heb mij dit tot ~ gesteld* I've made it my t., set

myself this t.; *'t behoort niet tot mijn ~* it is not my business; *'t behoort tot de ~ van de politie* ... it is the responsibility of the police ...; *de ons gestelde (gezette, opgelegde) ~* our appointed t.; *een ~ die men zichzelf oplegt* a self-imposed (self-appointed) t.; **~analyse** job analysis, job evaluation; **~omschrijving** terms of reference [of a committee]; job specification, specification of duties; **~uur** non-teaching period; **~verdeling** allocation of tasks

taal language, speech, tongue; *zie ook* **~tje**; *de tale Kanaäns, a)* the l. of Canaan (*Jes. 19:18*); *b)* scriptural language; *de betrekkingen tussen ~ en spraak* ... between l. and speech; *~ noch teken* neither word nor sign, no word or sign; *~ noch teken geven* not give a sign of life; *wel ter ~ zijn* have a ready flow of l. (of words), have a great command of l., (*fam.*) have a tongue in one's head, have the gift of the gab; *beschaafd ter ~ zijn* be well-spoken; *ik zal duidelijke ~ spreken* I'll put it quite plainly (in plain English); *in de ~ van het dagelijks leven* in common parlance; *dat is ~!* *zie* mannen**~**; **~arm** linguistically deprived [children]; **~armoede** poverty of l.; **~atlas** linguistic atlas; **~bederf** corruption of the l.; **~bederver** corrupter of the l.; **~begrip** [have no] idea of grammar; **~beheersing** mastery (command) of (the) l.; **~boek** grammar; **~congres** linguistic congress; **~eigen** idiom; **~eigenaardigheid** idiom(atic peculiarity); **~familie** l.-family; **~fout** grammatical mistake; **~gebruik** (linguistic) usage; **~geleerde** linguist, philologist; **~geschiedenis** linguistic history; **~geslacht** gender; **~gevoel** linguistic feeling; **~grens** linguistic frontier; **~hervorming** l. reform; **~kenner** linguist; **~kunde** linguistics, philology; **~kundig** linguistic, grammatical; – *(on)juist* grammatically (in)correct; *zie* ontleden; **~kundige** linguist, philologist; (*Am.*) linguisticist; **~leraar** l.-master; **~oefening** grammatical exercise; **~onderwijs** l.-teaching; **~onderwijzer** l.-teacher; **~regel** grammatical rule, rule of grammar; **~schat** vocabulary; **~strijd** war of languages; **~studie** study of language(s); *vergelijkende –* comparative philology; **~tak** branch of a (the) l.; **~tje** (*zonderling, verward, enz.*) lingo, jargon; **~vaardigheid** (*mondeling*) fluency; (*schriftelijk*) (written) command (of the language); **~verrijking** enrichment of the l.; **~verschijnsel** linguistic phenomenon; **~verwantschap** linguistic affinity; **~vorser** philologist; **~wet** law of l., linguistic law; **~wetenschap** science of l., linguistics, philology; **~zuiveraar** purist; **~zuivering** purism

taan tan; **~der** tanner; **~derij** tannery, t.-yard; **~huis** t.-house, tannery; **~ketel** t.-vat; **~kleur** t.-colour, tawny colour; **~kleurig** t.-coloured, tawny; **~kuip** t.-vat

taart tart, cake; *oude ~* old hag

taart: **~edeeg** paste; **~edoos** cake-box; **~enbakker** confectioner, pastry-cook; **~(e)schep** cake-server; **~(e)schotel** cake-dish

taartje fancy cake, fancy pastry

taartpunt wedge of cake

taats (*van tol*) peg; (*tap*) trunnion; **~tol** p.-top

tabak tobacco; (*fam.*) baccy; *dat is (heel) andere ~* that's (quite) a different kettle of fish; *ik heb er ~ van*, (*fam.*) I've had enough of it, I'm sick of it

tabaks- tobacco: **~aandeel** t.-share; **~as** t.-ashes; **~belasting** t.-tax, -duty; **~blad** t.-leaf; **~bouw** t.-growing, t.-culture, t.-cultivation; **~cultuur** *zie* **~bouw**; **~doos** t.-box; **~eest** t. drying-shed; **~fabriek** t.-factory; **~geur** smell (fragrance) of t.; **~handel** t.-trade; **~handelaar** t.-merchant; -dealer, tobacconist; **~hoek** *vgl.* hoek; **~kauwer** t.-chewer; **~kerver** t.-cutter; **~pijp** t.-pipe; **~plant** t.-plant; **~plantage** t.-plantation, t.-estate; **~planter** t.-planter; **~pot** t.-jar; **~pruim** quid, chew of t.; **~sap** t.-juice; **~spinner** t.-twister; **~stank** t.-stench, reek of stale t.; **~stripper, ~stripster** t.-stripper; **~teelt** *zie* **~bouw**; **~veiling** sale of t.; **~veld** t.-field; **~vergunning** t.-licence; **~verkoper** tobacconist; **~walm** (dense) t.-smoke; **~winkel** t.-shop, tobacconist's; **~zak** t.-pouch

tabbaard, tabberd tabard, robe, gown; *iem. op zijn ~ komen* dust a p.'s jacket

tabee! so long! good-bye!

tabel table, index, schedule, chart

tabellarisch tabular, tabulated, in tabular form; *~ overzicht* t. view; *~ rangschikken =* **tabellariseren** tabulate

tabernakel tabernacle; (*r.-k. ook*) pyx; *onze aardse ~* our earthly t.; *feest der ~en* Feast of Tabernacles; *zijn ~en ergens opslaan* pitch one's tent somewhere; *iem. op zijn ~ komen (geven)* dust a p.'s jacket, give it him hot; **~en:** *hij zal hier niet lang – he* won't stay here long

tabijn(en) tabby

tabkaart (*in kaartsysteem*) guide-card

tablatuur tablature

tableau id., picture, scene; (*rooster*) timetable; *zie ook* tabel; **~!** *van 't ~ afgevoerd worden*, (*jur.*) be struck off the register; *~x vivants* id., living pictures

table d'hôte id. [dine at the ...], [take] the set (the regular) dinner

tablet id. [an aspirin ...], slab [of chocolate], lozenge, square

tabletvorm: *in ~* in the form of tablets, in tabloid form

taboe taboo; *~ verklaren* taboo

taboeret tabouret, stool; (*voetbankje*) footstool

tabula rasa id.; *~ maken* make a t. r.; *zie ook* opruiming (... houden)

tabulatuur tablature

tachtig eighty; **~er** *a)* octogenarian, man of e., man in his eighties; *b)* (*vooral mv.*) writer of the (eighteen) eighties; *in de jaren ~ (de – jaren)* in the (eighteen, nineteen) eighties; **~jarig** eighty years'; (*van pers.*) of e., octogenarian; *de -e Oorlog* the E. Years' War; **~jarige** octogenarian, man (woman) of e.; **~maal** e. times; **~ste** eightieth; **~voud** mul-

tiple of e.; ~voudig eightyfold
tachygraaf tachygraph; -grafie tachygraphy;
-grafisch tachygraphic(al)
tact id.; tacticus tactician
tactiek tactics, *soms:* tactic [an old ...]
tactisch tactical
tactloos tactless; *hij irriteert de mensen door ~
optreden* he has an unhappy knack of rubbing
people up the wrong way
tactvol tactful, discreet, judicious
taf taffeta; *zie gewast*
tafel table (*ook van edelsteen; ook personen aan
~:* the whole t. made merry at his expense);
(*dicht., behalve in enkele uitdrukk.*) board (*zie
scheiden, -ing*) (*tabel*) index list; *de groene ~,
a*) the green t., the gaming-table; *b*) the board-
room t.; *de Ronde T~* the Round T.; *de ~ des
Heren* the Lord's t.; *de ~en der wet, de wet der
twee stenen ~en* the tables of the law, the two
tables; *de 12 ~en,* (*Rom.*) the twelve tables;
chronologische ~ chronological t.; *~ van ver-
menigvuldiging* multiplication t.; *de ~s leren*
learn one's tables; *de ~ van 6* the six-times t.;
de ~en dienen, (*Hand. 6 : 2*) serve tables; *open
~ houden* keep open t. (*of:* house); *er een
goede ~ op nahouden* keep a good t.; *boven
(onder) aan de ~* at the head (*of:* top) (at the
bottom) of the t.; *aan ~ gaan* go to t., sit down
to dinner (to t.); (*kerk.*) partake of the Lord's
supper, communicate; *aan ~ zijn (zitten)* be
at t.; *altijd te laat aan ~* always late for meals;
aan de ~ gaan zitten sit down at the t.; *na ~*
after dinner; *naar ~ leiden* take in (to dinner);
onder de ~ [drink a p.] under the t.; *onder de ~
praten* argue away [objections]; *een bedrag
onder ~* under the counter; *de muziek
der grenadiers speelde onder ~* the grenadier
band performed during dinner; *de soep staat
op ~* has been (is) served; *ter ~ brengen* lay [a
plan] on the t., table [a plan, a motion]; *zie ook
berd; ter ~ liggen* lie on the t.; *'t rapport kwam
ter ~* came up for consideration; *tot de ~ des
Heren (de heilige ~) naderen,* (*r.-k.*) communicate; *van een goede ~ houden* be fond of a
good t., like a good dinner; *van ~ opstaan* rise
from t.; *van (de) ~ vegen,* (*fig.*) brush aside;
voor ~, before dinner; *zie afnemen, scheiden,
enz.*
tafel- table: ~appel dessert apple; *de T~baai*
T. Bay; ~bediende attendant at t., t.-servant;
~bediening attendance at t.; ~bel t.-, hand-bell;
~berg t.-mountain; *de T~* T. Mountain; ~blad
a) t.-top; *b*) t.-leaf; (*hangend ook*) t.-flap; ~
blikje crumb-tray; ~bord dinner-plate; *ogen
als ~en* eyes like saucers, saucer eyes (*met ...*
saucer-eyed); ~buur neighbour at t.; ~dame
[his] partner (at t., at dinner); ~dans t.-turning,
-tipping, -tilting, -moving; ~dekken *zn.* laying
the t.; ~dienaar *zie* ~bediende; ~dienen *zn.*
waiting at t.; ~drank t.-drink; ~eend pochard;
~(e)ment (*bk.*) entablature; ~en be (sit) at
table; *lang ~* linger at the dinner-t.; ~etiquette
t.-manners, etiquette of the t.; ~gast dinner-
guest; ~gebed grace (before, after meals); ~

geld (*hist.*) t.-money, messing-allowance;
(*veiling*) fixed charge per item; ~genoot
t.-companion; (*mar.*) messmate; ~genot
pleasures of the table; ~gereedschap, -gerei
tableware, dinner-things; ~gesprek(ken) t.-
talk; ~gezelschap dinner-party, company at t.;
~goed *zie* ~linnen; ~heer [her] partner (at t.,
at dinner); ~kleed t.-cover; *zie ook* ~laken;
~kleedje t.-centre; ~kloppen *zn.* t.-rapping;
~lade t.-drawer; ~laken t.-cloth; *'t ~ doorsnijden,* (*fig.*) *ongev.:* cut the painter; ~lamp t.-
lamp; ~land t.-land; ~linnen t.-linen, (*vero. &
Sc.*) napery; ~loper t.-centre, -runner; ~matje
t.-mat, dinner mat; place-mat; ~mes t.-knife;
~olie salad-oil; ~peer dessert pear; ~poot
t.-leg; ~president chairman; – *zijn* preside
at a (the) dinner; ~pruim dessert plum;
~rede after-dinner speech; *de T~ronde* the
Round T.; ~rozijn dessert raisin; ~schel t.-bell;
~schip (*hist.*) nef; ~schuier crumb-brush;
~schuimer(ij) sponger (-ging); ~servies dinner-
service, -set; ~stoel baby-
chair, high chair; ~tennis t.-tennis, ping-pong;
~tje small t.; *het was er – dek je* it was cut-
and-come-again; *T– dek je,* (*ongev.*) meals on
wheels; ~toestel (*telef.*) table apparatus; ~
veger crumb-brush; ~versiering t.-decoration;
~water t.-water; ~wijn t.-wine, dinner-wine;
~zilver t.-silver, (table-)plate, silverware;
~zout t.-salt; ~zuur pickles
tafereel scene, picture; (*meetk.*) picture plane;
een ~ ophangen van give a picture of, paint
taffen *bn.* taffeta, oiled silk [bag]
taffia, tafia tafia
taflengte (*roeien*) canvas [win by a ...]
tafzijde taffeta silk
tagrijn marine-store dealer
Tahiti id., Otaheite
taifoen typhoon
taille waist; (*van kleed*) waist-line, waist; (*lijf
van kleed*) body, bodice
tailleren cut in (at the waist); *getailleerd*
waisted [coat], [coat] cut in at (shaped to) the
waist; *de jas enz. is niet getailleerd, ook:* it is
a loose-fitting coat, etc.
tailleur tailor; tailleuse dress-maker
taillewerkster bodice-hand; taillewijdte size of
the waist, waist measurement
Taiwan id.
tak branch (*ook van rivier, spoorweg, gebergte,
familie, industrie, enz.*); (*zware*) bough, limb;
(*van gewei*) tine; (*van hyperbool*) portion; (*fig.
ook*) offshoot [of a family, religion]; *~ van
dienst, zie dienstvak; ~ van sport* (form of)
sport; ~bout rag-bolt; *zie gewei*
takel tackle, pulley-block; ~aar rigger; ~age
tackle, rigging, cordage; ~auto breakdown
lorry; ~blok (t.-)block; ~en rig [a vessel]; (*ophijsen*) hoist (up); ~garen whipping; ~loods
rigging-loft; ~wagen breakdown lorry (van),
crash tender; ~werk tackling, rigging, cordage
takje twig, sprig [of heather], spray [of mistle-
toe]; ~smos twig-lichen
takkenbos faggot; (*mil.*) fascine

takkig branchy, ramose
1 taks dachshund
2 taks share, portion, number; *ik ben al boven mijn* ~ I have already had more than I am used to
takt *zie* tact
tal number; ~ *van* a (great) number of, numbers of, numerous [friends]; *op 't* ~ *staan* be on the (short) list; *zonder* ~, *zie* ~loos; *zie ook* getal
talaar talar
talen: *hij taalt er niet naar* he does not care about it in the least, is quite indifferent about it, won't look at it; *'t kind taalt niet naar de moeder* does not even ask for the mother
talenkenner *enz., zie* taalkenner, *enz.*
talenknobbel (*fam.*) gift of (flair for) languages
talenpracticum language lab(oratory)
talent id., (*in alle bet.*); *man van veel* ~ man of great talents, highly talented (gifted) man; *van meer dan gewoon* ~ [a scholar] of more than ordinary attainments, endowed with unusual mental gifts; ~enjager t. scout; ~vol talented, gifted, accomplished; *zie* ~
talg tallow; ~klieren sebaceous glands
talhout billet; *zie* mager
talie tackle; taliën *ww.* tackle
taliegreep lanyard
taling (*vogel*) teal
talisman id., charm, amulet, mascot
talk (*vet*) tallow; (*delfstof*) talc; ~aarde talc earth; ~achtig *a*) tallowy; *b*) talcous; ~kaars tallow candle; ~klieren *zie* talg...; ~poeder talcum (talc) powder; ~steen talc; ~vet tallow
talloos numberless, countless, [times] out of number, without number, innumerable
talmachtig lingering, loitering
talmen linger, delay, procrastinate; *zonder* ~ without delay; ~d *ook:* dilatory
talm(st)er loiterer, slowcoach, dawdler
talmerij lingering, etc. (*zie* talmen), delay
talmigoud talmi (gold)
talmud id.; ~geleerde, ~ist Talmudist
talmudisch Talmudic
talon id.; (*van cheque*) counterfoil
talreep (*mar.*) lanyard
talrijk numerous, multitudinous; ~er zijn dan, *ook:* outnumber; ~heid numerousness
talstelsel (scale of) notation; *zie* tientallig
talud talus (*mv.* tali), slope
tam tame (*ook van plant & fig.:* a ... author, etc.), domesticated (*ook van plant*), tamed; (*fig. ook:*) t.-spirited; ~me kastanje sweet (Spanish) chestnut; ~ maken tame [lions, etc.], domesticate [birds, etc.]; *zie ook* mak
tamarinde tamarind(-fruit, -tree)
tamarisk(boom) tamarisk
tamboer drummer
tamboereerraam tambour(-frame)
tamboeren: *daar tamboert hij altijd op* he is always hammering at it, hammering it into our (their, etc.) heads
tamboereeren tambour, do tambour-work; *zie ook* tamboeren

tamboerijn *a*) (*instrument*) tambourine; *b*) *zie* tamboereerraam
tamboerkorps drum band
tamboer-majoor drum-major
tamelijk *bn.* tolerable, fair, passable, *bw.* fairly, etc., rather [... good], pretty [... well, ...cold], moderately, tolerably; *een* ~ *goede nacht hebben* have (*of:* pass) a fair (fairly good) night; ~ *goede gezondh.* [be in] fair health; ~ *goed Engels* fairly good E.; *een* ~ *groot bedrag* a fair(ish) amount; *een* ~ *groot huis* a fair-sized house; ~ *zeker* fairly (pretty) certain; ~ *veel vreemdelingen* a good many strangers; *een* ~ *lange tijd, ook:* a goodish while; ~ *warm, ook:* warmish [day]; ~ *groot, ook:* biggish, largish; ~ [you're enjoying yourself?] middling
tamheid tameness
tamper (*van wijn, enz.*) tart
tampon id., plug; (*typ.*) ink-ball; ~neren tampon, plug
tamtam id., tomtom; *met veel* ~ with a flourish of trumpets, with great fanfare
Tanagra id.; tanagrabeeldje T. figurine, T. statuette
tand tooth (*mv.:* teeth; *ook van kam, zaag, rad, enz.*), (*tegenov. kies*) front tooth; (*van wiel ook*) cog; (*van vork, eg, enz.*) prong, tine; ~en (*sl.*) ivories; *vork met drie* ~en three-pronged fork; *een goed stel* ~en a good set of teeth; *de* ~ *des tijds* the t. (the ravages, the wear and tear) of time; *de* ~ *des tijd weerstaan, ook:* stand the t. of ages; ~en *krijgen* cut one's teeth, be teething; *de kleine heeft zijn (haar) eerste* ~je gekregen baby has cut his (her) first t.; *een* ~ *laten trekken* have a t. out (extracted); *de* ~en *laten zien* show one's teeth, show fight; *iem.* aan de ~ *voelen* put a p. through his paces (through his catechism); *met lange* ~en *eten, zie* kieskauwen; *op de* ~en *bijten, de* ~en *op elkaar klemmen* set one's teeth, (*fig. ook*) bite on the bullet, set one's face like a flint, grin and bear it; *tot de* ~en *gewapend* armed to the teeth, armed cap-a-pie; *van de* ~ *zijn* be long in the tooth (*ook fig.; zie* tekenen); *zie* mond, water, wisselen *enz.*
tandak (*Ind.*) *a*) dance; *b*) dancing-girl, nautch-girl; ~ken *ww.* dance
tand: ~arts dentist, dental surgeon; ~assistente dental surgery assistant, dental nurse; ~bederf tooth decay; ~been dentine; ~boor dental (*of:* dentist's) drill; ~crème t.-paste; ~eloos toothless
tandem id. [drive ...]; (*fiets*) id.
tanden *ww.* cog [a wheel], indent, tooth
tanden: ~borstel tooth-brush; ~geknars gnashing of teeth; ~krijgen *zn.* dentition, teething; *zie ook* tand; ~rij row of teeth
tandestoker tooth-pick
tand: ~formule dental formula; ~glazuur enamel; ~hamer *a*) dental hammer; *b*) (*van steenhouwer*) tooler; ~heelkunde dental surgery, dentistry; ~heelkundig dental; – *instituut* dental college; ~heelkundige *zie* ~arts; ~heugel toothed bar; ~holte dental cavity; ~ing perfo-

ration [of stamps]; ~kas socket (of a t.), alveolus (*mv.:* alveoli); ~kroon crown of a t.; ~letter dental (letter); ~lijst dentils; ~merg dental (*of:* tooth) pulp; ~middel dentifrice; ~pasta t.-paste, dental cream; ~pijn t.-ache; ~poeder t.-powder; ~prothese dental prosthesis; ~rad gear-wheel, toothed wheel, cog-wheel; (*rondsel*) pinion; ~radbaan rack(-and-pinion) railway; ~radoverbrenging gearing, geared transmission; ~regulatie straightening of teeth, orthodontics; ~spiegel dental mirror; ~steen tartar, scale; *van* – *ontdoen* scale [I had my teeth ...d]; ~stelsel dentition; ~tang dental forceps, pelican, extractor; ~technicus dental mechanic; ~techniek dental mechanics; ~techniker *zie* ~technicus; ~verzorging care of the teeth, dental care; ~vijl dental file; ~vlees gums; *zie* zweer & verzwering; ~vormig t.-shaped, dentiform, dentate; ~vulling filling, stopping, plug; ~walvis toothed whale; ~werk t.-work; ~wiel *zie* ~rad; –kast gear casing; ~wortel root of a t.; ~zenuw dental nerve; ~ziekte dental disease

tanen I *tr.* tan [fish-nets, the skin], bronze [the skin]; II *intr.* tan; (*fig.*) fade, pale, tarnish; (*van populariteit*) wane [his star is waning, is on the wane]; *haar schoonheid was aan 't* ~ her looks were going, she was falling off in her looks; *doen* ~ tarnish [a p.'s glory, etc.]; *zie* getaand

tang (pair of) tongs, fire-tongs; (*nijptang*) pincers, nippers; (*van chirurg*) forceps (*mv. id.*); (*van tandarts*) *zie* tandtang; (*fig.*) shrew, virago; (*ouwe* ~) harridan; *dat slaat (sluit) als een* ~ *op een varken* that is neither here nor there, utterly irrelevant; *ik zou het met geen* ~ *willen aanraken* I wouldn't touch it with a barge-pole; *iem. in de* ~ *nemen* press a p. hard, get one's hook into a p.; ~beweging pincer movement

tangens tangent; tangentenboussole tangent galvanometer (*of:* compass); tangentieel tangential

Tanger Tangier

tangetje (*voor haren, enz.*) (pair of) tweezers

tango id.; tanig tawny

tank id.; ~auto t.-lorry; ~bemanning t.-crew; ~colonne t.-column; ~en *ww.* (re)fuel, t. (up); ~er id.; ~gracht anti-t. ditch; ~koepel t.-turret; ~mijn anti-t. mine; ~schip tanker, t.-vessel, -steamer; ~station filling station; ~val (*mil.*) t.-trap; ~wagen tanker, tank(er)-lorry

tannine tannin

tantaliseren tantalize

Tantalus id.; t~beker T. cup; t~kwelling tantalization

tante aunt, (*fam.*) auntie; ~ *Meier* the bathroom; *dikke* ~ fat body; *lastige* ~ shrew; *ouwe* ~ old woman; *stevige* ~ sturdy female (woman, old girl); *maak dat je* ~ *wijs* tell that to the marines; *je* ~*!* my foot!; *zie* grootje

tantième bonus, royalty, percentage; ~dividend b. dividend; ~uitkering b. distribution

t.a.p. = *ter aangehaalde plaatse* l.c., loc. cit.,

loco citato (= in the place quoted)

tap (*kraan*) tap; (*spon*) bung; (*bij timmerwerk, enz.*) tenon; (*van kanon, stoommachine*) trunnion; (*aseinde*) pivot; (*ijskegel*) icicle; *zie* lassen; ~boor t.-borer; ~bout t.-bolt, t.-rivet; *met – bevestigen* t.-rivet

tapdans tap-dance; tapeind stud

tape-koers tape prices, (*Am.*) ticker prices

tapgat tap-hole; (*in ton*) bung-hole; (*bij timmerw.*) mortise; (*van kanon, enz.*) trunnion-hole

tapijt carpet; *op het* ~ *brengen* bring on the c. (the tapis); (*als*) *met een* ~ *bedekken* carpet [bluebells ...ed the ground]; ~klopper c.-beater; ~maker *zie* ~werker; ~schuier c.-brush; ~spijker c.-tack; ~werker c.-maker, -weaver; ~weverij *a*) c.-weaving; *b*) c.-weaving factory

tapioca id.; tapir id.

tapisserie tapestry, embroidery; ~winkel embroidery shop

tapissière furniture-van, pantechnicon(-van)

tapkast buffet, bar

tappan (*van kanon*) trunnion-bed

tappelen trickle

tappelings trickling; *het bloed liep* ~ *langs zijn wangen* trickled down his cheeks, (*ook:* the blood flowed freely)

tappen I *tr.* tap [beer, rubber, trees], draw (off) [beer]; (*verkopen*) sell; *aardigheden* ~ crack jokes; *een moer* ~ tap a nut; II *intr.* keep a public-house; *uren waarop getapt mag worden* licensing hours; *zie* schenken, getapt & vaatje

tapper publican, ale-house keeper; tapster

tapperij public house, ale-house

taps tap(ering), conical; ~ *toelopen* taper

taptemelk skim(med) milk, separated milk

taptoe tattoo, last post, 'lights out'; *de* ~ *slaan* beat the t.

tapuit (*vogel*) wheatear

tapverbod prohibition

tapvergunning licence

tapvormig *zie* taps; tapzaag tenon saw

taquineren *zie* treiteren

tarantella (*dans & muziek*) id.

tarantula (*spin*) id.; ~dans tarantism

tarbot turbot

tarief tariff, rate, scale of charges; (*van huurrijtuigen*) (legal) fare, (*de lijst*) bill of fares; *goede kamers, billijk* ~ good rooms on moderate terms (charges moderate); *het* ~ *verhogen (verlagen)* scale up (down) the t.; ~muur t.-wall; ~werk piecework; ~wet t.-act; ~zone (*telec.*) charge band

tarievenoorlog tariff war

tarlatan id.

tarok (*kaart*) taroc, tarot; (*spel*) taroc(s), tarots

tarpan id.

Tarquinius Tarquin

tarra tare; *extra* ~ super t.; *gemiddelde (gereguleerde)* ~ average t.; *geschatte* ~ estimated t.; *netto* ~ actual t.; *uso* ~ customary t.; tarreren tare

tartaan (*vaartuig*) tartan, tartane

Tartaar Tartar; ~s Tartar

- teemster

tartan id.

Tartarije Tartary; **Tartarus** id.

tarten challenge, dare, defy, bid defiance to, set at defiance, fly in the face of [public opinion, Providence]; beard [the lion in his den]; flout [the law, the decision of ...]; *'t gevaar ~* brave danger; *ik tart u te ...* I defy (dare) you to ...; *ik tart ieder mij tegen te spreken* I challenge contradiction; *het tart alle beschrijving* it baffles [beggars] description; **~d** defiant [speak ... ly].

Tartuffe id.; *ongev.:* Pecksniff; **~rie** Tartuf(f)-ism; *ongev.:* Pecksniffery

tarwe wheat; **~aar** w.-ear; **~akker** w.-field; **~bloem** w.-flour, flour of w.; **~bouw** w.-growing; **~brood** wheaten bread; **~korrel** grain of w.; **~meel** w.-meal; **~oogst** w.-crop, -harvest; **~pap** frumenty; **~stro** w.-straw; **~wet** w.-act; **~zemelen** bran of w.

tas 1 (*hoop*) pile, heap, 2 (*kopje*) cup; 3 bag, pouch; (*schoolransel*) satchel; (*der Hooglanders*) sporran; *zie* akten~; **~je** (hand)bag; (*van dame*) lady's (vanity) bag; (*van fiets*) saddle-bag, tool-bag; (*afdeling*) *van portefeuille, in auto, enz.*) pocket

tasjesdief(stal) bag-snatcher (-snatching)

tasjeskruid penny-cress

Tasmanië Tasmania; **~r** Tasmanian

tassen heap (*of:* pile) up, stack [wood]

tast: *hij moest zijn weg op de ~ vinden* he had to grope (*of:* feel) his way (along)

tastbaar tangible, palpable (*beide ook fig.*); *-bare duisternis* palpable darkness; *een -bare leugen* a manifest lie; **~heid** ...ness, palpability, tangibility

tastdraad tentacle

tasten I *tr.* touch, feel; *dat kan men ~ en voelen* that is self-evident; *iem. in zijn eer ~* (*aantasten*) injure a p.'s honour, hurt a p.'s pride; *iem. in zijn gemoed ~* appeal to a p.'s better feelings; II *intr.* grope, fumble, feel; **~ naar** grope (fumble, feel) for; *om zich heen ~,* (*van vlammen*) spread [rapidly]; *zie* duister, zak, zeer, zwak; **~d** *zie* tast (*op de ...*)

tast: **~er** feeler, palp; **~lichaampje** tactile corpuscle; **~orgaan** tentacle; **~zin** (sense of) touch, tactile sense

tateren *a) zie* treuzelen; *b)* stammer, stutter

tatewalen *zie* koeterwalen

tatoeëren tattoo

tautologie tautology; **tautologisch** tautological

t.a.v. = *ter attentie van* att. [Mr. Jones]

t.à.v. entirely yours

taxameter taximeter, (*fam.*) clock

taxateur appraiser, valuer

taxatie appraisement, appraisal, valuation; *tegen ~* at a valuation; **~prijs** valuation (price) **~waarde** appraised value

taxe *zie* taks 2

taxeren value, appraise, assess, weigh (size) up [a p.], estimate [*op* at]; *zie* schatten

taxi taxi(-cab); *in een ~ rijden,* (*fam.*) taxi; **~chauffeur** t.-driver; (*fam.*) taximan, cabman, cabby; **~ën** (*van vliegt.*) taxi; **~meter** id., (*fam.*)

clock; **~onderneming** taxicab company; **~standplaats** (taxi)cab rank

taxis(boom) yew-tree

taxivliegtuig air-taxi, taxiplane

taxonomie taxonomy

t.b.(c.) T.B. (= tuberculosis); *t.b.-patiënt* consumptive; *zie* tuberculose

t.b.v. = *ten behoeve van* in favour of, on behalf of

te I *vz.* at, in (*vgl.* in); (*met beweging*) to; II *bw.* too [old, etc.]; *een ~ hoge prijs* too high a price; *zie* laat, enz.; (*dat is*) *een beetje ~* a bit over-done; (*voor onbep. w.*) to; *~ edelmoedig* (*bescheiden*) *zijn, ook:* err on the side of generosity (modesty); (*soms onvertaald:* oil level half pint low, clearance slightly tight); *zie ook* al, des, meer, enz.

teakhout teak(-wood); **~en** teak

technicus technician, mechanic

techniek technics, technical science, technology; engineering; (*werkwijze, bedrevenheid*) technique

technisch technical, technological; *'t ~e* (*karakter*) *van ...* the technicality of ...; *~e fouten, ook:* mechanical defects; *Middelbare T~e School* Polytechnic (School); *Hogere T~e School* College of Advanced Technology; *T~e Hogeschool* Technological University; (*Am.*) Institute of Technology

technocraat, -cratie, -cratisch technocrat, -cracy, -cratic

technologie technology

technologisch technological

technoloog technologist

tectyleren rust-seal, (*van onderen*) underseal

teddybeer teddy bear

teder, teer tender [skin, age, years], delicate [child, hands, health, complexion]; (*minnend*) tender [heart, care], affectionate, loving, fond [mother]; *~ bemind* dearly loved; *dat is een ~ punt bij hem* that is a t. (nice, delicate, sore) point with him; *~ onderwerp* t. (delicate, sore) subject; *~e tinten* delicate tints; *~e zaak* ticklish (delicate) affair; **~heid** tender-, affectionate-, lovingness; delicacy

Te-Deum Te Deum

teef bitch, female dog; (*vos*) vixen, bitch-fox; (*fig.*) (*slet*) bitch, (*feeks*) vixen

teek tick

teel: **~aarde** black earth, (vegetable) mould, humus, soil; **~bal** testicle; **~delen** genitals; **~drift** sexual instinct (*of:* urge); **~gewas** cultivated plant(s); **~grond** *zie* ~aarde & ~land; **~kracht** generative (procreative) power, prolificacy; **~krachtig** prolific; **~land** arable land

teelt (*algem.*) cultivation, culture; (*van planten, vis, oesters, bijen, zijde, enz.*) culture; (*van vee*) breeding; (*ras*) breed; **~keus** selection, selective breeding; **~weefsel** (*plantk.*) cambium

teelvis fry

teem drawl(ing), whine; (*pers.*) *zie* ~kous

teemachtig drawling, whining

teemkous, -ster drawler, whiner; *een ouwe t.* a drivelling old woman

1 teen toe; *de grote ~* the big (great) t.; *de kleine ~* the little t.; *op de tenen lopen (staan)* walk (stand) on tiptoe, tiptoe [... up to it, ... out of the room]; ... *staan,* (*fig.*) tax o.s. to the utmost; *iem. op zijn tenen trappen* tread on a p.'s toes (*fig. ook:* on a p.'s corns); *hij is gauw op zijn tenen getrapt* he is touchy (huffy, apt to take offence), is a touchy sort of person; *op zijn tenen getrapt* [feel] huffed, huffy; *hij was behoorlijk op z'n tenen getrapt* he was pretty sore

2 teen osier(-twig); **~akker** *zie* ~bos; **~bos** o.-bed, willow-plot

teenganger digitigrade, toe-walker

teenhaak (*van fiets*) toe-clip

teenhout osier(s)

teenleer (*van schaats, enz.*) toe-strap

teentje clove [of garlic]; *zie* teen

teenwilg osier(-willow)

1 teer *bn. zie* teder

2 teer *zn.* tar; **~achtig** tarry

teergevoelig sensitive, susceptible, tender, delicate; **~heid** sensitiveness, susceptibility, tenderness, delicacy

teerhartig tender-hearted, soft-hearted; **~heid** ...ness

teerkleed tarpaulin

teerkokerij tar-works

teerkost provisions (for a journey)

teerkwast tar-brush

teerling die; *de ~ is geworpen* the d. is cast; **~kapiteel** (*bk.*) romanesque capital

teerpenning (*hist.*) travelling-money, viaticum

teerspijze *zie* teerkost; *de* (*H.*) *~,* (*r.-k.*) the (holy) viaticum

teer: **~ton** tar-barrel; *als een luis op een –* [get on] very slowly; **~water** tar-water; **~zeep** (coal-)tar soap

teffens (*vero.*) *zie* tevens

tegel tile; (*voor vloer ook*) flag; **~aarde** t.-clay; **~bakker** t.-maker; **~bakkerij** t.-works

tegelijk(ertijd) at the same time, [you cannot do two things] at once, [run down the staircase two steps] at a time; [he was motion, grace, strength] all in one; [gardener, coachman, footman] rolled into one; (*samen*) together; *allen ~!* all together!; *allen ~, ook:* [we'll go there] in a body; *één ~* one at a time; *bij dozijnen ~* by the dozen; *zes kisten ~,* (*hand.*) six cases in one shipment; *~ ingaan,* (*van vonnissen*) run concurrently; *~ met* simultaneously (together, along) with, [appearing] with [the leaves];

tegel: **~oven** tile-kiln; **~tje** tile; **~vloer** tiled pavement (*of:* floor); **~werk** tiles; **~zetter** tiler

tegemoet: **~gaan** go to meet; *zijn faillissement –* head for bankruptcy; *zijn ongeluk* (*ondergang*) *–* ride for a fall, court disaster; *een drukke tijd –* be in for a busy time; *betere tijden –* enter upon better times; *zie* schrede; **~klinken:** *vreugdekreten klonken hem ~* he was received with cheers; **~komen** (come to) meet; (*fig.*) meet [a p., his wishes, complaints] (half-way), meet [a demand], fall in with [a p.'s wishes];

~komend accommodating, complaisant, compliant, conciliatory; oncoming [traffic]; **~komend** accommodating spirit; advance(s); concession; (*vergoeding*) allowance, compensation; **~lopen** *zie* ~gaan & ~snellen; **~rijden** go to meet [on horseback, in a carriage]; **~snellen** run (*of:* rush) to meet; *zijn noodlot* (*ondergang*) – rush on one's fate; **~springen** spring to meet; **~treden** go to meet [a p.]; meet [difficulties], face [dangers]; **~voeren** reply, retort, counter; **~zien** look forward to, await [...ing your news], face [the future full of hope]; view [the future with concern]; *de dood kalm –* look death calmly in the face

tegen I *vz.* against [lean ... the wall]; act ... one's conscience]; (*ook:*) [stood with his back] to [the door]; [hold a letter] up to [the light]; (*jur.*) versus, v. [*ook bij wedstrijd, enz.*]: Eton v. Harrow; the problem of capital v. labour]; (*tijd*) by [... noon he had finished, be back ... three], towards [he came ... three o'clock]; (*met 't oog op*) against [he ordered new clothes ... his marriage; lay in coal ... the winter; lay money by ... a rainy day]; (*prijs*) at [... that price; ... three guilders a yard]; (*vergeleken bij*) to [that is nothing ... what I did]; (*jegens*) to [be kind, rude etc. ... a p.], [be honest ... a p.]; *twee paar schoenen ~ elkaar dragen* ... alternately, in turns; *de schilderij hangt ~ de wand* hangs on the wall; *verzekeren ~ 2 %* insure at the rate of two per cent.; *~ zijn reçu* [provide him with any sums he wants] a. his receipt; *~ kwitantie, ook:* in return for a receipt; *twee ~ één* two to one; *'t is duizend ~ één* it's a thousand to one; *met 2 goals ~ nul* [win] by two goals to nil; *~ betaling van* on payment of; *~ het eten* just before dinner; *'t is ~ enen* it is (just) on one o'clock; *~ £10* just (close) on £ 10; *zie ook* lopen; *~ de dertig* going (getting on for) thirty; *de winst beloopt ... ~ ... verleden jaar* amounts to ... as against (as compared with) ... last year; *~ de verwachting* contrary to expectation(s); *~ 't verkeer in* [drive] a. the traffic; *~ de storm in* in the teeth of the gale; *~ elkaar in* opposed (in opposition) to one another; *vgl.* ~gesteld; *~ ... in handelen* act contrary to orders, in [complete] defiance of the law; *~ de openbare mening ingaan* go counter to public opinion; *zijn vader was altijd ~ hem geweest* had always been a. him; *ik ben er ~* I am against (opposed to) it; *iem.* (*daar*) *~?* anybody a. (that)?; *wat is er ~?* what is there a. it?; *er is ~ dat wij dan te laat komen* the drawback is that we'll be late in that case; *er is zeer veel ~ om dit te schrijven* it is highly objectionable to write this; *ik heb iets* (*niets*) *~ hem* I have s.t. (nothing) a. him; *iets ~ iem. hebben, ook:* have a grudge (a grievance) against a p.; *wat heb je ~ me?* what have you a. me?; *'t enige wat ik ~ hem heb is* ... my only quarrel with him is ...; *ik heb er niet ~ te gaan* I don't mind going; *heb je er ~ dat ik ...?*

do you mind my smoking (my telling him, if I tell him)?; *als je er niet ~ hebt* if you do not mind; *ik heb er niet(s)* ~ I don't object; *ik heb er niets op ~*, (*fam.*) ['Have a cup of tea?'] 'I don't mind if I do'; *ik kan daar niet ~* I cannot stand it; that sort of thing upsets me; (*van spijs, enz.*) it does not agree (it disagrees) with me, it does not suit me; *ze kon niet ~ het klimaat* she could not bear (*fam.*: stick) the climate; *zie* verlies; *hij sprak er ~ en stemde ervoor* he spoke a. and voted for it; *~ iem. spreken* speak to a p.; *daar kun je niets ~ zeggen* you can say nothing a. it; *de bewijzen voor en ~* the evidence pro and con; *zie ook* best, wind, zuur, enz.; II *bw.: we hadden de wind ~* we had the wind a. us, the wind was a. us; *hij heeft ... ~* everybody (the appearance, etc.) is a. him; *'t is lelijk, als je hem ~ hebt* he is a bad man to be up against; *iem. ~ krijgen* get on a p.'s wrong side; *zie* voor; III *zn.: 't voor en ~* the pros and cons, the merits and demerits

tegen- *dikw.* counter: **~aan** against; *er – gaan* tackle, get down to [a job]; *zie* aanlopen, enz.; **~aanval** c.-attack; *een – doen* (*tegen*) c.-attack; **~adres** c.-petition; **~antwoord** rejoinder; (*jur. ook*) replication; **~argument** c.-argument; **~bedenking** (counter-)objection; **~beding** (c.-)stipulation; **~beeld** counterpart, contrast; **~bericht** message (*hand.*: advice) to the contrary; *als ik geen – krijg* unless I hear (*hand. ook:* unless you advise me) to the contrary; **~beschuldiging** recrimination, c.-charge; **~betoog** c.-argumentation, c.-demonstration; **~bevel** countermand; *er werd – gezonden* the order was countermanded; **~beweging** c.-movement; **~bewijs** c.-proof, -evidence; **~bezoek** return visit (*of:* call); *een – brengen* return a visit; **~bezwaar** (counter-)objection; **~blaffen** bark at; **~blinken** flash at; *alles blinkt u ~* everything is as bright as a new penny; you may mirror yourself in the furniture, etc.; **~bod** c.-bid; **~deel** reverse, opposite, contrary; *bewijs van 't –* proof to the contrary; *in – on* the contrary; **~draads** against the grain; **~drinken** *zie* ~eten; **~druk** c.-pressure; reaction; **~effect** (*bilj.*) check-side; **~eis** c.-claim, -demand; *een – instellen* c.-claim [for damages]; **~eten, ~drinken:** *zich (op) iets* – take a loathing to s.t., turn against s.t.; *ik heb 't me ~gegeten* (*gedronken*) I'm off it (off fish, etc.); **~gaan** go to meet; (*fig.*) oppose, counter [a tendency, the serious situation], counteract, check, fight; (*minder sterk*) discourage [a custom, a p.]; **~galm** echo; **~galmen** *zie* ~klinken; **~gas geven**, (*fig.*) apply counterpressure; **~geschenk** present made in return

tegengesteld opposite, contrary [*aan* to]; *'t ~e effect hebben* be counter-productive; *'t zou een uitwerking hebben ~ aan de beoogde* it would have the o. effect to the one intended; *in de ~e richting van ... in* the direction o. to his house; *'t ~e* the o. (reverse, contrary); *hij is 't ~e van knap* the reverse of clever; ~

draaiend contra-rotating [airscrews]

tegen- counter; **~gif** antidote (*ook fig.*); (*hist.*) c.-poison; **~gift** *zie* ~gif & ~geschenk; **~glimmen** *zie* ~blinken; **~groet** return salute; **~grond** c.-argument; **~gunst** favour in return; **~hanger** counterpart; *zie* pendant; (*fig. ook*) foil [Brutus's dramatic ..., Cassius]; **~houden** stop [a p., a runaway horse], hold [a car with the brakes], check, arrest [a thing in its course], stem [a flood of tears], hold up [a train, the traffic], retard [progress]; *men kan de tijd niet – you cannot hold back time; hij is niet ~ te houden* there is no holding him; **~ijlen** *zie* tegemoetsnellen; **~jubelen, ~juichen** meet with cheers, cheer [a p.]; **~kandidaat** competing candidate, candidate of the other party, [his] opponent; *geen – stellen tegen de Heer R.* not run a candidate against Mr. R.; *zonder – gekozen worden* be returned unopposed; **~kanten** *zie* kanten (*zich ... tegen*); **~kanting** [*ondervinden*] [meet with] opposition; **~klacht** c.-charge; **~klinken:** *iem. – meet* (*of:* strike) a p.'s ears; **~komen** meet, run across [a p.], come across [a p., an expression], come (light, happen, chance) upon; **~koning** anti-king; **~koppeling** (negative) feedback; **~kracht** c. force; **~lachen** smile at (on, upon); *zie* toelachen; **~last** c.-, balance-weight; **~lichtopname** photograph taken against the light; **~ligger** (*mar.*) meeting vessel, (*auto*) oncoming car; *~s* oncoming traffic; **~lopen** (*eig.*) go to meet; *'t liep hem ~* things went badly with (went against) him, he was out of luck, he struck a bad patch (of luck, in his business, etc.); *alles loopt mij ~* everything goes against me (goes wrong with me); *dat liep u ~* you met with no success there; **~maatregel** c.-measure; **~maken:** *iem. iets – set* a p. against s.t., put a p. off s.t. [you've put me off cream, don't put him off his books], put a p. out of conceit with s.t.; **~mars** c.-march; *een – uitvoeren* c.-march; **~middel** antidote, remedy; **~mijn(en)** c.-mine; **~mopperen** grumble, protest; **~natuurlijk** against (contrary to) nature, unnatural; **~natuurlijkheid** unnaturalness; **~offensief** c.-offensive; **~offerte** c.-offer; **~omwenteling** c.-revolution; **~order** c.-order

tegenopkunnen enz., *zie* opkunnen, enz.

tegenover opposite (to), over against, facing [the door ... the landing]; face to face with, up against [a difficulty]; in front of [he made me look a fool ... the others]; [900] (as) against [14,000 during the war]; versus [the issue of the Peers ... the people]; to [his obligations ... us]; towards [his sentiments ... us]; *zie ook* tegenstelling (*in ... met*); *hij woont hier* (*daar*) *~ across* the road (from us), over the way; *... brengen ~ ... oppose the thumb to the fingers, confront the accuser with the accused; verlegen ~ dames* shy with (*of:* before) ladies; *ge kunt dit ~ die feiten niet volhouden* you cannot maintain it in (the) face of these facts; *staan ~* be confronted (faced, face to face) with [a crisis, difficulties];

~ *elkaar staan* (*zitten*) face each other, stand (sit) face to face; *tot men er* ~ *staat* [ignore things] till one is up against them; *hoe staan we* ~ ...? how do we stand to-(wards) each other? where do we stand with America?; *daar staat* ~, *dat hij* ... on the other hand, he ...; *stellen* ~ set [one's opinion] against [one's father's]; *ze vond de hele wereld* ~ *zich* she was up against the whole world; *zijn plicht doen* ~ ... do one's duty by ...; *eerlijk zijn* ~ *iem.* be honest with a p.; ~**gelegen** opposite; ~**gesteld** opposite, contrary; *zie* tegengesteld; ~**liggend, -staand** opposite; facing [page]

tegen: ~**partij** opponent (*ook bij spel*), adversary, opposing party; ~**passaat** anti-trade (wind); ~**paus** antipope; ~**pool** antipole, direct opposite; ~**praten** answer back, contradict; *niet* –! don't argue!; ~**prestatie** quid pro quo, compensation, (s.t. offered in) return, equivalent; *als* – in return; ~**pruttelen** grumble, protest; ~**punt** (*sp.*) X *won zonder een enkel* – without conceding a point; *een* – *maken* score in reply; ~**rekening** contra account; (~*vordering*) counter-claim; ~**rijden** *zie* tegemoet; ~**schans** contravallation; ~**scoren** score in reply; ~**slaan** *zie* ~lopen & ~vallen; ~**slag** reverse, misfortune, set-back, check, blow, piece (stroke) of bad (ill) luck; ~**spartelen** kick and flounder, struggle [the child cried and ...d], resist; (*van paard, fig. van pers.*) jib; (*fig. ook*) hang back, demur; ~**sparteling** resistance, jibbing, demur; ~**spel** opposing play, opposition; *vgl.* weerwerk; ~**speler** (*sp.*) opponent; (*theat.*) opposite number; *de* – *zijn van,* (*theat.*) play opposite (the opposite number) to; ~**spionage** counterespionage; ~**spoed** adversity, ill-luck, tribulation; – *ondervinden* fall on evil days

tegenspraak contradiction; (*lijnrecht*) *in* ~ *met* in (flat) c. with; *in* ~ *zijn met, ook:* contradict, be contradicted by; *haar blik was in* ~ *met haar woorden* gave the lie to (belied) her words; *met zichzelf in* ~ *komen* (*zijn*) contradict o.s.; *geen* ~ *duldend* peremptory [order]; *zonder* ~ without c.; (*ontegenzeggelijk*) incontestably, indisputably; *geen* ~! *zie* tegenpraten

tegen: ~**spreken** contradict, deny [it was officially denied], counter [an argument]; *brutaal* – answer back, give back-answers; *afdoende* – refute [a suggestion]; *spreek niet* ~, *ook:* don't argue; *zich* – contradict o.s.; *deze bewering is moeilijk tegen te s.* this statement can hardly be contested; *elkaar –de telegrammen* contradictory telegrams; *zie ook:* ~spraak (*in* ... *zijn met*); ~**sputteren** mutter objections]; ~**staan:** *'t eten* (*'t idee*) *stond hem* ~ (*begon hem* ~ *te staan*) his food (the notion) revolted him, he loathed (turned against) his food; *de hele zaak staat me* ~ the whole thing is repugnant to me, I am sick of everything; *hij staat mij* ~ I strongly dislike him; *gaan* – pall [on a p.; pleasure may pall]

tegenstand resistance, opposition; ~ *bieden* offer r., resist; ~ *bieden aan* resist, withstand [changes of temperature]; *met succes* ~ *bieden aan* make a successful stand against; ~**er** adversary, opponent, antagonist

tegenstellen oppose; ~**d** (*gramm.*) adversative [conjunction]

tegenstelling contrast, contradistinction, antithesis, opposition; *een* ~ *vormen met* contrast with; *hij vormt een treurige* ~ *met u* he presents a miserable c. to you; *in* ~ *met* as contrasted with, in contradistinction to, as opposed to, as distinct from, as against, in c. with; *in* ~ *met haar moeder, ook:* unlike her mother [she is ...]

tegen: ~**stem** (*muz.*) counterpart; ~**stemmen** vote against it (a proposal, etc.), vote negatively [*ook:* the Liberals voted against]; *zie* voorstemmen; ~**stemmer** dissentient; ~*s* (*Lagerhuis*) noes, (*Hogerhuis*) non-contents; ~**stof** antibody; ~**stoot** (*ook fig.*) counterthrust, riposte, counterstroke, counterblast; ~**stralen** beam upon; *zie* ~blinken; ~**streven** *intr.* resist; *tr.* oppose, resist, stand up against; ~**stribbelen** *zie* ~spartelen

tegenstrijd: *in* ~, *zie* strijd (*in* ...); ~**en** *zie* tegenspreken

tegenstrijdig contradictory [reports, telegrams], conflicting [views, statements, emotions], clashing [interests]; ~**heid** contrariety [of opinion], contradiction, discrepancy [there are some discrepancies in her story]

tegen- counter; ~**stroom** (*mar.*) c.-current; (*elektr.*) inverse (reverse) current; – *geven* reverse the current; ~**vallen** be disappointing, fall short of (not come up to) one's expectations, not answer so well as was expected; *je* ('*t resultaat*) *valt mij* ~ I am disappointed in you (with the result); *maar 't viel hem* ~ [he tried to pump me,] but it did not wash; ~**valler** disappointment, [that's a] blow, [it's a bit of a] come-down (set-back, a piece of bad luck); ~**verklaring** c.-statement; ~**verwijt** recrimination; ~**verzoek** c.-petition; ~**voeter** antipode; *de* – *zijn van,* (*fig.*) be the (very) antipode of (to); *bij de* –*s,* (*ook*) down under; ~**voorstel** c.-proposal; ~**vordering** c.-claim; *als* – per contra; ~**waaien** *iem.* – be blown (wafted) to a p.; ~**waarde** equivalent, c.-value; ~**weer** resistance; ~**werken** work against, oppose, cross, thwart, obstruct, counter(act); ~**werking** opposition, obstruction; ~**werpen** object; ~**werping** objection; –*en maken* raise objections [to s.t.], make difficulties; ~**wicht** (*ook fig.*) counterpoise [*tegen* to], c.-weight, c.-balance, c.-influence; *een* – *vormen tegen* c.-balance, neutralize; ~**wind** adverse (contrary, head, foul) wind; *zie* ~ *bw.; door* – *opgehouden* windbound; *met* – *te kampen hebben* ride in the teeth of the wind

tegenwoordig I *bn.* present; present-day [girls, London, English]; *zie* hedendaags; *de* ~*e huurder* the sitting tenant; *de* ~*e tijd* the p.

time, (*gramm.*) the p. (tense); ~ *zijn* be p., be in attendance, attend, be in evidence; ~ *zijn bij, zie* bijwonen; *van* ~ [the Irish] of to-day; II *bw.* at present, at the present day, nowadays, to-day, [you have to economize] these days; (*Am.*) currently

tegenwoordigheid presence; *werkelijke* ~, (*r.-k.*) real Presence; *in zijn* ~ in his p.; *in* ~ *van* in the p. of, before [the whole company]; ~ *van geest* p. of mind

tegen: ~**zang** antistrophe, antiphon(y); ~**zee** backwash; ~**zet** counter-move, -stroke; ~**zij-de** *zie* keerzijde

tegenzin dislike, antipathy, aversion; ~ *in* d. of, aversion to (from, for), disinclination to (for); *een* ~ *hebben in* dislike; *een* ~ *krijgen in* take a d. to; *met* ~ reluctantly, unwillingly, grudgingly, with an ill will, [do one's work] with a bad grace; *met grote* ~ with great reluctance; *'t gaat met* ~ it goes against the grain (with me); *zie ook* afkeer

tegenzitten (*kaartspel*) have a strong opposing hand; *het zit hem tegen* things are going against him

tegoed [bank] balance; *zie ook* overschrijden; ~ *hebben, zie* goed 2; ~**bon** credit note

tehatex drawing, handicraft and textural art

Teheran Teh(e)ran

tehuis I *zn.* home; (*stil, afgezonderd*) retreat; [Salvation Army] hostel; ~ *voor daklozen* shelter for the homeless; ~ *voor zeelieden* sailors' h. (*of:* rest); II *bw. zie* thuis

teil [zinc] pan, tub; ~**tje** basin

teint complexion

teisteren afflict, ravage, harass, scourge, visit; sweep [a blizzard swept the country; the fire-swept town]; (*vooral van rovers, ziekte, ongedierte*) infest; *'t geteisterde gebied* the stricken area; *door de pest geteisterd* plague-infested [regions]; *door een storm geteisterd* swept by a gale, storm-swept [coast]; *door de oorlog geteisterd* war-stricken; (*van schip*) buffeted by a gale

teken sign (*ook in alg.:* like, unlike ...s, & *in dierenriem*), token, mark; indication; (*vastgesteld*) signal; (*ziekte-*) symptom; (*lees-*) stop, mark of punctuation; ~*en van iems. ambt* insignia of office; *er zijn* ~*en, die erop wijzen dat* ... there are indications that ..., the evidence points to ...; ~*en en wonderen* [Jesus did] signs and wonders; *als een* ~ *van achting* as a mark of esteem; *een goed* (*slecht*) ~ a good (bad) omen (*of:* sign); *een* ~ *des tijds* a s. of the times; *een* (*geen*) ~ *van leven geven* give a (no) s. of life; *iem. een* ~ *geven om* ... give (make) a p. a sign to ..., sign to a p. to ...; ~ *aan de wand* writing on the wall; *het is* ... the writing is on the wall; *onze tijd staat in 't* ~ *van 't verkeer* (*van de jazz*) traffic dominates life nowadays (this is the age of jazz); *onder dit* ~ *zult gij overwinnen* under this s. thou shalt conquer; *op een gegeven* ~ at (on) a given signal; *ten* ~ *van onze vriendschap* in token of our friendship

teken: ~**aap** pantograph; ~**aar** (*algem.*) drawer, draughtsman;(*beroeps-*)draughtsman,designer; ~**academie** academy of arts, art-school, school of art; ~**achtig** graphic (*bw.:* -ally), picturesque; ~**behoeften** drawing-materials; ~**blok** drawing-block; ~**boek** sketch-, drawing-book; ~**bord** drawing-board; ~**doos** drawing-case; ~**driehoek** set square, triangle

tekenen draw, sketch, delineate, paint; (*onder-*) sign; (*merken*) mark [linen], earmark [sheep]; (*van jachthond*) mark, point; (*in-*) subscribe [*op* ... to a loan]; *dat* (*antwoord, enz.*) tekent *de man* that (answer, etc.) marks (stamps, is characteristic of) the man; *'t stuk was door de Koning get.* the document was under the King's hand; *door hem get., ook:* [a letter] over his name (*of:* signature); (*was get.*) G. N., (Sgd., signed) G. N.; *haar fijn get. wenkbrauwen* her delicately pencilled eyebrows; *een mooi getekende hond* a beautifully marked dog; *'t paard tekent niet meer* the horse no longer marks, is past mark of mouth; *hij tekent gauw* he quickly shows signs of tiredness, etc., *hij tekende zich*... he signed (wrote) himself Jas. Hook; (*iets*) *met zijn naam* ~ sign one's name, subscribe one's name [to a will]; *naar de natuur* (*naar gipsmodellen*) ~ draw from nature (from casts); *ik teken niet op die lijst* I will not put my name to that list; ~ *voor* sign for [the receipt of ...; (*fig.*) three goals]; *voor 10 gulden* ~ subscribe ten guilders; *voor 6 jaar* ~, (*mil.*) sign on for six years; *10 gulden* ~ *voor* (*de oprichting van*) ... subscribe ten guilders towards (the erection of) ...; ~ *voor de firma* sign for the firm; *voor gezien* ~ visa; *voor 't leven getekend*, (*door gevangenisstraf, enz.*) marked for life; ~**d** characteristic, *bw.:* -ally; *-e uitdrukking* telling phrase; *dat is* – *voor hem, zie bov.* (*dat tekent* ...); *zulke feiten zijn* – such facts are significant (*voor* ... of ...); *zie* getekend, leven, vonnis, enz.

teken: ~**film** cartoon(-film); ~**geld** token money; ~**gereedschap** drawing-instruments; ~**haak** (T-)square; ~**houder** *zie* ~pen

tekening drawing, sketch; (*ontwerp*) design, plan; (*ter verduidelijking*) diagram [as shown in the ...]; (*van huid, zaden, enz.*) marking(s); (*onder-*) signature, (*het ondertekenen*) signing; *ter* ~ *voorleggen aan* present [the decree] to [the President] for his signature; *klaar ter* ~ ready for signature; *er begint* ~ *in de toestand te komen* the situation is becoming clearer; the pattern is beginning to emerge

teken- drawing; ~**inkt** d.-ink; ~**kamer** (*van architect*) drawing-office; ~**klas** art class; ~**krijt** crayon, d.-chalk; ~**kunst** art of d., draughtsmanship; ~**leraar** d.-, art-master; ~**lerares** d.-, art-mistress; ~**les** d.-, art-lesson; ~**mal** (French) curve; ~**meester** d.-, art-master; ~**munt** token coin; ~**onderwijs** instruction in drawing; ~**onderwijzer** *zie* ~meester; ~**onderwijzeres** d.-mistress; ~**papier** d.-paper; ~**pen** pen; ~**plank** d.-board; ~**potlood** d.-pencil; ~**portefeuille** d.-portfolio; ~**school** d.-, art-

school; **~schrift** drawing copy-book; **~tafel** d.-table; **~voorbeeld** d.-copy; **~werk** drawing(s); (*van architect bijv.*) draughting; **~zaal** art room;(*voor lijntekenen bijv.*) drawing-room
tekkel dachshund
tekkelen (*sp.*) tackle; foul
tekort (*algem.*) shortage [a ... of £100, of 100 bags, of teachers], deficiency; (*geldzaken*) deficit, deficiency [on the budget]; ~ *op de handelsbalans* trade gap; ~ *aan geld* (*tarwe*) s. of money (wheat); ~ *aan kennis* gap in one's knowledge; *een* ~ *aan* ... *hebben, ook:* be short of teachers; *er is een* ~ *aan suiker* sugar is short; '*t* ~ *inhalen* make up (for) arrears [of sleep, etc.]; ~ *doen, enz., zie* kort; **~koming** shortcoming, failure, imperfection
tekst text; (*verband*) context; (*bijschrift bij plaat*) letterpress; (*bij muziek*) words; (*van song*) lyric; (*van film*) script; *zie ook* ~boekje; ~ *en uitleg geven* give chapter and verse [*van* for]; *een* ~ *opgeven,* (*in kerk*) give out a t.; *bij zijn* ~ *blijven* stick to one's t.; *van de* ~ *brengen* put out (out of countenance), confuse; *van de* ~*raken* wander from the point, lose the thread of one's discourse; **~boekje** libretto (*mv.:* -ti, -os), book of words; **~criticus** textual critic; **~haakje** [square] bracket; **~kritiek** textual criticism; **~schrijver** (*reclame*) copywriter; (*film*) script-writer; (*musicals, enz.*) librettist; (*songs*) lyricist; **~ueel** textual; **~uitgave** original text edition; **~uitlegger** exegete; **~verbetering** emendation; **~verdraaiing** strain upon the t.; **~verklaring** textual explanation; **~vervalsing** falsification of a (the) t.; **~woord** (*kerk.*) text
tektonisch tectonic [earthquakes]
tel count; *dat is een hele* ~ that is quite a big number; *de* ~ *kwijt raken* lose c.; *ik ben de* ~ *kwijt* I've lost c.; *bij de* ~ *verkopen* sell by number (by tale); *in twee* ~*len* in two sec-(ond)s (ticks); *in tien* ~*len* [I shall be back] in less than no time; *in twintig* ~*len* while you might count twenty; *niet in* ~ *zijn* be of no account; *hij is helemaal niet in* ~ he is a mere cipher (a nobody); *zie medetellen; op* ~, (*gymnastiek*) by numbers; *pas op je* ~*len* mind your p's and q's, watch out, watch your step; *als je niet op je* ~*len past* if you are not careful
telaatkomen *zie* laat; **telaatkomer** late comer; *lijst van* ~*s* late list
telastlegging imputation, charge
telbaar countable
telbuis counter
tele-autograaf telautograph, telewriter
telecommunicatie telecommunication
telefoneren telephone, (*fam.*) phone [a p.; *om* for]; *ik heb naar zijn huis getelefoneerd* I have been on the telephone to his home; *zie* opbellen; **telefonie** telephony
telefonisch I *bn.* telephonic; ~ *bericht* (tele-)phone message; ~ *onderhoud* telephone conversation; II *bw.* -ally; *zie ook* per telefoon
telefonist(e) (telephone) operator, (female) telephonist; *zie* telefoonjuffrouw
telefoon telephone, (*fam.*) phone; (*radio*) *zie*

kop~; *ze hebben geen* ~ they have no t., are not on the t.; *er is* ~ *voor u* you're wanted on the t.; *de* ~ *aan de haak hangen* hang up the phone (the receiver); *aan de* ~ [listen, be] on the t.; *aan de* ~ *blijven* hold the line; *per* ~ by t., over (*of:* on) the t.; **~abonnee** t.-subscriber; **~abonnement** t.-contract; **~beantwoorder** t. answering machine; **~bedrijf** t.-service; **~boek** t.-directory, t.-book, phone-book; **~botje** funny-bone; **~cel** call-box; t.-box, t. booth (kiosk); **~centrale** t.-exchange; (*interlokaal*) trunk-exchange; **~dienst** t.-service; **~draad** t.-wire; **~gesprek** *a*) t. conversation, talk over the t.; *b*) t.-call, phone call; *zie* gesprek; **~gids** *zie* ~boek; **~haak** (t.-)clamp; **~hoorn** t.-receiver; **~juffrouw** t.-girl, operator; **~kantoor** (public) call-office; *zie ook* ~centrale; **~kosten** t.-charges; **~net** t.-system; **~nummer** t.-number; **~paal** t.-pole, -post; **~programma** (*radio*) phone-in (programme); **~schel** t.-bell; **~tje** [answer her] t.-call; t.-message; **~toestel** t., telephonic apparatus; *extra* – extension-t.; **~verbinding** t.-communication; **~verkeer** t.-traffic
telefoto(grafie) telephotograph(y)
telegraaf telegraph; *per* ~ by wire; **~bode** t.-messenger; **~dienst** t.-service; **~draad** t.-wire; **~kabel** t.-cable; **~kantoor** t.-office; **~lijn** t.-line; **~net** t.-system; **~paal** t.-pole, -post; **~toestel** t.-instrument, telegraphic apparatus; **~werker** wireman, t.-linesman; '*t* ~**wezen** the t.-service (system), the t.
telegraferen wire, telegraph; (*overzees*) cable; ~ *om* w. etc. for; **-fie** telegraphy
telegrafisch telegraphic (*bw.:* -ally); ~ *antwoord* wired (cabled) reply, reply by wire; ~ *antwoorden* reply by wire; *gelieve me* ~ £ *20 te zenden* please wire me £ 20; ~*e postwissel* telegraph(ic) money order; ~*e remise,* ~*e wissel* t. transfer (T.T.), cable transfer; **telegrafist(e)** telegraphist, telegrapher, (telegraph) operator
telegram id., wire; (*kabel-*) cablegram, (*fam.*) cable; ~ *met betaald antwoord* reply-paid t.; **~adres** telegraphic address, cable address; (*aan 't hoofd van brief*) telegrams; **~besteller** telegraph messenger (*of:* boy); **~formulier** telegraph form; **~kosten** t.-charges, cable expenses; **~stijl** telegraphese
telekinese telekinesis
telelens id.; **telemeter** id.
telen (*verbouwen*) grow, cultivate; (*dieren*) breed, rear; (*kinderen, vero.*) beget, procreate
teleologie teleology; *in de* ~ *geloven, ook:* believe in final causes
teleologisch teleological
telepaat telepathist
telepathie thought-transference, telepathy
telepathisch telepathic (*bw.:* -ally)
teler grower, cultivator; breeder; begetter, procreator; *vgl.* telen
telescoop, telescoperen telescope
telescopisch telescopic (*bw.:* -ally)
teleurstellen disappoint, [don't] let [me] down,

frustrate; *iems. verwachtingen* ~ d. a p.'s expectations (anticipations, hopes; *ook:* his hopes were disappointed); *je (het) stelt me teleur, ook:* I am disappointed in you (it); *teleurgesteld over* disappointed with [the result]; **teleurstelling** disappointment; frustration

televisie television, TV; (*fam.*) telly; *door ~ overbrengen* televise [a boxing-match]; *zie* kijker; ~**(ontvang)toestel** t. (receiving) set, TV set; ~**zender** t. (broadcasting) transmitter, t. transmitting station

telex id., teleprinter, (*Am.*) teletype

telfout error in the addition

telg (*van plant*) shoot, sprout, scion; (*van mens*) descendant, scion, (off)shoot; ~**en,** *ook:* offspring; *zie* spruit

telgang amble, ambling gait; *in* ~ at an amble; ~**er** ambler, ambling horse, pacer

teling growing, cultivation; breeding; procreation; *vgl.* telen

telkenmale, (*vero.*) **-reize, telkens** again and again, over and over again, every now and again, time and again, (at every turn; (*in elk bijzonder geval*) every (each) time, in each case [meetings will be held ... at 7.30 p.m.]; *telkens drie* three at a time, in threes; ~ *wanneer* whenever, every time [I see him he ...]

tellen count [he cannot ... above ten; he ...s for two]; (*bedragen*) number [the strikers ... about 600]; run to [800 pages]; *als ... jaren telt* [as many poor men and women] as the king has years; *dat telt niet* that does not c. [*bij mij* with me], counts (*of:* goes) for nothing [with me]; *hij wordt niet geteld* he does not c.; *zie* medetellen; *niet* ~, (*niet opzien tegen*) think (make) nothing of [a trip to B.]; *tel ... niet te gering* don't think too little of such intrigues; *iets niet (of: licht)* ~ make light of a thing; *hij stond alsof hij geen tien kon* ~ he looked as if he could not say boo to a goose (as if butter wouldn't melt in his mouth); *ik tel hem onder mijn vrienden* I c. (number, reckon) him among my friends; *opnieuw* ~ re-count; *tot 5* ~ c. up to five; *tot duizend* ~ (*om in slaap te komen*) c. sheep; *zijn dagen (uren) zijn geteld* his days (hours) are numbered; *goed geteld waren er 50* there were fifty all told

teller counter, reckoner, teller; (*van breuk*) numerator; (*bij volkstelling*) enumerator, census-taker; **telling** count, counting, (*volks-*) census, enumeration

tellurisch telluric; **tellurium** tellurion, tellurium; (*chem.*) tellurium

telmachine counting-machine, adding-m.

teloorgaan get lost

tel quel (*hand.*) tale quale

telraam ball-, counting-frame, abacus

telwerk counter; counting

telwoord numeral; *hoofd~* cardinal (number); *rangschikkend* ~ ordinal (number)

tembaar tamable; ~**heid** tamability

temen drawl, (*huilerig*) whine; **temer** drawler, whiner; **temerig** drawling, whining; **temerij** drawling, whining

temet *a)* now and then; *b)* perhaps

temmen tame, subdue, domesticate [a magpie]

temmer tamer

tempel temple; (*dicht.*) fane; ~**bouw** t.-building, b. of a (the) t.; ~**dienaar** priest; ~**en** go to church; ~**heer** templar; ~**ier** templar; *drinken (zuipen) als een* – drink like a fish; ~**orde** order of Knights Templars; ~**ridder** Knight Templar; ~**wijding** consecration of a (the) t.

tempera distemper; ~ *schilderen* (paint in) distemper

temperament id., temper; *hij is oproerig van* ~ temperamentally (*of:* by t.) he is a rebel; ~**vol** temperamental

temperatuur temperature; (*muz.*) temperament [equal ... *gelijkzwevende* ...]; ~ *in de schaduw* shade t.; *iems.* ~ *opnemen* take a p.'s t.; *op* ~ *brengen* (*komen*) warm up [the engine; the engine ...ed up]; ~**lijst,** ~**staat** t.-chart; ~**meter** t. gauge; ~**sverhoging** rise of t.; – *hebben* (*krijgen*), *ook:* have (develop) a t.; ~**sverschil** difference in t.

tempéren (*mil.*) time, set the fuse

temperen (*verzachten*) temper [heat, a p.'s ardour], damp [fire, sound, zeal], assuage [misery, pain], allay [pain, grief], mitigate [anger, sufferings, the severity of punishment], season [justice with mercy (*ook* temper)], qualify [a p.'s optimism], deaden [sound], soften [sound, colours, light], tone down [colours]; (*metaal*) temper [steel]; *getemperd licht* subdued light

tempering tempering, mitigation, etc.

temperkool temper carbon

tempermes palette-knife

temperoven tempering-furnace

tempo (*muz.*) time, tempo; (*algem.*) pace [the ... of the march; hasten the ..., the ... at which expenditure is growing], rate [develop at a rapid ...], tempo [stroll on in a leisurely ...]; *in 4* ~*'s* in three movements; *in snel* ~ *lopen* (*vliegen*) make fast time; *in langzamer* (*sneller*) ~ *gaan werken* slow down (speed up) work; *'t* ~ *aangeven,* (*van mars bijv.*) set the pace; *'t* ~ *is te snel* the pace is too hot

temporaliën temporalities

temporeel temporal

temporiseren temporize, soft-pedal, defer, put off

temptatie (*verzoeking*) temptation; (*kwelling*) vexation

tempteren (*verzoeken*) tempt; (*kwellen*) vex

ten: ~ *eerste, tweede, derde, elfde, enz.* first(ly), secondly, thirdly, in the eleventh place, etc.; *zie ook* deel, oosten, slot, enz.

tendens tendency, trend

tendensroman problem novel, novel with a (social, political, etc.) message

tendensstuk problem play

tendentieus tendentious

tender (*in beide bet.*) id.

tenderen tend (*naar* to)

tenderlocomotief tank-engine

tenen *bn.* osier, wicker(-work), wickered; ~ *mand* wicker basket

teneur tendency, tenor

tengel lath, batten; (*sl.*) paw; **~en** lath

tenger slight, slender, slim, delicate; (~ & *elegant*) petite; ~ *gebouwd* slightly built, of s. build, s. of build; **~heid** ...ness

tengevolge *zie* gevolg

tenietdoen, -gaan *zie* niet

tenietdoening nullification, annulment

tenlastelegging charge, indictment

tenminste at least, at any rate; ..., ~ *dat zei hij* or so he said; *als hij* ~ *komt* if indeed he comes

tennis (lawn-)tennis; **~arm** (*med.*) t.-elbow; **~baan** (lawn-)tennis court; *op de* - on the t.-c.; **~bal** t.-ball; **~net** t.-net; **~schoen** t.-shoe; **~sen** play (l.-)t.; **~veld** t.-court(s)

tenor (*stem, partij, zanger*) id.; **~partij** t.(-part); **~sleutel** t.-clef; **~stem** t.(-voice); **~zanger** t.-(-singer)

tent id.; (*grote* ~, *bij tuinfeest, enz.*) marquee; (*kermis-*) booth; (*op dek*) awning; (*van huifkar*) tilt; (*loofhut*) tabernacle; (*sl.* = *eet-* of *drinkgelegenheid*) joint, dive; *de* **~en** *opbreken* strike tents; *de* **~en** *opslaan* pitch tents; *ergens zijn* **~en** *opslaan*, (*fig.*) pitch one's tent(s) somewhere; *in* **~en**, *ook:* [live, etc.] under canvas; *iem. uit zijn* ~ *lokken* draw a p.; *hij liet zich niet uit zijn* ~ *lokken* he refused (was not) to be drawn

tentamen preliminary examination; (*fam.*) prelim

tentatie *zie* temptatie

tent: **~dak** pavilion-roof, pyramid roof; **~dek** awning-deck; **~doek** canvas

tenten probe [wounds]; **~kamp** encampment

tentéren *a*) *zie* tempteren; *b*) subject to a preliminary examination (*fam.:* a prelim), test

tentijzer probe

tentoonspreiden display; **-ing** display

tentoonstellen exhibit, show; *tentoongesteld worden, ook:* be on show (on exhibition)

tentoonstelling exhibition [international ..., Italian Art ...], (*Am.*) exposition; [World, British Industries] Fair; (*op kleiner schaal*) [flower-, cattle-, baby-]show; **~sterrein** exhibition-, show-ground(s)

tent: **~paal** tent-pole; **~paaltje**, **~pen** tent-peg; **~schuit** tilt-boat; **~stok** tent-pole; **~wagen** tilt-cart, tent-waggon; **~zeil** canvas

tenue dress, uniform; *in groot* ~ in full d., in full uniform; *klein* ~ undress (uniform)

tenuitvoerbrenging, -legging execution

tenzelfden: ~ *dage* on the same day; ~ *tijde* at the same time

tenzij unless

tepel, nipple, teat, (*wet.*) mamilla; (*van dier*) teat, dug; **~tje** (*van tong*) papilla, *mv.:* -lae

ter at (the), in (the), to (the) (*vgl.* te); for [comparison]; by way of [illustration *verduidelijking*]; in [fulfilment of his promise]; *zie* inning, wereld, enz.; **teraardebestelling** burial, interment, funeral, inhumation

terbeschikkingstelling: *met* ~ *van de regering*, (*van misdadiger*) and ordered to be detained during Her Majesty's pleasure

terdeeg, terdege thoroughly, properly, [work, etc.] to some purpose; *zie* danig, duchtig, flink & denken

terdoodbrenging execution

terecht rightly, justly [popular], deservedly [famous], justifiably [proud], truly [as you ... say], [it has been said] not without truth, [it has] well [been said]; *zeer* ~ quite rightly; *hij merkte zeer* ~ *op* ... he very properly observed ...; *en* ~ [he was angry,] and justly so; [he would have laughed] and with justice; ~ *of ten onrechte* rightly or wrongly; *de sleutel is* ~ has been found; *ben ik hier* ~? am I right (at the right address) here?; *zie de sam.;* **~brengen** (*in orde br.*) put to rights, arrange; *zie ook* in orde; (*van de slechte weg afbr.*) reclaim [a p.]; *wie heeft 't boek* **~gebr.?** who has found (brought back) the book?; *er niets van* - make a mess of it, muff it; *ze bracht er iets* (*niet veel*) *van* ~ she made some sort of a show (did not make much of a job of it, did not come well out of it); *zie ook* thuisbrengen; **~helpen** set (put) right; direct [ask a policeman to ... you]; **~komen** be found again, [the key will] turn up [in a day or two]; *alles komt* ~ everything will come right; *alles kan nog* – all may be well yet; *'t zal* (*vanzelf*) *wel* – things will arrange (adjust) themselves; (*fam.*) it'll all come out in the wash; *deze dingen komen vanzelf* ~ these matters will take care of themselves; *de brief kwam niet* ~ the letter miscarried; *zijn kinderen zullen wel* – are sure to drop into place; *wat is er van hem terechtgekomen?* what has become of him?; *op zijn voeten* – come (land, fall) on one's feet; *hij kan nog wel weer* – he may get on his feet again, may make good after all; *in een sloot* – land, find o.s. (*van bus, enz. ook:* come to rest) in a ditch; *hij kwam* ~ *in de speelzaal* [he started out for the concert, but] he arrived in the gamingroom; *hoe kom je hier* ~ how do you come to be here?; *ten slotte kwam ze* ~ *in* ... she ended up in a mental home; *we komen in een fin. moeras* ~ we are drifting into a financial morass; *er kwam niet veel van* ~ it didn't come to much, it was not much of a success; *daar komt niets van* ~ it will come to nothing; *er komt niets van hem* ~ he will come to no good; *zie ook* belanden; **~kunnen** be admitted, served etc.; *je kunt in die winkel beter* (*goedkoper*) ~ you can do better (buy cheaper) in that shop; *zie ook* overweg; **~leggen** arrange in proper order; **~staan** stand (one's) trial, be put (placed) on (one's) trial, be committed for trial, take one's trial, be tried [*wegens* ... for desertion, on a charge of forgery]; **~stellen** (*de doodstraf voltrekken aan*) execute; (*door elektr.*) electrocute; **~stelling** execution; (*door elektr.*) electrocution; **~wijzen** *a*) set right, correct, put [a p.] on his way again; *b*) (*berispen*) reprimand, reprove; **~wijzing** reprimand, reproof; snub; ~**zetten** set straight, straighten; (*fig.*) put [a p.] in his place; ~**zitting** session (of a, the court); *de – bijwonen* attend court; *ter –* in court; *naar de openbare – verwijzen* commit for trial [on a charge of murder]

teren 1 (*met teer*) tar; 2 *wij ~ achteruit* we are eating into our capital; *~ op* live on; *op eigen kosten ~* pay one's (own) way; *zij ~ op hun oude roem* they are living on their former glory; *zie* boom & vet

tergen provoke, badger, (*fam.*) aggravate, torment; *de hemel ~* fly in the face of Providence; ~**d** *ook:* provocative [language]; -**ing** provocation, irritation, etc.

terhand: *~ nemen, enz., zie* hand

terhandstelling handing over, delivery

terig tarry

tering consumption (of the lungs), phthisis; *de ~ hebben* be consumptive; *vliegende ~ hebben* be in a galloping (*of:* rapid) c.; *zet de ~ naar de nering* cut your coat according to your cloth; *de ~ niet naar de nering zetten* live beyond one's means

teringachtig consumptive; ~**heid** ... ness

tering: ~**blos** hectic flush; ~**hoest** hectic (consumptive) cough; ~**koorts** hectic fever; ~**lijder(es)** consumptive (patient)

terleengeving loan

terloops *bw.* incidentally, casually, by the way; *bn.* incidental, casual, passing [remark]; *~e opmerkingen, ook:* obiter dicta; *het zij ~ opgemerkt* it may be noted in passing

term id.; *zoals de ~ luidt* as the t. goes; *uiterste en middelste ~en* extremes and means; *voorgaande en volgende ~en* antecedent and consequent terms; *er zijn geen ~en voor (aanwezig)* there are no grounds for it; *in algemene ~en* in general (broad) terms; *een nota in krachtige ~en* a strongly-worded note; *in de ~en vallen om te ...* be liable to ...; *in de ~en vallen voor* be liable to [military service], be qualified for (qualify for) [a pension], be considered for [promotion]; *hij valt er niet voor in de ~en, ook:* he does not meet the requirements; *volgens de ~en der wet* within the meaning of the act; *zie* bedekt, geijkt

termiet termite, white ant; ~**enheuvel, -woning** termitary, termitarium

termijn (*tijdruimte*) term, time; (*gedeeltelijke afbetaling*) instalment [in monthly ...s]; *een ~ vaststellen* fix a time; *binnen de gestelde ~* within the fixed time; *in ~en betalen, (geld)* pay by (*of:* in) instalments, on the instalment plan; (*goederen*) pay for by (*of:* in) ...; *in eerste (tweede) ~ spreken* speak in the first (second) instance; *op ~, (goederen)* for future delivery, (*effectenbeurs*) for the account; *op ~ verkopen* sell forward; *op korte ~* at short notice; *lening (krediet) op lange (korte) ~* long- (short-)term loan (credit); *een plan op lange ~* a long-range plan; *vorderingen op lange ~* long-term receivables; *voor de ~ van* for a t. of [five years]; ~**affaires** *zie* ~zaken; ~

betaling *zie* afbetaling; ~**contract** forward contract; ~**handel** (business in) futures; ~**koers** forward rate; ~**levering** forward delivery; ~**markt** futures (*of:* terminal) market; ~**zaken** futures, forward business; *– doen* do forward business, speculate in futures

terminologie terminology, nomenclature

ternauwernood scarcely, hardly, barely, narrowly [the bullet ... missed him; he ... escaped drowning]; *~ ontkomen* have a narrow escape (*of:* squeak); *zie* nauwelijks

terne tern

terne(d)er: ~**drukken** depress; ~**geslagen** cast down, dejected, low-spirited; crestfallen; *– door verdriet* prostrated with grief; ~**liggen** lie low; ~**slaan** strike (*of:* knock) down; (*fig.*) cast down, dishearten, depress; *voor verdere sam. zie* ne(d)er ...

terp id., (artificial) dwelling mound

terpentijn turpentine; (*fam.*) turps; ~**achtig** terebinthine; ~**boom** t.-tree, terebinth; ~**olie** oil of t.

terpostbezorging posting [proof of ... *bewijs van ~*]

terracotta terra-cotta

terrarium id., *mv.:* terraria

terras terrace; (*voor café*) pavement; ~**café** pavement café; ~**cultuur** t.-cultivation, t.-culture; ~**land** terraced country; ~**tafeltje** (*voor café*) outside table; ~**vormig** terraced

terrazzo id.; ~**vloer** t.-floor; ~**werk** t.-paving

terrein ground [football-..., sports-...]; (*van landschap*) terrain; (*mil.*) terrain, ground; (*stuk grond*) plot (of g.); (*bouw-, opgravings-*) (building-, excavation) site; (*fig.*) ground, province, field [work in this ...; *zie* bestrijken], department, sphere; *afgesloten ~* enclosure; *eigen ~, (sp.)* home ground; (*op bordje*) private; *en zie ben.; oneffen ~* uneven (broken) g.; *~ van werkzaamheden* working-ground [of submarines, etc.]; *dankbaar ~ voor ...* happy hunting-ground of pickpockets; *'t ~ verkennen* reconnoitre; (*fig. ook*) see how the land lies, spy out the land, feel one's way; *~ winnen* gain, make ground, make headway; *~ verliezen* lose, give ground; *binnen (buiten) 't ~, (school, mil.)* within (out of) bounds; *buiten 't ~ gaan* break bounds; *hier was hij op zijn eigen ~, (ook fig.)* on his own g.; *iem. op zijn eigen ~ ontmoeten (aanpakken)* meet (tackle) a p. on his own g.; *hij is daar niet op zijn eigen ~* he is not at home in that subject; *op gevaarlijk ~ zijn (komen)* be (get) on dangerous (delicate) g., be in (get into) deep water(s); *op bekend ~, (ook fig.)* on familiar g.; *zijn rede bewoog zich over een heel ~* covered a great deal of g.; *meester van 't ~* master of the situation; ~**gesteldheid** configuration of the g.; ~**kaart** topographical map; ~**kennis** knowledge of the g.; ~**knecht** (*sp.*) groundsman; ~**leer** topography; ~**opname, ~opneming** survey of the g., topographical sketch(ing); ~**plooi** dip (*of:* fold) of the g.; ~**punt** (*mil.*) feature of the g.; ~**rit** cross-country ride; ~**tekening** topographical sketch; ~**verheffing** (*hoog en laag*) surface relief; ~**ver**

lies loss of g.; ~waarde site value
terreur (reign of) terror; *rode (witte)* ~ Red (White) T.
terriër terrier
terrine tureen; ~deksel t.-cover
territoir, -toor territory
territoriaal territorial
territorium territory
terror: ~isatie terrorization, intimidation; ~iseren terrorize, intimidate; ~isme terrorism; ~ist id., gunman; ~istisch terroristic, terrorist [disorders, party]
tersluiks stealthily, by stealth, on the sly, clandestinely; *iem.* ~ *aankijken, ook:* steal a look at a p., look at a p. out of the corner (the tail) of one's eye
terstond at once, directly, immediately, forthwith, then and there, straight away
tertia *(klas)* third form; *(r.-k.)* terce, tierce; *(wissel)* third (of Exchange)
tertiair tertiary [period]
terts *(muz.)* third [*grote, kleine* major, minor ...]; *A grote (kleine)* ~ A major (minor); *(kaartsp., schermen)* tierce
tertsen *(r.-k.)* tierce
terug back [I'll be ... (again) at one], [a considerable step] backward(s); in return [whisper ...]; *drie jaar* ~ three years b. *(of:* ago); *ik ben zo* ~ I shan't be a minute; *hij (enz.) kon niet* ~, *(fig.)* there was no turning b., he could not go back on his promise; *'n dubbeltje* ~ twopence change; *hebt u van 25 gld.* ~? can you change a 25-g. note?; *hij had er niet van* ~ he did not know what to say to that; *geld* ~, *indien* ... money refunded (returned, back) if not satisfied; *ik moet* ... ~ *zijn* I am due b. in L. on the 20th; ~ *van weggeweest* back again; ~antwoorden answer b.; ~begeven: *zich* – return, go b.; ~bekomen get b., recover; ~bekoming recovery; ~bellen ring (call) back; ~betaalbaar repayable; ~betalen pay b., refund, repay, return, reimburse; ~betaling repayment, refund [obtain a ...]; withdrawal [of money from a bank]; ~bezorgen restore [a lost dog] to its owners; ~blik retrospect, retrospective view; *een – werpen op, zie* ~blikken; ~blikken look b. [*op* (up)on, to], cast a glance b. [*op* at]; – *op, ook:* take a retrospective view of; '*n post~*boekenreversean entry; ~brengen bring (take) b.; reclaim [from sinful ways]; – *tot* bring b. to [obedience], restore to [its original condition], reduce to [a minimum], write down [capital to ...]; each £1 share to 40p]; – *tot op de helft* reduce to half *(of:* by half); ~ *te br. tot* reducible to; ~deinzen shrink (start) b.; – *voor* shrink (flinch; *met afschuw:* recoil) from [a task]; *voor niets* – shrink from (stick at) nothing; *voor niets* –*d* ruthless; *hij deinsde niet terug voor moord, ook:* he did not stop short of murder; ~denken: – *aan* recall (to mind, to memory), carry (cast) b. one's memory *(of:* mind) to, think b. to [the time when ...]; *zich* – *in* carry o.s. (one's mind) b. to [the past];

~doen put b., return [a letter to one's pocket]; *iets* – do *s.t.* in return; ~draaien turn (put) b.; cancel [a measure]; ~drijven drive b., repel, repulse; ~dringen drive (push) b., repel; force b. [tears]; ~eisen reclaim, demand b., demand the return of [one's money]; ~gaaf = ~gave; ~gaan go (get) b., return, *(lit.)* retrace one's steps; *(van prijzen)* go down, fall, drop, decline, recede; *dat gaat tot de oudheid* ~ that dates (reaches) b. to antiquity; *met zijn gedachten* – *naar* cast one's mind back to; *de intrige gaat terug op een oud verhaal* the plot goes back to an old tale; *–de beweging, (van prijzen)* backward tendency; ~gang going b.; *(van prijzen)* fall, decline; *(verval)* decay; ~gave restoration, return, restitution, retrocession [of territory]; ~getrokken retiring of a retiring disposition; – *zijn, ook: (fam.)* keep o.s. to o.s.; – *leven* lead a retired life; ~geven give b. [give me b. the letter (the letter b.)], return [a present], restore [stolen property], retrocede [territory]; *iem. geld* –, *(bij betaling)* give a p. his change [he gave her a halfpenny (in) change]; *iem. te weinig (geld)* – short-change a p.; ~glimlachen smile b. [at a p.]; ~grijpen revert, hark back *(op* to); ~groeten return a greeting, return (acknowledge) a salute (salutation, a p.'s bow); ~halen fetch (bring) b.; *(van achterstallige afbetalingsgoederen)* repossess [they ...ed the television]; ~hebben: *ik heb 't* ~ I've got it b.; *ik wil 't* – I want it b.; *niet* – have no change [out of a pound]; *zie* ~; ~houden keep (hold) b., retain, detain; *niets voor iem.* – keep nothing b. from a p.; *iem.* – *van dienstneming* hold a p. back from enlistment; *zijn hand* – stay one's hand; *zie ook* achterhouden, weerhouden
terughoudend reserved, reticent, aloof, *(fam.)* buttoned-up; ~heid reserve(dness), aloofness, caution
terughouding reserve, restraint
terug: ~kaatsen I *tr.* strike b. [a ball]; throw b., reflect [light, sound, an image], (re-)echo [sounds]; II *intr.* be reflected; *(van geluid)* (re-)echo, reverberate, *(van bal)* rebound; ~kaatsing reflection, reverberation, echo(ing); *vgl. 't ww.; hoek van* – angle of reflection; ~keer return; *(tot vroegere positie, enz., ook:)* comeback; ~keren return; *(omkeren)* turn (back) *(van schip, wegens storm, enz.)* put b.; *op zijn schreden* – retrace one's steps; – *tot, ook:* revert (hark back) to [the use of oil, the old state of things, etc.]; *telkens* –*d* recurrent [pains]; *zie ook* ~komen return, come b.; *(voor bezoek, ook:)* call again; *(inz. van ziekte)* recur; – *op 't onderwerp* return (come b., get b., hark b., revert, recur) to the subject; *ook* = – *van; altijd weer op 't onderw.* – keep harping on (hammering at) the subject; – *op een beslissing* reconsider a decision; – *van* go b. on *(of:* from) [one's promise, decision], change [one's decision]; *van zijn ontslagaanvraag* – withdraw one's resignation; *van dat denkbeeld is men*

algemeen ~*gek.* that is an exploded notion; ~**komst** return

terugkoop repurchase; (*inlossing*) redemption; ~**waarde** surrender value

terugkopen buy back, repurchase; (*bij verkoping*) buy in; (*inlossen*) redeem

terugkoppeling (*radio*) reaction (coupling), back coupling, feedback

terug: ~**krabbelen** back out (of it), cry off, go b. on one's promise (one's word); (*Am.*) backtrack; ~**krijgen** get b., recover [o.'s health], regain [confidence]; *een stuiver* – receive a penny (in) change; ~**kunnen:** *ik kan* (*je kunt*) *niet meer* ~, (*fig.*) there is no turning b. (for me, for you) now; ~**lachen** smile b. [at a p.]; ~**lezen** read back; ~**loop** (*van kanon*) recoil; (*van water*) backwash; ~**looprem** (*van kanon*) recoil-brake; ~**lopen** run (walk) b.; (*van kanon*) recoil; (*van prijzen, uitvoer*) recede, decline, fall, drop; (*van barometer*) fall; (*van water*) run (*of:* flow) b., recede; ~**marcheren** march b.; ~**mars** march b. (*of:* home); ~**melden** report back; ~**nemen** take b. [*ook:* words, a promise], retract, revoke [a promise], go b. on [one's word]; withdraw [a film, play, proposal]; *gas* – throttle down; *een wetsontwerp* – withdraw (drop, abandon) a **bill**; *zijn woorden* –, *ook:* eat one's words; ~**plaatsen** put (place) b.; replace [the receiver of the telephone]; ~**reis** return-journey, -voyage, journey (voyage) b.; *vgl.* reis & *zie* thuisreis; ~**reizen** travel b., return; ~**rijden** ride (drive) b.; *vgl.* rijden; ~**rit** drive (ride) b. (*of:* home); ~**roepen** call b., call [the hounds] off; recall [an ambassador, an actor]; *in 't geheugen* – recall (to memory, to mind); *in 't leven* – recall to life; *de acteur werd dikwijls* ~*geroepen* got (had, received) many (re)calls (curtain calls); ~**roeping** recall; *brieven van* – letters of recall; ~**schakelen** switch back, (*auto*) change down (gear); ~**schakeling** (*fig.*) reconversion [from war to peace]; ~**schrijven** write b. (*of:* in reply); ~**schrikken** start b., recoil; – *voor* shrink (shy) away from, (*fam.*) funk [a task, it], boggle (*of:* jib) at [the price]; *zie* ~deinzen; ~**schuiven** push b.; *zijn stoel* –, *ook:* push b. from the table; ~**slaan** *intr.* hit (strike) b., return a blow; (*van motor*) b.-fire; *tr.* strike b., return [a ball]; beat b., repulse, repel, beat off [an enemy]; ~**slag** *a*) recoil, repercussion; *b*) (*bij roeien*) b.-stroke; *c*) (*van motor*) b.-fire, b.-kick; (*fig.*) reaction, revulsion (of feeling), repercussion; (*plantk.*) atavism; ~**spoelen** (*band, film, enz.*) rewind; ~**springen** spring (start, leap) b., (*van afschuw, enz., ook:*) recoil; (*van veer*) fly b.; (~*stuiten*) rebound, recoil; (*fig.*) recoil [his accusations ... on his own head]; (*van muur*) recede; ~**sprong** rebound, recoil; ~**stoot** rebound, recoil; recoil [of a gun], kick [of a rifle]; ~**stoten** push b.; (*van vuurwapen*) recoil, kick; (*fig.*) repel; –*d uiterlijk* repulsive (forbidding) appearance; ~**stromen** flow b.; ~**stuit** *zie* ~sprong; ~**stuiten** rebound, recoil; ~**tocht** *a*) retreat; *b*) *zie* ~reis;

verwarde – rout [the retreat became a ...]; *zie* aftocht; ~**tochtlijn** (*mil.*) line of retreat; ~**trappen** kick b.; (*op fiets*) b.-pedal; ~**traprem** pedal brake, back-pedal(ling) brake; ~**treden** step b.; (*fig.*) retire [*uit de* ... from politics]

terugtrekken I *tr.* pull (draw) back, withdraw; (*klauwen bijv.*) retract; (*fig.*) retract [a promise]; *zich* ~ retreat, (*uit zaken, enz.*) retire [from business, from political life]; (*bij exam.*) withdraw [from an examination]; (*uit onderneming*) cry (call) off, back out (of it); (*bij verkiezing, enz.*) retire, stand down [the Labour candidate stood down in favour of the Liberal], (*bij wedstrijd*) scratch; *zich in zichzelf* – draw back (*of:* shrink) into o.s.; *zich snel* – beat a hasty retreat; *velen trokken zich terug*, (*bij exam., enz.*) there were many withdrawals; *zich in zijn vertrekken* ~ retire (withdraw) to one's apartments; II *intr.* retreat, fall back [the enemy had to ...; ... on a former position]; *de vijand trekt terug, ook:* the enemy are in retreat; ~**ing** retirement, withdrawal; (*van klauwen, enz.*) retraction; (*van belofte, enz.*) retrac(ta)tion; *vgl. 't ww.*

terug: ~**val** backsliding [into sin]; ~**vallen** fall b., drop b. [into one's seat]; (*weer vervallen*) backslide [into intemperance]; relapse [into hypochondria]; ~**varen** sail b., return, put b. [to port]; ~**verlangen** *tr.* want (wish) b.; *intr.:* – *naar* long to see b. (to go b. to), long for; ~**verplaatsen:** *zich in z'n gedachten* – *naar de 13e eeuw* carry oneself back in one's mind (transport o.s. in imagination) to ...; ~**vertalen** retranslate, put b. [into Dutch]; ~**vinden** find again, recover; *die vergelijking vindt men telkens bij die schrijver* ~ ... recurs in that author; *ik vond in haar mijn moeder* ~ I recognized traits of my mother in her; ~**vloeien** flow b., recede; *in de schatkist* – find its way back to the treasury; ~**voeren** carry b. [it carries us b. to the year 1800], trace b. [one's descent to the Norman Conquest]; ~**vorderbaar** recoverable, repayable; ~**vorderen** claim (demand) b., reclaim [one's money]; (*bij bank*) withdraw, draw out, call in [money]; ~**vordering** (*bij bank*) withdrawal; ~**vragen** ask b., ask [a p.] for [s.t.] b.; *zie verder* ~vorderen; ~**wandelen** walk b.; ~**weg** way b.; *op de* –, *ook:* on one's homeward way; *de* – *is afgesneden* there is no turning b.; ~**wensen** want (wish) b.

terugwerken react [*op* (up)on]; ~**de kracht** retrospective (retroactive) effect; *deze wet heeft* ~*de kracht, ook:* this act is retrospective; *de loonregeling zal* ~*de kr. hebben tot 1 oktober* the scale of pay is to be retrospective from ..., is backdated to ...; *de verhoging* ~*de kr. geven* make the rise retrospective

terugwerking reaction, retroaction

terug: ~**werpen** throw back, return [a ball]; *zie ook* ~kaatsen; ~**wijken** fall b. [a pace], retreat, recede [from the view]; ~**wijzen** refer b. [*naar* to]; (*afwijzen*) decline, refuse; –*d* anaphoric; ~**wijzing** reference b. [of the report to ...]; ~**winnen** win b., regain, redeem [one's reputation]; *'t verlorene ~, ook:* recoup the loss; **~zeggen:** (*brutaal*) *iets ~* answer b., give a b.-answer (b.-answers); *je hebt altijd wat ~ te z.* you've always got a b.-answer; **~zeilen** sail b.; **~zenden** send b., return; **~zetten** put b. [the clock]; replace [the book on the shelf]; *zie* achteruitzetten; **~zien** *a*) *zie* ~blikken; *b*) (*weerzien*) see again; [we shall never] see [the money] back

terwijl I *vw.* while, whilst, as [she blushed as she spoke]; (*met tegenstell. kracht*) while; ..., *~ zijn ogen haar volgden* she walked away, his eyes following her; ..., *~ je weet dat ... * when you know that ...; II *bw.* meanwhile, in the mean time

terzelfder: *~ tijd* at the same time; *~ plaatse* in the same place

terzet (*muz.*) terzet(to)

terzijde aside; *zie* zijde 1; **~spraak** aside; **~stelling** putting (setting) a., disregard; *met – van* putting a., heedless of

terzine tercet, terzina

Tessel Texel

test¹ (*a*) fire-pan; *b*) (*kop*) nob, nut, chump; *c*) id.

testament *a*) will, last will (and testament); [Mr. Baldwin's political] testament; *b*) [the Old and the New] Testament; *zijn ~ maken* make one's w.; *hij kan zijn ~ wel maken* it is all up with him; *bij ~ vermaken* dispose of by w., bequeath [*aan* to]; *iem. in zijn ~ bedenken* remember a p. in one's w.; *ik sta in zijn ~* he has got me down in his w.; *volgens 't ~ van ...* under his father's w. [he receives ...]; *zonder ~ sterven* die intestate; **~air** testamentary [dispositions *beschikkingen*]

testateur testator; **testatrice** testatrix

testbeeld test pattern

testen test; **testeren** bequeath [*aan* to]

testikel testicle

testimonium testimonial

tetanie tetany; **tetanus** id.

tête-à-tête id. (*ook canapé & servies*)

tetra carbon tetrachloride

tetraëder tetrahedron

tetralogie tetralogy; **tetrarch** id.

tetteren *zie* schetteren & zuipen

teug draught, pull; *een ~ uit 't glas nemen* have a pull at the glass; *'t glas in één ~ leegdrinken* empty (*of:* drain) the glass at a (one) d.; *met lange* (*volle*) *~en drinken* take long (deep) draughts; *zie ~je*

teugel rein, (*met gebit & hoofdstel*) bridle; *'t paard gehoorzaamde niet langer aan de ~* had got out of hand; *de ~s van het bewind in handen hebben* (*nemen, grijpen, uit handen geven*), hold (assume *of:* take up, seize, drop) the reins of government; *ze nam dadelijk de ~s in handen*, (*fig.*) she at once took charge (of affairs); *de vrije ~ laten*, *de ~ vieren* loosen the reins, give [one's horse] the rein(s), throw the reins [to one's horse]; give [the horse, a p.] his head; give (free) r. [to one's passions, one's imagination], give [one's imagination] free play (scope); *iem. niet genoeg de vrije ~ laten* not give a p. rein enough; *de ~ strak houden* keep a tight r. on (*of:* over) a p.; *de ~ afwerpen* (*fig.*) slip the collar; *zie* los

teugelen bridle

teugelloos unbridled, unrestrained, ungovernable, uncontrollable; **~heid** unrestrainedness

teugje sip; *zie* teug; *zijn koffie met kleine ~s drinken* sip one's coffee

Teun, Teunis Tony

teunisbloem evening primrose

teut *zn.* chatterbox, bore; *bn.* sodden

teuten chatter; dawdle, hang about

teutkous slow-coach

Teutoon Teuton; **~s** Teutonic

teveel: *'t* (*'n*) *~* the (a) surplus, overplus [*aan* of]

tevens at the same time, likewise, besides

tevergeefs in vain, vainly, [strive hard, but all] to no end (effect), to no purpose; *je praat ~, ook:* you are wasting your breath; *maar ~* [I tried to ...] but it was no use

tevoren *zie* voren

tevreden (*van aard*) contented [with one's lot]; (*voldaan*) satisfied [*over* with]; (*genoegen met iets nemend, alleen pred.*) content; (*in zijn schik*) well-pleased [*met* with]; *~ zijn over zichzelf* be pleased with o.s., give o.s. a pat (pat o.s.) on the back; *ben je daarmee ~?* will that satisfy you? ... *zijn nooit ~* some people never know when they're well off

tevredenheid contentment, contentedness, content, satisfaction; *~ is de grootste schat* (*gaat boven rijkdom*) c. is better than riches; *reden geven tot ~*, (*van bestelling, enz.*) give satisfaction, turn out satisfactory; *tot mijn volle ~* to my entire satisfaction; *een boterham met ~* plain bread and butter

tevredenstellen content, satisfy, please; *zich ~ met* content o.s. with

tewaterlating launch, launching; (*uit dok*) floating out

teweegbrengen bring about, bring on [a stroke (*beroerte*) brought on by overwork], effect, work [miracles, changes], induce [a habit of mind], produce [a reaction]; *teweeggebracht* [the ruin] wrought [by bombs]

tewerkgestelden (*van werkverschaffing*) relief workers

tewerkstellen put to work, employ; **-ing** employment

Texas id.; **~koorts** Texas fever

Texel id.

textiel textile; *de ~* the t. industry; *~e werkvormen*, (*ongev.*) textural art; **~arbeider** t. worker; **~fabriek** t. works (mill); **~industrie** t. industry; **~school** t. school

tezamen together, [all the other causes] combined

tezen tease

---

¹ *Zie voor de samenstellingen met* test- *ook* proef- & toets-

thans at present, now; by this time; *zie* nu
thaumaturg thaumaturge, -gist
Thea id. (= Dorothea)
theater theatre; *vgl.* schouwburg; ~**bureau** theatrical agency; ~**coup** stage-trick; ~**held(in)** stage-hero(ine); ~**wetenschap** (the) theatre arts, [a course in] drama
theatraal theatrical, stag(e)y; *zonder iets ~s* without one touch of the theatre; *een -ale houding aannemen* strike an attitude; *~ gedoe* theatricality, -ties; *een -ale zet* a piece of theatricality; *'t -ale van ...* the theatricality of her action
Thebaan(s) Theban; **Thebe** Thebes
thé complet *ongev.:* afternoon tea
thé dansant id., tea-dance
thee tea; *dat is andere ~* that is another pair of shoes, a totally different matter; *~ drinken* have (take) t.; *de familie drinkt juist ~* are just at t., are just having t.; *een vriendin op de ~ hebben* have a friend to t.; *ze is bij een vriendinnetje op de ~ geweest* she has been to t. with a friend; *ik verwacht je op de ~* I expect you to t.; *zie* slap, trekken, zetten, enz.; ~**beschuitje** t.-rusk; ~**beurs** tea-cosy; ~**bezoek** *zie* ~visite; ~**blaadje**, ~**blad** *a)* t.-leaf; *b)* t.-tray; ~**boel** t.-things; ~**boer** *zie* ~planter; ~**boom** *zie* ~struik; *ook* = ~**boompje** Aaron's beard, bridewort, American meadow-sweet; ~**bouw** t.-culture, t.-growing; ~**builtjes** tea-bags; ~**bus** t.-canister; ~**busje** (t.-)caddy; ~**cultuur** *zie* ~bouw; ~**doek** t.-cloth (-towel); ~**ën** take tea; ~**gerei**, ~**goed** t.-things; ~**gruis** broken t.; ~**handel** t.-trade; ~**handelaar** t.-dealer, -merchant; ~**huis** t.-house; ~**kist** t.-chest; ~**kistje** (t.-)caddy; ~**klipper** t.-clipper; ~**kopje** t.-cup; ~**krans(je)** t.-circle; ~**land** t.-plantation, -estate; ~**lepel(tje)** t.-spoon; *zie ook* ~schepje; ~**lichtje** tea-warmer; ~**lood** t.-lead, lead-foil; ~**makelaar** t.-broker; ~**middag** (afternoon) t.
Theems Thames
thee: ~**muts** tea-cosy; ~**oogst** t.-crop, -harvest; ~**plantage** t.-garden, -plantation, -estate; ~**planter** t.-planter, -grower; ~**pot** t.pot; ~**proever** t.-taster; ~**randje** *ongev.:* t.-rusk; ~**roos** t.-rose; ~**salon** t.-room(s), t.-shop; ~**schepje** caddy-spoon; ~**schoteltje** saucer; ~**servies** t.-set, -service; ~**soorten** kinds of t., t.s.; ~**stoof** t.-warmer; ~**struik** t.-shrub, -bush, -tree; ~**tafel** t.-table (*in beide bet.*); (*op rollen*) t.-trolley; *de – klaarzetten* set the t.; ~**tante** gossip; ~**trommel(tje)** *zie* ~bus(je); ~**tuin** t.-garden (*in beide bet.*); ~**uur** t.-time; ~**veiling** t.-auction; ~**visite** t.-party, -visit, tea; ~**vlek** t.-stain; ~**water** t.-water; *'t – opzetten* put the kettle on for t.; *zie boven*; ~**zakje** t.-bag; ~**zeefje** t.-strainer
theïne theine; **theïsme** theism
theïst theist; ~**isch** theistic (*bw.:* -ally)
thema exercise; (*onderw.*) theme, subject; (*hoofdthema*) burden [of speech]; (*muz.*) theme; *op een ~ voortborduren* embroider (on) a theme

thematisch thematic
Themis id.; **Theo** id.; **Theobald** id.
theocraat theocrat; **theocratie** theocracy
theocratisch theocratic (*bw.:* -ally)
theodicee theodicy
theodoliet theodolite
Theo: ~**door**, ~**dorus** Theodore; ~**dora** id.; ~**dorik** Theodoric; ~**dosius** id.
theologant divinity (*of:* theology, theological) student; -**ogie** theology; *– studeren* study divinity; -**ogisch** theological
theoloog *a)* theologian, divine; *b) zie* theologant
theorbe theorbo
theorema theorem, proposition; *zie* Pythagoras
theoreticus theorist, theoretician; (*min.*) theory-monger; **theoretisch** *bn.* theoretical; *bw.* ...ly, in theory
theoretiseren theorize, speculate
theorie theory; (*mil.*) lectures, [have] a lecture; *in ~* in t.
theosofie theosophy; -**sofisch** theosophical; -**soof** theosophist
therapeut therapeutist; ~**isch** therapeutic (*bw.:* -ally)
therapie therapeutics, [X-ray, etc.] therapy
Theresia Theresa
theriakel theriac; **thermaal** thermal; **thermiek** thermals, updraught
thermiet thermite, thermit
therm(ion)isch therm(ion)ic
thermo id.: ~**geen** t.genic; ~**gene watten** thermogenic (medicated) wadding; ~**hardend** t.-setting [plastics]
thermometer id.; ~**hut**, ~**kooi** t.-screen; *temperatuur in –* screened temperature; ~**stand** t.-reading
thermo id.: ~**metrisch** t.metric(al); ~**nucleair** t.-nuclear; ~**plast(isch)** t.plastic; ~**scoop** t.scope
thermosfles thermos (flask), vacuum flask
thermo id.: ~**staat** t.stat; ~**stabiel** t.stable; ~**statisch** t.static; ~**therapie** t.therapy
thesaurie treasury
thesaurier treasurer; bursar [of a college]; *ongev.:* comptroller [of the King's Household]; ~**generaal** chief t. (and paymaster)
thesaurus id.
these thesis
thesis (*in beide bet.*) id., *mv.:* theses
Thessalië Thessaly; ~**r, Thessalisch** Thessalian
Thessalonica id.
Thessalonicenzen Thessalonians
Thomas id.; *'n ongelovige ~* a doubting T.
thomas(slakken)meel basic slag
thomisme Thomism
thomist Thomist; ~**isch** Thomist(ic)
thora torah; **thoracaal** thoracic; **thorax** id.
thrips id.
thrombociet thrombocyte
thuis I *bw.* at home; (*van richting; ook: weer ~, terug*) home [come, go ...; glad to be ... again; he has only been ... two days; be ... to tea]; *bij ons ~* at (our) home; *handjes ~!* hands

off!; ~ **zijn** be at h. (*zie ook bov.*), be in; *hij is niet* ~ he is not at h., is out; *hij is nog niet* ~ he is not h. yet; *hij is* ~ *met verlof* home on leave; *als je hem om geld vraagt, is hij niet* ~ it's a waste of breath asking him for money; *doe of je* ~ *was* (*bent*) make yourself at h. (*of:* comfortable); *net* ~ just in [from school, etc.]; *hij is hier* ~, (*fig.*) we make no stranger of him here; *die avond is onze dienstbode* ~ that's our maid's night in; *ik ben voor niem.* ~ at h. (*of:* in) to nobody, out to everybody; *wel* ~ *!* safe (happy) journey!; *goed* ~ *zijn in een onderwerp* be at home with (well-read, well up in) a subject; *daar is hij niet van* ~ he won't hear of it; *niet* ~ *geven* deny o.s. [to all callers]; (*fig.*) refuse to answer (react, cooperate, commit o.s.), hold back on s.t.; *hij ... he* kept quiet on that one; *ik vond hem niet* ~ I didn't find him in; *zich niet* ~ (*ge)voelen* not feel at h., feel out of place, feel out of it; *ik zal ze* ~ *bericht sturen* I'll let my people know; *zie* bezorgen, hand, zitten, enz.; II *zn.* home; ~**basis** home base; ~**behoren** *zie* ~horen; ~**bezorgen** deliver, send round; ~**blijven** stay at h., stay in; ~**blijver** stay-at-home; *iem.* ~**brengen** see (take) a p. home; *ik kan hem* (*dat geluid, die geur*) *niet* –, (*fig.*) I cannot place him (that sound, that odour); *geluiden zijn dikwijls moeilijk* ~ *te br.* sounds are often difficult to locate; ~**club** (*sp.*) home club; (*elftal, enz.*) home team; ~**front** home front; ~**haven** home port; ~**horen**: *hij hoort hier* (*daar, te A.*) ~ he belongs here (there, to A.); *waar hoort hij* ~? where does he hail from?; *dat* (*de opmerking, enz.*) *hoort hier niet* ~ that does not belong (is out of place) here; *hoor je hier* (*in deze streek*) ~? are you a native?; –, (*van schip*) be registered [at ...]; ~**houden** keep [a p.] in (*of:* at home); *zie* hand; ~**komen** come (get) home; *je moet* – you're wanted at home; ~**komst** home-coming [what a ...!], return (home), arrival (coming) home; ~**krijgen** get home; *zie* trek; ~**lading** homeward cargo; ~**land** (*Z.-Afr.*) homeland; ~**liggen**: *waar lig je* ~? where are you staying? (*sl.*) where do you hang out?; ~**reis** homeward journey; voyage home, home(ward) voyage; *vgl.* reis; *op de* –, *ook:* homeward-bound, inward-bound; ~**vloot** Home Fleet; ~**vlucht** homeward flight; *vgl.* ~reis; ~**vracht** homeward freight; ~**wedstrijd** home match; ~**werker** home worker; ~**zittend**, ~**zitter** stay-at-home

thuja, thuya id., arbor vitae
Thuringen Thuringia
Thuringer, Thurings Thuringian
thymusklier thymus (gland)
thyrsus id., *mv.:* thyrsi, **tiara** id.
Tiber id.; **Tiberias** id.
Tibet id.; *t*~, (*stof*) thibet; ~**aan(s)** Tibetan
tic id.; ~ (*douloureux*) t., facial (trigeminal) neuralgia; (*fig. ook*) trick, mannerism
tichel brick, tile; ~**aar** b.-, tile-maker; ~**aarde** b.-clay; ~**bakker** *zie* ~aar; ~**bakkerij** b.-works, -yard; ~**oven** b.-, tile-kiln; ~**steen** brick; ~**werk**

a) b.-, tile-work; *b*) *zie* ~bakkerij
tien ten; *'n* ~ ten [for French]; *'t is* ~ *tegen één* it is t. to one [*dat ze niet ...* against her living through the night]; *hij is zoveel waard als* ~ *anderen* he is a host in himself; *een* ~ *met een griffel* (*en een zoen van de juffrouw*) first class; *zie* tel(len), zetten & *vgl.* met
tiend tithe
tiendaags of ten days, t. days' [journey]
tiende *bn.* tenth; *zn. a*) tenth; *b*) *zie* tiend
tiendehalf nine and a half
tiendelig consisting of ten parts; (*breuk, stelsel*) decimal [fraction, system]
tiend- tithe: ~**gaarder** t.-gatherer; ~**heer, -heffer** t.-owner; ~**heffing** tithing; ~**land** land under t.; ~**pachter** farmer of tithes; ~**plichtig** tithable; ~**recht** right to levy tithes
tiendubbel tenfold
tienduizend ten thousand; ~**en** tens of thousands; ~**ste** ten thousandth; ~**tallen** tens of thousands
tiend: ~**verpachting** farming-out of tithes; ~**vrij** tithe-free, untithed; ~**wet** t.- (t.-commutation) act
tiener teenager; (*Am. ook*) teener; (*in sam.*) teen-age
tien: ~**guldenstuk** ten-guilder piece; ~**helmig** (*plantk.*) decandrous; ~**hoek** decagon; ~**hoekig** decagonal; ~**jaarlijks** decennial [census *volkstelling*]; ~**jarig** *vgl.* jarig; *ook:* decennial [period]; ~**kamp** decathlon; ~**lettergrepig** decasyllabic; – *woord* decasyllable; ~**maal** ten times; ~**man** decemvir; ~**manschap** decemvirate; ~**ponder** t.-pounder; ~**potig** t.-legged; ~**regelig** of t. lines, t.-line [stanza]; ~**rittenkaart** ticket valid for ten journeys; ~**snarig** t.-stringed; ~**tal** ten, decade; *een* – *dagen* (nine or) t. days; *een* – *jaren* a decade; *eenheden, -len, enz.*, units, tens, etc.; *-len ..., ongev.:* dozens of times (of horses, etc.); *vgl.* bij 10; ~**tallig** decimal; (*van bloemen*) decamerous; – *stelsel* decimal system; (*schrijfwijze*) decimal numeration (notation); (*schaal*) scale of ten, denary scale; [the problem should be worked out in] base ten; *overgang naar 't* – *stelsel* decimalization; ~**tje** *a*) t.-guilder note (piece); *b*) (*r.-k.*) decade; *c*) tenth (part) (of a lottery ticket); ~**vingerig** t.-fingered; ~**vlak** decahedron; ~**vlakkig** decahedral; ~**voud** decuple; ~**voudig** tenfold, [pay for it] ten times over; ~**werf** t. times, tenfold
tier growth; *er zit geen* ~ *in* it (he) does not thrive, is not doing well; *hij is hier niet in zijn* ~, *heeft hier geen* ~ he does not feel at home here
tiërceren reduce to one third, reduce by two thirds; **-ing** reduction to one third
tierelantijntje (*krul*) curlicue, scroll, flourish; (*beuzelarij*) gewgaw; (*aan kleren, vooral mv.*) fal-lal; (*muz.*) t(w)iddley bit, flourish
tierelieren warble, twitter
1 tieren (*welig groeien*) thrive, get on (*of:* do) well; (*fig.*) flourish [professionalism in football ... es]; (*ong., van omkoperij, enz.*) be rife,

be rampant; *zie ook* aarden

2 tieren (*razen*) rage, storm, rant, bawl

tierig thriving, lively; **~heid** ...ness

tierlantijntje *zie* tierelantijntje

tiet tit

Tiger, Tigris Tigris

tij tide; *zie* getij

tijd time; (*periode*) period, season; (*gramm.*) tense; *lieve ~!* dear me!; *~ is geld* t. is money; *haar ~* (*van bevalling*) *nadert* she is near her t.; *de* (*ge*)*hele ~* all the t., [he witnessed the match] throughout; *een hele ~* [she talked] for quite a t.; *dat is een hele ~* quite a long t.; *de ~en zijn veranderd* times have changed; *de ~en zijn slecht* (the) times are bad; *een ~ geleden* some t. ago; *de ~ is om*, *'t is ~* t. is up; *~! time!*; *'t is hoog ~* it is high t.; *'t is* (*hoog*)*~ dat we gaan* (*dat er iets gedaan wordt*) it is (high) t. we went (something was done); *dat is de ~ om* ... it is the t. of all times to ...; *nu is 't de ~ om* ... now is the t. to ...; *nu is 't je ~,* (*'t geschikte ogenblik*) now is your t.; *de ~ is de beste medicijn* t. is the great consoler, t. softens all grief; *'t is* (*niet*) *de ~ van 't jaar voor kersen* cherries are in (out of) season, it is (not) the season for cherries; *er was een ~ dat* there was a t. when ...; *er was een ~ dat ik 't niet kon verdragen, ook:* at one time I could not stand it; *andere ~en, andere zeden* other (different) times, other (different) manners; *de goede oude ~* the good old days; *wij beleven een kwade ~* we have fallen on evil days; *ik geef u tien minuten ~* ... ten minutes; *hij gaf zich de ~ niet om na te denken* he did not give himself time to think; *alles heeft zijn ~* there is a t. for everything, everything has its t.; *ik heb geen ~* I have no (not) t.; *ik heb de ~ niet om* ... I have no t. (not the t., not t.) to ...; *weinig ~ hebben ook:* be (hard) pressed for t.; *ik heb de ~ aan mijzelf* my t. is my own; *'t heeft de ~* there is no (particular) hurry, it can wait; *ik heb er de ~ niet voor* I cannot afford the t.; *hij had de ~* (*wel*) he could afford the t.; *ik heb nog een week de ~* I have still a week in hand; *dat* (*hij*) *heeft zijn ~ gehad* it (he) has had its (his) day (he is past his best); *als men maar ~ van leven heeft* if only one lives long enough; *ik had een heerlijke ~* I had the t. of my life, a gay (*of:* high) old t.; *hij had ~ over* he found himself with t. on his hands; *heb je de juiste ~?* have you got the right t. (on you)?; *'t wordt onze ~* it is t. for us to go; *'t wordt ~* it is getting t.; *wel, 't wordt ook ~* (*dat iets gebeurt*) it's about t., too; *ik heb hier een eeuwige ~ gestaan* I've stood here for ages; *komt ~ komt raad* with t. comes counsel; *verloren ~ keert nooit weer* t. lost is never found again; *de ~ zal 't leren* t. will show (*of:* tell); *de ~ was goed gekozen* the timing was good; *ik weet de ~ niet klein te krijgen* t. hangs heavy on my hands; *'t heeft ~ gekost* it has taken t.; *~ maken* [if you've got no t., you ought to] make t.; *een ~ van 15 seconden maken*, (*fam.*) clock (up) 15 seconds;

neem de ~ ervoor take your t. (over it); *'t neemt zoveel ~* it takes (up) so much t.; *je neemt er te veel ~ voor* you take too long over it; *hij vond ~ om* ... he found t. to ...; *ik vergat ~ en uur* I forgot how the t. was going, I lost all count of t.; *~ winnen* gain t.; *~ zien te winnen* temporize, try to gain t., play for t.; *~ gewonnen, al gewonnen* he who gains t. gains everything; *aan ~ gebonden zijn* be tied (down) to t.; *binnen die ~* within that t.; *bij de tijd* up-to-date, (*fam.*) with it; *bij ~en* at times, at intervals; *bij ~ en wijle, a*) now and then; *b*) in due t., in course of t.; *gedurende lange ~* for a long t.; *hij zal hier in de eerste ~ niet zijn* for some t. to come, for some t. ahead; *in een gegeven ~* in a given space of t.; *in deze ~* in these times [economy is necessary], [you're lucky to get a house] these days; *in deze ~* (*van 't jaar*) at this t. of year; *in* (*minder dan*) *geen ~* [the rumour spread] in (less than) no t.; *in geen ~en* [I have] not [seen you] for ages; *in ~ van nood* in t. of need; *in ~ van oorlog* (*vrede*) in times of war (peace); *in de ~ van een jaar* within a year; *in mijn jonge ~* in my young days; *in vroeger ~* in former times; *in mijn ~* [I was a good horseman] in my t. (*of:* day); *in oude ~en* of old, in olden times; *in de goede oude ~* in the good old times; *in een enkel jaar ~s* in the space of a single year; *met de ~* [her affection increased] as t. went on; *dat zal met de ~ wel beter worden* it will mend with t.; *zie* medegaan; *na korte ~* presently; *na korter of langer ~* sooner or later; *morgen om deze ~* this t. to-morrow; *omstreeks die ~* about that t.; *op ~* in t., (*stipt op ~*) on time; *mooi op ~* [come home] in good t.; *precies op ~* just in t., [go home, the train arrived] exactly on t., [have meals] ready to t.; *de treinen komen precies op ~ aan* (*lopen precies op ~*) arrive (run) to t. (to schedule); *juist op ~* just in the nick of t.; *alles gaat prompt op ~* everything is timed to the minute; *op ~ kopen,* (*hand.*) buy for forward delivery; *op zijn ~* in due course, in due t.; *alles op zijn ~* all in good t., there is a t. for everything (for all things); *op de een of andere ~* (at) some t. (or other); *op deze ~ van de dag* (*avond*) at this t. of day (night); *op alle ~en* (*van de dag*) at all hours; *op vaste ~en* at set times; *over ~ werken* work overtime; *de trein was over* (*zijn*) *~* was behind t. (behind schedule), was overdue; *de boot is over de ~* is overdue; *ik ben over mijn ~* I am behind (my) t.; *'t is al over de ~* it's past t.; *te allen ~e* at all times; *te bekwamer* (*rechter, zijner*) *~* in due t. (*of:* course); *te rechter ~ gedaan* well-timed; *zie* juist; *te eniger ~* (at) some t. (or other), some day; *te gener ~* at no t.; *te dien ~e* at the (that) t.; *tegen die ~* by then, by that t.; *ten ~e van* at (in) the t. of; *toen ter ~e* at the t.; *tot ~ en wijle dat* ... till (at length) ...; *dat is uit de ~* out of date (fashion), old-fashioned; *hij is uit de ~* a back-number, a has-been, behind the times, (*dood*) he is dead (and gone); *uit de* *oude* ~ old-time [music, etc.]; [*een van de beste*] *uit zijn* ~ of his day; *van deze (die)* ~ [the poets] of the t.; *problemen van deze* ~ current problems; *dat is niet meer van deze* ~ that is out of date; *dichters van de nieuwere (van onze)* ~ modern (contemporary) poets; *van zijn* ~ [the most famous traveller] of his day; *de grootste dichter van alle* ~*en* of all time; *van* ~ *tot* ~ from t. to t., at times, at intervals; *van die* ~ *af* from that t. (forward), ever since (that t.); *vóór de* ~ [I am a little] before my t., ahead of t.; *hij stierf vóór zijn* ~ he died before his t., died prematurely; *vóór die* ~ [there was a castle] previously; *voor (gedurende) enige* ~ for a (*of:* some) t.; *ook maar voor enige* ~ [nobody could stand it] for any length of t.; *vóór enige* ~ some t. ago; *voor de* ~ *van* ... for a period of ..., for the space of [three days]; *voor alle* ~*en* [the park was declared open] for all t.; *voor deze* ~ [he is not a bad ruler] as times go; *koud voor de* ~ *van* '*t jaar* cold for the t. of year, unseasonably cold; *voor lange* ~ for a long t.; *zie ook* achter, baren, duren, laatst, opnemen, overheen, vrij, zorg enz.

tijd: ~**aanwijzing** indication of time; *automatische* ~, (*telef.*) speaking (talking) clock (system), Tim; ~**affaires** (*effecten*) t.-bargains; (*goederen*) futures; ~**bal** t.-ball; ~**bepaling** computation of (the) t.; (*gramm.*) adjunct of t.; ~**besparing** saving of t., t.-saving; *ter* ~ in order to save t.; ~**bevrachting** t.-charter; ~**bom** t.-bomb, delayed action bomb; ~**buis** (*van granaat*) t.-fuse; ~**charter** t.-charter; *op* ~ *verhuren* place [a steamer] on t.-c.

tijdelijk I *bn.* temporary [work, job], interim [ministry], [her guardian] pro tem., (*fam.*) stopgap [ministry]; (*wereldlijk*) temporal; ~ *onderwijzer* supply teacher; ~*e en eeuwige zaken* things temporal and eternal; '*t* ~*e met* '*t eeuwige verwisselen* depart this life, pass the veil; **II** *bw.* temporarily

tijdeloos timeless
tijdens during; *zie* gedurende
tijd: ~**gebrek** want of time; ~**geest** spirit of the age (time, times); ~**genoot** contemporary
tijdig *bn.* timely, seasonable; *bw.* in good time, betimes; ~**heid** timeliness, etc.
tijding(en) news, tidings, intelligence; *geen* ~, *goede* ~ no n. is good n.; *een goede* ~ a piece of good n.; *zie* bericht
tijdingzaal news-room
tijd: ~**je** time, (little) while, *een* ~ *regenachtig (droog) weer* a wet (dry) spell; *een* ~ *geleden* some t. ago, lately; *over een* ~ in a little while; *voor een* ~ for a while (a bit, a little); '*t zal nog wel een* ~ *duren voor hij komt* he will still be some t. coming; ~**korting** *zie* ~verdrijf; ~**kring** period; ~**lang:** *een* ~ for a while (time, space), for some t.; ~**limiet** deadline, time-limit; ~**loon** t.-rates, t.-wages; ~**loonwerker** t.-rate worker; ~**maat** time, tempo; ~**melding** (*telef.*) speaking clock (service); ~**meter** chronometer; ~**meting** t. measurement; timing, timekeeping; ~**nood:**

in ~ *komen* be pressed for time; ~**opname** timing, t.keeping; (*fot.*) t.-exposure; ~**opnemer** t.keeper; ~**passering** *zie* ~verdrijf; ~**perk** period, era, epoch; ~**polis** t.-policy; ~**punt** point of t.; ~**register** chronological table; ~**rekening** chronology; [Christian, etc.] era; [Julian, Gregorian] calendar; ~**rekenkunde** chronology; ~**rekenkundig** chronological; ~**rit** (*sp.*) t. trial; ~**rovend** t.-absorbing, t.-consuming; '*t is erg* ~ it takes up a great deal (a lot) of time; ~**ruimte** space of t., period
tijds: ~**beeld** portrait of an era; ~**bepaling,** ~**besparing** *zie* tijd ...; ~**bestek** space (length) of time
tijd: ~**schakelaar** t.-switch; ~**schema** t.-scheme, schedule; *op het* ~ *ten achter* behind schedule; ~**schrift** journal, periodical, magazine; ~**schrijver** (*in fabriek*) timekeeper
tijdseigen characteristic of its time; contemporary
tijdsein time-signal
tijdsgewricht epoch; *in dit* ~ at this juncture
tijdslot time-lock
tijdsluiter (*fot.*) delayed action shutter
tijds: ~**omstandigheid** circumstance; *in de tegenwoordige -heden* in the present circumstances, in the present condition (*of:* state) of affairs; ~**orde** chronological order; *eerste in* ~ first in point of time; ~**overschrijding:** *E. verloor door* ~, (*bij schaken, enz.*) E. lost on time
tijdstip point of time; *tot dat* ~ up till then
tijds-: ~**vereffening** equation of time; ~**verloop** course (process) of time; *een* ~ *van* a lapse of [twenty years]; ~**verschil** difference in time
tijd: ~**tafel** chronological table, date-list, table of dates; ~**vak** period; ~**verdrijf** pastime; *voor* ~ as a (by way of) pastime; ~**verlet,** ~**verlies** loss of t.; *wegens* ~, *ook:* for broken t.; ~**vers** chronogram; ~**verslindend** t.-devouring; ~**verspilling** waste of t.; ~**vorm** (*gramm.*) tenseform; ~**waarnemer** timekeeper; ~**winst** gain of t.
tijgen (*vero.*) go, proceed; *aan* '*t werk* ~ set to work; *op weg* ~ set out [*naar* for]
tijger tiger; ~**achtig** t.-like, tig(e)rish; ~**en** speckle, spot, stripe; ~**haai** tiger-shark; ~**hond** Dalmatian (dog); ~**hout** t.-wood; ~**huid** tiger-skin, tiger's skin; ~**in** tigress; ~**jacht** t.hunt-(ing), t.-shoot(ing); ~**kat** t.-cat; ~**lelie** t.-lily; ~**oog** (*steen*) tiger('s) eye; ~**paard** t.-spotted horse; (*soort zebra*) dauw; ~**slang** rock-snake; ~**vel** *zie* ~huid; ~**wolf** t.-wolf, spotted hyena
tijhaven tidal harbour (*of:* basin)
tijk tick; (*stof*) ticking; ~**wever** t.-maker
Tijl Tyll; ~ *Uilenspiegel* T. Owlglass
tijloos jonquil; *gele* ~ daffodil; *zie* herfst~
tijm thyme; ~**achtig** thymy
tik touch, pat; (*op deur*) tap, rap; (*slag*) flick; (*drank*) dash [of gin, etc.]; *tonic met* (*een*) ~, (*ook*) laced with [gin, etc.]; ~ *op de vingers* [give a p.] a rap on (over) the knuckles; ~ *om de oren* box on the ears; '*t paard een* ~ *geven* flick the horse [with the whip]; *zie* molen; ~**fout** typing error

tikje *zie* tik; (*fig.*) touch [he has a ... of genius, answer with a ... of pride, there had been a ... of frost]; dash [a ... of auburn in her hair, a ... of irritability], hint [there was a ... of emotion in his voice], trace, shade [I put her down as a ... over thirty]; *een ~ langer* a thought longer (taller); *'neen', zei ik, een ~ geraakt* with a touch of temper; *met een ~ vreemd accent* with a trace of a foreign accent; *een ~ blauw bloed* [he has] a strain of blue blood [in him]; *een ~ verdacht* a shade suspicious

tikjuffrouw (woman) typist

tikkeltje *zie* tikje

tikken I *ww.* (*van klok, enz., ook van houtworm*) tick; (*van camera, breinaalden, enz.*) click; (*aan raam, enz.*) tap [at the window], rap [on the door]; (*bij spel*) touch [I ...ed you first]; (*op schrijfmachine*) typewrite, type [the letter was typewritten]; *ze was aan 't ~, ook:* she was tapping (away) at the typewriter; *~ met* tap [a pencil against one's teeth]; *iem. op de schouder ~* tap a p. on the shoulder; *iem. op de vingers ~, (ook fig.)* rap a p.'s knuckles, rap a p. over the knuckles, slap down on a p.; *de as van zijn sigaar ~* flick the ash from one's cigar; *getikt schrift* typescript; *de klok tikte de seconden* ticked out the seconds; *zoals 't klokje thuis tikt, tikt 't nergens* there is no place like home; II *zn.*, *zie* getik

tikker ticker (*ook: horloge*); (*beurstelegraaf*) (stock-)ticker; **~tje** (*insekt*) death-watch (beetle); (*hart, horloge*) ticker; (*kinderspel*) tag

tikster woman typist

tiktak (*van klok*) tick-tack, tick-tock; (*spel*) backgammon; *zie* rikketik; **~bord** backgammon board; **~spel** backgammon

tik-tak-tol [play (at)] noughts and crosses

tikwerk typing

til (*'t tillen*) lift; *zie ook* ophaalbrug & duiventil; *er is wat op ~* there is s.t. in the wind; *zie ook* komst (*op* ...)

tilbaar movable; *-bare have* movables

tilbury gig; tilbury

tilda tilde; **Tilda** *zie* Tillie

tillen lift, heave, raise; (*sl.*) *zie* oplichten; *ergens (niet) zwaar aan ~* make heavy (light) of s.t.; *zie* paard

Tillie Tilly, Tilda; **timbre** id.

timide timid, bashful, shy

timmerage carpentering; (*getimmerte*) structure; **timmerbaas** master-carpenter

timmeren I *intr.* carpenter, do carpenter's work; *goed kunnen ~* be a good hand at carpentry; *hij timmert niet hoog* he is not overburdened with brains, will not set the Thames on fire; *erop ~* hit out freely, lay about one; *altijd op iets ~,* (*fig.*) keep harping on (hammering at) s.t.; *hij timmert graag aan de weg* he is fond of the limelight; II *tr.* build, construct, carpenter; (*gauw*) *in elkaar ~* knock up, knock together, carpenter

timmer: **~gereedschap** carpenter's tools; **~hout** timber; *ruw bekapt –* lumber; *zie* hout; **~jon-**

gen carpenter's apprentice; **~loods** carpenter's shed

timmerman carpenter; **~sambacht** c.'s trade; **~sbaas** master carpenter; **~swerkplaats** c.'s workshop

timmer: **~werf** carpenter's yard; **~werk** carpenter's work, carpentry [a fine piece of ...], carpentering; **~winkel** carpenter's workshop

Timon id.

timotheegras timothy(-grass)

Timotheus Timothy

timp tip, top; (*in spel*) tip-cat; (*broodje*) roll

timpaan (*typ.*) tympan; (*bk.*) tympan(um)

timperen play (at) tip-cat

timpje roll, small loaf

tin id.; (*legering van tin, lood, enz.*) pewter; *~ in blokken* block t.; **~ader** t.-lode

tinctuur tincture, solvent; *zie* likdoorn~

Tine Tina, Teenie

tin: **~erts** tin-ore; **~foelie** t.-foil

tingel lath, batten

tingelen 1 tinkle, jingle; 2 lath

tingeling(eling) ting-a-ling(-ling)

tingeltangel (low-class) café, dive

tin: **~groeve** tin-mine; **~houdend** tin-bearing [gravel], stanniferous

tinkelen tinkle

tin: **~lood** tin-foil; **~mijn** tin-mine

tinne battlement, crenel(le), pinnacle

tinnegieter tinman, tinsmith, pewterer; *politieke ~* political dabbler; **~ij** pewterer's trade (*of:* workshop); *politieke –* political dabbling

tinnegoed tin-ware, pewter-ware

tin: **~nen** *bn.* pewter; **~pest** tin plague, tin disease; **~schuitje** pig of tin; **~soldeer** soft solder

tint 1 id., tinge, hue, shade, tone; *zie* tintje; 2 (*wijn*) tent (wine)

tintel: **~en** (*van sterren, enz.*) twinkle, scintillate; (*van ogen*) twinkle, dance; (*van wijn*) sparkle; (*van geest*) sparkle, bubble over, coruscate [with wit]; (*van kou*) tingle [with cold]; (*van oren*) burn; **~ing** twinkling, etc.; **~ogen** *a*) *zie* knipogen; *b*) *zij ~oogde,* (*van plezier, enz.*) her eyes twinkled (danced)

tinten tinge, tint; *getint papier* toned (*of:* tinted) paper; *een politiek getinte roman* a politically slanted novel; *radicaal getint* tinged with radicalism; **tintje** tinge (*ook fig.*: a ... of liberalism), [it has a distinct Australian] flavour, dash [a ... of romance]

tinto, tintwijn tent (wine)

Tinus Martin; *slappe ~* weed, spineless chap

tinwerk *zie* tinnegoed

1 tip, tipje tip; (*van zakdoek, sluier, enz.*) corner [lift a ... of the veil]

2 tip (*inlichting*) id., tip-off; *een ~ geven* tip (off) [the police], tip [a p.] the wink; **~gever** informant, (*gew. ong.*) informer, (*toto, enz.*) tipster

tippel toddle; *'t is een hele ~* it's a long tramp (a goodish stretch); *op de ~* on the trot (*of:* trudge); **~en** toddle, trot, tramp; (*van prostituée*) walk the streets

tippen *a*) clip [a bird's wings], trim [the hair]; *b*) (*inlichten*) tip; *daar kun je niet aan ~* you cannot touch that
tiptoets fingertip control
tiptop id., A 1, top-hole, top-notch
tirade id.
tirailleren skirmish
tirailleur skirmisher; **~slinie** line of skirmishers, skirmishing-line; *in* – in skirmishing order; **~svuur** independent fire
tiran tyrant; **~nenmoord(er)** tyrannicide; **~nie** tyranny; **~niek** tyrannical; *– optreden* act the tyrant; **~niseren** tyrannize over [a p.], bully [a p.]
tiras draw-net
tiretein(en) (*hist.*) linsey-woolsey
Tirol enz., *zie* Tyrol, enz.
tissu (*weefsel*) tissue; (*doek*) shawl
titan Titan; **Titania** id.
titanisch titanic (*bw.:* -ally), titanesque
titel title; (*van hoofdstuk, enz. ook*) heading; *2de ~,* (*van boek*) sub-title; *Franse, halve ~* half-title; *courante ~* running-title; *de ~ erven* come into the title; *een ~ voeren* bear a t.; (*fam.*) have a handle to one's name; *welke ~ voert hij?* what is his t.?; *personen met ~s* titled persons, persons of t., t.-holders; *onder de ~ van* [a lecture] under the t. of; **~blad** t.-page; **~en** title; **~held** titular hero; **~plaat** frontispiece; **~rol** t.-role, -part, name-part; **~vignet** t. ornament; **~woord** headword, lemma (*mv.* -s & -ta)
titer titre, (*Am.*) id., strength [of a solution]
Titiaan Titian; **~s** Titian [hair], Titianesque
titrage titration; **titreren** titrate
tittel tittle, dot, jot, iota; *geen ~ of jota* not an iota, not one jot or t.
titulair titular; *~e rang* t. (brevet, nominal) rank; *majoor ~* brevet major
titularis holder (of an office), functionary, (*vooral van kerkelijk ambt*) incumbent; (*bezitter van adellijke titel*) title-holder
titulatuur style, titles; ceremonious forms of address; **tituleren** title, style
tja well[, what can we do]
tjalk spritsail barge, (Dutch) 'tjalk'
tjangelen strum, thrum [a guitar]
tjanken, tjenken whine, pule
tjap-tjai chop-suey
tjiftjaf (*vogel*) chiff-chaff
tjilpen chirp, chirrup, twitter, cheep
tjingelen tinkle, jingle; *op de piano ~* tinkle (the keys of) the piano
tjokvol chock-, cram-full, chock-a-block
tjonge, tjonge! *zie* jongen, jongen!
TL-buis fluorescent lamp
TL-verlichting strip lighting, fluorescent lighting
T.N.O. = *Toegepast-Natuurwetenschappelijk Onderzoek* Organization for Applied Scientific Research
toast(en) *zie* toost(en)
tobbe tub
tobben (*zwoegen*) drudge, slave, plod, toil; (*tob-*

berig zijn) worry, brood, fret; *~ over* worry about, brood over [she ...ed over her father's death]; *waarom zou je ~?* why worry?; *zich dood ~* worry o.s. to death; *~ met* struggle with; have a great deal of trouble with
tobber, -ster *a*) drudge, toiler; *b*) worrier, brooder; **~ig** worrying, brooding; **~ij** *a*) drudgery, toiling and moiling; *b*) worrying, brooding
Tobias id., (*fam.*) Toby, Tobit
toccata id.
toch 1 (*niettegenstaande dat*) yet, still, for all that, anyhow, all the same, at the same time, after all, though; *zie voorb. ben.;* 2 (*immers*) *je weet ~, dat ...?* you know that ..., don't you?; *je bent er ~ geweest?* you've been there, haven't you? *je hebt ~ geen haast?* you are not in a hurry I hope? (*of:* are you?); *dat meen je ~ niet?* you surely do not mean that?; *je hebt ~ een goede opvoeding gehad* it isn't as if (as though) you hadn't been educated; *we zijn ~ niet arm* it isn't as if we were poor; *hij ~ is mijn beste vriend* for he is my best friend; 3 (*opwekking; ongeduld*) *kom ~!* do come!; *ga ~ zitten* do sit down; *houd ~ op!* do stop!; *help me ~ alsjeblieft!* do please help me!; *doe het ~* pray do it; *wees ~ voorzichtig!* do be careful!; *laat mij ~ begaan* do let me alone; *wat ben je ~ ongeduldig!* how impatient you are; 4 (*wens*) *o, was hij ~ hier!* I do wish he were here; *o, dat hij ~ kwam!* oh, that he might come!; 5 (*onvertaald of:* ever) *wat kan hij ~ bedoelen!* what (ever) can he mean!; *waarom deed je dat ~?* what ever made you do that?; *waarom ~* (*niet*)*?* why ever (not)? [why ever did you bring him?]; *hoe kun je dat ~ doen?* how ever can you do that!; *hoe kon hij ~ ...!* how ever could he be so mad!; *de ~ al zo moeilijke tekst* the text, so difficult already (difficult enough as it was); *maar heren, dan ~!* really, gentlemen!; *je bent ~ zo'n schat!* you're ever such a dear!; *ik heb ~ zo'n hekel aan katten* I just hate cats; *waarvoor ~?* what ever for?; *~ waar?* really? are (did, etc.) you, though?; *~ is het waar* yet (even so,) it is true, it is true all the same; *~ niet!* surely not! not really! you don't mean it! you don't say so! never! no!; *wat leven we ~ in een vreemde wereld!* what a strange world we do live in!; *wat is geld ~ een last* what a nuisance money is, and no mistake; *ik heb ~ al genoeg werk* I have work enough as it is; *je ziet er ~ al uit als ...* you look like a ghost as it is; *ik was ~ van plan te gaan* I was just going anyhow (anyway); **maar** *~* (but) still, yet; [not quite in the same way] though; *het klinkt vreemd, maar ~ is het zo* it sounds odd, but there it is; *maar ~ kan ik niet nalaten ...* but at the same time I cannot help loving him; *maar ~ was hij een dichter* [he never wrote anything,] but he was a poet for all that; *hij is ~ maar een domme kerel* he is a stupid fellow anyway; *ging hij ~?* did he go after all?; *we hebben 't misschien ~ wel nodig* we may want it after

all; *hij is ~ een goeie kerel* he is a good fellow, though (after all, for all that); *en ~ had je het niet moeten doen* all the same you should not have done it; *en ~ haat hij je* and he hates you all the same; *ik hoop ~, dat je komt* I do hope you will come; *je gaat ~ nog niet weg?* I hope you are not going just yet?; *want hij was ~ van plan geweest* ... [it did not matter,] for he had intended to change his clothes in any case; *als je er ~ bent, kun je* ... while you're there ...; *om ~* (just) because, [Why did you do it?] I just did; *~ wel!* [you could not go?] I could, though; *dat is nou ~ verschrikkelijk!* now isn't that awful!; *hoe heet hij ~ ook (al) weer?* what is his name again?

tocht (*zuigwind*) draught; (*reis*) expedition, march, journey, trip, (*auto*) drive; (*molen-*)(mill-)race; *ik voel hier ~* I feel a d. here; *op de ~ staan*, (*fig.*) be in a difficult position (under fire); *op de ~ zetten*, (*fig.*) lay open to criticism, endanger, jeopardize; *op de ~ zitten* sit in a d.; *ga niet op de ~ zitten* sit out of the d.; *hun ~ ging over* ... their way led across hills and through valleys; *een ~ van een dag* a day's run; **~band** draught-excluder; *zie* ~lat; *van ~ voorzien* list; **~deken** d.-rug; **~deur** swing-, hall-, d.-door

tochten: *het tocht hier* there is a draught here; *dat raam tocht* a draught comes through that window

tochtgat *a*) vent-hole; *b*) draughty spot

tochtgenoot fellow-traveller; *Odysseus en zijn -oten* and his companions

tochtig draughty [house]; (*van dieren*) in (on, at) heat, rutting; **~heid** 1 draughtiness; 2 heat

tochtje trip, excursion; (*op fiets, in auto, enz.*) *ook:* spin [come for a ... in my car], run; (*in vliegt., enz.:*) joy-flight, joy-ride; *er waait geen ~* there is not a breath of wind

tocht: ~lat draught-stopper, draught-excluder, weather-strip; **~latjes** (*bakkebaardjes*) sideboards, mutton chops; **~raam** double window; **~scherm**, **~schut** draught-screen; **~sloot** draining-ditch; **~strook** *zie* ~lat; **~vrij** draught-proof [window]

tod(de) rag

toe to, shut; *waar gaat dat (ga jij) naar ~?* where are you off to?; *naar 't noorden ~* to(wards) the north, northward; *naar Londen ~, (in de richting van L.)* in the direction of L., Londonward(s), (*erheen*) to L.; *naar ~, zie verder heen*; *de deur is ~* is shut; *hij liep (reed, enz.) maar ~* he ran (rode, etc.) on and on; *maar ~ rijden, (te paard) ook:* ride hell for leather; *hij schreeuwde maar ~* he cried at the top of his voice; kept shouting; *hij praatte maar ~* he talked away sixteen to the dozen; *zie verder los (erop ...); ... en pudding ~* to follow, for a sweet; *... en een gulden ~* into the bargain, extra; *... en een snoepje ~* thrown in; *~ maar!* go ahead!; (*spreek op*) fire away! go ahead!, (*sl.*) spit it out! cough it up!

shoot!; (*verwondering*) good gracious! great Scott! you don't say so!; *~, maak voort!* I say, do make haste!; *~, zeg 't me!* won't you tell me? oh, do!; *daar zijn we nog niet aan ~* we haven't got that far yet; *als 't eraan ~ is* [of this we shall speak] at the proper time; *'t was er (na) aan ~* it was touch and go; *dat is tot daar aan ~* that does not matter so much, there is no great harm in that; *het was er na aan ~ dat hij het verloor* he was within an ace of losing it; *alle ... nog aan ~* well I never!; *ik wil weten waar ik aan ~ ben* I want to know where I am (where I stand); *hij is er slecht (treurig) aan ~, a*) (*financieel*) he is badly off; *b*) (*gezondheid*) he is in a bad way; *er slechter aan ~ dan eerst* [£20] worse off than at first; *'t toneel is er tamelijk slecht aan ~* the stage is in a pretty bad way; *hij is er niet (is er veel) beter aan ~* he is in no (is in much) better case; *hij is er des te beter aan ~* he is all the better for it; *ze is erg aan haar vakantie ~* she needs her holiday badly; *hij is aan een nieuwe broek ~* he is due for ...; *hij is aan het examen ~* he is ready for ...; *zie verder de sam. & toetje, tot, komen, koop, liggen, enz.*

toeak (*Ind.*) palm-wine

toean (*Ind.*) tuan; (*Br. I.*) sahib; *~ besar* (*Ind.*) tuan besar; Governor General

Toeareg Tuareg

toe¹: ~bakeren *zie* inbakeren; **~bedelen** assign, dole (parcel, mete, measure) out, allot (apportion) [s.t. to a p.]; *de haar ~bedeelde taak* her allotted task; **~behoren** *ww.* belong to; *zn.: met ~* with appurtenances (accessories, fittings); **~bereiden** prepare; (*met kruiderijen*) season; dress [the salad]; **~bereiding** preparation; seasoning; dressing; **~bereidselen** preparations, preparatives; *– maken voor* make preparations for, make (get) ready for; **~beschikken** assign, allot [a task]; **~betrouwen** *zie* ~vertrouwen; **~beurs** *zie* beurs (*gesloten ...*); **~bidden:** *iem. iets –* pray for s.t. to be bestowed on a p.; **~bijten** bite [the fish won't ...]; *hij wou niet –* he would not bite, would not take (rise to, swallow) the bait, he held (hung) back; *neen, beet hij haar ~* 'no!' he snapped (at her), he snarled (out); **~binden** bind (*of:* tie) up; **~blijven** remain shut (*of:* closed); **~brengen** deliver [a blow], deal (strike, hit) [a p. a blow]; inflict [damage, injuries, severe losses upon a p.], do [damage to the crops]; *erin slagen de eerste klap ~ te br.* get one's blow in first; *hij had zich de wond zelf ~gebr.* the wound was self-inflicted; *zie slag*; **~brullen**, **~bulderen:** *iem. iets –* roar (out) s.t. to a p.; **~dammen** dam up; **~dekken** cover up; (*instoppen*) tuck in (*of:* up); (*wortels van planten*) mulch [with straw]; **~delen** *zie* ~bedelen; **~denken** destine (intend) [a thing] for [a p.]; **~deur:** *voor de ~ komen* find the door locked; **~dichten:** *iem. iets –* impute s.t. to a p., lay s.t. at a p.'s door, father s.t. upon a p.; **~dienen** administer [medicine, a scolding, the last sacraments] to [a p.], deal [a p. a blow], inflict [punishment] upon [a p.]; *hij had zich 't vergif zelf ~gediend* the poison was self-administered; **~diening** administration, dealing, etc.; *vgl. 't ww.*

toedoen I *ww.* close, shut; draw [the curtains]; *dat doet er niet toe* that does not matter; *haar naam* ('*t geld, wat hij dacht*) *doet er niet toe* never mind her name (the money, what he thought); '*t uiterlijk doet er veel toe* there's a lot in appearance; '*t doet er niet toe wat* [give me s.t. to eat,] anything will do; *dat doet aan de zaak niets toe of af* it does not affect the matter either way; *zie* uitmaken & deur, oog(je), zwijgen, toegedaan; II *zn.: de transactie geschiedde buiten zijn ~* he had no share in the t.; *door uw ~* through you, through your medium (*of:* intermediary); '*t was alles door zijn ~* it was all his doing, (*fam.*) all along of him; *zonder uw ~* but for you, if it had not been for you [I should not have got it]

toe: **~draaien** turn off [a tap, the gas, etc.], close (by turning); *zie ook* ~keren; **~dracht:** *de gehele – der zaak* how it all happened, all the facts of the case, all the ins and outs of the affair, [know] the rights of it; **~dragen:** (*grote*) *achting* – esteem [a p.] (hold a p. in high esteem); *iem. een goed hart* – wish a p. well, mean well by a p.; *hij droeg haar geen kwaad hart toe* he had no ill feeling for her; *iem. liefde* (*genegenheid*) – hold a p. in great affection; *iem. wrok* (*een kwaad hart*) – bear a p. a grudge (malice, ill-will); *hoe heeft zich dat ~gedragen?* how did it come about?; **~drinken:** *iem.* – drink a p.'s health; **~drukken** close [a p.'s eyes], shut; **~duwen** push [the door] to; *iem. wat* – slip s.t. into a p.'s hands, give a p. s.t. on the sly; **~ëigenen:** *zich* – appropriate, convert [money] to one's own use, annex, arrogate [s.t.] to o.s., usurp [power]; (*gevonden voorw.*), (*jur.*) steal by finding; **~ëigening** appropiation; fraudulent (*of:* unlawful) conversion [of money]

toef(t) tuft

toe: **~flappen** *tr.* & *intr.* (*van deur*) slam, slam shut; **~fluisteren:** *iem. iets* – whisper s.t. to a p. (in a p.'s ear); **~gaan** 1 close, shut; 2 happen; *zie zich* ~dragen; '*t gaat er raar* (*gek*) ~ there are strange (queer) goings-on there; '*t gaat daar niet helemaal zuiver* ~ things there are not quite as they should be ; '*t ging er woest* ~ they turned the place upside down (*zie:* op stelten zetten)

toegang admittance, admission [... 5p, pay for ...], access, entry, entrance; (*ingang*) entrance, way in; *de* ~*en tot ...* the approaches to a town; *verboden* ~, (*opschrift*) no a. (except on business), private, trespassers will be prosecuted; *de deur gaf* ~ *tot ...* gave entry (entrance) (in)to (opened on) a big room; *vrije* ~ admission free; *vrije* ~ *hebben tot* be free of [a house]; ~ *hebben tot de hoogste kringen* have access (the entrée) to the highest circles; *zich* ~ *verschaffen* gain access (admission) [to ...], gain (effect) an entry [to ...], (*met geweld*) force an entrance (entry), (*ongenood*) gate-crash; *hem werd de* ~ *geweigerd* he was refused admission; *duizenden konden geen* ~ *vinden* thousands were turned away (from the gates); *de* ~ (*tot vergadering*) *was op vertoon van kaarten* it was an all-ticket meeting

toegangs: **~bewijs**, **~biljet**, **~kaart** ticket of admission, pass, permit, order; **~poort** entrance gate, (*ook fig.*) gateway [to success]; **~prijs** (charge for, price of) admission; **~weg** approach, access route

toegankelijk (*van pers. & zaken*) accessible, approachable, easy of access, get-at-able; *slecht* ~ difficult of access; ~ *voor 't publiek* open to the public; ~ *voor nieuwe denkbeelden* open to new ideas; ~ *maken* open up [a country to trade, etc.]; **~heid** accessibility, get-at-ability

toegedaan: *iem.* ~ *zijn* be attached to a p., be well (kindly) disposed to(wards) a p.; *een mening* (*theorie*) ~ *zijn* hold a view (theory)

toegeeflijk indulgent, lenient, permissive; **~heid** indulgence, leniency; *de zaak met – beschouwen* take a lenient view of the matter; *zie* clementie & inroepen

toegenegen affectionate; *zie ook* genegen; *Uw* ~ ... yours affectionately ...

toegenegenheid affection(ateness)

toe: **~gepast** applied [mathematics, physics, art]; **~gespen** buckle (up); **~gespitst** (*plantk.*) acuminate; **~gestaan** allowed; *zie* ~staan

toegeven I *tr.* (*op de koop toe*) give into the bargain, (*bij verkoping ook*) throw in; (*erkennen*) grant, admit, allow, concede; (*kinderen, enz. wat* ~) humour [children should be ...ed a little], indulge [... children too much; an over-indulged child]; *intr.* give in [to a p., a habit, etc.], give way [to one's feelings, grief], yield [to persuasion], cave in, knuckle under; (*zich schikken*) comply; *één stuiver* ~, (*bij ruil*) give one penny in; *om er een op toe te geven* a very poor specimen [of a ...]; *dat geef ik u toe* I grant you that; *een feit* ~ concede a fact; *meer dan hij wel wou* ~ more than he cared to admit; *over en weer wat* ~ make mutual concessions; *een beetje* ~, (*bij redenering*) concede a point; *op dat punt* ~ yield the point; *iem. niets* ~, (*niet onderdoen voor*) be a match for a p.; *ze geven elkaar niets toe* they are well matched, there's nothing to choose between them; *niets* ~, (*op zijn stuk blijven staan*) not budge (yield, give way) an inch, be uncompromising; *zoals je zelf toegeeft* ... by your own admission ...; *men geeft toe dat ...* he was admittedly not equal to the task; it is admittedly a difficult question; *ik moet eerlijk* ~ *dat hij ...* to do him justice, he ...; *aan iems. grillen* ~ indulge a p.'s whims; *hij gaf niet toe aan haar boze luimen, ook:* he stood out against her sulks; ~ *aan de smaak van het publiek* pander to the popular taste; *je geeft eraan toe,* (*aan ver-*

driet, *enz.*) you give way; *dit gebouw geeft niets toe aan dat* yields in no respect to that one; **toegegeven**, *dat je gelijk hebt* granting you are right; *toegegeven! granted!*

toegevend *zie* toegeeflijk; *~e zin* concessive clause; *~heid zie* toegeeflijkheid

toe: ~**gift** s.t. given into the bargain; make-weight; (*muz., enz.*) extra [play an ...]; *als* – thrown in as a makeweight; [a box on the ear] for good measure; *ook:* outside and in addition to the programme; ~**gooien** throw to, slam [the door]; fill up [a grave]; *iem. de lucifers* – throw a p. the matches; *gooi 't me ~!* pitch it over!; ~**grendelen** bolt; ~**grijnzen** grin at; ~**grijpen** catch (*of:* snatch) at (him, etc.); ~**groeien** (*van wond*) heal; (*van sloot*) be choked up [with weeds]; ~**haken** hook, clasp (up), fasten; ~**halen** draw closer (tighter); tighten up [the taxation regulations]; *zie* aanhalen; ~**happen** snap at it; *gretig* – jump at an offer; *hij hapte dadelijk ~* he rose to the bait at once; *zie* ~bijten; ~**hebben:** *dat heb je ~* that's what you have got into the bargain; ~**hoorder(es)** auditor (auditress), hearer, listener; (*bij conferentie*) observer, listener; *–s, ook:* audience, auditory; ~**horen** 1 listen [to a p.]; 2 belong to; ~**houden** keep shut; *iem. iets* – hold out s.t. to a p.

toejuichen applaud, cheer, hail, acclaim; welcome (hail, applaud) [a plan, an inquiry]; *uitbundig ~* a. (cheer) vociferously (to the echo); *zie* daveren

toejuiching applause, cheer, shout; *de ~en van 't grote publiek trachten te verkrijgen* play to the gallery

toekaatsen drive [a ball] to [a p.]; *zie* bal

toekan (*vogel*) toucan

toekennen adjudge, award [a prize, punishment]; credit [a p.] with (give a p. credit for) [talents]; attach [great value] to; confer [a title] upon; *punten* (*cijfers*) *~* award marks; *een betekenis ~ aan* ascribe (attribute) a sense to [a word]; *zie* palm; **-ing** adjudication, grant, award

toekeren turn to(wards); *hij keerde mij de rug toe* he turned his back upon me, (*fig. ook*) he gave me the cold shoulder

toe: ~**kijken** look on; *ik mocht* – I was left out in the cold; *hulpeloos* – stand by helplessly; ~**kijker** looker-on, onlooker, spectator; ~**knijpen** close [one's eyes]; *half* – screw up [one's eyes]; *'t kneep hem 't hart ~* it wrung his heart; *zie* keel; ~**knikken** nod to; *hij knikte mij veelbetekenend ~* he gave me a significant nod; ~**knopen** button up [one's coat]; ~**komen** (*rondkomen*) make (both) ends meet; *dat komt mij ~ that* is due to me (my due), I have a right to it; *meer willen hebben dan je toekomt* want more than fair shares; *doen* – send, hand [an order], let [a p.] have [a cheque, the goods], extend [an invitation to a p.]; *met dat beetje geld moeten we* – that little money has to serve us; – *aan* get round to [(doing) s.t.]; – *op* come up to, make for, (*vijandig*) go for [a p.

like a mad bull]; *zie* komen, rondkomen & ~**kunnen**; ~**komend** future, next; *-e tijd*, (*gramm.*) future (tense); *de* ('t) *mij -e rente* (*bedrag*) the interest accruing (the amount due) to me; *het hem -e deel* his rightful share; *'t mij ~e* my due

toekomst future; *in de ~* in the f., in times (days) to come; *in de ~ lezen* read the f.; *de ~ behoort aan de jeugd* the f. lies with the young; *er ligt een schitterende ~ vóór hem* he has a brilliant f. before him; *er zit ~ in die onderneming* the enterprise has great possibilities; ~**droom** dream of the f.; (*onpraktisch*) utopian scheme; ~**ig** future; prospective [members]; *menig – jaar* many a year to come; *zie ook* aanstaande; ~**mogelijkheden** prospects; [the scheme has (its)] possibilities; ~**muziek** music of the future; (*fig.. ook*) = ~droom; ~**plan** plan for the future; ~**roman** (*ongev.*) science fiction, s.-f. novel

toe: ~**krijgen** 1 get [the door] shut; 2 get into the bargain; (*op verkoping ook*) get thrown in; ~**kruid** seasoning, condiment, spice; (*groente als –*) pot-herb(s); ~**kunnen:** *de deur kan niet ~* won't shut; *ik kan ermee ~* I can make it do; *ik kan er een week mee ~* it will last me a week; *ze kan lang met haar kleren ~* she makes her clothes last

toe: ~**laatbaar(heid)** admissible (admissibility), allowable, permissible (permissibility); *niet – inadmissible, impermissible; toelaatbare belasting* safe load; ~**lachen** smile at (on, upon); *de fortuin lachte hem ~* fortune smiled upon him; *'t denkbeeld lacht me niet ~* the idea doesn't appeal (commend itself) to me; *zie* aanlachen

toelage (special) allowance, gratification, grant, extra wages (pay, salary), bonus, (*van leerling*) exhibition; (*van* kinderbijslag; *iem. een ~ geven* make a p. an a.

toe: ~**lakken** seal (up); ~**laten** (*binnenlaten*) admit; turn on [steam, etc.]; (*toestaan*) permit, allow, stand, suffer; (*na examen*) pass [*ook:* his plays were passed for public performance]; *honden worden niet ~gel.* no dogs admitted; *als de tijd* (*mijn gezondh.*) *'t toelaat* if time (my health) permits; *als mijn fondsen 't – funds permitting; dat laat geen twijfel* (*vertaling*) *~* that admits of no doubt (translation); *tot de H. D. ~gel. worden* take holy orders, be admitted to the ministry; *'t aantal ~gelatenen* (*na exam.*) the number of passes

toelating *a*) admission, admittance; *b*) permission, leave; ~**seisen** entry requirements; ~**s-examen** entrance examination [– *doen go in for one's ...]; (*tot middelbare school*) eleven-plus (examination); (*tot hogeschool*) matriculation; ~**svoorwaarden** conditions of entry [to the college]

toeleg design, intention, purpose, attempt, plan; **toeleggen** (*bedekken*) cover up; (*toekennen*) allow; *ik moet er geld op ~* I am a loser (am out of pocket) by it; *ik moet er 5 gulden op ~* I am five guilders out of pocket by it,

I've lost ... over it; *'t erop ~ om* ... make a point of ...ing, be bent on ...ing, set out to ...; *zie ook* aanleggen 3; *alles was erop toegelegd om* ... everything was so arranged as to ...; *men legde het op zijn leven toe* an attempt was made (up)on his life, his life was attempted; *zich ~ op* apply o.s. to [one's work, French, etc.], give (put) one's mind to (concentrate on) [one's business], take to [farming]; *hij legde zich erop toe om* ... he set himself to curing these defects; *zich speciaal ~ op* specialize in [German]

toeleveringsbedrijf subcontractor; supply industry

toe: ~**lichten** elucidate, clear up, throw light upon, explain, illuminate [a subject]; amplify [a statement, request]; *(met voorbeelden)* illustrate; ~**lichting** elucidation, explanation [*ter – van* in ... of]; illumination; amplification; explanatory note [to a proposal]; *(bij programma)* programme notes; *zie* memorie; ~**liggen** *(door ijs)* be frozen over; ~**lonken** look tenderly at; *(verliefd)* ogle, make eyes at, *(sl.)* give [a p.] the glad eye; ~**loop** concourse, run [of customers; the singer had a greaι ...], rush [to join the army]; *(menigte)* concourse, crowd, throng; ~**lopen** come running on; *maar –* walk (go) straight on; *– op* run (go) up to; *spits –* end in a point, taper (to a point); *nauw –* narrow towards the end; *dit (pad) loopt ~* this is a short cut; ~**luisteren** listen; ~**maat** overmeasure; ~**maken** close, shut; seal [a letter]; fasten, button up [one's coat]; *(toebereiden)* prepare; *(sla)* dress [the salad]; *zich –, (vuil maken)* get o.s. dirty (into a mess); ~**meten** measure (mete) out [punishment to ...]; ~**metselen** wall *(of:* brick) up; ~**moeten:** *de deur moet ~* must be shut; *ik moet ermee ~ tot* ... it has to last me till next week; *waar moet dat naar ~!* zie heen

toen I *bw.* then, at the (that) time; *'t is goed dat het ~ juist kwam* it is a good thing that it came when it did; *van ~ af* from t., from that time; *(lit.)* thenceforth; II *ww.* when, as

toe: ~**naaien** sew up; ~**naam** *(bijnaam)* nickname, by-name; *(familienaam)* surname, family name; *zie* naam; ~**nadering** approach; *(fig.)* rapprochement, closer relations; *stappen doen ter –* make overtures (advances); *er kwam een – tussen de naties* the nations were drawing together; *de oorlog bracht – tussen hen tot stand* brought them closer together; ~**nagelen** nail up; ~**name** increase, growth [of the population], rise, progress, advance; *zie* vermeerdering

toendra tundra

toe: ~**nemen** increase *(met 5% by 5%)* grow, be on the upgrade, be on the increase; *(van wind)* freshen, gather strength; *– in gewicht* gain in weight; *in omvang –, (ook van geluid)* gather volume; *in kracht –, (van beweging, enz.)* gather (gain) strength, gain headway; *de vraag doen –* swell the demand; *toegenomen voorraden* swollen stocks; *–de belangstelling*

growing interest; *de –de duisternis* the gathering gloom; *in –de mate* increasingly (progressively) more [self-contained]; *steeds –de aantallen* ever-swelling numbers; ~**neming** *zie* ~name

toen: ~**maals** then, at the (that) time; ~**malig** [authors] of the day (the time), then; *de –e president* the then president; ~**tertijd** at the (that) time

toepad short cut

toepasbaar applicable

toepasselijk appropriate (to the occasion), apposite, suitable, fitting, applicable; *~ voor de tijd van 't jaar* seasonable [sermon]; *~ geval* case in point; *de ~e wet* the applicable act; *~ zijn op* apply (be applicable, be relevant) to; *niet ~ op, ook:* irrelevant to [the case]; ~**heid** ...ness, applicability, suitability

toepassen apply [a rule, artificial respiration], employ [a method]; exercise [a little ingenuity], put into practice, practise [what one preaches]; *(wet)* enforce [a law], put [the criminal law] into effect; *verkeerd ~* misapply; *[een term, enz.] ~ op* a. [a term, etc.] to; *de verschillende procédés welke worden toegepast* which are in use (which are used); *zie* toegepast

toepassing application; *verkeerde ~* misapplication; *in ~ brengen* practise, live [what one teaches], live up to [one's principles]; *zie verder* toepassen; *van ~ zijn op, zie* toepasselijk; *dit is precies van ~ op 't geval* this exactly fits the case; *niet van ~ op het onderhavige geval* irrelevant to the case under consideration; *dat is (hier) niet van ~* that does not apply (here)

toeplakken paste *(of:* glue) up; *(brief)* seal (up), close [a letter]

toer *(reis)* tour, trip, excursion; *(wandelingetje, ritje)* turn, *(te paard ook)* ride, *(in rijtuig, auto ook)* drive, *(in auto, op fiets)* spin, run; *(kunststuk)* [clever] feat, [juggling-]trick, *(fam.)* [acrobatic] stunt; *(beurt)* turn; *(van vals haar)* switch, front; *(snoer)* string; *(breien)* round; *(omwenteling)* turn; revolution *(fam.:* rev) [of an engine]; *acrobatische ~en ook:* acrobatics; *~en doen* perform tricks, *(fam.)* do stunts, stunt; *een moeilijke ~ aan de rekstok doen* perform a difficult feat on the horizontal bar; *'t doen van ~en* stunt performance(s), *(van vliegt. ook)* stunt *(of:* trick) flying; *op ~en laten komen run* (rev) up [the engine]; *op ~en komen, (fig.)* get into one's stride; *op volle ~en, zie* kracht; *op een (de) ... ~ gaan* take a [hard] line; *over z'n ~en zijn* be overwrought (over-excited); *'t is een hele ~* it takes some doing, it's a tough job, it needs a strong pull; *daar zal ik een ~ mee hebben* that'll be a tough job; *een ~tje doen* take a drive (a ride), go for a spin [on one's bicycle, in one's car]

toeraken get closed, close, shut

toerauto touring-car, tourer, roadster

toerbeurt: *bij ~* in rotation, by (on, according to) rota

toerechten *zie* toebereiden

toereden fit out, equip

toereiken *tr.* hand, reach, pass, hold out [s.t. to a p.]; *intr. zie* ~d zijn; ~**d** sufficient, adequate, enough; – *zijn*, *ook:* suffice, do; last [I've read enough to ... me the rest of my life]; *het zal lang niet – zijn om ... it will go only a little way towards ...*ing

toerekenbaar responsible (for one's actions), accountable; *(van daad)* imputable; *hij is niet helemaal ~, (sl.)* he is not all there; ~**heid** responsibility, accountability; *(van daad)* imputability; **toerekenen:** *iem. iets ~* impute s.t. to a p., lay s.t. at a p.'s door; *zie verder* aanrekenen; **toerekeningsvatbaar** *zie* toerekenbaar

toeren take a drive (ride), *(in auto)* motor; *gaan ~* go for a drive (ride) [in a motor-car, on a bicycle]; *ik ga wat in mijn auto ~, ook:* I'll give my car a run

toerental r.p.m., r.p.s., revolutions per minute (second)

toerenteller rev(olution)-counter

toerfiets roadster

toerijgen lace up, lace

toerisme tourism

toerist tourist, sightseer; *door ~en bezocht(e) plaats (gebouw, enz.)* show-place; ~**enbond** touring-club; ~**enklasse** t. class; ~**enverkeer** tourist traffic; ~**isch** tourist [attractions]

toermalijn tourmaline

toernooi tournament *(ook in sp.)*, tourney, joust; ~**en** tilt, joust, hold (engage, take part in) a t.; ~**veld** tilt-yard, tilting-, jousting-ground, lists

toeroepen call (out) to, cry to, *zie* welkom

toerollen roll to(wards)

toertje *zie* toer

toerusten equip, prepare; *zich ~* equip o.s., prepare, make *(of:* get) ready; *toegerust met, ook:* fitted with

toerusting preparation, equipment

toerwagen touring-car

toeschietelijk accommodating, compliant, complaisant, (easily) accessible, responsive; *niet erg ~* rather cold in manner, reserved, unresponsive; *iets te ~, (van meisje)* rather too forward; ~**heid** complaisance, accessibility, responsiveness

toe: ~**schieten** rush forward; *(erop los schieten)* fire away; – *op* dart (rush) at, make a dash for; *(van roofdier, enz.)* pounce upon; ~**schijnen** seem to, appear to; *'t schijnt me ~, dat ik ... I seem to know your face (to detect his hand in it); ~**schoppen** *zie* ~trappen; ~**schouwen** look on; ~**schouw(st)er** spectator, onlooker, looker-on; *(toevallig)* bystander; –*s, (in zaal)* audience; *zie ook* kijklustigen; ~**schreeuwen** cry *(of:* bawl) to; hail [a boat]; *zie ook* toe; ~**schrijven:** – *aan* ascribe (attribute) to; *(gew. ong.)* impute [the worst motives] to [a p.]; put [it] down to [negligence]; *hij schreef de mislukking aan 't weer ~* he blamed the weather for it (he blamed it on

the weather); *hem wordt 't voornemen toegeschr. van ... he is credited with the intention of ... (zo ook: I am credited with an alarming appetite); zij schrijven de mislukking toe aan het feit ... they trace the failure to the fact ...; zij schrijven u deze boeken ~* they father these books on you; *hem wordt wonderdadige macht ~geschr.* he is accredited with miraculous power; *~ te schrijven aan* attributable to, due to, to be put down to [negligence]; ~**schroeien** cauterize, sear up [a wound]; ~**schroeven** zie dicht-; ~**schuiven** close (by pushing), push to, draw [the curtains]; *(fig.)* give [a p. s.t.] secretly (on the sly); *hij schoof mij 't papier ~* he pushed the paper over to me; ~**slaan** I *tr.* bang, slam [a door], shut [a book]; *(bij verkoping)* knock [s.t.] down to [a p.]; *'t huis werd mij toegesl.* the house was knocked down to me, fell to my bid (to me); *zie* bal; II *intr. (van deur)* slam, bang; *(erop los slaan)* lay it on, *(een slag toebrengen)* strike [Fate struck]; *(bij koop, vero.)* strike *(of:* slap) hands (upon it)

toeslag *(bijslag)* extra allowance, [war-]bonus; *('t bij te betalene)* additional (extra) charge; *(trein)* excess fare, extra fare, supplement; *(op vrachtprijs)* surcharge; *(bij verkoop)* knocking down [to the last bidder]; *(metaalbew.)* flux; ~**biljet** extra ticket

toe: ~**slibben** silt up; ~**sluiten** shut, close, lock; ~**smijten** *zie* ~gooien; ~**snauwen** snarl at [a p.]; *zie ook* ~bijten; ~**snellen** dash up, rush (up) to; ~**snoeren** lace up; *zie* aanhalen; ~**spelden** pin (up); ~**spelen:** *elkaar de bal –* play into each other's hands; ~**speling** allusion, reference, hint; *(bedekte)* insinuation; *(hatelijke)* innuendo; *–en maken op* allude to, hint at; *hij begreep de –* he took the hint; ~**spijkeren** nail up; ~**spijs** *a)* side-dish, dessert, sweet; *b)* zie ~kruid; ~**spitsen** aggravate [the dispute]; *zich – become acute, come to a head;* –**ing** aggravation; ~**spoor** toe-in; ~**spraak** address, speech; *(heftig tot menigte)* harangue; *(tot nieuwe predikant & van rechter tot jury)* charge; *een – houden* give an address, make (deliver) a speech; ~**spreken** speak to, address, *(een menigte, ook)* harangue; *vgl.* aanspreken; *ik wil zo niet door u worden ~gesproken* I won't take that sort of talk from you; ~**springen** spring forward; *(van slot)* snap (home); *komen – come bounding on, approach at a bound; op iem. – spring at (upon, pounce upon) a p.;* ~**staan** *(toelaten)* allow, permit, suffer; *zie* toelaten; *(inwilligen)* grant [a request], allow [a claim], concede [a demand]; *(verlenen)* accord [a hearing]; *zie* verlenen; *(bij stemming)* vote [money]; supplies *gelden*; credits; full powers]; ~**gestane gelden** [civil aviation] vote; *niet – disallow [an appeal]; ~**stand** state of things (of affairs), condition, position, situation, (in a sorry) plight; *(omstandigheden)* circumstances; *(sl. = voorwerp, 'geval')* affair, contraption, gadget; *dat is een mooie ~!* here's a pretty state of affairs! *(fam.)* a (nice) howd'ye-do!; *een hachelijke – a critical pre-*

dicament; *de* – *redden* save the situation; *in goede* – in good condition; *in droge* – when dry; ~**stappen:** – *op* step up to; ~**steken** *a*) put (*of:* hold) out [one's hand to a p.], extend [a helping hand, the hand of welcome to ...]; *b*) thrust home

toestel apparatus (*ook in gymn.; mv.:* -tuses), appliance; (*vliegt., enz.*) machine; (*radio, TV*) set; (*fot.*) camera; *extra* ~, (*telef.*) extension telephone; ~ *63*, (*telef.*) extension 63; ~**len** prepare; (*typ.*) make-ready, impose [formes]

toestemmen (*toestemming geven*) consent; (*toegeven*) admit, grant, assent to [a statement, etc.]; *zie* toegeven; ~ *in* c. to, agree to [he ... d to her going], grant [a request], accede to [terms]; *glimlachend* ~ smile consent; ~**d** (*tegenov. ontkenn.*) affirmative; – *knikje* nod of assent; *zie* knikken; – (*be*)*antwoorden* answer in the affirmative (affirmatively); ~**ing** consent, assent, permission [*met* ... with your kind perm., by kind perm. of the proprietors of Punch]; *echtscheiding met* – divorce by consent

toe: ~**stoppen** *a*) stop up, plug [a hole]; *b*) tuck in [a child]; *c*) slip [s.t.] into a p.'s hand, slip s.o. [£1]; *zie* oor; ~**stoten** push [the door] to; ~**strijken:** *hij streek 't geld naar zich* ~ he swept in the money; ~**strikken** tie up

toestromen stream (flow, flock, crowd) to-(wards), come flocking to [a place]; pour (flock) in; (*van alle kanten*) ~ *om* ... flock (from all quarters) to see it; *'t geld stroomde hem toe*, (*in giften*) money was showered upon him, (*door eigen werk*) he was coining money; *'t* ~ *van* [regulate] the flow of [gas]

toesturen *zie* toezenden & afsturen (*op*)

toet *a*) face; *b*) darling; *c*) knot [of hair]; *zie* gezicht, schat & wrong

toetakelen (*gek* ~) dress (*of:* rig) out; (*mishandelen*) belabour, maul, manhandle, knock about, mangle, punish [the boxer was ...ed severely]; (*fam.*) spoil a p.'s beauty; *zich* (*gek*) ~, *ook:* make o.s. look a fright; *wat heb jij je toeget.!, ook:* what a fright you have made of yourself! what a sight you are!; *hij werd lelijk toeget., ook:* he came in for severe handling; *hij is geducht toeget.* he has been in the wars

toetasten (*bij 't eten*) fall to, help o.s.; (*bij aanbod: met beide handen* ~) jump at an offer; *zie* doortasten

toetellen count out to

toeten toot, honk, tootle, hoot; *hij weet van* ~ *noch blazen* he does not know chalk from cheese; *zie ook* tuiten

toeter (*pers. & hoorn*) tooter; *hou je* ~, (*sl.*) shut your trap; ~*s*, (*plant*) cow parsley, wild chervil; ~**en** blow (sound, honk) one's horn

toetje (*bij 't eten*) sweet, s.t. to follow [is there anything to follow?]; *een aardig* ~ a pretty little face; *zie ook* schat(je) & wrong

toetrappen kick [the door] to (*of:* shut)

toetreden: ~ *tot* join [a club, a party, the United Nations], become a party to [a treaty]; ~ *op*

step (*of:* walk) up to; -**ing** joining, entry [into the U.N., (in)to the Common Market]

toetrekken pull [a door] to (*of:* shut)

toets (*van metalen*) assay, test; (*van piano, schrijfmachine, enz.*) key; (*van gitaar e.d.*) finger-board; (*penseelstreek*) touch; (*fig.*) test; *de zwarte* ~*en van de piano, ook:* the black notes of the piano; *'t kan de* ~ *niet doorstaan* it cannot stand the test (pass muster), will not bear examination; ~**aanslag** touch; ~**en** *a*) assay, test [gold, silver]; (*fig.*) test [a statement], try, put to the test; *aan 't oorspronkelijke* – compare [a translation] with the original; *de maatregel wordt aan de praktijk getoetst* is on trial; *b*) (*op* ~*enbord*) keyboard; ~**enbord** (*van schrijfmachine, enz.*) keyboard; ~**enloper** keyboard cover; ~**instrument** keyboard instr.; ~**naald** touch-needle; ~**steen** touchstone (*ook fig.*); ~**wedstrijd** test-match

toeval accident, chance, luck; (*ziekteverschijnsel*) fit of epilepsy, (epileptic) fit; *dat is* ~, (*ook:*) that is a coincidence; *'t* ~ *wilde, dat* ... it so happened that ..., chance would have it that ...; *zoals 't* ~ *wilde* as it happened, as luck would have it; *op 't* ~ *vertrouwen* trust to luck; *een* ~ *krijgen* be seized with a fit; *aan* ~*len lijden* be epileptic; *niets aan 't* ~ *overlaten* leave nothing to chance; *bij* ~ by a., by chance, accidentally; *louter bij* ~ by (through) the merest a. (chance), by pure a., by a mere fluke; *zie ook* toevallig; *door een gelukkig* ~ by a lucky chance; *door een ongelukkig* ~ by mischance; *dood door* ~ death from misadventure

toevallen (*dichtvallen*) fall to, close; *'t viel hem toe* it fell to his share (his lot, to him), (*van rente, enz.*) it accrued to him, (*van bezit*) it fell to him, devolved upon (on) him

toevallig I *bn.* accidental, casual, fortuitous; *een* ~*e bezoeker* a chance visitor; ~*e kennismaking* casual (*of:* chance) acquaintance; *door een* ~*e samenloop van omstandigheden* by a coincidence; *wat* ~*!* what a coincidence! isn't that an odd coincidence!; *het is niet* ~ it is no accident [that ...]; ~*e verhoging* (*verlaging*), (*muz.*) accidental; II *bw.* ...ly, by chance, by accident; *ik ontmoette hem* ~ I happened to meet him; *iem.* (*iets*) ~ *vinden* (*aantreffen*) chance (happen, stumble) upon a p. (s.t.); *ik trof 't* ~, *ook:* I came across it by chance; *'t trof* ~, *dat* ... it so happened that ...; ~ *zag hij het niet* as it happened, he did not see it; *u is toch* ~ *geen dokter!* you are not a doctor, by any chance?; ~**erwijs** *zie* ~ *bw.*; ~**heid** accidentalness, casualness, fortuity; (*concr.*) accident, coincidence, fortuity

toevallijder epileptic

toevalling (*van bezit*) devolution

toevalstreffer chance hit, stroke of luck

toeven (*blijven*) stay; (*dralen*) tarry, linger; *zijn gedachten toefden bij* ... his mind dwelled on ...

toeverlaat refuge, shield, bulwark

toe: ~**vertrouwen:** *iem. iets* – (en)trust a p. with s.t., entrust s.t. to a p., commit s.t. to a p.'s charge, give a p. s.t. in charge, confide [a secret etc.] to a p.; *hij vertrouwde mij toe dat ... he* told me confidentially that ...; *aan de zee* – commit [a p.'s ashes] to the sea; *dat is hem wel ~vert.* trust him for that! leave that to him!; *aan mijn zorgen ~vert.* (put) under my care; *'t kind is aan mij(n zorg) ~vert.* I am in charge of the child, the child is in my charge; *de aan haar (zorg) ~vert. persoon* her charge; **~vliegen:** – *op, zie* afvliegen; **~vloed** (in)flow, influx [of foreigners, of overseas products], rush [of orders]; *zie ook* ~loop; **~vloeien** flow to, flock to; (*van voordelen*) accrue to; *zie ook* ~stromen; **~vloeiing** *zie* ~vloed

toevlucht recourse, resource, resort; (*onderkomen*) refuge, shelter; *mijn laatste* ~ my last resource (resort); *zijn* ~ *nemen tot* have recourse to, betake o.s. to, resort to, take refuge with [a p.], take refuge in [the woods, a cigar, lying]; **~soord** (house of, haven of) refuge, asylum, resort, sanctuary; (*voor daklozen*) shelter for the homeless

toevoegen add [to ...], join [to ...], subjoin [the following remarks], annex [a price-list]; append [the signature ...ed to the letter]; (*ten dienste stellen*) place at a p.'s disposal; *iem. iets* ~ say s.t. to a p., address [a remark] to a p.; *ik heb hieraan niets toe te voegen* I have nothing to add to this; *dat laat ik me door u niet* ~ I won't take that sort of talk from you; *toegevoegde waarde* value added [tax]

toevoeging addition; (*aan officieel stuk*) rider; (*stof*) additive

toevoegsel addition, supplement

toevoer supply; flow [of gas, air]; **~buis** s.-pipe; (*voor gas & water; tussen hoofd- en huisleiding*) service-pipe; **~draad** supply wire; **~en** supply, provide; feed [cartridges (in)to a machine-gun]; **~kanaal** feeder; **~lijn** supply line

toe: **~vouwen** fold up; **~vriezen** freeze (be frozen) over (*of:* up); *'t kanaal was ~gevroren* was frozen over; **~waaien** *zie* aanwaaien & dichtwaaien; *koelte* – fan

toe: **~was** increase, growth; influx [of new members]; **~wassen** *zie* ~groeien; **~water** frozen water; **~weg** short cut; **~wenden** *zie* ~keren; **~wenken** beckon to; **~wensen** wish; *iem. alles goeds (iets kwaads)* – wish a p. well (ill); *... die ik ... niet zou* – a day that I would not wish for my bitterest enemy; **~werpen** throw (fling) [a bone] to [a dog]; *al deze dingen zullen u ~gew. worden* all these things shall be added unto you; *zie* ~gooien, bal, blik, handschoen; **~wicht** overweight

toewijden dedicate [a book, a church] to, consecrate [a church] to, devote [o.s., one's efforts] to; **-ing** devotion

toewijzen allot (allocate) [shares], assign [a room to a p.], award [a prize; he was ...ed £100 damages], appropriate [money for a scheme]; (*op veiling*) *zie* toeslaan; *'t kind werd aan de moeder toegewezen* the mother was awarded (*of:* granted) the custody of the

child; *zie* eis; **toewijzing** allotment, allocation [coal ...], assignment, award; (*bij rechterlijke uitspraak*) adjudication; *advies van* ~ letter of a.; *zie* niet-~

toe: **~wuiven** wave to [a p.], (*met ...*) with one's hat; *ook:* wave one's hat to a p.; **~zang** closing hymn

toezeggen promise; *hij heeft ons toegezegd* we have his promise; **-ing** promise, [give an] undertaking [to ...]

toezenden send, forward, consign [goods]; remit [money]; **toezending** forwarding, consignment; (*van geld*) remittance

toezicht superintendence, supervision, surveillance, inspection, care, control [*op* of]; [*bij exam.*] invigilation; ~ *houden* exercise [careful, close] supervision; (*bij exam.*) invigilate; ~ *houden op* superintend, oversee [workpeople, an estate], police [the waterways], keep an eye on, look after [the children]; vet [mergers]; *onder ~ staan van* be under the supervision (superintendence) of; *iem. onder ~ houden* keep a check on a p.; *hij heeft niet veel ~ nodig* he does not want much looking after; *zonder* ~ unattended, unguarded; *zie* commissie & raad

toezien 1 *zie* toekijken; 2 (*oppassen*) take care, be careful, see [that ...]; 3 – *op, zie* toezicht houden op; *er moet nauwkeurig toegezien worden dat ...* careful watch must be kept to see that ...; *zie toe, dat je niet valt* take care you do not fall; *wie staat, zie toe, dat hij niet valle* let him who thinks that he stands take care that he does not fall; *u moet erop – dat ...* you must see to it that ...; **~de** *voogd* co-guardian, joint guardian

toe: **~zingen** sing to; *een welkom* – welcome with a song; **~zwaaien:** *iem. met de zakdoek* – wave one's handkerchief to a p.; *iem. lof* – sing (sound) a p.'s praises; *iem. uitbundige lof* – pay high tribute to a p., give a p. unstinted praise

tof (*bargoens*) reliable, fine [fellow]

toffee id.

toffel *zie* pantoffel; **~zaag** tenon saw

toga gown, robe, toga; ~ *en bef* bands and gown

toilet id., toilette; (*kabinet*) lavatory, washroom, (*voor dames*) ladies' room; (*~tafel*) toilet(-table), dressing-table; ~ *maken* make (do) one's t., dress, (*haastig*) hurry through one's t.; *veel* – *maken* take a good deal of trouble with one's t.; *een beetje* ~ *maken* make o.s. look a bit smart; *in groot* ~ in full dress, (*fam.*) in full feather (*of:* fig); *met zijn* ~ *bezig* at one's t.; **~artikelen, ~benodigdheden** t.-requisites, -things, -articles, t.ries; **~doos** dressing-case; **~emmer** slop-pail; **~garnituur** t.-set; **~juffrouw** lavatory attendant; **~kam** dressing-comb; **~kamer** dressing-room; **~necessaire** dressing-bag, -case, -roll; **~spiegel** t.-mirror; (*groot, draaibaar*) cheval-glass; **~stel** t.-set, -service; **~tafel** dressing-table; **~teren:** *zich* – make one's t., dress; **~zeep** t.-soap

tok (*sp. sl.*) box
tok! ~ ~ (*van kip*) cluck! cluck!
tokayer Tokay (wine, grape)
tokkelen pluck, touch [the strings], touch, pluck [the guitar, etc.]; (*ong.*) twang [the ukulele], thrum, strum; **tokkelinstrument** plucked instrument
tokken cluck
toko (*Ind.*) (general) store; ~**houder** (*Ind.*) storekeeper, general dealer
tol (*op weg, enz.*) toll; (*schatting*) toll, tribute; (*fig.*) toll [the epidemic took a heavy ... of human life]; (*in- & uitvoerrechten*) customs, duties; (~*boom,* ~*hek*) turnpike; (~*huis*) tollhouse; (*speelgoed*) top; ~ *betalen* pay t.; *de* ~ *aan de natuur betalen* pay the debt of (*of:* to) nature; ~ *heffen* levy (take) t. [*van* on], *zie* staan, enz.; ~**baas** t.-collector, turnpike-man, -keeper; ~**beambte** custom-house officer; ~**boom** turnpike, t.-bar; ~**briefje** permit; ~**brug** t.-bridge; ~**commies** custom-house officer
tolerabel tolerable; **tolerant** id.; **tolerantie** toleration, tolerance; **tolereren** tolerate; *zie* dulden
tol: ~**gaarder** *zie* ~baas; ~**geld** toll(-money); ~**hek** t.-gate, turnpike; ~**huis** t.-house
tolk interpreter; (*fig.*) mouthpiece
tolkantoor custom-house
tolken interpret, act as interpreter
tollen spin (*drijftol:* whip) a top, play with a top; (*tuimelen*) tumble; *in 't rond* ~ whirl (*of:* spin) round; *de slag deed hem* ~ the blow sent him spinning
tol: ~**lenaar** (*bijb.*) publican; ~**muur** tariff-wall; ~**plichtig** liable to toll (*of:* duty)
Tolstojaan(s) Tolstoyan
toltarief (customs) tariff
tolueen toluene
toluol toluene, id.
tol: ~**unie,** ~**verbond** customs union; ~**vlucht** (*luchtv.*) spin; ~**vrij** toll-free, free of duty, duty-free; *zie* gedachte; ~**weg** turnpike road
tomaat tomato
tomahawk id., war-axe
tomaten-: ~**puree** tomato-purée; ~**saus** t.-sauce, t.-ketchup; ~**soep** t.-soup
tombak tombac, tombak
tombe tomb; **tombola** id.
tomeloos unbridled, unrestrained, ungovernable; ~**heid** unrestrainedness, ungovernableness
tomen bridle, put a bridle on [a horse]; (*fig.*) bridle, curb, restrain
tompoes, tompouce (*paraplu*) Tom Thumb (umbrella); (*gebak*) mille-feuille(s)
ton cask, barrel, tun, butt; (*gewicht of maat*) ton; (*metrische* ~) tonne; (*boei*) buoy; *een* ~ (*gouds*) a hundred thousand guilders; *Diogenes in zijn* ~ in his tub
tonaliteit tonality
tondel, tonder tinder; ~**doos** t.-box
tondeuse (pair of) clippers, hair-clippers
toneel ('*planken*', *toneelwezen*) stage; (*voor film*) set, set scene; (*onderdeel van bedrijf*)

scene; (*fig.*) theatre, scene; *zie* oorlogs~; '*t eigenlijke* ~, (*tegenov. variété, operette, enz.*) the legitimate stage; '*t* ~ *ten tijde van Kon. Elizabeth* the Elizabethan s.; '*t* ~ *van zijn heldenmoed* the scene of his heroism; *een verschrikkelijk* ~ a terrible scene; *bij* '*t* ~ *zijn* (*gaan*) be (go) on the s.; *op* '*t* ~ on the s., before the footlights; *hij is verzot op* '*t* ~ he is s.-struck, has got (the) s.-fever; *een stuk ten tonele brengen* produce (stage, put on) a play; *ten tonele verschijnen* appear on the s., come on, enter; (*fig.*) appear (enter) on the scene; *weer ten tonele verschijnen,* (*ook fig.*) re-enter; *ten tonele voeren* put [an event, a character] upon the s.; *van* '*t* ~ *verdwijnen,* (*ook fig.*) make one's exit, make one's (last) bow, disappear from the s., drop out of the picture; *zie* bewerken; ~**aanwijzing** s.-direction; ~**achtig** theatrical, stag(e)y; ~**avond** theatrical performance; ~**benodigdheden** s.-properties; (*fam.*) props; ~**bewerking** dramatic version [of a novel]; ~**carrière** stage career; ~**censor** dramatic censor, licenser of plays; ~**censuur** dramatic censorship; ~**club** dramatic club; ~**criticus** drama(tic) critic; ~**decoratie** scenery; ~**dichter** dramatic poet; *zie* ~schrijver; ~**directeur** theatrical manager; ~**effect** s.-effect; ~**gezelschap** theatrical company, troupe; (*van amateurs*) dramatic club; ~**gordijn** (s.-)curtain; ~**held** s.-hero; ~**heldin** s.-heroine; ~**jongen** call-boy; ~**kapper** make-up man; ~**kijker** opera-glass, (pair of) opera-glasses, binocular, pair of binoculars; ~**knecht** s.-hand, scene-shifter; ~**koorts** s.-fright; ~**kritiek** dramatic criticism; ~**kunst** dramatic art, s.-craft; ~**laars** buskin; ~**leider** producer, s.-manager; (*bij revue, enz.*) compère; ~**luik** s.-trap; ~**matig** theatrical; ~**meester** property man; ~**naam** [her] s.-name; ~**recensent** drama(tic) critic; ~**regie** s.-management; ~**rekwisieten** s.-properties, (*fam.*) props; ~**scherm** (s.-)curtain, (act-)drop; (*coulisse*) side-scene; ~**schikking** s.-setting, mise en scène, get-up, staging [of a play]; ~**schilder** scene-, stage-painter; ~**schilderkunst** scene-painting; ~**school** school of acting, dramatic (drama) school; *Koninklijke* – Royal Academy of Dramatic Art; ~**schrijver** playwright, dramatist, play-writer; ~**seizoen** theatrical season; ~**speelster** actress; ~**spel** *a*) acting; *b*) (s.-)play, ~**speler** actor, player; – *worden go* on the s.; –*directeur* actor-manager; ~**stuk** (s.-)play; ~**stukje** playlet; ~**truc** s.-trick; ~**uitvoering** (s.) performance, show; ~**verandering** scene-shifting; ~**verbond** s.-society; ~**vereniging** dramatic club; ~**verlichting** stage lights; ~**versiering** scenery; ~**voorstelling** theatrical performance; ~**wezen** stage; ~**zolder** fly
tonen show; (*aan de dag leggen*) *ook:* display, exhibit, manifest; (*aantonen*) *ook:* prove, demonstrate; *moed* ~ s. (display) courage; *zich een waar vriend* (*trouweloos, enz.*) ~ prove (show) o.s. a true friend (faithless, etc.); '*t toont heel wat* it makes a fine (a great) show;

dan ~ ze beter [put them in a nice box,] then they make a better show; *hij moest ~ wat hij kon* he was put through his paces; *zie* hoofd

tong tongue *(ook land~, & van balans, gesp, vlam); (vis)* sole, *(klein)* slip, tongue; *(van orgel)* languet, tongue, *(van schoen)* tongue; *het achterste van zijn ~ laten zien* speak one's true mind; *niet ... refrain from committing o.s.; boze ~en beweren dat ...* it is maliciously suggested that ...; *een fijne ~* a delicate palate; *hij heeft 'n gladde ~* he has got a glib t., has the gift of the gab, his t. is well-oiled; *een kwade ~ hebben* have an evil t.; *een ruwe ~* [have] a rough t., *een scherpe ~* a sharp t.; *de ~ uit de bek laten hangen, (van hond)* loll out the t.; *heb je je ~ ingeslikt?* have you lost your t.?; *de ~en in beweging brengen* set tongues wagging; *iem. de ~ losmaken* loose(n) a p.'s t.; *de ~en zijn los* the tongues are loosed; *zie* losraken; *zijn ~ sloeg dubbel* he spoke thickly (with a thick t.), his speech became slurred; *de~uitsteken* put (stick) out one's t. *[tegen* at], *steek je ~ eens uit* just put out (show me) your t.; *zijn ~ loopt met hem weg* his t. runs away with him; *met de ~ uit de mond* with one's t. out; *hij klapte met zijn ~* he clicked his t.; *met de ~ stoten* chuck; *'t lag mij op de ~* it was (I had it) at (on) the tip op my t.; *ze ging over de ~* she had got herself talked about, was the talk of the town; *iem. over de ~ laten gaan* backbite a p., pull a p. to pieces; *zie* hart, roeren, toom, zwaar; ~**ader** lingual vein; ~**band** *zie* ~riem; ~**been** t.-bone, *(wet.)* hyoid (bone); ~**blaar** *(veeziekte)* glossanthrax

Tongeren Tongres
tongetje (little) tongue, tonguelet; *zie* tong
tongewelf barrel-vault
tongeworst tongue sausage
tong: ~**kanker** cancer of the tongue; ~**klank** lingual (sound); ~**klier** lingual gland; ~**ontsteking** glossitis; ~**pijp** reed stop, lingual stop; ~**r** lingual r.; ~**riem** string *(of* fraenum) of the t.: *zij is van de – gesneden* she has a well-oiled t., she has plenty to say for herself; ~**schar** *(vis)* lemon sole; ~**spier** lingual muscle; ~**tepeltje** papilla *(mv.: -lae)* of the t.; ~**val** *a)* accent; *b)* dialect; ~**vormig** t.-shaped, linguiform; ~**vrijheid** *(van bit)* port; ~**werk** *(van orgel)* reed stops; *zijn – roeren, zie* roeren *(zijn tong ...);* ~**wortel** root of the t.; ~**zenuw** lingual nerve

Tonia Antonia
tonic id.
tonica tonic, key-note
tonicum tonic
tonijn *(vis)* tunny(-fish), *(Am.)* tuna
tonisch tonic
tonkaboom tonka, tonga
tonkaboon tonka (tonga) bean
tonmolen Archimedean screw
tonnage id., burden
tonneau *(luchtv.)* roll
tonne: ~**boei** barrel-buoy; ~**boeier** buoy-laying vessel; ~**geld** tonnage (dues)
tonnen *ww.* barrel; ~**inhoud,** ~**maat** tonnage, burden

tonner: *een 2000-~* a 2000-tonner
tonnetje *a)* little cask; *zie* ton; *b) (pers.)* roly-poly, tubby little person, tub; *c)* cocoon
tonrond tubby, roly-poly
tonrondte *(van weg, enz.)* camber
tonsil id.
tonsuur tonsure [receive the ...]
tontine id.; **tonus** tone
1 toog *o.v.t. van* tijgen
2 toog *(bk.)* arch; *(kleed)* cassock, soutane
toogdag demonstration (day)
tooi ornament(s), decoration(s), [rich] attire; *(opschik)* finery
tooien adorn, decorate, deck (out), bedeck, dress out, array; *zie* vlag; **tooisel** *zie* tooi
toom bridle, reins; *(kippen)* brood [of hens]; *(biggen)* farrow; *een ~ aanleggen* put a b. on [a horse]; *in ~ houden* keep (hold) in check, control; *streng in ~ houden* keep a tight rein on [one's tongue], put a sharp curb upon; *hij kan zijn tong niet in ~ houden* his tongue runs away with him

Toon Tony
toon 1 tone; *(klank)* sound; *(~hoogte)* pitch; *(klem~)* accent, stress; *(fig.)* tone [of a speech, book, etc.], note [a ... of fear in her voice, the engaged tone is a repeated single note]; *(schilderk.)* tone; *tonen, ook:* strains [the ... of an orchestra, of a gramophone]; *de goede* good breeding; *(vero.)* the bon-ton; *de ~ aangeven* give the key, give (strike) the key-note; *(fig.)* give (set) the t., call the tune, take the lead [in conversation], set (lead) the fashion; *een ~ aanslaan* strike a note; *een (hoge) ~ aanslaan, (fig.)* take (adopt) a high (lofty) t. *[tegen* with], talk in a high strain, be high and mighty, mount *(of:* ride) on one's high horse; *sla maar zo'n ~ niet aan tegen mij* don't take such a t. (don't you try being high and mighty) with me; *een vijandige ~ aanslaan* strike a hostile note; *een andere ~ aanslaan* change one's note (one's tone, one's key), sing another tune; *~ houden* keep tune; *de rechte ~ treffen* strike the right note; *op vriendelijke (hoge, enz.) ~* in a kind (high, etc.) t. (voice); *op hoopvolle ~* [end one's speech] on a note of hope; *op dezelfde ~, ook:* [continue] in the same strain; *2 ten ~ stellen, enz., zie* tentoonstellen, enz.; *3 (teen)* toe; ~**aangevend** leading, prominent [critic]; ~**aard** key; ~**afstand** interval; ~**baar** presentable, [not, no longer] fit to be seen; ~**bank** counter; *onder de – verkopen, (clandestien)* sell under the counter; *drank over de – verkopen* sell spirits across *(of:* over) the counter; ~**beeld** model, pattern, paragon [of virtue]; *een – van gezondheid* [look] the (very) picture of health; *hij is 't – van beleefdheid* the pink of courtesy; ~**brood** *(bijb.)* shewbread; ~**demper** mute, damper, sordine; ~**der** *(van cheque, enz.)* bearer; *– dezes* bearer; *aan – [cheque]* to bearer; ~**dichter** (musical) composer; ~**gevend** leading; ~**gever** leader, arbiter [of fashion]; ~**hoogte** pitch; ~**kamer** showroom; ~**kleur** tone-

colour; ~**kop** (pick-up) head; tape head; ~**kunst** music; ~**kunstenaar, -ares** composer, musician; ~**ladder** scale, gamut; ~**loos** (*van stem*) toneless; (*fon.*) unaccented; ~**regeling** tone control; ~**schaal** gamut, scale; ~**soort** key; (*modus*) mode; ~**sterkte** strength (intensity) of (a) sound; ~**teken** (*fon.*) accent, stress-mark; ~**tje**: *een – lager zingen* sing small(er), sing another tune, pipe down, climb down; *een – lager doen zingen* make a p. sing another tune, take a p. down a peg or two, cut a p. down to size; ~**val** cadence, modulation; ~**vast** keeping tune; *– zijn* keep tune; ~**zaal** showroom; ~**zetten** set to music; ~**zetter** music composer; ~**zetting** setting (to music), (art of) musical composition

toorn anger [*over* at], wrath, choler, ire; *goddelijke ~* divine wrath

toornen fulminate [against]

toornig angry, irate, wrathful; *zie boos;* ~**heid** *zie* toorn

toorts torch; (*bij mist enz., hist.*) link; (*plant*) mullein; ~**drager** t.-bearer; (*bij mist, enz., hist.*) link-boy; ~**licht** t.-light

To(os) Cathy

toost toast, health; *een ~ instellen* (*slaan, uitbrengen*) give (propose) a t.; *zie ook drinken op; hij beantwoordde de ~ op zijn gezondheid* he replied to the t. of his health; ~**en** *zie* 'n ~ *instellen*

1 top done! agreed! it's a bargain! it's a go! I am on! I'm with you! taken!

2 top (*van boom, enz.*) top; (*van berg*) top, summit; (*van vinger, neus*) tip; (*van golf*) crest, cap; (*van driehoek, kegel*) apex; (*tol*) top; (*in samenst., = hoogste, enz.*) top [condition, capacity, income, etc.]; *zie ook* toppunt; *het ~je van de ijsberg* [it is merely] the tip of the iceberg; *~ van de mast* mast-head; *de ~ van de heuvel bereiken, ook:* top (*of:* crest) the hill; *aan de ~ rood gekleurd* tipped with red, red-tipped; *met de vlag in ~* with the flag at mast-head (at full-mast); *met een koepel op de ~* (a tower) surmounted by (with) a cupola; *de zuinigheid ten ~ voeren* carry economy to extremes; *de geestdrift steeg ten ~* enthusiasm mounted to the highest pitch; *van ~ tot teen* from head to foot, from top to toe, [armed] at all points, [armed] cap-à-pie; *iem. van ~ tot teen bekijken* look a p. up and down; *voor ~ en takel lopen* scud along under bare poles; *zie* zeil

topaas topaz; **topasoliet** topazolite

topconferentie summit conference

topeng (*Ind.*), (*masker, gemaskerde*) mask; (*toneelspel*) masque

top: ~**functionaris** principal (senior, top) executive; ~**gevel** gable; ~**gewelf** cupola; ~**hoek** vertical angle; ~**jaar** peak-year; ~**je** *zie* ~; ~**licht** (*mar.*) mast-head light; ~**merk** (*mar.*) top-mark [buoys with …s]; (*hand.*) leading brand

topograaf topographer; **-grafie** topography; **-grafisch** topographic(al); *–e dienst* ordnance

survey; *–e kaart* topographical map; (*voor mil. doeleinden*) ordnance(-survey) map; *–e opmeting* ordnance (*of:* topographical) survey; *–e verkenning* topographical reconnaissance; **-nymie** toponymy

toppen top, head [trees]; (*mar.*) peak [a yard ra]; *zie ook* tollen

toppenant, -end (*mar.*) topping-lift

topper tufted bird; *ook = ~eend* scaup(-duck)

topprestatie record; all-out effort; (*van produktie*) maximum possible output

toppunt (*algem.*) *zie* top; (*meetk.*) apex, vertex (*mv.:* apices, vertices *of regelm.*); (*culminatiepunt*) culminating-point; (*zenit*) zenith; (*fig.*) culminating-point, acme, apex, zenith, summit, pinnacle, climax, height [is that the … of your ambition?]; *'t ~ van dwaasheid* the height of folly, the crowning folly; *'t ~ van krankzinnigh.* [it is] sheer [*of:* midsummer] madness; *'t ~ van geluk* the acme of bliss; *'t ~ van volmaakth.* [she] is the pink of perfection; *'t ~ van onbeschaamdh.* the limit of impudence; *'t ~ van weelde* [the room was] the last word in luxury (*evenzo: het ~ van weelde* [his coat was the last word in fashion); *op 't ~ van welvaart* in the heyday of prosperity; *'t ~ bereiken* reach the pinnacle (acme, zenith) [of one's fame]; *'t werk waarin zijn genie 't ~ bereikte* in which his genius culminated; *dat is 't ~* that's the limit (the last straw), that puts the tin lid on it, that beats the band, that takes the cake; *op 't ~ van … * [he was] in the zenith (at the climax) of [his popularity], on the pinnacle (at the height) of [his fame]

top: ~**snelheid** top speed; ~**spruit** (young) shoot; ~**standig** (*plantk.*) apical; ~**teken** (*mar.*) *zie* topmerk; ~**vorm** top form; *in –, ook:* at the top of one's form; ~**zeil** topsail; ~**zwaar** top-heavy (*ook: dronken*)

toque toque

tor beetle; *gouden ~* rose-chafer

torderen twist

toren tower, (*met spits*) steeple; (*klokke~*) belfry; (*grote slot~*) donjon; (*geschut~*) turret; (*schaakspel*) rook, castle; *zie* blazen; ~**tje**; ~**blazer** watchman (on a t.); ~**flat** tower block, high-rise block (of flats); ~**garage** multi-storey car-park; ~**gebouw** skyscraper, high-rise block; ~**hoog** steeple-high, towering; mountainous [waves]; *– uitsteken boven,* (*ook fig.*) tower above; ~**kauw** jackdaw; ~**klok** *a*) church-bell; *b*) t.-, church-clock; ~**kraan** t.-crane; ~**naald** spire; ~**schijf** (*techn.*) stepped cone; ~**spits** spire; ~**springen** highboard diving; ~**tje** (*van kasteel bijv.*) turret; *zie ~; met –s* turreted; ~**uil** *zie* kerkuil; ~**uurwerk** t.-clock; ~**valk** kestrel, windhover; ~**wachter** watchman (on a t.); ~**zwaluw** swift

tormentil (*plant*) id., septfoil

torn rip, rent, tear; *een hele ~, zie* toer

tornado id. (*mv.:* tornadoes)

tornen 1 *tr.* unsew, unstitch, unpick, rip (open); *intr.* come unsewed (unstitched) [your coat has come …]; **2** ~ *aan* meddle (*of:* tamper with; *torn daaraan niet* don't meddle with it, leave it as it is; *daar valt niet aan te* ~ it is unalterable (definitely settled); *aan een besluit* (*schikking*) ~ go behind a decision (an agreement)

tornmesje ripper

tornooi enz., *zie* toernooi, enz.

torpederen torpedo (*ook fig.:* a plan), (*fig.*) wreck [a plan]

torpedist *a*) torpedo-man; *b*) torpedo officer, (*sl.*) Torps

torpedo id.; (*vis ook*) cramp-fish, -ray, numbfish; ~**baan** *zie* bellenbaan; ~**boot** t.-boat; ~**jager** destroyer; ~**lanceerbuis** t.-tube; ~**lanceerinrichting** t.-launching gear; ~**net** t.-net, crinoline

tors torso (*mv.:* torsos)

torsen *a*) bear, carry (with difficulty); *b*) twist

torsie torsion; ~**balans** t. balance

torso id. (*mv.:* torsos)

tortel(duif) turtle-dove, (*zeld.*) turtle

torus id.

Toskaan(s) Tuscan; **Toskane** Tuscany; ~**r** Tuscan

tot I *vz.* (*van tijd*) till [... four o'clock], until, to; (*van plaats*) as far as, (up) to; *helemaal* ~ right up to [the river, midnight]; ~ *aan de borst* breast-high [in water]; ~ *aan de knieën* (*enkels, enz.*) knee- (ankle-, etc.) deep, up to one's knees (ankles, etc.); ~ *aan 't hek* as far as the gate; ~ *aan de grond* down to the ground; ~ *beneden de knieën* [reach] below the knees; ~ *boven* ... [the thermometer rose] to above 30°; ~ *boven toe* [his coat was buttoned] up to the top; *dat is* ~ *daar aan toe* but let that pass; ~ *hier(toe)* [*en niet verder*] thus far [and no farther]; ~ *in* ... read far into the night; *het geluid drong door* ~ *in de kamer* ... into the room; ~ *in 't roekeloze* [bold] to recklessness; *zie* krankzinnig; ~ *en met* up to and including [June 5], up to [June 5] inclusive, [we are staying here] over [Easter Monday], (*Am.*) through [June 5]; ~ *en met 100 g* [inland letter post:] not over 100 g [9p second class]; *een huichelaar* ~ *en met* an out and out hypocrite; ~ *nu toe* up to now, till now; *ik heb hem* ~ *nu toe niet gezien* so far I have not seen him; ~ *op deze dag* to this day, up to now; ~ *op een dag* [she knew his age] to a day; ~ *op 'n duim* to an inch; ~ *op de huid* [wet] to the skin; ~ *op een diepte van* ... to a depth of ...; ~ *op enkele mijlen van de stad* [he came] to within a few miles of the town; ~ *op enkele ponden* [I can tell you] to within a few pounds; *iem.* ~ *op de laatste cent uitzuigen* bleed a p. to the uttermost farthing; ~ *morgen* (*enz.*)!, good-bye till to-morrow (till Monday, etc.)! see you (again) to-morrow (on Monday, etc.)!; *zie ziens*; ~ *hoe ver?* ~ *waar?* how far?; ~ *wanneer?* till when?; ~ *die tijd* till then; ~ *zelfs* [he threw away everything] even to [his hat]; ~ *vader* [have a footman] for father; ~ *vrouw* [he had a charming lady] for a wife; ~ *vrouw nemen* take to wife; ~ *vriend kiezen* choose for

(as) a friend; ~ *koning kronen* crown [a p.] king; *zie ook* eeuwigheid, macht, nauwkeurig, straks, tellen, van, enz.; II *vw.* till, until

totaal I *bn.* total; overall [length, width]; *een -ale mislukking* a complete failure; *een -ale vreemdeling* an utter stranger; (*aangenomen*) ~ *verlies*, (*verz.*) (constructive) t. loss; *-ale oorlog* total war; II *bw.* totally, utterly [unlike, impossible]; ~ *van geen nut* [it is] no earthly use; ~ *geen begrip van* ... no notion at all of ...; ~ *op* [I am] dead beat; ~ *uitgeput*, *ook:* fairly exhausted; *zie* helemaal; III *zn.* total, sum total (*ook fig.:* the sum t. of my experiences), t. amount; (*van optelling, ook:*) footing; *algemeen* ~ (~ *generaal*) grand t.; *in* ~ in all, altogether, [ten] all told; *in* ~ *bedragen* total, aggregate [50 pounds]; ~**bedrag**, ~**beeld** overall picture; t. amount, sum t.; ~**cijfer** *zie* ~bedrag; ~**indruk** general impression; ~**kosten**, -**prijs** all-in cost

total: *mijn auto is* ~ *loss* my car is a complete write-off

totalisator totalizator, (*fam.*) tote

totalitair totalitarian [state]; **totalitarisme** totalitarianism; **totaliteit** totality

totaliter totally

totdat till, until

totebel square net; (*fig.*) slattern, slut, dragglotail, dowdy, [an old] frump

totem id.; ~**isme** totemism; ~**paal** t.-pole, -post

toto (*fam.*) tote; [football] pool(s)

totok (*Ind.*) true-born Dutchman or European; *ook* = baar 1

totstand: ~**brenging** bringing about, realization, implementation, accomplishment; ~**koming** realization; (*van wet*) passage, passing

touche touch; ~**r** (*muz.*) touch

toucheren touch [money], draw [a salary]

touperen: *getoupeerd* flick-up [hair-do]

toupet toupee, toupet

tour de force tour, feat (of strength)

touringcar (motor-)coach, sightseeing (touring-)coach

tournee tour, tour of inspection, [doctor's] round; *op* ~ [be, go] on t., on the road; *een* ~ *maken in* tour [Australia]

tourniquet turnstile, kissing-gate, (*zeld.*) id.

tournure bustle

tout court [socialism] pure and simple

touw (*dik*) rope; (*minder dik*) cord; (*dun*) string, twine; (*van hond*) lead [put your dog on the ...]; (*weefgetouw*) loom; *oud* ~ junk; ~ *slaan* make (*of:* twist) ropes; *ik kan er geen* ~ *aan vastmaken* (*vastknopen*) I cannot make head or tail of it; *er is geen* ~ *aan vast te m.* it does not make sense; *in* ~ *zijn* be in harness; *de kleine houdt me de hele dag in* ~ keeps me on the go all day; *met* ~*en* (*vast*)*binden* rope; *op* ~ *zetten* set [s.t.] on foot, get up [a picnic], plan [a cycling tour], stage [a hoax ...d by a newspaper], start [a scheme], float [a company], put [literary work] on the stocks, engineer [a plot, an agitation], launch [an enterprise, a press campaign], mount [an exhibition]; *'t* *zaakje was mooi op ~ gezet* the affair was beautifully stage-managed (staged); *zij die ... op ~ gezet hebben* the people who run that swindle; *wat hij ook op ~ zet, ook:* whatever he tries his hand at; ~**baan** ropewalk; ~**beker** corded beaker; ~**en** (*leer*) curry, dress, taw; (*schip*) (take in) tow; (*ranselen*) give a drubbing; ~**er** currier, tawer, leather-dresser; ~**erij** tannery; ~**ladder** r.-ladder; ~**slager** r.-maker; ~**slagerij** ropeyard, ropery

touwtje bit (piece, length) of string; *de ~s in handen hebben* pull the strings, run the show; ~ *springen* skip (with the, a, rope); *zie ook* lijntje; ~**springen** *zn.* skipping (with the, a, rope)

touwtrekken *zn.* tug of war

touwwerk cordage, ropes; (*mar.*) rigging

tovenaar sorcerer, magician, wizard, enchanter; ~**ster, tovenares** sorceress, enchantress, witch

tovenarij *zie* toverij

tover- *dikw.* magic; ~**achtig** magic(al), enchanting, fairy-like, charming; ~**ballet** fairy-dance; ~**beeld** m. image; ~**beker** m. cup; ~**boek** conjuring-book; ~**cirkel** m. circle; ~**dokter** witch doctor, medicine-man; ~**drank** m. potion; (*minnedrank*) philtre; ~**en** practise witchcraft, work charms (*of:* magic); (*goochelen*) conjure, juggle; *iem. geld uit de zak –* conjure (juggle) money out of a p.'s pocket; *te voorschijn –* conjure up; *ik kan niet –* I am no conjurer; ~**fee** fairy; ~**figuur** m. figure; ~**fluit** m. flute; ~**formule,** ~**formulier** magical formula, charm, spell, incantation; ~**godin** fairy; ~**hazelaar** American witch-hazel, hamamelis; ~**heks** witch, sorceress, hag; ~**hoedje** wishing-cap; ~**ij** magic, witchcraft, sorcery, enchantment; (*goochelarij*) jugglery, conjuring; ~**kaart** conjuring-card; ~**kasteel** enchanted castle; ~**kol** *zie* ~heks; ~**kracht** magic, m. power, witchcraft; ~**kring** m. circle; ~**kunst** magic, m. art, sorcery, witchcraft; ~**land** fairyland; ~**lantaarn** m. lantern; ~**macht** *zie* ~kracht; ~**middel** charm, spell; ~**nimf** fairy; ~**paleis** enchanted (*of:* fairy) palace; ~**prins** fairy prince, Prince Charming; ~**prinses** fairy princess; ~**ring** m. ring; ~**roede** m. wand; ~**slag:** *als bij –* as (as if) by magic, by the wave of the wand; ~**spel** *zie* ~ij; ~**spiegel** m. mirror, m. glass; ~**spreuk** incantation, charm, spell, m. sentence; ~**sprookje** fairy-tale; ~**staf** m. wand; ~**stuk** juggling-, conjuring-trick; (*theat.*) fairy-play; ~**teken** m. sign; ~**tuin** enchanted (*of:* fairy) garden; ~**wereld** enchanted (*of:* fairy) world; ~**werk** *zie* ~ij; ~**woord** m. word, spell (-word)

toxicologie toxicology

toxine toxin; **toxisch** toxic(al)

traag slow, indolent, inert, inactive; sluggish [river, pulse, liver]; dull (sluggish) [market]; tardy [progress]; ~ *van begrip* dull (slow) of apprehension (comprehension), dense; *een trage betaler* a s. (tardy) payer; *trage omzet* dragging sale; *'n ~ vuurtje* a slow (sluggish) fire

traagheid slowness, indolence, sluggishness, sloth, inertness, dullness, tardiness; (*nat.*) inertia, vis inertiae; ~**smoment** moment of inertia

traagheidsvermogen (*nat.*) inertia

traagloper (*dier*) sloth, ai

traagwerkend sluggish [liver]

traan 1 tear; *zie ook* glastraan; *tranen storten* shed tears; *tranen verwekken* draw tears; *hij zal er geen ~ om laten* he won't shed a t. over it; *de tranen kwamen* (*sprongen*) *haar in de ogen, haar ogen schoten vol tranen* tears came (started, leapt, sprang) to (welled up in) her eyes, her eyes filled (with tears); *haar ogen stonden vol tranen* were brimming with tears; *in tranen* (*badend*) (bathed, drowned) in tears; *in tranen uitbarsten* burst into tears; *op 't punt om in tr. uit te barsten* on the verge of tears, near tears; *met* (*onder*) *tranen* with tears, tearfully; *tot tranen geroerd* moved (affected) to tears; *tot tranen brengen* reduce to tears; *zie* lachen, schreien, tuit, wegsmelten, enz.; 2 train-, fish-, whale-oil; ~**achtig** *zie* tranig; ~**been** lachrymal bone; ~**buis** t.-duct; ~**fistel** lachrymal fistula; ~**gas** t.-gas; –**bom** t.-gas bomb; ~**gras** Job's tears; ~**kanaal** lachrymal canal, t.-duct; ~**ketel** train-oil copper; ~**klier** lachrymal gland; ~**koker** train-oil boiler, trier; ~**kokerij** try-house; *drijvende –* factory-ship; ~**ogen:** *hij* ~*oogde* his eyes watered; ~**oog** watering (weeping) eye; ~**wegen** t.-passages, -ducts; ~**zak** lachrymal sac

tracé (ground-)plan, trace [of a fortress, etc.]; proposed route [of a motorway, etc.]

traceerwerk (*bk.*) tracery; **traceren** trace, plot [a railway, fortress, etc.]

trachiet trachyte

trachoma, -choom trachoma

trachten try, attempt, endeavour; ~ *te krijgen* seek [further information]; *tracht ... te zijn* t. to be (*fam.:* t. and be) more amusing; ~ *naar, zie* streven

Tracië Thrace; ~**r, Tracisch** Thracian

tractie traction; *chef van ~* running superintendent of the railway; *elektr. ~* electric traction (*of:* haulage)

tractor id.

trad *o.v.t. van* treden

traditie tradition; ~**getrouw** true to tradition

traditioneel traditional, time-honoured [Christmas greetings, views], customary

trafiek (*vero.*) traffic, trade

tragedie tragedy

tragédien tragedian, tragic actor; ~**ne** tragedienne, tragic actress

tragicus tragedian, writer of tragedies

tragiek tragedy; *zie ook* tragisch ('*t ...e*)

tragi-: ~**komedie** tragi-comedy; ~**komisch** tragicomic; '*t –e ervan* the tragi-comedy of it

tragisch (*van 't treurspel*) tragic; (*treurig*) tragic(al); '*t stuk eindigt ~, ook:* the play ends on a note of tragedy; '*t ~e ervan* the tragedy (tragical part) of it; *wat ~! ook:* the tragedy of it!; **trailer** id.

rain: *en* ~ [the work is now] well in hand

rainen train, coach; *zich* ~ train; *hij had zich in lang niet getr.* he was out of training

rainer id., coach

raineren (*van plan, enz.*) hang fire, drag (on); *met iets* ~ dawdle, keep putting a thing off, drag one's feet over ...

raining id., (*boksen, atletiek*) work-out; **~spak** track-suit

rait d'union hyphen

raite draft; **Trajanus** Trajan

raject (*van weg, enz.*) stretch; (*van kanaal, rivier, ook:*) reach; (*door vliegtuig, enz. afgelegd*) stage, leg, lap, stretch, [the whole] route, run; (*van spoorw.*) section; (*overvaart*) crossing, passage; **~orie** (*wisk.*) trajectory

raktaat treaty; (*~je*) tract; **~genootschap** tract society; **~je** tract; **~verspreiding** tract distribution

raktatie treat [salmon is a ... to me]; *een ware* ~ a real t.

raktement salary, pay; *zie* salaris; **~sdag** payday; **~sverhoging** rise, increase of s. (pay)

rakteren I *tr.* treat [*op* to], regale [*op* with]; (*behandelen*) deal with [a matter], serve [a person in such a way]; *zie* aanpakken; ~ *op, ook:* stand [a p. (*ook:* o.s.) a drink, a bottle, a dinner]; II *intr.* stand treat, stand drinks (a drink); *ik trakteer* this is on me, it's my treat, I'm standing treat

ralie bar; (*nat.*) lattice; **~s**, *ook:* grating, lattice, trellis, grille; *achter de* ~s behind bars, under lock and key; **~brug** trellis-bridge; **~deur** grated door; **~hek** *a*) grille [of a lift, etc.]; (*om gebouw*) railings; *b*) grated door

raliën *ww.* trellis, lattice, grate, cross-bar

ralievenster *a*) barred window; *b*) (*met kruislatten*) lattice-window

raliewerk trellis, lattice-work, grating; (*her.*) *zie* treillis

tram tram(car), (*Am.*) streetcar, (*met contactrol*) trolley(-car); **~bestuurder** t.-driver, motorman; **~conducteur** t.-conductor; **~halte** t.-stop(ping-place); (*als opschrift*) cars stop here; **~heuveltje** island (by the track); **~huisje** t.-shelter; **~kaartje** t.-ticket; **~lijn** tramway, t.-line

trammelant (*fam.*) a shindy, rumpus

trammen go by (take the) t.; (*fam.*) tram (it)

tramontane: *de ~ kwijtraken* lose one's bearings; *de* ~ *kwijt zijn* be quite at sea

trampersoneel tram crew(s)

trampoline id.

tram: **~rail** tram-rail; *–s, ook:* tram-lines, tramtrack; **~rijtuig** tramcar; **~rit** tram-ride; **~wagen** tramcar; **~weg** tramway, tram-road

trance id. [be in, go into, a ...]

tranche portion; **tranchee** trench

trancheren *enz., zie* voorsnijden, enz.

tranen *ww.* water, run with water; **~brood** bread of affliction [eat the ...]; **~dal** vale of tears; **~flesje**, **~kruikje** tear-bottle, lachrymatory; **~vloed** flood of tears

tranig tasting (*of:* smelling) of train-oil

trans pinnacle, battlement; (*omgang*) gallery; *zie* uitspansel

transactie transaction, deal [a successful ... a big rubber ...]; *een* ~ *afsluiten* conclude (effect) a t., (*fam.*) do (bring off) a deal

trans: **~alpijns** transalpine; **~atlantisch** transatlantic

transcendent(aal) transcendental

transcript id.; **~ie** transcription

transept id.

trans: **~figuratie** transfiguration (*ook r.-k.*); **~formatie** transformation; **~formator(station)** (*elektr.*) transformer(-station); **~formeren** transform; *zie* op-, ne(d)er-; **~fusie** transfusion

transigeren temporize, trim, give and take

transistor id. (*ook = ~radio*)

transitief transitive

transito transit; **~goederen** t.-goods; **~handel** t.-trade; **~haven** t.-port

transitoir, -toor transitory

transito: **~loods** transit shed; **~paspoort** transshipment delivery order; **~rechten** t. duties; **~verkeer** t. traffic

Transjordanië (*hist.*) Transjordan

Trans: **~kaspisch** trans-Caspian; **~kaukasisch** trans-Caucasian

trans: **~lateur:** *beëdigd* – sworn translator; **~migratie** transmigration; **~missie** transmission; **~parant** *bn.* transparent; *zn.* (*papier*) tracing-paper; (*doorschijnbeeld*) transparency; (*voor reclame*) illuminated screen; **~piratie** perspiration; **~pireren** perspire; **~plantatie** transplant(ation); **~planteren** transplant; **~poneren** transpose

transport id., transportation, conveyance, carriage; (*bkh.*) carry-forward, amount carried (*of:* brought) forward; *per* ~ carried forward; ~ *gevangenen* convoy of prisoners, prisoners under convoy; *tijdens het* ~ in transit, during transport; **~arbeider** t.-worker, road haulage worker; **~atie** transportation; **~band** conveyor-belt; **~dienst** t.-service; **~eren** transport, convey; (*bkh.*) carry (*of:* bring) forward; *zie* **~ere** carried forward; **~eur** transporter; (*instrum.*) protractor; **~fiets** bicycle carrier; **~kabel** telpher-line; **~kosten** cost of t., transportation costs; **~middelen** (means of) t.; **~onderneming** t.-concern, -undertaking; **~schip** t.(-ship), troop-ship; **~schroef** feed scroll; **~trein** trooptrain; **~verzekering** t.-insurance; **~vliegtuig** transport-plane; **~wagen** (*open*) truck; (*gesloten*) van; (*mil.*) park wag(g)on; **~wezen** transport [minister of ...]

transpositie transposition

transsubstantiatie transubstantiation, [doctrine of the] real (*of:* objective) presence

Transsylvanië Transylvania

Transvaal the Transvaal; **~s** Transvaal; **Transvaler** Transvaaler

transversaal *bn. & zn.* transversal

transvestiet transvestite

trant manner, way, method, style, strain, vein [talk (write) in the same ...]; *in de* ~ *van* in (after) the style (manner) of; *naar de oude* ~

after the old fashion, in the old style

trap (*schop*) kick; (*trede*) step; (*al de treden*) stairs, staircase, flight of stairs; (*van raket*) stage; (*mar.*) stairway; (*geheim*) backstairs; (*fig.*) step, degree, plane [a high ... of intelligence; on the mental ... of schoolboys]; *zie ook* ~ladder & ~gans; ~*pen van vergelijking* degrees of comparison; *in de* ~*pen van vergelijking plaatsen* compare [an adjective]; *de* ~ *op* (*af*) *gaan* go upstairs (downstairs), up (down) the stairs; *zie* trede; ~*pen lopen* go upstairs and downstairs; *twee* ~*pen opgaan* ascend two flights of stairs; *iem. de* ~ *afschoppen* kick a p. downstairs; *iem. een* ~ *geven* give (fetch, land) a p. a kick; *de schilderij hangt op de* ~ on the staircase; *op een hoge* ~ *van beschaving* at a high degree of civilization; *op deze* ~ *van beschaving* at this stage of civilization; *van de* ~*pen vallen* fall downstairs; *hij is van de* ~*pen gevallen,* (*fig.*) he has just had his hair cut; *van* ~ *tot* ~ by degrees, little by little; *met* ~*pen,* zie getrapt; *een hele* ~, (*per fiets*) quite a long ride; *zie ook* boven, hoog, (*vier* ...) enz.

trapas (*van fiets*) crank axle, bracket axle

trapeze id.; ~**werker** trapezist, t.-artist, -acrobat, -performer

trapezium id.; (*gymn.*) trapeze; ~**vormig, trape-zoïde** trapezoid

trap: ~**fiets** push-bike, pedal-cycle; ~**gans** bustard; ~**gevel** step-gable, (crow-)stepped gable, corbie-gable, -steps; ~**hekje** stair gate; ~**ladder, ~leer** stepladder, (pair of) steps; ~**leuning** banisters (*mv.*); (*stang, waarlangs de hand glijdt*) hand-rail; ~**loper** stair-carpet; ~(**naai**)**machine** treadle sewing-machine; ~**neus** nosing

trappehuis staircase, stairs

trappelen trample; (*van ongeduld, enz.*) stamp [the horse ... ed and pawed]; *ze trappelde van ongeduld, enz., ook:* she tapped her foot

trappen I *tr.* tread [clay, water, grapes]; blow [the organ]; treadle [a sewing-machine]; (*schoppen*) kick; *de maat* ~ beat time with one's foot; *hij wou zich niet laten* ~ he refused to lie down and get trodden on; *kapot* ~ kick (*of:* tread) to pieces; *vgl.* treden; *iem. op de hielen* ~ tread on a p.'s heels; *hij trapte erin,* (*fam.*) he fell for it; *zie* inlopen (*er* ...); *iem. er uit* ~ kick a p. out; (*sl.*) hoof (*of:* boot) a p. out [of his post, his club], give a p. (the order of) the boot, fire a p. [he was ...d by the military authorities]; *er uit getrapt worden, ook:* (*sl.*) get the boot; *zie* teen, enz.; II *intr.* kick [*naar* at]; (*op fiets*) pedal; *tegen een bal* ~ kick a ball (about); ~ *op* step (tread, trample) on

trapper treadle; (*van fiets, ook*) pedal; (*pers.*) treader; *zie* orgeltrapper

trappist Trappist; ~**enklooster** T. monastery

trap: ~**portaal** (stair-)landing; (*halverwege*) half (-way) landing; ~**psalm** gradual psalm; ~**roede** stair-rod; ~**sgewijze** I *bn.* gradual, step-by-step [development]; II *bw.* stepwise, step by step; (*fig.*) step by step, gradually, by degrees; ~**starter** kick-starter; ~**vormig** ladder-like, scalariform; ~**zang** gradual

trara tantara

tras trass, tarras; ~**molen** t.-mill; ~**mortel** t. mortar; ~**raam** t.-layer, -work

trassaat drawee; **trassant** drawer

trassen tarras; **trasseren** draw [a bill]

trauma id.; ~**tisch** traumatic

travalje *zie* hoefstal

travee bay

traverse id.; **traverseren** traverse

travertijn travertine

travesteren travesty; **-tie** t.; (*man als vrouw ook*) drag; **-tierol** male (female) impersonation; *speler* (*speelster*) *van* – female (male impersonator; **-tiet** transvestite

trawant moon, satellite; (*fig.*) satellite, henchman

trawler id.; **trawlnet** trawl(-net)

trawlvisserij trawl-fishing

trechter funnel; (*van molen, enz.*) hopper; (*van granaat*) crater, shell-hole; *zie* ingieten; ~**monding** estuary; ~**vormig** f.-shaped

tred step, pace, tread, gait; *gelijke* ~ *houden* keep s. (*of:* pace); *gelijke* ~ *houden met,* (*ook fig.*) keep s. (*of:* pace) with, keep abreast of (*of:* with); *met vaste* ~ with a firm s.

trede (*van trap*) step; (*van ladder*) rung; (*van rijtuig*) step; (*van naaimach.*) treadle; (*stap*) step, pace; *de trap met twee* ~*n tegelijk opgaan* mount (take) the stairs two at a time

treden I *intr.* tread, pace, walk, step; *nader* ~ approach; *aan 't venster* ~ go up to the window; *in iems. rechten* ~ acquire (enter into, *onrechtmatig:* usurp) a p.'s rights; *in de plaats* ~ *van* take the place of; *in bijzonderheden* (*nadere beschouwingen*) ~ go (enter) into detail(s), go further into the matter; *in* ... ~ embark on philosophical arguments; *in het klooster* ~ enter a monastery (convent); *daar kan ik niet in* ~ I cannot accede to it, I am unable to fall in with that suggestion (proposal, your terms, etc.); *of het al of niet mag, daar wil ik niet in* ~ I am not discussing whether ...; *naar voren* ~ come forward, (*op schilderij*) stand out; ~ *uit* withdraw from [the League], resign from [the Board]; *zie* dienst, gericht, voet, tussenbeide, enz.; II *tr.* tread; *zie* trappen; *de* (*ren*-)*baan was geheel kapot getreden* the course was badly cut up

treder treader; **tredmolen** treadmill, (*fig. ook*) jog-trot; **tree** *zie* trede

treeft trivet

treekussen (*onder traploper*) stair-pad

treem mill-hopper

treeplank footboard, running-board

treerad tread-wheel

Trees(je) Tess, Tessie

treezaag scroll-saw

tref chance, luck, lucky hit; *'t is een* ~ *als* ... you'll be lucky if you find him; *wat een* ~! how lucky! we are in luck!

trefbeeld (*mil.*) pattern

treffen I *ww. (raken)* hit, strike; *(fig.)* strike [his face struck me, it ...s the imagination], hit [the country was badly ... by the flood], fall upon [the calamity which has fallen upon the island]; move, touch; *(aantreffen)* meet (with), come across *(of:* on), fall in with; *zie* toevallig; *'t doel ~* hit the mark; *je hebt me goed getroffen, (fot.)* you've caught (hit off) my likeness very well; *goed (moeilijk) te ~ zijn* photograph (take) well (badly); *hij heeft 't goed (slecht) getr.* he has been lucky (unlucky); *'t trof gelukkig, dat ...* it was lucky that ...; *wat treft dat ongelukkig!* how unfortunate that is!; *dat treft goed (prachtig)* that is lucky (splendid, grand); how lucky! this is luck; we are in luck; *dat treft lelijk voor je* (it's) bad luck on you!; *we ~ 't met ...* we are lucky with the weather; *zijn dood heeft me zeer getr.* his death has given me quite a shock, I was greatly shocked to hear of his death; *zij die door deze maatregel getr. w.* those affected by this measure; *u treft geen schuld (verwijt)* no blame attaches to you, you are not to blame; *iem. thuis ~* find a p. in; *ik was bang, dat ik je niet zou ~* I was afraid I should find you out; *zijn beleefdheid trof mij* his politeness touched me; *overal ~ ze 't oog* they hit you in the eye everywhere; *een prettig geluid trof zijn oor* a pleasant sound fell upon (struck) his ear; *'t oor, enz. (on)aangenaam ~, zie* aandoen; *'n ongeluk trof hem* he met with an accident; *een overeenkomst ~* come to (reach) an agreement; *'t treft op een vrijdag* it falls on a Friday; *getroffen hert* stricken deer; *door de bliksem getr.* struck by lightning; *door ramp getr. streek* stricken area; *ze waren zo getr. door het voorval* they were so struck with the incident; *door een paniek getr.* panic-stricken; *zwaar getroffen [gebied]* heavily hit [area]; *zie ook* maatregel, toon, enz.; II *zn.* encounter, engagement, clash, fight; *(kort & vinnig)* brush; **treffend** striking [features, etc.]; moving, touching; *een ~ verlies lijden* sustain a sad loss

treffer hit; toucher [in bowling]; *(fig.) zie* tref; *een ~ plaatsen* score (register) a hit; *'n volle ~* a direct hit

trefkans *(mil.)* probability of hitting

trefpunt haunt [of expatriate artists], stamping-ground [of American millionaires]; *(mil.)* point of impact

trefsnelheid *(mil.)* striking-velocity

trefwoord catchword, entry, headword

trefzekerheid accuracy, precision, effectiveness; *(mil.)* accuracy of fire

treil tow-line; *(net)* trawl(-net); *met zeil en ~* lock, stock and barrel; **~en** tow; *(met net)* trawl; **~er** trawler; **~lijn** tow-line

treillis *(her.)* trellis

treilpad tow(ing)-path

trein[1] train *(ook mil.); (gevolg)* train, retinue, suite, following; *de ~ van 6 uur (van 5.40, van half acht)* the six o'clock (the five-forty, the half past seven) t.; *een ~ naar (van) Londen* an up (a down) train; *de ~ nemen te ...* take t. at, *(inz. Am.)* board the t. at; *de ~ naar A. nemen* take the A. t., take t. for A.; *de ~ verlaten te ...* get out (alight from the t.) at; *de auto zal aan de ~ zijn* the car will meet the t.; *het loopt als een ~* it goes like a bomb; *in dezelfde ~* in (on) the same t.; *er was geen ... in de ~* there was no dining-car in (on) the t.; *met de ~ gaan* go by t.; *vertrekken met de ~ van ...* leave by *(ook:* in, on) the two-ten (t.); *iem. naar de ~ brengen* see a p. to the station, see a p. off (on the t.); *iem. op de ~ zetten naar ...* put a p. on *(inz. Am.:* on board) the t. for ...; *van de ~ halen, zie* afhalen; **~beambte** railway employee; *automatische ~beïnvloeding* automatic t. control; **~bestuurder** *(van elektr. tr.)* motorman; **~botsing** t.-crash, -smash; **~chef, -controleur** guard in charge of a (the) t.; **~conducteur** railway-guard; **~dienst, ~enloop** t.-service; **~lading** t.-load; **~materieel** rolling stock; **~personeel** *(van een bepaalde ~)* t.-staff, *(inz. Am.)* t.-crew; *(algem.)* railway-men; **~poetser** carriage cleaner; **~pont** t.-ferry; **~reis** t.-journey; **~rit** t.-ride; **~roof** t.-robbery; **~rover** t.-robber; **~smid** wheel-tapper; **~soldaat** Army Service Corps driver; **~stel** train-unit, coach-unit; **~tjespelen** play (at) trains; **~verkeer** railway traffic; **~vol** t.-load [of ...]; **~ziek** t.-sick; **~ziekte** t.-sickness

treiter(aar, -ster) baiter, teaser

treiteren *zie* sarren, **-ig** *(ook:)* nagging [slow, ... rain]

trek *(ruk)* pull, haul, tug; *(aan pijp, enz.)* pull, whiff; *(in schoorsteen, tocht)* draught; *(met pen)* stroke, dash [of the pen], *(zwierig)* flourish; *(van gelaat)* feature; *(karakter-)* trait [of character], streak [of humour]; *(van vuurwapen)* groove; *(in kaartspel)* trick [make three ...s]; *(neiging)* mind, inclination; *(eetlust)* appetite; *('t trekken)* migration [of birds; to the towns], drift [from the land; to London], rush [to the seaside], *(eig. Z.-Afr.)* trek; *er waren vermoeide ~ken om zijn mond* there were tired lines about his mouth; *een paar ~ken doen* have *(of:* take) a pull (a whiff) or two [at one's pipe]; *zie* ~je; *er zit geen ~ in de kachel* the stove does not draw well; *hij kreeg z'n ~ken thuis* his chickens came home to roost; *een schelm krijgt zijn ~ken thuis* knavery comes home to roost; *een lelijke ~ in zijn karakter* a bad trait in his character; *een ~ uit de loterij krijgen* win a prize in the lottery; *~ hebben (geven)* have (give) an appetite; *ik heb (krijg) ~, ook: (fam.)* I feel (I'm getting) a bit peckish; *zie* eetlust; *(geen) ~ in iets hebben* have a (no) mind for s.t.; *hij had ~ in zijn eten (lunch, enz.)* he was hungry for his meals (lunch, tea); *ik heb geen ~ in ...* I have no appetite for [oysters]; *ik heb geen ~ om ...* I have no mind to ..., I don't care (like) to ...; *ik zou wel ~ hebben in ...* I should not mind (could do with) a glass

---

[1] *Zie ook* spoorweg

of beer; *alles waarin hij ~ heeft (krijgt)* [he may eat, buy, etc.] anything he fancies (he likes, he takes a fancy to); *aan z'n ~(ken) komen* come into one's own; *in één ~, (iets ophalen bijv.)* at a haul (draught), *(bij 't schrijven)* at one stroke; *(zeer) in ~ zijn* be in (great) demand (request, favour), be very popular *[bij* with], be in vogue; *deze drank was zeer in ~ bij ..., ook:* was much patronized by the members of the club; *de grote ~ken van ...* the broad lines of a work; *in grote (brede, vluchtige, korte) ~ken schetsen* sketch in (broad) outline; *in grote ~ken aangeven* outline [a plan, one's policy]; *in algemene ~ken* in general lines; *met één ~* by one dash *(of:* stroke) [of the pen]; *met harde ~ken* hard-featured; *op de ~ zitten* sit in a draught

trek: ~automaat slot-machine; ~bal *(bilj.)* twist, screw; ~band *(in japon)* webbing; ~bank drawbench; ~been dragging leg; ~beest draughtanimal, beast of draught; ~bel pull-bell; ~bij nomadic bee; ~dag drawing-day, lottery day; ~dier *zie* ~beest; ~duif passenger *(of:* migratory) pigeon; ~film trailer; ~gat air-, vent-, draught-hole; ~geld *zie* strijkgeld; ~glas water-glass; ~goed glasshouse (hothouse, forced) produce *(of:* stuff); ~haak draw-hook; *(aan auto, enz.)* towing bracket; ~harmonika accordion, concertina; ~hond draught-dog; ~je *(aar pijp, enz.)* pull, whiff; *zie* ~; *de plechtigheid onderscheidde zich door vele intieme ~s* was marked by many intimate touches; ~kas hothouse, forcing-house; ~kast *zie* flipperkast; ~kebekken bill and coo; ~kebenen drag a leg

trekken I *tr.* draw [a cart, line, figure, cheque, conclusion, moral], pull, trace [a line]; tow [cyclist ...ed by a motor vehicle]; *(sleuren)* drag, lug; *(aantrekken)* attract, draw [customers, big crowd]; *(kweken)* force [plants]; *(muz.)* drag [a passage], [the hymns were] drawl[ed]; II *intr.* draw, pull; *(van verband, kledingstuk)* drag, pull; *(van thee, schoorsteen, pijp, toneelstuk, acteur, enz.)* draw; *(van thee, ook)* brew; *(van scheermes)* pull; *(ergens heen gaan)* go, march, travel, *(eig. Z.-Afr.)* trek; *(sp.)* hike; *(van dieren, volksstammen)* migrate; *(krom ~)* warp, become warped; *(zenuwachtig ~)* twitch [all his muscles ...]; *(tochten) zie ald.; ~ wie zal geven, (spel)* cut for deal; *een bal ~, (bilj.)* twist a ball; *de degen, enz. ~* d. one's sword (a pistol), *(snel)* whip out [a revolver]; *draad ~* d. wire; *figuren in 't zand ~* trace figures in the sand; *een kies (tand) ~* pull out (extract) a tooth; *een kies laten ~* have a tooth out (pulled out, etc.); *(de loop van) een vuurwapen ~* rifle a fire-arm (a gun, etc.); *een prijs ~* d. a prize; *'t stuk trekt veel publiek* draws big audiences; *hij (het) zal veel publiek ~* he (it) is a sure draw; *de bioscopen ~ 't meest* the movies are the biggest d.; *het (de leus, enz) trekt niet meer zoals vroeger* it is no longer the d. that it was; *salaris (loon, onderstand) ~* d. a salary (wages, poor relief); *een wissel ~* d. a bill (of exchange); *zie ook*

wissel; de thee laten ~ let the tea d.; *laat de thee niet te lang ~* do not stew the tea; *de thee had te lang getrokken* the tea was stewed (overbrewed); *~ aan* pull (tug) at, pull, give a pull at; *aan de bel ~* pull the bell; *aan de blaasbalg ~* blow (work) the bellows; *aan zijn knevel ~* tug (at) one's moustache; *iem. aan de haren (oren) ~* pull a p.'s hair (pull, tweak, a p.'s ears); *aan zijn pijp (sigaar) ~* pull (puff) at one's pipe (cigar), draw on one's cigarette; *iem. aan zijn mouw ~* pull (pluck) a p. by the sleeve; *de leiding aan zich ~* assume control; *bij elkaar ~* knock [two rooms] into one; *door de stad ~* pass through the town; *(van soldaten, enz. ook)* parade the town; *~ in (van vloeistof)* soak (sink) into; *in een nieuw huis ~* move into a new house; *wij zijn bij hem in huis getr.* we have gone to live with him; *ze trokken bij haar ouders in* they moved in with her parents; *~ langs* file along [the coffin, the throne]; *met z'n been ~* drag one's leg; *naar 't zuiden ~* go (march, travel) south; *'t onweer trok naar 't oosten* the thunderstorm travelled east; *naar zich toe ~* d. to(wards) one; *om iets ~, (loten)* d. lots (cuts, straws) for s.t.; *op iem. ~, (hand.)* d. *(of:* value) on a p.; *iem. op zij ~* d. a. p. aside; *~ over* cross [a stream]; *de pet (diep) over de ogen ~* pull one's cap down (low) over one's eyes; *zijn mes tegen iem. ~* d. one's knife on a p.; *uit een huis ~* move out of a house; *wij moesten het uit hem ~* we had to drag (worm, draw) it out of him; *zie* aandacht, blaar, gezicht, lijn, monster, nut, partij, enz.

trekker *(van wissel, steun)* drawer; *(sp.)* hiker, (youth) hosteller; *(van vuurwapen)* trigger; *(van laars)* tab; *(van huisbel)* bell-pull; *~ met oplegger* tractor (truck) and trailer

trekkerig *(tochtig)* draughty

trekking *(van loterij)* drawing, draw; *(in de leden)* twitch, convulsion; *(in schoorsteen)* draught; ~sdag *zie* trekdag; ~slijst list of drawings, draw and prize list

trek: ~koord pull; *(van tasje, enz.)* draw(ing)-string; *(van valscherm)* ripcord; ~kracht tractive (pulling) power, haulage, pull; ~lade drawer; ~letter flourished letter; ~lijn tow-line, -rope, haulage rope; ~lucifer book-match; ~mes draw(ing)-knife, draw-shave; ~meter *(techn.)* draught-gauge; ~mier migratory ant; ~net drag-net, trawl; ~ontsteker pull igniter; ~os draught-ox; ~paard draught-horse; ~pad towing-path; ~pen drawing-, ruling-, bowpen; ~pleister vesicatory (blister), blistering plaster; *(fig.)* magnet, draw, crowd-puller; *(meisje)* sweetheart; *toeristische ~* tourist attraction; ~pot teapot; ~schuit id., track-, towboat; ~sel brew [of tea, etc.]; ~sluiting *zie* ritssl.; ~spanning tensile stress; ~spier contractor, constrictor; ~sprinkhaan migratory locust; ~stang drawbar; *(van auto)* towing bar; ~stuk *(theat.)* hit, draw; ~tafel *zie* uittrek-; ~tijd migrating-time; ~tocht hiking tour; ~touw drag-, haulage-rope; *(van valscherm)* ripcord; ~

vaart ship-canal; **~vastheid** tensile strength; **~vis** migratory fish; **~vogel** bird of passage, migratory bird, migrant; (*sp.*) hiker; **~weg** tow(ing)-path; **~zaag** cross-cut saw, whip-saw; **~zeel** trace

trema diaeresis; **tremel** (mill-)hopper

tremmen trim [coals]; **-er** trimmer

tremolo (*muz.*) id.; **tremulant** (*van orgel*) id.

trens (*lus*) loop; (*toom*) snaffle(-bit), bridoon

trenzen (*mar.*) worm

trepaan, trepaneerboor trepan

trepaneren trepan

tres (*boordsel*) braid, lace; (*haar*) tress, braid, plait, coil

treur: ~dag day of mourning; **~dicht** elegy; **~dichter** elegist

treuren mourn, grieve, sorrow; ~ *over* (*om*) m. for (over), grieve for (over), bewail, weep for [a p.], mourn [a loss, a p.'s death]; *de ~den* the mourners; *er werd weinig om hem getreurd* there was little mourning for him; *maar daar niet om getreurd* but never mind that; *zijn ~de ouders* his sorrowing parents; *zie* uitentreuren

treurig sad, mournful, sorrowful; (*jammerlijk*) sad, sorry [a ... figure, sight, story], woeful [ignorance], miserable, pitiful; *de ~e moed hebben om te ~* have the audacity to ...; *het ~e ervan is the sad part of it is ...*, the tragedy (of it) is ...; *zie* toe; **~heid** sadness, etc.

treur: ~kleed mourning-dress; **~lied** *zie* ~zang; **~mare** sad news (*of:* tidings); **~mars** funeral (*of:* dead) march; **~muziek** funeral music; **~roos** weeping-rose; **~spel** tragedy; **~speldichter** tragic poet; **~spelschrijver** writer of tragedies; **~spelspeler, -speelster** *zie* tragédien & tragédienne; **~tijd** time of mourning; **~toneel** tragic scene; **~wilg** weeping-willow; **~zang** dirge, elegy, lament

treuzel dawdler, dawdle, slowcoach, loiterer, slacker; **~aar(ster)** *zie~*; **~achtig** dawdling, slow, dilly-dally [methods]; **~arij** *zie* getreuzel; **~en** dawdle [over one's work], loiter, linger [over one's dinner], (dilly-)dally, potter, **~ig** *zie* ~achtig; **~kous** *zie* ~

trezorie(r) *zie* thesaurie(r)

triakel theriac

triangel triangle; (*van auto*) wishbone; **triangulair** triangular

triangulatie triangulation

trianguleren triangulate

trias triad; **Trias** trias

Triasformatie trias(sic) formation

tribulatie tribulation

tribunaal tribunal, court of justice

tribune (*van spreker*) platform, tribune; rostrum; (*voor publiek, verslaggevers, enz.*) gallery; (*bij wedrennen, enz.*) stand; *hoofd~* grandstand; *publieke ~*, (*Lagerhuis*) strangers' gallery

tribuun tribune

trichine trichina, *mv.*: trichinae; **trichineus** trichinous; **trichinose** trichinosis

trichoom (*plantk.*) trichome

triclinisch triclinic

tricot (*stof*) stockinet(te), tricot; (*trui*) jersey; (*van acrobaat, enz.*) tights, (*vleeskleurig*) fleshings; **~age: –fabriek** hosiery factory; **~s** knitted goods

triduüm (*r.-k.*) triduum, triduo

triefelen cheat

trielje fustian

Trien Kitty; *t~* country wench

Trier id., Treves

Triëst Trieste

triest(ig) melancholy, dejected, gloomy; dreary [weather], dull, murky [day], dismal (black) [landscape], depressing [walk], cheerless [room]

trifolium (*plant*) id.

trigonometrie trigonometry; (*fam.*) trig

trigonometrisch trigonometric(al)

Trijn(tje) Kit(ty); *van wijntje en t~tje houden* love wine, women and song; *stijve ~* stick

trijp(en) mock-velvet

trijs whip, whipsy(-derry); **~balk** cat's head; **~blok** (*mar.*) brace block

trijsen *ww.* whip (up), hoist, trice (up)

triktrak backgammon, tric-trac; **~bord** b.-board; **~ken** play (at) b.

tril: ~beton vibrated concrete; **~beweging** vibratory motion; **~diertje** vibrio(n), *mv.*: vibrio(n)s, vibriones; **~gras** quaking-grass; **~haren** cilia, vibrissae

triljoen trillion; (*Am.*) quintillion

trillen tremble [with fear, excitement, etc.], quake [with fear], quiver [his lips ... ed], flutter [his eyelids ... ed]; (*van stem*) tremble, vibrate, quaver [*van* ... with passion]; (*van film*) flicker; (*van vliegt.*) flutter; (*nat.*) vibrate; *de aarde trilde* shook, trembled; *doen ~* shake [the windows], trill [the tip of the tongue]; **~d** *ook:* tremulous [voice]; *met ~de vleugels, ook:* with wings aquiver; *zie* beven

triller (*muz.*) trill, shake

trilling vibration, quiver(ing), flutter(ing), quaver, tremor [in one's voice]; (*van vliegt.*) flutter; (*bij aardbeving*) tremor; *vgl. 't ww.*; **~demper** v.-damper; **~sduur** period of v.; **~sgetal** v.-number, frequency; **~swijdte** amplitude of v.

trilogie trilogy

trilplaat diaphragm

trilpopulier trembling poplar, aspen

trimbaan training circuit

trimester three months; (*school*) term

trimmen *ww.* jog; *zn.* jogging, (*op t.baan*) circuit training

trimorf trimorphous

trinitariër, trinitaris Trinitarian

Triniteit Trinity; '*t feest der ~* the festival of the Holy T., T. Sunday

trio (*muz. & algem.*) id.; **~de** id.; **~let** id.

triomf[1] triumph; *in ~* in t.; **~aal** triumphal; **~ant(elijk)** *bn.* triumphant, exultant; trium-

---

[1] *Zie ook* zege

phal [entry]; *bw.* triumphantly, in t.; ~ator triumphator; ~boog triumphal arch; ~eerder triumpher; ~eren triumph [*over* over], come off triumphant; exult; *de –de Kerk* the Church triumphant; ~ering triumphing; ~lied song of t., triumphal song, paean; ~poort *zie* ~boog; ~tocht triumphal procession; ~wagen triumphal car

triool (*muz.*) triole, triplet

trip (*schoeisel*) patten, clog

tripang trepang, sea-cucumber, sea-slug

1 tripel tripoli(-powder)

2 tripel, triple triple [alliance]

tripleren treble, triple, triplicate

triplet id. (*ook 't venster*)

triplex id., three-ply; (*algem.*) plywood; ~glas t. (glass); ~hout three-ply wood

triplicaat triplicate; tripliceren (*jur.*) surrejoin; tripliek (*jur.*) surrejoinder

triplo: *in* ~ in triplicate, in threefold

Tripoli (*stad*) id.; (*land*) Tripolitania, Tripoli; ~taan(s) Tripolitan

trippel: ~aar(ster) tripper; ~en trip, patter, (*gemaakt*) mince one's steps; ~maat triple time, dancing-measure; ~pas trip, tripping step(s), mincing step(s)

trippen trip

triptiek triptych; (*voor automobilisten*) triptyque

triptrap pit-a-pat, clip-clop

triptrappen *zie* trippelen

Triton id.; *t~*, (*salamander*) id.

tritonshoren triton, Triton's shell

trits trio, triad, triplet, set of three

triumf enz., *zie* triomf, enz.

triumvir(aat) triumvir(ate)

triviaal (*alledaags*) commonplace, trite, banal, trivial; (*plat*) vulgar, coarse; trivialiteit triteness, banality, triviality; vulgarity; *vgl. 't bn.*

Trix id., Trixie

trochee, -eus trochee; -eïsch trochaic

troebel turbid (*ook van stijl*), thick, muddy, troubled, cloudy [syrup]; *in* ~ *water* [fish, it's good fishing] in troubled waters; ~achtig somewhat ...; ~en *zn.* disturbances, riots; ~heid turbidity, turbidness, etc.

troebleren disturb, confuse; *zie* getroebleerd

troef trump, trumps, trump-card; *wat is* ~? what is trumps?; *harten is* ~ hearts are trumps; *al de troeven eruit halen* (*slaan*) draw all the trumps; *de troeven zijn eruit* the trumps are drawn; *alle troeven in de hand hebben* hold all the trumps; (*fig. ook*) hold all the winning cards; ~ *bekennen* follow suit; ~ *uitspelen* play a t., play trumps; *zijn laatste* ~ *uitspelen*, (*ook fig.*) play one's last t.; *iem. dwingen zijn troeven uit te spelen*, (*ook fig.*) force a p.'s hand; *zijn hoogste* ~ *uitspelen*, (*fig.*) play one's master card; *met zijn* ~ *voor de dag komen*, (*ook fig.*) produce one's t.-card; *zijn troeven voor 't laatst bewaren*, (*ook fig.*) reserve one's t.-cards; *nog een* ~ *achter de hand hebben* have a card up one's sleeve; *'t is daar armoede* ~ they are hard up; *zie* uitkomen; ~aas (heer

enz.), ace (king, etc.) of trumps; ~kaart t.-card (*ook fig.: zie* ~); ~kleur t.-suit

troel slut; troela (*sl.*) bird

troep (*menigte*) crowd, troop [of gipsies, children, wolves], body, party [of soldiers], pack [of wolves, hounds] band, gang [of robbers] company [of actors], troupe [of acrobats actors], batch [of prisoners; go home in ...es of five], bunch [of novices]; (*kudde*) herd. flock, drove (*zie* kudde); ~(*je*) bevy [of girls, o larks]; (*ong.*) pack [of thieves], parcel [of lies]; (*sl.*) muck, rubbish; ~en, (*mil.*) troops, forces *een losbandige* ~ a dissolute crew; *het is me een* ~! they are a nice set!; *wat is het hier een* ~ what a mess!; *de hele* ~ the whole shebang (shoot, shooting match); *dienst bij de* ~, (*mil.*) *zie* ~endienst; *bij* ~en in troops, in shoals; *in* ~*en leven* live (run) in herds; *in* ~*en* (*in een* ~) *binnenkomen* troop in; *zie* rommel & zooi

troepen: ~beweging troop movement; ~dienst regimental duties; ~leiding command; ~macht military forces; ~officier regimental officer; ~transportschip enz., *zie* transportschip, enz.; ~verplaatsing, -verschuiving *zie* ~beweging; ~vervoer transport of troops

troep: ~je *zie* troep; ~leider (*padvinder*) scoutmaster; ~leidster scout-mistress; ~sgewijs in troops

troetel tassel; (*van sabel*) sword-knot

troetelen cuddle, fondle, pet; *zie* vertroetelen

troetel: ~kind pet, spoiled child, mollycoddle, mother's darling; – *der fortuin* fortune's darling; ~naam pet-name

troeven trump, overtrump; *zie* overtroeven

trof *o.v.t. van* treffen

trofee trophy; troffel trowel

trog trough (*ook weerk.:* a t. of low pressure); (*geol.*) trough, geosyncline; (*aardr.*) deep [the Tuscarora Deep]

troggel: ~aar(ster) wheedler, coaxer, cajoler; ~arij wheedling, coaxing, cajolery; ~en wheedle, coax, cajole; *zie* aftroggelen

troglodiet troglodyte, cave-dweller

trois-pièce(s) three-piece (suit)

Troja Troy; Trojaan(s) Trojan; *het* ~*e paard inhalen* drag the T. horse within one's walls

Troje Troy

trojka troika

trok *o.v.t. van* trekken

trolley id.; ~bus, ~schijf, ~stang, ~tram t.-bus, -wheel, -pole, -car

trom drum; *grote* (*Turkse*) ~ big d., bass d.; *de grote* ~ *roeren*, (*ook fig.*) beat (*of:* bang) the big d.; *kleine* ~ snare-d., side-d., little d.; *met slaande* ~ [march off] with drums beating, under beat of d.; *met slaande* ~ *en vliegende vaandels* with drums beating and colours flying; *met stille* ~ *vertrekken* leave quietly (without ostentation); *zie ook* noorderzon

trombone id.; trombonist id.

trombose thrombosis

tromgeroffel roll of drums (of a drum), drum-roll; *onder* ~ with roll of drums; *zie* trommelslag

rommel drum; (*doos*) [tin] canister, box, [botanical] case, [biscuit-]tin; [bread-]bin; (*techn.*) drum, barrel; *zie ook:* ~holte; **~aar-(ster)** drummer; **~anker** rotor; **~en** drum (*ook op tafel, venster, enz.*), beat (*of:* bang) the d.; strum, thrum, drum [on the piano]; *met de vingers* – d. (with) one's fingers [on the table]; *bij elkaar* –, *zie* bijeen–; *uit bed* – rout out; **~holte** tympanic cavity, d. of the ear; **~rem** drum-brake; **~slag** d.-beat, -tap, beat of d.; *bij* – *bekend maken* announce by beat of d.; *bij* – *oproepen* beat (for) [recruits]; **~slager** drummer; **~snaar** d.-snare; **~stok** d.-stick; **~vel** d.-skin; drumhead; **~vis** d.-fish; **~vlies** eardrum, tympanic membrane; **~vliesontsteking** tympanitis; **~vuur** d.-fire; **~zucht** hoove, blast

rompet trumpet; (*op*) *de* ~ *blazen, de* ~ *steken* blow (*of:* sound) the t.; **~blazer** trumpeter; **~bloem** t.-flower; **~boom** catalpa; **~geschal** sound (flourish, blast, blare) of trumpets; **~geschetter** bray of trumpets; **~signaal** t.-call; **~ten** trumpet; (*fig. ook*) t. forth; **~ter** trumpeter; **~ter-majoor** t.-major; **~vis** t.-fish; **~vogel** trumpeter, t.-bird; **~vormig** t.-shaped

romplader muzzle-loader

ronen 1 sit enthroned, reign; 2 allure, decoy

ronie face, (*fam.*) phiz, mug; *zie* facie

ronk (*stam*) trunk; (*stronk*) stump, stub

roon throne; *op de* ~ *komen* (*plaatsen*) come to (place on) the t.; *ten* ~ *verheffen* enthrone; *tot de* ~ *geroepen w.* be called to the t.; *van de* ~ *stoten* drive from the t., dethrone; *zie* bestijgen; **~hemel** canopy, baldachin; **~opvolger, ~ster** heir(ess) to the throne, successor to the t.; *rechtmatige* – h. apparent; *vermoedelijke* – h. presumptive; **~opvolging** succession (to the t.); **~pretendent** claimant to the throne; **~rede** speech from the t., King's (Queen's) speech; **~safstand** abdication (of the t.); **~sbe-klimming, ~sbestijging** accession (to the t.); **~zaal** t.-room

troop trope

troost comfort, consolation, solace; *een bakje* ~, (*fam.*) a cup of coffee; *dat is één* ~ [we've got some drink,] that is one c. (one consolation); *'t is een* ~ *dat* ... it is a c. that ...; *de drank was zijn enige* ~ drink was his only solace (his only source of comfort); *hij is mijn* ~ *en steun* he is a c. and a help to me; ~ *zoeken bij* seek c. with; ~ *vinden in* (*putten uit*) find c. (solace) in, derive c. from; *zie* schraal; **~brief** letter of condolence (of sympathy), consolatory letter

troostelijk *zie* troostend

troosteloos disconsolate, inconsolable, heart-stricken; (*van landstreek, enz.*) disconsolate, comfortless, cheerless, dreary, forlorn; ~ *watervlak* (dreary) waste of waters, watery waste; **~heid** disconsolateness, etc.

troosten comfort, console, solace; *zich* ~ *met* take (find) comfort (consolation) in, console, o.s. by (with); *zich* ~ *over* get reconciled to;

wees getroost be comforted; *ik zal er mij over moeten* ~ I shall have to put up with it; *troost je, het is haast afgelopen* bear up, it's ...; *hij wilde zich niet laten* ~ he would not (refused to) be comforted; **~d** comforting, consoling, consolatory

trooster comforter; *de T~*, (*bijb.*) the Comforter, the Paraclete; **~es** *zie* ~

troost: **~grond** consolatory argument; **~lied** consolatory song; **~prijs** consolation prize; **~rede** consolatory speech; **~rijk, ~vol** comforting, consolatory; **~toernooi** consolation tournament; **~woord** word of comfort, comforting word

trope id.; **tropee** trophy

tropen (*keerkringen & hete luchtstr.*) tropics; **~helm** topi, topee; **~kleding** tropical wear; **~kolder** tropical frenzy; **~koorts** dengue; **~stof** Palm Beach [suit]; **~uitrusting** tropical outfit

tropie tropism

tropisch tropical

troposfeer troposphere

tros (*bloeiwijze*) raceme; (*vruchten, bloemen*) cluster, (*druiven, bananen*) bunch [of grapes, bananas], (*bessen*) string [of currants], (*bijen*) cluster [of bees]; (*touw*) hawser, (*opgerold*) coil [of rope]; (*van leger*) train, baggage [of an army], impedimenta (*mv.*); *in* ~*sen* in clusters, etc.; *de* ~*sen losgooien*, (*mar.*) cast off; *het jacht gooide de* ~*sen los* the yacht slipped her moorings (her mooring cables); **~boef** camp-follower; **~gierst** Italian millet; **~kieuwig(e)** lophobranchiate, (*mv. ook*) lophobranchii; **~paard** baggage-horse; **~sen** *ww.* (*paard*) pack; (*tot bossen pakken*) bunch; **~vormig** (*plantk.*) racemiform; **~wagen** (*mil.*) baggage wag(g)on

trots I *zn.* pride [in o.s., etc.], haughtiness; *hij was de* ~ *van de familie* the p. (the boast) of the family; *ten* ~ *van, zie* ~ *vz.;* II *vz.* in spite (in defiance) of, in the face (the teeth) of; *hij werkt* ~ *de beste* with the best; III *bn.* proud, haughty; *zo* ~ *als een pauw* as proud as a peacock (as Lucifer); ~ *zijn op* be proud of, take (a) pride in, glory in; *'t is iets om* ~ *op te zijn, ook:* it's a matter of pride; IV *bw.* proudly, haughtily; ~ *stappen* strut; **~aard** proud person

trotsen *zie* trotseren

trotseren defy, bid defiance to, face [all weather], fly in the face of [danger], brave, breast, weather, face [a storm], beard [the lion in his den]; **-ing** defiance

trotsheid *zie* trots I

trotsk(y)ist Trotskyite, (*fam.*) Trot

trottoir footpath, pavement, (*vooral Am.*) sidewalk; *langs 't* ~, *ook:* [cars drew up] at the kerbside; **~band** kerb(stone), curb(stone); **~roulant** escalator; **~tegel** paving-stone; **~tekenaar** pavement artist; (*sl.*) screever

trotyl id., TNT, trinitrotoluene

troubadour id.

troubleren *zie* troebleren

troupier ranker (officer); *hij is een* ~ he has risen

from the ranks
trousseau id.; **trouvère** id.
trouw I *bn.* faithful [servant, translation, account *verslag*], true [friend, as ... as steel], loyal [subjects, Churchmen], staunch [Roman-Catholic], trusty [sword, servant], regular [visitor], diligent [church-goer], constant [reader]; *een ~ afschrift* a true (faithful, exact) copy; *~ blijven aan* remain true to, stand by [one's party, leader, principles], remain loyal to [one's sovereign, one's country], adhere to [one's faith], stick to [one's promise], live up to [one's reputation]; *elkaar ~ blijven, ook:* stick together; II *bw.* faithfully, loyally; *de voorwaarde werd ~ uitgevoerd* was loyally carried out; *~ op tijd* true to time; *een overeenkomst met iem. ~ nakomen* keep faith with a p.; *zie* getrouw; III *zn.* fidelity, loyalty [to the King, the Church], faith(fulness); allegiance [to one's party]; *(aan leenheer)* fealty, allegiance; *(huwelijk) zie aldaar; zijn ~ breken* break one's faith; *~ zweren* swear fidelity, *(inz. aan vorst, grondwet)* swear allegiance [to ...], *(voor huwelijk)* plight one's troth [to ...]; *in ~e* in faith, truly; *goede ~* good faith, bona fides; *kwade ~* bad faith; *volkomen te goeder ~ zijn* be quite honest (sincere); *te goeder (kwader) ~* [act] in good (bad) faith
trouw- *dikw.* marriage; ~**akte** m.-certificate, *(fam.)* m.-lines; ~**belofte** promise of m.; ~**beloftebreuk** breach of promise (of m.); *proces wegens* ~ breach of promise case; ~**bewijs** *zie* ~akte; ~**boek** register of marriages, m. register; ~**je** *ongev.* marriage certificate; ~**breuk** breach of faith; ~**dag** *a)* wedding-day; *b)* (*verjaardag van de –*) wedding-anniversary, -day
trouweloos faithless, disloyal, perfidious; ~**heid** faithlessness, disloyalty, perfidy
trouwen I *intr.* marry, be (get) married [*met* to], *(lit. en journalistisch)* wed; *(sl.)* get spliced; II *tr.* marry, *(lit.)* wed; *wie zal hen ~?* who is to m. them?; *wie trouwt er?* who is getting *(of:* being) married?; *ze waren goed getrouwd* they were well disposed of (in marriage); *snel getr., lang berouwd* m. in haste, repent at leisure; *zo zijn we niet getr.,* *(fam.)* that's not in the bargain; *ik ben er niet aan getrouwd* I am not wedded (tied down) to it; *~ (met)* m. [a lawyer]; *ze trouwde met een edelman* (*met iem. van de Eng. aristocratie, met iem. uit onze fam.*) she married into the peerage (into English Society; into our family); *(een vrouw met) geld ~* m. money (cash, a fortune); *zij is met een koopman getr.* she is married to a merchant; *om 't geld (om maatsch. positie) ~* m. for money (for position); *~ onder elkander* intermarry; *op niets ~* m. on nothing (*zo ook:* what has he got to m. on?); *een inkomen om op te ~* a marrying income; *hij is geen man om te ~* he is not a marrying man, *(fam.)* not the marrying sort; *op 'n leeftijd komen om te ~* get to the marrying age; *ze zou uit ons huis ~* she was to be married from our house; *zie liefde*

trouwens indeed [in English, or ..., in any other language]; [he did not know, I did no either] for that matter; [what does it matter after all; besides [, I have no money]; as a matter of fact [he knew very little English]
trouw- *dikw.* wedding; ~**erij** *(fam.)* wedding; ~**gewaad** w.-dress; ~**hartig** true-hearted, candid, frank; ~**hartigheid** true-heartedness, candour, honesty of heart; ~**japon** w.-dress, bridal gown; ~**kaart** (postal) wedding announcement; ~**kamer** w.-room; ~**kleed** w.-dress; ~**koets** bridal carriage; ~**lustig** desirous of (bent on) marrying; ~**pak** w.-clothes; ~**partij** w. *(of:* bridal) party; ~**plechtigheid** w.- *(of:* nuptial) ceremony; ~**ring** w.-ring; ~**verbod** marriage ban; ~**zaal** w. room
truc trick, dodge, wrinkle; stunt [publicity ... *reclametruc*]; *(sl.)* wheeze; ~**age** (use of) tricks, trickery; ~**bom** booby-trap; ~**film** t.-film
truck *a)* truck, bogie; *b)* (motor-)lorry, *(Am.)* truck; *c)* trailer-truck
truckstelsel truck system
truffel truffle; **trufferen** season *(of:* stuff) with truffles; *getruffeerd* truffled
trui jersey, guernsey, *(sport-)* sweater
Trui(da, -tje) Gert, Gertie, Trudy, Trudie
truqueren employ tricks; *getruqueerd* full of tricks; doctored [photograph]
trust id., ring; *tot een ~ maken* trustify; ~**akte** t.-deed; ~**ee** id.; ~**maatschappij** t.-company; ~**vorming** trustification [of industry]
trut old frump
Truus Gertie, Trudy; **truweel** trowel
tsa! *(tegen hond)* sick him!
tsaar Czar, Tsar, Tzar; **tsarendom, -rijk** Czardom; **tsarevitsj** Cza-, Tsarevitch, -wich; **tsarina** Cza-, Tsaritsa, -ina
tseetseevlieg tsetse(-fly)
Tsjaad Chad
Tsjech Czech; ~**isch** Czech; ~**oslowaak(s)** Czechoslovak; ~**o-Slowakije** Czechoslovakia
tsjirpen chirp, cheep
tsjonge, tsjonge! *zie* jongen, jongen!
T-stuk T, tee, tee-piece
t.t. = *Lat.: totus tuus* entirely yours
tuba *(muz.)* id.; **tube** (collapsible) tube
tuberculeus tuberculous, tubercular; **-culine** tuberculin; **-culose** tuberculosis, TB; **-bestrijding** fight against tuberculosis; **-vrij** TT (= tuberculin tested) [cattle]
tuberkel tubercle; **tuberoos** tuberose
tubeverf paint in tubes
tucht discipline; *de ~ handhaven* keep (enforce) d.; *onder ~ staan* be under d.
tuchteloos *a)* undisciplined, insubordinate, indisciplinable, unruly; *b)* *(liederlijk)* dissolute, licentious; ~**heid** *a)* indiscipline, want of discipline, insubordination, unruliness; *b)* ...ness
tuchthuis *(hist.)* house of correction, convict prison, bridewell; ~**boef** convict, jail-bird; *(sl.)* lag; ~**straf** hard labour
tucht: ~**igen** chastise, punish; ~**iging** chastisement, punishment; ~**igingsexpeditie** punitive

expedition; **~meester** disciplinarian; **~middel** means of correction; **~recht** disciplinary law; **~roede** rod; **~school** reformative school; (*Eng.*) Borstal (institution); (*Am.*) reformatory

tuf tuff; *zie* tuftuf; **tuffen** chug; (*fam.*) motor

tufsteen tuff

tuftuf chuff-chuff; (*hist.*) motor car, Model T; motor-cycle

tui guy(-rope); (*iem.*) *op de ~ houden, zie* lijntje (*aan 't* ...); **~anker** bower-anchor, small bower; **~en** (*schip*) moor; (*dier*) tether; **~er** tether

tuig (*gereedschap*) tools; (*mar.*) rigging, rig; (*van paard*) harness; ~ (*van goed*) stuff, trash, rubbish; ~ (*van volk*) scum, vermin, rabble; *zie* richel & vis~; **tuigage** rigging, rig; **tuigen** 1 rig [a ship]; harness [a horse]; 2 *zie* getuigen

tuig: ~er rigger; **~huis** arsenal; **~kamer** harness-room, tack-room; **~maker** harness-maker; **~paard** harness-horse

tuiketting (*mar.*) mooring-chain

tuil (*ruiker*) bunch of flowers, nosegay, bouquet; (*bloeiwijze*) corymb; *zie* ~tje

Tuilerieën: *de* ~ the Tuileries

tuiltje bunch of flowers, posy

tuilvormig (*plantk.*) corymbiform

tuimel *zie* ~ing; (*roes*) intoxication, whirl [of excitement]; **~aar** tumbler; (*duif*) tumbler-(pigeon), roller; (*bruinvis*) porpoise; (*van slot, enz.*) tumbler; (*van bel*) [bell-]crank; (*van geweer*) nut, tumbler; (*glas*) tumbler; **~aartje** (*speelgoed*) wobbly-man; **~en** tumble, topple [downstairs], topple over [to the ground]; *van 't paard* (*de fiets, enz.*) – have a spill; *van 't paard* –, *ook:* take a toss; **~geest** riotous spirit; (*pers.*) *zie* woelgeest; **~ing** tumble; (*van paard*) toss; (*van paard, fiets*) spill; (*duikeling*) somersault; (*een – maken, a*) have a spill; *b*) turn a somersault; **~kar** *zie* stortkar; **~raam** flap-window, hopper window; **~schakelaar** (*elektr.*) tumbler switch

tuin garden; *iem. om de ~ leiden* hoodwink (mislead, outwit) a p.; (*fam.*) lead a p. up the g.-path; *ik wil niet, dat ze om de ~ geleid wordt, ook:* I won't see her put upon; **~aanleg** laying out of gardens; **~aarde** vegetable (*of:* garden) mould; **~ameublement** (set of) g. furniture; **~anjelier** pink, carnation; **~arbeid** g.-work, gardening; **~arbeider** *zie* ~knecht; **~architect** landscape gardener; **-uur** l. gardening, landscaping; **~baas** head gardener; **~bank** g. seat; **~bed** g.-bed; **~bloem** g.-flower; **~boon** broad bean

tuinbouw horticulture

tuinbouw- horticultural; **~bedrijf** *zie* tuinderij; **~blad** h. (*of:* gardening) paper; **~consulent** h. adviser; **~gereedschap** h. implements; **~kundige** horticulturist; **~leraar** h. teacher; **~maatschappij** h. society; **~produkten** market garden produce; **~school** school of gardening, h. college; **~tentoonstelling** h. show

tuinder(ij) market-gardener (-garden)

tuin: ~deur garden door, (*dubbel, van glas*) French window; **~dorp** g. village, g. suburb; **~en** *ww., a*) *zie* ~ieren; *b*) stalk, stride; *erin* –

get caught; **~feest** g. party, g. fête; **~fluiter** g. warbler; **~gereedschap** garden(ing)-tools, **~gewassen** g. plants; **~groente** vegetables; g. stuff; **~grond** (top-)soil; *stuk* – g. plot; **~huis** g. house; *ook =* **~huisje** summer-house

tuinier gardener; **~en** garden, do (some) gardening; **~sbedrijf, ~svak** gardening

tuin: ~jas gardening-coat; **~kabouter** garden gnome; **~kamer** room overlooking the garden; **~kers** g.-cress; **~knecht** gardener's man, under-gardener; **~koninkje** wren; **~look** common garlic; **~man** gardener; **~manswoning** (gardener's) lodge; **~muur** g. wall; **~parasol** garden (lawn) parasol, beach umbrella; **~partij** g.-feest; **~plant** g. plant; **~poort** g. gate; **~produkten** g. produce; **~schaar** (pair of) g. shears; **~schopje** g. trowel; **~schuurtje** g. shed, potting-shed; **~sierkunst** ornamental gardening; **~slak** g. slug, g. snail; **~slang** g. hose; **~sluipertje** wren; **~sproeier** (*voor bewatering*) (g.), lawn) sprinkler; **~spuit** (*tegen ongedierte*) g.-sprayer, -syringe; **~stad** g. city; **~stoel** g. chair; **~tje** little g., strip of g.; **~vrucht** g. fruit; **~werk** *a*) gardening; *b*) wattle; **~zaad** g. seed

tuit spout, nozzle; *ze schreide tranen met ~en* she cried bitterly, cried her eyes out

tuitel: ~achtig unsteady, shaky; **~en totter; ~ig** *zie* ~achtig

tuiten tingle; *mijn oren ~ ervan* my ears t. with it, it makes my ears t. (burn, sing)

tuit: ~hoed poke-bonnet; **~kan** spouted pitcher; **~lamp** nozzle-lamp

tuitouw guy-rope

tuk: ~ op keen on, greedy of, eager for

tukje nap, snooze, forty winks; *een ~ doen* take (have) a nap, etc.; (*sl.*) have a (bit of) shut-eye

tulband (*muts*) turban; (*gebak*) raisin cake

tule tulle; **~n** *bn.* tulle

tulp tulip

tulpe: ~bol tulip-bulb; **~boom** t.-tree; **~bed** t.-bed; **~nhandel** t.-trade; *zie ook* tulpomanie; **~nkweker** t.-grower; **~nkwekerij** t.-growing, cultivation of tulips

tulpomanie tulipomania

tumbler id.; **tumor** tumour

tumult id., uproar; *er heerste een verschrikkelijk ~* pandemonium reigned

tumulus id., *mv.:* tumuli

Tunesië(r) Tunisia(n)

tunica tunic; (*r.-k.*) tunicle

tuniek tunic

Tunis (*land*) Tunis, Tunisia; (*stad*) Tunis

tunnel id.; (*van station, verkeers~*) subway; *'n ~ maken door* tunnel, drive a t. through [a mountain]

turbine id.; **~schip** t. steamer; **~-straalmotor** turbo-jet engine

turbocompressor id.; **-dynamo, -generator** turbo-dynamo

tureluur (*vogel*) redshank

tureluurs mad, frantic, wild; *men zou er ~ van worden* it is enough to drive one mad (round the bend) turen - 826

turen peer [*naar* at]; (*op boek, enz.*) pore over [a book, manuscript]; *zich blind* ~, (*op boek, enz.*) pore one's eyes out

turf peat; (*vooral Ir.*) turf; *een* ~ a square (block, lump) of p.; (*inz. Sc.*) a peat; (*boek*) (weighty) tome; ~ *naar 't veen brengen* carry coals to Newcastle; *in 't veen ziet men op geen* ~*je* have much and spend much; ~**aarde** p.-mould; ~**achtig** peaty, peat-like; ~**briket** p.-briquette; ~**graver** p.-digger; ~**graverij** p.-digging, p.-cutting; ~**grond** p.-ground; ~**hok** p.-hole, p.-house; ~**je** *zie* ~; ~**lijst** tally; ~**molm**, ~**mot**, ~**mul** p.-dust; ~**potje** p. pot; ~**praam**, ~**schip**, ~**schuit** p.-boat, -barge; ~**schipper** peat barge proprietor; ~**steken** cut p.; ~**steker** p.-cutter; ~**strooisel** p.-, moss-litter; ~**trapper** p.-stamper; –*s*, (*schoenen*) beetle-crushers; ~**veen** *zie* veen; ~**vuur** p.-, turf-fire; ~**zolder** p.-loft
Turijn Turin
Turk id. (*ook fig.*)
turken bully, hector, dragoon
Turkije Turkey; **Turkestan** id.
Turkoman id., *mv.* ....s
turkoois turquoise; **-ooizen** *bn.* turquoise
Turks Turkish; *in sam.* Turco[-British, etc.]; ~*e aap* Barbary ape; ~ *bad* T. bath; ~*e bekkens* cymbals; ~ *blauw* Turkey blue; ~ *leder* morocco leather; ~*e muts* fez; ~*e pijp* narghile; ~ *rood* Turkey red; ~*e (kromme) sabel* scimitar; ~ *tapijt* Turkey carpet; ~*e tarwe* maize, Indian corn; *zie* trom
turmalijn tourmaline
turnen do (practise) gymnastics; **-er** athlete, gymnast; *zie verder* gymnastiek
turven 1 (*turf inslaan*) lay in peat; 2 (*ranselen*) lick, wallop; *erop* ~ pitch into him (them, etc.); 3 count in fives (tallies), score
tussen between; (*vero.*) betwixt; (*te midden van*) among, amidst, amid; *zie* onder; *een verdrag* ~ *de 4 grote mogendheden* a treaty between the four great powers; *dat blijft* ~ *ons* don't let it go any further, that's b. you and me; *ik kon er geen woord* ~ *krijgen* I could not get a word in (edgeways); *iem. er* ~ *nemen* pull a p.'s leg, have a p. on, take a (the) rise out of a p.; *er van* ~ *gaan, zie* smeren ('*m* ...); ~ *de buien door* b. the showers; ~ *wind en water* awash; *kanaal* ~ *twee oceanen* interoceanic canal; *met een* ... *er* ~ with a neutral zone b.; *er* ~ *door*, (*ermee vermengd*) mixed up with it (them), (*terloops*) incidentally, in passing, in one's spare time; ~ *de huizen in* in among the houses; *de brief lag* ~ *een stapel boeken* in a pile of books; *zie ook* ~in, ~uit, gooien, haak enz.
tussen-: ~**bedrijf** interval, wait, entr'acte; *in de* ~*bedrijven, zie* bedrijf (*onder de -ven door*); ~**beide** (*tamelijk*) middling, so(-)so, passable; (*nu en dan*) now and then, once in a while; – *komen* (*treden*) intervene, interpose, interfere, step in; (*bemiddelend*) intercede [*bij* with]; (*ongevraagd, onbesuisd, enz.*) butt in; *er is wat – gek.* s.t. has come between; *als ik niet – gek. was* [he would

have killed her] if I had not got between them; *als er niets – komt* unless s.t. unforeseen should occur; ~**bestuur** *zie* ~regering; ~ **cultuur** intercrop(ping), catch-crop(s); – *uit oefenen* intercrop; ~**dag** (~*gevoegd*) intercalary day, (*anders*) off-day; ~**dek** between decks, 'tween-decks; (*voor derde-klaspassagiers*) steerage; ~**dekspassagier** steerage-passenger; *als – reizen* travel steerage; ~**deur** communicating (connecting) door; ~**ding** something between the two, neither the one nor the other, something midway [between the great apes and man], a cross [between a flower-pot and a basin, a comedian and a bookie]; ~**door** (*plaats*) across; *zie verder* ~ ~**gelegen** intermediate [towns, etc.], interjacent; intervening [ground, period]; ~**gerecht** entremets, intermediate course, side dish; ~**geschoven**, ~**gevoegd** interpolated, intercalary, shoved in between; ~**handel** intermediate trade, commission business; ~**handelaar** commission-agent, intermediary, middleman; ~**haven** intermediate port; ~**in** (*er –*) in between, between the two; ~**kaaksbeen** intermaxillary (bone); ~**kamer** middle room ~**kantoor** intermediate office; ~**klasse** intermediate class; ~**kleur** intermediate colour; ~**komend** intervenient, incidental; –*e partij*, (*jur.* intervener; ~**komst** intervention [of the police], [divine] intercession, interposition, mediation; *door – van* by (*of:* through) the medium (intermediary, agency) of, through; ~**kwaliteit** medium quality; ~**laag** intermediate stratum (*of:* layer); ~**landing** stopover, intermediate landing; *zonder* – non-stop [flight] [travel] non-stop [from ... to ...]; ~**lassen** *zie* inlassen; ~**letter** medial letter; ~**liggend** *zie* ~gelegen; ~**maaltijd** collation, snack; ~**maat** medium size; ~**muur** partition-, party-wall ~**persoon** intermediary, middleman, agent, (*soms ong.*) go-between; (*ter verzoening* mediator; *geen* ~*personen*, (*in adv.*) no agents, principals only (will be dealt with); ~**poos** interval, intermission, break, pause; *bij* ~*pozen* at intervals, [he had lived in L.] off and on, on and off, intermittent(ly); *met lange* (*korte*) ~*pozen* at long (short, *of:* frequent) intervals; *zonder* ~*pozen, zie* achtereen; ~**pozend** intermittent [fever, etc.]; ~**regering** interregnum; ~**ruimte** intervening space, interstice, interval, spacing; *met* –*n plaatsen* space out; ~**schot** partition; (*biol.*) septum, *mv.:* septa; ~**soort** medium sort; ~**spel** interlude, interact, intermezzo; ~**spraak** (*bemiddeling*) mediation; ~**stadium** intermediate stage; ~**station** intermediate (*of:* wayside) station
tussentijd interim, interval; *in die* ~ in the meantime, meantime, meanwhile, in the interval; ~**s** between times, between whiles, [I never sleep] out of hours, [I never eat] in between meals; – *dividend* interim dividend; –*e examen* intermediate examination; –*e verkiezing* by-election; –*e verkoop voorbehouden* subject to prior sale

tussen-: ~**uit:** *er* – *gaan* (*knijpen*), *zie* 'm smeren; *er een avond* – *gaan* take an evening off; *ik kan er niet van* – I can't get out of it; ~**uur** intermediate hour, odd hour, free period; ~**voegen** insert, interpolate, intercalate; ~**voeging** insertion, interpolation, intercalation; ~**voegsel** insertion, interpolation; ~**voorstel** intermediary (halfway) proposal; ~**vorm** intermediate form; ~**wand** partition(-wall); ~**weg** *zie* middenweg; ~**werpsel** interjection; ~**woning** terrace(d) house; ~**zetsel** insertion; ~**zin** parenthesis (*mv.:* -theses), parenthetic clause; ~**zolder** box-room

tut, tut! now, now!

tutelair tutelar(y)

tutoyeren be on familiar terms (on first names) with [a p.]

tutti (*muz.*) id.; ~**frutti** id.

tuut (*kindertaal*) puff-puff

t.w. = *te weten* to wit, namely, viz.

twaalf twelve; *de twaalve*, (*bijb.*) the t.; *om* ~ *uur 's middags* at t. (o'clock) noon, at noon, at midday; *vgl. bij 7 & met;* ~**daags** t. days, t.-day …; ~**de** twelfth; ~**derhande, -lei** of t. kinds (sorts); ~**hoek** dodecagon; ~**hoekig** dodecagonal; ~**jarig** *vgl.* jarig; ~**maal** t. times; ~**tal** dozen, t.; ~**tallig** duodecimal; *vgl.* tientallig; ~**uurtje** midday meal, lunch(eon); ~**vingerige** *darm* duodenum; *van de* – *darm* duodenal [ulcer]; ~**vlak** dodecahedron; ~**vlakkig** dodecahedral; ~**voud** multiple of t.; ~**voudig** twelvefold; ~**zijdig** t.-sided

twee two [he can eat for …]; (*op dobbelsteen of kaart*) deuce [the … of hearts]; *met* ~ *a's* with double a; ~ *aan* ~ t. and (by) t., by (in) twos, [walk] t. abreast; *waar* ~ *kijven hebben beide schuld* it takes two to make a quarrel; ~ *weten meer dan één* t. heads are better than one; ~ *in één bed* (*op één dier*) [sleep, ride] double; *de* ~ *schenen goed met elkaar op te schieten* the two of them seemed to be getting on very well; *die Molly kon wel* ~ *keer uit haar* she would make t. of that M.; *brood en brood is* ~ there is bread and bread; … *en* … *zijn* ~, *ook:* it is one thing to … and another to …; *in* ~*ën gaan* go in t.; *in* ~*ën vallen* (*snijden, enz.*) fall (cut, etc.) in t. (in half); *vgl. bij 7 & met & zie* tegen & zeker; ~**armig** t.-armed, (*biol.*) bicrural; ~**assig** biaxial; ~**baans** *weg* dual carriageway; ~**benig** t.-legged; ~**bladig** t.-leaved, bifoliate; ~**bloemig** biflorate, biflorous; ~**broederig** (*plantk.*) diadelphous; ~**bultig** t.-humped [camel]; ~**daags** of t. days, t.-day [trip], t. days'

tweede second; *Willem de* ~ William the S.; ~ *keus, kwaliteit, ook:* seconds; ~ *secretaris* assistant secretary; *zie* hand, meid & ten; **tweedehands** second-hand; **tweedejaars** second-year [student]

tweedekker (*schip, autobus, enz.*) two-, double-decker; (*vliegtuig*) biplane

tweedelig bipartite [leaf]

tweederangs second-rate

tweederlei, -hande of two kinds (sorts)

tweedraads two-ply, twofold

tweedracht discord, dissension; ~ *zaaien* sow d.; ~**ig** *zie* onenig; ~**sappel** *zie* twistappel; ~**zaaier** mischief-maker, -monger

twee- two: ~**duims** t.-inch; ~**duizend(ste)** two thousand(th); ~**ëndertigste** *noot* demisemiquaver; ~**ërhande, -lei** of t. kinds (sorts); *zie* moraal; ~**fasenmotor** t.-phase motor; ~**fasenstroom** t.-phase current; ~**gesprek** duologue; ~**gestreept** (*muz.*) twice-marked; ~**gevecht** duel, single combat; ~**handig** t.-handed, (*wet.*) bimanous; –*en* bimana (*ev.* bimane); ~**helmig** (*plantk.*) diandrous; ~**hoekig** t.-angled, biangular; ~**hoevig** cloven-footed, -hoofed, (*wet.*) bisulcate; ~**honderd(ste)** t. hundred(th); ~**honderdjarig** t. hundred years old; –*e herdenking* bicentenary, bicentennial; ~**hoofdig** t.-headed, (*wet.*) bicephalous, bicipital; –*e armspier* biceps; – *bestuur* diarchy, dyarchy; ~**hoornig** t.-horned, (*wet.*) bicornous; ~**huizig** (*plantk.*) diœcious; ~**jarig** *vgl.* jarig; *ook:* biennial [plant]; ~**kamerstelsel** bicameral system; ~**klank** diphthong; *tot een* – *worden* (*maken*) diphthongize; ~**kleppig (dier)** bivalve; ~**kleurig** t.-coloured; ~**kwartsmaat** two-four time; ~**ledig** (*eig.*) t.-jointed, biarticulate; (*fig.*) twofold, double [purpose]; dual [system]; binary [compound]; (*alg.*) binomial; (*dubbelzinnig*) ambiguous, equivocal; *'n* –*e rol spelen* play a dual part; ~**lettergrepig** dis(s)yllabic; – *woord* dis(s)yllable

tweeling (pair of) twins; (*één van de twee*) twin (child); *de T*~*en,* (*dierenriem*) the Twins, Gemini; ~**broeder,** ~**zuster** twin-brother, -sister; ~**woord** doublet

twee- two: ~**lippig** t.-lipped; (*plantk. ook*) bilabiate; ~**lobbig** (*plantk.*) bilobed; ~**loop(sgeweer)** double-barrelled gun (*of:* rifle); ~**luik** diptych; ~**maal** *zie* maal, bedenken & zeggen; ~**maandelijks** bimonthly (*ook* = – *tijdschrift*); ~**man** duumvir; ~**mannig** (*plantk.*) *zie* ~helmig; ~**manschap** duumvirate; ~**master** t.-master; ~**motorig** twin-engined; ~**ogig** t.-eyed; ~**persoons** [cabin] for two, t.-berth [cabin], double [bedstead]; – *fiets* tandem; – *kamer,* (*één bed*) double(-bedded) room, (*twee bedden*) twin-bedded room; – *auto* (*vliegtuig*) t.-seater; ~**pits** t.-(twin-)burner [oil-stove]; ~**polig** bipolar, t.-pole; ~**ponds** t.-pound; ~**regelig** of t. lines; – *vers* distich, couplet; ~**riems** t.-oared, pair-oar; ~**riemsboot** *ook:* pair-, two-oar; ~**rijer** double-breasted jacket (overcoat)

tweern(en) twine; *zie verder* twijn

twee: ~**schalig,** ~**schelpig (dier)** bivalve; ~**slachtig** bisexual, hermaphroditic, androgynous (*alle ook plantk.*); (*amfibisch*) amphibious; (*fig.*) ambiguous; – *dier* amphibian; *'n* – *leven leiden* lead a double life; ~**heid** (*fig.*) ambiguity, duplicity; ~**snarig** two-stringed; ~**snijdend** t.-, double-edged; ~**spalt** discord; ~**span** t.-horse team; *rijtuig met* – carriage and pair, pair-horse carriage; ~**spraak** duologue; ~**sprong** cross-road(s); *op de* –, (*fig.*) at the (*ook:* a) cross-roads, at the parting of the

ways; ~staartig t.-tailed, bicaudal; ~steens-
muur t.-brick wall; ~stemmig for t. voices;
– lied t.-part song; ~stijlig (plantk.) digynous;
~strijd inward conflict (of: struggle), indecision; in – staan be in two minds, be torn between ... and ..., be torn in t. [about ...], be
divided against o.s.; ~stromenland 'country
between the rivers'; Mesopotamia; ~takkig
bifurcate; ~taktmotor t.-stroke motor; ~tal
pair, couple; ~talig bilingual; –heid bilingual-
ism; ~tallig binary; vgl. tientallig; ~tandig t.-
toothed, t.-pronged [fork]; (wet). bidentate;
~term(ig) binomial; ~tongig t.-tongued; (fig.
ook) double-tongued; ~vingerig t.-fingered; ~
vlakshoek dihedral angle; ~vleugelig t.-winged,
dipterous; –en diptera; ~voetig t.-footed,
biped(al); – dier biped; ~vormig dimorphic;
~vormigheid dimorphism; ~voud double; zie
duplo; ~voudig twofold, double; – verbond
dual alliance; ~waardig (chem.) divalent,biva-
lent; ~wegskraan t.-way cock; ~werf twice;
~wieler t.-wheeler, bicycle; ~wielig t.-wheeled;
– rijtuig t.-wheeler; ~zaadlobbig dicotyledon-
ous; –e dicotyledon; ~zadig t.-seeded; (wet.)
dispermous; ~zijdig t.-sided; bilateral [con-
tract, pact]

twenter two-year-old

twijfel doubt; daar is geen ~ aan, dat lijdt geen ~
there is no d. of it, there is no question about
it, it is beyond d.; er is geen ~ aan zijn ernstige
bedoeling there is no mistaking his earnestness;
er is geen ~ aan ('t lijdt geen ~) of ... there is no
d. that ..., there is no question but that ...;
~ opperen omtrent throw d. upon; ~ doen
rijzen arouse (raise) doubts; aan alle ~ een
einde maken put a matter beyond d. (of:
question) [this fact puts his fate beyond d.];
't is zeer aan ~ onderhevig it's very much open
to question (to d.); boven alle ~ verheven
beyond all d.; buiten ~, zie zonder ~; iem. in
~ laten leave a p. in d.; in ~ trekken (call in)
question, have one's doubts, be in d. [about
it], query [the results of an experiment];
ik stond in ~ I was in d. [of whether; wat
betreft as to]; zonder ~ without d., doubtless,
undoubtedly, no d., without question, unquestionably; zonder enige (de minste) ~ without any d., without a shadow of d.; de ~
koesteren, opheffen, toelaten, zweem; ~aar
a) sceptic, doubter; b) three-quarter bed

twijfelachtig doubtful, dubious, questionable
(alle ook: enigszins verdacht); de uitslag blijft
~ the issue remains in doubt; ~ licht dubious
light; ~ genot questionable joy; ~heid ...ness

twijfelen doubt; ik twijfel, of ... I d. whether
(if) ...; ik twijfel niet, of ... I do not d. that
(but, but that) ..., I have no d. (that) [he will
come]; ~ aan d., d. of, have one's doubts
about, question; daaraan ~ we niet, ook: of
that we make no d.; daar valt niet aan te ~,
zie twijfel (daar is geen ... aan)

twijfeling doubt, hesitation, uncertainty

twijfelmoedig vacillating, wavering, irresolute;
~heid irresolution, indecision

twijfelzucht scepticism; ~ig sceptical; ~ig‹
sceptic

twijg twig, sprig, (bloeiend) spray; (telg) scion

twijn twine, twist; ~der twiner, twister, throw
(st)er; ~derij twining-mill; ~en twine, twist

twintig twenty; in de jaren ~ in the twenties
vgl. ook in & met; ~er person of t. (years); vgl
goed; ~jarig vgl. jarig; ~je twentieth part of ‹
lottery-ticket; ~maal t. times; ~ste twentieth
~tal score; ~vlak icosahedron; ~voud multiple
of 20; ~voudig, ~werf twentyfold

twist 1 quarrel, dispute, altercation, wrangle
(fam.) row; de ~ bijleggen settle the dispute
make it up; ~ hebben (have a) quarrel [ove‹
over, about]; ~ krijgen fall out, come t‹
words; ~ zaaien sow discord; ~ zoeken pic‹
a q.; ~ zoeken (uitlokken) met pick a q. with
fasten (fix) a q. on; zij leven steeds in ~ the‹
are always quarrelling (of: at odds); zie sto
ken; 2 (garen) twist; ~achtig zie ~ziek; ~appe
apple of discord, bone of contention

twisten 1 quarrel, dispute, altercate, wrangle
~ om q. etc. about (over); ~ over de prijs (d‹
voorwaarden) haggle about the price (th‹
terms); daarover kan men ~ that is a debat
able (an arguable, a disputable) point; 2 twis

twist; ~er quarreller; ~geding lawsuit; ~ge
schrijf polemics, controversy, controversia
writing; ~gesprek dispute, disputation; ~
punt matter in dispute, point of controversy
(at issue), disputed point, controversial issue
~rede zie ~gesprek; ~schrift polemic, contro
versial writing; ~stoker firebrand, mischief
maker; ~vraag question at issue, vexed ques
tion; ~vuur fire of discord; ~ziek quarrelsome
(met woorden, ook:) contentious, disputa
tious, argumentative, cantankerous; ~zoeke‹
quarrelsome person, quarreller

t.w.v. = ter wille van for the sake of; ter waar
de van to the value of

tyfeus typhoid, typhous; tyfeuze koort‹
typhoid (fever), enteric (fever)

tyfoon typhoon

tyfus typhoid (fever), enteric (fever); (vlek-
typhus (fever), (zeld.) spotted fever; ~baci
typhoid bacillus; ~lijder, ~patiënt typhoic
patient

tympaan zie timpaan

type id. (ook lettervorm); figure [a well-knowr
local ...], picture [the ... of a country parson]
een goed ~ [he is] a good t.; ik ken dat ~, (va‹
mens) I know the t.; 't ~ van een aristocraa‹
the t. of an aristocrat, a typical aristocrat; '‹
is een ~ he is a character; wat 'n ~! what ‹
character!

typekamer typing pool

typemonster type sample

typen type(write); getypt schrift typescript

typeren typify; ~d typical [voor of]; dat typeer‹
hem that is typical of him; -ing characterisa
tion, typification

typewerk typing (work)

typisch typical [voor of], peculiar [to]; (leuk‹
quaint [a ... old church]; ~ Italiaans typically

Italian; '*n* ~ (= *typerend*) *geval, ook:* a type case; *dat is* ~! (*zonderling*) that is curious!

typist(e) (woman) typist

typo-: ~graaf typographer, (*fam.*) typo; **~grafie** typography; **~grafisch** typographic(al); **~logie** typology; **~logisch** typological; **~script** typescript

Tyriër, Tyrisch Tyrian

Tyrol the Tyrol; **~er** Tyrolean, Tyrolese (*mv. id.*); **t~ienne** (*dans & zang*) Tyrolienne

Tyrools Tyrolean, Tyrolese

Tyrreens Tyrrhenian; **~e** *Zee* T. Sea

Tyrus Tyre

tzigaan tzigane

t.z.t. = *te zijner tijd* in due time, in due course

U

1 U U

2 u *vnw.* you; (*bijb. & dicht.*) thee; ... *om ~ tegen te zeggen* to be treated with respect; *een kat om* ... some cat (that)!

U.B. = *universiteitsbibliotheek* university library

überhaupt [if it is to be done] at all; [why do you want it] anyway?

übermensch superman, overman

U-boot U-boat

uchtend *zie* ochtend

UEd. you, Your Honour

ui onion; (*grap*) joke; *zie* mop & kamperui

uie- onion: ~lucht smell of onions; **~nbed** o.-bed; **~nsaus** o.-sauce; **~nsla** o.-salad; **~ntapper** joker

uier udder; *met volle ~s* full-uddered

uie-: ~smaak taste of onions; **~zaad** onion-seed

uiig funny, facetious

uil owl; (*vlinder*) owl-moth; (*fig.*) *zie* ~skuiken; *elk denkt zijn ~ een valk te zijn* everyone thinks his own geese swans; *~en naar Athene dragen* carry (*of:* send) owls to Athens, carry coals to Newcastle; [*hij kijkt*] *als een ~ in doodsnood* like a (dying) duck in a thunderstorm; *zie* ~tje; **~achtig** owlish; **~ebord** ornamental wooden gable-end of barn; **~ebril** owl-like spectacles; **~enest** owl's nest; **U~enspiegel** Owlglass; **~evlucht** o.-flight; **~ig** owlish; **~skuiken** clot, noodle, ninny, numskull, mug, chump, nincompoop; **~tje** owlet (*vlinder*) owlet-moth; *zie* knappen

uit I *vz.* out of [go ... the house; *Am. ook* out the house], from [drink ... a glass; he took the cup ... my hand, the cigar ... his mouth]; *iem. ~ Utrecht* somebody from U.; *~ liefde* (*wraak, jaloezie, beleefdheid, nieuwsgierigheid*) out of love (revenge, jealousy, politeness, curiosity); *~ vrees* (*genegenheid*) from fear (affection); *~ plichtsgevoel* (*onwetendheid*) [act] from a sense of duty (from ignorance); *aan E.,* ~ *vriendschap,* (*in boek*) to E., in friendship; *meer ~ bewondering dan ~ boosheid* [he jumped up] rather in admiration than in anger; *~ haar kring* [girls] in her set; *~ de kunst* tip top, first rate, A 1; *~ de kust* [six miles] off shore; *één ~ de duizend* one in a thousand; *ze is een ~ velen* she is one among many; *zie* elkaar, huwelijk, principe, van, wal, zichzelf, enz.; II *bw.* out; *zij speelden 50 ~* they played (the game was) fifty up; *Arsenal speelt volgende week ~* A. are playing away next week; *een dag ~ zijn* have a day's outing; *ik zou er graag eens ~ willen zijn* I should like to be out of it all for a time; *ergens goed (slecht) mee ~ zijn* be well (badly) off with s.t.; *hij is met haar ~ geweest* he has taken her out; *met iem. ~ zijn,* (*fig.*) be saddled with a p.; *de kaars* (*het vuur, mijn pijp*) *is* ~ the candle (the fire, my pipe) is out; *de kachel is* ~ the stove has gone out; *moeder is* ~ is out; *de school* (*kerk*) *is* ~ school (church) is over; *tweerijers zijn* ~, (*uit de mode*) are out; *'t spel is* ~ the game is over (at an end, finished); *die zaak is nog niet* ~ the last has not been heard of that case; *dat moet ~ zijn* it's got to stop; *'t boek is* ~, (*gepubliceerd*) is out; (*uitgelezen*) is finished; (*uitgeleend*) is out; *de roos is* ~ is out; *haar engagement is* ~ her engagement is off (is at an end); *het is helemaal ~ tussen hen* it is all off between them; *de tand moet er~* must come out; *dat woord moet er~,* (*moet vervallen*) must come out; *'t woord was er~, voordat* ... the word was out before ...; *'t moet er~,* (*van 't hart*) I must get it off my chest; *ik ben er helemaal ~* I'm utterly out of it, my hand is out (of practice); *er~!* out with him (you, etc.)! clear out! get out! out you go! (*uit bed*) get up! tumble out!; *de vlek* (*de sleutel*) *wil er niet ~* the stain (the key) won't come out; *de schoen wil niet ~* will not come off; *~!* (*tegen hond*) walkies!; *mag ik ~?* may I go out?; *en daarmee* (*is het*) ~! and there is an end of the matter (of it)! that's an end to the question! and that's that! so there!; *en daarmee was 't* ~ and there the matter ended; *hiermee is mijn verhaal* ~ here my story ends; *~ en thuis* [do 190 miles] there and back; *zie* reis; *vaker ~ dan thuis* oftener out than in; *altijd ~* [she is] always out (and about), always gadding out (*of:* about); *hij is erop ~ om te* ... he is out to ..., is bent (intent) on ...ing,

makes it his study to ...; (*om ... te krijgen*) he
is out for a title; *erop ~ zijn last* (*moeite*) *te
veroorzaken* be out for trouble; *geld, dat is
waar ze op ~ zijn* money is what they are after;
hij is ~ op winst he has an eye to profit; *voor
zich ~ drijven* drive before one; *zie ook* uithebben, enz.

uit: ~**ademen** *tr. & intr.* breathe out, expire;
(*fig.*) exhale [fragrance]; *planten ademen
koolzuurgas ~* exhale (give off) carbon dioxide;
~**ademing** expiration, breathing out, exhalation

uitbaggeren dredge; **-ing** dredging
uitbakenen (*terrein*) peg (mark, plot) out;
(*weg, enz.*) trace (out)
uitbakken fry out [bacon]; *goed ~* bake (fry)
well; *het brood is uitgebakken* the bread has
been baked (too) dry
uitbalanceren equilibrate, balance (evenly); *een
uitgebalanceerde voeding* a balanced diet
uitbaliën bail (bale) out [water]
uitbannen banish, expel, exile; (*fig., van persoon*) ostracize; *de oorlog ~* outlaw war;
(*geesten*) exorcize; **-ing** *a*) banishment, expulsion; *b*) exorcization, exorcism
uitbarsten burst (break) out, explode; (*van
vulkaan*) erupt, break out; *in vlammen* (*tranen*) *~* burst into flames (tears); *in lachen ~*
burst out laughing, burst (break) into a
laugh; *in woede ~* go off into a fit of rage; *in
een stroom van woorden ~* let loose a torrent
of words; **-ing** explosion, outburst (*beide ook
van pers.*); (*van vulkaan*) eruption, outbreak;
(*van oproer, enz.*) outbreak [of rebellion];
(*van toorn, gelach*) burst [of anger, laughter];
't was tot een – gekomen things had come to a
head; *nieuwe – new* outbreak, recrudescence
[of disease]
uitbazuinen trumpet forth, blaze abroad, blazon out (forth, abroad); *zie* lof
uitbeelden depict; (*rol*) render [a rôle]; impersonate [a character on the stage]; **-ing** depiction; rendering; impersonation
uitbeitelen (*in steen*) chisel (out); (*in hout*) carve
uitbenen bone [meat]; (*fig.*) exploit [a p.]
uitbesteden put out to nurse, put out to board,
board out, contract out [*aan, bij* to], farm out
[*bij* with]; (*werk*) put out to contract; *zie* aanbesteden; **-ing** boarding-out, etc.
uitbetalen pay, pay out (over, down); cash [a
cheque]; meet, honour [the cheque will be
duly honoured]; **uitbetaling** payment
uitbijten bite out [a candle], puff out [smoke];
(*van zuur, enz.*) corrode, bite;
-ing corrosion
uitblazen blow out [a candle], puff out [smoke];
blow [an egg, rings of tobacco-smoke]; *de
laatste adem ~* breathe one's last; *even ~*
breathe o.s., have a breathing-spell, take a
breather (a respite); *laten ~* breathe [a horse],
give a breather; *zie* licht
uitblijven stay away, stop out [all night], be
[don't ... long, I won't ... a moment], fail to
come, fail to appear; (*van regen, onweer, enz.*)
hold off [the war held off for 40 years]; *'t ant-*

woord bleef uit no answer was forthcoming;
't voortdurend ~ van enig antwoord the continued absence of any reply; *de reactie* (*een
botsing*) *kan niet ~* the reaction is bound to
come (there is bound to be a clash); *dat kan
niet ~* it is bound to happen (to come), it must
come to this in the end; *de gevolgen bleven
niet uit* made themselves felt; *te lang ~* stay
away beyond one's time, (*tot na afloop van
't verlof*) overstay one's leave; *zie* lang
uitblinken shine [at school, in society, in conversation, at languages], excel; *hij blonk niet
uit, maar ...* he was not brilliant [at school,
etc.], but pretty good at everything; *~ boven*
outshine, eclipse; **uitblinker** brilliant [pupil,
etc.]
uitbloeden stop bleeding; *laten ~* let [a wound]
bleed
uitbloeien leave off flowering; *uitgebl. zijn* (*raken*) be finished flowering; *uitgebl. rozen* blown
(overblown, spent) roses
uitblussen extinguish, put out
uitboren bore (out), drill
uitborstelen brush (out)
uitbotten bud (forth), sprout, burgeon
uitbouw addition; ~**en** extend, enlarge; *de eet-
kamer was uitgebouwd* was built out from the
house
uitbraak escape from prison, prison break
(escape); (*mil.*) breakout
uitbraaksel vomit; **uitbraden** roast well; *te zeer
uitgebraden* frizzled up; *zie* boter
uitbraken vomit, bring (*of:* throw) up, regurgi-
tate; (*fig.*) vomit [smoke, lava, abusive lang-
uage], belch (out, forth) [clouds of smoke,
blasphemous words], disgorge [evil smells];
gemene taal ~ use foul language; *zie* gal
uitbranden *tr.* burn out; (*wond*) cauterize [a
wound]; (*gloeikousje*) burn off [a mantle];
intr. be burnt out, burn out [*ook:* the house
(the fire) burnt itself out]; *'t huis brandde geheel uit* (*was geheel uitgebrand*), *ook:* was
completely gutted, was burnt to a shell; *uitgebr.* burnt-out [house], spent, dead [match],
extinct [volcano]
uitbrander telling-off, (severe) scolding, dressing-down, wigging, rowing, (*fam.*) rocket;
iem. een ~ geven, ook: blow a p. up, row a p.
uitbranding (*van wond*) cauterization
uitbreden (*smeedwerk*) draw down [an iron bar]
uitbreiden spread, open [one's arms], enlarge
[a business, the Air Force], extend [a business,
the boundaries, the meaning of a word, the
suffrage], widen [the circle of one's friends],
add to [a library, a curriculum]; *zich ~* extend, expand; (*van brand, beweging, ziekte,
enz.*) spread; *'t werk is heel wat uitgebr.* has
been greatly enlarged; *zie* uitgebreid
uitbreiding extension [of the war; to the
building], expansion, enlargement, development; spread(ing); *vgl. 't ww.; ~ van 't kiesrecht* e. of the franchise; ~**skosten** cost of e.;
~**splan** development plan, e.-scheme; (*van
stad*) town-plan; (*'t maken ervan*) town-planning

uitbreken I *ww. tr. & intr.* break out (*ook van zweet, brand, epidemie, oproer, oorlog, enz.*); (*uit de gevangenis*) b. out, b. (out of) prison (*of:* jail); (*van auto*) b. away; *de brand brak uit in ...*, *ook:* the fire originated (started) in the barn; *de epidemie brak uit te A.*, *ook:* the epidemic made its first appearance at A.; *zou je er niet een uurtje kunnen ~?* couldn't you take an hour (or so) off?; *de enkele dagen dat ik er tussenuit kan breken* the occasional days I can snatch; *zie* zweet; **II** *zn.:* '*t ~*, (*van oorlog, enz.*) the outbreak; **-er** prison-, jail-breaker

uitbrengen bring out [he could not ... a word; *ook:* he could not get a word out, the words stuck in his throat], say [this was all he could ...]; (*verslag*) make [a report] (*zie* rapport); (*van jury*) return [a verdict]; *een dagvaarding ~* take out (issue) a summons; *een beschuldiging tegen iem. ~* level (direct) an accusation against a p.; (*anker*) lay (*of:* carry) out [an anchor]; (*boot*) lower [a boat], get [a boat] overside; (*touw*) run out [a rope]; (*aan 't licht brengen*) disclose, bring to light, make known; *een geheim ~* betray a secret; *zie* stem, toost, uitgeven, enz.

uitbroeden, -broeien hatch [eggs, birds, a plot]; *boze plannen ~* hatch (concoct) evil designs

uitbrullen roar (out); *het ~ van de pijn* roar with pain

uitbuiten (*pers.*) exploit, grind down; (*werklieden, ook:*) sweat; (*zaak*) exploit [a situation, a p.'s talents], make great play with [an argument, a fact], make the most of [an opportunity]; '*n succes (voordeel*) ~ exploit (follow up) a success (an advantage); **-er** exploiter, sweater

uitbuiting exploitation, sweating; **~slonen** sweated wages

uitbulderen I *intr.* cease roaring (blustering, raging), calm down; (*van wind ook*) die down; *hij moest eens even ~* he had to blow off steam; **II** *tr.* roar (out); *zie* uitbrullen

uitbundig exuberant [praise], vociferous [applause], effusive [emotion], enthusiastic (*bw.:* -ally), excessive, overflowing [mood], ebullient; *iem. ~ prijzen* exalt a p. to the skies; *iem. op ~e wijze welkom heten* give a p. a boisterous welcome; *zie* toejuichen; **~heid** exuberance, effusiveness, excessiveness, ebullience

uitcijferen figure out; *zie* uitrekenen

uitdagen (*tot gevecht*) challenge, call out; (*fig.*) defy, challenge; *iem. tot een duel ~* c. a p. to a duel, call a p. out; **-d** *ook:* defiant [attitude, look, sneer, words, look ...ly at a p.], provocative; **uitdager** challenger

uitdaging challenge, (*fam.*) dare; *de ~ aannemen* accept (take up) the c., take up the gage; **~sbrief** (written) challenge, cartel

uitdampen evaporate, (*uitwasemen*) exhale [fumes]; air [linen]; **-ing** evaporation; exhalation; airing

uitdelen distribute, deal (dole) out [money], dispense [alms], serve out [bread to the poor, lifebelts *reddinggordels*], measure out [extra rations, punishment], mete out [penalties], hand out, share out; *klappen ~* deal blows, lay about one; *harde klappen ~*, (*ook fig.*) give hard knocks; **-er** distributor, dispenser

uitdelgen enz., *zie* (ver)delgen, enz.

uitdeling distribution, [Christmas] share-out; (*concr. bij faillissement*) dividend; *eerste en enige ~* first and final dividend; *vaststelling der ~en* declaration of dividends; **~slijst** notice of dividend

uitdelven enz., *zie* uitgraven, enz.

uitdenken devise, contrive, invent; *zie* bedenken; *een zorgvuldig uitgedacht plan* a carefully thought-out plan

uitdeuken panelwork, panel beating; *een deur ~* beat out dents from ...

uitdienen serve (last) [one's time]; *dat heeft uitg.* that has had its day, has served its purpose, that system, etc. is played out; *hij heeft uitg.* he has had his day; (*bij mij*) I have done with him; *zie* afdoen; *uitged. soldaat* time-expired soldier; **uitdiepen** deepen; (*fig.*) study in depth; **uitdijen** expand, swell, grow into; *... dijden uit tot ...* the six lessons ran on into eight

uitdoen (*lamp, enz.*) put out, extinguish, switch [the lights] off; (*kleren*) take (put) off; *zie* uittrekken; (*doorhalen*) cross out, run one's pen through

uitdokteren work (think) out

uitdossen dress up (out), attire, deck (trick) out, array [...ed in all his glory]; (*fam.*) tog out; *uitgedost als ...*, *ook:* in the guise of ...

uitdoven I *tr.* extinguish, put out, quench; stub out [a cigarette = *uitdrukken*]; (*fig.*) extinguish [hopes, etc.], quench, damp down [energy]; *zie* doven; **II** *intr.* go out; *uitgedoofd* dead [volcano, fire(place), match], extinct [volcano]; **-ing** extinction

uitdraagster second-hand dealer

uitdraai [computer] print-out

uitdraaien turn out [the lamp, light, gas]; (*elektr. licht, ook:*) switch off (out); *iem. er ~ do* a p. out of his job; *zich er ~*, (*fig.*) twist o.s. (wriggle, shuffle, worm) out of it; *op niets ~* come to nothing, fizzle out; *ik dacht wel, dat 't daarop zou ~* I thought it would come to that; *dat zal nog op ruzie ~* it is sure to end in a quarrel

uitdragen carry out (*ook van dode:* be carried out to burial); propagate, disseminate [doctrines, opinions]

uitdrager second-hand dealer, old-clothes man; **~ij, ~swinkel** second-hand shop, (*fam.*) junk shop

uitdrijven drive out, expel; (*boze geesten*) cast out, exorcize; *~d (middel*) expellent; **-ing** expulsion; casting out, exorcization

uitdringen (*ook fig.*) squeeze (crowd) out

uitdrinken finish [one's glass, one's wine], empty, drain [one's glass]; (*in één teug*) drink off, toss off; *drink eens uit!* empty (finish) your glass!

uitdrogen *tr.* dry up, desiccate; (*pan, enz.*) wipe out; *intr.* dry up; (*van bron, enz. ook*) run dry; *uitgedroogd*, (*van pers.*) dried-up, shrivelled (up), wizened; (*van mond, keel*) parched; **-ing** drying-up, desiccation

uitdruipen drain; *laten* ~ drain

uitdrukkelijk express [command; he said so ...ly], positive, explicit, definite [I ...ly forbade it]; *zie* verzoek; **-heid** explicitness

uitdrukken squeeze (press) out; stub (crush) out [a cigarette]; gouge out [an eye]; (*fig.*) express, put [I don't know how to ... it; the way he ... it; ... it as simply as you can]; *'t in een voudige* (*dreigende, enz.*) *woorden* ~, *ook:* couch it in plain (threatening, etc.) terms; *hij drukte de hoop uit dat* ... he expressed a hope that ...; *'t sterk* ~, *ook:* put the case strongly; *zwak uitgedr.* (*om het zwak uit te dr.*) (to) put (it) mildly; *op z'n zwakst uitgedr.* to say the least; *te verschrikkelijk om in woorden uit te dr.* too dreadful for words; *op een toon, die diep gevoel uitdrukte* in a tone expressive of deep feeling; *zich goed* (*slecht*) ~ express o.s. well (badly); *zich zeer zorgvuldig* ~, *ook:* pick one's words carefully; *om 't zo eens uit te dr.* so to speak; *niet uit te dr.* beyond expression; *niet uit te dr. in* ... not expressible in one word; *een gelukkig uitgedr. opmerking* a happily phrased remark; *uitgedr. in, ook:* in terms of [the pound ... dollars; patriotism ... L.S.D.]; *zie ook:* uitdrukking geven aan

uitdrukking expression; wording [of a letter]; *een* ~ an e., a term, a phrase, a locution; ~ *geven aan* give e. to, voice [one's astonishment, the views of ...], give voice to [one's misgivings], set out, ventilate [one's grievances]; *tot* ~ *brengen* give e. to, express, bring out; *tot* ~ *komen* find e., be expressed; *vol* ~ expressive [eyes]; *zonder* ~ expressionless, without e.; **-swijze** expression [simplicity of ...]

uitduiden point out, show, indicate, explain; **-ing** indication, explanation

uitdunnen thin (out); **-ing** thinning

uitduren: *'t zal mijn tijd wel* ~ it will last (out) my time

uitduwen push (shove, thrust) out

uiteen asunder, apart; *zie ook* vaneen; **~barsten** burst (asunder), explode, (*fam.*) go bang; **~draaien** untwist, unscrew; **~drijven** disperse, scatter, break up [a meeting]; *naar alle kanten ~gedr. worden* be scattered to the four winds; **~gaan** separate, part, scatter [the crowd began to ...], disperse [the congregation (the party) ...d]; (*van vergadering, enz.*) break up, (*van Parl.*) rise; *'t* – the break-up [of the party]; **~halen** pull (take) [a toy] to pieces; **~houden** keep apart; [I can't] tell [them] apart; **~jagen** *zie* ~drijven; **~lopen** diverge (*ook fig.*); differ (vary) [opinions ...]; *hun wegen lopen* ~, *ook:* their ways lie in different directions; *de meningen lopen zeer* ~, *ook:* there is much diversity of opinion [*wat betreft* as to]; *zeer –de meningen* very (*of:* widely)

divergent views; **~nemen** take to pieces, dismount [an apparatus], take down [a rifle]; **~rafelen** *tr.* unravel; *intr.* (*plantk.*) leave fibrous remains; **~rollen** *tr. & intr.* unroll; **~rukken** pull (*of:* tear) a.; **~spatten** burst (asunder) [the soap-bubble burst], explode; (*fig.*) break up, go to pieces; **~spreiden** spread out, unfold; **~springen** *a*) spring apart; *b*) *zie* ~spatten; **~staan** stand [wide] apart; (*typ.*) be spaced; *zie* vaneen; **~stuiven** fly apart, scatter; **~vallen** fall a., fall (go) to pieces; (*van coalitie, enz.*) break up (b. apart), disintegrate; *'t* –, *ook:* the break-up, the disintegration [of an empire]; **~vliegen** fly apart, scatter; **~zetten** explain, expound [one's views, policy], enunciate [a theory], set forth, state, set out [grievances; the whole matter is admirably ...]; (*typ.*) space; **~zetting** explanation, exposition

uiteinde extremity, extreme point, end; (*fig.*) end; **uiteindelijk** *bn.* ultimate [result], eventual [success]; *bw.* ...ly

uiten utter, give utterance (*of:* voice) to, raise [complaints], ventilate [grievances], express [a wish, an opinion]; *zich* ~ express o.s.; *geen gelegenheid om zich te* ~ [his individuality has] no play; *hij uit zich niet* he is not demonstrative, is uncommunicative (*zie* gesloten); *nauwelijks had ik ... geuit, of* ... hardly had I got the words out of my mouth when ...

uit-en-te(r)-na over and over again

uit-en-thuis-vlucht out-and-return flight, round trip (flight)

uitentreuren to the end of the chapter, continually, world without end; *een uitdrukking* ~ *herhalen* work (flog) a phrase to death

uiteraard naturally [our ... limited means], in the nature of things (of the case); temperamentally [unfitted for the work]

uiterlijk I *bn.* outward, external; II *bw.* ...ly; (*op zijn laatst*) at the latest, not later than [next Friday]; (*op zijn hoogst*) at the utmost; ~ *een groot vriend van* ... outwardly ...; ~ *bleef hij kalm* he remained outwardly calm; ~ *was hij vrolijk, ook:* he wore a mask of cheerfulness; III *zn.* (outward, *of:* personal) appearance, exterior, looks [she had got her ... from her mother], [military] aspect; (*van boek*) get-up; *naar 't* ~ *te oordelen* by the look of him (it) [he (it) was ...], so far as appearances go; *voor het* ~ [do s.t.] for the sake of appearances, for the look of the thing; **~heid** exterior; **~heden** [judge people by] externals

uitermate uncommonly, excessively, exceedingly, extremely; *zie* uiterst *bw.*

uiterst I *bn.* (*van plaats*) out(er)most, farthest, farthermost [the ... corners of the earth], uttermost, extreme, ultimate [capacity]; (*fig.*) utmost [the ... limit, of the ... importance], utter, extreme, outside [limit]; *'t* ~*e minimum* [£2 is] the very minimum; ~*e prijs* utmost (very lowest, rock-bottom, outside) price; ~*e wils beschikking* last will (and testament); *zijn* ~*e best doen* do one's utmost, do one's very (one's level) best, strain every nerve, try one's hardest [to ...]; *de ~e raming* the outside estimate; *in de ~e nood, in 't ~ geval* at a pinch, if the worst comes to the worst, in the last extremity; *in de ~e nood verkeren* be in extreme distress; *zie* term; II *bw.* extremely [vague], [vague] in the extreme, [wonderful] to the last degree, supremely [happy]

uiterste *zn.* extreme, extremity; *de ~n raken elkander* extremes meet; *de vier ~n, (r.-k.)* the four last things; *de vier ~n, (r.-k.)* the four last things; *in (tot) 't andere ~ vervallen* go to the other (opposite) e.; *hij ligt op 't ~* he is at the point of death; *ten ~* extremely, utterly; *tot 't ~* to the utmost, [cut expenditure down] to the bone, to the limit; *zie* inspannen; *oorlog tot 't ~* war to the knife (the death); *tot 't ~ drijven* drive [a p.] to extremities, try [a p.] too far; push [things] to extremes, carry [a thing] to an e.; *ik wil tot 't ~ gaan* I will go to any lengths; *tot 't ~ gekomen* reduced to extremities, put to one's last shift; *zich tot 't ~ verdedigen* defend o.s. to the last (to the bitter end), fight to (die in) the last ditch; *van 't ene ~ in 't andere vallen (overslaan)* fall (run) from one e. to the other

uiterwaarden outer marches, haughs, water-meadows, river forelands

uiteten give [a p.] a farewell dinner; **uitflappen** blurt out [the truth], blab [a secret]; (*vloek*) rap out, spit (out) [an oath]; **uitfluiten** hiss, catcall; (*sl.*) give the bird; *uitgefloten worden* be hissed (off the stage); (*sl.*) get the bird; **uitfoeteren** rate [a p.], blow [a p.] up, storm at [a p.]

uitgaaf (*van geld*) expenditure, expense, outlay; (*van boek, enz., abstr. & concr.*) publication; (*druk*) edition, issue; *kleine persoonlijke uitgaven* pocket-expenses; *ontvangsten en uitg.* incomings and outgoings; *militaire uitg.* military spending; *grote uitg. doen* go to great expense; *kleine uitg.* small expenses, small items of expenditure

uitgaan go out (*ook van vuur, licht, pijp, enz.*); *veel ~* go out (go into society) a good deal; *de kamer ~* leave (go out of) the room; *ga mijn huis uit!* get out of my house!; *de reddingboot ging uit* the lifeboat put out (was launched); *'t elektrisch licht ging uit* gave out, failed; *eruit ga je!* out you go!; *ze was gekleed om uit te gaan* she was dressed ready to go out; *de kerk gaat uit* church is over (is coming out); *de school ging uit* school was over, the children came out of school; *bij 't ~ van de school* at the close of school; *de vlek gaat er niet uit* the stain won't come out; *vrij ~* come off (get off, go) scot-free; *jij gaat vrij uit, ook:* you are (in the) clear, you are not to blame; *die schoenen gaan gemakkelijk uit* come off easily; *mogen ~* be allowed out; ~ *boven, zie* te boven gaan; *met een meisje ~* take a girl out; *een middagje ~ met ...* have an afternoon out with ...; *ga je met mij uit?*

will you come out with me?; *onze harten gaan naar haar uit* our hearts go out to her [in her great sorrow]; *z'n belangstelling gaat uit naar de cultuurgeschiedenis* his special interest is in cultural history; *onze gedachten gaan uit naar een Axminster karpet* we are considering ...; *op een r ~* end in r; *er samen op ~* set off together; *erop ~ om ...* set out to ...; *van een beginsel ~* start from a principle; *ervan ~ dat* take the line (assume, take for granted, take it as read) that; *... ging uit van ...* the plan originated with me, the story started from her, the instructions emanated from the Admiralty; *~de van* in the light of (on the basis of) [these statistics]; *in al zijn gedachten ~ van de Kerk, enz.* think in terms of the Church (the Army); *er gaat geen kracht van hem uit* there is no push in him; *er gaat een morele invloed van haar uit* she radiates a moral influence; *zie* deur & kant

uitgaand *~e jongelui* pleasure-seeking young people; *~e rechten* export duties, customs outwards; *~e brieven (correspondentie)* outward letters (correspondence); *~e lading* outward cargo; *~e schepen* outward-bound ships; *~e vrachten* outward freights (*of:* freight rates)

uitgaans: **~avond** evening (*of:* night) out; **~dag** day out, day off, off-day; **~kas** (*van ontslagen gevangene*) gratuity; **~tenue** dress uniform; **~verbod** curfew(-order)

uitgalmen bawl out

uitgang exit, way out, outlet [an ... to the sea], egress, issue; (*van dienstbode*) outing; (*van woord*) ending, termination; *aan de ~, (van station*) [tickets to be shown] at the barrier; *'t was zijn eerste ~, (na ziekte)* the first time he had been out, his first time out of doors; **~savond, -dag** *zie* uitgaans ...; **~spunt** starting-point (*ook fig.*), point of departure, premises; *geld is 't ~ van al zijn gedachten* he always thinks in terms of money

uitgassen fumigate [a ship]

uitgave *zie* uitgaaf

uitgebreid [1] extensive, comprehensive; *~e keuze* wide choice (*of:* selection); *~ lager onderwijs* advanced primary education; *~e studie* detailed study; *~e voorzorgsmaatregelen* elaborate precautions; *~e volmacht* [committee with] broad (*of:* wide) powers; **~heid** ...ness, extent

uitgehongerd famished, famishing, starved, starving, ravenous

uitgekeken *zie* kijken

uitgekiend sophisticated

uitgekookt *zie* uitgeslapen & sluw

uitgelaten elated, exuberant, exultant, rollicking [fun], [be] cock-a-hoop [over one's success], delirious [*van vreugde* with joy]; *~ van pret* overflowing (brimming over, bubbling over) with merriment; **~heid** elation, exuberance (of spirits)

uitgeleefd decrepit, worn out

---

[1] *Voor niet opgenomen deelwoorden zie men de onbepaalde wijs*

uitgeleerd: ~ *zijn,* (*van leerjongen*) have served one's apprenticeship; (*van scholier*) have left school; ~ *zijn in* be (a) past-master (past-mistress) of (in); *men raakt nooit* ~ live and learn; one is never too old to learn

uitgeleide: *iem.* ~ *doen* show a p. out (to the door, to his car, etc.), (*aan trein, enz.*) see him off, give him a send-off

uitgeleverd: ~ *gewicht* landed weight

uitgelezen select [party, wines], choice [fruit], picked [troops], well-chosen [company], exquisite; **~heid** selectness, choiceness, exquisiteness

uitgemaakt: *dat is een ~e zaak* that point is settled, (*reeds van te voren* ~) a foregone conclusion, a prejudged case; *~(e) waarheid* (*feit*) established truth (fact)

uitgenomen *zie* uitgezonderd

uitgerafeld frayed; **uitgerammeld:** ~ *van de honger, zie* uitgehongerd

uitgerekend calculating [man]; ~ *op zijn verjaardag* on his birthday of all days

uitgeslapen *zie* uitslapen; (*fig.*) wide awake, astute, knowing, shrewd; (*sl.*) fly; *hij is* ~, *ook:* he is a sly dog, an old hand; *je hospita is* ~, *ook:* your landlady is on the make

uitgesloten: *dat is* ~ that is out of the question

uitgesproken *zie* uitspreken; **uitgesteld** deferred [debt, shares, annuity]; (*tarief voor*) ~ *telegram* d. cable (rate); **uitgestorven** extinct [animals]; *de plaats was als* ~ (quite) deserted

uitgestreken: ~ *gezicht* smug (poker) face, deadpan; *met een* ~ *gezicht* s.- (poker-)faced, with a smoothed out expressionless face; [he looked] as if butter would not melt in his mouth

uitgestrekt extensive; *zeer* ~ vast; **~heid** ...ness, extent; (*concr., van water, land, enz.*) expanse, stretch, sweep, reach, tract [of land]

uitgestudeerd *zie* kijken, uitgeleerd & uitgeslapen; *nu ben ik* ~, (= *heb geen geld meer*) I'm at the end of my money, I'm on my beam ends

uitgeteerd emaciated, wasted; *geheel* ~ wasted to a shadow; **uitgetogen** gone out

uitgeven (*geld*) spend [*aan, voor* on]; (*lening, aandelen, kaartjes, bevel, enz.*) issue [a loan, shares, tickets, banknotes, an order], utter [notes, base coin *vals geld*], pass [a worthless cheque, base coin]; (*uitdelen*) distribute, serve out, issue [provisions, ammunition]; (*boek, enz.*) publish, bring out, (*voor de druk bezorgen*) edit; put out [a bulletin]; release [a new album]; *'t wachtwoord* ~ give the (pass)word; *veel geld* ~, *geld met handen vol* ~ s. money like water, be a great (free, lavish) spender, s. (money) freely; ... *geeft te veel uit* England is overspending (herself); *'t boek* ~ *bij* ... publish the book with that firm; *de aandelen* ~ *tegen 87 %* issue the shares at 87 per cent.; ~ *voor* pass off for (*of:* as); *zich* ~ *voor* pass o.s. off as (for), give o.s. out as, represent o.s. as, pose as [a doctor], set up for [a critic], personate [a policeman]; *zich voor rijk* ~ pass

o.s. off as rich

uitgever (*commercieel*) publisher(s); (*wetensch. bewerker*) editor; **~ij, ~sbedrijf, -firma, -maatschappij, -zaak** publishing-firm, -company, -house (*of:* -business)

uitgewekene refugee; **uitgewerkt** elaborate, detailed; flat, dead [beer]; (well-)seasoned [wood]; extinct [volcano]; *zie* uitwerken

uitgewoond: *'t huis is* ~ in a terribly run-down condition, in a bad state of repair, badly in need of repair

uitgezocht *zie* uitgelezen; *ook:* [a day] to order; excellent [opportunity]; *'n zonderling* ~ *gezelschap* a curiously assorted company

uitgezonderd except, [not, always] excepting, with the exception of [your brother], [your brother] excepted; save [your brother]; *niemand* ~ nobody excepted, without exception; *ongelukken* ~ barring (*of:* bar) accidents

uitgieren: *het* ~ *van de pret* (*van lachen*) scream with joy (laughter); *'t was om 't uit te gieren* it was screamingly funny (*fam.:* a perfect scream); **uitgieten** pour out

uitgifte issue [of military stores, shares, banknotes, a loan, an order], flotation [of a loan]; ~ *van obligaties* bond issue

uitgillen scream (out); *ik kon 't wel* ~ I could scream; *zie* gillen

uitgisten ferment out

uitglibberen slither

uitglijden slip [I (my foot) ...ped (*over* on)], slide, lose one's footing

uitglippen *zie* uitglijden; *de deur* ~ slip out

uitgloeien anneal, temper [steel]; scale [a gun]; flame [an instrument]; burn off [a mantle *gloeikousje*]

uitgommen rub out, erase [a word]

uitgooien throw out; (*jas, enz.*) throw (whip) off; *er* ~, *de deur* ~ throw (chuck, bundle) out; *zie* uitflappen

uitgraven (*voorwerp, enz.*) dig out, dig up, excavate; exhume [a corpse]; (*de grond*) excavate; (*uitdiepen*) deepen; *uitgegr. grond* spoil; **-ing** excavation; exhumation

uitgroeien grow (in size), develop; (*van graan enz.*) fill out; *hij is er uitgegroeid* he has outgrown (grown out of) it; *uitgegr.* (*van plant*) fully developed; *niet uitgegr.* stunted; **-sel** *zie* uitwas

uitgroeven groove (out)

uithaal (*bij 't zingen*) drawing-out; (*van auto, enz.*) swerve; (*schoonmaak*) cleaning; *kijker met 3 uithalen* three-draw telescope

uithaken hook out, unhook, unhitch, unhang [a rudder]

uithakken cut (hew, hack) out

uithalen (*uittrekken*) draw (pull) out, extract (*ook fig.:* e. information, the truth, from a p.); (*onkruid*) root out; (*bij breien enz.*) unpick; (*schoonmaken*) clean [ditches, a pipe], clean out [the grate], gut [fish], draw [a fowl]; (*zakken, enz.*) turn out, clear out [one's pockets], turn out [a drawer, a room], do out [a room]; (*toon*) draw out [a tone]; (*mar.*) haul out, get out [a ship]; (*besparen*) save [time]; (*streken, enz.*) play [tricks, pranks], perpetrate [a hoax]; *zie* streek & kattekwaad; (*uitwijken*) pull out, draw in; *naar* **rechts** (*links, verkeerd*) ~ pull out to the right (to the off side), to the left (to the near side), to the wrong side; *zie* kant; '*t vuur* ~ rake out the fire; *de vuren* ~, (*mar.*) pull fires, draw fires; *voor iem.* ~, (*iem. onthalen*) do a p. proud; *wat halen ze uit!* what a wonderful feed (*sl.*: blow-out) they are giving us!; *hij haalde geducht uit* he did the thing handsomely; *hij heeft heel wat uit oude dagboeken gehaald* he has gleaned a good deal from old diaries; *hij stond met twintig anderen op de kiek, maar zij haalde hem er dadelijk uit* picked him out at once; *er* ~ *wat men kan* run the thing for all it is worth, make the most of it, get every ounce out of it; *uit iemand halen wat erin zit* bring out the best in a p.; *dat zou niets* (*niet veel*) ~ that would serve no good purpose (that would not be of much use, wouldn't get you anywhere); '*t haalde niets* (*weinig*) *uit* [he worked hard, but] he had nothing (little) to show for it; *praten haalt niets uit* no good purpose can be served by talking, there is little use in talking; *wat* '*t zou* ~ [it was not clear to me] what purpose would be served; *dat haalt heel wat* (*één gulden*) *uit* that saves a lot (one guilder); *de eerste uitgaven werden er ruimschoots uitgeh.* the initial expense was more than made good; *wat heeft hij uitgeh.?* what has he been up to?; *wat heeft hij nu weer uitgeh.?* what is his latest?; *daar heb je wat moois uitgeh.!* you've made a nice mess of it; *zie ook* grap, lolletje, nest, woord, enz.

uithaler pipe-scraper; (*mar.*) outrigger

uitham spit (tongue, neck) of land

uithameren hammer (out)

uithang: ~**bord** signboard, (business-, inn-)sign; ~**en** hang out [flags]; (*fig.*) play [the schoolmaster, etc.]; *de grote heer* (*de bram, de gebraden haan*) – make a big splash; *de vrome* – play the saint; *waar hangt hij uit?* where does he hang out?; *waar de griffioen uithangt* at (the sign of) the griffin; *de plaats, waar hij gewoonlijk uithangt*, (*sl.*) his usual hang-out; *zie* keel; ~**kast** show-window; ~**teken** *zie* ~bord

uitharden cure [plastic resins]

uithebben have finished [a book]; *de slaap* ~ have one's sleep out

uitheems foreign [produce, words], exotic [plants]; (*vreemdsoortig*) outlandish [fashions, garments]; **uithelpen:** *er* ~ help [a p.] out

uithevelen *zie* uitpompen; **uithijsen** hoist out

uithoek *a*) out-of-the-way place (*of:* corner), outlying district; *b*) cape, headland

uithoesten cough up, expectorate

uithollen hollow (out), scoop out, dig out, excavate; (*fig.*) empty of meaning; **-ing** hollowing out, etc., excavation; (*holte*) hollow, excavation

uithongeren famish, starve (out); *zie* uitgeh.; **-ing** starving (out), starvation

uithoren: *iem.* ~ pump a p., draw a p. (out); *geheel* ~ pump [a p.] dry

uithouden hold out [one's arm]; bear, suffer, stand, sustain [the exertion]; *het* ~, (*volhouden*) hold out [I can … no longer, the fire will … through the night, his voice will not …], endure, stick it (out), stay the course; (*verdragen*) stand (*of:* stick) it; *zozeer dat ik* '*t niet langer kon* ~ [he irritated me] past bearing; *geen boot kon* '*t* ~ *in* … no boat could live in such a sea; *dat is niet om uit te h.* there is no standing it; '*t is met hem niet uit te h.* there is no living with him; *de dijk zal* '*t wel* ~ the dike will hold; *hij houdt* '*t nog steeds goed uit* he is still going strong; *mijn band zal* '*t wel* ~ my tyre will hold up; *je jas houdt* '*t niet eeuwig uit* won't last for ever; *zal het tuig het* ~? will the harness hold together?; *hij hield het in dat klimaat twee jaar uit* he stuck it for two years in that climate; *je kunt het hier zeker wel* ~? I suppose you are quite comfortable here?; *ik kan het in de stad niet* ~ I cannot abide the town; **uithouder** (*pers., paard, enz.*) stayer; (*mar.*) outrigger

uithoudings: ~**proef** endurance test; ~**record** endurance record; ~**vermogen** staying-power, (power of) endurance, stamina; *iem.* (*paard, enz.*) *met veel* (*weinig*) – a stayer (a non-stayer); ~**vlucht** endurance flight

uithouwen carve (out), hew (out); *in steen uitgehouwen* carved in stone; *een weg* ~ hew out a passage; **uithozen** bail (bale) out [a boat]

uithuilen have a good cry, have one's cry out; *iem. laten* ~ let a p. have his cry out

uithuizig gadabout; *ze is erg* ~ she is never at home; ~**heid** g. ways (habits)

uithuwelijken, uithuwen give in marriage, marry off [one's daughters]

uiting utterance, expression; ~ *geven aan* give expression (utterance) to, voice [the feelings of …]; *zie verder* uitdrukking

uitjagen drive out, expel

uitjammeren lament; *zie* uithuilen

uitje 1 (small) onion; 2 outing

uitjouwen hoot, jeer at, boo; (*sp.*) *ook:* barrack

uitkaaien, -er (*Ind.*) *zie* uitsmijten, -er; **uitkafferen** (*fam.*) row, (*Am.*) bawl out; **uitkammen** comb (out); **uitkappen** *zie* uithouwen

uitkartelen scallop; **uitkauwen** chew

uitkavelen sell by lots

uitkeping notch; **uitkeping** notch

uitkeren pay (distribute) [dividend]

uitkering payment; (*bij faillissement*) dividend [*van 25%* of 25p in the pound]; (*bij verzekering*) benefit; (*bij ziekte, bevalling, begrafenis*) [sickness, maternity, funeral] benefit; (*bij staking*) strike-pay; (*aan werklozen*) unemployment benefit (dole, allowance); (*aan gescheiden vrouw*) alimony; ~ *krijgen*, (*van werkloze*) be on the dole; ~**sfonds** endowment (*of:* benevolent) fund

uitkermen: '*t* ~ groan, moan; '*t* ~ *van* groan (moan) with [pain]; **uitketteren** *zie* uitkafferen; **uitkienen** think (figure) out

uitkiezen choose, select, pick out, single out, fix upon [a day]

uitkijk (*uitzicht*) view, prospect, look-out, (*toren, enz.*) look-out; (*pers.*) look-out (man); *op de ~ staan* be on the (keep a) look-out, keep watch

uitkijken look out, be on the look-out; *~ naar* look out for, watch for [the postman], look (out) for [a job]; *zich de ogen ~* stare one's eyes out; (*er*) *goed* (*naar*) *~* keep a sharp look-out (for it); *men raakt daar nooit uitgekeken* there is always s.t. new to interest you; *ik ben er op uitgekeken* I have seen (had) enough of it; *kijk uit!* look out!; *zie* kijken

uitkijk: *~post* observation-post, look-out (post); *~toren* (*wachttoren*) watch-tower, look-out tower; (*voor 't uitzicht*) belvedere; *~wagen* sight-seeing car(riage)

uitkippen pick out; **uitklappen** fold (tip) out

uitklaren clear (out)

uitklaring clearance (outwards); *~sakte* c.-certificate; *~shaven* port of c.; *~skosten* c.-dues

uitkleden undress, strip; *iem. naakt ~*, (*ook fig.*) strip a p. naked (*of:* to the skin); (*fig., ook*) fleece a p.; *zich ~* undress, strip; *ik heb mij voor jou uitgekleed*, (*fig.*) I've spent all I had on you

uitklimmen: *'t raam ~* climb out of the window

uitkloppen beat [clothes, carpets], shake [rugs]; knock out [one's pipe, the ashes]; *zijn pijp ~, ook:* knock the ashes from (*of:* out of) one's pipe; *iems. buis ~,* (*fig.*) dust a p.'s jacket; *-er* carpet-beater

uitknijpen squeeze (out), stub out [a cigarette]; (*weglopen*) decamp, abscond, slip off, give a p. the slip, (*sl.*) do a bunk, hook it; (*doodgaan*) pop off, peg out, kick the bucket, croak; *er een dagje ~* steal a day off; *uitgeknepen citroen,* (*fig.*) squeezed (*of:* sucked) orange; *zie* uitpersen

uitknikkeren: *iem. er ~* bowl a p. out, oust a p.

uitknippen cut out

uitknipsel cutting, clipping

uitknob(b)elen figure out, puzzle out

uitkoken boil out, extract by boiling; (*linnen*) boil; (*zijde*) boil, scour, (*vaten, enz.*) scald; (*vet*) render; *uitgekookt vlees* overboiled meat, meat boiled to rags; *'t ei is uitgekookt* the shell is cracked, the white is coming out

uitkomen come out (*ook van bladeren, bloemen, krant, foto, mazelen*); issue, emerge [from]; (*van bloesem ook*) break out; (*van ei, van larven, enz.*) hatch (out); (*van kuiken, enz.*) hatch (out), come out of the egg (the shell); (*van bomen*) come out, bud; (*van boeken, geschriften*) come out, appear, be published; (*bekend worden*) get (come) out, become known (public), emerge [it emerged that ...] (*van de waarheid*) come out; (*van misdaad*) come out, come (be brought) to light; (*van droom, voorspelling, woorden*) come true; (*van som*) come out, work out, come (out) right; (*gebeuren, uitvallen*) turn out [everything turned (*fam.:* panned) out as I had

hoped], work out [things do not always ... according to plan]; (*bij spel*) lead; (*in wedstrijd*) start; (*naar Indië*) come out; (*in 't oog vallen*) show (up), come out; (*rondkomen*) make (both) ends meet; *ik moet ~,* (*kaartspel*) it is my lead; *als de schouwburgen ~* when the theatres come out; *kom eruit!* come out of that!; *ik kan er niet ~,* (*fig.*) I cannot make it out; *wat komt eruit?* what is the result?; *ik kom er zelden uit* I hardly ever stir (go) out; *ik kom er wel uit* [please do not come down,] I can find my way out, I'll let myself out; *dat komt uit* that is correct, that is right; *dat zal wel ~* that goes without saying, that is self-evident; *'t spel wou niet ~* the game [of patience] would not come out; *haar verwachtingen waren niet uitgek.* had not been realized; *een moord* (*misdaad, bedrog*) *komt altijd uit* murder will out; *de kale plekken komen duidelijk uit* the threadbare spots show (up) clearly; *draag 't zo dat 't goed uitkomt* wear it so that it will show (up); *goed ~ op een foto* come out well in a photo, be photogenic; *haar bleke kleur kwam nog sterker uit door ...* her pallor was accentuated by the blackness of her hair; *dat komt mij prachtig uit* that suits me splendidly; *'t* (*plan, enz.*) *kwam verkeerd uit* it went (turned out) wrong (the plan did not work; the plan, the marriage, went awry); *'t kwam 'n beetje anders uit* it did not quite work out that way; *'t komt alles prachtig uit* it all fits in very neatly, it happens very conveniently; *'t kwam* (*toevallig*) *zo uit dat ...* it so fell out that ...; *'t kwam niet zo goedkoop* (*kwam duurder*) *uit* it did not come so cheap (it came more expensive); *'t zou goedkoper ~, ook:* it would be cheaper in the end; *hij kleedt zich zoals 't hem 't best uitkomt* he dresses anyhow; *doen ~* set off [to great advantage], show up; accentuate, bring out, emphasize [a point]; *het deed haar slankheid ~* it emphasized the slightness of her figure; *'n waarheid* (*scherp*) *doen ~* bring a truth into (strong) relief; *hun lafheid deed ... scherp ~* their cowardice threw into high relief the exploits of our own troops; *ze deden elkaars eigenschappen ~* the one was a foil (set-off) to the other; *haar gitten sieraden deden de blankheid van haar huid ~* her jet ornaments threw up (showed off, accentuated, emphasized) the whiteness of her skin; *ik wou de talenten van mijn gast doen ~* I wanted to bring out my guest's talents; *met een troef* (*hartenaas*) *~* lead trumps (the ace of hearts); *de Liberalen komen uit met ...* the Liberals are putting forward 115 candidates; *met een prijs ~* come out with (draw) a prize; *zie niet; ik kan er net mee ~,* (*'t is net genoeg*) it will just do; *kom je uit met je huishoudgeld?* can you manage on your housekeeping money?; *zie verder* rondkomen; *~ op* (*van deur, kamer, enz.*) open into (on, on to, off), give on (into, on to) [the corridor]; *deze straat komt uit op 't strand* opens out on the beach; *'t pad komt* *bij A. op de weg uit* the path joins the road at A.; *de op de kade ~de stegen* the alleys off the quay; *een plein waar 4 straten op ~* with four streets running (coming) into it; *wij kwamen op ... uit* we emerged on the highroad; *helder ~ tegen* show bright against; *de bergen kwamen scherp tegen de lucht uit* stood out (were thrown out) sharply (were brought into bold relief) against the sky; *de bomen kwamen mooi uit tegen ...* showed up beautifully against the rocks; *~ tegen, (bij wedstrijd)* play (against); *hij kwam er rond voor uit* he frankly admitted it; *(biechte op)* he owned up, made a clean breast of it; *voor zijn mening ~* say what one thinks; *voor zijn overtuiging ~* declare one's convictions; *voor zijn overtuiging durven ~* have the courage of one's convictions; *zie* voordelig

uitkomst *(resultaat, uitslag)* result, issue [the ... showed that he was right]; *(van som)* result; *(redding)* relief, deliverance, help; *(kaartspel)* (opening) lead; *er kwam ~* help came, s.t. turned up; *er is geen ~* things are hopeless, there is no way out of the difficulty; *een ware ~* a perfect godsend, [rubber soles are] a real boon [for tired feet]

uitkoop buying out *(of:* off); *ontslag door ~* discharge by purchase

uitkopen buy out [a partner], buy off

uitkotsen *(sl.) hij wordt overal uitgekotst* he is cold-shouldered everywhere

uitkraaien: *'t ~* crow [with delight]

uitkrabben scratch out [a p.'s eyes, a word], erase [a word], scrape out

uitkramen: *zijn geleerdheid ~* show off (display, parade) one's learning; *heel wat onzin ~* reel off a lot of nonsense, talk a lot of flapdoodle

uitkrassen scratch out, erase [a word]

uitkrijgen finish, get to the end of [a book]; get off [one's shoes]; get out of [one's coat]; *er ~, (radio)* [I can't] cut out [Hamburg]; *ik kon 't spel niet ~* I could not get the game out; *zie ook* krijgen *(... uit)*

uitkrijten: *zich de ogen ~* cry one's eyes out; *uitgekreten worden voor ...* be decried as (be called) [a coward]; **uitkristalliseren** crystallize out, *(fig.)* crystallize; **uitkunnen:** *de zaak kan niet uit* the business does not pay its way; *die schoen kan niet uit* will not come off; *de kleren van de pop kunnen uit* the doll's clothes take off and on; *hij kan er niet over uit* he never tires of talking about it; *ik kan er niet over uit (dat hij ...)* I am utterly shocked (that he ...)

uitlaat exhaust; *(van riool)* outfall(-sewer, -pipe); *vrije ~, (van motor)* cut-out; **~gassen** e.-gases, e.-fumes; **~klep** e.-valve; *(fig.)* outlet, safety-valve; **~kraan** e.-cock; **~pijp** e.-pipe; **~stoom** e.-steam

uitlachen I *tr.* laugh at; *smalend ~* laugh to scorn; *toen lachte ik (op mijn beurt) hem uit* then I had the laugh of him; *zie* gezicht; II *intr.* have one's laugh out

uitladen *a)* unload, discharge; *b)* detrain [troops]; **-ing** *a)* discharge; *b)* detrainment

uitlander *(Afr.)* foreigner, alien

uitlandig abroad; **~heid** absence a.

uitlands outlandish

uitlaten *(pers., hond)* let out, *(beleefder)* see (show) out [a visitor], see [a p.] to the door; *(weglaten)* leave out, omit [a word]; *(kleding)* leave off [one's coat], leave off wearing [one's flannels]; *(verwijden)* let out [a garment]; *(stoom)* let off [steam]; *(gas)* release [gas from a balloon], emit [fumes]; *laat me eruit* let me out; *de lamp ~* not light the lamp; *hij liet er geen woord over uit* he did not drop (let fall) a word about it; *ik heb niets uitgelaten, (verklikt)* I have not let on; *zich ~ over* give one's opinion about; *daar wil ik mij niet over ~* I will not express any opinion on that point; *zich er niet (of vaag) over ~* be non-committal, be very reticent about it; *weigeren zich uit te laten over ...* refuse either to confirm or deny the report; *zich waarderend ~ over* speak highly of; *zich geringschattend ~ over* speak slightingly of, reflect on; *zich optimistisch ~* sound a hopeful note

uitlating letting out, etc. *(zie 't ww.)*, omission; *(uit toneelstuk)* cut [perform Hamlet without ...s]; *(uiting)* utterance, remark, declaration; **~steken** apostrophe; *(bij correctie van drukwerk)* caret

uitleenbibliotheek lending-library; **-bureau** loan desk

uitleg 1 enlargement, extension [of a town]; 2 explanation, interpretation; *een zekere (verkeerde) ~ geven aan* put a certain (wrong, false) construction on [a p.'s words] *(evenzo:* what construction shall I put upon your words?); *aan alles een verkeerde ~ geven, ook:* misconstrue everything; *de feiten zijn slechts voor één (voor verkeerde) ~ vatbaar* can bear only one construction (are open to misconstruction); *voor meer dan één ..., ook* ambiguous; *'t is voor beiderlei ~ vatbaar* it may be explained both ways; **~gen** *(klaarleggen) zie ald.; (kledingstuk)* let out; *(stad)* extend; *(verklaren)* explain, make clear, elucidate, explicate; expound [Scripture]; interpret [a law, dreams]; *~ als* construe (take, interpret) [s.t.] as [an insult]; *verkeerd –* misinterpret, misread, misconstrue; *zie ook:* ~ geven; **~ger** explainer, commentator; expounder [of the law], interpreter [of dreams]; *(van roeiboot)* outrigger; **~ging** explanation, exposition; *(van iets twijfelachtigs)* interpretation; *(van de bijbel)* exegesis; *zie* uitleg; **~kunde** exegesis; hermeneutics; **~kundig** exegetic(al); **~kundige** exegete

uitlekken *ww.* leak *(of:* ooze) out; *(fig. ook)* transpire, filter through; *zn.* leakage [of news]

uitlenen lend (out), *(Am.)* loan; *het boek is uitgeleend* is out on loan

uitleren finish [a book]; *zie* uitgeleerd

uitleven indulge [one's passions]; *zich (vrij) ~* live one's life to the full, have one's fling; *(geestelijk)* live one's (own) life (in one's own way), realize o.s.; *zie* uitgeleefd

uitleverbaar extraditable
uitleveren deliver up, hand over; (*misdadiger*) extradite; (*tegen elkaar*) exchange [prisoners of war]; *zie* uitgeleverd
uitlevering (*van misdadiger*) extradition; *waarvoor* ~ *bestaat* extraditable [offence]; *bevel tot* ~ e. warrant; ~**straktaat**, ~**sverdrag** e. treaty; ~**swet** e. act
uitlezen finish [a book], read through (*of:* to the end); read out [a computer memory]; (*kiezen*) pick out, select; *zie* uitgelezen & achtereen
uitlichten 1 lift out; 2 light [a p.] out
uitlijnen align [the wheels of a car]
uitlikken lick (out), lick clean
uitlogen leach, lixiviate; **-ing** leaching, lixiviation
uitlokken provoke [a quarrel, war]; elicit [an explanation]; incite [subversive activities]; evoke, invite, call forth [comment, criticism, remarks]; invite [a war, discussion]; ask for [trouble; he ...ed for it]; court [disaster, a panic, failure]; bring (draw) forth [a loud protest, a sharp retort]; *een bod* ~ draw a bid; *een vergelijking* ~ *met* challenge comparison with; ~ *om te* ... tempt to ...; *een zaak aanhangig gemaakt om een uitspraak uit te lokken* a test case (*of:* action); zie twist & woord; **~d** tempting, alluring, inviting; **-ing** provocation; – *tot meineed* subornation of perjury
uitloodsen pilot out
uitloop outlet; (*van vliegt.*) landing-run
uitlootbaar redeemable
uitlopen run out (*ook van vloeistoffen*), go out; (*uitbotten*) bud, shoot, come out, sprout; (*van kleuren*) bleed; (*ontijdig van koren, van aardappelen, enz. in kelder*) sprout, grow (out); (*van schepen*) put out, put to sea; (*van vliegt.*) taxi; (*van vergadering*) go on longer than expected; (*van college*) run over time; (*van broekspijpen*) flare; (*vóórkomen*) draw ahead, gain (10 yards); '*t hele dorp liep uit* the whole village turned out; *zij liepen bij elkaar* (*op de kamer*) *uit en in* they went in and out of each other's rooms; *hij liep jaren lang bij ons uit en in* he was in and out of our house for years; *veel* ~ be always gadding about; *de kamer* ~ run from (out of) the room; ~ *in* (*van rivier*) run into, empty (itself) into; *in een punt* ~ end in (taper to) a point; ~ *op* (*van straat, enz.*) lead to; *zie* uitkomen; (*fig.*) result (*of:* end) in [disaster]; *op niets* ~ come to (lead to, result in, amount to) nothing, come to naught; (*van onderhandelingen, enz. ook*) be (prove) abortive; *waar zal dat op* ~? what is this to end in?
uitloper (*pers.*) gadabout; (*van plant*) offshoot, (*bovengronds*) runner, (*ondergronds*) sucker, offset, stolon; (*van gebergte*) spur, offshoot; (*van debat*) offshoot; *hij is geen* ~, *ook:* he is a stay-at-home; ~**ij** gadding (about)
uitloten *tr.* draw (out); *intr.* be drawn (for repayment); draw a blank [in a lottery]; *uitge-*

loot drawn [bonds]
uitloting drawing [of bonds]
uitloven offer [a reward], promise, put up [a prize]
uitlozen empty (itself), discharge (itself), drain [*in* into]
uitlozing outfall, discharge
uitluchten air, ventilate
uitlui(d)en ring out [the old year, etc.], ring the knell of [a p., s.t.]; give [a p.] a (his) farewell
uitmaken (*vlekken*) take out, remove [stains]; (*beëindigen*) finish [a book, game]; break off [an engagement, she has broken (it off) with the baker's man]; (*uitdoven*) put out [a fire]; (*vormen*) form, constitute [these things ... all my wealth], account for [the payroll ...s for only 20 % of his total production costs]; (*beslissen*) decide, settle [a difference, dispute]; (*door redenering*) argue [it, the matter] out; *de dienst* ~ run things; (*uitschelden*) *zie ald. & ben.; dat is uitgemaakt* that is settled; *wat maakt dat uit?* what does it matter?; *het maakt niet veel uit of* ... it will make little difference whether ...; *dat maakt niet(s) uit* it's of no consequence, it does not matter; (*fam.*) no bones broken!; *dat maakt voor mij veel uit* me it matters a lot; *dat moeten zij samen maar* ~ let them fight it out between (*of:* among) themselves; *de kwestie is nog steeds niet uitgem.* the question still remains in suspense; *iem.* ~ *voor verrader* call a p. (decry, denounce, a p. as) a traitor; *iem.* ~ *voor al wat lelijk is* call a p. all sorts of (unprintable) names (every name under the sun), call a p. everything [you can call me any name you like], blackguard (revile) a p.; *iem.* ~ *zodat er niets van overblijft* make mincemeat of a p.; *zie* uitgemaakt
uitmalen drain [a marsh], grind down [corn]; **-ingspercentage** extraction rate
uitmelken strip [a cow], milk out (*of:* dry)
uitmendelen (*van erfelijke eigenschap*) manifest itself
uitmergelen exhaust [the soil]; (*pers.*) grind down [the poor], squeeze dry, squeeze the last penny out of, milk; *uitgemergeld*, (*pers.*) emaciated, wasted; **-ing** exhaustion, etc.
uitmesten muck (out) [a stable]
uitmeten measure [a room]; measure out [drops]; *breed* ~ enlarge on, make the most of [one's grievances], fully emphasize
uitmiddelpuntig(heid) eccentric(ity)
uitmikken *zie* afmikken
uitmoeten, -mogen *zie* uit
uitmonden: ~ *in* empty (itself) into, debouch into, discharge (itself) into, flow into [the sea]; *zie* uitkomen; (*fig.*) result in [new procedures]
uitmonding mouth, outlet
uitmonsteren trim, face [a uniform]; (*afdanken*) discharge [soldiers]; **-ing** facings [of a uniform]
uitmoorden: *een stad* ~ massacre the inhabitants of a town
uitmunten excel [*in* in, at]; ~ *boven* excel; *zie*

uitblinken & overtreffen
uitmuntend(heid) *zie* uitstekend(heid)
uitnemen take out
uitnemend *zie* uitstekend; **~heid** excellence; *bij* –
pre-eminently, par excellence; *zelfgenoegzaam
bij* – nothing if not self-satisfied
uitnod(ig)en invite [*op de thee* to tea]; *zie* nodigen
uitnodiging invitation; [royal] command; (*fam.*)
invite [come without an …]; *op* ~ *van* on (at)
the i. of; **~skaart** i. card
uitoefenen exercise [influence, supervision, a
right, the franchise]; (*vak*) practise, carry on,
follow [a profession], pursue, prosecute [a
trade, profession], conduct [one's business
z'n bedrijf], ply [a trade]; (*ambt*) hold, fill,
occupy [a post], discharge [one's duties];
exert [influence, force]; *drang* ~ *op* bring pressure to bear upon, put (exert) pressure upon;
macht ~ wield power [*over* over]; *zie* kritiek;
-ing exercise; practice, prosecution, pursuit;
discharge; *vgl. 't ww.;* [die in the] execution
[of one's duty]
uitpakkamer (*in hotel*) stockroom
uitpakken unpack; *over iets* ~ launch out about
(*of:* upon) s.t., let o.s. go, let fly about s.t.; *hij
was aan 't* ~, (*fig.*) he was fairly launched; *toen
begon zij tegen hem uit te pakken,* (*op te spelen*)
then she began to let out at him; *'t pakte niet
goed uit* it did not turn (*of:* pan) out well (*zo
ook:* we'll see how it pans out); *bij 't* ~, (*hand.*)
on opening out (on unpacking) the goods;
zie ook uitvaren
uitpellen *zie* pellen; **uitpersen** press (squeeze)
out, squeeze [a lemon], express [juice]; *geheel*
~ squeeze dry; *zie* uitknijpen; **uitpeuteren** pick
(out); **uitpiekeren** puzzle out; **uitpikken** peck
out; (*uitkiezen*) pick out, single out, select
uitplanten bed (plant, set) out
uitploegen plough out
uitpluizen sift [facts, evidence], sift out, sift
to the bottom, go to the bottom of, unravel
[a mystery], thresh out [a subject]; *tot in
bijzonderheden* ~ follow out [a comparison]
into detail; *touw* ~ pick oakum; *uitgeplozen
touw* oakum
uitplukken pluck out; pluck [the eyebrows]
uitplunderen plunder, pillage, sack, ransack,
loot; *zie* uitschudden; **-ing** …ing, pillage,
sack
uitplussen think (work, figure) out
uitpoetsen rub out; (*fig.*) *zie* uitvlakken
uitpompen (*water, enz.*) pump out; (*lucht, ook:*)
exhaust; (*schip, enz.*) pump (dry); (*maag*)
wash out; (*glazen buis, enz.*) exhaust
uitponsen punch out
uitpoten *zie* poten
uitpraten talk o.s. out, have one's say; *laat me*
~ let me finish; *ben je uitgepraat?* have you
done (finished)?; *ik ben uitgepr.* I've had (*of:*
said) my say, (*weet niets meer*) I am played
out, I have come to the end of my tether; *hij
was gauw uitgepraat* he soon dried up; *nou,
dan zijn we uitgepraat* then there's nothing

more to be said; *iem. niet laten* ~ cut a p.
short; *daarover raakt hij nooit uitgepr.* he
never tires of talking about it; *hij probeerde
zich eruit te praten* he tried to shuffle out of it
uitprikken (*van werkman, enz.*) clock out
uitproberen test, try out
uitproesten: *'t* ~ burst out laughing
uitpuilen protrude, bulge, goggle [his eyes …d];
(*van anderen*) stand out; *zijn ogen puilden uit,
ook:* his eyes started from their sockets, were
bulging out of his head; **~d** protruding, pro-
tuberant, bulging, bulgy; **~de ogen,** *ook:*
goggle eyes, pop-eyes; *met ~de ogen* goggle-,
pop-eyed
uitputten exhaust; *zich* ~ exhaust o.s., be profuse [in good advice, compliments, apologies],
wear o.s. out [in the pursuit of wealth; *hij
putte zich uit in excuses,* (*ook:*) he apologized
profusely; *uitgeput* exhausted (*in alle bet.*),
[I felt completely] knocked up; depleted [lands,
war-chest], empty [exchequer], worked-out
[mine]; worn out [my patience is getting …];
ook: I'm coming to the end of my patience,
my patience is wearing thin]; (*van pers. ook*)
spent [with fatigue, etc.], prostrate; *uitgeput
raken,* (*van schrijver*) write o.s. out; (*van
krachten, financiën*) give out; *de discussie
raakte uitgeput* petered out; *een onderwerp ~d
behandelen* treat a subject exhaustively; *een
~de wedloop* a punishing race; *zie* middel
uitputting exhaustion, prostration; (*door on-
dervoeding, ook:*) inanition; **~soorlog** war of
attrition, attrition war(fare)
uitraderen erase
uitrafelen ravel out, fray; *zie* uitgerafeld
uitraken get out; (*van engagement*) be broken
off
uitrangeren shunt out; (*fig.*) shelve, put out of
action
uitrazen cease raging; *hij is uitgeraasd* his fury
has spent itself; (*fig.*) he has sown his wild
oats, has had his fling; *een gelegenheid om
eens uit te r.,* (*zijn hart te luchten*) an opportunity of blowing (letting) off steam; *de storm
is uitger.* the storm (*of:* gale) has spent itself;
zie jeugd
uitredden: *er* ~ help out, deliver; *zich er* ~ get
out of it (out of the difficulty)
uitredding deliverance, (means of) escape
uitregenen stop raining; *ergens* ~ be washed out
by the rain; *het is uitgeregend* it has rained
itself out
uitreiken distribute, give away, present [prizes],
issue [passports, tickets], give, deliver, (*akte*)
grant [*aan* to], confer [*aan* on]; *zie* verstrekken
uitreiking distribution, issue, delivery; presentation [of a medal]; *kantoor van* ~ issuing
office
uitreis outward journey; (*mar.*) voyage (*of:*
passage) out, outward voyage (passage); *uit-
en thuisreis,* (*mar.*) voyage out and home,
round trip; *'t schip is op de* ~ is outward
bound; *schip op de* ~ outward-bound vessel
uitreizen set out (on a journey), start, sail

uitrekenen calculate, compute, figure (reckon) out [the distance, the cost], work [it] out, work (out) [a sum]; *zie* vinger; **-ing:** *hij doet 't op een* – he has a purpose of his own to serve, he has an axe to grind

uitrekken stretch (out), stretch [gloves, shoes, one's neck, limbs], crane [one's neck]; *zich ~* stretch o.s., (*fam.*) give a stretch; *zie* rekken

uitrichten do, accomplish; *er is niets met hem uit te richten* there is no doing anything with him; *daarmee richt je helemaal niets uit* it is no good (no use) at all [his warning had no (little, some) effect]

uitrijden ride (*of:* drive) out; *de stad ~* ride (drive) out of the town; *vgl.* rijden; *'t station ~*, (*van trein*) pull out, draw out

uitrijstrook (*van autoweg*) deceleration lane

uitrijzen: *~ boven* rise above, out-top [the ruins], overtop

uitrit exit

1 uitroeien row out [of the harbour]

2 uitroeien (*eig. & fig.*) root out, root up, up-root, eradicate, extirpate; (*onkruid*) weed out; (*fig.*) exterminate [wild animals, heresy, etc.], destroy [rats, nests], annihilate [whales], stamp (*of:* wipe) out [abuses, disease]; **-er** extirpator, exterminator; **-ing** eradication, extirpation, extermination, extinction, annihilation

uitroep exclamation, shout, cry

uitroepen call (cry) out, exclaim; call [a p.] from [the room]; (*staking*) declare, call [a strike]; (*venten*) cry; *iem. ~ tot koning* proclaim a p. king

uitroep(ings)teken (note of) exclamation, e.-mark, (*Am.*) e. point

uitroken (*pijp, sigaar*) smoke out, finish; (*vos, enz.*) smoke out; (*ter ontsmetting*) fumigate; **-ing** fumigation

uitrollen unroll [a piece of cloth, etc.], unfurl [a flag], roll out [paste *deeg*]; (*van vliegt.*) taxi; *er ~* roll out, tumble out

uitrukken I *tr.* pull (pluck, tear) out; tear off [one's gloves]; tear [one's hair]; II *intr.* march (out); (*van wacht, brandweer, enz.*) turn out [the fire-brigade answered 200 calls]; *laten ~* turn out [the guard]; *de stad ~* march out of the town; *ruk uit!* clear out

1 uitrusten rest, take (a) rest, have a rest, rest o.s.; *ben je uitgerust?* are you rested?; *zich uitgerust voelen* feel rested; *ze stond op zonder uitgerust te zijn* she rose unrested; *laten ~* rest [one's horse]

2 uitrusten equip [soldiers, etc., o.s. for a journey, a ship with radar, a p. with s.t.]; fit out [a ship, a fleet], furnish [a theatre]; *goed uitgerust, ook:* well-found [steamer], well-equipped [troops]; *opnieuw ~* refit [a ship]; *opnieuw uitger. worden, ook:* refit [the submarine was ...ting]

uitrusting fitting-out, equipment; (*concr.*) equipment, kit; [miner s] working-kit; (*fam.*) rig-out [a ... for Santa Claus]; (*voor reis, enz.*) outfit; *in volle ~*, (*van soldaat*) in full (fight-

ing-)kit; *zijn geestelijke ~* his intellectual (mental) equipment, (*ietwat min.*) his stock-in-trade; *voor zijn eigen ~ zorgen* pay for one's own equipment, equip o.s.; *verkoper van ~en* outfitter; **~sstukken** equipment; *kleine ~*, (*mil.*) accoutrements

uitschakel: **~aar** (*elektr.*) circuit-breaker, cut-out [of a motor-car]; **~en** switch off, cut out, [the engine], disconnect, put out of circuit, short-circuit; (*auto*) slip out (withdraw) the clutch; (*fig.*) eliminate, rule out [a possibility], count [a p.] out, get rid of [propagandists]; *uitgeschakeld*, (*van persoon*) out of circulation, laid up; **~ing** switching-off, etc.; elimination

uitschateren: *'t ~* roar (*of:* scream) with laughter, burst out laughing

uitscheiden I *intr.* stop, leave off; *~ met werken* knock off (work); *er ~*, (*met zijn zaken*) shut up shop; *schei uit!* have done! stop (it)! (*sl.*) stow it! chuck it! cheese it! cut that!; *schei uit met je geklets!* cut the cackle! dry up!; *zie* ophouden; II *tr.* excrete [waste matter], secrete [honey]; **-ingsorgaan** excretory organ

uitschelden call [a p.] names, abuse, rail at, (*sl.*) slang [a p.]; *~ voor, zie* uitmaken

uitschenken pour out; uitscheppen scoop out, ladle out [soup]; (*uithozen*) bail (*of:* bale) out

uitscheuren *tr.* tear out [a leaf, etc.]; *zie* uitrukken; *intr.* tear; *uitgescheurd* [the buttonhole is] torn

uitschieten I *tr.* shoot out [a candle]; (*stralen*) shoot, dart [rays]; (*jas, enz.*) slip off; (*waren*) sort out; (*geld*) advance, pay [money for a p.]; II *intr.* shoot out [her hand shot out], (*uitglijden, ook van mes*) slip; (*uitbotten*) bud, shoot; (*van wind*) veer; *de deur ~* dart (shoot, rush) out (of the room, of the house); *er ~* (*van vonken*) fly off; **-er** gust (of wind); (*fig.*) high-flyer

uitschiften sift (out)

uitschijten (*plat*) *zie* uitkotsen; **-er** (*volkst.*) rocket

uitschilderen paint, picture, portray

uitschitteren *zie* uitblinken

uitschoppen kick out; *zie* uittrappen

uitschot throw-outs, rejects, refuse, offal; (*bocht*) rubbish, trash, (bad) stuff; (*personen*) trash, riff-raff, dregs [of society], rubbish; *zie ook* verschot

uitschrabben, **-schrappen** scrape (out); (*doorhalen*) erase, delete, scratch out; **uitschreeuwen** cry out; shout [an order, the good news]; *'t ~ van pijn* cry out (yell) with pain; **uitschreien** *zie* uithuilen

uitschrijven write out [a cheque]; make out [an invoice *factuur*, an account]; (*kopiëren*) copy out; call, convene [a meeting]; float (issue) [a loan]; *een verkiezing ~* issue writs for (*of:* call) an election; *zich laten ~* have one's name removed from municipal register; *zie* prijsvraag, enz.

uitschrobben scrub out

uitschudden shake out; shake [a table-cloth];

iem. ~ clean a p. out, clear a p. of all he has; *hij had alle schaamte uitgeschud* he was lost to all sense of shame

uitschuieren brush (out); **uitschuifblad** draw-leaf; **uitschuifladder** extending ladder; **uitschuiftafel** *zie* uittrektafel; **uitschuiven** push (*of:* shove) out; draw out [a table]; **uitschuld** debt due by the company (etc.); *alle inschulden en ~en* all debts outstanding and owing; **uitschulpen** scallop

uitschuren (*pan*) scour; (*vuil*) scour out; (*van water, enz.*) scour, erode, wear out (away); *'t water heeft een geul uitgeschuurd* has worn a channel; **~d** erosive; **-ing** *a*) scouring (out); *b*) (*geol.*) erosion, scour

uitselecteren cull

uitsijpelen ooze (*of:* trickle) out

uitslaan I *tr.* beat (strike) out; knock out [a p.'s teeth, the bottom of a cask]; (*sp.*) hit [the ball] out (*zijlijn:* into touch; *achterlijn:* behind), strike out, (*sl.*) knock out [a ball in tennis]; drive out [a nail]; shake out [a duster]; stretch out, spread [one's arms, wings]; hammer (out), beat (out) [metals]; unfold [a map]; (*van bokser*) knock out; (*hand.*) release [goods]; *de kat sloeg haar klauwen naar me uit* struck at me with her claws; *zij hunkert ernaar haar vleugels uit te slaan* she is dying to spread her wings; *onzin* ~ talk rot, talk through one's hat; *vloeken* ~ rap out oaths; *zie* troef, slaatje, uitbraken, uitmalen; II *intr.* (*van vlammen*) break (shoot, burst) out, break forth; (*van uitslag op huid*) break out; (*van muur*) sweat, give, come out in patches, (*met salpeter*) effloresce; (*van brood*) become mouldy; (*van wijzer*) deflect; **~de brand** blaze; **~de kaart** folding map

uitslag (*op huid*) eruption, rash; (*op muur*) moisture, (*salpeter*) efflorescence; (*van wijzer*) deflection; (*afloop*) result [of an examination, etc.), issue, event; *goede* ~ success; ~ *van de verkiezing* result of the poll, ('*t bekendmaken daarvan*) declaration of the poll; *de* ~ *der verkiezing bekendmaken* declare the poll; *de* ~ *der stemming opmaken* count the votes; *de* ~ *van de wedstrijd was als volgt, ook:* the match resulted as follows; *de* ~ *bleef onbeslist* the game ended in a draw; *rekent d'*~ *niet, maar telt 't doel alleen* the will is as good as the deed; *bij de* ~, (*hand.*) when released; ~ *krijgen* break out into a rash; *zie* stil; **~koorts** eruptive fever

uitslapen sleep one's fill, have one's sleep out; have a long lie in [on Sundays], sleep in; *ik wil* ~ I want my sleep out; *zie* uitgeslapen & roes

uitslepen drag (haul, tow) out; *vgl.* slepen

uitsliepen: *iem.* ~ jeer (at) a p.; *sliep uit!* sold (*of:* done) again! sucks!; **uitslijpen** grind (out); (*hol slijpen*) grind hollow; *zie* uitschuren

uitslijten wear out (away, off)

uitsloven: *zich* ~ drudge, toil and moil, work o.s. to death (to the bone); *zich* ~ *in beleefdheden, zie* uitputten; *zich* ~ *om te* ... lay o.s.

out to please; **-er** over-zealous person (official, etc.)

uitsluiten exclude [a p. from ...], preclude [doubt, misunderstanding, the possibility of ...], debar, bar [sailors are ...red from this post], disqualify [from holding office]; (*buiten sluiten*) shut (lock, bar) out, (*werklieden*) lock out; *de politie sluit* ... *uit* rule out this possibility; *deze meningen sluiten elkaar uit* these are mutually exclusive views; *zie* uitgesloten

uitsluitend *bn.* exclusive, sole [possession]; *bw.* ...ly

uitsluiting exclusion; (*van werklieden*) lock-out; *met* ~ *van* exclusive of, [persons under eighteen] excluded, [follow one's task] to the exclusion of [everything else]

uitsluitsel decisive (definite) answer, decision; explanation

uitslurpen sip up audibly

uitsmeden *zie* uitbreden

uitsmelten (*vet*) render, melt down; (*ertsen*) smelt; **uitsmeren** spread evenly; *zijn geld zo goed mogelijk* ~ make ... go as far as possible

uitsmijten *zie* uitgooien

uitsmijter 1 chucker-out, bouncer; 2 slice of bread with ham or cold meat and a fried egg on top; 3 (impressive) final number of show, etc.

uitsnijden *tr.* cut out, cut (*zie* laag); (*inz. chir.*) excise; (*hout*) carve (out); *intr. zie* uitknijpen & uitrukken; *deze kaas snijdt erg uit* goes a long way; **-ing** excision [of a part of the body]

uitsnikken: *'t* ~ sob one's heart out; **uitsnuffelen** ferret out, pry out; **uitsnuiten** blow [one's nose]; snuff out [a candle]

uitspannen stretch [a rope, cloth, etc.]; extend [one's fingers]; spread [a net, sails]; (*paarden*) take [the horses] out, unharness, (*Z.-Afr.*) outspan; (*ossen*) unyoke; *zich* ~ stretch

uitspanning 1 (*pleisterplaats*) baiting-place; 2 garden-restaurant, tea-garden; 3 recreation; **~soord, ~splaats** pleasure resort

uitspansel firmament, sky, skies, heavens; *aan 't* ~ in the f., etc.

uitsparen save [money, an hour, a mile, a lot of trouble]; *zie* besparen; **-ing** saving; *zie* besparing

uitspartelen: *laten* ~ play [a fish]

uitspatten spurt out; (*fig.*) *zie* uitspatting (*zich aan* ...*en overgeven*)

uitspatting dissipation, debauch(ery), indulgence; *zich aan* ~*en overgeven* indulge in d. (in excesses), (*fam.*) go the pace

uitspelen *a*) finish [a game]; play off [an adjourned game]; *b*) play, lead [a card]; *c*) play away (from home); *A. tegen B.* ~ play off A. against B.; *ze tegen elkaar* ~ play them off against each other; *zie* troef

uitspellen spell out (over) [the newspaper]

uitspinnen spin out (*ook fig.*); refine upon [abstractions]; *uitgesponnen* fine-spun, -drawn, long-drawn-out [reasoning]

uitspitten: *iets helemaal* ~ get down to the final

details (get right to the bottom) of s.t.

uitsplitsen analyse, itemize

uitspoelen rinse (out), wash out; (*oevers, enz.*) wash away; *zie ook* uitschuren; **-ing** *zie* uitschuring *b*)

uitspoken be up to [what have you been up to?]; *wat spoken die jongens uit?* what mischief are those boys up to?

uitspraak pronunciation, enunciation; (*uiting*) pronouncement, utterance; (*van scheidsrechter*) award, arbitrament; (*jur.*) judg(e)ment, sentence [of the court], finding [of the court, the jury], verdict [of the jury]; (*fig.: oordeel*) verdict [the ... of posterity]; ~ *doen*, (*jur.*) give (pass, pronounce) judg(e)ment, pass (pronounce) sentence, (*van jury*) return a verdict; ~ *doen ten gunste* (*ten nadele van*), (*vooral van jury*) find for (against) [the plaintiff]; ~ *doen over, zie:* zich uitspreken over; ~ *volgt* judg(e)ment was reserved; *een* ~ *op dit punt trachten te verkrijgen* try to obtain a ruling on this point; *zie* uitlokken; **-leer** phonetics, orthoepy

uitspreiden spread (out), expand, unfold, unfurl [a fan]; *uitgespreid liggen*, (*van pers., fam.*) lie spread-eagled [on the floor] (*zo ook:* she lay, her arms spread-eagled); *zich* ~ spread

uitspreken I *tr.* pronounce [a word], enunciate [distinctly]; express [a wish, an opinion]; *zie* oordeel; *de h's niet* ~ drop one's h's; *niet* (*of moeilijk*) *uit te spreken naam* unpronounceable (crackjaw) name; *moeilijk uit te spr. woord* tongue-twister; *de vergadering haar mening laten* ~ take the sense of the meeting; *zich* ~ *over* p. upon, give one's opinion (verdict) upon; *zich* ~ *voor* p. for, advocate; *uitgesproken*, (*fig.*) pronounced, strongly marked [inclination], distinct [preference]; *met de uitgespr. bedoeling om te ...* with the avowed object of ...ing; II *intr.* finish (speaking); *laat mij* ~ let me finish, let me have my say (out); *ik ben spoedig uitgespr.* I have almost finished; (*of:*) I shall be brief; *zich* ~ open one's heart; *zie* uitpraten

uitspringen project, jut out; *'t venster* ~ jump (throw o.s.) out of the window; *er* ~ jump (leap, spring) out; *er goed* ~ come off well (financially); ... *springt er meteen uit* stands out at once; **-d** projecting; *-e hoek* salient (angle); – *venster* bay-, bow-window

uitspruiten sprout (out), bud, shoot

uitspruitsel sprout, shoot

uitspugen spit out; *zie* spuwen

uitspuiten *tr.* syringe [a wound, a p.'s ear]; put out [a fire]; *intr.: er* ~ spout (spurt, squirt) out

uitspuwen *zie* uitspugen

uitstaan I *tr.* stand, endure, bear [I cannot bear spiders]; *ik kon het niet langer* ~ I could s. (*fam.:* stick) it no longer; *ik kan die vent niet* ~ I cannot stand (*fam.:* stick) the fellow (at any price), hate the sight of him, have no patience with him, cannot abide him; *ze kunnen elkaar niet al te best* ~ there is no (*of:*

small) love lost between them; *ik heb veel met hem uitgestaan* I've had a great deal of trouble with him; *ik heb met u niets uit te staan* I have nothing to do with you (no business with you); *dat heeft (ik heb) er niets mee uit te staan* that has (I have) nothing to do with it; *dat heeft niets uit te staan met ...*, *ook:* that is quite foreign to the story; *zie verder:* te maken hebben met; II *intr.* (*van zakken*) bulge; (*van geld*) be put out at interest; *wijd* ~, (*van oren*) stick out; ~ *tegen 5 %* be put out (bear interest) at 5 per cent.; *zij laat haar haar* (*de vogel laat zijn veren*) ~ she fluffs (out) her hair (the bird ... its feathers); *'t landingsgestel stond uit,* (*van vliegt.*) was down, was extended; *-de oren* outstanding ears; *-de rekeningen* (*vorderingen*) outstanding accounts (debts)

uitstalkast show-case

uitstallen expose for sale, display; (*fig.*) show off [one's learning]; *alle winkels hebben uitgestald voor Kerstmis* are dressed for Christmas; *zie* etaleren; **-ing** (shop-window) display; *ook =* uitstalkast; (*'t etaleren*) window-dressing

uitstalraam show-window

uitstamelen stammer (out)

uitstapje excursion (*ook fig.*), tour, (pleasure) trip, outing, jaunt; *een* ~ *doen* (*maken*) make an e., take (make) a trip

uitstappen get out, get down, alight, step out (of the boat, car, etc.), get (*of:* step) off (the tram); (*uit vliegt., ook:*) deplane; (*uit bus, ook:*) debus; (*doodgaan*) peg out; *allen* ~! all change (here)! *reizigers voor W.* ~! change here for W.!; *de deur* ~ leave the house; **uitstedig(heid)** absent (absence) from town; **uitsteeksel** projection, protuberance; (*van been*) process

uitstek projection; *bij* ~ pre-eminently; *een voorbeeld bij* ~ *van ...* an outstanding example of ...

uitsteken I *tr.* hold (reach, stretch, put) out, extend [one's hand], put out (*snel:* shoot out) [one's tongue], thrust out [one's feet from under one's skirt]; *hij stak zijn voet uit en ...* reaching out with his foot he slammed the door; *ik nam zijn uitgestoken hand* I took his outstretched (proffered) hand; *de hand* ~ *om ... te nemen* reach for a cigar; *zie* hand; *iem. de ogen* ~, (*eig.*) put out (*met duim:* gouge out) a p.'s eyes; (*fig.*) make a p. jealous; *ze tracht hem de ogen uit te steken met ...* she flaunts her wealth in his face; *nu kun je je buren de ogen* ~, (*fam.*) now you can make your neighbours green with envy; *zie* tong, vinger, vlag, enz.; II *intr.* stick out [his ears ...], jut out, project, protrude; *hoog boven de anderen* ~ rise (tower, stand out) high (stand head and shoulders) above the others; *hoog boven allen* ~, *ook:* stand supreme; *boven een gebouw* ~ dominate a building; *de boom steekt boven het dak uit* overtops the roof; *-d* protruding, etc., prominent [ribs], sticking-out [ears, teeth]

uitstékend excellent [he speaks ... English],

first-rate, crack [player], eminent [physician], high-class [work]; *hij is ~ in orde* he is fit and well, as right as a trivet, as fit as a fiddle; *~!* very well!: **-heid** excellence

uitstel delay, postponement, respite, extension of time: *~ van betaling* extension of payment; *~ van dienst verlenen* defer; *~ van dienst-* (*plicht*) deferment; *~ van executie* stay of execution, reprieve; (*fig.*) [that is only] putting off the evil day (hour); *~ van executie verlenen aan* respite [a p.]; *~ verlenen* grant a d. (a respite); *van ~ komt afstel* delays are dangerous; procrastination is the thief of time; (there is) no time like the present; do it now!; *~ is geen afstel* postponement doesn't (needn't) mean cancellation; *'t kan geen ~ lijden* it admits of no d.; *zonder ~* without (further) d.; **-dagen** days of grace (of respite)

uitstellen *a*) put off, postpone, leave over, delay, defer; *voortdurend ~* procrastinate; *b*) expose [the Blessed Sacrament]; *stel nooit uit tot morgen wat gij heden doen kunt* never put off till to-morrow what you can do to-day; *je moet het niet te lang ~* you must not delay too long; *de zaak werd voor onbepaalde tijd uitgest.* was adjourned sine die (shelved, pigeon-holed); *reeds te lang uitgest.* [the reform is] long overdue; *zie* uitgesteld

uitstelling (*r.-k.*) exposition [of the Blessed Sacrament]

uitsterven die out; die [pride ...s hard *sterft moeilijk uit*]; (*van geslacht, dier, titel, enz.*) *ook:* become extinct; *zijn linie was uitgest., ook:* his line had run out; *~d* dying [race, custom], dwindling [species, race]; *zie* uitgestorven; **-ing** extinction

uitstijgen *zie* uitstappen; *~ boven* rise above, surpass

uitstippelen dot; (*fig.*) map (trace) out [a route, a course of action]

uitstoelen (*van planten*) tiller

uitstomen *intr.* steam out (to sea); (*van trein*) steam (pull, draw) out (of the station)

uitstorten pour out, pour forth, empty [the contents of a basket]; ejaculate [fluids]; (*zich*) *~ (van bloed in weefsel)* extravasate; *zijn hart ~* pour out (open, unburden, unpack) one's heart, unbosom (unburden) o.s. [*voor* to]; *stort je hart maar eens uit! ook: (fam.)* get it off your chest!! *zich ~ in, (van rivier)* discharge itself (debouch) into, empty (itself) into; **-ing** pouring out, effusion, outpouring; ejaculation; *– van de Heilige Geest* descent of the Holy Spirit; *zie* bloed–

uitstoten push (thrust) out; knock out [a p.'s teeth]; belch (forth) [smoke]; (*uit vereniging, enz.*) expel, turn out; (*uiten*) utter, let out [cries, yells, etc.]; **-ing** pushing out, etc.; expulsion

uitstralen radiate [light, heat, love, happiness], give (send) out [heat, light], beam forth

uitstraling radiation, emanation; **~stheorie** theory of r., r. theory; **~svermogen** radiating-power; **~swarmte** radiant heat

uitstrekken stretch [a man upon the rack], stretch out [one's hands to the fire], stretch forth, reach out [one's hand]; *zich ~*, (*van land, enz.*) extend, stretch; (*van onderzoek*) extend; (*in alle richtingen*) sprawl; *zich ~ over de gehele lengte van* run the length of [the house]; *zich ~ over twee eeuwen* range over two centuries; *zich op de grond ~* lie down at full length; *mijn herinnering aan hem strekt zich uit over ...* my recollection of him stretches back half a century; *met uitgestrekte armen* with outstretched arms

uitstrijden: *hij (de strijd) is uitgestreden* his struggles are (the struggle is) over; *zie* uitvechten

uitstrijk (*med.*) smear

uitstrijken smooth; spread evenly; (*met strijk-ijzer*) iron [linen], iron out [creases]; (*doorhalen*) run one's pen through; swab [a patient's throat], smear [a swab on a slide]

uitstromen stream (pour, rush) out (forth); *'t gebouw ~* pour (come pouring) out of the building; *~ in, zie* uitmonden

uitstrooien strew, scatter; disseminate [knowledge]; spread, circulate, put about [rumours, lies; it was put about that he had died]; **-ing** strewing, etc.; dissemination; **-sel** (false) rumour

uitstuderen finish [a book]; **uitstuffen** rub out

uitstuiven *zie* stuiven; **uitstukken** patch (up) [clothes]; fix [things for a p.]; *zie* uithalen; *zich ~* exert o.s.; **uitstulping** fold, recess; (*van scheepswand tegen torpedo's*) bulge

uitsturen send out; *iem. de kamer ~* order (send) a p. out of the room; *de haven ~* steer out of port

uittanden indent, tooth; *uitgetand*, (*geol.*) serrated; **uittappen** draw (off)

uittarten defy, provoke, challenge

uittarting defiance, provocation, challenge

uittekenen draw, delineate; **uittellen** count out (*of:* down); *zich laten ~, uitgeteld w.*, (*bokser*) be counted out, take the count; *hij was helemaal uitgeteld* completely finished

uitteren pine (waste) away, waste [to a shadow]; *zie* uitgeteerd

uittering wasting, emaciation

uittieren *zie* uitrazen; **uittillen** lift out; **uittocht** departure, exodus (*ook fig.:* holiday ...)

uittrap (*sp.*) goal-kick

uittrappen stamp out [a fire]; crush [a match] underfoot; kick off [one's boots]; (*sp., van doelman*) take a goal-kick; (*over zijlijn*) kick into touch; *er ~* kick [a p.] out; *zie ook* trappen

uittreden I *ww.* retire [from business, a firm], withdraw [from the League of Nations], resign [from a club], resign one's membership [of a club]; (*mil.*) fall out; II *zn., zie* uittreding; *~d* outgoing [members], retiring [partner]; **uittredepupil** exit pupil; **uittreding** retirement, withdrawal, resignation; secession [from the Union]

uittrek (*fot.*) extension; **~blad** draw-leaf

uittrekken I *tr.* (*lade, enz.*) pull out; (*tafel ook*) extend; (*tand*) extract, pull out; (*kleren*) take off, (*handschoenen ook*) pull (strip) off; *trek ... uit!* off with your shoes!; *een som ~ voor* set aside (earmark) a sum for; *gelden voor ... zijn reeds uitgetrokken* five cruisers have already been appropriated for; *uitgetr. gelden* appropriations; *zich de haren ~* tear one's hair; *de zon trekt de kleuren uit* destroys the colours; (*tie rokje*; II *intr.* march out; *~ op* set out (sally forth) on [an expedition]; *erop ~* go out into the world; *erop ~ om ...* set out to ..., turn out to [the snow-plough turned out to clear the tramway lines]; *de stad ~* march out of (leave) the town

uittreksel (*van vlees, enz.*) extract; (*van boek*) abstract, epitome, abridg(e)ment; *~ rekening-courant* statement (abstract) of account; *~ uit 't register van de Burg. Stand* certified copy of an entry of birth (of death)

uittrektafel draw-out (pull-out, extending, draw-leaf) table

uittrompetten *zie* uitbazuinen

uitvaagsel (gutter-)sweepings, off-scourings, scum (of the people), riff-raff, dregs

uitvaardigen issue [an order, a proclamation, writs], promulgate [a decree], enact [a law], give [a charter]; *het edict is uitgevaardigd* has gone forth; *er is een bevel tot inhechtenisneming tegen hem uitgev., ook:* a warrant is out against him; **-ing** issue, promulgation, enactment

uitvaart funeral (service), obsequies

uitval (*mil.*) sally, sortie; (*schermen*) lunge, thrust; (*fig.*) outburst; *een ~ doen* make a s. (a sortie), sally out; (*bij schermen*) make a pass, lunge [*naar* at]; (*uitschot*) waste, spoilage

uitvallen fall (drop) out; (*van haar*) come out, fall out; (*mil.*) sally out, make a sally; (*uit 't gelid*) fall out; (*schermen*) make a pass, lunge; (*bij spel, enz.*) drop out; (*van motor*) cut out; (*uitvaren*) fly out [*tegen* at], flare up; (*uitvallen*) turn (*of:* pan) out; *goed (slecht) ~* turn (pan) out well (badly); *als das goed uitvalt ook:* if the cat jumps the right way; *'t viel in zijn voordeel uit* it turned out to his advantage; *de stemming (de rechtszaak) viel uit in zijn nadeel (in zijn voordeel)* the vote (the case) went against him (in his favour); *hoe de beslissing ook uitvalt* whichever way the decision goes; *ze is niet erg zuinig uitgevallen* economy is not her strong point [*zo ook:* she is not much given to ...]; *als er iem. uitvalt, ...* if any one drops out, we shall appoint you in his place; *die trein is uitgev.* has been withdrawn (cancelled); *het ~ van de elektrische stroom* (power) failure; *...! viel hij uit ...!* he exploded; *~d haar* falling hair; *~de (d.w.z. wisselende) tanden* deciduous teeth; *zie* uitkomen; **-er** straggler

uitval: ~monster outturn-sample, shipping-sample; **~(s)poort** sally-port; **~sweg** exit route

uitvaren sail (out), put to sea, leave the port, [the life-boat] put out; (*van vos*) break cover; (*fig.*) storm, bluster, fly out, blaze out; *~ tegen* fly (blaze) out at, storm (away) at, declaim (inveigh) against, jump on [a p.]; *..., voer ze uit* don't touch me! she flamed (stormed, blazed out); *de schepen kunnen niet ~ wegens de storm* are held up by the gale; *een vos doen ~* draw a fox

uitvechten: *'t ~* fight (*of:* have) it out [*onder elkaar* among ourselves, etc.], have a showdown; *ik zal 't met haar ~* I'll have it (*of:* things) out (thresh the matter out) with her

uitvegen sweep out; (*uitwissen*) wipe out; *zijn ogen ~* rub one's eyes; *zie* mantel, uitgommen

uitvenen: *een plas ~* dig peat from a peat-bog

uitventen hawk about, cry; *zie* venten

uitvergroting (*fot.*) (partial) enlargement (blow-up)

uitverkiezing election [doctrine of ...]

uitverkocht (*van artikel*) sold out, sold off, out of stock; [our stock is] cleared; (*van boek*) out of print; (*als kennisgeving van theat.*) house full; *~ zaal,* (*theat.*) full house; *de eerste druk was in een maand ~* was exhausted (sold out) in a month; *onze kaas is ~, ook:* we are sold out of cheese; *alle plaatsen (kaarten) zijn ~* all seats (tickets) are sold (have been disposed of); *de schouwburg was ~* the house was sold out; *de concerten waren maanden tevoren ~* the concerts were booked up months ahead; *het stadion was ~* was filled to capacity; *voor een ~ huis spelen* play before a capacity crowd

uitverkoop (clearance-)sale, bargain sale, sales, selling-off; *'t is ~* the sales are on; *zie* liquidatie; *~(s)prijs* sale (*of:* clearance) price

uitverkopen sell off, clear; *zie* uitverkocht

uitverkoren chosen, elect, select; *de ~ bruid* the bride elect; *het ~ volk* the c. people (*of:* race); *zie* roepen; *~e* c. one, favourite; *zijn ~* his beloved; *de ~n* the c., the elect; *de enkele ~n* the c. few

uitvertellen finish [a story]; *zie ook* uitpraten

uitveteren *zie* uitfoeteren

uitvieren (*touw*) *zie* vieren; (*fig.*) nurse [one's cold, influenza, etc.]

uitvinden invent; (*erachter komen*) find out; **-er** inventor; **-ing** invention; *een ~ doen* make an i.; **-sel** (*verzinsel*) invention, fabrication, concoction; (*ding*) gadget, contraption; **-ster** inventress

uitvissen fish out; (*fig. ook*) ferret out, hunt out, nose out [secrets]; *trachtte hij 't uit te v.?* was he fishing?; **uitvlakken** blot (wipe, sponge) out; (*met vlakgom*) rub out; *dat moet je niet ~, (fig.)* that's not to be sneezed at; *vlak dat niet uit, dat ...* and don't forget that ...; **uitvliegen** fly out; *er eens ~* stretch one's wings for a while [and be free]; **uitvloeien** flow out, issue; run [ink ... s on this paper]; **uitvloeisel** outcome, consequence, result

uitvloeken swear at; *hij vloekte zichzelf uit omdat hij zo'n idioot geweest was* he cursed himself for being such an idiot

uitvlokken (de)flocculate

uitvlooien search carefully, investigate meticulously

uitvlucht subterfuge, pretext, shift, evasion, excuse, shuffle, prevarication, [it is a mere] put-off; (*'achterdeurtje'*) loop-hole; (*luchtv.*) outward flight; *op de ~* outward bound; *~en zoeken* shuffle, prevaricate; *geen ~en! ook:* don't run away from it, please!; *vol ~en* evasive

uitvoegstrook deceleration lane

uitvoer export, exportation; (*uitgev. goederen*) exports; (*van rekentuig, enz.*) output; *ten ~ brengen* (*leggen*) carry [a decision, threat, plàn, etc.] into effect (execution); give effect to [a judgment], execute, carry out [a threat, reforms]; **~artikel** export article, *mv. ook:* exports

uitvoerbaar practicable, feasible, workable, doable [plan, proposal]; **~heid** practicability, feasibility, ...ness

uitvoer: ~buis duct; *klieren zonder –* ductless glands; **~consent** export licence; **~der** executor; performer; exporter; (*van bouwwerk*) general foreman; *vgl.* uitvoeren

uitvoeren execute [an order, a law, plan, sentence, piece of music], carry (put) [a plan, threat] into execution, carry (put) into effect, carry out [a plan, resolution, contract, an order, instructions], engineer [a work], (*krachtig*) enforce [a blockade], fulfil [a promise], make good [one's threat], perform [a task, a p.'s will, a piece of music], implement [a contract, a plan], administer [the laws]; (*bestelling*) execute, fill, complete [an order]; (*goederen*) export [goods]; *hij liet ons verschillende oefeningen ~* he put us to (through) various exercises; *die wet is nooit uitgevoerd* that act was never enforced; *hij heeft wat uitgev.* he has been up to mischief; *wat heeft hij uitgev.?* what has he been up to?; *wat voer je uit!* what are you doing (about)?; *wat zal hij ermee ~?* what will he do with it?; *wat heb je uitgev. met ...?* what have you done to my hat?; *wat voer je uit in ...?* what do you do with yourself in this dreadful place?; *hij heeft ... niets uitgev.* he has done nothing all day; *netjes uitgev.* neatly finished; *het boek is mooi uitgev.* the book is well-produced, the get-up of the book is excellent; *~de kunstenaars* executants; *de ~de macht* the executive (power); *~de raad* [miners'] executive committee

uitvoerhandel export trade

uitvoerhaven port of export(ation)

uitvoerig I *bn.* detailed, minute, circumstantial [account], full [particulars], ample [discussion], lengthy [reply], [take] copious [notes], full-dress [debate]; II *bw.* minutely, amply, fully, in detail; (*enigszins, zeer*) ~ *behandelen* treat at (some, great) length, detail; **~heid** minuteness, circumstantiality, copiousness, ful(l)ness of detail

uitvoering execution [of plan]; performance [of play]; administration, enforcement [of an act]; implementation [of a programme]; design and construction [of a machine]; *vgl. 't*

ww.; (*afwerking*) workmanship, finish; (*van boek*) get-up; *van nette ~* neatly finished; *wij hebben dit toestel in twee ~en ...* in two designs (models); ~ *geven aan* carry out, carry into effect; *met de ~ van een bestelling beginnen* put an order in hand; *werk in ~* work in progress; (*bord*) road works ahead; *heden geen ~* no performance to-day; *zie* recht; **~s-commando** executive part of a command

uitvoer: ~markt export market; **~premie** export bounty, bounty (on exportation); **~produkt** export, article of export; **~rechten** export-duties; **~verbod** export ban (prohibition), prohibition of export; [gold, arms] embargo; **~vergunning** export licence

uitvorsen get at the root of, get to the bottom of [a mystery], find (fish, hunt, ferret, spy) out; *trachten uit te vorsen* spy into [a secret]; **-er** investigator

uitvouwen unfold, spread

uitvracht outward freight

uitvragen *a)* ask out [to tea]; *b)* catechize, question, (*fam.*) pump; *ik ben uitgevraagd, a)* I've been asked out; *b)* I have no further questions to ask

uitvreten eat out, corrode; sponge on (a p.), (*Am. sl.*) mooch; (*sl.*) *zie* uitspoken; **-er** parasite, sponger, (*Am. sl.*) moocher

uitwaaien *tr.* blow out; *intr.* (*van licht*) be blown out; (*van vlag*) flutter in the wind

uitwaarts *bw.* outward(s); *bn.* outward

uitwandelen walk out; *de tuin ~* walk out of the garden

uitwas outgrowth, excrescence, protuberance; (*fig.*) **~sen** excesses

uitwasemen *tr.* exhale, give off; *intr.* emanate; evaporate; **-ing** exhalation, emanation, evaporation, fume, effluvium (*mv.* effluvia)

1 uitwassen wash (out); swab (out) [with a disinfectant]; bathe, wash [wounds]

2 uitwassen *zie* uitgroeien

uitwateren: ~ *in* flow into, discharge (itself) into; ~ *op*, (*van polder*) drain into

uitwatering discharge [of a river], outlet; (*mar.*) free-board; **~skanaal** drainage canal; **~smerk** Plimsoll mark; **~ssluis** discharging-sluice

uitwedstrijd away game, a. match

uitweg way out (*ook fig.*: find a ...; the only ...), (way of, avenue of) escape; (*van vloeistof, enz.*) outlet (*ook fig.*: find an ...; his affections had no ...); bolt-hole [arrange a ... for o.s.]; exit [enclosure that has no ...]

uitwegen weigh out

uitweiden digress; ~ *over* expatiate (dwell, enlarge, digress, dilate) on; **-ing** expatiation, digression

uitwendig *bn.* outward, external, exterior; *voor ~ gebruik* to be taken externally; *bw.* ...ly; **~heid** exterior; **~heden** externals, outward appearances

uitwerken I *tr.* work out [a plan, a thought, notes, etc.], work (out) [a sum], elaborate [a scheme, theory, point, policy], amplify [a statement], labour [a point], develop [an idea]; (*van stenogram*) work (type) out, transcribe; (*tot stand brengen*) bring about, effect; *aantekeningen ~ tot een opstel* work up notes into an essay; *'t zal niets ~* it will be ineffective, it won't do any good; *iem. er ~* squeeze a p. out; *iem. de deur ~* get a p. out of the room (the house); *zich er door een nauwe opening ~* wriggle out through ...; II *intr.* (*van hout*) season; (*uitgisten*) *zie aldaar;* '*t verdovende middel is uitgewerkt* the effect of the anaesthetic has ceased (passed); '*t poeder is uitg.* has lost its strength; '*t bier is uitgewerkt, ook:* the beer has gone flat; *de batterij is uitg.* has run out, is exhausted; *de betovering is uitg.* the charm has spent itself; *zie* uitgewerkt

uitwerking working-out, elaboration; (*resultaat*) effect, result, efficacy [of an appeal]; *~ hebben* be effective, produce effect, tell [the remark told]; *geen ~ hebben* produce no effect, be ineffective, fall flat; *... heeft een verschillende ~ op* ... drink takes people in different ways; *zie* missen; **uitwerksel** effect

uitwerpen throw out [ballast, etc.], cast out, eject; (*uitbraken*) throw up, vomit; *duivelen ~* cast out (exorcize) devils; *netten ~* shoot (throw, cast) nets; **-er** (*van geweer*) ejector; **-ing** casting out, etc., ejection; **-selen** excrements; (*van dier, ook:*) droppings [sheep's, birds' ...]

uitwijken (*opzij gaan*) turn (step) aside, give way [*voor* to: a steamship always ...s way to sailing-vessels], make room; (*van auto, enz.*) pull out, swerve [to avoid a dog]; (*uit 't land*) go into exile, leave one's country; (*van muur*) sag, bulge (out); *doen* (*laten*) *~ divert* [planes to Brussels]; *~ naar* emigrate to, take refuge in [a country]; *niet ~,* (*mar.*) stand on; (*niet*) *~d,* (*mar.*) giving-way (standing-on) [vessel]; *zie* uithalen; **-ing** turning aside, giving way; emigration; sagging; *vgl. 't ww.*

uitwijkplaats passing place, overtaking bay

uitwijzen show, prove; (*beslissen*) decide; (*uit 't land*) expel; *de tijd zal het ~* time will s.; **-ing** expulsion

uitwillen *zie* uit; **uitwinnen** save [an hour, trouble, etc.], gain [an hour]; **uitwippen** nip out [of the room]; *zie* wippen; **uitwisselen** exchange [prisoners, compliments, etc.], interchange [courtesies, ideas]

uitwisseling exchange [of thought], interchange; *vgl. 't ww.; ~straktaat* cartel

uitwissen (*ook fig.*) wipe out, blot out [the dusk blotted out everything], blur out, obliterate [a half ...d name], delete, erase [text on tape-recorder], expunge, efface [impressions]; *zie* spoor 2

uitwoeden: *de brand heeft* (*is*) *uitgewoed* the fire has burnt itself out; *zie verder* uitrazen

uitwonen ruin [a house] by neglect; *zie* uitgewoond

uitwonend non-resident [physician, teacher, etc.], visiting [master]; non-collegiate [student]; absentee [landlord]; *~ leerling* day-

pupil, day-boy

uitwrijven rub out; *zijn ogen ~* rub one's eyes

uitwringen wring out; *je kon hem wel ~* he was soaked to the skin; **uitzaaien** sow, (*op grote schaal*) disseminate; **uitzaaiing** (*med.*) dissemination, metastasis; **uitzagen** saw out

uitzakken sag, bulge out; **-ing** sagging; *zie* verzakking; **uitzeilen** sail (out)

uitzendbureau secretarial bureau, employment agency

uitzenden send out, send on errands, dispatch; (*naar 't buitenland*) post [abroad]; emit [roots]; (*radio*) broadcast, transmit; (*TV ook*) televise; (*niet*) *uitgezonden worden, ook:* be on (off) the air; *opnieuw ~,* (*radio*) re-broadcast; **-ing** sending out, dispatch; (*radio*) broadcast(ing), transmission [... and reception]; (*TV ook*) telecast; *– van buiten de studio* outside broadcast; **-kracht** temporary (secretarial, etc.) employee, (*fam.*) temp

uitzet outfit; (*van bruid*) trousseau

uitzet: *~baar* expansible, dilatable; *~bare kogel* expanding bullet; *zie* dumdum; **-heid** expansibility, dilatability; *~ijzer* (*van raam*) peg stay; *~raam* trap window

uitzetten I *tr.* (*groter maken*) expand, extend; (*doen zwellen*) distend, inflate; raise [one's voice]; (*nat.*) expand, dilate; (*grafiek*) plot [numbers on a line]; (*grenzen*) extend [the frontiers]; (*vis*) *zie* poten; (*geld*) put out [at 5 per cent.], invest [money]; (*uit 't land*) expel [a p. from the country]; (*uit woning*) evict, eject; (*uit kamer, coupé, enz.*) turn (*of:* put) [a p.] out [of the room, etc.]; (*uit partij*) expel [a p. from a party]; (*boten*) lower [boats]; (*wacht*) set [a watch], post [a sentry], throw out [a line of outposts]; (*zetlijn*) set [a night-line]; (*uitbakenen*) peg out, stake out [a claim]; (*curve*) plot; *er ~,* (*uit betrekking*) turn [a p.] out, (*fam.*) fire [a p.]; *zie* afzetten; *zet ... eruit,* (*uit rechtszaal*) put that woman out (of court); *ik liet hen er ~* I had them turned out; *zie* deur; *uitgezette maag* (*amandelen*) distended stomach (enlarged tonsils); *zich ~, zie ~ intr.; zijn neusvleugels zetten zich uit* his nostrils distended; II *intr.* expand, dilate, swell; (*nat.*) expand, dilate

uitzetting expansion, extension, dila(ta)tion; inflation; turning out; expulsion; eviction, ejectment; *vgl. 't ww.;* (*med.*) distension [of the stomach]

uitzettings: *~bevel* (*uit woning*) eviction (ejectment) order; *~coëfficiënt* coefficient of expansion; *~decreet* order of expulsion; *~vermogen* expansive power

uitzicht (*eig.*) view [*op* of]; (*eig. & fig.*) outlook, look-out, prospect; (*uiterlijk*) looks; *vrij ~* unobstructed view; *~ op succes* prospect of success; *'t ~ hebben op* overlook [the garden]; *een mooi ~ hebben op Londen* command a fine view of L.; *in ~ stellen, ~ geven* (*openen*) *op* hold out a prospect of, foreshadow [pensions for women]; *zie ook* vooruitzicht; *~balkon* observation-platform; *~loos* hopeless [struggle]; **~punt** viewpoint; **~toren** belvedere, observation-tower; **~wagen** observation-car

uitzieken nurse one's illness; *de kwaal moet ~* the disease must run its course

uitzien look out; *hoe ziet het er uit?* what is it like?; *hoe ziet een komeet er uit?* what is a comet like?; *hoe ziet zij er uit?* what is she like? what does she look like?; *zij ziet er goed (knap) uit* she is good-looking; *dat ziet er mooi uit, (iron.)* here's a rum go (a pretty kettle of fish, a pretty mess); *'t ziet er slecht (lelijk) uit* things look (the outlook is) black [*voor hem* for him]; *'t zou er lelijk ~ voor ...* it would be a bad day for this country if ...; *ze zag er op haar best uit* she looked her best; *ze ziet er uit als veertig* she looks forty; *wat zie je er uit!* what a sight you are! what a state you are in!; *kijk eens hoe het huis er uitziet* look at the state of the house; *je ziet er goed (ziek) uit* you look well (ill); *je ziet er niet uit* you look dreadful (a complete mess); *ze zien er precies gelijk uit* they are as like as two peas (in a pod); *er ~ alsof, zie* alsof; *hij zag er als een typische toerist uit* he looked the typical tourist; *hij ziet er jong (oud) uit voor zijn leeftijd* he looks younger (older) than his years (his age); *... ziet er nog uitstekend uit, (scherts.)* [he] is in an excellent state of preservation; *zie ook* uitkijken; *~ naar* look out for (be on the look-out for) [a p., a place], watch for [the postman], look forward to [the holidays]; *(met smart)* pine for; *'t ziet er wel naar uit* it looks like it; *hij ziet er net naar uit* he looks the part; *'t ziet ernaar uit, alsof ...* it looks as though ...; *'t ziet er naar uit dat 't gaat regenen* the weather is looking like rain; *'t zag er niet naar uit, dat hij zou trouwen* he did not look like (things did not look like his) marrying; *dit vertrek ziet uit op de straat* looks into (out upon) the street, faces the street; *'t ziet op 't noorden uit* it faces (looks) north (to the n.), has a northern aspect; *op de tuin ~* overlook the garden; *veelbelovend ~d* promising-looking

uitziften sift (out) *(ook fig.)*; **uitzijgen** strain out; *zie* mug; **uitzijn** *zie* uit

uitzingen finish [a song], sing out (to the end); *ik kan 't nog wel een paar dagen ~* I can manage for a couple of days; *..., die 't kunnen ~* the stock is in the hands of investors with a long wind; *de bezetting kan 't nog slechts ... ~* can hold out only three more days

uitzinnig frantic; **~heid** frenzy

uitzitten sit out [the concert]; *'t oude jaar ~* see the old year out (the new year in), sit up for the new year; *zijn (straf)tijd ~* serve one's sentence *(fam.:* one's time); *(sl.)* do time

uitzoeken select, pick out, choose; *(sorteren)* sort (out); *(de was)* look out, sort out [the washing]; *je kunt ~* you can take *(of:* have) your pick; *men kan maar ~* one can pick and choose; *dat moet je zelf maar ~* better find out (solve that one) for yourself; *jullie zoeken het maar uit!* that's your affair!; *zie* uitgezocht;

-ing selection, choice

uitzonderen except, exclude; *zie* uitgezonderd

uitzondering exception *[op de regel* to the rule]; *dat is een ~* that is the *(ook:* an) e.; *'t was eerder ~ dan regel* it was the e. rather than the rule; *dat zijn geen ~en* these are not (the) exceptions; *ik zal deze keer een ~ maken* I'll make an e. (for) this time; *de ~en bevestigen de regel* the e. proves the rule; *bij ~* exceptionally, by way of e.; *het is een hoge ~* it is quite the exception; *bij hoge ~* very rarely; *met ~ van* with the e. of; *zonder ~* without e., none excepted, invariably, all alike, to a man, one and all; *zie* regel; **~sbepaling** exceptive clause; **~sgeval** exceptional case; **~starief** exceptional rate; **~stoestand** *zie* noodtoestand; **~swet** exceptive law

uitzonderlijk *bn.* exceptional; *bw.* ...ly

uitzuigen suck (out); *(fig.)* sweat [work-people], bleed [a p.] white, squeeze *(of:* suck) [a p.] dry, suck the very marrow out of [a p.]; *zie* uitmergelen; **-er** extortioner, bloodsucker, sweater

uitzuinigen economize, save [*op* on]

uitzuiveren *(pol.)* purge

uitzwavelen fumigate; **uitzwaveling** fumigation

uitzwemmen swim out of [the harbour]

uitzwermen *(van bijen)* swarm off; *(mil.)* disperse in skirmishing-order, sprawl

uitzweten exude, ooze *(of:* sweat) out

uitzweting exudation

uk, ukje, ukkepuk *zie* peuter 3

ukulele, ukelele id.

ulaan uhlan

U-las single Vee joint

ulevel kind of sweet; **~legedicht** *(ongev.)* cracker motto

ulo(school) *zie* uitgebreid (... lager onderwijs)

ulster id.

ultimatum id., *mv.:* -tums & -ta; *een ~ stellen (overhandigen)* state (deliver) an u. [*ook:* present a country with an u., serve an u. on a country]

ultimo: *~ december* at the end of December

ultra *bn.* id.; *bw.* id. [...-modern], extremely; *zn.* id., extremist, out-and-outer

ultrakort: *~e golf* ultra-short wave

ultramarijn ultramarine

ultramicroscoop ultra-microscope

ultramontaan ultramontane, ultramontanist; **~s** ultramontane

ultramontanisme ultramontanism

ultrarood infra-red, ultra-red [rays]

ultrasonoor, -soon ultrasonic, supersonic

ultraviolet ultra-violet ... [ray treatment]

Umbrië Umbria

Umbriër, Umbrisch Umbrian

umlaut id., (vowel-)mutation

unaniem unanimous; *niet ~ (ook:)* split [vote]; *~ aangenomen, (van motie)* carried unanimously (nem. con.); *de ~e mening* the consensus of opinion

unanimiteit unanimity

unciaal uncial; **~(letter)** uncial (letter)

undine id.
undulatie undulation; **-leren** undulate
unfair id.; *iem. ~ behandelen* treat a p. unfairly; *ook:* hit below the belt
uni unicolour(ed); **unicaat** unique
unicum *a)* single copy; *b)* unique specimen (event); *zo'n vondst is wel een ~* is indeed unparelleled
unie union; **uniek** unique, unparalleled
uniëren unite
unificatie unification
uniform *bn.* id.; *~ tarief* flat rate; *zn.* id.; *(mil. ook)* regimentals; *in ~, ook:* uniformed [policeman]; **~iteit** uniformity; **~jas** u. coat, tunic; **~pet** u. cap; **~verbod** u. ban
unisex id.
unisono *(muz.)* unisonous, in unison
unitariër unitarian; **unitarisme** unitarianism
universalisme universalism
universaliteit universality; **universeel** universal, sole; *~ erfgenaam* sole heir, *(na aftrek van legaten)* residuary legatee; **universitair** university ..., college ...; *zie* academisch
universiteit university; *aan de ~ zijn (naar de ~ gaan)* be at (go to) the university *(Am.:* at (to) college); *weer naar de ~ teruggaan (op de ~ terugkomen)* go up (come up) again, resume one's u. studies; *hoogleraar aan* ... professor in the University of London; *voor sam. zie* academie
unjer *(plant)* corn horsetail
unster steelyard, weigh-beam
uraan uranium
Ural: *de ~* the Urals, the Ural Mountains
Urania id.; **uranium** id.; **Uranus** id.
urbaan urbane; **urbanisatie** urbanisation; **urbaniteit** urbanity
Urbanus Urban; **ure** *zie* uur
uremie uraemia
urenlang *zie* uur; **ureum** urea
urgent id., pressing; *~ verklaren* declare [a measure] u.; **~ie** urgency; **–plan** priority project; **–verklaring** declaration of urgency
Uria Uriah
urinaal urinal
urine id.; *(van vee ook)* stale; **~leider** ureter
urineren urinate, make *(of:* pass) water
urinezuur uric acid
urinoir urinal, public convenience
urmen worry, fret; *(klagend)* whine, whimper
urn id.
urologie, -loog urology, -logist
uroscoop, -scopie uroscopist, -scopy
Urson Orson

Ursula id.
ursuline Ursuline (nun); **~nklooster** U. convent; **~nschool** U. school
U.S.A. id.
usance, usantie custom (in trade, of the trade), usage
uso usance; *à ~* at usance; *~ tarra* customary tare; **~wissel** bill at usance
U.S.S.R. id.
usurpatie usurpation; **usurpator** usurper; **usurperen** usurp
ut *(muz.)* ut, do, doh
utilisatie utilization; **utiliseren** utilize
utilitair, -aristisch utilitarian; **utilitarisme** utilitarianism
utiliteit utility; **~sbeginsel** utilitarian principle
Utopia id.; **utopie** utopia, Utopian scheme; **utopisch, utopist(isch)** Utopian
uur hour; *uren, (r.-k.)* hours; *zijn laatste ~(tje) is geslagen* his (last) h. has come *(of:* struck); *(sl.)* his number is up; *een ~ rijdens per ...* an hour's run by motor-coach; *urenlang* for hours (together, *of:* on end), by the h.; hour-long [discussion]; *verloren ~tje* spare hour; *ik ben aan geen ~ gebonden* I am not tied (down) to time; *binnen 't ~* within an h.; *met 't ~, zie* van ~ tot ~; *om zes ~* at six (o'clock); *zie* om; *om het ~ een lepel* every h. a spoonful; *op dat ~* at that h.; *op ieder ~* hourly, every h.; *op elk ~, (wanneer ook)* at any h., [they come] at all hours; *op 't ~ af* [she could tell ...] to the (an) h.; *over een ~* in an hour('s time), an h. hence; *te goeder ure* in a happy h.; *te kwader ure* in an evil h.; *tot op dit ~* (up) to this (very) h.; *van ~ tot ~* from h. to h., hourly [the situation is becoming ... worse]; *zie* elfde, gaans, sporen, enz.; **~cirkel** h.-circle; **~glas** h.-glass; **~loon** *a)* hourly wage(s); *b) zie* tijdloon; **~rad** h.-wheel; **~tje** *zie* uur; **~werk** timepiece, clock; *('t werk)* works, clockwork, movement; **~werkmaker** clock-, watch-maker; **~wijzer** h.-hand
u.v.d. = *uiterste verkoopdatum* sell-by date
uw your; *(enk. dicht.)* thy; *'t ~e* yours; *(enk. dicht.)* thine; *vgl.* mijn; *geheel de ~e, steeds de ~e* faithfully yours, yours faithfully; *(fam.)* yours ever, ever yours; *u en de ~en* yourself and your family
uwent: *te(n) ~* at your house, at your place, of your city; **~halve, om ~wil** for your sake, in your behalf; *(van)* **~wege** on your behalf, in your name
uwerzijds on your part
uwsgelijke *zie* gelijke

V

V V (*ook 't Rom. cijfer*); **V1, V2** id.

vaag vague, faint, dim [recollection], loose [reports, phrases]; ~ *idee, ook:* hazy (foggy) notion; *een vage herinnering, ook:* a blurred memory; ~**blauw** [a frock of] misty blue; ~**heid** vagueness, etc.

1 vaak *zn.* sleepiness; ~ *hebben* be sleepy; *zie* Klaas & praatje

2 vaak *bw.* often, frequently; *zo* ~ *hij komt* every time he comes; *ik heb het al vaker gezegd* I've said it before (more than once); *zie* dikwijls

vaal sallow [complexion], ashen [tinge], rusty [black], faded, dun, (*wet.*) lurid; ~**bleek** sallow, muddy [complexion]; ~**bruin** drab, dun; ~**grijs** greyish; ~**heid** sallowness

vaalt dung-heap; **vaam** fathom

vaan flag, banner, standard; *de* ~ *van de opstand planten* plant (*of:* raise) the standard of revolt

vaandel colours (*ook:* colour), standard, ensign, banner; (*van cavalerie*) standard; *in zijn* ~ *schrijven* embrace [the principle of ...]; *met vliegende~s* with flying colours; *zie* trom, salueren & scharen; ~**drager** standard-, ensignbearer; *zie* onderofficier—; ~**groet** dipping the colour(s); ~**parade** *ongev.:* trooping the colour(s); ~**peloton** escort of the colour(s); ~**schoen** colour-bucket; ~**stok** colour-staff; ~**wacht** colour-party; ~**wijding** consecration of the colours

vaandrig 1 ex-member of O.T.C. with temporary rank below second lieutenant; 2 *zie* vaandeldrager; 3 (*hist.*) ensign; (*van cavalerie*) cornet; 4 *1ste* ~, (*padvinder*) troop-leader

vaanstandschroef fully feathering propeller

vaantje vane, pennon [of a lance], lance-flag; (*weerhaan*) weathercock

1 vaar *zn.* zie vaartje & vaarschroef

2 vaar *bn.* barren; (*geen melk gevend*) dry

vaarbaar(heid) *zie* be...; *vaarbaar weer* sailing weather; **vaarboom** punting-pole, quant

vaardig skilled, skilful, adroit, clever [*in* at], proficient [in the use of the rifle]; fluent [speech; speak ...ly]; (*gereed*) ready; ~*!* ready!; ~ *zijn met de pen* have a fluent (wield a facile) pen; *ik ben niet* ~ *met* ... I'm no hand with the pen; *zie* geest; ~**heid** skill, skilfulness, proficiency; facility; cleverness; fluency; readiness, *vgl.* ~

vaargeul channel; fairway; (*tussen ijsvelden*) (ice-)lane, (*in mijnenveld*) (sea-)lane

vaarkoe, vaars heifer

vaarschema sailing list

vaarschroef male screw

vaart (*scheepvaart*) navigation, trade [the Atlantic ...]; (*snelheid*) speed, headway, momentum; (*kanaal*) canal, waterway; *grote* ~ ocean-going trade; *zeeman van de grote* ~ deep-water seaman; *kleine* ~ home trade; *de auto had weinig* ~ the car travelled slowly; *geen* ~ *hebben* have no way; *'t schip had te veel* ~ had too much headway on her; *de* ~ *die we maakten*, (*mar.*) the amount of way we had on; *dat zal zo'n* ~ *niet lopen* it won't come to that; ~ *krijgen* gather pace (momentum), (*mar.*) gain headway (*vooruit*), gain sternway (*achteruit*); *de taxi kreeg* ~ gathered speed; *'t schip liep nog* ~ had some way left on her; ~ (*ver*)*minderen* slacken (reduce) speed (one's pace), slow down (*of:* up), ease up; *'t schip stopte* ~ took off her way; *er* ~ *achter zetten* hurry (speed, *v. t. & v. dw.* speeded) things up, push things on; (*inz. sp.*) put on a spurt; *in dolle* (*vliegende, razende*) ~ at a tearing (headlong) pace, at breakneck speed, at a furious rate, full tilt, (*van ruiter ook*) [ride] hell for leather, neck or nothing; *in volle* ~ (at) full speed, in full career; *in de* ~ *brengen* put into service, put on [a steamer]; *in de* ~ *komen* come into service; *'t schip is nog in de* ~ is still in service, is still afloat; *met een* ~ *van 15 knopen* [travel] at a speed of 15 knots; *met* ~ [come down] with a run; *op Australië* the Austral(as)ian trade; *uit de* ~ *nemen* take [a ship] off the (out of) service; *vgl.* opleggen

1 vaartje father; *zie* aardje

2 vaartje (*snelheid*) *zie* vaart

vaartschouw inspection of canals

vaartuig vessel, craft (*mv. id.*)

vaarwater fairway, waterway, channel; *iem. in 't* ~ *zitten* thwart a p., (*onder zijn duiven schieten*) poach on a p.'s preserves; *in iems.* ~ *komen* fall foul of a p.; *elkaar in 't* ~ *zitten* be at cross-purposes; *uit iems.* ~ *blijven* steer clear of a p., give a p. a wide berth

vaarwel *tw. & zn.* farewell, good-bye, adieu; *hij riep mij een laatst* ~ *toe* he bade me a last f.; *iem.* ~ *zeggen* say good-bye [to a p.], bid [a p.] f. (*of:* god-speed); *de wereld* ~ *zeggen* retire from the world; *'t toneel* ~ *zeggen* say goodbye to (abandon, give up) the stage

vaas vase

vaat: *de* ~ *afwassen* (*doen*) wash up; ~**bundel** vascular bundle; ~**doek** dishcloth; *zie* slap; ~**hout** cask-wood; ~**je** small cask (barrel), keg, firkin, kit [of herring]; *uit een ander* – *tappen* change one's tune, sing another tune; ~**jesteken** *zn.* tilting the bucket, bucket-tilting; ~**kramp** arteriospasm; ~**stelsel** vascular system; ~**vlies** choroid coat (*of:* tunic); ~**wasmachine**, ~**wasser** dishwasher; ~**water** dishwater; ~**weefsel** vascular tissue; ~**werk** *a*) casks; *b*) plates and dishes, dinner things, kitchen utensils

vaatziekte vascular disease

va banque: ~ *spelen* stake everything

vacant id.; ~ *worden* fall (*of:* go) v.; *het bisdom werd* ~, *ook:* the bishopric fell void; *een* ~*e plaats bezetten* fill up a vacancy

vacatie sitting; attendance; ~**(geld)** fee

vacature vacancy; *een* ~ *vervullen* fill a v.

vaccinateur vaccinator

vaccinatie vaccination; ~**bewijs** certificate of (successful) v., v.-paper

vaccine *a*) id.; *b*) vaccination; ~**dwang** compulsory vaccination

vaccineren vaccinate, inoculate

vaccinewet vaccination act

vaceren *a*) be vacant; *b*) sit, hold a sitting; *komen te* ~ fall vacant

vacht fleece [of sheep], coat [of dog], fell, pelt, fur

vacuüm vacuum; ~**fles** v. flask, v. bottle

vadem fathom; *'n* ~ *hout* a cord of wood

vademecum vade-mecum

vademen fathom; (*hout*) cord

vademhout cord-wood

vader father (*ook fig.:* the ... of modern science, of English poetry); (*fam.*) dad; (*sl.*) [the] pater; (*van viervoeter, vooral paard*) sire; (*van gesticht*) master [workhouse ...]; *Heilige V~* Holy Father; *onze Hemelse V~* Our Heavenly Father; *het onze* ~ the Lord's prayer, the Our Father; *onze ~en* our (fore-)fathers, our ancestors; ~ *en moeder,* (*van gesticht*) master and matron; *daar helpt geen lieve* ~ *of moeder aan, zie* lievemoederen; *hij was een* ~ *voor mij* he was a f. to me; *een merrieveulen,* ~ *Lopez, moeder Calendar* a filly, by L. out of C.; *zo* ~ *zo zoon* like f. like son; *nee* ~, *zo gaat dat niet* no, sir, ...; *tot zijn ~en verzameld worden* be gathered to one's fathers; *van* ~ *tot* (*op*) *zoon* from f. to son; *zie* kant 2; ~**dag** Father's day; ~**hand** hand of a f.; ~**hart** a father's heart; ~**huis** paternal house (*of:* home)

vaderland (native) country, fatherland, [my spiritual] home; *voor 't* (*lieve*) ~ *weg,* (*op goed geluk af*) (at) haphazard, at random, (*ongegeneerd*) unblushingly, unwinkingly, without blushing; ~**er** patriot; ~**lievend** patriotic (*bw.:* -ally); ~**s** native [soil], patriotic [feeling]; ~**e** *geschiedenis* English (Dutch, etc.) history; ~**s-gezind** patriotic; ~**sliefde** love of country, patriotism

vader: ~**lief** father dear, (dear old) dad(dy); ~**liefde** paternal (fatherly) love; ~**lijk** *bn.* paternal, fatherly, avuncular; (*overdreven*) ~*e* (*regerings*)*zorg* paternalism; *zie* erfdeel; *bw.* like a f., in a fatherly manner; ~**loos** fatherless; ~**moord(er)** parricide; ~**moorders** stick-up(s), stick-up collar; ~**naam** name of f.; ~**ons** (*r.-k.*) Our Father, paternoster; ~**oog** a f.'s eye; ~**plicht** paternal duty; ~**schap** paternity (*ook van boek, enz.*), fatherhood; *onderzoek naar 't* – inquiry into the paternity of an illegitimate child; *wet op 't* – paternity law, bastardy law; *proces omtrent 't* – paternity suit, bastardy case; *een proces omtrent 't* – *beginnen tegen* take out an

affiliation summons (apply for an affiliation order) against; *vaststelling van 't* – affiliation; ~**stad** native (home) town; ~**szijde** *zie* kant 2; ~**tje** *zie* ~lief; (*fig.*) old man; (*tsaar*) little F.; – *en moedertje spelen* play houses; ~**vreugd** a f.'s joy, joy(s) of fatherhood; ~**zegen** paternal (a f.'s) blessing; ~**zorg** a f.'s (*of:* paternal) care(s)

vadsig indolent, lazy, inert; ~**heid** indolence, laziness, inertness

vagant wandering scholar

vagebond tramp, vagabond; (*Am.*) hobo

vagebonderen tramp, vagabond, wander; ~*de stroom,* (*elektr.*) eddy (*of:* stray) current

vagelijk vaguely; *zie* vaag

vagen sweep

vagevuur purgatory; *het* ~ P.

vagina id.; ~**aal** vaginal; **vair** id.

vak (*hokje, enz.*) compartment, partition, pigeon-hole; (*van beschot, plafond, enz.*) panel; (*van muur*) bay; (*mil., van terrein*) sector; (*van begraafplaats*) plot [... A, B, etc.]; (*van parkeerterrein*) parking place; *gelieve in de ~ken te parkeren* please park pretty; (*van onderwijs & studie*) subject; (*beroep*) trade, job; (*van onderwijzer, dokter, enz.*) profession; *de niet-klassieke ~ken,* (*op school*) the modern side (*deze volgen* be on the m. s.); *leerling voor enkele ~ken* pupil for single subjects; *'t* ~ *van kleermaker* the trade of a tailor; *zijn brood verdienen met een fatsoenlijk* ~ earn one's living at a reputable trade; *dat is mijn* ~ *niet* that is not my line of business; *dat behoort niet tot mijn* ~ that is not in my line; *hij praat altijd over zijn* ~ he is always talking shop; *een man van het* ~, *zie* vakman; *op een* ~ *doen* (*zijn*) apprentice (be apprenticed) to a trade; *in ~ken verdeeld* panelled [ceiling]

vakantie holiday(s), (*fam.*) hols; (*vooral van univ. & rechtb.*) vacation, (*fam.*) vac; *de grote* ~ the summer holidays, (*univ.*) the long vacation, (*fam.*) the long vac; *begin van de* ~ breaking(-up) [*zo:* breaking-up day]; *kamer van* ~, *zie* ~kamer; *'n paar dagen* ~ a few days' holiday; *wanneer begint de* (*je*) ~? when does school break up?; ~ *hebben* have (one's) holidays; ~ *houden* have a holiday (*zn.:* holiday-making); *ik houd vandaag* ~ I'm giving myself a day off today; (*een maand*) ~ *nemen* take a (month's) holiday; *hij zou graag woensdag* ~ *nemen* he would like to have Wednesday off; *met vissen enz. doorgebrachte* ~ [take a] fishing (motoring, walking, camping) holiday; ~ *met behoud van loon* holidays with pay, paid h.; *met* ~ [*zijn*] [be (away)] on holiday (on vacation); *met* ~ *gaan* go (away) on holiday; *met* ~ *naar huis gaan* go home for the holidays; *de rechtbank is met* ~ the court has risen

vakantie: holiday: ~**aanspraken** *worden overgenomen* holidays honoured; ~**adres** h. address, vacation a.; ~**cursus** h. (*of:* vacation) course; (*in de zomer ook*) summer school; ~**dag** holiday, off-day, day off; ~**drukte** (*aan station, enz.*) h.-rush; ~**ganger** h.-goer, -maker;

(*Am.*) vacationer, -ist; *een groep* –s a holiday party; ~**kaart** h.-ticket; ~**kamer** vacation court; ~**kamp** holiday camp; ~**kolonie** h. camp; ~**oord** h.-resort; ~**plan** h.-plan; ~**rechtbank** *zie* ~kamer; ~**reis** h.-trip; ~**reiziger** h.-goer, -maker; ~**spreiding** staggering of holidays, staggered holidays; ~**stemming** [be in a] h.-mood; ~**taak**, ~**werk** h.-task(s); ~**tijd** h.-season; ~**toeslag** holiday allowance; ~**verblijf** *a*) h.-residence; *b*) *zie* ~oord

vak: ~**arbeid(er)** skilled labour(er); ~**bekwaam** skilled; ~**bekwaamheid** professional skill; ~**beweging** trade unionism, trade union movement; ~**bibliotheek** special library; ~**blad** trade (technical, professional) journal (*of:* paper); ~**bond** trade union; ~**centrale** trade-union federation; ~**didactiek** [science, English, etc.] teaching methodology; [lecturer in ... ~didacticus]; ~**diploma** professional diploma

vakerig sleepy, drowsy

vak: ~**gebied** speciality; ~**geleerde** specialist; ~**genoot** colleague; ~**groep** trade group; (*univ.*) department; ~**idioot** narrow-minded specialist; ~**je** pigeon-hole, compartment [*look fig.:* the ...s of his mind]; *zie* hokje; ~**kennis** professional knowledge; ~**kringen** professional circles; ~**kundig** skilled, competent, efficient, professional, workmanlike; ~**kundige** expert; ~**kundigheid** skill, competence, expertise; ~**leraar** subject master; ~**literatuur** special(ist) (technical) literature; ~**lokaal** subject room; ~**man** expert, specialist; (*handwerksm.*) craftsman, skilled workman; (*niet handwerksm.*) professional (man); –**schap** (professional) skill, craftsmanship, expertise; ~**onderwijs** vocational (technical) education (instruction); ~**onderwijzer** *a*) subject teacher; *b*) craft (*of:* vocational) teacher; ~**opleiding** professional (vocational) training; ~**organisatie** trade union; ~**pers** professional press; ~**school** vocational (trade, craft) school; ~**studie** professional study; ~**taal** professional (technical) language, (scientific) jargon; ~**tekenen** trade-drawing; ~**term** technical term; *zoals die – luidt* as they say in the trade; ~**terminologie** technical terminology; ~**tijdschrift** technical (professional, specialist) journal; ~**verbond** federation of trade unions; ~**vereniging** trade union; (*van doktoren, enz.*) professional association; ~**verenigingscongres** trade union congress; ~**verenigingswezen** trade unionism; ~**werk** professional job; (*bk.*) timber framing; (*techn.*) lacing; –**balk** lattice girder; –**bouw** timber framing, half-timbering

val (*'t vallen*) fall, spill [from one's bicycle, horse]; (*fig. ook*) downfall [of a kingdom], overthrow [of a minister]; (*van vliegt.*) crash; (*voorw.*) trap; (*mar.*) halyard; (*om bedgordijn, enz.*) valance; *de ~ van de frank* the fall (drop, sterker: slump) of the franc; *de* (*zonde*)~ the Fall; *vrije ~* free fall, motion under gravity; *een lelijke ~ doen* have a bad f.; *een ~ zetten* set (*of:* lay) a trap; *in de ~ lokken* lure into a (the) trap, (en)trap, ensnare; *in de ~ lopen* walk (*of:*

fall) into a (the) trap (snare), take (rise to) the bait; *een in de ~ gelopen dier* a trapped animal; *ten ~ brengen* overthrow, bring down [the government]; ruin [a p.]; (*meisje ook*) seduce

valabel valid [reason]

val: ~**appel** windfall(en apple); ~**bijl** guillotine; ~**blok** ram, monkey, beetle-head; ~**brug** drawbridge; ~**deur** trap-door

vale id., farewell

valentie (*chem.*) valency

Valentijn Valentine; ~**sdag** St. Valentine's day

valeriaan valerian, setwall; ~**wortel** v.-root

val: ~**gordijn** blind; ~**hek** portcullis; ~**helm** crash-helmet; ~**hoogte** height of fall, drop

valide *a*) (*geldig*) valid; *b*) able-bodied, fit

valideren validate, render valid; *het zal u ~ in rekening* it will be passed to the credit of your account; **validiteit** validity

valies portmanteau, Gladstone bag, grip

valk falcon, hawk; ~**eblik** *zie* valkeoog; ~**ejacht** falconry, hawking; *op de – gaan* go hawking; ~**ekap** hawk's (falcon's) hood; ~**endressuur** falconry; ~**enier** falconer; ~**eoog** (*fig.*) hawk('s) eye, eagle eye; *met – hawk-, eagle-eyed*; ~**erij** falconry, hawking

val: ~**klep** trap-valve; (*van nummerbord*) annunciator disc (*of:* drop); ~**kruid** arnica (montana); ~**kuil** pitfall

vallei valley; (*nauw*) glen; (*klein, begroeid*) dell, dingle; (*dicht.*) vale, dale

vallen I *ww.* fall (*ook regering, prijzen, vesting, getij, wind, duisternis, avond, enz.; ook op slagveld; ook:* Easter fell late), drop, tumble, come down; *tumble down* [twilight ...s; the ...ing dusk]; *ik viel, ook:* I had a fall, (*van fiets, paard, enz., ook*) I had a spill; *loodrecht ~*, (*van vliegt.*) nose-dive; *laten ~* drop [the curtain], let fall; shed [trees ... their leaves]; (*aanspraken, enz.*) abandon, give up, waive [a claim]; *hij liet zijn oog ~ op een schilderijtje van ...* his eye fell on a picture by ...; *iets van de prijs* (*van zijn eisen*) *laten ~* shade the price somewhat (abate one's demands); *een stuiver laten ~* knock off a penny; *men liet 't plan ~* the scheme was dropped; *van beide kanten wat laten ~* make mutual concessions; *zich laten ~* drop [into a chair]; *doen ~* bring down [a tree, a minister], trip [a p.] up; *een wetsontwerp doen ~* strangle a bill; *'t valt zo 't valt* come what may; *'t leven nemen zoals 't valt* (*de dingen zoals ze ~*) take life as it comes (things as they come); *er vielen slagen* (*klappen; schoten*) blows were struck (shots were fired); *in het debat vielen namen als ...* names like ... were bandied about; *de motie* (*'t wetsontwerp*) *viel* the motion (the bill) was defeated; *'t stuk viel* the play was a failure (flop), (*sl.*) a frost; *hij viel zo lang hij was* he fell at full length, measured his length on the floor; *'t leven valt mij zwaar* life has become a burden to me; *'t valt mij zwaar* (*zuur*) I find it difficult, such work takes it out of me; *'t viel me* (*enz.*) *zwaar ...* it was a (great, hard) wrench to leave the place; *die jas valt* (*u*) *goed* that coat is a good fit; *de avond valt, ook:* evening is closing in; *zijn verjaardag valt a.s. week* will be due next week; *'t water begint te* ~ begins to f. (subside), *('t getij)* the tide is turning; *hij kwam te* ~ he lost his feet; *(fig.)* he came to die; *er valt over zijn werk niet te klagen* we have no reason to find fault with his work; *er valt niet over te lachen* it is no laughing matter; *er valt geen verbetering te constateren* there is no improvement to report; *er valt niet aan te denken* it is not to be thought of, it is out of the question; *aan teruggaan valt niet te denken, ook:* there's no going back; *als er wat te eten valt* if there is any food going; *dat is alles wat daarvan te zeggen valt* that is all there is to it; *daar valt weinig van te zeggen* little can be said about it; *er valt niet veel te vertellen* there is not much to tell; *er valt met hem niet te redeneren* he is not amenable to reason; *zie* klimmen, lang, ontkennen, praten, staan, toezien, enz.; ~ *aan, zie* toevallen; ~ **buiten** be beyond the scope of [the agreement]; **in zee ~,** *(van rivier)* fall (empty itself) into the sea; *in 'n belasting* ~ be liable to a tax; *in een categorie* ~ come into a category; *dat is al naar 't valt* that depends, it all depends; *'t valt onder die rubriek (wet, definitie)* it comes (falls) under that head (within that act, within that definition); ... *valt niet onder deze wet, ook:* the case is not covered by this act; *onder de Franse wet(geving)* ~ be governed by the laws of France; ~ **op** f. on [one's knees], f. to [the ground]; *(sl.)* fall for [s.t. or s.b.]; *op donderdag* ~ f. on Thursday; *zijn oog viel op mij (op een kennisgeving)* his eye fell on me (a notice caught his eye); *de keus viel op mij* the choice fell on me; *over 'n kleinigheid* ~ stumble at a trifle; *ik viel over een tak* I was tripped up by a branch; *hij viel over dat woord, a)* he tripped over that word; *b)* he took offence at ...; *ze* ~ *over elkaar om ...* they f. (tumble) over each other to be filmed; *hij valt niet over* ... he does not stick at a few pounds; *al val ik over hem, ik ken hem niet* I do not know him from Adam; *ter aarde* ~ f. to earth, *(van vliegt.)* crash; *uit elkaar* ~ fall to pieces, disintegrate; *van de trap(pen)* ~ f. (tumble, topple) down the stairs; *van de ene blunder in de andere* ~ drift from blunder to blunder; II *zn. (van de avond)* nightfall; *(van water)* fall; *(van accent)* incidence; *bij 't* ~ *van de avond* at nightfall, at dark; *bij 't* ~ *van 't gordijn* at the fall of the curtain; *hij kwam er met* ~ *en opstaan* he succeeded by dogged perseverance (by the method of trial and error), he muddled through

vallend: *zie* vallen; ~*e ster* shooting (falling) star; ~ *water* falling water, ebb; ~*e ziekte* epilepsy, falling sickness; *lijdend (lijder) aan* ~*e ziekte* epileptic

val: ~letje *(langs gordijn, enz.)* valance; ~licht skylight; ~ling *(van mast, van steven)* rake; ~luik trapdoor; *(van galg)* drop; ~net *zie* slagnet

valorisatie valorization

valpartij spill [of 20 riders], crash, pile-up

valpoort portcullis

valreep man-rope, side-rope; *glaasje op de* ~ parting-glass, stirrup-cup; ~gast side-man; ~strap accommodation-ladder

vals I *bn.* false *(ook van kat, enz.; van bericht, gerucht, alarm, bodem, bescheidenheid, schaamte, hoop, trots, goden, profeet, toon, naam, haar, enz.),* perfidious, treacherous; vicious [horse, dog], nasty (savage) [dog]; *(van bankbiljet, enz.)* false, forged, bad [banknote], spurious [character *getuigschrift*], bogus, faked [passport], *(sl.)* dud *(Am.* phoney) [cheque]; *een* ~*e aangifte doen, (belastingen)* make a f. return; ~*e broeder* sneak; ~*e dobbelstenen* loaded dice; ~ *geld* counterfeit money, base coin; *met een* ~*e hand* in a feigned hand; ~*e handtekening* forged signature; ~*e juwelen* artificial (imitation) jewels, paste; ~*e kies* premolar, bicuspid; ~*e munt* base (false, bad, counterfeit, spurious) coin; snide; ~*e munter* (counterfeit) coiner, utterer of f. coin; ~*e noot* f. note; ~*e parels, ook:* synthetic pearls; ~*e rib* f. rib; ~*e sleutel* f. (skeleton, master-)key; ~*e speler* (card-) sharper; ~*e start, (sp.)* f. start; ~*e tanden* f. (artificial) teeth; ~ *vernuft* would-be wit; ~*e vlecht* switch, made-up plait; *de hond was* ~, *ook:* was bad; *zie* getuigenis, enz.; II *bw.* falsely [he was ... accused]; ~ *klinken* be out of tune; ~ *spelen, a)* cheat [at cards]; *b)* play out of tune; ~ *zingen* sing out of tune (false, flat, sharp, off key); ~ *zweren* swear falsely, forswear *(of:* perjure) o.s.; ~aard f. (treacherous, perfidious) person

valscherm parachute; ~jager paratrooper; ~troepen p.-troops, paratroops

valschijf *(mil.)* disappearing (vanishing) target

valselijk falsely; **valsemunter** *zie* vals I; **valserik** *zie* valsaard

valsheid *(van pers., enz.)* falseness, perfidy, treachery; *(van leer, enz.)* falsity, falseness; ~ *in geschrifte* forgery

valsnelheid rate of fall (of descent)

valstrik gin; *(ook fig.)* snare, trap; *(fig. ook)* pitfall, catch; *iem. een* ~ *spannen* set a trap for a p.; ~bom booby trap

valstroomcarburateur downdraught carburettor

valuta value; *(koers)* (rate of) exchange, exchange rate; *(munt)* currency [payment in foreign ...]; *harde en zachte* ~ hard and soft currencies; ~ *per heden* v. to-day; ~ *15 mei* v. 15th May, due on 15th May; *Nederl.* ~ Dutch currency; ~arbitrage arbitration of exchange; ~crisis currency crisis; ~dag, -datum due date; ~kassa clearing-house for foreign exchange transactions

valwet law of falling bodies

valwind squall, gust of wind

vampier vampire(-bat); *(fig.)* vampire

van I *vz. (bezit):* wordt vertaald door of, *of uitgedrukt door de 2de naamv.; (scheiding)* from; *(afkomst)* of [... a good family]; *(stof)* (made) of [iron]; (*oorzaak*) with [shriek ... horror, weep ... delight, wet ... tears, white ... rage], for [sob ... joy, he could not speak ... emotion], from [he fell down ... sheer fright]; (*onderwerp van gesprek, enz.*) of [speak ... s.t.]; (*eigenschap*) of [a child ... three]; (*datum*) of [your letter ... May 1st]; ... ~ *u ontvangen* the kindness received from you (at your hands); *het potlood viel ~ de tafel* fell off the table; *klein ~ gestalte* short in (of) stature; *mager ~ persoon* lean in figure; ~ *persoon was hij ...* in person he was ...; ~ *dezelfde grootte* (*hoogte, leeftijd, enz.*) the same size (height, age, etc.), of a size, etc.; ~ *de goede hoogte* (*wijdte, prijs*) [they are] the right height (width, price); *dat is vriendelijk* (*aardig, dom, enz.*) *van je* it is kind (nice, silly, etc.) of you; *een engel ~ een vrouw* an angel of a woman (*evenzo:* a tyrant of a schoolmaster; that little madcap of a Jane); ~ *wat ben je me!* [run, drive] like mad; *hij maakte een kabaal ~ wat ben je me* he made a devil of a row; ~ *1908 tot 1920* from 1908 to (till) 1920; ~ *2 tot 3 uren* [it takes me] from two to three hours; *negen ~ de tien* nine out of ten; ~ *toen ze nog ... was* [he had watched over her] from a girl; *een dochter ~ mijn vriend* a daughter of my friend's; *een roman ~ Priestley* a novel by P.; *een schilderij ~ Rembrandt* a picture of R.'s, by R.; *een portret ~ R.*, (*R. voorstellend*) a portrait of R.; *de vader ~ Jan* John's father; *een vriend ~ Jan* a friend of John's; *het vliegveld ~ Amsterdam* A. airport; *een vriend ~ mij* a friend of mine; *dit nieuws ~ Jan*, (*dat J. brengt*) this news of John's; (*over Jan*) ... of John; *'t is ~ mij* it's mine; ~ *wie is dat boek?* whose book is that? (*door wie geschreven*) who's that book by?; ~ *de week* (*het jaar, enz.*), this week (year, etc.); *ik ken hem ~ naam* (~ *gezicht*) by name (by sight); *hoe heet hij ~ achternaam* what is his surname?; *wie is daar? ik geloof ~ Jan* I think it is J.; *ik geloof ~ ja* I think so, I think he has (you are, etc.); *ik geloof ~ niet* I don't think so, I think not; *hij is ~ Leeds* (a native) of L., a L. man; *de A ~ Anna* a for able (a for alpha); *een eindje ~ de weg af* [the house stood] a little back from the road; ~ *uit zee* [bombard] from the sea; ~ *'t zelfde* (the) same to you; *zie ook* af, buiten, enz.; II *zn.* family name

vanaf from [to-day, Rotterdam], ever since [1885]

vanavond this evening, to-night

vanboven *zie* boven (*van ...*)

vandaag to-day; *de hoeveelste is het ~?* *de 27ste* what day of the month is to-day? the 27th; *kom ik er ~ niet, dan kom ik er morgen* what cannot be done to-day can be done tomorrow; ~ *de dag* nowadays; ~ *of morgen*, (*fig.*) sooner or later; *van ~ op morgen* immediately, then and there, [not] from one day to the next; ~ *over* (*voor*) *8 dagen* (*14 d., 3 weken*) this day (to-day) week (fortnight, three weeks); *zijn deze broden van ~?* are these to-day's loaves?; *zie* heden

vandaal(s) Vandal; ~**s** *ook:* vandalic

vandaan: *hier ~, zie* vanhier; *waar komt* (*is*) *hij ~?* where does he come (*of:* hail) from? where's he from?; *waar komt hij toch zo ineens ~?* where on earth has he sprung from?; *'t huis was er een mijl ~* was a mile away; *hij woont overal kilometers ~* he lives miles from anywhere; *toen ik er ~ kwam* when I came away; *waar komt ... ~?* where's the money coming from?; *blijf van ... ~* keep (stand) away from that ladder; stand clear of the gates; (*ver*) *van iem. ~ blijven* give a p. a miss; *ze zijn niet van hem ~ te slaan* they simply sit in his pocket; *ik weet niet, waar jij je ideeën ~ haalt* I don't know where you get your notions

vandaar (*plaats*) from there; (*vero. & lit.*) thence; (*oorzaak*) hence, that's why [I am so sad]; *o, ~* I see

vandalisme vandalism

vandehands: *'t ~e paard* the off horse

Van Diemensland Tasmania

vandoor: *hij is er ~* he has cleared off, (*sl.*) he has done a bunk; *ik ga er ~* I am off; *hij is er met de vrouw van een ander vandoor gegaan* he has run away with another man's wife; *ik moet er ~* I have to beat it

vaneen [break, cut, tear, etc.] asunder; [her eyes are too wide] apart; [she sat, her lips a little] parted; *ver ~ staande ogen* (*tanden*) wide-set eyes (gappy teeth); *met ver ~ staande tanden* gap-toothed; ~ *gaan* part, separate; ~ *scheuren*, (*door wild dier, ook*) tear limb from limb

vaneigen(s) (*volkst.*) of course

vang (*'t vangen*) catch; (*van molen*) brake; *zie* molen; ~**arm** tentacle; ~**band** (*om boom, om rupsen enz. te vangen*) insect trap; ~**dam** cofferdam; ~**draad** *zie* ~arm; ~**en** catch [a bird, thief, ball], capture, (*van vis ook*) land; (*snappen*) catch, (en)trap, (*sl.*) nab, pinch [a thief]; (*verdienen*) make, net [£100 a week]; ~ (*op*)! catch!; *laat u niet* - don't walk into the trap; *hij kan goed* (*op*)- he is a good catch; ~**er** catcher, captor; ~**ertje** *zie* krijgertje; ~**ijzer** gin-, spring-trap; ~**lijn** (*mar.*) painter, boat-rope; (*van vliegt.*) shroud; ~**net** safety net; (*elektr.*) guard network; ~**rail** guard-rail, crash barrier; ~**snoeren** *zie* fourragères; ~**spel(letje)** game of catch; *'n ~ spelen* play (at) catch

vangst catch, haul; *'n schrale ~, ook:* a poor bag; *een mooie ~ doen*, (*ook van politie, dieven, enz.*) make a nice haul

vangzeil (*bij brand*) jumping-sheet

vanhier (*plaats*) from here, [get] out of here; (*vero. & dicht.*) hence; (*oorzaak*) *zie* vandaar

vanille vanilla; ~**ijs** v.-ice; ~**stokje** v.-pod

vanmiddag this afternoon; **vanmorgen** this morning; ~ *vroeg* early this morning; **vannacht** (*komende*) to-night; (*afgelopen*) last night

vannieuws anew; *zie* opnieuw

vanochtend this morning

vanouds of old; [he knew] from of old [how it would be]; traditionally

vanuit from

vanwaar from where, whence; *niemand wist ~ zij kwamen* they appeared from nowhere; *zie ook* vandaan

vanwege on account of, owing to, because of; (*namens*) on behalf (in the name) of; *als 't niet was ~ 't feit, dat ...* but for (if it were not for) the fact that ...; *zie* wegens

vanzelf [the door shut] of itself, [the words came] of themselves, of its (their) own accord; *'t gebeurde zo maar ~* it just happened of itself; *dat is zo maar ~ gebeurd, he?* it was the cat that did it, was it?; *... viel ~* the vase fell off by itself (*evenzo:* it will have to come by itself); *... als ~* my bicycle goes by itself; it naturally led the conversation to the subject of schools; *zijn zaak loopt* (*als*) *~* his business runs itself; *nu ging alles als ~* now it was plain sailing; *'t gaat ~ af* it goes off of its own accord; *dat volgt ~* that follows automatically; *~!* obviously!; *zie* spreken; ~**sprekend** self-evident; *als – ging hij* as a matter of course he went; *iets als – aannemen* take s.t. for granted; *'n ~-sprekendheid* a matter of course

vaporisateur, -or vaporizer, spray, atomizer

var steer

varaan varan, monitor (lizard)

1 varen *zn.* fern, bracken

2 varen *ww.* sail, run [the steamer will not ... today], travel [at a speed of 15 knots], go [8 knots], navigate; (*tussen 2 plaatsen*) ply [between L. & R.]; (*aan boord h.*) carry [a radio operator]; *af en aan ~* come and go; *gaan ~* go to sea; *hoe lang vaar je al?* how long have you been a sailor?; *de ideeën die hem door 't hoofd voeren* the ideas coursing through his head; *hoe vaart gij?* (*vero.*) how are you? how do you do? how are you getting on?; *hoe laat vaart de boot?* what time does the boat start (leave, sail)?; *laten ~* sail [paper boats; sail ships in groups]; drop [a plan, all pretence; ... that tone!], scrap [a plan], relinquish, give up [a plan, an attitude], abandon [hope, a plan, theory], cast off [old prejudices]; *er goed* (*wel*) *bij ~* do well (very nicely) out of it (the war, etc.); *'t best bij iets ~* have the best of it (of the bargain), get the better of the arrangement; *de Staat zal er 't best bij ~* the State will be the gainer (by it); *je zult er goed bij ~*, (*belofte*) I'll make it worth your while; *slecht* (*kwalijk*) *bij iets ~* come off badly (over a thing), come off a loser, get the worst (the worse) of it; *de storm vaart door 't woud* sweeps through the forest; *de duivel is in hem ge~* the devil has entered into him; *langs de kust ~* range (skirt, hug) the coast; *~ om* sail round, circumnavigate [the world], double [a cape]; *op Turkije ~* trade to Turkey; *over de rivier ~*, *a*) cross the river; *b*) take [a p.] across the river; *ten hemel ~* ascend to heaven; *ter helle ~* go to hell; *zie* huiverig & vlag; *'n dag ~s* a day's sail

varensgast, -gezel sailor, seafaring man

varia miscellanies, miscellanea

variabel(e) variable; **variabiliteit** variability

variant id., v. (alternative) reading

variantie variance

variatie variation; *voor de ~* for a change

variëren *intr.* vary, range; *de prijzen ~ van 3 tot 9 gulden* prices range (run) from 65p to two pounds (between ... and ...); *tr.* vary

variété(theater) variety theatre, music-hall; ~**artiest** variety artist, v. performer, music-hall entertainer; ~**nummer** act

variëteit variety; ~**engezelschap** v.-company; ~**envoorstelling** v.-performance, v.-entertainment, v.-show

varken pig, hog, swine (*alle ook fig.*); (*mest-*) porker; (*handstoffer*) carpet brush; (*watervat*) breaker; *wild ~* (wild) boar; *een ~ van een wijf* a vixen, a virago, a tartar; *lui ~*, (*ook scherts.*) lazy pig; *veel ~s maken de spoeling dun* where many have to share nobody will get much; *ik zal dat ~ wel wassen* I'll deal with that; *zie* oor, schreeuwen & vies; ~**en** (*mar.*) hog

varkens: ~**achtig** piggish, hoggish; ~**bak** pigtrough, swill-tub; ~**blaas** pig's-bladder; ~**borstel** hog's bristle; ~**brood** (*plant*) cyclamen; ~**centrale** pig(s) (marketing-)board; ~**cholera** hog-cholera; ~**draf** hogwash, swill, swillings; ~**drijver** hog-driver; ~**fokker** pig-breeder, -farmer; ~**fokkerij** *a*) pig-breeding; *b*) pig-farm; ~**gehakt** sausage meat; ~**gras** knotwort, swine's grass; ~**haar** hog's hair, hog's bristles; ~**hoeder** swineherd; ~**hok** *zie* ~kot; ~**houder** *zie* ~fokker; ~**huid** pigskin; ~**karbonade** porkchop; ~**kervel** hog's fennel; ~**kluif** pig's knuckle; ~**kop** pig's head; ~**koper** pig-dealer; ~**kost** pig's meat, pig's wash; (*fig.*) pig's wash; ~**kot** (*ook fig.*) pigsty, piggery; ~**kotelet** porkcutlet; ~**krapje** spare-rib; ~**lapje** pork-steak; ~**leer** pigskin; ~**markt** pig-market; ~**oogjes** pig-eyes; *met ~* pig-eyed; ~**pest** swine-plague; ~**poot** (*van geslacht dier*) leg of pork; ~**pootjes** (*id.*) pettitoes, pig's trotters; ~**reuzel** lard; ~**rollade** rolled pork; ~**slachterij** pork-butcher's (shop, business); ~**slager** pork-butcher; ~**snuit** pig's snout; ~**staart** pig's tail; ~**stal** *zie* ~kot; ~**trog** pig-trough, -tub; ~**vlees** pork; ~**voer** pig food; *zie ook* ~kost; ~**ziekte** swine-fever, -plague

varkentje piggy(-wiggy), piglet, pigling

varkenvis bay-porpoise, sea-hog

varsity: *de ~* the Boatrace

vaseline id.

vasomotorisch vasomotor [nerve]

vast I *bn.* fast [the door was ...]; fixed [bridge, star, aerial (*antenne*), purpose, point, salary, law, no ... address, a ... Easter]; firm [rock, look, belief]; steady [purpose, pace, his hand (his voice) was not ...]; permanent [appointment, situation, committee]; regular [visits, contributor to a paper, customer, habits]; stock [remark, reply, subject, phrase]; (*niet vloeibaar*) solid; *niet ~*, *zie ook* onvast; *iets ~s*, (*~ nummer, ~e verschijning, ook pers.*) a fixture, an institution; *~ in de leer* sound in the faith; *olie ~*, (*marktbericht*) oil firm; *~e aanstelling* permanent appointment, (appointment with) tenure; ~ *aanstellen*, *(ambtenaar)* establish; *~e aardigheid* standing (staple) joke; *~e ambtenaren* permanent officials; *~e arbeider* regular workman; ~ *besluit* firm (settled) determination, steady resolve; *~e bestelling* standing order; *~e bezoeker* regular attendant (visitor); *met ~e boord* with collar attached; *~e coupures* fixed denominations; *~e datum* fixed date; *~e dienst* established service; *(lijndienst)* regular service; ~ *district*, *(bij verkiezing)* safe division (constituency), safe seat, *(hist.)* pocketborough; *~e feestdag* immovable feast; *~e gebeden* set prayers; *~e gedragslijn* settled policy; ~ *gesteente* live (native, solid) rock, bed-rock; *~e gewoonte* [it has become an] established practice, set *(of:* fixed) habit [a man of ...s]; ~ *goed*, *~e goederen* real estate, real (fixed) property, realty; *agent in (kantoor van) ~e goederen* estate-agent (estate-office); *~e grond* firm ground; virgin soil; subsoil, bedrock; *~e halte* (compulsory) stop; *~e hand* firm (steady) hand; *~e huur* fixed rent; *fondsen met ~e interest* fixed interest(-bearing) securities; ~ *kapitaal* fixed capital; ~ *karakter* strong character; *~e kast* built-in (fitted) cupboard; ~ *kleed* fitted *(of:* wall-to-wall) carpet; *~e kleur* f. colour; *~e kosten* fixed (standing) charges; *'t ~e land, zie* ~eland; *~e lasten* fixed (standing, overhead) charges; *~e lezer* regular reader; ~ *lichaam* solid; ~ *licht*, *(van vuurtoren)* fixed light; ~ *lid* regular (permanent) member; *~e maatstaf* fixed standard; *~e markt* steady (firm) market; *~e maten (nummers)* standard sizes; *~e mening* settled opinion; *~e offerte* firm (solid) offer; ~ *offreren* offer firm; *een offerte (een partij)* ~ *in handen hebben* have the refusal of a parcel; *we laten de offerte ~ in handen tot* ... we offer you firm till ..., the offer holds good till ...; ~ *e onkosten* fixed (standing) charges; *~e overtuiging* firm (settled) conviction; ~ *personeel* permanent staff; *~e plaats* [in the] regular place; *(in kerk)* sitting; *ze bezochten de ~e plaatsen*, *(voor toeristen)* they 'did' the stock places; *~e plant* perennial (plant); *~e prijs* fixed price; *~e prijzen*, *(in aankondiging)* no discount given! ~ *punt*, *(landmeten)* bench-mark *(ook fig.)*; ~ *recht*, *(douane)* fixed duty; *(elektr., enz.)* fixed charge; ~ *regel* fixed (set, hard and fast) rule; *~e rente, zie* ~e interest; *~e schijf*, *(mil.)* stationary target; *~e schotel* standing dish; *~e slaap* sound sleep; *~e spijzen* solid food; *~e spoor* jack-spur; *~e stemming*, *(hand.)* firm tendency; *~e stopplaats* compulsory stop; ~ *stuk*, *(bij vuurwerk)* set piece; *~e tanden* permanent teeth; *zijn ~e taks* his regular quantity (number, etc.); *hij heeft geen ~ tehuis* no settled home; *op ~e tijden* at set (regular) times; *met ~e tussenpozen* at regular intervals; *~e uitdrukking* fixed (set, stock) phrase; ~ *van voet* sure-footed; *zie* voet; ~ *voornemen* firm (fixed, set) intention; *~e vraag* stock question; *~e wal* shore; *~e wastafel* fitted (fixed, lavatory) basin; ~ *weer* settled weather;

~ *werk* regular work (employment); *~e wil* firm will; *zonder ~e woonplaats* of no fixed abode; *~e zetel* permanent seat; *(in Parl., enz.)* safe seat; ~ *worden*, *(van iets vloeibaars)* solidify, congeal, consolidate; set [the white of an egg ...s by boiling]; ~*(er) worden*, *(van 't weer)* settle, *(van markt, prijzen)* harden, firm up, stiffen, steady; *in ~e toestand* **brengen** solidify; *dat is ~ en zeker* dead certain, *(sl.)* a dead cert; *zie* los; II *bw.* fast, firmly, etc.; ~ *(en zeker)* certainly, for certain; *zie* zeker, definitief, minstens; ~*beloven* promise positively; *u kunt er ~ op aan, dat* ... you may take it as definite that ...; ~ *overtuigd* firmly convinced; ~ *slapen* be sound (fast) asleep, sleep soundly; *ik slaap ~* I am a sound sleeper; *maar ~* meanwhile; *begin maar ~* you may as well begin, you had better begin; *hier is ~ [een gulden, enz.]* take this to go on with; *ga maar ~ naar boven, ik kom wel* go on upstairs, I'll follow; *zie ook* schoen, vaststaan, -zitten, enz.

vastbakken stick to the pan; *vastgebakken zitten* be strongly tied [to one's bias]

vastberaden resolute, firm, unflinching, determined; *een ~ houding aannemen*, *ook:* put one's foot down; *zich ~ tonen* keep a stiff upper lip; ~**heid** resoluteness, resolution, determination, firmness, strength of purpose

vastbesloten (firmly) bent [on going], determined [to go]; ~**heid** *zie* vastberadenheid

vastbijten: *zich ~ in een standpunt* dig in one's heels

vast: ~**binden** bind *(of:* tie) fast, tie up, fasten, *(met dik touw)* rope *[aan* to]; ~**doen** *zie* ~maken; ~**draaien** turn home (tight), screw down, lock [the door]

vasteland continent, mainland; ~*s* ... continental [climate, etc.]

vasten I *ww.* fast; II *zn.: het ~* fast(ing); *de ~* Lent; *de ~ onderhouden* observe (keep) the fast; *zijn ~ onderbreken* break one's fast

vastenavond Shrove Tuesday, *(fam.)* Pancake (Tues)day; ~**gek** carnival buffoon; ~**grap** carnival joke; ~**pret** carnival merriment *(of:* fun); ~**zot** *zie* ~gek

vasten: ~**brief** Lenten pastoral (letter); ~**dag** fast(ing)-day; ~**preek** Lenten sermon; ~**tijd** Lent, Lenten season; ~**wet** Lenten law

vaster *zn.* faster

vast: ~**gespen** buckle (up); *(met riem)* strap [his car with his luggage ...ped on behind]; *zich –*, *(van piloot)* strap o.s. in; ~**goed** real property; *zie* vast; ~**grijpen** catch (seize) hold of; *(van boksers)* clinch; ~**groeien** grow together; *– aan* grow to; *haar hand scheen aan ... vastgegroeid te zijn* seemed to have become a part of ...; ~**haken** hook (up) [a dress]; *– aan* hook on to; ~**hebben** have got hold of; *zich – aan, ook (fig.)* attach o.s. to, cling to; ~**heid** firmness, fixity [of purpose, in the rate of interest], solidity [of a building], consistence, -cy [of mud], [political] stability; – *geven aan* steady [one's hand]; – *van karakter* firmness of character, [have, lack] ballast

vasthouden I *tr.* hold [a horse, parcel], hold fast, (*stevig, ook:*) clutch; (*in arrest*) detain; (*mil.*) contain, hold [the enemy]; (*niet verkopen*) hold up (retain) [stocks, goods], hang (hold) on to [one's shares, one's pearls]; *hij houdt vast wat hij heeft* he is tenacious of what he has; *houd ... vast* keep that date in mind; *ik hield mijn hart vast* I held my breath, my heart was in my mouth; *ik houd mijn hart vast bij die gedachte* I tremble (shudder) to think of it, I am horrified at the idea; *hou je ~!* hold tight!; *zijn mening ~* stick to one's opinion; *mag ik je pen even ~*, (*fam.*) may I borrow ...; *zich ~* hold fast (tight, on); *zich ~ aan* hold on to [a chair], cling to [a rock], clutch at [a table], hold on by [one's teeth]; *hou je stevig (aan mij) vast* hold on tight (to me); II *intr.: ~ aan* stick to [an opinion], cling to [old traditions], hold (adhere) to [a theory, a policy], be tenacious of [old customs], stand by [a decision]; *zijn ~ aan ... his adherence to ...*

vasthoudend tenacious, pertinacious; (*gierig*) stingy, tight-(close-)fisted, close, near; (*behoudend*) conservative, unprogressive, (*fam.*) stick-in-the-mud; *hij was buitengewoon ~, ook:* he was extremely unwilling to part with money; **~heid** tenacity (of purpose), pertinacity; stinginess, etc.

vastigheid certainty; (*onroerend goed, ook: -heden*) real estate, real (fixed) property, realty; *zie verder* vastheid

vast: ~ketenen chain up; **~klampen:** *zich – aan* cling to [a rock, a tradition; one's views], clutch at, catch at [a straw]; **~klemmen** clench, grasp; *zich – aan* cling to (*zie* ~klampen); *'t raam was ~geklemd* the window was jammed; *zich aan z'n stoel –* hold on tight to one's chair; **~kleven** *tr. & intr.*, stick, adhere [*aan* to]; **~klinken** rivet; **~kluisteren** fetter, chain up; **~knopen** button (up) [a coat], tie [one's tie]; *er een dagje aan –* stay on for another day; *zie* touw; **~koeken** cake; **~koppelen** (*ook fig.*) couple, link together, link up [with ...]; *het pond aan de dollar –* gear the pound to the dollar; **~leggen** fix, fasten [*aan* to]; (*hond*) tie (fasten, chain) up; (*boot*) moor; (*duinen*) reclaim [sand-dunes]; (*fig.*) tie (*of:* lock) up [capital], fasten down [the meaning of a word], standardize [Engl. pronunciation]; (*op film, enz.*) record [a scene]; (*in de geest, 't geheugen*) fix [s. t.] in the mind (in one's memory); – *in een verdrag* lay down in a treaty; *dit beginsel is vastgelegd in de grondwet* is embedded in the constitution; *ik wil mij hier niet op –* I don't want to tie myself down to this; **~liggen** (*stevig liggen*) lie firm, be steady; (*~gebonden*) be fastened [*aan* to], (*van schip*) be moored, (*van hond*) be tied (chained) up; (*van kapitaal*) be tied (locked) up; *deze voorwaarden liggen ~* are firm; – *op*

be tied to [conditions]; **~lijmen** glue (together); **~lopen** (*van schip*) run aground (ashore); (*van machine*) jam, get stuck, seize, stall; (*van verkeer*) jam; (*fig.*) get stuck; (*van onderhandelingen, enz.*) end in (reach) a deadlock; *doen – bring* [negotiations] to a stalemate; **~maken** fasten [*aan* to], tie up [the boat], make [the boat] fast, tie, bind, do up [one's shoe(-laces), collar, a parcel, buttons, a dress], button up [one's coat], hitch [the horse] up, furl [sails]; *deze blouses worden van achteren ~gemaakt* these blouses fasten at the back; *zie* touw; **~meren** moor [*aan* to]; **~naaien** sew together; – *aan* sew on to; **~nagelen** *zie* ~spijkeren & nagelen; **~pinnen** pin down [a p. to s.t. *iem. op iets*]; **~plakken** *intr.* stick (together); *tr.* gum (fasten) down [an envelope]; stick (paste, glue) together; – *aan* paste on to; **~praten** *zie* ~zetten (*door redenering*); *zich –* be caught in one's own words (*of:* lies); **~prikken** pin (stick up); **~raken** (*ook fig.*) stick fast, get stuck; (*van schip*) run aground; *het schip raakte vast in het ijs* the ship caught (got stuck) in the ice; **~recht** standing charge; *zie* ~; **~redeneren** *zie* ~praten; **~rijgen** lace (up); **~roesten** rust [the nut has rusted on to the bolt]; *~geroest in vooroordelen* steeped in prejudice; *~ger. in zijn gewoonten* quite set in one's habits; *ik zit hier vastger.* I've got into a groove here; *zie* ingeworteld; **~schroeven** screw home (up, down, tight); **~sjorren** (*touw*) lash, belay; (*pak, enz.*) cord, strap; **~slaan** nail down, fasten; **~smeden** forge together; **~spelden** pin [*aan* on to]; **~spijkeren** nail (down, up), nail back [a straggling creeper], fasten down [the carpet], nail home [beams], spike [planks]; **~staan** stand firm (*ook fig.*), be steady; *'t staat nu ~, dat ...* it is now definitely established that ...; *dat staat ~* it is a(n established) fact, it is definitely settled; *dat staat ~!* [I'll be no party to it!] that's flat; *mijn besluit staat ~* I am determined; *dat stond reeds van te voren ~* it was a foregone conclusion (all along); *–d feit* established (unassailable, incontestable) fact; *zie* aannemen; **~stampen** ram down; **~steken** fasten, pin (*of:* stick) up; **~stellen** fix [a day, an amount], appoint [a day], fix, delimit, settle [the frontier], locate [the position of a gun], lay down, draw up [a rule], declare [a dividend], set up [a standard], establish [the cause of death, a truth, a p.'s identity, guilt, innocence], determine [the facts, the meaning of a word], ascertain [a fact], diagnose [smallpox]; assess, place [the damages at £ 20]; (*gerechtskosten*) tax [costs at £ 400]; *een gedragslijn –* resolve on a course of action; *op woensdag –* fix for Wednesday; – *op drie jaar* fix at three years; *op de ~gestelde tijd* at the appointed (stipulated) time; [the train ran in] at the scheduled time; **~stelling** fixation; appointment; establishment; determination; ascertainment; declaration; settlement, delimitation; *vgl. 't ww.;* **~trappen** tread (stamp) down; compact [earth round a tree]; **~vriezen** be frozen in (up), get icebound; – *aan* freeze on to; *aan elkaar* – freeze together; ~**werken: zich** – get entangled, get o.s. into a fix; ~**wortelen** get firmly rooted; ~**zeilen** run aground; ~**zetten** fasten, set tight; (*wiel*) chock; (*venster*) wedge; (*mast*) step; (*wekker*) stop; (*geld*) tie (lock) up; (*in gevangenis*) put in(to) prison; (*door redenering*) corner, fix, stump, pose, gravel [a p.]; *iem. –, (bij damspel, enz.)* fix (block) a man, fix the game; *dat zette hem ~, ook:* that was a poser; *geld – op* settle money upon; ... *had zich ~gezet in* ... the phrase had lodged in his mind; ~**zitten** stick (fast) [in the mud, etc.]; (*van toets*) stick; (*van stuurinrichting, enz.*) be jammed; (*van schip*) be aground, stick hard and fast [on a sandbank]; (*fig.*) be nonplussed, be stuck; (*van geld*) be tied (locked) up; *de auto zat ~ in* ... was embedded in a hedge (the snow); *blijven –, (van rem, enz.*) jam; *de trekker bleef – in zijn zak* the trigger caught in his pocket; *in 't ijs* – be jammed (*of:* caught) in the ice, be ice-bound; *ik zit vanavond ~* I am tied up to-night; *waar* ... ~*zit aan* ... where the head joins on to the neck; – *aan* ... be (*of:* stand) committed (be wedded) to a policy; *ik zit eraan ~* I'm booked for it, am in for it; ... *hoeveel werk eraan ~zit* you have no idea of the amount of work it entails; *daar zit meer aan ~* there is more to it (than that), (*valt meer van te zeggen, ook:*) thereby hangs a tale, (*zit meer achter, ook:*) there is more behind it, more is meant than meets the ear (the eye)

1 vat cask, barrel, butt, tun; (*looi-, brouw-*) vat; (*anat., nat.*) vessel; ~**en**, (*keuken*) *zie* vaatwerk; *heilige* ~*en* sacred vessels; ~*en wassen* wash up; ~ *der Danaïden* vessel of the Danaids; ~ *des toorns*, (*bijb.*) vessel of wrath; *uitverkoren* ~, (*bijb.*) chosen vessel; *'t zwakste* ~, (*bijb.*) the weaker vessel; *wat in 't ~ is verzuurt niet* it will keep!; *ik heb nog wat voor je in 't ~* I have a rod in pickle for you; *bier van 't ~* beer on draught, draught ale; *wijn van 't ~* wine from the wood; *naar het ~ smaken* taste of the cask; *een ~ vol tegenstrijdigheden* a bundle of contradictions; *zie* hol

2 vat hold, grip, purchase [get (secure) a ... on s.t.]; ~ *op zich geven* lay o.s. open to criticism, etc., show one's weak side; *je geeft deze lui ~ op je* you give a handle to these fellows; *ik wil je geen ~ op hem geven* I will give you no handle against him; *dat gaf mij enige ~ op hem* it gave me a certain amount of h. over him; *ik heb geen ~ op hem* I have no h. over (on) him, I cannot get at him; *niets heeft ~ op hem* nothing has any h. on him; *de nijd heeft geen ~ op hem* he is untouched by envy; *goede woorden hebben geen ~ op hem* are lost on him; *ik kreeg ~ op hem (op het probleem)* I got at him (came to grips with the problem); *die gewoonte kreeg steeds meer ~ op hem* the

habit grew upon him

vatbaar: ~ *voor* capable of [pity, proof, another interpretation], susceptible of [proof, improvement], susceptible (liable, prone) to [cold, infection], amenable (accessible, susceptible, open) to [reason]; ~ *voor indrukken* susceptible of impressions, impressionable; *niet voor rede* ~, *ook:* impervious to reason; *ze is erg* ~, (*voor ziekte*) she is liable to catch things; ~**heid** capacity, susceptibility, liability; – *voor indrukken* impressionability; **vat:** ~**bier** draught beer; ~**duig** stave

Vaticaan: *het* ~ the Vatican; ~**s** Vatican; ~**stad** the Vatican City

vatten catch, seize; (*begrijpen*) understand, see [a joke]; (*diamant, enz.*) set, mount [in gold]; set [in lead] (*zie* lood); *kou* ~ catch (take) cold; *vat je?* (you) see?; *zie verder* snappen, moed, post, enz.

vatting setting [of a stone]; ~**sring** bezel

vaudeville id.

vazal vassal; ~**staat** v. (*fig. ook:* puppet) state

v. C. = *voor Christus* B.C.

v. d. s. = *van de schrijver* with the author's compliments

vechten fight; ~ *met* fight (with); ~ *om* f. for, contend (wrangle) for, scramble for [seats]; *ook:* fight [a prize, a seat in Parliament]; *over woorden* ~ quarrel (haggle) about words; ~ *tegen* fight (against); fight back [one's tears]; *hij vocht goed* he put up a good fight; *zich* ~*de een weg banen naar* f. one's way to; *zie* strijden & worstelen

vechter fighter, combatant; ~**ij** fighting; *zie* vechtpartij; ~**sbaas** fighter; *kleine* – bantam

vecht[1]: ~**graag** *zie* ~lustig & vechtersbaas; ~**haan** fighting-cock, game-cock; ~**jas** born fighter, fire-eater, fire-eating soldier; *zie* vechtersbaas; ~**kunst** *zie* krijgs- & schermkunst; ~**lust** pugnacity, combativeness; fight [his eyes were full of ...], fighting spirit; *zie* strijdlust; ~**lustig** pugnacious, combative; *dronken en* – fighting drunk; *zie* strijdlustig; ~**partij** scuffle, tussle, scrap, scrimmage; ~**wagen** armoured car, tank; ~**wijze** battle tactics

vector id.

veda's: *de* ~ the Vedas

vedel fiddle; ~**aar** fiddler; ~**en** fiddle

veder[2] feather; *zie* veer; ~**achtig** feathery; ~**bal** shuttlecock; *zie* pluimbal; ~**bezem** f.-brush; ~**bos** tuft, crest, plume; (*op helm*) plume, panache; ~**distel** spear-thistle; ~**dos** plumage; ~**esdoorn** ash-leaved maple; ~**gewicht** f.-weight; ~**gras** f.-grass; ~**kruid** water milfoil; ~**laagwolk** cirro-stratus; ~**licht** light as a f., airy; ~**loos** featherless; (*van jonge vogel*) unfledged; ~**mos** hair-moss; ~**nervig** f.-veined; ~**stapelwolk** cirro-cumulus; ~**vormig** penniform, f.-shaped; ~**wild** game birds; ~**wolk** cirrus (*mv.:* cirri), mare's tail

vedette id.: mounted sentry; (film) star

---

[1] *Zie ook* gevechts...

[2] *Zie ook* veer...

vedisch Vedic
vee (*rundvee*) cattle (*ook fig.*); livestock; ~ *van Laban* scum of the earth; *zie* stuk
veearts veterinary surgeon, (*fam.*) vet; **~enij-kunde** veterinary science (*of:* surgery); **~enij-kundig** veterinary; **~enijschool** veterinary college
vee: **~beslag** livestock; **~boer** stock-farmer; cattle-breeder; **~boot** c.-boat; **~dief** c.-stealer, -lifter; (*Am.*) c.-rustler; **~dieverij** c.-lifting; **~drijver** c.-driver, drover; (*Am.*) (cow-)puncher; **~fokker** c.-, stock-breeder, -raiser; **~fokkerij** c.-, stock-breeding, -raising; (*concr.*) stock-farm
1 veeg *bn.* doomed, fated; (*Sc., van pers.*) fey; (*noodlottig*) fatal, ominous; *een ~ teken* a bad sign; *het vege lijf redden* make one's escape, save one's bacon
2 veeg *zn.* (*met doek, enz.*) wipe; (*met bezem*) whisk; (*met mes, enz.*) cut, gash, swipe; (*klap*) wipe, swipe, box [on the ear], slap [in the face]; *iem. een ~ met de sabel geven* hit a p. a swipe with the sword; *iem. een ~ uit de pan geven* give a p. a lick with the rough side of one's tongue, have a cut at a p.
veeg: **~machine** (street-)sweeping-machine, (motor) street-sweeper; **~mes** paring-knife, parer; **~sel** sweepings
vee: **~handel** cattle-trade; **~handelaar** c.-dealer; **~hoeder** herdsman; **~houder(ij)** *zie* ~fokker(ij); **~koek** c.-feeding (linseed-, oil-)cake; **~koper** c.-dealer
veel I *telw.* (*ev.*) much, a good deal; (*mv.*) many, a good many; (*ev. & mv., fam.*) a lot; *heel (zeer) ~*, (*ev.*) a great deal, very much; (*mv.*) a great many, very many; (*ev. & mv., fam.*) quite a lot; *ontzaglijk ~ ...* [do] a tremendous amount of good; *te ~* [one pound] too much, [she gave him 10p.] over, [one, two, etc.] too many; *~ te ~, a)* far (a great deal, much) too much; *b)* far too many; *hij heeft te ~ (drank)* he has had too much, is tipsy (tight, boozed); *te ~ om op te noemen* too numerous to mention; *te ~ betaalde belasting* overpaid tax; *niet al te ~* not overmuch; *we hebben niet te ~ tijd* we have not too m. time; *niets was hem te ~* nothing was too m. trouble for him; *hij voelde dat hij te ~ was* that he was odd man out, that he was one too many; *~ hebben van* be very m. like; *~ van elkaar hebben* be very m. alike; *jij weet er ~ van!* (*iron.*) a (fat) lot you know about it!; *ik zal voor je doen wat ik kan, al is 't niet ~* I'll do my little best for you; *de (het) vele ...* the abundance of advice I received; *zie* zoveel & velerlei; II *bw.* much, far [better, too old, etc.]; (*dikwijls*) often, frequently, much (*zie ook* ~vuldig); *~ en ~* ever so m. [later, faster, etc.]; *~ meer* m. (many, far) more, (*fam.*) a sight more; *~ minder* m. less, many fewer; *~ liever* much rather; *we gaan ~ uit* we go out a lot; **~al** often, as a rule, mostly, more often than not [the trouble is this]; **~arm** devil-fish, poulp, cuttle-fish; **~begeerd** coveted [prize]; **~belovend**
promising [youth], [a lad] of (great) promise, full of promise; *een ~ begin* an auspicious start; *een ~ zoontje*, (*iron.*) a young hopeful; *'t ~ zoontje* Young Hopeful; *een ~e leerling, enz. zijn, ook:* show great promise; *'t begon ~* things began encouragingly (*iron.:* ominously); **~bemind** much beloved; **~besproken** much-discussed, much talked-of; *de ~ kwestie, ook:* the vexed question [of ...]; **~betekenend** significant, meaning [look; look meaningly at a p.], [..., she said] with meaning; **~betreden** well-trodden [path]; **~bewogen** stirring [times], eventful [life, times], chequered [life, career], [this] troubled [world]; **~bezocht:** *door schilders –e plaats* haunt of artists; **~bloemig** multiflorous; **~cellig** (*plantk.*) multicellular, many-cellular; **~delig** multipartite; **~eer** rather, sooner; **~eisend** exacting, exigent; **~eisendheid** exactingness; **~gelezen** widely read; **~geliefd** much beloved; **~geprezen** [our] boasted (vaunted, cried-up) [intellect]; **~gesmaad** much maligned; **~godendienst, ~dom, ~goderij** polytheism; **~heid** multitude, abundance; (*– & verscheidenheid*) multiplicity; **~helmig** (*plantk.*) polyandrous; **~hoek** polygon; **~hoekig** polygonal; **~hoevig** multungulate; *–en* multungulates; **~hoofdig** many-headed; (*fig. ook*) hydra-headed; *–e regering* polyarchy; **~jarig** of many years, many years' [experience]; **~kleurig** many-coloured, multi-coloured, variegated; **~knopig** (*plantk.*) polygonaceous; *–en* polygonaceae; **~koppig** *zie* ~hoofdig; **~ledig** multipartite; (*wisk.*) multinomial; **~lettergrepig** polysyllabic; *– woord, ook:* polysyllable; **~mannerij** polyandry; **~mannig** polyandrous; **~meer** rather; **~min** much less; **~omvattend** comprehensive; wide(-ranging) [programme]; ambitious [plans]
veeloods cattle-shed, lair
veel: **~potig:** *– (dier)* multiped(e); **~prater, ~praatster** great talker, voluble (loquacious) person; **~schrijver** voluminous writer, (*fam., voor de krant*) ink-slinger; **~schrijverij** ink-slinging; **~snarig** many-stringed; **~soortig** manifold, multifarious; **~soortigheid** variety; **~stemmig** many-voiced; (*muz.*) *zie* meerstemmig; **~szins** in many respects (ways); **~talig** polyglot; *–heid* polyglottism, multilingualism; **~term(ig)** multinomial, polynomial; **~tijds** frequently, often; **~verbreid, ~verspreid** widely circulated [paper]; **~vermogend** powerful, influential; **~vingerig** many-fingered, multidigitate; **~vlak** polyhedron; **~vlakkig** polyhedral; **~vlakshoek** polyhedral angle; **~voet** millipede, polypod; **~voetig** many-footed, polypod; **~vormig** multiform; **~voud** multiple; *zie* gemeen; **~voudig** multiple [activities, echo, interests], manifold, multifarious; **~vraat** glutton; (*dier ook*) wolverene, -ine; **~vuldig** *zie* ~voudig; *ook:* frequent(ly); **~voorkomen, (van ziekte, misdaad, enz.) ook:** be rife; **~vuldigheid** frequency; **~weter** know-all; **~wijverij** polygamy; **~zadig** many-seeded, multispermous; **~zeggend** significant, pregnant [words], telltale [marks]

veelzijdig many-sided [*ook fig.:* man, intellect, activities], multilateral [*ook fig.:* pact]; (*fig.*) *ook:* varied [talents], all-round [abilities], versatile [genius], catholic [taste], wide [reading]; ~**heid** many-sidedness, versatility, catholicity [of taste]

veem *a)* warehouse-, dock-, storage-company; *b)* (bonded) warehouse; *c) zie* veemgericht

veemarkt cattle-market, -fair

veemceel dock-warrant

veem: ~**gericht** vehmgericht, vehmic (fehmic) court; ~**rechter** vehmic judge

veen peat-soil, -moor, -bog, peat; *zie* hoog- & laagveen; *zie ook* turfje

veen- peat: ~**achtig** boggy, peaty; ~**arbeider** p.-cutter, -digger; ~**baas** p.-moor (p.-bog) proprietor; ~**bes** cranberry, bogberry; ~**boer** *zie* ~baas; ~**brand** p.-moor fire; ~**brug** corduroy road; ~**damp** p.-smoke, -reek; ~**derij** *a)* p.-cutting, -digging; *b)* peatery; ~**graver** peat-cutter, peat-digger; ~**grond** *zie* ~; ~**kolonie** fen-, peat-colony; ~**land** *zie* ~; ~**lijk** bogman; ~**moeras** peat-swamp; ~**mol** mole-cricket; ~**mos** bog-, p.-moss, sphagnum; ~**rook** p.-smoke, -reek; ~**water** bog-water; ~**werker** p.-cutter, -digger; ~**wortel** knot-grass

veepest cattle-plague, rinderpest

veeprijzen cattle (live-stock) prices

veer 1 (*van vogel*) feather; (*van uurwerk, enz.*) spring; (*van bril*) ear-piece; *hij moest een* ~ (*veren*) *laten* he singed his feathers (wings), he did not come out without a scratch (without loss); *men kan geen veren plukken van een kikker* you cannot get blood out of a stone; *hij kon geen* ~ *meer van zijn mond blazen* he was completely exhausted; *in de veren liggen* be between the sheets; *in de veren kruipen* go to roost; *zij zitten elkaar altijd in de veren* they are always getting at each other, forever bickering; *hoed met veren* feathered hat; *wagentje op veren* spring-cart; *hij kon niet uit de veren komen* he could not get out of bed; *zie* pronken; 2 (*overzetplaats*) ferry; (*pont*) ferry-boat; (*de dienst*) ferry-service

veer[1]: ~**balans** spring balance; ~**boot** ferry, f.-boat, -steamer; ~**dienst** ferry-service; ~**geld** passage-money, ferriage; ~**grendel** spring-bolt; ~**huis** ferry-house

veerkracht (*ook fig.*) elasticity, [youthful] buoyancy, resilience, spring; **veerkrachtig** (*ook fig.*) elastic, buoyant [step], resilient [mind, nature], springy [cushions, step]

veer: ~**loon** *zie* ~geld; ~**man** ferry-man; ~**motor** clockwork motor

veeroof cattle-lifting, -stealing, (*Am.*) c.-rustling; **veerooster** cattle grid

veerpasser spring-dividers, -callipers

veer: ~**plank** spring-board; ~**pont** ferry-boat, -steamer; (*voor trein*) f.-bridge; ~**schip**, ~**schuit** *zie* ~boot, ~pont & beurtschip; ~**schipper** *zie* ~man & beurtschipper

veerslot spring-lock, snap-lock

---

veertien fourteen; ~ *dagen* a fortnight; *ook:* fourteen days [sent to prison for ...], she had to pay up in ..., the judge ordered the case to stand over for ...]; *om de* ~ *dagen* every fortnight; *vandaag* (*maandag*) *over* ~ *dagen* this day (Monday) fortnight; ~**daags** fortnightly; *een* ~*e vakantie* a fortnight's holiday; ~**de** fourteenth; ~**jarig** of f. (years); *vgl.* jarig

veertig forty; *vgl.* in; ~**er** man (woman) of f. (years), quadragenarian; *in de – jaren* (*de jaren* ~) in the forties; *vgl.* jarig; ~**jarig** of f. (years); *vgl.* jarig; ~**ste** fortieth; *een* ~**tal** (about) f.; ~**voud** multiple of f.; ~**voudig** fortyfold

veerwerking spring-action; *met* ~ spring-loaded

veest wind, flatus; *een* ~ *laten* break (blow down) wind

vee: ~**stal** cow-house, byre; ~**stamboek** herdbook; ~**stapel** stock of cattle, livestock, cattle population

veesten break wind

vee: ~**teelt** cattle-breeding, -raising, stock-breeding, -raising (industry); (*vak*) animal husbandry; (*melk–*) dairy farming; ~**telling** c.-census; ~**tentoonstelling** c.-show; ~**verzekering** livestock insurance; ~**voe(de)r** c.-fodder, forage; ~**voederkoek** *zie* ~koek; ~**wagen** (*open*) c.-truck; (*dicht: klein*) c.-box, (*groot*) c.-van; ~**ziekte** c.-plague, murrain

veganist(isch) vegan

vegen sweep [the floor, a chimney, the ice], brush [a carpet, the crumbs from one's lap], wipe [one's feet, one's nose, the perspiration from one's face]; '*t gewei* ~, (*van herten*) fray (their heads); *zie* deur & tafel

veger (*voorw.*) (sweeping-)brush; (*pers.*) sweeper

vegetariër vegetarian; -**tarisch** vegetarian; -**tarisme** vegetarianism; -**tatie** vegetation; -**tatief** vegetative; -**teren** vegetate; *een mens vegeteert hier, ook:* a man just lives here and that's all

vehikel (ramshackle) vehicle; (*voor medicijnen*) vehicle

veil venal, open to bribery, corruptible, mercenary; *zijn leven* ~ *hebben* be ready to lay down (to sacrifice) one's life [for one's country]; *een* ~*e deern* a strumpet

veilen sell by (put up for) auction, auction, bring to the hammer; **veiler** auctioneer

veilig safe, secure; *veren. voor* ~ *verkeer* safety first association; *mechanisch* ~ foolproof; *niet* ~, (*mil. sl.*) unhealthy [spot]; '*t geheim is* ~ *bij mij* s. with me; *zo* ~ *als wat* as s. as the Bank of England (as houses); '*t is* ~, (*de kust is schoon*) the coast is clear; ~ *voor a)* s. for [make the world ... democracy]; *b)* s. (secure) from; *hier zijn we* ~, *ook:* out of harm's way; ~*e gids* s. guide; *de lijn is* ~ the line is clear; '*t signaal staat op* ~ is at clear; '*t signaal* ~, (*na luchtaanval*) [give, sound] the 'all-clear', the 'danger past'; *de* ~*ste partij kiezen* keep on the s. side, play for safety; *je kunt* '*t* ~ *drinken* you may safely drink it; *men kan* ~ *zeggen, ook:*

---

[1] *Zie ook* veder...

it is s. to say; ~ *en wel* safe and sound; ~ *stellen* make [the guilder] s., save [the guilder], secure (safeguard) [interests]

veiligheid safety, security; (*techn.*) s. device, s. valve etc.; (*elektr.*) fuse, cut-out; *in* ~ *brengen* put (place) in s., bring (take, carry) to a place of) s.; *zich met 'n parachute in* ~ *stellen* parachute to safety; *voor de* ~ for safety('s sake); ~**sbekleding** crash padding

veiligheids- safety: ~**coëfficiënt** s. factor; ~**comité** committee of public s.; ~**dienst** (*mil.*) field security; (*burg.*) security police; ~**doos, -kast** (*elektr.*) fuse-box; ~**glas** s. glass, unsplinterable glass; ~**gordel** (*in vliegt.*) seatbelt; (*in auto, ook:*) safety-belt; ~**halve** for safety('s sake); ~**inrichting** s.-device; ~**ketting** (*van armband, enz.*) guard(-chain); ~**klep** s.-valve; ~**lamp** s.-lamp, Davy (lamp); ~**lucifer** s.-match; ~**maatregel** measure of precaution, precautionary (security) measure, safeguard; ~**marge** margin of s.; ~**normen** safety standards; ~**pact** security pact; ~**pal** (*van vuurwapen*) s.-bolt, -catch, safety; ~**pen** s.-pin; ~**politie** security police; **V-raad** Security Council; ~**riem** *zie* ~gordel; ~**ring** (*aan vinger*) keeper(-ring); ~**scheermes** s.-razor; **-je** razor blade; ~**slot** s.-lock; ~**speld** s.-pin; ~**stop** fuse; ~**verdrag** security pact; ~**wet** law concerning public s.; (*voor fabrieken*) factory act

veiling auction, public sale, sale by auction; *in* ~ *brengen* put up for (*of:* to) a., sell by a.; *in* ~ *komen* come up for sale; *vgl.* hamer & maling (*in de … nemen*); ~**houder**, ~**meester** auctioneer; ~**scondities** conditions of sale; ~**skosten** sale expenses; ~**slokaal** a.-room; ~**sprijs** sale price

veine luck, run of luck; *ik had* ~ I was in luck; *voortdurend* ~ *hebben* have a sustained run of luck

veinzaard dissembler, hypocrite

veinzen I *tr.* feign, simulate, pretend, affect, sham; *hij veinst doof te zijn* he feigns that he is deaf, feigns himself deaf, feigns (shams) deafness; *ik veinsde te lezen* I made believe to read; II *intr.* feign, dissemble, dissimulate, sham; *zie* geveinsd

veinzend dissembling, hypocritical

veinzer *zie* veinzaard; ~**ij** hypocrisy, dissimulation; [it's only] make-believe

vel (*van mens of dier*) skin; (*van dier, scherts. van mens*) hide; (*in melk*) (bit of) s. [the milk is forming a s., a s. has formed on the milk]; (*papier & typ.*) sheet; *een oud* ~, (*vrouw*) an old hag; *hij is* ~ *over been* he is all s. and bone, he is a bag of bones; *iem. 't* ~ *over de oren halen* fleece (*of:* flay) a p.; *in losse* ~*len* in sheets; *ik zou niet* (*graag*) *in zijn* ~ *steken* I would not be in his s. (for all the world); *hij steekt in geen goed* (*in een slecht*) ~ he has a weak constitution; *uit zijn* ~ *springen van boosheid* be beside o.s. with rage; *'t is om uit je* ~ *te springen* it is enough to drive you crazy (to provoke a saint), it is exasperating

velaar velar

veld field (*ook van wapenschild & van kijker*); (*van vuurwapen*) land; *de* ~, (*fam.*) the f.-artillery; *'t gehele* ~ *der* … the whole f. of English history; ~ *van onderzoek* f. of inquiry, f. of research; *de kunst biedt een ruim* ~ offers plenty of scope; *zie* terrein; *'t* ~ *behouden* (*van leger*) keep the f., (*fig.*) hold the f.; *wij moesten 't* ~ *ruimen* (*ook fig.*) we had to retire from (to abandon, to leave) the f., were beaten out of the f.; *'t* ~ *voor iem. ruimen, ook:* stand aside; ~ *winnen* gain ground [this opinion is rapidly gaining ground]; *in 't open* (*vrije*) ~ in the open f.; *in 't* ~ *brengen* put [troops] into (place … in) the f.; *een kandidaat in 't* ~ *brengen* run a candidate [against …]; *in geen* ~ *en of wegen* nowhere [to be seen]; *op 't* ~ *werken* work in the fields; *vallen op 't* ~ *van eer* fall on the f. of honour; *'t te* ~(*e*) *staande koren* the standing corn, corn on the stalk; *'t leger te* ~*e* the army in the f.; *te* ~*e trekken* take the f.; *te* ~*e trekken tegen*, (*fig.*) fight, combat, be up in arms against; *'t leger bleef te* ~*e* kept the f.; *hij was geheel uit 't* ~ *geslagen* he was quite disconcerted, put out (of countenance), (completely) taken aback, discomfited; *hij laat zich niet gemakkelijk uit 't* ~ *slaan* he is not a man to be easily daunted; *uit 't* ~ *sturen*, (*sp.*) order off (the field of play); *J. werd* …, (*fam.*) J. was given (his) marching orders; ~**arbeid** f.-labour, labour in the fields; ~**artillerie** f.-artillery; ~**bed** f.-bed, camp-bed; ~**bies** (*plant*) wood-rush; ~**bloem** f.- (*of:* wild) flower; ~**boeket** bouquet of wild flowers; ~**dienst** (*mil.*) f.-service, -duty, -duties; ~**esdoorn** f. maple; ~**fles** case-bottle, (travelling-)flask; (*mil.*) water-bottle, canteen; ~**fluit** shepherd's (*of:* oaten) pipe; ~**gedierte** animals living in the fields; ~**geschut** f.-guns, f.-ordnance; ~**gewas-(sen)** produce of the fields; ~**god** rural god; ~**grauw, -grijs** (*mil.*) f.-grey; ~**haver** tall oatgrass

veldheer general; ~**sbekwaamheden** strategic talents; ~**schap** generalship; ~**skunst** generalship, strategy; ~**sstaf** staff of command

veld: ~**hoen** partridge; ~**hospitaal** field-hospital; ~**jakker** (*vogel*) fieldfare; ~**kanon** f.-gun; ~**kers** cardamine, meadow-cress; ~**ketel** f.-, camp-kettle, f.-service kettle, (*sl.*) dixie; ~**keuken** f.-kitchen; ~**kijker** f.-glass(es), (pair of) binoculars; ~**krekel** f.-cricket; ~**lathyrus** meadow pea (vetchling); ~**latuw** *zie* ~sla; ~**lazaret** *zie* ~hospitaal; ~**leeuwerik** skylark; ~**leger** f.-army, army in the f.; ~**loop** cross-country run; ~**maarschalk(sstaf)** f.-marshal('s baton); ~**muis** f.-mouse, (f.-)vole; ~**mus** tree-sparrow; ~**muts** fatigue-cap; ~**naam** f. name; ~**post** (*mil.*) army post-office, A.P.O., f.-post; ~**prediker** army-chaplain, chaplain to the forces, (*fam.*) padre; ~**ranonkel** *zie* boterbloem; ~**rat** f.-rat; ~**rit** cross-country ride; ~**salade** *zie* ~sla; ~**sla** cornsalad, lamb's lettuce; ~**slag** battle; ~**slak** f.-slug; ~**slang** (*oud kanon*) culverin(e), serpent, aspic; ~**snip** snipe; ~**spaat** fel(d)spar; ~**spel** open-air game; ~**sport** f. sport; ~**sterkte** intensity; strength of field; ~**stoel** camp-stool; ~**stuk** (*mil.*) f.-piece, -gun; ~**telegraaf** f.-telegraph; ~**tenue** marching-dress; ~**tijm** wild thyme; (*op 'n*) ~**tocht** (in a) campaign; ~**uil** short-eared owl; ~**viooltje** pansy; ~**vruchten** produce of the fields, crop(s); ~**waarts** fieldward(s); ~**wacht** county police, rural constabulary; (*mil.*) out-lying picket; ~**wachter** village policeman; ~**weg** cart-, field-track; ~**werk** f.-work (*ook fig.*); (*sp.*) fielding; ~**zuring** sorrel

velen 1 stand, endure; *ik kan veel* ~ I can s. a lot; *hij kan niets* ~ he is very touchy, is soon sore; *ik kan hem* (*het*) *niet* ~ I cannot s. him (it), I hate the sight of him, *zie* uitstaan; 2 many; *zie* veel

velerhande, -lei of many kinds (sorts), all kinds of [things], various [the causes are many and ...], multifarious [reasons], sundry; *hij stelde in vele en* ~ *dingen belang* his interests were many and varied

velg rim, felly, felloe; ~**en** *ww.* rim [a wheel]; ~**rem** rim-brake

velijn vellum; *ook* = ~**papier** v.-paper, -post, satin-paper, wove paper

vellen fell, cut down [trees]; couch [a spear]; (*lans*) lay [the lance] in rest, couch [the l.]; (*vonnis*) pass, pronounce [sentence], pass [judgment] [*over* on]; *met gevelde lans* (with) lance in rest; *zie* bajonet, oordeel, ne(d)er~

vellenkoper fellmonger

vellenploter skin-dresser

vellerig skinny, scraggy

velletje skin, membrane, film; (*in melk, enz.*) (bit of) s.; ~ *postpapier* sheet of notepaper

vellig skinny

velours velour(s); ~**-chiffon** chiffon velvet

velum (*anat.*) id.; (*r.-k.*) veil

ven fen

vendel *a*) colour(s); *b*) company

vendetta id., blood-feud

vendu auction; ~**houder** auctioneer; ~**huis, ~lokaal** a.-room; ~**meester** auctioneer; ~**tie** auction (sale), public sale; *op – doen* put up for (*of:* to) auction, bring to (under) the hammer

venen dig (*of:* cut) peat

venerisch venereal [disease]

Venetiaan(s) Venetian

Venetië Venice; (*provincie*) Venetia

veneus venous [blood]

Venezolaan(s) Venezuelan; **Venezuela** id.

venijn venom (*ook fig.*); *het* ~ *zit in de staart* the sting is in the tail

venijnig venomous; (*fig. ook*) virulent [remark], vicious [retort], vitriolic [attack], wicked [teeth]; *iem.* ~ *aankijken* look daggers at a p.; ~**heid** venomousness, virulence, viciousness

venkel fennel; ~**olie** f.-oil; ~**water** f.-water; ~**zaad** f.-seed

vennoot partner [in a firm]; *beherend* ~ managing p.; *commanditaire* ~ limited p.; *stille* ~ silent (sleeping, dormant) p.; *werkend* ~ active p.; *oudste* (*jongste*) ~ senior (junior) p.; *als* ~

worden opgenomen be taken into (admitted to) partnership

vennootschap partnership, company; *een* ~ *aangaan* enter into p. [*met* with]; *in de* ~ *worden opgenomen* be taken into (admitted to) p.; *de* ~ *ontbinden* dissolve p.; *zie* akte, commanditair, naamloos

venster[1] window; ~**bank** w.-sill, -ledge; (*zitplaats*) w.-seat; ~**belasting** w.-tax; ~**blind** (w.-)shutter; ~**boog** w.-arch; ~**envelop(pe)** window envelope; ~**geld** w.-tax; ~**glas** (*ruit*) w.-pane; (*stofn.*) w.-glass; ~**gordijn** (w.-)blind, w.-curtain; ~**grendel** w.-bolt; ~**kozijn** w.-frame; ~**lat** w.-bar; ~**luik** (w.-shutter); ~**nis** w.-recess; ~**raam** w.-frame; ~**rozet** rose-window; ~**ruit** w.-pane

vent fellow, chap, johnny, bloke; ~(*je*) little fellow (*of:* chap); [come here] my little man! youngster! sonny!; *wat een* ~*!* what a specimen!; *als je een* ~ *was* if you were (half) a man; *een saaie* ~ a dull dog; *zie* kerel, niks, raar, enz.

venten peddle, hawk; (*luide*) cry [one's wares, strawberries], shout [newspapers]

venter hawker, huckster, street-trader, -vendor, pedlar; (*fruit-, groente-, vis-*) coster(monger); ~**skar** coster's barrow

ventiel valve; (*van orgel*) ventil; ~**klep** v.-flap; ~**slang** v.-connection, v.-tubing

ventilatie ventilation; ~**koepel** louver(s), louvre(s); ~**klep** v.-shaft; ~**ator** id., [electric] fan; –**kachel** fan heater; –**riem** fan-belt; -**eren** ventilate, air (*beide ook fig.:* grievances, etc.)

ventje *zie* vent & heertje

ventre à terre id., [ride] hell for leather, at full speed

ventweg service road

Venus id. (*ook: planeet* & ~*beeld*); **venus:** ~**berg** mons Veneris; ~**gordel** cestus; ~**haar** maidenhair (fern), Venus' hair; ~**heuvel** *zie* ~berg; ~**schelp, -slak** venus, Venus shell; ~**spiegel** (*plant*) Venus' looking-glass

ver far, distant (*ook fig.:* ... likeness, cousin, far-away [countries], remote [the ... past, future]; *het schip is nog* ~ *van de haven* is still a long way from the harbour; *niet* ~ *genoeg, ook:* short [throw ...]; ~**re** *bloedverwant* distant relative, remote (far-off) kinsman; *van* ~*re* from afar, from f. afield; *hoe* ~ *ben je?* how f. have you got [in your book, with your work]?; ... *hoe* ~ *ze met hem kan gaan* she knows exactly how f. she may go with him; *men weet nooit hoe* ~ *hij misschien zal gaan* to what lengths he may go; *zie* hoever; *is 't nog* ~*?* is it much further?; *'t kan niet* ~ *meer zijn* it cannot be much further; *de wetenschap is nog niet* ~ *genoeg* science is not yet sufficiently advanced; *op* ~*re na niet* not by f., not nearly [so clever as his brother]; (*fam.*) not by a long chalk; *ze zijn nog op* ~*re na niet verslagen* they are a long way (off) from being beaten; *zie ook* lang (... *niet*); *wel* ~*re van voldaan te zijn*

---

[1] *Zie ook* raam

(*van dit te doen*) (so) f. from being satisfied (from doing this) [he ...]; ~(*re*) *van gemakke-lijk* f. from easy; *dat zij ~re!* far from it!; *'t zij ~re van mij* ... f. be it from me [to ...]; *zich ~re houden van* hold (keep) aloof from [politics]; *zo ~* so f.; *zie* over; ~ *weg* f. off, f. away; *hij woont heel ~ weg, ook:* he lives a considerable distance away (a great distance off); *klanten van ~ weg* far-off customers; ~ *in zee* f. out at sea; ~ *in 't voorjaar* [we are] well on in the spring; *tot ~ in de nacht* far (well, deep) into the night; *nu zijn we nog even ~* we are still no further forward, are no further than before; it leaves us where we were, we've lost on the swings what we've won (gained) on the roundabouts; *daar kom je niet ~ mee* that won't get (*of:* take) you very f.; *met 100 gulden kom je heel ~* a hundred guilders will go a long way; *zie* komen; *te ~ gaan* go too f., overstep the mark; *dat gaat te ~* this is going (is carrying things) too f.; *dat zou ons te ~ voeren* that would carry us too f. (take us too f. afield); *zie* verder, verst; brengen, buur, mis, reis, vergezocht

veraangenamen render (make) agreeable, make pleasant, lend a charm to, give a zest to [life]
veraanschouwelijken illustrate (by example), demonstrate; **-ing** illustration
verabsoluteren absolutize
veraccijnsbaar excisable
veraccijnsd duty paid
verachtelijk (*verachting opwekkend*) despicable, contemptible; (*verachting uitdrukkend, min-achtend*) contemptuous, scornful, disdainful [smile]; **~heid** ...ness
verachtelozen, -ing neglect
verachten despise, hold in contempt, have contempt for, scorn; *de dood ~* scorn death; **-er** despiser, scorner
verachteren fall (*of:* get) behind, get behind-hand, deteriorate
verachting contempt, scorn, disdain; *aan de ~ prijs geven* hold up to scorn; *met ~ verwerpen* spurn [an offer, invitation]
verademen breathe again
verademing relief; (*tijd tot*) ~ breathing-time, -spell, respite
veraf far (away); **~gelegen** remote, distant
verafgoden idolize; **-ing** idolization
verafschuwen abhor, abominate, loathe, have a horror of [scenes]; *ik verafschuwde 't, ook:* it was an abomination to me
veralgemenen generalize
veramerikaansen, veramerikaniseren *tr. & intr.* Americanize
veranda verandah; (*Am.*) porch; *op de ~* in (on) the v.; (*Am.*) on the porch
veranderen *tr. & intr.* change, alter; (*een geheel andere vorm, aard, enz. geven*) transform [linen into paper, enemies into friends]; *zijn stem ~*, (*onkenbaar maken*) disguise one's voice; *zijn stem veranderde, zie* wisselen; *'t toneel ~* shift the scene; *'t weer veranderde* the weather changed, there was a change in the

weather; *alles is thans aan 't ~* everything is in a state of flux at present; *hij verandert altijd* (*van plan, mening, enz.*) he is always chopping and changing; *dat verandert de zaak* that alters the case, that makes a difference; (*iets aan*) *een japon ~* alter a dress; *dat verandert niets aan de feiten* it does not alter facts (*evenzo:* it does not alter the fact that ...; it does not alter the situation); *daar is niets meer aan te ~* the thing is done; it cannot be helped now; *er is iets aan* (*in*) *veranderd* a change has come upon it; ~ *in* c. into; *zijn liefde veranderde in haat* turned to hatred; *de bibliotheek werd veranderd in* ... the library was turned (converted) into a billiard-room; *Jezus veranderde water in wijn* Christ turned water into wine; *het doodvonnis werd veranderd in* ... the sentence of death was commuted (in)to imprisonment for life; *van japon* (*mening, houding, onderwerp*) ~ c. one's dress (one's mind, one's attitude, the subject); *iem. van mening doen ~* make a p. change his mind; *hij is erg veranderd* he has changed a good deal; *de tijden zijn veranderd* times have altered; *zie* pas, eigenaar, enz.
verandering change, alteration, transformation, commutation; *vgl. 't ww.*; ~ *ten goede* (*ten kwade*) c. for the better (the worse); ~ *van lucht* c. of air; ~ *van weer* c. of (c. in the) weather; *van ~ houden* be fond of c. (variety); *daar zullen we ~ in brengen* we'll change (all) that; ~ *ondergaan* undergo a c.; *alle ~ is geen verbetering* change is not always for the better; *voor de ~* for a c.; *zie* spijs
veranderlijk changeable [nature, person, temperature, weather], variable, unsettled [weather]; (*vooral dicht.*) changeful; (*wispelturig*) inconstant, fickle; ~*e ster* variable star; ~*e winden* variable winds; *zie* feestdag; **~heid** changeableness, instability, inconstancy, fickleness
verankeren (*mar.*) moor; (*met muurankers*) cramp; anchor (*ook fig.*); *verankerde mijn* moored mine
verankering (*elektr.*) anchorage
verantwoordelijk responsible [person, position, it is very ... work], accountable, answerable; ~ *stellen* hold (make) r. [*voor* for]; *zich ~ stellen* hold (make) o.s. responsible; *zie ook* ~heid
verantwoordelijkheid responsibility; *de ~ op zich nemen* accept (take, shoulder) the r. [of ...], make o.s. responsible; *een grote ~ leggen op* put a heavy responsibility on; *de volle ~ op zich nemen* accept full r.: *de* (*alle*) ~ *afwijzen* (*afwerpen, van zich afschuiven*) disclaim repudiate, decline) r. (all r.); *buiten ~ der redactie* the Editor is not responsible (undertakes no r.) for views expressed; *op eigen ~* on one's own r.; *zonder ~ onzerzijds* without any r. on our part; *zie* schuiven; **~sgevoel** sense of r.
verantwoorden answer (*of:* account) for, (*rechtvaardigen*) justify; *dat is niet verantwoord*, (*eig.*) it has not been accounted for [in the books], (*fig.*) it is not justified; *verantwoord optreden* responsible behaviour; *je bent niet*

verantwoord als je 't toestaat you are not justified (warranted) in allowing it (*zo ook:* this interpretation appears warranted); *het is niet verantwoord om je kind alleen naar school te laten gaan* it is too risky...; *hij zal het hard* (*zwaar*) *te ~ hebben* he will be hard put to it (have a hard time of it); *zich ~* justify o.s.; *zich ~ tegenover ... wegens ...* answer to ... for ...; *hij moest zich ~ wegens verduistering* he had to answer a charge of embezzlement

verantwoording account (*zie* rekening); (*verantwoordelijkheid*) responsibility [*op eigen ~* on one's own ...], accountability; (*rechtvaardiging*) justification; *~ schuldig zijn aan* be accountable (responsible) to; *~ doen van* render an account of; *ter ~ roepen* call to account [for ...]

verarmen l *tr.* impoverish [a p., the mind, the soil], pauperize, reduce to poverty; II *intr.* become poor, be reduced to poverty; *in verarmde omstandigheden* in reduced circumstances; **-ing** impoverishment, pauperization, pauperism

verassen cremate; **-ing** cremation

verbaal *bn.* verbal; *zn. zie* proces-~

verbaasd astonished, surprised, (*ten hoogste ~*) amazed; *~ over* a., etc. at; *~ staan* be a., etc., wonder [all the world ...ed]; *wel ~!* by Jove! by George! dear me!; **~heid** astonishment, surprise, amazement

verbabbelen *zie* verpraten

verbaliseren verbalize; *iem. ~* take a p.'s name and address

verbalisme verbiage

verband (*samenhang*) connection; (*zins-*) context; (*betrekking*)relation, connection; (*steen-*) [English, Flemish] bond; (*hout-*) bond, jointing; (*verbintenis*) lien, charge, obligation; (*zwachtel, enz.*) bandage, dressing [put on a clean ...]; (*van ader*) ligature; (*eerste*) *hypothecair ~* (first) mortgage; *deze obligaties zijn eerste ~* these bonds constitute a first charge (a prior lien) [on all the property of ...]; *onderling ~* interrelation(ship); *ik zie 't ~ niet* I do not see the c.; *~ houden met* be connected with, be tied up with; *dat houdt er helemaal geen ~ mee, ook:* that is neither here nor there; *een ~ aanleggen* apply a bandage; *een ~ op een wond leggen* dress (bind up, bandage, apply a bandage to) a wound; *het ~ van oorzaak en gevolg* the relation of cause and effect; *in ~ met* in c. with, in view of; *in ~ hiermede, in dit ~* in this c. (in this context) [it is worth noting that ...]; *in groter* (*ruimer*) *~* in a wider context; *haar naam werd genoemd in ~ met die van ...* her name was mentioned along with that of ...; *in ~ brengen met* connect (associate) with, relate (to); *met elkaar in ~ brengen* co-ordinate [apparently insignificant facts]; *de zaken met elkaar in ~ brengen* put two and two together, piece (*of:* put) things together; *men begon hun namen in ~ met elkaar te noemen* people began to link their names; *dit vraagstuk staat* (*onmiddellijk,*

niet) *in ~ met ...* is (directly, un)related to ...; *niet in ~ staan met, ook:* have no c. with (no bearing on); *in nauw ~ staande met* closely connected with (allied to), [questions] closely touching [the cost of living]; *in onderling ~ staande* interrelated; *zijn hand was in een zwaar ~* was heavily bandaged; *onder hypothecair ~* [lend money] on mortgage; *uit zijn ~ rukken* tear (sever) [a passage] from (out of) its context; *zonder ~,* (*zonder samenhang*) disconnected, incoherent; (*zonder obligo*) without our (my, etc.) prejudice, without any responsibility on our (my, etc.) part

verband: ~**gaas** aseptic gauze, gauze bandage(s); ~**kamer** (*in fabriek*) first-aid room; ~**kist** first aid kit, emergency outfit; ~**leer** wound-dressing; ~**linnen** roller bandages, rolls of bandage; ~**middelen** dressings, wound-dressings; ~**stoffen** *zie* ~middelen; ~**trommel** *zie* ~kist; ~**watten** medicated cotton-wool; ~**woord** connective

verbannen exile, banish, expel; *zie* bannen; *vooroordelen naar 't verleden ~* relegate prejudices to the past

verbanning exile, banishment, expulsion; ~**s-oord** place of e.

verbasterd degenerate(d)

verbasteren degenerate; *'t woord verbasterde tot ...* was corrupted to ...; **-ing** degeneration; corruption [of a word]

verbazen astonish, surprise, (*ten zeerste ~*) amaze; *'t verbaast me, ook:* I am surprised (astonished) at it; *dat verbaast me niets!* I don't wonder!; *zich ~* be surprised (astonished, amazed), marvel [*over* at]; *je kunt je met recht ~ dat ...* you may well wonder you never heard of it before; *zie* verwonderen; ~**d** I *bn.* astonishing, surprising, amazing, [with] startling [rapidity]; *wel ~! zie* verbaasd; II *bw. ...ly,* hugely, immensely [I've enjoyed myself ...]; *ook:* as [proud, easy] as [proud, easy], [I am] ever so [hungry]; *– jong* surprisingly young; *– weinig, ook:* (*fam.*) precious (*of:* mighty) few (little); *– veel geld* (*moeite*) no end of money (trouble); *ze genoot* – she was having no end of a time; *– grappig, ook:* too funny for anything; *'t lijkt – veel op ...* it looks for all the world like ...

verbazing astonishment, surprise, (*sterker*) amazement; *tot mijn ~* to my a., etc.; *met ~* [she looked at me] in a., etc.; *hij was één en al ~* he was lost in wonder (*zie* stom); *in ~ brengen, zie* verbazen; ~**wekkend** amazing, astonishing, astounding, stupendous

verbedden put (shift) into another bed

verbeelden represent; picture, express; *wat een diner, enz. moe(s)t ~* an apology for a dinner (a road, etc.); *dat moet ... ~* that's meant to be a caricature of ...; *zich ~* imagine, fancy; *verbeeld je!* (just) fancy (that)!; *verbeeld je dat ze kwam!* fancy her coming!; *ze ~ zich ... te zien* they fancy they see ...; *zich ~ ziek te zijn* fancy o.s. ill; *ik dacht, dat ik 't mij verbeeld had* I thought I had imagined it; *men moet zich niet ~ dat ...* people must not run away with the idea that ...; *hij verbeeldt zich veel* he thinks a great deal of himself, fancies himself; *zie* voorstellen

verbeelding imagination, fancy; (*verwaandheid*) (self-)conceit, conceitedness; *dat is maar ~ (van je)* it's only your fancy, a mere fancy; *er is heel wat* (*niet veel*) *~ voor nodig om* ... it requires a considerable stretch (no stretch) of i. to picture ...; *zijn ~ laten werken* use (exercise) one's i.; *haar ~ gaat met haar op de loop* her i. runs away with her; *heel wat ~ hebben, zie:* zich verbeelden; *~skracht* imagination, imaginative power; *een rijke ~ hebben* be highly imaginative; *arm aan ~* unimaginative

verbeestelijken *zie* verdierlijken

verbeiden I *tr.* await, wait for; *zijn met ongeduld verbeide rede* his eagerly awaited speech; *de lang verbeide dag* the long desired day; II *intr.* abide; **-er** regent

verbena id., vervain

verbenen ossify, **-ing** ossification

verbergen hide, conceal; *fouten ~, ook:* cover up faults; *~ voor* hide (conceal, keep) from; *zijn gezicht in zijn handen ~* bury one's face in one's hands; *zijn bezorgdheid ~, ook:* mask one's anxiety; *hij verborg iets voor haar, ook:* he was holding s.t. back from her; *zich ~* hide, conceal o.s., secrete o.s. [the thief had ...d himself in the room]; (*aan boord*) stow away; *zie* verborgen (houden) & verschuilen

verberging hiding, concealment

verbeten tight-lipped [face], pent-up [rage], grim [fight]; **~heid** pent-up rage

verbeteraar improver, mender, corrector, reformer; *vgl. 't ww.*

verbeterblad errata leaf, e. sheet

verbeteren make better, improve [one's health, condition, a machine, an invention], better [one's position], ameliorate [one's condition], mend [it won't ... matters]; (*fouten*) correct, rectify [an error], remedy [defects]; (*van fouten zuiveren*) correct [an exercise, a proof sheet, a statement]; amend [a law, a previous statement; the ...ed Prayer-book, ...ed notice]; emend [a text]; (*zedelijk*) reform, reclaim [criminals]; (*zijn leven*) mend [one's ways]; *zich ~,* (*zedelijk*) mend one's ways, reform, turn over a new leaf; (*in positie*) better o.s., better one's position (condition); *de toestand is verbeterd* the situation has improved; *er valt nog wel 't een en ander te ~* there is still room for improvement; *dat kun je niet ~* you cannot improve upon that

verbeterhuis house of correction

verbetering improvement, change for the better, amelioration; correction, rectification; amendment; emendation; reformation, reclamation; betterment; *vgl. 't ww.; ~en aan de hand doen* suggest improvements; *dat laat geen ~ toe* it cannot be improved upon; *de 2de druk is een grote ~ vergeleken bij de 1ste* the second edition is a great i. (has greatly advanced) on the first; *elke verandering zou 'n ~*

zijn, ook: any alteration would be for the better; *~sgesticht* reformative institution; *vgl.* tuchtschool

verbeurbaar confiscable, forfeitable

verbeurd confiscated, forfeited; *daar is niets* (*niet veel*) *aan ~* it's no (no great) loss; **~verklaren** confiscate, seize; **~verklaring** confiscation, forfeiture, seizure

verbeuren 1 forfeit [a right, one's life, a p.'s esteem]; *hij zal daardoor de sympathie van velen ~, ook:* it will lose him a great deal of sympathy; *zie* verbeurd & pand; 2 *zie* vertillen

verbeurte forfeiture; *op* (*onder*) *~ van* on (under) penalty of [your life]

verbeuzelen trifle (fritter, dawdle, idle, frivol) away, waste [one's time]; *een verbeuzeld leven* a wasted life

verbidden *zie* vermurwen

verbieden forbid, prohibit, interdict, veto; put (place) a ban on [certain games, food, etc.], ban [a film]; *iem. ~ te* ... forbid a p. to ..., prohibit a p. from ...ing; *ik verbied, dat ... plaats heeft* I f. this marriage to take place; *een krant ~* suppress a newspaper; *tabak is me verboden* I am forbidden tobacco; *de dokter verbood me 't roken,* (*fam.*) the doctor knocked me off smoking; *ik verbood hem mijn huis* I forbade him my (the) house; *zich op verboden terrein bevinden* trespass; *verboden handel* illicit trading; *verboden vrucht is zoet* forbidden fruit is (stolen kisses are) sweet; *verboden wapenbezit* illegal possession of arms; *dat is hier verb.* that is taboo here; *verb. in te rijden* no thoroughfare (no entry); *verb. te roken* no smoking (allowed), smoking prohibited; *dit café is aan militairen verb.* this café is (has been put) out of bounds to (for) soldiers; *zie* toegang & verontreiniging

verbijsterd bewildered, distracted, perplexed, dazed; *ze keek hem ~ aan* she looked at him dazedly (in a dazed sort of way)

verbijsteren bewilder, perplex, baffle, daze; *ook* verbluffen(d); **-ing** bewilderment, perplexity, puzzlement

verbijten stifle, swallow (down) [one's anger]; *zich ~* bite one's lip(s), set one's teeth; *zich ~ van woede* chafe inwardly; *zie* verbeten

verbijzondering specialization

verbinden connect [the banks of a river, two villages], join [fields, pieces of wood, one sound to another], link [two words, the present with the past], link up [the railway links up K. with Z.], combine [colours; *ook chem.*], associate [the name of ... with ...]; (*telef.*) connect [met with], put through, put (*of:* switch) on [met to]; (*med.*) bind up [a wound, patient], bandage, dress, tie up [a wounded arm]; *de verbonden mogendheden* the Allied Powers; *u bent verb.,* (*telef.*) you are through, (*Am.*) you are connected; *de moeilijkheden verb. aan 't invoeren dezer reglementen* attending the introduction of these regulations; *er zijn vele voordelen aan verb.* it offers many advantages; *er is een salaris van ... aan* *de betrekking verb.* the post carries £8000 a year, a salary of £8000 goes with the post; *de positie aan de titel verb.* the position that goes with the title; *de beslommeringen verb. aan ...* the worries that go with great wealth; *aan een krant (de Daily Mail) verb. zijn* be on a paper (on the Daily Mail); *er is enig gevaar aan verb.* there is some danger attached to it, it involves some danger; *er is een gymnastieklokaal (een groot personeel) verb. aan ...* there is a gymnasium (a large staff) attached to the club; *er is een voorwaarde aan verb.* there is a condition attached to it; *onafscheidelijk aan zijn beroep verb.* [he was] wedded to his profession; *zijn lot ~ aan* throw in one's lot with; *zie ook: ~ met*; *door gemeenschappelijke belangen verb.* bound together (joined) by common interests; *in 't huwelijk ~* join (unite) in marriage; *~ met (radio)* [we will now] take [you] over to [London]; *een tunnel die Engeland verbindt met Frankrijk ...* connecting E. with F.; *die namen worden altijd met elkaar verb.* are always coupled (bracketed) together; *mijn belangen zijn met de uwe verb.* my interests are bound up with yours; *ik heb mijn lot met het uwe verb.* I've thrown in my lot with yours; *met enig gevaar (risico) verb.* attended with (involving) a certain amount of danger (risk); *met een verkeerd nummer verbonden (telef.)* put through to a wrong number; *ik was met het ziekenhuis verbonden* I was on to the hospital; *zie verenigen; 't verbindt u tot niets* [sign the attached coupon], it commits you in no way, it will commit you to nothing, entirely without obligation; *zich ~, (een verbond sluiten)* ally o.s. [England allied herself with Japan], enter into an alliance; *(van kleuren, enz. & chem.)* combine; *(tot iets)* pledge (bind, commit) o.s., engage, undertake, give an undertaking [to ...]; *ik wil mij tot niets bepaalds ~* I will not commit myself to anything definite; *in zijn antw. verbond hij zich tot niets* his reply was non-committal; *ik heb mij voor dat bedrag verb.* I've pledged myself for that amount; *~d* connective [words]; *'t contract is ~d voor u noch voor hem* is binding neither on you, nor on him; *-e tekst* text link

verbinding connection *(ook van treinen)*; *(van spoorw.; ook ~spunt)* junction; *(mil.)* liaison [with allied armies]; *(innige ~)* union; *(gemeenschap)* communication; *(elektr.)* connection; *(chem.)* combination, compound; *(van wond)* dressing, bandaging; *(van woorden in de uitspraak)* linking [of words], liaison; *directe ~* direct communication, *(trein)* through train; *~ van kleuren* combination of colours; *~en van een leger* communications of an army; *afgesneden ~en, (van telegr., spoorw., enz.)* cut communications; *~ krijgen (telef.)* get through; *de ~ tot stand brengen, (elektr.)* make the c.; *(telef.)* put the call(er) through; *de ~ verbreken (elektr.)* break (cut off) the c.; *zich in ~ stellen (in ~ treden) met*

communicate (get in(to) touch, place o.s. in communication) with, contact; *in ~ staan met, (van vertrek, enz.)* communicate with; *de kamers stonden niet met elkaar in ~* did not communicate; *met iem. in ~ staan* be in touch (contact, communication) with a p.; *in ~ staan met geesten (met duistere machten)* hold communion with spirits (be in league with the powers of darkness); *zonder ~, (hand.)* without engagement; *zie verder* aansluiting

verbindings- *dikw.* connecting; **~deur** c.-, communicating-door; **~dienst** *(mil.)* signal service, (corps of) signals; **~kanaal** connecting canal; *(techn. & biol.)* channel of communication; **~lijn** *(mil.)* line of communication; *vitale –* lifeline; **~naad** *(biol.)* commissure; **~officier** liaison officer; **~punt** *(van spoorw.)* junction; **~schakel** c.-link; **~spoor** junction-railway; **~stang** c.-rod; **~streep** *(alg.)* vinculum, *mv.* vincula; **~teken** hyphen; **~troepen** signal corps, corps of signals; **~weg** communication; **~woord** connective word

verbintenis *(verbond)* alliance *(ook huwelijks~ = a. by marriage)*; *(overeenkomst)* agreement, contract; *(verplichting, belofte)* commitment, engagement, undertaking, bond; *een ~ aangaan* enter into an a. (a contract, an agreement), undertake [to ...]; *zie ook* verplichting

verbitterd embittered, exasperated [over at], fierce [fighting]; **~heid** *zie* verbittering

verbitteren *(iems. leven, gemoed, enz.)* embitter, sour; *(kwaad maken, prikkelen)* exasperate, exacerbate; *de stemming ~* create a bitter mood; **-ing** embitterment, bitterness, exasperation, exacerbation

verbleken (grow, turn) pale, go white, blanch, *(van kleuren)* fade, pale; *~ naast, (fig.)* pale by the side of, pale before; *doen ~* pale, blanch; *(kleuren)* pale, fade

verblendsteen facing-brick

verblijd glad, pleased, delighted

verblijden gladden, cheer, rejoice, make happy, delight; *zich ~* rejoice, be rejoiced [over at]; **~d** gladdening, cheering, cheerful, joyful; *hun aantal is – groot* gratifyingly large

verblijf residence, stay, *(tijdelijk)* stay, sojourn; *(~plaats)* abode, residence, home; *(plaats van oponthoud)* whereabouts [his present ...]; *(van rovers, enz.)* [their usual] haunt; **~ houden** reside; *zie* opslaan & woonplaats; **~kosten** hotel *(of:* lodging) expenses; *vergoeding van –* hotel *(of:* lodging) allowance; **~plaats** *zie* ~ & woonplaats; *vaste –, ook:* permanent quarters; **~svergunning** residence permit

verblijven stay, remain; *(tijdelijk ook)* sojourn; *ik verblijf Uw dw. dienaar ...* I remain yours faithfully ...

verblind *(ook fig.)* blinded, dazzled; **~en** blind, dazzle; *(fig. ook)* infatuate; *– voor* (make) blind to; **~heid** blindness, infatuation; **~ing** blinding, dazzle; *zie ook* ~heid

verbloeden bleed to death

verbloeding haemorrhage, hemorrhage

verbloemd veiled, disguised

verbloemen disguise, veil, gloss over [a fact], palliate, camouflage, cover up [the facts of the case]; *'t is niet te ~* there is no disguising it; *'t geeft niets de zaak te ~* it's no good mincing matters (words); **-ing** veiling, etc., palliation

verbluffen dumbfound, stagger; *'t is in één woord ~d* it is nothing short of staggering; *~d groot bedrag* a staggering amount; *hij stond verbluft* he was staggered (flabbergasted, dumbfounded); *met ~d gemak* with amazing (astonishing) ease

verbod prohibition, interdiction; suppression [of a newspaper]; [overtime] ban; *'t ~ van ...* the p. of ..., the ban on [dancing, etc.], the embargo on [the importation of pigs]; *~ van veevervoer (om uit te varen, enz.)* standstill order; *een ~ uitvaardigen* issue a prohibition; *zie* opheffen

verboden *zie* verbieden

verbods: **~bepaling** prohibition order; **~bord** prohibitory sign

verboeken transfer; **-ing** transfer

verboemeld dissipated; **verboemelen** dissipate, run through, *(sl.)* blue [one's money]

verboeren *tr.* lose through farming; *intr.* become countrified, rusticate, go rustic

verbolgen incensed, angry, wrathful *(ook fig.:* wrathful sea); **~heid** anger, wrath

verbond alliance, league, union; *(verdrag)* treaty, pact; *(bijb.)* covenant; *drievoudig ~* triple a.; *het Oude (Nieuwe) V~* the Old (New) Testament

verbonden *zie* verbinden; **~heid** alliance, connection; solidarity

verbonds: **~ark(e), -kist** ark of the covenant; **~offer** (sacrifice of the) mass; *voor andere sam., zie* bonds- & Avondsmaals-

verborgen hidden, concealed; secret [sins], occult [sciences; for some ... reason], latent [the ... elements in her nature]; *~ gebreken* hidden faults; *~ vatting, (van lens bijv.)* sunk mount; *~ hoek, ook:* blind corner; *~ houden* keep [a p.'s name] concealed, keep [things, it] dark; *~ houden voor* keep from [the fact was kept from me]; *zich ~ houden* be in hiding, keep close; *in 't ~* in secret, secretly; *zie* verbergen; **~heid** secrecy, mystery; *de ~heden van de godsdienst* the mysteries of religion

verbouw cultivation, growth, [wheat] growing; *zie* verbouwing

verbouwen *(huis, enz.)* rebuild, alter; *(geld)* spend in building; *(kweken)* grow, cultivate; *een hotel ~ tot een kantoorgebouw* convert a hotel into an office building

verbouwereerd dumbfounded, flurried, struck all of a heap, flabbergasted; *ze was er ~ van, ook:* it completely bowled her over; **~heid** bewilderment, consternation

verbouwing rebuilding, alteration [business as usual during ... s]; conversion; *gesloten wegens ~* closed for repairs; *uitverkoop wegens ~* rebuilding sale; *zie* verbouw

verbrabbelen bungle; *zie* verknoeien

verbrandbaar combustible

verbranden I *tr.* burn; burn down [a house]; *(pers.)* burn (alive, at the stake); *(lijk)* cremate; *(lijk, afval)* incinerate; *(door hete vloeistof of stoom)* scald; *door de zon verbrand gelaat* sunburnt *(of:* tanned) face; *je bent helemaal verbrand, ook:* you're as brown as a berry; II *intr.* be burnt (to death); *(van huis, enz.)* be burnt down; *(geheel) ~, (van vliegt., enz.)* be burnt up; *(door zon)* tan [she ... ned quickly]; *de trap verbrandde* the staircase was burnt away

verbrandheid *(van gezicht)* sunburn

verbranding combustion, burning (to death), death by fire; *(lijk-)* cremation; *(vuil-) zie* vuil~; **~skamer** c.-chamber; **~smotor** internal combustion engine; **~soven** c. furnace; **~sproces** process of c.; *(van lijk)* cremation; **~sprodukt** c.-product, waste p.; **~sruimte** c.-chamber; **~ssnelheid** rate of c.; **~swarmte** heat of c.

verbrassen dissipate, squander

verbreden widen, broaden; *zich ~* widen, broaden (out); **-ing** widening, broadening

verbreiden spread [rumours], propagate [a doctrine]; *zich ~* spread [his fame ... far and wide]; *zie* verspreiden; **-er** spreader, propagator; **-ing** spreading, spread [of learning, religion], propagation [of a doctrine]; *zie ook* verspreiding

verbreken break [a seal, one's word, promise, a contract, the silence, contact], violate [an oath], break, burst [one's chains], break (off) [an engagement], break through [the enemy's lines], sever [ties, links, connections], cut (off) [an electric current], cut, interrupt [communications], run [the blockade]; *haar stem verbrak zijn mijmering* broke (in) on his reverie; *zij had alle banden met ... verbr.* she had cut loose from her family; **-er** breaker, violator; **-ing** breaking, violation, severance, etc.

verbrijzelen smash (up), shatter *(ook fig.:* her illusion had been ... ed), break (smash) to pieces (to bits, into atoms); *zijn schedel werd verbrijzeld* was battered in; *'t schip werd verbrijzeld* went (was pounded) to pieces; **-ing** smash(ing), etc.

verbrodd(el)en bungle, spoil, make a mess (a hash) of, get [a thing] into a mess

verbroederen fraternize *(ook: zich ~)*; *(verzoenen)* reconcile

verbroedering fraternization, reconcilement; **~sfeest** feast of brotherhood

verbroeien *(van hooi)* get overheated; *(kinderen) zie* broeien

verbrokkelen *tr.* crumble; *(fig.)* disrupt, dismember [a country]; *intr. (ook fig.)* crumble (to pieces, away); **-ing** disruption, disintegration [of the empire], dismemberment; *(geol.)* disintegration

verbruid deuced, infernal, *(sl.)* darned; *~!* the devil! the deuce!

verbruien: *'t bij iem. ~* get into a p.'s bad *(of:* black) books, incur a p.'s displeasure; *zie* vertikken

verbruik consumption [of foodstuffs, current], expenditure [of energy]; (*slijtage & overmatig* ~) wastage, waste; **~en** consume [food, oil, coal, current, time], use up [one's strength, resources, reserves]; *verbruikte lucht* spent air; **~(st)er** consumer, user; **~sartikel** article of c., consumer article, commodity; **~sbelasting** c.-tax; **~sgoederen** consumer goods; **~svereniging** co-operative society

verbuigbaar (*gramm.*) declinable; **~heid** ...ness

verbuigen bend [the hands of the watch are bent], twist (out of shape), distort; (*techn.*) buckle [a wheel, the plates of a ship; the mudguard was ...d]; (*gramm.*) decline, inflect; **-ing** (*gramm.*) declension, inflexion

verburgerlijken (*van socialistische partij*) become bourgeois

verchristelijken christianize

verchromen chromium-plate

vercooksen coke

verdacht (*attr. & pred.*) suspicious [person, place, etc.], suspected [person, ship, port], shady [his ... past], questionable (suspect) [dealings]; (*sl.*) fishy [story]; (*pred.*) suspect [the statement is ...], open to suspicion; ~ *huis* house of ill fame; *een* ~ *persoon* a suspected person, a suspect, a s. (*of:* shady) character; ~*e praktijken* shady (questionable) practices; *dat ziet er* ~ *uit* it looks fishy, there is s.t. fishy about it; ~ *maken* make [a p., s.t.] suspected, fasten suspicion on [a p., a thing], reflect on [a p.('s honesty)]; *dat komt mij* ~ *voor* it looks suspicious to me; *zich op* ~*e wijze ophouden*, (*ook:*) loiter with intent; ~ *veel lijken op* bear an uncomfortable resemblance to; *hij deed erg* ~ he behaved very suspiciously; *zie* verdenken; ~ *zijn op* be prepared for; *ik was er niet op* ~, *ook:* it took me by surprise; *voor hij erop* ~ *was* before he was aware of it; *de* ~e the suspected person, the suspect; *de* ~*e(n)*, (*jur.*) the accused, (*onder arrest, tijdens geding*) the prisoner at the bar; **~making** insinuation; reflection [on a p., a p.'s honesty]

verdagen adjourn, prorogue; *de conferentie werd verdaagd tot* ... (was) adjourned till ...

verdaging adjournment, prorogation

verdampen *tr. & intr.* evaporate

verdamping evaporation; **~smeter** evaporimeter; **~soppervlak** surface of e.; **~stoestel** evaporator; **~swarmte** heat of e.

verdedigbaar defensible; (*houdbaar*) tenable, arguable [standpoint]; **~heid** defensibility, tenability

verdedigen defend [*tegen* from] (*in alle bet.*), stand up for [a p., one's rights, a cause], uphold [a principle], speak up for [a p.]; *iem.* ~, (*jur.*) *ook:* appear for a p.; *iems. zaak* ~, *ook:* plead a p.'s cause; *zo'n gedrag is niet te* ~ there is no justification for such conduct; ... *zal 't wetsontwerp* ~ the minister of finance is in charge of the bill; *ik ben hier niet om* ... *te* ~ I hold no brief for crazy drivers; *zich* ~ defend o.s.; *zich zelf* ~, (*jur.*) conduct one's own defence; *zich kranig (hardnekkig)* ~ put up a good (stubborn) fight; *hij kon zich niet* ~, (*had niets tot zijn verdediging aan te voeren*) *ook:* he had nothing to say in his (own) defence (*of:* for himself)

verdedigend defensive [attitude]; *een* ~*e houding aannemen* act (stand) on the d.

verdediger defender; (*jur.*) counsel (*zonder lw.*) for the defence (for the defendant), defending counsel; ~ *des geloofs* d. of the Faith; *de* ~ *kwam aan 't woord* the case for the defence was opened

verdediging defence (*in alle bet.*); *in staat van* ~ *brengen* put in a posture of defence; *ter* ~ *van* [speak] in d. of; *iets tot iems.* (*zijn eigen*) ~ *aanvoeren* urge s.t. in a p.'s (one's own) d.; *ter* ~ *werd aangev., dat* ... the d. was that ...; *ik kan niets tot mijn* ~ *aanv.*, *ook:* I haven't any d.; *zie ook* verdedigen; *weigeren met de* ~ *door te gaan*, (*van advocaat*) throw up (surrender) one's brief; *de met de* ~ *van 't ontwerp belaste min.* the minister in charge of the bill

verdedigings- defence: **~geschrift** apology, (written) d.; **~kunst** art of d.; **~linie** line of d.; **~middel** means of d.; **~oorlog** war of d.; **~raad** Defence Council; **~rede** defence; **~stelsel** system of d.; **~wapen** defensive weapon; **~werken** defences, defensive works

verdeelbaar divisible

verdeelbord (*elektr.*) distributing-board

verdeeld divided (*ook fig.:* ... attention; opinions are ...); *een huis dat tegen zichzelf* ~ *is*, *zal niet bestaan* a house divided against itself shall not stand; **~heid** discord, dissension, division; – *van opinie* division of opinion

verdeelkast (*elektr.*) distributing-box

verdeelpasser (*spring*) dividers

verdeelsleutel ratio of distribution; *volgens een bepaalde* ~ [allocate] according to a fixed scheme of proportions (in a fixed ratio)

verdeemoedigen humble, humiliate

verdeemoediging humbling, humiliation

verdek (*mar.*) deck, flat

verdekt (*mil.*) under cover; masked [battery]; ~ *opstellen* place under cover

verdelen divide, distribute, parcel out; partition [Palestine]; split [one's energy]; *de arbeid* ~ d. labour; *de buit* ~, *ook:* share out the plunder; *verdeel en heers* d. and rule, d. and govern; ~ *in* d. into; ~ *onder* d. among; *de kosten (betalingen)* ~ *over* ... spread the cost (payments) over ten years; *zijn geld* ~ *over Cunard-aandelen, enz.* spread one's money over Cunards, etc.; *zijn kapitaal goed* ~, (*in beleggingen*) spread one's capital well; *de risico's* ~ spread one's risks; *zich* ~ divide, split up [into four groups]; (*van weg ook*) fork, branch; *zich laten* ~ *in* ... fall into two groups; *zie* verdeeld & rol; **verdeler** divider; (*in motor*) distributor

verdelgen destroy, exterminate, extirpate

verdelger destroyer, exterminator

verdelging destruction, extermination, extirpation; **~smiddel** pesticide, insecticide, herbicide, etc.; **~soorlog** war of extermination, exterminatory war, (*wederkerig verdelgend*) inter-necine war

verdeling division [of labour, etc.]; distribution [of land and water], partition [of Poland]; (*van rollen*) *zie* rolverdeling; ~**sverdrag** treaty of partition

verdenken suspect [*van* of]; *hij wordt ervan verdacht, dat ..., ook:* he is under suspicion of shooting D.

verdenking suspicion; *de ~ viel op hem* s. fell (fastened) on him, he fell under s.; *de ~ doen vallen op* fasten s. on; ~ *hebben op* suspect [a p.]; ~ *krijgen* become suspicious; *aan ~ onderhevig* open to s.; *boven (buiten) ~ above* (beyond) s.; *in ~ brengen* throw (fasten) s. (up)on; *in ~ komen* incur s.; *onder ~ van* [arrested] on s. of; *onder ~ staan* be under s., be suspected [*van* of]

verder (*afstand*) farther, further; (*nader*) further [remarks, information]; ~, *indien ...* again, if ...; *twee huizen ~* two doors away; *twee straten ~* two streets off; *drie regels ~* three lines further down; *hebt u ~ nog iets?* anything else?; *en wie ~?* and who else?; ~ *niemand* no one else; *voordat we vele jaren ~ zijn* before many years are past; *ik heb ~ geen geld* I have no other money; *ik weet er ~ niet veel van* I don't know much more about it; *dan zegt hij ~ ...* he goes on to say ...; *ga ~!* go on! proceed!; ~ *op gaan* go f. on, f. afield; *we gaan ~* we go (pass) on; *ik ga ~*, (*fig.*) I go further [and swear that ...]; *Oxford gaat nog ~ en verklaart ...* O. goes one better and declares ...; ~ *kan ik niet gaan*, (*fig.*) I cannot go beyond (can go no further than) that; ~ *gaan met de agenda* proceed with the business of the meeting; *hoe het X. ~ ging* what became of X.; ~ *lezen* go on (continue) reading; ~ *lopen* walk along; ~ *rijden* drive (ride) on; *niets is ~ van de waarheid* nothing is f. (further) from the truth; *niets is ~ van mij* nothing is f. (further) from my thoughts; ~ *moet ik zeggen* besides (moreover) I must say; *ik moet nu ~* I must be getting on; *ik kan niet ~* I cannot get on; *hij kon niet ~*, (*bleef vastzitten*) *ook:* he got stuck; *dat brengt ons niets (geen stap) ~* that does not carry (get) us any (a step) f., that leaves us (precisely) where we were; *hij zal 't nooit ~ brengen dan ...* he will never get beyond tales of adventure; *daarmee kom je bij mij niet ~* that won't work with me; *maar daar kwam hij niets verder mee* [he tried a screwdriver] but that didn't get him any further

verderf ruin, destruction, [his marriage was his] undoing; *dood en ~ verspreiden* carry death and destruction; *het hellende pad ten verderve* the downhill path to perdition; *iem. in 't ~ storten* ruin (be the r. of, undo) a p.; *hij stortte zichzelf in het ~* he worked his own destruction; *in zijn ~ lopen* ride for a fall

verderfelijk pernicious, baleful [influence], vicious [system], pestiferous [doctrine], noxious; ~ *voor zijn gemoedsrust* destructive of his peace of mind; ~**heid** ... ness

verderven ruin, pervert, corrupt
verderver perverter, corrupter

verdicht (*van naam, enz.*) fictitious, assumed; (*van damp, enz.*) condensed; (*van gas*) compressed

verdichten (*verhaal, enz.*) invent; (*damp, enz.*) condense; (*gas*) compress; *zich ~* condense; -**ing** *a*) invention, fiction; *b*) condensation; -**sel** fiction, fabrication, invention, figment, fable, story

verdienen earn [money, one's bread], make [£8000 a year]; (*straf, enz.*) deserve, merit, be deserving of [punishment, praise, attention, etc.], be entitled to [careful consideration]; *dit punt verdient speciale vermelding* calls for special mention; *hij verdient niet beter*, (*fig.*) it serves him right; he had it coming to him; (*fam.*) serve him right!; ~ (*niets ~*) *op* make a (no) profit on; *ik hoop wat aan hem* (*eraan*) *te ~* I hope to make some money out of him (out of it); *hoeveel verdiende hij eraan?* how much did he make out of it?; *hij weet overal wat aan te ~* he will squeeze something out of every transaction; *daar is niets aan te ~* there is no money in it; *£ 100~* (*op een partij goederen*) make a profit of £100 [on a parcel of goods]; *ik heb beter aan u verdiend* I have deserved better at your hands; *iem. wat laten ~* give a p. a job; *verdiende straf, ook:* condign punishment; *zie* duit, geld, loon, overtocht, paard

verdienste (*loon*) wages, earnings; (*winst*) profit, gain; (*fig.*) merit, desert(s); (*theol.*) merit (~ *verwerven* acquire ...); *lid van ~* honorary member; *Orde van ~* Order of Merit, O.M.; *bevorderen naar* (*volgens*) ~ promote by merit, by desert(s); *naar ~ beloond* (*gestraft*) *worden* be rewarded (punished) according to one's deserts; *een man van* (*grote*) ~ a man of (great) merit; *zie* aanrekenen

verdienstelijk deserving, meritorious, creditable; useful [solution]; *hij heeft zich jegens ons ~ gemaakt* he deserves (has deserved) well of us; ~**heid** ... ness, merit

verdiepen deepen; *zich ~ in, verdiept raken in* lose o.s. in [one's work, etc.], indulge in [all kinds of conjectures], go (deeply) into [a problem], pore over [a book]; *men verdiept zich in allerlei gissingen betreffende zijn verblijf, ook:* speculation is rife as to his whereabouts; *ik zal me niet ~ in de redenen daarvoor* I'll not go into the reasons for this; *zich in zijn werk ~, ook:* plunge (dive) into one's work; *verdiept zijn in* be absorbed (immersed, lost, buried, deep, engrossed, wrapped up) in [one's studies, a game of chess, thought, etc.]; *ze was verdiept in ... ook:* she was up to her eyes in the story

verdieping (*abstr.*) deepening; (*van huis*) floor, stor(e)y; (*in muur*) recess; '~', (*van gebak, enz.*) tier [three-tier wedding-cake]; *benedenste ~* ground-floor; *eerste ~* first floor, second stor(e)y; *op de eerste ~* on the first floor, first-floor [room]; *op de bovenste ~* on the top floor; *huis van één ~ (van vijf ~en)*, one-storey(ed) (five-storey(ed)) house; *laag (hoog) van ~* low- (high-)pitched; *'t scheelt hem in de bovenste ~*, *zie* bovenkamer

verdierlijken *tr.* brutalize, bestialize; *intr.* become like an animal, get brutalized

verdierlijking brutalization

verdierlijkt brutalized, brutish, bestial

verdietsen *zie* verhollandsen

verdijd *zie* verbruid; **verdijen** *zie* vertikken

verdikke(me), **verdikkie**! *(volkst.)* by gum! by Jove! (gor)blimey! lumme!

verdikken *tr. & intr.* thicken; *(van vloeistof)* thicken, condense, inspissate; **-ing** thickening [of the arteries, etc.], inspissation

verdisconteerbaar discountable

verdisconteren discount, negotiate; *deze gegevens zijn erin verdisconteerd* ... have been calculated (counted) in, have been taken into account, allowance has been made for ...

verdiscontering negotiation

verdobbelen dice away, gamble away; *een gans ~* throw dice for a goose

verdoeken new-, re-canvas, re-line [a picture]

verdoemd I *bn. (eig.)* damned, reprobate; *(verdomd)* damned, cursed, confounded, blooming, blasted; *de ~en* the d.; **II** *bw.* damn(ed) [hot], deuced(ly); **III** *tw. ~!* damn it! damnation! hang it! the devil! the deuce!

verdoemelijk damnable; **verdoemeling** reprobate; *(verdommeling)* rotter

verdoemen damn; **-is** damnation, reprobation; *leerstuk der –* tenet of reprobation; **~swaard(ig)** damnable

verdoeming *zie* verdoemenis

verdoen squander, waste, chuck [money] away; *veel tijd ~ aan* waste a lot of time over; *zich ~* make away with o.s., *(sl.)* do o.s. in

verdoezeld blurred

verdoezelen blur [impressions, distinctions, principles], gloss over [objections], obscure [a fact], disguise [the truth]

verdolen go astray, lose one's way, stray (from the right path); *zie* verdoold

verdom: **~boekje:** *hij staat in het –* he can't do a thing that is right; *bij iem. ...* be in a p.'s bad books; **~d** *zie* verdoemd; **~hoekje** *zie* ...boekje; **~me** *zie* verdoemd; **~meling** rotter

verdommen *zie* vertikken

verdonkeremanen embezzle [money], spirit away [money, things, persons], suppress [a report], juggle away

verdonkeren darken, cloud

verdoofd benumbed, numb, torpid; *(door slag, enz.)* stunned

verdoold *(ook fig.)* strayed, straying [sheep]; *(fig. ook)* mistaken, deluded, misguided, [man]; **~e**, *(fig.)* stray sheep, *(zedelijk ook)* pervert; **~heid** aberration, perversion

verdopen rechristen, rename

verdord 1 withered *(ook van ledematen)*; *(van landstreek)* parched, arid; *(van boom, plant)* blasted [oak]; **2** *zie* verdoemd; **~heid** withered, etc. condition, aridity

verdorie *zie* verbruid

verdorren wither; **-ing** withering

verdorven depraved, wicked, corrupt, perverted, abandoned, graceless; **~heid** depravity, corruption, perversion, turpitude

verdoven I *tr. (doof maken)* deafen, make deaf; *(geluid)* deaden, deafen, dull; *(pijn, bewustzijn)* deaden; *(door kou)* benumb; *(bedwelmen)* stun, stupefy; *(door ~d middel)* anaesthetize, render insensible *(de geest)* benumb [the mind]; *(glans)* tarnish *(ook fig.)*; **~d middel** anaesthetic, narcotic, drug, *(sl.)* dope; *'t werd plaatselijk verdoofd* a local anaesthetic *(fam.:* a local) was used; **II** *intr. (van glans)* tarnish

verdoving deafening, etc.; stupefaction, torpor, stupor; anaesthesia, anaesthetization; *vgl. 't ww.; plaatselijke (algemene) ~* local (general) anaesthesia; [administer a] local (general) anaesthetic; *gedeeltelijke ~ bij bevalling* [give women] twilight sleep; *met pl. ~* under *(of:* with) a local anaesthetic; **~smiddel** *zie* verdoven

verdraaglijk bearable, tolerable

verdraagzaam tolerant [*tegenover* of], forbearing; **~heid** toleration, tolerance, forbearance

verdraaid distorted, contorted, twisted, out of shape; warped [sense of duty, view *inzicht*], disguised [handwriting]; *met een ~e hand* [written] in a disguised (feigned) hand; **~ vervelend** *(gek)* deuced annoying (rum); *wel ~!* why dash *(of:* hang) it all! *zie* verdraaien & vervloekt

verdraaien *(eig.)* turn [a wheel]; distort, contort, twist [one's face]; spoil, force [a lock]; *(fig.)* distort [facts], twist [a p.'s words, the meaning of a word], corrupt [a name], garble [a report], disguise [one's hand(writing)], pervert [facts], wrest [the law, a text, etc.]; *(fam.)* edit [a report, text, diary]; *zijn ogen ~* roll one's eyes; *'t recht ~* pervert the course of justice; *verdraai mijn antwoord niet* do not twist my answer; *de waarheid ~* stretch (strain, violate) the truth; *zie* verdraaid & vertikken; **-er** *(van woorden, enz.)* twister; **-ing** rotation, distortion, contortion; twisting, twist [of meaning], perversion [of facts, of the truth, of history]

verdrag treaty, pact, compact, convention; *bij 't ~ van ...* by the t. of ...; *een ~ sluiten* conclude (make, enter into) a t.

verdragen bear [pain, a misfortune, etc.], suffer, endure, stand, tolerate; *(lit.)* brook; *(geneesmiddel)* tolerate [he cannot ... arsenic]; *(zich laten welgevallen)* [I won't] put up with [it any longer]; *(verplaatsen)* remove, shift; *de muren kunnen geen gehamer ~* do not stand up to hammering; *ik kan ... niet ~* wine (pea-soup, the climate, sea-bathing, etc.) does not agree with me; *hij kan heel wat drank ~* he can carry a good deal of liquor *(zo ook:* he doesn't carry his drink well); *zekere geneesmiddelen niet (geen domheid) kunnen ~* be intolerant of certain drugs (of stupidity); *geen* goede raad kunnen ~ be impatient of good advice; *hij kan een grapje* ~ he can take a joke; *ik kon 't niet langer* ~ I could stand (*fam.:* stick) it no longer; **elkaar** ~ bear with each other; ... ~ *elkaar niet* don't go together, are incompatible; *zij* ~ *zich goed met elkaar* they are getting on very well; *zie* uitstaan & uithouden

vèrdragend: (*kanon*) long-range [gun]; (*stem, gefluister*) carrying [voice, whisper]

verdrag: ~(s)haven treaty port; **~sluitend** contracting [parties]

verdriedubbelen treble, triple, triplicate

verdriet sorrow, grief [*over* at, over], distress; ~ *hebben* be in grief (trouble, distress), be troubled (distressed); ~ *hebben over* grieve over; ~ *doen, zie* berokkenen; *ook:* distress [a p.]

verdrietelijk annoying, vexatious; **~heid** annoyance, vexation, vexatiousness; *de ~heden des levens* the vexations (rubs and worries) of life; **verdrieten** vex, annoy, nettle, grieve

verdrietig cross, peevish, sullen, [look] chagrined; (~ *makend*) vexatious; *een ~ uitdrukking* (*op zijn gelaat*) a sorrowful expression; *in een ~e stemming* in a sullen mood; *'t maakt me* ~ it's very discouraging

verdrievoudigen treble, triple, triplicate

verdrijven¹ drive (*of:* chase) away, dissipate, dispel [cares, darkness, fear], expel [*uit* from], dislodge, oust; beguile, while (*of:* pass) away [the time]; *de landerigheid* ~ chase away the blues; *de vijand* (*uit 'n stelling*) ~ dislodge the enemy (from a position); *uit zijn huis verdreven worden door overstroming* (*rook, enz.*) be flooded (smoked, etc.) out; *een onbekende uit een vergelijking* ~ eliminate an unknown from an equation

verdringen push aside, crowd (*of:* elbow) out; (*fig.*) drive out [short words tend to ... long words; one anxiety drove out another], crowd out, supersede, oust [from the market; men teachers are being ...ed by women], push [a p.] out of his job, shut out [all other thoughts], supplant [he ...ed me in her favour, in my post], cut out [a lover, etc.]; (*psych.*) repress (*bewust:* suppress) [thoughts, feelings]; *de mist verdrong* ..., *ook:* the fog blacked out the daylight; *de ene sensatie verdrong de andere* sensation crowded upon sensation; *handenarbeid is door machinale arbeid verdrongen* manual labour has been superseded (displaced, ousted) by machinery; *elkaar* ~ jostle (each other), crowd each other out, scramble [for tickets *om kaarten te bemachtigen*]; **zich** ~ *om* crowd round [a p.], press about [the car]; *de mensen* ~ *zich langs de weg* (*in de zaal*) people throng the route (the hall); **-ing** (*psych.*) repression, (*bewust:*) suppression

verdrinken I *tr.* drown; (*geld, enz.*) spend on drink, drink (up) [one's earnings], drink away [one's property]; (*zorgen, verdriet*) drink

down [cares], drown [one's sorrow in liquor]; (*land*) inundate [land]; *zich* ~ d. oneself; *hij verdrinkt in die jas* that coat is miles too big for him; II *intr.* be drowned, *ook:* drown [she saw her husband ... before her eyes]; *in gevaar van te* ~ in danger of drowning

verdrinking [...s numbered 100]; *dood door* ~ death from d.; *ongelukken door* ~ d. accidents, d. casualties

verdrogen dry out (up), shrivel up, parch

verdromen dream away [one's time]

verdronken drowned; (*land*) submerged, *ook:* drowned [stranded on ... sands]

verdroot *o.v.t. van* verdrieten

verdrukken oppress; *de verdrukte helpen,* (*fam.*) help the underdog; **-er** oppressor

verdrukking oppression; *tegen de* ~ *in groeien* flourish under o.; *in de* ~ *komen, zie* gedrang

verdubbelen double [a letter, etc.], duplicate [expenses], redouble [one's efforts], quicken [one's pace]; *zich* ~ double; *met verdubbelde energie* with redoubled energy; **-ing** doubling, redoubling, duplication; (*in catalogus*) added entry

verduidelijken elucidate, explain, make (more) clear, illustrate [by examples], clarify; **-ing** elucidation, explanation, illustration, clarification

verduisteren I *tr.* (*ook fig.*) darken, obscure, eclipse; (*luchtbescherming*) black out; (*geld*) embezzle, peculate [money]; *geld* ~, *ook:* defalcate; *de geest* (*'t verstand*) ~ cloud the mind (the intellect); *tranen verduisterden haar ogen* tears clouded her eyes, her eyes were dim(med) with tears; II *intr.* darken, grow (*of:* get) dark

verduistering darkening, obscuration; blackout [for air-raids]; (*eclips*) eclipse, (*van planeet ook*) occultation; (*van geld*) embezzlement, defalcation, peculation

verduitsing Germanization

verduiveld I *bn.* devilish, deuced; *~e onzin* blooming nonsense; *een ~e haast* [be in] a devil of a hurry; *'t is een ~e last* it's a confounded nuisance; II *bw.* devilish, deuced [... bad], deucedly, devilishly [it hurt most ...]; *een* ~ *lange tijd* the deuce of a long time; *hij zit er ~ over in* he is in a terrible stew about it; ~ *aardig van je* jolly kind of you; ~ *aardige vent* jolly nice chap; *een* ~ *goed idee* a darned good idea; ~ *weinig* precious little (few); ~ *veel* [ask] a devil of a lot; ~ *lelijk* dashed ugly; ~ *goed* cracking good [player, school]; III *tw.* (*wel*) ~*!* the devil! the deuce! well, dash it (all)! by gum!

verduizendvoudigen multiply by a (one) thousand

verdulleme *zie* verbruid

verdunnen thin [the blood, etc.]; (*dranken*) dilute; water [one's whisky]; (*lucht*) rarefy; **-ing** thinning; dilution; rarefaction; *vgl. 't ww.*

verduren endure, bear; *zie* verdragen; (*duurder*

---

¹ *Zie* verjagen

maken) make dearer (more expensive); *veel te ~ hebben, (van schrijfmachine, enz.*) have to stand hard (rough) usage; *'t hard te ~ hebben, zie* verantwoorden; **verdutten** doze away

verduurzamen preserve, cure; *verduurzaamd voeder* silage; *zie* conserven; **-ing** [food] preservation

verduiveld *zie* verduiveld

verduwen (*eig.*) push away; (*fig.*) digest [food, insults], swallow [an insult]

verdwaald lost [child, dog; she was ...], stray [sheep, dog, bullet]; *'t ~e schaap,* (*fig.*) the lost sheep (lamb); *~ raken, zie* verdwalen; *~ zijn* have lost one's way, be lost

verdwaasd infatuated, foolish, misguided; *~ kijken* look dazed; *~e* fool; **~heid** infatuation, folly

verdwalen lose one's way, lose o.s., get lost, go astray; *zie* verdwaald

verdwazen infatuate, render foolish

verdwazing infatuation

verdween *o.v.t. van* verdwijnen

verdwijnen disappear [in, into, the crowd]; (*inz. snel, totaal, geheimzinnig*) vanish, (*geleidelijk*) fade (melt) away [the crowd melted away], wear off [my headache wore off]; (*van gezwel zonder ettering*) resolve; *die wet, enz. moet ~* must go; *hij had het tekort doen ~* he had wiped out the deficit; *de noodzaak doen ~* eliminate the need; *hoffelijkheid is aan 't ~* courtesy is on the way out; *'t kind was verdwenen* was gone; *dat vooruitzicht is verdw.,* (*sl.*) has gone west; *zijn geestdrift was verdw.* had evaporated; *de zon was (de sterren waren) verdw.* had gone in; *verdwijn!* be off! scram! make yourself scarce!; *uit 't oog ~* d. (vanish) from sight; *ze verdween voor altijd uit zijn leven* she passed (faded) out of his life for ever; *'t verdwenen sieraad* the missing ornament; *verdwenen, ook:* vanished [hopes, civilization, the ... plane, schoolmaster]; *een verdwenen stad* a lost town; *een ~d geslacht* a dwindling race; *zie* niet & spoorloos; *een ~ing* disappearance; fade-out; (*geheimzinnig, van geld, enz.*) leakage

verdwijnpunt vanishing-point

veredelen ennoble [a person, the mind; he ...s everything he touches], refine [the mind, feelings, language, taste], elevate [the character], improve [fruit], finish [goods]; *een ras (van vee, enz.) ~* grade up (improve) a breed; **-ing** ennoblement, refinement, elevation, improvement, grading up; *vgl. 't ww.;* **-sbedrijf** finishing industry

vereelt callous (*ook fig.*), horny [hands]; **~en** make (*of:* grow) c. (horny); **~heid, ~ing** (*concreet*) callus, callosity

vereenvoudigen simplify; *een breuk ~* reduce a fraction (to its lowest terms); *om de zaak te ~* to s. matters; **-ing** simplification; (*van breuk*) reduction

vereenzaamd lonely; **-zamen** become lonely

vereenzelvigen identify; *zich ~ met* identify o.s. with, stand for [tariff reform]

vereenzelviging identification

vereerder adorer, worshipper, admirer, fan

vereeuwigen perpetuate, immortalize, eternize; **-ing** perpetuation, immortalization

vereffenen settle, square, balance [an account]; smooth out [differences]; clear off [a debt]; settle, adjust [a dispute]; *een rekening ~, ook:* settle up; *een oude rekening ~* pay off (settle) an old score; *een zaak ~, (ook fig.)* square accounts [*met* with]

vereffening settlement, adjustment; *ter ~ van mijn rekening* in s. of my account

vereis: *naar ~ van omstandigheden* as circumstances (may) require; **vereisen** require, demand, take [time], call for [action]

vereist required, necessary, essential; *de ~e grootte* the requisite size

vereiste requirement, requisite; *eerste ~* first requisite, prerequisite

1 veren *bn.* feather; *~ bontje* f.-wrap; *~ bed* f.-bed; *~ kussen* f.-pillow; *~ pen* quill-pen

2 veren *ww.* be elastic (springy), spring; *'t veert niet meer* it has lost its spring; *overeind ~* spring to one's feet; *~d* elastic, springy; *goed ~de auto* well-sprung car

verenen *zie* verenigen; *met vereende krachten* with united (combined) efforts

verengelsen *tr.* Anglicize; *intr.* become Anglicized; **-ing** Anglicization

verengen narrow (*ook: zich ~*); **-ing** ...ing, restriction [of meaning]

verenigbaar compatible; *~ met, ook:* consistent (consonant) with; *niet ~, zie* on~

verenigd united, combined; *de V~e Staten* the United States (*dikw. ev.:* the United States did not interest herself in European affairs); *een ~ Duitsland* a unified Germany

verenigen[1] unite, combine, join; (*verbinden*) connect [two seas], join, link (up) [link up forces *strijdkrachten*]; (*verzamelen*) assemble, collect; (*concentreren*) focus [one's thoughts on ...]; *de lens verenigt de lichtstralen* the lens collects the rays of light; *in de echt ~* join (*of:* u.) in matrimony; *in zich ~* u. (c.) (in o.s.) [all the vices of ...]; *~ met* u. (*of:* join) to (with); *hoe kunt ge dat ~ met ...?* how can you reconcile it with your principles?; *een maatschappij met een andere ~* amalgamate a company with another; *dit tijdschrift zal verenigd worden met ...* will be incorporated with the Sphere; (*niet) te ~ met, zie* (on)verenigbaar; *veel (alle, 7000) stemmen op zich ~* poll many (all the, 7000) votes; *~ tot* u. into, form into [one company]; *zich ~* unite [Workers of the World, ...; ... in prayer, in singing a hymn], combine, join forces, join hands, band themselves together; (*zich verzamelen*) assemble; *zich ~ met* join [a p., etc.; the path ...s the road], join forces (hands) with [the enemy]; *('t eens zijn met)* agree to [a proposal, the conditions], agree with [a p., what you say, your view]; (*zich aansluiten bij*) associate o.s. with [an opinion]; *zich niet kunnen* ~ *met, ook:* dissociate o.s. from [a p., a p.'s views]; *zie* nuttig

vereniging ('*t verenigen*) union, combination, joining, junction, association, link-up, amalgamation; *vgl. 't ww.; (genootschap, enz.)* union, society, association; *een* ~ *van cellen is een weefsel* an aggregation of cells is a tissue; *zie* dierenbescherming, recht, reder, enz.; *in* ~ *met* [act] in conjunction (association) with; ~**sleven** corporate life; ~**slokaal** club-room; *(dorps-)* village hall; ~**spunt** junction, rallying-point; ~**steken** (*mil.*) rally; (*insigne*) badge

vereren honour, respect, venerate, revere, worship, adore; *iem. een horloge* ~ present a p. with a watch; ~ *met* h. with; *met orders* ~ favour with orders; *de voorstelling met z'n tegenwoordigheid* ~ grace the performance (with one's presence); *in* ~*de bewoordingen* in flattering terms

verergeren *intr.* become (grow, change for the) worse, deteriorate, worsen, take a turn for the worse; *tr.* make worse, worsen, aggravate [a situation, a disease], exacerbate [pain]; *de toestand* ~ make things worse; -**ing** worsening, change for the worse, deterioration, aggravation, exacerbation

verering veneration, reverence, worship; cult [the Byron ..., the Sinatra ...]

vererven pass, descend [to a nephew *aan*]

vereten spend [money] on food; *zich* ~ overeat oneself

veretteren fester, suppurate

verettering suppuration

vereuropesen *tr.* Europeanize; *intr.* become Europeanized; -**ing** Europeanization

verevenen *zie* vereffenen

verf paint; (*voor stoffen*) dye; (*voor schilderij*) paint, colour, *zie* ~je; *uit de* ~ *komen* stand out clearly; *het plan kwam niet uit de* ~ never got properly off the ground; ~**aarde** dyeing-earth; ~**bad** dye-bath; ~**doos** p.-, colour-box; ~**eik** dyer's oak, quercitron; ~**handel** *a*) colour-trade; *b*) (oil-and-)colourman's business; ~**handelaar** (oil-and-)colourman; ~**hout** dye-wood

verfijnen refine; -**ing** refinement

verfilmen film, screen, put [a play, a novel] on the screen; *een* -**ing** *van Hamlet, ook:* a screen-version of H.

verf: ~**je:** *hard een – nodig hebben* be sadly in need of a coat (lick) of paint; ~**krabber** shave hook; ~**kuip** dyeing-tub; ~**kwast** house-painter's brush; ~**laag** coat of paint

verflauwen (*van ijver, lust, belangstelling, gesprek*) flag; (*van snelheid*) slacken; (*van wind, brand*) abate; (*verbleken*) fade; (*hand.*) flag, slacken, droop; *doen* ~ damp [a p.'s zeal]; -**ing** flagging, slackening, abatement, fading

verflensen wither, fade; *zie* verleppen

verf: ~**lucht** smell of paint; ~**mes** palette-knife; ~**molen** colour-mill; ~**mos** dyer's moss, orchil;

~**mossel** painter's mussel

verfoeien detest, abhor, abominate, execrate, loathe, hold in abomination (detestation); ~**swaard** *zie* verfoeilijk

verfoeiing detestation, abomination

verfoeilijk odious, detestable, abominable, execrable, unspeakable; ~**heid** ...ness

verfoeliën silver, tin-foil, quicksilver

verfoeliesel foil

verfomfaaien tousle, crumple, tumble, rumple, dishevel

verfommelen *zie* verfrommelen

verfplant tinctorial plant

verfpot paint-pot

verfraaien embellish, beautify

verfraaiing embellishment, beautification

verfransen *tr.* Frenchify, gallicize; *intr.* become French(ified), gallicize; -**ing** Frenchification

verfrissen refresh; *het onweer verfrist de lucht* clears the air; -**ing** refreshment

verfroller paint roller

verfrommelen, verfronselen crumple (up), rumple (up), tumble, crush

verfschraper shave hook

verfspuit paint-sprayer, spray-gun

verfstof dye(-stuff), colour, paint; ~**fenhandelaar** (oil-and-)colourman; ~**fenindustrie** dye-industry; **verfverdunner** thinner; **verfwaren** = verfstoffen; **verfwinkel** paint shop

verg. = *vergelijk* cf. (*spreek uit:* compare)

vergaan I *ww.* (*algem.*) perish, pass away; (*verteren*) decay, waste (away); (*vermolmen*) moulder; (*van schip*) be wrecked, be lost (*zie* man), founder, go down; (*van vliegt.*) crash, be wrecked, be lost; '*t zal hem slecht* ~ he will fare badly, it will go hard with him; '*t zal hem ernaar* ~ he will get his deserts; *al het aardse vergaat* all earthly things will pass away; *een leven alsof hemel en aarde verging* an infernal noise; ~ *van kou* (*honger*) p. with cold (die of hunger); *ik verga van de hoofdpijn* my head is splitting; *ik verga van de slaap* I am dead sleepy; ~ *van trots* (*jaloersheid*) be eaten up with pride (jealousy); *zie* verteren, adem, horen, stof; II *bn.* wrecked, lost [vessel], decayed, rotten [wood], perished [tube]; III *zn.* passing away; decay; wreck, loss [of a ship, an aeroplane], crash [of an aeroplane]; *bij 't* ~ *van de wereld* at the crack of doom

vèrgaand *zie* verregaand & vèrstrekkend

vergaarbak reservoir, receptacle

vergaarder gatherer, collector

vergaderen *tr.* gather, collect, assemble; *zie* vergaren; *intr.* meet, assemble, sit [the conference did not ... to-day, sat for half an hour]

vergadering meeting, assembly, conference; *Geachte* ~*!* Mr. Chairman, Ladies and Gentlemen!; *algemene* (*buitengewone*) ~ general (special) m.; *de* ~ *is bijeen* the conference is sitting; '*n* ~ *bijeenroepen* (*houden, openen, sluiten*) call (hold, open, close) a m.; *zie* recht & sluiten

vergader- meeting: ~**lokaal** m.-room; ~**plaats**

m.-place; ~**tijd** time of m.; ~**zaal** m.-room; (*in stadhuis*) session room; (*van de Ver. Naties*) assembly hall

vergallen break the gall-bladder of [a fish]; (*fig.*) embitter [a p.'s life], make [life] a burden to [a p.]; *de vreugde* (*pret*) ~ spoil the game, be a spoil-sport

vergalopperen: *zich* ~ put one's foot in it, commit o.s.; *ik heb me weer vergaloppeerd, ook:* I've done it again

vergankelijk transitory, transient, fleeting, fugitive; *schoonheid is* ~ beauty is but skindeep; *alles op aarde is* ~ all earthly things will pass away; ~**heid** transitoriness, transience, instability

vergapen: *zich* ~ *aan* gape in admiration at; *zich aan de schijn* ~ mistake the shadow for the substance, be deceived by appearances

vergaren collect, lay up, hoard, store (up), harvest, amass [wealth], gather [riches, the sheets of a book]; *zie* verzamelen

vergassen (*tot gas worden, in gas omzetten*) gasify; vaporize [petrol or other liquid]; (*met gas doden*) gas; -**er** (*van motor*) carburettor, -ter; (*petroleum-*) vaporised oil burner, primus; -**ing** gasification; (*bij motor*) carburation, vaporization; (*om te doden*) gassing

vergasten treat [*op* to], regale [*op* with]; *zich* ~ *aan* feast upon (*ook fig.*); *hij vergastte zich* (*z'n ogen*) *aan* ... he feasted his eyes upon the beauty of the landscape, his eyes feasted upon (drank in) the ...; *op een redevoering* ~, (*ook iron.*) treat to a speech

vergat *o.v.t. van* vergeten

vergé laid [paper, line]

vergeeflijk pardonable, excusable, forgivable [offence]; venial [offence]; ~**heid** pardonableness, etc., veniality

vergeefs I *bn.* useless, vain, idle, futile, unavailing; (*pred. ook*) in vain, of no avail, to no purpose; *onze pogingen waren* ~, *ook:* our efforts fell flat (*bij naspeuring:* drew blank); *mijn werk* (*reis*) *is* ~ *geweest, ook:* I've had my work (my journey) for nothing; *'t* ~*e van* ... the futility of my efforts; II *bw.* in vain, vainly; *zie* tevergeefs

vergeeld yellowed [leaves]

vergeestelijken spiritualize

vergeestelijking spiritualization

vergeetachtig forgetful; ~**heid** ...ness

vergeetal forgetful person

vergeetboek: *in 't* ~ *geraken* fall into oblivion, sink into the limbo of forgotten things

vergeet-mij-niet(je) forget-me-not

vergeetteken caret

vergelden repay, requite, reward; *iem. iets* ~ repay etc. a p. for s.t., (*iets kwaads*) retaliate (upon a p.), pay a p. out (back) for s.t.; *goed met kwaad* ~ repay good with evil, return (*of:* render) evil for good; *God vergelde het u!* God reward you for it!; ~*de rechtvaardigheid* retributive justice; -**er** (*wreker*) avenger; -**ing** requital, return, retribution, retaliation; *dag der* – day of reckoning; *ter* – *van* in return for;

-**ingsmaatregel** retaliatory measure; -**ingswapen** retaliation weapon

vergelen yellow

vergelijk agreement, accommodation, compromise, settlement; *een* ~ *treffen, tot een* ~ *komen* come to an a., reach a settlement, compound [with one's creditors]; *dat is geen* ~ there is no comparison; *zie ook* vergelijking

vergelijkbaar comparable [*met, bij* with, to]

vergelijken compare; (*documenten, teksten, enz., ook*) collate [*met* with]; ~ *bij* c. to, liken to; ~ *met* c. with; *te* ~ *met* (*bij*) comparable to (with); *niet te* ~ *met* not to be compared with (to); *'t laat zich* ~ *met* (*bij*) it may be compared to; *hij laat zich* ~ *met Dickens* he compares with D.; *ge kunt u niet met hem* ~ you cannot c. with him, there is no comparison between you two; *vergeleken met, zie* in vergelijking met

vergelijkend comparative [philology, degree], competitive [examination]; ~**erwijs** comparatively, by comparison; – *geen slechte jongen* not a bad boy as boys go

vergelijking comparison; collation (*zie 't ww.*); (*wisk.*) equation; (*redefiguur*) simile; ~ *van de 1ste, 2de, 3de graad* simple (*of:* linear), quadratic, cubic equation; ~ *met de onbekende als exponent* exponential equation; *er is geen* ~ *tussen* her there is no c. between them; *een* ~ *maken* (*trekken*) make a c., draw a parallel; *de* ~ *doorstaan met* bear (stand) c. with; *in* ~ *met* in c. with, (as) compared with; *in* ~ *daarmee was* ... a five-mile walk was an agreeable prospect in c.; *dat is niets in* ~ *met* ... that is nothing to what I did; *de oorlog is* ... *in* ~ *met* ... war is a merry game to famine; *in* ~ *met andere politici* [*is hij een fatsoenlijk man*] as politicians go; *hoe staat E. ervoor in* ~ *met* ...? how does England compare with the Continent?; *zie* boos & mank

vergemakkelijken facilitate, make easier, simplify [a task]

vergemakkelijking facilitation

vergen require, demand, ask; *van iem.* ~ *dat hij* ... require a p. to ...; *veel* ~ *van* make great demands on, tax (task) [a p.'s powers, patience], put a great strain on [one's nerves]; *'t vergt veel van* ... it is a great tax on my patience (on his heart); *skilopen vergt veel van* ... skiing is a great strain on the legs; *te veel* ~ *van* overtax [one's nerves, throat, o.s.], overstrain [one's voice]; *verg niet teveel van hem* don't try him too high; *dat is veel gevergd* that is much (*fam.:* a lot) to ask; (*fam.*) that is a large (tall) order; *dat is te veel gev.* it is too much to ask (asking too much); ... *had te veel van hem gev.* the struggle had taken too much out of him; *van zijn* ... *werd 't uiterste gev.* his diplomacy was taxed (strained) to the limit; *'t vergt veel van mijn beurs* it is a heavy drain on my purse; *weinig* ~ *van* ... make few demands on a p.'s time

vergenoegd (well-)contented, satisfied, pleased; ~**heid** contentment, satisfaction

vergenoegen content, satisfy; *zich ~ met te ...* content o.s. with ...ing

vergetelheid oblivion, forgetfulness; *~ zoeken* seek o.; *aan de ~ prijsgeven* relegate (consign) to o. (to the limbo of forgotten things); *aan de ~ prijsgegeven, ook:* buried in o.; *aan de ~ ontrukken* save (rescue) from oblivion; *in ~ geraken* fall (pass, sink) into o.; *tot ~ doemen* doom to o.

vergeten forget; *ik heb mijn boek ~* I've forgotten my book; *ik heb ~ 't je te zeggen* I forgot to tell you; *ik ben uw naam ('t jaartal) ~* I f. your name (the date); *ik ben ~ waarom* I f. why; *ik ben mijn Frans ~* I have lost my French; *vóór ik 't vergeet* before I forget (it), while I remember; *en niet te ~* and not forgetting, last but not least; *betaling? vergeet het maar ...* f. it, no fear; *zich ~* forget o.s.; *hij vergat zich zozeer dat ...* he forgot himself so far as to strike her; *ik zou mijzelf ~ als ik 't beschreef, ook:* I cannot trust myself to describe it; *'t tegenwoordige (alles, enz.) ~de* forgetting (forgetful of, oblivious of) the present (everything, etc.); *~ burger* [he spent his remaining days as an] obscure citizen; *zie* vergeven

vergeven (*pers., misdrijf, enz.*) forgive, pardon [to know all is to pardon all]; (*ambt*) give away; (*bij kaartspel: zich ~*) (make a) misdeal; (*vergiftigen*) poison; *~ en vergeten* f. and forget; *iem. iets ~* forgive a p. s.t. [f. us our sins]; *dat zal ik je nooit ~* I'll never f. you for that; *ik zou 't mijzelf nooit ~* I should never f. myself (for it); *vergeef me dat ik het zeg, maar ...* if you will forgive my saying so ...; *vergeef me, dat ik 't je niet gezegd heb* f. me for not telling you; *vergeef (het) mij!* f. me!; *zijn vergrijp was te erg om ~ te worden, ook:* he had offended beyond forgiveness; *hij heeft de predikantsplaats te ~* the living is in his gift; *de Kroon heeft die plaats te ~* the place is in the gift of the Crown; *zijn baantje is al ~* his job is already promised; *... is ~ van ...* the place is overrun with mice (crawling, alive, with vermin); *niet te ~* unforgiveable

vergevingsgezind forgiving; **~heid** ...ness

vergever *zie* begever

vergeving pardon, remission [of sins]; (*van predikantsplaats*) collation [of a benefice]; *zie* vergiffenis

vergevorderd far advanced [the afternoon was ...], advanced [cases of shell-shock, heart-disease, season], well on one's way; *uitverkoop wegens ~ seizoen* off-season (end-of-season) sale(s); *wegens het ~e uur* owing to the lateness of the hour; *zie* ontbinding

vergewissen *zich ~ van* ascertain, make sure (certain) of; *zich ~ dat ...* make sure (certain) that ...

vergezellen accompany, (*krachtens ambt, enz.*) attend; *vergezeld gaan van* be attended (accompanied) with; *zie* gepaard; *vergezeld doen gaan van* a. [the word] with [a blow]; *aller goede wensen ~ hem, ook:* he carries with him the good wishes of all

vergezicht prospect, perspective, vista

vergezocht far-fetched

vergiet strainer, colander, cullender

vergieten shed [blood, tears], spill [blood, milk]; refound [a bell]; drown [the tea]

vergiettest *zie* vergiet

vergif *zie* vergift

vergiffenis pardon, forgiveness; remission [of sins]; *iem. ~ schenken* forgive a p.; (*iem.*) *~ vragen* ask (a p.'s) forgiveness, (*voor een klein vergrijp*) beg a p.'s pardon

vergift poison; (*dierl. ook*) venom (*beide ook fig.*); (*van bacterie*) toxin; *~en waarvan de verkoop niet vrij is* scheduled poisons; *daar kun je ~ op nemen* you bet, that's one thing you can be sure of; *zie* gift; **~boom** p.-oak, -ivy; **~(en)kast** p.-chest, p.-cupboard; **~enkenner** toxicologist; **~enleer** toxicology

vergiftig poisonous, venomous; toxic [spray]; *vgl.* vergift; *niet ~* non-poisonous, non-venomous [snakes]; *~ voor rundvee* p. to cattle; **~en** poison [a p., water, the mind, etc.], envenom [the mind, feeling, etc.]; **~er** poisoner; **~heid** ...ness; toxicity

vergiftiging poisoning; **~sverschijnsel** symptom of poisoning

Vergiliaans Vir-, Vergilian; **Vergilius** Vir-, Vergil

vergissen: *zich ~* be mistaken, mistake, commit a mistake (an error), be in error; *als ik me niet vergis* if I mistake not, if I am not mistaken (deceived); *zeg 't maar, als ik me vergis* correct me if I am wrong; *zich ~ in* mistake [the road, the house, a p.'s character, feelings], be mistaken in (about) [the date, etc.]; *wat heb ik me in hem vergist!* how I have been deceived in him!; *ik vergis me in de naam, ook:* I've got the name wrong; *daarin vergis je je* that's where you're wrong, you are wrong about that; *vergis je daarin niet!* don't make any mistake about that!; *ik kan me ~* I may be mistaken; *men kon zich niet ~, hij was 't* there was no mistaking him [*zo ook:* there was no mistaking his walk]; *~ is menselijk* to err is human; we all make mistakes; *zie* deerlijk, verkeerd

vergissing mistake, error, oversight, slip; *bij ~* (in) m., in error, mistakenly; *ik nam bij ~ uw paraplu mee in plaats van mijn eigen* I took your umbrella away in m. for my own; *een ~ begaan* make (commit) a m.; *..., waarbij geen ~ mogelijk is* foolproof voting-papers

vergisten ferment

verglaassel glaze, glazing, enamel

verglazen glaze, enamel; (*in glas, of als in glas, veranderen*) vitrify; *verglaasde ogen* glassy eyes; **~er** glazer; **-ing** *a*) glazing, enamelling; *b*) vitrification

verglimmen die out, go out slowly

vergoddelijken deify; **vergoddelijking** deification, apotheosis; **vergoden** deify; (*verafgoden*) idolize; **vergoding** deification; apotheosis; (*fig.*) idolization, idolizing

vergoeden make good [the damage, a loss, the

cost], refund (reimburse, repay) [expenses], compensate [a defect, a want by …], (supply) [a loss]; *4% rente ~ op* allow 4 per cent. interest on; *iem. iets ~* indemnify (compensate) a p. for s.t., reimburse a p. (for) his expenses, etc.; *ik zal het u ~* I'll make it up to you; *dat vergoedt veel* that makes up for a lot; *wat hij te kort schoot in …, vergoedde hij in …* what he wanted in quantity he made up in quality; *een onrecht ~* make amends for an injury (a wrong); *leeg fust wordt vergoed* empties are allowed for; *het verlies ~,* (*ook:*) cover the loss; *het verlies vergoed krijgen* be repaid for the loss; *zie* schade

vergoeding indemnification, compensation, reimbursement, damages, indemnity, allowance; amends [for injury done]; *voor* (*of: tegen*) *een kleine ~* for a small consideration (*vaak iron.*); *zie* schade~ & verblijfkosten

vergoelijken smooth (gloss) over [a p.'s shortcomings], palliate, extenuate [a crime, etc.], excuse [a p.'s conduct]

vergoelijking palliation, extenuation, excuse, smoothing (glossing, glozing) over; *ter ~ van* in p. etc. of

vergokken gamble away

vergooien throw (*of:* chuck) away [one's money, etc.]; *zich ~* throw o.s. away [*aan* on], make o.s. cheap, cheapen o.s.; (*kaartspel*) play a wrong card; *zie* verbruien

vergramd angry; (*dicht.*) wrathful, ireful; **~heid** anger, wrath

vergrammen make angry, irritate; *zich ~* become angry

vergrendelen bolt; (*techn.*) lock [controls]

vergrijp offence [against the law, the rights of others], transgression [of the law, a rule], breach [of etiquette, discipline, good manners], (*sterker*) outrage [upon decency]

vergrijpen: *zich ~ aan* lay violent hands upon [a p.], attempt [a p.'s life], assault, interfere with [a girl], embezzle [money; *ook:* he dipped into his client's money]

vergrijzen become grey; *~ in* grow greyheaded in [a man's service]; *vergrijsd in* grey-(headed) in [the service of the law]; *vergrijsd door de tijd* hoary with time; *~de bevolking* ageing population

vergrootbladig (*plantk.*) gamopetalous

vergroeien (*samengr.*) grow together; (*krom gr.*) grow out of shape; (*van pers.*) become deformed (crooked); (*van litteken*) disappear in time; *vergroeid,* (*krom*) crooked; *het Oranjehuis is met ons volk vergroeid* has become fused with our nation; *met vergroeide helmdraden,* (*plantk.*) with connate filaments

vergroeiing growing together, etc.; (*plantk.*) coalescence

vergrootglas magnifying-glass [put a p.'s faults under a …]

vergroten enlarge [a building, a portrait], add to [a p.'s difficulties], increase, augment [production, knowledge, numbers, a quantity], (*van glazen*) magnify; (*fot., sterk*) blow up; (*op schaal*) scale up; (*overdrijven*) magnify, exaggerate [a p.'s exploits, faults; *ook zonder voorw.:* he exaggerates]; *tot 't uiterste ~* maximize; *~de trap* comparative degree; *vergroot hart* dilated heart; **-er** enlarger, etc.

vergroting enlargement (*ook concr.*); increase, augmentation; magnification, magnifying, exaggeration; (*fot., sterk*) blow-up; *vgl. 't ww.; (van hart, maag, enz.)* dilatation; **~sapparaat** enlarging-apparatus, enlarger

vergroven *tr. & intr.* coarsen; **-ing** …ing

vergruiz(el)en pound, crush, pulverize, smash (up); (*erts*) mill [ore]; **-ing** pulverization, etc.

verguizen revile, vilify, libel, abuse

verguizing revilement, vilification, abuse

verguld gilt; *in ~e lijst* g.-, gold-framed; *~ op snee* with g. edges, g.-edged; *hij is er ~ mee* he is highly pleased (as pleased as Punch) with it

vergulden gild; *zie* pil; **-er** gilder

verguld: **~ing** gilding, gilt; **~sel** gilding, gilt; **~werk** gilt-work; **~zilveren** silver-gilt [cup]

vergunnen allow, permit, grant

vergunning permission, allowance, leave; (*concessie*) concession; (*van drankverkoop, voor opvoering van toneelstuk, enz.*) licence [sell drink without a …]; (*'t document, ook*) permit; *met ~ van* by p. of; *koffiehuis met ~* licensed public-house; *~ aanvragen* (*nemen, verlenen*) apply for (take out, grant) a licence; *zie* verlof; **~houder** licensee; (*van drankverkoop*) *ook:* licensed victualler; **~srecht** licence

verhaal 1 story, narrative, account [of what happened], record [a day-to-day … of his life]; (*'t verhalen*) narration; *verward ~* rigmarole; *wat is dat voor een ongelooflijk ~?* what cock-and-bull story is that?; *hij deed 't ~ hoe …* he related the story of how he had been picked up …; *J. hield een heel ~ hoe …* J. made quite a speech on how …; *een ~ opdissen* spin a yarn; *het ~ gaat dat …* there is a story that …; 2 redress, (legal) remedy, recourse, come-back; *er is geen ~ op* there is no (possibility of) redress; *~ hebben op* have a remedy against; 3 *op zijn ~ komen* come round, recuperate, recover; *de troepen moeten op hun ~ komen* need recuperation; *tijd om op zijn ~ te komen* a breathing-space, (*fam.*) a breather; **~baar** recoverable [*op* from]; **~ster** *zie* verhaler; *ook:* narratress; **~tje** (short) s.; **~trant** manner (way) of telling a s.; (*verhalende stijl*) narrative style

verhaasten hasten [a p.'s death, matters], accelerate [death, a p.'s end], precipitate [a catastrophe], expedite [the dispatch of goods], speed up [the work, inquiries, litigation], mend, quicken [one's pace]; **-ing** hastening, acceleration, precipitation

verhakken cut up; **-ing** (*mil.*) abat(t)is

verhakstukken heel [shoes]; *er is niets* (*heel wat*) *te ~* there is nothing doing (a lot to be discussed)

verhalen tell, relate, narrate; *zie* vertellen; (*mar.*) shift [a vessel]; *zijn toorn ~ op* visit one's anger upon; *hij verhaalde 't op zijn paard (op mij)* he took it out of his horse (out of me); *al onze daden worden ten slotte op ons verhaald* come home to roost in the end; *schade (een verlies)* ~ *op* recover a loss from; *zij* ~ ... *op* ... they pass the extra cost on to the public; ~**d** narrative [style]; ~**derwijs** narratively, in a narrative manner; **-er** narrator, story-teller

verhalvezolen half-sole

verhandelbaar marketable, salable; *(van wissel, enz.)* negotiable

verhandelen *(handelen in)* deal in, handle [goods]; *(verkopen)* sell, dispose of [goods]; market [be ...ed at popular prices]; *(wissel)* negotiate [a bill]; *(bespreken)* discuss, debate; *katoen werd niet veel verhandeld* little business was done (few transactions were concluded) in cotton; ~ *tegen* trade [textiles] for [copper]; *'t verhandelde (in vergadering)* the proceedings [of a meeting]; **-ing** treatise, essay, disquisition, lecture, discourse, dissertation; *een – houden over* treat of

verhang *(van rivier)* slope, *(Am.)* grade

verhangen hang otherwise, change [the pictures]; *zich* ~ hang o.s.; *zie bordje*; **-ing** hanging

verhanselen *(vero.: oplappen)* patch *(of:* fake) up; *(verknoeien)* botch; *zie verkwanselen*

verhapstukken *zie verhakstukken*

verhard hardened; *(van handen, enz.)* horny, callous; *(van weg)* metalled, paved; *(med., geol., enz.)* indurated; *(fig.)* (case-)hardened, obdurate, indurated, hard-hearted, callous; ~ *in de zonde* sin-hardened; **verharden** I *tr.* harden, indurate; metal (pave) [a road]; *(fig.)* (case-)harden, indurate, steel [one's heart]; II *intr. (ook fig.)* harden, grow (become) hard, indurate; **verhardheid** hardness, hard-heartedness, obduracy

verharding hardening; induration; metalling; *(van weefsels)* sclerosis; *vgl. 't ww.; (vereelting)* callosity; ~**smateriaal** *(bij wegenaanleg)* roadmetal

verharen lose (shed) one's hair; *(van dieren) ook:* (be on the) moult; *de hond (de mof) verhaart* the dog's hair (the hair of the muff) is coming out (off); *ook:* the dog is shedding (losing) his coat

verharsen resinify

verhaspelen spoil, botch; garble [he gave his ...d account of the accident]; make a hash of [a passage]

verheerlijken glorify, exalt; *ermee verheerlijkt zijn* be delighted with it; *verheerlijkte gezichten* elate(d) faces; **-ing** glorification; [the] Transfiguration [of Christ]

verheffen lift [one's head; a nation out of barbarism], raise [one's eyes, voice, a nation, a p. to a higher rank], lift up [one's heart to heaven], lift up, uplift [the mind, the public taste], elevate [one's eyes, voice, the character, a nation]; *(prijzen)* exalt, extol *(zie hemelhoog)*; *een hertogdom tot een koninkrijk* ~

erect a duchy into a kingdom; *hij werd tot graaf verheven* he was created *(of:* made) an earl, he was elevated to an earldom; *zijn stem* ~ *tegen* raise one's voice against, declaim against; *zich* ~ rise; *(opstaan) ook:* rise to one's feet *(of:* from one's seat); *de leden verhieven zich van hun plaatsen* members rose (stood up) in their places; *plotseling verhief zich een stem* suddenly a voice raised itself; *de wind verhief zich tot een storm* rose to a gale; *zich boven beledigingen* ~ rise (be) above insults; *zich* ~ *op* pride o.s. on [one's wealth], be proud of, glory in; ~**d** elevating, uplifting; *zie adelstand, macht, wet, enz.*

verheffing elevation, raising, uplift [moral and intellectual ..., the ... of the nation]; ~ *tot de adelstand* e. to the peerage; *zie* stemverheffing

verheimelijken secrete [goods, money, etc.]; keep secret; *niet* ~, *ook:* make no secret of [one's object]

verhelderen I *tr.* clear [the eyesight], brighten, clear up; *(vloeistoffen)* clarify, clear; *(fig.)* clarify [the situation], clear [the mind], enlighten; II *intr. (van weer & gelaat)* clear (up), brighten (up); *(van gelaat ook)* light up, lighten (up); **-ing** brightening; clearing, clarification; enlightenment

verhelen conceal, hide, keep secret, dissemble [one's satisfaction], disguise [one's fears]; *iets voor iem.* ~ conceal (disguise, keep back) s.t. from a p.; *ik verheel 't niet* I make no secret of it; *zie ook* ontveinzen; **-ing** concealment

verhelpen remedy [a defect], redress [a wrong], set [things] to rights, correct, rectify [errors], straighten (out) [things]; *niet te* ~ past help, irremediable; **-ing** redress, remedy, correction

verhemelte *(van mond)* palate [hard, soft ...], roof of the mouth; *(van troon)* canopy; *(van ledikant)* tester; ~**klank** palatal (sound); ~**letter** palatal (letter); ~**plaat** dental plate

verheugd glad, pleased, happy; ~ *over* g. of, pleased *(formeel:* rejoiced) at

verheugen gladden, make glad, rejoice, delight; *'t verheugt me* I am glad of it, I rejoice (am rejoiced) at it; *'t verheugt me te horen ...* I am glad (rejoiced) to hear ...; *zich* ~ rejoice; *zich* ~ *in* rejoice in; *ook:* boast [the club-house ...s an excellent dining-room]; *zich* ~ *in een goede gezondheid* enjoy good health; *zich in de algemene achting* ~ be held in universal esteem; *een zolderkamertje dat zich verheugde in ...* an attic rejoicing in the name of the East room; *zich* ~ *op* look forward to [she had been looking forward to the jaunt], anticipate eagerly; *zich* ~ *over* rejoice at; ~**e** *-e stijging* an agreeable increase; *zie* heuglijk; ~**is, verheuging** joy; *(scherts.)* slight intoxication

verheveling (atmospheric) phenomenon

verheven elevated, exalted, lofty, sublime, august, grand; *(van beeldwerk)* in relief, embossed; *de* ~ *roepstem van ...* the high call of duty; ~ *stijl* e. (lofty) style; *half* ~ *beeldwerk* bas-relief; *boven alle lof* ~ beyond all praise; *boven verdenking* ~ above suspicion; *daar ben* *ik boven* ~ I am above (superior to) that; ~**heid** elevation, sublimity, loftiness; – *van karakter* high-mindedness; (*concr.*) elevation, rise, protuberance

verhevigen intensify

verhinderen prevent [a marriage, etc.], hinder; *iem.* ~ *te gaan* prevent (stop) a p. from going, prevent (stop) him (him) going; ~ *dat melk zuur wordt* keep milk from turning sour; *niet als ik 't* ~ *kan* not if I can help it; *als ik 't hem niet verh. had* if I had not prevented him; *verhinderd te komen, ook:* unable to come; *verhinderd door griep* detained by influenza; -**ing** prevention; (*beletsel*) hindrance, obstacle, impediment; *zie* beletsel; *in geval ik – krijg* in case I should be prevented (from coming); *bericht van* – letter of regret, apologies for absence; *afwezig met bericht van* – absent with notice (apologies)

verhip! (*fam.*) the devil! ~ *jij!* get along with you!; *hij kan* ~**pen** he can go to blazes; *'t is* ~**t koud** it's devilish cold

verhit heated [imagination]; ~ *door de wijn* heated (flushed) with wine; *zie* gemoed

verhitten heat; (*fig.*) heat, fire [the imagination]; ~*de dranken* heating drinks; *zich* ~ (over)heat o.s.

verhitting heating (*ook fig.*); ~**svermogen** heating-power

verhoeden prevent, ward off; *dat verhoede God (de Hemel)!* God (Heaven) forbid!

verhogen heighten [a dike, the effect, the mystery, a p.'s colour], raise, put up, advance [the price], raise [a road, a tone, wages, a salary, the school-leaving age], elevate [the moral sense], enhance [the contrast, prices, the value, her clothes ... her beauty], add to [the public gaiety, a p.'s charms], provoke [the appetite], increase [a bid, a salary, a sum], intensify [the mystery], emphasize [the dignity of ...]; (*bevorderen*) promote; (*leerling*) move up to a higher class (*of:* form); *de prijzen* ~, *ook:* mark up prices; ~ *met f 5* raise (increase) by ...; *'t verleende een verhoogde bekoring (waardigheid) aan* ... it gave an added charm (dignity) to ...; *verhoogde bloeddruk* [suffer from] high blood pressure, hypertension; *wie zichzelf verhoogt, zal vernederd worden* whosoever shall exalt himself shall be abased; *zie* record

verhoging (*'t verhogen*) heightening, raising, elevation, enhancement, promotion (*vgl. 't ww.*); (*van prijs, salaris, enz.*) increase, advance, increment, rise (*Am.* raise); (*muz.*) sharp; (*school*) remove; (*concr., van de grond*) rise, elevation, eminence; (*in zaal, enz.*) dais, (raised) platform; (*van weg*) *zie* verkanting; *u heeft een beetje* ~ your temperature is a little up, you have a (slight) temperature; *wat* ~ *krijgen* develop a temperature; *salaris £ 4500 met jaarlijkse* ~*en van £ 200 tot een maximum van £ 6500* salary £4500 by £200 to £6500; ~**sdynamo** booster(-dynamo); ~**steken** (*muz.*) sharp

verholen secret, veiled [distrust], hidden, concealed; ~**heid** secrecy, concealment

verhollandsen *tr. a*) Dutchify, make Dutch; *b*) translate into Dutch; *intr.* become Dutch

verhonderdvoudigen multiply by one hundred, increase a hundredfold, centuple

verhongeren starve (to death), be starved to death, die (perish) of hunger (of starvation); *doen* (*laten*) ~ s. (to death); *om niet te* ~ [get enough] to keep one from starving (to keep body and soul together)

verhongering starvation; *de* ~ *nabij* on the verge of s.

verhoog (*Z.-Ned.*) (raised) platform, dais

verhoor hearing [the ... was adjourned], examination, trial, interrogation; *nieuw* ~ rehearing, retrial; *iem. een* ~ *afnemen, in* ~ *nemen* hear (examine, interrogate) a p. (a witness, etc.); (*getuige ook*) put a p. in the witness-box; (*door politie*) take a statement from, question [a p.]; *een* ~ *ondergaan, in* ~ *zijn* be under examination, be heard (examined, interrogated, questioned); *'t (getuigen)* ~ *werd voortgezet* further evidence was taken

verhoorkamer (*in politiebureau*) charge-room

verhoorning keratosis

verhoren hear, answer [a prayer], grant [a wish]; hear [a lesson]; hear, examine, interrogate [a witness]; hear, try [a prisoner]; *zie:* 'n verhoor afnemen

verhoring *zie* verhoor; ~ *vinden* be heard (granted), meet with a favourable response

verhouden: *hun salarissen* ~ *zich als* ... their salaries are in the proportion (*of:* ratio) of 4 to 5; *5 verhoudt zich tot 6 als* ... 5 is to 6 as 10 is to 12; *hoe* ~ *zich deze kapitalen?* what proportion do these capitals bear to one another?

verhouding (*tussen getallen, enz.*) proportion, ratio; (*betrekking*) relation, relations, relationship; *gespannen* ~ strained relations; *een schuldige* ~ a guilty connection; *hij had een* ~ *met zijn secretaresse* he had an affair with his secretary; *geen gevoel voor* ~ *hebben* have no sense of p.; *buiten* (*alle*) ~ *tot* out of (all) p. to; *in* ~ *tot,* (*evenredig aan*) in p. to; *'t succes staat in geen* ~ *tot de kosten* the success bears no (is not in, is out of all) p. (relation) to the cost; *zie ook* zich verhouden; *in hun ware* ~ [see things] in their true perspective; *in de juiste* ~ in correct proportion; *zie ook* reden; *naar* ~ proportionally, proportionately, pro rata, comparatively; *alles* (*is duur*) *naar* ~ everything (is dear) in p.; *naar* ~ *van* [be rewarded] in p. to [one's deserts]; *zie ook* verstandhouding; ~**sgetal** ratio

verhovaardigen: *zich* ~ pride o.s. [*op* on], boast [*op* of, about]; -**ing** pride

verhuis- *dikw.:* removal: ~**auto** *zie* ~wagen; ~**biljet** written notice of a removal (*of:* departure); *zijn* – *inleveren* register (report) one's change of address; ~**boel** furniture to be (*of:* being) removed; *ook* = ~drukte; ~**dag** day of r., moving-day; ~**kaart** change of address card; ~**kosten** r.-, moving-expenses; ~**man** *zie* verhuizer; ~**wagen** furniture(-removing) van, r.-van, pantechnicon(-van)

verhuizen I *intr.* move, remove, move house, change [to a cheaper room]; (*emigreren*) emigrate; *telkens* ~ move about (from place to place); *we moeten weer* ~, *ook:* we've got to make another move; ~ *kost bedstro* moving house is an expensive business; *zie* noorderzon; II *tr.* remove

verhuizer (furniture) remover, removal contractor, (*fam.*) removal(s) man; ~**sfirma** removal firm

verhuizing removal, move, moving house; (*met de noorderzon*) moonlight flit

verhullen conceal

verhuren let [rooms, lodgings, a house], let out [boats, chairs, bicycles] (for, on, hire), hire .out [bicycles, horses, a motor-car, etc.], let out on lease [a house], job [horses]; *'t huis wordt verh. tegen* ... lets (is let) at ...; *zich* ~ *als* hire o.s. out as ... [*bij* to]; *zich als meid* (*knecht*) ~ go into (go out to) service; *zie* kamer; **-ing** letting (out), hiring (out), etc.

verhuur *zie* verhuring

verhuur: ~**baar** lettable; ~**bordje** *zie* huurbordje; ~**der** (*algem.*) letter [of rooms, horses, boats, etc.]; (*van huis, kamers*) landlord, (*van land, huis*) lessor; ~**kantoor** (domestic) employment agency; (*voor huizen*) letting-office; (~- *en verkoopkantoor*) house-agent's office [go to a house-agent's]

verhypothekeren mortgage

verificateur verifier, auditor; (*bij douane*) chief preventive officer

verificatie (*algem.*) verification; audit [of the books]; adjustment [of a compass]; ~**vergadering** first meeting of creditors

verifiëren verify, check [a statement]; audit [accounts]; prove [a will], admit [a will] to probate; adjust [a compass]; *zich laten* ~, (*hand.*) prove one's claims; **-ing** *zie* verificatie

verijdelen frustrate, baffle, defeat, foil, thwart [plans, etc.], frustrate, ba(u)lk, disappoint, shatter [hopes, etc.]; *de poging* ('*t plan, zijn hoop*) *werd verijdeld*, *ook:* the attempt (the plan) was knocked on the head (his hopes were dashed to the ground); **-ing** frustration, disappointment, defeat

verindischen *tr.* Indianize; *intr.* be (become) Indianized (go native); **-ing** Indianization

vering spring action; (*concr.*) springs

verinlandsen go native

verinnigen make (become) more intimate

verinteresten *tr.* put out at interest; *intr.* bear no interest

verisme verism, (*inz. opera*) verismo

veritaliaansen Italianize; **-ing** Italianization

verjaard superannuated, barred (nullified) by the statute of limitations (by lapse of time), statute-barred [debt, claim], [dividends] lost by limitation, [crime] extinguished by limita-

tion; (*door lang gebruik verkregen*) prescriptive [rights]

verjaar: ~**dag** birthday; (*van gebeurtenis*) anniversary; *gisteren was* '*t zijn* – yesterday was his birthday; ~**(s)feest, -geschenk, -partij** birthday-feast, -present, -party

verjagen drive (chase) away; (*door vreesaanjaging*) scare (frighten) away, shoo away [birds]; expel [*uit* from]; turn out, dislodge [the enemy]; dispel [fear, cares]; *zie* verdrijven; **-ing** chasing away, etc.; expulsion; dislodg(e)ment; *vgl.* '*t ww.*

verjaren *a*) celebrate one's birthday; *b*) become barred by (extinguished under) statutes of limitation (the statute of limitations), become statute-barred (superannuated); *zie* verjaard; *hij verjaart vandaag* to-day is his birthday

verjaring *a*) superannuation; *b*) *zie* verjaardag; ~**srecht** statute of limitations; ~**stermijn** term (*of:* period) of limitation

verjongen *tr.* rejuvenate, make young again, restore to youth; *intr.* become young again, rejuvenate

verjonging rejuvenation, rejuvenescence; ~**skuur** rejuvenation (rejuvenating) cure

verkalken calcine, calcify; (*van de bloedvaten*) harden

verkalking calcination, calcification; ~ *van de bloedvaten* hardening of the arteries, arteriosclerosis

verkankelemienen (*fam.*) spoil

verkankeren canker

verkanten (*bocht van weg*) superelevate, bank [a curve]; **-ing** superelevation, banking

verkappen cut up

verkapt disguised, veiled [annexation, socialism], concealed, crypto-[communist], [republican] in disguise

verkassen (*fam.*) shift, (*sl.*) change one's digs

verkavelen allocate, lot (out), parcel out

verkaveling allocation, lotting (out), parcelling (out); ~**ssysteem** open-field system

verkeer [passenger, pedestrian, shipping, road] traffic; (*omgang*) [social, sexual] intercourse; *doorgaand* ~ through t.; *rechtstreeks* ~ direct connection; *vrij* ~ (*tussen twee landen*) free movement; *vrij geslachtelijk* ~ promiscuous sexual intercourse; *zie* regelen, -ing

verkeerbord backgammon-board, -table

verkeerd[1] I *bn.* wrong, bad; false [economy, step, start *begin*]; faulty [diagnosis]; *ook:* mis-... [miscalculation, -conception, -information, -interpretation, -representation, -translation, -use, etc.]; ~*e naam*, *ook:* misnomer; ~*e kant*, (*van stof*) w. (*of:* seamy) side; *zijn sokken* ~ *aantrekken* pull on one's stockings inside out (wrong side out); *op* '*t* ~*e been zetten*, (*sp.*) wrong-foot [an opponent]; *er viel nooit een* ~*woord tussen hen* they never had a cross word; *de* ~*e wereld* the world upside down, topsyturvydom; *een* ~*e* (~ *sujet*) *a* w. 'un, a bad lot (hat, egg); *je hebt de* ~*e voor* you've mistaken

---

[1] *Zie ook* mis...

your man; (*fam.*) you've got the w. sow by the ear, you've come to the w. shop; *je hebt iets ~s gedaan* you have done w.; *ik weet niet, wat ik voor ~s gedaan heb* what I've done w.; *wat had ze voor ~s gedaan?* what had she done w.?; *zie* adres, enz.; II *bw.* wrong, wrongly, amiss; *~ begrijpen* misunderstand, misread [a signal]; *elkaar ~ begrijpen* misunderstand each other, talk across each other, be at cross-purposes; *je begrijpt 't helemaal ~* you've got the whole thing w. [*zo ook:* don't get me wrong]; *~ beoordelen* (*uitspreken, vertalen, spellen, uitleggen, verstaan*) misjudge (mispronounce, mistranslate, misspell, misinterpret, misunderstand; *zie ook* inlichten); pronounce (translate, etc.) incorrectly; '*t boek heeft 't ~* the book is w.; *~ doen* do [the sum, everything] w.; *je deed er ~ aan haar te ...* you did (were) w. in receiving (to receive) her, you made a mistake in ...; *~ kiezen* (*raden, uitspreken, spellen, mikken*) choose (guess, pronounce, spell, aim) w.; *dan dacht je ~* [I thought we'd agreed to ...;] you thought w. then; *de dingen gaan* ('*t loopt*) *~* things go w.; *je kunt niet ~ lopen* you cannot lose your way; '*t liep ~ met hem af* he came to a bad end; *hij nam mijn woorden ~ op* he took my words amiss; *zie* inlichten, uitkomen, weg, enz.

verkeerdelijk wrong(ly), mistakenly, erroneously; *ik hield hem ~ voor ...* I mistook him for my friend

verkeerdheid fault, s.t. wrong

verkeers- traffic: ~**aanbod** volume of t.; ~**ader** (t.-)artery; ~**agent** t.-, point-, point-duty policeman, constable on point-duty; (*sl.*) t.-cop; ~**bord** (road) traffic sign; ~**brigadiertjes** (*ongev.*) school crossing patrol; ~**dienst** t.-control; ~**drempel** detector-pad; ~**heuvel** t.-island, refuge; ~**leider** traffic controller; ~**leiding** t.-control; ~**licht** t.-light; ~**lijn** (*op straat*) white line; ~**middel(en)** means of communication; ~**ongeval** street (road, traffic) accident; (*met dodelijke afloop*) road death; ~**opstopping** t.-congestion, -jam, -block; ~**overtreding** road offence; ~**paaltje** refuge post, beacon

verkeerspel (game of) backgammon

verkeers- traffic: ~**plein** *a*) roundabout; *b*) motorway intersection; ~**politie** t.-police; ~**punaise** t.-stud, (*met reflector*) cat's eye; ~**regel** traffic rule; rule of the road; ~**regeling** t.-regulation; *zie ook* ~voorschriften; ~**sein** t.-signal; ~**slachtoffer** road victim; ~**staking** transport strike; ~**statistiek** t.-returns; ~**stremming** t.-jam, -block; ~**strook** lane of t.; *met 6* ~**stroken** six-lane [bridge]; ~**teken** t.-signal; ~**telling** t. census; ~**toren** (*luchtv.*) control-tower; ~**troepen** communication (railway and telegraph) troops; ~**veiligheid** road safety; ~**vlieger** commercial (*of:* airline) pilot; ~**vliegtuig** passenger-plane, commercial aircraft; ~**voorschriften** t. regulations, [the] highway code; ~**vraagstuk** t.-problem; ~**weg** thoroughfare; (*grote*) arterial road, highway, motor-

road, motorway; (*voor de handel*) trade-route; ~**wezen** traffic, transport [minister of ...]; ~**zuiltje** *zie* ~paaltje

verkenmerk bench-mark

verkennen survey, explore, (*mil.*) reconnoitre, scout; *zie* terrein; **verkenner** scout

verkenning reconnoitring, exploration, scouting; *een ~* a reconnaissance; *op ~ uitgaan*, (*ook fig.*) make a reconnaissance, go reconnoitring, have a scout around; *zie* openlijk; ~**sdienst** *a*) reconnoitring (service), scouting; *b*) reconnaissance duty; ~**spatrouille** r.-patrol; ~**spunt** landmark; ~**stocht** r.-, scouting-expedition; ~**stonnen** (*mar.*) fairway buoys; ~**stroep** body of scouts; ~**svliegtuig** reconnaissance plane; ~**svlucht** reconnaissance flight; ~**swagen** (*mil.*) scout car

verkeren (*omgaan*) have intercourse, associate [*met* with]; (*veranderen*) change, turn; (*zich bevinden*) be [in danger, doubt, a peculiar position], find o.s. [in difficulties], live [in straitened circumstances]; (*in zekere kringen*) move [*aan 't hof* in court-circles]; '*t kan ~* it is a long lane that has no turning, things will take a turn; *~ met* associate with; *zie ook* verkering hebben; *waar men mee verkeert, wordt men mee geëerd* a man is known by the company he keeps; tell me what company you keep, and I'll tell you who you are; *zie* dwaling, kring, mening, enz.

verkering courtship; *samen ~ hebben* walk out together, be courting; *hij heeft ~ met onze meid* he keeps company (walks out) with our servant; *losse ~ hebben* go out together; *vaste ~ h.* go steady

verkerven: '*t bij iem. ~* incur a p.'s displeasure; *hij heeft het bij zijn chef verkorven* he is in disfavour with his chief; *nu heb je 't verkorven*, (*sl.*) now you've torn it

verketteren charge [a p.] with heresy, brand [a p.] as a heretic; (*fig.*) decry, inveigh against, denounce; **-ing** charge of heresy; (*fig.*) denunciation

verkeuvelen chat away [one's time]

verkiesbaar eligible; *zich ~ stellen* consent to stand (for an office, etc.), seek election, offer o.s. as a candidate; *zich weer ~ stellen* offer o.s. for re-election, seek re-election; ~**heid** eligibility

verkies(e)lijk preferable [*boven* to]; (*wenselijk*) desirable, eligible; *zie* partij

verkiezen (*prefereren*) prefer [*boven* to]; (*kiezen*) choose; (*vooral bij stemming*) elect; (*voor 't parlement*) return [a liberal majority was ...ed]; *ik verkies niet te gaan* I don't choose to go; *doe zoals je verkiest* do as you like (please); have it your own way; have it which way you wish; please yourself; *zie verder* kiezen

verkiezing (*algem.*) choice, wish; (*voorkeur*) preference; (*vooral bij stemming*) election; (*tot kamerlid ook*) return; ~**en voor de gemeenteraad en voor 't parl.** municipal and parliamentary elections; *de ~ heeft morgen plaats* the poll will take place to-morrow; *bij* ~ for (by, in) preference, for c.; *naar* ~ at c., at pleasure, at will, at discretion; *naar* ~ *van de koper* at buyer's option; *doe naar* ~, *zie:* zoals je verkiest; *uit eigen (vrije)* ~ of one's own free will, from choice; *zie* tussentijds & uitschrijven

verkiezings- *dikw.* election: ~**agent** election (political) agent, canvasser; ~**blaadje** e.-leaflet; ~**campagne** election(eering) campaign; ~**comité** e.-committee; ~**dag** polling-, e.-day; ~**leer** doctrine of election; ~**leus** e.-cry, slogan; ~**manifest** e.-manifesto; ~**manoeuvre** electioneering manoeuvre *(fam.:* stunt); ~**pad:** *op 't – zijn ('t – opgaan)* be (go) on the stump; ~**plakkaat** election poster; ~**program** e.-programme, electoral platform; ~**rede(voering)** e. (electoral) address (speech), *(fam.)* stump speech; *–en houden, (fam.)* be on the stump, stump it (the district); ~**redenaar** e.-orator, *(fam.)* stump-orator; stumper; ~**strijd** e.-contest, electoral struggle; ~**truc** election dodge; ~**uitslag(en)** results of the poll, e.-results; '*t bekendmaken van de* – declaration of the poll; ~**werk** electioneering

verkijken: *uw kans is verkeken* your chance is gone *(of:* lost), you've missed the bus; *nu is alle kans verk., (sl.)* that's torn it; *zich* ~ make a mistake, be mistaken; *zich* ~ *op* misjudge; *er een gulden aan* ~ spend a guilder on it

verkikkerd: *(fam.)* ~ *op iets* keen on (gone on) s.t., potty (dotty) about s.t.; ~ *zijn (raken) op een meisje* be (get) sweet on *(sl.:* balmy about, smitten with) a girl; *alle meisjes zijn op hem* ~ all the girls run after him

verkillen chill

verklaarbaar explicable, accountable; *gemakkelijk* ~ easy of explanation, easily accounted for; ~**heid** ...ness

verklaard *(fig.)* declared, avowed, professed [woman-hater]

verklaarder explainer, commentator, glossarist; *(van wet)* interpreter, exponent

verklanken express by music, set to music, give musical expression to

verklappen blab, let out, give away [a secret]; *iem.* ~ tell on *(of:* of) a p., give a p. away; *(sl.)* peach (split) on a p.; *zich* ~ give o.s. away; *de boel* ~ give the show away, let the cat out of the bag; *(sl.)* squeal; *zij had 't verklapt* she had blabbed; *verklap 't niet* don't split!; '*t geheim is verklapt, ook:* the murder is out; *zijn haar verklapt zijn leeftijd* his hair gives his years away; *dat mag ik niet* ~ I must not tell

verklapper tell-tale

verklaren *(uitleggen)* explain, elucidate, make clear, clear up, account for [one's conduct; this accounts for the state of affairs]; ~ *als, ook:* interpret as; *(zeggen)* declare; *(officieel)* certify; *(getuigen)* depose, testify; *hij verklaarde hem gezien te hebben* he spoke (deposed, testified) to having seen him, declared (deposed, testified) that he had seen him; *dat laat zich alles* ~ all that is explicable;

ik kan 't (mij) niet ~ *dat* ... I cannot account for your brother doing such a thing; *zij kon niet* ~ *wie zij was (hoe zij daar kwam, enz.)* she could give no account of herself; *hierbij verklaar ik, dat* ... I hereby certify that ...; *zich* ~, *a)* declare o.s.; *b)* explain o.s.; *verklaar u nader* e. yourself; *zich* ~ *voor* declare for (in favour of); *zich* ~ *tegen* declare against; *zie ook* declareren, getuigen, eed, krankzinnig, oorlog, enz.; ~**de** *aantekeningen* explanatory notes

verklaring *(uitleg)* explanation, elucidation; *(afgelegde* ~) declaration, statement, [official] pronouncement; *(van getuige)* evidence, deposition; *(attest)* certificate; ~ *van overlijden* certificate of death; *beëdigde* ~ affidavit; *een* ~ *afleggen* make a statement [*over* ... on foreign policy]; *iem. een* ~ *afnemen* take a statement from a p.; *ter* ~ [say s.t.] in e., in elucidation; *een mededeling ter* ~ *van* ... a statement to account for ...; *volgens* ... ~ on his own statement [he had ...]

verkleden *(vermommen)* disguise; *verkleed als zeerover* dressed to represent a pirate; '*t kindje* ~ change baby('s clothes); *zich* ~ change (one's clothes; *van vrouw:* one's dress), *(zich vermommen)* dress (o.s.) up, make up, disguise o.s.; *ga je* ~ go and change; *ik moet me* ~, *ook:* I must get changed

verkleding *a)* change of clothes; *b)* disguise, make-up

verkleefd attached, devoted [*aan* to]; ~**heid** attachment, devotion [*aan* to]

verkleinbaar reducible

verkleinen *(in omvang, enz.)* reduce [a drawing, etc.], *(kledingstuk)* cut down [to a p.'s size]; *(op schaal)* scale down; *(verminderen)* reduce, lessen, diminish; *(fig.)* belittle, disparage, derogate (detract) from [a p.'s fame, merits, etc.]; *(als minder ernstig, enz. voorstellen)* extenuate [a p.'s guilt, faults, etc.], minimize [the matter, danger, the importance of ..., etc.]; *een breuk* ~ reduce a fraction (to its lowest terms); *op verkleinde schaal* on a reduced scale; **verkleinglas** reducing glass

verkleining *a)* reduction, diminution; *b)* belittlement, disparagement [of ...], detraction [from ...]; *(van breuk)* reduction (to its lowest terms); *vgl. 't ww.;* ~**suitgang** diminutive ending

verkleinwoord diminutive

verkleumd benumbed, numb (with cold); *door en door* ~ chilled to the bone; ~**heid** numbness

verkleumen grow numb *(of:* stiff) with cold

verkleuren lose colour, fade, discolour; *niet* ~ keep colour, be fast; *doen* ~ discolour, fade [sunlight would ... the paper]; *verkleurd* discoloured, faded [curtains]; **-ing** discoloration, fading

verklikken *zie* verklappen, **-er** *(pers.)* tell-tale, tale-bearer; *(sl.)* squealer, squeaker; *(van luchtpomp, enz.)* tell-tale; *(van telef.)* alarum; police spy, informer, *(sl.)* nark; –**lichtje** tell-tale

verkloeken: zich ~, (*vero.*) take heart
verklungelen fritter away [one's time, money], trifle away [time]
verknallen (*fam.*) spoil, lose [an opportunity]
verknapbussen (*fam.*) fritter away. squander
verknechten enslave
verkneukelen, verkneuteren: zich ~ hug o.s. with delight, rub one's hands with joy (in glee), chuckle; zich ~ *in* revel (luxuriate) in, chuckle over [an idea, etc.], gloat over [a p.'s misery]
verkniezen: zich ~ mope (*of:* fret) o.s. to death, mope one's heart out; zijn leven ~ mope away one's life
verknijpen: zich ~, zie verbijten
verknippen cut to pieces, cut up; (*verknoeien*) spoil in cutting, cut to waste; verknipt persoon kinky person; **-ing** cutting up, etc.
verknocht attached, devoted [aan to]; een aan elkaar ~ paar a devoted couple
verknochtheid attachment, devotion
verknoeien (*bederven*) spoil, bungle, muff, muddle, make a mess (muddle, hash) of [things], muck [things] up, mess up [one's career]; garble [facts, a statement, text]; murder, butcher [music, Shakespeare]; (*verdoen*) waste, fritter away [time, money]; ze heeft ... helemaal verknoeid, ook, (*fam.*) she has played old Harry with my typewriter; ik heb de dingen hopeloos verknoeid I've made a hopeless mess of it (of things); verknoeide vertaling bungled translation
verknollen (*fam.*) spoil [things]
verkoelen I *tr.* cool (*ook fig.*); ice [champagne]; damp [a p.'s affections, zeal]; (*tegen bederf*) chill, refrigerate; **II** *intr.* cool (down, off) (*ook fig.*); **-ing** cooling; (*fig. ook*) coolness, chill; 't bracht – in hun vriendschap it threw a damp over their friendship
verkoeverkamer (*med.*) recovery room
verkoken *intr.* boil away; *tr.* boil down [to half the quantity]
verkolen *intr.* get charred (carbonized), char; *tr.* char, carbonize; **-ing** charring, carbonization
verkomen waste away
verkommeren sink into poverty, starve, wither
verkond(ig)en proclaim [peace, one's intentions; the God he ... ed], preach [a new religion, the word of God], ventilate [an idea], advance (enunciate, put forward) [a theory]; de hemelen ~ Gods eer the heavens declare the glory of God; wat je daar verkondigt, is onzin what you are saying is nonsense; zie lof; **-er** proclaimer, preacher; **-ing** proclamation, preaching
verkonkelen (*fam.*) fritter away, waste
verkoop sale; ten ~ aanbieden offer for s.; in de ~ br. put on sale; zie afslag, enz.; **~afdeling** sales department; **~akte** deed of s.; **~agent** selling-agent; **~baar** salable, marketable, vendible; **~baarheid** salability, vendibility; **~bedrag** proceeds (of a sale); **~boek** sales-book, book of sales; **~bordje** 'For Sale' sign (notice, board);

~briefje sold (*of:* contract) note; **~bureau** selling agency; **~contract** contract of s.; **~dag** day of s.; uiterste **~datum** sell-by date; **~huis** auction-, sale-room; **~kantoor** selling-agency; **~kunde** salesmanship; **~leider** sales manager; **~limiet** reserve price; **~lokaal** zie **~huis**; **~order** selling-order; **~(s)prijs** selling price; **~punt** (retail, sales) outlet; **~rekening** account-sales, A/S; **~ster** saleswoman, shop-girl; **~(s)waarde** selling-, market-value
verkopen sell, dispose of; *ook:* keep [we don't ... those things]; (*aan de deur*) hawk [from door to door]; publiek ~ s. by (public) auction; onderhands ~ s. by private contract; al zijn aandelen ~ s. out; iems. boeltje laten ~ sell a p. up; grappen ~ crack jokes; men kan hem verraden en ~ he is easily led by the nose; je bent verkocht en geleverd you are signed and sealed, your are lost (done for), they've got you on toast; ik wou 't niet voor ... ~, ook: I would not take £ 50 for it; dit artikel wordt goed verkocht this article sells well; voor hoeveel is het verkocht? what did it sell for? what did it fetch?; zie afslag, bij 10, neen, enz.; **-er** seller, vendor; (*in zaak*) salesman [a good ...]
verkoperen copper, sheathe (with copper), copper-plate
verkoping (public) sale, auction; op de ~ doen sell by public auction
verkoren chosen, elect; de ~en the elect
verkorsten crust, get crusted
verkorten shorten [a rope, a p.'s life, the way], abridge [a book, etc.], condense [a report, a novel], abbreviate [a word, story, visit], curtail [a visit]; beguile, while away [the time]; encroach upon, maim, abridge [a p.'s rights]; (*van tekening*) foreshorten; iem. in zijn rechten ~ abridge a p. of his rights; verkorte bewerkingen, (*wisk.*) contracted methods; een verkorte bewerking van Macbeth a shortened (*fam.*: boiled-down, potted) version of M.; in verkorte vorm, ook: in tabloid form
verkortenderwijs by way of abbreviation, [called Bob] for short; **verkorting** shortening, abridg(e)ment, abbreviation, curtailment; foreshortening; vgl. 't ww.
verkorven zie verkerven
verkouden: ~ zijn have a cold; ze waren allen ~ they had all got colds; snip ~ zijn have a streaming cold; je bent ~, (*fig.*) you're in for it, you are booked; ~ maken give a cold; ~ worden catch cold; ik word (*erg*) ~ I'm starting a (bad) cold, I've got a (bad) cold coming
verkoudheid cold [... in the head, head ...; ... on the chest, chest ...]; 'n ~ opdoen catch c.; hij lijdt aan 'n zware ~ he has a severe c.
verkozen chosen, elected; de ~ (nog niet in functie zijnde) Lord-Mayor the Lord-Mayor elect
verkrachten violate [a law, rights, justice, one's conscience], violate, deflower, outrage, ravish, rape [a woman]; **-ing** violation, defloration, outrage, ravishment, rape
verkrampt contorted [style]

verkregen: ~ *rechten* vested rights

verkreuk(el)en crumple (up), rumple, crush

verkrijgbaar obtainable [*bij* from], to be had, to be got, [programme] available [at 2p], [foreign papers] on sale [here]; *informaties hier* ~ information to be had here, inquire within; *niet meer* ~, (*van artikel*) out of stock, (*van boek*) out of print; ~ *bij* ... can be obtained from (to be had of) all chemists; ~ *stellen* place on sale, offer (for sale); *ze zijn in 4 kleuren* ~, (*ook*) they come in four colours

verkrijgen obtain, get, acquire; gain [admission]; poll [1000 votes]; *door zijn moed* (*door zijn karakter*) *verkreeg hij* ... his valour won him the V.C. (his character won him many friends); '*t geld was niet eerlijk verkregen* had not been honestly come by; *te* ~, *zie* verkrijgbaar; *niet te* ~, *ook:* unobtainable; *informaties waren moeilijk te* ~ information was hard to come by; *ik kon het niet over* (*van*) *mij* ~ I could not find it in my heart [to ...], could not bring myself [to ...]

verkrijging obtaining, acquisition

verkroppen swallow [one's anger], bottle up [one's feelings]; *zijn leed* ~ stifle one's sorrow, eat one's heart out; *zijn woede* ~, *ook:* chafe inwardly; *hij kan 't niet* ~ it sticks in his throat (*fam.:* his gizzard), it rankles in his mind; *verkropt* pent-up [feelings, grief, rage]

verkrotten decay, become slummy

verkruimelen (*ook fig.*) *tr.* crumble; *intr.* crumble (away)

verkwakzalveren spend on quack remedies

verkwanselen barter (*of:* bargain) away, fritter away [one's money]

verkwijnen pine away, languish

verkwikkelijk refreshing, comforting; *dat is geen erg* ~*e aangelegenheid* an unpalatable [unsavoury] affair

verkwikken refresh, freshen up, comfort

verkwikking refreshment, comfort

verkwisten squander, throw (*of:* fling) away, make ducks and drakes of [one's money], waste [money, time], dissipate [money, energy]; ~ *aan* waste on; ~**d** wasteful, extravagant, prodigal, thriftless; *-e gewoonten*, *ook:* spendthrift ways; *zie ook* kwistig, **-er** spendthrift, prodigal; **-ing** dissipation, extravagance, prodigality, waste(fulness), thriftlessness; (*fam.*) squandermania (*vgl.* -er)

verlaat 1 lock, weir; 2 *zie* verlaten 2

verladen ship

verlading shipment; ~**sdocumenten** shipping-documents

verlagen lower [a wall, prices, wages, one's pretensions], reduce (cut, bring down) [prices; *zie* laag: *lager stellen*], cut down [wages]; step down [the voltage]; (*muz.*) lower, flatten [a note]; (*leerling*) put back into a lower class (*of:* form); (*in rang*) demote; (*zedelijk*) lower, debase, degrade; ~ *met* reduce (lower) by [5 %]; *zich* ~ l. (debase, degrade, demean) o.s.; *zich* ~ *tot*, *ook:* stoop (descend) to [dishonest practices]; *verlaagd plafond* false ceiling

verlaging lowering, reduction, cut [price ...s], flattening; debasement, degradation; cutback [in tourist allowances]; *vgl.* '*t ww.;* dip [in the ground]; (*muz.*) flat; ~**steken** (*muz.*) flat; ~**s-transformator** step-down transformer

verlak lacquer, varnish; ~**ken** lacquer, varnish, japan; *iem.* – gull (spoof, swindle, bamboozle) a p., sell a p. a pup, do a p. brown; *zie* verlakt; ~**ker** varnisher, japanner; (*fig.*) diddler, bamboozler; ~**kerij** varnishing; (*fig.*) spoof, bamboozlement, diddle, (*Am.*) skulduggery; '*t is allemaal* – it's a complete sell (swindle)

verlakt *bn.* lacquer(ed), japanned [box] patent-leather [shoes]; *zn.* lacquer

verlamd paralysed (*ook fig.*), palsied; *zie* lam; '*n* ~*e* a paralytic, a palsied person

verlammen *tr.* paralyse, (*fig. ook*) cripple [industry], throttle [trade], hamstring [be hamstrung by lack of means]; '*t verkeer* ~ block (*Am.* stall) the traffic; II *intr.* become paralysed

verlamming paralysis (*ook fig.*), palsy, paralytic seizure; *langzame* ~ creeping p.; *eenzijdige* ~ hemiplegia; *gedeeltelijke* ~ paresis

verlanden grow solid by peat-formation, become dry land

verlangen *ww.* I *tr.* desire, want, require, have a desire [to ...]; *hij verlangt, dat ik ga* he desires (wants) me to go; *ik verlang dat niet te horen* I do not choose (want) to hear it; *betaling* ~ demand payment; *al wat men kan* ~ all that can be desired; *wat verlangt u van me?* what do you want of me?; *hij deed, wat van hem verlangd werd* he did what was asked of him; *de verl. hoeveelheid* the required quantity; II *intr.* long; ~ *naar* long for, look forward to [going, the holidays], wish for [solitude]; *vurig* ~ *naar* hanker after (for), be dying for [a drink]; *ik verlang ernaar u te zien* I long (am anxious, *sterker:* aching, dying) to see you; ... *waar men zo vurig naar hem verlangde* the home where he was so eagerly expected; III *zn.* desire; longing; ~ *naar* d. (longing) for, (*sterker*) craving for [strong drink], hankering [after power, the sea]; *op* ~ [tickets to be shown] on demand; *op* ~ *van* at (by) the desire of; *op mijn* ~ at (by) my desire; *op zijn uitdrukkelijk* ~ by his special wish; *vol* ~, *zie* verlangend; ~**d** longing; – *naar* desirous of, eager (anxious) for [a change]; *ongeduldig* – *naar* impatient for; – *te gaan* anxious (eager) to go, desirous of going

verlanglijst list of gifts wanted, l. of suggested gifts; ... *staat al lang op mijn* ~*je* has long been on my list of desiderata

verlangst *zie* verlangen *zn.*

verlangzamen slow down, slow up, slacken [one's pace]; **-ing** slowing-down

verlanterfanten idle away

1 verlaten *ww.* leave, (*meestal voorgoed, ook:*) quit; (*in de steek laten*) abandon [a sinking ship], desert [one's post, one's wife and children, his courage ...ed him], forsake [God will not ... you]; (*ontruimen*) vacate [the room was hurriedly ...d]; '*t pad der deugd* ~

stray from the path of virtue; *de wereld ~, a)* die to the world; *b) (sterven)* depart this world; ... *verlieten de Kamer* the Socialists left the Chamber, walked out (of the House) [as a protest against ...]; *Roosevelt verliet de Republikeinse Partij* walked out of the Republican Party; *de school ~* l. school; *de leeftijd om de school te ~* the school-leaving age; *zich ~ op* rely *(of:* depend) on, trust to; *verlaat u op God* put your trust in God; *zie* dienst

2 verlaten *ww.: zich ~* be belated; *ik heb mij verlaat* I am late *(of:* behind my time); *verlaat bericht* belated message

3 verlaten *bn. (van pers.)* lonely, *(sterker)* forlorn; *(in de steek gel.)* forsaken, abandoned; *(zonder mensen)* deserted; *(afgelegen)* lonely; *(beurs)* neglected [oil was ...]; *van God en mensen ~* forsaken of *(of:* by) God and man, God-forsaken [place]; **~heid** loneliness, forlornness; desertion

verlating l abandonment, desertion; *zie* kwaadwillig; 2 retardation, delay

verleden I *bn.* last [week, year, night]; past [events]; *~ tijden, ook:* bygone ages; *~ tijd, (gramm.)* past tense; *dat is ~ tijd* that is over and done with; *vgl.* III; *~ deelw.* past participle; II *bw., zie* onlangs; III *zn.* past; *zijn ~* his past, his record, his antecedents; *met een slecht (zuiver, deugdzaam) ~* [man] with a bad (clean, virtuous) record; *dat behoort tot 't ~* that is a thing of the past; *'t verre ~* [in] the long-ago; *het ~ laten rusten* let bygones be bygones; *zie ook* verlijden

verlegen 1 shop-worn, shop-soiled, stale [goods]; 2 *(van aard)* shy, bashful; *(op zeker tijdstip)* confused, perplexed, embarrassed; *met zijn persoon (figuur) ~ zijn* be (look) self-conscious (embarrassed); *zij is niet gauw ~* not easily put out; *hij maakte mij ~* he put me out (of countenance), embarrassed me, caused me embarrassment; *ik was* **ermee ~,** *(zat met hem, met mijn handen ~)* I did not know what to do with it (with him, with my hands); *hij zat er totaal mee ~, ook:* he was completely at a loss what to do with it (think of it, etc.); *met zijn tijd ~ zijn* be at a loose end; *~ zijn om* be in want of, want badly, be pressed (pushed, hard up) for [money, etc.], be at a loss for [an answer]; *enigszins ~ zitten om* be at something of a loss for [a subject]; *~ tegenover hem* [she was shy with him

verlegenheid shyness, timidity, bashfulness, self-consciousness, confusion, perplexity, embarrassment *(vgl.* verlegen); *(moeilijkh.)* embarrassment [his financial ...s], trouble, scrape, quandary; *in ~ brengen, a) zie* verlegen maken; *b)* get [a p.] into trouble (into a scrape), *(door vraag, enz.)* embarrass, perplex, stump [a p.]; *in ~ geraken* get into trouble; *in ~ verkeren, uit de ~ helpen, zie* moeilijkheid; *we zijn in de uiterste ~* in great straits; *hij is uit de ~* he is in smooth water again

verleggen shift, put elsewhere, remove; divert [a river, the traffic]; *de (spoorweg-)wissel ~* shift the points; *'t toneel naar Afrika ~* shift the scene to Africa; **-ing** shifting, removal; diversion; *vgl. 't ww.*

verleidelijk tempting, enticing, alluring, seductive; **~heid** allurement, enticement, seductiveness

verleiden *(zedelijk)* seduce; lead [a p.] astray; *(vrouw)* betray, seduce; *(verlokken)* tempt [the fine weather ...ed me to go for a walk], allure, entice; *iem. tot iets ~* seduce (tempt) a p. to s.t. (to do s.t.); *(door bedrog)* fool a p. into doing s.t.; *hij laat zich gemakkelijk ~* he is easily led astray; *ik heb me laten ~ het boek te lezen* I have been trapped into reading the book; **-er** seducer; tempter; *verborgen –s* hidden persuaders; **-ing** seduction, betrayal; *(verzoeking)* temptation; *vgl. 't ww. & zie* verzoeking

verleidster seducer, temptress

verlekkerd(heid) keen(ness) [op]

verlelijken uglify

verlenen grant [a delay, credit], allow [a discount], give [permission], accord [he was ...ed the military cross], confer *(of:* bestow) [a title] on [a p.], render, lend [assistance], bestow [relief], extend [credit, hospitality]; *(diploma)* grant [aan to], confer [aan on]; *een uitgebreide volmacht ~* endow with wide powers; *'t kiesrecht ~ aan* confer the franchise on; *kracht (een bijzondere bekoring, enz.) ~ aan* lend (impart) force (a peculiar charm, etc.) to; *'t woord ~ aan* call upon [Mr. N.] to speak; *zie* hulp; **-ing** granting; conferment, bestowal; rendering [assistance]

verlengbaar extensible; *(van paspoort, enz.)* renewable

verlengd lengthened, etc.; *zie 't ww. & merg; 't ~e, (meetk.)* the produced part [of a line]; *zuiver in 't ~e vallen* be in a direct (even) line [van with], *(van rails, planken, enz.)* be in line and level; *deze weg ligt in 't ~e van die* is a continuation of ...; ... *ligt geheel in 't ~e van mijn opdracht* ... follows naturally from ..., ... is within the scope of ...

verlengen lengthen, make longer, prolong [a visit]; extend [one's credit, subscription, a term *termijn,* summer time]; continue [a contract]; renew [a bill, passport, subscription, etc.]; *(meetk.)* produce [a line]; *de pas ~* step out; *zie* verlengd; **-ing** lengthening; extension; prolongation; renewal; production; *vgl. 't ww.; ~ van verlof* extension of leave; *na –* [win] after extra time *(na 3 –en* after 3 periods of e.t.); **verlengsel, verlengstuk** extension piece; *de zuivelindustrie is een verlengstuk van de veehouderij* ... is an annexe to ...

verleppen wilt, fade, wither; *verlepte opschik* wilted finery; *er verlept uitzien* look faded (washed out)

verleren unlearn; *om het niet te ~* in order to *(of:* just to) keep one's hand in (not to lose one's touch, skill); *zie verder* afleren & afwennen

verlet [seasonal] lay-off; *zonder ~* without

delay; **verletsel** *zie* beletsel

verletten *a)* prevent; *b)* neglect; *wat verlet mij* ..., *zie* letten; *ik heb niets te ~* my time is my own; *een dag ~*, *(van werkman)* lose a day's pay; **verleuteren** idle (trifle, fritter, dawdle) away [one's time]; *(met praten)* waste one's time talking

verlevendigen revive [trade, impressions, hope, the memory of ...], quicken [a p.'s resolution, interest], enliven [the scene, a feast], freshen [colours]; **-ing** revival, quickening, enlivenment, enlivening

verlezen pick, select, sort; *zich ~* make a mistake in reading, misread a word, etc.

verlicht 1 *(door licht)* lighted (up), lit (up), illuminated; *(fig.)* enlightened [person, age]; *~ despoot (despotisme)* enlightened (benevolent) despot (autocrat; despotism, autocracy); *zie* maan; 2 *(van last, enz.)* lightened; *(fig.)* relieved; *een ~ gevoel* a sense of relief; *zich ~ voelen* feel relieved

verlichten 1 *(door licht)* light, light up, illuminate; *(met schijnwerpers)* floodlight; *(fig.)* enlighten [the mind]; 2 *(minder zwaar maken)* lighten [a burden], *ook fig.:* the heart]; simplify [a task]; relieve [suffering], alleviate [a p.'s lot], ease [pain, the tension]; *zie ook* verlicht

verlichting 1 lighting, illumination; *('Aufklärung')* enlightenment; 2 lightening, relief, alleviation, ease [the drug gave him ...]; *vgl. 't ww.; ~ geven, ook:* relieve, ease; **~smiddel** illuminant

verliederlijken *tr.* debauch, brutalize; *intr.* = *zich ~* become ruined by dissipation

verliefd enamoured, amorous, in love [be ...; a man ...]; *(smachtend ~)* love-sick [a ... youth]; *(hopeloos ~)* love-lorn; *~e blikken* amorous looks; *van~e aard* of an amorous disposition; *~ op* in love with, sweet on, gone on, enamoured of; *dwaas ~ op* infatuated with; *smoorlijk ~ op* over head and ears in love with, *(sl.)* potty on; *~ worden* fall in love [*op* with]; *~ worden op*, *ook:* lose one's heart to; *~e blikken toewerpen* make eyes at, ogle [a p.]; *een ~ paartje* a couple of lovers *(scherts.:* of love-birds), two lovers; *~en* lovers; *~heid* amorousness, lovesickness; *dwaze ~* infatuation

verlies loss; *(door de dood) ook:* bereavement; *verliezen*, *(in oorlog)* casualties [suffer heavy ...]; *~ (geleden) op* ... l. on the Wembley exhibition; *zijn dood is een ~ voor de wereld (de stad)* the world (the town) is the poorer by *(of:* for) his death; *hij (het) is geen groot ~* the (it) is no great l.; *'t ~ is aan mijn kant* the l. is mine; *'t ~ dragen* bear (stand) the l.; *~ nemen* cut a *(of:* one's) l.; *iem. een zwaar ~ toebrengen* inflict a heavy l. upon a p.; *~ aan geld en goed* l. in money and property; *~ aan mensenlevens* l. of life; *met ~ verkopen* sell at a l. (at a sacrifice); *met ~ werken* work at a l., make a l.; *met zware -zen* [repulse the attack] with heavy losses; *hij lijdt nog onder zijn ~* he is still smarting under his l.; *hij kan goed tegen ~* he is a good loser, bears his l. well; *jij kunt niet*

tegen ~ you are a bad loser; *zie* goedmaken, lijden, wettelijk, enz.; **~lijst** *(mil.)* casualty-list; **~post** loss; **~punt** point lost; *zonder -en* without loss of points; *-en oplopen* lose points

verlieven: *~ op*, *(lit.)* fall in love with, lose one's heart to, become enamoured of

verliezen lose [a battle, one's head, one's life, a lawsuit]; *(door sterfgeval)* lose [a child]; *doen ~* lose [that lost me my place]; *er is geen tijd te ~* there is no time to l. (to be lost); *geen tijd ~ met schrijven* waste no time in writing *(vgl.:* lose no time in ...ing *onmiddellijk* ...); *geen woord van het gesprek ~* not miss anything of the conversation; *hij verloor de wedren net* he just missed winning the race; *ik verloor 't*, *(wedren, enz.)* I came off a loser; *hij verloor zijn geld (hart) aan* ... he lost his money (heart) to ...; *er niets bij ~* l. nothing by it; *je hebt er niet veel bij verloren* you have not missed much; *de stad verliest veel in hem* the town is the poorer by *(of:* for) his death; *~ met 5-0* lose five-nil (by five goals to none); *~ op* l. on [an article]; *een proces ~ tegen* l. a lawsuit against; *tegen ~ kunnen*, *zie* verlies; *uit 't oog ~* l. sight of [*ook fig.:* a fact, etc.]; *niet* ..., *(ook)* bear in mind; *iem. (geheel) uit 't oog ~*, *(fig., ook:)* l. (all) trace (l. track) of a p.; *Smyslow verloor van Botwinnik* S. lost to B.; *zich ~* lose o.s. (itself) *(zie ook:* verloren gaan in); *de ~de partij* the losing party; *zie* hoefijzer, moed, verloren

verliezer loser; *zie* verliezende partij

verlijden execute, draw up [a deed *akte*]; *oprichtingsakte verleden voor* ... act of incorporation passed before ...; *'t ~ van* ... the execution of the deed

verlinken *(sl.)* betray, shop; do in, diddle

verloederen go to pot (to the dogs); decay morally; **-ing** depravation

verlof *(permissie)* leave, permission, *(tot afwezigheid)* leave (of absence), *(inz. mil.)* furlough; *bijzonder ~*, *(wegens ziekte van bloedverwanten, enz.)* compassionate leave; *(anders)* special leave; *(van café, ~ A, ongev.)* licence for the sale of beer; *(id., ~ B)* licence for the sale of non-alcoholic beverages; *~ om aan wal te gaan* shore l.; *~ zonder traktement* unsalaried l.; *onbepaald ~* indefinite (unlimited) l. (furlough); *~ aanvragen* apply for l. (furlough); *~ vragen om* ... ask permission (beg l.) to ...; *~ krijgen om* ... obtain permission to ...; *~ geven om* give (grant) permission to ...; *alle verloven intrekken* stop all (leave); *met ~* [be, go] on l. (of absence), *(mil. ook:)* on furlough; *ze was met ~ uitgegaan* she had gone out by permission; *met groot ~* on long furlough; *met klein ~* on short l.; *met 3 maanden ~ gaan (3 maanden ~ krijgen)* go on (get) a three months' l. (furlough); *met ~ zijn* be on l. (of absence), be absent on l.; *met uw ~* by your l., excuse (allow) me; *van ~ terugkomen* return from l.; *zonder ~* without permission, [absence] without leave; *zonder ~ van* ... without the permission of the police; **~aanvrage** *zie* ben.; *~*

dag day off, off-day; **~ganger** person (official) on l.; **~jaar** (*univ.*) sabbatical (year); **~pas** l.-pass; **~(s)aanvrage** application for l. (of absence); **~sofficier** reserve officer; **~(s)traktement** l. allowance (*of:* pay); **~tijd** (time of) l., furlough

verlokkelijk(heid) *zie* verleidelijk(heid)

verlokken tempt, entice, allure, seduce; *zie* verleiden; **-ing** temptation, allurement, enticement

verlonen spend in wages

verloochenaar(ster) denier

verloochenen deny [God, one's faith, leader, signature], disavow, renounce, repudiate, disown [one's son], belie [one's nature, faith]; **zich ~**, *a*) belie one's nature; *b*) deny o.s., practise self-denial; *zigeunerbloed verloochent zich niet* gipsy blood will show, will out; *de natuur verloochent zich niet* what is bred in the bone will not come out of (will come out in) the flesh [his real nature always comes out]; **-ing** denial, disavowal, renunciation, repudiation

verloofd: *~ zijn* be engaged [*met* to]

verloofde fiancé(e), betrothed, affianced; *de ~n* the engaged couple

verloop (*van tijd*) course, lapse, expiration; (*van ziekte, enz.*) course, progress; conduct [of the work]; (*achteruitgang*) falling off [of a man's business]; (*wisseling*) turnover [in personnel]; (*van curve*) path; (*typ.*) overrun; *de ziekte heeft haar gewone (normale, een bevredigend) ~* the illness is running (taking) its ordinary (normal, a satisfactory) c.; *hij deelde mij 't hele ~ van de zaak mede* he told me how it had all come about; *'t ~ van de zaak afwachten* await developments (events); *de zaken hadden een stil ~* business was quiet; *een noodlottig ~ hebben* end fatally; *zie ook* verlopen; **na ~ van 3 dagen** after (a lapse of) three days; *na ~ van tijd* in c. (in process) of time, as time went by [he ...]; **~stuk** (*techn.*) adaptor

verloor *o.v.t. van* verliezen

verlopen I *ww.* (*van tijd*) pass (away), elapse, go (*of:* slip) by; (*van pas, enz.*) expire; *zie* aflopen; (*van zaak*) go down(hill), go to the dogs, run to seed; (*van biljartbal*) pocket itself; (*typ.*) overrun; *alles ('t diner, de avond) verliep rustig (naar genoegen)* everything (the dinner, the evening) passed off quietly (satisfactorily); *vlot ~* progress smoothly; *hoe is de vergadering ~?* how did the meeting go off?; *hoe verloopt de zaak?* how are things proceeding?; *daar kunnen nog jaren over ~* it may be years first; *'t huishouden verliep* the household went to the dogs; *de menigte verl.* the crowd dispersed; *de werkstaking ('t debat) verl.* the strike (the debate) fizzled (petered) out; *... verl. snel* the religious movement spent itself quickly; *mijn bal verl., ook:* I holed (pocketed) my own ball, I played a losing hazard; *ik verl. op de rode bal* my ball went in off the red; *zie ook* verloop; II *bn.* (*van pers.*) seedy (-looking), raffish, (*fam.*) down-and-out; *'n ~*

praktijk a run-down practice; *zie ook* vervallen & vervlogen

verloren lost; *de zaak is ~* the game is up; *een ~ zaak* a lost cause; *een ~ zaak steunen* put one's money on a losing horse; *voor een ~ zaak strijden* fight a losing battle, play a losing game; *~ dag* [it was a] wasted day; *~ hoekje* [in some] odd corner; *een ~ leven* a misspent life; *~ moeite* labour l.; *~ ogenblikken* spare (*of:* odd) moments; *de ~ zoon* the prodigal son; *~ gaan* be (get) lost; *geen tijd ~ laten gaan* lose (waste) no time; *hij liet geen tijd ~ gaan, maar schreef de brief direct* he lost no time in writing the letter; *... is voor ons ~ geg.* the rest of the work has been l. to us; *~ gaan in de mist der tijden* be l. in the mists of time; *~ gaan in de menigte* get l. in the crowd, lose oneself in the crowd; *er gaat niets ~* nothing is wasted (goes to waste); *dit onderscheid is ~ gegaan* has gone by the board; *de woorden gingen ~ in ...* trailed (tailed off) into a yawn; *hij is (een) ~ (man)* he is l., (*fam.*) done (for), finished, it is all up with him; *er is niets (niet veel) aan (aan hem) ~* it (he) is no (no great) loss; *zelfs dan is er nog niets ~* even then there is no harm done; *hij dacht, dat hij ~ was* he gave himself up for l.; *'t schip werd als ~ beschouwd* was given up for l.; *ik geef 't ~* I give it up; *~ raken* get l., go astray, miscarry; *zie* verliezen

verloskamer delivery-room

verloskunde obstetrics, midwifery

verloskundig obstetric, (*zeld.*) obstetrical; **~e** obstetric surgeon, accoucheur, obstetrician; (*vrouw.*) midwife, accoucheuse

verlossen deliver, release, rescue, set free, liberate; (*vooral van Christus*) redeem; (*bij bevalling*) deliver [a woman]; *iem. uit zijn gevaarlijke positie ~* extricate a p. from his dangerous position; *ik zal je van hen ~* I'll take them off your hands; *hij sprak het ~de woord* he saved the situation by saying ... (by what he said); *zie* lijden

verlosser deliverer, liberator; *de V~* the Redeemer

verlossing deliverance, rescue, redemption; (*bevalling*) delivery, accouchement; *vgl. 't ww.;* **~swerk** (work of) redemption, salvation

verlostang forceps

verloten raffle (for), put up in a raffle; spend [money] in raffling

verloting raffle, lottery, [Christmas] draw

verloven affiance, betroth; *zich ~* become engaged [*met* to]; *zie* verloofd

verloving engagement, betrothal; **~sfeest, -kaart, -ring** e.-party, -card, -ring

verluchten 1 air, ventilate; *zich ~* take an airing, get a breath of (fresh) air; 2 illuminate [a manuscript]; illustrate [a book]; **-er** illuminator; **-ing** 1 (*opluchting*) relief; 2 illumination

verluiden: *naar verluidt* it is rumoured that ...; *de opmerking die hij, naar verluidt, heeft gemaakt* the remark he is reported to have made; *al wat men hoort ~* [one should not believe] everything one hears; *laat niets ervan* ~ don't breathe a word about it

verluieren idle (*fam.:* laze) away [one's time]

verlummelen lounge [one's time] away

verlustigen divert, amuse; *zich ~ in* (take) delight in [reading, etc.], revel in [a laugh, mischief], wallow in [sensual pleasures]; *zich ~ in de aanblik van* feast one's eyes upon; **-ing** recreation, diversion

vermaagschappen: *zich ~ aan* become related to, marry into the family of; *vermaagschapt* related [*aan* to]

vermaak amusement, pleasure, sport; (*vermakelijkh.*) amusement, diversion, entertainment; *~ scheppen in* take (a) pleasure in, find pleasure in, take delight in; *~ geven* amuse; *tot ~ van* to the amusement of; **~scentrum** a. centre

vermaan admonition, exhortation, warning; **~brief** (*van bisschop*) charge

vermaard famous, celebrated, renowned, far-famed; **~heid** fame, celebrity, renown; *een ~* a celebrity

vermageren *tr.* make lean, emaciate, waste; *intr.* lose flesh, become (grow) thin; (*als kuur*) reduce, slim; *ik moet ~* I must get my weight down; *zijn (sterk) vermagerd lichaam* his emaciated (wasted) frame

vermagering emaciation; (*opzettelijk*) fat (*of:* weight) reduction, slimming; **~dieet** reducing-diet; **~skuur** (weight) reducing-cure, slimming-course; *'n ~ doen, zie* vermageren; **~smiddel** (flesh-, fat-)reducer; **~soefening** reducing (slimming) exercise

vermakelijk amusing, entertaining, diverting; **~heid** ...ness; *een ~* an amusement, a diversion, an entertainment; *publieke ~* public amusement; **~heidsbelasting** entertainment tax

vermaken 1 amuse, divert; *zich ~* enjoy (amuse) o.s., disport o.s. [on the ice], make merry [*over* over]; *zich buitengewoon ~* have the time of one's life; *zich ~ ten koste van* amuse o.s. at the expense of; 2 (*veranderen*) alter, remodel [clothes, etc.], mend [a pen]; *een jas voor J. ~* alter a coat to fit J.; 3 (*bij testament*) bequeath [personalty *roerend goed*], will (away) [property; he willed her £2000; ... one's body for dissection], devise [realty *onroerend goed*], dispose of by will

vermaking (*van geld, enz.*) bequest

vermaledijen curse; *vermaledijd* cursed, damned, darned; **vermalen** grind, crush, crunch; pulverize [coal]

vermanen admonish, exhort, warn; *iem. vaderlijk ~* talk to a p. like a Dutch uncle; **~d** admonitory, exhortatory, exhortative; **-er** admonisher, exhorter; **-ing** admonition, exhortation, expostulation, warning; (*van kwaal*) touch; *een ~ geven, zie* vermanen

vermannen: *zich ~* brace (nerve, rouse) o.s., pull o.s. together, take one's courage in both hands, summon up (screw up) one's courage, take heart

vermeend putative [his ... father], reputed [id.]; fancied [rights, grievances], pretended, supposed

vermeerderen 1 *tr.* increase, augment, add to [a number, the difficulties], enlarge; *met 5 % ~ i.* by 5 per cent.; *zich ~* increase, (*zich vermenigvuldigen*) multiply [rabbits ... rapidly]; *vermeerderde uitgave* enlarged edition; II *intr.* increase [*met* by]; **-ing** increase [*vergeleken met* ... on last year], augmentation, addition, accession [to the ranks of the unemployed]; *~ van 't gezin* [he had an] addition to the family; **~sbedrijf** multiplication farm

vermeesteren capture [a town], seize (upon,) possess o.s. of, master; **-ing** capture, seizure, conquest

vermeien: *zich ~* amuse o.s., enjoy o.s., disport o.s. [on the ice, etc.]; *zich ~ in* revel in; *zie* verlustigen

vermelden mention, make mention of, report [many accidents are ...ed], state [reasons, particulars], set forth (out), record, put (place) on record, enter, list; *in ... vermeld* recorded (on record) in history; *opnieuw ~* restate; *zie* dagorder; **~swaard** worth mentioning, worthy of mention

vermelding mention; (*in gids*) [directory] entry; (*in lijst*) listing; *eervolle ~* honourable m. [at an exhibition], 'highly commended'; *een eervolle ~ krijgen*, (*mil.*) be mentioned in dispatches

vermenen be of opinion, opine

vermengbaar mixable

vermengen mix, mingle; blend [tea, coffee]; alloy [metals]; *zich ~* mix; mingle [with the crowd]; *olie en water laten zich niet ~* do not mix (together); **-ing** mixing, mixture, blending; (*mengsel*) mixture, blend

vermenigvuldig: **~baar** multipli(c)able; **~en** multiply [*met* by]; (*met stencil e.d.*) duplicate; *zich ~* multiply; *kun je ~?* can you do multiplication?; **-er** multiplier; **-ing** multiplication; *zie* tafel; **~som** multiplication sum; [do a] sum in multiplication; **~tal** multiplicand

vermenselijken humanize

vermetel audacious, daring, reckless, foolhardy [person, plan]; *~e daden, ook:* deeds of derring-do; **~heid** audacity, daring, recklessness, temerity

vermeten: *zich ~* presume, dare, make bold, have the face (*fam.:* the cheek) [to ...]; (*verkeerd meten*) measure wrong (incorrectly)

vermicelli id.; **~soep** v.-soup

vermijdbaar avoidable

vermijden avoid [a p., place, company, etc.], (*sterker*) shun; (*ontwijken*) evade [a blow, a direct answer], steer clear of [a rock, subject], fight shy of [a p.], keep away from [this quarter of the town]; (*onkosten ook*) save [expenses]; *niet als ik 't ~ kan, ook:* not if I can help it; **-ing** avoidance, evasion

vermikje (*fam.*) gadget

vermiljoen vermilion, cinnabar; **~en** *ww.* vermilion; **~rood** vermilion, cinnabar

verminderen I *tr.* lessen, decrease, diminish, cut down [expenses, one's tobacco], reduce [the price, speed, taxation], debase [the coinage], slacken [speed], slow down [production], ease [the tension]; *de prijs met 10 % ~* reduce the price by 10 per cent.; *de prijzen ~, ook:* mark down prices; *'t kapitaal (van maatschappij) ~ met ..., ook:* write down the capital by ...; *tegen verminderde prijzen* at reduced prices; *dat vermindert zijn verdienste niet* that does not detract from his merit; *zich (zijn uitgaven, staat) ~* retrench (one's expenses), reduce one's style of living; *zie* vaart; II *intr.* lessen, decrease, diminish, fall off [his health, the demand, is falling off], abate [the wind, the pain, ...s], decline [his strength is declining]; *mijn gezicht vermindert* my eyesight is failing; *de waarde van goud is verminderd* gold has depreciated; *verminderd, (muz.)* diminished [interval]; *sterk ~d* dwindling [profits]

vermindering diminution, decrease, reduction, slackening, falling-off [in the takings *ontvangsten*], abatement, decline; easing (lessening) [of tension]; [income tax] cut; *vgl. 't ww.; de uitvoer toont een ~ van ... pond* exports show a falling-off of ... pounds; *de ~ van de vraag* the reduction in demand

verminken mutilate [*ook:* a telegram], maim, mangle, cripple; (*fig. ook*) garble [a report, story, facts], butcher [history to make a good film], tamper with [a text]

verminking mutilation (*ook fig.*)

verminkte cripple(d person), maimed person

vermissen miss; *zie* vermist; **-ing** loss

vermist missing; *~ worden* be m.; *~ raken* miscarry, get lost; *(van pers.)* go m. [in the war]; *de ~e* the m. person (man, woman); *de ~en, (in oorlog bijv.)* the m.

vermits whereas, since

vermoedelijk presumable [it was presumably forgotten], supposed, probable, expected [arrival]; *de ~e vader* the putative father; *vgl.* waarschijnlijk & *zie* erfgenaam

vermoeden I *ww.* suspect, surmise; presume, suppose, conjecture; *hij kan niet ~ wat ik denk* he cannot have an idea of what I think; *hij zal niet komen, vermoed ik, ook:* I take it; *voordat je 't vermoedt* before you know where you are they ...; *geen kwaad ~d* unsuspecting(ly); II *zn.* surmise, presumption, supposition, conjecture; *(verdenking)* suspicion; *bang ~* misgiving, qualm; *'n sterk ~* [have] a shrewd suspicion [that ...]; *'t is slechts ~* it is only surmise; *vastgehouden op ~* detained on suspicion; *~ op iem. hebben* suspect a p.; *(kwade) ~s krijgen tegen iem.* become suspicious of a p.; *een ~ opperen* raise a surmise; *zie* flauw

vermoeid tired, fatigued (*ook techn.*), weary; *(van reiziger, lit. ook)* way-worn; *~ van t.* etc. with; *zie* moe 2; **-heid** tiredness; weariness, fatigue; *(matheid)* lassitude; *(van materiaal)* fatigue

vermoeien tire, weary, fatigue; *zulk werk vermoeit de ogen, ook:* tries the eyes; *zich ~ t.*

(fatigue) o.s.; *~d* tiring, fatiguing; **-ing** (*techn.*) fatigue [of metals, etc.]

vermoeienis *zie* vermoeidheid; *~sen* fatigues [of the day]

vermogen I *ww.: ~ te* be able to, have the power to, be in a position to; *hij vermag veel* he can do much, has great influence [*bij* with]; *de kunst vermag hier niets* art is powerless (can do nothing) here; *niets ~ tegen* be powerless against; *'t geschut vermocht niets tegen de vesting* the guns proved ineffectual against the fortress; II *zn.* (*fortuin*) fortune, wealth, riches; (*macht*) power; (*geschikth.*) ability; (*mech.*) power, capacity; *nuttig ~* useful effect; *scheidend ~* resolution [of a lens]; *verstandelijke ~s* intellectual faculties; *hij is aansprakelijk met zijn hele ~* he is liable with all his property; *man van ~* man of property (of means, of substance); *zijn ~s zijn nog goed* his (intellectual) faculties are still sound; *zover in mijn ~ ligt* as far as lies in my power (as in me lies); *naar mijn beste ~* to the best of my ability; *naar ~* according to ability (capacity); *~d* wealthy, rich, [man] of substance, substantial [farmer, tradesman]; (*invloedrijk*) influential; **~saanwas(belasting)** capital gains (tax); **~saanwasdeling** capital growth sharing; **~sbelasting** property-, capital-tax; **~sdelict** crime against property; **~sheffing** capital levy

vermolmd mouldered

vermolmen moulder (away)

vermomd disguised, made up [as an old man]; *zie* vermommen & verkapt

vermommen disguise, camouflage; *zich ~* disguise o.s., dress (o.s.) up

vermomming disguise, make-up, camouflage; (*dierk.*) mimesis, mimicry

vermoorden murder, kill, do to death; *de vermoorde* the murdered person (man, woman); *hij vermoordt zichzelf, (door teveel inspanning)* he is killing himself; *zie* onnozelheid; **-er** murderer; **-ing** murder

vermorsen waste [bread, money, time], squander, trifle (fritter) away [money], idle (trifle) away [one's time]; *zie* inkt

vermorzelen crush, smash (up), (s)crunch, pulverize (*ook fig.*: an army, arguments, a theory); *iem. ~, (fig.: afmaken)* pulverize a p., wipe (*of:* mop) the floor with a p.; **-ing ...** ing, pulverization; *– des harten, (r.-k.)* contrition

vermout vermouth

vermuffen (*ook fig.*) get musty (*of:* fusty)

vermunten convert [gold, etc.] into coin; (*ommunten*) recoin

vermurwen soften, mollify; *zich laten ~* relent; *zich niet laten ~, ook:* remain adamant; *niet te ~* inexorable, relentless; *zie* onvermurwbaar

vernachelen (*fam.*) fool, spoof

vernachten stay (*of:* pass) the night

vernagelen spike [a gun], prick [a horse], nail up [a door]; **-ing** spiking, etc.

vernagelpin, -spijker spiking-nail

vernauwen (*ook: zich ~*) narrow

vernauwing narrowing; (*med.*) stricture
vernederen humble, humiliate, abase, mortify; *iems. trots* ~ bring down a p.'s pride; *zich* ~ humble, etc. o.s.; *zie* verlagen; *zich* ~ *voor God* humble o.s. before God; *zie* stof; ~**d** humiliating [treatment], degrading [punishment]; -**ing** humiliation, abasement, mortification; *zie* ondergaan
vernederlandsen *zie* verhollandsen
verneembaar perceptible, audible
vernemen learn, hear, be told, understand; *naar we* ~ (*naar men verneemt*), *is hij* ... we l. etc. (it is learned, understood) that he ...; ~ *naar* inquire after (*of:* about)
verneuken, verneuriën (*plat*) fool, spoof; **verneukerij** [it's a] con[-game]
verniel: ~**achtig** *zie* ~ziek; ~**al** destroyer, vandal, smasher; ~**en** destroy, wreck [a train], cripple, smash (up); (*mil.*) demolish; *zie* vernietigen; –**d** destructive; ~**er** destroyer, smasher; ~**ing** destruction; (*mil.*) demolition; *vreselijke* –*en aanrichten* cause terrible havoc; *in de* –, (*sl.*) wrecked; ~**ingswerk** work of destruction; ~**ster** *zie* ~er; ~**ziek** fond of destroying, destructive; ~**zucht** spirit of (love of, passion for) destruction, destructiveness, vandalism
vernietigbaar destructible
vernietigen (*vernielen*) destroy, annihilate, wreck, smash (up); (*te niet doen*) nullify, annul, make (declare) null and void, set aside [a decree, judgment], quash [a verdict], reverse [a decision], dash, wreck [a p.'s hopes]; *gehele regimenten werden vernietigd* whole regiments were wiped out (annihilated); *iem. met een blik* ~ wither a p. with a look; *'t vliegtuig was totaal vernietigd* was a complete wreck; ~**d** destructive [fire, etc.], annihilating (crushing) [reply, look], slashing (devastating) [criticism, attack], damning [facts, evidence], smashing [victory], scathing, withering [look, contempt]
vernietiging destruction, annihilation, smash-up, wreck; (*nietigverklaring*) nullification, annulment, quashing; *vgl. 't ww.*
vernieuwbaar renewable
vernieuwbouw renovation
vernieuwen renew [...ed strength, efforts], revive [a pledge], renovate; *het dak van een huis* ~ re-roof a house
vernieuwer renewer, renovator
vernieuwing renewal, renovation; innovation
vernikkelen nickel, plate with nickel, nickel-plate; (*van kou, fam.*) perish (with cold); *iem.* ~, *zie* verlakken; *vernikkeld* nickel-plated, -coated; -**ing** nickel-plating
vernis varnish, (*fig. ook*) veneer [of civilization], top-dressing [of gentility]; ~**je** *zie* ~; ~**sage** id., v.ing day; preview; ~**sen** varnish, (*fig. ook*) veneer; ~**ser** varnisher
vernoemen name [a child after a p.]
vernuft genius, ingenuity; (*geestigh.*) wit; *fraai* ~ wit, bel esprit; *vals* ~ false wit; *dat gaat 't menselijk* ~ *te boven* that is beyond human contrivance

vernuftig ingenious; (*geestig*) witty; ~**heid** ingenuity, wittiness; *zie* vindingrijk(heid)
vernummeren renumber
Verona id.; (*inwoner*(*s*)) *van* ~ Veronese
veronaangenamen make unpleasant
veronachtzamen neglect [a p., one's duty], disregard [other people's comforts]; (*opzettelijk*) slight, put a slight on [a p.]
veronachtzaming neglect, negligence, disregard, slight(ing); *met* ~ *van* in disregard of [treaty obligations], to the n. of
veronderstellen suppose, assume, presume; (*fam.*) expect [I ... it's yours]; *ik veronderstel van ja* I s. so, I s. he has (it is, etc.); *men kan niet* ~, *dat* ... it cannot be supposed that ...; *ieder wordt verondersteld de wet te kennen* every man is assumed (presumed) to know the law; *veronderstel dat* ... suppose, supposing (that) ...; *naar verondersteld wordt* supposedly [written by you]; *verondersteld geval* hypothetical case
veronderstelling supposition; *in de* ~ *dat* ... in the s. that ..., supposing (presuming) that ..., under the idea that ..., [act] on the s. (the assumption) that ...; *van de* ~ *uitgaan dat* ... start from (speak on, argue on) the assumption that ...
Veronees, -ezen *bn. & zn.* Veronese
verongelijken wrong, injure [a p.], do [a p.] wrong; *zeer verongelijkt* [a] much wronged [man]; *een verongelijkt gezicht* an aggrieved expression; -**ing** wrong, injury, injustice
verongelukken (*omkomen*) perish, (*schip, vliegt.*) be wrecked, be lost; (*schip, ook:*) founder; (*vliegt., ook:*) crash; (*een ongeluk krijgen*) meet with an accident, come to grief [he, the train, came to grief]; come a cropper [over a hard word in a book]; (*mislukken*) miscarry, fail; *doen* ~ wreck [a train; bad cooking may ... a marriage]; *verongelukt* wrecked [vessel, motor-car], lost [steamer, traveller]; *onder de verongelukten* [the captain is] among the lost; -**ing** wreck, loss, foundering, crash (*vgl. 't ww.*); (*mislukking*) miscarriage, failure
Veronica id.; *v*~, (*plant*) speedwell
verontheiligen profane [a name], desecrate [a place]; -**ing** profanation; desecration
verontreinigen pollute [a river, temple], defile [a p.'s mind], soil, dirty; *verontreinigd*(*e*) *lucht* (*water*) polluted air (water); -**ing** pollution, defilement; – *van het rivierwater* river pollution
verontrusten alarm, disquiet, disturb, perturb; *zich* ~ be alarmed [*over* at]; ~**d** alarming, disquieting, disturbing [symptoms, thought]
verontrusting alarm, disturbance, perturbation
verontschuldigen excuse [a p.]; *zich* ~ apologize [to a p. for s.t.], excuse o.s. [on the ground that ...]; *de Heer N. laat zich* ~ Mr. N. begs to be excused; *'t is niet te* ~ it is inexcusable, there is no excuse (for it), it admits of no excuse; ~**d** [speak in an] apologetic [tone]; -**ing** excuse; apology; *zijn* –*en aanbieden* offer one's

apologies; *als – aanvoeren* plead [a headache] (in extenuation); *glimlachen bij wijze van –* smile apologetically

verontwaardigd indignant [*over* ... at s.t., with a p.]; *ten zeerste ~* outraged, scandalized [*over* at]

verontwaardigen make indignant, fill with indignation, rouse a p.'s indignation; *zich ~* be indignant [*over* ... at s.t., with a p.]

verontwaardiging indignation; *geroep van ~* [general] outcry, cry (cries) of i.

veroordeelde condemned person (man, woman), convict; *zie* cel; **veroordelaar** condemner

veroordelen (*algem.*) condemn; (*jur.*) pass sentence on, sentence, condemn; (*vooral in civiele zaken*) give judgment against; (*schuldig bevinden*) convict; (*afkeuren*) condemn; *openlijk* (*heftig*) *~* denounce [a p., practices, etc.]; *hij* (*dat stelsel*) *veroordeelt zichzelf* he (that system) stands self-condemned; *hij was reeds 2 maal vroeger veroordeeld* (*wegens diefstal*) he had (there were) two previous convictions (for theft) against him; *ter dood ~* sentence to death; *hij is ter dood veroordeeld, ook:* he is under sentence of death; *tot drie maanden gevangenisstraf ~* sentence to three months' imprisonment [*ook:* he received a three months' sentence]; *zie* kosten & zwaard; *~d* condemnatory, denunciatory [language]; *-ing* condemnation; (*ook: afkeuring*), denunciation; (*jur.*) conviction; *vgl. 't ww.*

veroorloofd (*niet verboden*) allowed, permitted; (*toelaatbaar*) admissible, allowable, permissible

veroorloven allow, permit, give leave; *de omstandigheden ~ niet, dat hij* ... circumstances do not permit of his entering the university; *zich ~ te* ... take the liberty to ..., make bold (make free) to ...; *zich van alles ~* take all sorts of liberties; *dat kan ik me niet ~* I cannot afford it; *zie* permitteren; *-ing* leave, permission

veroorzaken cause, occasion, bring about, bring on [a haemorrhage brought on by excitement], produce [effect], raise [difficulties]; *zie* berokkenen, last, enz.; *-er* originator, author; *-ing* causation, bringing about

veroostersen orientalize

verootmoedigen humble, humiliate, chasten; **verootmoediging** humiliation; *dag van ~* day of h. (and prayer)

verorberen dispatch, polish off, consume, put away, demolish; *in minder dan geen tijd ~, ook:* make short work of

verordenen order, ordain, enact, decree; *de wet verordent dat* ... the law provides that ...

verordening regulation(s), ordinance, rules; (*van gemeente, spoorwegmaatschappij, enz.*) by(e)-law; *volgens ~* by order

verordineren ordain, order, prescribe

verouderd obsolete [word, battleship], out of date [out-of-date machinery], antiquated, archaic; outworn [dogmas]; moth-eaten [sys-

tem]; *~e kwaal* inveterate complaint; *~ idee* exploded idea (*of:* notion); *hij is geheel ~* he is worn with age, his years have told upon him; *'t zeilschip is ~, ook:* is a back-number; *zie* verouderen

verouderen I *intr.* (*van pers.*) grow (get, become) old, age; (*van woorden, enz.*) become obsolete; (*van landkaart, boek, radiotoestel, enz.*) get out of date; *die film is verouderd* that film dates; *hij veroudert hard* he is ag(e)ing fast; II *tr.* age [such a life ... s a man]; *zie* verouderd; *~d* (*van pers.*) ag(e)ing; (*van woord, enz.*) obsolescent; *nooit –* ageless, never growing old; *-ing* (*techn. & van pers.*) ag(e)ing; (*van woord, enz.*) obsolescence

verouwelijken *zie* verouderen (*van pers.*)

veroveraar conqueror

veroveren conquer, capture [*op* from], take; *land op de zee ~* recover (reclaim) land from the sea; *een blijvende plaats ~,* (*van woorden, instellingen, kledingstuk, enz.*) come to stay; *zie* hart

verovering conquest; inroad [of the sea]; *~skrijg, ~soorlog* war of c.; *~szucht* greed for c.

verpachten lease, let (out) on lease; (*van monopolie, belasting, enz.*) farm (out); *-er* lessor; *-ing* leasing; farming (out); *vgl. 't ww.*

verpakken pack, put (*of:* do) up, wrap up [in brown paper], package; (*anders pakken*) repack; *-er* packer

verpakking packing; *~skosten* p.-charges

verpanden pawn [a watch, etc.], pledge [one's word, honour, life], mortgage [one's house], hypothecate [goods]; *zijn hart ~ aan* give one's heart to; *zich aan de duivel ~* sell one's soul to the devil; *-er* pawner; pledger; mortgagor; hypothecator; *-ing* pawning; pledging; mortgaging; hypothecation; *vgl. 't ww.; -ingsakte* letter of lien

verpatsen (*volkst.*) flog

verpauperen pauperize

verpersoonlijken personify; *de -te hebzucht* greed incarnate

verpersoonlijking personification

verpesten infect, poison [the air]; (*fig.*) infect, contaminate, taint [a p.'s mind]; *iem. 't leven ~* lead a p. a dog's life, pester a p. (to death); *zie* bederven; *~d* pestiferous, pestilential [air, exhalations, smell, etc.]; (*fig. ook*) pestilent [influence]; *-ing* infection, contamination, poisoning; *vgl. 't ww.*

verpierewaaid dissipated

verpieterd (*door braden*) frizzled up; (*van pers.*) *zie* miezerig

verplaatsbaar (re)movable, transportable; portable [crane, radio]; *~heid* ...ness, (re-)movability, portability

verplaatsen move [troops, chess-men, the table, the house was bodily ... d], shift [one's weight from one foot to the other, the accent], displace [a quantity of water], transpose [letters, words], remove, transfer [a business], transfer [officials], translate [a bishop], give a new place to; **zich ~** move, shift [the sand-bank had ...ed]; *zich in gedachten ~ naar* transport o.s. mentally to [another country], carry o.s. (one's mind) back [to the past]; *verplaatst u in mijn toestand* place (imagine) yourself in my position; **-ing** movement [dune ...s], move, removal, shift(ing); displacement; transposition; transfer; translation; *vgl. 't ww.*

verplantbaar transplantable

verplanten transplant, plant out

verplanting transplantation, planting out

verpleegdag [£30 per] day of hospitalization

verpleegde patient; *in inrichting ~* in-patient; inmate [of an asylum]

verpleeghuis, -inrichting nursing-home

verpleegkunde nursing

verpleegster nurse, trained nurse; *het beroep van ~* the nursing profession; **~shuis** nurses' home (*of:* quarters); **~skostuum** nurse's dress; **~suniform** nursing uniform

verplegen nurse, tend

verpleger (male) nurse; (*in hospitaal*) (hospital-) attendant; (*mil. ook*) orderly

verpleging nursing; (*onderhoud*) maintenance; (*mil.*) supply; **~sartikelen** n.-requisites; **~s-colonne** (*mil.*) supply column; **~sdienst** (*mil.*) supply service; **~sinrichting** n.-home; **~skosten** *a*) n.-fees; *b*) charge for board and lodging; **~sofficier** supply officer; **~strein** (*mil.*) supply train

verpletten: *we stonden verplet* we were struck dumb, (*fam.*) struck all of a heap

verpletteren crush, smash (up), shatter, dash to pieces; *'t vliegtuig werd verpl.* (was) smashed, crashed; *~d bewijs* damning proof; *~de meerderheid* overwhelming (sweeping) majority; *~de nederlaag* crushing defeat, rout [*van de Arbeiderspartij* Labour rout]; *~de slag* (*tijding*) crushing blow (news); **-ing** crushing, etc.

verplicht (*verschuldigd*) due [*aan* to]; (*gebonden*) obliged, in duty bound, under an [*zedelijk ~* under a moral] obligation [to ...]; (*tegenov. facultatief*) compulsory [attendance at school *schoolbezoek*], obligatory [subjects *vakken*]; *~ stellen* make obligatory; *~e afschrijving* statutory writing-off; *~e arbeidsdienst* conscription of labour; *~e heiligedag*, (*r.-k.*) holiday of obligation; *~ voor allen* obligatory (compulsory) on (for) all; *ik ben u zeer ~* I am much obliged to you; *wel ~!* much obliged!; *ik ben hem veel ~* I am under great obligations to him, I owe him much, I am greatly indebted to him; *dat zijn we aan hem ~* we owe it to him; *wij zijn het aan onszelf ~* we owe it to ourselves; *~ tot geheimhouding* bound over to secrecy; *~ zijn te ...* be obliged to ..., have to ...; *ik ben niet ~ te ...*, *ook:* I am under no obligation (am not bound) to ...; *zie* verplichten

verplichten (*noodzaken*) oblige, force, compel; (*door 'n dienst*) oblige [a p.]; *de wet verplicht de rechter ...* makes it mandatory upon (for) the judge [to impose a fine]; *daarmee hebt ge mij (zeer) aan u verpl.* you have put (placed)

me under an obligation, have (greatly) obliged me by this; *hij heeft de wereld (ons allen) aan zich verpl. door ...* he has laid the world (us all) under a debt (placed ... in his debt) by ...; *..., dan zou je me ~* [if you could make a little less noise] I'd take it as a favour; *'t verpl. u tot niets* it commits you to nothing; *zich ~ te* bind (pledge) o.s. to; *zie* verplicht; **~d** (*gedienstig*) obliging; (*tegenov. facultatief, beter: verplicht*) *zie ald.*

verplichting obligation; (*verbintenis ook*) commitment [the government's ...s to Ireland], engagement, undertaking; *maatschappelijke ~en* social duties; *een ~ aangaan* (*op zich nemen*) enter into an o. (engagement); *de ~ aangaan om te ...* undertake to ...; *zijn ~en nakomen* meet one's obligations (engagements) (*geldelijk ook:* liabilities); *zijn ~en nakomen tegenover iem.* keep faith with a p.; *een ~ opleggen* zie verplichten & opleggen; *ik heb grote ~ aan u* I am under great obligations to you; *krijgt ge daardoor nog meer ~en tegenover hem?* does it put you under further obligations to him?; *zonder enige ~ van uw kant* without any o. on your part; *zie* rusten

verplooien fold differently; (*fig.*) put a different face (complexion) on [the matter]

verpolitieken politicize; **verpolitiekt** politics-ridden [public services]

verponding (*hist.*) ground-tax

verpoppen: *zich ~* pupate; **-ing** pupation

verpoten, -ing *zie* verplanten, -ing

verpotten repot, pot out

verpozen: *zich ~* rest, take a rest, relax, unbend; **verpozing** rest, breather

verpraten waste [one's time] talking, talk away [one's time]; *zich ~* let one's tongue run away with one; (*iets verklappen*) let the cat out of the bag; (*door praten in moeilijkh. komen*) commit o.s., put one's foot in(to) it; *zie* verspreken

verprutsen *zie* verklungelen & verknoeien

verpulveren grind to powder

verraad treachery, treason, betrayal, (*fam.*) sell-out [of liberal principles]; *~ plegen* commit treason, be guilty of treachery, turn traitor; (*jegens zijn land, partij, enz.*) *ook:* sell the pass; *~ plegen jegens* betray; *~ jegens* betrayal of [the country]; **~ster** [a] traitress, [his] betrayer

verraden betray, (*fam.*) give away [a p., secret], go back on [a p.]; (*fig.*) betray, show, bespeak; *haar gezicht verried haar* her face betrayed her (gave her away); *'t verraadt gebrek aan beschaving* it betrays (bespeaks, shows) ill-breeding; *de snit van ... verried de ...* the cut of his clothes bespoke the commercial traveller; *zich ~* betray o.s., give o.s. away; *zie* boel, verklappen, verkopen

verrader [a] traitor, [his] betrayer; (*verklikker, sl.*) squealer, squeaker; (*toneelschurk*) (stage) villain; **~es** *zie* verraadster; **~ij** treachery, treason

verraderlijk treacherous, perfidious, traitorous;

underhand [blow]; '*n* ~ (*d.w.z. iets verradend*) *blosje* a telltale blush; ~*e ziekte* insidious disease; *een* ~*e slag toebrengen*, (*fig.*) hit below the belt; ~**heid** treacherousness, perfidy

verrassen surprise, take by surprise, take unawares, take (catch) [a p.] off his guard, spring a surprise on [a p.]; *door een regenbui verrast worden* be caught in a shower; '*t gezelschap met 't nieuws* ('*t voorstel, enz.*) ~ spring the news (the proposal, etc.) on the company; *onaangenaam verrast* (*verrast en teleurgesteld*) *zijn* be taken aback; ~**d** surprising, startling [news]; '*t* ~*de is* ... the surprising thing is ...

verrassing surprise; *de* ~ *van Breda* the s. of B.; *iem. 'n* ~ *bereiden* have a s. in store for a p.; *met 'n* ~ *aankomen* spring a s. (on a p.); ... *kwam enigszins als 'n* ~ the decision came as a mild s.; *bij* ~ *nemen* take by s.

verre *zie* ver; ~**gaand** extreme, excessive, gross [ignorance; ... ly selfish], outrageous [scandal; ... ly unjust], rank [impertinence]; *dat is* – it's outrageous, that's the limit; *zie* vergevorderd

verregenen be spoiled by (the) rain; *verregende bloemen* bedraggled flowers

vèrreikend *zie* vèrstrekkend

verreisd tired with travelling, travel-worn, -stained; **verreizen** spend in travelling

verrekenen settle; (*door 't clearing-house, in Eng.*) clear [cheques]; *zich* ~ miscalculate, make a mistake in one's calculation; *hij had zich enige uren verrekend* he was some hours out in his calculation

verrekening *a*) settlement; clearance; *b*) miscalculation; *vgl. 't ww.*

verreken: ~**bedrag** (*post*) trade-charge; ~**kantoor** clearing-house; ~**pakket** cash on delivery (C.O.D.) parcel, value payable parcel

verrekijker telescope, (spy-)glass; *zie* kijker & veldkijker

verrekken sprain, wrench, dislocate [one's arm], strain, pull [a muscle], wrick, (c)rick [one's back, neck], put [one's hip] out of joint; *zich* ~ strain o.s.; ... *mag* ~*!* (*volkst.*) ... be damned!; *verrek!* (*plat*) blimey, I'm blowed; *verrek jij!* be damned to you!; *verrekt* damn(ed), blasted; -**ing** sprain(ing), strain(ing), dislocation, wrick, (c)rick; *vgl. 't ww.*

verrel quarter [of a pound, yard, etc.]

verreschrijver teleprinter, telex

verreweg by far, far (*of:* out) and away, much [the best speech, the largest room], easily [the best hotel, the most popular statesman]

verrichten do [a kind action], conduct [every kind of banking-business], perform [an operation], execute, carry out [one's task, repairs], get through [a good deal of work]; *zie* wonder; -**ing** (*volvoering*) performance, execution; (*handeling*) action, operation, transaction; (*functie*) function

verrijden shift; spend (waste) in riding (driving); *laten* ~ run (off) [a championship]

verrijken enrich (*ook fig.*: the mind, uranium, etc.); *zich* ~ enrich o.s.; *manier om zich snel te* ~ get-rich-quick method; -**ing** enrichment

verrijzen rise [the Risen Lord]; (*van gebouwen*) go (spring) up; (*van profeet, enz.*) arise; *uit de dood* ~ r. from the dead; *zie* paddestoel; ~**is** resurrection

verrijzing rising [from the dead]

verrimpelen wrinkle

verroeren stir, move, budge (*alle ook: zich* ~); *geen blaadje verroert zich* not a leaf stirs; *zie ook* vin & vinger

verroest rusty; (*wel*) ~*!* (*sl.*) the deuce! by gum!; *nog zo'n* ~*e* ..., (*sl.*) another blinking (blasted) schoolmaster!; *zie* verdraaid

verroesten rust, get (grow) rusty; *hij kan* ~*!* (*sl.*) he may go to blazes

verroken spend on tobacco (*of:* in smoking)

verrollen roll away

verronselen barter (*of:* bargain) away, swop; *zich* ~, *ongev.*: take the King's shilling

verrot rotten, putrefied, putrid; *door en door* ~ r. to the core; *inwendig* ~ r. at the core; *zie* verroest!; ~**heid** rottenness

verrotten rot, putrefy, decay; *doen* ~ rot (down)

verrotting putrefaction, rotting, decay; *tot* ~ *overgaan*, *zie* verrotten; ~**sproces** process of p.

verruilen exchange [*voor, tegen* for], barter, (*fam.*) swop; -**ing** exchange, barter

verruimen enlarge (*ook fig.*: the mind), expand [the chest], widen [one's horizon, the law], broaden [travel ... s the mind]; (*verlichten*) relieve, ease [the situation]; *iems. blik* ~ broaden (enlarge) a p.'s outlook; -**ing** enlargement, widening, broadening; relief; *vgl. 't ww.*

verrukkelijk delightful, enchanting, charming, ravishing, entrancing; (*vooral van voedsel, smaak, geur, ook van grap, enz.*) delicious; ~**heid** delightfulness, charm

verrukken delight, ravish, enchant, enrapture; *een verrukte glimlach, ook:* a rapturous smile; *ja, zei ze verrukt* she said rapturously; *verrukt zijn over* be charmed (with), be delighted (enchanted, enraptured) at (*of:* with), go into ecstasies over

verrukking delight, rapture, ecstasy, ravishment, transport; *in* ~ *brengen, zie* verrukken & vervoering; *verrukt zie* verrukken

verruwen *tr. & intr.* coarsen; -**ing** ... ing

1 vers (*gedicht*) poem; (*regel*) verse; (*couplet*) stanza, (*tweeregelig*) couplet; (*in bijb. & van kerkgezang*) verse; *dat is* ~ *twee* that's quite another story

2 vers fresh [vegetables, butter, fish, meat, fruit, air, eggs], new-laid [eggs], new [bread, milk,] green [ham], wet [fish]; ~ *van de boer* farm-fresh [eggs]; ~*e haring* f. (*of:* white) herring; ~ *vlees, ook:* f.-killed meat; ~*e wond* f. (*of:* green) wound; *zie* geheugen & kersvers

versaagd despondent, faint-hearted, pusillanimous; ~**heid** despondency, faint-heartedness, pusillanimity

versagen despond, falter, flinch, *niet* ~ keep one's end up

versbouw metrical construction, m. scheme;

leer der ~ metrics

verschaald flat, stale, vapid; **~heid** ...ness

verschacheren *zie* versjacheren

verschaffen procure [a p. s.t., s.t. for a p.], furnish, supply, provide [a p. with s.t.]; find [I found the capital], find in [he did not earn enough to find her in bread and butter]; get [he got me a ticket, an interview with H.], afford [a good view, an opportunity]; *zich* ~ provide (furnish, supply) o.s. with, procure; *zie* bezorgen; **-er** provider; **-ing** furnishing, procurement, provision [of money, amusement]

verschalen get (go, run) flat (stale, vapid), flatten

verschalken surprise [a worm]; overreach, outwit, outmanoeuvre, circumvent, foil [the enemy]; *de dood* ~ cheat death; *een vogel* ~ catch a bird; *een glaasje* ~ have a drop (a wet); *er nog eentje* ~ have another (glass); *zie* beetnemen; **-ing** deception, circumvention; *zie* beetnemerij

verschansen entrench [a camp, etc.]; *zich* ~, (*ook fig.*) entrench o.s. [*achter* behind], ensconce o.s.; **-ing** (*mil.*) entrenchment; (*mar.*) bulwarks, rail

1 verscheiden *ww.* pass away, depart this life, pass over; *zn.* passing (away, over), death, decease

2 verscheiden (*van aantal*) several, sundry, (*vero.*) divers; (*verschillend*) various, different, diverse; (*vero.*) divers; ~ *duizenden gasten* s. thousand guests; *zie* verschillend; **~heid** variety, diversity, difference

verschenen *zie* verschijnen

verschenken pour out

verschepen ship; (*in ander schip*) trans-ship; **-er** shipper, consignor

verscheping shipment; **~sdocumenten** shipping-documents; **~sinstructies** shipping-instructions

verscherpen sharpen (*ook fig.: the memory, the faculties of the mind*), whet; (*fig.*) strengthen, stiffen, tighten up [regulations, the law, discipline], intensify [sanctions; intensified submarine war], accentuate [a conflict, the difference between ...], heighten [an impression]; (*verergeren*) aggravate [the situation]; **-ing** sharpening, strengthening, stiffening, tightening up, accentuation, intensification, aggravation; *vgl. 't ww.*

verschet (*typ.*) frisket

verscheuren tear (up) [a letter, etc.], tear to pieces (to rags); (*in droefheid*) rend [one's garments; (*door wild dier, enz.*) tear to pieces, lacerate, mangle; (*fig.*) tear [a country torn by civil war], rend [the heart; shouts ... the air], lacerate [the heart, feelings], (*lit.*) rive [a country riven by civil war]; ~*de dieren* savage animals; *een inwendig verscheurd land* a distraught country; **-ing** tearing (up), rending, laceration

---

verschiet distance, perspective, (*aan kust ook*) offing; (*fig.*) prospect, perspective, vista [a new ... of life is opening out to me]; *in het* ~, (*fig.*) in the distance, in prospect, [a general election is] on the horizon, [Easter is] in the offing, ahead [... was glory and reward]; *dat is voor u in het* ~ that is in store for you; *dat ligt in het verre* ~ that is a distant prospect

verschieten I *tr.* shoot; use up, consume [ammunition]; *zie* kruit & pijl; (*voorschieten*) disburse [money]; *graan* ~ stir grain; **II** *intr.* (*van pers.*) change colour, turn pale; (*van kleuren*) fade (*ook: doen* ~); (*van stoffen*) lose colour, discolour; (*van ster*) shoot; *niet* ~, (*van stof*) be fast-dyed; *zie* verschoten

verschijndag *zie* vervaldag

verschijnen (*algem.*) appear; (*zich vertonen*) make one's (put in an) appearance; turn (show) up [for dinner; he did not ... till eight]; (*waar iems. aanwezigh. vereist is*) attend [be summoned to ...]; (*jur.*) appear, enter an appearance, answer one's summons; (*na borgstelling*) surrender; (*van boek*) appear, be published, come out; (*van rente, enz.*) fall due; (*van geest*) materialize, manifest itself; (*verstrijken van termijn*) expire; *in persoon* ~, (*jur.*) *ook:* answer in person; *voor de eerste maal* ~ make one's first appearance; *hij moest voor de commissie* ~ he had to appear (go) before the board; *de afgevaardigde verscheen niet* did not present himself; *weigeren te* ~ refuse to attend; *niet* ~, *ook:* fail to turn up; *'t uur is verschenen* has come; *'n boek doen* (*laten*) ~ (bring out, issue) a book; *'t boek is pas verschenen* is just out; *verschenen rente* interest due; *zie* opkomen

verschijning appearance; (*van boek ook*) publication; (*van pers. ook*) attendance (*vgl. 't ww. & zie* niet-~); (*geest*~) apparition, ghost, vision; (*pers.*) figure [a tall ...], presence [a stately ...]; (*van rente*) falling due; (*verstrijking*) expiry, expiration; *een mooie* ~ a fine figure of a woman, a woman of fine presence; *een aardige* ~ a pleasant-looking woman (girl); *een schitterende* ~ a radiant vision; **~svorm** manifestation

verschijnsel phenomenon (*mv.:* phenomena); (*symptoom*) symptom, sign; *waarschuwende* ~*en* danger signs [of cancer]

verschikken *tr.* arrange differently, shift; *intr.* move (higher) up, shift along a bit; **-ing** different arrangement, shifting

verschil[1] difference (*ook in rek.*), disparity, discrepancy [between words and figures on a cheque]; (*onderscheid*) distinction; (*verscheidenh.*) variety, diversity; (*geschil*) difference, dispute, quarrel; ~ *in prijs* (*in gewoonten*) d. in price (in habits); ~ *van mening* d. of opinion; *met enig* ~ with a d.; *ze hebben altijd* ~ they are always quarrelling; *zie ook* ruzie; *een heel* ~ *bij* (*met*) *verleden jaar* quite a difference (change) from last year; ~ *maken* make a d.,

---

[1] *Zie ook* onderscheid

differentiate [in salary between men and women teachers]; *dat maakt ('n groot)* ~ that makes a d. (all the d.); *'t zou voor mij geen ~ maken* it would make no d. to me [*zo ook:* it would make no d. to our friendship]; *ze maakte ~ tussen* ... she drew a distinction between ...; *~ maken waar geen ~ bestaat* make a distinction without a d.; *zie* hemelsbreed & delen

verschillen differ, be different, vary; *~ van, (anders zijn dan)* d. from, *(in mening)* d. from *(of:* with); *zie* hemelsbreed & mening

verschillend different, differing, distinct [*van from*], other [than]; *(verscheiden)* several; *(allerlei)* various; *(ongelijk, ook:)* odd [you've got ... socks on]; *bij ~e gelegenheden* on various occasions; *~ van, ook:* d. to [she was a d. girl to what she had been]; *geheel ~ zijn van ...*, *ook:* be utterly dissimilar from ..., be quite unlike ...

verschilpunt point of difference, point of controversy, disputed point

verschimmelen become mouldy

verscholen hidden; lurking [ambush]; tucked-away [homesteads]; tucked away in a quiet valley]; *zich ~ houden* remain in hiding, lie low

verschonen put fresh (*of:* clean) sheets on [a bed]; (wash and) change [a child]; *(excuseren)* excuse *(zie* vergoelijken); *(door de vingers zien)* overlook; *(ontzien)* spare; *verschoon me van je opmerkingen* spare me your remarks; *ik bleef van die vernedering verschoond* I was spared that humiliation; *zich ~* have a bath and a change of clothes

verschoning 1 change of linen, change [they have no ...s]; 2 excuse; *~ vragen* apologize [*voor* for]; *ik vraag geen ~ voor ...*, *ook:* I make no apology for ...; *ter ~ merkte hij op* ... by way of excuse he observed ...; **~srecht** *(jur.)* right [of witnesses] to refuse to answer questions

verschoonbaar excusable, pardonable; **~heid** ...ness

verschoppeling outcast, pariah

verschoppen *(eig.)* kick away; *zijn geluk ~ spurn* one's good fortune

verschot choice, assortment; **~ten** disbursements, out-of-pocket expenses, outlays; *vgl.* voorschot

verschoten faded; *zie* verschieten

verschotrekening disbursement account

verschralen, -ing attenuate, -tion

verschrijven use up in writing; transfer [money from one head to another]; *zich ~* make a mistake (in writing); *ik heb me (alleen maar) verschreven* it is a (mere) slip of the pen; **-ing** slip of the pen, clerical error; *(tussen begrotingsposten)* transfer, virement

verschrikkelijk terrible, frightful, dreadful, horrible, appalling; *het was een ~e toestand in de pastorie* things were in a dreadful way at the Rectory; *'t ~e ervan* the t. part of it; *zie ook* ontzettend; **~heid** ...ness

verschrikken *tr.* frighten, terrify, startle, scare;

scare (away) [birds]; *intr. zie* schrikken; *dodelijk ~, zie* schrikken *(zich dood ...)*; *verschrikt opspringen* start up in a fright

verschrikking fright, terror, horror; *(wat schrik verspreidt)* horror, terror

verschroeien *tr.* scorch, singe, sear; *(van zon ook)* parch [...ed crops]; *intr.* be scorched (singed), scorch; *tactiek van de verschroeide aarde* scorched earth policy; *van keel (tong)* parched throat (tongue); *van plek* scorch; *verschroeid papier* charred paper; **-ing** scorching, singeing

verschrompelen shrivel (up), shrink, wrinkle, crumple (up); *verschrompeld* shrivelled, shrunken, wizened [face], shrivelled, withered [apple, face], crumpled [man, Zeppelin]

verschroten convert into scrap

verschuifbaar sliding, movable

verschuilen hide, conceal, shelter; *zich ~* hide [*voor* from], conceal o.s.; *zich ~ achter, (fig.)* shelter *(of:* shield o.s., take refuge) behind [other people, the authority of ...]; *zie* verscholen

verschuiven I *tr. a)* shove (away), move [a man on the chess-board], shift, slide [the knob]; *b)* put off, postpone, defer; *zie* uitstellen; II *intr.* shift; **-ing** *a)* shift(ing), etc.; *b)* postponement; *~ naar links, (pol.)* swing to the Left

verschuldigd indebted, due; *iem. ... ~ zijn* owe a p. money (one's life, thanks), be i. to a p. for a good education; *ik ben hem veel ~* I owe him much, am greatly i. to him; *hij was 't aan zichzelf (zijn eer, enz.) ~ te* ... he owed it to himself to say ...; *'t ~e (bedrag)* the amount due (payable); *'t bedrag ~ aan (~ door)* ... the amount owing to (owed by) ...; *met ~e hoogachting, (onder brief)* yours obediently (respectfully); *zie* dank & schuldig

verschut *zie* schut *(voor ...)*

vers: **~gebakken** newly-, freshly-baked (-fried), new [bread]; **~heid** freshness, newness; *vgl.* vers

versie version

versierder *a)* decorator; *b)* womanizer

versieren adorn [statues ... the streets], decorate [with flags], ornament, beautify, deck [with flowers], garnish [a dish], trim [a dress, a Christmas tree]; *(opschikken)* trick *(of:* deck) out; *dat zullen we wel ~, (fam.)* we'll fix it; *een meisje ~, (sl.)* chat up a bird

versiering adornment, decoration, ornament; **~en, *(muz.)*** graces, grace-notes; **~skunst** decorative art; **~smotief** motif in ornamentation

versiersel ornament, decoration, adornment; **~en** insignia [of an order]

versjacheren barter away, flog

versjouwen drag away; *zich ~, (fig.)* go (be going) the pace

verslaafd: *~ aan* addicted (a slave, given) to [drink, etc.], enslaved to [a habit]; *~ raken aan, ook:* give way (give o.s. over) to [drink], contract [the drug habit]; *aan bedwelmende middelen (morfine) ~e* drug (morphia) addict,

drug-taker, dope-fiend; **~heid** addiction
verslaan I *tr.* defeat, beat; (*sl.*) lick; (*sp. ook*) kill, slay; (*dorst*) quench [thirst]; (*inz. van journalist*) cover [a meeting]; *~ met 3 tegen 0* beat 3 goals to nil [at football] (*zie ook verliezen*); *iem. totaal ~* beat a p. hollow (to his knees, (*fam.*) knock a p. into a cocked hat, mop (*of:* wipe) the floor with a p.; *de regering werd totaal versl.* the government was smitten hip and thigh (*fam.:* beaten to a frazzle); *versl. worden, ook:* get the worst of it, be worsted; II *intr.* (*van warme dranken*) cool; *wijn, enz. laten ~* take the chill off; *zie ook* verschalen
verslag report, account; (*radio, enz.*) [give a] commentary [*van* on];(*inz. van journalist, ook:*) coverage; *officieel statistisch ~* [government] return(s); *de tijd waarover 't ~ loopt* the period under review; *~ doen van* give (render) an account of; (*een gunstig*) *~ uitbrengen* deliver a (favourable) r., report (favourably) [*over* on]; *zie* verslaan & stand
verslagen defeated, beaten; (*fig.*) dismayed, prostrate [with grief], [feel, look] crushed; *zie ook* verschaald; *de ~e* the murdered man; **~heid** dismay, consternation; *diepe –* prostration; *een blik van –* a stricken look
verslaggever, ~geefster reporter; (*radio*) commentator; ('*t lopende*) **verslagjaar** the year under review; ('*t vorige ~*) the previous year, the company's last year
verslampampen dissipate, squander
verslapen sleep away [the best part of the day]; sleep off [one's headache]; *zich ~* oversleep o.s., oversleep
verslappen I *intr.* (*van spieren, aandacht, enz.*) relax, slacken; (*van ijzer ook*) flag; *~ in r.* (in) [one's vigilance], slacken in [one's efforts]; *de tucht begon te ~* discipline slackened (became slack); II *tr.* relax, slacken; (*van klimaat*) enervate; **-ing** relaxation, slackening; flagging; enervation
verslaven enslave; *zich ~ aan* become a slave (enslaved) to; *zie* verslaafd; **~d** habit-forming, addictive; *– geneesmiddel* drug of addiction; **-ing** enslavement, addiction (*aan* to); **-ings-ziekte** addictive disease
verslecht(er)en *tr.* make worse, worsen, deteriorate; *intr.* get worse, worsen, deteriorate
verslecht(er)ing worsening, deterioration
versleer poetics
verslempen *zie* verslampampen
verslenteren loiter (idle) away [the time]
verslepen drag away
versleten worn (out) [gloves, etc.], threadbare [clothes, carpet], well-worn [wooden stairs], the worse for wear, dilapidated [old hat], [old] stumpy [brush], time-worn [theories], hackneyed [phrase], over-used [banknotes]; (*van pers.*) worn out [with age]; *~ stem* cracked voice
verslibben, verslijken silt up, get choked (*of:* filled) up with mud); **-ing** silting up
versliegeren inform on, betray
verslijten I *tr.* wear out [clothes; *ook fig.* = use

up: ... three secretaries in six months]; while away [the time]; *iem. ~ voor* take a p. for, look upon a p. as; II *intr.* (*ook fig.*) wear out (off, away, down); *zie* slijten
verslikken: *zich ~* choke [on a piece of meat], swallow the wrong way; (*fig.*) bite off more than one can chew; underrate [an opponent, a problem *in* ...]
verslinden devour (*ook fig.*: a book, the way, etc.), gobble up, gorge, bolt, wolf (down) [one's food], swallow up, eat [money], eat up [the profits; the car ate up the miles to L.], engulf; *iem.* (*iets*) *met de ogen ~* devour a p. (s.t.) with one's eyes; **-er** devourer; **-ing** devouring, etc.
verslingerd *zie* verkikkerd; **verslingeren:** *zich ~ aan* throw o.s. away on; *ze verslingert zich* she is making herself dirt-cheap
verslodderen *zie* verslonzen
versloffen neglect; **-ing** negligence, neglect
verslond *o.v.t. van* verslinden
verslonzen spoil, ruin [one's clothes] through slovenliness
versluieren veil, disguise [one's intentions]
versluiting: *onder ~* under seal
versmaat metre
versmachten (*van dorst*) be parched with thirst; (*fig.*) languish, pine away; **-ing** languishing
versmaden scorn, despise, spurn, disdain, be disdainful (contemptuous, scornful) of; *... is niet te ~* £500 a year is not to be despised (*fam.:* not to be sneezed at); **-er** scorner, despiser; **-ing** scorn, disdain
versmallen narrow (*ook:* zich ~)
versmelten I *tr.* melt [butter, metals], fuse [metals], smelt [ores]; (*samensmelten*) melt together; (*maatschappijen*) amalgamate; (*omsmelten*) melt down [a statue], re-melt, refuse; *~ met* melt (fuse) with; II *intr.* melt, melt away, (*van kleuren, klanken, ook:*) blend; *in tranen ~* melt into (dissolve in) tears
versmelting melting (down), smelting, fusion, blending; *vgl. 't ww.*
versmeren use up in greasing (smearing)
versmijten *zie* vergooien
versmoren *tr. & intr.* smother, stifle, suffocate; *zie* smoren; **-ing** suffocation, stifling
versnapering titbit, dainty, delicacy, refreshment
versnellen *tr. & intr.* accelerate, quicken; speed up [aircraft construction]; *de pas ~* mend (quicken) one's pace; *zijn pas versnelde tot een draf* his pace quickened to a trot; *versnelde pas* double time; *met versnelde pas* at the double; *versnelde beweging* accelerated motion; **versneller** accelerator
versnelling acceleration; speed(ing)-up (*zie 't ww.*); (*van fiets, enz.*) gear [first, second, high, low ...], speed; *veranderlijke* (*hoogste, laagste*) *~* variable (top, lowest, *of* bottom) gear; *rijwiel met 2 ~en* bicycle with 2 speeds; *in de ~ zetten* put into gear; *met de hoogste* (*laagste*) *~ rijden*, (*auto*) go in its top (bottom) gear; **~s-bak** gear-box; **~shandle** gear-lever, gear-

control, (*Am.*) gear-shift; ~**snaaf** hub-gear; ~**spedaal** clutch-pedal

versnijden (*aan stukken*) cut up, cut to pieces; (*bederven*) spoil in cutting; (*pen*) mend; (*wijn*) dilute, weaken, break down; **-ing** cutting up, mending; dilution

versnipperen cut into bits; cut up [large estates], split [votes, a party], split up [ground], fritter away [one's time, strength]; *tot* ... ~ split up into different sects; **-ing** cutting up, splitting (up), etc.; *– van krachten* dispersion of effort; *– van stemmen* vote-splitting

versnoepen spend on sweets

verso id.

versoberen economize, cut down expenses; simplify [plans]; **-ing** economization; (*van levenswijze*) austerity; simplification, [a] more economical administration

versoepelen mitigate, relax [restrictive measures]

versomberen darken

verspannen change [the horses]

verspeculeren lose by speculating

verspelden pin differently

verspelen play away, gamble away [one's money]; lose [one's life, health, a p.'s esteem]; forfeit [one's right]; '*t schip verspeelde zijn masten, ook:* the ship's masts were carried away

verspenen prick out (off, in), plant out

versperren block, bar [the way], block (up) [a road], obstruct [a passage], barricade [a street]; *zie* weg; **-ing** blocking(-up), barring, obstruction, barrier; (*in of voor rivier*) boom; (*mil.*) [barbed wire] entanglement; (*barricade*) barricade; **–sballon** barrage balloon; **–sdraad** barbed wire; **–svuur** barrage

verspieden spy out, scout, reconnoitre; **-er** spy, scout; **-ing** spying (out), espionage; *zie ook* verkenning

verspillen squander, waste, dissipate, be wasteful of [one's powers], fritter away [time]; *zie* verkwisten; *tijd ~ met onderhandelingen* waste time in negotiations; *zijn woorden ~* waste one's breath (one's words); *ik wil er geen woord meer over ~* I won't waste another word upon it; *goede woorden zijn* (*goede raad is*) *aan hem verspild* good words are (good advice is) wasted (thrown away, lost) (up)on him; **-er** squanderer, spendthrift; [water-] waster; **-ing** waste [of money, time, talent], wastage of coal, of human life], dissipation [of money, resources, energy]

versplinteren *tr. & intr.* splinter, break into splinters, sliver, shiver, break to shivers

verspreid scattered [cottages, instances], dispersed [the original members are all ... now], stray [notes]; (*~ en dun*) sparse [population]; *~e orde,* (*mil.*) extended order; *in alle richtingen ~* far-flung [our ... Empire, colonies]; *over de hele wereld ~ s.* (*van planten, enz.:* distributed) all over the world; '*t speelgoed*

lag ~ over de vloer the floor was littered with toys

verspreiden[1] spread [news, rumours, disease, terror], broadcast [news by wireless], circulate [lies, a rumour], put about [rumours], give out [a smell], give off [heat], diffuse [a strange odour, prosperity, a certain atmosphere], scatter [how plants ... their seeds], disperse (break up) [the crowd], disseminate [doctrines, false opinions], propagate [a doctrine, the gospel]; *wijd en zijd ~* scatter broadcast; *de vijanden werden naar alle richtingen verspreid* the enemy were sent flying in all directions; *verspreide buien* occasional (scattered) showers; *zich ~* (*van water, ziekte, mening, leer, gerucht, enz.*) spread; (*van gerucht ook*) get abroad, travel [quickly]; (*van soldaten*) spread out, open out; (*van menigte*) disperse, scatter; *de dood ~d* death-dealing [missiles]; *zie* verspreid

verspreider spreader, circulator, disseminator, propagator; *vgl.* '*t ww.*

verspreiding spreading, dispersion, dispersal, scattering, circulation; diffusion [of knowledge], dissemination, propagation; spread [of a disease, of civilization], distribution [of races, animals, plants, etc.]; proliferation [of atomic weapons]; *vgl.* '*t ww;* ~**sgebied** (*van dieren, enz.*) (area of) distribution, range; ~**skegel** (*mil.*) cone of fire

verspreken: *zich ~* make a mistake in speaking; *ik versprak me, ook:* I made a slip (of the tongue), my tongue tripped; *daar versprak hij zich* that was a slip; *zie* zich verpraten; **-ing** slip of the tongue

verspringen spring, leap, jump [a space, a day]; *zich ~* hurt (sprain) one's foot (ankle); ~*d feest* movable feast

vèrspringen *zn.* long jump

vers: ~**regel** verse, line of poetry; ~**snede** caesura; ~**soort** kind of poetry

verst farthest, furthest; '*t ~e eind van de gang* the far (farther, further, farthest) end of the passage; *zie* verte

verstaald steeled (*ook fig.:* ... nerves, etc.), case-hardened; ~ *voorhoofd* brazen face; ~ *gemoed* heart of stone, steely bosom

verstaan understand [French, one's trade, etc.], know [one's job *vak*]; (*verlangen*) want; *ik versta het zo, begrepen?* I require this, you u.?; *versta me goed!* don't misunderstand (mistake) me!; (*meer dreigend*) now u. me! make no mistake about that!; *men versta me goed* [the proposal,] be it understood [is for ...]; *en gauw ook, versta je?* and quick too, you u.? (do you hear?); *zo vroeg mogelijk, wel te ~* that is to say, as early as possible; *verkeerd ~* misunderstand; *heb ik 't goed ~, dat u zei ...?* did I u. you to say ...?; *ik heb zijn naam niet recht ~* I did not quite catch his name; *hij gaf mij duidelijk te ~* he gave me plainly to u., gave me a plain hint that ...; *mij is te ~ gege-*

---

[1] *Zie ook* verdelen

ven I have been given to u.; *dat kunstje verstaat hij* he is up to that trick; *een wenk ~ take* a hint; *hoe verstaat u die passage?* how do you u. that passage?; *zich* **met** *iem. ~* come to an understanding with a p. [*omtrent* about]; *wat versta je* **onder** ...? what do you u. by negative electricity?; *~ pand* forfeited (unredeemed) pledge (security)

verstaanbaar understandable, intelligible; *~ maken*, *ook*: explain [a doctrine] intelligibly; *zich ~ maken* make o.s. understood (heard, intelligible); **~heid** intelligibility

verstaander: *een goed ~ heeft maar een half woord nodig* a word to the wise is enough; a nod is as good as a wink (to a blind horse)

verstadsen *zie* versteedsen

verstalen steel, harden, case-harden; *zich ~* steel (harden) one's heart; *zie* verstaald

verstand [1] understanding, sense, mind, reason, intellect; (*kennis*) knowledge [have ... of curiosities]; (*oordeel*) judg(e)ment, discretion [use ...]; *beperkt ~* narrow intellect; *gezond ~* common sense, mother wit; *~ van zaken* business acumen; '*t ~ komt met 't ambt* to whom God gives an office, He also gives the sense to fill it; *gebruik toch je ~, a*) do use your brains (head, wits); *b*) do talk sense (reason); *c*) do listen to reason (sense); *hij heeft geen (niet veel) ~* he has got no brains (has not got much brains); *~ genoeg hebben om 't niet te wagen* have sense enough not to risk it; *hij heeft een goed ~* he has brains, is intelligent; *naar hij ~ heeft* [he lives] according to his lights; *waar hebben ze toch hun ~?* where's their sense?; *ik heb geen ~ van poëzie* I am no judge of poetry; *hij heeft ~ van ...* he knows (understands, is knowledgeable) about such things, he understands [wireless radio]; *hij heeft ~ van paarden*, *ook:* he is a good judge of horses (of horse-flesh), knows a good horse when he sees one; *hij heeft er helemaal geen ~ van* he does not know the first thing about it; *ik heb van (die) meisjes geen ~ meer* I don't now what girls are coming to; *ik kon mijn ~ niet bij ...* **houden**, I could not keep my mind on my work; '*t ~ ontwikkelen* develop the intellect; *zijn ~ verliezen* lose one's mind (reason, senses, wits), go out of one's mind (off one's head); *verdriet had haar ~ in de war gebracht* grief had turned her brain; *daar* **staat** '*s mensen ~ voor stil* it passes the wit of man; *zie ook* ben.: *dat gaat boven ...; 't ~ komt met de jaren* wisdom comes with age; you can't expect an old head on young shoulders; *dat zal ik hem* **aan** '*t ~ brengen* I'll make that plain to him (bring, *of:* drive, it home to him, bring him to understand it), I'll jolly well make him understand; *men kon het haar niet aan 't ~ brengen* she couldn't be brought to understand; *dat hoefde hem niet aan 't ~ gebracht te worden*, (*sl.*) he did not need to be put wise about that; *hij was bij zijn volle ~* he was in full possession of his

faculties, was quite sane, had all his (mental) faculties intact; *hij is niet bij zijn ~* he is out of his senses (wits), off his head, not in his right mind; *niet goed bij zijn ~* half-witted, (*sl.*) off his rocker; *zij kwam niet weer bij haar ~* she did not recover her senses (regain consciousness); *dat gaat boven mijn ~* it passes my u., it's beyond (above) me, too much for me, beyond (past) my comprehension, it beats me; *met ~* [read] understandingly, [work] intelligently, [use it] with discretion, [choose] with discernment; *met ~ te werk gaan* use (act with) discretion; *met al mijn ~* [I tried] with all my wits; *met dien ~ dat ...* on the u. that ...; *tot goed ~ van de zaak* for the right u. of the matter [it is necessary ...]; *ze is niet van ~ ontbloot* she does not lack intelligence; *men vreesde voor haar ~* they were alarmed for her reason; *zonder veel ~* [she is a sweet soul] without much brain(s)

verstandelijk intellectual; (*tegenover het gevoel*) cerebral; *op zijn koel-~e manier* in his cold-blooded way; *~e vermogens* i. faculties (powers); *~e afwijking* i. twist; *~e leeftijd* mental age

verstandeloos senseless, mindless, devoid of sense (reason); **~heid** senselessness

verstandhouding understanding; *geheime ~* secret u., (*onwettig, vooral in rechtszaak*) collusion; *goede ~* good u., good feeling; *in goede (slechte) ~ zijn (staan)* be on good (bad) terms [*met* with]; *zij staan met elkaar in ~* they are in league with each other; (*jur.*) they are in collusion; *een blik van ~* a look of mutual u.; *iem. een knikje (teken) van ~ geven* give a p. an understanding nod, wink knowingly at a p.

verstandig sensible, intelligent, wise, commonsense [views]; *een ~ man* a s. man, a man of sense; *geen ~ mens kan geloven ...* no one in his senses can believe ...; *~e mensen*, *ook:* reasonable (*of:* thinking) people; *~e vragen doen* ask intelligent questions; *~e zuinigheid* intelligent economy; *je kon geen ~ woord uit hem krijgen* it was impossible to get any sense out of him; *ze was zo ~ om ...* she had the (good) sense to stay away; *daarvoor is ze te ~* she has too much sense for that; *wees toch ~!* do be s.; *je had ~er moeten wezen en hem niet moeten aanmoedigen* you should have had more sense than to encourage him; *een ~ gebruik maken van* use [one's vote] intelligently; '*t was heel ~ van hem* very wise (sensible) of him; *je zoudt ~ doen met te ...* you would be wise (well-advised) to ...; '*t ~e* [see] the (common) sense [of it]; '*t is 't ~ste dat men kan doen* it's the most s. (the wisest) thing to do; *laten we ~ praten* (*~e taal spreken*) let us talk sense (reason); **~lijk** wisely

verstands: **~huwelijk** marriage of convenience; **~kies** wisdom-tooth; *hij heeft zijn – nog niet* he has not yet cut his wisdom-teeth; **~knobbel** bump of common sense; **~mens** man of

---

[1] *Zie ook* begrip & kennis

thought (*tegengest.*: man of feeling); ~**ont-wikkeling** intellectual development; ~**ver-bijstering** insanity, mental derangement, (mental) alienation; *hij lijdt aan* – his mind is unhinged

verstard rigid [method]; *zie* star 1

verstarren stiffen, make rigid; *zijn blik verstarde* his look grew fixed

verstedelijken, versteedsen *tr.* urbanize [the country]; *intr.* become urbanized (citified); -**ing** urbanization

versteend petrified, turned to stone (*beide ook fig.*), fossilized; ~ *hart* heart of stone; *ik was* ~ *van schrik* I stood p. (*of:* motionless) with terror; ~ *van kou* stiff (*of:* benumbed) with cold; *een politiek* ~ *lichaam* a politically ossified body

verstek 1 (*jur.*) default; ~ *laten gaan* make d., allow judg(e)ment to go by d., fail to turn up; *de zon laat* ~ *gaan* the sun is not coming out; *hij werd bij* ~ *veroordeeld* he was condemned (sentenced) in his absence; 2 (*van timmerm.*) mitre; *in* ~ *bewerken* mitre; ~**bak** mitre-box; ~**blok** mitre-block; ~(**echtscheidings**)**proces** undefended case; ~**zaag** tenon-saw

verstekeling stowaway

versteken hide, conceal, put away; *zich* ~ hide, conceal o.s.; (*aan boord*) stow away

verstekhaak bevel square, mitre

verstekvonnis judg(e)ment by default

verstelbaar adjustable [chair, etc.]; reclining [backrests]

versteld 1 (*van kleren*) mended, patched; ~*e plaats* mend [in a coat]; 2 ~ *staan* be taken aback (dumbfounded, staggered); *ik stond* ~ *bij uw bewering* I was staggered at your assertion; ~ *doen staan* amaze, confound; *zie* verstomd; ~**heid** perplexity, confusion

verstel: ~**garen** darning-wool, mending-cotton; ~**goed** mending; ~**len** (*instrument, enz.*) adjust; (*verplaatsen*) transpose; (*repareren*) mend, patch, repair [clothes, etc.]; do the (*voor iem.:* do a p.'s) mending; ~**ler** mender; ~**ling** adjustment; mending; *vgl. 't ww.;* ~**naaister** sewing-woman, seamstress; ~**schroef** adjusting-screw; ~**ster** mender; ~**toets** shift key; ~**werk** mending

verstempelen re-stamp

verstenen *tr. & intr.* (*ook fig.*) petrify, turn into stone; -**ing** petrifaction; (*concr. ook*) fossil

versterf death, decease; (*med.*) mortification; (*erfenis*) inheritance; *bij* ~ in case of d.; (*jur.*) on intestacy

versterfrecht right of succession

versterken strengthen [a p., the body, the mind, a walled town], fortify [a town, the stomach, o.s. with a glass of ..., a p. in a certain view, with alcohol], reinforce [*door bijvoeging:* an army, a party, a choir, a gun, an argument], invigorate [the body, mind], intensify [sound, light], refresh, recruit [one's inner man], cement [friendly relations], consolidate [one's position], deepen [impressions, a mystery]; (*fot.*) intensify; (*radio*) amplify; *ik word in die*

mening versterkt door ... I am fortified (strengthened) in that opinion by the fact that ...; *de positie van de minister* ~ s. the hands of the minister; ~*de lucht* bracing air; ~*de middelen* restoratives, strengthening food; *versterkt orkest* augmented orchestra; *versterkte zender,* (*radio*) super-powered transmitter; -**er** (*fot.*) intensifier; (*radio & fot.*) amplifier

versterking strengthening, fortification, reinforcement, intensification, consolidation; (*radio*) amplification; *vgl. 't ww.;* ~**en,** (*troepen*) reinforcements, (*werken*) fortifications; ~**sbuis** (*radio*) amplifying valve; ~**skunst** (art of) fortification; ~**stroepen** reinforcements; ~**swerken** fortifications

versterven die, die out; (*toevallen aan*) devolve upon; (*van vlees*) *zie* besterven & bestorven; *zich* ~, (*r.-k.*) mortify the flesh; -**ing** death, decease; (*r.-k.*) mortification

verstevigen consolidate

verstijfd stiff, (*van kou ook*) benumbed [with cold], numb; (*als*) ~ [he stands] rigid; ~**heid** stiffness, numbness

verstijven *intr.* stiffen, grow stiff; grow numb [with cold]; *tr.* stiffen, benumb; -**ing** stiffening, benumbing, numbness; (*lijk-*) rigor mortis [had set in]

verstikken *tr.* suffocate, choke, stifle, strangle, smother, throttle, asphyxiate; *intr., zie* stikken; (*van stoffen*) decay; *zijn stem verstikt door ontroering* his voice choking with emotion; *het onkruid verstikt het koren* the corn is choked (up) with weeds; *doen* ~, *zie* ~ *tr.*; ~**d** suffocating, stifling [air], asphyxiating [gas]; – *heet* suffocatingly hot

verstikking suffocation, asphyxia, asphyxiation; ~**sdood** death from asphyxiation

verstillen still

verstoffelijken materialize

1 verstoken *bn.:* ~ *zijn van* be devoid (deprived, destitute) of, lack [common sense]; be denied (debarred from) [the right to appeal]; *van alle middelen* ~ destitute

2 verstoken *ww.* burn; consume; *de kachel verstookt veel* the stove takes a lot of fuel

verstokken *tr. & intr.* harden

verstokt obdurate [heart, conscience], hardened [sinner], confirmed [smoker, bachelor], incarnate, determined, crusted, inveterate [drunkard], unrepentant, impenitent [sinner]; *een* ~*e conservatief,* (*fam.*) a (true-)blue (dyed-in-the-wool) Tory; ~**heid** hardness of heart, obduracy, impenitence

verstolen furtive, stealthy [glance]; *'n* ~ *blik werpen op, ook:* steal a glance at

verstomd struck dumb, speechless; *ik stond er* ~ *van, ook:* it took my breath away, (*fam.*) I was flabbergasted; ~ *doen staan* strike dumb, dumbfound, stupefy; *de wereld* ~ *doen staan* stagger humanity; *zie* paf

verstommen I *tr.* silence, strike dumb; II *intr.* be struck dumb, stand dumb, become speechless (*of:* silent); *de vogels verstomden* the birds were hushed; *het lawaai verstomde* the noise died down; *doen ~ = ~ tr.*, *zie* verstomd

verstompen *tr. & intr. (eig.)* blunt, dull; *(fig.)* blunt [the affections; her affections had ...ed], dull [the sense, the emotions; it ...ed the pain in her heart], deaden [pain]; **-ing** blunting, etc.; hebetation

verstoord disturbed; *(ontstemd)* ruffled, vexed, annoyed, cross; ~**er** disturber; *(van pret)* killjoy; ~**heid** annoyance, crossness, ill-humour

verstoppen stop up [the chimney; my pipe, nose, etc. is stopped up], clog [a tube, the carburettor], choke (up), plug (up) [an artery, his pipe became plugged, *of:* choked]; obstruct, block (up) [a passage], jam [people ...med the staircase, the doors]; *(ingewanden)* constipate [the bowels]; *(verbergen)* hide, conceal, put away; *'t verstopt de ingewanden* it causes constipation, it is very binding; *zie* verstopt; ~**d** *(med.)* constipating, obstructive; **-ertje:** – *spelen* play at hide-and-seek; **-ing** stoppage, obstruction, blockage, hold-up [in the traffic], [traffic] jam; *(van ingewanden)* constipation, obstruction, costiveness

verstopt stopped up, choked-up [aperture], clogged, stuffed-up [nose], etc.; *zie* verstoppen; *~ raken* become (get) choked (clogged up, etc.); *de schoorsteen is ~ van 't roet* is clogged up with soot; *zijn neus is ~, hij is ~ in 't hoofd* he has a stopped-up (clogged) nose, he has got the snuffles; ~**heid** stoppage, obstruction; *(van ingewanden)* obstruction, constipation, costiveness

verstoren disturb [the silence, a p.'s rest], upset, interfere with [a p.'s plans], ruffle [a p.'s composure], break in [upon a p.'s rest], intrude upon [the silence of ...]; *(ontstemmen)* ruffle, vex, annoy; *de openbare rust ~* break the public peace; *zie* orde; **-ing** disturbance, interference

verstoteling outcast, pariah

verstoten cast off [be ... by God], renounce, disown [one's son], repudiate [one's wife]; **-ing** repudiation, renunciation

verstouten: *zich ~, (moed vatten)* take heart; *('t wagen)* make bold, presume, be emboldened [to ...]

verstouwen stow, stow away

verstrakken set [his face set]

verstraler beam headlamp

verstrammen *tr. & intr.* stiffen; **-ing** ...ing

verstrekken provide, procure, furnish, supply [free meals to ...]; *(mil.)* issue [ammunition to troops; he was ...d with a carbine *hem werd verstrekt*]; serve out [clothing, food]; *iem. iets ~* provide (furnish, supply) a p. with s.t.; *hun werden ... verstrekt* they were served out with clean shirts and socks; *hulp ~* render aid (assistance): *inlichtingen ~* give information; *kleding wordt gratis verstrekt, (mil.)* clothing is a free issue; *een vergunning ~* grant a licence; *zie ook* strekken

vèrstrekkend far-reaching [consequences], sweeping [demands, changes, powers *(bevoegdheden)*]

verstrijken expire, elapse, go *(of:* slip) by; *naarmate de dag verstreek* as the day wore on *(of:* away); *naarmate de tijd verstreek* with the lapse of time; *zodra de huur verstr. is* as soon as the lease falls in (has expired); *'t kwartaal is nog niet verstr.* the quarter is not due yet; *de tijd (mijn verlof) is verstreken* time (my leave) is up; *'t ~ = -ing* expiration, expiry, passage [of time]

verstrikken ensnare, (en)trap, enmesh, entangle, weave a net (a web) round [a p.], catch [a p. in his own words]; *zich ~, verstrikt raken* get entangled, be caught [in one's own words (lies)]; *zie* vooroordeel; **-ing** trapping, etc.

verstrooid scattered, dispersed; *(fig.)* absent-minded, preoccupied, wool-gathering; absent *(vooral in bijw. vorm:* 'no', he said ...ly); ~**heid** absent-mindedness, absence of mind, wool-gathering, abstraction

verstrooien disperse, scatter, rout [the enemy]; *dat verstrooide mij* that took me out of myself; *zich ~, a) (van menigte)* disperse; *b)* seek diversion

verstrooiing *a)* dispersion, dispersal; *b)* diversion, distraction, entertainment, recreation, amusement; *de ~ der joden* the Dispersion; *~ zoeken* seek diversion

verstuiken sprain, (w)rick [one's ankle]; *zich ~* sprain one's ankle; **-ing** sprain(ing)

verstuiven I *intr.* be blown away (like dust); be scattered [to the four winds]; *(van duinen)* move; *doen ~* scatter, disperse, send flying in all directions; II *tr.* pulverize, spray, atomize, nebulize; **-er** atomizer, pulverizator, pulverizer, nebulizer, spray; **-ing** *a)* dispersion, *(wilde vlucht)* rout; *b)* pulverization, atomization; *c)* movement [of dunes]; sand-drift

versturen *zie* verzenden; **verstuwen** *zie* verstouwen

versuffen *intr.* grow dull, *(van oud pers.)* fall into one's dotage; *tr.* dream (moon) away [one's time]; *te veel werk versuft* all work and no play makes Jack a dull boy

versuft stupefied; *(van oud pers.)* doting; *hij stond als ~* he was dazed, stared dazedly; ~**heid** stupefaction; *(van oud pers.)* dotage

versuikeren go sugary, become candied, run to sugar [the marmalade has ...]; *(omzetten in suiker)* saccharify

versukkeling: *in de ~ raken* go to seed; get lost

versvoet metrical foot

vertaal: ~**baar** translatable; ~**bureau** translation bureau; ~**loon** translation fee; ~**oefening** translation exercise, essay in translation; ~**recht** translation rights; ~**ster** (woman) translator; ~**werk** translations, translation work

vertakken: *zich ~* branch [here the road ...ed], ramify, fork, furcate; **-ing** branching, ramification, fork, furcation

vertalen translate; *~ in t.* (render, do) into; *in (uit) 't Frans (uit 't Fr. in 't Eng.) vertaald* translated into French (from the French; from French into English); *Molière is niet te ~* cannot be translated; *Welsh laat zich moeilijk*

~ Welsh does not t. well

vertaler translator; *zie* beëdigd

vertaling translation (*vgl. 't ww.*), rendering; (*woordelijk: van klassieken, enz., inz. om te 'spieken'*) crib; *zie* vue; ~**srecht** t. rights

vertappen draw [100 gallons of beer]; (*overtappen*) transfer from one barrel into another

verte distance; *in de* ~ in the d.; distantly (remotely) [related *verwant*]; *in de verste* ~ *niet* not by far; *ik denk er in de verste* ~ *niet aan om* ... I have not the remotest (slightest) intention of (I am far from, I wouldn't dream of) blaming him; *ik kan in* ... *niet gissen waarom* I cannot remotely guess (I have not the faintest notion, remotest idea) why; *'t is in* ... *niet zo pijnlijk als* ... it is not anything like so painful as ...; *in* ... *niet af* nowhere near finished; *zie ook* ver (*op* ~*re na niet*); *uit de* ~ from a d., from afar

vertebraal, -braten vertebral, -brates

vertederen *tr.* soften, mollify [a p.], melt [a p.'s heart]; *intr.* soften. mellow

vertedering softening, mollification

verteerbaar digestible; *licht* (*moeilijk*) ~ easy (difficult) of digestion; ~**heid** digestibility

vertegenwoordigen represent; be representative of; *zie* ~**d**; *deze stad is door twee Kamerleden vert., ook:* returns two members to the Second Chamber; *alles wat hij vert.* [I hate him and] all he stands for; ~**d** *ook:* representative (of) [300 participants representative of art and learning]; (*hand.*) *ook:* agent; – *van de pers ook:* newspaper man; -**ing** representation (*ook =* representatives [of a nation]); (*hand.*) *ook:* agency

vertekenen draw wrong, distort; *het hoofd is geheel vertekend* ... is wholly out of drawing

vertelkunst narrative skill

vertellen[1] tell, relate, narrate; (*omstandig*) detail, retail; *men vertelt van je, dat* ... you are said (reported) to ..., it is told of you that ...; *ik heb me laten* ~ I am told (they tell me) [that ...]; *weet je, wat er* (*van haar, enz.*) *verteld wordt?* do you know what the story is?; *vertel hem dat van mij* t. him that from me; *vertel me dat eens!* t. me that!; *dat hoef je mij niet te* ~, *dat moet je mij* ~, (*sl.*) you are telling me!; *hij kan goed* ~ he can t. a story well; *hij kan niet* ~ he is no good at telling things; *hij heeft niet veel te* ~ his word carries no weight; *hij kan me nog meer* ~ I've heard that one before; *je kunt me* ... do you see any green in my eye?, tell me another; *zich* ~ miscount, make a mistake in counting (*bij optelling:* in adding up); *weer* (*verder*) ~, *zie* oververtellen; -**er** narrator, relater, story-teller, [he is a poor] raconteur; -**ing** story, tale, narration

vertelsel story, tale; ~**boek** s.-book

verteltje nursery-tale

vertelster *zie* verteller; *ook:* narratress

verteltructuur, -trant narrative structure, n. style

verteren I *tr.* spend [money], consume [the house was ...d by fire], digest [food], corrode [metals]; *minder* ~ *dan men verdient* live within one's income; *verteerd worden door roest* be eaten away with (corroded by) rust; *een gevoel van ondervonden onrecht verteerde hem* a sense of his wrongs was eating him up; *verteerd worden van* ... be consumed (devoured, eaten up) with [pride, hatred], eat one's heart out with [jealousy]; *verteerd worden van verlangen om te* ... eat one's heart out to ...; *alles* ~d (all-)consuming [passion, hatred]; *te* ~ [his] spendable [income]; *niet te* ~ indigestible [story], unacceptable [behaviour]; II *intr.* (*van voedsel*) digest; (*vergaan*) decay, (*ook: wegteren, van pers.*) waste (away); *zie verder* vergaan; *gemakkelijk* (*moeilijk*) ~ be easy (difficult) of digestion; ~ *van, zie bov.* (*verteerd w. van*); *zie* hartzeer

vertering (*van spijs*) digestion; (*uitgaven*) expenses, (*gelag*) score; (*verbruik*) consumption; *grote* ~*en maken* spend freely (largely); ~**sbelasting** consumption tax

vertesprong long jump

verteuten *zie* verluieren & verbabbelen

verticaal vertical, perpendicular; (*in kruiswoord*) down; -*ale prijsbinding* resale price maintenance; *zie* opstand

vertienden tithe; **vertiender** tither

vertienvoudigen *tr.* decuple, multiply by ten; *intr.* increase tenfold

vertier (*verkeer*) traffic; (*bedrijvigheid*) activity; *er is hier* ~ this is a busy place (street); (*vermaak*) amusement; *zie ook* tier

vertikken refuse flatly (point-blank); *ik vertik 't* I simply won't do it; I am dashed (blowed) if I do it (if I will); *mijn auto vertikte het* my car wouldn't budge

vertillen lift; *zich* ~ strain o.s. in lifting; (*fig.*) *zie* verslikken

vertimmeren alter, make alterations in, rebuild; (*geld*) spend in building

vertimmering alteration(s), rebuilding

vertinnen (coat with) tin; *vertinde spijkertjes* tintacks; ~ *van kou*, (*fam.*) perish with cold; **vertinsel** tinning, tin-coating

vertoef (*vero.*) sojourn, stay; (*uitstel*) delay; *zonder* ~ without delay

vertoeven sojourn, stay; (*talmen*) tarry

vertogen *zie* betogen

vertolken interpret; (*fig.*) voice [the opinion of ...]; (*muziek, rol, enz.*) interpret, impersonate, render; -(*st*)**er** interpreter; (*fig.*) *ook:* mouthpiece; exponent [of Tolstoy's teaching]

vertolking interpretation; voicing; rendering [her wonderful ... of the role], impersonation [of a character]; *vgl. 't ww.*

vertonen show [one's ticket, the flag, etc.]; produce [one's ticket, documents], exhibit [signs of fear], present [the same characteristics]; (*tentoonstellen*) exhibit, display, show; (*tentoonspreiden*) display; (*theat.*) produce; *zie*

---

[1] *Zie ook* zeggen

opvoeren; (*in bioscoop*) show, screen, present, (*in hoofdrol*) feature, (*voor 't eerst*) release [a film]; *enige gelijkenis* (*overeenkomst*) ~ *met* bear a slight resemblance to; *zich* ~ appear, show (o.s.) [the flowers are beginning to s.]; (*van pers. ook*) put in an appearance, show up, turn up; *zich plotseling aan 't oog* ~ burst upon the view (*ook:* the house bursts upon you suddenly); *een vreemd schouwspel vertoonde zich aan mijn ogen* presented itself to my eyes; '*t verbaast me, dat je je nog durft te* ~, *ook:* I wonder you dare s. your face; *zie kunstje*; -er producer; performer; exhibitor (*zie ww.*); -ing showing, exhibition [of a film], production; [magic-lantern] exhibition (*of:* display); [slide] presentation; (*theat.*) performance, representation; (*schouwspel*) spectacle, show, exhibition; '*t is alles maar* –, (*komedie*) it's all sham (make-believe); – *maken, zie vertoon*

vertoog remonstrance, representation, expostulation; (*betoog*) demonstration; *vertogen richten tot* make (*of:* address) representations to

vertoon ('*t vertonen*) presentation, production; exhibition [of joy], demonstration [a great ... of enthusiasm]; (*praal, uiterlijkheid*) show, display, ostentation, parade; ~ *van geleerdheid* parade of learning; ~ *van kracht* display of force; *louter* ~, *ook:* mere window-dressing; *een en al* ~ *zijn* be all outward show; *zie vertoning*; *veel van* ~ *houden* be fond of show; (*veel*) ~ *maken* make a show, cut a dash, make a splash; '*t ameublement maakte heel wat* (*niet veel*) ~ made a fine (no great) show; ~ *maken met zijn geleerdheid* show off one's learning; *op* ~, (*van kaartje, enz.*) on presentation (production), (*van wissel, enz.*) on demand, at sight, on presentation; *toegang op* ~ *van kaartje* admittance by ticket; *hij deed 't alleen voor* ~ only for show

vertoonbaar *zie toonbaar*

vertoornd incensed, wrathful, angry; ~ *op* angry with

vertoornen make angry, incense; *zich* ~ become angry

vertragen I *tr.* retard, delay; *de snelheid* ~ slacken speed, slow down, slow up, decelerate; II *intr.* slow down (up), slacken; *zijn pas vertraagde* his pace slackened; ~ *in zijn plicht* slacken (relax) in one's duty; *vertr. telegram* belated telegram; *vertraagde film* slow-motion film (*of:* picture)

vertraging slowing-down, -up, slackening, retardation, delay; (*nat.*) deceleration, (*achterblijven*) lag; ~ *van 't getij* lag of the tide; ~ *in produktie* lag in production; *de trein had aanzienlijke* ~ was considerably delayed; *een uur* ~ *hebben* be an hour behind schedule (behind time), be running an hour late; -**sgevecht** delaying action; -**sinrichting** delay-action; *granaatbuis met* – delayed-action fuse

vertrappen (*ook fig.*) trample down, trample upon, tread (crush) under foot; cut up [the turf was ...]; *zie ook vertikken*; *vertrapt ras*

downtrodden race; *de vertrapten* the downtrodden

vertreden *zie vertrappen*; *zich eens* ~ stretch one's legs

vertrek 1 room, apartment; 2 departure, start, (*van boot ook*) sailing; *bij het* ~, (*van gast*) at parting; ~**dagen** (*luchtv.*) days of operation [of a flight]

vertrekken I *intr.* leave [the train ...s from here], start, take one's departure, set out (off), go away (off), depart; (*van boot ook*) sail, (*van vliegt. ook*) take off; ~ *naar* l. (start, sail) for; *de trein moet* ~ *om* ... is due out at 5.40; *juist toen de trein vertrok* just as the train was going out (pulled out); *vertrek!* clear out!; ~*de schepen*, (*in lijst van afvaarten*) sailings; *haar gelaat vertrok* twitched, (*van pijn*) was twisted with pain; *vertrokken*, (*op brief*) gone away; II *tr.* draw (pull) away; move [a chair]; distort [one's face]; *zie spier*; *vertrokken gelaat* drawn (twisted, distorted) face; -ing distortion

vertrek: ~**perron** departure platform; ~**plaats** starting-place; ~**punt** starting-point, point of departure (*ook fig.*); ~**sein, ~signaal** signal for departure; ~**tijd, ~uur** time (hour) of departure, sailing-time, starting-time; ~**vlag** (*mar.*) Blue Peter

vertreuzelen idle (*of:* trifle) away

vertroebelen (*eig.*) make thick (muddy); *de zaak* ~ confuse (cloud, obscure) the issue

vertroetelen spoil, (molly-)coddle, pamper, cosset, pet

vertroosten comfort, console, solace; ~**d** *ook:* consolatory; -**er(es)** comforter

vertroosting comfort, consolation, solace

vertrossing *ongev.* commercialization

vertrouwd reliable [agents, etc.], trusted, trustworthy, dependable, trusty [friend, etc.]; (*veilig*) safe [the ice is not ...]; *ik weet dat het bij jou in* ~*e handen is* I know it is safe in your keeping; ~ [*raken*] *met* [become] conversant (familiar) with; *zij raakte* ~ *met haar werk, ook:* she got into the swing of her work; *zich* ~ *maken met* make o.s. familiar with, familiarize o.s. with, school o.s. to [an idea]; ~**e** confidant, (*vrouw.*) confidante; ~**heid** familiarity [with a subject]; *zie ook vertrouwbaarheid*

vertrouwelijk I *bn.* (*familiaar*) familiar, intimate, confidential; (*geheim*) confidential, private; ~**e mededeling** confidential communication; confidence; ~**e zending** mission of trust; *er stond* '~' *op de brief* the letter was marked private; *streng* ~ strictly private, private and confidential; II *bw.* ...ly, in confidence; ~**heid** familiarity, intimacy; confidentiality

vertrouweling *zie vertrouwde*

vertrouwen I *zn.* trust, confidence, faith; *iems.* ~ *genieten* enjoy (be in) a p.'s confidence; *ik heb mijn* ~ *in ... verloren* I've lost faith in lawyers; (*alle*) ~ *hebben in* have (every) confidence in; *groot* ~ *hebben in ...* be a great believer in the young men of the day; *vol* ~ *op* confident (sanguine) of [success]; ~ *stellen in* put (place, repose) confidence (trust) in, have faith in, confide in, place reliance on, trust; *weinig ~ stellen in* put little faith (have small t.) in; *zijn ~ vestigen op* ... put one's t. in God, pin one's faith on (*of:* to) the United Nations; *~ wekken* inspire confidence; *iems. ~ winnen* gain (get into) a p.'s confidence; *in (strikt) ~* in (strict) confidence; *iem. in ~ mededelen dat ..., ook:* confide to a p. that ...; *wij bevelen 't werk in vol ~ aan* we have great confidence in recommending the work; *hij nam mij in ~, schonk mij zijn ~* he took (*of:* let) me into his confidence; *met ~* with confidence, confidently; *op goed ~* [take everything] on t.; *goed van ~* trustful (of others), confiding; *positie van ~* position of t.; *zie motie & misbruik;* II *ww. tr.* trust [I t. him so far as (no further than) I can throw him]; *iem. iets ~* (en)trust a p. with s.t. (*zie* toevertrouwen); *ik vertrouwde mij aan hem toe* I entrusted myself to him; *~ dat ...* t. that ...; *men kon ~, dat hij 't zou doen* he could be depended (relied) on to do it; *ik vertrouw erop, dat je ..., ook:* I rely on (look to, trust) you to help me; III *ww. intr.: ~ op* rely on [a p., s.t.]; *op God ~* t. in God [t. in God, and keep your powder dry], put one's t. in God; *op zijn geheugen ('t toeval, zichzelf) ~* t. to one's memory (to luck, to o.s.); *~ op,* (*fam., ook:*) bank on [she could absolutely bank on him; don't bank on that too much]; *~d op, ook:* in reliance on; **~sbasis** [there must be a] (relationship of) trust [between management and workers]; **~skwestie** *zie* kabinetskwestie; **~sman** trusted representative; impartial negotiator (intermediary); (*in bedrijf*) shop steward; **~spost** position of trust; **~svotum** confidence vote, vote of confidence; **~swaardig** trustworthy; **~wekkend** inspiring trust

vertuianker (*mar.*) stream anchor
vertuien (*mar.*) moor with two anchors ahead
vertuiwartel (*mar.*) mooring-swivel
vertwijfeld desperate, despairing
vertwijfelen despair; *~ aan* d. of; *-ing* despair, desperation [be driven to ...]
veruit *zie* verreweg
veruiterlijken externalize
vervaard alarmed, afraid; *zie* kleintje
vervaardheid alarm, fear
vervaardigen make, manufacture, construct, prepare, execute [drawings], [every article we] turn out; **-(st)er** maker, manufacturer; **-ing** making, manufacture, construction, etc. (*zie 't ww.*)
vervaarlijk tremendous, frightful, awful; (*met 't oog op omvang ook*) huge; (*sl.*) thumping, whopping, whacking; *~ groot,* (*sl.*) whacking big; **~heid** ... ness
vervagen fade (away), become blurred (obscured); *doen ~* blur, obscure; *vervaagd* blurred [images]
verval (*achteruitgang*) decay, deterioration, decline, falling-off, decadence [of the English stage]; (*van gebouw, enz.*) dilapidation, dis-

repair; (*fooien*) perquisites; (*fam.*) perks; (*van wissel*) maturity; (*van rivier*) fall, drop; *~ van krachten* senile decay, diminishing strength; *~ van krachten hebben* be in a decline; *in staat van ~* in a state of dilapidation; *in ~ raken* fall into decay (*van gebouw ook:* into disrepair); *zie* vervallen; *ze zijn in ~ geraakt* they are in reduced circumstances, have seen better days, have come down in the world; *zijn zaak is in ~* is on the down-grade

vervaldag, -datum (*van wissel, enz.*) due date, day of maturity; (*van recht, enz.*) expiry date; *op de ~* at maturity, when due

1 vervallen I *ww.* (*in verval raken*) decay, fall into decay, go to (rack and) ruin, be on the down-grade [the country is on ..., is going to the dogs] (*van gebouw, enz. ook*) fall into disrepair, get out of repair; (*van wissels, enz.*) fall (be, become) due, mature, arrive at maturity; (*van coupons*) become (be) payable; (*van contract, termijn*) expire, terminate, run out; (*van huurcontract, enz. ook*) fall in; (*van pas, polis, recht, patent, rijbewijs, wet, enz.*) lapse; (*van wet ook*) be abrogated, (*tijdelijk*) be suspended; (*in onbruik raken*) fall into disuse, go out of date; (*van titel*) become extinct; (*van plan, wedstrijd, enz.*) be dropped (abandoned); (*van bestelling*) be cancelled; (*van trein*) be taken off (*zie* lijn); *de polis vervalt op 65-j. leeftijd* the policy matures at the age of 65; *'t verdrag vervalt 12 maanden na opzegging* the treaty will lapse 12 months after denunciation; *men liet 't ambt ~* the office was allowed to lapse; *daarmee vervalt ...* that disposes of (does for) this theory (his alibi, etc.); *aan de Kroon ~* fall (revert) to the Crown; *'t goed vervalt later weer aan ons* the estate will revert to us, we have a reversionary interest in the estate; *'t pensioen verviel bij zijn dood* died with him; *~ in* incur [a fine *boete:* expenses, debts]; fall into [errors, mistakes]; *in herhalingen ~* repeat o.s.; *weer in mijmeringen ~* relapse into meditation; *tot armoede ~* be reduced to poverty; (*weer*) *tot zwijgen ~* (re-)lapse into silence; *tot zonde ~* lapse (fall) into sin (*weer ...* relapse into sin); *weer tot onmatigheid ~* backslide into intemperance; *zie* uiterste & kwaad; II *zn.* (*van recht, enz.*) lapse; (*van termijn, enz.*) expiry, expiration; *zie verder* verval

2 vervallen *bn.* (*van gebouw, enz.*) tumble-down, decrepit, dilapidated, ramshackle, crazy, out of repair; (*van wissel, schuld*) due; (*van coupons*) payable; (*van contract, termijn*) expired; (*van recht, enz.*) lapsed; (*van titel*) extinct; (*van wet*) abrogated; (*van rijbewijs*) out(-)of(-)date; (*van pers.*) worn (out), wasted; shrunken [face]; (*betere dagen gekend hebbend*) down on one's luck; *~ (invoer)rechten* defunct duties; *iem. ~ verklaren van zijn* (*Kamer*)*lidmaatschap,* unseat a p.; *van de troon ~ verklaren* depose, (*als opvolger*) exclude from succession; *zie verder 't ww.;* **~verklaring** (*van vorst*) deposition; exclusion; *vgl. ~*

vervalsen adulterate [food, liquor], doctor [wine, *fam.:* documents], tamper with [a manuscript, cheque], falsify [books, accounts, a passport], cook [accounts, documents], forge [documents, a signature], counterfeit [banknotes, handwriting], debase [coin], load [dice], fake [documents, etc.]; -(st)er adulterator, falsifier, forger, [food-]faker

vervalsing [food] adulteration, falsification, forging, cooking, counterfeiting; (*concr.*) forgery, counterfeit, fake; *vgl. 't ww.; wet op de ~ van levensmiddelen* adulteration act, (*in Eng.*) Sale of Food and Drugs Act; ~smiddel adulterant

vervaltijd *zie* vervaldag

vervangblad cancel (leaf)

vervangen take the place of, replace [*door* by, with]; (*tijdelijk ook*) supply the place of, stand in for, act as the substitute for, deputize for, (*voor goed ook*) supersede; (*aflossen*) relieve; *ik zal je ~* I will take your place; *A door B ~* replace A by B, substitute B for A; *elkaar ~* relieve each other; *margarine vervangt boter* is a substitute for butter; *hij werd ~ door ...*, *ook:* his place was taken by ...; *niet te ~* irreplaceable, unreplaceable; *zie verder* waarnemen (*... voor*)

vervanger *zie* plaatsvervanger

vervanging replacement, substitution (*vgl. 't ww.*), supersession [of one commander by another]; *ter ~ van* in (the) place of, instead of, in substitution for; *een exemplaar ter ~ (van)* a replacement; ~smiddel substitute; ~swaarde replacement value

vervangstuk spare part, spare

vervatten: *in treffende bewoordingen vervat* couched (framed) in striking terms; *in gebiedende bewoordingen vervat, ook:* peremptorily worded; *daarin is alles vervat* everything is included in it; *het in uw schrijven van 2 dezer vervatte verzoek* the request contained in your letter of the 2nd inst.

vervelen bore; (*ergeren*) annoy; *iem. met iets ~* bore a p. with s.t., inflict s.t. [*zo ook:* oneself] on a p.; *alles ('t leven, hij) verveelt me* I am bored with everything (life, him); *de muziek verveelde me* I got bored with the music; *'t stadsleven verveelde mij* I (got) tired (I wearied) of town-life; *iem. dodelijk (gruwelijk) ~* bore a p. to death (to tears), (*fam.*) bore a p. stiff; *de jongen verveelde mij* the boy annoyed me, the boy was a nuisance; *schoonheid alleen verveelt spoedig* beauty alone soon tires (*of:* palls); *zich ~* be (feel) bored; *zich dood (dodelijk, liederlijk) ~* be (get) horribly bored (bored to death (to tears), *fam.* bored stiff); *tot ~s toe* over and over again, ad nauseam, until one is sick of it

vervelend tiresome [work, person], boring [subject, person], irksome (wearisome) [task], dull [place, dinner, fellow]; (*lang, langdradig*) tedious [speech, speaker, journey]; (*hinderlijk, prikkelend*) annoying; *zie* saai; *een ~ iem. (iets)* a bore; *wat ~!* what a bore! what a

nuisance! how provoking! how sickening! botheration!; *wat een ~e vent!* what a bore!; *dat is nou ~!* that's a bother (a bore, a nuisance)!; *~ dat we geen licht hebben* nuisance not having a light; *~! daar gaat de bel* bother! there's the bell; *'t ~e van ...* the tedium of everyday life

verveling boredom, tedium, weariness, tiresomeness, ennui; *'n uitdrukking van ~* a bored expression, a bored air; *'n gezicht, waarop de ~ te lezen staat* a bored face

vervellen peel, desquamate, skin; (*van slangen*) cast (throw, shed) the skin, slough; *'t kind vervelt*, (*na roodvonk, enz.*) is peeling

vervelling peeling, desquamation; sloughing; ~speriode (*na ziekte*) desquamation period

verveloos paintless, discoloured, (*fam.*) innocent of paint; *'t huis is totaal ~* is crying out for paint; ~heid lack of paint

verven paint [the door (a bright) green], dye [clothes, the hair]; *... laat zich goed ~* this material dyes well; *'t huis moet geverfd worden* wants repainting; *de deur twee keer ~* give the door two coats of paint; *zie* verveloos; (*pas*) *geverfd!* wet (*of:* fresh) paint

vervenen dig (cut) peat (from)

vervening peat-digging, -cutting

verver (house-)painter; dyer; *vgl. 't ww.*

ververij dye-works, -house

verversen refresh; renew; change [the parrot's water]; *zich ~* refresh o.s., take some refreshment

verversing refreshment; ~skanaal *ongev.:* drainage canal; ~skarretje (*station*) r.-trolley; ~skraampje r.-stall; ~splaats r.-room, r.-bar; *grote* ~stent r.-, catering-marquee

ververskneecht painter's mate

ververskuip dyeing-tub

verwijderd far-off, -away [places, day]

vervetten turn to fat

vervetting (*van hart, enz.*) fatty degeneration

vervier(-vijf)dubbelen, -voudigen *tr. & intr.* quadruple (quintuple), multiply (be multiplied) by 4 (5), *of:* m. fourfold (fivefold)

vervilten *tr. & intr.* felt

vervlaamsen make Flemish

vervlakken fade (away), become blurred; *het geestelijk leven is bezig te ~* is becoming drab and superficial

vervlechten interweave, knit up

vervliegen fly; (*verdampen*) evaporate, volatilize; (*fig.*) evaporate [his anger ...d], (*van hoop, enz.*) melt (vanish) into (thin) air; *wat vervliegt de tijd!* how time flies!; *doen ~* evaporate; blot out [hope]; *mijn hoop is vervlogen, ook:* my hope is gone; *in lang vervlogen tijden* in days long past, in far-off days; *'t ~ van ...* the flight of time

vervloeien flow away; (*van inkt*) run; (*van 't geleerde*) be forgotten, fade (from the memory); (*van kleuren, enz.*) melt, run, fade

vervloeken curse, call down a curse upon, damn; (*kerkelijk*) anathematize, excommunicate; *zie* vervloekt, verwensen & vertikken;

-ing curse, imprecation, malediction; (*ban-vloek*) anathema

vervloekt I *bn.* cursed, damned, (*sl.*) darned, dashed; ~ *schandaal* a damned (howling) shame; *'t ~e ding* the blamed (plaguy, damn) thing; *het ~e is* ... the damnable thing is ...; *die ~e ...!* the dratted fellow! confound that woman! blast that hat!; *jij ~e leugenaar!* (*sl.*) you blasted (ruddy) liar!; *die ~e namen* those accursed names; ~ */damn it!* damnation! confound it! the deuce!; ~ *als 't waar is* I'll be hanged if it is true; **II** *bw.* damned [unpleasant], deuced(ly), confoundedly, dashed [hot]

vervliegen *zie* vervliegen

vervluchtigen *tr. & intr.* (*ook fig.*) volatilize, evaporate; **-ing** volatilization, evaporation

vervoegbaar conjugable

vervoegen conjugate [verbs]; *zich ~ bij* call at the house (office etc.) of, report to [the information desk]; **-ing** conjugation

vervoer transport, transportation, conveyance, carriage, transit; movement [the ... of cattle has been prohibited]; removal [to hospital, etc.]; ~ *over lange afstand* long-distance hauling; *slecht tegen 't ~ kunnen* [some wines] travel badly; ~ *te water* water-carriage, waterborne t.; ~ *door de lucht* air-(borne) t.; *gedurende 't ~* [damaged] in transit; *recht van ~*, (*over particulier terrein*) way-leave; *verbod van ~*, *zie* ~verbod; **~adres** way-bill; **~apparaat** transport system; **~baar** conveyable, transportable; **~bewijs** (*mil.*) railway-warrant; **~biljet** (*hand.*) *zie* geleibiljet; **~der** transporter, conveyer, carrier

vervoeren transport, convey, carry [the train carried many holiday-makers]; remove [to hospital, move [the patient could not be ...d]; *passagiers ~* carry passengers; *hij liet zich door zijn hartstochten ~* he allowed himself to be carried away by his passions; *zie* ijl

vervoering transport, rapture, ecstasy, exaltation, enthusiasm; *glimlach van ~* rapt smile; *in ~ over* enraptured with, enthusiastic about; *in ~ van bewondering* rapt with admiration; *in ~ brengen* throw into a rapture (into ecstasies); *in ~ geraken* go into raptures (into ecstasies) [*over* over, with], be carried away [with s.t.]

vervoer: **~kosten** transport charges, cost of carriage; **~maatschappij** (public) transport company, (*Am.*) (rapid) transit company; **~middel** (means of) conveyance; *openbare ~en* public transport; *publiek ~* public-service vehicle; **~statistiek(en)** traffic returns; **~verbod** prohibition of transport, (*van vee*) standstill order

vervolg continuation, sequel; (*toekomst*) future; ~ *op een werk* sequel to a work; *in 't ~* in future, henceforth; ~ *in het e.k. nummer* to be continued in our next; ~ *op bl. 5* continued on page five; *als ~ op* in c. of [that measure]; *ten ~e op mijn schrijven van* ... with (further) reference to (following up, further to) my letter of ...; **~baar** (*van vergrijp*) actionable, indictable; (*van pers. in civiele zaken*) suable,

liable to be sued, (*van pers. in strafzaken*) liable to prosecution, indictable, prosecutable; **~bundel** (*van gezangen*) supplementary hymn-book; **~deel** supplementary volume

vervolgen (*voortzetten*) continue [a story, one's work, one's way], pursue [an inquiry], proceed on [one's journey]; (*achtervolgen*) pursue, chase, be in pursuit of; (*kwellen*) persecute; (*van gedachte, enz.*) haunt; (*gerechtelijk*) prosecute [a crime; a p. for s.t.], sue [a p. for damages], bring an action against, institute legal proceedings against, proceed against, have the law of [a p.]; *hij vervolgde zijn weg, ook:* he pushed on; *hij vervolgde:* ... he went on to say ...; *wordt verv.* to be continued [*in 't volgend nummer* in our next]; *de zaak werd niet verv.* there were no legal proceedings about it; *hij werd niet verder verv.* the case against him was dropped; *een misdaad (om persoonl. redenen, omkoping, enz.) niet ~* compound a felony; *de tegenspoeden blijven hem ~* misfortunes c. to dog (to haunt) him; *iemand met zijn aanbiedingen ~* pester (worry) a person with offers

vervolgens then, further, next, thereupon; (*naderhand*) afterwards, subsequently

vervolger pursuer; persecutor; prosecutor; *vgl. 't ww.*

vervolghoorspel radio serial, serial play

vervolging pursuit; persecution [religious ...], [Jew-]baiting; prosecution; *vgl. 't ww.; 'n ~ instellen tegen* bring an action against; *zie* vervolgen; *iem. buiten ~ stellen* discharge a p.; *ik dreigde de chauffeur met een ~* I threatened the driver with an action; *tot ~ overgaan* prosecute; **~sgeest, ~szucht** spirit of persecution; **~swaanzin** persecution mania

vervolg: continuation: **~klas(se)** c.-class; **~roman** sequence novel; **~school** c.-school; **~stuk** continuation; **~verhaal** serial story; **~werk** (*vervolg*) sequel, (*bij gedeelten verschijnend werk*) work published in instalments, serial publication; **~zang** sequence

vervolmaken perfect

vervormen transform, remodel, recast; (*misvormen*) deform, distort; *vervormde spraak*, (*telec.*) scrambled speech

vervorming *a*) transformation, remodelling, recasting; *b*) deformation, distortion

vervrachten enz., *zie* bevrachten, enz.

vervreemd alienated, estranged [*van* from]; ~ *raken van*, *zie* vervreemden; **~baar** alienable

vervreemden (*goederen*) alienate, (*personen*) alienate, estrange [*van* from]; *iem. van zich ~* alienate (estrange) a p.; (*zich*) ~ *van* become a stranger to, get estranged from, drift (*of:* slip) away from; *van elkaar ~, ook: intr.* drift apart; *tr.* drive apart; **-ing** alienation, estrangement; *vgl. 't ww.*

vervroegen fix at an earlier time (hour, date), put [dinner] forward, anticipate, accelerate [one's departure], advance [a date]; *de datum van een brief ~* antedate a letter; *vervroegde datum* (*betaling*) accelerated date (payment);

-ing acceleration, anticipation, advancement
vervrolijken cheer (up), enliven
vervrouwelijken *tr. & intr* feminize
vervuild filthy [house, children]; **~heid** filthiness; **vervuilen** *intr*. become filthy; *tr*. make filthy; pollute [a river]
vervuiling filthiness; [air, river, marine] pollution; *in een staat van ~* in a filthy state
vervullen fill [a place, a vacancy, a part *rol*, a p. with admiration], fill up [a vacancy]; pervade [these ideas...d him; he...d all her thoughts]; perform [a function, one's duties]; do [one's military service]; discharge, carry out, fulfil [one's duties]; occupy [a place]; fulfil [a prophecy]; accomplish [one's task]; supply [a vacancy]; comply with [a p.'s wish], grant, hear [a prayer]; keep, fulfil, redeem, make good, honour [a promise]; *haar hoop werd vervuld* her hopes were realized (answered); *één hoofdgedachte vervulde haar* one main idea possessed (*en kwelde:* obsessed) her; *de betrekking is al vervuld* the place is filled; *hij was er geheel van vervuld* he was full of it, engrossed with it; *~ met* fill with [fear]; *met schrik ~, ook:* strike terror into; *zie* spreekbeurt
vervulling fulfilment, performance; discharge [of obligations]; consummation [of one's ambition], realization [of one's dreams]; *in ~ gaan* be realized (fulfilled), come off, [plans] come to fruition
vervuren (*van hout*) get dry-rot (in it); *vervuurd hout* dry-rot
verwaaid blown about; *er ~ uitzien* look dishevelled (tousled, rumpled, tumbled)
verwaaien be blown about (away)
verwaand conceited, stuck-up, bumptious, cock(s)y, (*sl.*) swanky; *hij is niet ~, ook:* there is no bounce in him, he is without side; *~ ventje* whipper-snapper
verwaandheid conceit, conceitedness, side, cock(s)iness, bumptiousness
verwaardigen: *zij verwaardigde hem met geen blik (geen antwoord)* she did not vouchsafe him a glance (an answer), did not deign (condescend) to look at him (to answer him); *zich ~ te ... deign (condescend) to ...
verwaarloosbaar negligible
verwaarloosd neglected [garden etc.]; unkempt [appearance, condition], uncared for [children, garden, appearance]; *~e en verlaten kinderen* waifs and strays
verwaarlozen neglect, be neglectful of; *zijn correspondentie ~, ook:* let one's correspondence slide; *te ~* negligible
verwaarlozing neglect; *met ~ van* to the n. of.
verwachten expect [a p., letter, etc.], anticipate [trouble, success, etc.], look for [she spoke with a decision he had not ...ed for]; (*met verlangen*) look forward to [a p.'s arrival, an early reply, a pleasant evening]; *ze verwachtte 't half en half* she had half expected it; *ik verw. dat hij zal komen* I e. him to come (that he will come); *men verwacht, dat hij ...* he is expected

to return; *ik verwacht, dat jij me zult helpen, ook:* I look to you to help me; *zij verwacht een kleine* she is expecting (a baby); *'t was meer dan ik verwacht had, ook:* more than I had bargained for; *dat is meer dan men kan ~* it is too much to e.; *iem. ~ op de thee* e. a p. to tea; *dat had ik wel van je verwacht* it is just what I had expected of (from) you; *dat kan men ~ van ...* it is just like your father (to say so), it's your father all over; *ik verwacht van u geen aanmerkingen* I'll stand no critical remarks from you; *ze ~ er veel van, ook:* they place a lot of hope upon it; *te ~* [that was] to be expected; prospective [expenditure]; *niets te ~ (= te erven) hebben* have no expectations
verwachting expectation, anticipation, (*in weerbericht*) outlook [...:* unsettled]; *vol ~* expectant(ly); *grote ~en koesteren* nourish (hold) great (high) hopes [of one's son], cherish ambitions [for the future]; *span je ~en niet te hoog* don't put your expectations (set your hopes) too high; *zie ook* gespannen; *'t overtrof mijn stoutste ~en* it exceeded (surpassed, outran) my wildest expectations (dreams); *aan de ~ beantwoorden* come up to expectations; *'t beantwoordde niet aan (bleef beneden) mijn ~en* it did not come up to (it fell short of) my expectations; *zie* voldoen; *boven (alle) ~* beyond (all) e. (all anticipation); *buiten ~* contrary to e.; *blijde ~* joyful anticipation [of the Queen giving birth to an heir]; *zij is in blijde ~* she is expecting (a baby, a happy event), she is in the family way; *tegen alle ~* contrary to (all) e., against (all) e.
verwant I *bn.* allied, related, congenial, kindred; cognate [languages, words, sciences]; (*alleen pred.*) akin; *~e takken van industrie* [the motor and] allied (associated, kindred) industries; *~e vraagstukken* related problems; *en 't daarmee ~e vraagstuk van ...* [traffic congestion] and the allied problem of ...; *~e zielen* congenial (kindred) spirits, twin souls; *~ aan* allied (related, akin) to; *hij is niet ~ aan ...* he is no connection of ...; *nauw aan elkaar ~* [these arts are] closely allied; *ik ben hem 't naast ~* I am his next of kin; II *zn.: ~en* [my] relatives, relations
verwantschap (*algem.*) relation(ship), connection, affinity; (*van aard, enz.*) congeniality; (*familie-*) relationship, (*altijd bloed-*) consanguinity, kinship, (*inz. huwelijks-*) affinity; (*scheik.*) affinity; *~t zie* verwant
verward (*eig.*) (en)tangled [foliage, mass], tumbled [hair, clothes], dishevelled, tousled [hair], confused [mass], disordered [clothes]; (*dicht en ~*) matted [hair]; (*fig.*) confused [language, ideas], addled [brain], entangled [affair], rambling [statement, remarks], muddled [ideas, thinking], chaotic [thoughts], involved [financial position]; (*bedremmeld*) confused, perplexed; *~ raken in* get entangled in; *~ spreken* talk confusedly; *zie* maas; *~heid* confusion, disorder; (*verlegenheid*) confusion, perplexity

verwarmen heat, warm; *zich* ~ warm oneself; *het ~d oppervlak*, *(van ketel)* the heating surface; **-ing** heating, warming; *de – afzetten* turn off the heater; *zie* centraal

verwarmings- heating: **~buis** h.-tube; **~oppervlak** h.-surface; **~toestel** h.-apparatus

verwarren (en)tangle [thread, etc.]; *iem.* ~ confuse (confound, bewilder, distract) a p., put a p. out; *met elkaar* ~ confuse, mix up [names, dates], mistake [(the) one for the other]; *niet te ~ met* as distinct from; *ik verwar die twee altijd met elkaar* I never can tell one from the other, I cannot tell them apart; *zich* ~ get confused; get entangled [in a net, in one's speech]; *hij raakte hopeloos verward* he got himself into a hopeless muddle; *'t is ~d* it's confusing

verwarring confusion, entanglement; *(warboel)* muddle, jumble, tangle; *(verlegenh.)* confusion, bewilderment; *~ stichten* cause c.; *in* ~ in c.; *in ~ brengen* throw into disorder, *(pers.)* confuse, put [a p.] out; *in ~ geraken* get into disorder, *(van pers.)* become confused, lose one's head

verwaten arrogant, overweening, overbearing, presumptuous, puffed up; **~heid** arrogance, presumption, overweeningness, etc.

verwaterd watered (down) [watered soup, Stravinsky, a watered-down Bach]; *vgl. 't ww.; ~e stijl* milk-and-water style

verwateren dilute too much; water [milk, capital], water down [a party programme]; **-ing** watering (down); *vgl. 't ww.*

verwedden bet, wager, lay; *(door wedden verliezen)* lose in betting; *er ... onder ~* lay a penny on it; *ik verwed er ... onder* I'll b. you ten guilders; *ik verwed er ... onder dat ...* I'll lay a guilder he was there; *ik verwed er mijn hoofd (mijn leven, mijn laatste gulden) onder (om)* I'll stake my head (my life) on it, I'll bet my bottom dollar on it; *er alles onder ~*, *(fam.)* put one's shirt on it

verweer defence; *(jur. ook)* plea; *(tegenstand)* resistance; *zie ook* ~schrift

verweerd weather-beaten [face, sailor, signboard], weathered [granite, face], disintegrated [rocks], discoloured [window], weather-beaten, -worn, -stained [walls]

verweerder defender; *(jur.)* defendant

verweermiddel means of defence

verweerschrift (written) defence, apology

verweesd orphan [child], orphaned

verwegen: *zie* verwikken

verweiden move [cattle] to another pasture

verwekelijken *tr.* enervate, effeminate; *zie* vertroetelen); become effeminate (enervated); **-ing** enervation, effeminacy

verweken *intr.* soften; **-ing** softening

verwekken beget, procreate [children], father [a child on ... *bij*]; produce [laughter], inspire [fear], raise [a tumult, a storm, a riot, a laugh, protests], rouse [anger, indignation], induce [sleep], stir up [a riot, sedition], cause [discontent], create [disorder, thirst, a sensa-

tion], provoke [jealousy]; *kunstmatig* ~ whip up [enthusiasm, patriotism], **-er** begetter, procreator, author, cause; *(van bacil, enz.)* causative agent; **-ing** begetting, procreation; raising, rousing, etc.; *zie 't ww.*

verwelf vault; **~d** vaulted; **~sel** vault

verwelkelijk perishable. transitory; **~heid** perishableness, transitoriness

verwelken wither, fade (away), droop, wilt; *doen* ~ wither, wilt; **-ing** withering, etc.

verwelkomen welcome, bid welcome; *zie* welkom (... *heten*); **-ing** welcoming, welcome; *iem. de hand schudden ter –* shake a p.'s hand in welcome

verwelkt withered, faded, wilted

verwelven vault

verwennen spoil, over-indulge; *(vertroetelen)* coddle, pamper; *zich* ~ coddle (spoil) o.s.; *verwend ventje* spoilt child, mother's darling, milksop; *verwend publiek* jaded (blasé) public

verwennerij, verwenning over-indulgence; coddling, pampering

verwensen curse; *hij verwenste zichzelf, omdat hij een kleur kreeg (zo'n gek was)* he cursed himself for blushing (for being [having been] a fool); **-ing** curse, malediction

verwenst *zie* vervloekt

verwereldlijken *a)* secularize [church property]; *b)* grow *(of:* make) worldly

verweren 1 weather *(ook: doen ~),* get weather-beaten (discoloured), disintegrate; *zie* verweerd; 2 *zich* ~ defend o.s., speak up for o.s.; *zich* ~ *tegen, ook:* stand up to a p.; *(tegenspartelen)* struggle, resist; *hij verweert zich met te zeggen ...* he takes his stand on the ground that ...; *zich dapper* ~ put up a good (stiff, plucky) fight; *hij verweert zich nog kranig* he has fight in him yet

verwering 1 weathering, disintegration; 2 defence; *zie ook* verweer(schrift)

verwerkelijken enz., *zie* verwezenlijken

verwerken process [materials, facts], work up [materials], get through [a quantity of work]; *(van voedsel, ook fig.)* digest [heaps of evidence; he could not inwardly ... it], assimilate [ram facts into their heads which they cannot ...], absorb [a high volume of traffic]; *een opmerking in een artikel* ~ work (incorporate) a remark into an article; *~ tot* make (work up, manufacture) into; *katoen ~de industrie* cotton textile industry

verwerking working (making) up, digestion, assimilation; processing; *vgl. 't ww.*

verwerpelijk objectionable, reprehensible; *dat is lang niet* ~ not to be rejected, *(fam.)* not to be sneezed at; **~heid** ...ness

verwerpen reject, turn down [an offer], *(sterker)* repudiate, scorn [an idea], disclaim [an accusation]; *(bij stemming)* negative, reject, defeat [a motion, etc.], throw out [a bill *wetsontwerp*], vote down [the Budget]; *'t beroep werd verworpen* the appeal was dismissed; *de motie is verw.*, *(Eng. Parl.)* the noes have it;

zie ook vergooien; **-ing** rejection, turning down, repudiation, defeat, throwing out; *vgl. 't ww.; (theol.)* reprobation

ver**werven** obtain, acquire, win, earn [a good reputation; he ...ed for himself a reputation for outspokenness], gain [one's trust]; *zich ~, ook:* build up, make o.s. [a reputation]; *verworven eigenschappen, (biol.)* acquired characters; *zie* verkrijgen; **-ing** obtaining, etc., acquisition; *kosten van –* professional expenses

ver**westerd** westernized

ver**westersen** *tr.* westernize, occidentalize; *intr.* be (become) westernized

ver**westersing** westernization

ver**weven** interweave *(ook fig.)*

ver**wezen** 1 dazed, [be] in a daze, dumbfounded, *(fam.)* flabbergasted; 2 be orphaned; 3 *v. dw. van* verwijzen

ver**wezenlijken** realize, actualize; *zie* vervullen; *zich ~* be realized, materialize [his hope, fear, the rumour, etc. has not ...d]; *niet te ~* unrealizable; **-ing** realization, actualization; *zie* vervulling

ver**wijden** widen, let out [a dress]; *zich ~* widen, *(van ogen)* dilate

ver**wijderd** remote, distant; *in ~e dagen* in remote *(of:* far-off) days; *~e oorzaken (gevolgen)* r. causes (effects, consequences); *een mijl van de haven ~* a mile away from the harbour; *zie 't ww.*

ver**wijderen** remove, get [a p., s.t.] out of the way; *(van school)* expel [from school]; *(uit de klas)* send out of class; *(van sportveld)* send *(of:* order) off [the field]; *(uit de Kamer)* order from the House, *(er uitzetten)* eject [from the House, the gallery]; *(uit testament)* cut [a p.] out of one's will; *(vlekken)* remove, take out [stains]; *(alg.)* eliminate; *(als ongeschikt, ook)* weed out; *een gezwel ~* r. a tumour; *uit 't leger verwijderd worden* be removed from the Army; *uit de dienst verw. worden* be dismissed the service; *de mensen van zich ~* alienate (estrange) people; *ze trachtte ... van elkaar te ~* she tried to drive a wedge between him and his wife; *zie* vervreemden; *zich ~* withdraw, retire, go away; *(van voetstappen, geluid, enz.)* recede; *iem. gelasten zich te ~* order a p. off (the field), out of the room, etc.; *mag ik me even ~?* may I leave the room for a moment?; *zich een ogenblik ~, ook:* absent o.s. for a moment; **-ing** removal, expulsion, ejection; *vgl. 't ww.; (vervreemding)* estrangement, alienation; *er ontstond – tussen ...* she and her husband began to drift apart

ver**wijding** widening, dila(ta)tion; *vgl. 't ww.*

ver**wijfd** effeminate, womanish, unmanly; *~ persoon* milksop, mollycoddle; *~heid* effeminacy, effeminateness, etc.

ver**wijl** delay; *zonder ~* w:thout d.

ver**wijlen** stay, sojourn; *(dralen)* linger; *~ bij* dwell upon [a subject, etc.]; *zie* stilstaan

ver**wijsbriefje** *(med.)* referral note

ver**wijt** reproach, blame, reproof; *iem. een ~*

maken van iets reproach (twit) a p. with s.t.; *maak er mij geen ~ van* don't put the blame on me; *ik maak er u geen ~ van* I'm not blaming you, I don't hold it against you; *zie* treffen

ver**wijten** reproach, upbraid; *iem. iets ~* r. (upbraid, twit) a p. with s.t., r. a p. for doing s.t.; *zie ook* een verwijt maken; *ik verwijt mijzelf, dat ik ... I* r. myself that I ...; *ik heb mij niets te ~* I have nothing to r. myself with; *zij hebben elkaar niets te ~* they are tarred with the same brush; *~d* reproachful

ver**wijting** reproach; *de V~en, (r.-k.)* the Reproaches; *zie* verwijt

ver**wijven** *tr.* effeminate; *intr.* become effeminate

ver**wijzen** refer [naar to]; *[voor een uitvoerige beschrijving]* zij verwezen naar ... the reader is referred to ...; *naar een andere rechtbank ~* remit [a case] to another court; *naar een speciale commissie ~* r. (relegate) to a select committee; *naar de prullenmand ~* consign (relegate) to the waste-paper basket; *zie* terechtzitting & kosten

ver**wijzing** reference; *(in boek ook)* cross-reference; *(in catalogus ook)* added entry; remittal [to another court]; *(med.)* referral [to a specialist]; relegation; *~ naar de openbare terechtzitting* committal for trial; *onder ~ naar* with r. to, referring to; *~steken* r.-mark

ver**wikkelen** complicate [an affair]; *iem. ~ in* implicate (involve, entangle) a p. in [a plot]; *verwikkeld zijn (raken) in* be (become) implicated (mixed up, involved) in; *de Veren. Staten willen zich niet ~ in ...* the U.S. does not wish to tangle itself up in treaties; *zie* wikkelen; **-ing** complication, entanglement, imbroglio; *(van roman)* plot; *staatkundige ~en* political complications; *de –* neemt toe the plot thickens

ver**wikken**: *niet te ~ of te verwegen* immovable, unshakable, firm as a rock; *(ook)* [the nuts *(moeren)* refused to] budge

ver**wilderd** wild, neglected; dishevelled, unkempt [appearance, hair, fellows]; unkempt, weed-grown [garden]; *(moreel)* brutalized; *~e blik* haggard look; *~e plant* plant run wild, (garden-)escape; *de jongen is ~* has run wild

ver**wilderen** run wild [the garden, the boy, is running wild], become a wilderness, run to waste; *(moreel)* degenerate, become brutalized; *een tuin laten ~* let a garden run wild; **-ing** running wild; degeneration, brutalization; *(van de jeugd bijv.)* (increasing) lawlessness; *– der zeden* demoralization

ver**winnen** enz., *zie* overwinnen, enz.

ver**wisselbaar** interchangeable

ver**wisselen** *(omruilen)* exchange; change [one's slippers for shoes]; transpose [letters in a word]; *de etiketten zijn verwisseld* the labels have been switched; *~ met* e. for; *ze met elkaar ~, (verwarren)* mistake (the) one for the other, confound them; *deze woorden kunnen met* *elkaar* verw. *worden* may be interchanged, are interchangeable; *ze verwisselde haar kleed met haar zondagse japon* she changed into her Sunday frock; ~ *tegen* e. for; *van paarden (plaatsen, namen, enz.)* ~ change horses (places, names, etc.); *van kleur* ~ change colour (*ook:* his colour came and went); *van kleren* ~ change clothes, (*met iem.*) e. clothes; *verwissel niet van paarden, als de wagen op een helling staat* don't swop (swap) horses in midstream; ~**de** *hoeken* alternate angles

verwisseling change [Cabinet ...s; *ook:* reshuffle of the Cabinet], exchange, interchange; (*op school*) [during] c. of lessons; (*in volgorde*) permutation; (*van letters in woord, van etiketten*) transposition; (*verwarring*) mistake

verwisselstuk spare part

verwittigen inform, advise, send word, let ... know, notify; ~ *van* i. (notify, advise) of; -**ing** communication, notice, information

verwoed furious, fierce [fight], passionate [resistance], ardent [cyclist], rabid [enthusiast, partisan], rampant [Tory], tooth and nail [fight]; ~**heid** fury, rage, fierceness

verwoest destroyed, (laid) waste, devastated, ruined, [her] blighted [life]; *vgl.* '*t ww.*

verwoesten (*algem.*) destroy; devastate, lay waste [a country, town], lay in ruins [the town was laid ...], wreck [a building, a p.'s career, a p.'s life, one's constitution], shatter [one's health, hopes], ruin [one's health], blight [a p.'s youth, hopes]; *ze heeft zijn leven (zijn huiselijk leven)* verw., *ook:* she has made a wreck of his life (she has broken up his home); ~**d** destructive, devastating; -**er** destroyer, devastator

verwoesting destruction, ravage [the ...s of time, of tuberculosis], devastation, havoc; *toneel van* ~, *ook:* scene of desolation; ~*en* ravages; ~*en aanrichten* make (work) havoc [the flood has worked havoc], commit ravages, do [a great deal of] mischief; ~*en aanrichten onder* make havoc of, play havoc among (*of:* with)

verwonden wound; (*bezeren*) injure, hurt; *zie* wonden

verwonderd surprised, astonished; *wie? vroeg ze* ~ who? she asked wonderingly (in wonder)

verwonderen surprise, astonish; *is* '*t te* ~ *dat* ...? is it any wonder (is it surprising) that ...? what wonder if (*of:* that) ...?; '*t is te* ~, *dat* ... it's a (matter of) wonder that ...; '*t is niet te* ~ *dat* ... no (small, little) wonder that ..., it is not to be wondered at that ...; '*t verwondert me, dat de man u betaalt* I wonder at the man paying you; '*t zal mij* ~ *of* I wonder if (*of:* whether); '*t verwondert me* I wonder (I am surprised) at it; '*t verwondert me, dat hij* ... I wonder (I am surprised) he ...; '*t verwondert me van hem* I am surprised at him (doing it, etc.); '*t verwondert me alleen, dat* ... my only wonder is that ...; '*t zou me niet(s)* ~ I should not wonder; *zich* ~ be surprised (astonished), wonder, marvel [*over* at]; *men mag zich nog*

~ *dat* ... the wonder is that he should have achieved what he did; -**ing** surprise, wonder, astonishment; – *wekken* create a surprise; *zie* verbazing

verwonderlijk astonishing, surprising, wonderful; (*zonderling*) queer, strange; '*t* ~*e is dat* ... the wonder is that ...; ~**heid** ...ness

verwonding wound, injury; ~*en aan* '*t hoofd* injuries to the head, head injuries

verwonen *hoeveel verwoont u hier?* what do you pay for rent?

verwoorden put into words, voice

verworden decay, degenerate, deteriorate; (*veranderen*) change; -**ing** *a*) decay, decomposition, corruption, degeneration, deterioration, decadence; *b*) change

verworpeling outcast, reprobate; *hij is een* ~, *ook:* he is beyond the pale

verworpen depraved, reprobate; *zie* verwerpen; ~**heid** depravity, reprobation

verworvenheid attainment

verwrijven, -ing (*farm.*) triturate, -ation

verwrikken move (with jerks); *niet te* ~ immovable; *zie ook* verzwikken

verwringen distort (*ook fig.:* facts), twist (*ook fig.:* words), contort; -**ing** distortion, contortion, twisting

verwrongen distorted (contorted) [face], twisted [face, smile]

verwulf(sel) vault; **verwulven** vault

verzachten soften (*ook fig.:* grief, the heart, manners, a p.'s fate), ease [the end of a dying man], allay, alleviate, assuage, mitigate, soothe, relieve [pain], tone down [colours, a refusal, a newspaper article], qualify [a statement], mellow [tints], mollify [a p.'s anger], relax [measures]; *een vonnis* ~ mitigate a sentence

verzachtend softening [influences, etc.], mitigating, soothing [syrup, ointment, etc.]; *zie* '*t ww.*; – *middel* emollient, palliative, lenitive; ~*e omstandigheden* extenuating (*ook:* mitigating) circumstances; *als* ~*e omstandigh. voerde hij aan* ... he pleaded in extenuation ...; ~*de uitdrukking* euphemism, euphemistic expression

verzachting softening, alleviation, relief, mitigation; *vgl.* '*t ww.*

verzaden *zie* verzadigen; **verzadigbaar** satiable

verzadigd satisfied, satiated; (*nat., chem.*) saturated; ~**heid** satiety; (*nat., chem.*) saturation

verzadigen satisfy [a hungry person, one's appetite, one's curiosity, desires]; (*gew. over*~) satiate; (*nat., schem.*) saturate [a solution, the air]; *zich* ~ satisfy o.s., eat one's fill; *niet te* ~ insatiable; -**ing** satiation; (*nat., chem.*) saturation; -**ingspunt** saturation point

verzakelijking commercialization

verzaken renounce [one's faith, the world], renounce, forsake, cast off [a friend], betray (abandon) [one's ideals, one's principles]; *kleur, troef* ~ revoke; *zijn plicht* ~ neglect (fail in, turn aside from, run away from) one's duty; -**er** renouncer, forsaker, revoker; *vgl.* '*t* *ww.;* **-ing** renunciation, forsaking, neglect, dereliction [of duty]; (*kaartspel*) revoke

verzakken (*van huis, brug, enz.*) sag, sink, subside, settle; (*van deur, enz.*) sag; (*med.*) prolapse, drop [the left kidney had ...ped]

verzakking subsidence [of the soil], sag(ging), sinking, settlement; (*med.*) prolapsus, prolapse, falling and displacement (of the womb)

verzamelaar collector, compiler, (*van bloemlezing*) anthologist

verzamelband *a*) omnibus volume; *b*) composite volume; *c*) binder; **-bundel** collection (of miscellaneous essays), miscellany

verzamelen collect [money, stamps, coins, tales]; compile [notes, etc.]; gather [food, honey, information]; harvest [honey]; accumulate [information, a fortune]; amass [a fortune]; collect, store [electricity]; store up [knowledge]; assemble [one's friends, stories]; salvage [old paper], *zijn gedachten* ~ c. one's thoughts; *nieuwe kracht* ~ gather new strength, regain one's strength; *zijn krachten* ~ gather (muster) one's strength, brace o.s. up [for ...]; *al zijn krachten* ~ summon up all one's strength; *zijn moed* ~ muster (pluck, summon) up courage, take one's courage in both hands; *een paard* ~ c. a horse; *troepen* ~ gather (collect, *in groten getale:* mass) troops; *zijn troepen* (*weer*) ~ rally one's troops; *zich* ~ collect [a crowd of people ...ed]; soot ...s in the chimney], assemble, gather, meet, flock together; muster [on deck]; rally [round a standard]; his friends rallied round him]; ~ *blazen* sound the rally (the assembly); *zie* vader

verzameling collection; compilation; accumulation; gathering; *vgl. 't ww.*; (*wisk.*) set; **~enleer** set theory

verzamel: **~kamp** transit camp; **~lens** condensing-lens; **~naam** *a*) collective noun; *b*) general (collective) term; **~plaats** meeting-place, trysting-place, rendezvous, muster-place, meet; (*inz. mil.*) rallying-place, -point, forming-up place; **~stuk** collector's piece; **~titel** generic title; **~werk** collective work; composite work; compilation; **~woede** collecting mania, collector's mania; **~woord** *zie* ~naam

verzanden silt up, get silted (choked, choked up) with sand; **-ing** silting up

verzegelaar sealer

verzegelen seal (up); (*officieel*) put (place) under seal, place seals on, affix seals to; **-ing** sealing (up), putting (placing) under seal

verzeggen promise; *verzegd,* (*van plaats*) taken, engaged, (*van dans*) promised, disposed of

verzeilen (*wegzeilen*) sail (away); (*op een bank*) run aground; *verzeild raken onder* (*in*) fall among [thieves], get mixed up with, fall (get) into [bad company], drift into [a financial morass]; *hoe kom jij hier zo verz.?* what brings you here? how do you come to be here? (*fam.*) what (sort of an east) wind blew you here?; *ik weet niet, waar hij* (*het*) *verz. is* what has become of him (it), where he (it) has got

to; *een beker laten* ~ offer (*of:* give) a cup to be raced (*of:* sailed) for

verzekeraar insurer (*ook, vooral van 't leven:* assurer), (*zeeassurantie*) underwriter

verzekerbaar insurable; ~ *belang* i. interest

verzekerd assured, sure; (*geassureerd*) insured (*ook, vooral van 't leven:* assured); ~ *bedrag* insured amount; *u kunt zich* ~ *houden dat, wees* ~ *dat* ... you may rest a. that ...; *zijn positie* (*succes*) *is* ~ his position (success) is a. (*of:* ensured); *daarvan ben ik* ~ I am sure of that; *zie* bewaring; *de* ~e the insured (*soms, vooral van levensverz.:* assured), the insurant; *een* ~e an insured person; *'t* ~e the property insured

verzekerdheid assurance, conviction

verzekeren (*betuigen*) assure; (*plechtig*) asseverate; (*assureren*) insure [property, one's life], assure [one's life]; (*zeeverzekering*) *ook:* underwrite; (*waarborgen*) ensure [success, peace, a p.'s safety], assure [these words ...d him of the sympathy of his audience]; (*vastmaken*) secure; (*beveiligen*) secure [tegen against]; *zijn leven* ~, *ook:* take out a life policy; *te hoog* ~ over-insure; *te laag* ~ under-insure; *voor uit- en thuisreis* ~ insure (for the voyage) out and home; *zie* tegen; *er werd hem een jaargeld verzekerd* an annuity (a pension) was settled on him; *dat verzeker ik je!* I'll tell you that much!; *zich* ~ (*assureren*) insure [tegen against], take out a (life-)policy; *zich* ~ *van* ascertain [the truth], make sure of, (*bemachtigen*) secure [an order *bestelling*], lay hold of; *zich van iems. hulp* ~ secure (make sure of) a p.'s help; *zich ervan* ~ *dat* ... make sure (make certain, ascertain) that ...; (*zich*) ~ *tegenover derden* insure against third-party risks

verzekering (*assurantie*) insurance (*ook* = ~*spremie* & ~*ssom*), (*levens-*) *dikw.:* assurance; (*in andere zin*) assurance; ~ *tegen brand, glasschade, hagelslag, inbraak, invaliditeit en ziekte, oninbare schulden, op het leven, tegen ongelukken* fire i., plate-glass i., hailstorm i., burglary i., health i., bad debts i., life i. (*ook:* assurance), accident i.; ~ *op twee levens* survivorship i.; ~ *tegen oneerlijkheid van personeel* fidelity guarantee i.; ~ *tegenover derden* third-party i., i. against third-party risks; ~ *bezorgen* effect i.; ~ *dekt de schade* (*ten volle*) the loss is (fully) covered by i.; *zie* sluiten

verzekerings- insurance: **~agent** insurance agent; **~arts** *zie* rijks-; **~bank** i.-bank; **~bedrijf** *zie* ~wezen; **~contract** contract of i.; **~duur** term of i.; **~expert** *zie* expert; **~kantoor** i.-office; **~maatschappij** i. (*van levens-, ook:* assurance) company; **~penningen** sum insured; insurance money; **~polis** i.-policy; **~premie** i.-premium; **~recht** (*bij post*) i.-fee; **~tarieven** i. rates; **~wet** i.-act; **~wezen** i. (business, matters); **~zegel** *zie* zegel

verzellen (*lit.*) *zie* vergezellen

verzenboek book of poetry

verzenden send [goods, money, telegrams], send

off; dispatch, forward, ship [goods]; transmit [telegrams]; remit [money]; send out [invitations]; (*per post*) mail; *de uitnodigingen zijn verzonden* the invitations are out; **-er** sender, (*hand. ook*) shipper, consignor

verzendhuis mail-order firm, ... business

verzending sending; (*hand.*) shipment, consignment, dispatch (*ook:* of a letter), forwarding; transmission; remittance; *vgl. 't ww.;* **~sinstructies** shipping-, forwarding-instructions; **verzend(ings)kosten** forwarding-charges, dispatch costs; **verzendlijst** mailing list

verzenen: *de ~ tegen de prikkels slaan* kick against the pricks

verzengen scorch, singe; *zie* verschroeien; *~de hartstocht* searing passion; *verzengde luchtstreek* torrid zone

verzenlijmer, -maker poetaster, rhymester

verzepen saponify; **-ing** saponification

verzet (*tegenstand*) resistance [*tegen* ... to the law], opposition; (*jur.*) refractory conduct; (*opstand*) revolt; (*ontspanning*) diversion, recreation; *~ aantekenen* (enter a) protest [*tegen* against]; *in ~ komen* resist, offer resistance, (*sterker*) rebel; (*fam.*) kick, jib; (*protesteren*) protest; *in ~ komen* (*verzet bieden*) *tegen* resist, offer resistance to, oppose, set one's face against [Sunday games]; rebel against [a king]; protest against [a measure]; *zijn natuur kwam tegen zulke maatregelen in ~* his nature rebelled against such measures; *in ~ komen tegen een vonnis* appeal against a sentence; *in* (*open*) *~ zijn* be in (open) revolt, be up in arms; *zonder ~ te bieden* unresisting; *zie ook:* zich verzetten; **~je** diversion, recreation; *hij moet een – hebben* he must have a break; **~sbeweging** resistance movement; **~sgroep** r. group; **~sman** r. fighter; **~sorganisatie** underground organization

verzetten (*anders zetten*) move [he could not ... a foot], shift, remove (*zie* geloof); transpose [letters, words]; reset [a diamond]; (*werk*) manage, handle, get through [an enormous amount of work]; *hij kan heel wat* (*werk*) *~* he is a whale for work; (*verpanden*) pawn, (*sl.*) pop; *zijn horloge ~* put one's watch forward (back); *een vergadering ~* put off a meeting; *de zinnen ~, zie:* zich *~ b*); *dat verzette mij een beetje* that took my mind off things a bit; *ik kan het niet ~* I cannot get over it, it sticks in my throat (*fam.:* my gizzard); *hij trachtte zijn leed te ~* he tried to forget his grief; *hij verzette zijn smart door drank* he drowned his sorrow in drink; **zich ~,** *a*) (*in verzet komen, verzet aantekenen*) *zie* verzet; (*weerstand bieden*) resist, offer (make) resistance; (*tegen verdriet*) bear up; *b*) (*zich ontspannen*) take some recreation, be taken out of o.s., have a break; *hij bleef zich ~,* (*tegen voorstel, enz.*) he stood out; *zich niet ~, ook:* take it (a defeat, etc.) lying down; *zich krachtig ~* put up a stubborn resistance (a stout fight), oppose [a plan] tooth and nail; *zich krachtiger ~* stiffen in

one's resistance; *zich ~ tegen, zie:* in verzet komen; *zich tegen de politie ~* resist the police; *ze verzette zich ertegen, dat hij ging* she opposed his going; *zich tegen een maatregel ~* oppose (make a stand against, set one's face against, stand out against) a measure; *zich ~ tegen 't ongeluk* bear up against misfortune; *hij trachtte zich te ~ tegen* ... to shake off (to shake himself free of) that feeling; *'t geeft niets zich tegen de gewoonte te ~* it's no good standing out against custom

verzieken waste away; become diseased; **verziekt** (*fig.*) diseased

verzien: *men heeft 't op zijn leven ~* they are out to kill him; *hij heeft 't op haar geld ~* it's her money he is after; *de kat heeft 't op de provisiekast ~* the cat has his views upon the larder; *hij heeft 't altijd op mij ~* he is always down on me, has it in for me, has a down on me (a spite against me); *zich ~* be mistaken; *zie* verkijken & gemunt

verziend long-, far-sighted, presbyopic; *~ zijn, ook:* have long sight; **~heid** long-, far-sightedness, long sight, presbyopia

verzilten salt up, salinate

verzilverbaar exchangeable for cash

verzilveren silver (over); (*te gelde maken*) (en-) cash [a cheque, banknote], convert [notes] into cash, realize; *de tijd had haar haren verzilverd* time had silvered her hair; *verzilverd* silvered, silver-plated; **-ing** silvering; cashing, encashment, realization

verzinbaar imaginable, conceivable

verzinkboor countersink (drill)

verzinken 1 (*met zink overdekken*) zinc (*vervoegd:* zinked, -cked, -king, -cking), galvanize; 2 I *intr.* sink (down), become submerged; *verzonken,* (*in gedachten*) absorbed (lost, sunk, deep, plunged) [in thought]; (*in smart*) plunged [in grief]; (*in zijn krant*) immersed [in one's paper]; *verzonken zijn in, ook:* be deep in [one's work, a description of ...]; *zie niet;* II *tr.,* *een schroefbout ~* countersink a screw-bolt; **-ing** 1 zinking, zincking; 2 *a*) sinking (down); *b*) countersinking

verzinnelijken materialize, render perceptible to the senses; **-ing** materialization

verzinnen invent, make up, dream up, concoct, fabricate [a story, etc.], think up [an excuse], trump (vamp) up [an accusation], devise [a trick, word], contrive [a plan, machine], think (bethink o.s.) of [a means, a way out], hit on [a plan]; (*fam.*) fake (cook) up [an alibi]; *iets ~, ook:* draw on one's imagination; *hoe verzint ze het!* where does she get the idea!; *hoe ~ ze het!* just fancy!; *een verzonnen naam* a made-up name; **-er** inventor, contriver; **-sel** invention, fabrication, concoction, make-up; *'t is maar een –tje,* (*uitvlucht*) it is merely a little fib

verzitten *intr.* take another seat, shift one's position; (*opschikken*) move up; *tr.: de hele morgen ~* sit the whole morning

verzoek request; (*aan overheid*) petition [for

the dissolution of one's marriage]; *een ~ doen* make a r.; *hij deed een dringend ~ om steun* he appealed for support; *op ~* [second performance, no flowers, train stops] by r., r. [stop], [samples sent] on r., [halts] on demand; *op uitdrukkelijk ~* [the name was withheld] by special r.; *op ~ van, ten ~e van* at the r. of, by r. of; *op uw ~* at your r.; *op (dringend) ~ van, ook:* at the instance of; *zie ook* verzoekschrift, inwilligen, voldoen, enz.

verzoeken request, beg, call upon [a p. to ...]; *(dringend)* entreat; *(per verzoekschrift)* petition; *(uitnodigen)* ask, invite; *(in verzoeking brengen)* tempt; *mag ik u ~ binnen te gaan?* will you please walk in?; *mag ik je vriendelijk ~ ...* would you kindly not follow me; *ze verzocht, dat 't gezonden zou worden aan ...* she asked for it to be sent to ...; *verzoeke stilte* silence is requested; *verzoeke de dieren niet te voederen* please do not ...; *~ om* ask for, request [an interview], solicit [orders, a p.'s attention]; *(jur.)* pray for [the dissolution of one's marriage], petition [for a divorce]; *mag ik u om de jus ~?* may I trouble you for (will you pass) the gravy, please?; *iem. op de bruiloft ~* invite a p. to the wedding; *zie* men & inlichtingen

verzoeker petitioner; *(verleider)* tempter

verzoeking temptation; *in ~ brengen* tempt [a p.]; *in ~ komen om te ...* feel tempted to ...; *leid ons niet in ~* lead us not into t.; *voor de ~ bezwijken* yield to t.

verzoekprogramma request programme

verzoekschrift petition, memorial; *een ~ indienen* present a petition [*bij* to; *om* for]; *een ~ richten tot* address a petition to, petition [the King]

verzoen: ~**baar** reconcilable; ~**dag** day of reconciliation; *Grote –* Day of Atonement, Feast of Expiation; ~**deksel** Mercy Seat, propitiatory

verzoenen reconcile; *(gunstig stemmen)* conciliate, propitiate [Heaven]; *~ met* r. to (with) [a p., o.s.], r. to [a plan, the inevitable]; *zij zijn met elkaar verzoend* they have become reconciled, have made it up; *verzoend met ...* reconciled to the idea (to one's loss); *zich (met elkaar) ~* be (become) reconciled; *hij kon zich met ... niet ~* he could not r. himself (become reconciled) to that idea; *zich ~ met zijn lot, ook:* reconcile (resign) o.s. to one's fate; ~**d** conciliatory, propitiatory; **-er** reconciler, conciliatory; **-feest** *zie* -dag

verzoening reconciliation, reconcilement; conciliation, propitiation; *vgl. 't ww.; (door boetedoening)* atonement; ~**sbloed** enz., *zie* zoen...; ~**sbok** scapegoat; ~**sdood** expiatory death; ~**sgezind** conciliatory, conciliating, placable; ~**sgezindheid** conciliatoriness, placability; ~**spolitiek** policy of appeasement; ~**swerk** work of redemption

verzoenlijk placable; *zie ook* verzoeningsgezind; ~**heid** ... ness, placability

verzoeten sweeten *(ook fig.)*; *geld verzoet de*

arbeid money lightens labour; **-ing** s.ing

verzolen (new-)sole

verzonken, -zonnen, -zopen *zie* verzinken, -zinnen, -zuipen

verzorgd 1 *(aan niets gebrek hebbend)* (well) provided for, left comfortably off; 2 *goed ~* well-groomed [figure, moustache, horses], well-kept [hands], well-manicured [nails], carefully tended [teeth], well cared-for [garden, children], well got-up [book], cultivated [speech], polished [style]; *slecht ~* ill-kept [horses], badly kept [teeth], uncared-for [children]; *zie* verzorgen

verzorgen provide for, attend to, take care of, look after, tend [horses, flowers, a garden, invalids], minister to [the blind]; groom [a horse]; manicure [one's hands, nails]; edit [a newspaper]; *iem. ~, ook:* attend to a p.'s wants; *zich ~* take care of o.s.; *volledig verzorgde reis* all-inclusive (all-in) tour; *~de bedrijven* service industries; *vgl.* uitvoeren

verzorger supporter, bread-winner

verzorging care [of horses, rifles, the teeth], provision, maintenance, service; *uiterlijke ~ van een boek* get-up of a book; *medische ~* medical attendance; ~**sbedrijf** service industry; ~**sflat** service flat; ~**sstaat** welfare state

verzot: *~ (op iets)* fond of, keen on, partial to [card-playing]; *(op iem.)* fond of, enamoured of, *(dwaas ~)* infatuated with, *(sl.)* gone on [a girl]; *~ op dansen (cricket, enz.)* be dancing (cricket, etc.) mad; ~**heid** fondness, etc., infatuation

verzouten salt too much, oversalt; *zie* kok

verzuchten *intr.* sigh *[naar* for]; *tr.* sigh away [one's days], **-ing** sigh; *(klacht)* lamentation; *een – slaken* heave a sigh

verzuiling *(ongev.)* denominational segregation

verzuim *a)* omission, oversight, neglect; *b)* non-attendance [at school, at church], absenteeism [among workers]; *wegens ~, ook:* [he missed a lot] through being away; *in ~ zijn (stellen)* be (declare) in default; *doe het zonder ~* without delay; *zie* herstellen

verzuimd *zie* verzuimen; *'t ~e inhalen* make up for time lost (lost time)

verzuimen I *tr. (verwaarlozen)* neglect [one's duty]; *(onbenut laten)* lose, miss, let [an opportunity] slip; *(niet doen)* omit, fail [he ...ed to report the case]; *(niet bijwonen)* stay away (be absent) from, miss [church, school, a ball, a meeting]; *een college ~, ook:* cut a lecture; *hij verzuimt nooit de kerk* he never misses (is never absent from) church; *een halve dag de school ~* lose half a day's school; *de trein ~* lose (miss) the train; *verzuim niet 't boek te lezen* do not miss reading the book; *verzuim niet erheen te gaan* do not omit going there; II *intr.* stay away (from school, etc.); *zie bov.)*, miss [mass *de mis*]; *ze heeft geen enkele keer verzuimd* she has not lost a single attendance [at school], never missed [school, etc.] once

verzuipen I *tr. a)* drown; *b)* spend on drink *(of:* in boozing), booze away [one's money]; II *intr.* be drowned, drown; *verzopen*, (*fig.*) (drink-, liquor-)sodden [face, fellow]; *zie* verdrinken

verzuren I *tr.* sour (*ook fig.:* a p.'s temper), make (*of:* turn) sour, turn [the thunderstorm has ...ed the milk]; (*chem.*) acidify; II *intr.* sour (*ook fig.*), become (*of:* turn) sour, turn [the milk has ...ed]; **verzuurd** soured

verzwageren: *zich* ~ become allied [*met iem.* to a p.] by marriage

verzwagering relationship by marriage

verzwakken I *tr.* weaken [a p., the eyes, mind, power], enfeeble [a p., his strength, a country], impair [a p.'s health], debilitate [the constitution], enervate [the body, the will]; (*fot.*) reduce; *zijn gezondheid was verzwakt door* ..., *ook:* was lowered by ...; *verschrikkelijk verzwakt, ook:* terribly pulled down; II *intr.* weaken, get (*of:* grow) weak(er); (*van ijver, belangstelling*) flag

verzwakking weakening, enfeeblement, loss of strength, failure [of eyesight]

verzwaren make heavier; strengthen [a dike]; aggravate [an offence]; make [an examination] stiffer; increase, augment [the penalty], enhance [the sentence *vonnis*]; ~*de omstandigheden* aggravating circumstances; **-ing** aggravation; strengthening; stiffening; *vgl. 't ww.*

verzwelgen swallow up (*ook fig.*), gorge (down), gobble up, gulp (choke) down, guzzle down [a mug of beer]; engulf [...ed by an earthquake]; (*fig. ook*) absorb [all the money was ...ed by speculations]; **-er** swallower; **-ing** swallowing (up), etc.

verzwendelen embezzle, make away with [other people's money]

verzweren 1 fester, suppurate; 2 *zie* afzweren; **-ing** suppuration [of the gums], festering

verzwieren *zie* verboemelen

verzwijgen conceal, keep [it] a secret, suppress [a fact, a p.'s name], hush up [a scandal]; *iem. iets* ~ keep s.t. from a p.; *men verzweeg hem, dat* ... he was not told that ...; *verzwegen inkomsten* undisclosed income; **-ing** suppression, concealment

verzwikken sprain [one's ankle]; *zich* ~ sprain one's ankle; **-ing** sprain, spraining

Vespasianus Vespasian

vesper vespers, evensong; *Siciliaanse* ~ Sicilian Vespers; *naar de* ~ *gaan* go to vespers (evensong); ~**boek** vesperal; ~**dienst** vesper service, vespers; ~**klok** vesper-bell; ~**psalm** vesperpsalm; ~**tijd** vesper-hour, evening-time

vest 1 (*van mannen*) waistcoat; (*winkelwoord & Am.*) vest; (*gebreid*) cardigan; 2 (*gracht*) moat

Vesta id.; **Vestaals** Vestal [fire]; ~*e maagd* = **Vestale** vestal virgin, vestal

veste fortress, fastness, stronghold; (*muur*) wall, rampart

vestiaire cloakroom

vestibule (entrance-)hall, lobby, vestibule; (*van station*) booking-hall

vestigen establish, set up [a business, custom, state of things, government, etc.]; *zie* stichten; *de aandacht* ~ *op* call (draw) attention to, (*sterker*) focus attention on; *hij vestigde zijn aandacht op* ... he fastened his attention on ...; *iems. aandacht* ~ *op* draw (call, direct) a p.'s attention to; *iems. aandacht op zich* ~ catch a p.'s eye; *de blik* ~ *op* fix (fasten) one's eyes upon; *zijn ogen waren strak gevestigd op* ... were glued to (riveted on) the ceiling; *'t geloof* ~ *dat* ... e. the belief that ...; *zijn hoop* ~ *op* place (set) one's hope(s) on; *een lijfrente* ~ settle an annuity; *zijn verblijf* ~ *te* ... take up one's residence (*of:* abode) at ...; *zich* ~ settle (down), establish o.s.; (*in praktijk*) set up [as a dentist], start in practice, (*van dokter ook*) put up one's plate [at ...]; *zijn ogen vestigden zich op* ... fixed (focused) on the photograph; *vóórdat hij gevestigd was* [he did not want to get married] until he was established in practice; *gevestigd te* ..., (*van pers.*) living (residing) at ...; *zich blijvend* ~ *te* ... take up permanent residence at ...; *de zaak* (*'t hoofdkantoor der zaak*) *is gevestigd te* ... the business has its seat (its headquarters) at ...; *zie* gevestigd, vertrouwen, keus enz.

vestiging establishment, settlement; *plaats van* ~ place of business; ~**svergunning** licence to open a new business; (*huisvesting*) domiciliation permit; ~**swet** order controlling the opening of new businesses

vesting fortress; ~**bouw** fortification; ~**bouwkunde** (art of) fortification; ~**bouwkundige** fortress engineer; ~**gordel** circle (ring, girdle) of fortresses; ~**gracht** moat; ~**oorlog** siege war; ~**stelsel** system of fortifications; ~**wal** rampart; ~**werk** fortification

vestopening V [*spr.:* vi:] of the waistcoat

vestzak waistcoat-pocket; ~**slagschip** pocket battleship; ~**theater** little theatre; ~**woordenboek** midget (pocket) dictionary

Vesuviaans Vesuvian; **Vesuvius:** *de* ~ (Mt) Vesuvius

vet I *zn.* (*algem.*) fat [...s are scarce in that country]; (*smeer*) grease; (*druipvet*) dripping; *'t* ~ *zit hem niet in de weg* he is as lean as a rake (as thin as a lath); *ik heb hem zijn* ~ *gegeven* I've given him his gruel, settled his hash, polished him off, scored off him; *hij heeft zijn* ~ he has got his due; *'t* ~ *is van de ketel* the cream is off; *er is voor jou wat in 't* ~ there's a rod in pickle for you; *we hebben nog wat in 't* ~ there is s.t. in store for us; *laat hem in zijn eigen* ~ *gaarkoken* let him stew in his own juice; *in 't* ~ *zetten* grease; *op zijn* ~ *teren* live on one's own fat; II *bn.* fat (*ook van lettersoort, land, kaas, klei, betrekking, proces, enz.*); (*vuil*) greasy; (*dronken*) tight, boozed, well-oiled; *een* ~ *baantje* a f. job, a plum; *zij krijgen altijd de* ~ *te baantjes* they always get the plums; *de bougie* (*van motor*) *is* ~ the sparking-plug is sooted up; ~*te druk*(*letter*), *ook:* heavy (thick, bold, fat-, bold-, full-faced) type (letter), clarendon type; *met* ~*te letter* in bold type; ~*te grond,* *ook:* rich soil; ~*te klei, ook:* unctuous clay; ~*te kolen* f. (soft, bituminous) coal; *zo ~ als modder* as f. as butter; *'t ~te der aarde genieten* live on the fat of the land; *zie* keuken & soppen; ~**achtig** fatty, greasy; ~**ader** adipose vein; ~**arm** low-fat [diet]; ~**bolletje** fat globule; ~**buik** fat paunch; (*pers.*) fat-guts; *met een* – fat-paunched; ~**bult** hump; ~**cel** fat-cell

vete feud, enmity, rancour; *oude ~* quarrel of long standing

veter boot-lace; corset-lace; tagged string

veter: ~**band** tape; ~**beslag** tag; ~**en** lace up; ~**gat** lace-hole, eyelet(-hole)

veterinair *zn.* veterinary surgeon, (*fam.*) vet; *bn.* veterinary

vet: ~**gans** penguin; ~**gehalte** fat content, percentage of fat; ~**gezwel** fatty tumour; (*wet.*) lipoma; ~**glaasje** *zie* ~**potje;** ~**heid** fatness; greasiness; richness; *vgl.* vet; ~**houdend** adipose; ~**je** windvall, piece of luck, godsend; ~**kaars** tallow candle, (tallow-)dip; ~**klier** fatgland, sebaceous gland; (*van vogels*) oil-gland; ~**klomp** lump of fat; ~**kogeltje** fat globule; ~**kolen** *zie* vet; ~**kruid** stone-crop; ~**lap** greaserag; ~**le(d)er, -leren** greased leather; – *medaille,* (*iron.*) tin medal, worthless decoration; ~**lichaampje** f. corpuscle

vetlok fetlock

vetloos fat-free, non-fat [milk]

vetmesten fatten (up), feed; *zich ~ ten koste van* batten on [the public]

vetmuur (*plant*) pearlwort

veto id.; *zijn ~ uitspreken* interpose (put in) one's v.; *zijn ~ uitspr. over* veto, put (place) a (one's) v. on; *recht van ~* right (*of:* power) of v., v.-power; **vetoën** veto

vet: ~**pan** dripping-pan; ~**plant** succulent plant; (*fam.*) thick-leaf; ~**pot** dripping-pot, grease-pot; (*van auto*) grease-cup; *'t is daar –* they do themselves well there; ~**potje** lampion, fairy-lamp, -light; ~**puistje** blackhead, comedo; ~**rijk** high-fat [diet]; ~**staart** fat-tailed sheep; ~**steen** elaeolite

vetten fatten [the soil], grease [leather]; (*typ.*) roll, ink

vettig fatty, greasy; creamy [soapsuds]; ~**heid** fattiness, greasiness

vettik (*plant*) corn salad, lamb's lettuce

vet: ~**vlek** grease (greasy) spot (stain); ~**vogel** oil-bird, guacharo; ~**vorming** formation of fat; (*wet.*) lipogenesis; ~**vrij** grease-proof [paper]; *zie* ~**loos;** ~**weefsel** fatty tissue; ~**wei(de)** cow pasture; ~**weiden** fatten (cattle); ~**weider** grazier; ~**weiderij** stock-feeding, graziery ~**wormpje** *zie* ~**puistje;** ~**wortel** comfrey; ~**zak** fat-guts; ~**zucht** fatty degeneration, (morbid) obesity; ~**zuur** fatty acid

veulen foal, (*hengst*) colt, colt foal, (*merrie*) filly, filly foal; ~**bont** foalskin [coat]; ~**achtig** coltish; ~**en** foal

vexatoir vexatious

vezel fibre, thread, filament; (*van wol, katoen,*

enz., met betrekk. tot lengte of fijnheid van ~) staple; *met lange* (*korte*) ~ long- (short-) staple [cotton]; *tot in iedere ~ gespannen* taut in every fibre of his body; ~**achtig** *zie* ~**ig;** ~**draad** fibril

vezelen 1 fray; 2 (*fluisteren, Z.-Ned.*) whisper

vezelig fibrous, filamentous; (*vlees*) stringy; ~**heid** fibrousness, etc.

vezel: ~**plaat** fibreboard; ~**plant** fibrous plant, fibre plant; ~**stof** fibre, fibrous material; (*biol.*) fibrin; ~**tje** fibril, fibrilla (*mv.:* -lae), filament

vgl. cf. (= *L.* confer, *E.* compare)

V.H.K. = *Vrouwelijk Hulpkorps* W.A.C.

v.h.t.h. = *van huis tot huis* from all of us to all of you

via id., by way of; *ik hoorde ~ mijn zuster ...* ... *through ...; ~ ~* [hear] in a roundabout way

viaduct id., railway-arch; fly-over (crossing)

viaticum (*r.-k.*) id.

vibrato (*muz.*) id.

vibreren vibrate, quaver, shake, undulate

vicariaat vicariate

vicaris vicar; ~**-generaal** vicar-general

vice: ~**-admiraal** vice-admiral; ~**-consul** id.; ~**-president** id.; *zie ook* ~**-voorzitter;** ~ **versa** id.; ~**-voorzitter** vice-president, -chairman, deputy-chairman; (*Lagerhuis*) Deputy-Speaker

vicieus vicious; *-ze cirkel* vicious circle

Victor id.; **Victoria** id.; ~ *regia* id., V. lily

victoria (*rijtuig*) id.

victorie victory; ~ *kraaien* be cock-a-hoop; (*over iem.*) crow over a p.

victualiemeester victualler

victualiën provisions, victuals

vid. *L.* vide, *E.* see

video id.

vief lively, smart, bright, dapper

viel *o.v.t. van* vallen

vier four; *in ~en vouwen* fold in fours; *veel ~en en vijven hebben* be hard to please (very exacting); *met veel ~en en vijven* with a bad grace, not with the best of grace; *met ~en!* (*mil.*) form fours!; *met de ~ rijden* drive f.-in-hand; *onder ~ ogen* in private, privately, tête-à-tête; *gesprek onder ~ ogen* private talk (conversation), tête-à-tête; *ik moet je even onder ~ ogen spreken* I want a word with you privately; *vgl. ook* aan, bij 7, met & hoog; ~**armig** f.-armed

vieravond (*r.-k.*) eve of a festival; (*fig.*) time of rest, knocking-off time

vier: ~**baansweg** four-lane (motor-)road; ~**benig** four-legged; ~**blad** quatre-foil; ~**bladig** f.-leaved, quadrifoliate; (*schroef*)f.-bladed [propeller]; ~**daags** of f. days, f. days'; *de V–e* annual four days' walking event; ~**de** *bn.* fourth; *zn.* fourth (part); *voor een – leeg* [the glass was scarcely] a quarter empty; *ten –* fourthly, in the fourth place; *zie ook* kwart; ~**dehalf** three and a half; ~**delig** fourfold [screen], divided into (consisting of) f. parts, tetramerous, quadripartite; ~**demachts** biquadratic [equation *vergelijking*]; ~**demachtswortel** fourth root; ~**deman** fourth (player), *(kaartspel) ook:* fourth (younger) hand; *wil je – zijn?* will you make a fourth?; ~**dendaags** recurring every fourth day, quintan [fever]; ~**depart** fourth (part), quarter; ~**derangs** fourth-rate; ~**derhande, -lei** of four sorts (kinds); ~**dimensionaal** four-dimensional; ~**draads** f.-ply, f.-strand(ed); ~**dubbel** fourfold, quadruple; *'t –e van* f. times ...; ~**duims** f.-inch [board]; ~**duizendste** f.-thousandth

vieren celebrate [a festival, one's birthday, a hero, the good news], keep [Christmas, New Year's Eve, one's birthday], observe [Christmas, the Sabbath], keep holy [the Sabbath]; *(touw)* ease off, veer out, pay out, slacken, let [a rope] run out; *(boot)* lower; *iem. erg ~* make a fuss of (make much of, fête) a p.; *zijn verjaardag ~ met* ... c. one's birthday by a tea-party; *~!* *(mar.)* slack off!; *zie* gevierd, feest~, teugel

vierendeel quarter; *~ jaars* q. of a year, three months

vierendelen quarter *(in alle bet.)*

vier: ~**gestreept** *(muz.) vgl.* eengestreept; ~**handig** *(van dieren, muziekstuk)* four-handed, *(van dieren ook)* quadrumanous; *–en* quadrumana; ~**hoek** quadrilateral, quadrangle; ~**hoekig** quadrangular, quadrilateral; ~**honderdste** four-hundredth; ~**hoofdig** f.-headed, *(van bestuur)* tetrarchic; ~**hoornig** f.-horned

viering celebration; observance; *vgl. 't ww.; ter ~ van* in c. of [the event]; *(bk.)* crossing

vier: ~**jaarlijks** quadrennial, four-yearly; ~**jarig** f. years old, etc.; *vgl.* jarig; *ook:* quadrennial [period]; *vgl.* jarig; ~**kaart** four cards in sequence, quart; *een – klaveren* four clubs in sequence

vierkant I *bn.* square; *2 ~e voet* two s. feet; *~e kerel* s.-built (s.-shouldered, four-square) fellow, *(rond)* straightforward fellow; *fles met ~e stop* s.-stoppered bottle; *~ maken* square; II *zn.* square; *(typ.)* em; *twee voet in 't ~* [it is] two feet s., two feet each way; *in 't ~ brengen* square; III *bw.* squarely; *~ bebouwen* square; *hij keek haar ~ in de ogen* he faced her (met her eyes) squarely, he looked her full in the eyes; *ze verzetten zich ~ tegen* ... they stood four-square to the usurper; *'t druist ~ in tegen 't bevel* it conflicts squarely with the order; *~ tegenspreken (weigeren)* contradict (refuse) flatly; *het is er ~ naast* it is altogether wrong (wide of the mark); *ik ben er ~ tegen* I am dead against it; *iem. ~ de deur uitgooien* chuck *(of:* bundle) a p. out neck and crop, pitch him bodily out of the room; *zie ook* lijnrecht, pardoes & vlak; ~**en** *ww.* square; ~**ig** square; ~**je** (small) square; ~**sgolf** square wave; ~**svergelijking** quadratic equation; ~**swortel** square root

vier: ~**kieuwig(e)** tetrabranchiate; ~**kleurendruk** four-colour printing; *een brochure in –* four-colour pamphlet; ~**kleurig** f.-coloured; ~**kwartsmaat** quadruple time, *(fam.)* four-four (time); ~**ledig** consisting of f. parts, quadripartite; *(algem.)* quadrinomial [form]; ~**letter-**

grepig of f. syllables, quadrisyllabic; *– woord* quadrisyllable

vierlijn rope [of a hammock]

vier: ~**ling** (set of) quadruplets; *(fam.)* quads; *(één van de vier)* quad(ruplet); ~**lobbig** four-lobed, quadrilobate; ~**maal** f. times; ~**maandelijks** occurring (appearing, etc.) every fourth month, f.-monthly; ~**maands** f.-months'; ~**machtig** *(plantk.)* tetradynamous; ~**man** quadrumvir; ~**master** f.-master; ~**motorig** f.-engine(d); ~**persoons** f.-seater [car]; *– auto, enz.* f.-seater; ~**pits** ... *vgl.* pit; ~**ponder** f.-pounder; ~**pondsbrood** quartern (loaf); ~**potig** f.-legged; ~**raderig** f.-wheeled; ~**regelig** of f. lines, f.-line [stanza]: *– gedicht* quatrain; ~**riemsgiek** f.-oar; ~**schaar** tribunal; *de – spannen* sit in judgment [upon a p.]; ~**snarig** f.-stringed; ~**span** f.-in-hand; ~**sprong** crossroad(s); *op de –, (fig.)* zie tweesprong; ~**stemmig** (arranged) for f. voices, f.-part [song]; ~**stijlig** *ledikant* f.-poster (bed); ~**taktmotor** f.-stroke engine; ~**tal** (number of) f., quartet(te) [she shook hands with the ...]; *– jaren* (three or) f. years; ~**talig** in f. languages, quadrilingual; ~**tallig** quaternary; *vgl.* tientallig; ~**tandig** f.-toothed, -pronged, -tined [fork]; ~**tenig** f.-toed

vier: ~**vingerig** four-fingered; ~**vlak** tetrahedron; ~**vlakkig** tetrahedral; ~**vleugelig** f.-winged; ~**voeter** quadruped, f.-footer, f.-footed beast; ~**voetig** f.-footed, quadruped; *– dier, zie* ~voeter; ~**vorst** tetrarch; ~**vorstendom** tetrarchy; ~**voud** quadruple; *in –* in quadruplicate; *in – opmaken* quadruplicate; ~**voudig** fourfold, quadruple; ~**weeks** of f. weeks, f.-weeks'; ~**wegkraan** f.-way cock; ~**wekelijks** occurring (appearing, etc.) every f. weeks, f.-weekly; ~**werf** f. times; ~**wielaandrijving** four-wheel drive; ~**wieler** f.-wheeler; ~**wielig** f.-wheeled; *'t V-~woudstedenmeer* Lake Lucerne; ~**zijdig** f.-sided, quadrilateral; *–e figuur* quadrilateral; ~**zuilig** tetrastyle *(ook = – gebouw)*

vies *(vuil)* dirty, grimy, grubby [hands]; *(walglijk ~)* filthy [rags, habits], nasty [taste, smell, weather], foul [air, smell, a ... hovel], *(van stank)* offensive, noisome, nauseating, sickening [smell]; *(gemeen)* obscene, filthy, smutty [stories]; *(kieskeurig)* particular, dainty, fastidious, squeamish, over-nice, finical, *vieze gewoonte* dirty *(sterker:* filthy) habit; *een – gezicht zetten* make a wry face, sniff [at s.t.], turn up one's nose; *~ goedje* nasty stuff, muck; *'t kind heeft een vieze neus* a running nose; *'t ruikt ~* it has a nasty smell, is smelly [a smelly pipe]; *hij valt niet ~* he is not over-particular; *hij is er niet ~ van* he is not averse to it; *ik ben er ~ van* it disgusts me, it turns my stomach; *hij is erg ~ op zijn eten* he is very fussy (particular) about his food; *vieze varkens worden niet vet* one must not be too fastidious; ~**heid** filthiness, nastiness, etc.; ~**neus** fastidious fellow; ~**poes** dirty fellow

Viëtnam(ees) Vietnam(ese)

vieux French-type brandy

viezerik dirty fellow
viezevazen *a*) (*grillen*) whims, follies; *b*) frills [a style with too many …]
viezigheid (*abstr.*) *zie* viesheid; (*concr.*) dirt, filth; (*vuile taal, enz.*) smut, smutty story
vigeleren *zie* vigileren
vigeren be in force, be operative; ~d in force, operative; **vigeur** vigour
vigilant id., on the alert; **vigilante** cab, four-wheeler; **vigilantie** vigilance, alertness; **vigileren** be vigilant, be on the alert
vigilie vigil, eve of a festival; **vigiliedag** fast(ing)-day; **vigiliën** vigils
vignet vignette, head-, tail-piece; (*fot.*) vignette; *maker van ~ten* vignettist; ~**teren** vignette
vijand enemy, (*dicht.*) foe; *de ~ des mensen* the e. of mankind, the E., the fiend; *een ~ van …* an e. to [drinking, lying, etc.]; *tot ~ maken* make an e. of; *zie* geslagen, gezworen
vijandelijk (*van de vijand*) [the] enemy('s) [camp], enemy [ship, aircraft], hostile; (*als van een vijand*) hostile [act]; *zie* kamp; ~**heid** hostility
vijandig hostile, inimical; ~ *staan tegenover* be h. to [the project], be inimical to [is science … to romance?]; *iem.* ~ *gezind zijn* be hostile (ill-disposed, antagonistic) to a p.; *ik ben u niet ~ gezind, ook:* I bear you no enmity (ill-will); ~*e gezindheid* hostility, animosity; ~**heid** enmity, hostility
vijandin enemy, (*dicht.*) foe
vijandschap enmity, animosity; (*vete*) feud; *in ~ leven met* be at e. with
vijf five; (*op dobbelsteen ook*) cinque; *geef me de ~* give me your (bunch of) fives (your fist); *veel vijven en zessen hebben* be hard to please; *tegen die verraders moet zonder veel vijven en zessen worden opgetreden* those traitors should be given short shrift; *een van de ~ is op de loop (bij hem)* he has a screw loose; *vgl. ook* aan, bij 7, met, hoog; ~**armig** f.-armed; ~**blad** cinq(ue)foil; ~**bladig** f.-leaved; ~**daags** lasting f. days, f. days', five-day [week]; ~**de** bn. fifth; *– colonne* fifth column, fifth columnists; *zie* rad; *zn.* fifth (part); *ten –* fiftnly, in the fifth place; ~**dehalf** four and a half; ~**deklasser** (*school*) fifth former; ~**delig** quinquepartite, (*plantk.*) quinate; ~**depart** fifth (part); ~**derhande, -lei** of f. kinds (sorts); ~**draads** f.-ply, f.-strand(ed); ~**dubbel** fivefold; *'t –e van* f. times [the amount]; ~**duims** f.-inch; ~**duizendste** f.-thousandth; ~**enzestigplusser** senior citizen; ~**hoek** pentagon; ~**hoekig** pentagonal; ~**honderdjarig**(*e gedenkdag*) quincentenary, quingentenary; ~**honderdste** f.-hundredth; ~**hoofdig** *bestuur* pentarchy; ~**jaarlijks** quinquennial, f.-yearly; ~**jarenplan** f.-year plan; ~**jarig** *vgl.* jarig; *ook:* quinquennial; *zie* bruiloft; ~**je** 5-guilder note (coin); fifth part of lottery-ticket; ~**kaart** quint, sequence of f. cards; ~**kamp** (*sp.*) pentathlon; ~**kantig** *zie* ~zijdig; ~**kleurenbridge** royal bridge; ~**kleurig** f.-coloured; ~**lettergrepig** of f. syllables; ~**ling** (set of) quin-

tuplets; (*fam.*) quins; (*één van de ~*) quin(tuplet); ~**lobbig** f.-lobed; ~**maal** f. times; ~**maandelijks, ~maands** *vgl.* vier…; ~**man** pentarch; ~**master** f.-master; ~**ponder** f.-pounder; ~**puntig** five-pointed, five-rayed [star-fish]; ~**regelig** of f. lines; *– gedicht* pentastich; ~**snarig** f.-stringed; ~**stemmig** for f. voices, f.-part [song]; ~**tal** (number of) f., quintet(te); ~**tallig** quinary; *vgl.* tientallig; ~**tandig** f.-toothed
vijftien fifteen; ~**de** fifteenth (part); ~**hoek** quindecagon; ~**jarig** *vgl.* jarig; ~**tal** (*rugby*) f.; ~**voud** multiple of f.
vijftig fifty; *vgl.* in & *zie* percent; ~**er** man (woman) of f. (in the fifties); ~**jarig** of f. (years); *vgl.* jarig; *-e* quinquagenarian; ~**ste** *bn.* & *zn.* fiftieth; ~**voud** multiple of f.; ~**voudig** fiftyfold
vijf five: ~**vingerig** f.-fingered; ~**vingerkruid** cinq(ue)foil, f.-finger grass; ~**vlak** pentahedron; ~**vlakkig** pentahedral; ~**voetig** f.-footed; *-e versregel* pentameter; ~**voud** quintuple; ~**voudig** f.fold, quintuple; ~**weeks, ~wekelijks** *vgl.* vier…; ~**zijdig** f.-sided; (*vlakke meetk.*) pentagonal; (*van lichaam*) pentahedral; ~**zuilig** pentastyle (*ook = – gebouw*)
vijg fig; (*van uitwerpselen*) pellet, ball; *zie* lezen; ~**appel** f.-apple; ~**eblad** f.-leaf; ~**eboom** f.-tree; ~**enbijter, -eter** (*vogel*) beccafico, f.-eater, f.-pecker; ~**endistel** prickly pear; ~**enmat** f.-frail; ~**ensnip** *zie* ~enbijter; ~**epeer** f.-pear
vijl file; *de ~ over iets laten gaan*, (*fig.*) file (polish) s.t.; ~**en** file, (*fig. ook*) polish; ~**er** filer; ~**sel** filings, f.-dust
vijver pond; *ook:* (ornamental) lake
vijzel (*dommekracht*) jack-screw, (screw-, lifting-)jack; (*stampvat*) mortar; ~**en** screw up, jack (up), lever (up); ~**molen** Archimedean screw; ~**stamper** pestle
viking id.; **vilajet** vilayet
vilder skinner, flayer, (horse-)knacker; ~**ij** knackery, knacker's yard; ~**spaard** crock
vilein villainous, venomous
villa id., residence, country house, country seat; *kleine ~* cottage; *~ Acacia* Acacia V.; ~**park** estate; ~**stad** garden-city
villen (*ook fig.*) flay, fleece, skin; *ik laat me ~, als …* I'll eat my hat if …; *zie* oor
vilt felt; ~(**acht**)**ig** felty, f.-like; ~**en** bn. & ww. felt; *– hoed* f. hat, soft h.; ~**ig** felty, (*plantk.*) tomentose; ~**kruid** cudweed, down-weed, cotton-rose; ~**luis** crab-louse; ~**maker** f.-maker; ~**muts** f. cap; ~**papier** underfelt; ~**schrijver, ~stift** felt(-tipped) pen
vin (*van vis*) fin; (*puist*) pustule, acne; *hij verroerde geen ~* he did not raise (stir, lift) a finger, he sat tight
Vincentius Vincent
vindelig (*plantk.*) pinnatipartite, pinnatisect
vinden find; (*aantreffen*) meet with, come across, light upon; (*de plaats van iets of iem., ook:*) locate [the enemy's position; he could not … her]; (*van mening zijn*) think; *ze worden veel gev. in …, ook:* they abound in …; *de dood ~* meet one's death; *'t lijk is nog niet gevonden*, (*in rivier, mijn, enz.*) the body has not

yet been recovered; *wat men vindt, mag men houden* finders keepers; *voor het ~ van* ... [a reward is offered] for the recovery of ...; *bureau voor gevonden voorwerpen* lost property office; *ik zal hem wel ~*, (*fig.*) I'll teach him, he'll pay for it; *olie ~*, (*in bodem*) strike oil; *zo'n man moet nog gevonden worden* is still to seek; *zie ook* man; *we konden 't samen niet goed ~* we could not (did not) hit it off (together), could not (did not) get on (rub along) with each other; *zij kunnen 't samen goed ~* they get on very well together; (*fam.*) they jog along comfortably; *ze konden 't uitstekend samen ~* they were on excellent terms, (*fam.*) got on (together) famously (like a house on fire); *ik kan 't met die lui niet ~* I do not get on with those people; *elkaar ~*, (*fig.*) hit it off, come to terms; *iem.* (*iets*) *toevallig ~* chance (happen, stumble) upon a p. (s.t.); *een tragisch uiteinde* (*voorbeelden, een gunstig onthaal*) *~* meet with a tragic end (instances, a kind reception); *een raadsel ~* find out (solve) a riddle; *een betrekking voor iem. ~* f. a p. a job; *er werd ... voor haar gevonden* she was found a situation; *als je de tijd kunt ~* if you can spare the time; *de schilderij vond haar weg naar* ... found its way to the Continent; *ik vind 't niet aardig van je* I don't think it nice of you; *vind je het goed?* do you approve of it?, (*fam.*) are you agreeable?; *ik vind 't niet goed dat je heengaat* I do not approve of your leaving us; *zie ook* goedvinden; *een beetje inconsequent, vind je niet?* a trifle inconsistent, don't you think?; *ik kan 't niet mooi ~* I cannot admire it; *hoe vind je hem* (*mijn nieuwe pak*)? how do you like him (my new suit)?; *hoe vond je 't bal?* how did you enjoy the ball?; *hoe vind je Londen?* what do you think of London? how do you like L.? how does L. strike you?; *hoe vind je zo'n verrassing?* isn't that a (lovely) surprise?; *hoe zou je 't ~ als* ...? how would you like it if I told you to stay here?; *ik vraag me af wat ze aan hem ~* I wonder what they see in him; *ik begrijp niet wat je eraan vindt* I don't see what you f. to like in it; *ik vind er niets* (*niets moeilijks*) *aan* I think there is nothing in it; *men vond een brief bij hem* a letter was found on him (on his person); *'t was niet te ~* it was not to be found; *voor ... ben ik niet te ~* I won't entertain such an offer, I am not agreeable to such a plan; *daar ben ik voor te ~* I'm game (for it), I'm on; *ik ben voor alles te ~* I'm game for anything; *als ..., hij was ervoor te ~* if there was any noise wanted, he was the boy (the man, etc.) for it; *hij laat zich voor alles ~* he lends himself to anything; *dat zal zich wel ~* I daresay it will come right; *zie* dood, woord, enz.

vinder finder; (*uitvinder*) inventor

vinding discovery, invention, device

vindingrijk inventive, resourceful, ingenious; *~ man, ook:* man of resource; *~heid* ...ness, ingenuity

vindplaats find-spot; *~en van uranium* u. deposits

ving *o.v.t. van* vangen

vinger finger (*ook van handschoen*); *de ~ Gods* the f. of God (of Providence); *voorste ~* forefinger, index; *middelste ~* middle f., long f.; *hij heeft lange ~s, kan zijn ~s niet thuis houden* he is light-, sticky-fingered, has sticky fingers; *de lui met lange vingers*, (*zakkenrollers, enz.*) the light-fingered gentry (fraternity); *er staan vuile ~s op* there are finger-marks on it; *zijn ~s branden* burn one's fingers, get one's f.s burnt; *als men hem een ~ geeft*, neemt hij de hele hand give him an inch, and he'll take a yard; *de ~ op de mond leggen* put one's f. to one's lips; *de ~ op de wond leggen* lay (put) one's f. on the spot (on the real blot, on the vital malady), touch the spot (the sore); *de ~ opsteken* put up one's hand; *hij durft geen ~ in de as te steken* he dare not call his soul his own; he dare not say boo to to a goose; *een ~ in de pap hebben* have a finger in the pie; *hij stak geen ~ uit, verroerde geen ~* he didn't lift (stir, put out, raise) a f. [to help me]; *niet één van jullie stak ...* not one of you held out so much as a little f. to help; *hij kan aan elke ~ één krijgen* he can choose any girl he likes; *door de ~s zien* overlook (wink at, connive at, condone), turn a blind eye to; *een beetje door de ~s zien* make allowances, stretch a point (in a p.'s favour); *zich in de ~s snijden* cut one's fingers; (*fig.*) burn one's fingers; *iets in de ~s h.* have a natural aptitude for s.t.; *iets helemaal in de ~s h.* have s.t. at one's f.tips; *ik heb hem met geen ~ aangeraakt* I have not laid a f. on him; *hij zit overal met de ~s aan* he fingers everything, cannot let things alone; *blijf daar af met je ~s!* (keep your) hands off!; *hij is met een natte ~ te lijmen* he only needs asking once; *iets met een natte ~ berekenen* make a rough calculation; *iem. met de ~ nawijzen* point (one's f., the f. of scorn) at a p., *hij wordt met de ~ nagewezen* he is pointed at; *met één ~* (*piano*) *spelen* play with one f.; *ik kan hem om mijn ~ winden* I can twist (turn) him round my (little) f.; *iem.* (*erg*) *op de ~s kijken* keep an eye (a strict eye) upon a p.; (*bij het werk*) watch a p., breathe down a p.'s neck; *voortdurend op de ~s worden gekeken* be kept under constant surveillance; *dat kan men op de ~s natellen* (*na-, uitrekenen*) you can count it on your fingers; (*ze zijn zo zeldzaam,*) *je kunt ze op de ~s tellen* they can be numbered (counted) on the fingers of one hand (of one's two hands); *zie ook* jeuken, likken, tik(ken), enz.

vinger: *~afdruk* finger-print, -mark; *~alfabet* f.-(hand-, manual) alphabet; *~beentje* phalanx, *mv.:* phalanges; *~breed bn.* (of) the breadth of a f.; *zn.* = *~breedte* f.('s)-breadth; *zie* weg; *~dier* aye-aye; *~dik* as thick as a f.; *~doekje* table-napkin; *~en ww.* finger; *~gaatje* (*van fluit, enz.*) f.-hole, ventage; *~geleding, ~ge-*

wricht f.-joint; ~**glas** f.-glass, -bowl; ~**gras** panic-grass; ~**hoed** thimble; ~**hoedskruid** fox-glove; ~**kap** f.-stall; ~**kom(metje)** f.-bowl; ~**kootje** *zie* ~beentje; ~**lang** (of) the length of a f.; *zie* lekker; ~**lid** f.-joint; ~**ling** f.-stall; (*van roer*) (rudder-)brace; ~**merk** *zie* ~afdruk; ~**oefening** (*muz.*) (five-)f. exercise; (*fig.*) preliminary exercise, try-out; ~**plaat** (*op deur*) f.-plate; ~**ring** f.-ring; ~**schijf** (*van telef.*) dial; ~**spraak** f.-(and-sign) language, f.-talk, f.-signs; (*wet.*) dactylology; ~**steen** f.-stone; ~**stok** glove-stretcher; ~**taal** *zie* ~spraak; ~**top** f.-tip; *muzikaal tot in zijn* –*pen* ... to his f.-tips; ~**vlug** light-, nimble-fingered; ~**vormig** f.-shaped; ~**wijzing** hint, pointer, cue; ~**zetting** fingering

vingt-et-un id., [play] twenty-one

vink finch; (*vlieginsigne, -diploma*) wings; (*merkje*) tick; *zie* doorslaan & blind; ~**ejacht** catching finches, fowling; ~**ekooi** f.-cage

vinken *ww.* catch finches

vinke: ~**nbaan** finchery; ~**nest** finch's nest; ~**n-net** bramble-net; ~**ntouw** fowling-line; *op 't* – *zitten* lie in wait; ~**nvalk** sparrow-hawk; ~**n-vanger** bird-catcher, fowler; ~**slag** *a*) finch-trap; *b*) note of the finch

vinnig sharp, tart, biting, cutting [answer, tone], sharp, fierce, ding-dong, (*sl.*) gruelling [fight, contest], hard-fought [battle], close-(fought) [match], sharp, keen, stinging [frost], caustic, trenchant [tone], biting [cold, wind], smart [blow]; ~ *koud* bitingly (bitterly) cold; *de lucht is* ~ there is a bite (*of:* nip) in the air; *'t is niet meer zo* ~ *koud* the bite has gone out of the air; *er* ~ *op zijn* be keen on it; ~**heid** sharpness, etc., causticity, trenchancy; nip [of the wind]

vin: ~**potig** pinniped (*ook* = – *dier*); –*en* pinnipedia; ~**straal** fin-ray; ~**vis** rorqual, finner, fin-fish, fin-back; ~**vormig** fin-shaped

vinyl id., PVC

viola id.; **viola da gamba** id.

violenbed violet bed

violenwortel orris-root

violet *bn. & zn.* id.; (*bloem*) *zie* violier; ~**blauw** v.-blue; ~**bruin** v.-brown; ~**kleurig** violet

violier stock-gilliflower, stock

violist violinist, violin-player; *zie* viool; ~**isch** of (on) the violin, [a career] as a violinist

violoncel violoncello, (*fam.*) 'cello

violoncellist id., (*fam.*) 'cellist

viool violin (*ook* = *violist*), (*fam.*) fiddle; (*bloem*) violet; *meester op de* ~ master of the v.; *eerste* ~ first (*of:* leading) v., leader; *hij speelt de eerste* (*tweede*) ~, (*fig.*) he plays first (second) fiddle; *violen laten zorgen, zie* fiool; (*op de*) ~ *spelen* play (on) the v.; ~**bas** double-bass; ~**bouwer** v.-maker; ~**concert** v. concerto; v. recital; ~**hals** neck of the (a) violin; ~**hars** v.-rosin, colophony; ~**kam** bridge (of a v.); ~**kast** body of a v.; ~**kist** v.-case; ~**leraar** v.-teacher, teacher of the v.; ~**les** v.-lesson [*ook:* give lessons on the v.]; ~**muziek** v.-music; ~**partij** v.-part; ~**sleutel** treble clef; (*schroef*)

peg; ~**snaar** v.-string; ~**solo** v.-solo, solo for the v.; ~**sonate** v.-sonata; ~**spel** v.-playing; ~**speler, ~speelster** violinist, v.-player; ~**stuk** piece (of music) for the v.

viooltje (*welriekend*) violet; (*driekleurig*) pansy, heartsease, love-in-idleness

vioolvirtuoos violin virtuoso (*mv.* virtuosi)

viraal viral [pneumonia]

virago id.; man-woman

virginaal virginal(s)

Virginia id.; **Virginiaans** Virginian

Virginië Virginia; **Virginiër** Virginian

virtueel virtual [focus *brandpunt*]

virtuoos virtuoso, *mv.* virtuosi; ~ *gespeeld* [a concerto] played with virtuosity

virtuositeit virtuosity

virulentie virulence

virus id. (*mv.* viruses); ~**ziekte** v. disease

vis fish; *de V*~*sen*, (*dierenriem*) Pisces, the Fish(es); *als een* ~ *op het droge* [feel] like a f. out of water; *hij is* ~ *noch vlees* he is neither f. nor flesh (neither f., flesh, nor good red herring); *men weet nooit, of men* ~ *of vlees aan hem heeft* you never know where you are with him; ~ *moet zwemmen* f. must swim; *jonge* ~*sen*, (*vooral zalm*) fry; *zie* boter, gezond, stom, enz.

visa id.; *consulair* ~ consular v.

vis fish: ~**aak** f.ing-boat; ~**aas** f.-bait; ~**achtig** *a*) f.-like, fishy [smell, etc.]; *b*) fond of f.; ~**afslag** *a*) f.-auction; *b*) f.-market; ~**afslager** f.-auctioneer; ~**afval** f.-offal; ~**akte** f.ing-licence; ~**angel** f.-hook; ~**arend** osprey, f.-hawk

vis-à-vis *bw. & zn.* id. (*in alle bet.*)

vis fish: ~**bakkerij** fried fish shop; ~**bank** f.-stall; ~**ben** f.-basket; ~**beun** *zie* ~kaar; ~**blaas** f.-bladder; ~**boer** fishman, f.-hawker, -peddler; ~**broed** fry

viscose id., -**siteit** viscosity

vis fish: ~**couvert** f.-knife and fork; ~**dag** f.-day; ~**diefje** (*vogel*) (common) tern; ~**diencouvert** f.-servers; ~**duivel** sheat-, sheath-f.

viseerstok gauging-rod

viseren visa (*v.t. & v.dw.:* visa'd, visaed); (*peilen*) gauge; (*mikken*) (take) aim

vis fish: ~**etend** f.-eating; ~**eter** f.-eater; ~**fuik** f.-trap; ~**gehakt** f.-pie; ~**gelegenheid** *zie* ~plaats; *er is hier goede* – there is (you can get) good f.ing here; ~**gerecht** f.-course; ~**gerei** f.ing-tackle, -gear; ~**glas** f.-globe; ~**graat** f.-bone; (*techn.*) herring-bone; ~**graatsteek** herring-bone (stitch); ~**graatverband** (*metselw.*) herring-bone bond; ~**grom** f.-guts; ~**grond** f.ing-ground; ~**haak** f.-hook; ~**hal** f.-market, f.-shop; ~**handel** f.-trade; ~**handelaar** f.monger

visie vision; *ter* ~ *leggen* (*liggen*) lay (lie) on the table, (*liggen*) be available for inspection; *de documenten ter* ~ *leggen, ook:* lay papers; *zie* inzage & kijk

visioen vision; ~*en hebben*, (*fam.*) see things

visionair *zn. & bn.* visionary

visitatie (*van bagage, enz.*) (customs) examination, inspection; (*doorzoeking*) visit (and search), [house-]search; (*kerk*.) visitation; *Maria's* V~ the Visitation (of our Lady); *de* V~orde the (order of the) Visitation; ~recht right of visit (and search)

visite[1] visit (*ook van dokter*), call; ~ *hebben* (*verwachten*) have (expect) visitors (company, *fam*.: people); *we krijgen* ~ we have a visitor (visitors) coming; *een* ~ *maken* pay a v. (a call); *een* ~ *maken bij* pay a v. to, pay (give) a call to, call on; *wanneer hij een* ~ *kwam maken* when he called; *de dokter maakt zijn* ~*s* makes his daily rounds

visiteformaat carte-de-visite (size)

visitekaartje visiting-card; *z'n* ~ *afgeven*, (*fig*.) show one is there, make o.s. conspicuous; *zie* kaartje

visiteren examine, inspect, search; *zijn bagage laten* ~ see one's luggage through the customs, have one's luggage examined

visiteur custom-house officer; (*kerk*.) visitor

visite-uren hours for calling

visiteuse W.S.O. (Woman Search Officer)

vis fish: ~je little (small) f.; ~kaar *zie* kaar; ~kanis f.-basket, creel; ~ketel f.-kettle; ~kom f.-globe; ~kop f.-head; ~koper f.monger; ~korf f.-basket; ~korrels Indian berries, f.-berries; ~kuit *zie* kuit; ~kunde ichthyology; ~kweker f.-farmer; ~kwekerij *a*) *zie* ~teelt; *b*) f.-farm, (f.-)hatchery; ~lepel f.-slice; ~lijm isinglass, f.-glue; ~lijn f.ing-line; ~lucht fishy smell; ~maal f.-meal, -dinner; ~man *zie* ~boer; ~mand f.-basket; ~markt f.-market; ~meel f.-meal, -flour; ~mes f.-knife; – *en* ~vork f.-knife and fork; (*om op te scheppen*) f.-carvers; ~mest f.-manure; ~net f.ing-net; ~otter (common) otter; ~pasta f.-paste; ~pastei f.-pie; ~plaat f.-strainer; ~plaats fishing-ground, fishery, fishing; ~recht f.ing-right, piscary; ~reiger common heron; ~rijk abounding in (well-stocked with) f.; ~rijkdom abundance of f.; ~schep f.-slice; ~schotel *a*) f.-strainer; *b*) f.-dish, (dish of) fish; ~schub f.-scale

visse: ~bloed fish-blood; *jij hebt* – you're a regular icicle; ~broedsel fry

vissen fish; *met wormen* ~ bait with worms; *met een zilveren hengel* ~ fish with a silver hook; *naar een complimentje* (*uitnodiging*) ~ fish (angle) for a compliment (an invitation); *uit* ~ *gaan* go out fishing; *zie* getij & net

visser (*hengelaar*) angler; (*van beroep*) fisherman; visserij fishery, fishing-industry

vissers: ~bedrijf fisherman's trade; *zie* visserij; ~bevolking population of fishermen; ~boot fishing-boat; ~dorp fishing-village; ~haven fish-harbour, fishing-port; ~knoop fisherman's bend; ~pink fishing-smack; ~ring (*van de paus*) Fisherman's ring; ~schuit fishing-boat; ~vaartuig fishing-craft (*mv. id.*), -boat; ~vloot fishing-fleet; ~volk *a*) nation of fishermen; *b*) fisher-folk; ~vrouw *a*) fisherman's wife; *b*) fisherwoman

vis fish: ~smaak fishy taste; ~snoer f.ing-line;

~soep f.-soup; ~spaan f.-slice; ~stand total number of f.; ~steen ichthyolite, fossil f.

vista: *per* ~ at sight; ~papier, ~traite sight bill, sight draft

vis fish: ~tas f.ing-bag; ~teelt f.-culture, pisciculture, f.-farming; ~tijd f.ing-season; ~traan f.-, train-oil; ~trap f.-ladder, f.-way; ~tuig f.ing-tackle, -gear

visueel visual

visum visa; *een* ~ *aanvragen* apply for a v.; ~ *repertum* (doctor's) report

vis fish: ~valk *zie* ~arend; ~vangst f.ing; *de wonderbare* – the miraculous draught of f.es; ~venter f.-hawker, coster(-monger); ~vijver f.-pond; ~vorm f.-shape; ~vormig f.-shaped; ~vrouw f.-wife, f.-woman; ~want f.ing-tackle; ~water f.ing-water, -ground; ~weer f.-garth, -weir; ~wijf fishwife; *zie* schelden; ~wijventaal billingsgate; ~winkel f.-shop, (*van gebakken* ~) fried f. shop; ~zouter f.-curer

vitaal vital; *-le verbindingslijn* life-line

vitachtig(heid) *zie* vitterig(heid)

vitalisme vitalism

vitalist id.; ~isch vitalist(ic)

vitaliteit vitality

vitamine vitamin

vitaminiseren vitaminize

vitlust *zie* vitterigheid

vitrage (*stof*) lace, vitrage cloth (*of*: net); ~(gordijn) l. (*of*: net) curtain

vitrine (glass) show-case, show-window, (*zelden*) vitrine

vitriool vitriol; ~achtig vitriolic; ~olie oil of v., sulphuric acid

vitster *zie* vitter

vitten find fault, carp, cavil; ~ *op* find fault with, carp (cavil) at, pick holes in [a story, a p.'s decision, etc.]; *voortdurend* ~ (*op*), *ook:* nag

vitter caviller, fault-finder

vitterig fault-finding, censorious, captious, cantankerous; ~heid censoriousness, captiousness, cantankerousness

vitterij fault-finding, cavilling, nagging

vitusdans St. Vitus's dance, chorea

vitziek *zie* vitterig

vitzucht *zie* vitterigheid

vivace (*muz*.) id.

vivaciteit vivacity, liveliness

vivarium id., *mv*. vivaria

vivat three cheers for ...! long live ...! hurrah for ...! vivat!; *zn*. vivat

viveur man about town, fast liver

vivipaar (*biol*.) viviparous

vivisectie vivisection; ~ *toepassen* (*op*) vivisect; ~voorstander (*tegenstander*) *van* ~ vivisectionist (anti-vivisectionist)

vivres provisions, victuals

vizier 1 (*Turks minister*) vizi(e)r; 2 (*van helm*) visor; (*van vuurwapen*) (back-)sight; (*aan* ~*liniaal*) sight, pinnule; *in* 't ~ *krijgen* catch sight of; (*fam*.) spot; *ik had hem in* 't ~ I had

---

[1] *Zie ook* bezoek

spotted him; *met twee ~en schieten* fire with combined sights; *met open ~ strijden* fight openly, come out into the open; ~**hoek** angle of sight; ~**hoogte** elevation; ~**inrichting** sights; ~**keep** V (*uitspr.*: vi:) of the back-sight, notch; ~**kijker** telescopic sight; ~**klep** leaf (of the back-sight); ~**korrel** foresight, bead; ~**lijn** line of sight; ~**liniaal** alidade

vla custard; [gooseberry, raspberry] fool; (*gebak*) flan; ~ *maken* whip a. c.

vlaag (*wind*) squall, gust of wind; (*regen, enz.*) shower; (*fig.*) fit [of rheumatism, rage, zeal, idleness], burst [of generosity], access [of jealousy]; *hevige ~ van ziekte* paroxysm (*ook fig.*: of rage, despair); *in een ~ van drift, ook*: in a flash of temper, [kill] in hot blood; ~ *van krankzinnigheid, ook*: temporary insanity; *bij vlagen* by fits and starts, [she works] in bouts

Vlaams Flemish; ~*e gaai* jay; ~*e* Flemish woman; v~**gezind** pro-Flemish

Vlaanderen Flanders

vlag flag; (*mil. & van schip, ook:*) colours; (*scheepsvlag, ook*) ensign; (*standaard*) standard; (*van veer*) vane, web; (*van vlinderbloem*) vexillum, standard; *de rode (gele, zwarte) ~* the red (yellow, black) f.; *de witte ~* the white f., the f. of truce; *de ~ dekt de lading* the f. covers the cargo, free f. makes free bottom; *de ~ hijsen* (*neerhalen*) hoist (lower) the f.; *de ~ strijken*, (*ook fig.*) strike one's f. (*of:* colours) [*voor* to]; *de ~ uitsteken* put (hang) out the f.; *de ~ vertonen* show the f.; *de Hollandse ~ voeren* fly (carry) the Dutch f.; *dat staat als een ~ op een modderschuit* it fits as a f. on a broomstick; *met ~ en wimpel geslaagd* passed with flying colours; *met de ~ salueren* dip the f. (the colours); *een schip met ~gen tooien* dress a ship; *met ~gen getooid* beflagged, gay (*of:* ablaze) with bunting, f.-decked [houses]; *onder de Britse ~ varen* sail under (fly) the British f.; *onder valse ~ varen* sail under false colours, (*fig. ook*) wear false colours

vlagge: ~**doek** bunting; ~**jongen** (*hist.*) ship-boy; ~**jonker** midshipman; ~**kapitein** flag-captain; ~**koord** flag-line; ~**lijn** (*mar.*) ensign halyard; ~**man** (*fig.*) standard-bearer

vlaggen put out (hang out, fly, hoist, display) the flag (flags); *de huizen vlagden* the houses were beflagged, ~**doek** bunting; ~**kaart** flag-chart; ~**schrift, -spraak** *zie* vlagseinen

vlagge- flag: ~**schip** f.-ship; ~**stok** f.-staff, -pole; ~**tje** small f.; (*van lans*) pennon; ~**tjes-dag** f.-day; ~**touw, -val** f.-line, f.-staff rope

vlag flag: ~**officier** f.-officer; ~**sein** f.-signal; ~**seinen** *ww.* signal with flags; *zn.* f.-signalling, (*sl.*) f.-wagging; ~**seiner** f.-signaller; (*sl.*) f.-wagger; ~**signaal** f. signal; ~**vertoon** showing the f., f.-showing; ~**voerder** *a*) f.-officer; *b*) f.-ship; *c*) (*fig.*) standard-bearer; ~**zalm** grayling

1 vlak *zie* vlek

2 vlak I *bn.* (*van land, terrein, enz.*) flat, level; (*zonder oneffenheden*) smooth; (*van zee = kalm*) smooth; ~*ke meetkunde* (*figuur, hoek,*

driehoeksmeting, spiegel, enz.), plane geometry (figure, angle, trigonometry, mirror, etc.); ~*ke baan* flat [on the ...]; (*mil.*) f. trajectory; *ren op de ~ke baan* f. race; *met de ~ke hand* with the f. of the hand; *slag met de ~ke hand, ook*: f.-handed smack; *'t land is volkomen ~* is a dead level; ~*ke tint* f. tint; ~ *trekken*, (*luchtv.*) flatten out; II *bw.* flatly; (*precies*) right, exactly; ~ *op 't water liggen*, (*mar.*) be on an even keel; ~ *gaan liggen*, (*luchtv.*) flatten out; ~ *vliegen* fly on an even keel; *iem. ~ in 't gezicht kijken* (*slaan*) look a p. full (*of:* straight) (hit a p. bang) in the face; *de wind sloeg ons ~ in 't gezicht* struck us full in the face; *hij zei 't u ~ in uw gezicht* he told you so to your face; ~ *onder de ogen van* [he did it] under the very eyes of ...; ~ *onder mijn raam* right under my window; ~ *op de neus* full on the nose; *de wind is ~ oost* due (dead) east; ~ *achter hem* close behind him, close on his heels; ~ *bij* close (hard) by, [heard his voice] quite close; ~ *bij 't raam* close to the window; ~ *bij elkaar* close together; *tot ~ bij ...* right to the (very) door, [the mountains come] right up (right down) to the sea; *ze ging ~ aan me voorbij* she passed me quite close; *hij liep ~ langs mij* he brushed past me; ~ *naast mij* right next to me; ~ *vóór je* right in front of you; ~ *voor de wind* dead before the wind; *zie ook* voor; ~ *in 't midden* in the very centre, right in the centre, plumb in the middle; ~ *in 't begin* at the very beginning; *er ~ boven* immediately above it; *de auto greep hem ~ van voren* caught him full on; *wij hadden de wind ~ tegen* we had the wind dead against us (dead ahead); ~ *tegen de storm in* in the teeth of the gale; *ik ben er ~ tegen* (*voor*) I'm dead against it (all for it); *zie* lijf, neus, enz.; III *zn.* level; (*meetk., mech., enz.*) plane; (*van meetk. lichaam*) face; (*van water, enz.*) sheet [of water, ice, etc.]; *gekleurd ~* coloured area; *'t ~ van de hand* (*'t zwaard*) the flat of the hand (the sword); *op het menselijke ~* in the human sphere; *zie* hellend; ~**bank** planing machine, planer; ~**druk** (*typ.*) planography

vlakgom india-rubber, [ink-, pencil-] eraser

vlakheid flatness

vlakken 1 flatten, level; 2 *zie* vlekken

vlakkenhoek solid angle

vlakschaaf smoothing plane

vlakte plain, level; stretch [...es of waving grass], sheet [of water, ice, etc.]; *op de ~ in* (on) the p.; *zich op de ~ houden* not commit o.s.; *iem. tegen de ~ slaan* knock a p. down; *jongen van de ~*, (*sl.*) crook; *meisje van de ~* girl of the street, slut; ~**inhoud** area, superficies; ~**maat** superficial (area, square) measure; ~**meter** planimeter; ~**meting** planimetry

vlakuit [refuse] flatly

vlakversiering flat ornament

vlam flame (*ook fig.*), (*grote vlam*) blaze; (*van hout*) grain; *een oude ~ van me* an old f. of mine; *zijn ogen schoten ~men* his eyes flashed (fire), blazed, were ablaze, flamed; ~ *vatten*

catch fire, catch alight, (*fig.*) fire up; *in ~men
uitbarsten* burst into f.; *in ~men opgaan* go up
in flame(s); *in ~ staan* be in flames; *in volle ~
staan* be ablaze; *in ~ zetten*, (*ook fig.*) set
aflame (in a blaze); *zie* vuur & spuwen; ~
bloem phlox
Vlaming Fleming
vlam: ~**kast** combustion-chamber, fire-box;
~**kleur(ig)** flame-colour(ed); ~**kolen** cannel
coal, long flame coal
vlammen I *intr.* flame, blaze (up), be in a blaze;
(*van ogen*) *zie* vlam; *op iets ~* be hot (*of:* keen)
on s.t.; *~de ogen* flaming (blazing) eyes; *met
~de ogen kijken naar, ook:* glare at; *in ~d
schrift aankondigen* flame (*of:* blaze) forth;
II *tr.* wave, water [silk, etc.]; grain [wood]
vlammenwerper flame-thrower, -projector
vlammenzee sea of flames, blaze
vlammetje little flame; *iem. een ~ geven* give a
p. a light; *kunt u mij 'n ~ geven?* could you
oblige me with a match?
vlam: ~**mig** *zie* gevlamd; ~**oven** *zie* reverbeeroven; ~**pijp** fire-tube, boiler-tube; ~**pijpketel**
fire-tube boiler; ~**punt** flash point
vlapoeder custard powder
vlas flax; *jongelui met ~ om de kin* young men
with fluffy (incipient) beards; ~**achtig** flaxy;
flaxen [hair]; ~**akker** f.-field; ~**baard** *a*) flaxen
(downy, fluffy) beard; *b*) beardless boy, milksop, greenhorn; ~**bek** (*plant*) toadflax; ~
bereiding f.-dressing; ~**blond** flaxen [hair],
flaxen-haired [girl]; ~**boer** f.-farmer; ~**bouw** f.-
growing; ~**dodder,** ~**dotter** (*plant*) gold of
pleasure, cultivated cameline; ~**dot** bundle of
f.; ~**haar** flaxen hair; ~**harig** flaxen-haired,
tow-headed; ~**hekel(aar)** f.-hackle(r); ~**kam-
(mer)** f.-comb(er); ~**kleur** flaxen colour; ~
kleurig flaxen; ~**kop** flaxen head; flaxen-
haired [boy, etc.]; ~**kruid,** ~**leeuwebek** toadflax; ~**roting** f.-retting
vlassen: 1 *ww.* ~ *op* look forward to, set one's
heart on, (*sterker*) look hungrily for; 2 *bn.* flax-
en
vlas: ~**sig** *zie* ~achtig; ~**spinner** flax-spinner;
~**spinnerij** f.-mill; ~**verbouwer** f.-grower; ~**vezel** f.-fibre; ~**vink** linnet; ~**zaad** f.-seed, linseed
vlecht braid, plait, tress; (*neerhangend ook*)
pigtail; (*anat.*) plexus; (*huidziekte*) herpes;
zie Pools & vals; ~**bies** mat-rush; ~**en** plait
[hair, straw, rushes, ribbons, mats, garlands,
etc.], braid [hair], wreathe [a garland], twine
(twist) [a wreath], make [a basket], weave
[mats, baskets], wattle [boughs, twigs, osiers];
gevlochten haag plashed (wattled) fence; *haar
haar was tot een 'staart' gevlochten* was
plaited into a pigtail; *opmerkingen (anekdoten)
in zijn rede* – weave remarks into one's
speech (intersperse one's speech with anecdotes); ~**er** plaiter, etc.; ~**werk** basket-,
wicker-, hurdle-, wattle-work; (*fröbelw.*) mat-
plaiting; (*ornament*) interlace
vleermuis bat; ~**brander** bat-wing (batswing,
fish-tail) burner
vlees (*algem.*) flesh; (*als voedsel*) meat, (*met

aanduiding van 't dier) flesh [its ... serves as
butcher's meat; the ... of cows is called beef];
(*van vruchten*) pulp, flesh; *alle ~ is als gras* all
f. is grass; ~ *in bussen* tinned (*Am.* canned)
meat (beef); *één ~ zijn*, (*bijb.*) be one f.; *de
zonden des vlezes* the sins of the f.; *mijn eigen
~ en bloed* my own f. and blood; *twee vlezen*
two meats; *iem. in den vleze zien* see a p. in
the f.; *tot in 't* (*levende*) ~ *snijden* cut to the
quick; *in eigen ~ snijden* queer one's own
pitch; *goed in zijn ~ zitten* be in f., be well(-)
covered; *'t gaat hem naar den vleze* he's doing
well, getting on nicely; *'t was hem ... naar den
vleze gegaan* he had done well during the war;
met veel ~ eraan meaty [bone]; *de weg van alle
~ gaan* go the way of all f.; *zie* kuip, vis, enz.
vlees- meat, flesh: ~**afval** offal (*of:* refuse) of
m.; (*voor katten*) cat's-meat; ~**bal** m.-ball;
~**bank** butcher's stall; ~**blok** butcher's block;
~**boom** fleshy growth; ~**bord** m.-plate; ~**conserven** potted meat; ~**dag** m.-day; ~**dieet** m.-
diet; ~**etend** carnivorous, f.-eating [animal];
– *dier, ook:* carnivore, (*mv. ook*) carnivora;
~**eter** (*pers.*) m.-eater; (*dier*) *zie* ~etend; ~
extract meat (*of:* beef) extract, extract
(essence) of m.; ~**gerecht** m.-course, -dish; ~**geworden:** *de – God* the incarnate God; ~**haak**
m.-hook; ~**hakmachine** mincing-machine; ~**hal**
(covered) m.-market, shambles; ~**handel** m.-
trade; ~**houwer** butcher; *zie* slagers-; ~
houwerij butcher's shop; (*mil.*) butchery; ~**industrie** meat industry; ~**kamer** m. store-room;
~**keurder (keuring)** m. inspector (inspection),
inspector (inspection) of butcher's m.; ~
kleur f.-colour, -tint; ~**kleurig** f.-coloured,
-tinted; *–e kousen, ook:* nude stockings; *–
tricot* fleshings; ~**klomp** lump of m.; (*pers.*)
lump of f.; ~**kuip** m.-tub; ~**loos** meatless; m.-
free [diet]; ~**maal** m.-dinner; ~**made** m.-mag-
got; ~**markt** m.-market; ~**mes** *a*) carving-
knife; *b*) butcher's knife; *– en -vork, ook:* m.-
carvers; ~**molen** mincer, mincing-machine;
~**nat** (m.-)broth, gravy; *ook* = ~sap; ~**pastei**
m.-pie; ~**pasteitje** m.-patty; ~**pen, -pin** skewer;
~**pot** f.-pot; *terug verlangen naar de –ten van
Egypte* hanker after the f.-pots of Egypt; ~
priem skewer; ~**schotel** m.-dish; ~**soep** m.-
soup; ~**spijs** f. food (*mv.:* f. foods), animal
food, f.-meat; ~**ton** m.-tub; ~**vergiftiging** m.-
poisoning; ~**vlieg** f.-fly, blow-fly; ~**vork** m.-,
carving-fork; ~**waren** m.-products, meats;
fijne –, (*ongev.*) meat delicacies; ~**wond(e)** f.-
wound; ~**wording** incarnation
vleet 1 herring-net; *bij de ~* lots (heaps, plenty)
of ..., ... in profusion, [money, shops, etc.]
galore; *bramen vindt men er bij de ~* the place
teems with blackberries; *geld heeft hij bij de
~, ook:* he has pots of money; *zie* volop; 2
(*vis*) skate
vlegel flail; (*pers.*) insolent (young) fellow;
(*slungel*) hobbledehoy
vlegelachtig insolent, impertinent; ~**heid** insolence, impertinence
vlegeljaren awkward age, years of indiscretion,

vlegeltank -

920

hobbledehoyhood, hobbledehoyism; *in de ~, ook:* in the hobbledehoy stage
vlegeltank (*mil.*) flail tank
vleien flatter (*ook fig.*), coax, wheedle, cajole, (*fam.*) butter up, blarney; (*kruiperig*) fawn upon, cringe to; *wat vleide ze om ...!* how she wheedled to get her ends!; *zich ~ met de hoop, dat ...* flatter o.s. with (indulge) the hope that ...; *zich ~, dat ...* flatter o.s. that ...; *zich gevleid voelen door ...* feel flattered by ...; *~de woorden, ook:* honeyed words; *~d bw.* flatteringly, etc., ['Darling', he said] in coaxing tones, (*onoprecht*) smoothly
vleier flatterer, coaxer; *~ig* coaxing, honeymouthed, -tongued, smooth-tongued
vleierij flattery, adulation, blandishments; (*fam.*) butter, soft soap, soft-sawder, blarney; *door ~ van iem. verkrijgen* coax (*of:* wheedle) [s.t.] out of a p.
vleinaam pet name, endearment
vleister *zie* vleier
vleitaal flattering words; *zie ook* vleierij
vlek 1 market-town, borough; 2 blot, spot, stain; (*plek*) patch; (*smeer*) smear, daub, smudge; (*van roet*) smut; (*fig.*) stain [on one's character], blot [on one's reputation], slur, blemish; *zie* smet & vlekken; *~je* speck, (*fig. ook*) small blemish; *zie* koe
vlekkeloos spotless, unspotted, stainless, immaculate; *zie* smetteloos; *~heid* ...ness
vlekken *tr.* blot, stain, soil, smudge [the letter was ...d]; *intr.* soil, spot [this stuff ...s in the rain], get spotted; *thee vlekt niet* tea does not stain; *zie* gevl.; *~middel, ~stift, ~water* stain (spot) remover
vlekkig spotted, full of spots, spotty, specky, specked [orange]; patchy [complexion]
vlektyfus typhus (fever)
vlekvrij stainless [steel]
vlekziekte swine-fever
vlerk wing (*ook fam.: = arm:* wounded in the ...); (*dicht.*) pinion; (*lomperd*) boor, churl; *blijf eraf met je ~en,* (*fam.*) keep your paws off; *iem. bij zijn ~en pakken* collar a p.
vlerkprauw flying proa (prau), outrigger proa (*of:* canoe)
vleselijk carnal; *mijn ~e broeder* my own brother; *de ~e duivel* the devil incarnate; *~e gemeenschap* (*omgang*) c. intercourse; *~e lusten* c. desires, lusts of the flesh; *zij bestaan elkaar ~* they are blood relations; *~heid* carnality, carnalism
vlet flat(-bottomed boat); *~ten ww.* convey in a flat (in flats); *~ter(man)* flatman
vleug (last) flicker, spark; (*van geur, enz.*) waft, whiff; *tegen de ~ borstelen* brush [a hat] the wrong way (against the nap); *met de ~* the right way
vleugel (*ook van leger, partij, neus, gebouw, vliegtuig, vlinderbloem*) wing; (*dicht.*) pinion; (*van molen & schroef*) vane; (*piano*) grand piano, (*fam.*) grand; (*van deur*) leaf [of a folding-door]; *kleine ~,* (*piano*) baby grand; *de ~s laten hangen* droop one's wings, hang one's

head, have one's tail between one's legs; *iems. ~s korten* clip a p.'s wings; *de schrik verleende haar ~s* fright lent wings to (winged) her feet; *in de ~ schieten* wing [a bird]; *met de ~s slaan* flap (clap) one's wings; *onder Moeders ~s* under Mother's w.; *iem. onder zijn ~en nemen* take a p. under one's w.; *op de ~en der liefde* on the wings of love; *iem. van de linker (rechter) ~,* (*pol.*) Left (Right) winger; *zie* aanschieten & uitslaan; *~adjudant* aide-de-camp; *~boot* hydrofoil; *~breedte zie* ~wijdte; *~deur* folding-door(s); *~klep* (*van vliegt.*) w.-flap; *~lam* broken-winged; *– geschoten ook:* winged; *~loos* wingless; *~man* guide, marker, file-leader; *~moer* butterfly nut, wing(ed) nut; *~oppervlak* (*van vliegtuig*) w.-area, w.-surface; *~piano zie ~;* *~punt* w.-tip; *~raam* casement(-window); *~schild* w.-case, w.-sheath; *~schroef* butterfly screw; *~slag* w.-beat; *~spanning* (*van vliegt.*) w.-span, w.-spread; *~speler* w.(-player), [left, right] winger; *~spits* w.-tip; *~tjesbloem* milkwort; *~trilling* (*van vliegt.*) w.-flutter; *~vormig* w.-shaped, (*wet.*) aliform; *~wijdte* w.-span, w.-spread
vleugje *zie* vleug
vleze *zie* vlees; **vlezen** *bn.* (of) flesh
vlezig fleshy [face, woman, cattle, leaves, flower, part of the arm], plump [woman, arm], pulpy [fruit]; *~heid* fleshiness, etc.
vlieboot (*hist.*) fly-boat
vlieden *tr.* flee, fly (*v. t. & v. dw. steeds* fled), shun, eschew; *intr.* flee, fly
vlieg fly; *de ~, die de zalf stinkend maakt* the f. in the ointment; *een arend vangt geen ~en* eagles don't catch flies; *iem. een ~ afvangen* steal a march on a p., score off a p.; *hij zou geen ~ kwaad doen* he would not hurt a f.; *twee ~en in één klap vangen* kill two birds with one stone; *ik zit hier niet om ~en te vangen* I am not here for nothing (for my health); *zie* bevuilen, honig, Spaans
vlieg- flying; *~baan a*) course (of flight); *b*) *zie* ~terrein; *~basis* air base; *~bereik* flying-range; *~boot* f.-boat; *~brevet* f.-certificate, pilot's certificate, [get one's] wings; *~bril* goggles; *~club* flying- (*of:* aeroplane-)club, aeroclub; *~commandant* flight-commander; *~dek* flight-deck [of an aircraft carrier]; *~dekschip* (aircraft) carrier; *groot –* fleet carrier; *~demonstratie* f.-display, aerial (*of:* air) pageant, air-display; *~dienst* f.-service
vliege- fly; *~drek* f.-speck, -dirt; *~ei* f.-blow; *vol ~eren* f.-blown, -specked; *~klap, -mepper* f.-flap(per), -whisk, -switch, -swatter
vliegen I *ww.* fly (*ook in vliegtuig, van vonken, enz.*); (*met veel lawaai*) hurtle; *wat vliegt de tijd!* how time flies!; *'t vliegtuig wordt gevlogen door ...* is flown (*of:* piloted) by ...; *hij wil ~ voor hij vleugels heeft* he wants to run before he can walk; *die niet kan ~* flightless [bird]; *hoog ~,* (*ook fig.*) f. high; *laag ~,* (*luchtv.*) f. low; (*fam.*) hedge-hop; *heen en weer ~,* (*fig.*) rush about; *deze artikelen ~ weg* go (*of:* sell) like hot cakes; *hij ziet*

ze ~ he has a bee in his bonnet; *'n steen vloog door 't raam* came hurtling through the window; *in stukken* ~ f. into (in) pieces; *in de kamer* ~ f. (tear, dart) into the room; *zie ook* invliegen; *naar de deur* ~ f. (dart, rush) to the door; *de kogels vlogen ons om de oren* the bullets flew about our ears; *'t vliegtuig vloog om de vuurtoren* circled (round) the lighthouse; *om de wereld* ~ f. round the world; *wij vlogen onder de brug door* we shot the bridge; *wij vlogen over de weg* we tore (careered, scorched) along; *over de Atl. Oceaan* ~ fly the Atlantic; *de boot vloog over 't water* flew (shot) over the water, skimmed the water; *de auto vloog tegen een boom* crashed into a tree; *uit 't huis* ~ f. (tear, dart) out of the house; *de locomotief vloog uit de rails* jumped the rails; *eruit* ~, *(fam.)* get the sack; *hij vliegt voor me* he is at my beck and call; *zie ook* arm, brand, lucht, enz.; II *zn.* flying, flight; *(in vliegt. ook)* aviation

vliegend flying; *~e vogels, (ook)* birds on the wing, birds in flight; ~ *blaadje* pamphlet, leaflet; *~e bom* f. bomb; *~e brigade* f. squad [of Scotland Yard]; ~ *contant* prompt cash; *~e hond* f. fox, fox-, fruit-bat; *~e vis* f. fish; *~e colonne* f. column; *in ~e haast* in a tearing hurry, like a house on fire; *zie* geest, hert, Hollander, tering, enz.

vliegen- fly: **~doder**, **~dood** f.-paper; **~gaas** flywire; **vliegenier** *zie* vlieger 2

vliegen- fly: **~kampernoelie** *zie* ~zwam; **~kast** meat-safe; **~kleed** horse-net, f.-net; **~mep(per)** fly swatter; **~net** f.-net; **~papier** f.-paper; **~plaag** f.-nuisance

vliegens(vlug) in less than no time, at top speed, hotfoot, (as) quick as thought

vliegen- fly: **~vanger** *(voorwerp)* f.-trap, -catcher, -cage; *(plant)* f.-trap; *(vogel)* f.-catcher; **~vergif(t)** f.-poison; **~vogel** humming-bird; **~zwam** f.-fungus, f.-agaric

vlieger 1 kite; *een ~ oplaten* fly a k. *(fig. ook:* throw out a feeler); *die ~ gaat niet op*, *(fig.)* that cock won't fight, that won't wash, that's (simply) not on; 2 *(pers.)* airman, aviator, flier, flyer; *milicien~* aircraftsman; *zie ook:* officier~; **~ballon** k.-balloon; **~ij** aviation, flying; **~koord** k.-line; **~staart** k.-tail

vliegeskader air squadron

vliegespatje fly-speck

vlieg- **~gat** entrance (of a hive); **~gewicht** *(luchtv.)* all-up weight; *(boksen)* fly-weight; **~haven** airport; **~helm** flying-helmet; **~hoogte** flying-height; **~huid** wing-membrane; **~insigne** wings; **~instructeur** flying-instructor; **~kamp** aerodrome; **~schip** *zie* vliegdekschip; **~kap** flying-cap; **~korps** flying-corps; **~kunst** aviation; **~machine** flying-machine; *zie ook* ~tuig; **~ongeluk** *zie* ~tuigongeluk; **~prijs** air fare; **~ramp** air-crash; **~record** air record; **~reis** *a)* air journey; *b)* air tour; **~risico** aviation risk; **~school** flying-school, school of flying; **~snelheid** flying-speed; *(t.o.v. de lucht)* air-speed; *(t.o.v. de grond)* ground-speed;

kleinste – stalling-speed; *– verliezen* lose f.-s., stall; **~sport** aviation; **~ster** airwoman, girl-flier, aviatress, -trix; **~terrein** *zie* vliegveld; **~tijd** flying-time; **~tocht** flying-expedition; *ook =* **~tochtje** flying-trip, *(sl.)* flip

vliegtuig aeroplane, (air)plane, aircraft; *per ~, ook:* [arrive] by air; *per ~ vervoeren, ook:* fly [troops]; *per ~ vervoerd* air-borne [goods]; *~en, ook:* aircraft; **~basis** air-base; **~bestuurder** pilot; **~bouwer** aircraft constructor (designer); **~fabriek** aircraft factory; **~industrie** aircraft industry; **~kaper** hijacker; **~loods** hangar, shed; **~moederschip** seaplane tender; **~motor** aero-engine, plane engine; **~ongeluk** air crash; **~schroef** air-screw, propeller

vlieg- **~uitrusting** flying-kit; **~uren** flying-hours; **~veld** aerodrome, flying-field, airfield, air-station; *(klein)* airstrip; **~vermogen** power of flight; *zonder –* flightless [bird]; **~vink** *zie* vink; **~vlies** wing-membrane; **~wedstrijd** air race; **~week** aviation week; **~weer** flying-weather; **~werk** *zie* kunst; **~wezen** flying, aviation; **~wiel** flywheel

vlier elder; **~azijn** e.-vinegar; **~bes** e.-berry; **~bloesem** e.-blossom; **~boom** e.-tree; **~bosje** e.-bush; **~hout** e.-wood

vliering garret, attic, loft; *op de ~* under the leads, at the top of the house; **~bewoner** person living in a garret; **~kamertje** g.-(room), attic; **~venster** g.-window

vlier- **~pit** elder-pith; **~pitballetje** e.-pith ball; **~stroop** e.-syrup; **~struik** e.-bush; **~thee** e.-tea

vlies *(vacht)* fleece; *(op wond, oog, vloeistof, enz.)* film; *(anat.)* membrane; *(zeer dun, in dier, plant, op vloeistof)* pellicle; *(van goud enz. & op melk)* skin; *(om zaadlobben, enz.)* cuticle; *(van vleermuis, enz.)* membrane; *'t meer is met een ~(je) ijs bedekt* the lake has a thin film of ice; *zie* gulden; **~achtig** filmy, membranous; **~je** *zie* ~; **~ridder** knight of the Golden F.; **~vleugelig** hymenopterous; *~e* hymenopteran, *mv. ook:* hymenoptera; **~vormig** *zie* ~achtig

vliet brook, rivulet, rill, runlet

vlieten flow, run

vliezig membranous, filmy, cuticular

vlijen lay down, arrange, order, stow; *zich ~* nestle, snuggle [against (to, up to) a p.; into an armchair]; *hij vlijde zijn hoofd tegen ...* he nestled his head against (pillowed his head on) her shoulder; *in gemakkelijke stoelen neergevlijd* ensconced in easy chairs

vlijm lancet; *(van veearts)* fleam; **~en** cut (with a l.), lance [an abscess]; *'t ~t me (door) 't hart* it cuts to my heart; **–d** sharp, cutting [wind; she spoke ...ly], biting [cold], excruciating [pains], poignant [grief]; *in ~de bewoordingen* in scathing terms; **~koker** l.-case; **~scherp** (as) sharp as a razor, razor-sharp, razor-edged

vlijt diligence, industry, assiduity, application; **~ig** diligent, industrious, assiduous; *– studerend* studious; *een – leerling, (ook)* a hard-working pupil; *zie* Liesje

vlinder butterfly (*ook fig.*); (*met niet-knots-vormige sprieten, meestal avondvlinder*) moth; *net een* ~, = ~**achtig** like a b., b.-like; (*fig. ook*) fickle; (*van bloem*) papilionaceous; ~**bloemige** papilionaceous flower; ~**dasje** b.-tie; ~**hondje** papillon; ~**net** b.-, moth-net; ~**slag** b. (stroke); ~**strikje** b.-tie; ~**vormig** b.-shaped; (*van bloem*) papilionaceous

Vlissingen Flushing

vlo flea; *door vlooien gebeten* f.-bitten

vlocht *o.v.t. van* vlechten

vloed (*tegenover eb*) flood (*of*: high) tide, flux, flood, tide; *zie* eb; (*rivier*) stream, river; (*overstroming*) flood, (*van rivier ook*) spate; fresh(et); (*fig.*) flood [of tears, words], [blinding] rush [of tears], flow [of words], torrent [of abuse (*scheldwoorden*), of eloquence], spate [of memories, confidences, oratory]; *de* ~ *stuiten* stem the tide; *de witte* ~ discharge, the whites, leucorrhoea; *ze barstte in 'n* ~ *van tranen los, ook:* she burst into a passion of tears; *bij* ~ at high tide; ~**bord** f.-board; ~**bos** tidal forest; ~**deur** f.-gate; ~**golf** tidal wave, (*in riviermond ook*) bore; (*fig.*) tide; ~**haven** tidal harbour; ~**lijn** f.-mark, high-water mark, tide-line, tide-mark; ~**stand** f.-stage; ~**stroom** tidal stream; ~**water** f.-water

vloei *zie* vloeipapier

vloeibaar liquid, fluid; *-are brandstof* l. fuel; ~ *voedsel* l. food, (*fam.*) slops; ~ *maken* (*worden*) liquefy; ~**heid** fluidity, l. (fluid) state; ~**making**, ~**wording** liquefaction

vloei: ~**blad** blotter, piece of blotting-paper; ~**blok** blotting-pad, blotter; ~**boek** blotter, blotting-book

vloeien I *intr.* flow (*ook fig.*: from one's pen, etc.); (*van inkt*) run, blot, smudge, spread; *er vloeide bloed*, (*bij duel*) blood was drawn; *goed* ~, (*van verzen*) flow (run) smooth(ly); *'t water begon te* ~ the tide was just turning from the ebb; II *tr.* blot [a letter]

vloeiend flowing, smooth [style]; fluent [speech]; ~*e letter* liquid (letter); ~*e verzen* flowing (smooth) verse; ~ *Frans spreken* speak French fluently, speak fluent French; ~**heid** fluency, smoothness

vloei: ~**ijzer** mild steel; ~**ing** flowing, flux; (*med.*) menorrhagia; ~**lijst** (*bk.*) cyma; ~**middel** flux; ~**papier** blotting-paper; (*sl.*) blotch; (*zijdepapier*) tissue paper; (*voor sigaretten*) cigarette-paper; *stuk* -, *ook:* blotter; ~**plank** tideboard; ~**rol** blotter; ~**spaat** fluor(-spar); ~**spaatzuur** hydrofluoric acid; ~**staal** mild steel; ~**stof** liquid, fluid; ~**tje** piece of blotting-paper; (*voor sigaretten*) cigarette-paper; (*voor sinaasappels*) wrapper; ~**veld(en)** sewage-farm; ~**weide** water-meadow

vloek (*vervloeking*) curse, malediction, imprecation; (*vloekwoord*) oath, swear-word, (*fam.*) swear; *de* ~ *van* ... the bane of modern civilization; *een* ~ *leggen op* lay a c. upon [the country]; *er ligt een* ~ *op dit huis* a c. rests on this house; *in een* ~ *en een zucht* in two shakes

(of a lamb's tail), in a jiffy; ~**beest** swearer

vloeken I *intr.* swear, use bad language, curse and swear; ~ *als een ketter* (*huzaar, dragonder*) s. like a trooper (bargee); ~ *tegen* s. at; *deze kleuren* ~ *met elkaar* swear at each other, clash (with each other); II *tr.* curse; *zie* vervloeken

vloek: ~**er** swearer; ~**psalm** imprecatory psalm, cursing psalm; ~**waardig** accursed, damnable; ~**woord** *zie* vloek

vloer floor, flooring; *hij kwam daar veel* (*was daar bijna altijd*) *over de* ~ he was in and out of the place a good deal (was almost a fixture about the house); *ze zijn altijd bij elkaar over de* ~ they are always in and out of one another's houses; *ik heb hem hier liever niet over de* ~ I don't care to have him about the place; *daar kun je van de* ~ *eten* you can eat your dinner off the boards there; *de benen van de* ~ shake a foot (a leg, one's feet); *de* ~ *met iem. aanvegen, zie* dweilen; ~**balk** f.-joist, flooring-beam; ~**bedekking** f.-covering; ~**en** *ww.* floor (*alle bet.*); ~**kleed** carpet; *–je rug; met een* ~ (*met* ~*kleden*) *beleggen* carpet; ~**mat** f.-mat; ~**oppervlakte** f.-space; ~**plank** f.-board; ~**pook** floor-mounted gearchange; ~**steen** flag(stone), floor(ing)-, paving-tile; ~**tegel** *zie* ~steen; ~**verwarming** underfloor heating; ~**zeil** f.-cloth

vlok flake [of snow], flock [of wool, of cotton], tuft [of hair]; ~**achtig** *zie* ~kig; ~**bed** flock-bed; ~**haar** flocky hair; ~**ken** *ww.* flake; *–wol* flock; ~**kig** flocky, flaky, fluffy, flocculent [precipitate]

vlokreeft freshwater shrimp

vlok: ~**wol** flock-wool; ~**zij(de)** floss-silk

vlonder plank bridge; (*op balkon, in douchecel*) platform

vlood *o.v.t. van* vlieden

vloog *o.v.t. van* vliegen

vlooiebeet flea-bite; **vlooien** *ww.* flea [a dog]; (*spel*) play (at) tiddl(e)ywinks

vlooien: ~**kruid** flea-bane; ~**markt** flea-market; ~**spel** tiddl(e)ywinks; ~**theater** performing fleas, flea-circus; **vlooiepik** flea-bite

1 vloot *o.v.t. van* vlieten

2 vloot fleet, (*oorlogs- ook*) navy; *Vereniging 'Onze Vloot'* The Navy League; ~**aalmoezenier** naval chaplain; ~**basis** naval base; ~**eenheid** naval unit; ~**je** (butter-)dish; ~**manoeuvre** naval exercise; ~**predikant** naval chaplain; ~**revue**, ~**schouw** naval review; ~**station** naval station; ~**sterkte** naval strength; ~**voogd** admiral; commander-in-chief

vlos floss(-silk); ~**sen** floss(-silk); ~**sig** flossy; ~**zij(de)** floss(-silk)

vlot I *zn.* raft; II *bn.* (*drijvend*) afloat; (*fig.*) fluent, smooth; (*in gesprek*) conversable; (*coulant*) accommodating; *vlotte landing*, (*luchtv.*) smooth (*of:* easy) landing; ~ *krijgen* set afloat, (re)float [a vessel]; (*weer*) ~ *raken* get afloat, get off (again); ~ *spreker* fluent speaker; ~*te stijl* smooth (fluent, flowing) style; ~*te vent* easy mixer; ~ *antwoord* ready answer; ~te afwikkeling prompt settlement; III bw. [speak] fluently; ~ gaan go (go off, work) smoothly (without a hitch); zich ~ bewegen move easily; zie stapel; ~ van de hand gaan sell readily; ~ geschreven fluently written; ~ leesbare lectuur easy reading; de maatregel werd ~ uitgevoerd was carried out promptly; ~ opzeggen say off pat; zie vlug & vloeiend; ~baar floatable; ~brug raft (of: float) bridge; ~gaand shallow-draught [vessel]; ~gras manna-grass, floating meadow-grass; ~heid fluency; readiness; vgl. ~; ~hout raft-wood

vlotten I intr. float; (fig.) go (proceed) smoothly; 't gesprek vlotte niet the conversation did not flow easily (flagged, dragged); 't werk wil niet ~ we are not making headway; zie opschieten; II tr. raft [wood]

vlottend: ~e bevolking floating population; ~ kapitaal floating (liquid, circulating) capital; ~e middelen liquid resources; ~e schuld floating (unfunded) debt

vlotter (pers.) raftsman, rafter; (toestel) [boiler-]float

vlouw (net) flue

vlucht ('t vliegen) flight (ook van de verbeelding, enz.); ('t vluchten) flight, escape, get-away [car]; (van kapitaal, enz.) flight [of capital], outflow, efflux [of gold]; (verwarde ~) rout; (wilde ~) stampede; (afstand tussen vleugeleinden) wing-spread, -span; (troep) flight, flock [of birds], covey [of partridges], bevy [of larks, quails]; skein, gaggle [of geese]; (van deur, enz.) reveal; (volière) aviary; de ~ uit de werkelijkheid the escape from reality; ~ van (= verlies van vertrouwen in) 't pond f. from the pound; dichterlijke ~ poetical f.; de ~ van zijn genie the f. of his genius; een snelle ~ hebben be swift of f.; de ~ nemen take (to) f., take to one's heels; ze namen de ~ onder de bomen (naar 't dak) they took shelter under the trees (took refuge on the roof); zijn verbeelding neemt een hoge ~ his imagination soars high (takes lofty f.); deze industrie heeft een hoge ~ genomen has assumed enormous proportions; hij neemt een te hoge ~ he flies too high; zijn ~ nemen take one's f.; in de ~ schieten shoot on the wing, shoot flying; ik zag 't in de ~ I caught a glimpse of it; ~ om de wereld (round-the-) world f.; op de ~ drijven (jagen, slaan) put to f., put to (the) rout, rout, send flying [in all directions]; op de ~ gaan (slaan), zie: de ~ nemen; op de ~ zijn be in f., be on the run [voor from]

vluchteling fugitive; (uitgewekene) refugee; ~enkamp refugee camp

vluchten I intr. fly, flee (v. t. & v. dw. van beide fled); uit 't land ~ fly (from) (of: flee) the country; ~ in de verbeelding take refuge in the imagination; ~ voor f. from, f. before; II tr. ('t gevaar, enz.) fly, flee, shun

vlucht: ~gat bolt-, funk-hole; ~haven port (harbour) of refuge, port of distress; ~heuvel (terp) mound, refuge; (in straat) (street-) refuge, traffic island

vluchtig (van stoffen) volatile; (van pers.) superficial, volatile; (van zaken) cursory [look], hasty [survey], flying [visit], perfunctory [inspection], casual [reference verwijzing], fleeting, transitory, transient [joy]; ~e kennismaking superficial acquaintance; ~(e) idee (behandeling) sketchy idea (treatment); ~e maaltijd hasty meal, snack; ~ kijkje glimpse; ~ beschouwen glance at; ~ doorzien (doorlezen) glance through (of: over), skim [a report]; ~ zien catch a glimpse of, glimpse; ~heid volatility; cursoriness, transitoriness, hastiness, sketchiness; ~jes cursorily, superficially, perfunctorily; ~making volatilization

vlucht: ~kelder air-raid shelter; ~leiding flight control; ~nabootser flight simulator; ~oord, ~plaats asylum, refuge; (voor geëvacueerden) reception area, safety zone; ~schema flight plan; ~stoep zie ~heuvel; ~strook (van weg) hard shoulder; ~weg escape route; ~wijdte (van vliegtuig) wing-span

vlug[1] (snel) quick, fast, rapid; (~ van beweging, lenig, handig) nimble [fingers, movements], agile; (~ en opgewekt) brisk [walk ...ly]; (geestelijk) quick, nimble, smart; (van jonge vogel) (full-)fledged; ~ wat! (be) quick! look sharp! look alive! (sl.) look (be) slippy (nippy)! make it snappy!; ijzer ging ~ van de hand, (hand.) iron was brisk; hij was er ~ bij he was not slow to catch it (to seize the opportunity, etc.); als je er niet ~ bij bent unless you are quick (off the mark), (sl.) if you don't look slippy; ze kon ~ leren she was q. at her lessons; ~ in 't rekenen q. at figures; ~ met een antwoord q. to answer, prompt at an answer; ~ van begrip q.(-witted), q. to understand, q. in the uptake; ~ van voet q. of foot, light-footed; ~ doorstappen walk at a sharp pace; er ~ over gaan go nice and fast [ook: the horse went at a spanking pace]; zie been, hand, leveren, pen, enz.; ~heid quickness, rapidity, nimbleness, briskness, promptness, smartness; vgl. ~; ~gerd smart (sharp) boy (girl, etc.); hij is geen ~ he is none of the quickest; ~gertje (sp.) quickie; ~schrift pamphlet; ~zand drifting sands; ~zout sal volatile

v.m. = voormiddags a.m. [at ten a.m.]

V.N. U.N. (United Nations), UNO

vnl. zie voornamelijk

vocaal I bn. vocal [music]; ~ en instrumentaal concert; v. (of: choral) and orchestral concert; II zn. vowel; **vocabulaire** vocabulary

vocaliseren vocalize; **vocalist(e)** vocalist

vocatie vocation; **vocatief** vocative

1 vocht o.v.t. van vechten

2 vocht (vloeistof) fluid, liquid; een scherp ~ an irritant fluid; (sap) juice; (nat) moisture, damp; voor ~ bewaren! keep dry!; tegen ~

---

[1] Zie ook snel

bestand damp-proof; *weinig ~ doorlatend* moisture-retaining [soil]

vochten ww. moisten, damp, wet, sprinkle

vochtgehalte percentage of moisture

vochtig moist, (*ongewenst ~*) damp [grass, house], soggy [vegetables], (*ongezond ~*) dank; (*wet.*) humid; *zie* eczeem; *~ maken* moisten, damp, wet; *~ worden*, *ook:* moisten

vochtigheid (*abstr.*) moistness, dampness, dankness, humidity; (*concr.*) moisture, damp; **~sgraad** (relative) humidity; **~smeter** hygrometer

vocht: **~maat** liquid measure; **~meter** hygrometer, areometer; **~vlek** damp stain; **~vrij** damp-proof; **~weger** hydrometer

vod(de) rag [an old ... of a coat], tatter; *een ~*, (*van krant*) a rag; *'t is een ~*, (*van boek, enz.*) it is trash (*of:* rubbish); *zie* prul; *iem. achter de ~den zitten* keep a p. (hard) at it, keep a p. up to his work; *iem. bij de ~den pakken* catch hold of a p., collar a p.

vodde¹: **~boel**, **~goed** trash, rubbish, trumpery (things)

vodden: **~handel** rag-trade; **~handelaar**, **~koper** ragman, rag-dealer, rag-and-bone man; **~kraam** trash, rubbish; **~man** ragman, rag-and-bone man; **~mand** ragbasket; (*prullenmand*) waste-paper basket; **~markt** rag-market, -fair; **~raapster**, **~raper** rag-picker, -gatherer; **~winkel** rag-shop, rag-and-bone shop; **~zak** rag-bag

voddig ragged, tattered; (*fig.*) trashy, shoddy

vodje rag; *~ papier* scrap of paper

voeden feed (*ook van kanaal, rivier, pomp, bankrekening, enz.*), nourish [a p., animals, hatred, hopes], foster, cherish [hopes], entertain [hopes, suspicion, doubts]; fuel [the flames]; (*zogen*) nurse [a child]; *een kind zelf ~* breast-feed a child; *sterk ~* f. up [a patient]; *rijst voedt meer dan aardappelen* is more nourishing than ...; *~ met* f. on (with); *zich ~* feed [*met* on]; *zichzelf ~*, (*van patiënt, enz*) feed o.s.; (*zich*) *te sterk ~* overfeed; **~d** nutrient (*ook = ~de stof*), *en zie* voedzaam

voeder fodder, provender, forage; *zie* voer 2; (*pers.*) feeder; **~artikelen** feed(ing)-stuffs; **~bak** manger, feeding-, food-trough; **~biet** mangel, mangold, fodder beet; **~en** *zie* voeren; **~gewassen** f.-plants; **~ing** feeding, foddering; **~krib** manger; **~plaats** feeding-ground [of birds]; **~plank** bird-table; **~plant** fodder plant; **~tijd** feeding-time; **~trog** feeding-trough; **~wikke** common vetch, tare; **~zak** nose-bag

voeding (*abstr.*) feed(ing) (*ook van machine, kanaal, enz.*), nutrition (*verkeerde ~* malnutrition), nourishment, alimentation; (*concr.*) food, nourishment

voedings-: **~artikel** *zie* **~middel**; **~bodem** matrix; (*voor bacteriën*) (culture) medium; (*van zwam, enz. ook*) substratum; (*fig.*) soil [a fertile ... for disease]; **~deskundige** nutri-

tionist; **~draad** (*elektr.*) feeder; **~gewassen** food-plants; **~gewoonten** eating (feeding) habits; **~kabel** (electric) supply cable, feeder; **~kanaal** (*in lichaam*) alimentary canal; (*van water*) feeder (canal); **~klep** feed-valve; **~kraan** feed-cock; **~kracht** nutritive power; **~leer** dietetics, science of nutrition; **~middel** article of food (of diet), food, foodstuff; **~ en genotmiddelen** foods and allied products; **~orgaan** digestive organ; **~pijp** feed-pipe; **~plant** food-plant; **~pomp** feed-pump; **~proces** process of nutrition; **~stof** nutrient, nutritious substance; *zie ook* **~middel**; **~stoornissen** alimentary derangements; **~vet** dietary fat; **~waarde** food (feeding, nutritional, dietetic) value; **~water** feed-water

voedsel food, nourishment, nutrition, nutriment; (*met betrekk. tot hoeveelh. of aard*) dietary [in prisons, etc.]; (*fig. ook*) fuel [for dissension]; *geestelijk ~* mental f. (*of:* pabulum); (*enig*) *~ gebruiken*, (*van patiënt*) take (some) nourishment; *~ geven aan* foster, encourage; *ze vormen een uitstekend ~* they are very good to eat; **~controleur** public analyst, f.-chemist; **~deskundige** nutritionist; **~distributie** f.-rationing; -distribution; **~keten** f. chain; **~nood** *zie* **~schaarste** & hongersnood; **~opname** f.-intake, (*wet.*) ingestion; **~pakket** food-parcel; **~schaarste** f.-scarcity, f.-shortage; **~vergiftiging** f.-poisoning; **~voorraad** f.-supply, f.-supplies; **~voorziening** f.-supply, feeding; **~weigeraar** hunger-striker; **~weigering** hunger-strike [be on ...]

voedster (wet-)nurse, foster-mother; (*van haas en konijn*) doe; **~aar** fosterer; **~kind** foster-child; **~ling** nurse-, foster-child; (*ook fig.*) nurs(e)ling [of Oxford]; **~moeder** foster-mother; **~plant** (*van parasiet*) host-plant; **~vader** foster-father; *zie verder* pleeg...

voedzaam nourishing, nutritious, nutritive; **~heid** ...ness

voeg joint, seam; *uit de ~en* out of j.; *uit de ~en rukken* put out of joint, disrupt, disorganize; *dat geeft geen ~* that is not the proper thing to do, it is not becoming

voege: *in dier ~* in that manner; *in dier ~ dat ...* so as to ..., so that ...

voegen (*bijvoegen*) add; (*muur*) point, joint, flush [a wall]; (*schikken*) suit; (*betamen*) become, behove, be becoming (proper, seemly); *~ bij* add to; *dit, gevoegd bij ...* combined with ...; *iets nog bij de partij ~*, (*bij verkoping*) throw in s.t. with the lot; *de stukken van een brief bij elkaar ~* piece together the fragments of a letter; *zich ~ bij* join [a p., the procession, etc.]; *zich ~ naar* comply with, accede to [a p.'s wishes], conform to [the rules]; *als het u voegt* if it suits you, if it is convenient to you; *zodra 't u voegt* at your earliest convenience; *doe zoals 't u 't best voegt* suit your own con-

---

¹ *Zie ook* lompen

venience; *'t voegt u niet zo te spreken* it does not become (behove, befit, is unbecoming for, is not proper for) you to ..., it is not for you to ...; *zie ook* daad

voeg: ~**er** pointer, jointer; ~**ijzer** jointer, pointing-trowel; ~**lijk(heid)** *zie* ~zaam(heid); ~**spijker** *zie* ~ijzer; ~**werk** pointing; ~**woord** conjunction; ~**elijk** conjunctive [adverb]

voegzaam suitable, becoming, seemly, fit, proper; ~**heid** suitableness, suitability, becomingness, seemliness, propriety

voelbaar perceptible; (*tastbaar*) palpable, tangible; *zie* tastbaar; ~**heid** perceptibility; palpability, tangibility

voeldraad feeler, palp, antenna (*mv.:* -nae), tentacle; (*van barbeel en andere vissen*) barbel

voelen feel; (*vaag*) sense [hostility]; (*met duim*) thumb [the edge of a knife]; *ik kan 't* ~, (*wat 't is, enz.*) I can tell by the feel of it; *dat voel ik!* it hurts!; *'t voelt zacht* it feels soft; *'t voelt net als fluweel* it feels like velvet; *hij voelde, dat 't zo was* he felt it to be so; *voel je (hem)?* (*fam.*) get it? see the point?; *hij voelde, dat hij warm werd* he felt himself grow(ing) hot; *ik voel mijn benen* I (am beginning to) f. my legs; *zijn tekortkomingen (de waarheid van iets)* ~, *ook:* be sensible of one's shortcomings (the truth of s.t.); *een belediging diep* ~ f. an insult deeply, be deeply alive to an insult; ~ *dat ... op komst is* sense danger (a ghost, etc.); *iem. zijn macht doen* ~ make a p. feel one's power; *zijn macht doen* ~ make one's power felt; *ik heb hem goed laten* ~, *wie hier de baas is* I've made it very clear to him ...; *in zijn zak* ~ f. in one's pocket; *wij* ~ *'t in onze zakken* it hits us in our pockets; ~ *naar* f. (fumble) for [one's pipe]; *ik voelde wel iets voor 't plan (idee, enz.)* the plan (idea, etc.) appeals (commends itself) to me; *ik voel wel iets voor een glas bier* I should not mind a glass of beer; *ik voel er niet veel voor* I do not much care for it, I'm not very keen about (on) it; *ik voel er niets voor* I do not sympathize (have no sympathy, am not in sympathy) with it (the scheme, etc.); *ik voel er niets voor de hele avond thuis te blijven* I do not fancy spending (don't feel inclined to spend) the entire evening at home; *zich* ~ feel [ill, angry, at home; I don't f. well; he felt a brute, a fool, a sneak], feel o.s. [she felt herself a woman]; *ik voel me een ander mens (weer de oude)* I f. a new man (myself again); *hij voelt zich nogal* he rather fancies (is rather satisfied with) himself, has a good opinion of himself; *hij ziet eruit, alsof hij zich nogal voelt* he looks very sure of himself; *hij begint zich te* ~ he is getting above himself; *zie ook* gevoelen, horen, thuis

voeler, **voelhoorn** feeler, palp, tentacle; (*techn.*) sensor; *zijn* ~*s uitsteken*, (*fig.*) put out (throw out) a feeler (feelers)

voeling feeling, touch; ~ *hebben met* be in touch with; *geen* ~ *meer hebben met* be out of (have lost) touch with; ~ *houden met* keep (in) touch with; *nauwe* ~ *houden met* be in close touch with; ~ *krijgen met* come (get) into touch (establish touch) with, make contact with [the enemy]; *de* ~ *met iem. verliezen* lose touch with a p.

voelspriet *zie* voeldraad & voelhoorn

1 voer *o.v.t. van* varen

2 voer 1 (*lading*) (cart-)load; 2 (*voeder*) fodder, provender, forage; feed [give a horse a ...]; *hard* ~ grain-fodder; (*meng-*) mash; (*kippen-*) [chicken-]food, mash; 3 (*voering*) lining; *zie voor de samenst. ook* voeder

voeren 1 feed [cattle, a child, ... a horse on (with) hay, what do you ... the baby?], fodder [cattle], give [the horse] a feed [four ...s a day]; *een kind een ei (een hond brood)* ~ f. an egg to a child (bread to a dog); 2 (*vervoeren*) convey, transport; (*brengen*) take, bring; lead [to the altar], lead, march [troops to ...]; (*hanteren*) handle [a sword, pen, etc.], wield [a sceptre]; carry, fly [a flag]; conduct [a campaign, one's correspondence]; bear [arms (*een wapen, en de wapenen*), a title]; carry on [a conversation, negotiations]; practise [obstruction]; *een adelaar in zijn wapen* ~ bear an eagle in one's coat of arms; *een krachtige politiek* ~ pursue a vigorous policy; *wat voert u hierheen?* what brings you here?; *waar voert deze weg heen?* where does this road lead to?; *dat zou me te ver* ~ it would carry (lead) me too far; *armoede voert dikwijls tot misdaad* poverty often leads to crime; *'t schip voert 12 stukken* mounts twelve guns; *ze zaten hem te '*~*', (fam.)* they were baiting (badgering) him, (*sl.*) they were taking the mickey out of him; *zie* bevel, oorlog, pen, titel, woord, meevoeren, enz.; 3 line [a coat, kettle, etc.]; *gevoerd* lined [envelope], padded [quilt *deken*]; *zie* bont

voering lining; *losse* ~ detachable lining; ~**katoen** l.-cotton; ~**stof** lining

voer: ~**loon** carriage; ~**man** driver; (*vrachtrijder*) wag(g)oner, carrier; *de* ~, (*sterrenb.*) the Wag(g)oner, Auriga; *een oud* ~ *hoort nog graag 't klappen van de zweep* an old hunter likes to talk of game; ~**straal** radius vector; ~**taal** vehicle, medium (of instruction), teaching-medium; *de* ~ *van de conferentie is Frans* the conference language is ...; ~**tuig** vehicle (*ook fig.:* of ideas), carriage, conveyance; *bespannen (mechanisch bewogen)* ~ horse-drawn (motor) vehicle; ~**wiel** driving-wheel

voet foot (*ook van berg, kous, bladzijde, versvoet, enz.*); (*van piramide, radiobuis*) base; *witte* ~, (*van paard*) white stocking, white f.; *3* ~ three feet; *3* ~ *2 in.* three f. (feet) two; *belastingvrije* ~ personal (tax) allowance; *je moet hem geen* ~ *geven* you should not indulge him too much, should not encourage him (back him up); *'t geloof* ~ *geven dat ...* encourage the belief that ...; *vaste* ~ *krijgen* obtain a foothold (a firm footing); ... *krijgt* *vastere ~ in* ... football is getting a stronger hold in Central Europe; *geen ~ aan de* **grond** *kr.* make no headway, get (be) nowhere; *hem werd de ~* **gelicht** he was tripped up, (*fig. ook*) he was supplanted (cut out, ousted); *geen ~* **wijken** not move (budge) an incn; *~ bij* **stuk** *houden,* (*niet afdwalen*) keep (stick) to the (one's) point (to one's text), (*niet toegeven*) stick (*of:* stand) to one's guns, stand firm, stand one's ground, sit tight; *er geen ~ meer in zetten* not set f. in it again; *~ aan wal zetten* set f. ashore (on shore); *de ~ op vreemde bodem zetten* set f. on foreign soil; *geen ~ buiten de deur zetten* not stir a step out of the house; *hij zal geen ~ meer bij mij in huis zetten* he shall not darken my door(s) again; *iem. de ~* **dwars** *zetten* cross (*of:* thwart) a p.; *iem. de ~ op de* **nek** *zetten* put one's f. on a p.'s neck; *pijnlijke ~en hebben* be f.-sore; *dat gaat* **zover** *als 't ~en heeft* that's all right (that holds good) up to a point (so far, *of:* as far as it goes); *'t heeft veel ~en in de* **aarde** it is a difficult task, (*fam.*) it takes some doing, it is a hard row to hoe; *'t had heel wat ~en in de aarde om haar tot bedaren te brengen* she took some pacifying; *ik heb dikwijls de ~en onder uw* **tafel** *gestoken* I've frequently had my feet under your table; *aan de ~ van de bladzijde* at the f. of the page; *aan de ~,* (*van de brief*) at f.; *zitten aan de ~en van* ... sit at the feet of the great professors of the day; *'t geweer* **bij** *de ~* arms at the order; *met ~en treden* tread (trample) under f., trample on [a p.'s feelings], ride roughshod over [civilization, a p.'s rights, his sensibilities]; *alles werd* **onder** *de ~ gehaald* everything was pulled down; *onder de ~ lopen* (*vertrappen*) tread (trample) under f., overrun [the country was ... by the enemy]; *onder de ~ raken* get off one's legs, be trodden down; *op blote ~en* [she had come down] in (her) bare feet; *op dezelfde ~ als* on the same footing as; *de zaak zal op dezelfde* (*de bestaande, de oude*) *~ worden voortgezet* the business will be continued on the same (on existing) lines (on the old, the same footing); *op goede ~ staan met* be on good terms (stand well, be well in) with; *op goede voet blijven met* keep on (good) terms with, keep in with; *ze staan op geen al te goede ~ met elkaar* there is no love lost between them; *op slechte ~ staan* (*blijven*) *met* be (keep) on bad terms with, be out with; *op gemeenzame ~* on familiar terms; *op vriendschappelijke ~* on a friendly footing (on friendly terms); *ze raakten op prettige* (*familiaire*) *~ met elkaar* they came to be on pleasant (familiar) terms; *op welke ~ staat hij met* ...? on what terms is he with ...?; *op grote ~ leven* live in (grand, great) style; *op te grote ~ leven, ook:* live beyond one's means, overspend (o.s.) [England is ...ing]; *op bescheiden ~ leven* live on a modest scale; *op staande ~* then and there, on the spot, out of

hand, forthwith, at once, [be] summarily [arrested, dismissed]; *op ~ van gelijkheid* on a footing of equality, on an equal footing, [meet] on equal terms; *op ~ van wederkerigheid* on a mutual basis; *op ~ van oorlog* (*vrede*) on a war (a peace) footing; *op ~ van oorlog leven met* ... be at war with ...; *op ~ van oorlog brengen* put on a war footing; *op de ~ van drie ten honderd* at the rate of three per cent.; *op vrije ~en stellen* set at liberty; *op vrije ~en zijn* (*rondlopen*) be at liberty (at large); *hij volgt mij op de ~* he treads upon my heels, he tags along after me; *de schrijver volgt de geschiedenis op de ~* sticks closely to historical fact; *op de ~, waarop* ... I cannot afford to live at the rate at which you are living; *op die ~ kan ik 't volhouden* at that rate I can keep it up; *te ~* on f.; *te ~ gaan* go on f.; (*fam.*) foot it, hike it; *hij viel de koning te ~* he threw himself at the king's feet; *een portret ten ~en uit* a full-length portrait; *dat is Piet ten ~en uit* that is Peter all over; *niet goed* **uit** *de ~en kunnen* be a bad walker, be feeble on one's legs (*fam.:* one's pins); *we kunnen weer uit de ~en* we have something to go on with again; *ik ken genoeg Italiaans om uit de ~en te kunnen* to get by; *iemand uit de ~en blijven* keep out of a p.'s way; *zich uit de ~en maken* make oneself scarce, take to one's heels, make off, run for safety, beat a hasty retreat, decamp; *van de ene ~ op de andere leunen* shift from f. to f.; *~* **voor** *~* f. by f.; ... *de ene ~ voor* ... I could scarcely put one foot before the other; *dat heeft hij mij voor de ~en gegooid* he has cast (flung) that in my teeth, thrown it (up) in my face; *ik wil niet, dat mij dat voor de ~en gegooid wordt* I don't want to have it thrown up at (*of:* against) me; *hij loopt me de hele dag voor de ~en* he is under my feet all day; *voor de ~ weg, zie* voetstoots; *zie ook* buiten, graf, gras, gespannen, voetje, spoelen, stijgbeugel, verzetten, enz.

voetafdruk footmark, footprint

voetangel mantrap; (*mil.*) caltrop; *hier liggen ~s en klemmen* beware of mantraps; (*fig.*) there are many pitfalls (all sorts of snags) here, this is slippery ground to tread upon

voetbad foot-bath

voetbal (*bal*) football; (*spel*) (association) f., (*fam.*) soccer; **~bond** f.-association, f.-league; **~broek** f.-shorts; **~club** f.-club; **~elftal** soccer team; **~knie** torn cartilage; **~len** play (at) f.; (*fam.*) play soccer; **~ler, ~speler** f.- (soccer-) player, footballer; **~pool** f. pool; **~schoen** f.-boot; **~spel** *zie ~;* **~terrein, ~veld** f.-ground, f.-field; **~toto** f. pool; **~uitslagen** f.-results; **~vereniging** f.-club; **~wedstrijd** f.-match

voet: **~bank(je)** foot-stool, -rest; **~beugel** stirrup; **~blad** (*plantk.*) basal leaf; **~boeien** fetters, foot-irons, -shackles; **~boog** crossbow; **~boogschutter** crossbowman; **~breed:** *geen – wijken* not budge an inch; **~brug** f.-bridge; **~enbank** *zie ~bank;* **~eneind(e)** foot(-end) [of a bed]; **~enkrabber** *zie ~schrapper;* **~enstuur** (*van* *vliegt.*) rudder-bar, -pedal; ~**enwarmer** foot-warmer; ~**enzak** f.-muff; ~**euvel** podagra, gout in the feet; ~**gang(st)er** f.-passenger, pedestrian, walker; (*sp.*) hiker; *nonchalante – op rijweg,* (*fam.*) jay-walker; ~**sgebied** pedestrian precinct; ~**soversteekplaats** pedestrian crossing, zebra (crossing); ~**straverse** walkway; ~**stunnel** subway; ~**gewricht** ankle; ~**ijzer:** *zie* ~angel

voetje (little) foot; ~ *voor* ~ f. by f.; *zie ook:* schoorvoetend; *een wit* ~ *bij iem. hebben* be in a p.'s good books (good graces); *bij iem. een wit* ~ *krijgen* get into a p.'s good books, get on a p.'s right side; ~**spasser** inside callipers **voet:** ~**jicht** *zie* ~euvel; ~**klavier** pedal keyboard; ~**kleedje** rug; ~**knecht** (*hist.*) foot-soldier; ~**krabber** *zie* ~schrapper; ~**kus** kiss on a p.'s f.; *kissing the Pope's f.;* ~**kussen** hassock; ~**licht** footlights, floats; *voor 't – verschijnen* appear before the footlights; *de auteur verscheen voor 't –* the author took his curtain (his call); *voor 't – brengen* put on (the stage), produce [a play]; ~**maat** f.-measure; ~**mat** f.-mat; ~**noot** f.note; ~**ongemak** f.-trouble; ~**pad** f.-path, pathway; ~**plaat** (*van locomotief*) f.-plate; ~**plank** f.-board; ~**pomp** f.-pump; ~**pond** f.-pound; ~**punt** (*astron.*) nadir; (*van loodlijn*) f. [of a perpendicular]; ~**reis** walking (pedestrian, foot) tour, tramp, (*sp.*) hike, hiking-tour; *een – maken* hike; ~**reiziger** f.-traveller; wayfarer, pedestrian; ~**rem** f.-brake; ~**rust** f.rest; ~**schabel** f.-stool; ~**schimmel** athlete's foot; ~**schrapper** f.-, boot-, shoe-, door-scraper; ~**spier** f.-muscle; ~**spoor** f.-mark, -print, track, trail; *op 't – van* following in the footsteps of; *iems. – volgen* follow in a p.'s track (steps); *zie ook* ~**stap** footstep, f.-print, (*hoorbaar*) footstep, foot-fall; *iems. –pen drukken, in iems. –pen treden* follow (tread, walk) in a p.'s (foot-)steps; ~**stoof** f.-stove; ~**stoots** out of hand, off-hand, straight away; (*hand.*) with all faults and errors of description; ~**stuk** pedestal, foot; *iem. op een – plaatsen,* (*fig.*) place a p. upon a pedestal; *van zijn – stoten* knock [a p.] off his pedestal, (*Am.*) debunk [a p.]; ~**tocht** *zie* ~reis; ~**trede** f.-board; ~**val** prostration; *een – voor iem. doen* go down on one's knees before a p., throw o.s. at a p.'s feet, fall prostrate before a p.; ~**veeg** (*ook fig.*) door-mat; (*dweil*) floor-cloth; *hij behandelde mij alsof ik zijn – was* he treated me like the dirt under his feet; ~**veer** pedestrian ferry; ~**veger** f.-wiper; ~**verzorger, -ing** chiropodist, -pody; ~**volk** f.-soldiers, foot, infantry; ~**vormig** pediform, f.-shaped; ~**vrij** ankle-length [frock]; ~**wassing** f.-washing; (*op Witte Donderdag*) maundy; ~**wis** *zie* ~veeg; ~**wortel** tarsus; ~**wortelbeentje** tarsal (bone); ~**zak** f.-muff; ~**zoeker** squib, banger, cracker; ~**zool** f.-sole

vogel bird, (*zelden*) fowl; *jonge* ~ fledg(e)ling; *een gladde* (*slimme*) ~ a sly dog, a wily old bird; *zo vrij als een* ~ *in de lucht* as free as a b.

on the wing, as free as air; *beter één* ~ *in de hand dan tien in de lucht* a b. in the hand is worth two in the bush; '*alle* ~*s vliegen*' *spelen* play cutters; *de* ~ *is gevlogen* the b. is flown; *zie* ~**tje;** ~**aar** b.-catcher, fowler; ~**achtig** b.-like; ~**bad** b.-bath; ~**bakje** seed-, feeding-box; (*drink-*) (bird-)fountain; ~**bek** bill, beak (of a b.); ~**bekdier** (duck-billed) platypus, duck-bill, duck-mole; ~**bescherming:** *wet op de –* Birds Protection Act; ~**drek** b.-droppings; ~**ei** b.'s egg; ~**en** catch birds; ~**fluitje** b.-call; ~**gekweel** warbling of birds; ~**gezang** singing of birds; ~**glas** bird-, drinking-fountain; ~**handel** b.-trade; ~**handelaar** b.-seller, -fancier; ~**huis** aviary; ~**huisje, -kastje** b.-box, nesting-box; ~**ijn** (*dicht.*) little bird, birdie; ~**jacht** fowling; ~**kenner** ornithologist; ~**kennis** bird-lore; ~**kers** b.-cherry; ~**klauw** b.'s claw, talon; ~**knip** b.-trap; ~**kooi** b.-cage; ~**koopman** b.-fancier, -seller; ~**kop** b.'s head; ~**kruk** perch; ~**kunde** ornithology, b.-lore; ~**kundige** ornithologist; ~**leven** b.-life; ~**liefhebber** b.-lover; ~**lijm** (*plant*) mistletoe; (*hars*) b.-lime; ~**luis** b.-louse; ~**markt** b.-, poultry-market; ~**melk** (*plant*) star of Bethlehem; ~**nest** b.'s nest; (*gymn.*) swallow's nest; *eetbare –en* edible birds' nests; *'t –jes uithalen* b.'s-nesting; *–jessoep* b.'s nest soup; *zie* nest; ~**net** b.-net; ~**orgeltje** serinette, b.-organ; ~**perspectief** *zie* ~vlucht; ~**poot** b.'s foot; ~**reservaat** b.-sanctuary; *'t* ~**ringen** b.-banding, -ringing; ~**roede** lime-twig; ~**roer** fowling-piece; ~**schieten** *zn.* b.-shooting; (*volksvermaak*) (clay) pigeon-shooting; ~**slag** (*knip*) b.-trap; (*gezang*) b.-note; ~**soort** species of b.; ~**spin** b.(-catching, -eating) spider, mygale; ~**stand** avifauna, b.-fauna, b.-life; ~**stang** lime-twig; ~**stokje** perch; ~**teelt** aviculture, b.-fancying; ~**tje** little b., (*fam.*) birdie; (*kindertaal*) dicky(-bird); *ieder – zingt naar 't gebekt is* a b. is known by its note, and a man by his talk; *everybody has his own way of expressing himself;* *–s die zo vroeg zingen, krijgt de poes* sing before breakfast and cry before night; ~**tjeszaad** b.-seed; ~**trek** b.-migration; ~**tuin** b.-sanctuary; ~**vanger** b.-catcher, fowler; ~**verschrikker** scarecrow; *eruitzien als een –, ook:* look a fright; ~**vlucht** b.'s-eye view; *Keulen in – a* b.'s-eye view (an aerial view) of Cologne; ~**voeuer** b.-food; ~**voederplank** b.-table; ~**vriend** b.-lover; ~**vrij** outlawed; *– verklaren* outlaw; ~**vrijverklaarde** outlaw; ~**vrijverklaring** outlawry; ~**wet** Birds Protection Act; ~**wichelaar** augur, ornithomancer; ~**wichelarij** augury, ornithomancy; ~**zaad** b.-seed; ~**zang** singing (warbling) of birds

Vogezen: *de* ~ the Vosges

vogue id.; *en* ~ *zijn* be in v., be all the go

voile veil (*zie* sluier); (*stof*) voile

vol full [glass, beard, face, name, herring, meal, stomach, heart, member(ship), brother, sister, pay, speed, gallop, value], filled; (*fam.*) (*van tram, hotel, enz., ook:*) full up; (*dronken*) tight [*ook:* he has a (his) skinful]; (*pred.*) full of [water, etc.]; ~**le betrekking** full-, whole-time job (*iem. met* ... f.-time worker, etc., f.-, whole-timer); ~*le beurs, veel vrienden* a f. purse never lacks friends; ~*le broer* (*zuster*), *ook:* brother (sister) german; ~*le dag, a*) f. day, clear day [six clear days' notice should be given]; *b*) crowded day; *een vakantie van 4 ~le dagen* a clear four days' holiday; ~ *doen* fill (up); ~ *dozijn* round dozen; *zo* ~ *als een ei, zie* eivol; *het terrein was helemaal* ~ *gebouwd* the ground was completely built over; '*t* ~*le gewicht hebben* be f. weight; *in* ~*le gezondheid en kracht* [he returned] in the fulness of health and vigour; *in de* ~*le grond overbrengen* transfer to the open, transplant in the field; *in de* ~*le grond zaaien* sow out of doors; '*n* ~ *jaar* all of a year; *het duurde een* ~ *half uur voordat* ... it was fully half an hour before ...; ~ *leven zijn* be f. of life; '*t leven wordt* ~*ler* becomes fuller; '*n* ~ *leven, ook:* a crowded life; *hij staat nog in het* ~*le leven* he still keeps in touch with things; ~ *maken* fill (up); '*t getal* ~ *maken* complete the number; ~*le melk* whole (full-cream) milk; ~*le neef* (*nicht*) cousin german, first (own) cousin [*van* to]; *zij zijn* ~*le neef en nicht* cousins german; *hij was* ~ *ongeduld om* ... he was all impatience to ...; *de schouwb.* (*tram*) **raakt** ~ the theatre (tramcar) is filling up; *je kunt met het* ~*ste recht weigeren* you have a perfect right to refuse; ~*le schouwburgen trekken* draw f. (*sterker:* packed) houses; ~*le stem* f. (*of:* rich) voice; *ten* ~*le* fully, to the f.; *ten* ~*le betalen* pay in f.; *tot onze* ~*le tevredenheid* to our entire satisfaction; ~*le trein* f. (*of:* crowded) train; *een* ~ *uur* a full (clear, *fam.:* solid) hour; ~*le zitting* plenary session (*of:* meeting); *de* ~*le commissie* the plenary committee; *in de* ~*le zon* right in the sun; ~*le zuster van* ... [Mrs. A.,] own sister to ...; ... *ligt* ~ ... the table (floor, etc.) is littered with papers, the place is cluttered (up) with refuse; *haar ogen staan* ~ *tranen* are f. of (brimming with) tears; '*t boek staat* ~ ... is studded with quotations; *de thema is* (*zit*) ~ *fouten* the exercise is f. of (bristles with) mistakes (*zo ook:* the frontier bristles with fortresses; the case bristles with difficulties); '*t stuk zit* ~ ... the play is (packed) f. of improbabilities; '*t park is* ~ *kinderen, ook:* is swarming with children; *de vijver was* ~ ... was thronged with skaters; *de stad was* ~ *dieven* was riddled with thieves; *zijn zakdoek zat* ~ *bloed* was covered with blood; *een jaar* ~ ... a year crowded with memorable events; ~ *met* f. of; *we zitten hier* (*op '*t station) ~ *met stukgoederen* the station is blocked up with casegoods; '*t vuur op* ~ *zetten* turn on the fire f.; ~ *zijn van iets* be f. of s.t. [*ook:* he is f. of himself (his friend)]; *de stad is er* ~ *van* the town is f. of it, is agog with it; *je hebt '*t hoofd ~ *van dat verhaal* you've got that yarn on the brain; *de bak is voor* ⅝ ~ the cistern is ⅝ f.; *ze zien hem niet voor* ~ *aan, a*) they do not consider him grown-up yet; *b*) he hardly counts, they do not take him seriously; *zie ook* aflaat, bezit,

borst, ernst, lengte, maan, matroos, zee, zin, enz.

volaarde fuller's earth
volant (*bal*) shuttlecock; (*strook*) flounce
vol-au-vent id.
volbloed thoroughbred [horse, Hindoo], full-blood(ed) [Indian, republican]; *een* ~ *liberaal* an out and out liberal, a liberal to the backbone; *een* ~ *paard, ook:* a thoroughbred; *een* ~ *Amerikaan, ook:* a hundred per cent. American
volbloedig full-blooded, plethoric
volbloedigheid full-bloodedness, plethora
volboeken *zie* volgeboekt
volbrassen (*mar.*) brace full
volbrengen fulfil, perform, accomplish, achieve; *zijn rondreis* ~ complete one's tour; *zie* ten uitvoerbrengen; *het is volbracht*, (*bijb.*) it is finished; **-er** fulfiller, etc.; **-ing** fulfilment, performance, accomplishment, achievement; completion [of one's tour]
voldaan satisfied [*over* with], content; (*betaald*) paid, settled; (*onder rekening*) received (with thanks); *voor* ~ *tekenen* receipt [a bill; a ...ed bill]
voldaanheid satisfaction, contentment
volder fuller; *zie* voller
voldoen I *tr.* satisfy, content, please [a p.]; appease, satisfy [one's hunger]; (*betalen*) pay, settle; (*kwiteren*) receipt [a bill]; *moeilijk te* ~ hard to please; II *intr.* (*voldoening geven*) give satisfaction; *in alle opzichten* ~ give every (entire, complete) satisfaction; '*t plan voldeed niet* did not answer; *aan zijn belofte* ~ fulfil (act up to) one's promise; ~ *aan de behoeften van* ... meet the needs of ...; *aan een bevel* ~ comply with (obey) a command; ~ *aan de eisen* meet (come up to, conform to) the requirements; *aan de eisen van '*t examen ~ s. the examiners; *aan zijn verplichtingen* ~ meet one's obligations (engagements, (*geldelijke, ook:*) liabilities); *niet* ~ *aan zijn geldelijke verplichtingen* default; *aan zijn plicht* ~ perform (fulfil) one's duty; *aan een verzoek* ~ comply with (accede to) a request; *aan iems. wensen* ~ s. (*of:* grant) a p.'s wishes; *wij kunnen niet aan de stroom van bestellingen* ~ we cannot cope with the rush of orders; *aan de verwachtingen* ~ answer (come up to) expectations; *hij voldeed niet aan de verwachtingen, ook:* he did not live up to expectations; *aan de voorwaarden* ~ s. (*of:* fulfil) the conditions, comply with the terms [of the competition]
voldoend(e) satisfactory, up to the mark; (*toereikend*) sufficient [money to ...], adequate; *een* ~ *examen afleggen* satisfy the examiners; ~ *zijn*, (*bij exam. bijv.*) be (*of:* come) up to the mark; *het zij* ~ *te zeggen* suffice it to say; *dat is* ~ (*voor mij*) that will do (me); *een* ~ a pass (mark); *niet* ~ *onderlegd* not sufficiently grounded [in ...]; *zie verder* genoeg; **~heid** satisfactoriness; sufficiency, adequacy; *vgl.* ~
voldoening satisfaction [*over* ... at (with) the results], (*voor onrecht ook*) reparation, atone-

ment; (*betaling*) settlement; *de leer der ~* the doctrine of redemption; *ter ~ aan* in compliance with [article 4]; *ter ~ van* in settlement of; *~ geven, (van pers. of zaak)* give s.; *zie* voldoen; *~ geven (eisen), (voor onrecht, enz.)* make (demand) reparation

voldongen: *~ feit* accomplished fact

voldragen mature, full-born, fully developed [child]

vole id.; *~ maken* win the vole, make all the tricks

voleind(ig)en finish, complete, bring to a close; **voleind(ig)ing** completion

volgaarne right willingly

volgauto car in (funeral, wedding-)procession

volgbriefje (*hand.*) delivery order, D/O

volgeboekt booked up, fully booked

volgebouwd built up [area]

volgefourneerd *zie* volgestort

volgeling follower, adherent, votary, disciple, supporter

volgen I *tr.* follow [a p., a road, nature, instructions, a command, an example, a profession, a speaker, an argument]; follow up [a clue, a track, certain information]; pursue [a plan, line of action, policy]; track [a satellite]; (*van nabij ~, van politie, enz.*) dog, shadow; *een goede regel om te ~* a good rule to go by; *colleges ~* attend lectures; *een zekere weg ~,* (*fig.*) pursue a certain course; *iem. overal ~* f. a p. about; *wilt u mij maar ~* will you follow me, please; *zij waren de enigen, die 't lijk volgden* they were the only mourners; *zie* hoofd, raad, vrij, enz.; II *intr.* follow, ensue [a panic, a silence, ...d]; *als volgt* [the letter ran, my reasons are] as follows, [the number is made up] as under; *brief volgt,* (*in telegram*) writing; *zijn vrouw volgt later* will join him later; *die volgt* next [boy, girl, etc.] (please); *wie volgt?* who is (comes) next?; *~ op* f. after, f. on, f. [the week that f.ed his death], succeed (to); *in leeftijd ~ op A.* be next to A. in age; *de brief volgde op een gesprek tussen ...* followed on a conversation between ...; *'t ultimatum volgde onmiddellijk op ...* followed closely on (came on the heels of) the note to Moscow; *de dood was toe te schrijven aan longontsteking ~de op ...* was due to pneumonia following (supervening) on influenza; *zoals de duisternis volgt op het licht* as darkness succeeds (to) light; *de kaarten ~ aldus op elkaar* the cards rank in this order: king, queen, knave, etc.; *als haven volgt Liverpool op Londen* as a port L. comes next after L.; *hierop liet hij ... ~* he followed this up with the remark ...; *ter vergelijking laat ik ... ~* for comparison I append the measurements of ...; *hieruit volgt, dat ...* (hence, *of:* from this) it follows that ...; *daaruit volgt niet, dat ...* it does not f. that ...; *wat volgt daaruit?* what follows?; *zie* brief, slot, enz.

volgend following, next; succeeding [each ... year; 10p for each ... child]; subsequent [more of this in a ... chapter; a ... offence; his whole ... life]; *de ~e maand, (aanstaande)*

next month, (*anders*) the next month; *de 4e der ~e maand, ook:* the fourth prox.; *voor 't ~e jaar* [elected president] for the ensuing year; *daaruit ~, zie* voortvloeiend; *'t ~e* [he informed me of] the following, what follows; *de ~en* the following [have been appointed]; *zie* volgen; *~erwijs* in the following way, as follows

volgens according to [Mr. P.], by [... this standard; it was summer ... the calendar]; (*in overeenstemming met*) in accordance with [the regulations], [carried out] according to [plan], as per [... list enclosed, ... advice], under [... British law, ... article 13, ... the penal code, ... his last will], after [the habit of old people], on [formed (built) ... a certain plan, act ... my advice, ... the kinetic theory], to [made ... the design of ...]; *~ zijn eigen bekentenis* on his own confession [he ...; *ook:* he is a self-confessed murderer]; *~ de tekening* as shown in the drawing; *schuldig ~ de wet* guilty in law; *zie* mening, rangschikken, verdienste, wet, enz.

volger follower, shadower, etc.; *zie 't ww.* & volgeling

vol: *~gestort* fully paid [shares], paid up (in full); *niet –* partly paid; *~getuigd* (*mar.*) full-rigged; *– schip, ook:* full-rigger

volgieten fill (up)

volgkaarten sequence (*of:* run) of cards

volgkoets coach (carriage) in (funeral, wedding) procession

volgnummer rotation (serial, running) number; (*voor brieven*) reference number

volgooien fill; fill in [a grave]; fill up [a tank]

volg: *~orde* order, sequence, [orders will be executed in strict] rotation; *in – genummerd* numbered consecutively; *de – der kaarten is, zie* volgen; *~reeks* series

volgrijtuig *zie* volgkoets

volgroeid full-grown, fully grown; *vgl.* volwassen

volg: *~station* tracking station; *~trein* relief-train; *–en laten lopen* run trains in duplicate (triplicate); *er liepen –en, ook:* trains were duplicated (triplicated); *~zaam* docile, tractable; *~zaamheid* docility, tractability

volhandig: *ik heb het ~* I have my hands full, I am up to my eyes in work

volharden persevere, persist, stick to one's task, (*fam.*) stick it out; *bij zijn houding (weigering) ~* persist in one's attitude (refusal); *bij zijn besluit ~* stick to one's resolution; *in 't goede ~* p. in what is right; *zie* volhouden; *~d* persevering, persistent

volharding perseverance, persistence, persistency, tenacity (of purpose); (*nat.*) inertia; *~svermogen zie ~* & uithoudingsvermogen

volheid ful(l)ness [of one's strength, speak out of the ... of one's heart], [summer in its] plenitude; *de ~ der genade* the plenitude of grace; *de ~ der tijden* the f. of time

volhouden I *tr.* maintain [one's innocence, a tradition], sustain [a role, an effort], keep up [the fight, firing; he kept up the note of irony],

(*brutaal*) face out [a lie]; *ik houd vol, dat* ... I
m. that ...; *zij hield vol, dat* ..., *ook:* she insisted it was true; *ze hield tot 't laatst haar onschuld vol, ook:* she protested her innocence
till the last; *'t karakter werd uitstekend volgeh*.
was admirably sustained (carried through);
die geest wordt in 't gehele werk volgeh. this
spirit is sustained throughout the work; *'t ~,*
zie uithouden; *ik houd 't vol* [I say it was silly,
and] I stick to it; II *intr.* persevere, persist,
hold out, stand out, hold on (to one's purpose), see it through, (*fam.*) hang on, stick it
out; *~ is de boodschap* perseverance is the
thing; it is dogged (as) does it, dogged does it;
hij houdt maar vol he hangs on, he sticks it out;
houd vol! stick it out!, keep it up!; *onbeschaamd ~* brazen it out; **-er** *zie* aanhouder
volière aviary
volijverig diligent
volk (*natie*) nation, people (*mv.:* peoples); (*mensen*) people (*mv.*); (*soldaten*) troops, men;
(*werk-*) work-people, hands; (*van schip*) crew;
(*bijen*) colony; *'t ~* the people; *'t gewone
~* the common people, the common herd;
't mindere ~ the lower classes; *'t gemene
~* the mob, the rabble; *gemeen ~* riff-raff;
er was veel ~ op de been there were many
people about; *~* (*bezoek*) *hebben* have
people; *~!* anybody about? (*in winkel*)
shop!; *door 't ~ gekozen* elected by the
people, popularly elected; *onder 't ~ brengen*
popularize [science]; *een man uit 't ~* a man of
the people; *een man van 't ~* (*volksman*) a
people's man; *zie* uitverkoren & volkje
volken: ~beschrijving ethnography; **~bond**
League of Nations; **~kunde** ethnology; **~kun-
dig** ethnological; *'t* **~recht** international law,
the law of nations; **~rechtelijk** of (according to)
... (*zie 't vor*.)
volkje people; (*natie*) small nation; *'t jonge ~*
(the) young folks, the youngsters; *ik ken mijn
~* I know my people (my customers)
volkomen perfect [circle, happiness, ... ly calm],
complete [flower, surprise, success]; *~ insekt*
p. insect, imago, *mv.:* imagos, imagines; *~ gezond*, (*fam.*) as right as rain; *'n ~ mislukking* a
complete (*of:* dead) failure, a wash-out, a flop;
~ rolvast dead letter-perfect; *~ verdiend* richly
deserved; *~ vlak* [the country is] a dead level;
dat is ~ waar true enough, absolutely true; *~
zeker* dead sure (certain); ... *liet haar ~ in de
steek* her good fortune deserted her absolutely; *daarover zijn wij het ~ eens* on those matters
we are in complete agreement; *zie ook* helemaal; **~heid** perfection, completion
volkorenbrood whole-meal bread
volkrijk populous; **~heid** ...ness
volks- national, popular, public, of the people,
people's; **~aard** n. character; **~badhuis** public
baths; **~belang** public interest; **~bestuur** *zie*
~regering; **~beweging** n. (popular) movement;
~bibliotheek free library; **~bijgeloof** popular
superstition; **~blad** people's (news)paper,
popular paper; **~boek** popular book; (*hist.*)

chapbook; **~bond** (*tegen drankmisbruik*)
temperance society; **~buurt** working-class
quarter; **~commissaris** (*Rusl.*) people's com-
missar; **~concert** popular concert; **~dans** a) n.
dance; b) popular dance, folk-dance; **-en, -er**
folk-dancing, -er; **~deel:** *het calvinistische
~* the Calvinist part of the nation; **~democra-
tie** people's democracy; **~deun** *zie* ~wijs(je);
~dichter a) n. poet; b) popular poet; **~dracht**
n. costume, n. dress; **~drank** n. drink; **~een-
heid** n. unity; **~epos** n. epic; **~etymologie**
popular (*of:* folk-)etymology; **~feest** a) n.
feast; b) (village) fête, street-party; **~front**
popular front; **~gaarkeuken** communal
kitchen; public soup-kitchen; **~gebruik** *zie* ~
gewoonte; **~geest** spirit of the people, public
mind; **~geloof** popular belief; **~gemeenschap**
national community; **~geneeskunde** popular
medicine; **~genoot** co-national; **~gewoonte** n.
(popular) custom (usage); **~gezondheid** public
health; *inspecteur van de ~* health officer,
sanitary inspector; *departement van* – p. h. department; **~gunst** popular favour, popularity;
~haat popular hatred; **~heerschappij** democracy; **~heil** public welfare; **~hogeschool**
Folk High School; **~hoop** *zie* ~menigte; **~
huishouding** economic system; **~huishoud-
kunde** n. economy; **~huisvesting** housing of
the people; **~instelling** popular (national)
institution; **~jongen** working-class boy; **~
justitie** mob-law, -justice; **~karakter** n.
character; **~klas(se)** (lower) classes; **~kleding**
n. dress, n. costume; **~kunde** folklore; **~
kunst** folk art; **~latijn** Vulgar Latin; **~leger**
people's army, citizen army; **~leider** leader of
the people; (*~menner*) demagogue; **~leven** life
of the people; **~lied** a) popular song, folk-
song; b) n. song, n. air; *'t* – the n. anthem; **~
logies** (*mar.*) forecastle; **~macht** power of the
people; **~man** people's man; **~menigte** crowd
(of people), multitude; (*onordelijk*) mob; **~
mening** public opinion; **~menner** demagogue;
~mond: *in de* – in the language of the people,
in popular speech; *zoals het in de* – *heet* as it
is popularly called (termed); **~muziek** folk-
music; **~mythe** folk-tale; **~naam** a) name of a
people; b) popular name; **~onderwijs** n.
education; **~oploop** street crowd; **~oproer**
popular rising, riot; **~opruier** agitator,
demagogue; **~opstand** insurrection (of the
people), riot; **~overlevering** n. (popular)
tradition; folk-tale; **~park** public park; **~
partij** people's (*of:* democratic) party; **~
planter** colonist, settler; **~planting** colony,
settlement; **~poëzie** popular poetry; **~redenaar**
popular (*ong.:* mob) orator; **~referendum** *zie*
~stemming a); **~regering** government by the
people, popular government, democracy; **~
republiek** people's republic; **~roman** popular
novel; **~school** (state) primary school; **~
soevereiniteit** sovereignty of the people; **~
spelen** public games; **~spraak** *zie* ~taal a);
~sprookje folk-tale; **~stam** tribe, race; **~
stem** public voice, voice of the people;

~stemming *a*) plebiscite, poll of the people; *b*) public feeling; ~taal (*eigen, nationale taal*) vernacular, vulgar tongue; (*taal van het lagere volk*) vulgar speech; ~teller census-taker, (census-)enumerator; ~telling census; *een — houden* take a census; ~term popular term; ~tribuun tribune of the people; ~trots n. pride; ~tuin(tje) allotment (garden); ~uitdrukking popular expression; ~uitgave popular edition; ~universiteit *ongev.*: university extension class(es), extramural studies (instruction, classes), adult education courses; ~verdrukker oppressor of the people; ~vergadering *a*) n. assembly; *b*) public meeting; ~verhaal folktale; ~verhuizing migration (*of:* wandering) of the nations; *Germaanse —* migration of Germanic peoples; –stijd Migration Period, the M.s; ~vermaak public (popular) amusement, n. sport; ~vertegenwoordiger representative (of the people); ~vertegenwoordiging *a*) representation (of the people); *b*) = ~vertegenwoordigers; *c*) parliament, house (of representatives); ~verzekering national (social) insurance; ~vijand enemy of the people; *– no 1* public enemy no. 1; ~vlijt n. industry; ~vooroordeel n. (popular) prejudice; ~voorstelling popular performance; ~vriend friend of the people; ~welvaart n. prosperity; ~welzijn public welfare; ~wijs(je) popular tune (*of:* air); ~wil will of the people, popular will; ~woede popular fury; ~zaak popular cause, cause of the people, n. affair; ~ziekte endemic (disease)

volkuip fulling-trough

volle: *ten ~, zie* vol

volledig complete [set *stel;* work]; full [address, confession, information, list, particulars], full-time [job]; exhaustive [inquiry]; integral [compensation]; ~ *pension* full board; ~ *endossement* special endorsement, e. in full; ~ *stel monsters* representative set of samples; *~e betaling* full payment, payment in full; *leraar met ~e betrekking* full-time teacher; ~ *maken* complete; *~ bewijzen* prove up to the hilt; *zie ook* voltallig; ~heid …ness ful(l)ness; ~heidshalve for the sake of completeness

volleerd finished, consummate [billiard-player, actor], accomplished [musician, coquette, cracksman *inbreker*], expert [car-driver], fully trained [pilot], (a) proficient [in …], (a) past-master (past-mistress) [of …, in …]; ~ *zijn,* (*eig.*) have done learning, have left school; *~e schurk* thorough-paced villain; *ze is ~ in dat spel(letje), ook:* she plays the game to perfection; *hij is er ~ in* he knows all there is to know about it

vollemaan full moon; ~sgezicht moon-face, face like a harvest moon; *met een –* moon-faced [man]

vollemelks whole-milk [cheese]

vollen full

voller fuller; ~ij *a*) fulling, milling; *b*) fulling-mill; ~saarde f.'s earth; ~distel, ~skaarde f.'s teasel; ~skuip fulling-trough; ~smolen fulling-mill

volley (*sp.*) id.; ~bal volley-ball

vollopen fill (up), get filled; *het schip was volgelopen* the ship was water-logged (swamped); *zich laten ~* booze up

volmaakt perfect, consummate, finished [manners, gentleman], thorough [man of the world], [a king] all over, every inch [a king]; *op ~e manier* [she played her part] to perfection; *haar hakken waren ~e stelten* her heels were p. stilts; *… zijn helemaal niet ~* these studies do not in any way represent finality; *~ doen uitkomen* show off to perfection; *zie* volkomen; ~heid perfection, consummateness; *tot – brengen* bring [a method] to perfection

volmacht full power(s), power of attorney; warrant; (*procuratie*) procuration, proxy; *algemene ~* general proxy; *zie* blanco; *bij ~* by proxy; *zijn getuigenis werd bij ~ afgenomen* his evidence was taken on commission; ~ *geven* = ~igen authorize, empower [a p. to act]; *zie* gevolmachtigd

volmaken perfect; -ing perfection

volmolen fulling-mill

volmondig frank, unconditional; *een ~ ja* a whole-hearted yes (affirmative)

volontair trainee, student employee, apprentice, learner, unsalaried clerk; (*mil.*) volunteer

volop in abundance, in plenty, [money, whisky] galore; plenty (lots, heaps) of; enough and to spare; *ik heb ~ gegeten (gedronken, gehad)* I've eaten (drunk, had) my fill; ~ *ruimte* ample room; *we hebben ~ tijd, ook:* we are in plenty of time; *er was ~* there was plenty

vol-plané volplane, glide

volprezen: *nooit ~, zie* onvolprezen

vol: ~proppen stuff [o.s. with food, one's pockets with apples, a pupil with learning], cram, stodge, clutter up [a room, a p.'s mind with …]; *zich –* stuff, gorge, guzzle; *volgepropte bus* crowded bus; ~gepropt *met* [shops] stacked (packed) with [Christmas gifts]; ~schenken fill (to the brim); ~schieten (*van ogen*) fill (with tears); ~schip full-rigged ship, full-rigger

volslagen complete [rest, failure], total [blindness], utter [poverty, despair, darkness, failure, stranger, idiot], perfect [fool], plumb [crazy], blithering [idiot], downright [nonsense], sworn [enemies], full-fledged, -blooded, -blown [protectionist, -ism]; *een ~ bad* a full-size(d) bath; ~ *gek* utterly mad

volstaan suffice; *daar kun je niet mee ~* that is not enough; *laat ik ~ met te zeggen … s.* it to say …; *ik zou willen ~ met één opmerking* I should like to confine myself to one remark; *ze volstonden met een protest* they contented themselves with a protest; volstoppen *zie* volproppen; volstorten pay up (in full); *zie* volgestort; volstorting payment in full

volstrekt absolute […ly necessary]; *een ~e meerderheid* a clear (an a.) majority; ~ *niet* by no means [that won't do by any means], not at all; *daar moet je ~ heen* you absolutely must go there; ~ *geen bewijs* not a tittle of evidence;

zie volslagen; ~**heid** ...ness
volt id.; **Volta** id.; *zie* zuil; **voltage** id.
voltallig complete, full [conference], plenary [meeting]; (*mil.*) up to establishment; ~*e vergadering, ook:* fully attended meeting; ~*e bemanning* full complement; ~ *maken* complete; (*mil.*) bring [a regiment] up to establishment (up to strength); *zijn wij* ~? are we all here?; ~**heid** completeness
voltameter id.; **voltampère** volt-ampere
volte 1 (*gedrang*) crowd, press, crush; (*volheid*) ful(l)ness; 2 (*in rijschool, schermk.*) id.
volte-face id.; (*fig. ook*) complete change of front, about-face; ~ *maken* make v.-f. (a complete ...)
voltekend (*van lening*) fully subscribed; *meer dan* ~over-subscribed; *verscheiden keren* ~sub-scribed several times over
voltigeren vault, tumble
voltigeur vaulter, tumbler; (*mil.*) voltigeur
voltmeter id.
voltooien complete [a work, one's 20th year, etc.], finish; *voltooid,* (*gramm.*) perfect
voltooiing completion; *'t werk nadert zijn* ~ is nearing c.; *school ter* ~ *van de opvoeding* finishing-school [for young ladies]
voltreffer (*mil.*) direct hit; *een* ~ *plaatsen* score (secure, register) a direct hit
voltrekken execute [a sentence], solemnize [a marriage at a register office or in church], celebrate [a marriage in church], consummate [a marriage by sexual intercourse], carry out, carry into effect; ... *is voltrokken* the union has become a fact; *zich* ~ come about, be enacted (*zie:* zich afspelen); **-er** executor; solemnizer; **-ing** execution, solemnization, celebration, consummation; *vgl. 't ww.;* passing [of the Union between England and Ireland]
voluit in full; ~ *schrijven* write in full, write out
volume id., bulk, size; ~**regelaar, -ing** (*radio*) v. control; **volumineus** voluminous, bulky
volute (*bk.*) id.
volvet full-cream [cheese]
volvoeren, -ing *zie* volbrengen, -ing & uitvoeren, -ing
volwaardig of full value; (*fig.*) up to the mark, up to par, (*physically, mentally*) fit; full-fledged, fully fledged; a hundred per cent. ...; ~*e munt* full-bodied currency
volwassen (full-)grown, grown-up, adult, mature; (*van vogel*) full-(*of:* fully) fledged; *sedert ze* ~ *is* since she has grown a woman; *zij was in korte tijd* ~ she shot up into a woman; ~ *worden, ook:* grow to maturity (to manhood, womanhood); ~*e* adult, grown-up, grown (wo)man; *voor* ~*en* adult [education]; ~**heid** adulthood; maturity
vol: ~werpen fill; fill in [a grave]; ~**wichtig** full-weight [coins]; ~**zalig** blessed; ~**zin** sentence, period
vomeren vomit; **vomitief** emetic
vond *o.v.t. van* vinden
vondeling foundling; *te* ~ *leggen* expose, aban-

don [a child]; ~**enhuis** f.-hospital, f.-asylum
vonder plank bridge, footbridge
vondst find, discovery, invention; *een gelukkige* ~*, ook:* a lucky strike; *een* ~ *doen* make a find, strike lucky
vonk spark; ~*en schieten* spark, shoot sparks; (*fig.*) sparkle, shoot fire; ~**afstand** (*radio*) sparking distance; ~**baan, ~brug** (*elektr.*) s.-gap; ~**elen** *zie* ~en & *vgl.* fonkelen; ~**en** spark, emit sparks; ~**envanger** s.-catcher; ~**je** (small) spark, sparklet, sparkle; (*fig. ook*) scintilla; *zie* sprankje; ~**ontsteker** s.-fuse; ~**ontsteking** s.-ignition; ~**vrij** sparkless; (*van lucifers*) impregnated; safety [match]
vonnis sentence, judg(e)ment; order [the judge gave an ...]; (*uitspraak van jury; ook fig.*) verdict [the ... of history]; ~ *bij verstek* judg(e)ment by default; *een* ~ *vellen* pass (pronounce) s. [*over* on], give (pass) judgment [*over* on]; *zijn* ~ *is getekend* his doom is sealed; ~**sen** sentence, condemn
vont font
voogd(es) guardian [*over* to]; *zie* toezien
voogdij guardianship, custody; ~**raad** (*hist.*) *ongev.:* child welfare board; ~**schap** guardianship; (*UNO*) trusteeship [council]
1 voor *zn.* furrow (*ook fig.* = wrinkle)
2 voor I *vz.* (*tijd*) before [Monday], (*gedurende*) for [three days], (*geleden*) [three days] ago; (*plaats*) in front of, before; ahead (upstream) of [a valve]; (*doel*) for; (*ten behoeve van*) for, for the benefit of, [a campaign] in favour of [European integration]; ~ *zijn geloof lijden* suffer because of one's faith; (*in plaats van*) for, instead of; (*distributief*) by [one ... one, penny ... penny]; *hij is* ~ *zijn leven geborgen* he is booked for life; *een huis* ~ *zichzelf* a house to oneself; *zie* punt, regel, woord, enz.; (*niet tegen*) for, in favour of; with [he who is not ... me is against me]; *uw komst* ..., *ook:* prior to your arrival things were different; ~ *'t huis* in front of the house; *de kruiser lag* ~ *Dover* ... lay off Dover; **goed** (*slecht, gevaarlijk, prettig*) ~ *mij* good etc. for me; *goed* ~ *de motten* good for the moths; *goed* ~ *één overtocht* good for one crossing; *hij is* ... ~ *hen* he is a good father to them; *beven* ~ tremble before; (*ter wille van*) tremble for; *geen gordijnen* ~ ... no curtains to the windows; *een paard* ~ *een rijtuig* (*de ploeg*) a horse to a carriage (the plough); ~ *de thee* [they went in] to tea; *er lag* ... *vóór hem* there was a good deal of work (a splendid career, etc.) in front of him; *er liggen* ... *vóór ons* there are sad times ahead (in front of us); ... *vóór me* I have a long walk before me; *'t is nog 14 dagen* ~ ... it is still a fortnight to Christmas; *ik* ~ *mij* I for one; personally, I ...; *wij* ~ *ons* we, for ourselves; ~ *en achter ons* in front of us and behind us; (*mar.*) [steamers] ahead and astern of us; ~ *hem uit* [forty feet] ahead (in front) of him; *recht* ~ *hem uit* straight in front of him; ~ *zich uit* [she stared] in front of her; *verleden dinsdag* ~ *een week* a week ago last

Tuesday, last Tuesday week; *het is 10 minuten ~ zeven* it is 10 minutes to seven; *even ~ acht* a little before eight; *~ een pond van ...* [give me] a pound's worth of those apples; *~ tien* [he will work] like ten men; *~ twee* [he talked] for two; *jong ~ een staatsman* young for a statesman, young as statesmen go; *klein ~ een kerk* small as churches go; *goedkoop ~ 't geld* cheap at the money; *we hadden 't huis geheel ~ ons* we had the house all to ourselves; *net een meisje ~ jou, ook:* a girl that would suit you; *dat zou net iets ~ mij zijn* that would suit me nicely; *iets ~ u bij?* anything in your line?; *'t is iets (niets) ~ hem, (van hem te verwachten)* it's like (not like) him; *~ elk aandeel* [shareholders have the right to subscribe for one new share] in respect of each share [now held]; *ik deed 't ~ u* for you, for your sake; *ik ben er (vlak) ~* I am (all) for it (in favour of it); *hij was er ~ om ...* he was for putting it in the fire; *degenen die er ~ zijn* those in favour [of the motion]; *'t is er ... ~* [we lunch at one, and] it is ten minutes to; *zie* dood, driekwart, houden, jaar, langs, pensioen, raam, stemmen, tijd, vol, enz.; II *bw.* in front; *~!* [volunteers] forward! front!; *~ wonen a)* live in the front room; *b)* live in the front of the house; *~ in 't huis (de omnibus, de lade)* in the front of the house (the omnibus, the drawer); *~ in 't boek* at the beginning of the book; *ze is ~ in de twintig* in the (her) early twenties; *~ zijn, (sp.)* lead [Cambridge led by a boat-length, his horse led by a neck]; be ahead [Arsenal are two goals a. (up)]; *(schaakspel)* be [a pawn] up; *(van rechtszaak)* [the case will] be on [next week]; *de auto is ~* is at the door, has come round, is waiting; *mijn horloge is ~* is fast; *ik was hem ~, (vooruit)* I was ahead of him, *(er eerder bij)* I was before (beforehand with) him, had got the start of him, got in first, anticipated (forestalled) him; *ik dacht dat ik je ~ zou zijn* I thought I'd beat you to it; *iem. ~ zijn (de loef afsteken)* steal a march upon a p.; *hij bevond, dat een ander hem ~ geweest was* he found himself forestalled; *zo kreeg ik wat op hem ~* in this way I got (that gave me) the pull of (an advantage over) him; *~ en na* again and again; at different times; *'t was mijnheer A. ~ en mijnh. A. na* it was Mr. A. here and Mr. A. there (Mr. A. this and Mr. A. that, Mr. A. everywhere); *de een ~, de ander na* one after another, successively; *~ en achter* before and behind, in front and at the back; *van ~ tot achter* from front to back, *(mar.)* from stem to stern; *er is heel wat ~ te zeggen* there is a good deal to be said in favour of it, there is a strong case for it; *500 (stemmen) ~ 19 tegen* 500 for, 19 against; *ook:* yes 500, no 19; *wie er~ is ...* those in favour please signify in the usual manner; *zie ook* kunnen, voorhebben, voorstaan, enz.; III *vw.* before; *~ en*

aleer before; IV *zn. 't ~ en tegen* the pros and cons, the merits and demerits

vooraan [sit] in front; *zie ook* voor *bw.; eerste klasse passagiers ~* first-class passengers in (the) front of (the) train; *~ onder de nieuwere schrijvers* in the forefront (front rank) of modern writers; *~ staan, (fig.)* zie plaats *(de eerste ... innemen); zie ook* bovenaan; **~drijving** front drive; *met voor- en achteraandrijving* four-wheel drive; **~staand** standing in front; *(fig.)* prominent, leading, front-rank, foremost [our ... actors]

vooraanzicht front view; *(van vliegt.)* head-on view

vooraf[1] beforehand [you'll have to tell me ...], previously; **~beelding** prefiguration, type; **~gaan** precede, go before, head [a procession]; *al wat voorafgegaan was* all that had gone before; *laten – door* preface [a statement] with (by) [these words]; **–d** preceding, foregoing; introductory [remarks], preliminary [inquiries], prefatory [note to a report]; *–de kennisgeving* previous notice; *– aan* antecedent (prior) to; *'t –e* what precedes, the foregoing

voorafschaduwing foreshadowing

voorafspraak prologue

vooral especially, above all (things); *hij ~, ook:* he of all men; *~ dit heeft ertoe bijgedragen* this as much as anything ...; *ga ~* go by all means; *~ niet* by no means, on no account; *gebruik ~ 'n goed ontbijt* be sure you have (to have, *fam.:* and have) a good breakfast; *vergeet 't ~ niet* don't forget whatever you do; *dat moet je ~ niet doen* that's the last thing to do

voor: *~aleer* before; *~alsnog* as yet, just yet [don't speak of it ...; I can do nothing ...], for the time being [there's no hurry]; **~arbeid** *(germ.)* preparatory work (labour); **~arm** forearm; **~arrest** detention on *(of:* under) remand (pending trial, awaiting trial); *zich in – bevinden* be on (under) remand; *in – houden* keep under remand; *in – stellen, (terugzenden)* remand (in custody); *zie* aftrek; **~as** front axle; **~avond** *a)* early evening; *in de –* early in the evening; *b)* eve; *aan de – van ...* on the eve of the revolution; *wij staan aan de – van ... we* are on the eve (the threshold) of great events; **~baan** front-width [of a dress]; **~baat** *bij –* [thanking you, with thanks] in anticipation, in advance, beforehand; **~balkon** *(van tram)* front platform; *(van huis)* front balcony; **~band** front tyre; **~bank** front bench *(of:* seat)

voorbarig premature, (over)hasty, rash, *(fam.)* previous; *je was (hiermee) wat ~* you were a little previous (in saying, doing this); *een ~e conclusie trekken* rush to a conclusion; **~heid** prematureness, etc.

voorbedacht premeditated, wilful [murder]; *met ~en rade* of (with) malice prepense, of (with) malice aforethought; **~elijk** of set (deliberate) purpose, with premeditation, premeditatedly; **~heid** premeditation

---

[1] *Zie* vooruit

voor: ~**bede** intercession; *zie* ~spraak; ~**beding** condition, stipulation, proviso; *zie* beding; ~**bedingen** stipulate (beforehand); *zie* bedingen

voorbeeld (*ter navolging*) example, model, pattern; (*ter illustratie*) example, instance, specimen [a ... of his prose]; (*schrijf*~) copybook heading, (*los*) copy-slip; (*teken*~) (drawing-)copy; *laat me als een ~* (*in dit verband*) *vermelden* ... as a case in point let me mention ...; *Nieuw-Guinea is een ~ daarvan* is a case in point; *als ~ aanhalen* instance; *'t ~ geven* (*of:* set) the e.; *een ~ geven, a*) set (*of:* give) an [a good, a bad] e.; *b*) give an instance (an illustration); *iems. ~ volgen* follow a p.'s e. (*of:* lead), take a leaf out of a p.'s book, take a (one's) cue from; *hij begon te dansen, en wij volgden 't ~* and we followed suit; *er moet een ~ gesteld worden* somebody must be made an example of; *een ~ aan iem. nemen* take e. by a p., follow a p.'s e.; *neem een ~ aan je broer,* (*waarschuwend*) let your brother be a warning to you; *bij* ~ for instance, for example, e.g.; *bij ~ van 2 tot 4* [for a couple of hours] say from two to four; *naar* (*op*) *'t ~ van* after the e. of; *maken naar het ~ van* model upon; *ten* (*tot*) ~ *stellen* hold up as an e.; *ten* (*afschrikwekkend*) ~ *stellen* make an e. of; *iem. tot ~ nemen* model o.s. on someone; *tot ~ strekken* serve as an e., (*tot afschrikwekkend ~*) act as a deterrent; *zonder ~* without e., without precedent, unprecedented, unexampled

voorbeeldeloos unexampled, matchless; ~**heid** matchlessness

voorbeeldig exemplary, model, pattern [husband]; ~**heid** exemplariness

voorbeen front leg

voorbehoedend preservative, preventive; (*med.*) prophylactic

voorbehoedmiddel preservative, preventive; (*med.*) prophylactic (remedy); (*tegen zwangerschap ook*) contraceptive

voorbehoud reserve, reservation, restriction, proviso; *geestelijk ~* mental reservation; *een ~ maken* make a reservation, put in a proviso; *met ~ mijner rechten* without prejudice to my rights, all my rights reserved; *met dit ~* with this r., subject to this; *onder gewoon ~* under usual r. (u. u. r.); *onder alle ~* with all (proper) r.; *onder ~ dat* provided that; *zonder* (*enig*) ~ without (the least) r., unconditionally, [withdraw s.t.] unreservedly

voorbehouden reserve; *ik wil mij dat recht ~* I wish to r. that right to myself; *alle rechten ~* all rights reserved; *ongelukken ~ geloof ik* ... barring accidents, I think ...

voorbereiden prepare [*op* for], get (make) ready; *op alles voorbereid* prepared for anything; *zich ~* prepare (o.s.), get ready; *bereid u voor op 't ergste* p. for the worst; *zich ~ op, ook:* brace o.s. for [the encounter, the shock]; ~**d** preparatory; *–e maatregel* preparative, preliminary (measure); *– werk,* (*ook:*) spadework, groundwork; *– wetenschappelijk onder-*

wijs, (*ongev.*) secondary education; **-er** preparer

voorbereiding preparation; *in ~* [the thing is] in (course of) p., on the stocks; *als ~ voor* in p. for; ~*en treffen* make preparation(s); ~**sklas-**(**se**) preparatory class; ~**sschool** preparatory (*fam.:* prep) school; **voorbereidsel** preparation

voorbericht preface, foreword; *zie* voorrede

voorbeschikken predestine [be ...d to success]; (*theol.*) predestinate, predestine, pre-ordain, foreordain; *voorbeschikt om te ...,* *ook:* fated to, foredoomed to [end in nothing]; **-ing** predestination; **voorbespreking** preliminary conversation; (*schouwburg, enz.*) advance booking

voorbestaan pre-existence, previous existence

voorbestemmen *zie* voorbeschikken

voorbewerking preliminary operation (treatment); **voorbewerkt** worked, processed, pre-conditioned, pre-treated

voorbidden lead in prayer; **-er** *zie* voorspraak *b*); **-ing** *zie* voorspraak *a*)

voorbij I *vz.* past, on the other side of, beyond; ~ *de kerk gaan* pass the church; *duizenden gingen ~ 't graf* filed past the grave; *tot ~ D.* [the plain stretches] to D. and beyond; II *bw.* past, [the time for words is] at an end, [the happy days that are] no more, [it is all] over, [June is only just] out, [the afternoon was soon] gone; *zijn we R. al ~?* have we passed R. yet?; *ze was ... een heel eind ~* she was well past middle age; *'t is alles ~, ook:* it is all done with; *'t gevaar was ~, ook:* had gone by; ~*e tijden* bygone times; *die lang ~e dagen* those far-off days; ~**brengen** lead (take) p.; ~**dragen** carry p.; ~**drijven** *tr.* drive p.; *intr.* float by (*of:* past); ~**dringen** push past [a p.]; ~**fladderen** flutter p.

voorbijgaan I *intr.* pass (by), go by, move past [the people ...d slowly past]; (*van tijd, enz.*) pass, go by, pass away, wear away, [the years] roll by; (*van toorn, zwakheid, enz.*) pass away; (*van hoofdpijn, enz.*) pass off; *5 weken waren voorbijgegaan* had elapsed; *de middag ging voorbij* wore on; *de minuten gingen voorbij, ook:* ticked by (*of:* past); *laat die gelegenheid niet ~* do not let that opportunity slip, do not miss (*Am. ook:* pass up) that opportunity; *'t voorbijgegane jaar* the past year; *voorbijgegane roem* departed glory; II *tr.* pass (by), go past; *iem. ~,* (*fig.,* = *passeren*) pass a p. over; by-pass [one's immediate superior]; *ze gingen mij voorbij, ook:* [all were invited, but] they left me out in the cold; *we kunnen hem niet ~* we can't leave him out; *de bestelling ging ons voorbij* passed us (by); *zie* stilzwijgen; *we kunnen niet ~ aan* we cannot disregard; III *zn.* *in 't ~* [observe] in passing, by the way; *hij werd bevorderd men ~ van mij* he was promoted over my head; ... *met ~ van de predikant* he went to the bishop over the head of the incumbent; *hij handelde met ~ van ...* he went over the heads of his ministers

voorbij: ~**gaand** passing, transitory [life], transient [interest], evanescent [impression], (*snel*) fleeting [moments]; *van –e aard* of a temporary nature, temporary [blindness]; ~~**gang** *zie* ~gaan, *zn.;* ~**gang(st)er** passer-by, *mv.:* passers-by; ~**kijken** look past [a p.]; ~**komen** *intr.* come past, pass (by); *hij komt hier dikwijls* ~ he often passes this way; *tr.* pass (by); ~**kruipen** (*van tijd*) creep by; ~**laten** let [a p.] pass; ~**leiden** lead past; ~**lopen** walk (run) past, pass; ~**marcheren** march past; ~**praten** *zie* mond & langs (... *heen*); ~**rennen** *tr. & intr.* run (tear, rush) past; ~**rijden** *tr. & intr.* ride (drive) past, pass; (*inhalen & ~rijden*) pass, overtake; ... *reed* ~ the bus overran its stopping-place; ~**schieten** *tr. & intr.* rush (dash) past; '*t doel –, zie* ~streven; ~**snellen** *zie* ~rennen; ~**streven** outstrip, outvie, outdistance [a p.]; '*t doel* – overshoot the mark, defeat one's object (*of:* end), be self-defeating; overreach o.s.; *trachten* ~ *te streven* emulate; ~**stromen** *tr. & intr.* stream past; ~**suizen** swish by; ~**trekken** *tr. & intr.* march past; file past [the Cenotaph]; (*van onweer*) blow over; ~**vliegen** *tr. & intr.* fly past, rush (tear) past; *wat vliegt de tijd ~!* how time flies!; ~**vloeien** *tr. & intr.* flow past; ~**wandelen** *tr. & intr.* walk past, pass; ~**zien** look past [a p.]; (*fig.*) overlook; *dat feit moeten wij niet* – we should not lose sight of that fact

voor: ~**binden** tie (*of:* put) on; ~**blijven** remain in front, maintain the lead; *iem.* – keep ahead of a p.; *van 't begin tot 't einde –,* (*sp.*) lead from start to finish; ~**bode** forerunner, precursor, herald; harbinger [of spring, storm, etc.]; (*fig. ook*) prelude [the ... to disaster]; ~ **bout** (*van geslacht dier*) fore-quarter, shoulder [of mutton, lamb, veal]; ~**bouw** (*landb.*) catchcrop (system)

voor: ~**brengen** bring [the horses, carriage, car] round; (*voor de rechter*) bring up [a criminal]; *zie ook:* te berde brengen & aanvoeren; ~**christelijk** pre-Christian [age]; ~**cijferen** figure out [s.t. for a p.], show; ~**dacht** premeditation; *met* – deliberately, with premeditation, of set purpose; ~**dansen** *intr.* lead the dance; *tr.* dance [a waltz] before a p.; *Krepel wil altijd* – fools rush in where angels fear to tread; ~**danser** leader; ~**dat** before

voorde ford

voordeel advantage, benefit; (*geldelijk*) profit, gain, (*in advert.*) economy; '*t is een groot* ~ ..., *ook:* it is a great asset to have an excellent bookkeeper; *voor- en nadelen* pros and cons, merits and demerits; ~ *opleveren* yield profit; *de oorlog bracht velen* ~ many people did well out of the war; *hij kent zijn eigen* ~ *niet* he does not know (on) which side his bread is buttered; *zijn* ~ *doen met* take a. of, turn to (good) account; *zijn eigen* ~ *zoeken* seek one's own a.; (*fam.*) be out for (look after) number one; *hij zocht zijn eigen* ~, *ook:* he played his own hand, played for his own ends; *een* ~ *op iem. behalen* gain an a. over a

p.; ~ *trekken uit* profit (benefit) by, turn to (good) account, take advantage of; *welk* ~ *trek je eruit?* what benefit do you reap from it?; ~ *hebben van* profit by; '*t heeft 't* ~ *van goedkoop te zijn* it has the a. of cheapness; '*t heeft z'n* ~ *om lid te zijn* there is an advantage in being a member; *in uw* ~ to your a. [you will hear something ...]; *voor zover er verschil is, is dat in uw* ~ where there is a difference it is in your favour; *dat is in zijn* ~ that's where he scores; *twee dingen, die zeer in haar* ~ *waren* [she had] two great assets; *in 't* ~ *zijn*, (*vergeleken met iem.*) have the a. (have the pull) of (over) a p.; *hij is in zijn* ~ *veranderd* he has changed for the better; *met* ~ with a., with profit, (*met winst*) [sell] at a profit, [work a mine] profitably; *tot mijn* ~, *ten voordele van mij* for my benefit, to my a., to my profit, in my favour; *zie* strekken; ~**pak** economy (size) pack; ~**tje** windfall; *zie* buitenkansje

voordek (*mar.*) forward deck

voordelig I *bn.* profitable, advantageous; (~ *in 't gebruik*) economical, cheap; '*t is* ~ *in 't gebruik, ook:* a little of it goes a long way; *een baantje, ook:* a lucrative job; *zie* saldo; II *bw.* profitably, etc., [sell] to advantage; *zeer* ~ to great advantage; *zo* ~ *mogelijk beleggen* invest [one's money] to the best advantage; *zij kwam* ~ (*op haar* ~*st*) *uit* she appeared (showed) to (great) advantage, looked her best; '*t huis op zijn* ~*st zien* see the house at its best (to advantage); ~**heid** ... ness

voor: ~**deur** front door, street-door; ~**dezen**, ~**dien** before this, before, previously; ~**dienen** serve; ~**dochter** daughter by a previous marriage

voordoen put on [an apron]; '*t iem.* ~ show a p. (how to do it); *doe 't me eens voor* show me; *goed* ~ *doet goed volgen, ongev.:* example is better than precept; *zich* ~, (*van moeilijkheid, vraag, enz.*) arise [the question arises why ...], crop up, (*van gelegenheid*) offer, occur, present itself (*ook:* he seized the first job that came his way); *zie* opdoen; *mocht de noodzakelijkheid zich* ~ should the need arise; *de vraag die zich dagelijks aan ons voordoet* the question that daily confronts us; *als zich geen ... ~, ook:* in the absence of complications [no further bulletins will be issued]; *hij doet zich goed voor* he makes a good impression (on people); *iem. die ...* a man of good address; *zich zo goed mogelijk* ~, (*gedragen*) be on one's best behaviour; *zich op zijn mooist* ~ put one's best side foremost; *hij deed zich zo natuurlijk mogelijk voor* he made himself as natural as he could; *hij weet zich aardig voor te doen* (*en zich in te dringen*), *enz.* he has a way with him; *zich aardig* ~*d* plausible [charlatan]; *je bent niet zo oud als je je voordoet* as you make yourself out (to be); *zich* ~ *als* pose as, pass o.s. off as (for), represent o.s. as [a doctor]

voordracht (*lezing, enz.*) lecture, speech, discourse [*over* upon] (*zie* lezing); recitation, recital [of a poem, piano ...]; (*wijze van voor-*

dragen) delivery, diction, utterance, [lessons in] elocution, (*muz.*) execution, rendering, style of playing; (*van kandidaten*) nomination, select (*of:* short) list, recommendation (*zie:* zich houden aan); (*voor predikantsplaats*) presentation; *een goede* (*een haperende*) ~ *hebben* have a good (a halting) delivery; *hij staat nummer drie op de* ~ he is third on (*of:* in) the short list; *hij staat op de* ~ *voor die betrekking* he is in nomination (is on the short list) for that place; *men zette hem niet eens op de* ~ they did not even enter his name on the short list; *op* ~ *van* on the recommendation of

voordrachtkunst declamation, declamatory art; **~enaar, -ares** elocutionist, reciter, diseur, -euse

voordragen recite [a poem]; execute, render [a piece of music]; prefer [a request]; (*kandidaat*) propose, nominate [a p. for election, for membership]; recommend [Mr. P. as governor of …]; present [a clergyman]; *hij werd voor een decoratie voorgedr.* he was recommended for decoration; *hij werd ter benoeming voorgedr.* his name was submitted for appointment; *een wetsontwerp voor de Kon. goedkeuring* ~ present a bill for the Royal Assent; *zie* voordracht; **-er** reciter, proposer, nominator; *vgl. 't ww.*

voor: ~draven (*ook fig.*) show off his (its) paces; *laten* ~, (*ook fig.*) put [a horse, etc.] through his (its) paces, trot out; **~echtelijk** pre-marital; **~eerst** (*ten eerste*) in the first place, to begin with, for one thing; (*voorlopig*) for the present, for the time being, for some time to come, [he won't do it again] in a hurry; – *nog niet* not just yet, not yet awhile; *dit zou – nog niet zijn* this was not to be for a while yet; **~eind(e)** fore-part, -end, front; **~fluiten** whistle [a tune to a p.]

voorgaan go before, precede; (*de leiding nemen*) take the lead; (*kerk.*) officiate; (*de weg wijzen*) lead the way [into …]; (*een voorbeeld geven*) set an example; (*de voorrang hebben*) take precedence; (*van uurwerk*) be [five minutes] fast, gain [five minutes every day]; *gaat u voor!* after you, please!; *zijn werk gaat voor* his work comes first (with him); *zaken gaan* (*de plicht gaat*) *voor* business (duty) first, business before pleasure; *dames gaan voor* ladies first; *de aartsbisschop van Canterbury gaat de adel voor* takes precedence of (ranks above) the nobility; *iem.* **laten** ~, (*ook fig.*) yield precedence to a p., give a p. precedence; *interlokale gesprekken laten* ~ give precedence to trunk calls; *'t spel laten* ~ (*aan 't werk*) put play before work; *zaken laten* ~ put business first (*of:* before pleasure); *goed* ~ *doet goed volgen* a good example has many imitators; *ongev.:* example is better than precept; *'t belang van 't land moet* ~ the interest of the country must come first; ~ *bij een godsdienstoefening* conduct a service; ~ *in gebed* lead in prayer; *zij die ons voorgegaan* (= *gestorven*) *zijn* those who have

gone before (us), those who have passed on

voorgaand preceding, last, former; *'t ~e jaar*, (*vóór 't jaar in kwestie*) the previous (preceding) year; *zie ook* vorig & term; *'t ~e* the foregoing, what precedes

voor: ~gaats in the offing; **~galerij** front (*of:* outer) veranda(h); **~gang** *a*) precedence; *b*) example; *c*) front corridor (passage); **~ganger** predecessor; (*leider*) leader; (*predikant*) pastor, minister; *ook* = oefenaar *b*) *en* voorloper; **~gangster** *zie* ~ganger; **~gebed** *a*) grace before meals; *b*) prayer before the sermon; **~gebergte** promontory, headland; **~geborchte** limbo; **~gebouw** front part of a building; **~gedragene** nominee; **~geleiden** *zie* ~leiden; **~gemeld, ~genoemd** above-mentioned, mentioned higher up; **~genomen** intended [sale, marriage], proposed [flight, attempt], contemplated [marriage, my … book], projected; **~gerecht** first course, entrée; **~geschiedenis** (*van zaak*) (previous) history; (*van pers.*) past history; (*voortijd*) prehistory; (*van ziekte, enz.*) case history; anamnesis; **~geslacht** ancestors, forefathers, forbears; **~gespannen** pre-stressed [concrete *beton*]; *'t ~gevallene* what has happened, the happenings; **~gevel** (fore-)front, façade; (*neus, scherts.*) conk, proboscis

voorgeven I *ww.* (*bij spel; ook fig.*) give points (*of:* odds) [to …]; (*rennen*) give [a horse 12 pounds], (*zwemmen*) give [a p. ten strokes], (*zeilen*) allow [time to …], (*schaken*) give [pawn and two moves]; (*beweren*) pretend, profess [she …ed to love him]; *ik geef hem 50 voor,* (*spel*) I give him 50; *ze is niet … als ze voorgeeft* she is not half so bad as she makes out; *een brief ~de …* a letter purporting to have been written by …; II *zn.: volgens zijn* ~ according to what he pretends (professes)

voorgevoel presentiment; (*fam.*) hunch; (*van iets slechts, ook:*) foreboding, premonition; *angstig* ~ misgiving(s); *ik heb er een* ~ *van, ook:* I feel it in my bones

voorgewend *zie* voorwenden

voor: ~gezang opening hymn; **~gift** odds [give, receive …], handicap; (*zeilen*) time allowance; *wedstrijd met* – handicap (race); *zonder* – scratch [race, man, yacht]; *tegen iem. spelen zonder* – play a p. level; *zie ook* ~sprong; **~goed** for good (and all), [she left him] altogether, [he settled there] permanently; **~gooi** first throw; **~gooien:** *een hond een been* – throw a bone to a dog

voorgrond foreground; *op de* ~ *staan* be in the f.; (*fig.*) be to the fore, be in the limelight; *op de* ~ *brengen* bring [a question] to the forefront; *op de* ~ *treden* come to the front (into prominence), come to (be to) the fore; *op de* ~ *treden in 't openbare leven* be much in the public eye; *op de* ~ *plaatsen* (*stellen*) put in (thrust into) the forefront, bring into prominence; *op de* ~ *stel ik, dat …,* (*als voorwaarde*) first of all (*of:* to begin with) I make it a condition that …; *zich op de* ~ *stellen* push (thrust) o.s. forward (in the foreground); *zich op de* ~

dringen force o.s. (itself) to the front; *iem. die zich niet op de ~ plaatst* an unassertive (a self-effacing) man

voor: ~**haard** (*van hoogoven*) fore-hearth; ~**hal** (entrance-)hall; ~**hamer** sledge(-hammer); ~**hand** front part of the hand; (*van paard*) fore-hand; *aan de – zitten*, (*kaartspel*) be the elder (eldest) hand, play first, (have the) lead; *op –* beforehand, in advance; *op – is het niet waarschijnlijk dat ...* on present showing; ~**handen** (*in voorraad*) on hand, in stock, in store; (*beschikbaar*) available, [hot water] on tap; (*bestaande*) extant, existing; *niet meer –* sold out, exhausted, out of stock; *'t enige nog – exemplaar* the only copy left (still extant); *'t – geld* the money at our disposal, our cash in hand; *– goederen* stock on hand; *in alle kleuren –* stocked in all colours; ~**hang** curtain; (*van de tempel*) veil; (*van altaar*) antependium, frontal; ~**hangen** *tr.* (*eig.*) hang in front; (*als lid*) put [a p.] up [for election, for a club], propose (as a member); *zich laten – voor ...* put in for a club; *intr.* be up [for a club], be proposed, be put up (for membership); ~**hanger** clip-on (sunglasses); ~**hangsel** *zie* ~hang; ~**haven** outport

voorhebben have on [an apron, etc.]; (*fig.*) intend, purpose; *wie meen je, dat je voor hebt?* who(m) do you think you are talking to?; *wat heb je voor?* what are you up to? what are you after? what is your game?; *ik weet wat hij voorheeft* what he is after; *wat heb je met mij voor?* what do you mean to do with me?; *hij heeft iets (niets) kwaads voor* he is up to no good, means mischief (means no harm); *'t goed (slecht) met iem. ~* mean well (ill) by a p., wish a p. well (ill); *iem. die 't goed met u voorheeft* a well-wisher [many ... s of our country]; *'t beste met iem. ~* have the best of intentions towards a p.; *iets op iem. ~* have the advantage (have the pull) of (over) a p.; *veel op iem. ~* have many advantages over a p.; *daardoor had ik wat op hem voor* that gave me the pull over him; *dat hebben wij voor* that's where we score; *zij heeft alles (haar jeugd, enz.) voor* she has everything (youth, etc.) on her side; *zie* verkeerd

voorheen formerly, in former days (times), before, [execute orders with the same care as] in the past; *J. W., ~ K. Z.*, (*van zaak*) J. W., late K. Z.; *~ wonende te* late of [Leeds]; *~ hoogleraar te A.* sometime (one-time) professor at A., late of A. University; *van ~* former, [her] one-time [lover]; *~ en thans* past and present, then and now

voorheffing advance levy

voorhistorisch prehistoric; *de ~e tijd* p. times

voorhoede (*ook fig.*) advance(d) guard, van, vanguard, spearhead; (*sp.*) forward line, forwards; *in de ~ staan* be in the van [of progress], lead the van, stand in the forefront [of explorers]; ~**gevecht** a.-g. engagement; ~**speler** forward

voorhoef fore-hoof; **voorhof** forecourt; (*van tempel*) porch; (*van oor*) vestibule

voorhoofd forehead; (*dicht.*) front; *zie* stalen; ~**sbeen** frontal (*of:* coronal) bone; ~**sholte** frontal sinus; ~**sspiegel** (*med.*) speculum

voor: ~**houden** hold [s.t.] before [a p.], hold out [s.t.] to [a p.]; keep on [one's apron, etc.]; *iem. ... – present a pistol at a p.('s head); iem. iets –*, (*fig.*) expostulate (remonstrate) with a p. on [his conduct, etc.], impress s.t. upon a p. [impress upon (represent to) a p. the necessity of ...]; (*voor de voeten gooien*) cast s.t. in a p.'s teeth; *dat idee werd haar steeds ~gehouden* was drummed into her mind; *iem. zijn schuld – confront* a p. with his guilt; *de natuur de spiegel –* hold the mirror up to nature; *iem. 't goede –* exhort (admonish) a p. to do what is right; ~**huid** foreskin, prepuce; ~**huis** (entrance-)hall; ~**ijzer** (*van paard*) fore-shoe; ~**in** (*in tram, enz.*) in (the) front; (*in boek*) at the beginning; *– komen* enter by the front (door); *zie ~ bw.*

Voor-Indië (British) India; **Voorindiër** Indian; **Voorindisch** (British) Indian

vooringang front entrance

vooringenomen prepossessed, prejudiced, bias(s)ed, partial; *~ voor* prejudiced in favour of, partial to; *~ tegen* prejudiced against; ~**heid** prepossession, bias, prejudice

voorjaar[1] spring

voorjaars- spring: ~**beurs** s. fair; ~**bloem** s.-flower; ~**moeheid** s. fever; ~**nachtevening** vernal equinox; ~**opruiming** s.-sale(s); ~**schoonmaak** s.-cleaning; *– houden* s.-clean; ~**stoffen** s.-materials; ~**svlieg** stone-fly; ~**tijd** s.-time, vernal season; ~**we(d)er** s.-weather; ~**zitting** s.-session

voor: ~**kajuit** forward cabin [of an airliner]; ~**kamer** front room; ~**kant** *zie* ~zijde; ~**kauwen:** *iem. iets –* repeat (explain) a thing (to a p.) over and over again; *het wordt hun voorgekauwd* they are spoon-fed with it; ~**kennis** foreknowledge, prescience, advance knowledge; *met mijn –* with my (full) knowledge; *buiten mijn –* without my knowledge, without my knowing (of) it, unknown to me, (*fam.*) unbeknown(st) to me

voorkeur preference; (*recht van ~*) preference, priority, first claim; *bij ~* by (for) p., for choice, preferably; *de ~ genieten (hebben)*, *a*) be preferred; *b*) (*recht van ~ hebben*) have the p. [boven over], have first claim [on s.t.], have the (first) refusal [of a house]; *de ~ verdienen* be preferable [boven to]; *de ~ geven aan* prefer [boven to], give p. to [boven over: young men are given p. over older men]; *de ~ geven aan ... boven ..., ook:* drink coffee in p. to tea; ~**rechten** preferential duties; ~**sbehandeling** preferential treatment; ~**stem** preference vote; ~**tarief** preferential tariff

voorkiem (*plantk.*) prothallium

voorkind *a*) child by a previous marriage; *b*) pre-marital child

---

[1] *Zie* lente...

voorklinker front vowel

1 voorkomen I *ww.* (*bij wedstrijd*) get ahead, get the start, draw ahead, draw away from the others, draw òut in front; (*van rijtuig*) come round, drive up (to the door); (*voor de rechtbank, van pers.*) appear in court, be brought up (for hearing, for trial), (*van zaak*) come on, come up (for hearing, for trial); (*gevonden worden*) be found, be met with, occur (*veel ~, ook:* be much in evidence); (*gebeuren*) occur, happen; (*toeschijnen*) seem (appear) to; **iem. ~**, (*ook fig.*) get ahead of (outstrip) a p.; *de auto laten ~* order the car round, have the car brought round; *de taxi moet over 20 m.* ~ I want the taxi round in 20 minutes; *de trein kwam voor* drew alongside the platform; *toen de zaak voorkwam, ook:* when the case was called on; *weer ~*, (*van beklaagde*) be brought up on remand, make a second appearance; *veel* (*geregeld*) ~ be of frequent (regular) occurrence; *zorgen voor alles dat voorkomt* (*zich voordoet*) attend to anything that crops up; *'t komt mij voor dat zulke dingen niet moesten ~* it seems (appears) to me that such things should not happen (occur); *'t komt me voor, dat ik 't eerder gehoord heb, ook:* I seem to have heard it before; *het kwam ons gewenst voor ...* we thought it desirable ...; *'t komt me bekend voor* it rings a bell; *uw naam ...* your name seems familiar (has a familiar ring); *hij laat 't ~ alsof ...* he pretends (makes it appear) that ...; *als hij laat ~* [not so good] as he would have you believe (as he would have it); [not so poor] as he makes out; *~ in iems.* **testament,** (*een toneelstuk, legende, hand.: de boeken*) figure in a p.'s will (a play, a legend, the books); *de helft van alle steenkool komt voor in ...* occurs in ...; **II** *zn. a*) *bij ~ honoreren* honour on presentation; *b*) (personal, outward) appearance, aspect, mien, air, look(s); *c*) occurrence [of measles, of abnormal forms, etc.], incidence [of tuberculosis, of colourblindness among women]; *plaats van ~,* (*van dieren, enz.*) habitat; *je moest wat meer werk maken van je ~* you should take more pride in your appearance; *hij heeft niet veel ~* he is not much to look at, he has not much of a presence; *dat geeft de zaak een ander ~* that puts a different complexion on the matter

2 voorkómen (*vóór zijn*) anticipate, forestall [a p.'s wishes], be beforehand with [a p.]; (*beletten*) prevent, guard against [accidents], preclude [ambiguity], save [a quarrel, trouble, confusion, a scene], (*afwenden*) stave off [bankruptcy, penury], avert [a disaster]; *~ is beter dan genezen* prevention is better than cure; *te ~* preventable, preventible [diseases]

1 voorkomend occurring; *zelden ~* rare, of rare occurrence; *veel ~* of frequent occurrence, frequent; *~e genade,* (*r.-k.*) prevenient grace; *zie* gelegenheid, *enz.*

2 voorkómend obliging, attentive, complaisant, urbane; **~heid** obligingness, complaisance, urbanity

voorkóming prevention; anticipation; *vgl. 't ww.; ter ~ van* to avoid (prevent) [disappointment]; *zie* zwangerschap

voor: **~koop** pre-emption; *zie* recht; **~laatst** last [line] but one; penultimate [syllable]; *de -e keer* last time but one; *'t -e seizoen* the season before last; **~lader** muzzle-loader; **~lamp** *zie* ~licht; **~land** foreland, promontory, headland; (*oningedijkt land*) foreland, foreshore; *dat is je ~* – that is what is in store for you, that's your future; **~landvast** (*mar.*) bowfast; **~lang** long ago, long since; **~lastig** (*mar.*) down by the head; **~le(d)er** front [of a shoe], vamp

voorleggen lay (put, place) [a proposal, etc.] before [a p., the meeting], submit [a plan, samples, etc.] to, propound [a problem] to; *'t aan de vergadering* (*ter stemming*) ~ put it to the meeting; *een testament ter goedkeuring aan de rechtbank ~* propound a will (to the court); *iem. zijn zaak ~* state one's case to a p., put one's case before a p.; *mag ik u deze vraag ~?* may I put this question to you; *'t werd hem ter beslissing voorgelegd* it was referred to his decision

voor: **~leiden** bring up [a criminal]; **~letter** initial (letter); *zijn –s* his initials; **~lezen** read to [a p.]; read out [a notice]; (*aanklacht, afgelegde verklaring, enz.*) read over [the charge, the prisoner's statement] to ...; *lees me de brief* read me the letter; *dol zijn op* – be fond of being read to; *de onderwijzer was bezig ~ te l.* was reading from a book; **~lezer** reader (*ook in kerk*); **~lezing** reading; (*van spreker*) lecture; **~licht** (*van auto, enz.*) headlight; *grote –en* full headlights; **~lichten** *ww.* light [a p. to his room, etc.]; (*fig.*) enlighten [*omtrent* on], instruct, advise; **~lichting** enlightenment, instruction(s); advice; information (*zie* minister(ie)); (*bij beroepskeuze, enz.*) guidance; *seksuele* – sex instruction (education, [*Am.*] orientation); *te uwer* – for your guidance; **–sambtenaar** public relations officer; **–sdienst** Information Service; **~liefde** predilection, (special) liking [*voor* for], partiality [*voor* to, for]; – *hebben voor* have a predilection etc. for, be partial to; – *krijgen voor* take a liking (a fancy) to; (*wat*) **~liegen** lie to [a p.]; *ik duld niet dat men mij ~liegt* I won't stand being lied to; **~liggen** lie in front; *wat ligt zij* (= *'t schip*) ~? (*mar.*) what's she heading? how is her head?; *pal west –,* (*mar.*) stand (*of:* head) due west

voorlijk forward [child, plant], precocious [child], early [plant]; **~heid** forwardness, precocity

voor: **~loop** (*bij distilleren*) heads, first runnings; (*ook: naloop*) faints; *zie* ~spook; **~lopen** go (walk, run) in front; (*van uurw.*) gain [two minutes a day]; (*~ zijn*) be [two minutes] fast; **~loper** precursor, forerunner, predecessor, herald; (*schaaf*) jack-plane

voorlopig I *bn.* provisional [government]; *ook:* tentative [arrangement, consent]; *~ bewijs van aandeel* scrip (certificate); *~ dividend, ~e uit-*

kering interim dividend; *~e rekening* suspense account; *~ verslag* interim report; *zie* polis & preventief; II *bw.* provisionally, for the present, for the time being, for some time to come, until further notice

voor: ~**luik** (*mar.*) fore-hatchway; ~**maals** *zie* voorheen; ~**malig** former, late, sometime, one-time [editor of Punch]; ~**man** (*mil.*) front-rank man, man in front; (*van werklui*) foreman; (*bij wissel*) preceding (previous) holder; (*fig.*) leader, leading man; *zie* kopstuk; *zich op zijn – dekken* take up one's covering; (*fig.*) pass the buck; *iem. op zijn – zetten* put a p. in his place, make a p. sit up

voormars foretop; ~**zeil** foretopsail

voor: ~**mast** foremast; ~**meld** above-mentioned, mentioned higher up; ~**meten** measure in the presence of

voormiddag morning, forenoon; *~s te 10 uur* at ten o'clock in the m., at 10 a.m.; ~**beurt**, ~**dienst** m.-service; ~**bezoek** m.-visit, -call; ~**preek** *a)* m.-sermon; *b) zie* ~dienst; ~**wacht** (*mar.*) forenoon watch

voor: ~**mobilisatie** preliminary mobilization; ~**muur** front wall; (*fig.*) bulwark

voorn roach, rudd, red-eye, minnow

1 voornaam *zn.* Christian (first, *Am.* given) name

2 voornaam *bn.* distinguished [visitor], eminent, prominent; aristocratic [manners], high-bred [face], grand [style]; *zie* deftig; (*uit de hoogte*) lofty [contempt], pompous; (*belangrijk*) important, prominent [occupy a ... place]; *~ leven* live in style; *~ste* principal, leading [firms, England's ... pianist], chief; (*fam.*) best [our ... families]; *'t ~ste vraagstuk* (*punt*) the outstanding problem (point); *dit is 't ~ste* this is the principal (main, great) point; ~**doenerij** putting on airs; snobbery, snobbism; ~**heid** distinction; prominence; loftiness, pompousness; *vgl.* ~

voornaamwoord pronoun; ~**elijk** pronominal

voornacht first part of the night

voornamelijk principally, chiefly, mainly, primarily

voornemen I *ww.: zich ~* resolve, determine, make up one's mind [to ...], propose [the method he ...d to use], plan [he did a good deal of what he had ...ned], determine (resolve) upon [a certain course]; *hij nam zich voor ... ook:* he made a mental note (registered a mental vow) to have these things attended to; *zie* voorgenomen; II *zn.* intention, resolution [good new year ...s]; *'t ~ hebben (van ~ zijn, ~s zijn, om te ...* intend to; *'t ~ opvatten om te ...* make up one's mind to ..., resolve to ...; *de weg naar de hel is met goede ~s geplaveid* the road to hell is paved with good intentions

voor: ~**noemd** above-mentioned, aforesaid; ~**oefeningen** preliminary exercises; ~**onder** forecabin, forecastle; ~**onderstellen** presuppose, postulate; -**ing** presupposition; ~**onderzoek** preliminary investigation (inquiry, examination); ~**ontsteking** advanced ignition; ~**ontwerp** (first) draft

vooroordeel prejudice, bias [against ...], preconceived opinion; *een ~ hebben tegen* have a prejudice (be prejudiced) against; *iem. een ~ doen krijgen* prejudice a p. [*tegen* against]; *in -elen gevangen* (*verstrikt*) crusted with (hedged in by) prejudice

vooroorlogs pre-war [social conditions]

voorop in front; *met ... ~* the train ran coaches first; *zie voor bw.;* ~**gaan** lead the way, walk in front (at the head)

vooropgezet: *~te mening* preconceived opinion, preconception

vooropleiding previous training (schooling); [a thorough] grounding

vooroplopen walk in front, (*ook fig.*) lead the way, (*fig.*) stick one's neck out

vooropstellen, -zetten premise, postulate; *ik stel dit voorop, ook:* I put this first and foremost; *zie* vooropgezet

voorouderlijk ancestral

voorouders ancestors, forefathers, forbears

voorouderverering ancestor worship

voorover forward, bending forward, face down, prone, prostrate; *met het hoofd ~* head foremost; ~**buigen** bend (stoop) f.; ~**bukken** stoop; ~**hangen** hang f.; ~**hellen** incline f., lean over; ~**leggen** lay prostrate (prone); ~**leunen** lean f.; ~**liggen** lie prostrate (prone, on one's face, face downward)

vooroverlijden predecease

voorover: ~**lopen:** (*een weinig, erg*) – walk with a (slight, bad) stoop, stoop (slightly, badly); ~**schieten** *zie* schieten; ~**staan** stoop, lean forward, stand with a stoop; ~**vallen** fall f. (on one's face, headlong, head first, head foremost), pitch f.; ~**zakken** slump forward; *zie* ~hellen; ~**zitten** bend forward (in one's chair)

voor: ~**pagina** front page; ~**pand** front [of a coat, etc.]; ~**piek** (*mar.*) forepeak; ~**plecht** (*mar.*) forecastle, bows; ~**plein** forecourt [of Buckingham Palace], front yard, castle-, palace-yard; ~**poort** front (*of:* outer) gate; ~**poot** foreleg, forepaw; ~**portaal** porch, hall

voorpost outpost; ~**engevecht** o. fight, o. skirmish

voor: ~**praten:** *iem. wat –, zie* wijs (... *maken*); (*voorzeggen*) prompt a p.; ~**preken** preach to; ~**pret** anticipatory pleasure, pleasurable anticipation; ~**proef(je)** foretaste, taste; ~**proeven** taste beforehand; ~**proever** (food-)taster; ~**programma** first part of the programme

voorraad stock, supply, store, (*Am.*) stock-pile; *militaire voorraden* military stores; *aanwezige ~* s. on hand; *te grote ~* overstock; *zichtbare ~* visible supply; *een grote ~ voorhanden hebben* have a large s. on hand; *~ opdoen* stock (up); *een ~ opdoen van* lay in a supply of; *zijn* (*winter*)*~ aardappelen opdoen* lay in potatoes for the winter; *zijn ~ is zeer gering* his s. is very small (very low); *in ~* in s., on hand; *in ~ hebben* keep (have) in s.; *in ~ nemen* stock; *uit ~ leveren* deliver from s.; *van* (*nieuwe*) *~ voor-*

zien (re-)stock; (*mar.*) (re-)victual, (*brandstof van luchtschip bijv.*) (re-)fuel; *zie* strekken; ~**kamer** store-room; ~**kast** store cupboard; ~**kelder** store-cellar; ~**schip** supply-ship; ~**schuur** granary [of the Empire], storehouse; ~**vorming** building up of stocks, stock-piling; ~**zolder** store-loft

voor: ~**raam** front window; ~**rad** front wheel; ~**radig** *zie* voorhanden; ~**rand** (*van vliegtuigvleugel*) leading edge

voorrang precedence, priority, [traffic coming from the left has] right of way; *de* ~ *hebben* have priority, take p. [*boven* of, over]; *de* ~ *hebben boven, ook:* rank above; *deze aandelen hebben de* ~ *boven* ... rank prior to ...; *de* ~ *verlenen* give (right of) way; *de* ~ *afstaan aan* yield p. to; *om de* ~ *strijden* contend for the mastery; ~**skruising** preferential crossing; (*opschrift*) give way; ~**slijst** priority list

voorrangsweg major road

voor: ~**recht** privilege; [royal] prerogative; *'t* – *hebben te* ..., *ook:* be privileged to ...; ~**rede** preface; (*vooral door ander dan schrijver*) foreword; (*kort*) prefatory note; ~**rekenen** figure out [s.t. for a p.], show; ~**richtingsbord** advance direction sign; ~**rijden** ride (drive) in front (at the head); (*van auto, enz.*) *zie* voorkomen; ~**rijder** (*op los paard*) outrider; (*op één van 't span*) postilion; ~**roepen** call [a witness]; ~**ronde** qualifying (preliminary, eliminating) round; ~**ruim** (*mar.*) forehold, forward hold; ~**ruit** (*van auto*) windscreen, w.-shield; ~**schieten** advance [money]

voorschijn: *te* ~ *brengen* produce, bring out [a jacket that he had not worn for years], elicit [the inquiry ...ed the following facts]; raise [tears, a blush]; *te* ~ *halen* take out [one's watch], bring out [the best wine], pull out (*plotseling:* whip out) [a revolver]; *te* ~ *komen* appear, come out [the stars ...], make one's appearance, emerge [... victorious from the battle; the train ...d from the tunnel], pop up [unexpectedly]; *een zakdoek kwam uit* ... *te* ~ peeped out of his pocket; *te* ~ *roepen* call up, evoke [spirits], call forth, bring out [danger often ...s out new qualities in a man], call into play [latent energy, etc.]; *te* ~ *schieten* dart out

voor: ~**schip** fore-part of a (the) ship; *op* (*in*) *'t* – [the lamp-room was, the crew lounged about] forward; ~**schoot** apron

voorschot advance, advanced money, loan; ~**ten,** (*verschotten*) out-of-pocket expenses; ~ *in geld* cash a.; ~ *tegen onderpand* a. (*of:* loan) on security; ~ *in rekening-courant* overdraft; *een* ~ *verlenen* make an a.; ~ *geven op* advance money on; *in* ~ *zijn* be to the good; *op* ~ *ontvangen* receive in a.; ~**bank** loan-office; ~**biljet** a.-note

voorschotelen *zie* opdissen & voorzetten (*iem. iets* ...)

voorschreven above-mentioned, aforesaid

voorschrift prescription (*ook van dokter*), direction, instruction; (*voor gedrag*) precept; (*van reglement, enz.*) regulation; *op* ~ *van de dokter* [he is resting] under doctor's orders; *door* ~ *en voorbeeld* [teach] by precept and example

voorschrijven (*eig.*) write [s.t. to be copied by a p.], set [a p.] a writing-copy; (*fig.*) prescribe, (*gebiedend*) dictate [terms, conditions of peace]; *als voorgeschr. in* ... as laid down in the King's Regulations (*zie* wet); *iem.* ~ *hoe hij moet handelen* prescribe (dictate) to a p. how to act; *een patiënt een geneesmiddel (behandeling)* ~ prescribe a medicine (a treatment) for a patient; *'t gezond verstand schrijft 't voor* it is dictated by common sense; *volslagen rust* ~, *ook:* enjoin perfect quiet; *haar is* ... *voorgeschr., ook:* she has been ordered country air (complete rest); *een recept* ~ write (out) a prescription; *iem. een recept (behandeling, enz.)* ~, *ook:* prescribe for a p.; *de* (*'t*) *voorgeschr. lichten, grootte, honorarium, enz.* the regulation lights [of a vessel], size, fee, etc.; *ik laat me niets (door u)* ~ I won't be dictated to (by you)

voorschuiven: *de grendel* ~ push (slip, shoot) the bolt, run the bolt home

voorsein advanced signal

voorshands for the present, for the moment, for the time being

voorslaan *tr.* nail [a board] in front; (*voorstellen*) propose, suggest; *intr.* strike first

voor: ~**slag** first stroke; (*van klok*) warning; (*muz.*) appoggiatura; (*voorstel*) proposal; *iem. een* – *doen* make a p. a proposal; ~**smaak** foretaste, taste; ~**snijcouvert** (set of) carvers; ~**snijden** carve; ~**snijd(st)er** carver; ~**snijmes** carving-knife; ~**snijvork** carving-fork; ~**sorteren** (*verkeer*) filter, preselect; (*opschrift*) get in lane; ~**span** leader(s); ~**spannen** put [the horses] to; *zich ergens* – take a thing in hand; *ik zal hem er* – I'll get him to bear a hand, I'll enlist his services; ~**spatbord** (*auto*) front-wing, (*Am.*) front-fender; (*fiets*) front mudguard; ~**spel** (*muz.*) prelude, overture; (*voor de kerkdienst*) in-voluntary; (*theat.*) prologue, introduction, introductory part of a play; (*fig.*) prelude [*van* ... to a great struggle]; (*liefdes-*) foreplay; ~**spelbaar** predictable; ~**spelden** pin on (in front); ~**spelder** *zie* voorspelddoekje; ~**spelen** play [I'll ... you an example; ... us s.t.; ... to us]; (*kaartspel*) (have the) lead; *komen* – have an audition; ~**speler** (*sp.*) forward

voorspellen spell [a word] to [a p.]

voorspèllen predict, prophesy, foretell, forecast (*v. t. & v. dw.:* id. *of:* ...ed), prognosticate, presage; (*uit tekenen*) augur; (*van zaken*) (fore)bode [ill], augur [well, ill], portend [harm, trouble], spell [disaster, ruin]; *dat voorspelt niets goeds* that forebodes nothing good; *dat voorspelt iets goeds voor 't land* that augurs well for the country; *de zon voorspelt een warme dag* promises a hot day; *ik heb 't je wel voorspeld!* I told you so!; *zie ook* beloven; **-er** prophet, prophesier

voorspelling prediction, prophecy, prognostication, forecast [weather ...]

voorspiegelen: *iem. iets* ~ hold out false hopes to a p., delude a p. with false hopes, dangle hopes etc. before a p.('s eyes), lead a p. to expect a reconciliation, etc.; *er werd hem grote rijkdom voorgesp.* a vision of great wealth was· dangled before his eyes; *zich allerlei dingen* ~ indulge in all kinds of illusions; *ik spiegel mij er niet veel van voor* I am under no illusion about it; *zich een prettige tijd* ~ promise o.s. a pleasant time; **-ing** false hope(s), delusion

voorspijs entrée

voorspoed prosperity; *voor- en tegenspoed* ups and downs; *in voor- of tegenspoed* in (through) foul and fair, in (through) storm and shine, for better for worse, in all weathers; *vrienden in* ~ fair-weather friends

voorspoedig prosperous [the work was ...ly accomplished], successful, auspicious; *'t ging hun* ~ they prospered, were successful; *'t kindje groeit* ~ is thriving; **-heid** ...ness, prosperity

voorspook ghostly warning, omen

voorspraak *a)* intercession [*bij* with], mediation, advocacy; *b) (pers.)* intercessor, mediator; advocate [*bij* with] (*ook bijb.: 1 Joh. 2: 1*); *op* ~ *van* at the i. of; *iems.* ~ *zijn bij* intercede for a p. with, put in a word for a p. with

voorspreken (*om te laten nazeggen*) say (pronounce) first; *iem.* ~ speak on a p.'s behalf, take a p.'s part, put in a word for a p.; **-er** *zie* voorspraak *b)*

voorsprong start; lead [have a ... of ten yards, a ... in armaments over France]; (*van gejaagd dier & bij wedren, ook:*) law [the fox had plenty of ...]; (*sp. & fig.*) headstart; *een* ~ *geven* allow a s., give 10 minutes' etc. s., give law; *een* ~ *hebben op* have the s. (pull) of; *de vijand had een* ~ *van ... op hen* had an hour's s. of them; *een* ~ *hebben van 500 stemmen* be leading by 500 votes; *in de diplomatie hebben vrouwen een zekere* ~ *op mannen* have the edge (a slight edge) over men; ~ *verliezen,* (*sp.*) lose position

voorstaan I *tr.* advocate [a view, liberty, socialism], champion [a principle, the cause of the unmarried mother, the United Nations], stand for [tariff reform]; II *intr.* (*vooraan staan*) stand in front, (*van rijtuig*) be at the door, (*voor de geest staan*) be present to one's mind; *het staat mij voor alsof het gisteren gebeurde* I remember it as if ...; *er staat me zo iets van voor, dat ...* I seem to have heard it before; *er goed* ~, *enz.,* zie staan; *zich laten* ~ *op* pride (plume, pique) o.s. on [one's birth, one's conversational powers]; *hij laat er zich niet op* ~, (*fam.*) he is not stuck up about it; *je laat je* ~ *op onze vriendschap* you presume on our friendship; *hij laat zich op niets* ~ he is an unassuming person; *niet dat ik mij erop laat* ~ not that I take any credit for it

voorstad suburb; *van de voorsteden* suburban

voorstander advocate, champion, supporter, upholder [of capital punishment], partisan [of the welfare state]; ~ *van frisse lucht*

believer in fresh air; ~ *zijn van, ook:* believe in [marrying young]; be in favour of [change]; *een groot ... be* all for [tolerance, employees' participation]; **voorstanderklier** prostate

voorste foremost [in the ... ranks], first, front [row], anterior (*van twee*); ~ *ledematen* forelimbs; ~ *vinger* forefinger; ~ *wagen,* (*van trein*) *ook:* leading coach; *de* ~ *blijven* retain the lead

voorsteken stick (*of:* pin) on (in front)

voorstel proposal; (*van bestuur ook*) resolution, (*van leden van vergadering*) motion, (*wets*~) bill; (*oppering*) suggestion; (*vraagstuk*) problem; (*van wagen*) fore-carriage; *een* ~ *doen* make a proposal; *zie ook* voorstellen; *een* ~ *indienen,* (*door lid*) move (table, hand in) a motion; *een* ~ *aannemen* accept (agree to, accede to) a proposal; *een* ~ *verwerpen* reject a proposal; *op* ~ *van* on the proposal of, on the motion of [Mr. R. the debate was adjourned], at (on) the suggestion of; *zie* proefpreek; **~baar** imaginable

voorstellen (*introduceren*) introduce, (*aan hogeren*) present; (*een voorstel doen*) propose, propound, (*fam.*) put [I'll ... it to her], (*in vergadering*) move [an amendment]; (*opperen*) suggest; (*een voorstelling geven van*) represent [facts, a landscape]; (*betekenen*) mean, stand for [nothing at all]; (*de rol spelen van*) represent, (im)personate [a king]; *de verwerping van 't wetsontwerp* (*de behandeling der oorlogsbegroting*) ~ move the rejection of the bill (the Army estimates); ~ *'t verslag goed te keuren* move the adoption of the report; *ik stel voor, dat we er vandoor gaan,* (*fam.*) I vote we bolt; *aan 't hof* (*de koning*) *voorgesteld worden* be presented at Court (to the King); *hij stelde ons aan elkaar voor* he introduced us; *stel me niet slechter voor dan ...* don't make me out to be worse than I am; *is 't zo slecht als hij 't voorstelt?* is it as bad as he makes out?; *die partij stelt niets meer voor ...* has gone to pot; *dat portret moet ... ~* that portrait is intended (meant) for (is meant to represent) my uncle; *een dividend* ~ recommend (propose) a dividend; *verkeerd* ~ misrepresent; *zich* ~, *a)* introduce o.s.; *b)* picture (to o.s.), figure to o.s., imagine, fancy, visualize [a scene], conceive (of) [he cannot c. of any other system; the Dalton plan c.s of pupils divided into small groups]; (*fam.*) see [I can't ... myself doing it, I can't ... him behaving like that]; *c)* (*van plan zijn*) intend, purpose, propose [he ...d to visit A.]; *stel je voor!* just fancy! only think!; *ik kan me niet* ~ *wat ...* I cannot think what he means; *men kan zich* ~ ... it may be imagined ...; *dat kan ik me* (*best*) ~ I should imagine so (can quite believe it); *stel u 't toneel* (*mijn ontsteltenis*) *voor* picture the scene (my consternation); *zo'n prachtig huis als je je maar kunt* ~ as you would wish to see; *ik kan me* ~ *dat ze ... danst* I can imagine her dancing beautifully; *ik kan mij zijn gezicht niet meer* ~ I cannot recall his face; *hij stelde zich* *de Fransen voor als mensen die* ... he thought of the French as people who ...; *zich een prettige tijd* ~ promise o.s. a pleasant time; *zie ook* motie, enz.; **voorsteller** proposer, mover; *vgl. 't ww.; de ~ van 't wetsontwerp, ook:* the parent of the bill

voorstelling 1 introduction, presentation; 2 representation, *(lezing)* version [his ... of the incident]; 3 *(uitvoering)* performance; *ook:* house [between the two ...s]; *(fam.)* show [two ...s a night]; 4 image, idea, notion; *een ~ geven voor* ... perform before the King; *geld verkrijgen door valse ~en* obtain money by false pretences (representations); *verkeerde ~* misrepresentation; *volgens uw eigen ~ (van zaken)* on your own showing; *zich een ~ maken van* form an idea of, visualize; *de ~ die men zich algemeen maakt van de Engelsman* the popular conception of the E.; *zie ook:* zich voorstellen *b);* **~svermogen** imaginative faculty; **~swijze** way of representing *(of:* putting) things

voor: **~stemmen** vote for it (the proposal, etc.), vote in favour [of the proposal; there were 7 votes in f.], vote affirmatively; *207 stemden ~ en 207 tegen* 207 voted each way; **~stemmer** person voting affirmatively; ~s ayes; *(Hogerhuis)* contents; **~steven** stem [from ... to stern]; **~stoot** *(bilj.)* first stroke; *(van bijen) zie* maagdenwas; **~stoten** *(bilj.)* play first; **~studie** preparatory study; **~stuk** front part; *(van schoen)* front; *(van schip)* fore-body; *(theat.)* curtain-raiser; **~suite** front drawing-room

voort *(verder)* on, onwards, forward, forth, along; *(vertrokken)* away, gone; *(dadelijk)* at once; ~*!* clear out! *(tegen paard)* gee-up!

voortaan in future, from this day forward, henceforth, henceforward

voortand front tooth

voort[1]: **~arbeiden** work (labour) on; **~bestaan** I *ww.* continue to exist, endure, survive; *doen ~* perpetuate; II *zn.* continuance, survival, continued existence; **~bewegen** move on *(of:* forward), propel; *zich* – move (on); **~beweging** propulsion; *('t zich ~bewegen)* locomotion, progression; **~bomen** pole, punt [a boat]; **~borduren** *op* embroider (on), elaborate [a theme]; **~bouwen** continue (go on) building; *– op* build on; **~brengen** produce, bring forth, breed, beget, procreate, create, generate; give forth [a hollow sound]; **~breng(st)er** producer, procreator, generator; **~brenging** production, procreation, generation; **–svermogen** productive power; **~brengsel** *(product;* ~dragen carry along; **~draven** trot on *(of:* along); **~drijven** I *tr. a)* drive (urge, spur) on, impel; *b) (van gassen, enz.)* propel; II *intr.* float along; **–d** propelling; *(mil.)* propellent [charge *lading*]; *–de stof, (mil.)* propellant; **~dringen** *tr. & intr.* push on, press forward; **~duren** continue, last, go on, endure; *het – van*

¹ *Zie ook* door...

the continuance of [the drought]; **~durend** *(steeds herhaald)* continual; *(zonder onderbreking)* continuous, lasting, unremitting; *(altijddurend)* everlasting, permanent; *–e grief (bedreiging, schade)* standing grievance (menace, disgrace); *–e bron van moeilijkheden* constant source of trouble; *~e regens* constant rains; **~during** continuation, duration, permanence; *bij* – continuously; **~duwen** push on *(of:* along); *(fiets)* wheel

voor: **~teken** sign, indication, [a good (evil)] omen, portent, augury, presage, prognostic; *(muz.)* accidental; **~tekenen** draw [s.t.] for another to copy; **~tekening** *(muz.)* signature; **~tellen** count [s.t.] out to [a p.]; **~terrein** *(mil.)* precincts

voort: **~gaan** go on, continue, proceed [*met* with]; *zie* doorgaan; **~gang** progress; *ook:* strides [the enormous ... made by the company]; *– hebben* proceed, go on, be in progress; *– maken* get on, proceed [*met* with], hurry up, push on, push ahead; *er komt – in de zaak* things are moving; *de zaak zal geen – hebben* will not be proceeded with, will not go any further; *de aanklacht zal – moeten hebben* the charge will have to go forward; **~gezet** secondary [education *onderwijs*]; *school voor – onderwijs* continuation school; *–te proefnemingen* prolonged experiments; **~glijden** slide (glide) on; *vgl.* glijden; **~helpen:** *iem. –* help a p. forward *(of:* on); give a p. a lift, help a lame dog over a stile; **~hollen** run *(of:* rush) on *(of:* along); *(fig.) zie* doordraven

voortijd: *de ~* prehistoric times; *de geschiedenis van de ~* prehistory; *de grijze ~* the hoary past; **~ig** premature(ly), [his] untimely [death]

voortijds in former times, formerly

voort: **~ijlen** hurry (scurry, hasten) on; *(van de tijd)* fly; **~jagen** *tr.* hurry (drive, push) on; *intr.* hurry on *(of:* along); **~kankeren** spread like a cancer, fester; **~komen** get on *(of:* along); *– uit* proceed (emanate, come) from [a reliable source]; stem from [the embarrassment stems from ...]; originate from [Africa]; spring from [a royal stock]; *dit boek is voortgekomen uit mijn ervaring* this book has grown out of my experience; *de uit 't geschil –de toestand* the situation arising (ensuing) from the dispute; *kan er iets goeds uit –?* can any good result from it?; *vele voordelen zouden daaruit –* many advantages would accrue; **~kruien** wheel along *(of:* on); *(van ijs)* drift on; *(fig.)* push [a p.] (forward, on); **~kruipen** creep (crawl) on (along, forward); **~kunnen** be able to proceed (to go on); *ik kan niet meer ~* I cannot go any further; *'t werk kan niet ~* is held up [by the strike]; **~leiden** lead on; **~leven** live on; *hij leeft – door zijn werk* he lives on by his work; *hij zal in de geschiedenis – als ...* he will live in history as ...; **~lopen** walk (run) on (along); **~maken** make haste, hurry (up), bestir o.s., be quick; *maak* *wat* ~! hurry up! look sharp! get a move on!; – *met* press (push, get) on with, speed up [the work]; *zich* – run off, take to one's heels; ~ *moeten* be obliged to go on (to leave)

voor: ~**toneel** forestage, proscenium; ~**top** foretop; ~**toveren** conjure up [before …]

voort: ~**planten** propagate [plants, animals, diseases, vices, a doctrine, belief, light, sound; sound-waves are …d by air], transmit [diseases, light, sound, electricity]; *intr.* – breed, propagate (o.s.), multiply, (*van geluid, licht, enz.*) be transmitted, travel; ~**planting** propagation [sound …, … of the faith], multiplication, transmission; (*biol.*) reproduction, procreation; ~**plantingsorganen,** (-**vermogen**) reproductive (procreative) organs (power); ~**ploeteren** plod on (*of:* along); ~**praten** talk away, run on

voortreden stand forth, step forward

voortreffelijk excellent, first-rate; (*fam.*) tiptop, A1; ~ *zingen, enz.* sing etc. to perfection; ~**heid** excellence

voortregenen keep (on) raining

voor: ~**trein** relief train (run before the regular one); *vgl.* volgtrein; ~**trekken:** *iem.* – favour a p. (above others) [you always favour him], be prejudiced in a p.'s favour, show favouritism to a p.; ~**trekker** (*Z.-Afr.*) id.; (*fig.*) pioneer; (*padvinder*) rover

voortrennen run (gallop, rush) on, career [the horse …ed madly down the street]

voortrijden drive (ride) on; *vgl.* rijden

voortroep (*mil.*) van

voortrollen *tr. & intr.* roll (bowl, trundle) along; (*in auto, enz.*) roll (spin, whirl) along

voortros (*mar.*) bow-rope

voortrukken *intr.* march (press, move) on, push (press) forward; *tr.* pull along (*of:* on)

voorts moreover, besides, farther; *en zo* ~ and so on, et cetera, etc.

voort¹: ~**scharrelen** muddle along [ineffectually]; scratch, struggle along [with difficulty], potter along [aimlessly], rub along [resignedly]; ~**schoppen** kick forward; (*fig.*) *zie* vooruitschoppen; ~**schrijden** stride (stalk) along; (*fig.*) make great strides (progress); *met het – der jaren* with advancing years; ~**sjouwen** *intr.* jog (trundle) on (along); *tr.* drag along; ~**slepen** drag along; (*fig.*) drag out [one's life]; drag on [a painful existence], wear out [one's existence in misery]; *zich* – drag o.s. along; (*fig.*) drag by [the hours …], drag on [the war dragged on into its fourth year]; ~**sleuren** *vgl.* ~slepen; ~**sluipen** slink (sneak, steal) along; ~**snellen** hurry on, hasten along; *zie* ~rennen; *maar steeds* – rush on and on; ~**snorren** spin along; ~**spelen** play on; ~**spoeden:** *zich* – hasten (hurry) away (along), speed on, press forward (*of:* on); ~**spruiten:** – *uit* arise (spring, result) from; *zie* ~komen; ~**stappen** step (stride) on (along); *trots* – strut along; ~**stevenen** sail on;

~**stomen** steam on; ~**stormen** tear (rush) on; ~**stoten** push along; ~**stromen** stream (flow) on; ~**strompelen** stumble (hobble) along; ~**stuiven** rush (dash, dart) along (*of:* on); ~**stuwen** propel, push (drive) along; ~**stuwing** propulsion, drive; ~**sukkelen** plod (trudge, jog) on; (*in ziekte*) linger on; ~**telen** procreate, multiply; ~**tobben** struggle along; ~**trekken** *tr.* draw (on), drag (on); *intr.* march on

voortuin front garden

voortvaren *a*) sail on; *b*) continue, proceed

voortvarend energetic, pushful, pushing, (*fam.*) pushy, go-ahead; *hij is verbazend* ~ he has plenty of drive; ~**heid** energy, push(fulness), drive

voort: ~**vliegen** fly on; ~**vloeien** flow on; – *uit* result (arise, proceed, originate, spring, stem) from; *wat zal eruit* –? what will result from it? what will it result in?; -*d uit* consequent on; *de daaruit* -*de hongersnood* the consequent (resulting, resultant) famine, the famine consequent upon it; *zie* ~komen & volgen; ~**vloeisel** result; ~**vluchtig** fugitive; absconding [debtor]; (*fam.*) [be] on the run; -*e* fugitive (from justice), runaway; ~**willen:** *mijn benen willen niet meer* ~ my legs betray me; ~**woekeren** *zie* ~kankeren; ~**zeggen** make known, repeat; *zegt het* ~! pass it on! please tell your friends (tell others)!; *ik zeg 't gaarne* ~ I gladly pass the message on

voortzetten continue [a business, etc.], proceed on [one's journey], go on (proceed) with, carry on [one's work], follow up [an inquiry]; *wordt voortgezet* to be continued; *de kennismaking* ~ pursue the acquaintance; *een werk krachtig* ~ push on (forge ahead with) a work; *zie* voortgezet; -**er** continuer; -**ing** continuation; *de al of niet* – the continuation or otherwise [of the exhibition]

voortzwepen whip on

voortzwoegen plod on, toil along

vooruit forward (*ook mar.*); (*van te voren*) before, beforehand, [book seats] in advance; *recht* ~, (*voor ons uit*) straight in front of us; ~ *maar!* (*fam.*) – *met de geit!* go it! go ahead! carry on! (*spreek op*) go ahead! fire away! (*sl.*) spit it out! cough it up! shoot!; ~! (*tegen paard*) get-up!; ~, *naar bed!* away to your bed now! off you go to bed; *langzaam* ~! (*mar.*) easy ahead!; *er is een boot* ~ a steamer ahead; *hij was zijn tijd* (*ver, eeuwen*) ~ he was (far, centuries) ahead of (in advance of) his time(s) (*zie ook* voor *bw.*); *een hele tijd* ~ *kopen* buy well in advance; *een lang* ~ *gemaakte afspraak* a long-standing engagement; *de ene helft* ~ *krijgen en de andere* … get one half down, and the other half on completion of the year; *hij kan niet* ~ *of achteruit* he is in a cleft stick (in a fix); *weer* ~ *kunnen* have s.t. to go to (carry on) with; *zie* borst; ~**bepalen** determine (*of:* fix) beforehand; ~**bestellen** order in advance; ~**bestelling** advance order; ~**betalen**

prepay, pay (for: *vgl.* betalen) in advance; ~send cash with order; **~betaling** prepayment, payment in advance; *bij – te voldoen* cash with order, payable in advance; **~boeren** get on (do) well; **~brengen** bring forward; (*fig.*) help on (*of:* forward), advance [science]; **~denken** think ahead; **~draven** trot (run) on before (*of:* ahead); **~drijven** drive forward; **~dringen** *tr. & intr.* push on (*of:* forward); **~gaan** go on before, lead the way; (*fig.*) get on, make progress (*of:* headway), progress, come on, improve [the condition has ...d; an improving quarter *stadswijk*]; move [with the times] (*van barometer*) rise; *hij was ~gegaan,* (*eig.*) he had got on ahead; *wij gaan ~* we are getting on, are on the upgrade (on the up and up); *de patiënt gaat ~* is improving (progressing), (*gaat mooi ~*) is getting on nicely, is making good (satisfactory) progress, is well on the road to recovery; *de medische wetenschap gaat steeds ~* ... goes from strength to strength; *langzaam –* make slow progress; **~gang** progress, advance, improvement; march [of science, of civilization]; *een – vergeleken met* ... an advance on anything that appeared before; *partij van de –* progressive party; **~helpen** help forward, help on [the work]; *zie* voorthelpen; **~komen** (*ook fig.*) get on (make one's way) [in the world], make [good, no] headway; *men kwam niet ~,* (*met werk, enz.*) no headway was made; *iem. – get ahead of a p.;* **~lopen** go on ahead; *– op* get ahead of [one's story], anticipate [events], run ahead of [things]; *op een zaak –,* (*in zijn oordeel*) prejudge a case; *maar ik loop ~,* (*bij vertellen*) but I am anticipating; **~rijden** *a*) ride (drive) on before (in advance); *b*) face (sit with one's face to) the horses (the engine, the driver), face forward; **~rukken** *zie* voortrukken; **~schieten** shoot (dart, dash) forward; **~schoppen** kick forward, (*fig.*) push [a p.] (forward, on), pitchfork a p. into an office; **~schuiven** push (*of:* shove) forward; *~geschoven basis,* (*mil.*) advanced base; **~springen** jump forward; (*van muur, enz.*) jut out, project; **~steken** I *tr.* hold (reach, stretch) out, extend [one's hand], protrude, purse [one's lips], thrust (throw) out [one's chest]; II *intr.* stick out, jut out, protrude, project; *–d* protruding, etc., sticking-out [teeth], prominent [forehead]; *zie* wenkbrauw; **~streven** forge ahead, push o.s. forward; *zie ook* voorbijstreven; *–d* progressive, advanced, (*fam.*) go-ahead; **~strevendheid** progressiveness; **~stuiven** dash forward; **~sturen** *zie* ~zenden; **~vliegen** fly on before, shoot ahead (of the others), plunge forward [the car ...d forward]; **~wandelen** walk on before; **~werken** work in advance; **~weten** know beforehand; **~zenden** send ahead, send on, send [luggage] in advance; **~zetten** advance, put [the clock] forward (on, ahead)

vooruitzicht prospect, outlook; *~en van de oogst* crop prospects; *een slecht ~* a bad look-out; *er*

is geen ~ op verbetering there is no p. of improvement; *in het ~* [have s.t.] in p., [better trade] ahead; *bevordering in het ~ stellen* hold out a prospect of promotion; *het ~ is niet schitterend* the outlook is not brilliant; *geen ~en hebben* have no prospects; ... *biedt geen ~en* the job does not lead to anything; *betrekking zonder ~en* blind-alley occupation (*of:* job); *leven zonder ~en* blind-alley life

vooruitzien *tr.* foresee; *intr.* look ahead; *ver (niet ver) ~* take long (short) views; *regeren is ~* foresight is the essence of government; **~d** forward-looking, far-seeing, long-headed, provident; *–e blik* foresight, forethought, prevision

voorvader ancestor, forefather, progenitor; *~en, ook:* forbears; **~lijk** ancestral

voorval incident, event, occurrence

voorvallen happen, take place, pass, occur

voor: ~vechter champion, advocate [of free trade]; **~vergadering** preliminary meeting; **~verhoor** preliminary examination; **~verkiezing** primary (election); **~verkoop** forward sale; (*van kaarten*) advance booking; **~verleden:** *– jaar* the year before last; **~vertrek** front room; **~verwarmer** enz., *zie* ~warmer, enz.; **~vinger** forefinger; **~vlak** front face; **~vleugel** forewing; **~vliegen** demonstrate, test-fly; **~voegen** prefix; **~voeging** prefixing; **~voegsel** prefix; **~voelen** sense, anticipate; *iets –, ook:* have premonitions of ...; *vgl.* voorgevoel; **~voet** forefoot; **~vorig** *zie* voorlaatst

voorwaar indeed, truly, in truth; (*bijb.*) verily

voorwaarde condition, stipulation; *~n, ook:* terms [our terms are: ...]; *een eerste ~* a prerequisite (precondition); *~n stellen* make conditions; *de ~ (tot ~) stellen, dat* ... make the c. (make it a c., condition, stipulate) that ...; *zijn ~n stellen* state one's terms; *wanneer de volgende ~n vervuld zijn* when these conditions are fulfilled; *onder geen ~* on no account; *op (onder) ~ dat* on (the) c. that, on the understanding that; *op deze ~* on this c.; *op billijke ~n* on moderate terms; *op zekere ~n* [I am willing to participate] on terms

voorwaardelijk conditional; *~ veroordelen* bind over; *~e veroordeling* binding over, conditional (suspended) sentence, probation system; *~ veroordeeld worden* be sentenced to [one month's] suspended imprisonment, be put (placed) on probation; *~ vonnis van echtscheiding* decree nisi; *~e wijs* conditional (mood); *zie* vrijheid

voorwaarts I *bw.* forward, forwards, onward(s); *één pas ~!* one pace f.!; *~, mars!* quick — march!; *~ gaan, ook:* push on; II *bn.* forward, onward; III *zn.* = *voorspeler* forward

voor: ~wagen (*mil.*) limber; **~wand** front wall; **~warmen** warm up, pre-heat; **~warmer** (feedwater) heater, (boiler) pre-heater; **~warming** pre-heating; **~wedstrijd** eliminating heat

voorwenden pretend [illness, etc.], feign, affect, simulate, give out, profess, sham; (*als verontschuldiging*) plead [a headache]; *'t is alles* *voorgew.* it's all (a) pretence (all put on) [his fear was put on]; *voorgew. vriendschap* professed friendship; *voorgew. wanhoop* mock despair; *zie* doen alsof

voorwendsel pretext, excuse, make-believe, pretence, blind; *onder ~ dat* under (on) the p. (the plea) that; *onder ~ van ... on* (under) the p. (the plea) of ..., under pretence of ..., under colour of ...; *valse ~en* false pretences; *'t zijn maar ~s, vgl.* voorwenden

voor: ~**wereld** prehistoric world; ~**wereldlijk** prehistoric; (*fig., ook:*) antediluvian; ~**werk** (*van boek*) front matter, preliminary matter (pages), (*Eng.*) prelim(inarie)s; (*mil.*) outwork; ~**werken** lead (*of:* teach) a squad of gymnasts; ~**werker** foreman; leader (of a squad of gymnasts); (*mil.*) fugleman; ~**werp** object, thing, article; (*gramm.*) object; *zie* lijdend, vinden; – *van spot* object of ridicule, laughing-stock; ~**werpen** throw to (before); (*fig.*) *zie* voet (*voor de ...en gooien*); ~**werpsnaam** name of a thing; ~**werpszin** object clause; ~**weten** *zie* ~kennis; ~**wetenschap** foreknowledge; ~**wiel** front wheel; ~**aandrijving** f.-w. drive; ~**winter** beginning (early part) of (the) winter, early winter; ~**woord** *zie* ~rede; ~**zaal** *a)* front room; *b)* anteroom, antechamber; ~**zaat** ancestor, forefather; *mv. ook:* forbears; ~**zang** introductory song; (*kerk*) opening hymn; ~**zanger** precentor, (parish-)clerk; ~**zegd** above(-mentioned, -named); aforesaid

voorzeggen prompt [a pupil, etc.], tell [a p.] what to say; *niet ~* no prompting, please

voorzèggen predict, presage, prophesy; ~**d** prophetic

voorzegger prompter

voorzègger prophet, prophesier

voorzègging prediction, prophecy

voor: ~**zeil** foresail; ~**zeker** to be sure, certainly, surely; ~**zet** first move; (*sp.*) centre; *wie heeft de –?* who has first move?; *iem. een – geven* (*fig.*) play up to a p.; ~**zetlens** (*fot.*) close-up lens; lens attachment; ~**zetsel** preposition; ~**zetten** place in front; put [one's foot] forward; put [the clock] on (forward, ahead); *iem. iets –* place (set) s.t. before a p., dish up [meat, etc.] for a p.

voorzichtig careful, prudent, cautious, wary; (*tactvol*) discreet; (*om 't terrein te verkennen*) *ook:* tentative [in very ... language]; (*in zijn woorden, enz.*) *ook:* guarded [... language; very ... in one's speech]; conservative [estimate]; *zeer ~* (*bij aanraking, enz., ook:*) gingerly [touch it ...]; *~!* be c.! steady [with the lamp]! have a care! watch your step! (*als opschrift*) with care! caution!; *~ te werk gaan* proceed with caution, tread (proceed) warily, play safe; *~ voortgaan* pick one's way carefully; *~ gesteld* guarded [letter]; *iem. 't nieuws ~ vertellen* break the news gently

voorzichtigheid prudence, care, caution, wariness, discretion; *zie* porseleinkast; ~**shalve** by way of precaution; ~**smaatregel** precautionary measure, precaution

voorzien (*vooruitzien*) foresee [it is difficult to ... the end], anticipate; *~ van* provide (furnish, supply) with; fit [a cupboard] with [shelves; bathroom fitted with full-sized bath]; *van etiket(ten) ~* label; *iem. van geld (sigaren) ~* find (keep) a p. in money (cigars); *hij is goed van alles ~* he is well provided (supplied) with everything; *goed ~ van orders* well-placed for orders; *zich ~* suit o.s.; *zich ~ van* provide (supply) o.s. with; *zich in hoger beroep ~* appeal to a higher court (of justice); *ruim ~* amply provided [*van* with]; well-stocked [the estate is ... with game]; *ruim ~ zijn van, (hand.)* carry a large stock [of an article]; *goed ~e tafel* well-spread (well-supplied) table; *ik ben ~* I am suited; *'t was te ~* it was to be expected; *niet te ~* unforeseeable [consequences]; *~ in* meet [the demand, a want], cover [the case is not ...ed (*of:* met) by this act *wet*], fill [a vacancy, situation], supply [a deficiency, want], provide (make provision) for [the education of the poor], attend to, cater for [a p.'s wants]; *er is in de betrekking ~* the post is filled; *daarin moet ~ worden* that should be attended (seen) to; *in al die miljoenen moet ~ worden* all these millions have to be made good; *het ~ hebben op*, zie verzien; *zie ook* behoefte, gemak, onderhoud, sacrament, enz.

voorzienigheid providence; *de V~* P.

voorziening provision; supply [of a demand]; *~ in cassatie* petition of appeal; ~*en treffen* make p. [for religious instruction in schools]; *sociale ~en* welfare facilities

voorzij(de) front [of a house], front side, face, anterior side; obverse [of a medal]; (*van document*) face; *aan de ~ van* [a room] in the f. of [the house]; *'t huis staat met de ~ naar de straat* faces the street

voor: ~**zingen** *tr.* sing [s.t.] to [a p.]; *intr.* lead the singing; ~**zitster** *zie* presidente

voorzitten *a)* preside, be in the chair; (*fam.*) chair [a meeting]; *b)* be at the back of a p.'s mind; *dat heeft bij mij voorgezeten* that was my guiding principle (the end I had in view); *zie* presideren

voorzitter chairman, president; Speaker [of the House of Commons], Lord Chancellor [of the House of Lords]; (*van stembureau*) presiding officer [of a polling-booth]; (*van Kamerclub*) sessional chairman; *~ zijn, ook:* be in the chair; *tot ~ benoemd worden* be called (voted) to the chair; *Mijnheer de ~!* Mr. Chairman!; *zie* dank; ~**schap** chairmanship, presidency; (*Lagerhuis*) Speakership; *onder – van de Heer A.* under the chairmanship of Mr. A., Mr. A. in the chair; ~**shamer** c.'s hammer, gavel; *op de ~sstoel zitten* be in (occupy) the (presidential) chair

voor: ~**zitting** *zie* voorzitterschap; ~**zomer** beginning (early part) of (the) summer, early summer; ~**zoon** *a)* son by a previous marriage; *b)* son born before marriage

voorzorg precaution, provision, care, forethought; ~ *voorkomt nazorg* prevention is better than cure; *uit* ~ by way of p.; **~smaatregel** precaution(ary measure)

voorzover *zie* zover

voos spongy, woolly; (*fig.*) rotten [society], unsound; hollow [promises]; (*van gestel*) sickly, weakly; **~heid** sponginess, etc.

vorderen I *intr.* make progress (*of:* headway), get on, progress, advance [the afternoon was well ...d], wear on [the day wore on]; go ahead [the plan is going ahead quite well]; *goed* ~ make good progress; *de zaken zijn zover gevorderd* ... matters have got so far ...; *niet* ~ make no p. (*of:* headway); *zie gevorderd;* II *tr.* demand, claim; (*vereisen*) require, demand; (*mil.* = op~) requisition

vordering 1 (*voortgang*) progress, advance, improvement; *~en* progress; *~en maken, zie* vorderen; *snelle ~en maken, ook:* make rapid strides; 2 claim [*op* on, against], demand; *waardeloze ~en* bad debts; *zie* instellen & uitstaand; **~sformulier** (*mil.*) requisition form

vore furrow (*ook fig.* = wrinkle); (*weerk.*) trough [of low pressure]

1 voren *zn., zie* voorn

2 voren: *naar* ~ to the front, forward [view *uitzicht*]; *naar* ~ *treden* (*komen*) step (come) forward; (*fig.*) come to the fore (the front), stand out [these names ... most clearly], emerge [the chief points that ... from these letters]; *naar* ~ *brengen* bring [a p., a question] to the fore (the front: her talents had brought her to the front); bring out [this aspect is clearly brought out]; *iem. naar* ~ *dringen,* (*fig.*) push a p. forward (*of:* on); (*van*) *te* ~ *before,* previously [his wife had died two years ...]; (*vooruit*) beforehand, [book seats two days] ahead, [pay] in advance; *nooit te* ~ never before; *zie* ooit; *van* ~ [open] in front; *van* ~ *af aan* from the beginning, (*opnieuw*) once more; *weer van* ~ *af aan beginnen* start afresh; *zie* wind

vorenstaand above-mentioned, above, mentioned before (higher up), previously mentioned

vorig former, preceding, previous, last; *de ~e zondag,* (*verleden*) last Sunday, (*voorafgaande*) the previous Sunday, the Sunday before; *de ~e week donderdag* on Thursday of last week; *de ~e eeuw* (the) last century; *'t ~e hoofdstuk* the preceding chapter; *de ~e* (*pas afgetreden*) *regering* the late government; *van de ~e avond* [their] overnight [conversation]; *zie* vroeger

vork fork (*ook van fiets, weg, enz.*); *ik weet hoe de ~ in de steel zit* I know the ins and outs of the matter (how matters stand, how the land lies); *ik begin te zien hoe ...* I see (day)light; *ah, zit de ~ zo in de steel?* that's how things are, is it?; *zie* hooi; **~achtig** forky, forked; **~been** forked bone, merrythought, wish(ing)-bone; **~(hef)truck** fork (lift) truck; **~vormig** f.-shaped, forky

vorm (*tegenov. inhoud*) form; (*gedaante*) shape,

form; cast [of countenance, of features]; (*formaliteit, enz.*) form, formality, ceremony; (*gramm.*) form [of a word, etc.], [passive, active] voice; (*wisk.*) expression; (*voorwerp*) [pudding-]mould, [hatter's] form; (*gietvorm*) mould, matrix; (*typ.*) forme; *welke ~ heeft ...?* what shape is his face?; *de aarde heeft de ~ van ...* is the shape of an orange; *de ~en in acht nemen* observe the forms; *hij is iemand zonder ~en* he has no manners; *een bepaalde* (*vaste*) ~ *aannemen* take (definite) shape (form), assume a definite shape, [suspicions began to] acquire f. and substance; *de mening omtrent ... neemt een vaste ~ aan* opinion on this matter is slowly crystallizing (hardening); *een vaste ~ geven aan* mould into concrete f.; *in* (*naar*) *de ~* in due (and proper) f.; *in de ~ houden* keep [the hat] in shape; *in de ~ van* in the shape (form) of; *in* (*tot*) *de ~ van ...* a handkerchief rolled to the shape of a ball; *in enige ~ of gedaante* [reward] in any shape or f.; *in de* (*rechte*) ~ *brengen* shape, fashion; *ik sta niet op ~en* I do not stand on (f. and) ceremony, am no stickler for etiquette; *uit de ~ zijn* (*raken, brengen*) be (get, put) out of shape; *voor de ~* for f.'s sake, pro forma, [send for the doctor] as a matter of f.; formal [questions]; *dat is maar voor de ~* only a matter of f., a mere formality; *zonder ~ van proces* [hanged] without trial, summarily [executed, dismissed], [shoot a p.] out of hand; **~aarde** *zie* ~klei; **~baar** mouldable, plastic; **~bank** moulder's bench

vormelijk formal, conventional, ceremonious; **~heid** formality, conventionality, ceremoniousness

vormeling (*r.-k.*) confirmee

vormen (*een vorm geven*) form, shape [character], frame, fashion, model, mould, train [character]; (*maken, uitmaken*) form [a government, an opinion], start, set up [a committee, a fund], build up [a fund], create [a Cabinet], constitute [such an act does not ... a crime; he was differently ...d], account for [20% of the population], make [dogs ... the best companions, minutes ... hours, they ... a handsome couple], make up [a train; the parts m. up the whole], spell [what do these letters ...? c-a-t ...s cat]; (*r.-k.*) confirm; *te zamen ~ ook:* add up to [a curious picture]; ~ *naar* model [one's style] upon [the Bible; the American government was modelled on the English]; *zich* ~, (*van zaken*) form [ice ...ed on the wings, a protest ...ed on her lips]; form up [the procession ...ed up]; *er vormt zich stoom* steam is produced; *een fraai* (*goed*) *gevormd gezicht* (*been*) a finely chiselled face (a shapely leg) [*vgl.* a delicately shaped figurine, coarsely moulded features]; **~d** (*fig.*) educative, educating, formative, forming [influence]; *~e waarde* educational value; **~rijk** polymorphous

vorm: ~er former, framer, moulder, modeller; **~geving** [artistic] composition, [industrial] design; ~**gieter** moulder; ~**ing** formation, forming, etc.; *vgl.* *'t ww.;* (*van de geest*) cultivation, education; ~**sdag** (*ongev.*) day release; ~**swerk** (*ongev.*) day-release courses; ~**klei** moulding-, modelling-clay; ~**leer** elementary geometry; (*biol., gramm.*) morphology; (*gramm.*) accidence; ~**loos(heid)** shapeless(ness), formless(ness); *'n ~loze massa, ook:* an amorphous mass; ~**plank** modelling-board; ~**raam** (*papierfabriek*) moulding-frame, wire-form; (*typ.*) chase; ~**school** training-school, normal school; ~**sel** .(*r.-k.*) confirmation; ~**snijder** form-cutter, moulder; ~**ster** *zie* ~er; ~**verandering** transformation, metamorphosis; ~**zand** moulding-sand

vors frog

vorsen investigate, make inquiries, search; *~de blik* searching (scrutinizing) look; **vorser** researcher

vorst 1 (*van dak*) ridge; 2 frost; *de ~ is over de f.* has broken; *er zit ~ in de lucht* there's a nip of f. in the air; *de ~ zit nog in de grond* there is still f. in the ground, the ground is still f.-bound; 3 sovereign, monarch, ruler; prince [Indian ...s; the ... of Monaco]; *de ~ der Eng. dichters (der duisternis)* the prince of English poets (of darkness); ~**balk** ridge-pole, roof-tree; ~**elijk** royal, princely, lordly; *een –e gift* a princely gift; *– belonen* reward with princely munificence; *zie* koninklijk & persoon; ~**elijkheid** royalty

vorsten: ~**dom** principality; ~**geslacht** race of rulers; (*dynastie*) dynasty; ~**gunst** royal favour; ~**huis** dynasty; *de* V~**landen** the Principalities; ~**moord(er)** regicide; ~**telg** royal scion; ~**zoon** royal son

vorstgrens frost-line

vorstig frosty [weather]

vorstin queen, empress, monarch, sovereign

vorstpan ridge-tile

vorstperiode icy spell

vorstverlet hold-up owing to frost

vorstvrij frost-proof

vort (*tegen paard*) *zie* voort

vos fox (*mannetje:*) dog-fox; *wijfje:* bitch-fox, vixen); (*paard*) sorrel (horse), bay (horse); (*vlinder*) tortoise-shell (butterfly); (*damesbont*) fox stole; *oude ~,* (*fig.*) old f.; (*in zijn vak*) old stager, old hand; *slimme ~* sly old dog; *als de ~ de passie preekt, boer pas op je ganzen* when the f. preaches, guard your geese; *de ~ preekt de passie* Satan rebukes sin, it is Satan rebuking sin; *een ~ verliest wel zijn haren maar niet zijn streken* what is bred in the bone will not come out of (will come out in) the flesh; *men moet ~sen met ~sen vangen* set a thief to catch a thief; ~**aap** lemur; ~**achtig** foxy; ~**kleurig** f.-coloured; (*van paard*) sorrel, bay; ~**konijn** viscacha; ~**paard** *zie* ~

vosse-: fox: ~**bes** cowberry; ~**bont** f. fur; ~**gat** *a)* f. hole; *b)* vent-hole (before cellar-window); ~**haar** f.-hair; ~**hol** f.-hole, -earth;

~**jacht** f.-hunt(ing); *op de – gaan* ride to (follow the) hounds; ~**jager** f.-hunter, rider to hounds; ~**jong** f.-cub; ~**kop** f.'s head, f.'s mask

vossen swot (mug up) [for exams]; *'n week lang hard –* do a week's hard grind; *~ op, ook:* mug up

vosser mugger, swot(ter)

vosse: ~**staart** foxtail, fox's tail, fox-brush; (*plant*) foxtail; ~**val** fox-trap; ~**vel** fox-skin

voteren vote [a credit, £200,000]

votief votive; ~**mis** votive mass; ~**steen, ~tafel** votive tablet

votum vote; (*kerk.*) (hallowing) introduction, opening sentences; *~ van vertrouwen* vote of confidence; *~ van wantrouwen* want-of-confidence (no-confidence) vote

vouw (*algem.*) fold; (*in kleding*) fold, pleat, crease [in trousers]; (*ezelsoor*) dog's ear; *uit de ~ gaan,* (*van broek*) lose its crease; ~**apparaat** folding-machine; ~**baar** foldable, pliable; ~**been** folder, paper-knife; ~**blad** folder; ~**blind** folding-shutter; ~**boot** collapsible boat, folding-boat; ~**briefje** cocked hat, three-cornered note; ~**deur** folding door(s)

vouwen fold; *de handen ~* f. (clasp, join) one's hands; *in drieën ~* f. in three; *dubbel ~* double [a blanket]

vouw: ~**fiets** collapsible (folding) bike; ~**schaar** folding scissors; ~**scherm** folding screen; ~**stoel** folding chair, camp-chair, -stool; ~**tafel** folding table; ~**wagen** folder, folding push-chair

vox humana (*orgelregister*) id.

voyeur id., peeping Tom

vraag question, query; (*om iets*) request; (*tegenov. aanbod*) demand; (*kwestie*) question; *moeilijke ~* poser; *~ en aanbod* supply and demand; *een ~ met een (weder)~ beantwoorden* answer a q. by asking another, reply to a q. by a counter-question; *dat is nog de ~* that's a q., that remains to be seen; *dat is de ~ niet* that is not the q. (the point); *'t is (zeer) de ~ of ...* it is highly questionable whether ...; *de ~ is niet of ...* the point (the q.) is not whether ...; *de ~ rijst* the q. arises; *een ~ doen (stellen)* ask [a p.] a q., put a q. [to a p.], pose a q.; *een ~ uitlokken* invite a q.; *er is ~ (geen~) naar ...* there is a (no) demand for ...; *er is veel ~ naar* it is much in demand (in great request); *er was tamelijk veel ~ naar Santos* Santos was in fair request (demand); *er is (plotseling) veel ~ naar rubber* there is a run on rubber; *zie* stellen; ~**achtig** inquisitive; ~**al** inquisitive person; ~**baak** vademecum, reference-book; (*pers.*) source (focal point) of information, (*onfeilbaar*) oracle; ~**boek** catechism; ~**gesprek** interview; ~**prijs** price asked, asking (*of:* demand) price; ~**punt** point in q., moot point; ~**sgewijze** by way of questions and answers, catechetically; ~**steller** questioner; ~**stuk** problem, question, riddle; (*wisk.*) problem; ~**teken** note (mark, point) of interrogation, q.-mark (*ook fig.:* the great ...), interrogation-mark; (*bij twijfel*) query(-mark); *daar zet ik een – achter* (*bij*) I query (have my doubts about) that; ~**wedstrijd** quiz; ~**woord** interrogative (word); ~**ziek** inquisitive; ~**zin** interrogative sentence; ~**zucht** inquisitiveness

vraat glutton, hog, (greedy) pig; *zie* vreterij; ~**achtig** *zie* ~**zuchtig**; ~**zucht** gluttony, voracity, gluttonousness; ~**zuchtig** gluttonous, greedy, voracious

vracht (~*prijs, te water*) freight; (*te land*) carriage, (*Am. ook*) freight; (*voor pers.*) fare; (*scheepslading*) cargo; (*van wagon*) load, (*Am. ook*) freight; (*fig.*, = *grote hoeveelheid*) (cart-) load [of books]; *zie ook* ~**tarief**; ~ *hout* cartload of wood (*maar: een grote* ~ *hout op z'n schouder* a great weight of wood on his shoulder); ~ *in het ruim* in-board cargo; *tegen halve* ~, (*van pers.*) at half fare; ~**agent** f.-agent; ~**auto** (motor-)lorry, -truck, -van; ~**boot** cargo-boat, -vessel, freighter (*ook voor pers.:* passenger freighter); ~**brief** (*per schip*) bill of lading (B/L); (*per spoor*) consignment-note; – *voor wegvervoer* waybill; ~**contract** charter-party; ~**dienst** cargo service; ~**enmarkt** f.-market; ~**geld** *zie* ~; ~**goed** goods; (*per schip*) cargo; *als* – *verzenden* send (*of:* forward) by (ordinary) goods train, by goods; ~**je** (*in taxi*) passenger; ~**kar** *zie* ~**wagen**; ~**koers** rate of f., f.-rate; ~**lijst** manifest; ~**loon** *zie* ~; ~**nota** f.-note, note of f.; ~**penningen, ~prijs** *zie* ~; ~**rijder** (common) carrier, (public) road haulier; ~**rekening** f.-account; ~**schip** *zie* ~**boot**; ~**tarief** (*te water*) rate of f., f.-rate; (*per spoor*) rate of carriage; ~**vaarder** carrier (*ook van land* = carrying country); *zie ook* ~**boot**; ~**vaart** carrying-trade; ~**vervoer** f.-traffic; ~**vliegtuig** cargo-plane, freighter; ~**vrij** (*per schip*) f. paid; (*per spoor*) carriage paid; (*per post*) post-paid; ~**wagen** truck, lorry, wag(g)on, van

vragen ask; (*lit.*) query; call upon [a p. to resign]; (*kaartspel*) call, declare [hearts, etc.]; (*in rekening brengen*) charge; (*in krant*) advertise for [a manager]; (*eisen*) require [time, money]; *vraag het aan moeder* ask mother; *vraag het mij niet* don't ask me; *als je 't mij vraagt* if you ask me; *ik vraag alleen maar* I merely a.; *je moet niet zo* ~! don't a. questions; *ik moet u iets* ~ I have s.t. to ask of you; *iem. zijn naam* ~ a. a p. his name, a. (*of:* inquire) a p.'s name; *een meisje* (*ten huwelijk*) ~ ask (propose to) a girl; *de reden* ~ a. the reason; *een prijs* ~ a. a price; *dat is nogal veel gevr.* it's rather much to a., (*fam.*) it's a pretty tall order; *dat is te veel gevr.* that is too much to a. (asking too much); *'t vraagt de aandacht* it asks (for) attention, it claims (one's) a.; *één geval vraagt bijzondere vermelding* one case calls for special mention; *er wordt ons gevr. waarom* ... we are being asked why ...; *waarom heb je hem hier gevr.?* why did you a. him here?; *laten* ~ send to inquire (to ask); *hij liet zich geen tweemaal* ~ he did not need to be asked twice; *gevraagd: een keukenmeid* wanted, a cook; *wat is gevr.?*

(*kaartsp.*) what is the lead?; *harten wordt gevr.* the lead is hearts; *wel, daar vraag je me wat!* (*wat ik moeilijk beantwoorden kan*) ah, there you have me! now you're asking me one! (*sl.*) a. me another!; *nu vraag ik je* (*toch*)! (now) I a. you!; *vraag dat wel!* you may well a. (that)!; *dat artikel wordt veel gevr.* there is a great demand for that article, that article is in great demand; *op hoeveel komt je dat, als ik* ~ *mag?* how much does it cost you, if I may a.? (may I a.? if it's a fair question?); *wat ik je* ~ *mag* [be silent], I beg of you, let me beg of you [not to ...]; *hij vroeg me dikwijls bij zich aan huis* he often asked me to his home; *naar iemand(s gezondheid)* ~ a. after a p.('s health), inquire after (for) a p.; *er is iem. die naar u vraagt* someone is asking [inquiring] for you; *men vraagt naar u* you are wanted; (*iem.*) *naar de weg* ~ ask (inquire) the (one's) way (of a p.), ask (a p.) the way; *men vroeg mij de weg naar A.* I was asked the way to A.; *naar de bekende weg* ~ a. for the sake of asking; *naar de prijs* ~ ask (inquire) the price; *daar vraag ik niet naar,* (*'t kan me niet schelen*) I don't care about that; ~ *om* a. for; *iem. om geld* (*een gunst*) ~ a. a p. for money (a favour), a. money (a favour) of a p.; appeal for [funds]; *zie hand; je hoeft er maar om te* ~ you can have it (it is yours, it may be had) for the asking; *hij vraagt erom* he is asking for it (for trouble); *iem. op een partij* ~ ask (invite) a p. to a party; *te(n) eten* ~ a. to dinner; *veel* ~ *van,* (*fig.*) make great demands on; *er werd veel inspanning van hem gevraagd* much effort was demanded of him; *wat vraag je ervoor?* what do you ask for it?; *zie op*

vragenboek catechism

vragenbus question-box

vragend *bn.* inquiring, questioning [look], interrogative [sentence]; *bw.* ... ly [look at a p. inquiringly, questioningly]

vragenderwijs interrogatively

vragenlijst questionnaire

vragensteller questioner

vrat *o.v.t. van* vreten

vrager inquirer, questioner, interrogator

vrede peace; ~ *door onderhandeling* negotiated p.; ~ *sluiten* make (conclude) p.; *overhaast* (*niet duurzaam*) ~ *sluiten* patch up (a) peace; *overhaast gesloten* ~ patched-up p.; ~ *stichten* make p.; *ga in* ~ go in p.; *hij leeft in* ~ *met iedereen* he lives in (is at) p. with all men (all the world); *ik heb er* ~ *mee* I don't object; all right!; *daar heb ik geen* ~ *mee* I am not content with that; *ik heb er geen* ~ *mee om te ...* I am not content to ...; *ten laatste had hij er* ~ *mee* at last he was reconciled to it; *met* ~ *laten* leave in p., leave (let) alone; *hij liet mij niet met* ~, *ook:* he gave me no p. [until ...]; *zie als*; ~**bode** p.-bearer; ~**breuk** breach of the p.; ~**feest(en)** p.-festivities; ~**kus** kiss of p.; ~**lievend** p.-loving, peaceable, pacific; ~**lievendheid** love of p., peaceableness; ~**maker** peacemaker; ~**offer** p.-offering; ~**rechter** justice of the p., J.P.

vredes- peace; ~**aanbod** p.-offer; ~**apostel** apos-

tle of p.; ~beweging p.-movement
vredeschender peace-breaker
vredes- peace: ~**conferentie** p. conference; ~**congres** p. congress; ~**duif** dove of p.; ~**gezind** p.-, pacifically-minded; ~**kus** pax, kiss of peace; *in* ~**naam** for goodness' sake; ~**onderhandelingen** p. negotiations; ~**paleis** Palace of P., P. Palace; ~**partij** p. party; ~**pijp** [smoke the] pipe of p., calumet; ~**sterkte** p. establishment, -strength; *op* – at p.-strength, on a p.-footing; ~**tempel** temple of p.
vredestichter peacemaker
vredes- peace: ~**tijd** p.-time, time of p.; ~**tractaat**, ~**verdrag** p.-treaty, p.-pact; ~**voorslag**, ~**voorstel** p. offer, offer of p.; ~**voorwaarden** conditions (terms) of p.
vredevlag flag of truce, white flag
vredevorst prince of peace
vredig peaceful, quiet, placid
vreedzaam peaceable; *-ame uitbreiding van de invloedssfeer* peaceful (*of:* pacific) penetration; ~**heid** ... ness
vreemd[1] (*onbekend, aan anderen toebehorend*) strange [faces, horse, dog]; (*buitenlands*) foreign [state, language, accent]; (*tot een andere staat behorend*) alien [enemy, friend]; (*uitheems*) exotic [plants, shrubs]; (*raar*) strange, queer, odd, funny, (*sl.*) rum; *een* ~(*e*) *taal* (*woord*), *a*) a foreign language (word); *b*) a s. language (word); ~*e bestanddelen* foreign (extraneous) matter [substances [in water, etc.]; ~ *lichaam* foreign body; ~*e hulp*, (*in huis*) outside help; *'t schrift is mij* ~ the writing is s. to me; *'t werk is mij* ~ I am s. to the work, the work is s. to me; *hij is me* ~ he is a stranger to me; *vrees is mij* ~ I am a stranger to fear; *dat spel(letje) is hem helemaal niet* ~ he is by no means new to that game; ... *is hem* ~ trickery is foreign (alien) to him; ~ *zijn aan* be innocent of [trickery]; *het is niet* ~ *dat hij* ... it is not surprising that he ...; *ik ben hier* ~ I am a stranger here; *ik voel me hier* ~ I feel s. here, I feel out of it here; ~ *dat hij hier is* s. that he should be here; ~ *genoeg* ... strangely (oddly) enough (s. to say) he did not remember me; *iets* ~*s* something s.; *de familie heeft iets* ~*s*, *ook:* there is a queer streak in the family; *'t* ~*e ervan is* ... the s. part of it is ...; *'t* ~*e van zijn gedrag* the strangeness of his behaviour; *'t* ~*e trekt altijd aan* what is s. has a wonderful attraction for people; ~ *gaan* have extra-marital relations, sleep around; *zie* doen, eend, ophoren, opkijken, enz.
vreemde 1 *zie* vreemdeling; *iem. als een* ~ *behandelen* make a stranger of a p.; *dat heeft hij van geen* ~ he is a chip off the old block; 2 *in den* ~ [live] abroad, in foreign parts, in a foreign country; *in den* ~ *geboren*, *ook:* foreign-born; *zie ook* vreemd
vreemdeling (*onbekende*) stranger [*voor mij* to me]; (*buitenlander*) foreigner; (*niet genaturaliseerde*) alien; *ongewenste* ~ undesirable a.;

ik ben een ~ *in* ... I'm a s. in (*of:* to) this town, in (*of:* to) these parts; *een* ~ *in J.* a s. in Jerusalem
vreemdelingen: ~**boek** (hotel-)register, arrival-book, travellers' (visitors') book; ~**bureau** tourist information bureau; ~**dienst** aliens registration office; ~**haat** xenophobia; ~**hater** xenophobe; ~**legioen** foreign legion; ~**verkeer** tourist traffic, tourism; (*als bestaansmiddel*) tourist industry; *men verwacht een druk* – a rush of visitors is expected; *Vereniging voor* – Travel and Holidays Association; Travelers Aid Society; ~**wet** aliens act
vreemdelingschap alienism, alienship
vreemdewoordentolk dictionary of foreign words [in English]
vreemdheid strangeness, queerness
vreemdsoortig (*ongelijksoortig*) heterogeneous; (*zonderling*) singular, odd; ~**heid** *a*) heterogeneity; *b*) singularity, oddity
vrees fear, (*zwak*) apprehension, (*sterk*) dread; ~ *voor ongeregeldheden* f. of disturbances; ~ *voor zijn gezondheid* f. for his health; *de vreze des Heren is het beginsel der wijsheid* the f. of the Lord is the beginning of wisdom; ~ *aanjagen* strike f. into, intimidate, cow; *geen* ~ *kennen* not know what f. is, have no f. in one's composition; ~ *koesteren voor* be afraid of, stand in f. of, fear, (*bezorgd zijn voor*) fear for, be afraid for [a p.'s safety]; *heb daar geen* ~ *voor!* no fear!; *met* ~ *en beven* in f. and trembling; *uit* ~ *voor* for f. of; *uit* ~ *dat* for f. that, (for f.) lest, for f. [he should hear of it]; *zonder* ~, *ook:* fearless(ly); *zie* ridder & hoop; ~**aanjagend** terrifying, terror-inspiring; ~**aanjaging** intimidation
vreesachtig timid, timorous, faint-hearted; ~**heid** timidity, timorousness
vreeswekkend fear-inspiring, frightful, terrifying
vreetzak greedy-guts, glutton
vrek miser, niggard, skinflint, hunks, curmudgeon, [an old] screw
vrekachtig, -kig miserly, stingy, niggardly, hard, avaricious, curmudgeonly; ~**heid** miserliness, etc., avarice
vreselijk I *bn.* dreadful, terrible, horrible, frightful, awful; *'t* ~*e ervan* the dreadfulness, etc. of it; II *bw.* dreadfully, etc.; (*verbazend*) awfully, frightfully [kind]; *zie ook* ontzettend; ~, *wat is het koud!* my, is it cold!; ~**heid** ... ness
vreten I *ww. tr.* (*van dier*) eat, feed on; (*fig.*) eat up [current]; *'t vreet geld* it eats money; *intr.* (*van dier*) feed; (*van mens*) feed, stuff, gorge, cram; *de koe wil niet* ~ is off her feed; *roest vreet in 't ijzer* rust eats into iron; *iets niet* ~, (*plat*) *zie* nemen; II *zn.* (*van dier*) fodder; *zulk* ~ such stuff; *zie* stuk; ~**er** greedy-guts, glutton; ~**ij** gorging; (*aan planten*) fretting, insect damage
vreugde joy, gladness (*over* at); ~ *der Wet* Re-

---

[1] *Zie ook* gek & raar

joicing of the Law; *hij is de ~ van zijn ouders* he is the (greatest) joy of his parents; *ze had niet veel ~ in 't leven* she did not get much pleasure out of life; *er is geen ongestoorde ~* (there is) no j. without alloy; *een reden tot ~* a reason for rejoicing; *~ scheppen in* enjoy [life]; *zie* beleven; **~bederver** *zie* ~verstoorder; **~betoon** rejoicings; *(nationale)* **~dag** day of (national) rejoicing; **~feest** festivity, feast; **~galm** *zie* ~kreet; **~gezang** song(s) of j.; **~kreet** shout of j., whoop of delight; **~lied** song of j.; **~loos** joyless, mirthless, cheerless; **~traan** tear of j.; **~verstoorder** kill-joy, wet blanket, spoil-sport; **~vol** full of j.; **~vuur** bonfire; **~zang** song of j.

vreze *zie* vrees

vrezen *(pers.)* fear, be afraid of, stand in fear of, *(sterker)* dread; *(iets)* fear, be afraid of, apprehend, be apprehensive of, dread; *wij hebben niets te ~* we have nothing to f.; *hij vreesde te worden ontslagen* he was afraid he would be dismissed; *men vreest, dat er veel levens verloren zijn gegaan* serious loss of life is feared; *ik vrees van niet* I am afraid not; *ik vrees van wel* I am afraid so, I am afraid he is, etc.; *~ voor* f. for [a p.'s safety, reason]; *voor zijn leven wordt gevreesd* his life is despaired of; *'t is te ~* it is to be feared; *de meest te ~ vijand* the most-to-be-feared enemy

vriend (male, gentleman, man, boy) friend; *(fam.)* chum, pal, *(Am.)* buddy; **~en en vriendinnen** men and women friends; *'n ~ van me die schilder is* an artist f. of mine; *~ M.* Friend M.; *nee, ~!* no, my f.!; *een ~ van orde (studie, enz.)* a f. of (to) order, (study, etc.); *een ~ zijn van geld (hengelen, enz.)* be fond of (keen on) money (angling, etc.); **~en in de nood,** *honderd in een lood* a f. in need is a f. indeed; *goede ~en zijn met* be friends with; *goede ~en worden met* make friends with; *(fam.)* chum up with; *weer goede ~en worden* make it up, make friends; *even goeie ~en!* no offence! *(fam.)* no bones broken!; *(zich) ~en maken* make friends; *kwade ~en worden* fall out [met with]; *kwade ~en zijn* be on bad terms; *te ~ houden* keep friends (keep on good terms, keep in) with; *beide partijen te ~ houden* hold with the hare and run *(of:* hunt) with the hounds; *iem. te ~ zien te krijgen* try to get on the right side of a p. (to get in with a p.); *bewaar me voor mijn ~en* save me from my friends, [I can defend myself against my enemies]; *zie ook* dik, Hein, maag 2, scheiden, enz.

vriendelijk kind, friendly (= *vriendschappelijk*); *~e kamer* cheerful room; *een ~ woord kan heel wat doen* a k. word goes a long way; *je moet ~er tegen de mensen zijn* you should be more f.; *wees zo ~ me te laten weten* kindly (be so kind as to) let me know; *mag ik je ~ verzoeken, dat te laten* I'll thank you to stop that; *zij laat u ~ groeten* she sends her k. regards (her love); *~ bedankt!* thank you very much! many thanks!; *~ van je dat je gekomen bent* k. of you to have come; **~heid** kindness, friendliness;

~heden kindnesses, civilities

vriendeloos friendless

vrienden: **~dienst** kind *(of:* friendly) turn *(of:* office); **~groet** friendly greeting; **~kring** circle of friends; **~paar** couple of friends; **~raad** friendly advice

vriend: **~in** (woman, lady, female) friend; fiancée; **~innetje** (girl-)f.; **~je** (little) f., boy-friend, pal; **~jespolitiek** favouritism, nepotism, log-rolling; **~lief** my (good) f.

vriendschap friendship; amity; *~ sluiten (aanknopen) met* make friends with, contract *(fam.:* strike up) a f. with; *er ontstond ~ tussen hen* a f. sprang up between them; *ter wille van onze oude ~* for old time's sake; *uit ~* out of (for the sake of) f.

vriendschappelijk friendly, amicable; *bw.* in a friendly way, amicably; *~ gezind* friendly [to ...]; **~heid** friendliness, amicableness

vriendschaps- friendship; **~band** tie (bond) of f.; **~en,** *ook:* [contract] friendships; *vgl.* vriendschap; **~beker** loving-cup; **~betoon** proof(s) of f.; **~betrekking** friendly relation; **~betuiging** profession (protestation) of f.; **~dienst** *zie* vriendendienst; **V~eilanden** Friendly *(of:* Tonga) Islands; **~verbond** league of amity, friendly alliance; **~verdrag** pact of f.

vrieskamer freezing-chamber; **vrieskast** freezer

vriespunt freezing-point; *op (boven, onder) 't ~* at (above, below) freezing(-point); **~(s)verlaging** lowering of the freezing-point

vriesweer frosty weather

vriezen freeze; *'t begon te ~* the frost set in; *'t vriest hard* it is freezing hard, there is a keen frost; *'t vroor 10 graden* there were ten degrees of frost; *'t kan ~ en 't kan dooien* it may happen or it may not, wait and see; *zie* kraken, dichtvriezen, enz.; **~d** freezing, frosty

vrij I *bn.* free *(ook van arbeid, stijl, beweging, vertaling, ideeën, liefde, taal, klinker, gift, toegang; ook in chem.);* *(in vrijheid)* free, at liberty; *(met vrije tijd)* free, at liberty, at leisure, disengaged; *(ongedwongen)* free, unconstrained, easy; *(vrijmoedig)* free, bold; *(onbelemmerd)* free, unobstructed [view]; *(gratis)* free [passage, seats, ... places in schools], complimentary [seat in a theatre]; *(onbezet, onbesproken)* disengaged [chair, room, taxi], [this room, this table, is not] free; *(zonder hypotheek)* [my house is] free; *(van distributie)* coupon-free; *stop en ~,* *(verkeerssein)* Stop and Go; *zijn ene arm was ~* was f. (disengaged); *~e etage* self-contained flat; *~e opgang (van bovenhuis)* separate entrance; *een (te) ~ gebruik maken van* make f. with [a p.'s wine, etc.]; *iem. 't ~e gebruik toestaan van* allow *(of:* give) a p. the run of [one's house, books, jewels]; *de lijn is ~* the line is clear *(weer ~, ook:* cleared); *alles ~* [£20 a week and] all *(of:* everything) found; *~e huisvesting* f. quarters; *kost en inwoning ~* board and lodging found, f. meals and lodging; *met ~e woning* [a salary of £2000] with residence; [wanted a chauffeur] house (and garden) found; *~e woning hebben* live (have a house) rent-free; *onder de ~e hemel* in the open (air), under the open sky; *~ kamperen* wild camping; *de ~e beroepen* the professions; *de ~e kunsten* the liberal arts; *hij gunde zich een ~e dag* he gave himself a day off; *een ~e dag nemen* take a day off; *een wekelijkse ~e dag* a weekly day off; *~ nemen* take a holiday, *(en pret maken)* make holiday; *de middag, enz. ~ nemen* take the afternoon, etc. off; *~ vragen* ask off, beg off [from school, beg an hour off], ask for a holiday; *~ zijn, (geen dienst hebben)* be off duty, be f., have [each alternate Sunday] f.; *ik ben ... ~* I am free (disengaged) this evening; *ik heb 8 uur dienst en ben dan 2 uur ~* I am on duty eight hours and then I have two hours off; *~e middag* f. afternoon, half-holiday; *~e avond* evening (night) out, night off, f. evening; *haar ~e zondag* her Sunday out; *mag ik vanmiddag (woensdag) ~ hebben?* may I have the afternoon (Wednesday) off?; *welke uren heb je ~?* ... have you at liberty (to dispose of)?; *een uur ~ hebben* have an hour f.; *ik heb geen uur ~, ook:* I cannot call an hour my own; *~ krijgen* [I can] get off [to-morrow]; *passagiers hebben 500 pond ~* are allowed 500 pounds of luggage; *zie ook: ~ zijn*; *de ~e natuur* nature, the countryside, the open country; *~e oefeningen, (gymn.)* f. movements; *~ reizen hebben* be entitled to travel f. (of charge); *op dit kaartje heeft u ~ reizen op ...* this ticket will entitle you to free travel on every line in the country; *~ reizen voor ...* f. travel (f. railway passes) for M. P.s; *~e verzen* f. verse; *~ worstelen* all-in wrestling; *~e ruimte* clear space, clearance; *~e schop* f. kick; *~e slag, (zwemmen)* f. style; *~e tijd* leisure (time); spare time, f. time [in my ..., I have little ...]; *~e uren* leisure (spare, idle) hours, *(buiten dienst)* off-duty hours, off hours; *'t ~e veld* the open (field); *~e verdediger, (sp.)* sweeper; *'t ~e woord* [the right of] f. speech, freedom of speech; *~ aan boord* free on board, f.o.b.; *~ langs boord (langs zij)*, free alongside, f.a.s.; *~ over boord* f. overside; *~ aan huis* f. domicile; *~ pakhuis* f. warehouse; *~ spoor* f. on rail, f.o.r.; *~ wagon* f. on truck; *zo ~ zijn om te ...* take the liberty to ..., make bold (make free, make so bold as) to ...; *ik ben zo ~ u te berichten (dat te betwijfelen, er anders over te denken)* I beg (take the liberty) to inform you (to question that, to think differently); *ik ben niet ~ in mijn doen (en laten)* I am not f. to do what I like, I am not a f. agent; *men is in dit hotel niet ~* there is no privacy in this hotel; *op ~ staan, (van auto)* be in neutral; *een auto op ~ zetten* slip the gearlever into neutral; *~ van* f. from [prejudices, disease, etc.; ice f. from air-bubbles]; *(niet aanrakend)* clear of [the wall, etc.; sit clear of each other]; *(vrijgesteld van)* exempt from [duty, military service]; *~ van de baai zijn* be clear of the bay; *'t land was ~ van de vijand* clear of the enemy; *~ van belasting, zie* belastingvrij; *~ van inkomstenbelasting* f. of income-tax; *~ van beschadigdheid, (hand.)* free of particular average, f.p.a.; *~ van rechten* duty-paid; *~ van zegel* exempt from stamp duty; *zie ook* hand, hart, kwartier, naam, spel, toegang, val, verkeer, vogel, vrijlaten, wil, enz.; II *bw.* freely; *(tamelijk)* rather, fairly, tolerably [plain], *(sterker)* pretty [good]; *~ ademhalen* breathe freely; *weer ~ ademhalen* breathe again; *~ gevolgd naar Tennyson* freely adapted from T.; *~ vallen, (nat.)* fall freely; *~ wonen, zie ~* I (*~e woning*); *~ heet* rather *(sterker:* pretty) hot; *'t ziet er ~ slecht uit* it looks pretty bad; *een ~ goede chauffeur* quite a passable chauffeur; *~ goed eten* make a tolerably good dinner; *~ wat* a good deal of [money, trouble], a good deal [bigger], considerably [change ...; ... more dangerous]

vrijaf: *~ hebben* have a (half-)holiday; *ééns per week ~ hebben* have a weekly day off; *wij hebben 's avonds ~* we are allowed off in the evening; *~ nemen, enz., zie* vrij & vrijgeven; *een avond ~* an evening off

vrijage courtship, wooing

vrijbiljet *zie* vrijkaart

vrijblijven remain free; *(geheel) ~d* without committing o.s. (in any way); non-committal [answer]; open-ended [negotiations]; *~de offerte, ~d offreren, (hand.)* offer without engagement

vrijboer farmer owner

vrijbrief passport, charter, licence, permit; *(mil.)* safeguard; *(vrijgeleide)* safe-conduct

vrijbuiten practise piracy (privateering), free-boot; *~d* privateering, freebooting

vrijbuiter freebooter, privateer; adventurer; *~ij* freebooting, privateering

vrijdag Friday; *Goede V~* Good F.; *'s ~s* on Fridays, every F.; *~avond* F. evening; *~s bn.* Friday [market]; *bw.* [he always comes] on Fridays

vrijdenker free-thinker

vrijdenkerij free-thinking, free thought

vrijdom freedom, exemption, immunity [from taxation]

vrije *a)* freeman; *b)* *'t ~* the open (air, field, country); *c)* *'t ~, (hist.)* jurisdiction (of a free town); **vrijelijk** freely, without restraint

vrijen court, *(van dienstbode, enz.)* keep company, walk out [with ...]; *(minnekozen)* pet, *(sl.)* neck; *uit ~ gaan* go courting; *ze ~ al heel lang* they have been keeping company for ever so long; *~d paartje* courting couple

vrijer *(in beschaafd Ned. vero.)* suitor, lover, sweetheart; *(fam.)* [her] young man, boy (friend); (= *vent, fam.)* johnny; *oude ~* bachelor; *geen ~s in de keuken, (vero.)* [wanted: a cook,] no followers allowed; *zie* sinterklaas-pop

vrijerij courtship, love-making, etc. *(zie* vrijen); *~tje* amourette; *op vrijersvoeten gaan* be courting

vrijetijds: *~besteding* leisure activities, recreation; ~kleding casual wear

vrij: ~geboren free-born; ~geest f.-thinker; ~geesterij f.-thinking, f. thought; ~gelatene freedman, freed woman; ~geleide (*ook: brief van -*) safe-conduct; *onder* – under (a) s.-c.; ~gestelde exempt; ~geven (~*laten*) *zie aldaar;* release [goods, a story for publication]; (*lijk*) hand over [the body]; (*van staatscontrole ontheffen*) decontrol, remove control from [oils, fats, etc.], de-requisition [a house, etc.]; (*vrijaf geven*) give a (half-)holiday (a day off), let [a p.] go off duty; *aan de troepen werd ~gegeven* the troops were freed from their duties [for the remainder of the day]

vrijgevig liberal [*met* of], generous, open-handed; ~ *met zijn geld* free with (of) one's money; ~heid liberality, generosity, open-handedness

vrijgevochten undisciplined; *het is daar een ~ boel* it is go-as-you-please there

vrijgezel bachelor; ~ *of getrouwd?* single or married?; ~lenflat bachelor flat; ~lenleven a b.'s life, single life, bachelorhood, [his] b. days; (*scherts.*) single blessedness

vrijhandel free trade; ~aar free-trader; ~stelsel free-trade system

vrijhaven free port

vrijheer baron; ~lijk baronial; ~lijkheid barony

vrijheid liberty, freedom; latitude [there is more ... in these matters than some years ago]; *dichterlijke ~* poetic licence; ~ *van handelen* l. (freedom) of action, [full] discretion [as to ...], [ask for] a free hand; ~ *van godsdienst* religious l.; ~ *van geweten* l. of conscience; ~ *van gedachte* freedom of thought; ~ *van drukpers* l. (freedom) of the press; ~ *van vergadering* freedom of assembly; ~ *van 't woord* freedom of speech, right of free speech; *ik zeg:* ~ *blijheid!* I say, l. above all things! there is nothing like l.!; *'t is hier ~ blijheid* this is L. Hall, you can do as you like here; *enige ~* (*van handelen, enz.*) *moet men hun geven* (*laten*) some latitude must be allowed them; *hun werd een grote mate van ~* (*van handelen*) *gelaten* they were given full scope (free play); *iem. meer ~* (*van beweging*) *laten, ook:* give a p. more elbow-room; *ze vroeg haar verloofde haar haar ~ terug te geven* she asked her fiancé to give her back her freedom (to set her free, to release her), she asked for her release; *de ~ nemen om te ...* take the l. to ..., make free to ..., make bold (make so bold as) to ...; *zich een ~* (*vrijheden*) *veroorloven* take a l. (liberties, freedoms) [*tegenover iem.* with a p.]; *zich vrijheden veroorl. tegenover, ook:* make free with, *ik vond geen ~ om* I did not feel at l. to ..., did not feel justified in ... ing; *ik heb geen ~ om ...* I am not at l. to ...; *in ~* free, at l., at large; *in ~ stellen, de ~ schenken* set free, set at l., release, liberate; *zie* vrijlaten; *voorwaardelijk in ~ stellen* release (liberate) on licence; *voorw. in ~ gestelde* convict on licence, ticket-of-leave man; *van zijn ~ beroofd* deprived of one's l.; ~lievend, ~min-

nend fond of l., l.-, freedom-loving

vrijheids- liberty: ~apostel apostle of l.; ~beperking restraint; ~beroving deprivation of l., unlawful detention, forcible restraint, duress; ~boom tree of l.; ~geest spirit of l.; ~hoed cap of l.; ~liefde love of l.; ~maagd goddess of l.; ~muts cap of l., Phrygian cap; ~oorlog war of independence (of liberation); ~prediker apostle of l.; ~vaan standard of l.; ~zin spirit of l.; ~zucht love of l.

vrijhouden: *die dag ~* keep that day free; *iem. ~* pay a p.'s expenses, (*trakteren*) stand treat; *een pad ~* keep a path clear; *een partij voor iem. ~*, (*hand.*) give a p. the refusal of a parcel [till ...]

vrijkaart free ticket, complimentary ticket; (*trein, tram, schouwb., enz.*) free pass; (*trein ook*) privilege ticket; *houder van ~*, (*sl.*) dead-head; *de schouwb. was vol houders van ~en, ook:* the house was filled with paper

vrijkomen get off; (*van gevangene*) be set at liberty, come out; (*van auto, enz. na botsing*) get clear; (*van betrekking*) fall vacant; (*van staatscontrole bevrijd worden*) be decontrolled, be freed from control; (*chem.*) be liberated (disengaged); *met een boete ~* get off (be let off) with a fine; *zie* schrik

vrij: ~koop *zie* ~koping; ~kopen buy off, ransom, redeem; *zich* – buy o.s. off; ~koping buying off, etc., redemption

vrijkorps volunteer corps, free corps

vrijlaten (*gevangene*) release, set at liberty; (*slaaf*) emancipate, manumit, liberate; *zie* vrijheid (*in... stellen*); (*ruimte*) leave clear (unoccupied); *de leden ~*, (*bij stemming*) leave the question (the bill) to the free vote of the House, leave members free to vote according to their consciences (to exercise their own discretion); *hij werd vrijgel., nadat hij beloofd had ... he* was let off on promising ...; *zie* hand & vrijgeven; **-ing** release, emancipation, manumission, liberation; *vgl. 't ww.*

vrij: ~leen freehold; ~loop free wheel; (*van auto*) neutral (gear); ~lopen go free, get off (scot-free), escape; *een klip* – steer clear of a rock; *'n nat pak* – miss a wetting; ~macht absolute power, omnipotence; ~machtig omnipotent, all-powerful

vrijmaken free, deliver [*van* from]; clear [imported goods]; free, disengage [one's arm, o.s.]; (*van sociale beperkingen, enz.*) emancipate [women, slaves], liberate, manumit [slaves]; (*chem.*) liberate; *China ~ van 't vreemde juk* liberate China from foreign bondage; *zich ~* (*bijv. om uit te kunnen gaan*) disengage o.s.; *zich ~ van* get rid of, rid o.s. of [an idea], shed, shake o.s. out of [one's prejudices]; **-ing** deliverance, emancipation, manumission, liberation; *vgl. 't ww.*

vrijmetselaar freemason

vrijmetselaars- *dikw.* masonic; ~loge freemasons' (masonic) lodge (*ook de vergaderplaats*); ~orde company (fraternity, order) of freemasons, Free and Accepted Masons; ~

teken masonic emblem

vrijmetselarij freemasonry

vrijmoedig frank, free, bold, candid, outspoken, confident; **~heid** ...ness, candour, confidence

vrijpartij(tje) (*sl.*) petting-party

vrijplaats (city of) refuge, sanctuary, asylum; (*vrije plaats*) *zie* vrij

vrijpleiten clear, exculpate, exonerate [a p., o.s.; *van* from]; *ik tracht hem niet vrij te pleiten* I hold no brief for him

vrijpostig bold, forward, saucy; **~heid** boldness, etc.

vrij: **~raken** *zie* ~komen; **~schaar** *zie* ~korps; **~schutter** guerrilla, franc-tireur; **~spraak** acquittal; **~spreken** acquit [a prisoner of a charge]; *iem. van blaam* (*schuld*) – clear a p. of blame, exonerate (absolve) a p. (from blame); **~staan** (*van huis*) stand alone (detached, in its own grounds); (*geoorloofd zijn*) be permitted; *'t staat u ~ om te* ... you are free (at liberty) to ..., it is free for you to ..., it is open to you to ...; *zie* kijken; **-d** detached [house], self-supporting [wall], free-standing; *half* **–d** semi-detached; **~staat** free state; **~stad** free town, free city; (*bijb.*) city of refuge; **~stellen** exempt [from taxation, etc.], free [from routine duties]; – *van, ook:* dispense (excuse) from; *hij werd ~gesteld van* ... he was excused (from) his lessons (afternoon school, attendance); – *van schoolgelden* grant [full, partial] remission of fees; *~gesteld van* exempt from taxation, etc.]; **~stelling** exemption, freedom [from ...], remission

vrijster (*in beschaafd Ned. vero.*) sweetheart, [his] young woman; (*ongetrouwde vrouw*) maid, spinster; *oude ~* old maid, spinster

vrij: **~uit** freely, frankly; – *spreken, ook:* speak out; *'t is nodig op dat punt – te spr.* the point requires plain speaking; *godsdienstige vragen* – *bespreken* discuss religious questions with freedom; – *gaan* go scot-free; *ik vind dat hij niet – gaat* I cannot hold him blameless; **~vallen** fall (become) vacant; **~vechten** deliver; *zich* – fight o.s. free, (fight for and) gain one's liberty, win one's freedom by the sword; *zie* vrijgevochten; **~verklaren** declare free; **~vrouw** baroness; **~waren:** – *voor* (*tegen*) safeguard against, secure (guard, protect, guarantee) from (against), shield from; *gevrijwaard voor, ook:* sacred from [intrusion, attack]; **~waring** safeguarding, etc., protection; **~wel** pretty well, practically, virtually; about [that's ... all]; *hij was – op,* (*van vermoeidheid*) he was pretty well spent; – *'t zelfde* (very) much (pretty much) the same; – *gelijk,* (*fam.*) much of a muchness [in size, etc.]; – *zoals* ... [it was] much as he had expected; – *zo groot* (*oud*) *als* ... pretty much (much about) as tall (old) as ...; *zijn fortuin is – gemaakt* is as good as made; *zijn woorden waren – van deze inhoud* much to this effect; *hij had – geen geld* he had hardly any money; *er was – niets over* there was practi-

cally nothing left; – *onmogelijk* next to (nearly) impossible; **~wiel** freewheel

vrijwillig I *bn.* voluntary, free; *~e brandweer* volunteer fire brigade; II *bw.* voluntarily, freely, of one's own free will, of one's own choice; *een taak, die men ~ op zich neemt* a self-imposed (self-chosen) task; (*zich*) *~ aanbieden* volunteer; **~er** volunteer; **~heid** voluntariness

vrijzinnig liberal; (*in godsd. ook*) latitudinarian, modernist (*alle ook = ~e*); **~democraat** l. democrat; **~heid** liberality, latitudinarianism, modernism

vrille (*luchtv.*) spin, spinning dive; *in ~ gaan* go into a s.

vrind *zie* vriend

vroed wise, cautious, discreet; *de ~e vaderen* the City Fathers, the elder fathers [of Ventnor]; **~kunde**, **~meester** enz., *zie* verloskunde, -dig(e); **~meesterpad** midwife (obstetrical) toad, nurse-frog; **~schap** (*hist.*) town (city) council, corporation, [the] City Fathers; **~vrouw** midwife, accoucheuse

1 vroeg *o.v.t. van* vragen

2 vroeg early; (*bw. ook*) at an early hour (date, age) [she lost her father e. (at an e. date)]; *alles is dit jaar zeer ~* everything is very e. (*of:* forward) this year; *een ~e dood* an early (premature) death; *~e aardappelen* (*oogst*) e. potatoes (harvest); *te ~ geboren* premature [baby]; *~ of laat* sooner or later; *~ en laat* e. and late; *~ genoeg* in good time; *'s morgens ~* e. in the morning; *maandagmorgen heel ~* in the e. (*direct na middernacht:* the small) hours of Monday morning; *'t is ~ in juni* it is e. June; *'t is nog ~* it's still e., e. in the day yet, the day (the night, etc.) is still young; *'t is wel wat ~* (*nog te ~*) *om reeds* ... it is e. days yet (too soon yet, it would be premature) to express an opinion on the subject; *te ~,* (*voor 't doel*) too e.; (*vóór de gestelde tijd*) [we were (we arrived) a few minutes] e. (*of:* before our time), [the train came in two minutes] before (scheduled) time, ahead of time; *niets te ~* none too soon; *hij stierf te ~* prematurely, before his time; *kanker kan genezen, als men er ~ bij is* cancer may be cured in its e. stages; *zie* vroeger, vroegst, opstaan, rijp, enz.; **~beurs** *bw.* at the opening, during the early hours; **~beurt, -dienst** e. service

vroeger I *bn.* earlier [there are no ... roses than these]; (*vorig, enz.*) former [friends, times, etc.], previous [his ... presidency], late [his ... master], sometime [Mr. N., the ... professor at B.; his ... collaborator], past [events, experience], bygone [ages]; *in ~ dagen* in former days, in olden times; *uit ~ dagen* old-time [the ... horse-bus, street-cries]; II *bw.* earlier, sooner, [impossible to introduce the bill] at an earlier date; (*van te voren*) *zie* voren; (*in ~ tijd*) formerly, before (now), in former (olden) times; *dit heette ~* ... this was once called ...; *'t is niet wat 't ~ was* (*wat ik ~ kreeg*)

what it used to be, what I used to get; *deze
kamer was ~* ... used to be the library; *~kwam
je steeds op tijd* you always used to come in
time; *ik ben ~* ... *geweest, ook:* I was once a
servant; *de heer N., ~ redacteur van* ... sometime (one-time) editor of ...; *~tje: 't was vandaag een* – we started (finished) early to-day
vroeg: ~**kerk** *(r.-k.)* zie ~mis; ~**metten** matins;
~**mis** early (early morning) mass; ~**preek** early
morning service
vroegrijp early-ripe, precocious, premature; ~~
heid precocity, prematureness
vroegst earliest; *op zijn ~* at the earliest
vroegte: *in de ~* early in the morning
vroegtijdig *bn.* early; precocious [fruit]; ~*e dood,*
zie vroeg; *bw.* early, betimes, in good time, at
an early hour; *(te vroeg)* zie vroeg
vrolijk merry, gay, cheerful, cheery, in high
spirits; *zo ~ als een vogeltje* as m. as a cricket
(a grig); *geen erg ~ huis (voor een jong meisje)*
not a very lively house; ~ *(aangeschoten) zijn*
be m., be jolly; *een ~e broeder* a gay dog; ~ *rad*
big wheel; ~*e opmerkingen* hilarious remarks;
~ *vuurtje* cheerful (cheery) fire; ~ *verlicht* gaily
lighted; *zich ~ maken over* make m. over, have
a joke at [s.o.'s] expense, make sport of [a
p.'s oddities]
vrolijkheid mirth, merriment, gaiety, cheerfulness; *'t verwekte enige ~* it caused some hilarity
[among the audience]; *de ~ erin houden* keep
things jolly
vrome pious (devout) person, *(iron.)* saint; *een
valse ~* a religious hypocrite; zie uithangen; ~~
lijk piously
vrommes *(dial.)* zie vrouwmens
vroom pious, devout, godly; *(sl.)* pi; ~ *bedrog* p.
fraud; *met ~ gemoed* with a pious heart; *een
vrome wens* a pious wish *(of:* hope); ~**heid**
piety, devoutness, (religious) devotion, godliness
vroor *o.v.t. van* vriezen
vrouw woman; *(echtgenote)* wife *(ook aanspr.:*
'Wife', he said, ...), *(dicht.)* spouse; *(kaartspel)* queen; *gehuwde ~, (jur.)* feme covert; *ongehuwde ~, (of: ~, onafhankelijk wat 't vermogen betreft), (jur.)* feme sole; *de (= mijn) ~,
(fam.)* the wife, *(volkst.)* the mis(s)is; *m'n ouwe
~, (sl.)* my old girl (woman, dutch), *(moeder)*
(the, my) mater; *zijn ~, die* ... *is* his actress
wife; ~ *Willems* Mrs. W.; *Onze Lieve V~e* Our
Lady; *de ~ des huizes* the mistress (lady) of the
house; *hoe gaat 't met je ~?* how is your wife
(Mrs. Smith)?; *ze is geen geschikte ~ voor je*
she'll not make you a suitable wife; *onder ~en*
among women(folk); *tot ~ nemen* take to wife;
zie nalopen
vrouwachtig womanish, effeminate
vrouwedag Candlemas
vrouwelijk *(van 't ~ geslacht)* female *(ook van
plant); (van een vrouw)* feminine [nature, ex-
cuse]; *(een vrouw passend)* womanly [tender-
ness], womanlike; *(een getrouwde vrouw passend)* wifely [deportment]; *(gramm.)* feminine;
't ~ geslacht, a) the f. sex; *b)* the feminine

gender; ~ *rijm* feminine rhyme; ~*e advocaat
(dokter, kiezer, atleet, enz., ook:)* woman barrister (doctor, voter, athlete, etc.) *(mv.:* women barristers, etc.); *het ~e in haar* the woman
in her; zie linie; ~**heid** womanliness, femininity
vrouwen: ~**aard** woman('s) nature, female character; ~**afdeling** *(van ziekenh.)* women's ward;
(van club) women's section; ~**arbeid** female
(woman, women's) labour; ~**arts** gynaecologist; ~**beeld** image of a woman; ~**beul** wife-
beater; ~**beweging** women's (women's rights,
feminist) movement; ~**bond** women's union;
~**borst** woman's breast; ~**deugd** female virtue;
~**dracht** zie ~kleding; ~**gek** dangler after
women; ~**gestalte** female form; ~**gevangenis**
women's prison; ~**haar** woman's hair; *(plant)*
maiden-hair; ~**haat** *a)* misogyny, hatred of
women; *b)* women's hatred; ~**hand** woman's
(female) hand; *(schrift ook)* feminine hand;
~**hater** misogynist, woman-hater; ~**huis** home
for women; ~**hulpkorps** WRAC; ~**jager**
woman-chaser, -hunter, womanizer; ~**kiesrecht** woman (women's) suffrage, votes for
women; ~**kliniek** women's clinic; ~**klooster**
convent for women, nunnery; ~**koor** female
(female voice) choir; ~**kwaal** woman's
complaint; ~**leen** female fief; ~**liefde** woman's
love; ~**list** woman's stratagem, *(listigheid)*
woman's cunning; ~**logica** feminine logic,
woman's reason; ~**mantel** lady's coat;
(plant) lady's mantle; ~**munt** *(plant)* costmary,
alecost; ~**naam** woman's name; ~**overschot**
surplus of women over men; ~**praat** women's
gossip; ~**redenering** woman's reasoning;
zie ook ~logica; ~**regering** female rule,
(fam.) petticoat government; ~**rok** skirt, *(onderrok)* petticoat; ~**roof** abduction of women;
~**roosje** zie koekoeksbloem; ~**schoentje** *(plant)*
lady's slipper; ~**stem** woman's voice; ~**stem-
recht** zie ~kiesrecht; ~**tehuis** women's hostel;
~**verblijf** *(mohammedaans)* harem; *(Ind.)* zena-
na; ~**vereniging** women's association; ~**verering** woman-worship; ~**werk** women's work;
~**zaal** *(van ziekenh.)* women's ward; ~**zadel** zie
dameszadel; ~**zangvereniging** zie ~koor; ~~
ziekte woman's disease, *mv.:* women's diseases
vrouw: ~**lief** my dear (wife), [send s.t. to] the
wife; *(sl.)* my old girl; ~**mens,** ~**spersoon** woman; *(min.)* female; ~**tje** *a)* little woman *(aanspreking)* my good woman; *b)* wif(e)y; *jong ~*
child *(of:* girl) wife; ~**volk** womenfolk, [my]
womenkind
vrucht fruit *(ook fig.); (med.)* foetus; *allerlei ~en*
all kinds of f.; *van ~en leven* live on f.; *de ~en
der aarde (van onze arbeid, zijn studie)* the
fruits of the earth (our labour, his study); ~
dragen, ~en afwerpen (opleveren), (ook fig.)
bear f., fructify, come to fruition; *geen
~en meer dragen* be past bearing; ~*en
plukken* gather f.; *de ~en plukken van,
(fig.)* reap the fruits of; *aan hun ~en zult
gij ze kennen, (bijb.)* ye shall know them by
their fruits; *aan de ~en kent men de boom* a
tree is known by its f.; *zo boom, zo ~* as the

tree, so the f.; *met* ~ with success, successfully, [his habit might be] usefully [imitated here]; *hij deed met ~ examen, ook:* he was successful in his examination; *zonder* ~ fruitless(ly), in vain; *zie* verbieden; ~**afdrijvend** (*middel*) abortifacient; ~**afdrijving** (criminal) abortion; *zich schuldig maken aan* – perform an illegal operation

vruchtbaar fruitful [soil, tree, woman, animal, rain, invention, idea, talk, year], fertile [soil, plain, district, imagination], prolific [animals, nation, soil], growing [weather]; viable [pollen]; *een -bare bodem vinden* fall on fertile soil; ~ *schrijver* prolific (voluminous) writer; ~ *in,* (*ook fig.*) f. (fertile, prolific) in (of); ~**heid** fruitfulness, fertility, fecundity; –**ssymbool** symbol of fertility

vrucht: ~**beginsel** ovary; –*hokje* ovarian cell; ~**bekleedsel** capsule; ~**bodem** receptacle; ~**bonbon** fruit-bonbon; ~**boom** f.-tree; ~**dieet** fruit (fruitarian) diet; ~**dragend** f.-bearing, fructiferous; (*ook fig.*) fruitful

vruchteloos *bn.* fruitless, ineffective, ineffectual, futile, unavailing, vain; *bw.* fruitlessly, ineffectually, vainly, in vain, without avail, to no purpose; ~**heid** fruitlessness, futility

vruchtemesje fruit-knife

vruchten- fruit: ~**bowl** fruit-cup; ~**etend** f.-eating, frugivorous; ~**eter** f.-eater, fruitarian; ~**gebak** f.-cake; ~**gelei** jam; (*alleen van sap, met suiker, enz.*) f.-jelly; ~**handel** f.-trade; ~**handelaar** f.-dealer; ~**ijs** f.-ice; ~**kweker** f.-grower; f.-gardener; ~**kwekerij** *a*) *zie* ~**teelt;** *b*) f.-farm; ~**mand** f.-basket; ~**pulp** f.-pulp; ~**schaal** f.-dish; ~**schip** fruiter, f.-vessel; ~**sla** f.-salad; ~**stalletje** f.-stall; ~**stroop** f.-syrup; ~**taart** f.-tart; ~**teelt** f.-growing, -culture; ~**tentoonstelling** f.-show

vrucht: ~**epers** fruit-presser; ~**esap** f.-juice; ~**esuiker** fructose, f.-sugar; ~**gebruik** usufruct [*in – geven* (*hebben*) give (hold) in ...]; *'t* ~ *van £ 7000* a life-interest in a sum of £7000 [*ook:* he left £7000 for life to his mother]; ~**gebruiker** usufructuary, tenant for life; ~**genot** *zie* ~**gebruik;** ~**godin** goddess of fruit(s); (*van boomvr.*) Pomona; (*van veldvr.*) Ceres; ~**hokje** loculus, *mv.:* loculi; ~**hulsel** pericarp; ~**je** (*van verzamelvrucht: aardbei, enz.*) drupel, drupelet, fruitlet; ~**kiem** germ, embryo; ~**knop** f.-bud; ~**lichaam** (*van zwam*) f.-body; ~**pluis** (*plantk.*) pappus; ~**steel** f.-stalk; ~**suiker** *zie* vruchten; ~**vlees** pulp; ~**vlies** amnion; ~**vorming** fructification; ~**wand** (*plantk.*) pericarp; ~**water** amniotic fluid; ~**zetting** setting (of f.), fructification

V.S. U.S.(A.), United States (of America)

V.U. Free (Calvinist) University (of Amsterdam)

vue: *à* ~*spelen* play at sight; *à* ~ *vertaling* unseen (translation), translation at sight; (*...en opgeven* set unseens); ~*s hebben op, zie* oogje

vuig sordid, base, mean, vile; ~**heid** ...ness

vuil I *bn.* dirty [hands, weather, etc.], grimy, grubby [hands, fingers], smudged [paper, face], rotten [egg], foul [pipe, play, water, weather]; (*vies*) filthy [habits]; (*fig.*) dirty [language, story, work, trick], filthy [language, novel], foul, scurrilous [language], smutty [postcards, jokes], obscene [language]; (*van connossement, enz.*) foul; ~ *goed* d. (*of:* soiled) linen; ~ *goed*(*je*) nasty (filthy) stuff, (filthy) muck; ~*e proef* rough proof, galley proof (*of:* slip); ~*e tong* loaded (foul, coated) tongue; ~*e was* d. clothes; ~*e was buiten hangen,* (*fig.*) wash one's dirty linen in public; ~ (*spoel*)*water* slops; ~*e taal gebruiken,* ~*e moppen vertellen* talk smut; ~ *in de mond zijn* be foul-mouthed, -spoken, -tongued; *'n* ~ *werkje* a messy business (*of:* job); *'t* ~*e werk doen, de* ~*e zaakjes opknappen* do the d. work; *'n* ~ *zaakje* a grubby business; *veel* ~*e zaakjes zijn in ... behandeld* much d. linen has been washed in this Court; ~ *van de reis* travel-stained; ~ *maken, zie ben.; zie* boel & pers.: II *bw.* dirtily, etc.; *iem.* ~ *aankijken* give a p. a dirty look; III *zn.* dirt, muck; (*walglijk*) filth; *met* ~ *gooien* fling (sling) dirt (mud); *iem. als oud* ~ *behandelen* treat a p. like dirt (as if he were dirt), wipe one's boots on a p.; ~**aardig** foul, filthy, vile; ~**bek** foul-mouthed fellow; ~**bekken** talk smut, use obscene language; ~**bekkerij** smutty talk; ~**boom** alder buckthorn; ~**heid** dirtiness, filthiness, squalor; obscenity; *vgl.* ~*;* ~**igheid** *zie* ~ *zn.* & ~**heid;** ~**ik** dirty fellow; (*fig.*) skunk

vuilmaken (make) dirty, soil; *zich* ~ dirty o.s., get o.s. into a mess; *ik zal mijn handen niet aan je* ~ I won't soil (*of:* mess) my hands with you; *ik wil er geen woorden meer aan* ~ I won't spend (waste) any more words over it

vuilnis (house) refuse, dust, dirt, rubbish, (*Am.*) trash; ~ *ophalen* collect r.; ~**auto** dustbin lorry, refuse lorry; ~**bak** dust-, r.-bin; (*op straat*) (street) orderly-bin; (*Am.*) trash can; –**keras** mongrel breed; ~**belt** r.-, rubbish-dump, -tip; ~**blik** dustpan; ~**emmer** dust-, r.-bin, (*Am.*) garbage (trash) can; ~**hoop** r.-, dust-, rubbish-heap; ~**kar** dust-, r.-cart; ~**man** dustman, scavenger, refuse collector, (*Am.*) trashman; ~**opruiming** r.-disposal; ~**schuit** dust-boat; ~**stortkoker** r. chute; ~**vat** dust-, r.-bin; ~**wagen** *zie* ~**kar;** ~**zak** waste disposal bag

vuil: ~**poes** dirty little toad; ~**spuiterij** slander; ~**stortplaats** *zie* ~**nisbelt;** ~**te** *zie* vuil *zn.* & vuilheid; ~**tje** speck of dust, grit [in the eye]; *geen* ~ *aan de lucht* not the slightest danger, all serene; ~**verbranding** incineration (destruction) of refuse; ~**verbrandingsoven** refuse incinerator (destructor); ~**wateremmer** slop-pail

vuist fist; *een* ~ *maken,* (*fig.*) make one's presence felt; *maak eens een* ~ *als je geen hand hebt* it's no good being tough in words if you can't be tough in deeds; *in de ijzeren* ~ *van de winter* in the iron grip of winter; *met de degen in de* ~ sword in hand; *met ijzeren* ~ with a mailed f. (a grip (rod) of iron); *iem. met de* ~ *dreigen* shake one's f. at a p.; *met de* ~ *op tafel slaan* bang the table (with one's f.), bang one's fist on the table; *op de* ~ *gaan* come to blows, start scrapping; *voor de* ~ off-hand, extempore; *voor de* ~ *spreken, a)* speak off-hand (extempore), extemporize; *b)* speak without notes; *zie* ~je; ~**gevecht** fist-fight, pugilistic fight; ~**handschoen** fingerless glove, mitten; ~**je** (little) f.; *in zijn* – *lachen* laugh in (*of:* up) one's sleeve; *uit 't* – *eten* eat from one's hand; ~**pand** pawn; ~**recht** f.-, club-law; ~**regel** rule of thumb; ~**slag** blow with the f.; ~**vechter** pugilist, prize-fighter; ~**vol** handful, fistful (*mv.:* ...s)

vulaarde fuller's earth

vulbier small beer, swipes

vulcaniseren vulcanize; retread [tyres]; **-ing** vulcanization

vulcanologie volcanology

vulcanologisch volcanological [service]

Vulcanus Vulcan

Vulgaat Vulgate

vulgair vulgar; ~ *Latijn* Vulgar Latin

vulgariseren vulgarize

vulgariteit vulgarity; **Vulgata** Vulgate

vulgo id.; **vulgus:** *'t* ~ the vulgar herd

vulhaar stuffing-hair

vulhaard *zie* vulkachel

vulkaan volcano

vulkachel anthracite stove, slow-combustion stove, base-burner

vulkanisch volcanic, igneous [rock]

vulkanisme volcanism

vulklei puddle

vullen fill [a glass, etc.; *ook van eten:* plum-pudding is ...ing], fill in [a grave], fill [teeth], stuff [a goose, animals, the seat of a chair], pad [clothes], inflate [a balloon, an airship], fill (up) [one's time]; *magazijnen* ~, (*mil.*) charge magazines; *zich* ~ fill [the room ...ed rapidly; her eyes ...ed with tears]; *met zulk volk* ~ *ze hun gehoor* with such people they pack their audiences; *weer* ~ refill [one's glass]; *zie* gevuld

vulling filling, stopping, stuffing, padding, inflation; (*nieuwe*) refill; *vgl. 't ww.;* (*van tand*) stopping, filling, plug; (*mar.*) limber; *zachte* ~, (*van bonbon, enz.*) soft centre

vullis (*schn.*) scum of the earth, piece of filth; *zie* vuilnis

vulpen(houder) fountain-pen

vulpotlood propelling pencil

vulsel filler; (*van gans, enz.; ook van opgezette dieren, enz.*) stuffing; (*vlees-*) force-meat; (*van pasteitje*) mince-meat; *zie* vulling

vulstof filler

vulstuk filling-in piece

vuns musty, fusty; stale [tobacco-smoke]; dirty [trick]; ~**heid** mustiness, fustiness; **vunzen** fart; **vunzig** *zie* vuns

vurehout deal

1 vuren I *ww.* fire [*op* at, on], shoot, let drive, let fly, blaze, loose (off) [*op* at]; (*van de zee*) phosphoresce; II *zn.* firing; *volhouden met* ~ keep up a (the) fire

2 vuren *bn.* deal

vurig fiery [*ook fig.:* eyes, nature, horse, wine], spirited, high-mettled [horse], ardent [faith, zeal, love, desire, angler], fervent [love, hatred, zeal, hope], warm, earnest, fervid [wish], devout [admirer, hope ...ly], keen [sportsman], red-hot [Radical]; (*van huid*) red, inflamed; *mijn* ~*ste wens, ook:* my dearest (fondest) wish; *hij verlangde* ~ *naar de vrijheid* he yearned for liberty; *zie* kolen; ~**heid** fieriness, ardour, fervency; spirit, mettle (*vgl.* ~); redness, inflammation [of the skin]; blight [in corn]

vuur fire; (= *vuurtoren*) light; (*fig. ook*) warmth, ardour, (*fam.*) vim [he sang with great ...]; (*in hout*) dry rot; (*in koren*) blight; *zie ook* koudvuur; ~ *over eigen troepen,* (*mil.*) overhead f.; *jeugdig* ~ youthful zest; *vol* ~ full of f., all aflame [̇ r ...]; *een* ~ *aanmaken* light (make) a f.; *de vuren aanm.,* (*van fabriek, enz.*) fire up; *'t* ~ *onderhouden,* (*mil.*) keep up the f.; *een goed onderhouden* ~ a well-sustained f.; ~ *geven,* (*mil.*) fire; (*een vlammetje*) give [a p.] a light; *'t* ~ *openen,* (*ook fig.*) open f. [*op* on]; *'t* ~ *staken* cease f. (firing); *iem. 't* ~ *na aan de schenen leggen* make it hot for a p., press a p. hard; ~ *vatten* catch f., become ignited; (*fig.*) catch f., (*van een p.*) fire [he fired up at once]; *hij vat dadelijk* ~ he is quickly roused, he is rather hot-tempered; *haar ogen schoten* ~ her eyes shot f. (blazed, were ablaze); *hij is* ~ *en vlam voor de maatregel* he is all in a flame for the measure; ~ *slaan* strike f. [*uit* from]; *zich 't* ~ *uit de sloffen lopen* run o.s. off one's legs; *'t* ~ *was niet van de hemel* there was continuous lightning; *wat bij 't* ~ *doen* mend the f.; *bij 't* ~ *zitten,* (*fig.*) have friends at court, have a place in the sun; *zie* warmen; *hij zou voor u door 't* ~ *lopen* he would go through f. (and water) for you; *in* ~ *geraken* catch f., go into raptures; *in* ~ *geraken over zijn onderwerp* warm (up) to (get on fire with) one's subject; *in* ~ *en vlam zetten* set [India] in a blaze; *de soldaten waren nog nooit in het* ~ *geweest* had never been under f. yet; *de reserve in 't* ~ *brengen* throw in the reserves; *in 't* ~ *van 't debat* in the heat of the debate; *met veel* ~ *spreken* speak with great fervour (fire, warmth); *met* ~ *spelen* play with f.; *mag ik u om wat* ~ *verzoeken?* may I trouble you for a light, please?; *onder* ~ [be] under f., (*van de vijand*) under the enemy's f.; *onder* ~ *nemen* subject [a battery] to f., open f. upon; *op een zacht (klein)* ~ *koken* cook over a slow (small) f.; *wat op 't* ~ *doen* mend the f.; *te* ~ *en te zwaard verwoesten* put to (destroy with) f. and sword; *tussen twee vuren,* (*mil.*) between two fires; (*fig.*) between the devil and the deep (blue) sea; *zó van 't* ~ *opgediend* served hot and hot; *ik heb wel voor heter* ~ *gestaan* I've been in tighter spots, I've managed trickier business than this; *zonder* ~ [the] fireless [hearth]; *zonder* ~ *zitten* sit without a f.; *zie* aanleggen, potje, spuwen, vrij, vuurtje, enz.

vuur: ~**aanbidder** fire-worshipper; ~**aanbidding** f.-worship; ~**baak** beacon-light; ~**bal** f.-ball; ~**bestendig** f.proof; ~**bok** andiron, f.dog; ~**bol** f.-ball, bolide; ~**brakend** f.-spitting; ~**brug** f.-bridge; ~**dekking** cover from f.; ~**deur** f.-door; ~**dienst** f.-worship; ~**dood** death by f.; *tot de* - *veroordeeld* sentenced to the stake; ~**doop** f.-baptism, baptism of f.; ~**doorn** (*plant*) pyracanth(a); ~**eter** f.-eater; ~**gang** flue; ~**geest** salamander; ~**gevecht** (*mil.*) exchange of fire (of shots); ~**gloed** glare, blaze; (*van haardvuur ook:*) f.light; ~**goudhaantje** f.-crest(ed wren); ~**haard** f.place, hearth; (boiler) furnace; (*fig.*) *zie* brandpunt & ~**zee**; ~**houdende** *turf* (*kolen*) slow-combustion peat (coal); ~**kast** f.-box; ~**kever** f.fly; ~**klei** fire-clay; ~**kleur(ig)** flame-colour(ed); ~**kogel** f.-ball; ~**kolk** *zie* ~**zee**; ~**kolom** pillar (column) of f.; ~**koord** safety fuse; ~**kracht** (*mil.*) f.-power; ~**krans** *zie* ~**rad**; ~**lak** black japan

Vuurland Tierra (*of:* Terra) del Fuego
Vuurlander, Vuurlands Fuegian

vuur: ~**leiding** (*mil.*) fire-control; ~**lijn** (*mil.*) *a)* line of f.; *b)* = ~**linie** firing-line, line of f.; ~**maker** f.-lighter; ~**meter** pyrometer; ~**molen** *zie* ~**rad**; ~**mond** gun; ~**opaal** f.-opal; ~**oven** furnace; ~**pad** f.-toad; ~**pan** f.-pan, brazier, chafing-dish; ~**peloton** firing-party, -squad; ~**pijl** rocket; (*plant*) red-hot poker, flame-flower, torch-lily; *de klap op de* - the great surprise, the crowning sensation, [that tops it all; the pièce de résistance]; ~**pijlinrichting** line-throwing gun; ~**pijltoestel** rocket life-saving apparatus; ~**plaat** hearth-plate; (*van locomotief*) footplate; ~**poel** *zie* ~**zee**; ~**pot** f.-pot, brazier; ~**proef** f.-ordeal, trial (*of:* ordeal) by f.; (*fig.*) crucial (*of:* acid) test, ordeal; *hij* (*het*) *heeft de* - *doorstaan* he (it) has stood the test (*fam.:* the racket); *'t verdrag zal de* - *niet*

doorstaan will not stand the fire; *'t Br. Rijk ondergaat de* - is on its trial; ~**rad** f.-wheel, Catherine wheel; ~**regen** rain of f.; (*vuurwerk*) golden rain; ~**rood** (as) red as f., fiery red, flaming red [scarf], flame-coloured [hair]; [his face was] a flaming scarlet; *hij werd* -, *ook:* he blushed (flushed) scarlet; ~**salamander** spotted salamander; ~**scherm** f.-screen, f.-guard; ~**schip** *a)* lightship; *b)* f.-ship; ~**schop** f.-shovel; ~**sein** f.-signal; ~**slag** flint and steel; ~**snelheid** (cyclic) rate of f.; ~**sprank(el)** spark (of f.); ~**spuwend** f.-spitting, f.-breathing [dragon], spitting (vomiting) f.; ~*e berg* volcano; ~**staal** f.-steel; ~**steen** flint; ~**steengeweer** flint-lock; ~**stoot** (*mil.*) burst (of fire); ~**straal** flash of f.; (*vlammenwerper, enz.*) jet of f., f. jet; ~**tang** f.-tongs; ~**test** coal-pan; ~**tje** little (small) f.; *zie* lopend & stoken; ~**toren** lighthouse; ~**torenwachter** lighthouse-keeper; ~**vast** f.proof, heat-resisting, refractory, incombustible, non-combustible; ~*e klei* f.-clay; ~*e schaal* baking-mould; ~*e steen* f.-brick, f.-tile; - *maken* f.-proof; ~**vlieg** f.fly; ~**vogel** f.-bird; ~**vreter** f.-eater (*ook fig.*); ~**wals** (*mil.*) creeping (*of:* moving) barrage; ~**wapen** f.-arm; ~**water** f.-water; ~**werk** (display of) fireworks, firework(s) (*of:* pyrotechnic) display, pyrotechnics; - *afsteken* let off fireworks; ~**werker** *zie* ~**werkmaker**; ~**werkerskunst** pyrotechny; ~**werkmaker** f.-worker, pyrotechnist; ~**wortel** common feverfew; ~**zee** sea (mass) of f., blaze, [dash into the] furnace of flames; ~**zuil** pillar of f.

v.v. vice versa; **v-vormig** V-shaped, V-d [*spr.:* vi:d], veed; **V.V.V.** Tourist Information (Bureau), Tourist Office; *zie ook* vreemdelingenverkeer; **V-wapen** V.-weapon; **V.W.O.** = *voorbereidend wetenschappelijk onderwijs*, (*ongev.*) secondary education

W

W W.; West; **W.A.** *zie* wettelijk
waadbaar fordable; ~*bare plaats* ford
waadpoot gressorial foot
Waadt(land) (Pays de) Vaud; **Waadtlander(s), Waadtlands** Vaudois
waadvogel wading-bird, wader
waag *a)* balance; *b)* (*stads-*) weigh-house; *c)* *een hele* ~ a risky undertaking; ~**drager** porter; ~**geld** weighage; ~**hals** venturesome (reckless, devil-may-care) fellow, daredevil; ~**halzerig** daredevil, reckless, venturesome; ~**halzerij** recklessness, dare-devilry, foolhardiness; ~**meester** weigher, weigh-master; ~**schaal:** *zijn leven lag in de* - was (*of:* trembled) in the balance; *hij stelde zijn leven in de* - he risked his

life (his neck), staked his life; ~**spel** *zie* kansspel; ~**stuk** risky thing (*of:* enterprise), (bold) venture
waaibomenhout inferior timber
waaien blow; (*van vlag, enz.*) fly, flutter (float) in the wind; (*met waaier*) fan [a p., o.s.]; *laten* ~ hang out [a flag]; *laat* (*de boel*) *maar* ~! let it rip! (a) fat lot I care!; *hij laat alles maar* ~ he lets things drift (*of:* slide); '*laat maar* ~' *politiek* policy of drift, drift policy; *wat waait* '*t*! how it blows!; '*t waait hard* it is blowing hard, there is a strong (a high) wind blowing, it is blowing great guns; '*t* (*er*) *waait een* (*halve*) *storm* it is blowing (half) a gale; *de wind waait uit 't westen* the wind blows from

the West; *'t zal er ~*, (*fig.*) there will be a breeze (ructions, a shindy), feathers (the fur) will fly, there'll be the devil to pay; *de bladeren ~ van de bomen* the leaves are blown from the trees; *waar kom jij vandaan ~?* where do you spring (*of:* blow in) from? what wind has blown you (in) here?; *zie* wind

waaier fan; **~boom** f.-tree; **~brander** fantail; **~en** fan; **~fauteuil** wing-chair; **~palm** f.-palm; **~venster** f.(-shaped) window; (*boven deur*) f.light; **~vormig** *bn.* f.-shaped; – *gewelf* f.-vault; *bw.* f.-wise; – *geplooid* f.-pleated

waak (night-)watch, vigil; **~hond** watch-, farm-, house-dog; **~s** watchful; **~ster** watcher; **~vlam** pilot-flame, p.-jet

waakzaam watchful, wakeful, vigilant, (on the) alert; *zie ook* wakend; **~heid** watchfulness, wakefulness, vigilance, alertness

Waal 1 (*rivier*) id.; 2 (*pers.*) Walloon; **w~klinker** 'Waal' brick; **~s(e)** Walloon

waan erroneous (delusive) idea, delusion, (*Am.*) pipe-dream; *iem. in de ~ brengen dat ... * lead a p. to think that ...; *iem. in de ~ laten dat ...* leave a p. under the impression that ...; *in de ~ verkeren dat ...* labour under the delusion that ..., be under the impression that ...; *iem. uit de ~ helpen* undeceive a p., open a p.'s eyes; **~denkbeeld** fallacy; **~geloof** superstition; **~voorstelling** delusion

waanwijs (self-)conceited, bumptious, self-opinioned, opinionated; **~heid** (self-)conceit, (self-)conceitedness

waanzin madness, insanity; (*razernij*) frenzy; **~nig** insane, demented, deranged, distracted, mad, crazy [*van angst* with terror]; (*als –*, *razend*) frenzied, frantic; – *duur* ridiculously expensive; *zie* krankzinnig; **~nige** madman, maniac, lunatic; **~nigheid** *zie ~*

1 waar *zn.* wares, ware, goods, commodity, merchandise, article(s), stuff; *goede ~* good stuff; *slechte ~* bad stuff, stuff, rubbish; *goede ~ is half verkocht* good wares make quick markets; *alle ~ is naar zijn geld* you can't expect more than you pay for; *goede ~ prijst zichzelf* good wine needs no bush; *iemand ~ voor z'n geld geven* give value for money; *~ voor z'n geld krijgen* get one's money's worth, get (good) value for one's money; (*fig. ook*) get (have) a (a clear, a good) run for one's money

2 waar I *bw.* where; *~ hij ook is* wherever he may be; *~ ga je naar toe?* w. are you going (to)? *~ ergens is 't huis?* whereabouts is ...?; *zie* heen, vandaan, zijn; II *vw.* where; (*aangezien*) since, as; *te minder ~ ze alles doen ...* the less so as they ...

3 waar *bn.* true; *dat is ~ zowel van E. als van B.* that is t. both of E. and B.; *'t is een ware doolhof* (*een ~ schrikbewind, enz.*) it is a veritable (regular) labyrinth (reign of terror, etc.); *een ~ genot* a real joy; *ware juwelen van ...* very gems of poetic quality; *hij is ziek, niet ~?* he is ill, isn't he?; *zij moest nu gaan, niet ~ ?* she ought to go now, oughtn't she?; *hier woont ze,*

niet ~? she lives here, doesn't she?; *'t is nauwelijks genoeg, niet ~?* it is hardly enough, is it?; *je hebt alleen ... gezien, niet waar?* you only saw his brother, did you?; *toch niet ~!* not really! you don't say so! ['H.'s dead, Sir.'] 'Is he now!'; *'t is ~, er zijn ..., maar ... t.*, there are exceptions, but ...; *dat is ~ ook* that reminds me! by the by [can you tell me ...?]; [he's abroad,] so he is!; *dat is ~ ook, daar dacht ik niet aan* that is t., I did not think of it; of course, I forgot that; *dat zal ~ zijn!* you bet (I did, he is, etc.)!; *zo ~ als ik leef* (*hier sta*) as I live (as I stand here); *zie ook* zowaar; *~ maken* prove, make good, verify [one's words], fulfil [expectations]; *zich ~ maken* prove o.s., come up to the mark; *voor ~ houden* consider to be t., hold t.; *voor ~ aannemen* take for granted; *daar is geen woord van ~* there isn't a word of truth in it; *daar is iets* (*zit wat*) *~s in* there is something (some point, some truth) in that; *daar is veel ~s in* there is a great deal of truth in that (*fam.:* a lot) in that; *dat is je ware* that's the thing, the (real) goods, the stuff, the ticket; *hij* (*deze krant, enz.*) *is je ware* he (this paper, etc.) is It; *zie* grootte, Jakob

waaraan (*vrag.*) to (of, etc.) what?; (*betr.*) to (of, etc.) which (whom); *~ denkt hij?* what is he thinking of?; *~ herkende jij hem?* what did you know him by?; *zie* liggen, toe

waarachter (*vrag.*) behind what?; (*betr. van zaak*) behind which; (*van pers.*) behind whom

waarachtig I *bn.* true, real; *'t is de ~e waarheid* it is gospel truth (as true as true); II *bw.* truly, really (and truly), indeed; *'t is ~ waar* it is really true; *en ~ hij trouwde!* and he did marry after all!; *~, hij deed het* he actually did it; *die vrek bood me ~ een sigaar aan* that skinflint actually offered me a cigar; *dat weet ik ~ niet* I'm sure I don't know; *~, 't is Jan* it's Jack, sure (*of:* right) enough!; *~ lang genoeg!* long enough in all conscience!; *ik dacht ~ ...* I declare to goodness I thought ...; *je weet ~ alles!* you know everything, you do! *~!* ['you don't say so!'] 'fact!'; *~ niet!* not a bit of it!; *dat weet ik ~ niet* I'm blest if I know; *hij heeft ~ al politieke meningen* he has his views on politics, if you please; *hij heeft 't ~ weer gedaan* he has gone and done it again; **~heid** veracity, truth

waarbeneden below which

waarbij (*vrag.*) by (near, etc.) what?; (*betr.*) by (near, etc.) which (whom); *ons onderhoud, ~ ...* our interview in the course of which ...; *~ men moet bedenken ...*, taking into account ...; *~ de restrictie moet worden gemaakt ...* with the restriction ...; *~ nog komt dat ...* in addition to which ...; *~ vergeleken ...* compared with which ...

waarborg guarantee, guaranty, warrant, security, safeguard; (*essaai*) assay; **~en** guarantee, warrant, vouch for; *om beleggers te – to* safeguard investors; *iem. een recht – g.* a right to a p., g. a p. in a right; *– tegen* secure against; ~**fonds** g.-fund; ~**kantoor** assay-office; ~**kapitaal** g.-capital; ~**maatschappij** insurance company; ~**som** caution money, security; (*bij verkiezing*) deposit [forfeit one's ...]; ~**stempel** hall-mark

waarboven (*vrag.*) over (above) what?; (*betr.*) over (above) which (whom)

1 **waard** landlord, host; licensee [the ... of the Albion Hotel]; (*mannetjeseend*) drake; *zoals de ~ is, vertrouwt hij zijn gasten* one judges other people's character by one's own; *buiten de ~ rekenen* reckon without one's host

2 **waard** (*rivierwaard*) holm; (*uiterw.*) foreland, foreshore; (*ingedijkt land*) polder

3 **waard** worth; ~*e vriend* dear friend; ~*e Heer* (My) Dear Sır, (*in spreektaal*) my dear sir; *een gulden* (*veel, weinig, niets*) ~ w. a gulden (much, little, nothing); *'t is wel een bezoek ~* it's w. a visit; *het is het overwegen ~* it merits consideration; *niet ~ om naar te kijken* not w. looking at; *'t repareren niet ~* [the bags are] not w. mending (repairing); *hij is geen schot kruit ~* he is not w. a bullet; *uw liefde* (*uw aandacht*) ~ worthy of your love (your attention); *dat is reeds veel ~* that is a great point gained; *'t deed de tijd voorbijgaan, en dat was in ons geval wel wat ~* it helped to pass the time, which was a consideration in our case; *'t is veel ~ een goede gezondheid te hebben* good health is a great asset; *maar dat was 't wel ~* [we got fearfully dirty] but it was (well) w. it; *ik geef 't* (*dit idee, enz.*) *voor wat 't ~ is* I give it (this idea, etc.) for what it is w.; *hij is niet veel ~ als speler* (*in 't oplossen van raadsels*) he is not much of a player (not much of a hand at solving riddles); *zonder dat is 't leven niets ~* life is no use without it; *ik voel me niets ~,* (*voel me ellendig*) I'm fit for nothing, I'm all in; *mijn ~e* my dear (friend, fellow); *zie* moeite & tien

waarde 1 *zie* waard 3; 2 value, worth; ~*n* securities, stocks, shares; *innerlijke ~* intrinsic value (merit); *de ~ van 't geld* [know] the v. of money; *hij kent ... niet, ook:* he has no sense of the v. of money; *de ~ van tucht* the v. of discipline; ~ *ontvangen* (*genoten*) v. received; ~ *in rekening* v. in account; ~ *hechten aan* set [a high, much, no, little] v. (up)on, set [great, little] store by, attach [much, no, little] value (importance) to, value [a p.'s opinion]; *ik hecht veel ~ aan ...,* *ook:* I believe (am a believer) in early rising (fresh air, etc.); ~ *hebben* be of v.; *weinig ~ hebben* have little v.; *zijn woord heeft nogal ~* (*heeft geen ~*) his word goes for something (counts for nothing); *... ontleent enige ~ aan zijn zeldzaamheid ...* has a certain scarcity value; *in ~ houden* value, hold dear; *'t goud is* (*de huizen zijn*) *in ~ verminderd* gold has (houses have) depreciated; *brief met aangegeven ~* with declared v.; *naar de ~,* (*van accijns*) ad valorem [duty]; *onder de ~* [sell] below the v.; *aangifte onder de ~* short entry; *op de juiste ~ schatten* rate at its true v., value at its true worth; *ter ~ van ...*

to (*of:* of) the v. of ..., worth ...; *juwelen ter ~ van ...,* *ook:* four hundred pounds' worth of jewelry; *dingen van ~* things of v., valuables; *van geen ~* of no v., worthless, useless; *zulke dingen zijn voor mij van geen ~, ook:* such things mean nothing to me; *van grote ~* of great v.; *zie ook* nul; ~**bepaling** valuation; ~**bon** coupon, voucher; ~**daling** *zie* ~vermindering

waardeerbaar valuable

waarde: ~**leer** theory of value; ~**loos** worthless, valueless, nugatory; (*sl.*) useless, no good at all; *waar-de-loos!* dead loss! – *maken* cancel [banknotes, etc.]; ~**meter** standard of value; ~**oordeel** value judgment, judgment of value; ~**papier(en)** securities (*maar ook:* banknotes, etc.); ~**recht** ad valorem duty

waardenleer axiology

waarderen (*taxeren*) value, estimate, rate [*op* at]; (*door schatter*) appraise [*op* at]; (*schoolwerk, door punten*) mark [papers]; (*op prijs stellen*) appreciate, value, esteem, prize [his most ...d possessions]; *zijn werk wordt niet gewaardeerd* is unappreciated; ~**d** appreciative(ly); *ze glimlachte –* she smiled her appreciation; *zie ook* schatten; -**ing** valuation, estimation, appraisal, appraisement; appreciation, esteem; marking; *vgl. 't ww.; met – spreken over* speak with appreciation (appreciatingly) of; *uit – voor* [To M.R.] in appreciation of [his friendship]

waarde: ~**vast** stable [money], inflation-proof(ed) [pensions], cost-of-living linked, index-linked, indexated [salary rises]; ~**vermeerdering** increment, increase in value; [*belasting op*] *toevallige –* unearned increment [tax], betterment [tax]; ~**vermindering** depreciation, fall in v., [currency] devaluation; ~**vol** valuable, of (great) v.; ~**vrij** devoid of value judgements

waardgelder (*hist.*) *ongev.:* local militiaman; ~**s** local militia

waardig worthy; dignified [silence, eloquence]; *aller achting* (*een betere zaak*) ~ w. (deserving) of everybody's esteem (a better cause); *zijn straf ~ dragen* take one's punishment like a man; *zie* keuren

waardigheid (*uiterlijk of innerlijk*) dignity; (*alleen innerlijk*) worthiness; (*ambt*) dignity; *beneden mijn ~* beneath me, beneath my d., (*fam.*) infra dig.; *hij acht het beneden zijn ~* he disdains [to do it]; *in al haar ~* in all her d.; *met* (*grote*) ~ with (great) d.; *vol ~, ook:* dignified; *in strijd met de ~* undignified [behaviour]; *zijn – uit 't oog verliezen* make o.s. cheap; ~**sbekleder** dignitary

waardij worth, value

waardin landlady, hostess

waardoor (*vrag.*) through (by) what? what [is it caused] by?; (*betr.*) through (by) which

waarheen where, where to, to what place; (*vero.*) whither; ~ *kan ik ontsnappen?* where can I escape?

waarheid truth; *de ~ van de bewering, ook:* the

veracity of the statement; ~ *als een koe* truism, self-evident t.; *de ~ spreken (zeggen)* speak (tell) the t.; *de ~ boven alles!* speak the t. and shame the devil; *om de ~ te zeggen* to tell the t., t. to tell; as a matter of fact; *ze zei hem de ~* she gave him a piece (a bit) of her mind, told him what she thought of him, told him some home truths; *zie ongewassen; ze zeiden elkaar lelijk de ~* there was much plain speaking; *dronken mensen spreken de ~* in vino veritas; *beneden de ~ blijven* understate; *dat is dichter bij de ~* that is nearer the t. (the mark); *naar ~* [answer] truthfully, [it has been said] with t., according to the truth; *zie* half, herberg, komen achter, midden, naakt, raak, schijn, enz.; ~**lievend, -minnend** truthful, t.-loving, veracious; ~**sgetrouw** faithful, true, in accordance with truth; ~**sliefde** love of t., truthfulness, veracity; ~**szin** sense of t.

waarin (*vrag.*) in what?; (*betr.*) in which; (*vero.*) wherein; ... ~ *zijn kracht lag* I discovered where his strength lay; **waarlangs** (*vrag.*) past (along) what?; (*betr.*) past (along) which

waarlijk truly, in truth, indeed, really, actually; *zo ~ helpe mij God almachtig!* so help me God!; *zie* waarachtig

waarloos spare [anchor, sail, etc.]

waarmaken *zie* waar

waarme(d)e (*vrag.*) with what? what [did you beat him] with?; (*betr.*) with which, [the train] by which [I leave]

waarmerk stamp; (*op goud, enz.*) hall-mark

waarmerken stamp, certify, legalize, authenticate, attest; (*doorhaling*) confirm [an erasure]; (*goud, enz.*) hall-mark; *gewaarmerkt afschrift* certified copy; *gewaarmerkt zilver* hall-marked silver; *door zijn handtekening gewaarmerkt* authenticated by his signature; -**ing** stamping, certification, authentication; hall-marking: *vgl. 't ww.*

waarna after which, whereupon

waarnaar (*vrag.*) at, etc. what?; (*betr.*) to which; *waar kijk je naar?* what are you looking at?; *zie* smaken

waarnaast (*vrag.*) beside what?; (*betr.*) beside (by the side of, next to) which

waarneembaar perceptible, observable

waarneembaarheid perceptibility

waarnemen (*bemerken*) perceive, observe; (*gadeslaan*) watch, observe; (*plichten, enz.*) perform, attend to [one's duties, etc.]; (*behartigen*) look after [a p.'s interests]; (*zich ten nutte maken*) avail o.s. (take advantage) of [an opportunity]; *een betrekking tijdelijk ~* fill a place temporarily, do temporary duty; *voor iem. ~* replace a p. temporarily, take duty (deputize) for a p.; *de praktijk voor een dokter ~* take charge of (look after) a doctor's practice; (*fam.*) do locum; *voor een collega (voor elkaar) ~* deputize for a colleague (for each other); *de plichten van gastvrouw (voorzitter) ~* deputize as hostess (chairman) for ...; *voor een predikant ~, ook:* supply (a pulpit, a church, a clergyman, at

a church); *zijn kans ~* take one's chance; *zie* opmerken; ~**d** deputy, temporary, acting [chairman]

waarnemer *a*) observer (*ook in vliegtuig =* flight observer); *b*) deputy, substitute; (*van dokter of geestelijke*) locum tenens, (*fam.*) locum; (*van geestelijke, ook:*) supply

waarneming perception; observation; performance [of duties]; deputizing; *vgl. 't ww.;* ~**en** *doen* take observations; (*mar.*) take sights; *de ~ van mijn betrekking geeft mij werk genoeg* attending to my job gives me plenty of work; ~**sballon** observation-, kite-balloon; ~**spost** observation post; ~**svermogen** *a*) (*van de ziel*) perceptive faculty; *b*) power(s) of observation

waarnevens *zie* waarnaast

waarom why; (*fam.*) what for; (*dicht.*) wherefore; *~ heb je dat gedaan? ook:* what made you do that? what did you do that for?; *dat is juist ~ ik hier ben* that's just what I am here for; *het ~* the why (and wherefore)

waaromheen (*vrag.*) round what?; (*betr.*) round which

waaromtrent (*vrag.*) about what? (*plaats*) whereabouts?; (*betr.*) about which

waaronder (*vrag.*) under (among) what?; (*betr.*) under (among) which (whom); including [his wife], [his wife] among them; ..., ~ *ook worden begrepen ... ...*, under which head are also included ...

waarop (*vrag.*) on (for, etc.) what?; (*betr.*) upon which, whereupon; ~ *wacht je?* what are you waiting for?

waarover (*vrag.*) across (over, about, etc.) what?; (*betr.*) across (over, about, etc.) which

waarschijnlijk I *bn.* probable, likely; *het is ~ dat, ook.* the chances (the odds, the probabilities) are that ..., it is on the cards that ...; II *bw.* probably; *zeer ~, ook:* most (very) likely, as likely as not [he will ...]; *hij komt ~ niet* he is not likely (is unlikely) to come; *ik zal ~ £ 10 winnen (verliezen), ook:* I stand to win (lose) £10

waarschijnlijkheid probability, likelihood; *naar alle ~* in all p. (likelihood); ~**sleer** probabiliorism; ~**srekening** theory (calculus, calculation) of probabilities

waarschuwen warn, caution, admonish; (*verwittigen*) notify [the police], tell, let [me] know [if ...]; ~ *tegen (voor)* w. (caution) against; *iem. behoorlijk (ernstig) ~* give a p. fair (serious) warning; ~ *weg te bl.* w. off; *ik waarschuwde hem dat u hier was* I warned him of your presence; *als je wilt komen, moet je me wat vroeger ~* you should give me a little more notice; *iem. ~ op zijn hoede te zijn* put a p. on his guard; *ik waarschuw je!* (*dreigement*) I w. you! be warned!; *nu ben je gewaarschuwd* (now) you've had your warning, now you know (where you are), I've warned you; *van te voren ~* forewarn; *een gewaarschuwd man telt voor twee, vooruit gewaarschuwd maakt dubbel voorzich-*

tig forewarned is forearmed; *men zij gewaarschuwd tegen vervalsingen* the public are cautioned against imitations; beware of forgeries; *zich laten ~* take warning, [he will not] be warned; *~de stem* warning (cautionary) voice; *een ~de stem laten horen* sound a warning note (a note of warning); *~de verschijnselen* premonitory symptoms, danger signals [of cancer]

waarschuwing warning (*ook van ziekte*), caution, admonition; (*ter herinnering*) reminder; (*van belasting*) (second) demand-note, default (*of:* warning) notice, demand [*laatste ~* final ..., final notice]; *~!* (*als opschrift*) caution!; *laat dit je een ~ zijn* let this be a w. to you; *een ~ laten horen, zie* waarschuwende stem; *~sbord* [triangular] w. sign, w.-board; *~scommando* caution; *~sknipperlicht* (*van auto*) hazard warning light, hazard flasher; *~ssein* w.-signal

waar: *~tegen* (*vrag.*) against what?; (*betr.*) against which; *–over* (*betr.*) *a*) opposite which; *b*) in consideration of which; *~toe* (*vrag.*) for what? (*fam.*) what for?; (*betr.*) for which; *zie* dienen; *~tussen* (*vrag.*) between what (which)? (*betr.*) between which (whom); *~uit* (*vrag.*) from what? (*dicht.*) whence? – *bestaat het?* what does it consist of?; (*betr.*) from which, (*dicht.*) whence; *~van* (*vrag.*) of what? what [is bread made] of?; (*betr.*) of which (whom); whereof; *–daan zie* vanwaar; *~voor* (*vrag.*) for what? what [have you come here] for? for what purpose? (*dicht.*) wherefore?; *zie* waarom; (*betr.*) for which (whom), (*dicht.*) wherefore

waarzeggen tell fortunes; *iem. ~* tell a p.'s fortune [by cards], (*uit de hand*) read a p.'s hand; *zich laten ~* have one's fortune told; *-ger* fortune-teller, soothsayer; (*uit de hand*) palmist; (*uit glazen bol*) crystal-gazer; *-gerij* fortune-telling, palmistry, hand-reading; (*uit kaarten*) *ook:* cartomancy; *-ster zie* -ger

waarzo (just) where; **waarzonder** without which

waas (*op perzik, enz.*) bloom; (*op veld, enz.*) haze; (*voor de ogen*) mist, film [he had a ... before his eyes]; (*fig.*) varnish, veneer [of civilization], air [of secrecy], [romantic] glamour (glow), veil [of mystery]; *gehuld in een ~ van geheimzinnigheid* shrouded in mystery

wacht (*één pers.*) watchman; (*mil.*) sentry, (*coll.*) guard, (*mar.*) watch; (*'t ~houden*) watch, guard, (*mil.*) guard(-duty), sentry-go; (*mar.*) watch; (*~huis*) guard-house; (*theat.*) cue; *achtermiddag~,* (*mil.*) afternoon watch; *platvoet~* dog-watch(es); *eerste ~* first watch; *honde~* middle watch; *dag~* morning watch; *voormiddag~* forenoon watch; *~ te kooi,* (*mar.*) watch below; *optrekkende (inrukkende) ~,* (*mil.*) relieving (coming-off) guard; *iem. de ~ aanzeggen* give a p. serious warning (a talking to), tell a p. what's what; *de ~ aflossen* relieve guard (*mar.:* the watch); *de ~ betrekken* mount guard ('t *betrekk. van de ~* guard-mounting), go on duty, (*mar.*) go on

watch; *de ~ hebben* be on guard(-duty), (*mar.*) be on watch, (*van officier, mar.*) be in charge of the watch; (*van dokter in ziekenhuis*) be on duty; *de ~ houden* keep watch, keep (stand) guard [*over* over, on], be on the look-out; *goed de ~ houden* keep (a) good watch, keep watch and ward; *~ lopen,* (*mar.*) stand watches; *de ~ overnemen* take over guard (*mar.:* the watch); *zet een ~ voor mijn mond,* (*Ps. 141 : 3*) set a watch before my mouth; *in de ~ slepen,* (*fig.*) pinch, grab, bag, collar, rake in [£20 a week], (*mil.*) scrounge; carry off [the prize]; *wat men in de ~ sleept* pickings (and stealings); *op ~ staan* stand guard, be on duty; *op ~ plaatsen* put [a constable] on guard; *van de ~ komen* come off guard (off duty); *zie* geweer; *~claus* (*theat.*) cue; *~commandant* commander of the guard, (*in politiebureau*) station officer; *~dienst* guard-duty, (*mar.*) watch; *– hebben, zie:* de *~* hebben; *~dokter* (*in ziekenh.*) doctor in charge

wachtel(koning) *zie* kwartel(koning)

wachten *intr.* wait, *tr.* wait for, await; (*verwachten*) expect [I ... you to-morrow]; *wacht even, wacht eens* w. a bit!, (*fam.*) hold on (a bit)!; *wacht even,* (*telef.*) hold the line (hold on, *fam.*) hang on a minute, please!; stand by!; *wacht maar!* (*bedreiging*) you just w.!, just you wait!; *maar steeds blijven ~* w. on; *iem. laten ~* keep a p. (waiting); '*t speet hem dat hij 't rijtuig (de taxi) niet had laten ~* he was sorry he had paid off the driver (the cab); *verbeteringen laten op zich ~* are delayed, are long (in) coming; *hij ('t diner) liet op zich ~ was late; ~ duurt altijd lang* a watched pot never boils; time moves slowly when we w.; *hij kan wel ~* he can w.; *dat (de brief, enz.) kan wel ~* that (the letter, etc.) can (will) w., will keep [till to-morrow]; '*t kan niet ~* it cannot (will not) w.; *dan kun je lang ~!* catch me at that!; *ik kan 't niet ~* I cannot afford the time; *vrouwen kunnen beter ~ dan mannen* women play a waiting game better than men; *kunt ge mij morgen ~?* can you receive me ...?; '*t moet ~* it will have to w., must stand over till another time; *te S. moesten we ... ~* at S. we had (there was) a long (an hour's) wait; (*lang*) *staan te ~* cool (kick) one's heels; *er staat je iets te ~* there is s.t. (a scolding, etc.) in store for you; *ik weet wat mij te ~ staat* I know what I am up against; *er stond haar ... te ~,* (*erfenis*) she stood to inherit a large sum; *er wacht hem ...,* *ook:* there is an unpleasant shock before (*of:* in front of) him; he is due for a surprise; *er wacht ons een smoorhete dag, enz.* we are in for a scorching day (a busy time, a scolding); *de taak, die ons wacht* which awaits (confronts) us (which lies ahead); *wacht met schrijven tot ...* w. with writing till ..., leave writing till ...; *wacht niet te lang met bestellen* do not wait too long before ordering; *~ op* w. for; *wacht niet op me,* (*met naar bed te gaan*) don't w. up for me; *wacht op mijn daden* w. and see; *wij zullen op* *u* ~ met eten (*de thee, enz.*) we'll w. dinner (tea, etc.) for you; *het* ~ *is op jou* it's you we are waiting for; *ik wachtte tot ... zou ...* I waited for him to begin (for the door to open, for it to happen again); *wil je* ~ *tot ik terugkom?* will you (a)wait my return?; *ik zal* ~ *tot 't u schikt* I will (a)wait your convenience (I will wait till it suits you); *wacht niet tot het laatste ogenblik* (*bijv.* om een trein te halen) don't run it too close, don't cut it too fine; *zij had wat van haar tante te* ~ she had expectations from her aunt; *zich* ~ *voor* be on one's guard against; *wacht u voor zakkenrollers!* beware of pickpockets!; *hij zal zich wel* ~ *om* ... he knows better (has more sense) than to ...; *zich wel* ~ *om zich te bemoeien met* ..., *ook:* leave a p. (a thing) severely alone; take care not to ...; *'t* ~ [I found] the wait [wearisome]; *zie ook* antwoord, namaak, vasten, *enz.*

wachter *a*) watchman, (gate-)keeper; *b*) (*bijplaneet*) satellite; ~ *wat is er van de nacht?* watchman, what of the night?

wachtgeld unemployment pay, [placed on] half-pay; ~**er** official on half-pay, etc.

wacht: ~**glas** (*mar.*) glass; ~**hebbend** on duty; ~**hond** watch-dog; ~**huis** guard-house; ~**huisje** watchman's hut; (*mil.*) sentry-box; (*van bus enz.*) shelter; ~**kamer** waiting-room; (*mil.*) guard-room; (*van brandweer*) watch-room; ~**lijst** (*van op aanstelling, enz. wachtende personen*) waiting-list; ~**lokaal** *zie* ~kamer; ~**meester** (*cav.*) (troop) sergeant; (*art.*) (battery) sergeant; (*politie*) (police-)sergeant; ~**parade** guard mounting, guard parade; ~**post** watch-post; ~**rol** (*mar.*) watch-bill; ~**schip** guard-ship; ~**tenue** guard-mounting order; ~**tijd** wait; ~**toren** watch-tower; ~**verbod** parking prohibition; no parking; ~**vuur** watch-fire; ~**woord** (*algem.*) password, word; (*van schildwacht ook*) countersign; (*van officier ook*) parole; (*leus*) watchword, catchword, slogan; *zie* uitgeven; (*theat.*) cue; ~**zuster** (*in ziekenhuis*) sister in charge

wad tidal marsh, (muddy) shallow, mud-flat; *de W~den* the (Dutch) Shallows

Waddeneilanden: *de* ~ the Frisian Islands

wade shroud

waden wade, ford

waf! ~*!* ~*!* bow-wow!

wafel waffle, wafer; *hou je* ~*!* shut your trap!; ~**bakker** w. baker; ~**ijzer** w.-iron; ~**kraam** w.-booth; ~**stof** honeycomb [towels, etc.]

waffel (*volkst.*) *zie* wafel

1 wagen venture, risk, hazard; *ik waag het erop* I'll risk (chance) it, I'll take a chance on it; *'t adres waagde ze er maar op* she chanced the address [: Mr. ...]; *waag 't niet!* don't you dare [*om te ... to* ...]! *waag 't eens!* do it at your peril! I defy you to do it!; *hoe durf je 't* ~*!* how dare you (do it)!; *ik waagde 't op te merken* ... I ventured (made bold) to observe ...; *ook:* [I had no idea ...] I ventured; *zijn leven* ~ risk (*roekeloos: fam.* play pitch and toss with) one's life, carry (take) one's life in one's hands; *die waagt die wint* fortune favours the bold; *die niet waagt, die niet wint* nothing v., nothing have; faint heart never won fair lady; *al zijn geld* **eraan** ~ stake all one's money on it; *zullen we er eens een gulden aan* ~*?* shall we have a guilder's worth?; *er alles aan* ~ risk everything, stake one's all; *zich* ~ *aan* v. upon [a task]; *ik zal er mij niet aan* ~ I'll not take the risk; *zich aan 'n verklaring* ('*n gissing*) ~ hazard an explanation (a guess); *zich buiten* ~ v. out (of the house); *zich in 't bos* (*onder de menigte*) ~ v. into the wood (among the crowd) *zie* gewaagd

2 wagen (*rijtuig*) carriage, coach; (*voertuig*) vehicle; (*vracht-*) wag(g)on, van; (*meest op 2 wielen*) cart; (*tram-*) car; (*triomf-, enz.*) chariot; (*auto*) car; (*van schrijfmachine*) carriage; *de W~*, (*astron.*) Charles's Wain, the Northern Car; *een* ~ *hooi* a cart- (wagon-)load of hay; *zie* kraken

wagen- wag(g(on; ~**as** axle-tree; ~**bestuurder** (*van tram, enz.*) driver, motorman; ~**burg** barricade (*of:* fortification) formed of wagons; (*Z.-Afr.*) laager; ~**dissel** w.-pole; ~**huif** w.-tilt; ~**huis** coach-house, cart-shed; ~**kap** hood of a carriage; ~**ketting** drag-chain; ~**kleed** tarpaulin; ~**krat** tail-board; ~**ladder** rail, rave, cart-ladder; ~**lading** w.-, cart-load; ~**lens**, ~**luns** linch-pin; ~**maker** *a*) coach-builder; *b*) w.-builder, cartwright; ~**makerij** *a*) coach-builder's shop (business); *b*) cartwright's shop (business); *de* ~**man** (*astron.*) the Wag(g)oner, Auriga; ~**meester** w.-master; ~**menner** driver, (*dicht.*) charioteer; ~**paard** harness-, carriage-, cart-horse; (*voor bestelwagen, enz.*) van-horse; ~**park** fleet [of vehicles, cars, buses, etc.]; (*mil.*) w.-park; ~**rad** carriage-, coach-, w.-, cart-wheel; ~**reep** trace; ~**ren** chariot race; ~**schot** wainscot; ~**smeer** carriage-, wheel-, cart-, axle-grease; ~**spoor** (cart-, wheel-)rut; *vol wagensporen* badly rutted [road]; ~**stel** carriage-frame; ~**tje** (*in zelfbedieningswinkel*) trolley; ~**veer** *a*) carriage-spring; *b*) vehicular ferry; ~**verkeer** vehicular traffic; ~**voerder** motorman, driver; ~**vol**, ~**vracht** w.-, cart-load; ~**weg** carriage-road; ~**wiel** *zie* ~rad; ~**wijd** (very) wide [the doors were flung wide]; *de deur werd – opengezet voor allerlei misbruiken* the door was opened wide to all kinds of abuses; ~**wip** carriage-, w.-jack; ~**zeel** trace; ~**zeil** tarpaulin, tilt; ~**ziek(te)** car-sick(ness), train-sick(ness)

wager *zie* waaghals

waggelbenen *vgl.* waggelen

waggelen totter, stagger, reel [like a drunken man]; (*van dik persoon, eend, enz.*) waddle; (*van klein kind*) toddle; (*van pers., tafel, fiets*) wobble; *de tafel wobbly table; hij loopt met een ~de gang ook:* he has a roll in his gait

wagon (*personen*) (railway-)carriage; (*goederen*) van; (*open*) truck, wag(g)on; ~**huur** wag(g)on-hire; ~**lading** wag(g)on-load

wagon-lit sleeping-car(riage), (*fam.*) sleeper

Wahabiet, -itisch Wahabi, -bee

wajang (*Ind.*) wayang: galanty show, shadow show (play, pantomime); **~pop** shadow puppet

wak (blow-, air-)hole (in ice)

wake *zie* waak

waken wake, watch; **~** *bij* sit up with, watch by [a patient]; *bij een lijk* **~** keep watch over a dead body; **~** *over* watch over; **~** *voor a*) watch over, look after [a p.'s interests]; *b*) = **~** *tegen* (be on one's) guard against; *angstvallig* **~** *voor* ... be jealous of one's honour (one's rights); *.ervoor* **~** *dat* ... take care that ..., see that ...; *waakt!* (*padvindersmotto*) be prepared!; *tussen* **~** *en slapen* between sleeping and waking

wakend wakeful, waking; (*waakzaam*) watchful, vigilant; **~** *of slapend* waking or sleeping [that thought never left her]; *een* **~** *oog houden op* keep a vigilant (watchful) eye upon

waker (*pers.*) watchman, watcher; (*op mast*) dog-vane; (*lont*) fuse

wakke (*gesteente*) wacke

wakker (*eig.*) awake; (*flink, levendig*) spry, brisk, smart; (*waakzaam*) vigilant, awake, alert, watchful, on the alert; **~e** *jongelui* alert youngsters; *goed* **~**, (*ook fig.*) wide a.; **~** *blijven* keep (stay) a.; **~** *houden* keep a.; *de herinnering* **~** *houden aan* commemorate [the triumphs of France]; **~** *liggen* lie a.; *daar zal ik niet van* **~** *liggen* I shan't lose any sleep over that; **~** *maken* wake (up), awake, (a)waken; *zie* hond; **~** *roepen* wake (up), (*fig. ook*) evoke, call up, recall [memories, etc.]; **~** *schrikken* wake (up) with a start; **~** *schudden* shake a. (*of:* up), rouse [a p. from his preoccupation]; *zich* **~** *schudden* shake o.s. awake, rouse o.s.; *de natie* **~** *schudden*, *ook:* stir the nation into activity; **~** *worden* wake up, awake; *zie* klaar; **~heid** alertness, spryness, briskness

wal (*van vesting*) rampart, wall; (*oever*) bank, shore, coast, waterside; (*kade*) quay(-side), embankment; (*onder de ogen*) bag [met zware **~**len with bags under the eyes]; *de* **~** *keert het schip* there will soon come a point beyond which things cannot go, (*ongev.*) the disease will burn itself out; *tussen* **~** *en schip* [fall] between two stools; *aan* **~** ashore, on shore; *aan* **~** *en op zee* ashore and afloat; *aan* **~** *gaan* go ashore; *aan* **~** *brengen* land; *aan lager* **~** *geraken* be borne down upon the (pile up on a) lee shore; (*fig.*) be thrown on one's beam-ends, get into low water; *aan lager* **~** *zijn*, (*fig.*) be on the rocks, in low water, broke, on one's beam-ends, in the gutter, (down) on one's uppers; *naar de* **~** *zwemmen* swim ashore; *naar de* **~** *roeien* draw in to the bank; *zie* sturen; *op de* **~** *staande wind* on-shore wind; *iem. op de* **~** *trekken* pull a p. ashore; *'t schip lag uit de* **~** stood off shore; *uit de* **~** off-shore [wind], [a few hundred yards] from the shore; *van de* **~** *in de sloot* out of the frying-pan into the fire; *van de* **~**, (*hand.*) ex quay; *van* **~** *steken* push

(put, shove) off (from shore); (*fig.*) push off, go ahead; *steek maar eens van* **~**! fire away!; *van twee* **~**len eten run with the hare and hunt with the hounds, make the best of both worlds; (*iem. die dit doet, fam.:* Mr. Facing-both-ways); *'t schip is voor de* **~** ... is alongside; *zie* franco, kant & stuurman

Walachije Wallachia

Walachijer, Walachijs Wallachian

walbaas superintendent, wharfinger

walbriefje mate's receipt, dock r.

Waldens (-zisch) Waldensian

Waldenzen Waldenses, Vaudois

waldhoorn French horn

Walenland Wallonia

Wales id.; *van* **~** Welsh; *inwoner van* **~** Welshman

walg loathing, disgust, abomination; *een* **~** *hebben van*, *zie* walgen; *het is mij een* **~** I am disgusted with (*of:* at) it, it makes me sick, my gorge rises at it

walgang (*mil.*) berm

walgelijk *zie* walglijk

walgen: *'t walgt mij*, *'t doet me* **~**, *ik walg ervan* I loathe it, it nauseates (disgusts, revolts) me, I am disgusted with (*of:* at) it, I am sick (to death, deadly sick) of it (the scandal, everything), my gorge rises at it; *de vuiligheid deed me* **~** the filth turned my stomach (turned me sick); *ik walg van hem* he disgusts me; *ik walg van mijzelf* I loathe myself; *tot* **~***s toe* to loathing, ad nauseam

walging loathing, disgust [*van* at, for, of]; *zie* walg; **~wekkend** *zie* walglijk

walglijk disgusting, loathsome, nauseous, nauseating, noisome, sickening [smell]; *hij is* **~** *rijk* he is stinking rich; **~heid** ...ness

walgvogel dodo

walhalla Valhalla

walkant waterside

walkapitein marine superintendent, shore captain

walken, -er, -molen *zie* vollen, enz.

walkyre, -ure Valkyrie

walletje: *'t was bij 't* **~** *langs* it was touch and go; *ze moest bij 't* **~** *langs om rond te komen* she was hard put to it to make (both) ends meet; *de* **~***s* the red-light district [of Amsterdam]

walm (dense) smoke, smother

walmachinist (*mar.*) superintendent engineer

walm: **~en** smoke; **~end, ~ig** smoky [lamp]

walnoot walnut; **-noteboom** w. tree; **-notehout** walnut

Walpurgisnacht Walpurgis night

walrus id., morse, sea-horse

1 wals (*dans*) waltz

2 wals (road-)roller

walschot spermaceti

walsen 1 (*dansen*) waltz; 2 (*ijzer, weg, enz.*) roll [...ed steel]; **-er** 1 waltzer; 2 roller

walsijzer rolled iron; **-machine** rolling-machine

walsmuziek waltz music; **-tempo** waltz time

walstro (*plant*) bedstraw

walswerk (*fabriek*) rolling-mill
walvis whale; *Groenlandse* ~ Greenland (right, arctic) w.; **~aas** whale('s) food, clio: **~achtig** w.-like; (*wet.*) cetacean, cetaceous; *– dier* cetacean; **W~baai** Walfish Bay; **~baard** whalebone; **~been** whalebone; (*boot met*) **~dek** whale-back; **~sloep** whaler, w.-boat; **~spek** blubber; **~station** whaling-station; **~terrein** whaling-ground; **~traan** w.-oil, train-oil; **~vaarder** whaler; (*schip, ook:*) w.-boat, whaling-vessel, whaleman; **~vanger** w.-fisher, -catcher, -hunter, whaler; **~vangst** w.-fishery, -hunting, whaling
wam dewlap
wambuis jacket, (*hist.*) (leather) jerkin, doublet; (*mar.*) monkey-jacket; *op zijn ~ krijgen, zie* baadje
wammen gut [fish]
wammes *zie* wambuis
wan I *zn.* 1 (*voorw.*) winnow, (winnowing-)fan; 2 ullage; II *bn.* slack [bags]
wan: ~bedrijf crime(s), outrage(s); **~begrip** fallacy, false notion; **~beheer** mismanagement, maladministration; **~beleid** mismanagement; **~bestuur** misgovernment; **~betaler** defaulter; (*effectenbeurs, sl.*) lame duck; **~betaling** non-payment; *bij –* in case of n.-p., in default of payment; **~bof** bad (hard) luck; *dat was een – voor hem* that was bad (hard) luck on him; **~boffen** have bad luck, be down on one's luck; *zo ~bof ik altijd* that's just my luck; **~boffer** unlucky fellow; *hij is een –* everything goes against him
wand wall (*ook van lichaamscholte, enz.*); face [the north ... of the cliff]
wandaad misdeed, outrage
wandalmanak *zie* wandkalender
wandbeen parietal bone
wandbord decorative plate
wandel walk; (*fig.* = *handel en ~*) conduct (of life), behaviour, deportment, (*in godsd.*) walk [he had an upright ...]; *aan* (*op*) *de ~ zijn* be out for a w.; *zie* handel; **~aar(ster)** walker, promenader, pedestrian; **~concert** promenade concert, (*fam.*) prom; **~dek** promenade deck; **~dreef** (shady) walk
wandelen walk, take (be out for) a walk; *gaan ~* go for a w.; *ga mee ~* come for a w.; *met iem. uit ~ gaan* (*iem. een wandeling laten doen*) take a p. for a w.; *met de hond gaan ~* take the dog for a run; *naar Gods geboden ~* w. in the ways of the Lord; *toen Jezus op aarde wandelde* when Jesus walked the earth
wandelend: *~e advertentie* boardman, sandwichman; *~ blad* walking-leaf, leaf-insect; *~e dictionaire* (*encyclopedie*) walking dictionary (encyclopaedia); *de W~e Jood* the Wandering Jew; *~e nier* floating (wandering) kidney; *~ souper* stand-up (buffet) supper; *~e tak* walking-stick (insect); *zie* geraamte
wandelgang lobby; *leden in de ~en bezoeken en bewerken* lobby members
wandelhoofd promenade pier
wandeling walk, stroll; (*voor de gezondheid ook*) constitutional; *een ~ doen* take (be out for) a w.; *een ~ gaan doen* go for a w.; *dat is een hele ~* a long w., a good stretch; ***in de ~*** [he was] popularly [called, known as, Grumpy]; *geld in de ~ brengen* put money into circulation; ***op** onze ~* in (on, during) our w.; *zie ook* wandel(en)
wandel: ~kaart (walking) guide, road-map; **~kostuum** (*van dame*) walking-costume, -dress, two-piece suit; (*van heer*) lounge-suit; (*op invitatie*) dress: informal; **~pad** foot-path; **~pas** walking-pace; **~pier** promenade pier; **~plaats** promenade; **~rit** ride, drive, promenade; **~schoenen** outdoor (street, walking) shoes; **~sport** hiking; **~stok** walking-stick, cane; **~stokparaplu** stick umbrella; **~tocht** walking-tour; (*fam.*) [be on a] tramp, hike; **~wagentje** push-chair; **~wedstrijd** walking competition; **~weg** walk
wand[1]**: ~gedierte** bugs; **~kaart** wall-map, w.-chart; **~kalender** w.-calendar; **~kleed** tapestry, hangings; **~klok** w.-clock; **~luis** (bed-, house-)bug; **~meubel** w. unit; **~pilaar** half-pillar, respond; **~plaat** *a*) (*school*) w.-picture; *b*) mural tablet; **~spreuk, ~tekst** *zie* huiszegen; **~standig** (*plantk.*) parietal; **~tafel** w.-table; **~tapijt** hanging(s); **~versiering** w.-decoration
wanen fancy [... a p. dead], imagine
wang cheek (*ook van mast, affuit, enz.*); *~ aan ~* c. to c., c. by jowl; *met rode ~en* red- (ruddy-) cheeked; **~been** c.-bone
wan: ~gebruik abuse; **~gedrag** bad conduct, (moral) misconduct, misbehaviour; **~gedrocht** monster, monstrosity; **~geluid** dissonance, cacophony
wangen fish [a mast]
wangkuiltje dimple (in one's cheek)
wangunst envy; **~ig** envious
wangzak cheek-pouch
wanhoop despair [*aan* of]; *hij was de ~ van zijn moeder* the d. of his mother; *die toestand is een* (*complete*) *~,* (*fam.*) ... drives you up the wall; *moed der ~* courage born of d., desperation; *met de moed der ~* in desperation; *in* (*uit*) *~* in d.; **~sdaad** desperate deed; **~skreet** cry of d.
wanhopen despair [*aan* of]; *men wanhoopt aan zijn leven* his life is despaired of
wanhopig despairing, desperate; *~ in geldverlegenheid* desperately pushed (for money), in desperate straits
wankant dull edge; **~ig** dull-edged
wankel unsteady, unstable, (*van meubel, enz.*) rickety, shaky [staircase], wobbly [table], (*fam.*) rocky [argument, relationship]; *~ op zijn benen* uncertain on one's legs; *~e gezondheid* delicate health
wankelbaar unstable, unsteady, changeable; *~ evenwicht* u. equilibrium; **~heid** instability, unsteadiness, changeableness

[1] *Zie* muur

wankelen totter, shake, rock (sway) to and fro, stagger, reel; (*weifelen*) waver, falter [in one's resolution], vacillate; *van geen ~ weten* stand as firm as a rock; *aan 't ~ brengen* shake, rock; (*fig.*) make [a p.] waver; *zijn overtuiging raakte aan 't ~* his conviction began to waver; *een slag, die iem. doet ~* a staggering blow; **-d** tottering, etc.; vacillating [will]; *zie ook* wankel; **-ing** tottering, etc.; (*fig.*) wavering, vacillation

wankelmoedig wavering, irresolute, vacillating, faint-hearted; **-heid** wavering, irresolution, vacillation

wanklank discordant sound, dissonance; (*fig.*) jarring (discordant, false) note ['*n ~ laten horen* strike a ...], a rift within the lute

wanklinkend, -luidend discordant, jarring, dissonant; **-heid** discordance, dissonance

wanmolen winnowing-mill

wanneer *bw.* when; *vw.* (*tijd*) when; (*indien*) if; *~ ook* whenever; *~ je maar wilt* whenever you like; *~ de Kamer weer bijeenkomt, ook:* [discuss matters] on the House reassembling; *zie ook* als & indien

wannen winnow, fan; **wanner** winnower

wanorde disorder, disarray; *in ~ brengen* (*geraken*) throw (get) into d.; *in ~ ook:* [everything is] at sixes and sevens, in a litter, [the bedroom was] disarranged; *in verschrikkelijke ~* [the room was] in the wildest d.

wanordelijk disorderly; **-heid** disorderliness; **-heden,** (*op straat, enz.*) riots

wanprestatie non-fulfilment

wanruimte (*mar.*) dead freight

wanschapen misshapen, deformed, monstrous; **-heid** misshapenness, deformity, monstrosity

wan: -schepsel monster; **-smaak** bad (*of:* want of) taste; **-smakelijk** in bad taste; **-staltig(heid)** *zie* ~schapen(heid)

want 1 *vw.* for; [less dangerous,] because [less common]; 2 mitten, fingerless glove; 3 (*mar.*) rigging; (*netten*) (fishing-)nets; *staand* (*lopend*) ~ standing (running) r.; *'t ~ in sturen* order [the men] aloft

wanten: *hij weet van ~* he knows the ropes

wantij dead water

wantoestand abuse

wantrouwen *zn.* & *ww.* distrust, mistrust; *zijn ~ in ...* his d. of ...; *met ~ gadeslaan* look askance at; *zie* achterdocht & motie

wantrouwend, -ig distrustful, suspicious; *zie* wantrouwen (*met ...*); **-heid** ... ness

wants (bed-, house-)bug

wanttalie shroud-tackle

wanverhouding disproportion; (*misstand*) abuse; *in scherpe ~ staan tot* be out of all proportion to

wanvoeglijk unseemly, indecent, improper; **~heid** unseemliness, indecency, impropriety

wanvracht (*mar.*) dead freight

W.A.O. = *wet op de arbeidsongeschiktheid, zie* ongevallenwet

wapen weapon, arm; (*her.*) (coat of) arms; (*le-gertak*) arm of service; *~s* arms, weapons; *koninklijk ~* Royal Arms; *het ~ der infanterie* (*cavalerie, luchtstrijdkrachten, enz.*) the infantry (cavalry, air, etc.) arm; *'t als een ~ gebruiken tegen iem.,* (*fig.*) use it as a w. (a lever) against a p.; *je geeft hem een ~ tegen je* you are giving him a handle against you; *de ~s dragen,* (= *soldaat zijn*) bear arms; *een burger mag geen ~s dragen* a civilian may not carry arms; *de ~s neerleggen* lay down arms; *de ~s opnemen* (*opvatten*) take up arms; *... heeft de ~s opgenomen tegen ... ...* is in arms against ...; *iem.* (*de kritiek*) *'t ~ uit de hand slaan,* (*fig.*) take the wind out of a p.'s sails, cut the ground from under a p.'s feet (disarm criticism); *bij welk ~ dient hij?* which of the services is he in?; *hoog in zijn ~ zijn* carry it high, be uppish; *iem. met zijn eigen ~s bestrijden* (*slaan, enz.*) fight (beat, etc.) a p. with his own weapons (beat a p. at his own game); *naar de ~s grijpen* take up arms; *onder de ~s komen* get under arms, join the colours, (*fam.*) join up, (*op bepaalde tijden*) come out [once a year]; *onder de ~s houden* retain with the colours; *onder de ~s roepen* call to the colours, call up; call out [the reserves]; *onder de ~s zijn* be under arms, (*in opstand*) be up in arms; *op alle ~en* [the best fighter] with all weapons; *een journalist op alle ~en* an all-round journalist; *zie* meester; *te ~!* to arms!; *te ~ roepen* call (*of:* sound) to arms; *te ~ lopen* take up arms; *zie* blank & sprekend

wapen: -balk bar, bend; (*dwars-*) fesse; **-beeld** heraldic figure, charge, bearing; **-bergplaats** arms depot; **-boek** armorial; **-bord** (e)scutcheon; **-broeder** brother (companion, comrade) in arms; **-dans** sword-, war-dance; **-dos** full armour; *in volle -,* (*van middeleeuwse ridder bijv., ook:*) in full panoply; **-drager** armour-bearer, squire

wapenen arm [soldiers, a fortress, ship, magnet]; (*beton*) reinforce, armour; *zich ~* arm o.s., arm; *zich ~ met geduld* arm o.s. with patience; *zich ~ tegen* arm (o.s.) against; *zie* gewapend

wapen: -fabriek arms factory; **-fabrikant** arms manufacturer; **-feit** warlike deed, feat of arms, martial exploit; **-gekletter** clash (clang, din) of arms; (*om schrik aan te jagen*) sabre-rattling; **-geluk** *zie* krijgsgeluk & -kans; **-geweld** force of arms; **-handel** *a*) [trained in (*of:* to) the] use of arms; *in de - geoefend, ook:* trained to arms; *b*) arms traffic, traffic (trade) in arms; **-handelaar** gunsmith; **-heraut** herald (of arms, at arms); **-huis** arsenal; **-ing** arming, armament, equipment; (*van beton*) reinforcement, armouring; *algemene -* levée en masse, levy in mass; **-inspectie** inspection of arms; **-kamer** armoury; **-knecht** *zie* schildknaap & soldenier; **-koning** king-of-(at-)arms; **-kreet** warr-cy; **-kunde** heraldry; **-kundig** *a*) heraldic; *b*) versed in heraldry; **-kundige** armorist, heraldist; **-magazijn** arsenal; **-maker** armourer; ~**makker** companion-in-arms; ~**mantel** (*her.*) mantling; ~**oefening** military drill (*of:* exercise); ~**rek** gun-, arms-rack; ~**riem** shoulder-belt, baldric; ~**roem** military glory (fame); ~**rok** (*mil.*) tunic; (*hist.*) coat of mail; ~**rusting** armour (*een* – a suit of ...); *in volle* – in full armour; *zie* ~dos; ~**schild** (e)scutcheon, armorial bearings, coat of arms; ~**schilder** heraldic (*of:* arms) painter; ~**schorsing** truce, suspension of arms; ~**schouwing** review; ~**smid** armourer; ~**snijder** heraldic engraver; ~**spreuk** (heraldic) device; ~**stilstand** armistice, (*tijdelijk*) truce, suspension of hostilities; W~**stilstandsdag** (*hist.*) Armistice Day; ~**stok** truncheon, baton; ~**teken** (*her.*) crest; ~**transactie** arms deal; ~**tuig** arms, weapons; ~**veld** field of an escutcheon; ~**vriend** *zie* ~broeder; ~**zaal** armoury

wapper bascule [of a drawbridge]

wapperen wave, fly (out), flutter, stream, float [*boven* over]; *van 't gebouw wappert de vlag* the building flies the flag, the flag is flown from the building; *laten* ~ fly [a flag]

war: *in de* ~ **brengen** (**maken**) disarrange [a room, a p.'s plans], rumple, ruffle [a p.'s hair], tumble [a bed, a p.'s clothes], make hay of [a p.'s papers, hair], make a mess of [things, a p.'s life]; (*iem.*) put [a p.] out, confuse [a p.]; *iems. plannen* (*een stelsel, enz.*) *in de* ~ *brengen* (**sturen**), *ook:* throw a p.'s plans (a system, etc.) out of gear, (*plannen, berekeningen, ook:*) upset (*fam.:* mess up, muck up) a p.'s plans (calculations); *als 't mijn plannen niet in de* ~ *stuurt* if it does not interfere with my plans; *je hebt de boel* (*mooi*) *in de* ~ *gestuurd* you've made a (proper) mess of things, (*sl.*) have queered the whole business; *ze sturen de hele wetgeving in de* ~ they make hay of the whole legislation; *de markt* (*iems. spijsvertering*) *in de* ~ *brengen* derange the market (a p.'s digestion); *dat bracht haar verstand in de* ~ that turned her brain; *in de* ~ *raken*, (*van pers.*) get confused, get muddled, (*fam.*) get mixed; (*van zaken*) be thrown into confusion (disorder), get entangled; *ik raakte helemaal in de* ~ I got hopelessly lost, I quite lost my head; *alles raakte in de* ~, (*fam.*) everything went haywire; *zijn geldzaken raakten steeds meer in de* ~ his money matters grew more and more involved; *alles liep in de* ~ everything went awry; *in de* ~ *zijn* (*van pers.*) be confused, have lost one's head, be in a muddle, be at sea, be all abroad; (*ijlen*) be delirious, wander in one's mind; (*van zaken*) be in confusion (in disorder, in a mess), be at sixes and sevens, [traffic is disorganized]; *je bent een jaar in de* ~ you're a year wrong; *hopeloos in de* ~ [my hair is, his affairs are] all in a tangle [my hair is all knots and tangles], all anyhow; *'t bed was in de* ~ the bed was tumbled; *het garen is in de* ~ the string is in a knot; *zijn zenuwen zijn in de* ~ his nerves are unstrung, all in a jangle, all jangled; *mijn gedachten zijn helemaal in de* ~ are a confused

jumble; *mijn hersens zijn zo in de* ~ *dat ...* my brain is so muddled (so mixed) that ...; *zijn maag is in de* ~ is out of order, is upset; *'t weer is geheel in de* ~ we're having very unpredictable weather; *uit de* ~ *maken* (*raken*) disentangle (get disentangled)

warande park, pleasure-grounds, -garden

waratje (*fam.*) *zie* waarachtig

warboel confusion, muddle, mess, tangle, clutter, imbroglio, hugger-mugger, [it's all a] mix-up; *'t was een onbeschrijflijke* ~ it was confusion worse confounded, (*fam.*) a most unholy mess; *zie* rein

ware: *als 't* ~ as it were; so to speak; *'t* ~ *beter* it would be better; *al* ~ *het alleen maar om te ...* if only to ...

warempel *zie* waarachtig

1 waren *ww.* wander; ~ *in* haunt [a place]; *de gedachten, die me door 't hoofd* ~ the ideas coursing through my head; *zie* rond~

2 waren *zn.* wares, goods, commodities; ~**huis** *a*) department store(s), stores [deal at the ...; *ook ev.:* a big West End stores]; *b*) greenhouse; ~**kennis** knowledge of (*als leervak:* history of) commodities; ~**wet** Food and Drugs Act; –**geving** merchandise legislation

war: ~**garen** (en)tangled yarn; (*fig.*) *zie* warboel; ~**geest** *zie* ~hoofd & opruier; ~**hoofd** muddle-head, scatterbrain; ~**hoofdig** muddle-headed, scatter-, addle-brained, a.-pated

waringin banyan (tree), banian (tree)

war: ~**klomp** tangle, confused mass; ~**kop** *zie* ~hoofd; ~**kruid** dodder

warm id. (*ook fig.:* adherent, friend, colour, heart), hot [have a ... bath; a ... axle; a ... meal; the hottest day of the year; *ook fig.:* zie ben.]; ~*e baden, ook:* thermal baths; ~*e bron* hot (*of:* thermal) spring; *als* ~*e broodjes* [sell] like hot cakes; *je bent* ~, (*bij spel*) you're w. (*of:* hot); *'t wordt hier nu lekker* ~ the room is warming up (it's getting nice and w.) now; *de radiolampen werden* ~ the valves were warming up; *beurtelings* ~ *en koud worden* go hot and cold; *de grond werd hem te* ~ *onder de voeten* the place became too hot for him; *'t* ~ *hebben* be w.; ~ *houden* keep [one's dinner] hot (warm); *'t houdt je lekker* ~ it keeps you as w. as a toast; *de zaak* ~ *houden* keep the question to the fore; *houdt hem* ~! (*bij glijbaantje bijv.*) keep the pot boiling!; *de plaats* (*de zetel*) ~ *houden voor* keep the seat w. for; *ik krijg 't* ~ I am getting w.; ~ *lopen* (*van machinedelen*) (over)heat, become (get) (over)heated; (*fig.*) *zie:* zich ~ maken; ~ *gelopen, ook:* hot [axle]; ~ *maken* heat [milk, one's dinner]; *zich* ~ *maken over een zaak* get w. (get all steamed up) over a question; *men maakt zich* ~ *over ...*, *ook:* there is much feeling about that question; *hij maakt zich niet* ~ *over het geval* the case does not disturb him; *'t iem.* ~ *maken* make things (*of:* it) hot for a p.; *iem.* ~ *voor iets maken* make a p. enthusiastic about s.t.; *zijn hart begon* ~*er voor haar te kloppen* his heart warmed to her;

'*t ging er ~ toe* it was hot work (there); ~ *aanbevelen* recommend warmly; *zie* hoofd, inzitten, slaan, enz.; ~**beitel** hot chisel; ~**bloedig** w.-blooded; ~**breukig** hot-, red-short

warmen warm, heat; *warm je eens* have a warm; *zich ~ bij 't vuur* warm o.s. (have a warm) at the fire; *zijn tenen (voeten) lekker ~ bij* ..., *ook:* toast one's toes (feet) before the fire; -**ing** warming

warmlopen *zie* warm

warmoes (*vero.*) greens, vegetables, pot-herbs

warmoez(en)ier market-, kitchen-gardener

warmoezerij market-garden

warmpjes warm(ly); *zie* inzitten

warmte (*vero.*) warmth; (*nat.*) heat; (*benauwd*)frowst; (*fig.*) warmth, ardour; *veel ~ geven* throw out a lot of heat; *~ in arbeid omzetten* convert heat into work; *met ~ verdedigen* defend with (great) w.

warmte[1] heat: ~**besparing** h.-saving; ~**bron** source of h.; ~**ëenheid** thermal unit [*Britse -* B.t(h).u.], h.-unit, unit of h., calorie; ~**ëlektriciteit** thermo-electricity; ~**front** (*weerk.*) warm front; ~**geleider** conductor of h.; ~**geleiding** conduction of h., thermal conduction; ~**gevend** h.-giving; ~**golf** h.-wave; ~**graad** degree of h.; ~**leer** theory of h.; ~**meter** calorimeter, h.-measurer; thermometer; ~**straal** h.-ray, thermic (caloric) ray; ~**toevoer** h.-supply

warmwater- hot-water: ~**bord** h.-w. plate; ~**bron** thermal spring; ~**kraan** hot(-water) tap; ~**kruik** h.-w. bottle; ~**stoof** h.-w. tin; ~**tank** (*in huis*) electrical night-heater, gas water-heater

warnest, -net tangle, maze, labyrinth; *~ van* (*spoor*)*lijnen* cat's-cradle of lines

warrel: ~**en** whirl, swirl; '*t ~t me voor de ogen* things swim before my eyes; *zie* dwarrelen; ~**ing** whirl(ing); ~**klomp** *zie* warklomp; ~**wind** whirlwind

warren: *door elkaar ~* entangle

warrig confused, rambling, muddled

wars: *~ van* averse to (*of:* from)

Warschau Warsaw

wartaal balderdash, gibberish, jargon; *~ spreken*, (*van zieke*) be delirious, rave, wander (in one's mind); *ook:* the patient's mind wanders

wartel (*techn.*) swivel

warwinkel *zie* warboel

1 was *o.v.t. van* wezen *en* zijn

2 was 1 wax; *slappe ~* dubbing, dubbin; *in de slappe ~ zetten* [dub leather] *hij zit goed in de slappe ~* he is very well off; *hij is als ~ in haar handen* he is like w. (like putty, just putty, absolute putty) in her hands; 2 (*van water*) rise; 3 wash, washing, laundry; *grote (kleine) ~* large (small) w.; *fijne ~* fine laundering; *schone ~* clean (fresh) linen; *zie* vuil; *de ~ doen* do the washing, (*voor anderen*) take in washing (*of:* laundry); *ze doet de ~ voor* ... she washes for two ladies; *in de ~ doen*

send [the linen] to the w. (to the laundry); *vandaag hebben we de ~* to-day is washing-day; *de ~ ingaan* go to the w.; *de ~ ophangen* hang out the wash(ing); *deze stof blijft goed in de ~* washes, will wash; *in de ~ krimpen* shrink in the w.; *in de ~ zijn* be in (*of:* at) the w.; *in de ~ verloren gaan* be lost in the w. (the laundry)

wasachtig waxy; *~ bleek* waxen [complexion]

wasafdruk wax impression

was: ~**automatiek** *zie* ~salon; ~**baar** [machine] washable; *vgl.* wasecht; ~**baas** washerman; ~**bak** wash-bowl; (*voor erts*) washing-trough

wasbal wax-ball

was: ~**beer** raccoon; ~**bekken** *zie* ~kom; ~**benzine** white spirit, refined petrol

was: ~**bleek** wax-white [face]; ~**bleker** wax-bleacher; ~**bloem** (*kunst-*) wax-flower, (*plant*) honeywort

was: ~**boetseerder** wax-modeller; ~**boetseerkunst** wax-modelling; ceroplastics; ~**boom** wax-myrtle

was: ~**bord** washboard (*ook weg*), washing-board; ~**borstel** laundry brush; ~**centrifuge** spin-drier; ~**dag** wash(ing)-day

wasdoek 1 oil-cloth; 2 wash-rag

wasdom growth

wasdraad waxed thread

wasdroger tumble(r)-drier

wasecht washable, fast-dyed, fast [colours], warranted to wash; '*t is ~*, *ook:* it will stand washing; *~e zijde* washing silk; *zie ook* rasecht

wasem steam, vapour; ~**en** steam; ~**kap** extractor

was- en-strijkinrichting laundry

wasfakkel wax-torch

wasfles (*chem.*) washing-bottle

was: ~**figuur** wax mannequin; ~**garnituur** toilet set; ~**geel** waxy yellow; ~**geld** washing-money, laundry-charges, laundry; ~**gelegenheid** wash-place; ~**gerei** washing-things; ~**goed** wash(ing), laundry; ~**handje**, ~**handschoen** washing-glove; ~**hok**, ~**huis** wash-house

washuid cere

wasinrichting laundry

waskaars wax-candle, (*dun*) taper

waskan water-jug

wasketel wash(ing)-boiler

waskleur(ig) wax-colour(ed)

wasknijper clothes-peg

waskoek cake of wax

was: ~**kom** wash- (wash-hand) basin; ~**kuip** wash(ing)-tub; ~**lap(je)** wash-rag, face-cloth

waslicht wax-light

waslijn clothes-line

waslijst wash-list; (*fig.*) shopping-list; (*van klachten, ook:*) screed; *een ~ maken* list the wash

waslokaal [soldiers'] wash-room

waslucifer wax-match

was: ~**machine** washing-machine, [electric] washer; ~**man** laundry-man; ~**mand** laundry-,

---

[1] *Zie ook* hitte

linen-, clothes-basket; ~merk laundry-mark; ~middel detergent; [sheep-]dip, [sheep-]wash
was: ~model model in wax; ~palm wax-palm; ~papier wax-paper; ~pit wax-taper; ~pitje waxlight
was: ~plaats wash-place; ~plank wash(ing)-, scrubbing-board; ~pleister wax-plaster, cerate; ~poeder washing powder
wasrol wax cylinder
wassalon launderette, laundromat, coin-op, coin-laundry
wasschilderwerk wax-painting
1 wassen (groeien) grow; (van rivier) rise; de maan is aan het ~ the moon is on the increase (is waxing); de rivier is sterk gewassen the river is in spate; de ~de maan the waxing moon, the crescent; zie kluit
2 wassen ww. waxen, wax; zie neus
3 wassen wash (ook van erts); (goudaarde, ook:) pan off (out); (afw.) wash up [the tea-things]; (en opmaken) launder [curtains, linen]; (tegen ongedierte) dip [sheep]; (kaarten) shuffle, make [the cards]; (dominostenen) shuffle [the dominoes]; (voor anderen ~) take in washing (of: laundry), wash; jij moet ~, (spel) it's your shuffle; zich ~, (ook van kat) wash (o.s.); je moet je eens goed ~ you must have a good w.; was je gezicht eens give your face a w.; een tekening ~ w. a drawing; ge~ tekening washdrawing, washed drawing; de melk ~ water the milk; iem. de oren ~, (fig.) take a p. to task; deze stof kan niet ge~ worden this material won't w.; wie moet ~? (kaartsp.) whose make is it?; zie schoon~, varken, enz.
wassenaar (her.) crescent
wassenbeeld wax(en) figure (of: image), waxwork model, dummy; ~enspel wax-works, waxwork show
wasser washer; ~ette zie ~salon; ~ij laundry; ~ijmerk laundry mark
was: ~stel toilet service (of: set); ~straat automatic car-wash; ~tafel wash(ing)-stand, w.-hand stand; zie vast; ~tafeltje wax tablet; ~teiltje w.ing-up sink, w.ing-up bowl; ~tobbe wash(ing)-tub; ~voorschrift directions for washing; ~vrouw washer-woman, laundress; – zijn, ook: take in washing; ~water wash-water; ~zak soiled-linen bag; ~zeep washing-soap
1 wat zie watten
2 wat I (vrag. & uitroepend) what; ~ is hij? w. is he?; ~ is er? w. is it? w. is the matter (the trouble)? wel, ~ is er met hem? well, w. of him?; '~ is dat?' '~?' 'w. is that?' 'w. is w.?'; ~, weet je niet ... w., don't you know ...?; een rare snuiter, ~? rum chap, w.?; ~ zal 't zijn? what's yours? what's your poison? give it a name; ik weet niet, ~ ik zal doen I do not know w. to do; ~ is er nog over van de pudding? w. pudding is there left?; ~ kon men beter wensen? w. could one want better?; zie meer; ~ deed hij daar naar toe te gaan! w. business had he to go there!; wel, ~ dan nog? so what?; wel, ~ zou dat? well, w.

then? w. if it is so? w. of that? w. of it? what's the odds? w. does it matter?; ~ zou 't wel zijn, als ...? w. if he came now?; ~ zou 't nu zijn? I wonder what it'll be this time; ~ zou 't al ben ik arm? w. though I am poor?; ~ zou je ervan zeggen als we naar bed gingen? w. about bed?; ~ voor (= welke) boeken heb je gelezen? w. books have you read?; ~ voor boeken lees je 't liefst? w. sort of books do you prefer?; ~ is hij voor een man? w. sort of man is he?; ~ is Canada voor een land? w. is C. like?; en ~ al niet! and w. not!; ~ ze al niet zegt! the things she says!; ~ was mijn verbazing, toen ... w. was my surprise when ...; ~ mooi! how beautiful!; ~ een mooi meisje! what a beautiful girl!; ~ keek ze me nijdig aan! she didn't half give me a nasty look!; ~ lief van je! how (very) nice of you!; ~ een man (een wind)! w. a man (a wind)!; ~ een onbeschaamdheid (onzin, weer)! w. impertinence (nonsense, weather)!; ~ was hij een gek! what a fool he was!; ~ een idee! w. an idea! w. the idea!; ~ een vent! the fellow!; ~ een geld (mensen)! w. a lot of money (people)!; ~ die mannen toch ... zijn! w. liars men are!; ~ benijd ik je! how I envy you!; ~ zal ik 't missen! how (much) I shall miss it!; ~ zal ik van je houden! shan't I just be fond of you!; ~ zal dat geriefelijk zijn! won't it be convenient!; ~ zullen ze woest zijn! won't they be savage!; ~ is 't warm! isn't it warm!; ~ at hij! how he did eat!; van ~ ben je me, zie van; zie ook schelen, enz.; II (betr.) what, which, that; ~ hij ook was [he looked like a family solicitor,] which indeed he was; alles ~ all that; zie alles; ... en ~ erger (meer) is, hij is erg lui ... and, w. is worse (more), he is very lazy; en hij is erg lui, ~ nog erger is and he is very lazy, which is even worse; hij deelde hun mede, ~ reeds een publiek geheim was, nl. ... he announced to them, w. was already an open secret, namely ...; ~ je maar wilt whatever (anything, fam.: any old thing) you like; ~ ik kan, ook: [I'll do] the best I can; [I'm helping you] all I can; III (onbep., zelfst.) something, anything; zie iets & heel; ik zal je eens ~ zeggen I'll tell you what; (bijvoegl.) some, any; er is ~ van aan there is something in that; geef mij ook ~ let me have some too; geef mij ~ sigaren let me have some (a few) cigars; blijf nog ~ stay a little longer; ~ er ook gebeure, ik ... whatever happens (may happen) I ...; of 't van 't weer komt, of ~ dan ook, ik ... whether it's the weather, or what, I ...; ... als ~ as cool as you please, as safe as can be, [it's] as easy as easy, as sure as sure; zo duidelijk als ~ [you can see them] as plainly as plainly; ze is zo eerlijk als ~ she is as straight as they make them; zie horen 1, worden & zijn; IV bw. (met klem) very, (fam.) jolly; ~ beter a little better; ~ meer dan 100 rather more than 100; dat is ~ ál te gevaarlijk ... a little too dangerous; ik zal wát blij zijn ... I shall be only too pleased (fam.: jolly glad) to get

away; *ik zal er wát goed voor zorgen om ...* I'll take jolly good care to ...; *je zult wát gauw zien* ... you'll jolly soon see ...
watblief? (*fam.*) beg pardon? what?
water water (*ook* = urine); (*~zucht*) dropsy; *een ~* a sheet (piece, stretch) of w., *ook:* a w. [an ornamental w.]; *de ~en van een land* the rivers, lakes and canals (*vooral Schots ook:* the waters) of a country; *de machtige wateren van* ... the mighty waters of the ocean; *~ en brood,* zie ben. (op ...); *~ bij de melk doen, zie wassen* (*de melk* ...); *~ en melk,* (*ook fig.*) milk and w.; *ze zijn als ~ en vuur* they are at daggers drawn; *'t ~ komt er me van in de mond* (*loopt me om de tanden*) it makes my mouth water, it brings the w. to my mouth; *dat kan al 't ~ in de zee niet afwassen, a*) all the w. in the sea will not cleanse him of that; *b*) you can't get away from that; *~ in zijn wijn doen* water one's claims, moderate one's pretensions, compromise, climb down, come down a peg or two, sing small; *wijn drinken als ~* drink wine like w.; *te veel ~ doen bij* drown [the whisky]; *~ geven* give (fresh) w. to [flowers]; (*begieten*) water; (*van brandweer*) play [on the flames]; *de plant moet veel ~ hebben* must have plenty of w.; *'t ~ hebben* suffer from dropsy; *~ maken,* (*mar.*) make w.; *~ inkrijgen* (*van drenkeling*) swallow w., (*mar.*) make (ship, take) w.; *de boot* (*de mijn*) *is vol* is waterlogged, is swamped; *er valt veel ~* it rains a great deal; *~ trappen* (*treden*) tread w.; *stille ~s hebben diepe gronden* still waters run deep; *'t ~ kwam aan de lippen* they (we, etc.) were reduced to the last extremity; *sedert dien is er heel wat ~ door de Rijn gelopen* much w. has flowed under the bridge since then; *'t ~ loopt altijd naar zee* money begets (makes) money, money goes where money is; *~ naar zee dragen* carry coals to Newcastle; *bang zijn zich aan koud ~ te branden* be over-cautious, be over-anxious not to commit o.s.; *bij hoog* (*laag*) *~* at high (low) tide (*of:* w.); *'t hoofd boven ~ houden,* (*ook fig.*) keep one's head above w.; *hij is weer boven ~ gekomen,* (*fig.*) he has popped (turned) up again: *door 't ~ overgebrachte ziekten* w.-borne diseases; *in oosterse ~en* in eastern waters; *hij is in alle ~en gewassen* he is an old hand; *in 't ~ vallen* fall in(to) the w.; (*fig.*) fall to the ground, fall through, be a wash-out; *hij sprong in 't ~ om 't kind te redden* he dived in to rescue the child; *'t geroep van: 'een jongen in 't ~!'* the cry of 'drowning boy!'; *in zulk ~ vangt men zulke vissen, a*) you cannot expect a boor to be a gentlemen; *b*) as you make your bed so you must lie in (on) it; *zijn geld in 't ~ gooien* throw away (waste) one's money; *men kon 't geld net zo goed in 't ~ gooien* the money might as well be thrown in the gutter; *onder ~ staan* be under w., be flooded, be submerged; *de mijn staat onder ~, ook:* the mine is waterlogged; *onder ~ lopen* be flooded; *onder ~ zetten* inundate, flood, submerge; *hij is onder ~,* (*dronken*) he

is three sheets in the wind, (*op sjouw*) he is on the razzle; *op ~ en brood zetten* (*zitten*) put (be kept) on bread and w.; *mijn twee maanden op het ~* my two months afloat; *over 't ~ wonen ook mensen* common sense is a universal good; *te ~ en te land* by sea and land, afloat and ashore; *zich te ~ begeven, te ~ gaan* take the w.; *te ~ laten* launch [the lifeboat]; *'t schip werd te ~ gelaten, ook:* the vessel took the w.; *vervoer te ~* w.-carriage, w.-borne traffic; *te ~ vervoerd* transported by w., w.-borne; *diamant van 't eerste* (*zuiverste*) *~* diamond of the first (*ook:* purest) w.; *een fat* (*zwendelaar, enz.*) *van 't eerste ~* a fop (swindler, etc.) of the first w.; *zie* emmer, geld, God, innemen, koken, opzetten, sterkwater, troebel, zon, enz.
water: ~**aanvoer** water-supply; ~**achtig** watery; *- vocht* (*in oog*) acqueous humour; ~**heid** wiiness; ~**ader** vein of w.; ~**afloop** drain; ~**afstotend** w.-repellent; ~**afvoer** w.-drainage, draining, carrying off of w.; ~**aloë** w.-soldier, w.-aloe; ~**arm** poor in w., deficient in moisture, arid; ~**baars** w. souchy; ~**bak** *a*) cistern, tank; *b*) (*van paarden, enz.*) w.-trough; *c*) urinal; (*mar.*) pumpship; ~**ballet** w. ballet; (*fig.*) wet affair; ~**bekken** w.-basin; ~**bel** bubble; ~**bericht** w.-level report; ~**bewoner** aquatic (animal); ~**bezie** marshpotentil; ~**blaas** *a*) urinary bladder; *b*) (*blaar*) blister; ~**bloem** w.-flower; ~**bobbel** bubble; ~**bouwkunde** hydraulic (*of:* w.) engineering, hydraulics; ~**bouwkundig** hydraulic (*bw.* -ally); ~**bouwkundige** hydraulic (*of:* w.) engineer; ~**breuk** hydrocele; ~**bron** (water-) spring; ~**brood** w.-bread; ~**buis** w.-pipe; ~**chinees** queer customer; ~**chocola(de)** cocoa made with water; ~**closet** w.-closet; ~**cultuur** hydroponics; ~**dam** weir, retaining wall; ~**damp** (w., aqueous) vapour, steam; ~**deeltje** particle of w., aqueous (watery) particle; ~**dicht** impervious (impermeable) to water, waterproof [material, coat, roof, road], watertight [shoes, cellar, boat], weatherproof [house]; (*fig.*) cast-iron [proof, theory]; *– zijn, ook:* hold water; *– maken, ook:* waterproof; *-(e) stof* (*kledingstuk*) waterproof; *– (be-)schot* bulkhead; *–e afdeling* watertight compartment; ~**dier** aquatic (*of:* w.) animal; ~**dorpel** weather-board; ~**drager** w.-carrier; ~**drieblad** w.-, marsh-trefoil, buck-bean; ~**drink(st)er** w.-drinker; ~**drop(pel)**, ~**druppel** drop of w., w.-drop; ~**druk** w.-pressure; ~**duivel** w.-devil, -demon; ~**emmer** w.-bucket, -pail
wateren *tr.* (*tuin, wijn, paard, stof, enz.*) water; *intr.* make water, pass (one's) w., urinate; (*van paard, enz. ook*) stale; *zijn ogen ~* his eyes water; *de tanden ~ mij* my mouth waters
water: ~**ereprijs** brook-lime; ~**filter** water-filter; ~**fles** w.-bottle; ~**gang** water-course; ~**gas** w.-gas; ~**gebruik** consumption of water; ~**geest** w.-sprite; ~**gehalte** water content; ~**geneesinrichting** hydropathic (establishment), (*fam.*) hydro; ~**geneeskunde**, ~**ge-**

neeswijze hydropathy; ~geus w.-, sea-beggar; *mv. ook:* Beggars of the Sea; ~gevogelte waterfowl; ~gezwel watery tumour; ~glas *a*) drinking-glass, tumbler; *b*) urinal; *c*) (*stof*) w.-glass, soluble glass; ~god w.-god; ~godin naiad, nereid; ~golf w.-wave; ~golven set [hair]; ~goot gutter; ~gruwel w.-gruel; ~hagedis w.-lizard; ~haler w.-carrier; ~hen, ~hoen moor-hen; *klein* – little crake; ~hond w.-dog; ~hoofd hydrocephalus; *hij heeft een* – he has w. on the brain; *'t is 'n kind met 'n* –, (*fig.*) it has a head too big for its body, it's top-heavy; ~hoogte height (*of: level*) of the w., w.-line; ~hoos w.-spout; ~houdend w.-bearing, retentive of moisture; ~huishouding w. economy
waterig watery [tea], sloppy, washy; ~heid wateriness, etc.; **watering** *zie* wetering
water: ~juffer dragon-fly; (*groot*) hawker, (*middelsoort*) darter, (*klein*) damsel fly; ~kaarde (*plant*) water-soldier; ~kan w.-jug, ewer; (*van blik, enz.*) w.-can; ~kanker gangrenous stomatitis, cancrum oris, noma; ~kanon w.-tower; ~kant [at the, by the] w.-side, w.'s edge; (*van stad*) w.-front [a ... boarding-house]; ~karaf w.-bottle, carafe; ~kering weir, dam, retaining wall; ~kers watercress; ~kervel *zie* ~venkel; ~ketel w.-kettle; ~klaver *zie* ~drieblad; ~klerk shipbroker's clerk; ~koeling w.-cooling; *met* – w.-cooled; ~kolom column of w.; ~kom bowl, w.-basin; ~koud damp cold; ~kraan w.-tap, -cock, (*voor locomotief*) w.-crane; ~kracht w.-power; –centrale hydro-electric station; ~kruik w.-jug, pitcher; ~kuip w.-tub; ~kussen w.-pillow; ~kuur w.-cure, hydropathic cure; –*inrichting*, *zie* w.geneesinr.; ~laarzen jackboots,wading-boots,waders; ~land watery country; ~landers tears; *de* – *kwamen* the w.-works were turned on (began to play), the floodgates were opened, the tears came
waterleiding waterworks, (*vooral bovengronds*) aqueduct; *de* ~, (*administratie*) the Water Board; *'t huis heeft geen* ~ the house has no water laid on, is without piped water; *gas,* ~, *enz.*, (*in beschrijving van huis*) gas, company's water, etc.; ~bedrijf waterworks; ~buis water-, conduit-pipe; (*in straat*) water-main; (*tussen straat en huis*) service-pipe; ~maatschappij water company
water: ~lelie water-lily; ~lijn w.-line; (*in papier ook*) faint line, (*horiz.*) laid line, (*vertic.*) chain line; *met* –*en* laid [paper]; ~lijst window drip; ~linie [the Dutch] w. (defence) line, inundation line, flood(able) area, flood belt; ~lis flowering rush
Waterloo id.; *de slag bij* ~ the battle of W.
water: ~look water-germander; ~loop water-course; ~loos waterless; ~loper (*insekt*) pond-skater, water-skater; ~lozing drainage, drain; (*urinering*) urination; ~man waterman; *de W*~, (*astron.*) Aquarius, the W.-carrier; ~mantel w.-jacket; ~massa mass of w.; ~meloen w.-melon; ~merk watermark, wire-mark; ~

meter w.-meter; (*voor snelheid, kracht, enz.*) hydrometer; ~molen (*door* ~ *gedreven*) w.-mill; (*in polder*) drainage mill; ~mot caddis-fly (*larve daarvan* caddis-worm); ~motor w.-motor, hydraulic motor; ~munt w.-mint; ~navel march-pennywort; ~nimf w.-nymph, naiad; ~nood w.-famine; ~noot w.-nut; ~ontharder w.-softener; ~partij *a*) (*partij te* ~) w.-party; *b*) ornamental water(s); *de W*– the Lakes; ~pas *zn.* w.-level, levelling-instrument; (~*vlak*) w.-level; *bn.* level; *niet* – out of level; – *maken* level; ~paslijn w.-level line; ~passen level, grade; ~passing levelling; ~peil watermark; (*toestel*) w.-gauge; ~peper w.-pepper; ~pers hydraulic press; ~pest w.-thyme, American river-weed; ~pijp w.-pipe; (*langs huis, ook:*) stackpipe; *Turkse* – hookah, w.-pipe, hubble-bubble (pipe); ~plaats *a*) urinal; *b*) horse-pond; *c*) (*om* ~ *in te nemen*) watering-place; ~plant aquatic plant, w.-plant; ~plas puddle; ~plomp white w.-lily; ~poel pool; ~pokken chicken-pox; (*wet.*) varicella; ~politie w.-police; ~polo w.-polo; ~pomp w.-pump; –tang channel pliers; ~poort w.-gate; ~pot chamber-pot; ~proef 1 (*godsoordeel*) w.-ordeal, ordeal by w., w.-test; *aan de* – *onderwerpen* swim [a witch]; 2 *zie* waterdicht(e stof); ~punge brookweed; ~put (draw-)well; ~raaf cormorant; ~rad w.-wheel; ~raket w.-rocket; ~ral (*vogel*) w.-rail; ~ranonkel w.-ranunculus, w.-buttercup; ~rat w.-rat, w.-vole; (*fig.*) w.-dog; ~recht *zie* zeerecht; ~reservoir w.-tank, cistern; ~rietzanger aquatic warbler; ~rijk watery, abounding in w.; ~roofkever w.-beetle; ~rot (*fig., goed zwemmer*) w.-dog; ~salamander w.-salamander, newt; ~schade damage (caused by w.; *goederen met* – w.-damaged goods
waterschap polder (*of:* district) in charge of a 'polder-board'; ~sbestuur 'polder-board'; river board
water: ~scheerling water-hemlock; ~scheiding watershed, w.-parting; (*inz. Am.*) divide; ~scheprad pot-, scoopwheel; ~schildpad turtle; ~schorpioen w.-scorpion; ~schout (*hoofd der* ~*politie*) w.-bailiff; (*voor 't opmaken der monsterrol*) shipping-master; ~schouw(ing) inspection of canals; ~schroef w.-screw; ~schuw afraid of w., hydrophobic; ~schuwheid hydrophobia; ~ski(ën) w.-ski; ~slag (*in heetwaterbuizen, enz.*) w.-hammer, -blow; ~slang w.-snake; (*buis*) w.-hose; ~slot w.-seal; ~snip common snipe; ~snood flood(s), inundation; ~spiegel w.-level, surface (*of:* level) of the w.; ~spin w.-spider; *closet met* ~spoeling flushed toilet; ~sport aquatics, aquatic sports; ~spreeuw w.-ouzel, dipper; ~sprong *a*) spring, fountain; *b*) *zie* ~straal; ~spuier gutter-spout, gargoyle; ~spuit w.-syringe, squirt; ~spuwer gargoyle; ~staat department for the maintenance of dikes, roads, bridges and the navigability of canals; *zie* minister(ie); ~stag (*mar.*) bobstay; ~stand height of

the w., w.-level; *bij hoge* (*lage*) – at high (low) w.; ~**stof** hydrogen; –**bom** hydrogen bomb, H-bomb; –**gas** h. gas; –**peroxyde** h. peroxide; ~**stoof** footwarmer, hot-w. tin; ~**stoot** *zie* ~slag; ~**straal** jet of w.; ~**stroom** stream of w.; ~**tanden:** *'t doet mij* – it makes my mouth water; –*d* mouth-watering; *om iem. te doen* – mouth-watering [profits]; ~**taxi** id.; ~**tje** streamlet, rill; (*voor huid, enz.*) wash; (*voor wond*) lotion; ~**tocht** w.-excursion, trip by w.; ~**toevoer** w.-supply; ~**ton** w.-cask, w.-butt; ~**tor** w.-beetle; *spinnende* – water scavenger; ~**toren** w.-tower; ~**trappen,** ~**treden** tread w.; ~**trapper,** ~**treder** w.-treader; ~**troep(en)** (*padvinders*) sea-scouts; ~**uurwerk** w.-clock, clepsydra; ~**val** waterfall, cataract, falls [Niagara Falls]; (*klein*) cascade; ~**valeriaan** valerian; ~**vang** intake of water; ~**varen** salvina; ~**vast** w.proof; ~**vat** w.-cask, -butt; ~**venkel** w.-dropwort, horsebane; ~**verband** wet bandage; ~**verdamper** humidifier; ~**verf** w.-colour(s); (*met eidooier, lijm of gom*) distemper; ~**verfschilder** w.-colourist, painter in w.-colours; ~**verfschilderij** w.-colour (painting); ~**verftekening** w.-colour drawing; ~**verkeersweg** w. trade-route, w.-highway; ~**verplaatsing** (w.-)displacement; ~**vervuiling** w.-pollution; ~**vijzel** w.-screw; ~**violier** w.-violet, w.-milfoil; ~**vlak** sheet (expanse, stretch) of w.; ~**vlek** w.-stain; –**kig** foxed; ~**vlieg** w.-fly; ~**vliegtuig** sea-, w.-plane, hydroplane; ~**vlo** w.-flea; ~**vloed** great flood, inundation; *plotselinge* – rush of water, freshet, spate; ~**vogel** w.-bird, aquatic bird; *mv. ook:* w.-fowl; ~**voorraad** stock (*of:* supply) of w.; ~**vrees** hydrophobia, dread (horror) of water [in man], rabies [in dogs]; ~**vrij** free from w.; (*chem.*) anhydrous; ~**wagen** w.-cart; ~**wants** w.-bug; ~**weegbree** w.-plantain; ~**weegkunde** hydrostatics; ~**weg** waterway, w.-route; *de Nieuwe W*– the New Waterway; ~**werken** *a*) harbour (dock, river) works; *b*) fountains, ornamental basins; ~**wild** w.-fowl; *jacht op* – w.-fowling; ~**wilg** w.-willow, sallow; ~**zak** w.-bag, -skin; (*van pijp*) heel, knob; ~**zo** w.-souchy; ~**zoeker** (*met wichelroede*) w.-diviner, dowser; ~**zonnetje** watery sun; ~**zucht** dropsy; ~**zuchtig** dropsical; ~**zuring** w.-sorrel; ~**zwijn** capybara

watje piece of wadding (*med.:* of cotton-wool); ~*s in de oren* ear plugs

watjekouw *zie* opstopper

watt id.

watten wadding; (*med.*) cotton-wool; *in de* ~ *leggen*, (*fig.*) coddle, feather-bed; *met* ~ *voeren zie* watteren

watteren wad, quilt; *zie* gewatteerd

wattering wadding, padding, quilting

watt: ~**meter** id.; ~**uur** watt hour; ~**verbruik** wattage

wauwelaar(ster) twaddler, driveller; chatter-box, gossip-monger; *vgl.* wauwelen

wauwelarij *zie* gewauwel; **wauwelen** waffle, prate, twaddle, blether, blather

wazig hazy, foggy, blurred; filmy (misty) [eyes]; ~**heid** haziness, etc.; (*fot.*) fogging

W.C. lavatory, w.c.; ~~**papier** toilet-paper; ~~**raampje** l.-window

we *zie* wij

web(be) web (*ook fig.*)

wecken bottle [fruit, vegetables, etc.]

weckfles preserver

wed (horse-)pond, watering-place; *naar 't* ~ *brengen* take [a horse] to (the) water

wed. *zie* weduwe

wedana (*Ind.*) chief of a district

wedde salary, pay

wedden bet, lay a bet, (lay a) wager, lay [I … he saw you coming]; (*wil je*) ~*?* is it a bet?; *ik wed kop,* (*bij opgooien*) I say heads; *ik wed* (*met je*) *tien tegen een* I'll bet (you) ten to one, I'll lay (you) ten to one; *ik wed met je om* … I (I'll) bet you ten pounds (anything you like); *zie* verwedden; ~ *op* bet on (back) [a horse]; *ik zou er bijna op durven* – I'd almost bet on it; *ik wed van neen* I bet he won't (it isn't, etc.); *hij komt niet, wed ik* he won't come, I'll be bound; *zie* paard; ~**schap** bet, wager, (*fam.*) flutter; *een – aangaan* make a bet, lay a wager; *een – aannemen* take a bet; *ik neem je – aan, ook:* I'll take you on; *ik won een – van hem* I won a bet off him

wedder better, bettor, backer, betting-man, punter

wede (*plant & verfstof*) woad

1 weder *zn.* weather; *zie* weer 3

2 we(d)er [1] *bw.* again, once more, once again; re- [re-light one's pipe, etc.]; *daar zijn we* – here we are a.; *'t is* ~ *Kerstmis* Christmas has come round a.; *hoe heet je ook* ~*?* what did you say your name was?; *hoe noemen ze dat ook* ~*?* what do they call that a.?; *dat is* ~ *zo'n slimme streek van hem* that is one of his tricks; *dat is eens, maar nooit* ~ never again; *soms was ze spraakzaam, dan* ~ *terughoudend* at times she was talkative, at other times she was reserved; *al* ~ *een prachtige dag* (*wéér* een glas stuk*) another …; *er werden* ~ *… ingegooid* more windows were smashed; ~ *andere banken gebruiken …* still other banks employ …; *zie* heen & over; ~~**antwoord** reply, rejoinder; ~**bekomen** bring (take) back, restore, return

wederdienst service in return, reciprocal s.; *een* ~ *bewijzen* do [a p.] a service in return; *altijd tot* ~ *bereid* always ready to reciprocate

wederdoop rebaptism, anabaptism

wederdopen rebaptize; **-er** anabaptist; **-erij** anabaptism

we(d)er: ~**eis** tegeneis; ~**erlangen** get back, recover; ~**ga(de)** equal, match, peer; *zonder* – without an equal (a peer); *zie verder* weergaloos; ~**geboorte** rebirth, new birth, regenera-

---

[1] *Zie voor samenstellingen ook* weer…, her… *&* terug…

tion; ~geboren born again, twice born, regenerate; ~groet salute (of: greeting) in return; ~helft [my] better half; ~hoor: 't hoor en – toepassen hear the other side (both sides)
wederik loosestrife
we(d)er: ~indienstneming [demand the] re-instatement [of ...]; ~inkoop redemption, repurchase; ~instorting relapse; ~invoer reimport(ation); ~keren return; –d (gramm.) reflexive [pronoun, verb]
wederkerig mutual, reciprocal; (gramm.) reciprocal [pronouns]; ik dank je ~ in return; ~heid reciprocity
we(d)er: ~komen return, come back; ~komst return; ~kopen buy back again, re-purchase; ~krijgen get back, recover
we(d)erlegbaar refutable, confutable; ~heid refutability; **we(d)erleggen** (argument, enz. & pers.) refute, confute; (argument, enz., ook:) disprove, meet [this criticism is, these objections are, easily met], rebut; met zijn eigen woorden weerlegd [his assertion was] disproved out of his own mouth; door de feiten weerlegd [this theory had been] falsified by the facts
we(d)erlegging refutation, confutation, rebuttal, disproof; ter ~ van ... in r. etc. of ...
we(d)er: ~liefde return of love, love in return; iem. – bewijzen love a p. in return; ~nemen take again; ~om again, anew, once more, once again; zie weerom; ~opbouw rebuilding, reconstruction [of Europe], redevelopment; ~opbouwen rebuild, reconstruct, redevelop; ~opkomen re-enter (the stage); 't – the resurgence [of nationalism]; ~oprichten, -richting re-erection; ~opstaan rise from the dead; ~opstanding resurrection; ~opvoering revival [of a play]; tot ~opzeggens until further notice; ~partij zie tegenpartij
wederrechtelijk unlawful, illegal, unauthorized [reprint], wrongful [arrest]; zich ~ toeëigenen misappropriate; ~e toeëigening misappropriation, zich ~ bevinden op trespass on [the railway]; ~heid unlawfulness, illegality
wederuitvoer re-export(ation)
wedervaren I ww. befall, happen to; (nauwelijks, ten volle) recht laten ~ do (scant, full) justice to; iem. recht laten ~, ook: give a p. his due; II zn. adventure(s), experience(s)
wedervergelden: iem. iets ~, (wraak nemen) retaliate (upon a p.); zie vergelden; -ing retaliation
we(d)er: ~verkiesbaar eligible for re-election; zie verkiesbaar; ~verkoop re-sale; (in 't klein) retail; ~verkoper retailer, retail-dealer, distributor; alleen aan –s verkopen sell only to the trade; zie rabat; ~verschijnen reappear; ~verschijning re-appearance; ~vinden find again; ~vraag counter-question; zie vraag; ~waardigheid vicissitude [the ...s (the ups and downs) of life]; ~woord repartee; ~zien ww. see (meet) again; zn. meeting again; tot –s till we meet again; (fam.) so long!; een prettig – a pleasant reunion; zie ziens

wederzijds I bn. mutual, reciprocal; met ~ goedvinden by m. consent; ~e betrekking interrelation(ship); II bw. mutually
wed: ~ijver (spirit) of emulation, rivalry, competition; ~ijveren vie, compete; – met vie (compete) with, rival, emulate; met de beste (kunnen) –, ook: rank (hold hands) with the best, hold one's own with (against) the best; – om vie (compete) for; ~loop running-match, foot-race, running-contest; (op korte afstand) sprint(-race); (fig.) race [armament ...], scramble [for oil], rush [for seats]; ~lopen (run a) race; ~loper racer
wed: ~ren race; (op vaste datum en vast terrein) race-meeting; zie ook ~loop & hindernis; ~renprogramma race-card
wedstrijd match, competition, contest; [chess, lawn-tennis] tournament; datum voor ~ (ook de ~ zelf) fixture; zie ook wedloop; aan een ~ deelnemen compete in a m.; een ~ aangaan met compete with; ~beker sports cup; ~leider tournament (etc.) organizer; ~sport, ~tennis enz., competitive sport, tennis, etc.
weduwe widow; ~ B. (the) w. B.; Mevrouw de ~ Green Mrs. Green (w. of the late A. Green); als ~ achterblijven be left a w.; tot ~ maken widow [the war had ...ed her]; (tot) ~ worden be widowed [at an early age]; zijn moeder, die ~ was his widowed mother; zie onbestorven
weduwen: ~beurs, ~fonds, ~kas widow's fund; ~dracht (widow's) weeds; ~kleed, ~rouw (widow's) weeds; ~pensioen widow's pension; ~verbranding suttee, sutteeism, widow-burning
weduw: ~geld, -gift jointure; ~goed dower; ~huis dower-house; ~lijk widowed; –e staat widowhood
weduwnaar widower; ~ worden be widowed [at the age of forty]; ~sbotje funny-bone; ~schap widowerhood; ~sjaren [his] widower years; ~spijn painful tingling of the funny-bone; ik heb – I've struck my funny-bone
weduwschap, -staat widowhood
weduwvrouw widow(-woman)
wedvlucht (van duiven) race; (van vliegtuigen) air-race
wee I zn. woe; ~ën labour (of: birth) pains [~ën krijgen be taken with ...], pains (of childbirth), labour [she was in ...]; ~ mij! woe is me!; ~ de man die ... woe betide (woe be to) the man who ...; o –, o ~! o dear, o dear!; zie gebeente, wolf; II bn. (flauw) faint [with hunger]; (onwel)[feel] bad, queer, 't geeft me 'n ~ gevoel it makes me feel f.; ~ë lucht (smaak) sickly smell (taste); ~ë zoetheid cloying sweetness; ~ë sentimentaliteit morbid (mawkish, sloppy) sentimentality; ik word er ~ van it makes me feel sick
weedom woe
weef: ~fout flaw (in texture); ~getouw (weaving-)loom; ~kam reed, slay; ~kunst textile art; ~lijnen (mar.) ratlines; ~school textile school
weefsel tissue (ook biol.), texture, fabric; (bij-

zonder ~ *ook*) weave [a special ... of extra heavy weight]; ~ *van leugens* tissue (*of:* web) of lies; ~**leer** histology

weef: ~**spoel** shuttle; ~**ster** weaver; ~**stoel** *zie* ~**getouw**

weegbaar weighable, ponderable; ~**heid** ponderability

weegbree (*plant*) plantain, waybread

weeg: ~**brug** platform-scale, weighbridge; ~**glas** areometer; ~**haak** steelyard, weigh-beam; ~**loon** weighing-charges, weighage

weegluis (bed-, house-)bug

weegmachine weighing-machine; (*automaat*) try-your-weight machine

weegs *zie* weg 1

weegschaal (pair of) scales, balance; *de* W~, (*in dierenriem*) Libra, the Scales

weegstoel weighing-chair

weegtoestel *zie* weegmachine

weeheid faintness, etc.; *zie* wee

1 week *o.v.t. van* wijken

2 week *zn.* week; *de Goede* (*Stille*) W~ Holy W.; *verleden* (*de volgende*) ~ last (next) w.; *de* ~ *hebben* be on duty for the w.; *ik heb de* ~, *ook:* it's my w.; *'t einde der* ~, (*als vrije tijd*) the w.-end; *het einde der* ~ *aan zee doorbrengen* w.-end by the seaside; *door* (*gedurende, in*) *de* ~ during (in) the w., on w.-days; *om in de* ~ *te dragen ook:* for ordinary wear; ~ *in*, ~ *uit* w. in, w. out; *om de* ~ every w.; *om de andere* ~ every other w., w. (and w.) about; ~ *op* ~ w. by w.; *over een* ~ in a w.'s time, a w. hence; *over enige weken* in a few weeks' time; *een kindje van een* ~ a week-old baby; *voor een* ~, *a*) for a w.; *b*) a w. ago; *gisteren* (*vandaag*) *voor een* ~ a w. ago yesterday (to-day), yesterday (to-day) w.; *vrijdag vóór* (*ook:* over) *een* ~ Friday w.; *zie bij* 10 & midden

3 week I *bn.* soft, (*fig.*) soft, tender, weak; ~ *maken* (*worden*) soften, (*fig. ook*) melt, mellow; II *zn.: in de* ~ *staan* (be in) soak; *in de* ~ *zetten* put to soak, (*van de was*) put in soap-powder (in washing-soap), put [the clothes] in to soak; ~**achtig** softish

week: ~**bericht** weekly report; ~**beurt:** *de* – *hebben, zie* de week hebben; ~**blad** weekly (paper); ~**boekje** (*van leverancier*) tradesman's book, weekly book; ~**dag** week-day

weekdier mollusc

weekend week-end; *'t* ~ *doorbrengen in* ... weekend in Yorkshire; ~**huisje** w.-e. cottage; ~**tas** hold-all

weekgeld weekly (*of:* week's) wages (pay, salary); (*zakgeld, enz.*) weekly allowance; ~**er** weekly wage-earner

weekhartig soft-, tender-hearted; ~**heid** ...ness

weekheid softness, etc.; *zie* week *bn.*

weekhuidig soft-skinned; ~*e* malacoderm

weekhuur weekly rent; -**kaart** weekly ticket

weeklacht lamentation, wailing

weeklagen wail, lament; ~ *over* bewail, lament, bemoan, wail over

weekloner *zie* weekgelder

weekloon weekly (*of:* week's) wages

weekmaken *zie* week 2; -**maker** softener

weekmarkt weekly market

weekoverzicht weekly survey

weeksoldeer soft solder, tin solder

weekstaat weekly report (*of:* return)

weekvinnig soft-finned; ~*e* malacopterygian

weekvlezig (*plantk.*) pulpy

weelde (*algem.*) luxury [all this ...]; (*overvloed*) profusion [of fruit and blossom], affluence, opulence; (*van plantengroei*) luxuriance [of the vegetation]; (*dartelheid*) exuberance (of animal spirits), luxuriousness, wantonness; (*geluk*) bliss; *een* ~ *van kleuren* a riot of colour; *wet tegen de* ~ sumptuary law; *hij kon de* ~ *niet dragen* success (prosperity, etc.) was too much for him; *in* ~ *leven* live in (the lap of) l.; *ik kan mij die* ~ *veroorloven* I can afford it; *ik kan me niet de* ~ *van een auto veroorloven* I cannot afford (do not run to) a motor-car; *ik zal me de* ~ *van* ... *veroorloven* I'll allow myself the l. of a taxi; *zie ook* been, luxe & schat; ~**artikel** (article of) l.; *mv. ook:* l.-goods; ~**belasting** l.-tax, l.-taxation; *vgl.* belasting

weelderig luxurious [apartments, life, etc.], sumptuous [motor-car]; (*van groei, verbeelding, versiering, enz.*) luxuriant [vegetation, imagination, ornamentation]; (*dartel*) luxurious, wanton; *haar* ~*e boezem* her ample bosom; ~*e haardos* luxuriant hair; *te* ~ rank [vegetation]; ~**heid** luxuriousness, luxury; luxuriance; wantonness; *vgl.* ~

weemoed sadness, wistfulness, melancholy; ~**ig** melancholy, sad, wistful, depressing [reflection]; ~**igheid** *zie* ~

1 weer (*hamel*) wether

2 weer[1] *bw.*, *zie* weder 2

3 weer weather; *dikw.:* [a fine, lovely, wet] day (morning, etc.); *aan alle* ~ *en wind blootgesteld* exposed to all sorts of weathers; *voor alle* ~ all-weather [coat]; *bij koud* ~ in cold w.; *bij mooi* ~ *is het hier druk* on a fine day ...; *bij gunstig* ~ w. permitting, if the w. permits; *zie dienen* II 5; *in alle* ~ *en wind*, ~ *of geen* ~ in all weather, [she goes out] wet or shine; *wat voor* ~ *is 't?* what's it like outside? what sort of a day is it?; *hij keek, wat voor* ~ *'t was* he looked at the w.; *wat een* ~! what w.!; *mooi* ~(*tje*), *mijnheer!* fine day, Sir!; *net* ~ *voor januari* seasonable w. for J.; *'t is prachtig* ~ it is a fine day, the w. is fine (beautiful, lovely); *door 't slechte* ~ *opgehouden* w.-bound; *'t* ~ *is in de spiegel* the glass is blotchy; *hij speelt mooi* ~ *met mijn geld* he lives in style at my expense; *mooi* ~ *spelen* (= *vriendelijk doen*) make a show of friendliness

4 weer defence, resistance; *zich te* ~ *stellen* offer resistance, show fight, make a stand; *zich duchtig* (*flink*) *te* ~ *stellen* put up a fierce resistance (a good fight), give a good account

---

[1] *Zie voor samenstellingen ook* weder..., her... & terug...

of o.s.; *in de ~ zijn* be busy, be up and about; *altijd in de ~ zijn* be always on the go (the move, the run, the hop); *al vroeg in de ~ zijn* be stirring (*of:* astir) early; *in de ~ komen* get busy

5 weer (*keerdam*) weir

weeraal *zie* zeenaald

weerbaar (*verdedigbaar*) defensible, prepared for war; (*strijdbaar*) able to bear arms, able-bodied; *5000 -bare mannen, ook:* 5000 fighting men; **~heid** *a*) defensibility, preparedness for war; *b*) ability to defend o.s.; **~heidskorps** body of volunteers

weerbarstig unruly, unmanageable, refractory, recalcitrant, rebellious, obstinate; **~heid** unruliness, recalcitrance, etc.

weerbelasting tax paid in lieu of personal service

weerbericht weather-report; **~endienst** weather-service

weerbestendig resisting atmospheric action

weer: ~druk (*typ.*) backing, perfecting; *de – opbrengen* back, perfect; **~ga** *zie* wederga & weerlicht; **~gaas** *bn.* deuced, devilish; *bw.* deuced(ly), devilish(ly); *een – aardige vent* a thundering nice fellow; *zie* duivels & drommels; **~galm** echo, reverberation; **~galmen** resound, (re-)echo, reverberate; *– van* resound, etc. (ring) with; **~galoos** matchless, unparalleled, peerless, unequalled, unrivalled, inimitable, unapproachable; **~gave** reproduction, rendering; *vgl.* ~geven

weergeld (*hist.*) wer(e)geld, -gild, blood fine

weergeven restore, return; (*fig.*) render [a passage into English; music], reproduce [the human voice; the contents of a letter, etc.], voice [public opinion], give [a p.'s opinion], reflect [this article reflects the views of ...], hit off [what you say ...s off the situation very well], sum up [the words exactly ...med up his thoughts]; *zijn woorden zijn onjuist weergeg.* he has been incorrectly reported (has been misreported); *de Kamer geeft ... niet getrouw weer* does not exactly reflect (is not an exact reflection of) the feelings of the people; *je geeft de* th *niet zuiver weer* you don't pronounce the *th* properly

weerglas weather-glass, barometer

weerhaak barb, barbed hook

weerhaan (*ook fig.*) weathercock, weather-vane; (*fig. ook*) time-server

weerhouden hold back, restrain, stop; (*kreet, enz.*) suppress [a cry, sigh]; (*tranen*) restrain, keep back [one's tears]; *iem. ~ van ...* keep (prevent, *door woorden ook:* dissuade) a p. from ...ing; *zich ~ te ...* refrain from ...ing; *zie ook* nalaten; *hij laat zich door niets ~* nothing can deter him, he sticks at nothing; *laat je daardoor niet ~* don't be put off by that, don't let that discourage you; *zich door kleinigheden laten ~* boggle at trifles; *vgl.* tegenhouden

weerhuisje weather-box, -house

weerkaart weather-chart, w.-map

weerkaatsen *zie* terug-; *ook:* mirror [the play ...s the whole of civilized life]

weerkaatsing *zie* terugkaatsing & weerspiegeling; **weerklank** echo; *~ vinden* find (meet with) a response [the appeal found little response]; strike (*of:* touch) a responsive chord, find an echo [among the people, in our hearts]

weerklinken resound, re-echo, ring again, ring out [cheers, a shot, rang out]; (*diep*) boom out [the dinner gong ...ed out]; *~ van* resound (ring) with [the country rang with his name; the house rang with applause]

weerkracht military (*of:* armed) strength, defensive force; efficiency [of an army]

weerkunde meteorology

weerkundig meteorological [office], weather [bureau]; weatherwise [person]; **~e** meteorologist, weather-expert

weerlicht heat (sheet, summer) lightning; *als de ~ like* (greased) lightning, like a scalded cat, [it's raining] like hell, [they rode] hell for leather, [drive] for all you're worth; *wat ~!* the deuce! what the dickens! what the (blue) blazes!; *loop naar de ~* go to blazes; *om de ~ niet!* not much!; **weerlichten** lighten; **weerlichts** *zie* duivels & drommels

weerloos defenceless, helpless; *~ maken* disarm; **~heid** ...ness; **weermacht** (*germ.*): *de ~* the fighting services (forces), the defence forces; *zie ook* weerkracht

weermiddelen means of defence

weerom back; **~komen** come b., return; **~krijgen** get b.; **~slag**, **-stuit** rebound, recoil; (*fig. ook*) reaction, revulsion; *van de ~stuit* on the rebound; *van de ~stuit lachen* (*blozen, schreien*) laugh again (blush again, weep for company); **~stuiten** rebound, recoil

weeroverzicht weather survey

weerpijn sympathetic pain

weerplicht(ig) *zie* dienstplicht(ig)

weerprofeet weather-prophet

weerrijmpje weather-rhyme

weerschijn reflection, reflex, lustre; *zijde met een ~* shot silk; *met blauwe ~* shot with blue; with a blue irradiation; **weerschijnen** reflect; glitter; *~de zijde =* **weerschijnzij(de)** shot silk

weerschip weather ship

weersgesteldheid state of the weather, weather conditions; *bij elke ~* in all weathers

weersinvloeden atmospheric influences

weerskanten: *aan ~* on both sides, on either side; *aan ~ van ...* on either side (of) the door; *van ~* from (on) both sides

weerslag *zie* terugslag *a*) & *fig.*

weersomstandigheden weather conditions

weerspannig refractory, recalcitrant, rebellious (*ook fig.:* her ... locks), contrary, restive [horse]; *afdeling voor ~e patiënten* refractory ward; **~e** recalcitrant [the ...s in the party]; **~heid** recalcitrance, refractoriness, etc.

weer: ~spiegelen (*ook fig.*) reflect, mirror; *zich – be reflected, be mirrored; **~spiegeling** reflection, reflex [Parliament should be a reflection of the nation, a reflex of the political thought of the country]; ~**spreken** *zie* tegen-; ~**staan** resist, withstand, oppose, stand up to; *de deur weerstaat alle pogingen om hem te openen* defies all attempts to open it; *zie* tand

weerstand resistance (*ook elektr.*), opposition, (*radio*) resistor; ~ *bieden* offer r., make a stand; ~ *bieden aan* resist [temptation, etc.]; *krachtig* (*dapper*) ~ *bieden* make (offer, put up) a stout (gallant) r.; *de weg van de minste* ~ *kiezen* take the line of least r.; *zie* tegenstand & lijn; ~**skas** fighting-fund, (*bij staking*) strike-fund; ~**skast** (*techn.*) resistance-box; ~**s-lijn** line of r.; ~**svermogen** (power of) r., resist-ing-power, endurance, stamina; (*uithoudings-verm.*) staying-power; ~**sversterker** (*radio*) resistance amplifier

weerstreven oppose, resist, struggle (strive, set one's face) against

weersverandering change of (change in the) weather, weather change

weersverwachting weather forecast

weerszij(den) *zie* weerskanten

weer: ~**tafel** weather-chart; ~**tje** *zie* weer; ~**voorspeller** w. prophet, w.-man; ~**voorspel-ling** w. forecast

weerwerk response, reaction; ~ *geven*, (*ook*) rise to the challenge

weerwil: *in* ~ *van* in spite of, notwithstanding, despite (of); *en dit in* ~ *van* ..., *ook:* and this in the teeth of the fact that ...

weerwolf wer(e)wolf, man-wolf

weerwolfsziekte lycanthropy

weerwraak revenge, retaliation; *maatregel van* ~ retaliatory measure, reprisal [make ... s]

weerzin repugnance, reluctance, aversion; *met* ~ reluctantly; *zie* tegenzin

weerzinwekkend offensive [smell], repugnant, repulsive, revolting [crimes]

1 wees *o.v.t. van* wijzen

2 wees orphan; *hij werd* ~ ... he was orphaned (was left an o.) at the age of five

weesgegroet(je) (*r.-k.*) Ave (Maria), Hail Mary

wees orphan: ~**heer** trustee (of an orphanage); ~**huis** orphanage, o.s' home; ~**je** l (little) o.; 2 *zie* prieel; ~**jongen** o.-boy; ~**kamer** (*hist.*) orphans' court; (*Eng.*) Court of Chancery; ~**kind** o. (child); *blauw* (*rood*) –, (*vlinder*) blue (red) underwing; ~**meester** *zie* ~heer; ~**meisje** o.-girl; ~**moeder** (~**vader**) matron (master) of an orphanage

1 weet *o.v.t. van* wijten

2 weet: *de kleine heeft al* ~ *van 't een en ander* (the) baby takes notice already; *het is maar een* ~ it's only a knack, you must know the knack of it; (*ook*) it is useful to know; *hij heeft er geen* ~ *van* he is not aware of it; *de* ~ *ervan krijgen* get wind of it; *aan de* ~ *komen* find out; ~**al** wiseacre, know-all

weetgierig eager to learn, (of an) inquiring (mind); ~**heid** thirst (appetite) for knowledge

weet: ~**je** small (trivial) fact, triviality; *hij weet zijn* – *wel* he knows his business; *'t is maar een* ~ it's only a (matter of) knack; ~**lust** *zie* weet-

gierigheid; ~**niet** know-nothing, ignoramus, blockhead

weeuw widow; ~**tje** (*eend*) smew

1 weg *zn.* way, road, path, [overland, sea-] route; (*fig.*) way, road, channel, course, ave-nue [new ...s for trade]; *alle* ~*en leiden naar Rome* all roads lead to Rome; *zijn eigen* ~ *gaan* go one's own w., follow one's own path; *iem. zijn eigen* ~ *laten gaan ook:* allow a p. to work out his own salvation; *de* ~ *van alle vlees gaan* go the w. of all flesh; *nieuwe* ~*en openen voor* ... open up new avenues for trade; *de* ~ *bereiden* prepare the w. (the ground); *een andere* ~ *inslaan* take (strike into, strike) another road; (*fig.*) adopt another course (other measures); *hij wist niet welke* ~ *hij zou volgen*, (*fig.*) what course to pursue; *de gewone* ~ *verlaten*, (*ook fig.*) leave the beaten track; *de slechte* (*verkeerde*) ~ *opgaan* go wrong, go to the bad, swerve from the right path; *ze ging de* ~ *op* she went into the road; *de* ~ *naar Londen opgaan* set out for London; *wie wil vindt wel een* ~ where there is a will there is a w.; *de schilderij vond zijn* ~ *naar* ... found its w. to America; *ik vind de* ~ *wel* [don't come any further,] I can find my w.; *hij vindt zijn* ~ *wel*, (*fig.*) he is sure to make his w.; *'t is moeilijk om zijn* ~ *te vinden* it is difficult to find one's way about [in the book]; *de* ~ *weten* know the w., know one's w. about; *hij weet de* ~ *hier in huis* he knows his way in the house; *ik weet hier* ~ *noch steg* I don't know my w. here, I am a total stranger here; *hij weet geen* ~ *met zijn geld* he does not know what to do with his money; *hij wist geen* ~ *met zijn armen* he didn't know what to do with his arms; *zijn eigen* ~ *kiezen*, (*fig.*) strike out (a line) for o.s., take one's own line (*of:* course); *de enige* ~ *kiezen die iem. open staat* take the only course open to one; *iem. de* ~ *wijzen* show a p. the w., direct a p. [to ...]; *zijn eigen* ~ *zoeken* strike out for o.s.; *de kortste* ~ *is wel eens de langste* short cuts are sometimes longest; *hij ging* (*elk ging*) *zijns weegs* he went his w. (they went their various, *of:* several ways); *ga een eind weegs mee* accompany me part of the w.; *zie* dwa-ling; *aan de* (*kant van de*) ~ *naar L.* [live in a house] on the London road; *zie* timmeren; *hij is de hele dag bij de* ~, (*van vertegenwoor-diger*) he is on the road all day; *ze is altijd bij de* ~ she is always gadding about (on the gad); *we zijn veel bij de* ~ we dash about a lot; *in de* ~ *staan* (*zijn*), (*ook fig.*) be in the w.; (*fig. ook*) handicap [his chances of success], balk [his ambition]; *iem. in de* ~ *staan* stand (be) in a p.'s w., (*fig. ook*) stand in a p.'s light; *hij stond zichzelf in de* ~ he stood in his own light, quarrelled with his bread and butter; *zekere omstandigheden* (*moeilijkheden*) *staan* ('t *succes, zijn geluk*) *in de* ~ certain circumstances (difficulties) stand in the w. (of success, of his happiness); *zijn stotteren staat hem lelijk in de* ~ his stammering is a great handicap; ...

moeten niet aan de gerechtigheid in de ~ staan personal feelings must not stand in the w. of justice; *gewetensbezwaren zitten hem niet in de ~* he is hampered by no scruples; *zie* vet; *iem. in de ~ komen* get in a p.'s way, cross a p.'s path; *zie ook* tussenbeide komen; *iem. iets in de ~ leggen* place (put) obstacles (impediments) in a p.'s way, thwart a p.('s plans); *ik heb hem nooit wat, nooit een strobreed, in de ~ gelegd* I've never given him the slightest cause of offence; *iem. in de ~ lopen* get in a p.'s way; *langs de ~* [go] along the road; [grow] by the wayside (roadside); wayside, roadside [shrines]; *langs de gewone ~,* (*fig.*) [the order was sent] through the usual channel; *zie* diplomatiek; *langs een rustige ~* by a quiet road; *langs chemische ~* by chemical process; *langs kunstmatige ~* artificially; *ze groeien zo maar niet langs de ~,* (*fig.*) they don't grow on the bushes (along the hedgerows): *onder ~ (op ~) zijn* be on the (one's) w., (*mar.*) be under w.; *zich op ~ begeven* set off, set out [*naar* for], start (on one's w.); *'t schip is op ~ naar ...* is bound for (to) ...; *op mijn ~ hierheen* on my w. here; *op ~ naar Londen* [embark at C.] en route for L.; *op ~!* en route!; *'t park lag op mijn ~ naar ...* the park was in my w. (lay in my path) to the station; *de moeilijkheden die op de ~ liggen van ...* that lie in the w. of the explorer; *dat ligt niet op mijn ~* it is out of my w.; (*fig.*) it is not (is none of, is no part of) my business; *'t ligt op uw ~ om ...* it is up to you to ...; *'t ligt niet op uw ~ om ...* it is not for you (you have no business, no call, it is not your place) to say so; (*zo ook:*) it is no part of the duty of the Government ...; *iem. op zijn ~ vinden* find a p. [competitor, opponent, etc.] in one's way; *iem. op de ~ ontmoeten* meet a p. in the road; *iem. op zijn ~ ontmoeten* fall in with a p., come across a p.; *iem. op ~ brengen* put a p. on the (his) w.; *iem. op de rechte ~ brengen* put a p. on the right road, put him right; (*fig.*) put (set) a p. right, (*zedelijk*) reclaim a p. (from his evil ways); *iem. op de slechte (verkeerde) ~ brengen* lead a p. astray; *op de verkeerde ~ geraken* go wrong, go off the rails; *ge zijt op de goede ~* on the right path (*of:* road); *de industrie is op de verkeerde ~* is on the wrong road (*of:* track); *we zijn 'n heel eind op ~ naar ...,* (*ook fig.*) we are well on our w. to ...; *'t werk is goed op ~* is well under w.; *we zijn op ~,* (*fig.*) we're on the w.; *op ~ zijn naar herstel* be on the road to (be heading for) recovery; *we zijn mooi op ~ naar betere tijden* we are well on the road to better times; *u bent mooi op ~ om te slagen* in a fair w. to succeed; *we zijn mooi op ~, ook:* we're getting there; *iem. mooi op ~ brengen om ...* put a p. in a fair way to ... (*of ...*ing); *uit de ~ blijven* keep out of the w.; *iem. uit de ~ blijven* keep out of a p.'s w., keep away from a p., give a p. a wide berth, fight shy (steer clear, keep clear) of a p.; *uit de ~ gaan* get out of the w., make w., step aside; *een moeilijk-*

heid uit de ~ gaan evade a difficulty; *de moeilijkheden niet uit de ~ gaan* face (up to) the difficulties; *voor niem. uit de ~ gaan, zie ook* onderdoen; *uit de ~!* out of the w. there! stand clear! way, way!; *uit de ~ voor ...!* make w. for ...!; *uit de ~ ruimen* eliminate [a rival, obstacle], remove [obstacles], dispose of [prejudices], smooth over (*of:* away) [difficulties], clear up [a misunderstanding], make away with [a p.], put [a p.] out of the w.; *die moeilijkh. is uit de ~* is out of the w.; *een netelige kwestie uit de ~ helpen* clear up a knotty point; *van de rechte ~ afdwalen,* (*fig.*) stray from the right path; *iem. van de verkeerde ~ afhouden* keep a p. from going wrong; *~ en werken,* (*spoor*) ways and works; *ingenieur van ~ en werken* superintendent of the line; *zie ook* afsnijden, banen, bewandelen, openbaar, openstaan, vragen (naar), weerstand, enz.

2 weg (*ergens vandaan, ook: van huis*) away; (*verloren*) gone, lost; (*vertrokken*) gone; *~ (daar)! ~ met jullie!* (be) off! begone! away with you! off! off you go! clear out! get (go) away!; *~ ermee!* away with it (with such a system, etc.)!; *~ met Napoleon (de kapitalisten, enz.)!* down with N. (the capitalists, etc.)!; *ik moet ~* I have to go; *ik wil hem hier ~ hebben* I want to get rid of him; *mijn hoed is ~, a*) is gone; *b*) has had it; *de kat was ~* the cat was lost; *hij is nog niet lang ~* he has not been gone long; *ze was al een uur ~* she had been gone an hour; *'t geld (de tijd, enz.) zou ~ zijn* would be wasted; *ik ben ~* it's all up with me; *hij was helemaal ~,* (*in de war*) quite at sea, (*bewusteloos*) unconscious, (*na verdoving*) he was under; *ze waren '~' van de charme van zijn stem* they were swept off their feet by the charm of his voice; *ik was even ~ geweest,* (= *in slaap*) I had only just dozed off; *B. is goed (slecht) ~,* (*sp.*) B. makes a good (bad) start; *zie ook de samenstellingen*

3 weg *zie* wegge

weg: ~**bebakening** road marking(s), r. signing; ~**beheerder** r. (highways) authority; ~**bereider** pioneer, forerunner, precursor

weg- away: ~**bergen** put a., tidy a. [toys], lock a., lock up, conceal; *zie* opbergen; ~**blazen** blow a.; ~**blijven** stay a.; absent o.s. [from a meeting, school, work]; *– van een college (een les), ook:* cut a lecture (a lesson); *ze zal niet lang ~* she won't be long; *blijf niet lang ~* don't be long; *hij bleef ... ~* he was gone about an hour; *de pijnen zijn ~gebleven* have not come (back), have stopped; *zie* uitblijven; ~**bonjouren** (*afschepen*) send [a p.] about his business; (*eruit bonjouren*) chuck [a p.] out; ~**borstelen** brush off; ~**branden** burn away (off); *hij is er niet ~ te br.* there is no getting him away from there; ~**breken** pull down; break off; ~**brengen** take (carry) a.; (*uitgeleide doen*) see [a p.] off; (*schip*) sink, cast a. [a vessel for the insurance money], murder [a vessel for her insurance]; ~**cijferen** eliminate, set aside, ignore; *zichzelf* – efface o.s., obliterate o.s.; *zichzelf –d* self-effacing; *zie* ~redeneren

weg: ~**contact** road feel; ~**dek** road surface; *'t – vernieuwen* resurface a road

weg: ~**denken:** *iets* – think away [such things for a moment]; *de vakbonden zijn uit ons maatschappelijk bestel niet meer ~ te denken* are (now) an integral (established) part of ...; ~**dieven** steal, pilfer, (*sl.*) pinch

wegdistel cotton (*of:* Scotch) thistle

weg- away; ~**doen** put a.; (*van de hand doen*) dispose of, part with; (*als onbruikbaar*) scrap; ~**doezelen** *zie* verdoezelen & ~redeneren; ~**dragen** carry a. (*of:* off); *de prijs* – bear a. the prize; *iems. goedkeuring* – meet with a p.'s approval; ~**drijven** *tr.* drive a.; *intr.* float a.; (*van boei*) break adrift; ~**dringen** push a. (*of:* aside), hustle a.; ~**druipen** slink a. (*of:* off); ~**drukken** push a. (*of:* aside); ~**duiken** dive (duck) a.; *zie* duiken & verscholen; ~**duwen** push aside (*of:* a.)

wege: *van ~, zie* vanwege

wegedoorn purging buckthorn

wegen weigh (*ook fig.:* the pros and cons, etc.; *ook = zich laten ~:* I've not ...ed lately); *zijn woorden ~, ook:* measure one's words; *hoeveel weegt u?* what's your weight?; *100 pond ~, ook:* scale 100 pounds; *zwaar ~,* (*eig.*) weigh (be) heavy, be of great weight; *zulke dingen ~ (zwaar),* (*fig.*) such things count (heavily); *dat feit weegt zwaar bij mij* that fact weighs heavily with me; *'t zwaarst ~* [the plan has its defects and advantages, and the latter] preponderate; *zijn werk (haar geluk) woog 't zwaarst bij hem* his work (her happiness) came first with him; *wat 't zwaarst is moet 't zwaarst ~* first things must come (should be put) first, first things first; *zwaarder ~ dan,* (*ook fig.*) outweigh; *te zwaar (te licht) ~* be overweight (underweight); *men moet deze opmerking niet te zwaar laten ~* too much weight should not be given to this remark; *hij weegt niet zwaar,* (*fig.*) he is a light weight; *gewogen en te licht bevonden* weighed (in the balance) and found wanting; *zie* goudschaaltje, wikken

wegen: ~**aanleg** road-building, r.-construction, r.-making; ~**belasting** road-tax; ~**bouw** *zie* ~aanleg; ~**fonds** road-fund; ~**kaart** road-map; ~**net** road-system, network of roads

wegens on account of, because of, for [remarkable ... his height, he loved her ... her pluck], on the score of [complain ... low pay]; *zie* vanwege

wegenverkeers: ~**reglement** (*ongev.*) highway code; ~**wet** road traffic act

wegenwacht road-service, (*ongev.*) A.A.-patrol; (*lid van de*) ~, ~**er** road scout, (*ongev.*) A.A.-man; ~**auto** A.A.-patrol car

1 weger (*pers.*) weigher

2 weger (*mar.*) ceiling-board; ~**en** (*mar.*) ceil; ~**ing** (*mar.*) ceiling

weggaan go away, leave, move off; *daarom ben*

ik -gegaan, (*naar hier*) that's why I came a.; *ga weg, terwijl je nog kunt* go (*fam.:* beat it) while the going's good; *ga weg!* begone!; (*fam.*) nonsense!; ~ *aan,* (*van geld*) go in [books, rent, drink, etc.]; *weg ging G.* a. went G.; *zie* heengaan

wegge pat [of butter]; roll [of bread]

weggebruiker road-user

weggedeelten: *bevroren ~* icy patches on the road

weggeld road-money, -tax, toll

weg- away: ~**geven** give a.; *zie* best (*ten ...e geven*) & nummertje; ~**goochelen** spirit (juggle) a.; ~**gooien** throw (fling) a.; toss a. [one's cigar]; discard [a singleton spade]; *zijn geld* – throw (chuck) a. (make ducks and drakes of, play ducks and drakes with) one's money, throw one's money down the drain; waste one's money [*aan* on]; *'t geld zou ~gegooid zijn* the money would be wasted, it would be throwing a. money; *iets helemaal –,* (*fig.*) pooh-pooh [an idea], flout [a proposal]; *zichzelf* – throw o.s. away [*aan* on], make o.s. cheap, cheapen o.s.; ... *gooit zichzelf niet ~* has no mean (a good) opinion of himself; ~**gooifles** throw-away (non-returnable, one-trip) bottle; ~**gooihuis,** -**luiers** disposable dwelling, nappies; ~**graaien** grab; ~**graven** dig a.; *de grond onder iemand –,* (*fig.*) cut the ground from under s.o.'s feet; ~**haasten:** *zich* – hurry (hasten) a.; ~**halen** take (fetch) a., remove, carry off; ~**hebben:** *ik heb 't lelijk ~* I've got it badly; *je hebt veel van hem ~* you are very much like him; *'t heeft iets ~ van* it is not unlike; *'t heeft er veel van ~ alsof 't zal sneeuwen (regenen, aanhouden)* it looks like snow (rain, lasting); ... *hebben iets van elkaar ~* [the crimes] show a certain family likeness; ~**hevelen** siphon off [water]; ~**hollen** run a., scamper (tear) off; ~**houden** keep off [burglars]; ~**ijlen** hasten (hurry) a.

weging weighing

wegjagen drive off, chase away (off), shoo (away, off) [birds, wasps, trespassers, etc.], send [a p.] about his business; (*de deur uitzetten*) turn out, (*bediende, enz.*) send packing, (give the) sack, give [a p.] his marching-orders; (*fam.*) fire; (*van school*) expel [from school]; (*student*) send down, rusticate; (*uit 't leger*) dismiss [a p.] the service, (*bij trommelslag*) drum out; *het jaagt mijn klanten weg* it spoils my trade

wegkant roadside, wayside

weg- away: ~**kapen** snatch a., pilfer, filch a.; ~**kappen** chop (cut, hew) a. (off); ~**kijken:** *iem.* – freeze a p. out; ~**knippen** (*met schaar*) cut (clip) a. (off); (*met vingers*) flick (flip, fillip) a.; *hij moest tranen* – he had to blink back tears (from his eyes); ~**komen** get (come) a.; *ik maak dat ik ~kom* I'm off; *maak dat je ~komt!* be off with you! take yourself off! clear out (of this)! get out of here!; *hij maakte dat hij ~kwam* he made a hurried exit, made himself scarce; *hij is goed ~gekomen* he has got off (come off) very well; ~**krabben** scratch out (away); ~**krijgen** get a. (off); (*vlekken*) get out, remove [stains]; *ik kan hem niet* – I cannot get him a.; *de slag ervan* – get the knack (the hang) of it; *zie* beetkrijgen; ~**krimpen** shrink (away, up); – *van pijn* writhe with pain; ~**kruipen** creep (crawl) a.; – *achter de kast* hide behind ...

wegkruising cross-roads

weg- away; ~**kuieren** stroll away (off); ~**kunnen:** *ik kan niet* ~ I cannot get a. (leave home, the office, etc.); *dat kan* ~ that can go; ~**kussen** kiss a. [tears]; ~**kwijnen** languish, pine a., waste a.; ~**lachen** laugh a.; ~**laten** leave out, omit, drop; suppress [a name, etc.]; dispense with [a title]; *de h.'s* –, (*bij 't spreken*) drop one's h's (aitches); ~**lating** leaving out, omission, suppression; ~**latingsteken** apostrophe; ~**leggen** lay (put) aside (*of:* by), lay up. save [money]; *'t was voor hem* ~*gelegd* it was reserved for him, it was given to him [to ...]; ~**leiden** lead a. (*of:* off)

wegligging road-holding, roadability

weg: ~**lokken** entice (lure) away [from], decoy; ~**lopen** run a. (*of:* off), make off, desert; (*sp.*) break away; (*van hond, enz.*) stray; *ongebruikt* –, (*van leidingwater, enz.*) run to waste; *ze liep* ~ *met een kapitein* she eloped with a captain; *ik zal J.'s brief eerst lezen, de andere zal niet* – the other will keep (can wait); (*hoog*) – *met* make much of, think all the world of [a p.], be greatly taken with [a p., a picture, etc.]; ~**gelopen** runaway [girl]; ~**gelopen: een fox-terriër** strayed, a fox-terrier; ~**loper** deserter; ~**maaien** mow (cut) down; (*van artillerievuur bijv.*) mow down; ~**gemaaid door de pest** swept off (*of:* a.) by the plague; *zie* gras

weg- away: ~**maken** (*zoekmaken*) make a. with, lose, mislay; (*verwijderen*) remove [freckles *sproeten*], remove, take out [stains]; dispose of [a dead body, an unborn child]; (*iem.*) give an anaesthetic to, put (place) under an anaesthetic, anaesthetize, narcotize; *zich* – make off, decamp, (*sl.*) skedaddle; ~**malen** (*water*) drain away

wegmarkering road markings

wegmateriaal road material

wegmeter pedometer, hodometer

weg- away: ~**moeten** be obliged to go (to leave); *ik moet* ~ I must be off (moving, *fam.:* toddling, toddling along); ... *moet* ~ this system (the Labour Government, the capitalist) must go; *alles moet* ~*!* (*hand.*) all goods must be cleared!; ~**moffelen** smuggle (*of:* spirit) a.; ~**mogen** be allowed to go; ~**nemen** take a. [a book, etc.]; remove [the tea-things, a growth *gezwel*, a p.'s tonsils, doubt, etc.]; allay [suspicion]; set [a p.'s doubt, fear, etc.] at rest; eliminate [a cause]; obviate [a difficulty]; take up [too much space]; (*kapen*) pilfer, help o.s. to [s.t.]; *gas* – throttle down; *dat neemt niet* ~ *dat* ... that does not alter (remove) the fact that ...; *maar dat neemt niet*

~ *dat hij vriendelijk is* [he is dull,] but then he is kind; *dat neemt niet* ~ *dat ik hem gaarne gezien had* I should have liked to see (to have seen) him all the same; *laten* – have [one's adenoids] out; ~**neming** taking a., removal

wegomlegging diversion

wegopzichter road surveyor

wegpakken snatch away; *zie ook* wegkapen; *zich* ~ take o.s. off, bolt, decamp; *pak je weg* clear out!

wegpersoneel (*spoorweg*) surface-men

weg- away: *iem.* ~**pesten** freeze a p. out, make it (the place) too hot for a p., harass a p. out of his job; ~**pikken** peck a.; (*fig.*) snatch (snap) a.; ~**pinken** dash (*of:* brush) [a tear] a.

wegpiraat road-hog

weg- away: –**praten** *zie* redeneren; *iem.* ~**promoveren** kick a p. upstairs; ~**raken** miscarry, get (be) lost, be mislaid; ~**redeneren** argue (reason, explain) a.; *feiten laten zich niet* – facts are stubborn things, you can't get a. from facts; *dat laat zich niet* –, *ook:* there is no way of arguing out of that, there's no getting a. from that, you cannot get out of (round, a. from) that; ~**reizen** leave

wegrenner road-racer

wegrestaurant road-house

wegrestaureren improve away (*of:* out of existence)

wegreus juggernaut

weg- away: ~**rijden** I *intr.* drive (ride) off (away); *vgl.* rijden; *de auto reed snel* ~ sped off; II *tr.* (*pers.*) drive a. (off); (*iets*) cart (wheel) a.; ~**roeien** row a. (*of:* off); ~**roepen** call a.; ~**roesten** rust a.; ~**rollen** *tr. & intr.* roll a.; ~**rotten** rot a. (*of:* off); ~**roven** pilfer, purloin, filch; ~**ruimen** clear a., remove; smooth a. [difficulties]; ~**ruiming** removal; ~**rukken** snatch a.; ~**gerukt worden, ook:** be cut off [in the prime of life], be carried off [at an early age]; ~**schenken** give a., make [a p.] a present of [s.t.]; ~**scheren** shave (shear) off; *vgl.* scheren; *zich* – make off, (*fam.*) make o.s. scarce; (*sl.*) hook it; *scheer je* ~*!* zie ook* ~**komen**; ~**scheuren** tear a. (*of:* off); ~**schieten** *tr.* shoot a.; *intr.* dash (dart) a. (*of:* off); ~**schoppen** kick a.

wegschouw inspection of roads

weg- away: ~**schrappen** cross out, erase, strike out; *tegen elkaar* – cancel ... by ...; ~**schuilen** hide (o.s.) [*voor* from]; ~**schuiven** *tr.* shove a., slide back [a sliding-door]; *intr.* move a.; ~**sijpelen** ooze (*inz. Am.:* seep) a.; ~**sjouwen** carry (drag) a.; *vgl.* sjouwen; ~**slaan** beat (strike, knock) off (*of:* a.); *'t roer werd* ~*gesl.* the rudder was carried a.; *de brug werd* ~*gesl.*, *sloeg* = was swept a.; *een deel van de weg was* ~*gesl.* part of the road had been washed out, there was a wash-out in the road; *zie ook* afslaan 1; ~**slepen** drag a.; (*zwakker*) carry off; *zie* medeslepen; ~**slepend** rapturous, ravishing, enchanting; ~**slijten** wear a. (*of:* off); ~**slikken** swallow [a tear]; ~**slingeren** fling (hurl) a.; ~**slinken** *zie* slinken; (*van aantal,* *hoeveelheid, enz.*) dwindle a.; ~**sluipen** steal (sneak, slink) a. (*of:* off); ~**sluiten** lock up (away) [lock things up (away) from a p., *voor iem.*]; ~**smelten** melt a.; *in tranen* – melt in(to) (dissolve, be dissolved, in) tears; ~**smijten** fling (throw) a., chuck a. (out); ~**snappen** snatch (snap) a.; ~**snellen** hurry off, hasten a., scamper (scurry) a. (*of:* off); ~**snijden** cut a.; ~**snoeien** lop (prune, clip) off (*of:* a.); *vgl.* snoeien; ~**spelen** play off the field; ~**splitsing** fork, bifurcation; ~**spoeden:** *zich* – speed a.; ~**spoelen** *tr.* wash a., carry a. [the banks]; *intr.* be washed a.; *zie* ~slaan; ~**springen** jump a.; ~**steken** put a., pocket; ~**stelen** steal; ~**stemmen** vote down [a measure], vote [the Cabinet] out of office, vote [a director] off the board; ~**sterven** die a. (down, out); fade out [the noise ...d out], trail (*of:* tail) off [her voice ...ed off]; ~**stevenen** sail a.; (*fig.*) march off; ~**stomen** steam off; ~**stoppen** put a., hide, conceal; ~**stormen** tear (dash) a.; ~**stoten** push a.; ~**stouwen** stow a.; ~**strijken** push [the hair out of one's face]; smooth out (*of:* a.) [wrinkles, creases]; ~**stuiven** fly a.; (*fig. ook*) dash (*of:* flounce) a. (*of:* off); ~**sturen** send a., pack [a p.] off; (*bediende, enz.*) *ook:* dismiss; (*sp., enz.*) warn [a p.] off (the pitch, etc.); (*niet toelaten, in ziekenhuis, schouwb., enz.*) turn a.; (*taxi, enz.*) pay off, dismiss; – *en aan zijn lot overlaten* turn [a p.] adrift; *zie verder* ~jagen; ~**teren** waste (pine) a.; ~**toveren** spirit (juggle) a.; ~**trekken** I *tr.* pull (draw) a.; II *intr.* (*van troepen, enz.*) march a. (*of:* off), pull out [of Rome]; – *uit de stad (met vakantie)* leave the town; (*van bui*) blow (pass) over; (*van mist*) clear away, lift; (*van pijn*) get easier, diminish; *de rook trok* ~ trailed a.; *de kleur trok* ~ *uit* ... the colour drained from (out of) his face; ~**tronen** entice (lure) a. [a p.'s customers]; ~**vagen** sweep a. [the bridge was swept a.]; wipe out [the town, the regiment, was ...d out], blot out [the memories were ...ted out from his mind], wash out [let us wash it clean out of our memories], wipe [a nation] out of existence

wegvak stretch (of road), r. section

weg: ~**vallen** fall (drop) off; (*fig.*) be left out, be omitted; *tegen elkaar* – cancel (out; each other); *de 2 valt* ~ *tegen de* – 2 the 2 cancels the – 2; *tegen elkaar laten* – cancel; ~**varen** *intr.* sail away; *tr.* take a. (in a boat); ~**vegen** sweep a.; (*tranen, enz.*) wipe (brush) a.

wegverbreding road-widening, -**verhardingsmateriaal** r.-surfacing material; (*steenslag*) r.-metal; -**verkeer** r.-traffic; -**verlegging** diversion; -**versperring** road-block; -**vervoer** road haulage; -**verzakking** r. subsidence

weg- away; ~**vliegen** fly a.; ~**vloeien** flow a.; ~**voeren** carry a., carry off [in a motor-car], lead a., march off; abduct, kidnap [women, children]; ~**voering** removal, carrying off, abduction, kidnapping; ~**vreten** eat a.; (*van roest, enz.*) eat a., corrode; (*inz. geol.*) erode; -**ing** ...ing, corrosion, erosion; ~**waaien** *intr.* be

blown a., be carried off by the wind, blow a.; *tr.* blow a.

wegwachter *zie* spoorwegwachter

wegwals road-, steam-roller

wegwassen wash away

wegwedstrijd road (*of:* long-distance) race; *'t houden van* ~*en* road racing

wegwensen wish away

wegwerken get rid of [a p.], get quit of [a deficit *tekort*], wipe out [a debt]; (*wisk.*) eliminate; (*oneffenheden*) work off, smooth away [roughnesses]; (*fig.*) straighten out [domestic differences], iron out [difficulties]

wegwerker roadman, road-mender, -navvy; (*bij spoorw.*) surfaceman, plate-layer

wegwerpen throw away; *zie ook* weggooien

wegwijs: ~ *zijn* know one's way about [in Paris]; (*fig.*) know the ropes; *iem.* ~ *maken* put a p. up to a thing or two, (*fam., eig. Am.*) put a p. wise; **wegwijzer** (*pers.*) guide; (*handwijzer*) sign-, finger-, guide-, direction-post; (*boek*) handbook, manual, guide; (*reisgids*) guide-(book)

weg- away: ~**willen** wish to get a., want to go; ~**wissen** wipe a. (*of:* off), rub (sponge) off; ~**wuiven** wave aside [objections]; ~**zakken** sink a.; sink [he felt the ground ... from beneath his feet]; (*radio*) fade; *mijn Frans is* ~*gezakt* is rusty; *zie* zakken; ~**zeilen** sail a.; ~**zenden** *zie* ~sturen; ~**zetten** put a. (*of:* aside)

wegzijde roadside, wayside

wegzinken *zie* wegzakken

wegzuigen (*van arbeiders door de industrie*) drain off

1 wei (*van melk*) whey; (*van bloed*) serum

2 wei *zie* weide

weiachtig *a*) wheyish; *b*) serous; *zie* wei 1

weiboter whey-butter

Weichsel Vistula; **w~hout** cherry wood

weide pasture, meadow; (*dicht.*) mead; *zie ook* ~land; *de koeien in de* ~ *sturen* (*doen*) turn (send, put) the cows out to grass (to pasture), turn ... into the field; *in de* ~ *lopen* be at grass (at pasture), (*fig.*) be at grass, run loose; *hij moet de* ~ *in* he needs a holiday; ~**bloem** meadow-flower, (*madeliefje*) daisy; ~**champignon** field mushroom; ~**geld** grazing-fee; ~**gras** meadow-grass; ~**grond** *zie* weiland; ~**huur** grazing-fee; ~**klaver** clover; ~**lam** grass-fed lamb; ~**land** *zie* weiland

weiden *intr.* graze, feed; *tr.* graze, pasture; (*hoeden*) tend; *zijn ogen laten* ~ *over* ... sweep ... with one's eyes, let one's eyes travel over ...; *zijn ogen* ~ *aan* feast one's eyes upon

weidepad field-path, meadow-path

weider (*vetweider*) grazier

weide: ~**recht** grazing-right(s), right of pasture; ~**veld** *zie* ~

weids stately, grand, high-sounding, pompous, sonorous [titles]; ~**heid** stateliness, grandeur, splendour

weifel: ~**aar(ster)** waverer, wobbler; ~**achtig** wavering, vacillating, hesitating, shilly-shally(ing); ~**en** waver, vacillate, hesitate, shilly-shally, wobble; *–d, ook:* undecided; *ik ~de daaromtrent* I was in two minds about it; *– tussen twee meningen* halt between two opinions; *~ing* wavering, vacillation, hesitation, hesitancy, irresolution

weifelmoedig(heid) *zie* wankelmoedig(heid)

weigeld grazing-fee

weigeraar refuser; *zie* dienst~

weigerachtig unwilling to grant a request; *~ blijven* persist in one's refusal; *een ~ antwoord* [bekomen] [meet with] a refusal

weigeren I *tr.* refuse [a request, to do s.t., etc.], deny [it was hard to ... her anything]; reject [a picture for an exhibition]; *(afslaan)* refuse, *(beleefder)* decline, *(fam.)* turn down [an offer]; *~ te antwoorden*, *(jur.)* stand mute (of malice); *iem. de toegang ~* r. a p. admittance; *men wil een oude vriend niet graag iets ~* one does not like to refuse an old friend; *goederen ~*, *(wegens slechte kwaliteit)* reject goods; *~ te ontvangen*, *(hand.)* r. to take delivery of [goods]; *een wissel ~ te betalen* r. payment of a bill, dishonour a bill; *zie ook:* dienst & hand *(van de ... wijzen)*; II *intr.* refuse *(ook van paard)*; *(van rem, enz.)* fail (to act) [the engine failed], refuse to act; [the electric starter wouldn't work]; *(van vuurwapen)* misfire

weigering refusal, denial; *(van vuurwapen)* misfire, flash in the pan; *botte ~* rebuff, repulse; *een botte ~ ontvangen* meet with a rebuff, be snubbed; *bij zijn ~ volharden* persist in one's r.; *ik wil van geen ~ horen* I will take no denial, I won't take no (for an answer)

weikaas whey-cheese

Weil: *ziekte van ~*, *~se ziekte* Weil's disease, spirochaetal jaundice, leptospirosis

weiland pasture(-land), grass-, grazing-land, land under grass, grazing; *in – veranderen* lay down [land] to grass

weinig I *bn. (ev.)* little [money], *(mv.)* few [coins]; *~e dagen daarna* not many days afterwards; II *bw.* little [better, etc.]; *een ~ a* little [milk]; *enige ~e* a few [drops]; *niet ~* not a l., no l. [derive ... satisfaction from it]; *(mv.)* not a few; *niet ~en* not a few; *niet ~, ook:* [she was upset] to no small extent; [he was] more than a l. [annoyed]; *in ~ tijd* in a short time; *maar ~ kleiner dan de woonkamer* only a l. smaller than ...; *er waren maar ~ boten ...*, *ook:* there was only a sprinkling of boats on the river; *er hoeft maar ~ te gebeuren of ...* it takes but little to ...; *met ~ beleefdheid* [treated] with scant courtesy; *tengevolge van zijn ~e oplettendheid* owing to his lack of attention; *hij kent ~ Latijn* he has small Latin; *~ trek hebben* have a poor appetite; *te ~, a)* too l.; *b)* too few; *je gaf mij te ~ terug* you have given me short change; *wij hebben er één te ~* we are one short; *er zijn vijf te ~* there are five short; *~ dacht ik, dat ...* I l. thought (l. did I think) that ...; *zo ~ hulp kreeg hij van u* [he might have died of hunger] for all the help he received from you; *~, maar uit een goed hart* l. but with a good heart; *~ goeds* l.

good; *~ bekend* little known; *~ bevredigend* unsatisfactory; *~ diep* shallow; *~ geloofwaardig* far from credible; *~ overtuigend* unconvincing; *~ overvloedig* scarce; *~ talrijk* not very numerous; *~ waarschijnlijk* hardly likely; *het ~e dat ik heb* the l. (the few things) I have got, what l. I have; *zie ook* beetje, eten, enz.; *~je* small quantity, little (bit), modicum [a ... of comfort, of knowledge]; *'t – (voedsel) dat hij gebruikt heeft* what l. food he has taken; *zie verder* beetje

weit wheat; *zie* tarwe

weitas game-bag

weitebloem enz., *zie* tarwe ...

weivlies serous membrane

wekbord *(in hotel)* call-board

wekelijk *bn.* soft [treatment], tender, weak(ly), effeminate, flabby(-minded); *bw. ...ly*; *~heid* weakness, effeminacy

wekelijks *bw.* weekly, every week, once a week; *bn.* weekly, hebdomadal

wekeling weakling, milksop, molly-coddle

weken *tr.* soften; *(in vloeistof)* soak [in milk, etc.], steep, put to soak; *intr.* soften; soak

wekken (a)wake, (a)waken, rouse, call, knock up; *(fig.)* (a)wake, (a)waken, (a)rouse, raise [suspicion, hopes, the dead], excite [wonder, interest], call up, evoke, stir [memories], provoke [curiosity], challenge [admiration], engender [suspicion], cause, create [surprise; create the impression that ...], prompt [a thought]; *zie* lering

wekker *(pers.)* caller-up, knocker-up; *(klok)* alarm(-clock); *zie* zetten; *door de ~ heen slapen* sleep through the alarm; *~klok zie ~*

wekroep, -stem call, clarion(-call), reveille

wektoon *(telefoon)* ringing tone

1 wel *zn.* spring, fountain, well-head; *(van traptrede)* nosing

2 wel I *bw.* 1 *(goed)* well [treat a p. ....]; *als ik me ~ herinner* if I remember rightly (right, aright); *die ~ doet, ~ ontmoet* do w. and have w.; *dat is niet ~ mogelijk* that is hardly (scarcely) possible; *zie ook* bekomen, doen 9, gaan *(goed ...)*, verstaan; 2 *(zeer)* very [kind of you]; [thank you] very much!; 3 *(versterkend)*: *~ ja!* yes indeed! to be sure!; *~ neen!* oh no!; *dat mag je ~ vragen!* you may w. ask that!; *ik vraag u ~ excuus* I'm sure I beg your pardon; *je hebt ~ geboft!* why, you *have* been lucky!; *'t is ~ zo goed* it's just as well [that you did not say anything]; *dat leek me ~ zo beleefd* I thought it (rather) more polite; *zeg dat ~!* you may w. say so!; *wat denkt hij ~?* who does he think he is?; *ik moet ~* I must, I have to; *dat zou ~ verschrikkelijk zijn* that would be terrible indeed; *zie* jawel; *en ~* namely; *en ~ omdat ...*, and that because ...; *zie* nog; 4 *(vermoeden)*: *hij zal ~ komen (ziek zijn)* I daresay he'll come (he'll be ill), he is sure to come (to be ill); *we mogen ~ zeggen, dat ...* we may safely say that ...; *hij zal 't ~ niet doen* he is not likely to do it, I hardly think (I don't suppose) he'll do it; *je dacht misschien ~, dat ...* you thought no doubt that ...; *daar was hij ~ niet op voorbereid* he was hardly prepared for that; *dat kan ~ (zijn)* that may be (so); 5 *(bevestigend): ik wél* ['I am not sure about that!'] 'I am!'; [if you have no regard for him] I have; ... *wie 't wél kan* [if he can't do it, it's difficult to see] who can; *dat is hij wél* [he isn't rude]; oh, but he is!; *je zag me wél* you did see me; *ik heb 't wél gedaan* I did do it; *dat deed je ~* you *did* do it; *zie* degelijk; *maar waar 't wél op aankwam* but what did matter; *wat ik wél nodig heb* what I do want; ... *wat wel ... en wat niet ...* to decide what is and what is not territorial water; *vandaag niet, maar morgen ~* not to-day, but to-morrow; *Parijs is ~ ... waard* Paris is w. worth a mass; *dat dacht ik ~* I thought as much, I thought so; *ik mag hem ~* I rather like him; *~ wat vroeg* rather early; *ik wil ~* I do not object, I have no objection; *zie* willen; *~ een goeie kerel* a good fellow enough, a good enough fellow; *je doet 't ~!* you'll do it right enough; *ik zal 't hem ~ vertellen* I'll tell him all right; *ik geloof ~, dat ...* I rather think I know him; *we moeten ~ iets doen* we've just got to do s.t.; *ik geloof van ~* [is he at home?] I think so, I think he is; *zie* vrezen & vrijwel; 6 *(toegevend = ~iswaar): hij is ~ geen slechte jongen, maar ...* he is not a bad boy it is true (to be sure) but ...; *het is ~ klein, maar ...* it is small, certainly, but ...; *hij is ~ wat te dik* he is rather too stout; 7 *(vrag.)*: [*zou ik u even kunnen spreken?*] *~?* well?; *zou je 't raam ~ willen sluiten?* would you kindly shut (would you mind shutting) the window?; *zie je ~ dat ...?* do you see he was right?; *hij is niet ziek, ~?* he is not ill, is he?; *je gaat nooit uit, ~?* you never go out, do you?; *dat is niet recht eerlijk, ~?* it is hardly fair, is it?; *'t is niet bepaald mijn schuld, ~?* it is scarcely my fault, is it?; *was ze ~ helemaal onschuldig?* was she, after all, entirely innocent?; *heb jij iets gedaan om ..., ofte ~ je broer?* have you done anything to save me, or your brother either?; *denkt hij ~?* ['what does he think about?'] 'does he think at all?'; 8 *(uitroep)* why, well; *~, jij hier?* why, you here?; *~, hij zei me ...* [no train?] why, he told me ...; *~ ja, dat geloof ik ~* why, yes, I think so; *~, wat voor kwaads steekt daarin?* why, what's the harm?; *~, dat is een grote eer* [you like me?] well, that's a great honour; *~, wat zeg je daarvan?* well, what do you say to that?; *~, ~!* well, I say! well I never! you don't say so! well, well [and I always thought ...]; *~, ~, ~!* [and a member of the Sporting Club, too!] well, well, well!; *zie ook* 3 & leven, enz.; 9 *(getal, maat, enz.)*; *~ 5 mijlen* as much as (no less than, quite, fully, a good) five miles; *~ 300* as many as (no fewer than) 300; *~ een el (twee uur, één tiende van de oogst)* quite a yard (two hours, one tenth of the crop); *'t kan ~ 5 el lang zijn, ook:* its length may be anything up to five yards; *~ zo groot als ...* quite as tall as ...; *~ tweemaal zo oud als zij* quite twice her age;

~ 3 keer per week as often (as frequently) as three times a week; *~ 14 dagen na ...* a full fortnight after ...; *zie* weleens; II *bn.* well; *hij is (voelt zich) heel ~* he is (feels) quite w.; *alles ~ aan boord* all w. on board; *mij ~!* all right! I don't mind!; *als ik 't ~ heb* if I am not mistaken; *laten we nu ~ wezen* surely you'll admit that ...; *zie ook* hoofd; III *zn.* welfare, well-being; *~ en wee* weal and woe; *~ hem, die ...* happy the man who ...

welaan well then, very well

wel: **~bebouwd** well-cultivated; **~bedacht** w.-considered, w. thought-out; **~begrepen** w.-understood; **~behaaglijk** at one's ease, comfortable; **~behagen** (good) pleasure; *in mensen een -* good will toward men; *een gevoel van -* a sense of well-being; *zie ook* ~gevallen; **~bekend** well-known, noted, familiar; *zie* bekend; **~beklant** w.-patronized [shop]; *zie* beklant; **~bemind** w.-beloved, dearly beloved; **~beraamd** w.-devised, w. thought-out; **~bereid** w.-prepared; *een tafeltje -* a w.-spread table; **~berekend** w.-calculated; *zie ook* berekend; **~beschouwd** *zie* beschouwen; **~besneden** w.-, clear-cut [features, mouth]; **~bespraakt** fluent, voluble, having a ready flow of words, *(fam.)* having the gift of the gab; *(beschaafd ter taal)* w.-spoken; *zie ook* ~sprekend; **~bespraaktheid** fluency, volubility, readiness of speech; **~besteed** w.-spent [life]; **~bewust** deliberate, determined [policy]; **~bezocht** much frequented

weldaad benefit, benefaction; *een wezenlijke ~* a real boon; *iem. weldaden bewijzen* confer benefits upon a p.; *je hebt hun een ~ bewezen* you've done them a b. (a great service); *dankbaar voor kleine weldaden* thankful for small mercies; *ontvangen weldaden schrijft men in 't zand* eaten bread is soon forgotten

weldadig *(pers.)* beneficent, benevolent, *(liefdadig)* charitable, *(milddadig)* munificent; *(gevolgen, enz.)* beneficial, salutary; *(~ aandoend)* pleasant [shade], merciful [silence]; *dat doet mij ~ aan* it does me good, it is gratifying to me; *'t doet het oog ~ aan* it is pleasing to the eye

weldadigheid beneficence, benevolence; *(liefdadigh.)* charity, charitableness; *maatschappij van ~* Benevolent Society; **~bazaar** (charity) bazaar; **~sinstelling** benevolent *(of:* charitable) institution; **~spostzegel** charity stamp *(niet in Eng. & Am.)*

wel: **~denkend** right-thinking, -minded, decent-minded; **~doen** I *ww.* do good; *zie ook* doen 9 & wel 1; *–d* beneficent; *–de fee* fairy godmother, good fairy, Lady Bountiful [the ... of the village]; II *zn., zie* weldadigheid; **~doener** (-ster) benefactor (benefactress); **~doordacht** well-considered, w. thought-out [scheme]; **~doortimmerd** well-timbered; **~doorvoed** w.-fed

weldra soon, before long, shortly, presently

Weledel: *de ~e, ~geboren, ~gestrenge heer C. Bakker* C. Bakker, Esq.; *~e enz. Heer, (boven brief)* (Dear) Sir; *de ~zeergeleerde Heer Dr.*

D. Smith Dr. D. Smith

weleens sometimes, occasionally; *ik zou ~ wil-len weten ...* I should like to know ...; *heb je ~ ...?* did you ever ...?

weleer formerly, of old, in olden times

weleerwaard reverend; *Uw W~e* Your Reverence; *de ~e Heer J. Smith* (the) Rev. J. Smith; *de ~e Pater ...* (the) Rev. Father C. Martindale; *~e Heer, (aanspr.)* Sir

Welf Guelph; **~isch** Guelphic

welfsel vault

welgeaard good-natured; *zie* rechtgeaard

welgeboren well-, high-born

welgebouwd well-built, well set-up

welgedaan plump, sleek, portly; **~heid** plumpness, sleekness, portliness

wel: ~gegrond well-founded; **~gelegen** well, (*of:* beautifully, conveniently) situated; **~gelij-kend:** *een – portret* a good (speaking, striking) likeness; **~gelukken** *zn.* success; **~gelukt** successful; **~gelukzalig** blessed; **~gemaakt** w.-made, -shaped; (*van pers.*) *zie ook* ~gebouwd; **~gemaaktheid** handsome figure; **~gemanierd** w.-mannered, mannerly, w.-bred; **~gema-nierdheid** good manners (*of:* breeding); **~ge-meend** w.-meant; **~gemoed** cheerful; **~gemutst** good-humoured; **~geordend** w.-regulated; **~geschapen** w.-made, -shaped; **~gesteld** w.-to-do, w.(-)off, comfortably off, in easy circumstances, of comfortable means; **~gesteld-heid** easy circumstances, comfort, prosperity; **~geteld** all in all, all told

welgevallen I *zn.* pleasure, satisfaction, complacency; *naar ~* at (one's) p., at will; *handel naar ~* use your discretion; II *ww.:* *zich laten ~* put up with, submit to, [they would never] stand for [another war]; *zich de dingen laten ~, ook:* take things lying down; *kon men zich dat laten ~?* was that a thing to take quietly?

wel: ~gevallig agreeable, pleasing; *– zijn* please; **~gevormd** well-shaped, -made, -proportioned, shapely

welgezind well-disposed, kindly disposed [towards ...]; well-affected [subjects]; *ik ben u ~, ook:* I have your good at heart, I wish you well; **~heid** friendly feeling, goodwill

welhaast *a)* soon, shortly; *b)* almost [everybody]

welhitte welding-heat

welig luxuriant; *te ~* rank [grass]; *~ tieren* thrive, (*fig. ook*) flourish, (*van misbruiken, enz.*) be rife, be rampant; *een ~e haardos* a wealth of hair; *zie* weelderig; **~heid** luxuriance

welijzer puddled iron

welingelicht well-informed, inspired [from an ... quarter]

welingericht *zie* inrichten

weliswaar it is true, indeed, to be sure, true enough; *~ had hij ...* true, he had never seen her

welk I (*vrag.*) what; (*vragend naar een of meer uit bepaald aantal*) which; *~e boeken?* (*algem.*) what books?; (*~e van deze boeken*) which (of these) books?; *~e Walters is dat?* (*de oude, de jonge, enz.*) which W. is that?; *ik weet niet ~*

[one of the cushions,] I don't know which (one); *met ~ recht zegt hij dat?* w. right has he to say so?; *zie ook* wat 1; II (*betr.*) (*zaak*) which, that; *~(e) ook* what(so)ever, which(so)-ever; *~e alle ...* all of which ...

welken *zie* verwelken

welkom I *bn.* welcome (*ook van cadeau, nieuws, enz.*); *~!* w.!; *~ thuis* (*in L., in de villa S.*)! w. home (to London, to S. villa)!; *~ heten* bid (*of:* make) [a p.] w., w. [a p., s.t.]; *ik heet u ~* I bid you w.; *iem. ~ heten in ...* w. a p. to one's house, w. a p. into the family; *iem. har-telijk ~ heten* give a p. a hearty (cordial, warm) w., extend a hearty (warm) w. to a p.; *hij werd op een uitbundige manier ~ geheten* he received (was accorded) a tremendous w.; *'t ~e van ...* the welcomeness of ...; II *zn.* welcome; *iem. 't ~ toeroepen* w. a p.; *hij schudde mij de hand tot ~* he shook my hand in w.

welkomst welcome; *iem. een hartelijke ~ berei-den* give a p. a warm w.; **~groet** welcome; **~rede** address (speech) of w.

wellen 1 (*smeden*) weld; 2 draw [butter]; *ge-welde boter* drawn butter; stew [prunes]; 3 well (up); *zie* opwellen

welletjes: *'t is zo ~* that will do; (*fam.*) we will call it a day; it has gone quite far enough

wellevend courteous, well-bred, well-mannered; **~heid** courtesy, good breeding

wellicht perhaps, maybe; *zie* misschien

welluidend melodious, sweet-sounding, harmonious, euphonious; **~heid** melodiousness, harmony, euphony; *voor de –,* **~heidshalve** for the sake of euphony

wellust (*gunstig*) delight, bliss; (*ongunstig*) voluptuousness, sensual enjoyment, lust, sensuality; *met ~ beschouwen,* (*ongunstig*) gloat over (*of:* on); *een ~ voor de ogen, zie* lust; **~e-ling** voluptuary, sensualist

wellustig voluptuous, sensual, lustful, lecherous, lascivious, salacious; **~heid** voluptuousness, sensuality, lust(fulness), salacity, etc.

welmachine welding-machine

welmenend well-meaning, -intentioned

welnaad weld

welnemen: *met uw ~* by your leave

wel: ~nu now then, well then, well; **~opgevoed** w.-educated; (*goed gemanierd*) w.-bred; **~overwogen** (well-)considered [plan, view], deliberate, measured [language, judgement]

welp cub; whelp; (*padvinder*) (wolf-)cub; **~en-leid(st)er** cubmaster (-mistress)

wel: ~pijp well-tube; **~poeder** welding-powder; **~pomp** well-pump; **~put** well

welriekend sweet-smelling, (sweet-)scented, odoriferous, fragrant; aromatic [herbs]; *zie* viooltje; **~heid** fragrance, odoriferousness

Wels Welsh

welslagen success

welsmakend savoury, palatable, tasty

welsprekend eloquent (*ook fig.:* there was an ... silence); **~heid** eloquence; *zijn –, ook:* his oratorical power(s)

welstaanshalve for the sake of propriety, for decency's sake

welstand well-being, welfare, comfort, prosperity; (*gezondh.*) (good) health; *ik hoop dat deze u in goede ~ moge bereiken* I hope this may find you well; *in ~ leven* be well off; *naar iems. ~ informeren* inquire after a p.'s health; *zie* blakend; **~sgrens** income qualification (limit); **~snorm** property qualification; **~speil** *zie* welvaartspeil

welste: *van je ~* like anything, like one o'clock; [it is dictatorship] with a vengeance; [it rained, they fought] like billy-o(h); *ik gaf hem van je ~* I gave it him hot and strong; *een bui van je ~* a regular downpour; *herrie van je ~* [they had] a first-class (a glorious) row

weltergewicht welter-weight

welteverstaan that is; *vgl.* welgeteld

weltevreden well-contented, -satisfied

'weltfremd' unworldly

'Weltschmerz' id., Wertherism

welvaart prosperity; *tot ~ komen* rise to (achieve) prosperity, become prosperous; **~smaatschappij** affluent society; **~speil** level of prosperity, standard of life; **~sstaat** welfare state; **~svast** *zie* waardevast

welvaren I *ww.* prosper, thrive, be prosperous; *zie* varen 2; (*gezond zijn*) be quite well, be in good health; II *zn. zie* welstand; *hij ziet eruit als Hollands ~* he is the picture of health

welvarend *a*) prosperous, thriving, affluent [society]; *b*) healthy, in good health; *moeder en kind zijn ~* both mother and child are progressing well; *~ uitziend* prosperous-looking; **~heid** *a*) prosperity; *b*) good health

welven (*ook: zich ~*) vault, arch; (*van weg*) camber

wel: ~verdiend well-deserved, w.-earned [rest, holiday]; **~versneden** *zie* pen; **~verstaande** *zie* welteverstaan & verstand (*met den ...e*)

welving vaulting; (*concr. ook*) vault; (*van weg*) camber; (*kromming*) curvature

welvoeglijk becoming, seemly, decent, proper; *zie* betamelijk

welvoeglijkheid decency, propriety; *de ~ in acht nemen* be mindful of the proprieties; **~shalve** for decency's sake; *zie* welstaanshalve

welvoorzien well-provided, w.-stocked [shop]; w.-spread, loaded [table]

welwater spring-water

welwillend benevolent, obliging, kindly disposed, sympathetic [I had a ... audience], kind [attention, co-operation]; *in ~e overweging nemen* entertain sympathetically; **~heid** benevolence, goodwill, kindness, sympathy; *dank zij de – van de heer A.* by courtesy of Mr. A.

welzalig blessed

welzand (*drijfzand*) quicksand(s)

welzijn welfare, well-being; *naar iems. ~ informeren* inquire after a p.'s health; *op iems. ~ drinken* drink a p.'s health; *tot iems. ~ strekken* be instrumental to a p.'s w.; *voor uw ('s lands) ~* for your good (for the good of the country); *voor 't algemene ~* [work] for the common (public, general) good; *zie* leven; **~szorg** (public) w., w. work

wemelen: ~ van swarm (teem) with [people, fish, fleas, mistakes, etc.]; *~ van fouten, ook:* bristle with mistakes; *de kaas wemelt van maden* is crawling (alive) with mites; *'t wemelt van mensen op straat* the streets are swarming (teeming) with people; *zie ook* krioelen

wen *zn.* id.

Wenceslaus Wenceslas

wendakker headland

wendbaar (*van vliegt., enz.*) manoeuvrable; **~heid** manoeuvrability

wenden I *tr.* turn; (*mar.*) *zie a*) boeg (*'t over een andere ... wenden*), *b*) overstag (*... gaan*), *c*) halzen; *hoe hij 't ook wendde of keerde* whichever way he turned; *zich ~* turn; *zich ~ tot,* (*eig.*) t. to; (*fig.*) apply to [*om* for], t. to, call on, approach; *zich tot een ander ~* turn (look) elsewhere; *men kan er zich ~ noch keren* (*roeren*) there is no(t) room to swing a cat (in); *ik weet me niet te ~ of te keren* I don't know which way to t.; *zie* boeg, inlichting, schrede; II *intr.* turn; (*mar.*) put (tack, go) about; *'t jacht wendde, ook:* the yacht swung round

wending turn; swing [a ... of popular opinion]; *'t gesprek een andere ~ geven* give another t. to (change, turn) the conversation; *een ~ nemen* (take a) turn; *'t gesprek nam een andere ~* took another t., drifted off; *haar gedachten namen ineens een andere ~* flew off at a tangent; *een gunstige ~ nemen* take a favourable t. (a t. for the better); *een ongunstige ~ nemen* take an unfavourable t. (a t. for the worse); *een onverwachte* (*ernstige*) *~ nemen* take an unexpected (a serious) t.; *in de ~ liggen,* (*mar.*) be in stays

Wendisch Wendic, Wendish

wenen weep, cry; *~ over* w. for, bewail; (*dicht.*) weep [a p., s.t.]; *~ van vreugde* w. for joy; *zie ook* schreien

Wenen Vienna; **Wener** I *bn.* Viennese; *~ stoel* (Austrian) bent-wood chair; *~ worst* German sausage; II *zn.* Viennese (*ook = Weens*), inhabitant of Vienna

wening: *~ en knersing der tanden,* (*bijb.*) [there shall be] weeping and gnashing of teeth

wenk hint, wink, nod, tip, wrinkle; *een ~ snappen en opvolgen* take a h.; *iem. een ~ geven,* (*eig.*) beckon to a p.; (*fig.*) give a p. a h.; (*sl.*) tip a p. the wink; *iem. een duidelijke ~ geven,* (*fig.*) give a p. a broad (*of:* plain) h.; *een stille ~ geven* a gentle hint; *iem. enkele ~en geven* put a p. up to a wrinkle or two; *iems. ~ opvolgen, ook:* act on a p.'s suggestion; *iem. op z'n ~en bedienen* be at a p.'s beck and call, fetch and carry for a p., wait on a p. hand and foot

wenkbrauw eyebrow; *vooruitstekende ~en* beetle brows (*met ... b.-browed*); *op zijn ~en lopen* stagger with fatigue; *zie* fronsen

wenken beckon, motion; *iem. ~ b.* (to) a p., m. to a p.; (*met vinger*) crook one's finger at a p.

wenkvlies *zie* knipvlies

wennen I *tr.* accustom, habituate [*aan* to], familiarize [*aan* with]; II *intr., dat zal wel ~* you will get used to it; *men moet eraan ~* it needs getting used to; *hij kon daar niet ~* he could not shake down (could not fit in, felt out of it) there; *men went overal aan* one gets used to everything; *zie ook* gewennen & gewend

wens wish, desire, *vurige ~, ook:* ambition [realize one's ...s]; *een ~ doen* make a w.; *de ~ te kennen geven te* ... express a w. to ...; *mijn ~ is vervuld* I have my w.; *de ~ is de vader der gedachte* the w. is father to the thought; *alles gaat naar ~* things are going on (are shaping) well, everything goes smoothly; *mijn beste ~en!* my best wishes! all the best! *(met verjaardag ook)* many happy returns of the day!; *wat is uw ~? zie:* wat wenst u?; *zie* vroom

wensdroom wish-dream

wenselijk desirable; *al wat ~ is! zie:* mijn beste wensen; **~heid** desirability

wensen wish [I w. you success]; *(verlangen)* want, desire, wish for [have everything one can ...]; *het laat veel (niets) te ~ over* it leaves much (nothing) to be desired [where clarity is concerned *aan duidelijkheid*] *(... niets ..., ook)* it is all that can be desired; *'t is te ~ dat* ... it is to be wished that ...; *ik wenste (=zou willen) dat hij ging* I w. he would go; *ik wenste (= zou willen) in 's hemels naam* ... I w. to Heaven (to goodness) ...; *toen wenste ik, dat ik thuis (dood) was* then I wished I were (wished myself) at home (dead); *ik wens dat je gaat* I want (wish) you to go; *ik wens, dat 't gedaan wordt* I w. (want) it (to be) done; *de boeken die hij wenste (te hebben)* the books he wished for; *hij heeft alles wat hij kan ~, ook:* he has nothing left to w. for; *men wenst dat je dadelijk komt* you are wanted at once; *iem. alles (niets) goeds ~* w. a p. well (ill); *iem. goeden dag, enz. ~* w. (bid, give) a p. good day, etc.; *zie* gelukwensen; *ik wenste zo half en half dat* ... I half wished that ...; *met ~ alleen komt men er niet* if wishes were horses, beggars might ride; *je zult hebben wat je wenst* you'll have your wish; *als ze 't ~* if they so desire; *wat wenst u?* what do you w.? *(in winkel)* what can I show (do for) you?: *wenst u nog iets?* anything else?; *zie ook* gewenst, best, duivel, liever, maan, enz.

wens: ~er wisher; **~hoedje** wishing-cap; **~lijst** *zie* verlanglijst

wentelen I *tr.* roll (over), turn about (round), revolve; *zich ~, (om zon, de as)* revolve [round the sun, on its axis], rotate [on its axis]; *(in modder, enz.)* welter, wallow, roll about [in the mud, etc.]; *hij wentelde zich om en om op zijn bed* he turned and tossed on his bed; II *intr., zie* zich ~

wenteling revolution, rotation

wentelteefje(s) sop in the pan

wenteltrap winding (spiral, corkscrew) stairs (staircase); *(dier)* wentletrap

werd *o.v.t. van* worden

werda! halt! who goes there?

wereld world, universe; *de letterkundige ~* the literary w.; *de Oude (Nieuwe) ~* the Old (New) W.; *wat is 't een ~!* what a w. it is!; *wat is de ~ toch klein!* isn't the w. small! how small the w. is!; *de gehele ~* the whole (all the) w.; *de hele ~ weet 't* all the w. knows; *de ~ ligt voor je open* the w. is before you; *de andere ~* the next (the other) w., the w. to come; *zijn ~ kennen (verstaan)* be a gentleman, have manners; *de ~ kennen* know the w., be worldly-wise; *de ~ zien* see the w.; *de ~ ingaan* go out into the w., launch out (set out) in life, begin the w.; *al haar kinderen waren de ~ ingegaan* were out in the w.; *de ~ inzenden* send into the w., launch [a p.] into (upon) the w. (in life); start [a rumour]; *(van geschrift)* give to the w.; *de hele ~ door* all through (all over) the w., all the w. over; *in deze ~ en hiernamaals* in this w. and the w. to come; *in de ~ brengen, (van arts)* bring into the world, deliver [a baby]; *weten hoe het in de ~ gaat* know the way of the w.; *zo gaat het in de ~* that's the way of the w.; *hoe is 't je in de ~ gegaan?* how has the w. used you?; *'t ging hem goed in de ~* the w. was going well with him; *zie ook:* ter ~; *naar de andere ~ helpen* launch into eternity, *(sl.)* send to kingdom come (to glory); *naar de andere ~ verhuizen, (sl.)* go to kingdom come (to glory); *om de ~ reizen* travel round the w.; *reis om de ~* voyage round the w., w.-tour; *op de ~ in* the w.; *over de hele ~* the world over, all over the w.; *tegen de ~, zie* grond; *de beste (gelukkigste) man ter ~* the best (the luckiest) man in the w. (alive, in creation); *waarom ter ~ deed hij het?* what in the w. did he do it for? why on earth did he do it?; *hoe is 't Gods ter ~ mogelijk?* how in the w. is it possible?; *hoe ter ~ kan zo iets gerechtvaardigd worden?* what earthly justification can there be for such a thing?; *voor niets ter ~* not for (all) the w., not for anything in the w., not at any price; *ik zou alles ter ~ willen geven om* ... I would give the w. to ...; *ter ~ brengen* bring into the w., give birth to; *ter ~ komen* come into the w., be born into the w., see the light; *hij behoorde niet tot haar ~* he was not of her w.; *uit de ~ helpen* settle [a dispute], dispose of [a rumour], dispel [a myth]; *deze legende verdient uit de ~ geholpen te worden* deserves to be set at rest; *laten we de zaak (de ruzie) uit de ~ helpen* let's have it out once and for all; *daardoor is de zaak de ~ nog niet uit* that by no means disposes of the matter; *bezoekers uit de hele ~* visitors from all over the world; *een man van de ~* a man of the w.; *een leven van de andere ~* an infernal (a hellish) noise; *een Koninkrijk dat niet van deze ~ is* a Kingdom that is not of this w.; *voor ('t oog van) de ~* before the w. [she had been nothing to him]; *geheel voor de ~ leven* be of the earth earthy; *zie ook* afsterven, goed l, groot, koop, verkeerd, verlaten l, wil, enz.

wereld- world: **~as** axis of the w.; **~atlas** w.-atlas, atlas of the w.; **~bank** w. bank; **~be-**

dwinger, ~beheerser w.-ruler, master of the w.; ~beeld w.-picture; ~beker w. cup; ~beroemd w.-famous, w.-famed, w.-renowned, of w.-wide fame; ~beroemdheid w.-fame, w.-wide fame; (persoon) w.-celebrity; ~beschouwing w.-view, view of (outlook on) life, philosophy of life; ~beschrijving cosmography; ~bestel zie ~orde; ~bevolking w. population; ~bewoner inhabitant of the w.; ~bol (terrestrial) globe; ~bond w.-federation; ~bouw cosmic system; ~brand w.-conflagration; ~burger w.-citizen, citizen of the w.; cosmopolitan, cosmopolite; de nieuwe – the new arrival, the little (the tiny) stranger; ~burgerschap cosmopolit(an)ism; ~crisis w.-crisis; ~deel part of the w., continent; 't ~gebeuren w.-events; ~gebeurtenis w.-event; 't ~gericht a) the last judg(e)ment; b) the world's judg(e)ment; ~geschiedenis w.-history, history of the w.; ~handel w.-trade, w.-commerce; ~haven w.-port, international port; ~heer (r.-k.) secular (clergy); ~heerschappij w.-dominion, w.-power; ~hervormer w.-reformer; ~kaart map of the w.; ~kampioen(schap) w.-champion(ship); ~kennis knowledge of the w., worldly knowledge; – bezitten be learned in the ways of the w.; ~kundig notorious, universally known, known all over the w.; iets ~ maken give a thing to the w., rumour (blaze, spread, publish) a thing abroad

wereldlijk worldly [goods], temporal [power], secular [drama, music, court rechtbank]; de ~e overheid the secular arm; ~ maken secularize [church property]

werelding worldling; hij is een ~, ook: he is of the earth earthy

wereld: ~literatuur world-literature; ~macht w.-power; ~markt w.-market; de ~en, ook: the w.'s markets; ~naam w.-reputation; ~omspannend w.-embracing, global; ~oorlog w.-war; ~orde w.-order, scheme of things; ~politiek w.-policy, -politics; vgl. politiek; de ~produktie the world's output; ~raad World Council [of Churches]; ~record w.-record; ~reis w.-tour; ~reiziger globe-trotter; ~revolutie w.-revolution; ~rijk w.-empire; ~rond globe; ~ruim(te) (infinite, outer) space

werelds worldly(-minded) [people], worldly [pleasures, matters], mundane [affairs]; secular, temporal; zie wereldlijk

wereldschokkend world-shaking [event], catastrophic

wereldsgezind worldly(-minded), of the earth earthy; ~heid worldly-mindedness, worldliness

wereld: ~slag world-battle; ~smart zie Weltschmerz; ~spil axis of the w.; ~stad metropolis; ~stelsel cosmic system; ~streek region of the w., quarter of the globe, climate, zone; ~taal w.-language; (kunsttaal ook) universal language; ~tentoonstelling international exhibition, w.-fair; ~toneel stage of the w., w.-stage; ~verachting contempt for the world; ~verbruik w.-consumption [of cotton]; ~ver-

keer international (of: w.) traffic; ~vermaard zie ~beroemd; ~veroveraar conqueror of the w.; ~vlucht (round-the-)w. flight; ~vrede w.- (of: universal) peace; ~vreemd unworldly; ~wijd w.-wide; ~wijs a) worldly-wise; b) philosophic; ~wijsheid a) worldly wisdom; b) philosophy of life; – opdoen see life; ~wonder wonder of the w.; ~zee (w.-)ocean

1 weren avert, prevent; keep down [insects, weeds onkruid]; (iem.) exclude [a p. from ...]; (de)bar [a p. from a post], refuse admittance [to a hotel] ('t ~ van kleurlingen, uit hotel, enz. the colour bar); zich ~, a) exert o.s., (tot 't uiterste) strain every nerve; b) zie zich verweren

2 weren op be favourable (weather) for

werf shipyard, shipbuilding yard; (van de marine) dockyard; (kaai) quay, wharf; (hout~) timber-yard; van de ~ lopen leave the ways; van de ~ laten lopen launch; ~arbeider shipyard worker

werf- recruiting: ~depot r.-office, r.-depot; ~geld zie handgeld (mil.); ~kantoor r.-office; ~kracht recruiting power; propaganda value; ~officier r.-officer; ~sergeant r.-sergeant

wering prevention; exclusion; zie weren; tot ~ van for the p. of; ambtenaar tot ~ van schoolverzuim (school) attendance officer

1 werk (van vlas of hennep) tow; (geplozen) oakum; ~ pluizen pick oakum

2 werk work; (zwaar w.) labour; (karwei) ook: job; (krachtens ambt, enz.) duty, duties [her ... as parlour-maid]; (afwerking) workmanship; (van horloge, enz.) works; action [of a piano], mechanism; ~ met 't hoofd head-work; de ~en van Milton the works of M., M.'s works; geloof en ~en faith and works; ~en van barmhartigheid works of mercy; publieke ~en public works; de ~en Gods the works of God; Uwer handen~ Thy handiwork; een mooi ~ a fine w.; dat is mooi ~ a fine piece (of: bit) of w.; 't is (alles) jouw ~, (komt door jou) it's (all) your doing; dat is ~ voor een man it's a man's job; dat is mijn ~ niet that's not my business; dat is geen ~ that's no way to do things; wat is uw ~? what do you do? what is your profession (trade)?; er is heel wat ~ aan de winkel there is a good deal of w. to do, a good deal of w. on hand; de een doet het ~ en de ander profiteert ervan one beats the bush, and another gets the hare; one sows, and another reaps; goed (slecht) ~ doen (leveren) do good (poor) w.; daarmee doe je een goed ~ you are doing good there, (fam.) are doing a good job of work; terwijl ze haar ~ deed while she was about her duties; iem. ~ geven give a p. w., find w. for a p.; 500 man ~ geven employ 500 men, give ... employment; die jongen geeft mij heel wat ~ gives me a lot of w. (of trouble); ~ hebben be in w. (of: employment); vast ~ hebben be in regular w.; geen ~ hebben be out of w. (employment, a job); hoe lang denk je ~ te hebben? how long do you think you will be (it will take you)?; hij had

er niet lang ~ mee om ... it did not take him long to ...; *hij heeft lang ~ met het te zeggen* (*te vinden*) he is a long time (in) saying (finding) it; *lang ~ met iets* (*een brief, enz.*) hebben be (take) long (take a long time) over a thing (a letter, etc.); *wat heeft hij lang ~!* what a time he takes!; *wat heb je lang ~ met je hoed op te zetten!* what a time you are putting on your hat!; *hij had ~ om haar tegen te houden* it was as much as he could do (he had his w. cut out, had a job) to stop her; *zijn ~ maken* do one's w.; *~ maken van* apply for [a situation], be after [a place, a girl], go in for [music, sport, etc.]; *veel ~ maken van* take great pains over [one's work]; *daar maken ze hun ~ van* they make it their business; *zie* speciaal; *~ van de zaak maken*, (*zich ermee bemoeien*) take the matter up; *ik zal er geen ~ van maken* I'll do nothing about it, I'll not do anything in the matter; *je moet er ~ van maken* you must do s.t. about it; *ik zal er dadelijk ~ van maken* I'll see (*of:* attend) to it at once; *weinig ~ maken van* make light of [one's task]; *~ zoeken* look for w., seek a job; *aan 't ~* at w. [on a task]; *aan 't ~!* to w.! (*sl.*) get cracking!; *weer aan 't ~* [they are] back at w.; *ik moet aan 't ~* I must get busy; *aan 't ~ gaan* (*trekken*) set (go, get) to w., address o.s. to (settle down to) one's task, proceed to business; (*fam.*) get busy; *weer aan 't ~ gaan* resume w., (*na staking*) return to work; *iem. aan 't ~ houden* keep a p. at w.; *de hand aan 't ~ slaan* set to w., put one's shoulder to the wheel; *zich aan 't ~ zetten, zie* aan 't ~ gaan; (*voorgoed*) settle down to w. (to one's task); *iem. aan 't ~ zetten* set a p. to w.; *daarmee zullen we J. eens aan 't ~ zetten* we'll put (turn) J. on to the job; *aan 't ~ zijn* be engaged (at w., working) [*aan* ... on a new novel]; *aan 't ~ kent men de meester* the master is known by his w.; *500 man in (aan) 't ~ hebben* employ 500 men; *bij iem. in 't ~ zijn* be in a p.'s employ; *alles in 't ~ stellen* leave no stone unturned, do one's utmost, lay o.s. out [to ...]; *hoe gaat dat in zijn ~?* how is it done?; *hoe is dat in zijn ~ gegaan?* how did it come about?; *dat is vlug in zijn ~ gegaan* (that is) quick w.; *midden in zijn ~ sterven* die in harness; *naar 't ~ gaan* go to w.; *op* (*niet op*) *zijn ~ zijn* be on (be absent from) duty; (*goed, verkeerd*) *te ~ gaan* go (the right, wrong, way) to w.; *hoe ga je daarbij te ~?* how do you set about it?; *voorzichtig* (*te overijld*) *te ~ gaan* go carefully, proceed (move) cautiously (too hurriedly); *volgens een beginsel te ~ gaan* work upon a given principle (on a certain line); *volgens die veronderstelling te ~ gaan* go on that assumption; ... *waar men naar te ~ kan gaan* there's nothing to work upon; *op zijn eigen manier te ~ gaan* take one's own line; *verschillend te ~ gaan* work on different lines; *te ~ stellen* set to w.; *zonder ~* out of w., out of a job; *zonder ~ raken* fall (be thrown) out of w. (out of employment), be thrown idle; *zie ook* afge-

sproken, bij 2, rusten, enz.

werk: ~**baar** (*angl.*) workable, practicable; ~*bare dag* weather-working day; ~**baas** foreman; ~**bank** (work-)bench; ~**beest** work-animal; ~**bezoek** working visit; ~**bij** worker (-bee); ~**boot** working-boat; ~**briefje** job-sheet, w.sheet; ~**broeder** (*in klooster*) lay brother; ~**broek** (pair of) overalls, overall trousers; ~**classificatie** job evaluation; ~**comité** organizing committee

werkdadig efficacious, effective; ~**heid** efficacy, ...ness

werk: ~**dag** [a ten-hours'] working-day; (*tegenov. zondag*) work(ing)-day, week-day; ~**dier** work-animal; ~**doos** w.-box, -cabinet; ~**draad** (*van tram*) overhead wire

werkelijk I *bn.* real, actual, true; *in ~e dienst* in active service; *soldaten in ~e dienst* effectives: *zie* schuld; II *bw.* really, actually; indeed [he played very well ...]; *en hij ging ~* [he promised to go] and he did go; *zie verder* waarachtig

werkelijkheid reality; *de ~ onder de ogen zien* look r. in the face; *dat geluid bracht hem weer in de ~ terug* brought him back to earth; *in ~* in r., in point of fact, actually, as a matter of fact; *in ~ niet* [is he ill?] not really [,but he thinks he is]; ~**szin:** *het getuigt niet van ~* – it is unrealistic

werkeloos(heid) *zie* werkloos(heid)

werken work (*ook van vulkaan, bier, tovermiddel, enz.*); (*van vulkaan ook*) be in eruption, be active; (*van medicijn, enz.*) work, operate, act, take effect, be effective; (*van machine, orgaan, enz.*) work [the lift was not ...ing], function [his brain was not ...ing well]; (*van fontein*) play (*ook:* the fountains were in full play); (*van schip*) labour, pitch and roll; (*van lading*) move; (*van hout*) warp, get (become) warped; *de volle* (*halve, een deel van de*) *tijd ~ w.* (*of:* be on) full (half, short) time; *de machine werkte zacht* (*glad*) worked smoothly; *'t sein werkt niet, ook:* the signal is out of action; *de telefoon werkte niet meer* ... went dead; *'t werkt zo kalmerend* it's so soothing; *zijn geweten begon te ~* began to w.; *12 uur per dag ~, ook:* put in 12 hours a day; *nog een uur ~* put in another hour's work [before going to bed]; *bang zijn voor ~* be w.-shy, be a shirker; *hij kan niet meer ~*, (*wegens ouderdom, enz.*) he is past w.; *de meter werkt zonder aan te tekenen* the meter passes without registering; *de rem werkte niet* the brake did not act, failed (to work); *wel* (*niet*) ~, (*van rem, enz.*) be in (out of) working order; *als een rem ~ op*, (*fig.*) act as a brake upon; *'t stelsel* (*de regeling*) *werkt goed* the system (the arrangement) works well; *'t kan niet anders dan goed ~* it's all to the good; *de wet werkt niet meer* the law no longer operated; *de transatlantische kabel werkt al sedert* ... has operated since ...; *laten ~* work [a machine; a p. too hard]; turn on [the loudspeaker]; *zijn hersens* (*verbeelding*) *laten ~* use one's brains (imagi-

nation); *iem. te hard laten ~, ook:* overwork a
p., *w. a p.* off his legs; *hij werkt hard* he works
hard, is a hard-working man; *hij moet hard ~*
he has to w. hard, is a hard-worked man; *wat
minder hard (gaan)* ~ slack off a bit; *van ~ ga
je niet dood* hard work won't kill you; *de bomen
~ al* the trees are budding already; *zijn hoofdpijn door ~ verdrijven* w. off one's headache;
de overtocht met ~ verdienen w. one's passage;
aan *een vertaling, enz.* ~ w. at (be at work on,
be engaged on) a translation, etc.; *er wordt
aan gewerkt* it is being worked on (seen to),
the work is (well) in hand; ~ **bij,** *zie:* werkzaam; ~ **door** *elektriciteit* (be) work(ed) by
electricity; *hij werkt zich **in** de soep* he lands
himself in the soup; *met een schrijfmachine ~*
w. (operate) a typewriter; *met 500 man ~* employ 500 hands; *ze werkte met ...* she made
play with her eyes and lips and hands; **onder**
iem. ~ w. under a p.; *zij ~ elkaar eronder* they
are cutting each other's throats; *alcohol werkt
op de hersens* acts on the brain; *'t werkt op de
zenuwen* it works on (affects) the nerves; *'t
werkt op de verbeelding* it strikes (appeals to)
the imagination; *nadelig ~ op* have an injurious effect upon; *op iems. gemoed* ~ w. (play)
upon a p.'s feelings; *deze motor werkt op
benzine ...* works (runs) on petrol; **uit** ~ *gaan*
go out to w., char, go out charring; *ze gaat
niet meer uit* ~ she has given up charring; *iem.
eruit ~* jockey a p. out (of the way); *voor iem.*
~ work (exert o.s.) for a p., promote a p.'s
interests; *de tijd werkt voor ons* time is on our
side; *zie ook* binnen, dood, kapot, lachspier,
paard, zaak, zweet, enz.
werkend working; active [volcano, partner
vennoot, member *lid*]; *(de verlangde uitwerking hebbende)* efficacious, effective; *~e stand
w.* classes; *~e vrouwen* w. women, women
workers, self-supporting women; *langzaam ~
vergif* slow poison
werker worker
werk: ~**ezel** drudge, plodder; *hij is een echte* ~
he is a glutton (a demon, a whale) for work;
~**gelegenheid** [full] employment; ~**gemeenschap** working group, study group; ~**gever**
employer; *~s en ~nemers* employers and employed, and men; ~**geversorganisatie** employers' organization; ~**geversrisico** employers'
liability; ~**geversverklaring** employer's certificate; ~**gewoonten** w. habits; ~**groep** working-
group, study group; *(univ.)* seminar, tutorial;
w.ing party [to study the effects of radiation];
~**hand** (work-)roughened hand; ~**heilige** le-
galist; *(denigrerend)* hypocrite, sanctimonious person; ~**heiligheid** legalism; ~**huis** *(armhuis)* work house; Poor Law Institution,
(fam.) [the] Institution; *(verbeterh.)* peniten-
tiary; *(van werkvrouw)* place; ~**hypothese**
working hypothesis
werking *('t werken)* action *(ook van 't hart, enz.),*
working *(ook van de geest),* operation; *(van
vulkaan)* activity; *(werkdadigh.)* efficacy; *(uitwerking)* effect; **buiten** ~ *stellen* suspend [an

act *wet*], render inoperative; throw (put) [the
microphone, telephone] out of a.; **in** ~ in
operation, in a.; [Etna] in eruption; *in volle ~,
ook:* in full swing; **in** ~ *treden* come into operation (force, effect), become operative (effective), take effect [on the 1st of January]; **in**
~ *stellen* put [the law] into (in) operation
(force, motion), put (throw) [the micro-
phone] into a., work [the brake]; *de fonteinen
zijn in* ~ the fountains are playing, in (full)
play; ~**ssfeer** sphere of action, scope
werk: ~**inrichting** (compulsory) labour-colony;
~**je** (little) piece of work, job; *(boekje)* booklet, opuscule; *een mooi* –, *(iron.)* a nice little
job indeed; *zie ook* handwerkje; ~**kamer** work-
(ing-)room, study, studio; ~**kamp** work-,
labour-camp; ~**kapitaal** working-capital; ~
kiel overalls; *(mil.)* fatigue-jacket; ~**kleding** *a)*
working clothes; *b)* industrial clothing; ~
kracht energy, power of work; *(pers.)* hand,
workman, labourer; *gebrek aan –en* labour
famine; ~**kring** sphere of action, field of activity; *passende* – suitable post (employment);
~**lieden** workpeople, workmen, labourers,
workers, hands; –**trein** workmen's train; –**vereniging** working-men (workmen's) association; ~**loon** wages, wage, pay
werkloos *a)* idle, inactive; ~ *toezien* look on
passively, stand idly by; *b)* unemployed, out
of work, out of a job, workless; ~ *maken (worden)* throw (be thrown, fall) out of work,
render (be rendered) idle; *zie* werkloze
werkloosheid *a)* idleness, inactivity, inaction;
b) unemployment; ~**suitkering** unemployment
benefit; ~**sverzekering** u. insurance
werkloze unemployed person, out-of-work;
de ~n, ook: the unemployed; *'t aantal ~n, ook:*
the number of unemployed; ~**nkas** unemployed (unemployment) fund; ~**nuitkering**
unemployment benefit, (the) dole
werk: ~**lui** *zie* ~lieden; ~**lust** zest for work;
~**man** *(knecht)* workman, operative, labourer,
hand; *(handwerksman)* working-man, artisan,
mechanic; *hij is een goed* – he is a good man
at his job; ~**mandje** work-, mending-, sewing-
basket; ~**meester** foreman, supervisor; ~**mier**
worker(-ant); ~**nemer** employee; *zie* ~gever;
~**paard** w.-horse; ~**pak** working-clothes, -kit;
overalls; *(mil.)* fatigue-dress, -suit, -uniform;
~**pauze** break; ~**plaats** workshop, w.-room,
shop; *(in open lucht, in gevangenis, enz.)*
labour-yard; ~**plan** plan of w. (of action), w.-
plan, -scheme; ~**ploeg** *zie* ~troep; ~**program-
(ma)** working-programme; ~**rooster** time-
table, w.-schedule; ~**schoenen** working-boots;
~**schort** apron; ~**schuw** w.-shy; *–en* w.-shys,
won't works; ~**slag** *(van motor)* power-stroke;
~**staker** striker; ~**staking** strike; *zie* staking;
~**ster** *a)* (woman, girl) worker; *b)* charwoman,
daily help, *(fam.)* char; ~**student** student
working his way through college, s. with
part-time job; ~**stuk** piece of w.; w.ing paper;
(wisk.) proposition, problem; ~**tafel** w.-table;
~**tekening** working-drawing; ~**tempo** pace of

work; **~terrein** sphere of work; **~tijd** working-hours, work-time, hours of labour (of w.); (*van ploeg werklieden*) shift; *kortere –en* shorter hours; *lange –en hebben* work long hours; *buiten –* [work-people] off shift; **–verkorting** short(-time) working; **~trein** construction train; (*voor hulp bij ongeluk*) breakdown train; **~troep** working-party [in prison, etc.]; (*mil.*) fatigue-party

werktuig *a*) tool (*ook fig.*, *min.*: he is your …), instrument [an … of Providence], [communist] stooge; implement (*vooral mv.*); (*fig. ook*) cat's-paw; pawn [they are mere …s]; *b*) organ [of hearing]; **~en**, (*gymn.*) apparatus; *iem. als zijn ~ gebruiken, ook:* make a convenience of a p.; **~bouwkunde** mechanical engineering; **~kunde** mechanics; **~kundig** mechanical [engineer, etc.]; **~kundige** engineer, mechanic, instrument-maker; **~lijk** mechanical, automatic (*bw.:* -ally); **~lijkheid** mechanicalness, mechanicality

werk: **~uur** working-hour; *zie* ~tijd; **~vergunning** labour permit; **~verruiming** provision of additional work; **~verschaffing** provision of work (for the unemployed), (unemployment) relief work(s); **–skamp** relief-camp; **~volk** workmen, w.-people, labourers, hands; **~vrouw** *zie* **werkster**; **~week** [a shorter] working-week; [school] study week; **~wijze** (working-)method, procedure; **~willig(heid)** willing(ness) to work; **~willige** willing worker, non-striker; *zie* onderkruiper; **~winkel** workshop; **~woord** verb; **–elijk** verbal; **–svorm** verb(al) form; **~zaal** w.-room

werkzaam active, laborious, industrious; effective [remedy]; *~ zijn op een kantoor* work (assist, be employed) in an office; *~ zijn bij* be a. with, be with, be in the employ of, be employed by, work on the staff of; *een ~ aandeel nemen in* take an a. part in; **~heid** activity, industry; **~heden** activities [transfer one's … from L. to F.], work, operations, business proceedings; (*functie*) [take up one's] duties; *ervaren in alle ~heden* experienced in all duties; *tot de ~heden overgaan* proceed to business; *de ~heden werden belemmerd door …* operations were hampered by rough weather; *wegens drukke ~heden* owing to pressure of work

werk: **~zak** work-bag; **~zoekende** person seeking employment; *zich als – laten inschrijven* register for employment; **~zuster** (*in klooster*) lay sister

werp (*mar.*) line

werpanker (*mar.*) kedge

werpdraad woof [of a texture]

werpen throw, cast, fling, pitch, hurl, toss; project [gas-bombs; a picture on the screen]; (*mar.*) jettison [goods]; (*mar.: verhalen*) warp; (*sp.*) floor [a boxer]; *jongen ~* drop young; *zie ook jongen ww.*; *een niet (nul) ~* t. blank; *werpt al uw bekommernis op Hem* cast all your care upon Him; *de schuld ~ op*, *zie* schuld (*hij gaf …*); *van zich ~* disclaim [any intention to offend], repel [a charge *beschuldiging*], (*met*

minachting) scout [a suggestion, an idea]; *zich ~* throw (fling) o.s. [into a chair, from a rock, into (*of:* upon) one's work]; *ze wierp zich aan haar moeders borst* she fell upon her mother's breast; *zich aan iems. voeten ~* throw o.s. at a p.'s feet; *zich in zee ~*, (*om iem. te redden bijv.*, *ook:*) dive into the sea; *zich op de vijand ~* rush (fall) upon (hurl o.s. at) the enemy; *zich op zijn prooi ~* pounce upon one's prey; *zich op nieuwe studiën* (*op zijn onderwerp*) ~ plunge into new studies (one's subject); *zich op een taak ~* throw o.s. into a task; *zie ook* gooien, anker, arm, blik, gevangenis, licht, paard, enz.; **werper** (*sp.*) pitcher

werp: **~garen** woof; **~hengel** casting rod; **~hout** boomerang; **~ing** (*mar.*) jettison; **~kogels** bolas; **~koord** lasso; **~lijn** (*mar.*) line, painter; **~lood** sounding-lead; **~net** cast-net; **~pijl**, **~schicht** dart; **~ring** quoit; **~schijf** (*hist.*) quoit, discus; **~speer**, **~spie(t)s** javelin; **~spel** (*met ringen*) quoits; (*op kermis*) hoopla; (*met pijltjes*) dart-throwing, darts; (*opgooispel*) pitch-and-toss; (*naar kokosnoten*) coconut shy; **~tijd** dropping-season; **~tol** peg-top; **~tros** (*mar.*) warp; **~tuig** missile, projectile

werst verst

Wertheriaans Wertherian

wervel (*been*) vertebra, *mv.* vertebrae; (*draaihoutje, enz.*) swivel; window-, sash-fastener; **~been** *zie* ~; **~boog** neural arch; **~dier** vertebrate (animal); **~en** whirl; **~kolom** spinal (vertebral) column, spine; **~storm** cyclone, tornado; (*Am.*) hurricane; **~stroom** (*elektr.*) eddy current; **~uitsteeksel** vertebral process; **~val** (*luchtv.*) spin; **~vormig** vertebral; **~wind** whirlwind

werven recruit, enlist, enrol; (*leden*) bring (*of:* rope) in [new members]; (*stemmen*) canvass for [votes], electioneer, (*klanten*) canvass (*hinderlijk:* tout) for [customers]; *stemmen ~ van* canvass [factory workers]; *rekruten ~*, *ook:* beat up (for) recruits; **-er** recruiter, recruiting-officer, -sergeant, etc.

werving recruitment, enlistment, enrolment; canvassing; *vgl. 't ww.*

werwaarts whither

weshalve wherefore, for which reason

wesp wasp; **~achtig** waspish

wespe- wasp-; **~angel** w.-sting; **~ëi** w.-egg; **~ndief** honey-buzzard, pern; **~nnest** wasps' nest, vespiary; (*fig.*) hornets' nest; *zich* (*zijn hand*) *in een – steken* bring a hornets' nest about one's ears, venture into (stir up) a hornets' nest; **~steek** w.-sting; **~taille** w.-waist; *met een – w.-waisted*

west west [the wind is …]; *de W~* the W. Indies; **W~-Afrika(ans)** W. Africa(n); **W~-duits(er)** W. German; **W~-Duitsland** West(ern) Germany; **~einde** w. end; **~elijk** westerly [wind]; western [Europe, hemisphere]; *– van A.* (to the) w. of A.; **–elijkst** westernmost; **~elijken** become w., turn to the w.

westen west; *'t W ~* the W., the Occident; *naar 't ~* to the w., westward(s); *ten ~ van* (to the)

w. of; *buiten ~ zijn* be unconscious; (*sl.*) be out (to the world); *buiten ~ geraken* lose consciousness; *iem. buiten ~ slaan* knock a p. silly; **~wind** w. wind

wester- western: **~grens** w. frontier; **~kim** w. horizon; **~lengte** west(ern) longitude; *op 20 graden* – in 20° longitude west; **~ling** Westerner, Western

westers western, occidental; *~ maken* westernize, occidentalize; *~ worden* become westernized; **W~-Romeins** *zie* Westromeins

westerstorm westerly gale

westerzon westerling sun

West-Europa West(ern) Europe

Westeuropees West European

Westfaals Westphalian; **Westfalen** Westphalia; **Westfaler** Westphalian

Westfries West Frisian; **West-Friesland** West Frisia, West Friesland

Westgoten Visigoths; **-isch** Visigothic

West-Indië the West Indies

Westindiëvaarder West-Indiaman

Westindisch West-Indian

west: **~kant** west side; **~kust** west(ern) coast; **~moesson** south-west monsoon; **~noord~** west-north-west; *'t* **W~rome'nse** *Rijk* the Western Empire, the Roman Empire of the West

westwaarts westward(s), to the westward

westzuidwest west-south-west

wet (*algem.*) law [the ... of the land; the ... s of nature; his word is ...; that's the ...]; (*bepaalde staatkundige ~*) act; *geschreven ~* statute l.; *~ op 't Lager Onderwijs* Primary Education Act; *~ op het Voortgezet Onderwijs* Secondary Education Act; *~ op het Wetenschappelijk Onderwijs* University Education Act; *~ op de Troonopvolging* Act of Settlement; *~ op de Vennootschappen* Companies Act; *~ op Besmettelijke Ziekten* Contagious Diseases Act; *~ tot Bescherming van Vogels* Birds Protection Act; *de ~ van Archimedes* the Archimedean principle; *de ~ van de grote getallen* the l. of averages; *dat is geen ~ van Meden en Perzen* that is not the l. of the Medes and Persians; *dat is bij ons een vaste ~* a hard and fast rule; *zoals de ~ nu is* (**luidt**) as the l. now stands; *'t ontwerp werd ~* (*zal zeker ~ worden*) the bill became l., (was) passed into l. (will safely reach the Statute Book, will go through, will find a place on the Statute Book); **~ten maken** make laws, legislate; *de~pakt de kleinen en laat de groten lopen* the l. punishes petty criminals, but the big ones go free; *korte ~ten, zie* metten; *iem. de ~ stellen* (*voorschrijven*) lay down the l. for (prescribe the l. to) a p.; *ik laat me niet de ~ stellen* I won't be dictated to; *hij schrijft zijn gezin de ~ voor, ook:* he lays down the law to (in) his family; *bij de ~ bepalen* enact; *binnen de perken der ~ blijven* keep within the l.; *boven de ~ staan* be above the l., be a l. unto o.s.; *buiten de ~ gaan* go outside the l.; *buiten de ~ stellen* outlaw [war], place beyond the pale of the l.; *handelen tegen de ~*

act against the l.; *tot ~ verheffen* place [a bill] on the Statute Book, carry [a measure] into l.; *volgens (krachtens) de ~* according to l.; in l. [a husband is liable for his wife's debts; in l. he is not an American]; (*in overeenstemming met de ~*) in accordance with l.; *niet geldig volgens de ~* not valid in l.; *volgens de Engelse ~* [I've inherited it] under English l.; *volgens alle ~ten van 't fatsoen* by all the laws of decency; *verkiesbaar volgens de ~* statutably eligible; *een vergrijp volgens de ~* a statutory offence; *ereschulden zijn niet te verhalen volgens de ~* debts of honour are not recoverable (are irrecoverable) at l.; *voor de ~* in the eye of the l., [equal(ity)] before the l.; *zie ook* volgens de ~; *voor de ~ was hij niet dronken, ook:* he was not legally drunk; *zie* gehoorzaam, handelsmerk, kracht, Mozaïsch, naam, nood, vallen, enz.

wetboek code (of law); *burgerlijk ~* civil c.; *~ van koophandel* commercial c.; *~ van strafrecht* penal (criminal) c.; *~ der etiquette* c. of manners

wetbreuk breach of the law

weten I *ww.* know, have knowledge of, be acquainted with, be aware (sensible) of; *ik weet een uitstekend hotel* I know of an excellent hotel; *ik wist, dat ...* I was aware that the banknotes were bad ones; *niet ~ dat ..., ook:* be unaware that ...; *ik weet niet waar ... is* I've mislaid my glasses; *ik weet 't* I know; *hoe weet je dat?* how do you k.?; [*vroeger bij ons thuis,*] *weet je ('t) nog?* ... do you remember?; *de hele stad wist 't binnen ..., ook:* it was all over the town within a week; *iedereen weet 't* it is common knowledge; *twee ~ meer dan een* two heads are better than one; *Reuter weet te melden ...* R. is in a position to announce ...; *ik weet 't niet goed* I am not clear (am very vague) about it; *dat weet ik nog zo niet* I am not so sure of that; I don't know about that; [easy?] I wonder; *dan weet ik 't niet* [if that's not realism] I don't k. what is; *en ik wist 't niet eens!* and I never knew!; *niet dat ik weet* not that I k. (that I'm aware) of, not to my knowledge; *ik weet niet waar we zijn,* (*bij les*) I've lost my place; *ik weet niet hoe ik dit moet verklaren* I'm at a loss to account for this; *ik wist niet wat ik deed* I didn't know what I was doing; I lost my head; *ik wist niet wat ik hoorde* I could not believe my ears; *ik weet nog altijd niet, of ...* I have yet to learn if ...; *ik weet nu al niet meer of ...* I've forgotten even now if ...; *ik zou niet ~ waarom niet* I don't see why not; *naar ik* (*zeker*) *weet ...* to my (certain) knowledge she was there; *en nu weet je 't!* and now you k.! and that's that! so there! so now!; *goed dat ik 't weet* that's as well to k.; *wie weet?* who knows?; *je kunt nooit ~* you never can tell, one never knows, you never k.; *..., maar je kon nooit ~* it was hardly likely, but you never knew (but there was no telling); *je weet nooit wat ...* there is no knowing (never any knowing) what she'll do next; *men weet nooit wat men aan hem heeft* you never k. where you are with him; *de Hemel mag ~* ... Heaven (goodness) knows ... (*zie* Joost); *weet ik veel? weet ik dat?* how should I k.? (*fam.*) ask me another; *ja, jij weet veel*, (*iron.*) you k. a lot, don't you?; *hij moest 't eens ~* [*hoe er over hem gesproken wordt*]*!* if only he knew [what people say of him]!; *hij weet alles omtrent motoren, ook:* what he does not k. about motors isn't worth knowing (isn't knowledge); *ik weet er alles van*, (*fam.*) I've been there; *dat moet hij ~*, (*is zijn zaak*) that's his look-out, that's up to him; ..., *moet je ~* (*weet je*) [she is English] you k.; *hij moet 't (nu verder) zelf maar ~* he had better find out for himself; *ik zou wel eens willen ~ wat* ... I wonder what he is going to do now; *hij wil 't niet ~* he won't own it, he doesn't want it known; *zij had 't nooit willen ~* [she had always been afraid, but] she had never owned it to herself; ... *dan hij wel wil ~* much richer than he lets out; *dat wil ik juist ~, ook:* that's what I'm after; *dat zou je wel willen ~!* wouldn't you like to k.!; *hij weet (niet) wat hij wil* he knows (doesn't k.) his own mind; *hij wil 't wel ~* he does not make a secret of it; *hij wil 't hier ~* he wants to lay down the law here; *die 't kunnen ~* [I was assured by] those who ought to k. [that ...]; *weet wat je doet* beware what you are about; *hij weet wel wat hij doet* he knows what he is about, he is no fool; *hij wist wat hij deed, toen hij ...*, *ook:* he knew something when he ...; *ik weet niets van hem* I k. nothing about him; ..., *dan weet je van niets, begrijp je?* if they ask you, you k. nothing about it, you understand; *ik weet totaal niets van* ... I do not k. the first thing of (*of:* about) horses; *toegeven dat men niets van het onderwerp weet* admit complete ignorance of the subject; *hij weet van geen vermoeidheid* he knows nothing of fatigue; *ik wil niets van hem ~* I will have none of him, will have nothing to do with him (nothing to say to him); *ik wil niets meer van hem ~* I've finished with him; *ik wil er niets van ~* I won't hear of it, will have none of it, won't look at it; *ze willen niets van* ... *~* they will have none of the expedition; *hij wil er niets van ~, ook:* he pooh-poohs (he frowns upon) the idea; *niem. zou er ooit iets van gew. hebben, als* ... nobody would have been any the wiser if ...; *ik wist ervan* I was in the know (was in it); *ik weet het van X* I have it from X; *ik weet wat van je* I've heard something about you; *ja, daar weet jij veel van* (a) fat lot you k.!; *'t samen ~* be as thick as thieves, be hand and glove; *weet je wat?* I'll tell you what; *weet je, ik* ... do you k., I really think ...; *hij heeft iets 'ik en weet niet wat'* there is a certain I-don't-k.-what about him; *die sport weet wat tegenwoordig* games are everything nowadays; *ik zal 't je doen (laten) ~* I'll let you k., send (write) you word; *hij liet ~ dat* ... he let it be known that ...; *hij weet overal wat op* he is never at a loss for an expedient; *ik weet er niets op* I don't k. a way out (of the difficulty); *te ~* namely, to wit, viz.; *te ~ komen* come (get) to k., (*erachter komen*) find out, (*met veel moeite*) worm out; *hij zal van mij niet veel te ~ komen* he won't get much change out of me; *zonder dat iem. er iets van te ~ kwam* [it might be done] and no one be (any) the wiser; *hij weet 't niet te doen (de bijl niet te hanteren, zich niet uit te drukken)* he doesn't k. how to do it (how to use the hatchet, how to express himself); *hij wist te ontsnappen* he managed (contrived) to escape; *zie ook* ontsnappen; *niet ~ hoe ('t gesprek) te beginnen, ook:* be at a loss how to begin (*of:* for an opening); *hij wist te vertellen dat* ... he brought the news that ...; *hij moet zelf ~ hoe 't te doen* it is for him to decide how to do it; *voordat je 't weet* [you'll be ...] before you k. it, before you k. where you are; *voor zover ik weet, zie* zover; *zonder dat ik (de familie) 't wist* [he had gone away] unknown to me (to the family); *zonder dat iem. er iets van weet* without anybody being the wiser; *zonder er iets van te ~* [he could eat almost anything] and be none the worse; *zonder 't te ~* unwittingly; *zie* beter, dank, deren, omgaan, enz.; **II** *zn.* knowledge; *naar (bij) mijn (beste) ~* to (the best of) my knowledge (belief), for all I know; *niet naar mijn ~* not to my knowledge; *hij deed 't tegen beter ~ in* contrary to his better knowledge and judgment, against his (own) better judgment; *zonder mijn ~* without my knowledge, unknown to me; *met mijn ~* with my knowledge; *ook:* knowingly [I never ... injured him]; *buiten mijn ~* without my knowledge; *zie* stukwerk

wetens knowingly; *zie* willens

wetenschap (*inz. exacte wetenschappen*) science; (*inz. klassieke talen e.d.*) scholarship [the results of modern ...]; (*inz. literatuur, filosofie, enz.*) learning; (*vak*) discipline; ('*t weten*) knowledge; *hij heeft er geen ~ van* he doesn't know anything about it, is unaware of it; *met de ~ dat hij veilig is* in the knowledge that he is safe; *zie* aanwaaien

wetenschappelijk scientific (*bw.:* -ally), learned [journal *tijdschrift*], scholarly [mind, approach]; *~e verenigingen* scientific and learned societies; *~heid* scientific (scholarly) character, scholarship

wetenschapper researcher; academic

wetenswaardig worth knowing, interesting; *~heid* thing worth knowing, (*mv.*) information

wetering water-course

wet: *~geleerde* jurist, lawyer; *~geleerdheid* legal science, jurisprudence; *~gevend* legislative, law-giving, -making; *de ~e macht* the legislature; *-e vergadering* legislative assembly; *~gever* lawgiver, -maker, legislator; *~geving* legislation; *~houder(schap)* alderman(-ship, -ry); *~matig* systematic, regular

wets- law: *~artikel* article of a (the) l., section of an act; *~bepaling* provision of a (the) l.; *~herziening* revision of a (the) l.; *~interpretatie* interpretation of the (a) l.; ~kennis legal knowledge (of: lore); ~kwestie question of l.; ~ontwerp bill; ~overtreder zie wetsschender; ~overtreding breach (violation, transgression, infringement, infraction) of a (the) l.; ~rol scroll of the l., synagogue roll; ~schender l.-breaker, violator of the l.; ~schending violation of the law

1 wetstaal (butcher's)steel, knife-sharpener

2 wetstaal legal language

wetsteen whetstone, hone; (van zeis) whetstone, strickle, scythe-stone

wets- law: ~term l.-term; ~uitlegger interpreter (exponent) of the (a) l.; ~uitlegging interpretation of the l.; ~verbreker, -verkrachter l.-breaker, violator of the l.; ~verbreking, -verkrachting violation of the l.; ~voorstel bill; ~wijziging alteration of the l.; ~winkel law clinic, (free) legal advice centre

wettelijk legal [portion (erfdeel), objection], statutory [period, duties, regulations, nine-hour day]; ~e aansprakelijkheidsverzekering third party insurance; ~e belemmering statutory bar; ~ verlies, (verzek.) constructive total loss; ~ voorgeschreven snelheid statutory speed; zie ook: wet (volgens de ...); ~heid legality

wetteloos lawless; ~heid ...ness

wetten whet, sharpen; strop [a razor]

wettenverzameling body of laws; (van Justinianus) pandects

wettig lawful, legitimate, legal; ~ betaalmiddel legal tender; ~ erfgenaam legal heir; ~ gezag lawful authority; ~ huwelijk lawful (legal) marriage; ~ kind legitimate child; ~ maken legalize [lotteries]; vgl. wettelijk; 't ~e van ..., zie ~heid; ~en legitimate, legitimatize [a child], legalize; (rechtvaardigen) justify, warrant [a supposition]; deze wet heeft haar bestaan gewettigd this act has justified itself; zie gewettigd; ~heid legitimacy, lawfulness, legality; ~ing legitimation, legalization, justification; vgl. ~en

wettisch adhering to the letter of the law, strict, rigid

weven weave

wever a) weaver; b) weaver-bi··d; ~ij weaving-mill

wevers: ~ambacht weaver's trade; ~boom weaver's beam; ~kam reed, slay; ~knoop weaver's knot (of: bend); ~wol abb-wool

wevervogel weaver-bird

wezel weasel; zie bang

wezen[1] I ww. be; hij mag er ~ he is a capable man; he is presentable; zij mag er ~, ook: she is a bit of all right; die mag er ~, (is een kanjer) that's a whopper; dat mag er ~ that is not at all bad; dat werk mag er ~ that is creditable work; 't diner mocht er ~ the dinner was a very substantial one; wij zijn er even ~ kijken we had a look round; niem. was hem ~ opzoeken nobody had been to see him; II zn. (bestaan)

being, existence; (aard) nature; (schepsel) being, creature, thing [girls are rummy ...s], animal [men are rational ...s]; ('t wezenlijke) essence, substance; (gelaat, uiterlijk) face, countenance, aspect; 't ~ der liefde the essence of love; geen levend ~ not a living soul; in ~ [that is] in essence [his reply]; in 't ~ der zaak heeft hij gelijk he is essentially right; in 't ~ roepen call into being; in ~ houden keep in being; in ~ zijn be in being, exist; niet meer in ~, ook: extinct; ... dan in ~ more in appearance than in substance; zie schijn; tot 't ~ der dingen doordringen go to the root of things; zie ook schepsel

wezenfonds, -kas orphans' fund

wezenlijk real; (tegenover bijkomstig) essential, fundamental, substantial; ~ deel van part and parcel of; het ~e der zaak the gist of the matter, the essence of it; het verschilt niet ~ van ... it does not differ materially from ...; zie ook werkelijk; ~heid reality, essentiality

wezenloos vacant, blank, vacuous [look], stupid [sit down...ly], expressionless [face], mask-like [expression], wooden [stare ...ly at the ceiling], silly [laugh o.s. ...], out of one's wits [be frightened ...]; ~ in 't vuur staren, ook: gaze into the fire with unseeing eyes; ~heid vacancy, blankness, vacuity, etc.

wezenrente orphan's allowance

wezenstrek feature; -vreemd out of character, foreign to [one's] nature

w.g. = was getekend signed [A.B.]; = weinig gebruikelijk rare

whisky (Eng.) whisk(e)y; (Am., ook) Scotch, bourbon; ~grog w. and water, w.-toddy; ~-soda w. and soda [two whiskies and sodas]

whist id.; ~en play (at) w.; zie partijtje

W.I. West Indies; **w.i.** = werktuigkundig ingenieur mechanical engineer

wichel: ~aar(ster) augur, diviner, soothsayer; (sterren-) astrologer; ~arij augury, divination, astrology; ~en practise astrology, augur, divine; ~roede divining-, dowsing-rod; met de ~ werken dowse

1 wicht (gewicht) a) weight; b) hundredweight

2 wicht baby, child; mal ~ (little) fool; wat verbeeldt dat ~ zich? who does the hussy think she is?

wichtig weighty (ook fig.)

wichtigheid weight (ook fig.)

wichtnota weight note

wie I (vrag.) who(m); ~ meent hij wel dat hij is? who does he think he is?; ~ kan ik zeggen, dat er is? what name, please? what name shall I say?; ~ bedoel je? who(m) do you mean?; tegen ~ sprak je? who(m) were you speaking to?; met ~ was ze? who was she with?; van ~ is hij 'n zoon? whose son is he?; van ~ zijn die kamers? whose rooms are those?; van ~ is 't? a) whose is it? b) (cadeau bijv.) who's it from?; ~ van hen? which of them?; bij ~ kan ik dat zien? in whose house (shop, etc.) ...; II (betr.)

a man who, any one who, (*lit.*) he who; ~ *eens steelt blijft altijd een dief* once a thief, always a thief; III (*onbep.*) ~ *ook* who(so)ever

wiebelen wobble, wibble-wobble, wiggle-(waggle), waggle; (*van pers.*) fidget; (*van autowiel*) shimmy; **~d** wobbly, wibbly-wobbly, wiggly(-waggly); **-ing** wobbling

wieden weed; **wieder** weeder

wiedes: *dat is nogal ~, zie* glad

wiedijzer weed(ing)-hook, weeder, spud

wieg cradle (*ook van affuit & fig.* = *bakermat*); *dat is hem ook niet aan de ~ voorspeld* no one could have predicted it at his birth; *daar ben ik niet voor in de ~ gelegd* I was not born to it; *daar moet je voor in de ~ gelegd zijn* you must be born to it; *voor heerser (redenaar, enz.) in de ~ gelegd* a born ruler (orator), a ruler etc. from the c.; *voor onderwijzer in de ~ gelegd, ook:* cut out for a teacher; *hij was niet voor geluk in de ~ gelegd* he was not made for happiness; *iets in de ~ smoren* stifle a thing in the c., nip it in the bud; *hij is niet in de ~ gesmoord* he lived to a ripe old age; *van de ~ af* from the c.; *hij had het van de ~ af meegekregen* he was born to it; *van de ~ tot 't graf* from the c. to the grave, (*fam.*) from womb to tomb

wiege- cradle: **~deken** coverlet for a c.; **~druk** incunabulum (*mv.* -bula), incunable; **~kap** c.-hood; **~kleed** c.-cover

wiegelen rock, wobble; dandle [a child]; (*van boomtak*) sway; (*van bootje*) bob (gently) up and down; *zie wiebelen*

wiegelied cradle-song, lullaby

wiegen rock; *met z'n heupen ~* roll one's hips; *zie* slaap

wiek (*vleugel*) wing; (*lampepit*) wick; (*voor openhouden van wond*) tent; (*van molen*) sail, wing, sweep, vane; *iems. ~en korten, in* kort-wieken; *hij was in zijn ~ geschoten, a)* he was crestfallen, he hung his head; *b)* (*op zijn teentjes getrapt*) he was offended (huffed, huffy); *op eigen ~en drijven* shift for o.s., stand on one's own legs

wiel 1 wheel; *iem. in de ~en rijden* put a spoke in a p.'s w., (*sl.*) queer the pitch for a p.; *elkaar in de ~en rijden* cut one another's throats; 2 (*plas*) pool; **~band** tyre; **~basis** w.-base; **~dop** (*auto*) wheel cover, hub cap

wielen wheel, turn

wieler: **~baan** cycling-, bicycle-track; **~pad** *zie* fietspad; **~sport** cycling; **~wedstrijd** cycle race

wielewaal (*vogel*) golden oriole

wieling whirlpool, eddy

wiel: **~maker** wheelwright; **~ophanging** (wheel) suspension; **~rennen** *zn.* cycle-racing; **~rijden** cycle, wheel, (*fam.*) bike; **~rijder** cyclist; **~s-bond** cyclists' association (*of:* union); **~spaak** spoke; **~vlucht** camber

wiemelen fidget; *zie ook* wiebelen

wiepband withe, withy

wier seaweed

wierde *zie* terp

wierf *o.v.t. van* werven

wierig brisk, lively

wierook incense (*ook fig.*), frankincense; *iem. ~ toezwaaien* extol (*of:* praise) a p. to the skies; **~boom** i.-tree; **~drager** thurifer; **~geur, ~lucht** smell of i.; **~offer** i.-offering; **~schaal** censer; **~scheepje** i.-boat; **~stokje** (*Chin.*) joss-stick; **~vat** censer, thurible; **~walm** fumes of i.; **~wolk** cloud of i.

wierp *o.v.t. van* werpen

wies *o.v.t. van* wassen

Wies Lou(ie)

wig(ge) wedge; *de punt van de ~* the thin end of the w.; **~gebeen** sphenoid bone

wiggelen totter, be unsteady (rickety); *zie ook* wiebelen

wigvormig wedge-shaped; (*plantk.*) cuneate

wigwam id.

wij we; ~ *Hollanders* we Dutch

wijbisschop suffragan (bishop), auxiliary bishop

wijbrood consecrated bread

wijd I *bn.* wide [aperture, trousers, world, etc.], spacious, large, roomy, ample; (*alleen horizontaal, ook:*) broad; *fles met ~e hals* wide-mouthed bottle; II *bw.* wide(ly); ~ *open* [the door is] w. open; ~ *geopende ogen* w.-open eyes (*ook:* she looked at him w.-eyed) *een agent die zijn ogen ~ open heeft* a wide-awake policeman; *ze gooide de deur ~ open* she flung the door w. (open); ~ *opengezette ramen* w.-flung windows (casements); ~ *en zijd* far and w. (... *bekend, ook:* widely known, far-famed); *zie verspreiden*; ~ *er worden (maken)* widen; *zie uitmeten & uitstaan*; **~beens** straddle-legged, straddling, with legs w. apart; **~beroemd** far-famed

1 wijden ordain [a priest], consecrate [a bishop, church, churchyard, bread, etc.], bless [bread, a churchyard, a medal, a rosary], enthrone [a(n) (arch)bishop]; ~ *aan* dedicate to [the service of God, a saint, etc.]; devote [o.s., one's time, etc.] to [study, etc.; one's life to one's country, a whole chapter to the subject]; *zich aan zijn taak ~, ook:* give o.s. (up) to one's task; *iem. tot priester (bisschop)* ~ ordain a p. priest (consecrate a p. bishop); *zie* gewijd

2 wijden (*wijder maken*) widen

wijders further, besides, moreover

wijdgeopend *zie* wijd

wijdgetakt spreading [tree]

wijding ordination, consecration, enthronement, hallowing; dedication; devotion; *hogere ~,* (*r.-k.*) major orders; *lagere ~,* (*r.-k.*) minor orders; *een gevoel van ~* a feeling of solemnity; *vgl.* wijden; **~sdienst** consecration service (ceremony)

wijdlopig prolix, diffuse, verbose; discursive [speech]; **~heid** prolixity, diffuseness, verbosity

wijd: **~spoor** broad gauge; **~te** width, breadth, space; (*van spoor*) gauge; **~uitgestrekt** wide-extended, vast, extensive, [our] far-flung [Empire]; **~uitstaand** bulging [pockets], extended, splayed [nostrils], sticking-out [ears];

–e voeten splay-feet *(met ... splay-footed)*; **~verbreid** widespread; *(van krant)* widely distributed; **~vermaard** far-famed; **~verspreid**, **~vertakt** widespread [belief, plot]

wijf woman, female; *kwaad ~* vixen, shrew, virago, termagant, nasty piece of goods; *oud ~* old woman *(ook van man)*, old hag; *(knoop)* granny (knot); *oude wijven van beiderlei geslacht* old women of both sexes; *zijn ~, (fam.)* his wife

wijfje wif(e)y, little wife; *(van dier)* female; cow [of the whale, elephant, etc.]; hen(-bird)

wijfjes: **~aap (arend enz.)**, female monkey (eagle, etc.); **~dier** *zie* wijfje; **~vis** spawner; **~vos** female fox, vixen

wijgeschenk votive offering

wijk district [an ecclesiastical ...], quarter [a fashionable ...]; *(ongev. kiesdistrict)* ward; *(van politieagent, enz.)* beat *[ik heb uw ~ niet* I am not on your beat]; *(van melkbezorger, enz.)* round, walk; *(van brievenbesteller)* walk; *(kanaal)* branch-canal; *de ~ nemen naar* fly (flee) to, take refuge in [England]; **~agent** policeman on the beat; **~bezoek** d.-visit(ing); **~bezoek(st)er** d.-visitor; **~centrum** church hall

wijken give way [voor to], give ground, make way [voor for], yield [voor to], fall back [the enemy fell back]; *~ voor behandeling, (van ziekte)* yield to treatment; *niet (geen duimbreed) ~, van geen ~ weten* not budge (an inch), stand one's ground, stand (stick) to one's guns; *'t gevoel moet ~ voor de plicht* duty must override sentiment; *niet van iems. zijde ~* not budge from a p.'s side; *'t gevaar is geweken* the danger is past, the patient is out of danger; *de pijn is gew.* has gone; *de koorts is gew.* the fever has left him (her, etc.); *'t leven is (de levensgeesten zijn) gew.* life is extinct; **~d** receding [forehead]

wijk: **~gebouw** *ongev.:* church-hall, parish-room, community centre, welfare centre; **~hoofd, ~leider** *(luchtbescherming)* chief (air-raid) warden; **~meester** ward-master, superintendent of a ward; **~plaats** refuge, asylum, sanctuary; **~predikant** *ongev.:* parish priest *(of:* clergyman); **~raad** neighbourhood council; **~vergadering** district meeting; wardmote; *vgl. ~;* **~verpleegster** district-nurse; **~verpleging** district-nursing

wijkwast *zie* wijwaterkwast

wijkzuster *zie* ~verpleegster

1 wijl, wijle *zn.* while, (short) time; *bij ~en* sometimes, now and then; *zie* tijd

2 wijl *vw.* as, because, since

1 wijlen late, deceased; *~ de Koning* the late King; *~ Koning W.* the late King W.; *~ zijn tante* his l. aunt

2 wijlen *zie* verwijlen

wijn wine; *rode ~* red w., *(bordeaux)* claret; *witte ~* white w., *(rijnwijn)* hock; *goedkope (ordinaire) ~, (fam.)* plonk; *goede ~ behoeft geen krans* good w. needs no bush; *klare*

~ schenken speak openly, speak in plain terms; *iem. klare ~ schenken* be frank with a p.; *als de ~ is in de man, is de wijsheid in de kan* when w. is in, wit is out; w. in, wit out; *nieuwe ~ in oude (lederen) zakken, (Matth. 9, 17)* new w. in old bottles; *er goede ~en op nahouden* keep a good cellar; *zie* gedistilleerd, water; **~accijns** w.-duty; **~achtig** win(e)y, vinous; **~appel** w.-apple; **~azijn** w.- *(of:* white) vinegar; **~beker** w.-cup; **~berg** vineyard; **~bergslak** Roman snail; **~blad** vine-leaf; **~boer** w.-grower; **~bottelaar** w.-bottler; **~bouw** vine-culture, viniculture, viticulture, w.-growing; **~bouwer** wine-, vine-grower; **~drab** w.-lees; **~droesem** w.-lees; **~druif** grape, *(Am.)* w.-grape; **~feest** w.-festival; **~fles** w.-bottle; **~fuif** w.-party

wijngaard vineyard; *in de ~ des Heren* in the v. of the Lord; **~blad** vine-leaf; **~enier** vine-dresser; **~luis** vine-pest, phylloxera; **~rank** vine tendril; *met ~en begroeid* vine-clad; **~slak** Roman snail; **~staak** vine-prop; **~worm** vine-fretter

wijn: **~geest** spirit of wine, alcohol; **~geestmeter** alcoholometer; **~geur** bouquet *(of:* aroma) of wine; **~gewas** vintage; **~glas** w.-glass; **~grog** w.-grog; **~handel** w.-trade; **~handelaar** w.-merchant; **~heffe** w.-lees; **~huis** w.-house, bodega; **~jaar** [good] vintage year; **~kaart** w.-list, -card; **~kan** w.-can, -jug; **~karaf** w.-decanter; **~kelder** w.-cellar, -vault(s); **~kelner** w.-waiter; **~kenner** judge of w.; **~kist** w.-bin; **~kleur(ig)** w.-colour(ed); **~koeler** w.-cooler; **~koper** w.-merchant; **~kopersgilde** vintners' company; **~kruik** w.-jar; **~kuip** w.-vat; **~land** w.-producing country; **~lezer** vintager; **~lezing** vintage; **~lied** drinking-song; **~maand** October; **~maat** w.-measure; **~mandje** decanting basket; **~merk** brand of w.; **~meter** *(pers.)* gauger; *(instrum.)* vinometer; **~moer** w.-lees; **~most** w.-must; **~oogst** vintage; **~oogster** vintager; **~pakhuis** w.-store; **~palm** w.-palm; **~peiler** gauger; **~pers** w.-press; **~pijp** pipe (c. 105 gallons); **~proef** tasting (sampling) of w.; **~proever** w.-taster; **~rank** vine-tendril; **~rek** w.-bin; **~roeier** gauger; **~roemer** rummer; **~rood** w.-red; **~ruit** (common) rue, herb of grace; **~saus** w.-sauce; **~schaal** w.-cup; **~soep** w.-soup; **~soort** kind of w.; **~steen** tartar, w.-stone; *gezuiverde ~* cream of tartar; **~steenachtig** tartarean; **~steenzuur** tartaric acid; **~stok** vine; **~stokbladluis** *zie* wijngaardluis; **~streek** w.-country, -district; **~tapper** w.-seller, *(hist.)* vintner; **~teelt** *zie* ~bouw; **~tijd** vintage; **~tje** wine; *(van Trijntje;* **~ton, ~vat** w.-cask; *(groot)* w.-butt; **~verkoper** w.-seller; **~vlek** w.-stain; *(op de huid)* strawberry mark, port-wine mark; **~zaak** w.-business; **~zak** w.-skin; **~zuur** tartaric acid

1 wijs, wijze [1] manner, way; *(gramm.)* mood, mode; *(muz.)* tune, melody, air; *bijwoord van ~* adverb of modality; *~ van handelen (van*

voorstelling), *zie* handel-, voorstellingswijze; (*geen*) ~ *houden* sing in (out of) tune; **bij** ~ *van proef* (*uitzondering, voorbeeld*) by way of trial (exception, example); *bij* ~ *van spreken* in a manner (a way) of speaking, so to speak; '*t is maar bij* ~ *van spr.* it's only a figure of speech; **naar mijn** ~ *van zien* in my opinion (view), to my thinking; *op deze* ~ in this way (m., fashion), thus, along these lines [it will be possible]; *op dezelfde* ~, *ook:* [plan things] on the same lines; *op gelijke* ~ in like m., in the same way; *op enigerlei* ~ in any way, [don't threaten him] in any shape or form; *op generlei* ~ by no m. of means, in no way, nowise, noway(s); *de* ~ *waarop* the m. (way) in which; *wat betreft de* ~ *waarop*, *ook:* [uncertain] as to how [this is done]; '*t wordt gezongen op de* ~ *van* ... it goes (is sung, sings) to the tune of ...; *op de* ~ *van* '*n* ..., *ook:* [she played with him] tigress fashion, [he greeted her] sailor fashion; *van de* ~ *zijn*, (*muz.*) be out of tune; *helemaal van de* ~ *zijn*, (*fig.*) be quite at sea, have lost one's bearings; *van de* ~ *raken*, (*muz.*) get out of tune; (*fig.*) lose one's head; (*van spreker*) lose the thread of one's discourse; *iem. van de* ~ *brengen* put a p. out; *zie* stuk; *zich niet van de* ~ *laten brengen* keep a level head, keep cool, not lose one's head; *zie ook* land

2 wijs I *bn.* wise; *ben je niet* ~? are you out of your senses?; *hij is niet goed* ~ he is not in his (right) senses, is crack-brained, (*sl.*) is not all there; *is hij wel recht* ~? (*sl.*) is he all there?; *nu was ik nog even* ~, *dat maakte mij geen haar wijzer* I was no wiser than (I was as w. as) before, was none (not any) the wiser (for it); *de kleine is al heel* ~ takes notice wonderfully; *iem. iets* ~ **maken** make a p. believe s.t., impose upon a p., gammon (*sl.*: kid) a p.; *dat maak je mij niet* ~, *maak dat een ander* ~ I know better than that? you can't tell me! that won't go down with me!; *zie ook* grootje; *hij wou me* ~ *maken, dat* ... he tried to make me (to lead me to) believe (*sl.*: to kid me) that ... [you're not such a fool as you would lead me to believe]; *hij laat zich alles* ~ *maken* he will swallow anything; anything will go down with him; *zichzelf iets* ~ *maken* delude (*sl.*: kid) o.s.; *zichzelf* ~ *maken, dat* ... delude (kid) o.s. that ..., trick (delude) o.s. into believing that ...; *hij kon zich haast van alles* ~ *maken* he could persuade himself of almost anything; *hij maakt zichzelf niets* ~ *wat betreft* ... he is under no delusion as to ...; *ik kan er niet* ~ *uit worden* I cannot make sense of it, can make neither head nor tail of it, cannot make it out; *hij is er heel* ~ *mee* he is very proud of it; *hij moest wijzer* ... he ought to know better [than to ...]; *hij had wijzer moeten wezen en haar niet moeten* ... he should have had more sense than to encourage her; *wees wijzer!* don't be silly!; *hij is niet wijzer* he knows no better; *hij zal wel wijzer zijn* he knows better than that; *hij wordt nooit wijzer* he will never learn sense; *ze werden door hem niet veel wijzer* they got no (didn't get much) change out of him; *zie* ei; II *bw.* wisely; *hij heeft* ~ **gedaan** *met* ... he has done wisely to yield to popular pressure; *hij doet er wijzer aan te gaan* he will be wiser to go; *hij praat erg* ~ he talks like a book; ..., *antwoordde hij* ~, (*iron.*) ... he answered sapiently; *zie ook* wijze

wijsbegeerte philosophy; **wijselijk** wisely; *hij bleef* ~ *thuis* he wisely stayed at home

wijsgeer philosopher; **-erig** philosophic(al)

wijsgerigheid philosophical spirit, philosophicalness

wijsheid wisdom; *je bent de* ~ *in persoon* you're w. itself; *W* ~ = *de W*~ *van Salomo* (*apocrief boek*) (the Book of) Wisdom, the W. of Solomon; *dat is* ~ *achteraf* that is being wise after the event (is hindsight); *zie* geluk, pacht

wijsje air, tune; (*zangerig*) lilt

wijsmaken *zie* wijs 2

wijsneus wiseacre; ~**je** young know-all, girl too wise for her age, Miss Clever

wijsneuzig conceited

wijsvinger forefinger, index(-finger)

wijten: *iets* ~ *aan* blame [a p.] for s.t., blame s.t. on [the weather], impute s.t. to [a p.]; '*t ongeluk was aan onvoorzichtigheid te* ~ the accident was owing (*of:* due) to carelessness; *je hebt het aan jezelf te* ~ you have only yourself to thank for it; you have nobody to blame for it but yourself; it's what you've asked for; *waarom* '*t aan mij te* ~? why lay the blame on me?

wijting (*vis*) whiting

wijwater holy water, lustral water; ~**bak** stoup, font, basin; ~**kwast** holy-water sprinkler, aspersory; ~**vat** aspersory

wijze 1 *zie* wijs 1; 2 wise man, (*iron.*) sage [the ...s of the village], pundit; *de W*~*n uit het Oosten* the Wise Men of the East, the three Wise Men, the Magi

wijzen point out, show; (*jur.*) pronounce [sentence]; *iem. iets* ~ point out s.t. to a p.; *iem. de deur* ~ show a p. the door; *ik zal* '*t u eens* ~ I'll show you (how to do it); *het wijst zich vanzelf* you will see your way as you go along; (*weg*) you can't miss it; ~ *naar* point at (to); *naar* '*t noorden* ~ point (to the) North; ~ *op* '*t gevaar* (*iems. dubbelhartigheid, enz.*) point out the danger (a p.'s duplicity, etc.); *iem. op iets* ~ point out s.t. to a p., draw a p.'s attention to s.t.; *alles wijst op* ... everything points to an immediate conflict (to murder, etc.); '*t getuigenis wijst daarop* the evidence points that way; *het wijst op een neiging om te* ... it indicates a disposition to ...; *er zijn tekenen die erop* ~ *dat* ... there are signs that ...; *zijn vlucht wijst op schuld*, *ook:* his flight argues guilt; '*t wetsontwerp is in* **staat** *van* ~ the bill is ready for public discussion; *zie* weg 1

wijzer (*van barometer, weegschaal, enz.*) pointer; (*van klok, enz.*) hand; (*van logaritme*) index, characteristic; (hand~) finger-post; *grote (kleine)* ~ minute- (hour-)hand; *de ~s van de klok achteruit zetten, (ook fig.)* put back (the hands of) the clock; *de ~ ('t ~tje) rondslapen* sleep the clock round; *zie wijs;* ~**barometer** (*met kwik*) wheel-barometer; (*zonder kwik*) aneroid(barometer);~**bord,** ~**plaat** dial(-plate), [clock-, etc.] face, [control, meter] panel; ~**tje** *zie* ~; ~**vizier** (*mil.*) dial-sight

wijzigen modify, alter, change; (*amenderen*) amend [the ...ed form of the King's oath]; **-ing** modification, alteration, change; *een – aanbrengen in, zie* wijzigen; *ook:* make a change in; *– ondergaan* undergo a change, be modified, etc.; **-ingswet(sontwerp)** amending act (bill); (*hist.*) novel

wijzing (*jur.*) pronouncing [of a sentence]

wik 1 draught [coffee is weighed in ...s of ten bags]; 2 = ~**ke** (*plant*) vetch

wikkel (*van sigaar*) filler; (*van boter enz.*) wrapping; ~**blouse** wrap-around blouse

wikkelen wrap (up), envelop; swathe [in bandages, blankets, etc.]; *in pakpapier* ~ wrap (up) in brown paper; *een lapje om de vinger* ~ wind a rag round one's finger; *draad op een klos* ~ wind thread on a reel; *zich in zijn mantel* ~ wrap one's cloak about one; *iem.* ~ *in,* (*fig.*) involve a p. in [a conspiracy, quarrel, lawsuit, difficulties], draw a p. into [the conversation], mix a p. up in [a quarrel]; *gewikkeld in* involved in [financial difficulties], entangled in [debts, a love-affair], engaged in [combat, war], locked in [conflict]; **-ing** (*elektr.*) winding

wikken weigh (*ook fig.:* one's words, etc.); ~ *en wegen* w. the pros and cons; *de zaak* ~ *en wegen* turn the matter over in one's mind; *zijn woorden* ~ *en wegen* weigh (pick, measure) one's words; *zie* beschikken

wil will, desire, wish; (*mar.*) (boat-)fender; *de vrije* ~ free will; *de* ~ *om te leven* (*te winnen*) the w. to live (to victory, to win); *zijn laatste* (*uiterste*) ~ his last w. (and testament); *Uw* ~ *geschiede* thy w. be done; *ik heb er* ~ *van gehad* it has stood me in good stead, has done me good service; *'t was zijn eigen* ~ it was his own wish; *een* (*geen*) *eigen* ~ *hebben* have a (no) w. of one's own; *waar een* ~ *is, is een weg* where there's a w. there's a way; (*zijn*) *goede* ~ *tonen* show (one's) good w.; *zijn* ~ *is wet* his w. (word) is law; *de* ~ *voor de daad nemen* take the w. for the deed; *elk wat* ~*s* something for everybody, all tastes are catered for; (*wat prijs betreft*) prices to suit all pockets; *buiten mijn* ~ without my consent; [circumstances] *over which I have no control; *met mijn* ~ with my consent; *met de beste* ~ *van de wereld* with the best w. in the world, for the life of me [I can't make it out]; *met* ('*n beetje*) *goede* ~ with (a little) good w.; *met ieders* ~ *rekening houden* study everybody's convenience; *om Gods~* for God's (Heaven's) sake; *zie* smeer; *tegen mijn* ~ against my w.; *tegen* ~ *en dank* in spite of o.s., against one's w., willy-nilly;

tegen ~ *en dank getuige zijn* (*iets aanhoren*) be an unwilling witness (listener); *ter* ~*le van* for the sake of; [they stuck together] because of [the child]; *ter* ~*le van ons allen* for all our sakes; *iem. ter* ~*le zijn* oblige a p., meet a p.'s wishes; ~ *tot vernieuwing* wish to effect a renewal; ~ *tot vrede* will to peace; *uit vrije* ~ of one's own free w., of one's own accord, of one's own volition; *van goede* ~ *zijn* be of good w., be well-intentioned; *van de* ~ volitional [a ... act]; *zwak van* ~ weak-willed

wild I *bn.* (*niet gekweekt, getemd, enz.*) wild [plants, animals, landscape], feral, ferine; (*woest, onbeschaafd*) savage [beasts, tribes]; (*niet kalm*) wild, unruly [boy]; fierce [passions, desire]; ~*e blikken* w. looks; ~*e boot* tramp (steamer); ~*e gans* w. goose, greylag (goose); ~*e hond* dingo; *het* ~*e nachtleven van Parijs* the hectic night-life of P.; ~*e (auto)bus* unlicensed bus; ~*e roos, zie* hondsroos; ~*e staking* unofficial (unauthorized, wildcat, [*Am.*] outlaw) strike; ~*e vrachtvaart* tramp shipping; ~ *vlees* proud flesh; *zie* eend, haar, zwaan, zwijn; **II** *bw.: ze was er* ~ *enthousiast over* she was wild(ly enthusiastic about it; *een* ~ *enthousiaste recensie,* (*ook:*) a rave review (notice); **III** *zn.* **1** *in 't* ~ in natural conditions, [the panther] in its natural state; *in 't* ~ *groeien* grow w.; *in 't* ~ *opgroeien* run w.; *in 't* ~ *levende dieren* w. life; *gissing in 't* ~ wild guess; *schot in 't* ~ random shot; *in 't* ~*e weg schieten* fire at random; *in 't* ~*e moorden* murder indiscriminately; *in 't* ~*e weg redeneren* talk at random (at large); *in 't* ~*e weg geven* give promiscuously (*zn.:* promiscuous giving); *zie* wilde; **2** game, ('t gejaagde ~) quarry; (~*braad*) venison, game; *grof* ~ big g.; *klein* ~ small g., (*hazen, konijnen, enz.*) ground-game; *rood* ~ red deer; ~**achtig** (*van smaak*) gamy; ~**baan** (game) preserve; ~**braad** venison, game; ~**dief** poacher; ~**dieverij** poaching

wilde savage; (*in Parlement*) independent, free lance; (*Am.*) mugwump, (*extremist*) wild man; ~**bras** wild (romping) boy, romper; (*meisje*) tomboy, romp, hoyden, madcap; ~**ling** wilding; ~**man** wild man, barbarian; (*her.*) savage (sylvan) man; ~**manskruid** pasque-flower, pulsatilla

wildernis wilderness, waste

wildgroei uncontrolled growth

wildheid wildness, savageness

wild: ~**park** (game) preserve; ~**pastei** game-pie; ~**reservaat** game sanctuary (*of:* reserve); ~**rijk** abounding in game; ~**rooster** cattle grid; ~**schaar** (pair of) game-carvers; ~**smaak** gamy taste; ~**stand** stock of game; *een goede – hebben,* (*van land, enz.*) be well stocked with game; ~**stroper** poacher; ~**stroperij** poaching

wildvreemd quite strange, [I am] a perfect stranger [here]; *een* ~*e* a perfect (complete) stranger

wildzang *a*) warbling (of birds); (*dicht.*) woodnotes; *b*) wood-birds; *c*) *zie* wildebras

wilg willow

wilge: ~**bast** willow-bark; ~**blad** w.-leaf; ~**boom** w.-tree; ~**hout** w.(-wood); ~**nbosje** w.-grove; ~**nlaan** avenue of willows; ~**roosje** rosebay, w.-herb, (*Am.*) fireweed; ~**rijsje,** ~**teen,** ~**twijgje** w.-twig, w.-withe

Wilhelmina id.; **Wilhelmus** William; *het* ~ the (Dutch) national anthem; *dat zijn ze die 't* ~ *blazen* those are the people we want

wille *zie* wil

willekeur arbitrariness, high-handedness; *naar* ~ at pleasure, at will; *handel naar* ~ use your own discretion, please yourself, do as you please

willekeurig (*eigenmachtig*) arbitrary, despotic, high-handed; (*van spier, beweging, enz.*) voluntary; *een* (*elke*) ~*e driehoek* any triangle; *in iedere* ~*e week* in any given week; *elk ander* ~ *wapen* [take the Royal Artillery or] any other corps to taste; *je kunt elke* ~*e maatstaf aanleggen* apply any standard you like; ~**heid** *zie* willekeur

Willem William, (*fam.*) Will(ie, -y), Bill; ~**pje** *a*) Willie, Willy; *b*) ten-guilder piece; ~**sorde** Order of William

willen I *ww.* (*wensen*) wish, want, like, desire, choose [she could be irresistible when she chose]; (*sterke wil*) will (*alleen in teg. t. & v. t.:* would); (*voornemen*) intend, want, be going; (*wel genegen zijn iets te doen*) be willing; *hij weet wat hij wil* he knows his own mind; *ik wil graag toegeven dat* ... I'm willing to admit that ...; *apen* ~ *wel eens bijten* monkeys are apt to bite; *wie wil, die* **kan** where there is a will there is a way; *eet zoveel ge wilt* eat as much as you like; ..., *dat kun je te S. doen zoveel je wilt* if you are fond of wild fowl shooting, you can have your fill of it at S.; *doe zoals* (*wat*) *je wilt* please yourself, have it your own way; *zoals je wilt* ['let us stay here';] 'as you like'; *zeg wat je wilt* say what you like (*of:* will) *laat het kosten wat het wil* let the cost be what it may; *kom eens hier,* **als** *je wilt* please come here; just come here, will you?; *mooier, of minder lelijk, als je wilt* more beautiful, or less ugly, if you will; *als je op tijd wilt komen* if you want to be in time; *als hij gewild had,* ... if he had chosen, he might ...; *als het een beetje wil, komen we vandaag nog klaar* with luck we'll finish to-day; *wil dit niet in strijd zijn met* if this is not to be in conflict with; [*aan deze voorwaarden moet worden voldaan*] *wil het systeem succes hebben* for the system to be successful; *zo iets wil z'n tijd* **hebben** such a thing requires time; *vader wil 't niet hebben* (= *toestaan*) won't allow it; *ze* ~ *te veel vakken onderwijzen* they try to teach too many subjects; *je wilt toch niet zeggen* ...? you don't mean to say ...?; *wou je me vertellen* ...? do you mean to tell me ...?; *hij wilde klaarblijkelijk zeggen* ... he clearly meant to say (to convey) ...; *zie ook* zeggen; *wat wil je* (*eigenlijk*)? what (exactly) do you want?; *wat wou je zeggen?* what were you

going to say?; *wat wil je nog meer?* what more would you have?; *wat hij wil, ook:* [I wonder] what he is after; *zie ook* wat 2 & heen; *wil je dat ik mijn woord breek?* do you want me to break my word?; *ik wil, dat 't dadelijk gedaan wordt* I want it (to be) done at once; *ik wil dat 't ontbijt opgeruimd* (*dat de piano gestemd, dat zij Marie genoemd*) *wordt* I want the breakfast things cleared away (the piano tuned, her called Mary); *wat zou je* ~ *dat ik deed?* what would you have me do?; *ik zou niet* ~, *dat je me voor* ... *hield* I wouldn't have you think me a fool; ... *zoals ik zou gewild hebben, dat hij* ... he behaved just as I would have had him behave; *ik wou* **juist** *de brief gaan schrijven, toen* ... I was just going to write the letter when ...; *iedereen, die maar wilde luisteren* [he confessed to] anyone who cared to listen; *ze wilde gaan* she *would* go; *hij wilde zich niet laten troosten* he refused to be comforted; *iets niet* ~ *zien* (= *voorgeven niet te* ...) pretend not to see a thing; *zie* zien; *hij wil niet* (*hebben*)*, dat* ... *genoemd wordt* he won't allow his name to be mentioned; *'t vuur wil niet branden* the fire won't burn; *de ramen* ~ *niet open* the windows refuse to open; *mijn benen willen niet meer* **mee** my legs fail me; *net* **wanneer** *hij wou* [he came] of his own sweet will; *of hij* (*zij, enz.*) *wil of niet* willy-nilly, whether he (she) likes it or not; *dat* **zou** *je wel* ~ I bet you'd like it; wouldn't you just; you would, would you?; *zou je* ... ~ *sluiten?* would you mind shutting the door?; *zijn beroep* **zij** *wat het wil* let his profession be what it may; *'t zij hoe 't wil* however that may be; *hij wil er niet* **aan** he won't hear of it, *zie ook* aanwillen; *je* **hebt** *'t gewild* you have only yourself to blame; it's what you've asked for; *'t lot heeft 't anders gewild* Fate has decreed (ordained, ordered) otherwise (*zo ook:* Fate ordained that ...); *ik wil de prijs* **wel** *betalen* I am willing to pay (don't mind paying) the price; *ik wil wel erkennen* ... I am free to admit ...; *ik wil* (*het*) *wel* I am willing, I don't mind, I don't object; *wil je even wachten?* do you mind waiting a little?; *je zult misschien wel* ~ *weten* ... you may care to know ...; *wil je* ... **even** *aannemen?* do you mind taking this cup?; *wil je me* ... *even aangeven* will you pass me the salt, please?; *wil mij berichten* ... please (*of:* kindly) inform me ...; *als* **God** *wil* God willing, D.V.; *God wil* (*wilde*) *het* God wills (willed) it; *als God wil dat ik mijn land verlaat,* ... if God wills (wishes) me to leave my country, ...; *het wil mij* **voorkomen***, dat* ... it seems to me ...; **men** *wil, dat hij in Am. gestorven is* he is said to have died in Am.; *'t* **gerucht** *wil dat* ... there is a rumour (it is rumoured) that ...; *hij wil ons gezien hebben* he says (maintains) he has seen us; *'t boek wil zijn* (*het niet zijn*) ... the book purports to be (does not set out to be) a study of undergraduate life; *ik* **wou** *dat hij gekomen was* I wish he had come; *ik wou in 's* *hemelsnaam* ... I wish to God (Heaven, goodness) ...; *zie* wensen; **wil ik 't gas aansteken?** shall I light the gas?; *zie ook* afwillen, in, liever, meer, toeval, weten, enz.; II *zn.* volition; ~ *is kunnen* where there is a will there is a way; *de kloof tussen ~ en kunnen is wijd* the gap between aspiration and achievement is wide; *dat is maar een kwestie van ~* that is only a question of willing

willens on purpose, wilfully; ~ *en wetens* (willingly and) knowingly, knowingly and willingly, deliberately, intentionally, wittingly; ~ *of onwillens* willy-nilly; *ik ben ~ te* ... I intend to ...

willig willing, tractable, docile; (*van markt*) firm, animated, lively; ~**en** (*hand.*) become firmer, look up [iron is ...ing up]; ~**heid** willingness; (*van markt*) firmness, animation

willoos will-less, without a will of one's own; ~**heid** will-lessness

Willy id., Willie; **Wilna** Vilna, Wilna

wils *zie* wil; (*uiterste*) ~**beschikking** last will (and testament), will; ~**inspanning** [by a great] effort of the will; ~**kracht** will-power, strength of will, energy; *door louter* – by sheer force of will; ~**uiting** action of the will; ~**verklaring** declaration of intent

Wim Willie, Willy, Bill

wimberg (*bk.*) gablet

wimpel pennant, pendant, pennon, streamer; (*van jacht*) burgee; *de blauwe* ~ the blue riband (ribbon) [of the Atlantic]; *zie* vlag

wimper (eye)lash [long-lashed eyes]

winbaar: *in winbare hoeveelheden*, (*van petroleum bijv.*) in commercial quantities

wind id. (*ook med.*); ~**en**, (*med.*) wind, flatulence; *er is* ~ there is a w.; *de* ~ *is zuid* the w. is (in the) South; ~ *en weder dienende* w. and weather permitting; *het is allemaal* ~, (*gezwam*) it's all gas (mere wind); *als de* ~ [he was off] like the w., like smoke, like a shot, before you could say Jack Robinson (*of:* knife); *gelijk een koude* ~ like a cold blast; ~ *maken* cut a dash, (*sl.*) swank; *een* ~ *laten* break w., (*volkst.*) (let a) fart; *hij kreeg er de* ~ *van* he got w. of it; *wie* ~ *zaait zal storm oogsten* sow the w. and reap the whirlwind; *de* ~ *mee hebben* have a following w., go before the w., go down (the) w.; *we hadden de* ~ *tegen* (*van achteren*) we had the w. against us (behind us); *hij heeft er de* ~ *onder* he keeps a tight hand (on them); *de* ~ *waait uit een andere hoek* the w. blows from another quarter; *'t toont uit welke hoek de* ~ *waait* it shows the way the w. is blowing; *waait de* ~ *uit die hoek?* is the w. in that quarter?; *zien, uit welke hoek de* ~ *waait* find out how the w. blows (lies, sits); *de* ~ *van voren krijgen* catch it, draw a storm on one's head, (*sl.*) get it in the neck; *ik gaf hem de* ~ *van voren* I gave it him hot, (*sl.*) gave it him in the neck; *iem. de* ~ *uit de zeilen nemen* take the w. out of a p.'s sails; *het schip was ten prooi aan* ~ *en golven* the ship was adrift, drifted about helplessly, was

at the mercy of w. and waves; **beneden** *de* ~ under the lee; *de Eilanden beneden* (**boven**) *de* ~ the Leeward (Windward) Islands; **bij** *de* ~ *houden* sail near the w.; (*scherp*) *bij de* ~ *zeilen* sail close-hauled, sail (keep) close to the w.; *door de* ~ *gaan* shift; *door de* ~ *worden tegengehouden* be w.-bound; *met de kop in de* ~ *brengen*, (*mar.*) round [her] up in the w.; (*van vliegt.*) turn [her] into the eye of the w.; *in de* ~ *gaan*, (*beursterm*) sell short; *in de* ~ *praten* preach to the wind(s); *in de* ~ *slaan* fling (throw) [a warning] to the winds, make light of [a p.'s warnings], disregard (*sterker:* flout) [a p.'s advice], set [a p.'s advice] at naught; *wij hadden het vlak in de* ~ we had the w. dead against us; *met zijn neus in de* ~ with one's nose in the air; *in de* ~ [scent game 200 yards] up (the) w.; *met alle* ~*en draaien* (*waaien*) trim one's sails according to the w.; set one's sail to every w.; blow hot and cold; *hij draait met alle* ~*en mee*, (*ook*) he is a trimmer; *met de* ~ *mee* before the w., down (the) w.; *tegen de* ~ *in* against the w.; [approach game] up (the) w.; *tegen de* ~ *in landen*, (*luchtv.*) land up wind (into the w.); *vlak tegen de* ~ *in* right in the w.'s eye, in the teeth of the w.; *tussen* ~ *en water* between w. and water, awash; *van de* ~ *kan men niet leven* you cannot live on air; *de kleine heeft last van* ~ baby is troubled with w.; *voor de* ~ *omgaan*, (*mar.*) go about; *voor de* ~ *zeilen* sail before the w.; *'t ging hun voor de* ~ they sailed before the w., they prospered; *'t ging hem niet langer voor de* ~, *ook:* he had fallen on evil days; *'t was hem niet altijd voor de* ~ *gegaan*, *ook:* his lines had not always been cast in pleasant (*of:* easy) places

windas windlass

wind: ~**bestuiving** wind-pollination; ~**bloem** *a*) w.-flower, anemone; *b*) w.-fertilized flower

windboom windlass bar

wind: ~**breker** windbreaker; ~**bui** *zie* ~vlaag; ~**buil** windbag, gasbag; ~**buks** airgun; ~**dicht** w.-proof, -tight; ~**droog** dried by the w., air-dried; ~**druk** w.-pressure

winde 1 (*plant*) convolvulus, bindweed, hedge-bells; 2 (*vis*) ide

windei wind-egg, shell-less egg; *'t zal hem geen* ~*eren leggen* it will bring grist to his mill, he'll make a good thing (he'll do well) out of it

winden wind, twist [into a wreath]; (*met windas, enz.*) wind up; *een doekje om de vinger* ~ w. a rag round one's finger, *zie* vinger; *garen op een haspel* ~ w. yarn on a reel; *tot een kluwen* ~ w. into a ball; *de klimop windt zich om de boom* the ivy winds (itself) round the tree; -**er** winder

winderig windy (*ook van eten, ingewanden, stijl, rede, spreker*); (*van eten ook*) flatulent; (*van weer ook*) blowy, blustery; (*van open ruimte ook*) wind-swept; (*opgeblazen ook*) flatulent; ~ *heer* windbag; ~**heid** windiness, flatulence, etc.

wind: ~**gat** air-, vent-hole; ~**god** wind-god, god of the winds, Aeolus; ~**gordel** w.-belt; ~**haan**

zie weerhaan; ~**halm** (*plant*) windlestraw; ~**handel** gambling (on the Stock Exchange), stock-jobbery; ~**happer** (*mar.*) w.-scoop; (*fig.*) boaster; ~**harp** Aeolian harp; ~**haver** wild oats, oat-grass; ~**hoek** *a*) quarter from which the w. blows; *b*) windy spot; ~**hond** greyhound; (*ruigharig*) deer-hound; (*jong*) sapling; ~**hondenrennen** greyhound races (racing); *de* ~ 'the dogs'; ~**hoos** w.-spout, whirlwind, aerial vortex, tornado; ~**ig** *zie* ~erig

winding winding; (*van touw, veer, enz.*) turn, coil; (*van hersenen, schelp, enz.*) convolution, torsion; (*van plant, slang, enz.*) coil

windjak wind-cheater

wind: ~**je** breath of wind (of air) [there isn't a breath of w.]; ~**kaart** w.-chart; ~**kant** w.- (windward, weather-)side; ~**kast** (*orgel*) w.-box, w.-chest; ~**ketel** air-chamber; ~**klep** air-valve, vent; ~**koliek** tympanites; ~**kracht** w.-force, w.-intensity; ~ *stormachtig*, – *acht* gale, force eight; ~**kussen** air-cushion, -pillow; ~**maker** *zie* ~buil; ~**meter** w.-gauge, anemometer; ~**molen** windmill; – *met draaibare kap* smock-mill; *tegen* –*s vechten* fight (*of:* tilt at) windmills, beat the air

windom (*plant*) black (corn, ivy) bindweed

wind- wind: ~**pokken** w.-, chicken-pox; ~**richting** direction of the w., w.-direction; ~**roer** airgun; ~**roos** compass-card; (*plant*) anemone, w.-flower; ~**schade** damage caused by the w.; ~**schepper** (*mar.*) w.-scoop; ~**scherm** w.-screen; (*levend en op 't strand*) w.-break; ~**scheur** w.-shake; ~**schut** w.screen (*ook van vliegt.*); (*heg, bomen, enz.*) w.-break

windsel bandage, swathe, swathing-band; ~*s*, (*luiers*) swaddling-clothes (*ook fig.*: in ..., just out of ...)

windsnelheid wind-speed, w.-velocity

windspaak windlass bar

windspil winch, capstan

wind: ~**sterkte** *zie* windkracht; ~**stil** calm; *het is* – there is no wind; ~**stilte** calm (*ook fig.*: it was the calm before the storm); *door een* – *overvallen worden* be becalmed; *streek der* –*n* doldrums; ~**stoot** beehive (*of:* dome) chair; ~**stoot** gust of wind (*luchtv.*) bump; ~**streek** point of the compass, quarter; *naar alle* ~*streken verstrooid* scattered to the four winds (of heaven); ~**strepen**: *met* – w.-streaked [clouds]; ~**tunnel** w.-tunnel; ~**vaan** weather-vane; ~**vang** (*mar.*) w.-sail; ~**verdrijvend** (*middel*) carminative; ~**vlaag** gust of w., squall; ~**vlaagje** puff of w.; ~**vleugel** (*van molen*) w.-sail; ~**vrij** sheltered; ~**waarts** to (the) windward; ~**wijzer** weathercock, weather-vane; ~**zak** *zie* ~buil; (*luchtv.*) wind-sock, w.-sleeve; ~**zij(de)** *zie* ~kant; ~**zucht** tympanites

Winfreda Winifred; **Winfried** Winfrid

wingerd (*wijngaard*) vineyard; (*wijnstok*) (grape-)vine; *wilde* ~ Virginia(n) creeper; *voor sam. zie* wijngaard

wingewest conquered country; (*Rom.*) province

winkel shop; [co-operative] stores; (*werkplaats*) (work)shop; ~ *zonder woonhuis* lock-up s.; *een*

~ *houden* (*doen*) keep a s.; *de* ~ *sluiten* close the s., shut up s., put up the shutters; *in de* ~ *zijn bij* deal with; *op de* ~ *passen* mind the s.; *in de* ~ *verkocht worden* be sold across (*of:* over) the counter; ~*s kijken, ww.* be (*of:* go) s.- (*of:* window-)gazing (w.-shopping); *ook* window-gaze; *zn.* shop-, window-gazing; ~**bediende** s.-assistant, -hand, counter-hand; ~**bezoeker** shopper; ~**boek** s.-book; ~**buurt** shopping neighbourhood (quarter, district); ~**centrum** shopping-centre; ~**chef** *a*) shop- (*Am.:* floor-)walker; *b*) manager; ~**dief** s.-lifter, -thief; ~**diefstal** s.-lifting; ~**dievegge** *zie* ~dief; ~**dochter** *zie* ~knecht (*fig.*); ~**en** shop, go (be) out shopping; *iem. die winkelt* shopper; ~**galerij** shopping arcade; (*overdekt*) s. mall

winkelhaak (carpenter's) square, set-square; (*scheur*) three-cornered (*of:* right-angled) tear

winkel: ~**houd(st)er** *zie* ~ier(ster); ~**huis** (house and) shop; ~**huur** shop-rent; ~**ier** shopkeeper, shopman; *grote* – big storekeeper; *kleine* – small dealer; *zie ook* ~stand; ~**ierster** shopkeeper, shopwoman; ~**inbraak** s.-breaking; ~**jongen** s.-assistant; ~**juffrouw** s.-girl, saleswoman; ~**kast** show-, shop-window; ~**kijken** *zie* ~; ~**kijker** window-gazer; ~**knecht** s.-assistant, shopman; (*fig.*) drug (on the market); ~**la(de)** (s.-)till; ~**ladenlicht(st)er** *zie* laden-; ~**luik** s.-shutter; ~**maatschappij** multiple s. company, chain stores; ~**meisje** s.-girl; ~**merk** s.-mark; ~**nering** custom, goodwill; *gedwongen* – truck(-system); ~**opstand** s.-fittings, -fixtures; ~**pand** s.-premises (*mv.*); ~**personeel** s.-workers; (*van bepaalde* ~) staff of the s.; ~**prijs** retail price; ~**pui** s.-front; ~**raam**, ~**ruit** s.-window; ~**ruimte** s.-space; ~**sluiting** closing of shops; *vroege* – early closing; *wet op de* – Shops (Early Closing) Act; ~**stand** *a*) *zie* ~buurt; *b*) tradespeople; ~**straat** shopping-street; ~**tje** (small) shop; – *spelen* play at keeping s. (at s.-keeping), play shops; ~**uitstalling** s.-window-display; ~**wagen** mobile shop; ~**waren** s.-goods; ~**week** shopping-week; ~**wet** Shops Act; ~**wijk** *zie* ~buurt; ~**woord** stockmark; ~**zaak** shop, shopkeeper's business

winket wicket

winnaar winner, victor

winnen win [money, a prize in a lottery, a bet, race, battle, election, victory, a p.'s heart, love, respect], gain [time, a battle, victory, lawsuit, the prize]; (*verkrijgen*) gather, harvest [honey], make [hay, salt], gain, reclaim (recover) [land from the sea], win [coal and other minerals], mine [ore, copper]; *de beker* ~, *ook:* lift the cup [from the Americans]; *zo gewonnen, zo geronnen* light (lightly, easy) come, light (lightly, easy) go; *het* ~ win, score, come out on top, carry the day; *hij won 't royaal* he carried everything before him; '*t op zijn gemak* ~ w. easily, w. hands down, have a walk-over, be an easy first, [Arsenal] romped home; *de eerlijkheid wint 't* honesty is the best policy; '*t* ~ *van, zie* ben.; *dit spel win ik zeker* this is my game for certain; *hij wint zeker, ook:* it is his race (fight); ~ *op één na* finish second; *zuiver 100 pond* ~ clear (*of:* net) a hundred pounds; *aan* (*in*) *duidelijkheid* ~ gain in clearness [*zo ook:* her voice had gained in mellowness]; ~ *bij een spel* ('t *kaarten*) w. at a game (at cards); *je zult er niet veel bij* ~ you won't gain much by it [*zo ook:* there is nothing to be gained by losing your temper]; *hij* ('t *boek, enz.*) *wint bij kennismaking* improves on acquaintance; *met een* (*paard-, boot*)*lengte* ~ w. by a length; ~ *met 3 tegen 1*, (*voetb.*) w. by three goals to one; ~ *op* (*inhalen*) gain upon; *veld* (*terrein*) ~ *op* gain ground upon; *op een artikel* ~ make a profit on an article; *er f 5 op* ~ gain (make a profit of) 5 guilders on it; ~ *van* w. [money] of, w. [the Derby] from, gain [a seat] from [the Liberals]; '*t* ~ *van* get the better of [a p.; her youth got the better of her discretion], outstrip; (*fam.*) best [a p.]; *zie ook* verslaan; *in verstand wint hij* '*t van je* in intelligence he is more than a match for (is superior to) you; *in ... won hij* '*t van ...* in inscrutability he could have given points to the Sphinx; '*t verreweg van iem.* ~ beat a p. easily (hollow); *mijn paard won* '*t van* '*t zijne* won from his; *dat wint* '*t van alles* that beats everything, (*sl.*) that takes the cake; ... *won* '*t van ... quantity* carried it against quality, numbers against intellect; *iem. voor zich* (*zijn zaak, een partij, enz.*) ~ w. a p. over (to one's side, one's cause, a party, etc.), enlist a p.'s sympathy (support, etc.) in a cause; *de ~de trek*, (*whist*) the odd trick, (*anders*) the winning trick; *kans om te* ~ winning chance; *zie ook* geven, tijd, veld, enz.

winner id.; *de ~ heeft goed lachen* he who wins laughs; ~ *op één na* runner-up

winning (*van erts, enz.*) id., production, extraction; [salt-]making; *vgl.* '*t ww.*

winplaats: ~ *van delfstoffen* place yielding minerals; **wins** winch

winst profit(s), gain, benefit, return(s); (*sp.*) win; (*bij spel*) winnings; (*bij verkiezing*) gain [*op ...* from the Liberals]; ~ *maken* make a profit [*op* on]; ~ *opleveren* yield a profit; *een goede~ opleveren, ook:* pay well; ... *vertonen een behoorlijke* ~ *op ...* the shares show a fair return on the money invested; ~ *nemen*, (*Effectenb.*) take (snatch) profits; ... *die vlug* ~ *neemt* quick-turn speculator; *met* ~ [sell] at a profit; *zie omzet*; *op* ~ *staan* stand to win; **~aandeel** share in the profit(s); *zie* polis; **~bejag** pursuit of gain; *uit* ~ from motives of gain; *vereniging zonder* ~ non-profit association; **~belasting** profits tax; **~bewijs** profit-sharing note; **~cijfer** (margin of) profit; **~derving** loss of profit; **~-en-verliesrekening** profit and loss account; **~gevend** remunerative, lucrative, profitable, gainful, paying [investment]; *niet* ~ unremunerative [prices]; ~ *maken* make [a business] pay; *zie* lonend; *met een aardig* (*zoet*) **~je** *verkopen* sell at a handsome profit; **~kans** chance of profit (winning, a win); **~marge** margin of profit; **~mogelijk-**

heid profit-earning capacity; **~nemer** (*Effectenbeurs*) profit-taker, -snatcher; **~neming** profit-taking, -snatching; **~punt** gain; (league) point; **~restant** balance of profit; **~saldo** undivided profits; **~uitkering** distribution of profits

winter id.; (*aan handen, enz.*) chilblain(s); *de ~ aan de handen* (*voeten*) *hebben* have chilblained hands (feet); *des ~s* in w.; *de ~ doorbrengen te D.* w. at D.; **~aardappel** w.-potato; **~achtig** wintry; **~akoniet** w. aconite; **~appel** w.-apple; **~avond** w.-evening; *op een ~, ook:* on a winter's evening (night); **~bed** w.-bed; **~beslag:** *met ~*, (*van paarden*) w.-shod; **~bloei(st)er** w.-flowerer; **~bloem** w.-flower; **~bol** (*plantk.*) w.-lodge; **~dag** w.-day; *bij ~* in w.; **~dienst** *a*) w.-service; *b*) w. timetable; **~dracht** w.-wear; **~en:** '*t begint al te ~* it is getting wintry; **~gast** (*vogel*) w.-visitor; **~genoegens** w.-amusements; **~gerst** w.-barley; **~gewas** w.-crop, w.-plants; **~gezicht** wintry scene, frost-scene; **~goed** w.-clothes; **~gras** slender foxtail (grass); **~groen** (*algem.*) evergreen; (*pirola*) w.-green; **~haar** w.-coat, w.-fur; **~halfjaar** w. half-year; **~handen** chilblained hands; **~hard** w.-proof; (*plantk.*) hardy; *niet ~*, (*plantk.*) tender; **~haver** w.-oats; **~hielen** chilblained heels; **~jas** (w.-)overcoat; **~kers** w.-cress; **~kleed** w.-dress; **~kleren** w.-clothes; **~knol** (*plantk.*) w.-lodge; **~koninkje** wren; (*fam.*) jenny wren; **~kool** w.-cabbage; **~koren** w.-corn; **~kost** w.-fare, w.-food; **~kou(de)** w.-cold, cold of w.; **~kraai** hooded crow; **~kwartaal** w.-term; **~kwartier(en)** w.-quarters; *de ~en betrekken* go into w.-quarters; **~landschap** wintry (w.-)landscape; **~ling** (*plant*) hemlock; **~lucht** *a*) wintry sky; *b*) wintry air; **~maand** December; *de ~en* the w.-months; **~mantel** w.-coat; **~pak** w.-suit; **~paleis** w.-palace; **~peer** w.-pear; **~peil** w.-level; **~plant** w.-plant; **~provisie** w.-store; **~rogge** w.-rye; **~s** wintry; **~seizoen** w.-season; **~slaap** w.-sleep, hibernation; *de ~ doen* hibernate; **~slaper** w.-sleeper, hibernating animal; **~sport** w.-sports; **~stof** w.-material; **~tafereel** wintry (*of:* frost-)scene, w.-scene; **~taling** (common) teal; **~tarwe** w.-wheat; **~tijd** w.-time (*in beide bet.*); **~tuin** w.-garden; **~veldtocht** w.-campaign; **~verblijf** w.-residence; **~vermaak** w.-amusement; **~voe(de)r** w.-fodder; **~voeten** chilblained feet; **~voorraad** w.-store, -stock(s); **~we(d)er** wintry (w.-)weather; **~woning** w.-residence; **~zon** w.-sun; **~zonnestilstand** w.-solstice

winzucht lust of gain; **~ig** greedy of gain

wip: (~*plank*) seesaw; (*van brug*) swipe(-beam), bascule; (~*galg*) strappado; (*sprong*) skip; '*t is maar een* ~ it's no distance at all; ~! *weg is hij* pop! he is gone; *in een* ~ in a flash, in a trice, in (half) a jiff(y), in no time, in (half) a tick, in two ticks, in two shakes, in the twinkling of an eye, in a twinkling, before you can say knife (*of:* Jack Robinson); *op de* ~ *staan* wobble, waggle; (*fig.*) be in danger of getting the boot; *op de* ~ *zitten*, (*fig.*) *a*) hold the balance (of power); (*fam.*) be the tail that wags the dog; *b*) = op de ~ staan; **~brug** drawbridge, swipe-, bascule-, balance-bridge; **~galg** strappado; **~kar** tip-, tilt-cart; **~molen** hollow post mill; **~neus** turned-up (tip-tilted, uptilted) nose

wippen I *intr. a*) whip, nip, whisk, skip [out of the room]; tilt [from heel to toe and back]; (*op hand(en) steunend*) vault [... into the saddle]; *b*) (*wankel staan*) wobble; *c*) go up and down, seesaw; *d*) (*op wipplank*) (play at) seesaw; *de kamer binnen* (*de trap op, 't venster uit*) ~ whip (nip, pop, whisk) into the room (upstairs, out of the window); *zie ook* overwippen; *met zijn staart* ~ flirt one's tail; *met zijn stoel* ~ tilt one's chair; II *tr.* (*ambtenaar, enz.*) turn [a p.] out, unseat [a minister], topple [the Government]; (*van Eerste Minister*) throw over [his Finance Minister]

wipper (*mar.*) (*talie*) whip (and derry); **wipperig** wobbly

wippertje (*van piano*) hopper, (piano-)jack; (*slokje*) dram, nip, tot, [have a] quick one

wippertoestel breeches-buoy (apparatus)

wip: **~plank** seesaw; **~schakelaar** rocking switch; **~staart** wagtail; **~stoel** rocking-chair

wirwar tangle, muddle; (*doolhof*) maze

1 wis certain, sure; *iemand van een ~se dood redden* save a p. from certain death; ~ *en zeker* as sure as eggs is eggs; [you're not going!] but I am!; [you don't mean that!] indeed I do!; *zie verder* zeker

2 wis wisp [of straw]

wisent id., (European) bison, aurochs

wiskop erase head

wiskunde mathematics, (*fam.*) maths; **~knobbel** turn for mathematics; **~leraar, -rares** m. master (mistress)

wiskundig mathematical; **~e zekerheid** m. certainty; *zie* adviseur

wiskundige mathematician

wispelturig fickle, inconstant, changeable [weather], volatile [disposition]; **~heid** fickleness, inconstancy, changeableness, volatility

wissel (*hand.*) bill of exchange, B/E, draft, bill; (*van spoor: van de rails*) points, (*toestel*) switch; *ook* = **~spoor**; *de ~s bedienen* work the points; *de ~ verzetten* shift (reverse) the points; (*verandering*) change; (*van wild*) path (track) used by game; *te betalen* (*te innen*) **~s** bills payable (receivable); ~ *op zicht* (*op drie maanden zicht*) b. payable at sight (at three months' sight); *tegen Uw driemaands ~* against your bill at 3 m. date; *een ~ accepteren* (*endosseren, honoreren*) accept (endorse, honour) a bill; *zie ook* honoreren; *een ~ uit de circulatie nemen* withdraw a bill; *een ~ trekken* draw a bill; *een ~ trekken op* draw on, value on; ~ *op de toekomst* act of faith; *een ~ op de toekomst trekken* draw a bill on (make a draft on, draw a cheque on, bank on, pledge, mortgage) the future; *uit de*

~ *lopen*, (*van trein*) jump (fail to take) the points; *zie* documentair, protesteren, enz.; **~aar** money-changer; **~agent** exchange-, billbroker; **~arbitrage** arbitration of exchange; **~baar** changeable; **~baden** hot and cold baths; **~bank** discount-bank; **~beker** challenge-cup; **~boek** bill-book; **~bouw** rotation (*of:* shift) of crops, crop rotation, alternate husbandry; **~brief** *zie* ~; **~cassette**, **~chassis** (*fot.*) changing-box; **~courtage** bill-brokerage, exchange commission

wisselen[1] I *tr.* exchange [letters, looks, words, (in)civilities; gunfire with the enemy], interchange, bandy [(in)civilities, blows, compliments]; (*geld*) change, give change for; (*tanden*) shed [one's teeth]; *kun je me dit bankbiljet ~?* can you give me change for this banknote? can you change ... for me?; *ze wisselden geen woord* they did not e. a word, no word passed between them; *zie* groet; II *intr.* change, vary; *ik kan niet ~* I have no change; *zijn stem wisselt* is breaking (turning, cracking); *van tanden ~* shed one's teeth; *van gedachten ~* e. views; *onze trein moet hier ~ met die van Londen* our train has to pass the London one here; ~ (*af-*) *met* interchange with, vary with ['strap' varies with 'strop']; ~*de lotgevallen* varying fortunes; ~*de prijzen, ook:* fluctuating prices

wissel: **~formulier** form of a bill; **~garantie** bill guarantee; **~geld** (small) change; **~handel** billbroking; **~handelaar** bill-broker; **~houder** holder (of a bill)

wisseling change, fluctuation, variation; (*ruil*) exchange, interchange; ~ *der jaargetijden* succession of the seasons; **~en, ook:** chops and changes [of fortune]; *zie* gedachten~, jaars~, stem~ & verwisseling

wissel: **~jaren** *zie* overgangsjaren; **~kantoor** exchange-office; **~koers** rate of exchange; **~koorts** intermittent fever; **~kosten** billcharges; **~krediet** drawing-credit; **~lijst** passepartout; **~loon** bill-brokerage; **~loper** bankmessenger; **~makelaar** bill-broker; **~nemer** payee; **~pari** par of exchange; **~personeel** parties to a (the) bill; **~plaats** stage [of a coach]; **~portefeuille** bill-case; **~protest** protest; **~provisie** commission; **~recht** Bills of Exchange law; **~rekening** exchange-account; **~rijm** alternate rhyme; **~ruiterij** kite-flying; **~speler** substitute; **~spoor** siding, side-rails, shuntline; **~stand** position of the points; **~stroom** alternating current; **~stroomdynamo** alternator; **~stroommotor** alternating-current motor; **~tand** permanent tooth; **~truc** ringing the changes

wisselvallig precarious, uncertain; *hij had een ~ bestaan* he made a precarious living; **~heid** precariousness, uncertainty; changeability [of weather]; *de ~heden des levens* the ups and downs (vicissitudes) of life

wissel: **~vervalsing** forging of bills; **~wachter**

---

[1] *Zie ook* verwisselen

pointsman, switchman, switcher; ~**werking** interaction, interplay [of factors, of mind upon mind], reciprocity; ~**wet** Bills of Exchange Act; ~**zaken** exchange business; ~**zegel** bill-stamp

wissen wipe; (*kanon*) sponge; (*magnetofoonband*) erase

wisser (*pers.*) wiper, sponger; (*voorw.*) wiper, mop, (*voor schoolbord*) duster; (*van kanon*) sponge; ~**blad** wiper blade

wissewasje trifle; ~*s* fiddle-faddle, (*sl.*) piffle, tommy-rot

wist *o.v.t. van* weten

wit I *bn.* white; ~*te benzine* cut-price petrol; ~*te das* w. tie; *W~te Donderdag* Maundy Thursday; ~*te goederen* w. goods, whites; *uitverkoop daarvan* ('~*te week*') w. (w.-goods) sale; ~ *goud* w. gold; ~ *hout* w.-wood; '*t Witte Huis* the W. House; *een* ~*te Kerstmis* a w. Christmas; ~*te lelie* Madonna lily; ~*te mier* w. ant; ~ *papier* blank paper; ~*te steenkolen* w. coal; *water-power*; ~ *vlees* w. meat; ~*te wijven* w. witches; '*t heeft* ~ *gevroren* there is a w. frost; *zo* ~ *als een doek* as w. as a sheet (as death); ~ *maken* whiten, blanch; ~ *worden*, *zie* verbleken *zie ook* boon, boord, doek, raaf, vlag, vloed, voetje, wijn, enz.; **II** *zn.* white; (*plantk.*) [strawberry] mildew; ~ *tussen de regels* w. line, leaded type; '*t* ~ *van een ei* the w. of an egg; '*t* ~ *van 't oog* (*van de ogen*) the w. of the eye (the whites of the eyes); '*t* ~ *van de schijf* the white ('*n schot daarin, 'n 'witte'* a white); *in 't* ~ *gekleed* dressed in w.; ~**achtig** whitish; ~**baard** w.-beard; ~**bloemig** w.-flowered; ~**boek** w. paper; ~**bol** w.-haired person, grey-head; ~**bont** w.-spotted; ~**boom** w. poplar; ~**gatje** (*vogel*) green sandpiper; ~**gedast** in a w. tie; ~**geel** w. (whitish) yellow; ~**gehandschoend** w.-gloved; ~**gekuifd** w.-crested; ~*e golven, ook:* w.-capped waves, w. horses; ~**geld** w. money; ~**gepleisterd** whitewashed; ~*e graven* whited sepulchres; ~**glas** milk-glass; ~**gloeiend** w.-hot, at a w. heat, incandescent; ~**goed** & ~**goud** *zie* ~; ~**harig** w.-haired; ~**heer** w. canon, Norbertine; ~**heid** whiteness; ~**hoen** ptarmigan; ~**hout** w.-wood; ~**je** (*vlinder*) white; ~**jes:** *hij ziet nog erg* – he still looks a bit off colour; *hij lachte* – he laughed shyly; ~**kalk** whitewash; ~**kar** *a*) hand-luggage trolley; *b*) small electric motorcar; ~**kiel** (luggage-)porter; ~**koken** blanch; ~**kop** *zie* ~bol; ~**kwast** whitewash (distemper) brush; ~**lo(o)f** chicory, Belgian endive; ~**looien** taw; ~**maker** whitener; ~**metaal** w. metal; ~**poot** *zie* ~voet; **W~-Rus(sisch)** White Russian, B(y)elorussian; ~**schimmel** grey (horse); ~**sel** whitewash; (*loodwit*) w.-lead; ~**staart** *a*) (*vogel*) wheatear, white-tail; *b*) w.-tailed horse

witte *zie* wit

wittebrood white bread; *een* ~ a white loaf; ~**sweken** honeymoon; *in hun* – on their h.m.; *de – doorbrengen in Wales, ook:* honeymoon in W.

wit white: ~**tekool** w. cabbage; ~**ten** whitewash; ~**ter** whitewasher; ~**vis** whitebait, whiting; ~**voet** w.-footed horse, whitefoot; ~**werk** w.-wood articles; ~**werker** w.-wood worker; ~**zijden** w. silk [dress]

W.L. Long.W., W.Long. (= W. Longitude)

wnd. = *waarnemend* deputy [minister], acting [Lord Mayor]

Wodan Woden, Wodan, W(u)otan, Odin

wodka vodka

woede fury, rage; *zie* koelen, van, enz.

woeden rage (*ook van storm, ziekte, brand, veldslag, enz.*); *de gele koorts woedde, ook:* yellow fever was rampant; *een storm woedde in ...,* *ook:* a gale swept the country; '*t* ~ *der zee* the raging of the sea

woedend (*fig.*) furious [*op* with; *over* at, about], infuriated, (*fam.*) wild; ~ *aankijken* glare at, look daggers at; *iem.* ~ *maken* enrage (infuriate) a p., make (*of:* drive) a p. wild, send a p. into a rage, (*fam.*) get a p.'s dander up; (*bij stieregevecht*) play [a bull]; *zich* ~ *maken, zie* ~ *worden*; *hij maakte zich* (*verschrikkelijk*) ~ he worked himself into a passion (into a most frightful rage); (*verschrikkelijk*) ~ *zijn, ook:* be in a (towering) passion (rage); ~ *worden* fly (work o.s.) into a passion, get into a black temper; *hij werd* ~, (*fam.*) he got his dander up; *hij werd dadelijk* ~ he took fire at once, fired up in an instant; *zij wordt om niets* ~ she gets into a tantrum about nothing

woef(waf) woof (woof)! bow-wow!

woei *o.v.t. van* waaien

woeker usury; ('*t maken van oorlogswinst, enz.*) profiteering; ~ *drijven* practise u.; *met* ~ *vergelden* repay with u. (with interest); *op* ~ *zetten* put out to u.; ~**aar** usurer; ~**achtig** usurious; ~**dier** parasite

woekeren practise usury; (*van planten*) be (grow) rank; (*van kwaad*) be (grow) rampant (rife), fester; ~ *met* make the most of, turn to the best advantage; *met de ruimte* ~, *ook:* utilize every inch of space; *zich rijk* ~ get rich (amass a fortune) by usury

woeker: ~**geld** money got by usury; ~**handel** usurious trade, usury; ~**ing** (*in 't lichaam*) morbid growth; ~**pacht** rack-rent; ~**plant** parasitic plant, parasite; ~**prijs** extortionate price; ~**rente** usurious interest, usury; *tegen* – *uitlenen* lend at (on, upon) u.; ~**vlees** proud flesh; ~**wet** u.-law, *ongev.:* money-lenders act; ~**winst** exorbitant (usurious) profit, usury; – *maken* profiteer; ~**winstmaker** profiteer

woelen toss (and tumble) about, (turn and) toss [in one's bed]; (*wroeten*) grub, root, burrow; (*winden*) wind; (*mar.*) serve [a rope]; *zich bloot* ~ kick the bed-clothes off; *de dingen* (*de gedachten*) *die in zijn geest woelden* the things that stirred in his mind (the thoughts churning in his head); *de granaat woelde een groot gat in de grond* the shell tore a big hole in the ground

woelgaren (*mar.*) service

woelgeest turbulent spirit, agitator, stormy petrel

woelig restless [night, child], turbulent [sea, times], riotous [crowd], broken, lumpy, popply [water], choppy [sea], bustling [streets]; *'t ~e hedendaagse leven* the jostling life of to-day; ~**heid** restlessness, turbulence

woel: ~**ing** 1 agitation, turbulence; *-en* disturbances; 2 *zie* ~**garen**, (*fig.*); ~**muis** vole; ~**rat** water vole, w. rat; ~**water** fidget, restless boy; ~**ziek** restless, fidgety; (*oproerig*) turbulent, seditious; ~**zucht** turbulence

woensdag Wednesday; ~**s** *bw.* on Wednesdays (*Am.* Wednesdays); *bn.* Wednesday

woerd drake

woerhaan, (-hen) cock- (hen-)pheasant

woest (*onbebouwd*) waste [land]; (*onbewoond*) desert, desolate [island]; (*ruw, onbeschaafd, enz.*) wild [boy, waves, weather, scenery, times], savage [dog], fierce [struggle], furious, reckless [driving, chauffeur, drive ... ly]; (*nijdig*) wild, savage [op with; answer ... ly], livid; *hij werd ~ op me* he got wild (savage) with me; *~ worden, ook:* see red; *~ automobilist (fietser)* scorcher, speed-merchant, road-hog; *~ dronken* fighting drunk; *~ liggen* lie w.; *een ~ drukke zaak hebben* drive a roaring trade; *zie* boel; ~**aard, ~eling** brute, rough, ruffian; (*van dronkaard*) madman; ~**enij** waste (land), wilderness; ~**heid** wildness, savagery, fierceness, etc.; *zie* ~

woestijn desert; ~**bewoner** inhabitant of the d.; ~**oorlog** d.-war; ~**pas** shuffling gait; ~**plant** d.-plant; ~**reiziger** traveller in the d.; ~**springmuis** gerbil; ~**wind** d.-wind; ~**zand** d.-sand

wol wool; *in de ~ geverfd* dyed in the w. (in grain); (*fig. ook*) engrained; *hij is een double- (deep-)dyed (a dyed-in-the-w.) villain, an engrained villain, a villain of the deepest dye, a rogue in grain; ~ dragen* wear w.; *onder de ~* [be, go] between the sheets; *onder de ~ gaan (kruipen), ook:* turn in, go to roost; *zie* geschreeuw; ~**achtig** woolly; ~**afval** flock; ~**baal** bale of w., w.-pack; ~**bereider** w.-dresser; ~**bereiding** w.-dressing; ~**dragend** w.-bearing

wolf id.; (*van tanden*) caries; (*lupus*) lupus; (*bijen-, koren-*) weevil; (*in spinnerij*) devil, willow(ing-machine); (*van orgel, enz.*) wolf; *de ~*, (*astron.*) Lupus, the Wolf; *een ~ in schaapsklederen (in een schapenvacht)* a w. in sheep's clothing; *de ~ tot **herder** maken* set the fox to keep the geese; *~ en schapen*, (*spel*) fox and geese; *wolven verslinden elkaar niet*, dog does not eat dog; *wee de ~ die in een kwaad gerucht staat* give a dog a bad name and hang him; *men moet huilen met de wolven in 't bos* when at Rome, do as the Romans do; *voor de wolven werpen*, (*ook fig.*) throw to the wolves; *zie* eten & honger

wol: ~**fabricage** wool(len) manufacture; ~**fabriek** wool(len) mill; ~**fabrikant** wool(len) manufacturer

wolfachtig wolfish

wolfra(a)m tungsten, wolfram

wolfs- wolf; ~**angel** w.-trap; ~**dak** (*bk.*) hip(ped) roof; ~**hond** w.-dog, -hound; ~**huid** wolfskin;

~**kers** deadly nightshade; ~**klauw** w.'s claw; (*plant*) w.'s claw, w.'s foot, clubmoss, lycopod; ~**klem** w.-trap; ~**kuil** pitfall; (*mil.*) trou-de-loup; (*om park, enz.*) ha-ha; ~**leger** w.'s lair; ~**melk** (*plant*) spurge; ~**pels** w.'s fur; ~**poot** (*plant*) gipsywort, -herb; ~**spin** w.-spider; ~**veest** puff-ball; ~**vel** wolf-skin; ~**wortel** winter aconite, wolfsbane

Wolga Volga

wol: ~**gras** cotton-grass; ~**haar** woolly hair, w. underfur; ~**haas** viscacha; ~**handel** wooltrade; ~**handelaar** wool-merchant; ~**handkrab** mitten crab, woolly-hand crab; ~**harig** woolly-haired; ~**industrie** woollen industry

wolk cloud (*ook fig.:* a dark ...; *ook van sprinkhanen, pijlen, enz.*); *een ~ van getuigen*, (*bijb.*) a c. of witnesses; *er lag een ~ op zijn voorhoofd (gezicht)* his face was clouded; *een kind als een ~ (een ~ van een kind)* a bouncing baby; *de ~en beletten hem te fotograferen* he got clouded out; *achter de ~en schijnt de zon* every c. has a silver lining; *in ~en van stof gehuld* clouded in dust; *in de ~en zijn* be overjoyed [over at]; (*vgl.* be in the clouds *soezen, dromen*); *tot in de ~en verheffen* extol to the skies; *uit de ~en vallen* drop (fall) from the clouds, be brought back to earth (with a bump); *zie* ~je

wolkaarde(r) wool-card(er), -comb(er)

wolkachtig cloudy, cloud-like

wolkam(mer) *zie* wolkaarde(r)

wolkbreuk cloud-burst

wolkeloos cloudless

wolken- cloud: ~**bank** c.-bank; ~**dek** c.-cover; ~**drift, -jacht** c.-drift, scud; ~**hemel** (cloudy) sky, heavens; ~**krabber** skyscraper; ~**laag** c.-layer; ~**veld** c.-layer, c.-cover

wolkgevaarte mass (*of:* bank) of clouds

wolkig cloudy (*ook van edelgesteente*), clouded, cloud-like

wolkje little cloud, cloudlet; *ook:* puff [of smoke], drop [of milk]; (*in vloeistof, diamant, enz.*) cloud; *er was geen ~ aan de lucht*, (*ook fig.*) there was not a cloud in the sky, (*'t was botertje tot de boom*) everything in the garden was lovely

wolkoper wool merchant

wolkruid (*plant*) mullein

wolkvorming formation of clouds

wollegras cotton-grass

wollen woollen; *~ stoffen* woollens; ~**goed** (*stoffen*) woollens; (*kleren*) woollen clothing

wolletje woolly

wollig woolly; (*plantk. ook*) downy; ~**heid** woolliness

wol: ~**markt** wool-market; ~**opbrengst** w.-crop, -clip; ~**prijs** w.-price; ~**schaar** (pair of) sheep-shears; ~**spinnerij** wool(len) mill; ~**vacht** fleece

wolveaard wolfish nature

wolvedak enz., *zie* wolfsdak, enz.

wolvee wool-producing cattle, sheep

wolveiling wool auction, wool sale(s)

wolve: ~**jacht** wolf-hunting; ~**jager** wolf-hunter; ~**kop** wolf's head

wolven 1 (*katoen, enz.*) willow, devil; 2 wolf down one's food
wolverlei (*plant*) mountain tobacco
wolverver wool-dyer; ~**ij** *a*) wool-dyeing; *b*) dye-works, -house
wolvet yolk, suint, wool-oil, wool-fat
wolvin she-wolf; **wolvlieg** bee-fly
wolwever wool-weaver
wolzak woolsack; **wombat** id.
won *o.v.t. van* winnen
1 wond *o.v.t. van* winden
2 wond I *zn.*, ~(*e*) wound, injury; ~ *in 't gezicht* (*aan 't hoofd*) w. in (on) the face (the head); *oude ~en openrijten* rip up (reopen) old sores; *~en slaan* inflict wounds; *zie* sterven, toe-brengen & vinger; II *bn.* sore; *de ~e plek* the sore spot; *de ~e plek aanraken*, (*fig.*) touch a p. on the raw; ~**baar** *zie* kwetsb.; ~**balsem** w. (*of:* vulnerary) balsam
wonden wound, hurt, injure; *aan het hoofd* (*de benen, enz.*) *gewond* wounded in (about) the head (the legs, etc.); *ernstig gewond bij een spoorwegongeluk* severely injured in a railway-accident; *diep gewond, ook:* lacerated [his ... feelings, mind]
wonder I *zn.* wonder [the seven ...s of the world], marvel, prodigy; (*bovennatuurlijk*) miracle; *een ~ van geleerdheid* a prodigy of learning; *'n ~ van goedkoopte* a marvel of cheapness; *'n ~ van nauwkeurigh.* a w. of correctness; ~ *boven* ~ for a w., w. of wonders, miracle of miracles, by a miracle, by amazing good fortune [no one was killed]; *het is haast een* ~ it is little short of a w.; *geen* ~ *dat* ... no (*of:* small) w. that ...; *en geen* ~ and no w.; *~en doen* (*verrichten*) work (do, perform) wonders [the holiday has done w...s to me]; (*bijb.*) perform miracles; *zijn naam doet ~en* his is a name to conjure with; *'t geloof doet ~en* faith works miracles; *~en van dapperheid verrichten* perform prodigies of valour; *is 't een ~ dat ...?* is it any w. that ...?; *'t is een ~ dat ...* it is a w. that ..., the w. (the marvel) is that ...; *de ~en zijn de wereld nog niet uit* wonders (will) never cease; [Jane engaged?] what next?; II *bn.* strange; III *bw.* marvellously, exceedingly [pretty]; *alsof hij ~ wat gedaan had* as if he had done something extraordinary; *hij verbeeldt zich ~ wat* he thinks he's marvellous
wonderbaar miraculous; *ook* = **wonderbaarlijk** wonderful, marvellous, prodigious; *zie ook:* wonderlijk; ~**heid** ... ness
wonder: ~**beeld** miraculous image; ~**bloem** marvel of Peru; ~**boom** castor-oil plant (*of:* tree); ~**daad** miracle; ~**dadig** miraculous, wonder-working; ~**dier** prodigy, monster, monstrosity, freak; ~**doend** wonder-working, working miracles; ~**doener** miracle-, w.-worker, thaumaturgist; (*ong. ook*) miracle-, w.-monger; ~**dokter** quack, unrecognized practitioner, (*bij wilden*) witch-doctor, medicine-man; ~**en** *ww., zie* verwonderen; ~**gaaf** miraculous gift; ~**goed:** *je hebt het er - afgebracht* you have done wonderfully well; *'t is ~-*

goedkoop it is a marvel of cheapness; ~**groot** prodigious; ~**jaar** year of wonders, annus mirabilis; ~**kind** child (infant) prodigy; ~**klein** wondrously small; ~**kracht** miraculous power; ~**kruid** St. John's herb; ~**kuil** drag-net; ~**kuur** miraculous cure; ~**lamp** [Aladdin and his] Wonderful Lamp; ~**land** w.-land
wonderlijk strange, queer, odd, surprising; *'t ~e ervan is* ... the surprising part of it is ...; ~ *genoeg was hij thuis* he was at home for a wonder; ~**heid** ... ness
wonder: ~**macht** miraculous power; ~**mens** prodigy, human wonder; ~**middel** wonderful remedy; (*tegen alle kwalen*) cure-all, panacea, quack remedy; ~**mooi** exceedingly beautiful, wonderful [lakes]; [their flat was] a thing of wonder; *zij speelde* (*deed het*) – she played (did the thing) to admiration; ~**olie** castor-oil; ~**schoon** *zie* ~mooi; ~**spreuk** paradox; (*tover-formule*) magic formula; ~**spreukig** paradoxical; ~**teken** (miraculous) sign, miracle; ~**veel** *zie* ~ bw. (~ *wat*); ~**verhaal** *a*) miraculous story; *b*) wonderful story; ~**vol** wonderful, marvellous; ~**wel** *zie* ~goed; ~**werk(er)** miracle(-worker)
wond: ~**heelkunde** surgery; ~**heler** surgeon; ~**ijzer** probe; ~**klaver** kidney vetch; ~**koorts** wound-fever, (*wet.*) traumatic fever; ~**kramp** tetanus; ~**kruid** *zie* valkruid; ~**middel** remedy (*of:* cure) for wounds, vulnerary; ~**naad** suture; ~**pleister** (vulnerary) plaster; ~**poeder** dusting; ~**roos** erysipelas; ~**zalf** healing ointment
wonen live, reside; (*lit.*) dwell; *hij woont bij ons* he lives (lodges) with us; *te P. gaan* ~ take up one's residence at P.; *buiten* (*in een andere buurt*) *gaan* ~ move into the country (into another neighbourhood); *zie* kamer
woning dwelling, house, residence; (*bijb.*) mansion [in my Father's house are many ...s]; *zijn ~ opslaan te* ... take up one's residence (establish o.s.) at ...; *zie* vrij; ~**bouw** house-building, housing; –**vereniging** housing association; ~**bureau** house (estate) agent's office, house (estate) agency; ~**gids** guide to property to be let or sold; (*adresboek*) directory; ~**inrichting** domestic decoration; ~**nood** housing-shortage, h.-problem; ~**ruil** exchange of houses; ~**textiel** soft furnishings, furnishing fabrics; ~**toestanden** housing conditions; ~-~**vraagstuk** housing question (*of:* problem); ~**wet(sontwerp)** housing act (bill); ~**wetwoning** (*ongev.*) council house; ~**zoekenden** house-hunters
woog *o.v.t. van* wegen
woon: ~**achtig** resident, living; ~**ark** house-boat; ~**baar** *zie* be-; ~**buurt** *zie* ~wijk; ~**erf** residential precinct (with restricted rights for wheeled traffic); ~**huis** private house (residence), dwelling-house; ~**kamer** living-, sitting-room; ~**laag** storey; ~**plaats** dwelling-place, abode, home, (place of) residence; (*officieel*) domicile; *natuurlijke* –, (*van dier of plant*) habitat; *in mijn* –, *ook:* where I live; *zie* vast; ~**ruimte** living accommodation; ~**schip**, ~**schuit** house-

boat; ~**silo** high-rise block; ~**stad** residential town; ~**ste(d)e** *zie* ~plaats; ~**vertrek** *zie* ~kamer; ~**wagen** caravan; ~**wagenbewoner** (cara)van-dweller, caravanner; ~**wagenkamp** caravan-camp; ~**werkverkeer** commuter traffic; (*deftige*) ~**wijk** residential quarter (*of:* district); *nieuwe –* new housing-estate

1 **woord** word, term; *Gods W~* the W. of God, God's W.; *het W~* (*Gods*) the W. (of God); *het W~ is vlees geworden* the W. was made flesh; *de ~en,* (*bij illustratie*) the letterpress; *~en van …, muziek van …* words by …, music by …; *grote* (*dikke*) *~en* big words, (*fam.*) hot air; (*om te overbluffen*) bluff; *walglijk is het ~ ervoor* 'disgusting' is the w.; '*t ~ is nu aan hem* the w. is (lies, rests) with him, '*t ~ nemen* begin to speak, take (possession of) the floor, get upon one's legs, rise, (*door iem. in de rede te vallen*) cut in; *iem. '*t ~ ontnemen* order (ask) a p. to sit down; '*t ~ richten tot* address; *iem. zijn ~ teruggeven* give a p. back his w., release a p. [she asked him to be …d]; *een goed ~ vindt een goede plaats* a good w. is never out of season, a kind w. is never wasted, soft words win hard hearts; *niem. had een goed ~ voor hem* (*voor '*t plan*) nobody had a good w. (to say) for him (for the plan); *laat ons eerst een goed ~ spreken* let us pray (say grace) first; *zijn ~ breken* break (go back on) one's w.; *zijn ~ breken jegens* break faith with; *iem. '*t ~ geven* call (up)on a p. (to speak) [I will now ask Mr. S. to address the meeting, to say a few words, etc.]; *zijn ~ geven* pass (pledge) one's w. [to …]; *ik geef u mijn ~ erop* I give you my w. for (*of:* on) it; *dadelijk handelen, zodra '*t ~ gegeven wordt* act promptly at the w.; '*t ~ hebben* be on one's feet (legs), have (hold) the floor; (*Parl.*) be in possession of the House; *u hebt '*t ~* the w. is with you, the floor is yours; *de Heer K. heeft '*t ~,* (= *ik geef de Hr. K. '*t ~*) I call upon Mr. K. (to speak); *zie ook:* aan '*t ~ zijn; *ik zou graag '*t ~ hebben* I should like to say a few words (a word); *heb ik uw ~ dat …?* have I your w. that he will not be moved from home?; '*t ~ alléén hebben* monopolize the conversation, have all the talk to o.s., do all the talking; *~en hebben* [*met* with]; *wij hebben geen ~en gehad, ook:* there have been no words between us; '*t hoogste ~ hebben* (*voeren*) do most of the talking; '*t laatste ~ hebben* have the last (final) w., have the final say in the matter; '*t laatste ~ is aan u* the last (final) w. rests with you; *laat hem '*t laatste ~ leave him the last w.; *nog géén laatste ~ over …* one last w. about …; *ik heb mijn laatste ~ gezegd* I've said my last w.; *dat is mijn laatste ~, ook:* that's final; *zijn laatste ~en, ook:* his dying words; '*t laatste ~ is nog niet gesproken in deze zaak* the last (the final) w. in regard to this matter has not yet been spoken, finality has not yet been reached; '*t ~ voeren* speak, hold forth [*over* on], be on one's feet; (= '*t

~ *doen*) be spokesman (*vrouw.* spokeswoman; *ook:* Mrs. S. will be spokesman); *een goed ~ voor iem. doen,* zie ~je; *hij kan zijn ~ wel doen* he is never at a loss what to say, he has the gift of the gab; '*t ~ vragen* beg permission to speak; (*Parl.*) try to catch the Speaker's eye; *zijn ~ houden* keep (make good, stick to, be as good as) one's w.; [*ook:* he was never worse than his w.]; *zijn ~ houden jegens* keep one's w. to (*of:* with), keep faith with; *~en krijgen* come (get) to words; '*t ~ krijgen* be called upon to speak; (*Parl.*) catch the Speaker's eye; *ik kon geen ~ uit hem krijgen* I could not get a w. (*of:* anything) out of him; *men kon haast geen ~ uit hem krijgen* the words had to be dragged out of him; *hij zei* (*sprak*) *geen ~* (*meer*) he did not say a w. (another w.; he closed (shut) up like an oyster); *er werd verder geen ~ gesproken* not another w. was spoken; *geen ~!* not a w.! not a syllable; *geen ~ meer!* not another w.!; *hij zei geen ~ teveel* he said never a word too much; *ik heb er geen ~ in te zeggen* I have not a w. to say (have no say) in the matter; *meer dan ~en kunnen zeggen* [I love her] beyond (*of:* past) words; *er is geen ander ~ voor* [it's topping,] there is no other w. for it; *er zijn eenvoudig geen ~en voor, ik kan er geen ~en voor vinden* there just are not words for it, words fail me; *hij kon geen ~en vinden … he could not find words (words failed him) to describe the scene; *er waren geen ~en voor te vinden, zo lelijk was '*t it was too ugly for words (ugly beyond all words); *ik kon '*t rechte ~ niet vinden* I could not find (*of:* pitch upon) the right w.; *er vielen enkele ~en tussen ons* we had a few words; *hij liet er geen ~ over vallen* he did not say a w. about it; *zie ook* vallen (… *over*); '*t ene ~ haalde* (*lokte*) '*t andere uit* one w. drew on (led to, brought up) another; *aan '*t ~ zijn* be speaking, be on one's feet, be up [Mr. B. is up]; *ik kon niet aan '*t ~ komen* I could not get in a w. (edgeways); (*in vergadering*) I had no opportunity to express (give) my opinion; *iem. aan zijn ~ houden* keep (hold) a p. to his w.; *ik houd je aan je ~, ook:* I'm not going to let you off your w.; *ik hield haar dadelijk aan haar ~* I took her at her w.; *zij hield zich aan haar ~* she kept to her w.; *bij deze ~en* at these words; *door gesproken ~en of in geschrifte* by the spoken or the written word; *in één ~* in a (one) w.; *in één ~ walgelijk* downright (*of:* nothing short of) disgusting; *in één ~ prachtig* just splendid; *in een paar ~en* in a few words, [there you have it, put the matter] in a nutshell; *iem. met zijn eigen ~en trachten te verslaan* bring up a p.'s own words against him, turn his own argum.nts upon him; *met deze ~en* with these words; *met een goed ~* by good words; *met een half ~* [understand] at half a w.; *met een enkel ~* in a few words; *hij repte er met geen ~ van* he never said a word about it; *ik weerlegde hem met zijn eigen ~en* I refuted him out of his own mouth; *met dat *éne ~ is alles gezegd* there you have it in a w.; *met andere ~en* in other words, [say the same thing somewhat] differently; *met zoveel ~en* [he told me] in so many words; *doe naar mijn ~en, niet naar mijn daden* do not do as I do, do as I tell you to do; practise what I preach; *'t is met hem: doe naar ...* he preaches one thing and does another; *onder ~en brengen* put into words, convey in language, frame [he could not ... what he felt]; *niet onder ~en te brengen zijn* be beyond words, be past expression; *te verschrikkelijk om onder ~en te brengen* too awful for words; *op mijn ~!* upon ('pon) my w.!; *op mijn ~ van eer* on my w. of honour, *(fam.)* honour bright! *(sl.)* honest Injun!; *ik verlaat mij op uw ~* I rely on (trust to) your w.; *ik geloof hem op zijn ~* I believe him on his w.; *je kunt me gerust op mijn ~ geloven* you may take my w. for it; *mijn ~ erop!* my w. on it!; *ik wil hem niet meer te ~ staan* I will see (listen) to him no more; *die mij te ~ stond* [the official] who attended to me; *hij kon niet uit zijn ~en komen* he stammered, floundered in his words, was unable to put two words together; *van ~en tot daden overgaan* proceed from words to blows [*ook:* words led to blows]; *van 't ~ afzien* withdraw [he was going to speak, but withdrew]; *(ten behoeve van een ander)* give up one's turn to speak; *van weinig ~en* [a man] of few words; *~ voor ~* [it is true] w. for w.; *zonder een ~ (een enkel ~) te zeggen* [he left] without a w., with never a w.; *zie ook* woordje, gegeven, half, hoog, man, mond, mooi, nog, uitbrengen, verkeerd, waar, wisselen, woordenboek, zoeken, enz.

2 woord *(woerd)* drake

woord: ~**accent** word accent; ~**afleiding** etymology; ~**blind(heid)** w.-blind(ness); ~**breekster, -breker** w.-, promise-breaker; ~**breuk** breach of faith (of promise), w.-breaking; ~**buiging** declension; ~**doof(heid)** w.-deaf(ness); ~**elijk** *bn.* verbatim [report]; literal, verbal; *bw.* literally, verbally, word for word, [repeat] verbatim; ~ *geloven, ook:* take at face value [the promises of the government]

woorden: ~**arm** poor in words; ~**armoede** paucity of words; ~**boek** dictionary, lexicon; *geografisch –* gazetteer; *dat woord staat niet in zijn –* that word has no place in his vocabulary (his lexicon); ~**kennis** knowledge of words, word-knowledge; *ook =* ~**schat;** *(gelukkige)* ~**keus** (felicity in the) choice of words; ~**kraam** verbiage, welter of words; ~**kramer** word-monger; ~**kramerij** word-mongery, -mongering; ~**lijst** word-list, glossary (= *verklarende –*); ~**praal** pomp of words, bombast, fustian; ~**rijk** *a)* rich in words; *b)* wordy, verbose, *(rad van tong)* voluble; ~**rijkdom, -heid** *a)* wealth of words; *b)* wordiness; verbosity, volubility, flow of words; ~**schat** stock of words, vocabulary; ~**smeder** w.smith; ~**spel** punning, quibbling, word-play, verbal play; *zie ook* woordspeling; ~**strijd** dispute, wordy quarrel *(of:*

battle), verbal combat *(of:* difference), argument; ~**stroom** *zie* ~vloed; ~**tolk** dictionary; ~**twist** *zie* ~strijd; ~**vloed** flow (torrent, spate) of words; ~**voorraad** *zie* ~schat; ~**wisseling** altercation, passage of words (of arms); *ze hebben een –* words are passing between them; *een – hebben met, ook:* bandy words with; ~**zifter** quibbler, hair-splitter; ~**zifterij** quibbling, hair-, word-splitting

woord: ~**familie** family of words; ~**gebruik** use of words; ~**geheugen** verbal memory, memory for words; ~**geslacht** gender; ~**herhaling** repetition of words

woordje (little) word; *lieve ~s* pretty-pretty talk; *een ~ (met u) alstublieft!* a w. with you (can I have a w. with you? I would like a w. with you), please; *een enkel ~ tot u!* just a w. with you! *ze kan haar ~ wel doen* she has plenty (quite a lot) to say for herself; *een goed ~ voor iem. doen* put in a w. for a p.; *een ~ (gaan) meespreken* put in a w., put in one's oar, *(fig. ook)* take a hand

woord- word: ~**kunst** wordcraft, w.-painting; ~**kunstenaar** w.-painter, verbal artist, craftsman in words; ~**omzetting** transposition of words, inversion; ~**ontleding** parsing; ~**raadsel** charade, logograph; ~**register** index (of words); ~**schikking** order of words, w. order; ~**soort** part of speech; ~**speling** play upon (the) words, pun, quibble; *–en maken* pun, quibble; ~**tarief** *(telef.)* w.-tariff, -rate; ~**uitlating** ellipsis; ~**verdraaier** w.-twister, distorter (perverter) of words; ~**verdraaiing** w.-twisting, distortion (perversion) of words; ~**verklaring** explanation of a w. (of words); ~**voeging** syntax; ~**voerder** spokesman, mouthpiece; ~**voerster** spokeswoman, mouthpiece; ~**voorraad** *zie* ~enschat; ~**vorming** w. formation, formation of words; ~**vorser** etymologist

worden become, grow [old, more and more excited, the sky grew dark, the weeks grew into months], get [tired, cold, it's ...ting late, dark], turn [pale, his hair is ...ing grey, the leaves are ...ing yellow], go [blind, mad, oriental, bolshevist, his face went white, he went red in the face], fall [ill, silent], come [awake, of age]; *(in lijd. vorm)* be; *geheelonthouder (een verrader van zijn land) ~* turn teetotaller (traitor to one's country); *soldaat ~* become a soldier, enlist, *(na iets anders geweest te zijn)* turn soldier; *de patiënt werd veel erger* was taken much worse; *hij wordt haast zestig* he is going on for sixty; *hij wordt morgen ...* he'll be nine to-morrow; *ik ben vandaag 20 jaar geworden* I'm twenty to-day; *hij kan wel 90 ~ (is 90 gew.)* he may live (he lived) to be ninety; *'t wordt ...* it is going to be a fine day; *het werd 9 uur, 10 uur ...* nine o'clock came, and then ten ...; *dat kan wel wat ~ tussen die twee* it may come to something (it may be a match) between ...; *wat zal er van hem ~ (wat is er van hem gew.)?* what is to b. (what has b.) of him?; *wat zal hij ~?* what is he going to be?; *ik wil advocaat ~* I am going to be a lawyer; *geestelijke* ~ take (holy) orders; *vóór de lagere dieren tot vogels werden* before the lower animals became birds; *zijn huis werd verwoest (zijn been afgezet), ook:* he had his house destroyed (his leg amputated); *er werd hem £ 200 nagelaten door* ... he had £200 left him by an aunt; *er wordt heel wat gemopperd (gepraat, enz.)* there is a lot of grumbling (talking, etc.); *zie* donker, er, zuur, enz.; ~**d** nascent

wording genesis, birth, origin; *in* ~ nascent, [the bill *wetsontwerp* is] in gestation (in incubation), [a nation] in the making; ~**sgeschiedenis** genesis; ~**sleer** ontogenesis, -geny, science of the origin of things

worg quinsy; ~**en** strangle, throttle; *(als doodstraf in Spanje enz. & om te beroven)*, gar(r)otte; ~**engel** destroying angel; ~**er** strangler, gar(r)otter; *(lid van Indische sekte)* thug; *(vogel)* butcher-bird, shrike; ~**greep** stranglehold *(ook fig.)*; ~**ing** (manual) strangulation, throttling; ~**paal** gar(r)otting-post

worm id.; *(made)* grub, maggot; *de knagende* ~ *van 't geweten* the w. of conscience; ~**en hebben** have worms; *zie* wurm; ~**achtig** vermicular, wormlike; ~**en** *zie* wurmen; ~**gat** w.-hole *(ook in hout)*; ~**hoopjes** castings of worms; w.-cast(ing)s; ~**ig** wormy, w.-eaten; ~**koekje** w.-pill, w.-tablet; ~**kruid** *a)* golden rod; *b)* tansy; ~**middel** vermicide, vermifuge, anthelmintic; *(in capsule)* w.-capsule; ~**pje** (small) w.; *(fig.) zie* wurm; ~**poeder** w.-powder; ~**schroef** worm; ~**sgewijze** vermicular, peristaltic [movement]; ~**steek** w.-hole; ~**stekig** w.-eaten, wormy, maggoty; ~**stekigheid** w.-eaten condition; ~**verdrijvend** vermifuge, anthelmintic; – *middel, zie* ~middel; ~**vormig** vermiform *[aanhangsel* appendix]; ~**werk** *(techn.)* w.-gear; ~**wiel** w.-wheel; ~**zaad** w.-seed; ~**ziekte** *a)* helminthiasis; *b) zie* mijnwormziekte

worp throw; *(naar doel, ook:)* shy [7 shies for sixpence]; *(jongen)* litter [of pigs, etc.]; *in één* ~ [produce several young] at a birth

worst sausage; *met een* ~ *naar een zij spek gooien* throw a sprat to catch a herring

worstelaar wrestler

worstelen struggle; *(sp.)* wrestle, try a fall [with a p.]; *(fig.)* struggle, wrestle; ~ *met (tegen)* s. against [oppression, one's feelings], s. with [adversity], battle against [the gale], contend *(of:* grapple) with [difficulties], wrestle with (against) [temptation, adversity], wrestle with [a problem], fight against [one's weakness]; *met de golven* ~ s. with the waves; *met God* ~ wrestle with God, wrestle in prayer; *met iem.* ~, *(sp. ook:)* wrestle a p.; *met de dood* ~ s. with (be in the grip of) death, lie in one's last agony; *zie* zwoegen

worsteling struggle, wrestle, wrestling, scuffle, tussle; *(sp.)* wrestle

worstel: ~**kunst** (art of) wrestling; ~**perk,** ~

plaats (wrestling-)ring, arena; ~**school** wrestling-school; *(hist.)* palaestra; ~**spel** wrestling-(match); ~**strijd** contest, struggle; ~**wedstrijd** wrestling-match

worst: ~**fabriek** sausage-factory; ~**hoorntje** sausage-filler; ~**machine** s.-machine; ~**vergiftiging** botulism, s.-poisoning; ~**vlees** s.-meat

wort id.

wortel *(van plant, tand, tong, enz.; ook in taal & rek.)* root *(ook fig.:* the ... of all evil); *(peen: gele)* carrot, *(witte)* parsnip; *de* ~ *Davids* the r. of David; ~ *schieten, (ook fig.)* take (strike) r., root, strike; *diep* ~ *schieten, (fig.)* take a deep (a firm) r., become solidly rooted; *de* ~ *trekken uit* extract the [square, cube, fourth] r. of [a number]; *met* ~ *en tak uitroeien* destroy (cut up, extirpate) r. and branch, pull up by the roots; *'t kwaad in de* ~ *aantasten* strike at the r. of the evil; ~**achtig** r.-like; *(vol* ~s*)* rooty; ~**blad** radical leaf; ~**boom** mangrove; ~**draad** *zie* ~haar; ~**en** take r.; – *in* be rooted in [fear]; ~**eter** r.-eater; ~**grootheid** radical quantity *(of:* value); ~**haren** r. *(of:* radical) hairs; ~**hout** r.-wood; ~**klem** radicle; ~**klinker** radical vowel; ~**knol** root-tuber; ~**lijst** *(van boom)* buttress; ~**lo(o)f** carrot-leaves; ~**loot** sucker; ~**mutsje** r.-cap; ~**notehout** burr walnut; ~**potige** rhizopod; ~**rozet** radical rosette; ~**schede** r.-sheath; ~**stand** radication; –**ig** radical; ~**stelsel** r.-system; ~**stok** r.-stock, rhizome; ~**teken** radical sign; ~**tje** *a)* rootlet; *b)* carrot; ~**trekking** extraction of roots, evolution; ~**vezel** r.-fibre, -fibril; ~**vorm** radical quantity; ~**vormig** r.-shaped, r.-like; ~**woord** r.-word, radical (word)

wou *o.v.t. van* willen

woud[1] forest, wood; ~**bewoner** f.-dweller, woodsman; ~**boom** f.-tree; ~**duif** wood-pigeon; ~**duivel** mandrill; ~**ezel** wild ass, onager; ~**gebergte** [Carpathian] Forest Mountains; ~**hoen** *zie* korhoen; ~**kever** ground-beetle; ~**koe** tapir; ~**loper** bush-ranger, woodsman; ~**reus** giant of the f.

Wouter Walter; *(fam.)* Walt, Wat

1 wouw *(vogel)* kite

2 wouw *(plant)* weld, dyer's-weed

wouwaapje *(vogel)* little bittern

wouwen dye with weld

wraak 1 revenge, vengeance; ~ *ademen* breathe vengeance; ~ *nemen* take r., take (have) one's r., revenge o.s., retaliate; ~ *nemen op* take r. (revenge o.s., be revenged) on; ~ *nemen over* take r. for; ~ *oefenen, zie* ~ nemen; ~ *oefenen aan* wreak vengeance upon; *de* ~ *is zoet* r. is sweet; *om* ~ *roepen (schreeuwen, schreien)* cry for r.; *uit* ~ in r. [over for]; *zie* wrake, koelen, zinnen, zweren; 2 *(mar.)* leeway; ~**ademend** breathing vengeance; ~**baar** blamable, objectionable; *(jur.)* challengeable [evidence, witness]; ~**engel** avenging angel; ~**gevoel** feeling of r., revengeful feeling

wraakgierig revengeful, vindictive; ~**heid** ...ness, thirst for (lust of) revenge

---

[1] *Zie voor samenstellingen ook* bos...

wraakgodin avenging goddess; ~*nen* Eumenides, Furies

wraakgoed *zie* uitschot

wraak: ~**lust** *zie* ~zucht; ~**neming,** ~**oefening** retaliation, revenge [of a crime]; ~**zucht(ig)** *zie* ~gierigheid (~gierig)

wrak I *zn.* wreck, derelict (*beide ook fig.:* a social derelict, he is a mere w., the w. of his former self); (*van pers. ook, fam.*) crock; II *bn.* rickety [chair], crazy [bridge], shaky [staircase], dilapidated [motor-car], ramshackle [staircase], crippled [cow]; *hij staat erg* ~ he is on the verge of bankruptcy

wrake *zie* wraak; *mij is de* ~ vengeance is mine [, saith the Lord]

wraken object to, take exception to, denounce [abuses, etc.]; (*jur.*) challenge [a juryman, witness, evidence], rule [a witness] out of court; (*mar.*) drift, make leeway

wrak: ~**goederen** wreck(age), flotsam and jetsam; ~**heid** craziness, etc. (*zie* wrak *bn.*), tottering condition; ~**hout** wreckage

wraking (*jur.*) challenge; *zie 't ww.*; (*mar.*) drift, leeway; ~**sgrond** cause of c.

wrakstuk piece of wreckage; ~*ken* wreckage

1 wrang (*mar.*) (*van houten schip*) floor-timbers; (*van ijzeren schip*) floor-plates; (*van koe*) mastitis

2 wrang sour, acid, tart, astringent, harsh; rough [wine]; wry [smile]; *de* ~*e vruchten,* (*fig.*) the bitter fruits; *een* ~*e grap* a cynical (sick) joke; ~**heid** sourness, acidity, tartness, astringency; ~**kruid,** ~**wortel** green hellebore

wrangbalk (*mar.*) floor-plate, floor-timber; *vgl.* wrang 1

wrat wart; ~**achtig** w.-like; ~**meloen** cantaloup(e); ~**tenkruid** wartwort; ~**tenzwijn** w.-hog; ~**tig** warty; ~**ziekte** (*van aardapp.*) w.-disease, black scab

wreed *a*) cruel, ferocious, barbarous; (*dicht.*) fell [a ... disease]; *b*) (*op 't gevoel & van smaak*) rough [cloth, tongue; wine, cider]; *de wrede feiten* (*werkelijkh.*) the grim facts (reality) ~**aard** c. man, brute; ~**aardig(heid)** *zie* ~(heid) *a*); ~**heid** *a*) cruelty, ferocity, savagery; *b*) roughness; *vgl.* ~

1 wreef *o.v.t. van* wrijven

2 wreef instep

wreekster avenger, revenger

wreken revenge [a p., an offence]; (*dikwijls als gerechte straf*) avenge [a p., an injury]; *zich* ~ revenge o.s., be revenged, take r., take (have) one's r., avenge o.s.; (*fam.*) get one's own back; *zulke fouten zullen zich* ~ such mistakes will come home to roost; *iets op iem.* ~ revenge s.t. (up)on a p.; *zijn teleurstelling op anderen* ~, *ook:* visit one's disappointment upon others; *zich* ~ *op ... over ...* revenge o.s. (be revenged, have one's revenge) on ... for ...; *'t geweld wreekt zich op hen, die 't uitoefenen* violence recoils on the violent; **-er** avenger, revenger; **-ing** revenge [of a crime]

wrevel *zn.* spite, resentment, rancour; *bn. zie* ~ig; ~**daad** *zie* euveldaad; ~**ig** spiteful, resent-

ful, rancorous; (*knorrig*) peevish, crusty, testy, grumpy; ~**igheid** *a*) *zie* ~; *b*) (*knorrigh.*) peevishness, etc.; ~**moed(ig)** *zie* ~(ig)

wriemelen *a*) *zie* wriggelen; *b*) (*kriebelen*) crawl, tickle, itch; ~ *van* swarm (crawl, teem, be alive) with

wriggelen wriggle, squirm, twist

wrijf: ~**doek** rubbing-, polishing-cloth, rubber, flannel rag; ~**goed** furniture polish; ~**hout** (*mar.*) wood fender; ~**kussen** (*elektr.*) rubber, cushion; ~**lap** *zie* ~doek; ~**middel** liniment; ~**paal** rubbing-post; (*fig.*) laughing-stock, butt, target; ~**steen** rubbing-stone; ~**was** beeswax

wrijven rub (*boenen ook*) polish, beeswax [furniture, etc.]; grind, bray [colours]; *tegen elkaar* ~ r. together; *tot poeder* ~ r. to powder, pulverize; *door een zeef* ~ mash through a sieve; *zijn ogen* ~ r. one's eyes [*van verbazing* with wonder]; *zich de slaap uit de ogen* ~ r. the sleep from one's eyes; *zich (in) de handen* ~ r. (dry-wash, wash, soap) one's hands; *warm* ~ chafe; *de kat wreef zich tegen ...* rubbed herself (rubbed up) against my leg; *iets van zijn handen* ~ rub s.t. off one's hands; *zie* neus

wrijver rubber (*ook* = *wrijfkussen*)

wrijving friction (*ook fig.:* there is some ... between them), attrition (*ook fig.*), rubbing; (*fig. ook*) clash [the ... of opinion, of public; debate]; *slepende (rollende)* ~ sliding (rolling f.; ~ *van beweging (van rust)* f. of motion (of repose); ~**sbaan** adhesion railway; ~**scoëfficiënt** coefficient of f.; ~**selektriciteit** frictional electricity; ~**shoek** angle of f.; ~**sontsteking** f. igniter; ~**srad,** ~**swiel** f.-wheel; ~**swarmte** frictional heat; ~**sweerstand** f.-resistance

wrikken jerk, shake; scull [a boat]; ~ *aan, zie* tornen

wrikriem scull

wringen wring [one's hands], twist [a p.'s arm], wring (out) [clothes, etc.]; *iem. iets uit de handen* ~ wrest (wrench) s.t. from a p.('s hands); *kaas* ~ press cheese; *zich* ~ twist o.s., wriggle; *zich* ~ *als een worm* squirm (wriggle) like a worm; *zich in allerlei bochten* ~ wriggle, squirm, (*van pijn*) writhe (squirm) with pain; *zich door een opening (erdoor)* ~ wriggle through an opening (squeeze through); *zie* schoen

wringing wringing, twist(ing); (*mech.*) torsion; ~**shoek** angle of torsion

wringmachine (clothes-)wringer

wrochten work [wonders]

wroegen: *zijn geweten wroegt hem* his conscience pricks him; ~**d hart** contrite heart

wroeging remorse, compunction, contrition; *zie* gewetens...

wroeten root, grub [in the earth]; (*van mol, enz.*) burrow (*ook fig.*); (*van kippen*) scratch [on the dung-hill]; (*in papieren, enz.*) rummage [among papers]; *in de grond* ~, *ook:* r. (*of:* rout) up the earth; *in eigen ingewanden* ~ rage against o.s.; *in iems. verleden* ~ ferret (*of:* hunt) out a p.'s past; *in een zaak* ~ pry into an affair, stir up (the) mud; *een gat in de grond* ~ burrow a hole in the earth; *met* ~ *en tobben aan de kost komen* scrape (*of:* scratch) along, gain a livelihood by toiling and moiling; **-er** rooter; rummager, toiler; *vgl. 't ww.*

wrok grudge, rancour, ill-will, ill-feeling, resentment, spite; *een* ~ *tegen iem. hebben* (*koesteren*) bear a p. a g., owe a p. a g. (a spite), have a g. (a spite) against a p.; (*geen*) ~ *koesteren* (*gevoelen*) bear (no) malice; *een* ~ *opvatten tegen* conceive a grudge against; *met* ~ *in 't hart* [she stared at him] resentfully; *zie* koelen

wrokken fret, chafe [*over* at], sulk; ~ *tegen* have a grudge (spite, pique) against; *hij wrokt er nog over* he is still very sore about it, it still rankles

1 wrong *o.v.t. van* wringen

2 wrong (*algem.*) roll; (*krans*) wreath; (*haar-*) knot [of hair], coil, bun, chignon, (*tulband*) turban; (*heupkussentje*) bustle; (*her.*) wreath, torse; (*ruk*) wrench

wrongel curdled milk, curds; *zoete* ~ *met room* junket; **~en** curdle

wuft frivolous, fickle, flighty, volatile; **~heid** frivolity, volatility, ...ness

wuiven wave; ~ *met* w. [one's hand, handkerchief]; ~*de zakdoeken, ook:* fluttering handkerchiefs; **~d gebaar** wave [of the hand]

wulf vault(ing); (*mar.*) counter

wulk whelk

wulp 1 *zie* welp; 2 curlew; (*Sc.*) whaup

wulps lewd, lascivious; *een* ~*e blik* a provocative look; **~heid** ...ness

wurgen enz., *zie* worgen, enz.

wurm worm; *'t arme* ~ the poor mite

wurmen wriggle, worm, twist; (*fig.*) drudge, toil (and moil), fag; *zich erin* (*eruit*) ~ wriggle (worm, worm o.s.) into (out of) it

wurmer(ij) *zie* tobber(ij)

Wurtemberg Würt(t)emberg; **~er** Würt(t)emberger; **~s** W.

wyandotte wyandotte

X

X x (*ook in algebra*); *de x van punt P* the abscissa of P; *ik heb hem x keer gewaarschuwd* I've warned him umpteen (ever so many) times

xanthine id.

Xantippe Xanthippe; (*fig. ook*) Tartar

x-as x-axis

x-benen knock-kneed legs; ~ *hebben, ook:* be knock-kneed, have knock-knees

xebe(c)k xebec

xeniën xenia

xeno: **~fobie** xenophobia; **~manie** xenomania

xenon id.

xeres(wijn) sherry

xero: **~fyt** xerophyte; **~grafie** xerography

Xerxes id.

x-las double vee-joint

x-stralen X-rays

xyleem xylem; **xyleen** xylene

xylofoon xylophone

xylograaf xylographer; **xylografie** xylography

Y

Y y; *de y van punt P* the ordinate of P

ya(c)k *zie* jak 2

yalesleutel Yale key

yaleslot Yale lock, cylinder lock

yam, yamswortel yam

yankee Yankee, (*fam.*) Yank

y-as y-axis

yen id.; **yoga** id.

yeti id.

yoghurt yogurt, yoghourt (*in Eng. meestal =* Bulgaarse ~)

yonk junk

yo-yo id., yo-yo top; **~ën** yo-yo

Yperen Ypres

yp(e)riet mustard gas

ypsilon upsilon

yuc(c)a yucca

Z

Z z, *als afk.:* S. = South
zaad seed (*ook fig.:* the blood of the martyrs is the ... of the Church); (*dierlijk*) semen, sperm); *'t ~ der tweedracht* (*deugd, ondeugd*) the s. of strife (virtue, vice); *het ~ van Abraham* the s. of A.; *in 't ~ schieten* run (go) to s., seed; *op zwart ~ zitten* be on the rocks, be hard up; (*sl.*) be short of the ready, be (down) on one's uppers; **~ader** spermatic vessel; **~bakje** s.-box, feeding-dish; **~bal** testicle; **~bed** s.-bed; **~bolster** *zie* **~huisje;** **~cel** spermatozoon, *mv.: -*zoa; **~doos** *zie* **~huisje;** **~dragend** s.-bearing; **~eter** s.-eater, s.-feeder; **~gans** bean-goose; **~handel** s.-trade; **~handelaar** seedsman; **~huid** s.-coat; **~huisje, ~hulsel** s.-vessel, (s.-)capsule; **~je** seed, grain of s.; **~kern** nucleus; **~kiem** germ; **~koek** *a*) zie lijnkoek; *b*) (*plantk.*) placenta; **~koper** seedsman; **~korrel** grain of s.; **~kweker** s.-grower; **~kwekerij** s.-garden, -farm; **~lob** cotyledon; s.-leaf, -lobe; **~loop** involuntary seminal discharge; (*wet.*) spermatorrhoea; **~loos** seedless; **~lozing** ejaculation, seminal emission (*of:* discharge); **~navel** hilum; **~olie** rapeseed oil; **~oogst** s.-crop; **~plant** seed-plant; **~pluimpje, ~pluis** pappus; **~streng** funicle; **~strooier** *zie* zaaimachine; **~teelt** s.-growing; **~veld** s.-field; **~vlies** s.-cover; (*wet.*) pericarp; **~vloed** *zie* **~loop;** **~winkel** s.-shop
zaag saw; (*zeur*) bore; **~bank** s.-bench; **~bek** saw-bill; *grote –* goosander; *middelste –* red-breasted merganser; *kleine –* smew; **~beugel** saw-frame; **~blad** s.-blade; (*plant*) sawwort; **~bok** s.-horse, sawing-trestle; **~dak** sawtooth roof; **~eend** *zie* grote **~bek;** **~kuil** s.-pit; **~machine** sawing-machine; **~meel** s.-dust; **~mes** s.-knife; **~molen** saw(ing)-mill; **~molm, ~mul** s.-dust; **~raam** s.-frame; **~sel** s.-dust; **~sgewijs** (*ingesneden*) serrate(d); **~snede** serrated edge; **~stoel** *zie* **~bok;** **~tand** s.tooth; **~vijl** s.-file; **~vis** s.-fish; **~vormig** s.-shaped, serrate(d); **~wesp** s.-fly; **~zetter** (*toestel*) s.-set, -wrest
zaai: **~baar** sowable; **~bed** seed-bed; **~bloem** seed-flower; **~boon** seed-bean
zaaien sow; *tweedracht* (*wantrouwen, verdeeldh.*) ~ s. dissension (distrust, discord); *gelijk gij zaait zult gij maaien* as you s. so you will reap, as you make (have made) your bed so you must lie on it; *wie maaien wil moet ~* we must s. to reap
zaai: **~er** sower [a ... went forth to sow; *Matth. 13: 3*]; **~goed** sowing-seed; **~ing** sowing; **~graan, ~koren** seed-corn; **~land** sowing-land; **~lijnzaad** flaxseed; **~ling** seedling; **~machine** sowing-machine, seeder; **~oester** seed-oyster; **~plant** seedling; **~ploeg** sowing-plough; **~sel** sowings; **~tijd** seed-time, sowing-time, -season; **~zaad** sowing-seed
zaak (*aangelegenheid*) business, matter, affair, case; (*jur.*) case, (law)suit; (*roerende ~*) chattel; (*idee dat men voorstaat*) cause; (*de eigenlijke ~*) [evade the] issue; (*ding*) thing; (*bedrijf*) business, concern, trade; (*transactie*) transaction; (*sl.*) deal; *zaken* affairs, business, matters, things [take ... as you find them]; (*hand.*) business; (*staatszaken*) affairs [be at the head of ...; Foreign Affairs]; *twee zaken* (*winkels, enz.*) *hebben* have two businesses; *de* (*rechts*)*zaak Robinson* the R. case; *de ~ der Geallieerden* the Allied cause; *Chinese zaken* [an authority on] things Chinese; *huiselijke* (*industriële*) *zaken* domestic (industrial) affairs; *~ van ondergeschikt belang* matter of detail; *zaken zijn zaken* b. is b.; (*de*) *zaken gaan voor 't meisje* b. before pleasure; b. first, pleasure afterwards; *zaken doen voorgaan* put b. before pleasure; *dit feit maakt de ~ ingewikkelder* this fact complicates matters; *ieders ~ is niemands ~* everybody's b. is nobody's b.; *het is ~ dat* ... it is necessary (advisable) that ...; *'t is ~ snel te handelen* the (great) thing is to act quickly; *'t is 'n ~ van* ... it's a matter of minutes; *de ~ is, dat* ... the fact (the fact of the matter, the point, *fam.:* fact) is that I don't want to go; *dat is de ~ niet* that is not the point; *wat is nu eigenlijk de ~?* what's the point exactly? *de ~* (*waar 't over gaat*) *is* ... the point (at issue) is ...; *de ~ is deze* the fact (the point) is this; *dat is de hele ~* that's the whole matter; *dat is de grote ~* that is the big point; *dat is mijn ~* that's my affair; *dat is uw ~* that's your b. (your concern, your lookout); *dat is mijn ~ niet* that is not my b., no b. (no concern) of mine; *dat is een andere ~* that is another thing; *zie anders* (*wat ...*); *hoe staan de zaken?* how do things stand? how are things?; *zo staan de zaken* that's how the matter stands (how matters stand, how we stand); *zo staat de ~ op 't ogenblik* there the matter rests at present; *de ~ staat nu zó, dat* ... the position is now that ...; *zoals de zaken staan* as things are; *een ~ afsluiten* conclude a transaction, (*fam.*) bring off a deal; *een ~ beginnen* start a b., open a shop, set up in b.; *een ~ bevorderen* further a cause; *zaken doen* do (carry on) b.; *drukke zaken doen* do a busy trade; *grote zaken doen* do a large b., do an extensive trade, do b. on a large scale; *reusachtige zaken doen* do a roaring trade; *zaken doen met* deal (have dealings, do b.) with; *goede zaken doen* be in a good way of b., do good b.; *we zouden samen zaken kunnen doen* we might do a deal; *zo doet men geen zaken* it's not b.; *een ~ drijven* carry on (run) a b.; *zie drijven*; *zijn zaken kennen* know one's business (one's job); *er een ~ van maken* go to law; *ik wil er geen ~ van maken, ook:* I'll do nothing about it; *de ~ is voor* (*komt morgen voor*) the case is on (will come on to-morrow); *de zaken overdenken* think things over; *iem. zijn ~ voorleggen* put one's case before a p.; *'t*

*is niet **veel** ~s* it is not up to much, nothing much, it's a poor affair; *(sl.)* it's no great shakes, not much cop; *ook:* [many of the sketches were] a good way below par; *in zake* ... in the matter of, on the subject of, concerning, re [your letter], [he was summoned] in respect of [unpaid taxes]; *in zaken zijn (gaan)* be in (go into) b.; *hoe staat 't met de zaken? a)* how is b.? *b)* how are you (getting on)?; *gaat 't goed met de zaken?* (is) b. all right?; *ter zake van* on account of; *zie ook* in zake; *een ter zake dienende vraag* a pertinent question; *niet ter zake dienende* not to the point, irrelevant, beside the question; *laat ons ter zake komen* let us get down to business, *(fam.)* let us get down to brass tacks; *ter zake!* to the point! to business! come to the facts, please!; *dat doet niets ter zake (tot de ~ af), a)* that is no matter; *b)* that is neither here nor there, is not to the purpose, is beside the point; *de sport tot een (handels)~ maken* commercialize sport; *uit de zaken gaan* retire from b.; *hij reist (is hier, gaat naar L).* he travels (is here, goes to L.) on b.; *hij bezoekt mij alléén voor zaken* he visits me only in the way of b.; *strijden voor een edele ~* fight in a noble cause; *werken voor de zaak van* ... work in the cause of socialism; *alles opofferen voor de ~ van 't recht* sacrifice everything to the cause of right; *suiker zonder zaken. (hand.)* sugar no b. (done), sugar nothing doing; *zie ook* advocaat, gedaan, gemeen, grond, ingaan, kennis, zaakje, zeker, enz.

zaak: **~bezorger** man of business, representative; *zie ook* ~waarnemer; **~geheugen** memory for facts; **~gelastigde** agent, proxy, representative; *(van regering)* chargé d'affaires, (diplomatic) agent

zaakje *(winkeltje, enz.)* small business; *(ding, enz.)* affair [a poor ...], arrangement; *(karwei, enz.)* (little) job; *(sl.)* proposition; *(geslachtsdelen)* genitals; *een voordelig ~, (transactie)* a good stroke of business, [put a p. on to] a good thing; *hij maakt de godsdienst tot een ~* he makes religion a commercial (money-spinning) proposition; *ik heb genoeg van 't hele ~* I'm fed up with the whole show; *zie ook* boel(tje) & vuil

zaak: **~kennis** (special, practical) knowledge of a subject; **~kundig** expert, well-informed, business-like; **~kundige** expert; **~naam** name of a thing; **~register** subject-index, index of subjects; **~rijk** full of matter, thorough; **~s** *zie* zaak; **~waarnemer** solicitor; *haar –, ook:* her man of business

zaal 1 hall, room; *(in ziekenhuis)* ward [the general, the incurable ...]; *(theat., enz.)* auditorium, house [is there a doctor in the h.?], audience; *(als rang)* pit; *een volle ~, (theat., enz.)* [play to] a full house; 2 *zie* zadel; **~chef** superintendent; **~sport** indoor sport; **~verlichting** house lights; **~wachter** usher; **~zuster** ward sister

zaan curds of milk
zabbelen *zie* sabbelen; **zabberen** *zie* sabberen
Zacharia Zechariah; **Zacharias** Zachariah, Zachary; **Zacheüs** Zacchaeus
zacht *(niet hard)* soft [cushion, bed, bread, cheese, skin, pear, palate, water, etc.]; *(niet krachtig)* gentle [breeze, tap at the door], soft [touch, rain ... ly]; *(niet luid)* low [murmur, in a ... voice], soft [tread ... ly, sing (say) it ... ly]; *(niet ruw)* smooth [skin]; *(van klimaat, enz.)* mild [climate, winter]; *(van kleur)* soft [a ... brown eye]; *(van licht)* soft, mellow, subdued; *(van vrucht)* soft, mellow; *(niet snel)* slow [drive ... ly]; *(liefelijk)* sweet [music], mellow [tones]; *(goedig)* gentle, mild [an extremely ... man], meek; sweet [temper]; *(niet streng)* lenient [master, sentence], mild [regime, punishment]; ~ *(werkend)* mild [medicine]; *(geleidelijk)* gentle [slope]; ~ *van smaak* gentle to your taste; *een ~e dood sterven* die an easy death; *(fig.)* fade away, cease to function; *ze regeerde hem met ~e hand* she guided him with a light hand; *~e medeklinker* voiced *(of:* soft) consonant; ~ *prijsje* low (favourable) price; *~e slaap* s. sleep; ~ *staal* mild steel; *haar ogen namen een ~er uitdrukking aan* her eyes softened; ~ *vuurtje* [stew it on a] slow fire; *een ~e wenk* a gentle hint; ~ *wijntje* s. (mellow, smooth) wine; ~ *aanraken* touch gently (lightly); ~ *antwoorden (binnenkomen, lopen)* reply (enter, tread) softly; ~ *behandelen* deal gently with; ~ *spreken* speak low, speak under one's breath; *~er spreken* drop *(of:* lower) one's voice; *~er laten spelen* turn down [the wireless]; ~ *koken* boil gently; *ook:* soft-boil [eggs]; ~ *gekookt ei* soft- (lightly) boiled egg; ~ *oordelen over* take a charitable (lenient) view of; *te ~ oordelen, ook:* err on the side of charity; ~ *wat!* gently!; *zie* zachtjes; *op zijn ~st genomen (gezegd, uitgedrukt)* to put it mildly, to say the least (of it), to put it at its lowest
zachtaardig gentle, sweet, mild(-tempered); **~heid** gentleness, sweetness
zacht soft: **~board** s.board; **~heid** s.ness, smoothness, gentleness, sweetness, leniency, mildness; *vgl.* zacht; **~hout** s.wood
zachtjes softly, gently, slowly, quietly; ~ *bidden* pray silently (in silence); *zie* zacht; ~ *! hush!;* ~ *aan!* gently! easy! steady!; ~ *aan, dan ..., zie* langzaam; **~aan** gradually, by and by
zachtmoedig *zie* zachtaardig; *(bijb.)* meek [blessed are the ...]
zachtsoldeer soft solder
zachtwerkend mild [medicine]
zachtzinnig(heid) *zie* zachtaardig(heid)
zadel saddle; *(sl.)* pigskin; *(aardr., weerk.)* col; *iem. in 't (de) ~ helpen* give a p. a leg up; *(fig. ook:)* set a p. in the saddle; *in 't (de) ~ springen* leap (vault, swing, fling o.). into the s.; *in 't ~ zitten, (ook fig.)* be in the s.; *vast in 't (de) ~ zitten, (ook fig.)* have a firm seat, be firmly seated (in the s.), be firmly fixed in the s.; *hij zit niet al te vast in 't ~, ook:* his seat in the s.

is not too secure; *uit 't (de)* ~ *lichten (werpen)* unseat, unhorse, (*fig.*) cut out, supplant, oust; *hij werd uit 't* ~ *geworpen, ook:* he parted company with his horse, he had (his horse gave him) a spill, he took a toss; *zonder* ~ *rijden* ride bareback; **~boog** s.-bow; (*achter*) cantle, hind-bow; **~boom** s.-tree; **~dak** s.-roof, span-roof, gable-roof; **~dek** s.-cloth; **~dek(je)** (*van fiets*) s.-cover; **~en** saddle (up); **~gewricht** s.-shaped joint; **~kleed** s.-cloth; **~knop** pommel; **~kussen** s.-cushion, s.-pillion, s.-pad; **~leen** (*hist.*) fief bound to furnish a saddled horse to the feudal lord; **~leer** s.-leather; **~maker** saddler, s.-maker; **~makerij** *a*) saddler's shop; *b*) saddlery, saddler's trade; **~makerswerk** saddler's work, saddlery; **~neus** s.-nose; **~paard** s.-horse; **~pen** (*van fiets*) s.-pillar, -pin, -post; **~pijn** s.-soreness; – *hebben* be s.-sore; **~riem** s.-girth; **~rug** s.-back; *met* – s.-backed; **~tas** s.-bag; (*van fiets ook*) wallet, tool-bag; **~tuig** s. with girths, leathers and irons; **~vast** saddlefast, firm in the s.; **~vormig** s.-shaped

zag *o.v.t. van* zien

zagen saw; (*op viool*) saw [on the fiddle], scrape [on the violin]; *over iets* ~ harp on a subject (on the same string); *lig* (*zit*) *niet te* ~ don't harp (on about it)

zager *a*) sawyer; *b*) scraper; *c*) bore; *d*) ragworm; *vgl. 't ww.;* **~ij** *a*) sawing; *b*) saw(ing)-mill

zak (*algem.*) bag [paper ...; money-..., etc.; *ook* = *baal*: of coffee, of rice]; (*altijd groot*) sack [of corn, flour, potatoes]; (*van kledingstuk & bilj.*) pocket; (*van matroos*) kitbag; (*van buideldier, leren* ~, *tabaks-, wijn-*) pouch; (*onder ogen*) bag, pouch; (*in dier of plant*) sac; (*slop*) blind alley; (~ *van een vent*) clot, bore; *de* ~ *geven* give a p. the sack (boot, hoof), sack a p.; *de* ~ *krijgen* get the sack, be sacked; *zijn* **~ken** *vullen* fill one's pockets (*ook fig.*); *ik heb een* ~ *zout met hem gegeten* I have eaten a bushel of salt with him; *in* ~ *en as zitten* be in sackcloth and ashes; *iem. in zijn* ~ *hebben* know a p. through and through; (*met hem doen wat men wil*) have a p. in one's pocket; *ze hadden de wedstrijd in de* ~ in the bag, all tied up; *in* **~ken** *doen* bag, sack; *doe* (*steek*) *'t in je* ~ put it in your pocket; *steek die in je* ~ put that in your pipe and smoke it; *hij heeft mijn lucifers in zijn* ~ *gestoken* he has walked off with my matches; *een belediging in zijn* ~ *steken* pocket (swallow) an insult; *in de* ~ *tasten* put one's hand in(to) one's pocket, dive into (feel in) one's pocket, (*fig. ook*) dip (deeply) into one's pocket (*of:* purse), loosen one's purse-strings; *hij is altijd klaar om in zijn* ~ *te tasten* he is always ready to contribute; *we voelen 't in onze* **~ken** it hits us in our pockets; *in de* ~ *stoten*, (*bilj.*) pocket [a ball]; *de hand op de* ~ *houden* button up one's pocket, keep one's pocket buttoned up; *hij had geen geld op* ~ he had no money about him (with him); *op iems.* ~ *leven* live at a p.'s expense, sponge on a p.; *uit de* ~ *nemen* take

from (out of) one's pocket, take out; *ik betaalde hem uit mijn eigen* ~ I paid him out of my own pocket; *zie* **~je**, kat, oog, pak

zak- pocket; **~agenda** p.-diary; **~almanak** p.-almanac; **~bijbeltje** p.-bible; **~boekje** notebook; (*mil.*) pay-book; **~cent(je)** p.-money

zakdoek (pocket-)handkerchief; (*fam.*) hanky; *ze schreide met de* ~ *voor 't gezicht* she cried into her h.; **~je** *leggen* drop the h.

zake *zie* zaak

zakelijk real, essential [difference]; (*degelijk*) well-informed [article], business-like [management], sound, pertinent [remarks], factual [speech]; (*beknopt*) concise, succinct; (*niet persoonlijk*) objective; (*ad rem*) to the point [brief and ...]; *zie ook* zaakrijk; ~ *onderpand* collateral (security); ~*e inhoud* sum and substance, gist, purport; *enige* ~*e ideeën aan de hand doen omtrent* ... give some matter-of-fact views about ...; *om redenen van* ~*e aard* for non-personal (for other than personal) reasons; *het* ~ *deel* [*van een retraite, enz.*] the material part ...; ~ *blijven* keep (stick) to the point (to one's text); **~heid** succinctness, conciseness; objectivity; business-like character; matter-of-factness; *nieuwe* – functionalism

zaken- business: **~brief** b.-letter; **~kabinet** b.-cabinet, b.-government; **~kennis** b.-ability; b.-capacity; **~kringen** b.-circles, the b.-community; *het* **~leven** the business community, industry; **~man** b.-man; **~mensen** b.-people; **~pand(en)** b.-premises (*mv.*); **~reis** b.-tour; b.-trip; **~relatie** (*ook persoon*) b. connection; (*persoon*) = **~vriend** b.-friend; **~wereld** *zie* **~kringen**

zak- pocket; **~formaat** p.-size; *in* –, (*ook fig.*) pocket [battleship, etc.], pocket-handkerchief [garden]; **~geld** p.-money, spending-money; **~goed** (*hand.*) bagged goods

zakje (small) bag (pocket, etc.); (*afdeling van portefeuille, enz.*) pocket, receptacle; (*peperhuisje*) [paper] screw, cornet; sachet [of powdered milk]; ~ *sigaren* paper of cigars; ~ *zaad* packet of seeds; ~*s plakken*, (*fig.*) pick oakum; *met 't* ~ *rondgaan* take up the collection

zakkammetje pocket-comb

1 zakken sink [in the mud, rain ...s into the earth, his head sank on his chest]; (*van water*) fall, drop, subside; (*van barometer*) fall, drop; (*van vliegt.*) lose height; (*van muur, deur, enz.*) sag; (*van effecten*) fall, sag [oils ...ged]; (*bij exam.*) fail (the examination), (*fam.*) be (get) ploughed [in an examination]; (*bij 't zingen*) lose the key, go flat; *haar boosheid zakte* her anger ebbed; ~ *als een baksteen* fail etc. ignominiously; *door 't ijs* ~ go (fall) through the ice; *erdoor* ~ go (fall) through); *hij zakte door zijn knie* his knee gave; ~ *op* (*voor*) *wiskunde* fail in (come down in) mathematics; ~ *voor* ..., *ook:* fail an examination [he failed matric]; *laten* ~ let (draw) down [a blind], hang [one's head], lower [he ...ed his news-paper], drop [one's voice]; plough, pluck [a pupil], fail [they are going to ... you]; *de moed* *laten* ~ lose courage; *zich laten* ~ let o.s. down, lower o.s. [into a chair]; *zie ook* dalen & af-, ineenzakken

2 zakken (*in zakken doen*) bag, sack

zakken: ~**drager** (market-)porter; ~**goed** sacking; ~**linnen** *zie* zak-; ~**rollen** *zn.* pocketpicking, pick-pocketing; ~**roller** pickpocket; (*sl.*) dip

zakk(er)ig clottish, spineless

zak- pocket: ~**kijker** p.-telescope, -glass; (*voor 2 ogen*) p.-binoculars; ~**kompas** p.-compass; ~**lantaarn** p.-lantern; (*elektr.*) electric lamp (*of:* torch), p.-torch, flashlight; ~**lens** p.-magnifier, p.-lens; ~**linnen** sackcloth, sacking, bagging; ~**lopen** *zn.* sack-race; ~**mes** p.-knife, penknife; ~**muis** p.-mouse; ~**net** bag-net; ~**opening** p.-hole; ~**portefeuille** p.-book, (p.-) wallet; ~**potlood** p.-pencil; ~**schaartje** p.-scissors; ~**spiegel** p.-glass, -mirror; ~**uitgave** p.-edition; ~**uurwerk** (p.-)watch; ~**vol** pocketful, bagful, sackful; ~**vormig** sack-, bag-shaped; (*plantk.*) saccate; (*dierk.*) sacciform; ~**woordenboek** p.-dictionary

zalf ointment, unguent, salve; *daaraan is geen* ~ *te strijken* it's labour lost; *aan hem is geen* ~ *te strijken* he is incorrigible, is past praying for; *zie* ~je, potje & vlieg; ~**achtig** unctuous; ~**bus**, ~**doos** salve-box; ~**je** *zie* ~; *een – op de wond*, (*fig.*) *zie* pleister; ~**kruikje** ampulla; ~**olie** anointing-oil, consecrated oil, chrism, chrismal oil; ~**pot** gallipot

zalig blessed, blissful; (*verrukkelijk*) divine, heavenly [fruit], glorious [weather]; (*dronken*) glorious (*ook:* gloriously drunk, gloriously lit up), tight; *er lag een* ~*e uitdrukking op zijn gelaat*, (*ook scherts. van dronkaard*) his face was beatific; ~*e glimlach* beatific smile; ~ *maken* save; *wat zal ik doen om* ~ *te worden?* what shall I do to be saved?; *iem.* ~ *prijzen* call a p. blessed; ~ *spreken* beatify; *'t was* ~ it was glorious; ~ *zijn de armen van geest* b. are the poor in spirit; *het is* ~*er te geven dan te ontvangen* it is more b. to give than to receive; ~ *zijn de bezitters* possession is nine points of the law; *de* ~*en* the b.; ~**en** beatify; ~**er** late, deceased; *zijn moeder* – his late (*fam.:* poor, dear) mother; *uw vader* – *gedachtenis* of blessed memory; ~**heid** salvation, bliss, beatitude, blessedness; (*geluk, genot*) bliss; *de acht* ~**heden**, (*r.-k.*) the eight beatitudes; *zie* deelachtig; *wat een* –! how glorious! how delightful!; ~**makend** soul-saving, beatific, sanctifying [grace]; *zie* alleen ...; Z~**maker** Saviour; ~**making** salvation; ~**spreking** beatification; *de* ~*en*, (*Bergrede*) the Beatitudes; ~**verklaring** beatification

zaling (*mar.*) cross-, trestle-trees

zalm salmon; *jonge* ~ samlet, grilse; *zie* neusje; ~**achtig** s.-like, (*wet.*) salmonoid; ~**elger** s.-spear, leister; ~**forel** s.-trout; ~**kleur** s.-(colour), s.-pink; ~**kleurig** salmon(-coloured), s.-pink; ~**moot** fillet of s., s.-steak; ~**net** s.-net; ~**pje** small s.; *zie jonge* ~; ~**roker** s.-smoker; ~**teelt** s.-breeding, -rearing; ~**vangst** s.-fishing; ~**visser(ij)** s.-fisher(y)

zalven (*ter wijding*) anoint; (*wond, enz.*) rub with ointment; *iem. de handen* ~ grease a p.'s palm, square a p.

zalvend unctuous, soapy [words], greasy, oily [tone]; *een* ~ *huichelaar* an u. hypocrite, a Pecksniff; ..., *zei hij* ~ he said unctuously

zalving anointing; (*fig.*) unction, unctuousness; ~**solie** chrismal oil

Zambesi, -zi id.; **Zambia** id.

zamelaar enz., *zie* ver...

zamen: *te* ~ together; *zie* samen

zand sand; (*vuil, tussen machinedelen, enz.*) grit; *opeengewaaid* ~ drift-sand; *talrijk als 't* ~ *der zee* as numerous as the sands on the seashore; *iem.* ~ *in de ogen strooien* throw dust in a p.'s eyes, pull (the) wool over a p.'s eyes; *dat gebeurt alleen om je* ~ *in de ogen te strooien*, *ook:* that is nothing but a blind; *z'n kop in het* ~ *steken* play the ostrich; *in 't* ~ *bijten*, (*in beide bet.*) bite the dust; *op* ~ *bouwen* build on s.; *met* ~ *bestrooien* sand [...ed floor]; ~ *erover!* let bygones be bygones; (*fam.*) forget it!; *zie* aaneenhangen & weldaad; ~**aal** s.-eel; ~**aardappel** s.- (*of:* light-soil) potato; ~**achtig** sandy; ~**adder** Illyrian viper; ~**baars** pike-perch; ~**bad** s.-bath, saburration; ~**bak** s.-box, s.-bin; ~**bank** s.-bank, shallow, shoal; (*in haven- of riviermond*) (s.-)bar; ~**blaastoestel** (*techn.*) s.-blast apparatus; ~**blad** (*van tabak*) s.-leaf; ~**blauwtje** (*plant*) sheep's bit, sheep's scabious; ~**bodem** sandy soil; ~**bus** s.-box; ~**duin** s.-dune; ~**en** sand [writing, land], dry (*of:* mix) with s.; ~**er** *zie* ~baars; ~**erig** sandy, gritty; ~**erigheid** sandiness, grittiness; ~**erij** s.-pit; ~**gebak** *zie* ~taart; ~**glas** *zie* ~loper; ~**goed** (*tabak*) s-leaf; ~**graf** earth (*of:* unwalled) grave; ~**graver** s.-digger; (*dier*) s.-mole; ~**groeve** s.-pit; ~**grond** sandy soil (*of:* ground); *op een* ~*bouwen* build upon s.; ~**haas** wild hare; (*mil.*) footslogger; ~**haver** lyme-grass; ~**heuvel** s.-hill; ~**hoop** s.-heap, heap of s.; ~**hoos** s.-spout; ~**(ig)heid** *zie* ~erig(heid); ~**kar** s.-cart; ~**kasteel** s.-castle; ~**kever** tiger-beetle; ~**kleurig** s.-coloured, sandy; ~**koekje** *zie* ~taart; ~**koker** s.-, pounce-box; ~**korrel** s.-grain, grain of s.; ~**kruid** sand-wort; ~**kuil** s.-pit; ~**laag** stratum (*of:* layer) of s.; ~**lichaam** embankment, s.-dam, s.-fill; ~**loper** hour-, s.-, egg-glass, eggtimer; *ook* = strandloper, strandpluvier & zandkever; ~**mannetje** s.-man, Wee Willie Winkie; ~**mol** s.-mole; ~**oever** sandy shore; ~**oogje** meadow brown (butterfly); ~**pad** sandy path; ~**plaat** s.-bank, flat, shoal; ~**rug** ridge of sand; ~**ruiter** unhorsed (fallen, thrown) rider; – *worden* be unhorsed; (*fam.*) take a toss; ~**steen** (*groeve*) sandstone (quarry); ~**storm** s.-, dust-storm; ~**straal**, ~**stralen** (*techn.*) s.-blast; ~**streek** sandy region; ~**strooier** s.-box; sander; (*van tram*) (track-)sander; ~**strook** (plaat, -gang) (*mar.*) garboard(-strake); ~**stuiving** s.-drift; shifting sand; ~**taart(je)** s.-cake, shortbread; (*van zand door kind gemaakt*) s.-, mud-pie; ~**trein** ballast train; ~**verstuiving** *zie* ~stuiving; ~**vlo** s.-flea, chigoe, jigger; ~**vorm(er)** s.-

mould(er); ~vormpje (*van kind*) sand-mould; ~weg sandy road (*of:* track); *zie* karretje; ~wesp digger(-wasp); ~woestijn sandy desert (*of:* waste); ~zak s.-bag; ~zee sea of s.; ~zegge sea-bent; ~zuiger s.-dredger, suction-dredger

zang singing, song; (*lied*) song; (*van gedicht*) canto; *zie* koekoek; ~avond sing-song; gemeenschappelijke – community singing night; ~balk (*van strijkinstrument*) bass bar; ~berg: de – Parnassus, Helicon; de – *bestijgen* climb Parnassus; ~bodem sound(ing)-board; ~boek song-book, book of songs; ~cursus singing-class, -school

zanger singer, vocalist; (*dichter*) singer, songster, bard, poet; (*vogel*) (feathered) songster, warbler; ~es (female, lady) singer; ~ig *a*) melodious, tuneful [music], lilting [rhythm]; *b*) fond of singing; –*e toon* [she answered in her pleasant] sing-song (tone); ~igheid melodiousness; ~sfeest choral festival

zang: ~gezelschap choral society; glee-club; ~god god of song: Apollo; ~godin muse; *de* –*nen, ook:* the (sacred) Nine; ~koor choir; ~kunst art of singing, vocalism; ~leraar *zie* ~onderwijzer; ~les singing-lesson; ~lijster song-thrush; ~lustig fond of singing; ~muziek vocal music; ~nimf muse; ~noot musical note, song-note; ~nummer song (number); ~oefening singing-exercise; ~onderwijs singing-lessons; ~onderwijzer singing-master, -teacher; ~onderwijzeres singing-mistress, -teacher; ~orgaan (*van vogel*) syrinx, song-box; ~partij voice part; ~rijk songful, melodious; ~school singing-school; (*bij kathedraal*) choir-school; ~sleutel clef; ~spel opera, operetta; ~stem *a*) singing-voice; *b*) *zie* ~partij; ~ster (female) singer, songstress; (*dicht.*) muse; ~stuk song; ~uitvoering vocal concert; ~vereniging *zie* ~gezelschap; ~vogel singing-, song-bird; ~wedstrijd singing-competition, -contest; ~wijze, ~wijsje tune, melody

zanik bore; ~en keep on [about s.t.], nag; *lig toch niet zo te* – don't be such a bore, don't keep on nagging; *je ~t me nog dood* you'll badger the life out of me; *iem. over iets aan de oren* – keep dinning s.t. into a p.'s ears; *ze zou er mij altijd mee aan de oren* – she would never let me hear the last of it; *over iets* – bother over a thing; *blijven – over* keep harping on; *ze ~te zo lang tot ik 't deed* she pestered me into doing it; *zie* zeuren; ~er, ~kous bore

Zanzibar id.; *van* – Zanzibari [girl]

1 zat *o.v.t. van* zitten

2 zat satiated, filled to satiety; (*dronken*) tight, soaked, (*sl.*) pissed; *oud en der dagen* ~ old and full of years (of days); *zich* ~ *eten, enz.* eat, etc. one's fill [*aan* of]; *zich* ~ *kijken* look (gaze) one's fill [*aan* at]; *hij heeft geld* ~ he has lots (heaps, pots) of money; *ik ben 't* ~ I am sick (and tired) of (fed up with) it; *hij was haar* ~ he was tired to death of her; *iem. 't leven* ~ *maken* worry a p.'s life out; *zo* ~ *als een aap* stoned

zate homestead

zaterdag Saturday; ~avond S. evening, S. night; ~s *bw.* every S., on Saturdays, of a S.; *bn.* S.

zatheid satiety; weariness

zatladder, -lap (*fam.*) soak

zavel sandy clay; ~boom savin

Z.B(r). S. Lat., South latitude; *zie* breedte;

Z. D. (H.) = *Zijne Doorluchtige Hoogheid* His Serene Highness

ze (*ev.*) she, her; (*mv.*) they, them; *hij heeft* ~, (*duiten*) he has got the dibs; *je zult* ~ *krijgen* you'll catch it (hot)

Zebaoth: *de Here* ~ the Lord of Sabaoth

Zebedeus Zebedee

zeboe zebu, Indian bull

zebra id. (*ook* = oversteekplaats)

zecchine zecchin, sequin

zede custom, usage; *zie* zeden

Zedekia Zedekiah

zedelijk moral; ~ *gevoel* m. sense; ~ *lichaam* corporate body, body corporate; *zie* bewustzijn & gedrag

zedelijkheid morality; *openbare* ~ public m., public (morals and) decency; ~sapostel vice hunter (hound); ~sgevoel moral sense; ~soogpunt *zie* oogpunt; ~swet public morality act

zedeloos immoral, profligate

zedeloosheid immorality, profligacy

zeden morals, manners; ~ *en gewoonten* manners and customs; *een vrouw van lichte* ~ a woman of easy virtue; ~bederf corruption (of m.), deterioration of morals, demoralization, depravity; ~delict *zie* ~misdrijf; ~kunde ethics, moral philosophy; ~kundig moral, ethical; ~kwetsend obscene, immoral; ~leer ethics, morality; ~les moral, moral lesson; *een – bevatten (ten beste geven)* point a moral; ~meester moralist; (*ong.*) prig; –*ij* priggishness; ~misdrijf offence against morality, immoral offence, indecency; ~politie *ongev.:* vice squad; ~preek moralizing sermon, homily; *een – houden* sermonize [*tegen iem.* sermonize a p.]; moralize [*don't* ...]; ~preker moralizer; ~rechtbank court of m. (of morality); ~roman novel of manners; ~spreuk maxim; ~verbastering, ~verwildering *zie* bederf; ~wet moral law, code of morality (of morals)

zedig modest [girl, costume]; (*dikw. gemaakt* ~) demure; ~heid modesty, ...ness, pudicity

zee sea, ocean; (*dicht.*) waves [rule the ...], main; *de* ~, (*dicht. ook*) the deep; *de* ~ *des levens* the ocean of life; *een* ~ *van tranen* a flood of tears; *een* ~ *van bloed* seas of blood; *een* ~ *van licht* a sea (a flood, an ocean) of light; *er was een* ~ *van licht in de kamer* the room was flooded with light; *een* ~ *van rampen* a sea of troubles; *een* ~ *van tijd* heaps, oceans of time; *een* ~ *van woorden* a flood (a torrent) of words; ~ *houden* hold (on) one's course, stay the course, weather the storm; ~ *kiezen* put (stand) to s., put out (to sea); *een* ~ *overkrijgen* ship a s.; ~ *winnen* get s.-room; *een zware* ~ *brak over 't dek* a heavy s. broke over the deck; *er staat een vrij zware* ~ there's a good deal of s. on; *aan* ~ [a village] on the sea, [stay] at the sea(side), [an evening] by the sea; *recht door ~ gaan* be straightforward, go straight, steer a straight course; *recht door ~ gaat ermee* a straight forward course (the straight road) is the best; *dat is niet recht door ~ that* is not fair and square; *in volle (open) ~* on the high seas; in the open s., out (at) s.; *in volle ~ komen* gain the offing; *met iem. in ~ gaan* join hands with a p., join in with a p. [in doing s.t.]; *in ~ steken, zie ~ kiezen*; (*fig.*) push off, launch forth, go ahead; *'t lijk werd in ~ neergelaten* the body was buried at s., was given s.-burial; *naar ~ gaan, a)* go to s.; *b)* go to the sea(side); *hij gaat niet meer naar ~* he has given up the s.; *de wind is naar ~ toe* is off shore; *op ~ (out)* at s., out [eight weeks ...]; *hij is (vaart) op ~* he has gone to s., follows the s.; *op ~ en aan land* [my friends] afloat and ashore; *over ~ gaan* go by s.; *landen over ~* countries across the s., oversea(s) countries; *hij kan niet tegen de ~* he is a bad sailor; *ter ~ varen* follow the s.; *ter ~ en te land* by s. and land; *de heerschappij (heerseres) ter ~* the mastery (mistress) of the sea(s); *strijdkrachten ter ~* naval forces; *zie* bouwen, water

zee- sea: ~aal s.-eel, conger; ~aap chimera; ~adder s.-adder, pipe-fish; ~adelaar *zie* ~arend; ~agaat aquamarine; ~ajuin s.-onion, squill; Z~ Alpen Maritime Alps; ~anemoon s.-anemone; ~anker s.-anchor, drogue; ~appel *zie* ~egel; ~arend white-tailed eagle; ~arm s.-arm, arm of the sea; ~assuradeur underwriter; ~assurantie marine insurance; ~aster s. aster; ~atlas nautical atlas; ~augurk s.-gherkin; ~baak beacon; ~baars bass; ~bad *a)* swim (*fam.:* dip) in the sea; *b)* = ~badplaats seaside resort; ~banket herring; ~barbeel red mullet; ~bedding s.-bed; ~beer ursine seal; ~benen s.-legs; – *krijgen* find (get) one's s.-legs; *hij heeft nog geen* – he has not yet got his s.-legs; ~beril aquamarine; ~beving seaquake; ~bewoner inhabitant of the s.; ~bies salt-marsh club-rush; ~blaas (*dierk.*) Portuguese man-of-war; ~bocht bay, bight; ~bodem s.-bottom, s.-bed, s.-, ocean-floor; ~boezem bay, gulf; ~bonk tar, sea-dog, old salt; ~boot ocean-going steamer; ~boulevard *zie* strand...; ~brand sheet-lightning; *ook* = branding; ~brasem s.-bream; ~breker breakwater; ~(-en meet)brief certificate of registry; ~bries s.-breeze; ~cadet *zie* adelborst; ~dadel date-shell; ~damp s.-haze; ~den *zie* ~pijnboom; ~dienst naval service, s.-service; ~diepte depth of the s.; ~dier marine animal; ~dijk s.-bank, -wall, -dike; ~distel s.-holly; ~dorp s.-village; ~draak chimera; ~drift flotsam (and jetsam); ~druif shrubby horse-tail; ~duiker (*vogel*) diver; ~duin coastal dune; ~duivel s.-devil, devil fish, angler (fish), monk, frog-fish; ~eend (*zwarte*) common scoter, (*grote*) velvet scoter; ~ëenhoorn narwhal; ~ëgel s.-hedgehog, -egg, -urchin; ~ëik water oak; ~ëikel (*soort zeewier*) s.-oak; ~ëngel angel-fish, s.-angel; ~engte strait(s), narrows

zeef sieve, strainer; (*voor koren, grint, as, enz.*)

riddle, (*voor kolen, enz.*) screen; *ze is zo dicht als een ~* she is an incorrigible s.; ~achtig s.-like, (*wet.*) cribiform, ethmoid

zeefauna marine fauna

zeef: ~been ethmoid (bone); ~doek straining-cloth, strainer; ~druk silk-screen print(ing); ~je *zie* ~kring (*radio*) filter(-circuit)

zeeforel sea-, salmon-trout

zeefvormig *zie* zeefachtig

1 zeeg *o.v.t. van* zijgen

2 zeeg (*mar.*) sheer

zee: ~gang sea; ~gans *zie* rotgans; ~gat tidal inlet (outlet), estuary, passage to the sea; *'t – uitgaan* put to s.; (*gaan varen*) go to s.; ~gebruik maritime usage, usage at s.; ~gedrocht s.-monster; ~gerecht admiralty court; ~gevaar s.-risk; ~gevecht s.-fight, naval combat (*of:* action); ~gewas s.-plant; ~gewest *zie* ~provincie; ~gezicht seascape, (*schilderij ook*) s.-piece

zee: ~gier frigate(-bird); ~god(in) sea-god(dess); ~golf s.-, ocean-wave, billow; (*inham*) gulf; ~gras seaweed; ~grens s.-frontier; ~groen s.-green; ~grondel(ing) goby; ~haan gurnard, gurnet, grunter; ~haas s.-hare; ~handel oversea(s) trade, maritime (s.-borne, water-borne) commerce; ~haven seaport; ~heerschappij naval supremacy, mastery of the sea(s); ~held naval hero; ~hond seal; ~hondehuid sealskin; ~hondevangst seal-hunting, -fishing, sealing; ~hoofd pier; ~hoorn whelk-shell; ~ijs s.-, field-ice; ~jonker (*vis*) rainbow wrasse; ~kaart (s.-)chart, nautical chart; ~kalf s.-calf; ~kanaal ship canal; ~kant sea-side; (*van stad ook*) (s.-)front [on the Brighton front]; ~kantoor custom-house; ~kapitein s.-captain, master mariner; (*mar.*) naval captain, captain in the navy; ~kasteel floating castle; ~kat *zie* inktvis & ~draak; ~kijker (pair of) marine glasses; ~kikvors *zie* ~duivel; ~klaar ready for s.; (*opnieuw*) – *maken* (re-)fit [a shop] for s.; ~klei marine clay; ~klimaat oceanic (*of:* marine, maritime) climate; ~klit *zie* ~ëgel; ~koe s.-cow, manatee, siren; ~koekoek red (*of:* cuckoo) gurnard; ~koet guillemot; ~kokos double coconut, coco de mer; ~komkommer s.-cucumber; ~kompas mariner's compass; ~koning *a)* s.-king; *b) zie* ~barbeel; ~kool s. cabbage, s.-kale; ~kraal glasswort, marsh samphire; ~krab s.-crab; ~kreeft lobster; ~krijgsraad naval court martial; ~kust s.-coast, -shore, seaboard; ~kwal jelly-fish

zeel strap, trace, web; (*onder ledikant, enz.*) web

zeelaars sea-boot

zeelampreiprei sea-lamprey, stone-sucker

Zeeland Zealand, Zeeland

zee: ~lavendel sea-lavender; ~leeuw s.-lion; ~leeuwerik s.-lark; ~lelie s.-lily; ~leven s.-life, life at s., a sailor's life; ~lieden *mv. van* ~man; ~liedenstaking seamen's strike; ~loods s.-pilot; ~look s.-onion, squill

zeelt tench

zee: ~lucht sea-air; ~lui *mv. van* ~man

zeem 1 *zie* ~leer & ~lap; 2 *zie* honig~

zeemacht *a)* navy, naval forces; sea-power, *b)*

zie zeemogendheid

zeeman seaman, sailor, mariner; **~schap** seamanship; (*fig.*) give(-)and(-)take, compromise; *– gebruiken* give and take, compromise; **~shuis** sailors' (seamen's) home (*of:* rest); **~s-kist** sea-chest; **~skunst** seamanship, art of navigation; **~sleven** seafaring life, a sailor's life, sailoring; **~staal** nautical language; **~s-woordenboek** nautical dictionary

zeemeermin mermaid

zeemeeuw (sea-)gull, seamew

zeemerk (*hand.*) shipping-mark

zeemijl nautical mile, sea-mile, geographical mile

zeemijn (drifting, *of:* moored) mine

zeemilitie marine forces

zeem: ~lap (chamois, shammy) leather, wash-leather; **~le(d)er** chamois-leather, shammy, wash-leather; **~leren** shammy, wash-leather; *– lap, zie* zeemlap

zee: ~mogendheid naval (*of:* maritime) power, sea-power; **~monster** s.-monster; (*hand.*) shipping sample; **~mos** s.-moss, -weed

zeemtouwen *ww.* dress chamois(-leather); *zn.* oil-tanning, -tawing, chamois-dressing, chamoising; **-er** chamois-dresser

zeemuis sea-mouse, aphrodite

zeen sinew, tendon

zee: ~naald pipe-fish; **~natie** maritime nation; **~nevel** sea-haze; **~nimf** s.-nymph, nereid; **~niveau** s.-level; **~oever** *zie* ~kust; **~officier** naval officer; **~olifant** s.-elephant, elephant seal; **~oor** s.-ear, ear-shell, haliotis; **~oorlog** naval (maritime) war; **~otter** s.-otter

zeep soap; *water en* ~ soap and water; *zie* groen & Spaans; *om* ~ *gaan*, (*sl.*) go west, kick the bucket; *om* ~ *helpen*, (*sl.*) do in

zeepaap star-gazer, uranoscopus

zeepaard (*myth. & dierk.*) sea-horse

zeepaarde fuller's earth

zeepaardje hippocampus, sea-horse

zeepachtig soapy, saponaceous

zeepaling sea-eel; (*groot*) conger(-eel)

zeepas sea-letter, ship's passport

zeep: ~as soap-ashes; **~bakje** s.-dish; **~bekken** barber's basin; **~bel** s.-bubble; (*fig.*) (s.-) bubble; **~boom** s.-tree; **~doos** s.-box

zeepier lob-worm, lug(-worm)

zeepijl (*dier*) sea-arrow

zeepijnboom cluster pine, pinaster

zeep: ~ketel soap-kettle, -caldron, -pan; **~kist** soap-box [races]; **~kruid** soap-wort; **~kwast** shaving-brush

zee: ~plaats seaside place (*of:* town); **~plant** s.-(*of:* marine) plant; **~pok** acorn-shell, s.-acorn; **~polis** marine policy

zeepoplossing solution of soap

zeeporselein, -postelein sea sandwort, sea purslane

zeepost oversea(s) mail; (*als aanduiding op brieven*) surface mail

zeeppoeder soap powder

zeeprik sea-lamprey, stone-sucker

zeeprotest ship's (*of:* captain's) protest

zeeprovincie maritime province

zeep: ~schuim soap-froth, -lather; **~sop** s.-suds; **~steen** s.-stone, saponite; **~ton** s.-barrel; **~water** soapy water, s. and water; **~zieden** s.-boiling; **~zieder** s.-boiler, s.-maker; **~ziederij** s.-house, -works

zeer I *zn.* sore, ache; *kwaad* ~ itch; *oud* ~ an old s.; ~ *doen* (*van lichaamsdeel*) hurt, ache, (*iem.*) hurt (*ook fig.*); *dat doet* ~ it hurts; *doet 't erg* ~? does it hurt much?; *zich* ~ *doen* hurt o.s.; *hebt ge u erg* ~ *gedaan?* were you much hurt?; *'t hoofd* (*de rug*) *doet mij* ~ my head (back) aches; *mijn ogen doen me* ~ my eyes smart; *zie ook* pijn & schelden; *iem. in zijn* ~ *tasten* touch a p. on the raw, touch the raw (the tender) spot; II *bn.* sore; *zere benen* s. legs; *tegen het zere been schoppen* touch a sensitive spot; ~ *hoofd* scald-head; *zere ogen* blear eyes; III *bw*[1] (*bij bn. & bw.*) very, (*bij ww.*) (very) much; *verder:* highly [respectable], greatly [esteemed, ... helped by]; ~ *tot* ... much to his disappointment; ~ *blij* very (greatly) pleased; ~ *onlangs* quite lately; ~ *te beklagen* very much to be pitied; *hij beefde* ~ he trembled very much; ~ *verbaasd* very much (*ook:* very) surprised; *zich* ~ *vergissen* be greatly mistaken; *ik heb 't* ~ *nodig, ook:* I need it badly; *ik zal 't* ~ *gaarne doen* I shall be delighted to do it; *zie ook* zeerst, zozeer, veel, danken, enz.

zee: ~raad maritime court; **~raaf** cormorant; **~raket** sea-rocket; **~ramp** shipping-disaster; **~rat** water-rat; **~recht** maritime law, law of the sea

zeereerwaard: *de* ~*e Heer J. S.* the (very) Rev. (= Reverend) J.S.

zeeregister ship's log

zeereis (sea-)voyage; *zie* reis

zeereiziger sea-traveller

zeergeleerd very learned; *zie* weledel~

zee: ~risico sea-risk; **~rob** seal; (*fig.*) (Jack) tar, s.-dog; *oude* – old salt, shellback; **~roof** piracy; – *plegen* practise piracy; **~roos** s.-rose; **~rot** *a*) water-rat; *b*) (*fig.*) *zie* ~rob; **~rots** s.-rock; **~rovend** *volk* nation of pirates; **~rover** pirate, s.-rover, corsair, buccaneer; **~roverij** *zie* ~roof; **~roversvlag** (pirates') black flag, [hoist the] Jolly Roger, Skull and Cross-bones

zeerst: *zich om 't* ~ *beijveren* vie with each other [in ...ing]; *ze werden om 't* ~ *geprezen* they were equally praised; *ze schreeuwden om 't* ~ they cried their loudest (*of:* at the top of their voices); *ten* ~*e* greatly, highly, to the utmost

zee: ~schade sea-damage; *met* – in a s.-damaged condition; **~schede** s.-squirt; **~schelp** s.-shell; **~schilder** marine painter, seascape p.; **~schildpad** turtle; **~schip** s.-, ocean-going vessel; *een lastig* – a trying person, a troublesome fellow;

[1] *Zie ook* heel II

~schorpioen s.-scorpion; ~schuim *a*) foam of the s.; *b*) cuttle-, sepia-bone; ~schuimen practise piracy; ~schuimer pirate, corsair; ~schuimerij *zie* ~roof; ~sla *zie* kraal; ~slag s.- (*of:* naval) battle; ~slak s.-slug, s.-snail; ~slang (*dierk. & fabelachtig monster*) s.-serpent; ~ sleper s.-going tug, deep-sea tug; ~slib s.-ooze; ~sluis s.-lock; ~snip (*vis*) s.-snipe; ~soldaat marine; ~spiegel surface of the s., s.-level; *boven* (*beneden*) *de* – above (below) s.-level; ~spin s.-spider; spider-crab; ~stad seaside (s.-coast, s.-port) town; ~stekelbaars s.-stickleback; ~ster starfish, s.-star; ~stilte s.-calm; ~straat strait(s); ~strand beach, sands; ~strijd *zie* ~gevecht; –krachten naval forces; ~stroming ocean current; ~stuk s.-piece, seascape; ~tactiek naval tactics; ~telegraaf submarine telegraph; ~term nautical term, s.-term; ~tijdingen shipping-intelligence; ~tocht voyage; ~ton buoy; ~transport s.-carriage, -transport; ~trompet speaking-trumpet, (*dierk.*) conch; ~tuin marine garden; ~tulp acorn-shell

Zeeuw inhabitant of Zealand, Zealand man, Zealander

Zeeuws Zealand; ~*e knoop* filigree button; ~e Z. woman; ~-Vlaanderen Z. Flanders

zee: ~vaarder navigator, seafarer; ~vaart navigation; ~vaartkunde (art of) navigation; seamanship; ~vaartkundig nautical, naval; – *Museum* Marine M.; ~vaartschool nautical college (*of:* school), sea-training school, school of navigation; ~vader s.-daddy; ~varend seafaring, sailor [nations]; ~*e* seafarer, seafaring man; ~varken s.-hog, porpoise; ~vast well-stowed, -secured; – *zetten* jam; ~ve(d)er s.-feather, -pen; ~venkel (*plant*) s.-fennel, samphire; ~verhaal s.-story; ~verkenners s.-scouts; ~verklaring s.-protest; ~verzekeraar (marine) underwriter; ~verzekering marine insurance; ~vesting coast fortress; ~vis s.-fish, marine fish; ~visserij s.-fishery, -fishing; ~-vlak(te) *zie* ~spiegel; ~vlam s.-fog; ~vlo *a*) freshwater shrimp; *b*) sandhopper; ~voeten *zie* ~benen; ~vogel s.-bird; ~volk sailors, seamen; ~vond flotsam (and jetsam); ~vonk noctiluca; ~vos fox-shark, thrasher-shark; ~vracht freight; ~vervoer seaborne freight traffic; ~waaier (*koraal*) s.-fan

zeewaardig seaworthy; (*van goederen*) packed for ocean shipment; ~heid seaworthiness, sea-going capacity

zee: ~waarts seaward; – *aanhouden* stand to the offing; ~water sea-water, water of the s.; *spattend* – s.-spray; *door – beschadigd* sea-damaged; ~weg s.-route, seaway, ocean highway; ~wering s.- (s.-defence) wall; ~wetten s.-laws; ~wezen maritime (*of:* nautical) affairs; ~wier seaweed; ~wijf mermaid; ~wind s.-wind, -breeze, onshore wind; ~wolf s.-wolf, wolf-fish; ~worp jettison; ~zaken maritime affairs; ~zand s.-sand; ~ziek seasick; – *zijn, ook:* (*sl.*) feed the fishes; *gauw* (*niet gauw*) – *zijn* be a poor (good) sailor; –te seasickness; ~zout s.-salt;

~zwaluw tern, s.-swallow; (*vis*) swallow-fish
Zefanja Zephaniah; zefier zephyr
zege victory, triumph; *zie* overwinning; ~boog triumphal arch; ~dicht triumphal song; ~kar triumphal car, chariot; ~krans triumphal garland (*of:* wreath), laurel wreath; ~kreet shout (*of:* whoop) of triumph; ~kroon crown of v.

zegel (*van lak*) seal; (*afdruk op gezegeld papier*) stamp; (*post-, enz.*) stamp; [to pay] label; (*verzekerings-*) national insurance stamp; (*gezegeld papier*) stamped paper; (*voorwerp*) seal, stamp; *gerechtelijk* ~ s. of the court; '*t* ~ *verbreken* break the s.; *zijn* ~ *drukken op* affix one's s. to; (*fig.*) = *zijn* ~ *hechten aan* set one's s. to; *aan* ~ *onderworpen* liable to stamp-duty; *verzegeld met zeven* ~*en*, (*bijb.*) sealed with seven seals; *onder* ~ under s.; *onder zijn* ~ *en door hem getekend* under his hand and s.; *onder 't* ~ *van geheimhouding* under the s. of secrecy; *op* ~ [write] on stamped paper; *vrij van* ~ exempt from (free of) stamp-duty; ~aar sealer, stamper; ~afdruk seal; (*tegenov. opgeplakt* ~) impressed (embossed) stamp; ~belasting stamp-duty; ~bewaarder Keeper of the S.; *zie groot... & geheim...*; ~doosje s.-box

zegelen (*met lak*) seal (up); (*officieel*) place under seal, affix seals to; (*stempelen*) stamp; *zie* gezegeld

zegelied *zie* zegezang

zegel: ~kantoor stamp-office; ~kosten stamp-duties; ~lak sealing-wax; ~lood lead seal, lead; ~merk (impression of a) seal; ~recht stamp-duty; ~ring signet-, seal-ring; ~snijder seal-engraver; ~stempel seal(-matrix); ~tje *zie* ~ & salomons-; ~vrij *zie* ~; ~was (soft) sealing-wax; ~wet stamp-act

1 zegen drag-net, seine
2 zegen blessing, benediction; boon [such a work would be a ...], godsend [it will be a ... to seamen]; *aan Gods* ~ *is alles gelegen* God's b. gained all is obtained; *Op Hoop van Z*~ The Good Hope; *er zal geen* ~ *op rusten* it will bring you (him, etc.) no luck; *zijn* ~ *geven* give one's b.; *zijn* ~ *geven aan, ook:* bestow one's b. on [the plan]; *de* ~ *uitspreken* give the b., pronounce the benediction; *een* ~ *vragen,* (*aan tafel*) ask a b.; *dat ongeluk was eigenlijk een* ~ was a b. in disguise; *tot* ~ *van* for the benefit of; *zie* heil & strekken; ~bede blessing

zegenen bless; *God zegene u* God b. you; *God zegen de greep!* here goes!; *gezegend met aardse goederen* blessed with worldly goods; *zie* gezegend

zegen: ~ing blessing, benediction; ~rijk salutary [effects], beneficial; ~wens blessing

zege: ~palm palm of victory; ~penning medal struck in commemoration of a v.; ~poort triumphal arch; ~praal victory; ~pralen triumph [*over* over]; *-d* victorious, triumphant; *zie* kerk; ~rijk victorious [army]; ~teken trophy; ~tocht triumphal march (*of:* tour); ~vaan victorious banner; ~vieren triumph [*over* over], come off triumphant; *zijn plicht-*

besef ~vierde his sense of duty prevailed [*over* ... over his avarice]; *-d* victorious, triumphant; *~vuur* bonfire; *~wagen* triumphal car, chariot; *~zang* song of triumph, paean; *~zuil* triumphal column

zegge 1 (*plant*) sedge; 2 *zie* zeggen

zeggen 1 *ww.* say [he said to me ...]; tell [he told me ...]; say, recite [verse]; (*betekenen*) mean; *ik zal 't aan Vader ~* I'll tell Daddy; *waarom is me dat niet gezegd?* why was not I told?; *ze deed wat haar gezegd was* she did as she had been told; *dat zegt hij!* ['he goes to the club']; 'so he says!'; *zeg, luister eens!* I s., just listen!; *zeg me eens!* just tell me!; *zeg, is dat niet mooi?* isn't that nice, now?; (*nou*) *zeg!* (= *och kom*) come now!; *val niet van de stoep, zeg!* don't fall down the steps, will you?; *gauw wat, zeg ik je* be quick, I tell you; hurry up, I say; *zegge, tien gulden* (the sum of) ten guilders; *ik kan 't niet ~* I can't s.; *dat zeg ik je!* you may take that from me!; *trek als ik 't zeg* pull when I give the word; *wat zegt u?* I beg your pardon?; *wat je zegt!* you don't say (so)! well, I say! (I declare!); ['H. is dead';] 'is he now?', ..., *wat zeg ik?* ... I've heard of cases — what am I saying? I've known them; *wat zei ik ook weer?* what was I saying?; *maar wat zegt men al niet!* [it is said that ...], but people will say anything; *wat zeg je daar?* what is that you're saying?; *hij zegt maar wat* he is talking through his hat, he is just speaking at random; *je zègt daar wat* (*iets*) you have s.t. there; *hij zeit wat*, (*fam.*) hear who's talking; *hij weet niet wat hij zegt* what he is saying; *hij wist wat hij zei* what he was talking about; *zal ik je eens wat ~?* I'll tell you what; *wat zegt de wet daaromtrent?* what does the law s. about it?; *wat ik wou ~*, ... by the way, ...; what I was going to s. [, do you know ...?]; *wat zegt dat?* what of that?; *wat heb ik je gezegd?* what did I tell you?; *heb ik 't je niet gezegd?* didn't I tell you? (I told you so); *ik heb gezegd* I've spoken (had my say); *en dat zegt wat* [he is richer than Rothschild], which is saying a good deal, and that is saying (quite) a lot (something); *en, wat meer zegt*, ... and, what's more ...; *dat zegt nogal wat!* that's saying a good deal; *dat moest jij niet ~* that does not come well from you; *wie zal (kan) 't ~?* [he might have recovered;] who can tell?; *wie kan ik ~ dat er is?* who shall I s.?; *want, zeg ik,* ... for, I say, ...; *waarom zeg je dat?* what makes you s. so?; *zeg dat wèl!* you may well s. so; *dat heb ik je wel gezegd* I told you so; *~ nu zelf* just think, just consider; *al zeg ik 't ~* though I s. it who shouldn't; *nou je 't zegt* now you (come to) mention it [you look rather queer]; *men zegt, dat hij ziek is* he is said (reported) to be ill; *men zou zo ~ dat* ... it would seem that ...; *men zei van haar, dat* ... it was told (said) of her that ...; *zie ook* men; *u moet 't maar ~* it's for you to s.; *ik hoef het maar te ~* (, *dan gebeurt het*) I have only to say the word ...; *zeg 't maar* (*ronduit*)*!* speak out! (*sl.*) spit it out!; ... *dan zeg je 't maar, dan heb je 't maar te ~* if you want me to go, (just) s. the word (you have but to s. so); *dat zegt ons niets* that tells us nothing; *'t* (*dat woord, enz.*) *zegt me niets* it means (conveys) nothing to me; *dat zegt* (= *betekent*) *niets* that's nothing to go by, (*bewijst niets*) that isn't saying anything; *ik heb niets gezegd, hoor!* I haven't said (let out) anything, mind (you)!; *hij zegt niets*, (*in gezelschap, enz.*) he has nothing to s. for himself; *hij zei niets, ook:* he remained silent; *dat zegt niet veel* that's not saying much, there is not much in that; *dat is niet te veel gezegd* that is not too much to say; *'t is niet gezegd dat* ... there's no knowing if ...; *hij is ervoor, en dat zegt veel* he is in favour of it and that's saying something; *zie ook bov.:* dat zegt wat; *dat zegt te veel* (*te* **weinig**) that is an overstatement (understatement); *dat zegt weinig* [nothing was found, but] that says little; *die weinig zegt* [a modest man] who says little; *dat zei hun weinig* that conveyed little to them; *en daar is 't* (*daar is alles*) **mee gezegd** and that's all (there is to s.) about it, that is all there is to it, and that's that; (*en daarmee uit*) and there's an end of it; *laten we ~* ... (let us) s. ten shillings; *hij laat zich alles ~* he swallows (puts up with) anything; *hij liet het zich geen tweemaal ~* he did not need to be told twice; *laat je dat gezegd zijn* mind that!; *dat* **mag** *ik niet ~* I must not tell; (*fam.*) that would be telling; *ik mag niets ~, ook:* my lips are sealed; *ik kan 't niet ~* I cannot s.; *er zijn dingen, die men niet kan ~* some things don't bear telling; *ze konden geen pap meer ~*, (*fam.*) they were all in; *ik weet 't niet te ~* I don't know how to put it; *hoe zal ik 't ~?* how shall I put it?; **aardig** *gezegd* (*uitgedrukt*) nicely put; *hij kan 't zo aardig ~* he has such a nice way of putting things; *wat wil dat ~?* what does that mean?; *dat wil niet ~* (*daarmee is niet gezegd*) *dat* ... that does not mean (that is not saying, that is not to s.) that ...; *dat wil ik je wel ~* [you haven't the least chance,] I'll tell you that much; *zoals men dat zegt* as the saying is; *zoals Shakespeare zegt* as S. has it; *zoals reeds gezegd is* [the inquest was adjourned] as already stated; *doe zoals je gezegd wordt* do as you're told; *de Bijbel zegt* it says in the Bible, the Bible says; *dat is te ~, dat wil ~* that is (to s.); *dat is te ~, voor mij* [an unusual letter,] for me that is; *wat 't voor mij wil ~* what it means to me; *neen, ik wil ~, ja* no, I mean, yes; *jij hebt hier niets te ~* you have nothing to s. here; *ik heb er niets in te ~* I have no say in the matter; *jij hebt 't te ~* ['where shall we live?'] 'that's for you to s.'; *als ik 't te ~ had* if I had my way, if I could have (work) my will, if it rested with me; *wie heeft 't hier te ~?* who is in charge here?; *ik zal eens laten zien wie 't te ~ heeft* I'll show who's the boss (here), I'm going to put my foot down; *'t is* (*toch*) *wat te ~!* isn't it dreadful; *ik wil ~ wat ik te ~ heb* I'll have my (little) say; **houd** *dat voor* *gezegd* remember that, mind (you); *dat behoef je hem geen tweemaal te ~* he need not be told twice; *dat is niet te ~* there is no saying (*zo ook:* there is no saying what he'll do next); *zie ook* vallen; *meer dan hij kon ~* [he loved her] past (beyond) expression; *'t is slechter dan ik kan ~* it's too bad for words; *goedenacht ~* say (bid) good night; *zie ook* goedendag; *dat zegt (meer dan) boekdelen* that speaks volumes; *zo gezegd, zo gedaan* no sooner said than done; *'t is gauwer (gemakkelijker) gezegd dan gedaan* it is sooner (easier) said than done; *dat is gemakkelijk gezegd* it is easy to s. so; *zie ook* minder; *(of) beter (liever) gezegd* or rather; *om zo te ~* so to speak (to say); *ik droomde om zo te ~* I sort of dreamt (*zo ook:* it sort of appeared from nowhere); *om wat te ~* [he only said it] for the sake of saying something; *om niet te ~* [the friendly], not to say [matey tone]; *zeg het met bloemen* s. it with flowers; *er valt niets op hem te ~* there is nothing to be said against him; *niemand heeft iets op hem te ~* nobody has a word to s. against him; *er is nooit iets op mij te ~ geweest* there has never been a mark against my name; *(ik zeg dat) niet om wat op je te ~* no reflection! nothing personal I assure you!; *op haar antwoord valt niets te ~* her answer is unimpeachable; *op aanmerken; *daar is nogal wat op te ~* a good deal might be said against it; *daar kan ik niets op ~* I have nothing to answer, have no answer; *daar kon men (absoluut) niets op ~* there was no (possible) answer to this; that was unanswerable; *je hebt niets over 't geld (over de jongen) te ~* you have no control over the money (over the boy); *je hebt niets over me te ~* I am not under your orders, you have no power (no authority) over me; *daar kon hij niets tegen ~* there was nothing for him to s. to that; *ze ~ vader tegen hem* they call him Father; *dat wil ik niet van mij gezegd hebben* I won't have it said about me; *wat zou je er van ~ als we ... namen (kochten)?* what about another bottle (about buying a car)?; *wat zou je ervan ~ als we eens gingen* suppose (supposing) we go; *wat zeg je van dat idee?* how about that for an idea?; *wat zeg je van dinsdag?* how about Tuesday?; *wat viel er nog verder (van) te ~?* what more was to be said?; *ik zal er iets ('t mijne) van ~* I'll speak about it; *wat zeg je daarvan?* what do you s. to that (to a game of tennis, etc.)?; *(hoe vind je dat, Am.)* how is that for high?; *wat zeg je van zo'n brutaliteit? (sl.)* how is that for cheek?; *zeg hem dat van mij* tell him that from me; *populariteit zegt niets van de kunstwaarde* proves nothing about ...; *er is alles voor te ~* there is everything to be said for it; *er valt voor elk leervak wat te ~* a case can be made out for any subject of instruction; *er is weinig voor te ~* it has little to recommend it; *zie ook* dank, eerlijk, gerust, horen, mening, onder, ronduit, voortzeggen, wie, woord, zo, enz.; II *zn.* saying; *~ en doen zijn twee* saying and

doing are two things, saying is one thing and doing another; *dat is altijd mijn ~ geweest* I have always said so; *'t kwam op mijn ~ uit* it turned out as I had predicted; *naar (volgens) uw ~* according to what you say; *naar (volgens) 't algemene ~* by all accounts, by common report [he is a sharp business man]; *als ik 't voor 't ~ had* if I could have my (own) way; *hij heeft het (helemaal) voor 't ~* he runs the show; *je hebt 't maar voor 't ~* you need but say the word, you've only got to say

zeggenschap say [have a, no, say in the matter], control; *zie* mede~

zeggingskracht expressiveness, felicity of expression; *welk een ~!* what eloquence!; **zegje:** *zijn ~ zeggen (doen)* say what one has to say

zegsman, -vrouw informant [who is your ...?], authority; *wie is de ~ (van 't praatje)?* who is responsible for (who started) that tale?

zegswijze (fixed, set) phrase, expression

zei *o.v.t. van* zeggen

zeiken piss, pee; *(fig.) zie* zaniken; **-er(d)** bore; **-nat** drenched

zeil sail *(ook van molen)*; *(dekkleed)* tarpaulin; *(op boot, enz.)* awning; *(van kar)* tilt; *(op vloer)* floor-cloth; *(~doek) zie* aldaar; *~(tje)* canvas cloth; *(achter wastafel)* toilet splasher; *alle ~en bij hebben* carry all sails, carry a press of s., have all sails set, be in full (under a press of) s.; *veel ~en bij hebben* carry a great weight of canvas; *~en bijzetten* make *(of:* set) s.; *alle ~en bijzetten* make all s., crowd *(of:* pile) on all s. *(of:* canvas), *(fig.)* leave no stone unturned, strain every nerve, make every possible effort; *'t ~ hoog in top halen (voeren)* live in grand style; *met volle ~en* full s., at (in) full s., with all sails set; *met een opgestreken ~* in high dudgeon, with all his (her, etc.) feathers ruffled up; *met een nat ~* [come home] three sheets in the wind, well-oiled; *onder ~ gaan* get under s., set *(of:* make) s., sail [naar for, to]; *(fig.)* doze *(of:* drop) off; *onder klein ~, (mar.)* under easy s.; *onder ~ zijn* be under s.; *(fig.)* be sound asleep; *(dronken)* be three sheets in the wind; *vloot van 30 ~en* fleet of thirty s.; *zie* inbinden, oog, treil, wind, enz.; **~boot** sailing boat; **~doek** canvas, s.-cloth; *(voor bekleding, enz.)* oilcloth

zeilen sail; *(luchtv.) ook:* soar; *gaan ~* go for a sail; *'t schip zeilt goed* the ship (she) is a good sailer; *~de, (hand.)* sailing, floating [goods], afloat; *~de verkopen* sell to arrive (on sailing terms, afloat); *na 10 dagen ~s* after ten days' s.; *tien dagen ~s van ...* ten days' s. from ...

zeilsail; **~er** *(pers.)* yachtsman; *(schip)* sailer [she is a fast ...]; **~jacht** sailing-yacht; **~klaar** ready to sail, ready for sea; **~kooi** s.-room; **~maker** s.-maker; **~makerij** s.-loft; **~naald** s.-needle; **~orde** order of sailing; **~pet** yachting cap; **~ree** *zie* ~klaar; **~schip** sailing-vessel; *(groot)* windjammer; **~schuit** sailing-barge; **~sport** yachting; **~steen** loadstone, magnet; **~streep** *(op kompas)* lubber's line; **~tje** *zie* ~; **~tocht(je)** sailing-trip, sail [go for a (little) ...]; **~vaardig**

zie ~klaar; ~**vaartuig** sailing-vessel; ~**vereniging** yacht(ing)-club; ~**vermogen** sailing-power; ~**wagen** sailing-car, -carriage, -wag-(g)on, land-yacht; ~**we(d)er** [fine, etc.] sailing-weather; ~**wedstrijd** sailing-match, -race, regatta; ~**wind** [a good] sailing breeze; (*mar.*) commanding wind

zeis scythe; ~**enwagen** (*hist.*) scythe(d) chariot; ~**man**: *de* ~, (*de dood*) the scytheman, the man with the s.

zeker I *bn.* (*overtuigd*) certain, sure; (*stellig*) certain, sure [sign], positive [proof], firm [conviction]; (*ongenoemd*) certain [a ... man, a ... anxiety]; (*veilig*) safe, secure; *zo* ~ *als wat, zie* ~ *bw.; een* ~*e plaats* the w.c.; *hij is naar een* ~*e plaats* he has gone to pay a visit (to wash his hands); *op* ~*e dag, enz.* one day (afternoon, etc.); *een* ~*e Mijnheer J.* a (one, a c.) Mr. J.; ~ *iemand* somebody [will be glad to see you]; *een* ~ *iets* a c. something; *iets* ~*s* [it's] a certainty, a sure thing; *je bent hier je leven niet* ~ your life is not safe here; ~ *van zijn zaak* (*van zichzelf*) *zijn* be sure of one's ground (of o.s.); *ben je er* ~ *van? positief* ~ are you sure? I positive, dead c., dead sure; *daar ben ik nog niet zo* ~ *van* I'm not so sure; *hij is zo* (*verbazend*) ~ *van alles* he is so cocksure of everything; *hij is er* ~ *van 't te krijgen* he is sure of getting it; *daar kun je* ~ *van zijn* you can be sure of that; *je kunt er* ~ *van zijn dat hij ... heeft* trust him to have a good excuse; *je kunt er* ~ *van zijn, dat* ..., *ook:* depend upon it! he'll do it yet; *u kunt er* ~ *van zijn, dat* ..., *ook:* you may rest assured that ...; *een dame van een* ~*e leeftijd* a lady of a c. age; *jij bent een gewiekste, dat is* ~ you're a deep one, and no mistake; *'t* ~*e voor 't onzekere nemen* prefer the c. to the uncertain; (*soms*) play for safety; *om 't* ~*e voor 't onzekere te nemen* to be on the safe side; *zie hoogte, enz.*; **II** *bw.* 1 (*met klem*) certainly, surely, assuredly, positively; for certain; *zo* ~ *als wat* (*als 2×2*) [I knew] as sure as eggs is eggs (as Fate), sure enough; *hij wint het* ~ he is sure to win; *hij zal* ~ *slagen* he is sure to succeed; *hij weet* ~ *dat hij slaagt* he is sure that he will succeed; *dat zou* ~ *gebeuren* that would be sure to happen; *dit zijn vragen die ze je* ~ *zullen stellen* these are questions that they are sure to put to you; *ze vormen* ~ *de sterkste partij* they are certain to be the strongest party; *ik weet 't* ~ I know it for certain (for a fact, for a certainty); *zie ook bov.* (*zo* ~ *als wat*); *weet je 't* ~*? positief* ~ are you (quite) sure? I am positive; *ik weet niet* ~ *welke* I am not sure which; *ik kan 't niet* ~ *zeggen* I cannot say for certain; *ik durf 't niet* ~ *zeggen* I won't be certain (*of:* sure); ~*!* certainly! yes, indeed! ['will you come?'] 'to be sure!'; ['may I come in?'] 'by all means!'; (*wel*) ~*!* (*iron.*) why not!; 2 (*concessief*) to be sure [one must admit ...]; *je hebt hem* ~ *al gezien* I daresay (I am sure) you have seen him by this time; *jij wilde ons* ~ *verrassen* you wanted to surprise us, didn't you?; *er liggen stenen; ze zijn* ~ *aan*

't bouwen they must be building; *'t kan toch* ~ *nog zo laat niet zijn* it cannot be so late surely?; *hij zal toch* ~ *wel komen?* surely he will come?; *ik hoef* ~ *niet te zeggen* ... I need scarcely say, ...; *ik mag* ~ *wel even gaan zitten?* I suppose I may go and sit down for a while?; *hij hield me* ~ *voor erg dom* he must have thought me very stupid; *zie* wis

zekeren secure; (*elektr.*) fuse

zekerheid certainty; (*overtuigend*) certitude, certainty; (*veilig.*) safety, security; (*waarborg*) security; *te groot gevoel van* ~ over-security; ~ *hebben* be certain; *ik moest* ~ *hebben* I had to make sure; ~ *stellen* give security, leave a deposit; ~ *verschaffen* give certainty; *zich* ~ *verschaffen* make certain [*omtrent* about], satisfy o.s.; *met* ~ with c.; *ik kan 't niet met* ~ *zeggen* I cannot be certain; *over zijn leven is niets met* ~ *bekend* of his life nothing is known for certain; *voor alle* ~ to be quite on the safe side, to make assurance doubly sure; *zie ook* zeker *bw.*, verzekerdheid; ~**shalve** for safety('s sake); *zie ook:* voor alle ~; ~**stelling** security, bail

zekering (*elektr.*) (safety) fuse; *zie* veiligheid

zelden seldom, rarely; *niet* ~ not s., not infrequently; ~ *of nooit* almost never, s. or never, rarely if ever, hardly ever

zeldzaam I *bn.* (*zelden voorkomend &* ~ *mooi, enz.*) rare [a ... book]; (*schaars*) scarce, [visitors were] few and far between; *een natte juli is niet* ~ is not infrequent; *-zame ouwe vrek dat hij was!* r. old skinflint that he was!; *een* ~ *buitenkansje* a great stroke of luck; **II** *bw.* exceptionally [fine, etc.]; ~ *goed* [she was a] rare [housekeeper]; *we hadden* ~ *veel pret met hem* we had rare fun with him

zeldzaamheid (*abstr.*) rarity, rareness, scarceness, scarcity; (*concr.*) rarity, curiosity; *opmerkelijk wegens hun* ~ remarkable for their rarity (scarceness); *dat is 'n* ~ that is rare; *'t was een* ~ *als men ... zag* it was a rare thing to see ...

zelf self; *ik* ~ I myself; *u* ~ you yourself; *hij* ~ he himself (*evenzo:* the man himself, the woman herself, the child itself); *zij* ~, (*mv.*) they themselves; *mij* (*hem, haar, hun*) ~ myself (himself, herself, themselves); *dat plan is de eenvoud* ~ is simplicity itself (*zo ook:* he is politeness itself); *de edelmoedigh.* ~, *ook:* [he is] the soul of generosity; *dat ben je* ~*!* ['you fool!'] 'fool yourself!'; *de beste bode is de man* ~ self-help is the best help; if you want a thing done properly, do it yourself; *wees (ken) u* ~ be (know) thyself; *ik doe alles* ~ I do everything myself; *ze kookt* ~ she does her own cooking; *iets* ~ *ontdekken* find s.t. out for oneself; *moeilijkheden die ze* ~ *gemaakt hadden* difficulties of their own making; ... *die men* ~ *gezaaid heeft* reap the harvest of one's own sowing; *Kapitein C. en ik* ~ Captain C. and myself (*volkst. & scherts.;* and s.); *om uws* ~*s wil* for your own sake; *hij had zich de wond* ~ *toegebracht* the wound was s.-inflicted; *zie ook*

vanzelf & zichzelf; ~achting s.-esteem, s.-respect; ~bediening s.-service; ~bedrog s.-deceit, s.-deception; ~bedwang *zie* ~beheersing; ~begoocheling s.-delusion; ~behaaglijk s.-complacent; ~behagen s.-complacency; ~behandeling s.-treatment, s.-medication; ~beheersing s.-command, -control, -mastery, -possession, (s.-)restraint [act with great ...]; *vol – ook:* s.-possessed, -controlled, -restrained; *zijn – behouden, ook:* keep one's nerve; *zijn – verliezen, ook:* lose control of o.s., become unnerved; *zijn – herkrijgen* regain one's s.-control, regain the mastery over o.s., collect o.s., pull o.s. together; ~behoud s.-preservation; ~beklag s.-pity; ~beschikking(s-recht) (right of) s.-determination; ~beschuldiging s.-accusation, s.-blame; ~bespiegelend introspective [mind]; ~bespiegeling introspection, s.-communion; *zich aan – overgeven* retire into o.s.; ~bestemming *zie* ~beschikking; ~bestuiving s.-pollination, s.-fertilization; ~bestuur s.-government, home rule; ~bevlekking s.-abuse, -pollution, onanism; ~bevrediging masturbation; ~bevruchting s.-fertilization; ~bewoning (*van huis*) owner occupation; ~bewust s.-assured, [look very] sure of o.s., (s.-)confident; (*soms*) (s.-)conscious; ~bewustheid, -zijn s.-assurance, s.-confidence; (*soms*) s.-consciousness; ~binder *a*) (*automatische schovenbinder*) s.-binder; *b*) *zie* ~strikker
zelfde same; *deze – rupsen* these very caterpillars; *zie* de-, hetzelfde
zelf: ~doen *zn.* do-it-yourself; ~gemaakt homemade [cake]; ~genoegzaam(heid) *a*) self-sufficient (-sufficiency); *b*) complacent (-ncy); ~gevoel s.-esteem, -respect; *– hebben* know one's worth; *zie* eigenwaarde; ~heid *a*) individuality, one's own s.; *b*) selfishness; ~inductie s. induction; ~ingenomenheid s.-complacency
zelfkant selvage, selvedge, list; (*fig.*) outskirts [on the ... of the town], fringe [the ... of this profession], [the] seamy side [of life]; ~en list [slippers]
zelf: ~kastijding self-chastisement; ~kennis s.-knowledge; ~kleurend (*fot.*) s.-toning; ~kritiek s.-criticism; ~kwelling s.-torture, s.-torment; ~laadgeweer automatic (s.-loading) rifle; ~mat (*bij schaken*) self-mate, sui-mate
zelfmoord suicide, self-murder; (*jur.*) felo de se; *die maatregel staat met ~ gelijk* is suicidal; ~enaar, -ares suicide, self-murderer; ~gedachten (~neigingen) suicidal thoughts (tendencies); ~poging attempted s., attempt on one's own life, suicidal attempt
zelf: ~onderricht self-tuition, s.-education; ~onderzoek s.-examination, s.-scrutiny, s.-analysis, heart-, soul-searching, introspection; ~ontbrandend s.-igniting; ~ontbranding spontaneous combustion (ignition); ~onthouding s.-denial; ~ontplooiing s.-expression, s.-realization; ~ontspanner delayed action shutter; ~ontwikkeling s.-improvement; ~opofferend s.-sacrificing; ~opoffering s.-sacrifice, s.-immolation; ~overschatting overestimation of

o.s.; ~overwinning s.-conquest; ~portret s.-portrait, portrait [of R.] by himself; ~regelend s.-regulating; ~regering s.-government; ~registrerend s.-registering, s.-recording; ~respect s.-respect; *met –* s.-respecting [persons]; ~richtend (*van boot*) s.-righting; ~rijzend s.-raising [flour]
zelfs even; *ja ~* indeed; *~ niet* not e.; *zijn naam werd ~ niet genoemd, ook:* his name was not so much as mentioned; *~ de honden willen het niet eten* the very dogs ...; *~ tot* right up to [the top]
zelfsluitend: *~e kraan* self-closing tap; *~ slot* spring-lock
zelfsmerend self-lubricating
zelfspot self-irony
zelfstandig independent; self-employed [shopkeeper]; (*op zichzelf vertrouwend, ook:*) self-reliant; (*in eigen behoeften voorziend*) self-supporting; (*gramm.*) substantive [pronoun; used ...ly], substantival; *~ naamwoord* substantive, noun; *~ zijn, ook:* be one's own master (mistress); *~ denken* think for oneself; *kleine ~en* small tradesmen; ~heid (*abstr.*) independence, self-reliance; (*concr.*) entity, thing, substance
zelf: ~strijd inward struggle; ~strikker self-tied tie, knotted tie, hand-tied bow; ~studie self-study; ~tintend (*fot.*) s.-toning [paper]; ~tucht s.-discipline; ~verachting s.-contempt; ~verblinding infatuation; ~verbranding self-combustion; ~verdediging s.-defence; *uit – [act]* in s.-d.; ~vergiftiging s.-intoxication, s.-poisoning; ~vergoding s.-idolization; ~verheerlijking s.-glorification; ~verheffing s.-exaltation; ~verloochenend s.-denying, selfless; ~verloochening s.-denial, s.-abnegation, s.-renunciation; ~verminking s.-mutilation; ~vernedering s.-humiliation; ~vertrouwen s.-confidence, s.-reliance; *gebrek aan – lack* of s.-c., s.-distrust; *vol –* s.-confident, s.reliant; *hij verliest zijn –* he is losing confidence; ~verwijt s.-reproach; ~verzaking *zie* ~verloochening; ~verzekerd s.-confident; ~verzorger farmer who provides for himself; ~voldaan (s.-)complacent, -satisfied, smug; ~voldaanheid (s.-)complacency, smugness; ~voldoening s.-satisfaction; ~vuller s.-filler, s.-filling pen; ~werkend s.-acting, automatic (*bw.*: -ally); ~werkzaamheid s.-activity, free activity
zelfzucht egoism, self-interest; ~ig selfish, egoistic (*bw.*: -ally), self-seeking; *– motief, ook:* interested motive; *–e bedoelingen hebben* have an axe to grind (a log to roll); *–e egoist,* selfish person
zeloot zealot, fanatic
zelotisme zealotry, fanaticism
zelve *zie* zelf
Z. Em. His Eminence
zemel bran: ~aar *zie* zanik; ~(acht)ig branny; *zie* zeurig & zenuwachtig; ~brood b.-bread, -loaf; ~en bran; *zie ook* zaniken; ~knopen split hairs; ~knoop(ster) hair-splitter; ~ton b.-tub; ~uitslag pityriasis; ~voer bran-mash; ~water b.-water, -tea

zemen *ww.* clean with wash-leather, shammy; (*looien*) dress wash-leather; *bn. zie* zeemleren
Zend id.; **~-Avesta** id.
zend: ~**antenne** transmitting aerial; ~**bereik** emitting area; ~**bode** (*hist.*) messenger; ~**brief** (*mandement*) charge; (*bijb.*) epistle
zendeling missionary; ~**-arts** m. doctor, medical missionary; ~**e** (woman) m.; ~**engenootschap** m. society; ~**enhuis** mission-house; ~**-kwekeling** student m., m. in training
zenden send [a p., parcel, goods], forward, dispatch, ship, consign [goods]; *ook:* draft [a large force of police was ...ed to the scene]; ~ *om* s. for; *zie* sturen
zender sender, shipper, consignor; (*radio*) transmitter; sender; *zie* geheim; ~**storing** fault at the transmitter
zendgolf transmitting wave
zending ('*t zenden*) sending, dispatch; ('*t zenden & 't gezondene*) shipment, consignment; ('*t gezondene, ook*) batch; (*missie*) mission [*onder* ... to Jews, seamen, fishermen]; *zie* inwendig; (*opdracht, roeping*) mission [her ...in life]; ~**sarts** *zie* zendeling; ~**sgenootschap** (church) missionary society; ~**spost** mission station, missionary establishment; ~**sschool** mission college; ~**sstation** *zie* ~spost; ~**swerk** mission work
zendinstallatie radio installation
zend: ~**ontvanger** trans(mitter-re)ceiver; ~**station** (*telec.*) transmitting-, sending-station; ~**tijd** (*radio*) air-time; ~**toestel** transmitting set; ~**uren** (*radio*) hours of transmission; ~**vergunning** transmitting-licence
zeneblad, ~**groen** *zie* sene...
zengen scorch [one's clothes, the grass], singe [a fowl, one's hair]; **-ing** scorching, singeing
zenig sinewy, stringy [meat]
zenit zenith
zenuw nerve; *ze was een en al ~en* all nerves, a bundle of nerves; '*t bracht mijn ~en geheel van streek* it knocked my nerves to pieces, it (the terrible weather, etc.) got on my nerves; *stalen ~en hebben* have nerves of iron (steel); '*t kunnen wel ~en zijn* it may be nerves; *aan de ~en lijden* suffer from nerves; *door zijn ~en beheerst* (*gekweld*) n.-ridden; '*t op de ~en hebben* be in a nervous fit, have a fit of nerves; '*t op de ~en krijgen* get (have) a fit of nerves, go off (fall) into hysterics; *hij leeft op zijn ~en* he lives on his nerves; *dat werkt op mijn ~en* it gets on my nerves, (*sl.*) it gives me the willies; *zie* geld, kapot, war; ~**aandoening** affection of the nerves; ~**aanval** nervous attack, attack of nerves
zenuwachtig nervous, (*fam.*) nervy, jumpy, rattled; (*geagiteerd*) flustered, flurried, [be] all of a flutter; ~ *werk* nerve-racking work; ~ *worden, ook:* get into a flurry; ~ *maken, ook:* (*fam.*) rattle [a p.]; *het* (*hij*) *maakt me ~* (he) gets on my nerves; *je maakt me ~ door je haast* you fluster me by your hurry; *ze maakt zich ~ over haar kinderen* she fusses about her children; ~**heid** nervousnses; *buiten zichzelf*

zijn van – be besides o.s. with nerves
zenuw- nerve: ~**arts** n.-specialist, neurologist; ~**beroerte** apoplexy; ~**cel** n.-cell; ~**centrum** n.-centre; ~**gestel** nervous system; ~**enoorlog,** *enz. zie* ~oorlog, *enz.*; ~**entoestand** nerve-racking situation; ~**gezwel** neuroma; ~**hoofdpijn** nervous headache; ~**inrichting** mental hospital (home); ~**instorting, -inzinking** nervous collapse (*of:* break-down); ~**knoop** ganglion (*mv.:* ganglia), n.-knot; (*fig.*) *zie* ~pees; ~**koorts** nervous fever; ~**kwaal,** ~**lijden** nervous disease (*of:* complaint); ~**lijder(es)** n.- (*of:* nervous) sufferer, neurotic, neuropath; ~**middel** n.-tonic; ~**ontsteking** neuritis; ~**oorlog** war of nerves; ~**overspanning** n.- (nervous) strain; ~**patiënt** n.-patient; ~**pees** [she is a] bundle (bag) of nerves; ~**pijn** neuralgia, n.-ache; ~**prikkeling** irritation of the nerves; ~**rilling** shiver of nerves; ~**schok** nervous shock; ~**schokkend** n.-shaking; ~**slapte** *zie* ~zwakte; ~**slopend** n.-racking, n.-shattering; ~**stelsel** n.- (*of:* nervous) system; ~**sterkend** n.-strengthening; – *middel* n.-strengthener, n.-tonic; ~**toeval** nervous attack, fit of nerves; ~**trekking** nervous spasm (*of:* twitch); (*inz. van 't gezicht*) tic; ~**uitputting** n.- (nervous) exhaustion; ~**vezel** n.-fibre; ~**vocht,** ~**water** nervous fluid; ~**weefsel** n.-tissue; ~**werking** n.-action; ~**ziek** neurotic, suffering from nerves; ~**ziekte** *zie* ~lijden; ~**zwak** neurasthenic; ~**zwakte** neurasthenia, nervous debility
zepen soap; (*voor 't scheren*) lather
zeperig soapy; ~**heid** soapiness
Zephyr(us) Zephyr
zepig soapy; ~**heid** soapiness
zeppelin Zeppelin, (*fam.*) Zep(p)
zerk slab (of stone); (*op graf*) tombstone
zero id.
zes six; *dubbele ~* double s.; *drie ~sen gooien* throw three sixes; *hij is van ~sen klaar* he is an all-round man (*fam.:* an all-rounder), can turn his hand to anything; *mijn paard is van ~sen klaar* my horse is fit and well (fresh and fit, sound in wind and limb); *met de ~ rijden* drive s. in hand; *zie* met & pret & *vgl.* bij, lopen, trein, vijf, *enz.*; ~**achtste** six eighths; – *maat* six-eight (time); ~**armig** s.-armed; ~**benig** s.-legged; ~**bladig** s.-leaved; ~**daags** s. days; *de* ~**daagse** the six-day cycle-race
zesde sixth; *een ~* a sixth (part); *ten ~* sixthly, in the sixth place; ~**half** five and a half
zes: ~**derlei** of six kinds (sorts); ~**dubbel** sixfold; ~**helmig** hexandrous; ~**hoek** hexagon; ~**hoekig** hexagonal, s.-sided; ~**honderd(ste)** s. hundred(th); ~**jarig** *vgl.* jarig; ~**kaart** sequence of s. cards; ~**kant(ig)** *zie* ~hoek(ig); ~**lettergrepig** of s. syllables, hexasyllabic; ~**loops** s.-barrelled; ~**maal** s. times; ~**maandelijks** half-yearly; ~**maands** s. months old, s. months'; ~**ponder** s.-pounder; ~**regelig** of s. lines; – *couplet* sextain; ~**snarig** s.-stringed; ~**span** team of s. horses; *rijtuig met –* carriage and six; ~**stemmig** for s. voices, s.-part [song]; ~**tal**

six, half a dozen; ~tallig senary; *vgl.* tientallig
zestien sixteen; ~de sixteenth (part); ~de noot
semiquaver
zestig sixty; *ben je ~?* are you mad?; *vgl.* bij 7,
dik, enz.; ~er man (woman) of s., sexagena-
rian; *vgl.* goed; ~jarig *vgl.* jarig; *–e, zie* ~er; ~~
ponder s.-pounder; ~ste sixtieth (part); ~tal
(about) s.; ~voud multiple of s.; ~voudig
sixtyfold
zes: ~urig: *–e werkdag* six-hour(s') day; ~vlak
hexahedron; ~vlakkig hexahedral; ~vleugelig
hexapterous; ~voeter (*fam.*) six-footer; ~voetig
s.-footed; *– vers* hexameter; ~voud multiple of
s.; *'t – van* the sextuple of; ~voudig sixfold,
sextuple; ~zijdig six-sided, hexagonal
zet (*bij 't spel, ook fig.*) move; (*duw*) push,
shove; (*sprong*) bound, leap; *een knappe ~,*
(*door politie, enz.*) *ook:* a clever coup; *politieke
~ten en tegenzetten* political moves and coun-
termoves; *een politieke ~, ook:* a stroke of
policy; *een stoute ~* a bold m. (*of:* stroke);
brutale ~ piece of cheek; *geestige ~* stroke of
wit, sally; *gemene ~* dirty trick; *geniale ~* stroke
of genius; *verkeerde ~* false m.; *'n ~ doen* make
a m.; *enkele domme ~ten doen* do some silly
things; *nog één ~ en de deur zit in de hengsels*
one more push, and the door is on the hinges;
dat was een hele ~, (= *karwei*) a tough job, a
bit of a job; *aan ~ zijn, zie* zetten (*moeten ...*);
in één ~ doorwerken work on without a break
(a stop), (*drie uur, enz.*) work three hours, etc.
at a stretch; *in (met) één ~ was hij over de
muur* he cleared the wall at one leap; *iem. een
~(je) geven* give a p. a push (a shove); (*fig.*)
ook) give a p. a leg up, help a lame dog over
a stile
zet: ~angel *zie* ~lijn *b*); ~baas manager; ~boer
tenant (farmer); ~bo(o)rd (*mar.*) washboard;
~breedte (*typ.*) measure
zetel seat (*ook fig.: raadszetel, enz.*), chair; (*van
bisschop: eig.*) chair, throne; (*'t ambt*) see;
(*van een maatschappij*) seat, registered office;
de pauselijke ~ the Papal See; *~ der regering* s.
of government; *een ~ in de raad* (*'t Parlement,
de commissie*) a s. on (in) the council (in
Parliament, on the committee); ~en reside
(*ook fig.: the power residing in the governor*),
sit; have its seat (headquarters) [in L.]; *maatschappij –de te ...* company with registered
office at ...
zet: ~fout compositor's (printer's) error, misprint; ~haak (*typ.*) composing-stick; ~hamer
set-hammer; ~je *zie* zet; ~kast (*typ.*) type-
case; ~kastelein manager; ~lijn *a*) (*typ.*) set-
ting-, composing-rule; *b*) (*vislijn*) ledger-line,
paternoster(-line), set-line; ~loon compositor's
wages; ~machine composing-machine (*letter-*
monotype; *regel-* linotype), type-setting
machine, [film-, photo]setter, [photo]com-
poser; ~meel starch, farina; ~meelachtig
starchy, farinaceous; ~meelhoudend starchy;
~meelkorrel starch granule; ~pil suppository;
~plank compositor's board; ~sel brew [of tea,
etc.]; (*typ.*) matter; ~spiegel type area; ~steen
sett

zetten I *ww.* (*plaatsen*) put, place, set; *ook:*
stand [... the lantern against the wall] (*zie*
hoek); fix [a stove]; sew [a patch on a trouser-
leg]; (*diamant, enz.*) set, mount [in gold]; (*gebroken arm, enz.*) set [a broken arm]; (*val*) set
[a mousetrap]; (*tol*) spin [a top]; (*planten*)
plant [trees, potatoes]; (*typ.*) set up, type-set,
compose [type]; (*thee, enz.*) make [tea, coffee];
thee ~, ook brew tea, have a brew-up; *een
(been)breuk ~* set (*of:* reduce) a fracture;
opnieuw ~ re-set [a bone]; *wie moet ~?* (*spel*)
whose move is it?; *wie moet 't eerst ~?* who
takes first move?; *jij moet ~* it is your move,
the move is with you; *ik zette mijn fiets buiten*
I propped my bicycle outside; *stoelen ~* set
chairs; *ik kan hem niet ~* I cannot stand (*fam.:*
stick) him; *hij kan 't niet ~* he cannot stomach
it (the insult, etc.), he resents it, it sticks in his
gizzard (*of:* throat); *'t laatste vel is gezet* the
last sheet is in type; *de wekker ~* set the alarm
[*op ...* for, *of:* to 7]; *dat zet ik je* I dare you to
do that; *zich ~* sit down, take a seat; (*van
vruchten*) set [the fruit had ... well]; *de dijk
heeft zich gezet* has settled; *hij zette zich om te
luisteren* he composed himself to listen; *zich
aan tafel ~* sit down to table; *zich aan de
tafel ~* sit down at the table; *'t glas aan de
mond ~* put the glass to one's mouth; *twee man
aan 't schrobben ~* set two men to scrub; *ik zet
't je in drieën* (*tienen*) I'll give you three (ten)
guesses (and you won't get it); *zijn handtekening (naam) ~ onder* append one's signature
(sign one's name, put one's hand) to [a docu-
ment]; *de wekker op 7 ~, zie bov.; hij zette het
op een lopen* he took to his heels; *geld op een
paard ~* put money on a horse, back a horse;
de prijs ~ op 8 gulden fix the price at 8
guilders; *alles erop ~* stake everything; (*sl.*)
go nap; *'t erop gezet hebben om ...* be bent on
crossing a p., set out to be unreasonable,
make a point of ...ing, make it one's business
to ...; *op muziek ~* set to music; *een liedje op
een mooie wijs gezet* a ditty set to a beautiful
air; *iem. over de rivier ~* take (ferry) a p. across
the river; *~ tegen* put against, prop (*of:* lean)
[one's bicycle] against [the wall], prop [the
letter] against [the toast-rack]; *tegen de muur
~,* (*om te fusilleren*) line up against a wall; *zich
tot iets ~* set o.s. to do s.t. (to right unjust
acts, etc.), settle down to [a game of bridge];
zich ~ op settle on [the cold ...d on his chest];
iem. uit 't land ~ put a p. out of (expel a p.
from) the country; *zie ook* uitzetten; *van zich
~, zie* afzetten 1; *iem. voor een lastig karweitje
~* set a p. a difficult job; *gezet voor piano
(orkest)* arranged for the piano (the orchestra); II *zn.* composition, type-setting; *zie ook*
elkaar, galop, gevangenis, gezicht, heenzet-
ten, hoofd, kijk, klaarzetten, land, mes, papier, spel, tering, werk, zin, enz.
zetter compositor, type-setter; ~ij composing-
room, case-room; ~shaak *zie* zethaak; ~sraam
composing-frame
zetting (*van beenbreuk*) reduction; (*van edel-*

steen) setting; (*bij belasting*) assessment; (*van brood*) assize (of bread); (*muz.*) arrangement, (*voor orkest*) orchestration, instrumentation; (*toon~*) *zie ald.*

zetwerk composition, type-setting
zeug sow
zeulen drag, lug
zeuntje (*mar.*) mess-boy; (*sl.*) slops
zeur(der, -ster) bore; (*talmer*) slowcoach, dawdler; fuss-pot
zeuren (*drenzen*) whine, pule; (*kletsen*) jaw, prose, talk twaddle, drivel; (*talmen*) dawdle; *altijd over iets ~* keep harping on (go on about) s.t.; *hij zeurt me altijd om de oren om te ...* he badgers the life out of me to ...; *zie* zaniken;
zeurig tiresome, tedious; (*drenzend*) whining, puling; (*langzaam*) slow
zeurkous, -piet *zie* zeur
Zeus id.
zeuven *zie* zeven II
zeven I *ww.* sift, (pass through a) sieve; strain [soup]; riddle [gravel, ashes, etc.]; screen [coals]; II *telw.* seven; *de ~ slapers* the s. sleepers; *vgl.* bij 7, met, lopen, trein, enz.; *~armig* seven-branched [candlestick]
zeven: ~**blad** ground-elder, bishop's weed, goutweed; ~**boom** savin; Z~**burgen** Transylvania; ~**daags** seven days'; ~**de** seventh (part); *zie* hemel; ~**dehalf** six and a half; ~**derlei** of s. sorts (kinds); ~**dubbel** sevenfold; ~**gesternte:** *'t –* the Pleiades; ~**hoek** heptagon; ~**hoekig** heptagonal, heptangular; ~**jaarsbloem** cudweed; ~**jarig** *vgl.* jarig; *ook:* septennial; ~**klapper** jumping cracker; ~**maands** of s. months, s. months' [child]; ~**mijlslaarzen** s.-league boots; *de techniek is met – vooruitgegaan* has advanced by leaps and bounds; ~**regelig** of s. lines; *– vers* heptastich; ~**slaper** (fat *of:* edible) dormouse; (*fig.*) lie-abed; *zie* zeven; ~**snarig** s.-stringed; *– instrument* heptachord; ~**stemmig** *vgl.* zesstemmig; ~**ster** Pleiades; ~**tal** seven; ~**tallig** septenary; *vgl.* tientallig; ~**tien** seventeen; ~**tiende** seventeenth (part)
zeventig seventy; *vgl.* bij 7, dik, in, enz.; ~**er** septuagenarian, man (woman) of s.; *in de – jaren* in the seventies; *vgl.* goed; ~**jarig** *vgl.* jarig; *-e, zie* ~er; ~**ste** seventieth (part); ~**voud** multiple of s.; ~**voudig** seventyfold
zeven: ~**urig** *vgl.* zesurig; ~**voetig** of seven feet; ~**vlak** heptahedron; ~**voud** multiple of s.; *'t – van* the septuple of, s. times ...; ~**voudig** sevenfold, septuple
zever (*dial.*) slaver, slobber; ~**aar(ster)**, ~**baard** slaverer, slobber-chops
zeveren (*Z.-Ned.*) slaver, slobber; drivel
Z. Exc. H.E., His Excellency
z.g. *zie* zogenaamd
Z. H. 1 H. H., His Highness; 2 His Holiness
Z. H. E. [To] the Right Reverend the (Lord) Bishop of ...
z. i. = *zijns inziens* in his opinion
zich oneself, himself, herself, itself, themselves; *hij had geen geld bij ~* he had no money about him; *elk voor ~* each for himself [etc.]; *geza-*

menlijk en elk voor ~ collectively and severally [responsible]; *ieder voor ~* everyone for himself [and God for us all]; *zie ~zelf*
1 zicht reaping-hook, sickle
2 zicht sight; (*op zee, enz.*) visibility [... was good]; *in ~* (with)in s. [the end is in s.], [there is a general election] in the offing; *zie* gezicht; *drie dagen na ~* three days after s., at three days' s.; *op ~, (van wissel)* at s.; *wissel op ~, zie ~*wissel & kort-, langzichtwissel; *op ~ trekken* draw at s.; *op ~ zenden* send on approval (for inspection, *fam.:* on appro)
zichtbaar visible; (*merkbaar*) perceptible; (*klaarblijkelijk*) manifest; *de resultaten werden ~* the results showed themselves; *-bare uitvoer* v. export; *-bare voorraad* v. supply; *~ aangedaan* visibly affected; ~**heid** visibility, perceptibility
zichten cut (down), reap
zicht: ~**koers** sight-rate; ~**papier** s.-bills; ~**wissel** s.-draft, s.-bill, demand draft; ~**zending** consignment (*of:* goods sent) on approval
zichzelf oneself, himself, herself, itself, themselves; *hij was ~ niet* he was not himself (was out of himself, utterly unlike his usual self); *zij had ... aan ~* she had the evenings to herself, the evenings were her own; *zie ook* voor ~; *hij dacht bij ~ ...* he thought to himself ...; *hij was buiten ~* he was beside himself [with anger]; *in ~ praten (spreken)* talk to o.s. (*zo ook:* sing, whistle, laugh to o.s.); *ze vormen een klasse op ~* they are a class apart (*of:* by themselves), form a class to themselves; *dat vult op ~ al een boek* that fills a volume of itself; *dat is iets op ~* that is a thing apart (*of:* by itself); *elk geval op ~ beoordelen* judge each case on its own (its individual) merits; *dat is op ~ van historisch belang* of (in) itself of historical importance; *dit is op ~ een fout* this in itself is a mistake; *niet de beschuldiging op ~, maar ...* not the accusation per se (in itself) but [its effect on others]; *op ~ onschadelijk* [they are] in themselves harmless; (*erg*) *op ~ leven* live (very much) to o.s.; *een op ~ staand geval* a solitary case, an isolated instance; *dit geval staat niet op ~* this case does not stand alone, this is not an isolated case; *tot ~ komen* come to one's senses (one's right mind); *hij deed 't uit ~* of his own accord, of his own free will; *uit ~ wakker worden* awake of o.s.; *van ~ vallen* faint, (go off in a) swoon; *zij is een Brown van ~* her maiden name is Brown; *hij heeft geld van ~* money of his own, a private income, an income in his own right; *voor ~* [live, keep an apple] for o.s., [keep a secret, one's reflections] to o.s.; *'n coupé voor ~ hebben* have a compartment to o.s.; *zie* zelf
ziedaar there; (*als men iets geeft*) here you are; that's all; *~ wat 't is* that's what it is
zieden *tr.* boil [soap, salt]; *intr.* seethe, boil; *~ van toorn* seethe (boil) with rage [*hij was ~d* he seethed (was seething) ...]; *~de golven* seething waves; *~d heet* scalding (piping) hot; **-er** boiler

ziegezagen (*op viool*) scrape; (*fig.*) prose; *zie* zaniken

ziehier look here; (*als men iets geeft*) here you are; ~ *hoe hij 't deed* this is how he did it; ~ *een typisch geval* here we have (see) ...

ziek (*pred.*) ill, (*Am.*) sick; (*attr.*) sick; (*attr. & pred.*, *vooral van gestel, lichaamsdelen, bomen enz. & fig. van de geest, maatschappij, enz.*) diseased; ~*e aardappelen* blighted potatoes; ~*e delen* diseased parts; *zo ~ als een hond* as sick as a dog; ~ *worden* fall (be taken, take) i. [of (with) fever]; ~ *liggen aan* lie i. with; *zie* zieke, houden, lachen, melden

ziekbed sick-bed, bed of sickness; *op 't ~ werpen* lay low

zieke patient, sick person, invalid; *de ~n* the sick; ~*n bezoeken*, (*van dokter*) see (visit) patients, (*van geestelijke*) visit the sick

ziekelijk sickly, ailing, in bad (weak) health; (*fig.*) sickly, morbid [fancies, taste]; ~ *gezwel* morbid growth; ~**heid** sickliness, morbidity

zieken- sick: ~**appèl** *zie* ~rapport; ~**auto** ambulance; ~**barak** isolation hospital; ~**bezoek** s.-call; (*van geestelijke ook*) s.-visiting, visitation of the s.; ~**bezoeker** s.-visitor; ~**boeg** s.-bay, s.-berth; ~**broeder** male nurse; ~**bus** *zie* ~fonds; ~**dieet** invalid diet; ~**drager** stretcher-bearer; ~**fonds** s.-fund; –**premie** sick-fund premium; –**wet** sickness benefit act; ~**geld** sickness benefit, sick pay; ~**huis**, ~**inrichting** hospital, infirmary; *zie* hospitaal; ~**kamer** s.-room; ~**kas** *zie* ~bus; ~**kost** invalid('s) food; ~**lijst** s.-list; ~**meubelen** invalid furniture; ~**moeder** (*van ~huis*) matron; (*van ~zaal*) ward-sister, -matron; ~**olie** (*r.-k.*) oil of the sick; ~**oppasser** (male) nurse, hospital attendant; (*mil.*) hospital orderly; (*mar.*) bay-man, s.-berth steward; ~**rapport** [appear on] s.-parade; *op 't – staan* (*plaatsen*) be (place) on the s.-list; *'t signaal voor 't* – s.-call; ~**stoel** invalid chair; (*op rolletjes*) Bath (*of:* wheeled) chair; (*voor ruggemerglijder*) spinal chair; ~**transport** ambulance service; ~**troost** comfort of the s.; *formulier van de* – service for the visitation of the s.; ~**trooster** visitor of the s.; ~**vader** (*van ~huis*) superintendent, principal; (*van ~zaal*) ward-master; ~**verpleegster** (s.-)nurse; ~**verpleger** *zie* ~oppasser; ~**verpleging** *a*) sick-nursing; *b*) nursing-home; ~**sartikelen** (sick-)nursing requisites; ~**wagen** ambulance; ~**wagentje** invalid carriage, Bath chair; ~**zaal** (hospital-, sick-)ward; (*in school, armhuis, enz.*) infirmary; (*van school, ook:*) sanatorium; ~**zuster** (s.-)nurse

ziekte (*'t ziek zijn*) illness, sickness; (*een ~*) illness; (*lang en ernstig*) disease (*ook fig.:* reading novels is a ... with him); (*kwaal*) complaint; (*niet ernstige kwaal*) ailment [ladies' ...s]; (*langdurig*) malady; (*van orgaan*) disorder (*of the stomach, liver, etc.*]; (*aandoening*) affection [of the lungs]; (*ongesteldh.*) indisposition; (*volkst.*) plague; *als de ~* like anything; (*vooral van dieren*) distemper; (*van planten*) disease, blight [potato ...]; *de ~*

is in (*is gekomen in*) *de aardappelen* the blight is on (has fallen on) the potatoes; *wegens ~ on account* (on the ground) of ill-health; *zie ook* Engels, slepend, vallend, opdoen, enz.; ~**beeld** clinical picture, syndrome; ~**beschrijving** pathography; ~**cijfer** sick-rate, morbidity; ~**geschiedenis** case history; anamnesis; ~**geval** case (of illness); *nieuwe –len* fresh outbreaks (of a disease); ~**haard** *zie* haard; ~**kiem** disease-(*of:* pathogenic) germ; ~**nleer** pathology; ~**oorzaak** cause of disease; ~**overbrenger** disease-carrier; ~**proces** *zie* ~verloop; ~**stof** morbid (morbific) matter; ~**toestand** state of disease, diseased condition; ~**uitkering** sick-pay, sickness benefit; (*met*) ~**verlof** (on) sick-leave; ~**verloop** course of a (the) disease; ~**verschijnsel** morbid symptom; ~**verwekkend** pathogenic, morbific, disease-producing; **-ker** pathogen; ~**verzekering** (national) health insurance; ~**vrij** free of disease; ~**wet** (national) health insurance act

ziel soul (*ook fig.*), mind, spirit; (*fig. ook*) life-blood; (*van kanon*) bore; (*van fles*) kick; (*van veer*) pith; *die arme ~* the poor s. (*of:* thing); *een eerlijke* (*goeie*) ~ an honest (a good, kind) s. (*of:* body); *geen levende ~* not a (living) s.; *de ouwe ~ die* ... the old body who kept house for me; *God hebbe zijn ~!* God rest his s.!; *een stad van 10000 ~en* of 10,000 souls; *hij is de ~ van de onderneming* the (life and) s. of the enterprise; *geld is de ~ der negotie* money is the lifeblood of trade; *hoe meer ~en hoe meer vreugd* the more the merrier; *bij mijn ~* (*en zaligheid*)! upon my s.!; *hij was in zijn ~ overtuigd, dat* ... he was certain in his own mind (in every fibre of his being) that ...; *met z'n ~ onder de arm lopen* be at a loose end; *iem. op zijn ~ geven* dress a p. down; *op zijn ~ krijgen* get a dressing-down; *ter ~e zijn* be dead and gone (dead and buried); *'t griefde mij tot in de ~* it stung me to the quick (to the heart); ... *drong door tot in mijn ~* her smile went right to my heart; *tot in de ~ geroerd* touched to the heart, moved to the core of one's s.; *zie* zieltje, geld, grijpen, hart, lijdzaamheid, rusten, snijden, enz.

ziele- ~**adel** nobility of soul, nobleness of mind; ~**dwang** moral constraint; ~**grootheid** *zie* zieleadel; ~**heil** [pray for the] welfare of a p.'s soul, spiritual welfare, salvation; ~**leed** agony (of mind), anguish (of the soul), heart-break; ~**leven** spiritual (*of:* inner) life; ~**lijden** mental suffering; ~**ment** *zie* ziel (*op zijn ...*)

zielen- ~**herder** pastor, shepherd; ~**octaaf** All Souls' week, octave of All Souls; ~**tal** number of inhabitants; ~**zorg** *zie* zielzorg

ziele- ~**piet**, ~**poot** pathetic creature; ~**pijn**, ~**smart** *zie* ~leed; ~**rust** *zie* gemoedsrust; ~**strijd** struggle of the soul, inward struggle; ~**troost** comfort for the soul; ~**vrede** peace of mind; ~**vreugde** heart's joy, soul's delight

zielig pitiful, pathetic [little man]; (*verlaten*) forlorn; *hoe ~!* how sad! what a pity! isn't it pitiful!

ziel: ~kunde psychology; ~kundig psychologic-al!; ~kundige psychologist; ~loos (*zonder* ~) soulless; (*levenloos*) inanimate, lifeless; ~mis mass for the dead, requiem; ~roerend soul-moving, soul-stirring

ziels: ~aandoening *a*) emotion; *b*) (*med.*) psy-chosis; ~angst anguish, (mental) agony; *door – gekweld* anguished; *vol* – anguished [eyes]; ~bedroefd deeply afflicted, broken-hearted; ~begeerte heart's (heart-felt) desire; ~beminde dearly beloved; ~blij heartily glad; ~gelukkig supremely happy; ~genot heart's joy, soul's delight; ~gesteldheid state of mind; ~kracht strength of mind, fortitude; ~kwelling an-guish, (mental) agony; ~lief: *iem. – hebben* love a p. dearly, love a p. with all one's heart and soul; ~rust peace of mind; (*na de dood*) [mass for the] repose of the soul [of ...]; ~toe-stand state of mind; ~veel: – *houden van*, *zie* ~lief hebben; ~verdriet heartfelt grief, deep sorrow; ~verheugd overjoyed; ~verhuizing (trans)migration of souls, metempsychosis; ~verlangen *zie* ~begeerte; ~verrukking ecstasy, trance, rapture; ~vertrouwen firm reliance, deep trust; ~vervoering *zie* ~verrukking; ~ver-want congenial; ~verwanten kindred spirits, soul-mates; ~verwantschap congeniality; ~-vriend(in) intimate (*of:* bosom) friend, soul-mate; ~ziek diseased in mind; –*e* mental patient; ~ziekte mental disease, mental dis-order, psychosis; ~zorg *zie* zielzorg

zieltje soul; (*doetje*) silly, softy, simpleton; *een ~ zonder zorg* a happy-go-lucky fellow; ~*s winnen* win souls, make proselytes; *zie* ziel

zieltogen be dying, be in one's death agony (death-struggle); ~d dying, moribund, at the point of death

zieltoging agony (of death), death-struggle

ziel: ~verheffend exalting, elevating, soul-stirring; ~verkoper crimp; ~verpestend s.-tainting; ~verzorger spiritual adviser; ~vol soulful [eyes]; ~zorg cure of souls, spiritual care

zien[1] I *ww.* see; (*bemerken*) see, perceive, no-tice; (*bezien*) see (over) [the house]; (*kijken*) look; *ik zie niets* I cannot see anything; *ik zie mijn handschoenen niet* I cannot see my gloves; *hij ziet goed* (*slecht*) he has good (bad) eyes, his eyesight is good (bad); *als ik 't goed zie* if I s. aright; *bleek* ~ look pale; *ik heb hem nooit gezien, ook:* I've never set (*fam.:* clapped) eyes on him; *'t was verkeerd gezien van ...* it was an error of judgment on the part of ...; *heb je ooit zo iets gezien!* did you ever see such a thing (anything like it)!; *mij niet gezien*, (*fam.*) I'm not (I was not) having any; catch me!; not for me, thanks; *ik heb het wel gezien* I've had enough; *vgl.* gezien; *men kon niet verder zien dan ...* visibility was down to six feet; *ze dacht, dat ik 't niet zag* she thought I was not noticing; *doe, alsof je 't niet ziet* don't take notice; *iem.* (*elkaar*) *dik-*

wijls (*zelden*) ~ s. a good deal (little) of a p. (of each other); *wat* ~ *we je zelden!* what a stranger you are!; *we hebben je in lang niet gezien* you are quite a stranger; *iem. in 't ge-heel niet* ~, (*ontmoeten*) s. nothing of a p.; *ik kan hem niet* ~, (*uitstaan*) I hate the (very) sight of him, cannot bear the sight of him; *'t plagen niet langer kunnen* ~, *zie* aanzien; *hij moet maar – dat hij thuis komt* he must find his own way back home; *hij moest maar* ~ *hoe hij beter werd* he was left to recover as best he might; *dat mag gezien worden* that is worth looking at; *zie beneden* s. below; *zie boven* s. above; *zie aldaar* which see, q. v.; *zie blz. 7* s. page 7; *zie(t)!* see! look! (*retor.*) behold!; *en ziet ...*, (*scherts.*) and, lo and behold ...; *zie eens hier* look here; *zie je?* you see? (*fam.*) see?; *ja, zie je* well, you s.; *zie je nou wel! (daar heb je 't al)* didn't I tell you? I told you so! there you are!; *en wat – we?* and what do we find?; *dat is de waarheid, zie je* that's the truth, you s.; *iem. niet willen* ~ cut a p. (dead); *ze wil niemand* ~ (= *ontvangen*) she will not see anyone; *iets niet willen* ~ turn a (one's) blind eye to s.t.; *dat zou ik wel eens willen* ~, (*n.l. dat hij dat durft te doen, enz.*) I should (just) like to s. him try it; *ik zie je nog wel* (I'll) see you (later); *ik zie 't hem nog niet doen* I don't s. him doing it; *ik zie nog niet, dat ze hem laat schieten* I don't s. her dropping him; *dat zie ik je al doen* I s. you doing it; *ik zag dat hij 't deed* I saw him do (doing) it; *ik zag 't doen* (*dat 't gedaan werd, dat hij overreden werd, dat de slag toegebracht werd*) I saw it done (saw him run over, saw the blow struck); *men heeft 't hem nooit – doen* he has never been seen doing (to do) it; *als men u ziet, zou men denken ...* to look at you one would think ...; *'t huis* ~ (= *bezichtigen*) s. over the house; *laten* ~ show; *zal ik u 't huis laten zien?* shall I take (show) you over (round) the house?; *hij liet mij 't museum* ~ he took (showed) me over (through) the museum; *hij liet ... – ...* his teeth showed when he laughed; *zich laten* ~, (*verschijnen*) put in an appearance, show up; *laat je hier niet meer* ~ don't s. show yourself (your face) here again; *hij moest laten* ~ *wat hij kon* he was put through his paces; *laat me eens* ~, ... let me s., ...; *we zullen wel* (*eens*) ~ we shall (we'll) s., we'll s. about that; *dat zullen we dan eens* ~, (*dreigend*) we'll see [if he won't]; *dat zul je wel* ~ you'll s., wait and s.; *je zal wel – wanneer ik kom* don't expect me till you see me; *dat zie ik niet graag* I do not like that sort of thing; *men ziet hem overal graag* he is a welcome guest everywhere; *zie on-gaarne*; *ik zie hem liever niet dan wel* I prefer his room to his company; *zie eens, of je 't kunt doen* just try if you can do it; *ik zal hem* ~ *over te halen* I'll try and persuade him; *te* ~ visible, (*te bezichtigen*) on view, on show, (*hand.*) on view; *er was niem. te* ~ there was no

---

[1] *Zie ook* kijken

one to be seen (not a person in sight); *alleen de uitkijktoren was te* ~ only the conning-tower showed; *komt ... ook te* ~? is my petticoat showing?; *'t (de breuk, enz.) is (helemaal) niet te* ~ it does not show (in the least), it defies detection; *de vlek (de stop) zal niet (erg) te* ~ *komen* the stain (the darn) won't show (much); *er is nog niets te* ~ nothing shows as yet; *te* ~ *geven* show; *prachtig spel (een kranige strijd) te* ~ *geven* put up an excellent display (a big fight); *te* ~ *krijgen* catch (get a) sight of; *zo te* ~ on the face of it, by the looks of it; *zonder te* ~ [he stared at her] unseeingly, with unseeing eyes; *waar zie je dat aan?* how can you tell?; *je kunt 't wel* ~ *aan ...* you can tell by his photograph; *ik zie 't aan je gezicht* I s. it by your face (your look); *zie* aanzien; *ze zagen een spion in hem* they saw a spy in him; *hij zag er niets in om ...* he thought nothing of opening my letters; *ik begrijp niet wat hij in die jongen ziet* what he sees to admire in that boy; ~ *naar* look at; *ik ga daar ook eens naar* ~ I'll just have a look; *er moet naar 't slot (mijn verstuikte pols) gezien worden* at the lock (my sprained wrist) must be seen to; *zie naar je broer, (als voorbeeld)* take example by your brother; *wil jij naar de kinderen* ~? will you look after the children?; *op eigen voordeel* ~ have an eye to the main chance; ~ *op, zie ook* uitzien & letten op; *hij ziet niet op geld (de prijs)* money (the price) is no object with him; *hij ziet niet op 't geld, (bij zijn uitgaven)* he does not stint money; *ik zie niet op een gulden of wat* I am not particular to a guilder or two; *hij ziet op een halve cent* he is very stingy; *dat ziet op u* that refers to you, is meant for you; *uit Uw brief zie ik ...* I see (note, learn) from your letter ...; *zie ook* oog; *ik zie haar nog voor me* I can s. her now; *zie ook* aankomen, dubbel, geloven, gezien, horen, horloge, klok, mens, oog, enz.; II *zn.* seeing, sight, vision; *'t* ~ *met twee ogen* binocular vision; *'t* ~ *kost niets* it costs nothing to look at it; *op (bij) 't* ~ *van ...* on seeing ...; *naar mijn wijze van* ~ in my opinion, in my view; *zie* ziens

ziende seeing, sighted [blind or ...]; ~ *blind zijn* be blind with one's eyes open; *de blinden* ~ *maken* make the blind see; *hij ging* ~*rogen achteruit* he was visibly (perceptibly) getting worse

ziener seer, prophet; visionary; ~**es** (female) seer, seeress, prophetess; ~**sblik**, ~**soog** prophet's eye, prophetic eye

zienlijk *zie* zichtbaar; **ziens:** *tot* ~ good-bye for the present! see you again (some day)! see you (later)! au revoir! (*fam.*) so long!

zienswijze opinion, view; *zij deelde mijn* ~ *niet* she was not of my way of thinking; *ik kon hem niet tot mijn* ~ *overhalen* I could not get him (bring him round, convert him) to my way of thinking

zier whit, atom; *geen* ~ *waard* not worth a pin

(a straw, a rap); *geen* ~ *van de prijs laten vallen* not come down a penny; *'t kan me geen* ~ *schelen* I don't care a bit (fig, pin, straw, brass farthing); *(sl.)* (a) fat lot I care; *ik heb geen* ~ *medelijden met hem* I haven't a scrap of pity for him; *hij geeft geen* ~ *om 't weer* he does not care a rap for the weather; *een* ~*tje* a wee bit; *een* ~*tje cognac* a suspicion of brandy; *geen* ~*tje verstand* [he has] not a particle (a grain) of sense; *zie ook* greintje

ziezo all right, that's it; ~, *nu weet je het* so there!

zift sieve; ~**en** sift; *zie ook* mugge-; ~**er** sifter; *zie* mugge-; ~**erij** *zie* mugge-; ~**sel** siftings

zigeuner gipsy, Romany (*ook* = ~*s*), Zingaro (*mv.:* Zingari); ~**achtig** g.-like, gipsyish; ~**bloed** g.-blood; ~**in** gipsy (woman), Zingara; ~**kamp** g.-camp, -encampment; ~**taal** G. language, Romany (speech), Romanes

zigzag id.; ~ *lopen* zigzag; ~**beweging** zigzag; ~**bliksem** forked (z., chained) lightning; ~**gen** zigzag; ~**lijn** z., indented line; ~**pad** z. (path); ~**sgewijze** [the car travelled] z., in z. fashion; – *gaan (varen, enz.) ook:* zigzag; – *plaatsen, ook:* stagger [the spokes of a wheel]; ~**vormig** z., in a z. line; *(van bliksem)* forked, chained, zigzag

zij 1 (*ev.*) she; (*mv.*) they; ~ *met hun zessen bleven bij elkaar* they six kept together; *zie* hij; 2 *zie* zijde 1; 3 *zie* zijde 2; 4 *zie* zijn 1

zij: ~**aanval** flank attack; ~**aanzicht** side-view; ~**altaar** side-altar; ~**band** (*radio*) side-band; ~**bank** side-bench; ~**beuk** (side-)aisle; ~**beweging** flank movement

zijd *zie* wijd

1 **zij(de)**[1] side; flank [of an army]; ~ *spek* flitch (*of:* side) of bacon; *de goede (verkeerde)* ~, *(van stof)* the right (wrong) s.; *de* ~*n van een driehoek (een kubus)* the sides of a triangle (a cube); *zijn* ~*n vasthouden van 't lachen* hold (*of:* split) one's sides with laughing; *'t heeft zijn goede* ~, *enz., zie* kant; *iems.* ~ *kiezen* take a p.'s s.; *aan deze* ~ on this s.; *aan deze (die, de andere)* ~ *van* on this (that, the other) s. of, (on) this (that, the other) s. [the Alps]; *aan alle* ~ on all sides, on every s.; *aan beide* ~*n* on both sides, on either s.; ~ *aan* ~ s. by s., cheek by jowl, alongside of each other; *aan mijn groene* ~ on my left; *aan de ene* ~ *heb je gelijk* on one s. you are right; *hij stond aan mijn* ~, *(eig.)* he stood at (by) my s.; *(fig.)* he was on my s., sided with me; *iem. aan onze* ~ *brengen* bring a p. over to our s.; *ik heb pijn in de* ~ I have a pain (a stitch) in my s.; *in de* ~ *aangrijpen* take [the enemy] in flank; *de armen in de* ~ *zetten* set (put) one's arms akimbo; *met beide armen in de* ~ both arms akimbo; *naar alle* ~*n* in all directions, [look] on all sides; *zijn hoofd een beetje op* ~ his head a little on (*of:* to) one s.; *met zijn zwaard op* ~ with his sword by his s.; *op* ~ *(daar)!* stand clear (there)! out of the way (there)!; *op* ~ *van*

'*t huis* at the s. of the house; *op ~ van ons* [he sat] sideways to us; *op ~ doen* put aside, put on (*of:* to) one s.; *op ~ gaan* stand (step) aside, go to one s., give way [*voor* to]; *niet voor een ton op ~ gaan* have (well over) a hundred thousand guilders; *op ~ komen* come alongside; *geld op ~ leggen* put (lay) aside (lay by) money; *iedere week wat op ~ leggen* put s.t. away every week; *op zijn ~ gaan liggen* turn over on one's s.; *op ~ schuiven* push (shove) aside; (*fig.*) brush off [as unimportant]; *de gordijnen (de papieren) op ~ schuiven, (met forse beweging)* sweep the curtains (the papers) aside (to one s.); *op ~ springen* jump aside (clear, out of the way); '*t schip viel op ~* lurched over to one s., heeled over, careened, was thrown on her beam-ends; *op ~ zetten* swallow, pocket [one's pride], put [one's pride] in one's pocket, throw aside [the truth], scrap [old ideas, prejudices], discard [belief, habit], side-track [a plan], brush aside [all dogmas], sink [o.s., one's own interests, one's personal views]; *de wet op ~ zetten* override the law; *iem. op ~ zetten* thrust a p. on one s., discard a p.; *alle complimenten op ~ zetten* waive all ceremony; *zie* lacher & streven; *ter ~* aside; *ter ener (ter anderer) ~* of the first (of the second) part; *hij zei 't ter ~* he said it in an aside; *ter ~ laten* leave on one s.; *ik laat ... ter ~* I put India on one s.; *ter ~ staan* assist, stand by [a p.], support (*ook een medespeler*); *ik sta je ter ~, wat er ook gebeurt* I am behind you, whatever happens; *zich ter ~ keren* turn aside, face about sideways; *iem. ter ~ nemen* take (draw) a p. aside (on one s.); *ter ~ leggen* lay on one s.; *ter ~ stellen* place on one s.; *zie* scherts & *ben.* (*van ter ~*); *van alle ~n* [come] from all quarters, [hear s.t.] on all sides, [look at it] from all sides (all angles); *de zaak van alle ~n bekijken, ook:* consider (look at) the matter in all its bearings; *dat wordt van alle ~n toegegeven* it is admitted on all hands; *de bus werd van ter ~ aangereden* the bus was caught broadside on; *iets van ter ~ horen* hear s.t. by a side-wind; *iem. van ter ~ aankijken* look at a p. (eye a p.) askance (sideways), look at a p. out of the corner (the tail) of one's eye, have a s.-look (s.-glance) at a p., give a p. a sidelong glance; *ik, van mijn ~* I, on my part; I, for one; I, on my s.; *van de ~ der politie* [ill-treatment] at the hands of the police; *van de ~ der regering* on the part of the government; *van militaire ~* from military quarters; *van Britse ~* [it was suggested] from the British s. [that ...]; *van Duitse ~ is toegestemd ...* the Germans have agreed ...; *van zekere ~* in certain quarters [it has been stated ...]; *van moeders ~* on the mother's s.; *zie* zwak, enz.
2 zij(de)[1] silk; *zie* spinnen; **~aap** lion-monkey, (silky) marmoset; **~achtig** silky; (*biol.*) sericeous; **~cultuur** s.-culture, sericulture; **~fa-**

briek s.-mill, s.-factory; **~fabrikant** s.-manufacturer; **~handel** s.-trade; **~handelaar** s.-merchant, -mercer; **~haspel** s.-reel; **~industrie** s.-industry; **~lijm** sericin
zijdelings I *bw.* sideways [sit ...], sidelong, obliquely; *~ op iem. afgaan* sidle (*of:* edge) up to a p.; *~ vernemen* hear by a sidewind; II *bn.* sidelong [look, movement]; indirect [influence, invitation]; oblique [accusations]; *~e blik, ook:* side (sideways) look (*of:* glance); *~e hatelijkheid* side-hit, sly dig [*op* at]; '*n ~e toespeling maken op* make an oblique reference to; *~e linie* collateral line; *~e slag* side-stroke
zijden silk [hat]; (*fig.*) silken [curls, bonds]; *~ stoffen* silks
zijdens on the part of
zijde: **~papier** tissue-, silk-paper; **~plant** swallowwort, milkweed; **~rups** s.-worm; **~rupsteelt** s.-worm breeding, sericulture; **~staart** (*vogel*) waxwing, chatterer; **~stof** fibroin; **~teelt** s.-culture, sericulture; **~twijnder** s.-throw-(st)er
zijdeur side-door (*ook fig.*: introduce Protection by a ...); *af door de ~* exit in confusion
zijde: **~verver** silk-dyer; **~vlinder** s.-moth; **~wever** s.-weaver; **~weverij** *a*) s.-weaving; *b*) *zie* ~fabriek; **~worm** *zie* ~rups
zijdgeweer (*hist.*) side-arm, sword, bayonet
zij: **~galerij** side-gallery; **~gang** s.-passage; (*van mijn*) lateral gallery; (*van trein*) corridor; *–en gaan* tread crooked paths
zijgdoek straining-cloth
zij: **~gebergte** lateral chain (of mountains), spur; **~gebouw** annex(e), wing
zijgen strain, filter, percolate; *zie* neer~ & in-een~
zij: **~gevel** side-façade; **~gezicht** s.-view; **~ig** silky (*ook fig.*); **~ingang** s.-entrance; **~kamer** s.-room; **~kanaal** branch-canal; s.-channel; *vgl.* kanaal; *door een – vernemen* hear through a s.-channel (by a s.-wind); **~kant** side
zijl *a*) watercourse; *b*) dike-lock
zij: **~laan** side-avenue; **~laantje** s.-alley; **~leuning** railing; (*van stoel*) arm-rest, (*wijd uitstaand*) s.-wing [of an armchair]; **~licht** s.-light; **~lijn** (*van spoorw.*) branch-, side-line, feeder(-line), spur; (*voetb.*) touch-line; *ook = ~linie* collateral line; **~loge** s.-box; **~muur** s.-wall
1 zijn[2] I *ww.* (*zelfst. ww. & koppelww.*) be; (*hulpww. van tijd*) have; (*hulpww. van lijd. vorm*) have been; *zij 't ook* [comfortable,] if [shabby chair]; *... zij het dat hij ...* albeit that he ...; *zoals de wet nu is* as the law now stands; *je bent er,* (*fig.*) *a*) you have hit it; *b*) you are through; *ik ben er,* (*weet 't*) I have it; *hij is er geweest,* (*fig.*) it is all up (U.P.) with him, he is a goner, he has had it; *Engeland is er geweest* is dished; *de dokter zal er dadelijk ~* will be round immediately; *is de slager geweest?* has the butcher been?; *is er ook iem. ge-*

---

weest toen ...? did anyone call when I was out?; (*is er ook*) *iem. gew.?* (has) anybody been?; *een beter man is er nooit gew.* a better man never was; *wat is er?* zie wat; *dat is wat tussen die twee* there is something between those two; *er is iem. die mijn pijp gebroken heeft*, (*fam.*) someone has been and broken my pipe; *ze was er of ze kwam er* she was in and out a good deal; *die er is* [the greatest rascal] going; *hij was in de katoen* he was in cotton; *hij is uit Canada* from C.; *ik ben naar Parijs geweest* I've been to Paris; *hij is* (*zij zijn*) *advocaat* he is a lawyer (they are lawyers); *oorlog is oorlog* war is war; *jongens ~ jongens* boys will be boys; *waar zijn we?* (*in boek, enz.*) where are we?; *ik weet niet waar 't is*, (*in boek*) I've lost my place; *deze huizen ~ £ 400 per jaar* are £400 a year; *'t was niet, dat* ... it was not that he needed the money; *hoe is het met je?* how are you?; *is hij gekomen? ja, hij is er* has he come? yes, he has (he is here); *'t is niet te doen* it is not to be done; *dat is gemakkelijk te begrijpen* it is easy to understand; *5 van de 12 is 7 5* from 12 leaves 7; *2 × 2 is 4* twice 2 is 4; *zie ook* als, bij, er, het, hoe, meer, middel, moeten, mogen, net, vanwege, zaak, zo, zullen, enz.; II *zn.* being

2 zijn his, its; one's; *men moet ~ plicht doen* one should do one's (*Am. ook:* his) duty; *de* (*het*) *~e* his; *elk 't ~e* every one his due; *hij heeft 't ~e gekregen* he has come by his own; *zie verder* mijn

zijnent: *tc(n) ~* at his house, at his place, in his country; *~halve, ~wege a*) so far as he is concerned, as for him; *b*) in his name; (*om*) *~wil(le)* for his sake

zijnerf lateral nerve, side-nerve

zijnerzijds on his part

zijnsleer ontology

zijopening side-opening

zijp drain, draining-ditch

zijpad side-, by-path; *'n zijpaadje inslaan,* (*fig.*) ride off on a side-issue

zijpelen ooze, filter

zij: ~**plank** sideboard; ~**raam** s.-window; ~**rivier** tributary (stream, river), affluent, confluent, branch, feeder; ~**scheut** s.-shoot; ~**schip** zie zijbeuk; ~**slip** (*van vliegt.*) s.-slip; ~**span(wagen)** s.-car; *motorfiets met* – motorcycle combination, m.-c. and s.-car; *m. zonder* – solo m.-c.; ~**spoor** siding, side-track, shunt; *op een* – *brengen* (*zetten*) sidetrack; *de trein werd op een* – *gebracht* was switched on (shunted on, *achterwaarts:* backed on) to a siding; (*vgl.* uitrangeren); ~**sprong** s.-leap; (*van schrikkend paard*) shy; *een* – *maken* jump (leap) aside; ~**stoot** s.-thrust; (*schermen*) flanconade; ~**straat** s.-, by-, off-street, turning [off, *of:* out of Piccadilly]; *een* – *van* ... *ook:* a (side-)street off the Strand; ~**streep** (*biol.*) lateral line; ~**stuk** s.-piece; ~**tak** s.-branch; (*van rivier, spoorweg, gebergte, enz.*) branch; *zie ook* ~rivier; (*van familie*) collateral branch; ~**tje** page, side; ~**troep** (*mil.*) flank guard; ~**ven-**

ster s.-window; ~**vlak** lateral face; ~**vleugel** s.-wing; ~**waarts** *bw.* sideways, sideward(s); *zie* zijdelings; *bn.* sideward, lateral; *'n –e beweging maken*, (*van auto, enz.*) swerve; ~**wand** s.-wall; ~**weer** (*mil.*) traverse; ~**weg** s. (by-, cross-)road, branch road, by-, s.-way; ~**wind** s.-wind; (*mar., luchtv.*) *ook:* beam-wind; ~**zak** s.-pocket; ~**zwaard** lee-board

zilt saltish, salty, briny, brackish; ~*e tranen* [weep] salt (*of:* briny) tears; *het ~e nat* the briny ocean, the salt water, (*scherts.*) the briny; ~**heid** saltiness, etc.; ~**ig** *zie* ~

zilver silver; (*zilveren voorwerpen*) silver [polish the ...], (s.) plate; (*ongemunt*) bullion, bar-silver; (*her.*) argent; *zie* spreken; ~**aanmunt(ing)** coinage of s.; ~**aap** titi, teetee; ~**achtig** silvery (*ook fig.:* a ... laugh), argentine; ~**ader** vein (lode) of s.; ~**ahorn** s. (s.-leaved, white) maple; ~**bewaarder** keeper of the plate; ~**blad** s.-leaf, -foil; (*plant*) milkweed; ~**blank** as bright as s.; ~**bon** currency (*of:* treasury) note (for a guilder or fl 2.50); ~**boom** *a*) s.-tree (of Cape Colony); *b*) zie ~populier; *c*) (*chem.*) arbor Dianae, dendritic s.; ~**brokaat** s.-brocade; ~**draad** (*van zilver*) s. wire; (*met ~ omwonden*) s. thread

zilveren silver; ~ *bruiloft* s. wedding; ~ *haren* (*stem, lach*) silver(y) hair (voice, laugh); ~ *knoopjes*, (*plant*) fair maids of France; *met ~ stem, ook:* s.-voiced

zilver- silver: ~**erts** s.-ore; ~**fazant** s. pheasant; ~**galon** s. lace; ~**gehalte** percentage of s., s.-content; ~**geld** s. money; ~**glans** *a*) s.-glance, argentite; *b*) silvery lustre; ~**glit** litharge; ~**goed** silver [polish the ...], (s.) plate; ~**grauw, ~grijs** silvery grey; ~**groeve** s.-mine; ~**handel** s.-trade; ~**helder** silver(y) [tone, voice]; ~**houdend** containing s., argentiferous; ~**kast** *a*) s.-cabinet; *b*) s.-smith's show-case; ~**klank** silvery sound; ~**kleur** silvery colour; ~**kleurig** s.-coloured; ~**koers** price of s.; ~**lakens:** *–e fazant* s. pheasant; ~**legering** s.-alloy; ~**lening** s.-loan; ~**ling** (*bijb.*) piece of s. [Judas betrayed the Master for 30 pieces of s.], silverling; ~**meeuw** herring-gull; ~**mijn** s.-mine; ~**munt** s. coin; ~**oplossing** solution of s.; ~**oxyde** s.-oxide; ~**papier** s.-paper, s.-foil, tin-foil; ~**pluvier** s. plover; ~**poeder** s.-dust; (*om te poetsen*) plate powder; ~**populier** white (*of:* silver) poplar, abele; ~**prijs** s.-price, price of s.; ~**proef** s.-test, s.-assay; ~**reiger** (*grote*) great white heron; (*kleine*) little egret; ~**rein** *zie* ~blank & ~helder; ~**rijk** rich in s.; ~**schoon** s.-weed, goose-tansy; ~**schuim** s.-dross; ~**smid** s.-smith; ~**spar** s. fir; ~**staaf** bar of s.; ~**staal** s. steel; ~**stof** 1 s. pheasant; 2 s.-cloth; ~**stuk** s. coin; ~**vingerkruid** *zie* ~schoon; ~**vis** s.-fish; ~**visje** (*insekt*) s.-fish, fish-moth; ~**vloot** s.-, treasure-, plate-fleet; ~**vos** s.-fox; ~**werk** silverware, s.-work, (s.) plate; ~**wilg** white willow; ~**wit** *bn.* silver(y) white; *zn.* s.-white, Kremnitz (*of:* Chinese) white; ~**zand** s.-sand

Zimbabwe id.

zin (*zielsvermogen, verstand*) sense; (*betekenis*)

sense, meaning; (*lust*) mind, desire, appetite, fancy, stomach [no ... for fighting]; (*volzin*) sentence; *de vijf ~nen* the five senses; *zin voor humor* (*'t schone*, *'t schilderachtige*) [have a] s. of humour (beauty, *of:* the beautiful, the picturesque); *'n mens z'n ~, enz.*, *zie* wil; *zijn eigen ~ doen* have one's own way, do as one pleases; *als ik mijn ~ kon doen* if I could have (*of:* work) my will; *iems. ~ doen* do as a p. wishes; *ook = iem. zijn ~ geven* let a p. have his way, humour a p.; *~ of geen ~* willy-nilly, whether you like it or not; *ieder zijn ~*, *zie* smaak; *deze woorden hebben geen ~* these words make no s.; *wat voor ~ heeft 't?* what is the s. (use) of it?; *dat zou geen* (*weinig*) *~ hebben* there would be no (little) s. in that, it would be without point, it would serve no useful purpose; *'t heeft geen ~ om voor te wenden* ... there is no s. in pretending ...; *een lang engagement zou geen* (*niet veel*) *~ hebben* there would be no point (would not be much point) in a long engagement; *ze zag niet in wat voor ~ 't had* she saw no point (no s.) in it; *uw kloppen zou ~ hebben, als* ... there might be some s. in your knocking if ...; *hij wil in alles zijn ~ hebben* he wants to have it all his own way; *heb je nu je ~?* are you satisfied now?; *ik heb mijn ~* I have my wish; *hij heeft zijn ~nen goed* (*al zijn ~nen*) *bij elkaar* he has all his wits about him; *niemand die zijn ~nen bij elkaar heeft* nobody in his senses; *~* (*veel ~, wel ~, geen ~*) *hebben om te* ... have a mind (a great mind, half a mind, no mind) to ...; *als je ~ hebt te wachten* if you care to wait; *als je ~ hebt, ook:* if you are so minded; *ik heb geen ~ om te schrijven* I don't feel like writing; *ik heb niet veel ~ om te gaan* I don't much want to go; *ik heb geen ~ in mijn werk* I don't feel up to my work; *hij had geen ~ er afstand van te doen* he was reluctant to part with it; *zie verder* lust & trek; *zijn ~nen bij elkaar houden* keep one's head; *zijn ~ krijgen* have (get) one's wish (one's will, one's way); *zij kreeg haar ~, ook:* she carried the day; *hij kreeg er ~ in* he took a fancy to it; *zij volgt graag haar eigen ~* she is fond of her own way; *hij had er zijn ~nen op gezet* he had set his mind (his heart) on it, he was set on it (on the house, etc.); *hij is niet goed bij zijn ~nen* he is not in his right senses, is out of his senses; *ik heb hem in die ~ geschreven* (*gewaarschuwd*) I've written to him (warned him) to that effect; *in eigenlijke ~* in its literal (proper) s.; *in engere ~* in a more restricted (limited) s.; *in figuurlijke ~* in a figurative s.; *in die ~ dat* ... in the sense that ...; *in de ~ der* (*dezer*) *wet* [manufacturer] within the meaning of the Act; *in de volste* (*ware*) *~ van het woord* in the full (true) s. of the word; *in zekere ~* [you are right] in a (certain) s., in a way; *hij zinspeelde er in zekere ~ op,* (*fam.*) he sort of hinted at it; *wat heeft hij in de ~?* what is he driving at, what is he up to?; *hij heeft niets goeds in de ~* he is after (up to) no good (isn't up to any good); *geen*

kwaad in de ~ hebben intend (mean) no harm; *ik weet wat hij in de ~ heeft* I know what he is after (what he has in mind); *iets in de ~ hebben tegen* have designs upon; *'t kwam mij in de ~ dat* ... it occurred to me that ...; *dat zou mij nooit in de ~ komen* I should never dream of it, such a thing would never enter my head; *dat schoot mij in de ~* it flashed through (crossed) my mind; *'t iem. naar de ~ maken* please a p.; *'t iem. naar de ~ trachten te maken, ook:* study a p.'s tastes (comfort, etc.); *men kan 't niet alle mensen naar de ~ maken* you cannot please everybody; *ik kon nu pas iets naar mijn ~ krijgen* it was only now that I found something to my liking; *dat is naar mijn ~* that is to my liking [he's got too many ideas for my liking]; *is het hotel* (*enz.*) *goed naar je ~?* are you happy where you are?; *te bleek naar mijn ~* too pale for my taste; *tegen mijn ~* [he went] contrary to my wishes, against my will; (*met tegenzin*) reluctantly; *ik zal hem tot zijn ~nen brengen* I'll make him see s.; *hij is van zijn ~nen beroofd* he is bereft of (is out of) his senses; *één van ~ zijn* be of one mind; *zij handelden één van ~* they acted with one mind and one spirit; *van ~s zijn* intend, be minded [to ...]; *niets goeds enz. van ~s zijn, zie:* in de ~ hebben

zincografie zincography

zindeel *zie* zinsdeel

zindelijk clean (*ook van hond*), neat, tidy; (*van kind*) trained; (*van dier*) house-trained; *~ van aard* cleanly; *~heid* cleanness, neatness, tidiness, cleanliness

zingbaar singable

zingen sing; chant [the Litany]; (*van vogels*) sing, warble, carol; ... *zijn aan 't ~* (*beginnen* (*plotseling*) *te ~*) the birds are in (burst, break, into) song; *'t water zingt* the kettle is singing; *tenor, enz. ~ s.* (the) tenor, etc.; *zing eens wat* give us a song; *uit één gezangboek ~ s.* out of one hymn-book; *'t lied zingt gemakkelijk* (*laat zich goed ~*) the song sings easily (sings well); (*niet*) *te ~* (un)singable; *~de mis* sung mass; *~de zaag* musical saw; *zie* lijster, slaap, toontje, vals, wijs l

zingenot sensual pleasure

zinger *zie* zanger

zink *znw;* (*hand.*) spelter; *~achtig* zinky; *~amalgaam* z.-amalgam; *~bad* z.-bath

zinkbak (*van vliegt., enz.*) sump

zinkblende zinc-blende

zinkbloemen flowers of zinc

1 zinken *bn.* zinc

2 zinken *ww.* sink (*ook van de moed, enz.*), go down; (*van schip ook*) founder; *~d schip* [the rats are leaving the] s.ing ship; *laten ~* sink scuttle [ships]; *diep ~,* (*fig.*) sink (*of:* fall) low; *zó diep was hij niet gezonken* he had not fallen as low as that (not sunk to this level); *in zijn stoel ~ s.* (subside) into one's chair; *in 't graf ~ s.* into the grave; *zie* baksteen, grond, moed, enz.

zinker *a*) underwater main; *b*) (*van net*) sinker

zinkerts zinc-ore
zinkgat (*mar.*) pump-well
zinkgravure zinco(graph)
zinkhoudend zinciferous [*spr.*: ziŋ'kifərəs]
zinklaag layer (*of:* stratum) of zinc
zinklegering zinc-alloy
zinklood *a*) *zie* dieplood; *b*) (*bij 't vissen*) sinker; *~jes* spliced shot
zink: ~**ografie** zincography; ~**oxyde** z.-oxide
zinkput cesspool, cesspit, sludge-well, settling-tank; (*fig.*) haunt of social outcasts
zinkspaat zinc-spar
zinkstuk (*waterbouw*) mattress, willow matting
zink: ~**sulfaat** zinc-sulphate; ~**sulfide** z.-sulfide; ~**wit** z.-white; ~**zalf** z.-ointment
zinledig meaningless, devoid of sense, vacuous; ~*e gezegden* inanities, vacuities; ~**heid** meaninglessness, vacuity, inanity
zinloos(heid) senseless(ness); *zo'n leven is ~* such a life is meaningless; *een -ze moord* a pointless murder; *zie ook* zinledig(heid)
zinnebeeld emblem, symbol; *'t ~ zijn van, ook:* be symbolic(al) of [peace, etc.]
zinnebeeldig emblematic(al), symbolic(al)
zinnelijk 1 of the senses, of sense; ~ *waarneembaar* perceptible by the senses; *de ~e wereld* the world of sense; 2 (*de zinnen strelend; zingenot beminnend*) sensual [pleasures, persons], carnal [appetites]; (*gew. niet ongunstig*) sensuous; *een ~ mens, ook:* a sensualist
zinnelijkheid sensuality, sensualism
zinneloos out of one's senses, insane, mad
zinneloosheid insanity, madness
zinnen ponder, muse, meditate; (*somber ~*) brood; ~ *op* ponder, etc. on; *op wraak ~* brood on (be out for) revenge; *'t zint mij niet* I don't like (fancy) it; *zie* bezinnen
zinnen: ~**prikkelend,** ~**strelend** titillating; ~**wereld** world of sense
zinnespel morality
zinnia (*plant*) id.
zinnig sane; sensible; ~**heid** sense; (*volkst.*) longing
zinrijk full of sense (of meaning), pregnant, significant, terse; ~**heid** pregnancy, significance, terseness
zins *zie* zin
zins: ~**bedrog,** ~**begoocheling** illusion, delusion, hallucination; ~**bedwelming** intoxication (of the senses); ~**bouw** sentence structure
zinscheiding punctuation
zinsdeel part of a sentence, s. element
zinsnede passage, clause
zinsontleding analysis
zinspelen allude [to], hint [at]
zinspeling allusion [*op* to], hint [*op* at], reference [*op* to]; *een ~ maken op, zie* zinspelen op
zinspreuk motto, device; (*kernspreuk*) aphorism; ~**ig** sententious, aphoristic
zinstorend confusing [misprints]
zins: ~**verband** (*wijze van verbinding*) connection of sentences; (*samenhang*) context; ~**verbijstering** *zie* verstandsverb.; ~**verrukking,** ~**vervoering** *zie* geestverrukking; ~**wending** turn

(of speech, of phrase, of a sentence)
zin: ~**tuig** organ of sense, sense-organ, organ [of sight, etc.]; *de vijf –en* the five senses; ~**tuiglijk:** *–e waarneming* sense (*of:* sensory) perception
zinverwant synonymous; ~ *woord, ook:* synonym; ~**schap** synonymity
zinvol significant, meaningful
Zion id.; **z~isme** Zionism
zionist(isch) Zionist
zirkoon zircon
zit: *die ruiter heeft een goede ~* has a good seat; *hij heeft geen ~ in 't lijf* he is a fidget, is fidgety, cannot sit still; *een hele ~* a long journey, [from 7 to 12 is] a long time; ~**bad** hip-, sitzbath; ~**bank** bench, seat; (*soort canapé*) settee; (*kerk-*) pew; ~**been** seat-bone, ischium; ~**dag** day of sitting; (*jur.*) court-day, assize-day; ~**gelegenheid** sitting accommodation, seating; *met – voor ...* to seat [50]; ~**hoek** sitting area; ~**je** *a*) table and chairs; *b*) seat; *een aardig ~* a snug corner, a cosy nook; ~**kamer** sitting-, living-, morning-room, parlour; (*de meubelen*) morning-room suite; ~**kuil** sunk sitting area; ~**kussen** seat cushion; ~**plaats** seat; (*vaste – in kerk*) sitting; *de bioscoop heeft 500 –en* the cinema seats (is capable of seating, has seating-accommodation for, is seated for) 500 people; ~**redacteur** prison editor; ...**zits:** *zeven~ auto* seven-seater
zit: ~**slaapkamer** bed-sitting room, (*fam.*) bedsitter; ~**stang** perch; ~**stok** shooting-, racing-stick
zitten sit (*ook van Kamerlid, rechter, enz.:* the right to ... in both Houses); (*van vogel*) be perched (perch) [on a branch]; (*van kledingstuk*) fit, sit [the coat ...s well; *zie* recht & scheef]; *te veel ~* s. too much; *de wind zit in 't N.* is in the north; *de kip zit te broeden* the hen is sitting; *hoe zit dat?* how is that?; *dat zit zo* it's like this, it's this way; *zit daar geld?* are they well off?; *er zit nogal wat geld* they are pretty well off; *die zit* that's a hit; one (in the eye) for you; (*van schot*) that's an inner; *dat zit nog* that's a question; that remains to be seen; *hij heeft drie jaar gezeten* he has served three years [for house-breaking]; *de boom zit vol vruchten* is full of fruit; *zie ook* vol; *waar zit je toch?* where are you then?; *de jas zit goed* (*slecht*) the coat is a good (bad) fit; *hij keek zijn jas* (*broek*) *goed zat* he studied the sit of his coat (the hang of his trousers); *dat zit wel goed* that will be all right; *ik zie dat niet ~* I don't see it coming off (getting done, etc.); *ze zag hem wel ~* she thought she could hook him; *er zit nogal wat geld* ... *de stoel zit lekker* it's a comfortable chair; *'t zit hier lekker* it is nice sitting here; *daar zit 'm de moeilijkheid* there's the rub; *gaan ~* s. down, take a seat, take one's seat [the bench on which they took their seats], sit down; *ze ging rechtop in bed ~* she sat upright in bed; *weer gaan ~* resume one's seat; *het meeste geld gaat ~ in boeken* most of the money goes in books; *ga ~! s.*

down!; *(tegen getuige)* stand down!; *gaat u ~* take a seat, pray be seated, s. down, won't you s. down?; *gaan ~ ontbijten (thee drinken, enz.)* s. down to breakfast (tea, etc.); *de Kamer zit nu* is now sitting, is in session now; *altijd thuis ~* be always at home, be a (sad) stay-at-home; *blijven ~* remain seated, keep one's seat; *(op school)* stay down, fail to pass; *(onder dans)* sit out (the dance); *(ongetrouwd bl.)* remain *(of:* be left) on the shelf; *blijf ~* keep your seat, don't move, please; *in de sneeuw blijven ~* stick in the snow; *de kogel bleef in zijn schouder ~* the bullet lodged in his shoulder; *die tussen de tanden blijven ~* [remove all particles of food] that lodge between the teeth; *wij kunnen helemaal tot A. blijven ~* we can keep our seats all the way to A.; *hij bleef maar ~* he sat on and on; *hij bleef langer ~ dan de anderen* he sat out the others; *haar haar wou niet blijven ~* would not stay in place; *'t verband bleef niet ~* the bandage did not hold; *blijven ~ met, zie ben.; ~ te lezen* sit (be) reading, s. and read; *hij zat van zijn sigaar te genieten* he sat enjoying his cigar; *een meisje laten ~* jilt (throw over) a girl; *zijn vrouw laten ~* desert one's wife; *de dienstbode heeft ons laten ~* has let us down; *laat maar ~!* *(tegen kelner)* keep the change, never mind the 10p. etc.; *hij heeft 't lelijk laten ~* he has not come too well out of it; *zie ook ben.* *(~ bij & op)*; *daar ~ we nu!* now we are in a scrape! here's a dilemma!; *aan tafel ~* be at table; *ik zat juist aan 't diner* I was just having dinner; *hij zit overal aan* he touches (fingers) everything, cannot let (leave) anything alone; *wie heeft aan dat slot gezeten?* who has been tampering with that lock?; *'t zit hem aan de longen* it's his lungs, his lungs are affected; *dat zit er niet aan* I can't afford it, *(geen sprake van)* nothing doing!; *'t schijnt er bij hem nogal aan te ~* he seems to have plenty of money; *maar dat zat er niet aan, ook:* but no such luck!; *... dat hij erachter zit* I'm sure he has something to do with it (he is at the bottom of it); *daar zit wat achter* there is more to it than that, *(een verborgen moeilijkheid, enz.)* there must be a catch in it; *daar zit meer achter* there is more in it than appears, more is meant than meets the eye (the ear); *daar zit een vrouw achter* there is a woman in it (in the case, at the bottom of it); *achter iem. heen ~* keep a p. at it *(of:* up to scratch) *(zie ook* vodden); *bij iem. ~* s. by a p.('s side); *kom bij mij ~* (come and) s. by me; *kom bij ons (gezelschap) ~* join us; *bij zijn boeken ~* s. over one's books; *bij 't vuur ~ soezen* s. brooding over the fire; *er zit niets (niet veel) bij (hem)* he has nothing in him (there is not much to him); *ik heb er veel geld bij laten ~* I've lost a lot of money over it; *hij liet 't er niet bij ~* he did not take it lying down; *hij heeft het er lelijk bij laten ~* he has made a poor job of it; *hij zit er goed bij* he is well (comfortably) off; *'t zit hem in de benen* it's his legs, his legs betray (fail) him; *'t zit in*

de familie it runs (it is) in the family; *dat (die eigenschap, enz.) zit hem in 't bloed* it is in his blood; *wij ~ weer in de winter* another winter is upon us; *de sleutel zit in 't slot* is in the lock; *de spijker zit in 't hout* the nail sticks in the wood; *... zat diep in ...* the knife was deeply embedded in the body; *in de raad ~* sit (be) on the (town-)council; *in de commissie ~* be (sit, serve) on the committee (the board; *staatscommissie:* the royal commission); *in de gevangenis ~* be in prison; *er zit een staatsman in hem* he has the stuff (the makings) of a statesman in him; *daar zit wel wat in* there is some reason (some point) in that, there is something in it; *er zat wel wat in 't stuk* there was stuff in the piece; *rol waar wat in zit* part with meat in it; *zijn grammatica zit er niet in* his grammar is shaky; *zijn Duits zit erin (zit er goed in)* he has got up (has thoroughly mastered) his German; *daarin zit 't nieuwe van 't idee ('t onrechtvaardige ervan)* that's where the novelty of the notion comes in (where the injustice of it creeps in); *het zit erin dat het lukt* there's every chance of success; *hij deed al zijn best om te winnen, maar 't zat er niet in ...* but he could not make it (but no such luck); *hij zit erin, (is op de hoogte)* he is in it, is an insider; *goed in de kleren ~* be well off (well set up) for clothes; *in verlegenheid ~, zie* moeilijkheid; *ik zit er al lelijk genoeg in* I'm in a big enough hole already; *er zit niets in dat goedje* there is nothing in that stuff; *dat zit niet in hem* it is not (he hasn't got it) in him; *ik zit ermee* I am at a loss (I do not know) what to do about it (with it, with the boy, etc.); *waar ik mee zit ... what bothers me ...; hij zou er lelijk mee gezeten hebben [om ... te ...]* he would have been hard put (to it) [to ...]; *ik zit met die artikelen* I have those articles on my hands; *ik bleef met die artikelen ~* these articles were left on my hands, I got saddled *(of:* stuck) with them; *zij bleef met vier kinderen ~* she was left with four children; *hij liet mij met 't huis (de goederen, de zaken) ~* he left me with the house (the goods, the business) on my hands, *(meer algem.)* left me to hold the baby; *kom naast mij ~* sit beside me; *om 't vuur ~* s. (be seated) round the fire; *onder de modder ~* be covered (caked, coated) with mud; *onder 't werk ~* be up to the eyes in work; *onder de luizen ~* be lousy; *er zit niets anders op dan te betalen* there is nothing for it (we have no alternative) but to pay; *er zit niets anders op* there is no alternative, there is nothing else for it; *ziende, dat er niets anders op zat, ...* seeing nothing else for it, ...; *er zit wat (nl. straf, enz.) voor je op* you won't half get it, you are sure to catch it; *daar zit een jaar (voor me, enz.) op* that'll mean a year; *dat zit erop* that's that, that job is jobbed; *dat kan ik niet op me laten ~* I cannot sit down under (put up with) it; *hij liet 't niet op zich ~* he didn't take it lying down, he gave as good as he got; *er zit een kroon op de scepter* the sceptre is surmounted by a crown; *er zit een vlek op je jas* there is a stain on your coat; *over een boek ~ s.* (pore) over a book; *over een som ~* be at work on (*blokken:* swot at) a sum; *goed* (*slecht*) *te paard ~* sit a horse well (badly), have a good (bad) seat; *hoog te paard ~* ride the high horse; *'t zit me tot hier* I'm fed up with it; *voor een schilder* (*zijn portret*) *~ s.* to a painter (for one's portrait); *zie ook* gezeten, bloed, diep, dunnetjes, grond, hoog, in-, opzitten, kop, recht(op), schuld, stemmen, zitting, enz.

zittenblijver pupil who stays in a class for an extra year

zittend sitting, seated; *~ leven* (*werk*) sedentary life (work); *~ blad* sessile leaf; *'t thans ~e lid* the s. member [for ...]

zitter sitter

zittijd (time of) session; (*jur.*) term

zitting session, (*een enkele ~*) *meestal:* sitting, *soms:* session; (*van stoel*) seat, bottom; *stoel met leren ~* leather-seated chair; *zie* rieten; *gemeenschappelijke ~* joint s. [of both Houses]; *~ hebben* (*houden*) be in s., sit [the court is ...ting; the judge holds court in a barn]; *~ hebben in, zie* zitten in; *~ hebben voor Gouda* sit for G.; *~ hebben voor 4 jaar* hold office for 4 years; *een geheime ~ gaan houden* go into secret s.; *4 maal per jaar ~ houden* hold four sessions every year; *gevraagd worden ~ te nemen in ...* be asked to take part in the conference; ~sdag sitting-day; ~stijd *zie* zittijd; ~szaal session-room

zit: ~vlak bottom, b.t.m., seat, sit-upon; *hij greep hem bij zijn –* he gripped him by the slack of his trousers; ~vlees *zie* zit

Z. K. H. H.R.H., His Royal Highness; **H.I.H.,** His Imperial Highness; **Z.K.K.H.** His Imperial and Royal Highness

Z. M. = *Zijne Majesteit* H.M., His Majesty

Z.O. S.E., south-east

1 zo I *bw.* so, like this, in this way, like that, thus; (*aanstonds*) presently, directly, [I shall be ready] in a minute; (*zoëven*) just now, [I've] just [arrived]; *ze trouwde zó van de school* straight from school; *melk ~ van de koe* fresh from the cow; *een uur of ~ later* an hour or s. afterwards (*zo ook:* the last 20 years or s.; a dozen or s.); *waarom hij ~ of ~ gehandeld had* why he had acted thus or thus; *~ is het een nadeel dat ...* for instance, a drawback is that ...; *~, heeft hij je gezien?* he saw you, did he?; *o, ~!* oh, I see; oh, are you (does he, has she, etc.); *ik geloof ...; ~?* I think ...; oh, you do, do you?; *~, moet je?* oh, you must, must you?; *ik heb ...; ~?* (*vaak iron.*) I have ...; indeed? have you? you have, have you?; *'t was een cadeautje; o, ~!* it was a present; a present, was it?; *~, is dat de naam?* oh, that's the name, is it?; *hij is overgegaan; ~?* he has gone up a class; indeed? has he?; *~, en wat zei hij?* well, and what did he say?; *~, dat is genoeg* well, that will do; *~ ~* [did you like it?] so so; [quality:] fair; [can you swim?] after a fashion; *het*

was maar ~ ~ it was but s.-s., betwixt and between, indifferent; *Mijnheer ~ en ~* Mr. S. and S., Mr. Somebody; *ik schreef hem ~ en ~* like this, to this effect; *de zaak zit zó* it's like this; *zó is het* that's it; that's what it is; *was 't zó? ja, zó* was it like that? yes, like that; *zó ben ik 't te weten gekomen* that's how I know; *dat doe je zó* this is how it is done; *zó is 't goed* that's right; *flink* (*mooi*) *~!* that's right! (*fam.*) good business!; *ik wist niet dat 't zó slecht was* (*dat de griep hen zó te pakken had*) I did not know it was as bad as (all) that (that they had the 'flu as badly as that) [*zo ook:* she had not fallen so (as) low as that; life is not so easy as all that; is it so (as) late as (all) that]?; *zó vroeg had ze ...* she had not expected him quite so early; *dat is nog niet ~ slecht* that is not too bad!; *'t is treurig, maar 't is ~* it is sad, but it is so; *het is niet ~ dat ik het nooit gedaan heb* it is not as though I have never done it; *maar 't is* (*was*) *nu eenmaal ~* [it's, it was, a pity] but there it is (was); *hij is nu eenmaal ~* he is that sort; he is made like that; *of is dat eigenlijk wel ~?* ['I see', he hesitated;] 'or do I?'; *~ zij het!* s. be it!; *is dat ~?* is that s.?; *'t is ~* it is s.; *ja, dat is ~* that's right; *is 't weer ~?* are you (is he, have you been, etc.) at it again?; *~ is het met de meesten* that's the way with most people; *~ is 't ook met jou* it's the same with you; *stengel behaard, ~ ook de bladeren* stem hairy, as are the leaves; *als dat ~ is* if s., if that is true; *'t is* (*ook maar*) *beter ~* it is better as it is (better so); *~ ziek als hij is, wil hij toch gaan* ill as he is, he wants to go; *~ ben ik* I am that kind of person, that's the sort of man I am, that's me, that's my way, that's just the way I'm built; *~ ben ik niet* I'm not like that, I'm not made (built) that way, I'm not that sort; *~ zijn de mannen!* that's how men are! that's men all over; men are like that; *~ was ze* (*deed ze*) *altijd* she was always like that; *zó ver wil ik gaan* so (*fam.:* that) far I will go; *ik verlang* (*toch*) *~ ...* I (do) so long to see you (*zo ook:* I'm so enjoying myself; they always quarrel so; everybody loves him so; don't scold so); *ik heb er toch ~ 't land aan!* I do so hate it!; *ik kan 't zó* (*in deze vorm*) *niet tekenen* I cannot sign it as it stands; *om zó te scheiden* to part like this; *behandel je mij zó?* is this the way you treat me?; *zó kan het niet blijven* things cannot go on like this; *zó deden zij het* this is how they did it; *het moet zó blijven staan* it must stand as it is; *zó heb ik de zaak nooit bekeken* I never looked at the matter in that light; *zó gaat 't altijd* that is always the way; *zó gaat het in't leven* such is life; *~ gaat het een jaar lang* so things go on for a year; *zó gaat 't niet* that won't do; *ik heb hem nog nooit zó gezien* I never saw him like that; *zó zie je hem, en zó is hij weg* now you see him, now you don't; *~ bracht X muizen en ratten samen in een doolhof* X, for example, ...; *~ een* such a one; *net ~ een* just such another; *~ iemand* such a one (man, woman); *~ iets* something (anything) like it; ~ *iets heb ik nooit gezien* I never saw such a thing (the like, anything like it, anything of the sort); ~ *iets dwaas* something equally foolish; ~ *iets bestaat niet, ook:* there is no such thing; ... *of* ~ *iets* [he is a painter] or something; *'t kost* ~ *iets van £ 50* it costs something like £ 50 (*zo ook:* write something like six letters every day); *hij zei me* ~ *iets* he told me as much; *daar zeg je* ~ *iets* now you're talking; (*Am. & sl.*) (there) you've said a mouthful; *'t is* ~ *ongeveer tijd, dat er een einde aan gemaakt wordt* it is just about time it was put a stop to; *ik dácht* ~ ... I kind of thought ...; ~ *maar* apropos of nothing, without more (*of:* further) ado, [I can't say] straight off, straight away; [why do you ask?] no reason, just for the sake of asking; *zie* meer; *hij schreef 't maar* ~ *op* he wrote it down off-hand, he just dashed it off; *de boeken werden* ~ *maar* ... the books were put in the bookcase just anyhow; *ze kwamen* ~ *maar binnen* they came in without so much as by your leave; ~ *maar uit de fles drinken* drink straight out of the bottle; *dat zeg je maar* ~ I am sure you don't mean it; *hij doet maar* ~ he is only pretending (shamming); ..., *maar dat is* ~ *niet* they say it is necessary, but that is not so; *ik was* ~ *gelukkig* ... I was fortunate enough (so fortunate as) to catch the early train; *wees* ~ *goed ze dadelijk te zenden* kindly (be so kind as to) send them at once; ~ *rijk als* ... as rich as ...; *niet* ~ *rijk als* not so (*of:* as) rich as; *'t is niet* ~ *eenvoudig* it is not so simple as all that; *zó lang,* (*met aanduidende beweging*) so long, (*fam.*) that long; *zó groot, ook:* this size; *half* ~ *groot* half the size; *sinds zij zó groot was* he had known her since she was so high; ~ *rijk* (*blij*)*, dat* ... so rich (pleased) that ...; ~ *geacht, dat* ... so much esteemed that ...; ~, *dat* ... so (in such a way) that; *handel* ~, *dat je niets verraadt, ook:* act so as not to betray anything; ~ *goed ik kan* as well as I can; ~ *lui hij was in één opzicht,* ~ *vlug was hij in een ander* as lazy as he was in one respect, so quick he was in another; *ó* ~ *zachtjes* [go] ever so gently; *zie ook* zoals, zover, zozeer, gauw, hoe, lang, noemen, waar, wereld, zeggen, zus, enz.; II *vw.* (*vergelijkend*) as; (*voorwaardelijk*) if; *hij is,* ~ *men zegt, ziek* he said to be ill; *hij is,* ~ *ik zie, weer terug* he is back, I see; ~ *ja* if so; ~ *neen* (*niet*) if not; *hij is veel beter,* ~ *al niet helemaal hersteld,* ... if not quite well again; ~ *hij 't al merkte,* ... if he noticed it, he said nothing; ~ *hij komt, zal ik* ..., ~ *niet* ... if he comes I'll tell him, if not ...; ~ *nodig* if necessary; *zie* als & zoals

2 zo *zie* zooi

zoals as [he died ... he lived], such as [all kinds of products, such as ...], like; ~ *bijen houden van* ..., *zo houden vliegen van* ... as bees love sweetness, so flies love rottenness; ~ *in de oorlog, zo ook in vrede* as in war, so in peace; *een kerel* ~ *hij* a fellow like him; *er is niemand* ~ *zij* there is nobody like her; *doe* ~ *ik* do as I do, do like me; ... *net* ~ ... I treated him the same as the other boys; *'t is schande* ~ *hij drinkt* it is a shame (a disgrace) the way he drinks; ~ *je bloost* [you're worse than a girl] the way you colour up; *zie* noemen

ZOAVO = *Zuid Oost Aziatische Verdrags Organisatie* SEATO, South East Asia Treaty Organization

zocht *o.v.t. van* zoeken

zodanig I *bn.* such; *zie* zulk; *als* ~ [treat a p.] as s., in that capacity; *de instelling als* ~ the institution in itself; II *bw.* so, in such a way (manner); *hij gedraagt zich* ~, *dat hij zich belachelijk maakt* he behaves so (in such a way, in such a manner) as to make himself ridiculous; *zie* dermate

zodat so that

zode sod, turf; *met* ~*n beleggen* turf, sod, grass over; *dat zet* (*brengt*) ~*n aan de dijk* that's some use; *dat zet geen* ... that gets you nowhere; *onder de* (*groene*) ~*n rusten* lie (be) under the s. (under the turf, *fam.:* pushing up the daisies)

zoden: ~**bank** *a*) turf-bank; *b*) turf-seat; ~**ploeg** *zie* ~snijder; ~**rand** turf-border; ~**snijder** sod-, turf-cutter; ~**spade** turf(ing)-spade; ~**steker** sod-cutter

zodevormend (*plantk.*) cespitose

zodiak zodiac; ~**aallicht** zodiacal light

zodoende thus, in that way (manner); (= *daardoor*) thereby; (*bijgevolg*) so, consequently

zodra as soon as; ~ *hij verscheen* ..., *ook:* the moment (the instant, *fam.:* directly) he appeared ...; ~ *hij maar begint* as soon as ever he begins; *niet* ~ *had hij* ..., *of* ... no sooner had he ... than ..., hardly (scarcely) had he ... when ...

Zoé Zoe; **zoeaaf** Zouave

zoek: *'t is* ~ it has been mislaid, it is nowhere to be found; *hij was* ~ he was missing; *op* ~ *naar* [go] in search of [work], in quest of [adventure]; *zie ook* ~raken, enz.; ~**brengen:** *de tijd* ~ kill time, waste one's time [*met* ... (in) novel-reading]; [it serves to] pass the time; *zie* ~maken

zoeken I *ww. tr.* look for [a book, person, wife], look out [a train in the time-table], look up [a word], look out for [work, a new clerk], grope (fumble) for [s.t. in one's pocket], hunt for [a new house], think of, cast about for [means, an explanation], seek [rest, consolation, refuge, help, work, a p.'s ruin, the birds were ...ing their nests], court [death, danger, disaster], be (*of:* go) in search of [plunder, pleasure, work]; (*trachten*) seek, try [*te* to]; *eieren* ~ gather (collect) eggs; *'t eieren* ~ egg-hunting; *de sleutel* ~ (have a) hunt for the key; *op een plaats waar men 't niet zou* ~ in an unlikely place; *hij wist niet waar hij het* ~ *moest,* (*van pijn bijv.*) he did not know where to turn; *de politie zoekt hem* he is wanted by the police, the police are after him; *hij wordt gezocht* (*wegens moord*) he is wanted (for murder); *de door de politie gezochte man* the wanted man; *wil je mij een pen ~?* will you find me a pen (a pen for me)?; *ik wou je juist gaan ~* I was just coming to find you; *zoek de vierkantswortel van* ... find the square root of ...; *zoek Jan* find John; *neem ... en zoek* ... take your map and find Madras; *dat had ik niet achter hem gezocht* I should not have thought him capable of it, I did not think he had it in him; *hij zoekt overal wat achter* he suspects something behind everything, he is very suspicious; *je kunt lang ~ vóór* ... you will have to go a long way before you find a finer song; *hij zoekt het* (*n.l. onaangenaamh.*) altijd he is always asking for it (for trouble); *ik heb de twist niet gezocht* I did not seek the quarrel, the quarrel was not (none) of my seeking; *de waarheid ~* seek after truth; *iems. leven ~* seek a p.'s life; *iems. ondergang ~* seek (plot) a p.'s ruin; *hij zoekt mij altijd* he is always down on me; *hulp ~ bij* seek help from; *de reden is niet ver te ~* the reason is not far to seek; *zie* ruimte, ruzie, enz.; II *intr.* look [everywhere], seek; *zoekt en gij zult vinden,* (*bijb.*) seek and ye shall find; *wie zoekt die vindt* those who seek find; *ik heb overal gezocht, ook:* I've hunted high and low (up and down); *zoek!* (*tegen hond*) seek! find him (her, it)!; *~ naar* look for, be on the look-out for [an opportunity, a servant, work, etc.]; *naar zijn woorden* ('*t rechte woord*) *~* seek (search, grope, feel, fumble, cast (hunt) about) for words (the right word); *hij zocht naar zijn sleutel* he felt for his key; *zie verder ~* I; *zie ook* gezocht; III *zn.* search [*naar* ... for work, for knowledge], quest [*naar* ... of truth and beauty], hunt [*naar* ... for a house]

zoek: *~er* (*pers.*) seeker [after knowledge], searcher; (*fot.*) (view-)finder; ~**licht** search-, spot-light; ~**maken** mislay [a book], run through, waste [a lot of money]; ~**plaatje** puzzle picture; ~**raken** get mislaid, get lost, go astray

zoel mild; *vgl.* zwoel; ~**heid** ...ness

Zoeloe Zulu; ~**kaffer** Z.-Kaffir; ~**land** Z.-land; ~**taal** Z. (language), siZulu

zoemen buzz, hum, drone, zoom

zoemer (*telef.*) buzzer

zoen kiss; (*verzoening*) atonement, expiation; (*boete*) penalty; ~**bloed** blood of atonement; ~**dood** expiatory death

zoenen kiss; *om te ~* kissable; *zie ook* snoezig

zoener kisser; ~**ig** fond of kissing

zoen: ~**geld** fine; (*voor moord*) blood-money; (*hist.*) wergeld; ~**offer** expiatory sacrifice, sin-offering, peace-offering

zoet sweet (*ook fig.*: s. tones, etc.), (*van kind*) good; ~*e appel* s. apple; *~ water* fresh (sweet) water; *een ~ winstje* a rake-off; *~e woordjes* honeyed words, s. stuff; *hij is erg ~ geweest* he has been as good as gold; '*t kindje zal ~ zijn, niet?* baby is going to be good, isn't she (he)?; *daar ben je wel een hele middag ~ mee* you've got an afternoon's work cut out for you; *~ houden* keep [children, etc.] quiet (happy,

amused), give (throw) a sop to [a p.]; '*t is alleen maar om de mensen ~ te houden* it's only to keep them sweet; *~ maken* sweeten; '*s levens ~ en zuur* the sweets and bitters of life; *zie ~*vijl, enz. ben. & broodje, koek, lekker, enz.; ~**achtig** sweetish; ~**boer** dairy-farmer; ~**e-kauw** s.-toothed person, s.-tooth; *een – zijn* have a s. tooth; ~**ekoek** *zie* koek

zoetelaar(ster) sut(t)ler; **zoetelen** sut(t)le

zoet: ~**elief** sweetheart, [his] young woman; ~**elijk** sweetish; (*fig.*) *zie* zoetsappig; ~**emelkse kaas** cream cheese; ~**en** sweeten; (*techn.*) smoothe; ~**erd** *zie* lieveling; ~**heid** sweetness; ~**houdertje** sop [he was promised as a sop the viscountcy of W.]; ~**hout** (*plant*) liquorice; (*wortel*) liquorice (-root); *pijpje –* stick of liquorice; ~**ig** sweetish; (*fig.*) *zie* ~sappig; ~**igheid** sweetness; (*concr.*) sweets, sweet stuff, dainties; *wil je een –je?* have a sweet (sweety)?; *hij houdt van –, ook:* he has a sweet tooth

zoetjes softly, gently; '*t was ~ aan tijd* it was about time; *zie* zachtjes (...*aan*)

zoetluidend melodious; ~**heid** ...ness

zoetmiddel sweetener

zoetsappig goody-goody,   namby-pamby, mushy, sugary [novels], mealy-mouthed, milk-and-water [Christians]; ~**heid** goody-goodiness, namby-pambyism

zoet: ~**schaaf** smoothing-plane; ~**stof** sweetener, saccharin; ~**vijl** smooth-file; *de – over iets laten gaan,* (*fig.*) give the finishing touch to s.t.; ~**vijlen** smooth-file

zoetvloeiend mellifluous, melodious; ~**heid** ...ness, mellifluence

zoetwater fresh water; ~**dier**, ~**krab**, ~**mossel**, ~**vis** enz., freshwater animal (crab, mussel, fish, etc.); ~**kreeft** crayfish, crawfish

zoetzuur *bn.* sour-sweet, sweet(ish)-sour(ish); *zn.* (sour and) sweet pickles

zoeven (*bijv. van auto*) hum; swish [past *voorbij*]

zoëven just now, a moment ago; *~ nog* only a moment ago, just now

zog (mother's) milk; (*mar.*) wake; *in iems. ~ varen* follow in a p.'s wake; ~**afscheiding** lactation

zogen suckle, give suck, nurse, nourish, breast-feed [a child]; *~de moeders* nursing mothers; '*t ~, ook:* lactation [during ...]

zogenaamd I *bn.* so-called; (*voorgewend*) so-called, would-be [friends], self-styled, pretended, ostensible, bogus [... charities, a ... officer], alleged [... statement, the ... Miss L.], pseudo-[necessities]; *een ~ diner* [it was] an apology for a dinner; II *bw.: ~ om te* ostensibly (supposedly) to [help me], [go to V.] for the ostensible reason (on the pretext, under colour) of ...ing; *~ eerlijke mensen* supposedly honest people; *hij was ~ aan 't werk* he was supposed to be at work; *... was ~ getekend door* ... the cheque purported to be signed by ...; *... die hij ~ vertegenwoordigde* the party which he purported to represent

zogenoemd *bn.*, *zie* zogenaamd

zogezegd *zie* zogenaamd; '*t werk is ~ klaar, ook:*

is all but (as good as) finished
zogoed *zie* goed 1; **zohaast** *zie* zodra
zojuist *zie* zoëven
zolang so long as, as long as, while; ~ *ik me kan herinneren* ever since I can remember
zolder loft [*op* ... *in the* l.], garret, attic; (*zoldering*) ceiling; (*bergpl.*) box-room; (*in pakhuis*) floor [...s to let]; *laag van* ~ low-ceilinged [room]; *iem. op zijn achterste* ~ *jagen* badger (bait) a p.; *ze zijn op hun achterste* ~, *ook:* they are up in arms; ~**balk** ceiling-beam; ~**en** store, lay up, warehouse; (*van* ~*ing voorzien*) ceil; ~**ing** ceiling; ~**kamer(tje)** garret, attic (room); ~**ladder** loft-ladder; ~**licht** skylight; (*licht aan* ~) ceiling-light; ~**luik** trapdoor; ~**raam** attic-window; (*loodrecht*) dormer-window; ~**schuit** (kind of) barge; ~**tje(s)** cat-ice; ~**trap** attic-stairs; ~**venster** *zie* ~raam; ~**verdieping** attic-floor, top storey
zolen (new-)sole [shoes]
zomaar *zie* zo; **zomede** *zie* alsmede
zomen hem; (*koperslagerij*) seam
zomer summer; *in de* ~, *des* ~*s* in s.; *de* ~ *des levens* the s. of life; *meisje van twintig* ~*s* of twenty summers; *van nog geen twintig* ~*s* [girl] still in (not yet out of) her teens; *van de* ~, *a)* this s.; *b)* last s.; *c)* next s.; *zie* zwaluw; ~**achtig** *zie* ~s; ~**appel** s.-apple; ~**avond** s.-evening; ~**bed** s.-bed; ~**bloem** s.-flower; ~**broek** s.-trousers; ~**dag** summer('s) day; *bij* – in s.; ~**dienst** s.-service; (*dienstregeling*) s. timetable; ~**dos** s.-attire; ~**dracht** s.-wear; ~**draden** *zie* herfstdraden; ~**en:** *het begint te* – it is getting summer(y); ~**gast** (*vogel, enz.*) s.-visitor; ~**gerst** s.-barley; ~**goed** s.-clothing; ~**graan** summer-, spring-corn; ~**halfjaar** s. half-year; ~**hitte** s.-heat; ~**hoed** s.-hat, straw hat, (*fam.*) straw; ~**huisje** s.-house; ~**japon** s.-dress, -frock; ~**jas** s.-coat; ~**kleding** s.-clothing, -clothes; ~**kleed** s.-dress; ~**klokje** (*plant*) (s.) snow-flake; ~**koren** *zie* ~graan; ~**kwartaal** s.-term; ~**maand** June; *de* –*en* the s.-months; ~**morgen** s.-morning; ~**nacht** s.-night; ~**opruiming** s.-sale(s); ~**pak** s.-suit; ~**paleis** s.-palace; ~**peer** s.-pear; ~**peil** s.-level; [*tegen*] ~**prijzen** [at] s.-prices; ~**reces** s.-recess, s.-adjournment; ~**s** summery [a ... October], s.-like; *op zijn* – *gekleed zijn* wear s.-clothes; –*e dag* day over 25° C; ~**school** s.-school; ~**seizoen** s.-time; ~**slaap** s.-sleep, aestivation; *de* – *houden* aestivate; ~**sproeten** freckles; – *krijgen* freckle; *met* – *freckled*; ~**taling** material for s.-wear; ~**taling** garganey, s.-teal; ~**tarwe** s.-, spring-wheat; ~**tijd** *a)* s.-time; *b)* s.time, daylight-saving (time); *op* – *zetten* set [the clock] to s.t.; – *hebben* be on s.t.; ~**vakantie** s.-holidays; ~**verblijf** *a)* s.-residence; *b)* s.-resort; ~**vogel** s.-bird, ~**vrucht(en)** s.-fruit; ~**warmte** s.-heat; ~**we(d)er** summer(y) weather; ~**zonnestilstand** s.-solstice
zomin ~ *als, zie* evenmin
zo'n such a [fellow]; such [impudence]; [a wife] like that; [I have] a sort of [presentiment that ...]; ~ *20 j.* some 20 years, a matter of 20 years; ~ *schilder* (*vioolspeler*), (*min.*) a painter (fid-

dler) fellow (*of:* chap); ~ *vent!* the fellow!; ~ *idee!* the idea!; *zie* zulk
1 zon *o.v.t. van* zinnen
2 zon sun (*ook her.*); *de opgaande* ~ *aanbidden* worship the rising s.; *hij kan niet zien dat de* ~ *in 't water schijnt* he is a dog in the manger; *de door de* ~ *beschenen rivier* the s.lit river; *door de* ~ *gebruind* sun-tanned; *in de* ~ [stand, sit, etc.] in the s.; *een plaats(je) in de* ~, (*ook fig.*) a place in the s.; *in de* ~ *gedroogd* s.-dried; *met de* ~ *mee* sunwise, with the s.; *met de* ~ *opstaan* rise with she s.; *tegen de* ~ *in* countersunwise, against the s.; *haar gezicht vervelt van de* ~ from sunburn; *zie* zonnetje, nieuws, schieten, verbranden, enz.; ~**aanbidder** s.-worshipper; ~**aanbidding** s.-worship
zond *o.v.t. van* zenden
zondaar sinner; *oude* ~ old (hardened) s.
zondaarsbankje penitent-form, stool of repentance, sinner's bench; *op 't* – *zitten*, (*fig. ook*) be on the carpet, be on the mat
zondag Sunday; *des* ~*s* on Sundays; *op een* ~ one S.; ~**avond, -middag, -morgen, -nacht** S.-evening, -afternoon, -morning, -night; ~**s** S.; *zijn* –*e pak* (*kleren, plunje*) his S. suit, his S. best; *op zijn* – (*gekleed*) in one's S. best (*of:* finery); *op haar* –, *ook:* in her best bib and tucker; *voor* – for S. wear
zondags- Sunday; ~**blad** S. paper; ~**dienst** S. service; (*van werkman bijv.*) S. duty; ~**gezicht** cheerful face; (*uitgestreken*) smug (*of:* sanctimonious) face, (*Sc.*) S. face; *zie* uitgestreken; ~**heiliging(swet)** S. observance (act); ~**jager** would-be (*of:* casual) sportsman; ~**kind** S. child; *hij is een* –, *ook:* he was born with a silver spoon in his mouth; ~**kleed** S. dress; *zie* zondags; ~**kost** S. fare; ~**letter** S. (*of:* dominical) letter; ~**pak** *zie* zondags; ~**plicht** S. observance; ~**rijder** week-end motorist; ~**ruiter** would-be horseman; ~**rust** S. rest; ~**school** S. school; *op de* – at S. s.; *naar de* – [go] to S. s.; ~**sluiting** S. closing; ~**viering** S. observance; ~**werk** S.-work; ~**wet** S. Observance Act
zondares sinner
zonde sin; *kleine* ~ peccadillo, venial s.; *vloeken is* ~ swearing is a s.; *'t is* ~ (*en jammer*) it's a pity (a thousand pities); *'t zou* ~ *zijn* ... it would be a s. to miss it (a waste not to use it); *ik vind 't* ~ *van 't geld* I begrudge the money; *'t is* ~ *en schande* it is a s. and a shame (a sinful shame, a downright shame); *een* ~ *begaan* (commit) a sin; *zie* jammer & vervallen; ~**bok** scapegoat, (*fig. ook*) whipping-boy; ~**last** burden of sins; ~**loos** sinless; ~**nregister** register (*of:* budget) of sins
zonder without [~ *hoed* w. a hat; ~ *geld* w. money]; with no [rainfall; ... thought of the morrow]; devoid of [interest]; (*scherts.*) innocent of [frock ... of sleeves, speech ... of humour]; (*als 't niet was door*) but for; *hij slaagde* ~ *hulp, ook:* he succeeded of himself; ~ *u was ik niet geslaagd* but for you I should not have succeeded; ~ *op te kijken* w. looking up; *ik gaf 't hem,* ~ *dat zij 't zag* w. her seeing

it; ~ 't te zien, ook: [he might pass by] and never see it; ~ dat 't u ... kost w. it costing you a penny; ~ dat er iets gebeurt w. anything happening; ~ dat hij het weet without his knowledge; ~ ideeën, ook: bankrupt of ideas; ze zit helemaal ~ thee she's run right out of tea; we moeten er niet ~ blijven we must not be left w.; ~ doen dispense with, do without; zie meer, stellen, enz.

zonderbaar zie zonderling

zonderling I bn. singular, queer, peculiar, odd, eccentric, (sl.) rum; ~ genoeg, enz., zie vreemd; II zn. eccentric (person), original, freak, (sl.) queer customer, odd fish; ~**heid** singularity, peculiarity, queerness, oddity, eccentricity

zondeval: de ~ (van Adam) the fall of man, the Fall

zondevergeving remission of sins

zondig sinful; ~**en** sin [tegen against], offend [against good taste]; tegen alle regels –, ook: set all rules at defiance; ~**heid** ... ness

zondvloed deluge (ook fig.), cataclysm; de ~ the D., the Flood; van vóór de ~, (ook fig.) antediluvian

zone id., belt; (van tram, bus) (fare-)stage; zie gevaarlijk, heet

zoneclips eclipse of the sun, solar eclipse

zonegrens (van tram) fare-stage

zonet zie zoëven

zonetournooi zonal tournament

zong o.v.t. van zingen

zonk o.v.t. van zinken

zonkant sunny side

zonlicht sunlight; in het volle ~ in the full glare of the sun; ~**behandeling** sun-ray treatment, heliotherapy; ~**genezing** sun(light) cure

zonloos sunless

zonne- ~**baan** ecliptic; ~**bad** s.-bath; –en, ook: s.-bathing, insolation; 'n – nemen take a s.-b., s.-bathe; ~**blind** bn. s.-blind; zn. –en persiennes, Persian blinds; zie jaloezie; ~**bloem** s.-flower; ~**brand** s.-glare; –olie sunburn lotion; ~**bril** s.-glasses, -goggles, smoked glasses, (anti-)sunglare glasses, (fam.) sunspecs; ~**cel** solar cell; ~**cirkel** solar cycle; ~**cultus** s.-worship; ~**dag** solar day; ~**dak** awning; ~**dauw** s.-dew; ~**dek** s.-deck; ~**dienst** s.-worship; ~**god** s.-god; ~**helm** s.-, pithhelmet, (solar) topi, topee; ~**hitte** s. (of: solar) heat; ~**hoed** sun hat; (van dames ook) sun-bonnet; ~**jaar** solar year; ~**jurk** sun-frock; ~**kap** canopy; ~**keerkring** tropic; ~**kever** ladybird, (dial. & Am.) ladybug; ~**kijker** helioscope; ~**klaar** (as) clear as sunlight, abundantly c.; – bewijzen prove up to the hilt; ~**klep** sunshade, eye-shade; (van auto) visor; ~**koning**: de – the Sun King (Louis XIV); ~**kring** solar cycle; ~**kruid** s.-rose; ~**leen** allodium; ~**licht** zie zonlicht; ~**loop** course of the s.; ~**maand** solar month; ~**meter** heliometer; ~**microscoop** solar microscope

zonnen: zich ~ sun (o.s.)

zonne- sun; ~**paard** s.-horse, s.-steed; ~**pit** sunflower seed; ~**priester(es)** priest(ess) of the s.;

~**roosje** s.-rose, rock-rose; ~**scherm** sunshade, parasol; (voor venster) s.-blind; (inz. voor winkel) awning; ~**schijf** solar disc; ~**schijn** sunshine; ~**spectrum** solar spectrum; ~**spiegel** helioscope; ~**stand** (hoogte) sun's altitude; (-stilstand) solstice; ~**steek** s.-stroke, touch of the s., heat-stroke; een – hebben (krijgen) have (get) s.-stroke (a touch of the s.), be (get) s.-struck; aan een – sterven die of s.-stroke; ~**steen** s.-stone; ~**stelsel** solar system; ~**stilstand** solstice; ~**stofje** mote in a s.-beam; ~**straal** s.-beam, (vooral dicht.) s.-ray, (fig. ook) ray of sunshine; ~**tempel** s.-temple; ~**tent** awning; ~**therapie** sun-ray treatment; ~**tijd** solar time; ~**tje** sun (ook vuurw.); (juweel & vuurw.) sunburst; 't – van binnen inward happiness; zij is een – in huis she is a sunbeam in the house; iem. in 't – zetten poke fun at (chaff, gammon) a p.; zie verder zon; ~**vis** John Dory, dory; ~**vlam** solar flare, protuberance; ~**vlecht** solar plexus; ~**vlek** s.- (of: solar) spot; ~**vogel** bird of paradise; ~**vuur** solar fire; ~**wagen** chariot of the s.(-god), Phoebus' car; ~**weg** ecliptic; ~**wijzer** s.-dial

zonnig (ook fig.) sunny, sunshiny

zonplant sun-plant

zons: ~**afstand** distance from the sun; ~**hoogte** sun's altitude; ~**ondergang** sunset, sundown; ~**opgang** sunrise; ~**verduistering** zie zoneclips

zoog o.v.t. van zuigen

zoog: ~**broe(de)r** foster-brother; ~**dier** mammal, mv. ook: mammalia

zoögeografie zoogeography

zoog: ~**kind** suckling, breast-fed (sucking) child; (voedsterkind) nurse-child, foster-child; ~**lam** sucking-lamb

zoögrafie zoography

zoog: ~**ster** (wet-)nurse; ~**tijd** (period of) lactation; ~**zuster** foster-sister

zooi lot, heap; de hele ~ the (whole) lot (of them), (sl.) the whole boiling (show, shoot), (personen ook) the whole gang (of: tribe); 't is me 'n –! they are a nice set!; 'n woeste ~ [they are] a wild crew; stuur de hele ~ naar huis! sack the (whole) lot!; zie ook boel

zool sole; losse ~, ook: sock, insole

zoölatrie zoolatry

zoolbeslag sole and heel protectors

zoolganger plantigrade (animal)

zoölieten zoolites

zoolle(d)er sole-leather

zoölogie zoology; **zoölogisch** zoological; de ~e tuin the z. garden(s), (fam.) the Zoo

zoöloog zoologist

zooltje insole

zoom (van kleed, enz.) hem; (koperslagerij) seam; (rand) edge, border; outskirts, purlieus [of a town], fringe [the northern ... of London]; (van rivier) bank; aan de ~ van ... on the outskirts of [the village, wood, crowd]

zoom: ~**machine** (koperslagerij) seaming-machine; ~**naad** hem; ~**steek** hem-stitch; met – naaien hem-stitch; ~**werk** (scheepsbouw) clinched work

zoon son (*ook fig.*: ...s of Abraham, Holland, Apollo, Mars, darkness, toil); *Gods Z~* the S. of God; *de Z~ des Mensen* the S. of Man; *neen, mijn ~!* no, my s.!; (*fig. ook*) no, sonny!; *hij is de ~ van zijn vader* he is his father's s.; *zie* verloren; **~lief** my (his, etc.) dear s.; (*iron.*) young Hopeful; **~schap** sonship; **~skind** grandchild; **~svrouw** daughter-in-law; **~tje** little son; *zie* zoon(lief)

zoop *o.v.t. van* zuipen

zoopje dram, nip, drop, spot, wet

zootje (small) lot; *'t zijn een ~ schurken* they are a set (a pack) of rogues; *zie verder* zooi & boeltje; *zie ook* armzalig

zopas *zie* zoëven

zorg (*zorgvuldigheid, verzorging*) care; (*bezorgdh.*) solicitude, anxiety, concern; (*kommer*) care, trouble, worry [financial (business) worries]; (*stoel*) easy chair; *~ voor* c. of [the horses, patients, her little ones, the skin]; *hij is belast met de ~ voor* ... he is in charge of ...; *~en hebben* be worried; *hij heeft niet de minste ~en* he has not a c. (in the world); *geen ~en hebben* have no worries; *heb geen ~en vóór de tijd, geen ~en voor morgen* never meet trouble half-way; sufficient unto the day is the evil thereof; (laugh and grow fat,) care killed the cat; *zij hebben geen ~en voor de dag van morgen*, (*zie* Matth. 6: 34) they take no thought for the morrow; *heb maar geen ~* don't worry; *heb daar maar geen ~ over* don't worry (make your mind easy) about that; *mij 'n ~!*, *'t zal mij 'n ~ zijn!* a fat lot (devil a bit) I care! I should worry!; *dat is een latere* (*van later*) *~* we'll cross that bridge when we come to it; *zij is een trouwe ~* she is a faithful old soul; *een voortdurende ~ voor* ... [he was] a constant source of anxiety to his parents; *~ baren* give cause for concern (*of:* anxiety), cause anxiety; *~ dragen voor* take c. of, look after, attend (see) to; *alle ~ dr. voor* take every c. of; *~ dr. dat* ... see (to it) that ...; *maak je geen ~en over mij* don't worry (your head) about me; *ik maak me geen ~en over het kind* I have no fears about the child; *zich ~en scheppen* meet trouble half-way, worry, bother [don't ... beforehand]; (*veel*) *~ besteden aan* bestow [great] c. on, give special attention to, take [a good deal of] trouble over [one's hair]; *een leven vol ~en* a life full of anxiety; *vrij van ~en* carefree; *ik ontving 't door uw goede ~en* through your good offices; *erg in de ~ zitten* be extremely worried; *met ~* carefully; *zie* ~vuldig; *louter uit ~ voor haar* out of pure solicitude for her; *zonder ~* careless(ly); *zie* ~eloos, toevertrouwen, vaderlijk, zieltje, enz.; **~barend** *zie* ~wekkend; **~dragend** careful, solicitous

zorgelijk precarious, critical [condition]; *een ~ leven* a worried life, a life of worry, *iets ~ inzien* view s.t. with concern; *zie* zorgwekkend; **~heid** precariousness

zorgeloos careless, light-hearted, improvident, unconcerned, happy-go-lucky; (*vrij van zorgen*) carefree; **~heid** carelessness, unconcern, improvidence

zorgen care; *~ voor* take care of, look after [a child, one's teeth, one's own affairs], provide for [one's family, a p. after one's death], see to [everything; Nature sees to that]; (*verschaffen*) provide, supply [... the music; I supplied the witness]; (*van huishoudster, enz., fam.*) do for; (*van leverancier*) cater for [customers]; *voor een kind* (*zieke, enz.*) *~, ook:* care for a child (an invalid, etc.); *voor de oude dag ~* provide (make provision) for one's old age, lay by something for the future; *voor hem is goed gezorgd* he is well provided for; *voor zijn eigen boeken ~* provide one's own books; *voor zijn eigen middagmaal* (*linnengoed, enz.*) *~,* (*'t bekostigen*) find one's own dinner (linen, etc.); *met dit geld moet je voor je eigen japonnen ~* out of this money you must find yourself in dresses; *voor iems. zakgeld ~* find a p. in pocket-money; *voor zijn correspondentie ~* attend to one's correspondence; *voor 't eten ~* see to the dinner, attend to (*of:* do) the cooking; *wil jij voor een taxi ~?* will you see about a taxi?; *daar zal ik voor ~* I'll see (attend) to that; *wij ~ voor het overige* we do the rest; *ervoor ~ dat recht gedaan wordt* see (to it) that justice is done; *we hebben ervoor gezorgd dat de goederen verscheept worden* we have arranged for the goods to be shipped; *ik zal ervoor ~ dat 't gedaan wordt* I'll see it done; *terdege ~ dat* ... take good care that ...; *zorg ervoor dat je* ... mind you all come; mind you're ready soon after eight; be careful not to forget your prayers; *zorg ervoor, dat 't niet weer gebeurt,* (*dat ik 't niet weer hoor*) don't let it happen again (don't you let me hear it again); *daar zorgt* ... *wel voor* the police see to that; *hij zal wel ~ dat hij niet te laat is, ook:* he knows better than to be late; *je moet ervoor ~ dat ik* ... *krijg* you must provide a seat for me; *voor zichzelf ~* fend (provide, shift) for o.s.; *hij moet voor zichzelf ~, ook:* he is thrown upon his own resources; *zorg voor je zelf* (*je gezondheid*) look after yourself (your health); *zij kan wel voor zichzelf ~* she is able to look after herself; *goed voor zichzelf ~* look after number one; *zie* fiolen, leven, enz.

zorgenkind problem child; (*fig.*) (constant) source of anxiety (care)

zorg: **~lijk** *zie* zorgelijk; **~stoel** easy chair; **~vol** *zie* ~wekkend & ~zaam

zorgvuldig careful; *'t werd ~ voor hem verborgen, ook:* it was sedulously kept from him; **~heid** ...ness

zorgwekkend alarming, critical; *zijn toestand is ~, ook:* his condition causes anxiety

zorgzaam careful [mother], tender, motherly [a kind ... soul], considerate [husband]; **~heid** ...ness, care

zot *bn.* foolish, silly; *zie* gek; *zn.* fool; *zie verder* gek; **~heid** folly; **~skap** fool's cap, cap and bells; (*pers.*) fool; **~skolf, -stok** (fool's) bauble; **~tenklap, -praat** (stuff and) nonsense, foolish (silly) talk; **~ternij** folly, tomfoolery; **~tin** fool

zou *o.v.t. van* zullen

zouaaf enz., *zie* zoeaaf, enz.

zout I *zn.* salt (*ook fig.:* it is the very ... of life); *het ~ der aarde*, (*bijb.*) the s. of the earth; *je bent niet van ~* you are not made of (sugar or) s.; *~ op zijn staart leggen* put (a pinch of) s. on his tail; *ze verdient het ~ in de pap niet* she cannot earn her keep; she earns next to nothing; *het ~ in de pap niet waard* not worth his etc. salt; *in 't ~* in s.; *in 't ~ leggen* salt; *zie* Engels, korreltje, zak, enz.; II *bn.* salt, saltish, briny; *~e amandelen* salted almonds; *~e haring* salted herring; *zie* bremzout; *~accijns* s.-duty; *~achtig* saltish, salty; *~ader* s.-vein; *~arm* low-salt [diet]; *~bad* saline bath; *~bereiding* s.-manufacture; *~bron* s.-well, -spring, saline spring; *~brood* s.-cake

zouteloos saltless; (*fig. ook*) insipid, vapid, flat, pointless, unfunny [jokes]; *~heid* insipidity, vapidity, etc.

zouten salt (down); *zie* gezouten

zouter salter

zout: *~evis* salt fish, salt cod; *~geest zie ~zuur*; *~gehalte* salinity, saline content, percentage of s.; *~groeve* s.-pit; *~heid* saltness, salinity [of sea-water]; *~houdend* saliferous; *~ig* saltish, salty; *~je* salty biscuit; *~keet* s.-works, saltern; *~korrel* grain of s.; *~korst* s.-incrustation; *~kuip* s.-tub; *~laag* s.- (*of:* saline) stratum; *~lepeltje* s.-spoon; *~loos* salt-free [diet]; *~meer* s.-lake; *~mijn* s.-mine; *~moeras* s.-marsh; *~neerslag* saline deposit; *~oplossing* s. (*of:* saline) solution; *~pan* s.-pan, salina, saline; *~pilaar* pillar of s.; *~produktie* output of s.; *~raffinaderij* s.-refinery; *~raffinadeur* s.-refiner; *~smaak* salty taste; *~steppe* s.-steppe; *~strooier* s.-sprinkler, -pourer; *~te zie ~heid*; *net goed van ~* salted to perfection (to a nicety); *~tuin* s.-field, s.-garden, -marsh; *~vaatje* s.-cellar; *'t – omgooien* spill the s.; *~vat a*) s.-tub; *b*) *zie ~vaatje*; *~vlees* s. beef, (*mar.*) s. junk; *~water* s. water; *–moeras* saline marsh; *~watervis* s.-w. fish; *~weger* s.-weigher; (*instrument*) salinometer, s.-, brine-gauge; *~werk* s.-works; *~winning* s.-making; *~zak* s.-bag; (*fig.*) milksop, weak-kneed fellow; *hij zakte als een – in elkaar* he crumpled up (collapsed); *als een – in zijn stoel zitten* sit limply in one's chair; *~zieden zn.* s.-making; *~zieder* s.-maker; *~ziederij* s.-works; *~zuur zn.* hydrochloric acid, muriatic acid, spirit(s) of s.; *bn.* hydrochloric

zoveel so (as) much, *mv.:* so (as) many; *~ mogelijk* as much (*mv.:* many) as possible; *~ mogelijk zon* a maximum of sunshine; *~ ik kan, ook:* [I'll help you] all I can; *~ je wilt* [laugh] all you like; *voor nóg ~ niet* [I would] not [go through it again] for anything, not for the world; *even ~ scheurpapier* [the certificates are] so much waste paper; *even ~ ...* his words were as many meaningless noises to her; *in 't jaar zo en zóveel* in such and such a year, in the year such and such; *1900 en zóveel* 1900 odd, 1900 and something; *zóveel duizend aandelen (mijlen per uur)* so many (*sl.:* umpteen) thousand shares (miles an hour); *de trein van 5 uur zó-*

veel the five something train; *tegen zóveel per stuk* at so much each (*evenzo:* read so much of the book every day); *dat is zóveel gewonnen* that is thus much gained; *zóveel wat ... betreft, en nu de ...* so much for theory, now for practice; *~ te meer* (*beter, erger*) so much (*of:* all) the more (better, worse); *zóveel is zeker* that (*of:* thus) much is certain; *zóveel weet ik ervan* that (*of:* thus) much I know; *heeft 't zóveel gekost?* did it cost all that?; *nog niet zóveel* not a bit; *ik geef er niet ~ om* I do not care so much about it; *ik geef er niet zóveel om* I don't care that about it (*zo ook:* I wouldn't give that for his life); *ik houd tóch ~ (zóveel) van je!* I do so love you!; *hij is er ~ als duivelstoejager* he is a sort of factotum there; *zij is ~ als zijn secretaresse* she is his secretary or something; (*voor*) ~ *ik weet, zie* zover; *zie ook* eens & voet

zoveelste: *in zijn tachtig en ~ jaar* in his eighty-somethingth year; *voor de ~ maal* for the hundredth (the thousand and first, the nth, *sl.:* the umpteenth) time; *'t ~ legerkorps* the somethingth (*sl.:* umpteenth) army corps

zover so far, thus far; *~ 't oog reikt* as far as the eye can reach; *~ terug als 1850* as far back as ...; *hij ging ~ van te zeggen ...* he went so far as to say ..., went the length of saying ...; *dat is ~ als 't gaat* that holds good up to a point; *zóver gaat mijn kennis van ... niet* my knowledge of that language does not run to that; *zóver wil ik niet gaan* I won't go so (as) far as that; *ze kon haar opvoeding niet ~ vergeten, dat ze ...* she could not forget her upbringing to the (such an) extent that she ...; *herinner mij eraan als 't zóver is* remind me when you (they) have got so far; *zóver zijn we nog niet* we haven't come to that, the (that) time (day) is not yet; *als 't zover is* [of this we shall speak] in due (at the proper) time; *zóver is 't nog niet gekomen* matters have not gone so far as that yet; *zóver is 't nog niet met me gek.* I have not yet come to that; *zóver was 't gek.* [she meant to leave him;] it had come to that; *het was ~ gek., dat ...* things had come to such a pass that ...; *is het dan werkelijk ~ gek.?*; has it really come to this?; *je had het nooit ~ moeten laten komen* you ought never to have let it get as far as that; *in ~(re) deze wet uitgevoerd is* so far as this law has been executed; *hij was anders dan zij in ~(re) dat hij ...* he was unlike her in that he was afraid of his father (*evenzo:* the judge's summing-up was unfortunate in that it did not refer to ...); *zie ook* ben.: *voor ~:* so far; *tot ~ is 't me gelukt* so far I have succeeded; *tot ~ is (was) alles in orde* so far so good; (*voor*) ~ as far as, (in) so far as; *voor ~ mogelijk* as far as possible; *voor ~ ik weet, ook:* [he has not an enemy] to my knowledge, to the best of my belief, for all (anything, aught) I know; *niet voor ~ ik weet* not to my knowledge, not that I know of, not as far as I am aware

zowaar actually, really; *daar is hij ~* there he is

as I live, there he is right (*of:* sure) enough; *zie* waarachtig & waar 3

zowat about; ~ *50 pond, ook:* some (*of:* roughly) fifty pounds; ~ *van alles* all sorts of things, pretty nearly everything; ~ *niets* next to nothing; ~ *even oud als* ... pretty much (much about) as old as ...; *de brief was* ~ *van deze inhoud* much to this effect; *ik verwachtte het wel* ~ I sort of expected it; *hij heeft hem* ~ *doodgeslagen* he all but killed him; *zie verder* ongeveer

zowel: ~ *als* as well as, both ... and [both J.and his friend; *ook van meer dan 2:* both man and bird and beast]; ~ *voor ... als ..., ook:* [available] to poor and rich alike; *hij had 't* ~ *verwacht als gehoopt* he had both expected and hoped for it; *huizen,* ~ *hygiënisch ingerichte als andere, ook:* houses, both sanitary and otherwise (*evenzo:* remarks, both wise and otherwise)

Z.O.Z. P. T. O., please turn over

zozeer so much, [the business had grown] to such an extent [that ...], [hate militarism] to the point [that ...], to such a degree [that ...]; ~ *dat, ook:* so much so that ...; ~ *niet* ~ ... *als wel* ... not so much respected as feared; *'t ontbreekt hem* ~ *aan moed* he does so lack courage

zucht sigh; (*ziekte*) dropsy; (*begeerte*) desire [*naar* of, for], craving [for drink, excitement], appetite [for knowledge and power], itch [to excel others], thirst [of glory], passion [for glory], love [of ease, contradiction]; ~ *naar zelfbehoud* instinct of self-preservation; ~ *naar gewin* lust (*of:* love) of gain, passion for money; ~ *naar zingenot* craving for sensual pleasure; ~ *tot nabootsing* desire of imitation; ~ *om te behagen* desire to please; *zie* slaken

zuchten sigh; (*van de wind*) sigh, sough, moan; (*kermen*) moan, groan [*van* ... with pain]; ~ *naar* (*om*) s. for; ~ *onder* ... groan under heavy taxation; ~ *over* s. over; *ze zuchtte van verlichting* she drew a breath of relief, she sighed her relief; '*ja', zuchtte ze* 'yes', she sighed; '*t* ~ *van* ... the sighing (sough, moaning) of the wind

zuchtje (little) sigh, half-sigh; (*wind*) sigh, sough, zephyr, light breeze; *er is geen* ~ there is not a breath of wind

zuid south; *vgl.* noord; **Z**~**Afrika(ans)** S. Africa(n) [*zo ook:* S. America(n), S. Brabant, S. German(y), etc.]; ~**einde** south(ern) end

zuidelijk *bn.* southern; southerly [wind]; *bw.* southward(s); ~ *van* (to the) south of; ~**en** (*van wind*) (turn to the) south

zuiden south; *naar 't* ~ to(wards) the s., [the depression is moving] s.; *ten* ~ *van* (to the) s. of; *uit het* ~ from the s.; *bewoner van 't* ~, *of zuidelijk deel van 't land* southerner; *zie* liggen; ~**wind** s. wind

zuider southern; ~**breedte** south(ern) latitude; *2° Z.B.* Lat. 2 S.; ~**halfrond** s. hemisphere; ~**kruis** S. Cross; ~**licht** s. lights, aurora australis; ~**ling** southerner; ~**storm** storm from the

south; ~**strand** south(ern) coast

Zuiderzee Zuider (Zuyder) Zee

zuid- south: **Z**~**Europa** South(ern) Europe; ~**kant** s.-side; ~**kust** s.-coast; ~**oost** s.-east; – *ten oosten* s.-east by east; ~**oostelijk** *bn.* s.-east-(erly), s.-eastern; *bw.* s.-east(ward); ~**oosten** s.-east; ~**oostenwind** s.-east(erly) wind; (*hard*) s.-easter

zuidpool south (*of:* antarctic) pole; *in sam.:* antartic; ~**cirkel** a. circle; ~**expeditie** a. expedition; ~**gebied,** ~**landen** a. regions; ~**reiziger** a. explorer; ~**tocht** a. expedition

Zuidpoolzee Antarctic (Ocean)

zuid: ~**punt** south(ern) point; **Zuid-Slavië** Yugoslavia, Jugoslavia; ~**vruchten** semi-tropical (subtropical) fruit; ~**waarts** *bw.* southward(s); *bn.* southward; ~**west(en)** south-west; – *ten noorden* s.-w. by north; ~**westelijk** *bn.* s.-west(erly); *bw.* s.-west(ward); ~**wester** (*wind*) s.-wester; (*hoed*) sou'wester, s.-wester; **Z~zee** S. Sea; *Stille* – Pacific (Ocean); ~**zij(de)** s.-side; ~**zuidoost** s.-s.-east; ~**zuidwest** s.-s.-west

zuigbuis suction-pipe, sucker

zuigeling baby, babe, suckling, infant (in arms); (*fig.*) [political] infant; *zie* consultatiebureau; ~**enkliniek** infant (*of:* child) welfare clinic; ~**ensterfte** infant mortality; ~**enzorg** care of infants, infant welfare

zuigen suck (*ook van wind, water, enz.;* s. honey out of flowers); *aan zijn pijp* ~ s. at one's pipe; *op zijn duim* (*lekkers, pepermunt*) ~ s. one's thumb (sweets, peppermint); *zie* duim

zuig- en perspomp double-acting pump, lift-and force-pump

zuiger (*pers.*) sucker; (*van pomp, enz.*) piston, (*niet van stoommachine of motor*) sucker, plunger; (*plantk.*) sucker; *zie ook* zuigleer & -vis; ~**klep** piston-valve; ~**motor** piston engine; ~**pen** gudgeon-pin; ~**ring** piston-ring; ~**slag** piston-stroke; ~**stang** piston-rod; ~**veer** piston-ring

zuig: ~**fles** feeding-, nursing-bottle; ~**gas** suction-gas; ~**ing** sucking; (*van stroom, lucht, enz.*) suction; ~**kracht** suction power; (*fig.*) attraction; ~**lam** sucking-lamb; ~**leer** sucker; ~**nap(je)** sucker, sucking-cup, -disk, cupule, (*aan poot van vlieg, enz.*) suction-pad; ~**orgaan** suctorial organ; ~**perspomp** *zie* ~- en pers-; ~**pijp** suction-pipe, sucker; ~**pomp** suction-, lift-pump; ~**snavel,** ~**snuit** sucking- (*of:* suctorial) mouth; ~**ventiel** suction-valve; ~**vis** sucking-fish, sucker, remora; ~**worm** trematode, fluke

zuil pillar (*ook fig.:* ...s of the State), column [Doric, Ionic, Corinthian ...]; (*prisma*) prism; (*fig., mv.*) confessional-political groups of the population (of the Netherlands); **Z**~**en van Hercules** Pillars of Hercules; ~ *van Volta* voltaic pile, galvanic pile; ~**enbundel** clustered column; ~**engalerij,** ~**engang** colonnade, arcade, portico; (*rondgaand*) peristyle; ~**enrij** colonnade; ~**heilige** *zie* pilaarheilige; ~**vormig** pillar-shaped, columnar

zuimen *zie* talmen

zuinig economical [live ...ly], saving, thrifty

[he was only ... with himself], sparing, careful; (*schraal*) sparing, frugal; (*al te*) ~ close, near; ~*e huishoudster* economical housekeeper, good manager; *ze was een buitengewoon ~e huisvrouw* she was a manager to the fingertips; ~ *zijn, ook:* be of a saving turn, make a penny go a long way; ~ *zijn* (*omgaan*) *met* be e. of (with) [one's money, time]; be careful with [one's money], husband [one's coalsupply, one's resources], economize [time, one's resources, etc.], go easy with (on) [the butter], nurse [one's best suit, one's capital], be chary (sparing) of [praise, words, speech], be sparing with [the electric light]; *lucifers zijn schaars, wees er ~ mee* make them last; *wees niet ~ met de thee,* (*als je thee zet*) don't stint your tea; ~ *zijn op* be careful of [one's suit]; ~ *in 't onderhoud* (*gebruik*) e. in upkeep; ~ *beheren* manage economically, nurse [an estate]; ~ *in 't kleine, verkwistend in 't grote* pennywise and pound-foolish; ~ *kijken* look glum, look blue; *en niet ~!* [I gave it him] with a vengeance, to some purpose; *was hij boos? niet ~!* wasn't he! (*fam.*) was he!; *zie* berekenen

zuinigheid economy, thrift(iness), carefulness; ~ *met vlijt bouwt huizen als kastelen, ongev.:* take care of the pence, and the pounds will take care of themselves; *de ~ bedriegt vaak de wijsheid* it's no good spoiling the ship (*of:* sheep) for a ha'p'orth of tar; *verkeerde ~* false e.; *verkeerde ~ betrachten* be penny-wise and pound-foolish; burn a penny candle to look for a farthing; ~**shalve,** *om* ~**sredenen** for reasons of e.; ~**smaatregel** measure of e.

zuinigje: *hij doet alles op een ~* he looks twice at a penny

zuinigjes economically, thriftily

zuip: *aan de ~ zijn* be addicted to liquor, be given to drink; *weer aan de ~ zijn* be on the booze again; ~**en** *intr.* booze, guzzle, tipple, swill, fuddle, soak; *tr.* guzzle, swill, tipple, quaff [ale]; *die auto ~t benzine* drinks petrol; *zie* tempelier; ~**er** *zie* ~lap; ~**erij** tippling, guzzling, swilling, (*sl.*) elbow-lifting; *zie ook* ~partij; ~**lap** toper, tippler, soaker, boozer; ~**partij** drinking-bout, booze, carouse

zuivel dairy produce, butter and cheese; ~**bereider** dairy farmer; ~**bereiding** butter-and-cheese making, dairying; ~**boer** dairy farmer; ~**boerderij** dairy farm; ~**bond** dairy farmers' association; ~**centrale** milk marketing board; ~**consulent** dairy adviser, consulting dairy expert; ~**controle** dairy produce control; ~**fabriek** dairy factory, butter(-and-cheese) factory, creamery; ~**hoeve** dairy farm; ~**industrie** dairy industry, dairying; ~**produkten** *zie* ~

zuiver I *bn.* pure [water, wool, air, sound, tone, voice, text, Dutch, of the ...st white], clean [hands, conscience], clear [conscience], correct [pronunciation]; (*onvervalst*) pure, unadulterated [alcohol]; (*techn.*) true [circle, hole]; (*netto*) net [the ... amount, proceeds]; (*louter*) pure, sheer, utter [nonsense, prejudice]; *zie* louter; ~*e en toegepaste wetenschap*

p. and applied science; ~ *Engels, ook:* [speak, write] the King's English (*of:* standard English); ~ *goud* p. gold, (*in munten*) fine gold; *in ~e toestand* [gold is found here] in a pure state; *de ~e rede* p. reason; *'t ~e denken* p. thought; ~ *ras,* (*van paarden, enz.*) p. breed; *van ~ bloed* of p. blood, p.-blood(ed); *dat is ~e taal,* (*fig.*) that is plain language (plain speaking); *de ~e waarheid* the plain (honest, unadorned) truth; ~*e winst* clear (net) profit, (*niet geldelijk*) clear gain; ~ *hindoeïsme* (*socialisme*) Hinduism (socialism) p. and simple; *de zaak is niet ~, 't is geen ~e koffie* there is s.t. wrong (about it), there is s.t. fishy about it; there's a nigger in the wood-pile; *je voelt je zeker niet ~* you seem to have a sense of guilt; *zie* graat, leer, water; II *bw.* purely [of ... English origin]; ~ *om mee te 'geuren'* [kept] purely for show; ~ *en alleen om* ... purely and simply (simply and solely) to ...; (*niet*) ~ *zingen* sing in (out of) tune; *dat is ~ verlies* a dead loss; *ik heb er ~ f300 aan* (*bij*) *verdiend* I've cleared 300 guilders over it

zuiveraar cleaner; purifier; refiner; (*van ongedierte in gebouwen*) exterminator; (*taal~*) purist; *vgl.* zuiveren

zuiveren clean [a building, etc.], cleanse [*vooral fig.:* our hearts, etc.], wash [a wound], purify [the blood, air, petroleum, metals, the language, one's heart], clean up [a down-town district]; refine [metals, sugar], purge [the bowels, our hearts, Parliament was ...d]; (*ontsmetten*) disinfect [old buildings]; (*van blaam* ~) clear [one's honour, name, reputation]; (*opzuiveren*) true (up) [a wheel, etc.]; *de lucht (de atmosfeer) ~,* (*ook fig.*) clear the air; ~ *van* clean of [dirt], free from [vermin *ongedierte*], clear [a place] of [enemies], purge (clear) [the parks] of [suspicious characters], cleanse of [sin], purge [the hearts] of [hatred], purge [a text] of [errors]; *zich* (*van schuld, enz.*) ~ clear o.s.; *zich ~ door een eed* clear (purge) o.s. by an oath; *zich ~ van* clear (purge) o.s. of [suspicion, etc.]; *zich van verdenking* (*schuld, enz.*) ~, *ook:* clear one's character

zuiverheid purity, cleanness; fineness [of gold]; ~ *van toon* tonal p.

zuivering cleaning; cleansing; purification; purgation; (*politieke* ~) purge; clean-up; clearing; ~ *van het drinkwater* water purification; *vgl. 't ww.;* ~**sactie** cleaning-up action, (*mil.*) mopping-up operations; ~**schap** waste water treatment authority; ~**seed** oath of purgation; ~**sinstallatie** purification plant; ~**szout** bicarbonate of soda

zulk s.: *een* s. a [man], s. [impudence]; ~ *een godsdienst bestaat niet* there is no s. religion; *net ~ een* ... just such a promising young officer; ~ *een dochter had hij ook kunnen hebben* he might have had s. another daughter; ~ *een mes, ook:* a knife like that; ~ *een blad, ook:* a paper of that description

zulks such a thing, such, this, that, the same

zullen 1 (*zuivere toekomst*) *1ste p.:* shall

(should); *2de & 3de p.:* will (would); (*vrag.*) *1ste p.:* shall (should); *2de p.:* will (*soms* shall) (would, should); *3de p.:* will (would); (*dichtbijliggende toek.*) be going (*of:* about) to [he is going to start a business in Paris]; *ja, jij zult wat!* you'll do a lot; *'t zal warm worden* it is going to be hot; 2 (*waarschijnlijkh.*) will (probably) [you will probably have heard that ...; Mother will have gone to bed]; *hij zal je niet gezien hebben* he has probably (perhaps he has) not seen you; *zou hij ziek zijn?* I wonder if he is ill; *dat zal omstreeks één uur geweest zijn* that would be about one o'clock; *'t zal zo wat één uur geweest zijn toen ...* it may have been one o'clock when ...; *dat zal wel* [he will come to-morrow;] I daresay; I am sure he will; *hij zal waarschijnlijk niet komen* he is not likely to come; 3 (*twijfel*): *wie zal 't zeggen?* [had he seen it?] who shall say?; (*ik vraag mij af*) *zou hij 't doen?* I wonder if he'll do it; *wat zou hij nu beginnen!* what was he to do now!; 4 (*wil van de spreker*) [you, he] shall; *je wilt niet? je zult!* you won't? you shall!; *men zal niet zeggen, dat ...* it shall not be said that ...; *ik zal je!* I'll give it you!; *ik zal 't hebben* I mean to have it; [*hij spreekt van een auto;*] *ik zal hem met zijn auto* I'll 'motor' him, I'll give him motor; 5 (*gebod*): *gij zult niet stelen* thou shalt not steal; 6 (*oordeel van spreker omtrent de wenselijkh. van iets*): *zou je nu niet gaan?* hadn't you better go now?; *zou je dat wel doen?* do you think you'd better do that?; 7 (*vraag naar wil van toegesprokene*): *zal ik (Jan, enz.) 't doen?* shall I (John, etc.) do it?; 8 (*toekomst afhankelijk van de wil van de spreker; belofte*) *1ste p.:* will; *2de & 3de p.:* shall; *ik zal u dadelijk helpen* I will (I'll) attend to you directly; *je zult 't dadelijk hebben* you shall have it in a minute; 9 (*afspraak, regeling, beschikking*): to be to; *we ~ elkaar ... ontmoeten* we are to meet at the station; *ze hadden ... ~ trouwen* they were to have been married at Christmas; *'t zou niet zijn* it was not to be; *ik zou hem nooit weerzien* I was never to see him again; *maar er zou nog meer komen* but there was more to come; *als hij Oxford nog ooit weer eens zal winnen ...* if Oxford is ever to win again; *als hij zal slagen, ...* if he is to succeed, ...; *hij zou morgen gaan, ook:* he was due to go to-morrow; 10 (*gerucht*): *hij zou (naar men zei) getracht hebben ...* he was alleged to have tried ...; *hij zou (naar men zegt) 't vergif gekocht hebben van ...* he is alleged to have bought the poison from ...; 11 *hij beloofde mijn aanwijzingen te ~ volgen* he promised to follow my directions; *hij zei te ~ komen* he said he would come; 12 *wat zou dat?* zie wat
zullie (*fam.*) they
zult brawn: pork (boar's flesh) pickled in vinegar; **~bonen** pickled beans
zulte (*plant*) sea aster, sea starwort
zulten pickle, salt
zultspek pickled bacon
zultvlees salted meat

zundgat touch-hole, vent
zuren *intr.* (turn, get, go) sour; *tr.* sour [dough]
zurig sourish; **~heid** ... ness
zuring dock, sorrel; **~zout** salt of sorrel; **~zuur** oxalic acid
1 zus thus, in that manner; *nu eens ~, dan weer zo* now this way, now that; *het was ~ of zo* it was touch and go; *het scheelde ~ of zo of ze zou ...* she was within an ace of ... ing; *als Dr ~ en Dr zo* [pose] as Dr this and Dr that
2 zus sister, (*fam.*) sis(s); *een fijne ~* a bigot
zusje (little) sister, baby sister; *het is broertje en ~* it is six of one and half a dozen of the other
zuster sister (*ook klooster~ & diacones*); (*verpleegster*) nurse; (*gew. hoofdverpleegster*) sister; *~ van liefde*, (*r.-k.*) s. of charity (of mercy); ~ (*verpleegster*) J. nurse J.; *wel, ~, hoe ... well, nurse*, how's the patient?; *de negen ~s* the Nine; (*ja*) *je ~!* (*fam.*) your grandmother! my foot!; zie broeder; **~faculteiten** corresponding faculties in other universities; **~huis** nunnery; (*in ziekenhuis*) nurses' home (quarters, residence); **~liefde** sisterly (a sister's) love; **~lijk** sisterly; **~loge** s.-lodge; **~loos** sisterless; **~maatschappij** s.-company; **~moord(er)** sororicide; **~-overste** Mother Superior; **~paar** pair of sisters, [the] two sisters; **~schap** sisterhood (*in beide bet.*); **~schip** s.-ship [to (of) the Maasdam]; **~skind** s.'s child, nephew, niece; **~sschool** convent (nunnery) school; **~stad** s.-town; **~szoon** s.'s son, nephew; **~taal** s.-language
zuur I *bn.* sour [taste, grapes, milk, temper, fellow, look, face], acid [taste, face, look]; (*wrang*) sour, tart, acid, acrid; (*chem.*) acid, acetous; *zure appel* sour apple; zie appel; *zure haring* pickled herring; *met een ~ gezicht* s.-featured, s.-faced [man]; *zie gezicht*; *een ~ lachje* a wry smile; *een zure oude vrijster* a sour spinster; *zo ~ als azijn*, (*fig.*) as sour as a lemon; *we hadden een zure tijd* we had a s. time of it; *zure grond* (*bodem*) s. (acid) soil; *~ werk* nasty work; *een ~ leven* a hard life; *een ~ stukje brood* a hard-earned living; *~ maken* (*chem.*) acidify; *iem. 't leven ~ maken* embitter a p.'s life, make life a burden to a p., lead a p. a (terrible) life (a dog's life); *~ worden* turn (go) s.; *de melk is aan 't ~ worden* (*tegen 't ... aan*) the milk is on the turn; *de melk is (een beetje) ~ is* (slightly) off; *~ smaken* taste s.; *dat is ~ (voor hem)* it is hard lines (on him); *nu ben je ~*, (*fam.*) now you're in for it, you're booked; *zie vallen, enz.*; II *bw.* sourly; *~ kijken* look sour; *~ verdiend geld* hard-earned money; III *zn.* (*ingemaakt*) pickles; (*chem.*) acid; *'t ~* (*in de maag*) heartburn, acidity of the stomach, water-brash; *in het ~ leggen* pickle; *uitjes, enz. in 't ~* pickled onions, etc.; *zie zoet*; **~achtig** sourish; **~bad** acid bath; **~bes, ~boom** barberry; **~deeg, ~desem** leaven (*ook fig.*: the old ...); **~doorn** barberry; **~fixeerzout** acid fixing-salt; **~fles** *a*) pickle-bottle, -jar; *b*) acid-bottle; **~gehalte** acidity; **~getal** acid value; **~graad** acidity, pH; **~heid** sourness, acidity, tartness;

vgl. ~; ~**kast** fume-cupboard, -chamber, -hood; ~**kijker** *zie* ~**muil**; ~**kool** sauerkraut; ~**kraam** pickle-stall; ~**making** acidification; ~**meter** acidimeter; ~**muil** s.-faced fellow; crab, curmudgeon; ~**onderzoek** acid test; ~**pruim** sourface, (*fam.*) sourpuss; ~**stel** pickle-stand, -frame

zuurstof oxygen; *met* ~ *verbinden* oxygenate; ~**apparaat** o.- (o.-breathing) apparatus, o.-pump; ~**cilinder** o.-cylinder; ~**gebrek** anoxia; ~**houdend** oxygenous; ~**kamer** o.-tent; ~**masker** o.-mask; ~**verbinding** oxide

zuur: ~**stok** rock; ~**tje** acid drop; –s, (*uitjes, enz.*) pickles; ~**vast** acid-proof, acid-resisting; ~**verdiend** *zie* ~; ~**vergiftiging** acidosis; ~**vork(je)** pickle-fork; ~**vrij** free from acid, acidfree; ~**zak** sour-sop; ~**zoet** sour-sweet; acidulous [smile]

Z.W. S.W., south-west

Zwaab(s) Swabian

zwaai swing, sweep [with a ... of his arm]; (*zwierig*) flourish [of a weapon, etc.]; (*draai*) turn; roll [walk with a ... (in one's gait)]; swing [of public opinion]; *hij nam ... met een* ~ *af* he swept off his hat; *zie ook* ~**haak**

zwaaiarm (*van kraan*) jib

zwaaien I *tr.* swing [a sword, etc.]; wield, sway [the sceptre]; brandish, flourish, (*lit.*) wield [a weapon]; flourish, wave [a flag]; *zie ook* ~ met: *zich over de muur* ~ s. (*of:* fling) o.s. across the wall; II *intr.* swing, sway [backwards and forwards, to and fro, from side to side], (*als dronken man*) reel [down the street]; (*mar.*) swing, round; (*van muur*) sag; *de hoek om* ~ s. round the corner; *er zal wat* ~ there will be the devil to pay; *met zijn hoed* (*zakdoek, enz.*) ~ wave one's hat (handkerchief, etc.); *met zijn armen* ~, (*omhoog*) wave one's arms, (*hangend*) s. (*of:* dangle) one's arms; *hij zat met zijn been te* ~ he sat swinging his leg **zwaai:** ~**haak** bevel(-square); ~**ing** swinging, etc.; *zie 't ww.;* ~**kom** (*in kanaal*) wind, winding-place; ~**licht** rotating light, (flashing, rotating) beacon; ~**plaats** (*mar.*) swinging-ground; ~**stoot** (*boksen*) swing; (*met rechterhand*) right swing

zwaan swan (*ook voor dichter:* the S. of Avon = Shakespeare); *wilde* ~ wild s., whooper (swan); *jonge* ~ cygnet; (*mannetje*) cob; (*wijfje*) pen; *de* (*herberg de*) Z~ the S. (Inn); *vgl.* herberg; ~**ridder** Knight of the S.

zwaar heavy [load, horses, industry, materials, oil, dinner, loss, damage, drinker, smoker, sleep(er), forest, beard, moustache, eyebrows, eyelids, lines, sky, clouds, seas, rains, tread, thud, thunderclap, thunderstorm, debts]; (*plomp & ~*) ponderous; (*van grote omvang*) bulky [commodities]; (*fors*) heavily built, massive [his ... figure], robust, stalwart; (*zwaarlijvig*) stout; (*moeilijk*) heavy [day, breathe heavily], hard, difficult, arduous [task], hard [life], stiff [examination], onerous [duties]; (*ernstig*) severe, dangerous [illness; ...ly ill, ...ly wounded], bad [cold], grave [crime, offence]; (*streng*) severe [punishment, sentence, requirements]; (*van bodem*) heavy, clayey, unctuous; (*van dranken & tabak*) strong [beer, cigars], full-bodied, heavy [wine]; (*diep*) deep [voice]; *zware bevalling* difficult confinement; *zware concurrentie* keen (severe, stiff) competition; ~ *geschut* h. guns, h. ordnance; (*fam.*) heavies; ~ *boeten voor* pay heavily (dearly) for; ~ *eten* h. (stodgy) food; *zware jongens* big-time criminals; *zware rouw* deep mourning; *een zware slag* a h. (*fig. ook:* cruel) blow; *een zware strijd* a hard (severe) struggle; ~ *tapijt* thick (deep-pile) carpet; *zware tijden* hard times; ~ *vergif(t)* strong poison; *strychnine is* ~ *vergiftig* exceedingly poisonous; ~ *water* h. water; ~ *weer* [encounter] h. weather; *bij* (*in*) ~ *weer* under (a) stress of weather; ~ *belast a*) *zie* ~beladen; *b*) heavily taxed; ~**st** *belast, ook:* [the] heaviest-taxed [people]; ~ *beschadigd* heavily (badly) damaged; *zware beproeving* sore trial; ~ *op de proef gesteld worden* be sorely tried; ~ **beproefd** sorely (severely) tried, (*bij sterfgeval*) [the] bereaved [parents]; *zware zonde* grievous sin; ~ *zondigen* sin grievously; ~*der worden* gain in weight; *ik ben* ~ *in 't hoofd* my head is h. [awake with a h. head]; *ik heb er een* ~ *hoofd in* I am very doubtful about it; *de dokter heeft er een* ~ *hoofd in* the doctor thinks very badly of him (her, etc.); *zich* ~ *in de leden voelen* feel h. (a heaviness) in the limbs; ~ *op de hand* heavy, ponderous, stodgy; ~ *op de maag liggen* lie (*of:* sit) h. on the stomach; ~ *drinken* drink heavily; ~ *drukken op* weigh (*of:* lie) h. (bear heavily) upon; ... *drukken* ~ *op* ... these burdens lie h. on the nation; *'t loopt* ~ *in 't zand* it is h. walking in the sand; ~ *zitten bomen* argue endlessly, (*sl.*) chew the rag; *te* ~ overweight; *te* ~ *belast* overweighted; *te* ~ *laden* overload; *'t vonnis was te* ~ the sentence was excessive; *de brief is te* ~ is overweight; *hij had te* ~ *geleefd* he had lived too fast, had burnt the candle at both ends; ~ *slapen* sleep heavily; ~ *getroffen worden* be hard hit; *ze voelde zich* ~ *om 't hart* her heart (her soul) was h.; ~ *van tong* (*ter taal*) thick of speech, thick-tongued, (*Ex. 4:10*) of a slow tongue; *met zware tong spreken* speak thick (with a thick tongue, in a thick voice); ..., *zei hij, met zware tong* ... he said thickly; *'t is 2 pond* ~ it weighs two pounds; *zie last, vallen, wegen, enz.* **zwaar:** ~**aarde** baryta; ~**beladen** heavy- (heavily) laden; ~**belast** & ~**beproefd** *zie* ~

zwaard sword; (*van vaartuig,* = *zij*~) lee-board; *vgl.* kiel~; *'t* ~ *der gerechtigheid* the s. of justice; *zijn* ~ *in de schaal werpen* throw one's s. into the scale; *een kolonie houden door het* ~ hold a colony by the s.; *door het* ~ *vergaan* perish by the s.; *wie met het* ~ *doodt, zal met het* ~ *gedood worden* he that killeth with the s., shall be killed with the s.; *met 't* ~ *in de vuist* s. in hand, [they took the town] at the point of the s.; *naar 't* ~ *grijpen* draw the s.; *tot 't* ~ *veroordeeld* *worden* be sentenced to die (*of:* to death) by the s.; *zie* vuur, enz.; ~**bloem** *zie* ~**lelie;** ~~**broeder** Brother of the S., S.-bearer; ~**dans** s.-dance; ~**drager** s.-bearer; ~**gekletter** clash of swords, sabre-rattling; ~**leen** fief passing on the spear side, male fief; ~**lelie** s.-lily, gladiolus; ~**maag** agnate; ~**maagschap** agnation; ~~**orde** order of the S. (of S.-bearers); ~**ridder** *zie* ~broeder; ~**schede** scabbard; (*weekdier*) razor-fish, -shell, (*Am.*) razor-clam; ~**slag** stroke with the s., s.-stroke; ~**vechter** gladiator; ~**veger** s.-cutler; armourer; ~**vis** s.-fish; ~~**vormig** s.-shaped, (*wet.*) ensiform; ~**walvis** orc, killer (whale), grampus; ~**zijde** spear-side

zwaar: ~**gebouwd** heavily built, massive [figure]; ~**gewapend** heavily-armed; ~**gewicht** heavyweight [jockey, prize-fighter]; ~**heid** heaviness, weight

zwaarhoofd pessimist; *hij is een* ~, *ook:* he takes a gloomy view (looks at the dark side) of things

zwaarhoofdig pessimistic, gloomy; ~**heid** pessimism, gloom(iness)

zwaarlijvig corpulent, stout, obese; ~**heid** corpulence, stoutness, obesity

zwaarmoedig melancholy, melancholic, hypochondriac(al), depressed; ~**heid** melancholy, hypochondria, depression

zwaarspaat barytes, heavy spar

zwaarsteen scheelite

zwaarte weight, heaviness; *tabak in drie* ~*n* in three strengths; ~**kracht** gravitation, gravity; *wet der* – law of gravitation; ~**lijn** (*wisk.*) median; ~**punt** centre of gravity; (*fig.*) main point, pith of the matter, gravamen [of a charge *aanklacht*]; *het* – *ligt op de directe belastingen* the stress is on direct taxation

zwaartillend *zie* zwaarhoofdig

zwaartongig *zie* zwaar van tong

zwaarwichtig (*fig.*) weighty, ponderous; ~**heid** weightiness, ponderosity

zwabber swab, swabber, mop; (*gummi*) squeegee; (~*jongen*) swabber; (*zwierbol*) rip; *aan de* ~ *zijn* be on the loose (on the razzle)

zwabberen swab, mop; (*fig.*) *zie* pierewaaien; *zijn kleren* ~ *hem aan 't lijf* his clothes flap about him

zwabbergast, -jongen (*mar.*) swabber

Zwaben Swabia; **Zwabisch** Swabian

zwachtel bandage, roller-bandage, swathe, ligature; ~**en** swathe [his face was ˙... d in bandages], bandage; (*inbakeren*) swaddle

zwad swath, wind-row

zwadder (*ook fig.*) venom, slime; *zijn* ~ *op iems. goede naam uitspuwen* bespatter (besmirch, beslime) a p.'s reputation

zwade swath, wind-row

zwadkeerder swath-turner

zwadmaaier windrower

zwager brother-in-law; ~**huwelijk** levirate (marriage); ~**in** sister-in-law; ~**schap** relationship by marriage, affinity

zwak I *bn.* weak [child, eyes, heart, stomach, chest, lungs, nerves, health, voice, plant, army, fortress, party, nation, ministry, evidence, proof; the ice is too ...]; delicate [chest, child, health, plant]; feeble [cry, defence, effort, attempt, voice, light; *van pers.* = very weak]; light [wind], faint [attempt, cry, moan, smile, resistance, hope, light, resemblance]; frail [boat, body]; (*door ouderdom, ook:*) infirm; (*zedelijk* ~) weak [man, character; he is as ... as water], weak-willed, -kneed, spineless [person, government], frail [woman]; (*van markt*) weak [market, demand]; (*van examenkandidaat*) weak, (*fam.*) shaky; (*gramm.*) weak [conjugation, verb, ending]; *door en door* ~ as w. as water; *lichamelijk en zedelijk* ~ w. both physically and morally; *de* ~*ke broeders* the weaker brethren; *een* ~*ke broeder* (*kandidaat*) a shaky candidate; *'t* ~*ke geslacht* the weaker sex; ~ *gestel* w. constitution; ~*ke grijsaard* w. (infirm, feeble) old man; *in een* ~ *ogenblik* in a w. moment (a moment of weakness); ~*ke oplossing* w. (*of:* dilute) solution; ~*ke pols* w. (low, feeble) pulse; *'t* ~*ke punt* the w. point [of an argument], the w. spot [in the scheme]; ~ *spel* w. play; ~*ke vader*, (*fig.*) w. (indulgent) father; *zijn* ~*ke zijde* his w. side (point) (*in zijn ... aantasten, zie ben.:* in zijn ~ tasten); ~ *in 't Engels* w. (shaky) in English; ~ *naar lichaam en geest* w. in body and mind; ~ *van gezicht* w.-sighted; ~ *van verstand* of w. intellect; *zie ook* geest, redenering, uitdrukken, vat, enz.; **II** *bw.* weakly, etc.; ~ *staan* be shaky; *je staat* ~, (*jur. & fig.*) yours is a weak case, (*buitengewoon* ~) you have no case, (*fam.*) you haven't a leg to stand on; **III** *zn.* weakness [it is a ... of mine], failing [have a ... for drink], foible, weak point (side); *een* ~ *hebben voor* have a weakness for [apple-dumplings]; *hij had nog altijd een* ~ *voor haar* he still had a soft (tender, weak) spot in his heart for her; *iem. in zijn* ~ *tasten* get on a p.'s w. (*of:* blind) side, attack a p. on his w. side

zwak: ~**begaafd** mentally handicapped; ~**gelovig** of little faith; *de* ~*en* those of little faith; ~**heid** weakness, feebleness, delicacy, infirmity; faintness; frailty [, thy name is woman]; (*lichamelijk ook*) debility; *vgl.* ~ *bn. & zie* ~ *zn.;* ~**heden** weaknesses, failings, foibles; ~**hoofd** w.-brained person; ~**hoofdig** w.-brained, w. in the head; *zie ook* ~zinnig; ~**jes** I *bn.* weakly, weakish; (*van kandidaat, enz.*) shaky; II *bw.* weakly, [smile] faintly

zwakkelijk weakly [child], weakish, rather weak; ~**heid** weakliness, etc.

zwakkeling (*ook fig.*) weakling

zwakstroom (*germ.*) weak current, low-tension c.; ~**kabel** weak-current cable

zwakte weakness, feebleness, infirmity

zwakzinnig feeble-minded, mentally deficient (defective); *een* ~*e* a (mental) defective, (*oorspr. Am.*) a moron; *school voor* ~*en* (mentally) defective school, school for mental defectives; ~**heid** feeble-mindedness, mental deficiency

zwalken drift about, be tossed hither and

thither [at sea]; wander (rove, knock) about; *op zee ~, ook:* scour the seas; *door de wereld ~, ook:* knock about the world
zwalker wanderer, rover, vagabond
zwalm(en) *zie* walm(en)
zwalp wave
zwalpen dash, surge; (*zwakker*) (s)plash
zwaluw swallow; *één ~ maakt (nog) geen zomer* one s. does not make a summer; ~(e)nest swallow's nest; ~**sprong** (*bij duiken*) s.-dive; ~**staart** (*eig.*) swallow's tail; (*bij timmerwerk*) dovetail; (*rok*) s.-tail(ed coat), claw-hammer; (*vlinder*) s.-tail; (*gaslicht*) fish-tail burner; *met een – verbinden =* ~**staarten** dovetail; ~**tong** black bindweed
zwam (*plant*) fungus (*mv.:* fungi, funguses); (*tonderstof*) tinder, touchwood, (*Am.*) punk; (*bij paarden*) spavin; ~**achtig** *zie* zwammig; ~**dodend** *middel* fungicide; ~**doosje** tinder-box
zwammen *ww.* jaw, gas, talk hot air
zwammenkenner mycologist
zwammer *zie* zwamneus
zwammig fungous, (*Am.*) punky; ~*e uitwas* fungous growth
zwamneus gas-bag, twaddler; (*inz. Am.*) bletherskite
zwane- swan: ~**bloem** flowering rush; ~**brood** (*plant*) sweet flag (*of:* sedge); ~**dons** swan's down, s.-down; ~**hals** swan's (swan-)neck; (*buis*) goose-neck, U-trap; ~**maagd** s.-maiden; ~**mossel** s.-mussel; ~**ndrift** *a*) flock of swans; *b*) s.-rearing; ~**nfokkerij** *a*) s.-rearing; *b*) swannery; ~**pen** swan's quill; ~**ridder** *zie* zwaan...; ~**veer** swan's feather; ~**zang** s.-song
zwang: *in ~ brengen* bring into vogue; *in ~ zijn* be in (be the) vogue [*bij ons* with us]; *de oude gebruiken zijn hier nog in ~* are still in use here; *in ~ komen* become the vogue (the fashion); *de in ~ zijnde methode* the method in vogue; *niet langer in ~, ook:* out of vogue
zwanger pregnant, enceinte, with child, in the family way, expecting; *hoog (5 maanden) ~ zijn* be far (5 months) advanced in pregnancy, far (5 months) gone (with child); *~ zijn (gaan) van* be p. with [one's third child], be p. by [the male parent]; *~ zijn (gaan) van een plan* go about with a plan; *~ worden* become p., conceive; ~**heid**, ~**schap** pregnancy, gestation; *voorkoming van –* contraception; ~**schaps-gymnastiek** ante-natal exercises; ~**schapsonderbreking** abortion, termination of pregnancy
zwarigheid difficulty, obstacle, objection; (*gewetensbezwaar*) scruple; *-heden maken* make (raise) objections, make difficulties; *heb daar geen ~ over* don't trouble about that; *ik zie er geen ~ in* I have no objection
zwart black [*as ... as* ink, *as* pitch]; (*fig.*) black [the future looks ...; paint things very ...]; (*her. & dicht.*) sable; *~e aarde* b. earth, b. soil; *'t ~e bord* the blackboard; *~ brood* b. bread; *de ~e dood* the B. Death; *~e doos,* (*luchtv.*) black box, flight-recorder; *de ~e kunst, a*) the b. art, b. magic, necromancy; *b*) mezzotint;

tovenaar ervaren in de ~e kunst necromancer; *~e lijst* b. list; *op de ~e lijst plaatsen* b.-list; *~e markt* b. market; *op de ~e markt kopen* buy in the black market; *~e handel* black market; *~e handelaar* black marketeer, spiv; *'t Z~e Woud* the B. Forest; *de ~e Zee* the B. Sea; *de dingen ~ inzien* take a gloomy view of things; *~ kijken* *een ~ gezicht zetten* look b. [as b. as thunder], scowl, frown; *~ zien van de honger* look half-starved; *~ van de mensen* [streets] b. with people; *hij is niet zo ~ als hij geschilderd wordt* he is not so b. as he is painted; *'t ~ op wit hebben (zetten)* have it (put it down) in b. and white; *in 't ~* (dressed) in b.; *iem. in 't ~ (in een ~ pak) steken* put a p. into b.; *~en ~e* a b.; ~**en en blanken** blacks and whites; *zie ook* ~**maken**, kool, liegen, Piet, zaad, enz.; ~**achtig** blackish; ~**blauw** b.-blue, blackish blue; ~**bont** b. and white, b.-patched [cattle]; ~**bruin** b.-brown; ~**dag** (*r.-k.*) Good Friday; ~**e,** ~**ekunst** enz. *zie* ~; ~**epiet** *a*) knave of spades; *b*) black marketeer; *iem. de – toespelen* pass the buck to a p.; *met de – blijven zitten* be left to carry (hold) the baby (to carry the can); ~**epieten** play at Old Maid; ~**gallig** (atra)bilious, melancholy, splenetic; ~**galligheid** (atra)biliousness, melancholy, spleen; ~**geblakerd** blackened; ~**geel** b.-yellow; ~**gestreept** b.-striped; ~**gevlekt** b.-spotted; ~**harig** b.-haired; ~**heid** blackness; ~**hemd** b.-shirt; ~**igheid** b.ness; (*concr.*) black [a ... on your nose]; ~**jas** *zie* ~rok; ~**je** *a*) (*neger*) darky, blacky; *b*) b.-haired girl; *c*) silhouette, black and white drawing; ~**kapje** (*vogel*) b.-cap; ~**kijker** *a*) pessimist; *b*) clandestine T.V. viewer; ~**koorn** cow-wheat; ~**kop** b.-haired person; ~**kopmees** marsh tit(mouse); ~**koppig** b.-headed; ~**kopschaap** b.-faced sheep, b.-face; ~**koptuinfluiter** = ~**kopje** (*vogel*) b.-cap; ~**koren** cow-wheat; ~**lakens** (of) b. cloth; ~**maken** black [one's face], blacken (*dikw. fig.:* a p.'s character), (*fig.*) denigrate, (*met kurk*) *ook:* cork [a p.'s face]; ~**making** blackening; ~**ogig** b.-eyed; ~**oog** b.-eyed person; ~**rok** b.-coat, wearer of the cloth; (*sl.*) crow, rook, (black-)beetle; ~**rood** b.-red; ~**schimmel** iron-grey (horse); ~**sel** (smoke-, lamp-)black; (*voor kachel*) black-lead; ~**selen** black, black-lead [a grate]; ~**steel** (*plant*) adiantum; ~**verver** dyer in b.; ~**waterkoorts** blackwater (fever); ~**wit** black and white [photo]; ~**zijden** (of) b. silk
zwatelen rustle, (*van wind ook*) sough; (*van stemmen*) buzz
zwavel sulphur, (*hist.*) brimstone; ~**aarde** sulphurous earth; ~**achtig** sulphurous; sulphureous, sulphury; ~**ader** s.-vein; ~**bad** s.-bath; ~**bloem** flowers of s.; ~**bron** s.-spring, -well; ~**damp** s.-fume, sulphur(e)ous vapour; ~**en** sulphurate, sulphurize [wine], fumigate with s.; *vaten –* match casks; ~**erts** s.-ore; ~**ether** sulphuric ether; ~**geel** s.-yellow; ~**groef,** ~**groeve** s.-pit, -mine; ~**houdend** sulphur(e)ous; ~**ig** *zie* ~achtig; ~**igzuur** sulphurous acid, s.-dioxide; ~**ijzer** ferric sulphide; ~**ing** sulphurization; ~

kalk sulphide of lime; ~**kies** pyrites; ~**kleur(ig)** s.-colour(ed); ~**koolstof** carbon disulphide; ~**lever** liver of s.; ~**lucht** sulphurous smell; ~**melk** milk of s.; ~**reuk** *zie* ~**lucht**; ~**stok(je)**, ~**tje** s.-match; ~**verbinding** s.-compound, sulphide; ~**waterstof(gas)** sulphuretted hydrogen, hydrogen sulphide; ~**zalf** s.-ointment; ~**zilver** sulphide of silver; ~**zure** *ammonia* sulphate of ammonia; – *ammoniak* ammonium sulphate; ~**zuur** sulphuric acid, (oil of) vitriol; ~**zuurzout** sulphate

Zweden Sweden

zweden lime [skins], steep [skins] in lime and water

Zweed Swede; **Zweeds** Swedish; *~e gymnastiek* S. gymnastics (drill, movements); *een ~e* a S. woman (girl), a Swede

zweef: ~**baan** hanging (air cable, aerial) railway; (*voor goederen*) telpher line (*of:* way); ~**brug** suspension bridge; ~**club** gliding-club; ~**licht** (*mil.*) flare; ~**molen** giant('s) stride; ~**pas** balance step; ~**rek** trapeze; ~**spoor** *zie* ~**baan**; ~**toestel** *zie* ~**vliegtuig**; ~**trein** hovertrain; ~**tuig** hovercraft; ~**veld** gliding ground; ~**vlieg** hoverfly; ~**vliegclub** gliding-club; ~**vliegen** *ww.* glide; *zn.* gliding; ~**vlieger** glider pilot; ~**vliegtuig** glider, glide plane; ~**vlucht** *a*) (*zonder motor*) glide, soaring-flight; *b*) (*met stopgezette motor*) volplane, glide; *in – dalen* volplane

zweeg *o.v.t. van* zwijgen

zweem semblance [... of a wrinkle], trace, shade, touch [of sarcasm, of vanity], shadow [not the ... of a doubt], ghost, flicker [of a smile], suggestion [a ... of a twinkle], hint [a ... of the devil in his eyes], suspicion [of a beard]; *geen ~ van bewijs* not a shred (shadow, trace) of evidence (of proof); *geen ~ van verdenking* not a breath of suspicion

zweempje (slight) trace, etc.; *zie* zweem

zweep whip; (*jacht-*) (hunting-)crop; *de ~ erop leggen* whip up a horse; lay the w. across a p.('s shoulders), horsewhip a p.; *hij moet met de ~ hebben* he wants the w., ought to be birched; *zie* klappen & voerman; ~**diertje** flagellate, mastigopod; ~**draad** flagellum; ~**geklap** w.-cracking, -cracks; ~**koker** w.-socket; ~**koord** w.-cord, (w.-)lash; ~**slag** (*ook: uiteinde van ~koord*) (w.)-lash; (*knal*) w.-crack; (*med.*) w.-lash (injury); ~**slang** w.-snake; ~**steel, -stok** w.-handle, w.-stock; ~**tol** whipping-top; ~**touw** *zie* ~koord

zweer ulcer, sore, boil, abscess, tumour; ~(*tje*) *op 't tandvlees* gumboil

zweet perspiration, sweat; (*jag.: bloed*) blood [of a hare]; (*op muur*) moisture, sweat; *'t ~ liep hem langs 't gezicht* his face was streaming with p.; *'t klamme ~* the clammy p. (*of:* sweat); *'t koude ~ brak hem uit* he broke into (broke out in) a cold p.; *'t koude ~ stond op zijn voorhoofd* there was a cold p. on his forehead; *in het ~ uws aanschijns zult gij uw brood eten* in the sweat of thy face shalt thou eat bread; *zich in 't ~ werken* work o.s. into a perspiration (a sweat, a lather); *nat van 't ~* streaming with (bathed in) p.; ~**afscheiding** sweat secretion; ~**bad** sweating-bath, sudatory, sudatorium; ~**band** sweat-band; ~**doek** sweat-cloth; (*van de H. Veronica*) sudarium; (*over 't gelaat van Jezus in 't graf*) sudary; ~**drank** sudorific; ~**drijvend** sudorific; ~**druppel** drop (*of:* bead) of p., sweat-drop; *de –s stonden op zijn voorhoofd, ook:* the p. stood out in beads on his brow; ~**gat** (sweat-)pore; ~**handen** *vgl.* ~voeten; ~**huis** (*van tabak*) drying-house; ~**kamer** sweating-room, sudatory; ~**kanaal(tje)** sweat-duct, -canal; ~**klier** sweat-gland; ~**koorts** sweating-fever; ~**kuur** sweating-cure; ~**lucht** sweaty smell, smell of p.; ~**middel** sudorific; ~**poeder** sudorific powder; ~**porie** sweat-pore; ~**stoof** *zie* ~kamer; ~**verwekkend** sudorific; ~**vlek** sweat-spot; ~**voeten** perspiring (sweaty) feet; ~**vos** sorrel (horse); ~**ziekte** sweating-sickness

zwei bevel(-square)

zwelen make hay; **zweler** hay-maker

zwelg gulp, draught; ~**en** *tr.* swill, guzzle, quaff [ale]; *intr.* (*eten*) guzzle, gormandize; (*drinken*) carouse, guzzle, – *in* revel (luxuriate) in, feast on; ~**er** guzzler, carouser, gormandizer; ~**erij, ~partij** carouse, carousal, orgy, revelry

zwelkast swell-box [of an organ]

zwellen swell (*ook van rivier, muziek, enz.*), expand; (*van zeilen ook*) belly; *doen ~* swell [the wind ... s the sails, the rains ... the rivers]; *'t ~ en afnemen van ...* the swell (the rise) and fall of the organ music; *zie ook:* gezwollen & opzwellen

zwelling swelling

zwelregister swell-organ

zwem- swimming: ~**bad** (outdoor) s. pool, (indoor) s.-bath; (*'t baden*) bathe; ~**bassin** s.-, bathing-pool; ~**blaas** s.-bladder, (*van vis ook*) swim-, air-bladder, sound; ~**broek** (swimming-)trunks; ~**buis** *zie* zwemvest

zwemen: ~ *naar* bear a slight likeness to; ~ *naar zwart* incline (run, tend) to black; ~ *naar oneerlijkheid* border upon dishonesty; *naar groen ~, ook:* have a greenish tint

zwem- swimming: ~**gordel** s.-belt; ~**inrichting** public baths, s.-bath(s); ~**kostuum** bathing-, s.-costume; ~**kunst** art of s.

zwemmen swim; *gaan ~* go for (have, take) a s.; ~ *als een rot* s. like a fish; *ik kan helemaal niet ~* I cannot s. a stroke; *zijn hond laten ~* give one's dog a s.; *'t paard naar de overkant laten ~* s. the horse across; *in bloed (weelde) ~* s. in blood (luxury); *'t zwemt in de boter* it is swimming in (with) butter; *haar ogen zwommen in tranen* swam with (were bathed in) tears; *in 't geld ~* swim (roll) in (be made of) money; *over 't Kanaal ~* swim (*ook:* conquer) the Channel; *de tafel zwom van wijn* was swimming with wine; *zie* vis

zwem- swimming: ~**mer** swimmer; ~**merig** (*van ogen*) swimming, watery; ~**oefening** s.-exercise; ~**onderwijzer** s.-instructor; ~**pak** swim(ming)-suit; ~**plaats** s.-, bathing-place; ~**poot** flipper; *zie ook* ~voet; ~**proef** [pass the] s.-test;

~school s.-school; ~sport swimming; ~toestel s.-apparatus; ~tor water-beetle; ~vest life-jacket; (luchtv., opblaasbaar) Mae West; ~vlies web; met ~vliezen, (dier) web-footed, with webbed feet, (poten) webbed; ~voet web-foot, webbed foot; met –en web-footed; ~voeters web-footed animals; ~vogel web-footed bird, s.-bird; ~wedstrijd s.-match, -contest, -race

zwendel zie ~arij; ~aar swindler, sharper; (in aandelen) share-pusher; ~arij swindling, fraud; (in aandelen) share-pushing; ramp [the thing is a ...]; (in 't groot) racket; ~en swindle; ~firma swindling (long) firm; ~maatschappij bogus (bubble, mushroom) company

zwengel (van pomp) pump-handle, sweep; (van put) (well-)sweep; (van wagen) zie ~hout; (van molen) wing; (van vlegel) swipple; (draaikruk) crank; ~en zie zwingelen; ~hout, zwenghout swingle-tree, whipple-tree, splinter-bar

zwenk turn; in een ~ in a trice

zwenken I intr. turn (face, wheel) about (round), swing round; (mil.) wheel; (fig.) change front; (plotseling uitwijken) swerve; links (rechts) ~! left (right) wheel!; II tr. wave, flourish [a flag]; wheel [a horse] (round); swing, swerve [a motor-car to the right or left]

zwenkgras fescue (grass)

zwenking turn, wheel, swerve; (mil.) wheel; (fig.) change of front

zwenkingspunt, -spil pivot

zwenkwiel castor

zwepen whip, lash [the wind ...es the waves]

1 zweren ulcerate, fester; ~de kies ulcerated tooth; ~d tandvlees ulcerated (septic) gums, gumboil; ~de vinger gathering (septic, bad) finger

2 zweren swear; ik zweer het I s. it; een eed ~ s. an oath; geheimhouding (gehoorzaamheid, enz.) ~ s. secrecy (obedience, etc.); zie trouw zn. & geheimhouding; iem. vriendschap ~ s. friendship to a p.; wraak ~ tegen de verdrukker vow vengeance against the oppressor; ~ geen thee meer te drinken s. off tea (evenzo: s. off smoking, drink, etc.); iem. laten ~, zie eed (de ... afnemen); ~ bij God (bij zijn eer) s. to (by before) God (on one's honour); ~ bij Marx (bij de homeopathie, enz.) s. by M. (by homoeopathy, etc.); ~ bij 't woord des meesters s. by the master's word; bij kris en kras (bij hoog en laag, bij al wat heilig is) ~ s. by all that is holy (by all the saints in the calendar); ik durf erop ~ (zou erop durven ~) I can (could) s. to it; I will take my oath [that]; men zou erop ~ one could s. to it; ik kan er niet op ~ dat hij de persoon is I cannot s. to him; je zou ~ dat het een aap was [his face] is for all the world like a monkey's; op de bijbel ~ s. on the Bible; ..., dat zweer ik op de bijbel I never went there, on my bible-oath

zwerf: ~blok erratic block; ~kat stray (home-less) cat; ~kei erratic boulder; ~lust roving spirit; ~nier zie wandelend; ~ster zie zwerver; ~tocht wandering, wander [a ... in Saxony], ramble [op mijn – in my ramble], peregrina-tion, roving expedition; ~vogel nomadic bird; ~ziek of a roving disposition

zwering zie verzwering

zwerk a) rack, wrack, scud, driving clouds; b) welkin, firmament, sky

zwerm swarm [of bees, flies, birds, children, Picts and Scots, etc.], cluster [of bees], horde [of stray bees], (in korf) hive [of bees]; ~en ww. swarm; (mil.) sprawl; ~er 1 (vuurwerk) squib, banger; 2 zie zwerver; ~tijd swarming-season

zwerveling zie zwerver

zwerven wander, rove [lead a roving life], ramble, roam (about), knock about, be on the tramp; door 't land (op zee) ~ roam (about) the country (the seas); langs de wegen ~ tramp the roads; de wolven zwierven door de heide-velden the wolves ranged the moorlands; ~de honden stray dogs; ~de stammen wandering (nomadic) tribes

zwerver wanderer, vagabond, tramp; (Am.) hobo; (vooral dakloos kind) waif, stray; (dier) stray

zweten intr. perspire, be in a perspiration, sweat; (van muur) sweat; tr., huiden ~ sweat hides; bloed ~ sweat blood

zweterig sweaty [hands]; ~heid sweatiness

zwetsen a) brag, boast, talk big; talk bunkum; b) zie wauwelen; -er braggart, boaster, gas-bag; -erij brag(ging), boast(ing)

zweven be suspended [impurities are ... in water], float [in the air; a bee ...ed in at the window], flit [by, about, away]; (van vogel, enz.) hover [two hawks were ...ing overhead], glide [the eagle ...s on its wings]; (van vlieg-tuig met stopgezette motor, van schaatsen-rijder, enz.) glide; (doen) ~, (van munt) float [the ...ing pound]; (spiritisme) levitate; het woord zweefde mij op de tong I had the word on the tip of my tongue (at my tongue's end), the word hovered on my lips (on the tip of my tongue); er zweefde een glimlach om haar lippen a smile hovered (flickered) about (round, on) her lips; de geest Gods zweefde over de wateren the spirit of God moved upon the face of the waters; ~ tussen hover between [hope and fear]; waver between [her eyes ... grey and blue]; zie leven 1; haar beeld zweeft mij altijd voor de geest (voor ogen) her image is always present to my mind (is always before me); ~de gang buoyant (of: springy) step; ~de klem even stress; ~de koopkracht floating purchasing-power; ~de rib floating rib; ~de geschillen outstanding disputes; ~de valuta floating currency; ~de vloer sprung floor

zweving (nat.) beat; ~sontvangst beat-reception

zwezerik thymus(-gland); (als voedsel) sweet-bread

zwichten yield, give in, give way; (fam.) knuck-le down (under); (mar.) swift; ~ voor yield to [entreaty, persuasion, temptation, argu-ments], bend before [public opinion], bow to [a p.'s authority]; voor de overmacht ~ yield to superior numbers; voor niemand ~ not give in (give way) to anybody; *een molen* ~ shorten sail

zwiepen swish; ~ *met een rottinkje* switch (swish, whisk) a cane; **~d** swishing [branches, sound]; **-ing** swish(ing)

zwier (*zwaai*) flourish; (*gratie*) elegance, grace(fulness); (*staatsie*) pomp; (*luchtige* ~) jauntiness, swagger, dash; (*opschik*) finery; *aan de* ~ *zijn* (*gaan*) be (go) on the spree (on the loose, on the razzle-dazzle), be going (go) on the racket, (*af en toe*) take an occasional fling; *met* ~ [a uniform worn] dashingly; *met edele* ~ with a noble grace; **~bol** gay dog, wild spark, reveller, rake, rip

zwierbollen *zie* aan de zwier zijn

zwieren (*van dronkeman*) reel [about the streets]; (*in balzaal*) whirl about; (*op ijs enz.*) glide gracefully

zwierf *o.v.t. van* zwerven

zwierig stylish, dashing, jaunty, smart, gay, showy, flamboyant; ~ *voor de dag komen* cut a dash; ~ *schrift* flowing hand(writing); ~*e stijl* flamboyant (flowery) style; **~heid** stylishness, floweriness, etc.; *zie ook* zwier; **~jes** smartly

zwijgachtig taciturn, silent

zwijgen I *ww.* be silent, keep (maintain) silence, hold one's peace (one's tongue); (*geen mond open doen*) sit mum; *hij zweeg*, (*na gesproken te hebben*) he fell silent; *de muziek zweeg* stopped; *zwijg!* be silent! silence! hold your tongue! shut up!; *zwijg daarvan!* don't talk about that!, (*houd 't geheim*) keep mum about it; *laten we daarvan* ~ we'll not talk about that, we'll let that pass; *wie zwijgt, stemt toe* silence gives (is, means) consent; *kinderen moeten* ~ children should be seen, not heard; *daarover zwijgt de geschiedenis* history is silent upon (about, as to) it; ~ *als 't graf* be (as) silent as the grave, maintain a stony silence; *toen zweeg hij als 't graf* then he shut up like an oyster (*Am.*: a clam), (*Am.*) then he clammed up; ~ *in alle talen* be conspicuously silent; *kunt ge* ~? can you keep a secret?; *ik kan* ~ I can keep my counsel, (*fam.*) can hold my tongue; *ik kan niet langer* ~ I cannot keep my (own) counsel any longer; *om nog te* ~ *van* ... not to speak of ..., to say nothing of ..., let alone ...; *iem. doen* ~, *zie ben.* (tot ~ brengen); *daarop moest hij* ~ he could make no reply (to that); *in zulke gevallen moet 't koele verstand* ~ in such cases cold reason has to stand down; II *zn.* silence; *iem. 't* ~ *opleggen* impose silence upon a p.; *hij deed er het* ~ *toe* he did not say a word, he sat mum; *tot* ~ *brengen* put to silence, silence [a p., a battery], shut [a p.] up; (*door geschreeuw*) howl (shout) [a p.] down; (*zijn geweten*) still (quiet, pacify) one's conscience; *zie* stilzwijgen & spreken

zwijgend I *bn.* silent (*ook van film*); tacit [spectator]; (*van aard, ook:*) taciturn; II *bw.* ...ly, in silence

zwijger taciturn (silent) person; (*fam.*) oyster;

Willem de Z~ William the Silent (the Taciturn)

zwijggeld hush-money

zwijgrecht right to secrecy

zwijgzaam taciturn, uncommunicative, reticent, silent; **~heid** taciturnity, reticence

zwijm swoon, fainting-fit; *in* ~ *liggen* lie in a s.; *in* ~ *vallen* faint, swoon, have a fainting-fit; *zie ook* flauw (... *vallen*)

zwijmel (*duizeling*) giddiness, dizziness; (*roes*) intoxication; **~beker**, **~drank** intoxicating cup; **~dronken** intoxicated (with joy); **~en** *a)* be (feel) dizzy; *b) zie* in zwijm vallen; **~kelk** *zie* ~beker; **~roes** intoxication

zwijn (*ook fig.*) pig, hog, (*vooral fig.*) swine (*mv.:* swine); (*bof*) fluke, stroke of luck; *wild* ~ boar

zwijnachtig swinish; **~heid** ...ness

zwijne: **~aard** swinish nature; **~boel** piggery, pigsty, cesspit

zwijnegel hedgehog; (*pers.*) *zie* zwijnjak

zwijne¹: **~hok**, **~kot** pigsty, piggery; **~jacht** boar-hunting; **~kost** *zie* varkenskost

zwijnen lead a life of debauchery, racket about, go the racket; (*boffen*) be in luck; *ik zwijnde*, *ook:* my luck was in

zwijnenhoeder swineherd

zwijnepan *zie* zwijneboel

zwijnerij filth, dirt, filthy talk, smut

zwijne: **~stal** pigsty (*ook fig.*), piggery; **~troep** (*rommel*) shambles; (*vuil*) pigsty; **~vlees** pork, (*van wild zwijn*) boar('s flesh)

zwijnjak swine, (dirty) pig

zwijns: **~borstel** hog's bristle; **~hoofd**, **~kop** boar's head; **~spriet** boar spear

zwijntje piggy; (*fiets*) bike; (*bof*) fluke; **~s-jager(ij)** bicycle-thief (-theft)

zwik 1 vent-peg, vent-faucet, spigot, spile; 2 (*mar.*) wood-fender; 3 (*verzwikking*) sprain; *de hele* ~ the whole caboodle; **~boor** auger; **~gat** vent-hole; **~je** *zie* ~ 1

zwikken sprain; *mijn voet zwikte* I sprained (wrenched) my ankle; **-ing** sprain

zwilk 1 oil-cloth; 2 drill

zwin creek

zwingel swingle(-staff); **~aar** flax-dresser; **~en** swingle; **~hout**, **~spaan**, **~stok** *zie* ~; **~molen** swingling-, scutching-machine, scutch-mill

zwingliaan Zwinglian

zwirrelen whirl, flit about; *alles zwirrelt mij voor de ogen* my head is in a whirl

Zwitser Swiss (*mv. id.*), (*hist.: soldaat*) Switzer; *geen geld, geen* ~*s* first show the colour of your money; **~land** Switzerland; **~s** Swiss

Z.W.O. Netherlands Organisation for the Advancement of Pure Research Z.W.O.

zwoegen drudge, slave (away), slog away, plod, toil [at one's books], fag o.s. out; (*van schip*) labour, strain; (*blokken, sl.*) swot; ~ *en slaven* toil and moil; ~ *onder een last* strain under a load; *tegen de heuvel op* ~ plug away up the hill; *tegen de wind in* ~ plug away against the wind; *haar boezem zwoegde* her bosom heaved; *de ~de stoomboot* the labouring steamer

zwoeg(st)er toiler, drudge, plodder, (*fam.*) (eager) beaver

zwoel sultry, close, muggy; (*fig.*) sultry, erotic

zwoelheid sultriness, etc.; *zie* zwoel

zwoer *o.v.t. van* zweren

zwoerd, zwoord pork-rind, bacon-rind; *gebak-*ken ~ crackling

zwol *o.v.t. van* zwellen

zwolg *o.v.t. van* zwelgen

zwom *o.v.t. van* zwemmen

zygoot zygote

zymose zymosis

Z.Z.O. S.S.E., south south-east

Z.Z.W. S.S.W., south south-west